PRINCIPES D'ANATOMIE ET DE PHYSIOLOGIE

Gerard J. Tortora
Bergen Community College

Sandra Reynolds Grabowski
Purdue University

Adaptation française :

Andrée Imbach, Ph.D.
Université de Montréal

André Ferron, Ph.D.
Université de Montréal

ÉDITIONS DU RENOUVEAU PÉDAGOGIQUE INC.

5757, RUE CYPIHOT, SAINT-LAURENT (QUÉBEC) H4S 1R3
TÉLÉPHONE: (514) 334-2690 • TÉLÉCOPIEUR : (514) 334-4720
COURRIEL : erpidlm@erpi.com

Supervision éditoriale :
Sylvie Chapleau

Traduction :
France Boudreault, Michel Boyer, Marie-Claude Désorcy

Collaboration à l'adaptation française :
René Lachaîne

Révision linguistique :
Hélène Lecaudey

Correction d'épreuves :
Marie Pedneault

Édition électronique :
Caractéra

Couverture : ERPI

Les sources des illustrations et des photographies sont présentées après le glossaire.

Cet ouvrage est une version française de la neuvième édition de *Principles of Anatomy and Physiology* de Gerard J. Tortora et Sandra Reynolds Grabowski, publiée et vendue à travers le monde par John Wiley & Sons, Inc.

Copyright © 2000 by Biological Sciences Textbooks, Inc. and Sandra Reynolds Grabowski.

© 2001, Éditions du Renouveau Pédagogique Inc.
Tous droits réservés.

Dépôt légal : 2e trimestre 2001
Bibliothèque nationale du Québec
Bibliothèque nationale du Canada
Imprimé au Canada

ISBN 2-7613-1131-0   234567890 II 09876543
20170ABCD LM9

PRÉFACE

L'anatomie et la physiologie sont des sujets qui nous plongent dans l'univers complexe et fascinant du corps humain. Ceux qui les étudient se donnent un bon point de départ pour entamer une carrière enrichissante, que ce soit comme professionnel de la santé, massothérapeute ou entraîneur d'athlètes, ainsi qu'une base solide pour poursuivre leurs études scientifiques. *Principes d'anatomie et de physiologie* est conforme aux rigoureuses exigences des cours d'introduction à l'anatomie et à la physiologie. Étant nous-mêmes enseignants, nous sommes convaincus que cet ouvrage aidera tous ses lecteurs à réaliser leurs aspirations personnelles et professionnelles.

VALEURS FONDAMENTALES

Au fil des ans, nos étudiants nous ont appris à miser sur un style simple et direct et des illustrations claires. Nous croyons que nombre de nos collègues en sont arrivés aux mêmes conclusions. D'un chapitre à l'autre, nous avons intégré les principes pédagogiques suivants:

- des descriptions claires, captivantes et à jour sur l'anatomie et la physiologie;
- des illustrations aux dimensions généreuses réalisées par des experts;
- une pédagogie éprouvée en salle de classe;
- des outils de soutien solides pour l'étudiant.

Bien que le présent ouvrage regorge de caractéristiques utiles qui conviendront aux façons d'apprendre les plus variées, l'expérience nous a montré que ces éléments ne favoriseront l'apprentissage que dans la mesure où le texte demeure facile à comprendre.

PRINCIPES FONDAMENTAUX

Le cours d'introduction à l'anatomie et à la physiologie de l'être humain présente un ensemble imposant de connaissances, et l'étudiant doit mettre sa mémoire à rude épreuve pour bien maîtriser le sujet. Nous avons conçu le présent ouvrage comme une trame où les éléments d'information se chevauchent dans le but d'atteindre trois objectifs: aider le lecteur à acquérir des connaissances pratiques sur le sujet, lui permettre d'utiliser avec aisance la terminologie propre à l'anatomie et à la physiologie et situer les applications des concepts d'anatomie et de physiologie dans son cadre professionnel ou son quotidien.

Présenter l'homéostasie L'homéostasie, définie comme l'état d'équilibre physiologique dynamique de l'organisme, est le thème central de *Principes d'anatomie et de physiologie*. Le chapitre 1 présente ce concept unificateur et explique comment divers mécanismes de régulation interviennent pour maintenir les processus physiologiques à l'intérieur des limites étroites assurant la survie. Le présent ouvrage fait souvent état de ces mécanismes homéostatiques, que des illustrations viennent expliquer et appuyer. De plus, nous croyons que l'étudiant comprendra mieux les processus physiologiques normaux s'il analyse des situations dans lesquelles ces processus sont perturbés par une maladie ou un trouble. À la fin de la plupart des chapitres, une section sur les déséquilibres homéostatiques décrit brièvement les principaux états pathologiques qui constituent un écart par rapport à l'homéostasie normale.

Fournir une solide assise scientifique D'entrée de jeu, l'étudiant doit se familiariser avec le lien qui unit chaque structure au corps humain dans son ensemble. Sa tâche sera facilitée par la nomenclature anatomique, qui lui donne des outils pour nommer les régions du corps, en décrire l'orientation dans l'espace et les situer selon des plans et des coupes. Il sera alors en mesure de mieux décrire la relation entre les structures de l'organisme. Par ailleurs, l'étudiant apprendra plus facilement l'anatomie et la physiologie s'il en connaît les fondements chimiques et cellulaires. D'attrayantes illustrations tridimensionnelles représentant les structures cellulaires et les processus chimiques complètent l'information portant sur ces sujets.

Établir un lien entre la structure et la fonction Les commentaires que nous recevons des étudiants nous confirment que l'apprentissage de l'anatomie et de la physiologie est plus aisé quand la relation qui existe entre la structure et la fonction est constamment rappelée. Il est cependant délicat d'établir un tel lien sans surcharger le lecteur de détails superflus. Mettant à profit la diversité de nos compétences (l'un de nous est anatomiste et l'autre, physiologiste), nous avons cherché à bien doser les aspects anatomiques et physiologiques de chaque élément décrit. En outre, nous avons tenté de clarifier et de préciser la relation importante entre la structure et la fonction.

Acquérir un vocabulaire professionnel   Tous les étudiants, même les meilleurs, ont au départ de la difficulté à lire les termes d'anatomie et de physiologie. Le soin que nous avons apporté à l'élaboration d'un solide volet terminologique témoigne de nos préoccupations à cet égard.

ORGANISATION

Le présent ouvrage est divisé en cinq grandes parties. La première partie, « L'organisation du corps humain », décrit l'organisme en fonction de ses niveaux structuraux et fonctionnels, qui vont de la molécule aux systèmes organiques. La deuxième partie, « Les principes du soutien et du mouvement », analyse l'anatomie et la physiologie des systèmes osseux et musculaire et des articulations. La troisième partie, « Les systèmes de régulation du corps humain », met l'accent sur l'importance de la communication neurale dans le maintien immédiat de l'homéostasie, la façon dont les récepteurs sensoriels fournissent de l'information sur les milieux interne et externe et le rôle primordial que les hormones jouent dans le maintien à long terme de l'homéostasie. La quatrième partie, « Le maintien du fonctionnement du corps humain », explique comment les systèmes organiques contribuent de façon ponctuelle au maintien de l'homéostasie en participant aux processus de la circulation, de la respiration, de la digestion, du métabolisme cellulaire, des fonctions urinaires et des systèmes tampons. La cinquième partie, « La continuité », s'attarde à l'anatomie et à la physiologie du système reproducteur, au développement de l'être humain et aux concepts de base de la génétique et de l'hérédité.

THÈMES SPÉCIAUX

Développement embryonnaire   Nous disons souvent à nos étudiants qu'ils seront plus à même de comprendre la « logique » de l'anatomie humaine s'ils se familiarisent avec le développement embryonnaire des diverses structures. Nous avons inclus des sections illustrées sur ce sujet à la fin de la plupart des chapitres portant sur les systèmes organiques. Nous avons placé cette information à la fin pour que l'étudiant apprenne la terminologie anatomique nécessaire avant d'aborder les structures embryonnaires et fœtales. L'icône du fœtus indique le début de chacune de ces sections.

Vieillissement   Il est toujours bon de rappeler que l'anatomie et la physiologie ne sont pas statiques. À mesure que nous vieillissons, la structure et le fonctionnement de notre organisme subissent de subtiles transformations. De plus, le vieillissement présente un intérêt d'ordre professionnel pour la plupart des lecteurs, qui entreprendront bientôt une carrière dans le secteur de la santé, où l'âge moyen de la clientèle ne cesse de croître. La majorité des chapitres portant sur les systèmes explorent donc en fin de chapitre les changements anatomiques et physiologiques associés au vieillissement.

Exercice   L'exercice physique peut avoir des effets bénéfiques pour certaines structures anatomiques et améliorer de nombreuses fonctions physiologiques, en particulier celles qui relèvent des systèmes musculaire, osseux et cardiovasculaire. Le volet consacré à l'exercice servira particulièrement au lecteur qui se destine à une profession liée à l'éducation physique, à l'entraînement d'athlètes et à la danse. Certains chapitres clés comprennent donc de brefs exposés sur l'exercice, désignés par l'icône de la chaussure de course.

DES PARTICULARITÉS MARQUANTES

Principes d'anatomie et de physiologie présente plusieurs particularités qui en font un ouvrage accessible et à la fine pointe des connaissances.

Exposés   L'étudiant en anatomie et physiologie a besoin d'une aide spéciale pour apprendre les nombreuses structures qui composent certains systèmes de l'organisme, en particulier les systèmes osseux et musculaire, les articulations, les vaisseaux sanguins et les nerfs. Les chapitres abordant ces sujets sont organisés en **exposés.** Chaque exposé comprend une vue d'ensemble, un sommaire tabulaire des éléments anatomiques pertinents et la séquence d'illustrations et de photographies qui s'y rapporte. La section commence par un énoncé d'objectif et se termine par une activité de révision. Vous conviendrez certainement que ces exposés constituent les parfaits outils pour étudier les systèmes les plus complexes de l'organisme.

Volet clinique   Les multiples **applications cliniques** que contient chaque chapitre auront, nous en sommes certains, la faveur des étudiants. Ces sections placent une structure anatomique ou sa fonction dans un contexte clinique ou professionnel ou une situation de la vie quotidienne. Toutes les applications cliniques ont été revues par un comité d'infirmières qui ont validé leur exactitude et leur pertinence. Chaque application suit immédiatement la description de la structure ou de la fonction qu'elle met en contexte. De plus, la section sur les **déséquilibres homéostatiques** que l'on trouve souvent en fin de chapitre complète le volet clinique.

Outils d'étude Nous présentons des **objectifs** précis au début des principales sections de chaque chapitre. Nous avons également placé des **activités de révision** à intervalles stratégiques dans le chapitre. Ces exercices aideront l'étudiant à vérifier s'il comprend ce qu'il lit. De plus, le lecteur pourra consulter à loisir le **résumé** du chapitre accompagné de références aux pages.

À la fin de chaque chapitre, une **autoévaluation** pose divers styles de questions pour permettre à chaque lecteur de vérifier ses connaissances de la manière qu'il préfère. Les **questions à court développement** visent à placer les concepts dans une situation concrète. Ces mises en situation feront parfois sourire, mais elles ne manqueront jamais de faire réfléchir ! Les réponses aux autoévaluations et aux questions à court développement sont données à l'appendice D.

Aides à la maîtrise du vocabulaire Dans chaque chapitre, les **termes à retenir sont en caractères gras**. Certains sont accompagnés de leur **racine** grecque ou latine, qui constitue une information additionnelle utile. Le lecteur bénéficiera également d'une liste de **termes médicaux** à la fin de la plupart des chapitres ainsi que d'un **glossaire** à la fin de l'ouvrage.

ILLUSTRATIONS

L'enseignement de l'anatomie et de la physiologie constitue une démarche à la fois visuelle et descriptive. Les étudiants apprécient toujours de consulter des figures de grand format et d'un bon niveau de détail. Nous avons donc adopté cette approche. Voici quelques-unes des autres valeurs sûres touchant la présentation visuelle de la matière.

Boucles de régulation Cette série d'illustrations (voir la page 8) décrit dans un schéma simple les mécanismes dynamiques qui entrent en action dans l'organisme lorsque l'homéostasie est perturbée. Nous avons mis en évidence le rôle que jouent les récepteurs, les centres de régulation et les effecteurs dans la modification d'un facteur physiologique contrôlé.

Schémas d'orientation L'étudiant a parfois besoin d'un repère pour comprendre quel plan a été utilisé pour certaines illustrations, et une description n'est pas toujours suffisante. C'est pourquoi chaque illustration importante est accompagnée d'un schéma d'orientation qui illustre et explique la perspective choisie.

Énoncés de concept clé Cette particularité des illustrations résume l'idée évoquée dans le texte et la figure correspondante. Chaque énoncé de concept est placé au-dessus de l'illustration à laquelle il correspond et désigné par l'icône de la clé.

Questions des figures Cet élément demande au lecteur de résumer l'information textuelle et visuelle donnée dans la figure, d'élaborer une réflexion critique ou de tirer une conclusion. Chaque question est placée au-dessous de l'illustration et mise en évidence par une lettre Q stylisée. Les réponses sont données à la fin de chaque chapitre.

Bandeaux de fonctions Chaque bandeau fournit une courte liste des fonctions de la structure anatomique ou du système illustré dans la figure (voir la page 972). Cette juxtaposition d'éléments visuels et textuels fait ressortir encore davantage le lien entre la structure et la fonction.

Photographies de cadavres Nous avons placé des photographies de cadavres claires et de bonnes dimensions à des endroits stratégiques dans de nombreux chapitres.

Comme chacun d'entre vous, cet ouvrage a une vie qui lui est propre. Au fil du temps, l'élaboration de sa structure et de son contenu, de même que sa production, ont été inspirées tant par les valeurs des enseignants et des étudiants que par la vision qui est à l'origine de sa création. Aujourd'hui, c'est vous, le lecteur, qui êtes au « cœur » de cet ouvrage.

Gerard J. Tortora
Sandra Reynolds Grabowski

À L'ÉTUDIANT

LES CINQ ÉTAPES DE L'APPRENTISSAGE EFFICACE

Guide visuel de *Principes d'anatomie et de physiologie*

Vous trouverez dans cet ouvrage un éventail de particularités qui vous aideront à bien assimiler les concepts d'anatomie et de physiologie. Nous vous proposons ci-dessous une méthode évolutive d'apprentissage qui a fait ses preuves auprès des étudiants en anatomie et physiologie.

1

SE PRÉPARER

Une lecture préliminaire du **résumé** donné à la fin de chaque chapitre vous permettra de repérer les grands concepts que vous allez aborder. Ce résumé vous fournit un synopsis des sujets dont il est question dans le chapitre.

> **RÉSUMÉ**
>
> **CEINTURE SCAPULAIRE (ÉPAULE) (p. 231)**
> 1. Chaque ceinture scapulaire comprend une clavicule et une scapula.
> 2. Chaque ceinture scapulaire fixe un membre supérieur au squelette axial.
>
> **MEMBRE SUPÉRIEUR (p. 234)**
> 1. Les deux membres supérieurs comptent au total 60 os.
> 2. Chaque membre supérieur comprend un humérus, un ulna, un radius, des os du carpe, des métacarpiens et des phalanges de la main.
>
> 4. Le grand bassin est séparé du petit bassin par l'ouverture supérieure du bassin.
>
> **COMPARAISON DES BASSINS FÉMININ ET MASCULIN (p. 243)**
> 1. Les os de l'homme sont en général plus larges et plus lourds que les os de la femme, et leurs repères sont plus marqués.
> 2. Le bassin de la femme est adapté à la grossesse et à l'accouchement. Les différences entre le bassin de la femme et celui de l'homme sont énumérées et illustrées au tableau 8.1.

2

VISUALISER

Regardez les figures avant de lire le texte. Étudiez *toutes* les parties de la figure et lisez les termes associés aux illustrations pour vous imprégner des concepts anatomiques et physiologiques présentés. Commencez par le **titre**, qui donne le sujet général de la figure. Passez ensuite à l'**énoncé de concept clé**, qui met en relief une des idées fondamentales illustrées. Le **schéma d'orientation** inclus dans certaines figures précise la perspective utilisée pour réaliser l'image ou situe la structure dans l'organisme. Finalement, lisez la **question**, qui vous demande de tirer des conclusions sur le contenu de la figure. (Les réponses sont données à la fin du chapitre.)

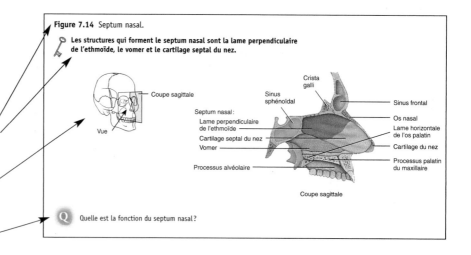

Figure 7.14 Septum nasal.

Les structures qui forment le septum nasal sont la lame perpendiculaire de l'ethmoïde, le vomer et le cartilage septal du nez.

Coupe sagittale

Vue

Septum nasal :
Lame perpendiculaire de l'ethmoïde
Cartilage septal du nez
Vomer

Processus alvéolaire

Crista galli

Sinus sphénoïdal

Sinus frontal

Os nasal

Lame horizontale de l'os palatin

Cartilage du nez

Processus palatin du maxillaire

Coupe sagittale

Q Quelle est la fonction du septum nasal ?

3

LIRE

Commencez la lecture du chapitre. Les éléments suivants devraient faciliter votre apprentissage :

DÉFINITION DE L'ANATOMIE ET DE LA PHYSIOLOGIE

OBJECTIF

• *Définir l'anatomie et la physiologie et nommer plusieurs sous-disciplines de ces sciences.*

L'anatomie et la physiologie sont les deux disciplines scientifiques qui nous permettent de comprendre les différentes parties et fonctions du corps humain. L'**anatomie** (*anatemnein* = disséquer) est l'étude des structures de l'organisme et des relations entre ces structures. Les premiers anatomistes avaient recours à la **dissection** (*dissecare* = couper), action qui consiste à découper avec soin les structures du corps humain afin d'étudier comment elles sont reliées les unes aux autres. Aujourd'hui, de nombreuses techniques d'imagerie contribuent à l'évolution de l'anatomie. Nous

---

Les **objectifs** énoncent ce que vous apprendrez dans chaque section.

Les **caractères gras** signalent les mots et les idées qu'il est important de connaître.

Certains termes sont suivis de leur **racine**. Cet élément devrait vous aider à mémoriser les termes, car il retrace leur signification d'origine ou explique comment ils ont été formés.

Si vous n'êtes pas certain de la signification d'un terme d'anatomie ou de physiologie, consultez le **glossaire** à la fin de l'ouvrage.

Figure 3.10 Diffusion facilitée du glucose à travers la membrane plasmique. Le transporteur (GluT) se lie au glucose dans le liquide extracellulaire et le relâche dans le cytosol.

🔑 La diffusion facilitée à travers la membrane plasmique requiert un transporteur mais ne consomme pas d'ATP.

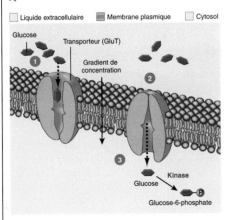

☐ Liquide extracellulaire   ▨ Membrane plasmique   ☐ Cytosol

Glucose
Transporteur (GluT)
Gradient de concentration
Kinase
Glucose
Glucose-6-phosphate

Ⓠ Quels sont les facteurs qui déterminent la vitesse de la diffusion facilitée ?

Les solutés qui traversent la membrane plasmique par diffusion facilitée comprennent le glucose, l'urée, le fructose, le galactose et certaines vitamines. Le glucose entre ainsi dans un grand nombre de cellules de l'organisme de la façon suivante (figure 3.10) :

① Le glucose se lie à un transporteur protéique spécifique appelé GluT du côté extracellulaire de la membrane.

② Le GluT change de conformation.

③ Le GluT relâche le glucose de l'autre côté de la membrane.

Après que le glucose est entré dans la cellule par diffusion facilitée, une enzyme appelée kinase lui attache un groupement phosphate pour former une nouvelle molécule, le glucose-6-phosphate. Cette réaction maintient à un niveau très bas la concentration intracellulaire du glucose, si bien que le gradient de concentration de ce dernier favorise toujours sa diffusion facilitée vers le cytosol.

Vous trouverez parfois dans le texte des **listes à puces** qui font correspondre la description textuelle des étapes d'un processus complexe à une illustration de ce même processus.

Vous verrez souvent ces brèves **applications cliniques**. Elles situent le sujet qui vient d'être abordé dans un contexte clinique ou professionnel ou dans une situation de la vie quotidienne.

APPLICATION CLINIQUE
Entorse et foulure

Une **entorse** est une élongation ou une déchirure des ligaments, sans luxation, qui résulte d'une torsion forcée de l'articulation. Elle survient lorsque les ligaments sont soumis à des forces dépassant leur capacité de résistance normale. Certaines entorses endommagent également les vaisseaux sanguins, les muscles, les tendons ou les nerfs environnants. Une entorse grave peut être si douloureuse qu'il est impossible de bouger l'articulation. On observe un œdème marqué causé par l'hémorragie des vaisseaux sanguins rompus. Les entorses les

À la fin de la plupart des chapitres, vous trouverez une section sur les **déséquilibres homéostatiques,** qui décrit les maladies et les troubles associés aux thèmes du chapitre et explique comment ils perturbent les mécanismes homéostatiques normaux. La section des **termes médicaux** constitue un complément des termes déjà définis dans le texte.

DÉSÉQUILIBRES HOMÉOSTATIQUES

RHUMATISME ET ARTHRITE

Le terme **rhumatisme** désigne toutes les affections douloureuses des structures formant la charpente du corps, c'est-à-dire les os, les ligaments, les tendons et les muscles. L'**arthrite** est une forme de rhumatisme caractérisée par l'inflammation des articulations. L'inflammation, la douleur et la raideur peuvent également gagner les muscles adjacents. Aux États-Unis, 40 millions de personnes environ souffrent d'arthrite.

Les trois grandes catégories d'arthrite sont : 1) les maladies d[if]fuses du tissu conjonctif, comme la polyarthrite rhumatoïde, 2) [les] maladies dégénératives des articulations, comme l'arthrose et 3) [les] déséquilibres métaboliques et endocriniens accompagna[nt] l'arthrite, comme l'arthrite goutteuse.

Arthrose

L'**arthrose** est une maladie dégénérative des articulations qui semble causée par un ensemble de facteurs comprenant le vieillissement, l'irritation des articulations, l'usure et l'abrasion. L'arthrose est la principale cause d'invalidité chez les personnes âgées.

L'arthrose attaque progressivement les articulations synoviales,

TERMES MÉDICAUX

Arrêt cardiaque Terme clinique indiquant que les battements cardiaques cessent d'être efficaces. Le cœur peut être complètement arrêté ou se trouver en fibrillation ventriculaire.

Cardiomégalie Augmentation du volume du cœur.

Cœur pulmonaire Terme désignant l'hypertrophie du ventricule droit causée par des affections qui élèvent la pression artérielle

4

MAÎTRISER LES EXPOSÉS

Certains systèmes de l'organisme comprennent un grand nombre de structures, qu'il vous faut mémoriser. C'est pourquoi l'anatomie et la physiologie sont des matières si exigeantes pour l'étudiant. Pour vous aider, nous avons inclus des **exposés** dans les chapitres qui présentent des systèmes complexes. Chaque exposé représente une section autonome composée d'un tour d'horizon, d'un sommaire tabulaire des structures à mémoriser et d'un groupe d'illustrations. Prenez tout le temps nécessaire pour maîtriser chaque exposé avant de passer au suivant.

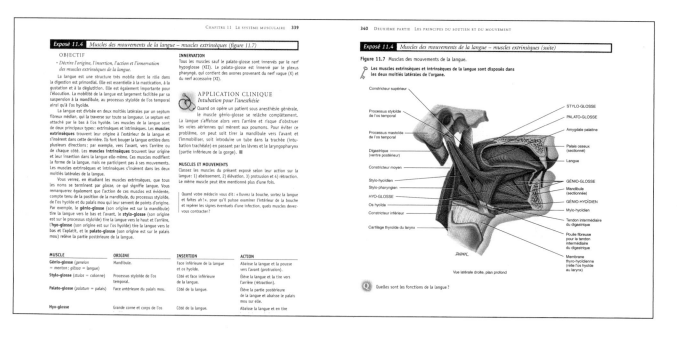

Exposé 11.4 *Muscles des mouvements de la langue – muscles extrinsèques (figure 11.7)*

OBJECTIF
· *Décrire l'origine, l'insertion, l'action et l'innervation des muscles extrinsèques de la langue.*

La langue est une structure très mobile dont le rôle dans la digestion est primordial. Elle est essentielle à la mastication, à la gustation et à la déglutition. Elle est également importante pour l'élocution. La mobilité de la langue est largement facilitée par sa suspension à la mandibule, au processus styloïde de l'os temporal ainsi qu'à l'os hyoïde.

La langue est divisée en deux moitiés latérales par un septum fibreux médian, qui la traverse sur toute sa longueur. Le septum est attaché par le bas à l'os hyoïde. Les muscles de la langue sont de deux principaux types : extrinsèques et intrinsèques. Les **muscles extrinsèques** trouvent leur origine à l'extérieur de la langue et s'insèrent dans cette dernière. Ils font bouger la langue entière dans plusieurs directions ; par exemple, vers l'avant, vers l'arrière ou de chaque côté. Les **muscles intrinsèques** trouvent leur origine et leur insertion dans la langue elle-même. Ces muscles modifient la forme de la langue, mais ne participent pas à ses mouvements. Les muscles extrinsèques et intrinsèques s'insèrent dans les deux moitiés latérales de la langue.

Vous verrez, en étudiant les muscles extrinsèques, que tous les noms se terminent par glosse, ce qui signifie langue. Vous remarquerez également que l'action de ces muscles est évidente, compte tenu de la position de la mandibule, du processus styloïde, de l'os hyoïde et du palais mou qui leur servent de points d'origine. Par exemple, le **génio-glosse** (son origine est sur la mandibule) tire la langue vers le bas et l'avant, le **stylo-glosse** (son origine est sur le processus styloïde) tire la langue vers le haut et l'arrière, l'**hyo-glosse** (son origine est sur l'hyoïde) tire la langue vers le bas et l'aplatit, et le **palato-glosse** (son origine est sur le palais mou) relève la partie postérieure de la langue.

INNERVATION
Tous les muscles sauf le palato-glosse sont innervés par le nerf hypoglosse (XII). Le palato-glosse est innervé par le plexus pharyngien, qui contient des axones provenant du nerf vague (X) et du nerf accessoire (XI).

APPLICATION CLINIQUE
Intubation pour l'anesthésie

Quand on opère un patient sous anesthésie générale, le muscle génio-glosse se relâche complètement. La langue s'affaisse alors vers l'arrière et risque d'obstruer les voies aériennes qui mènent aux poumons. Pour éviter ce problème, on peut soit tirer la mandibule vers l'avant et l'immobiliser, soit introduire un tube dans la trachée (intubation trachéale) en passant par les lèvres et le laryngopharynx (partie inférieure de la gorge). ■

MUSCLES ET MOUVEMENTS
Classez les muscles du présent exposé selon leur action sur la langue : 1) abaissement, 2) élévation, 3) protrusion et 4) rétraction. Le même muscle peut être mentionné plus d'une fois.

Quand votre médecin vous dit : « Ouvrez la bouche, sortez la langue et faites ah ! », pour qu'il puisse examiner l'intérieur de la bouche et repérer les signes éventuels d'une infection, quels muscles devez-vous contracter ?

MUSCLE	ORIGINE	INSERTION	ACTION
Génio-glosse (*geneion* = menton ; *glôssa* = langue)	Mandibule.	Face inférieure de la langue et os hyoïde.	Abaisse la langue et la pousse vers l'avant (protrusion).
Stylo-glosse (*stulos* = colonne)	Processus styloïde de l'os temporal.	Côté et face inférieure de la langue.	Élève la langue et la tire vers l'arrière (rétraction).
Palato-glosse (*palatum* = palais)	Face antérieure du palais mou.	Côté de la langue.	Élève la partie postérieure de la langue et abaisse le palais mou sur elle.
Hyo-glosse	Grande corne et corps de l'os	Côté de la langue.	Abaisse la langue et en tire

Exposé 11.4 *Muscles des mouvements de la langue – muscles extrinsèques (suite)*

Figure 11.7 Muscles des mouvements de la langue.

Les muscles extrinsèques et intrinsèques de la langue sont disposés dans les deux moitiés latérales de l'organe.

Constricteur supérieur
Processus styloïde de l'os temporal
Processus mastoïde de l'os temporal
Digastrique (ventre postérieur)
Constricteur moyen
Stylo-hyoïdien
Stylo-pharyngien
HYO-GLOSSE
Os hyoïde
Constricteur inférieur
Cartilage thyroïde du larynx

STYLO-GLOSSE
PALATO-GLOSSE
Amygdale palatine
Palais osseux (sectionné)
Langue
GÉNIO-GLOSSE
Mandibule (sectionnée)
GÉNIO-HYOÏDIEN
Mylo-hyoïdien
Tendon intermédiaire du digastrique
Poulie fibreuse pour le tendon intermédiaire du digastrique
Membrane thyro-hyoïdienne (relie l'os hyoïde au larynx)

Vue latérale droite, plan profond

Q Quelles sont les fonctions de la langue ?

Figure 21.6 Distribution du sang dans le système cardiovasculaire au repos.

🔑 **Les veines et veinules systémiques constituent des réservoirs sanguins car elles contiennent plus de la moitié du volume sanguin total.**

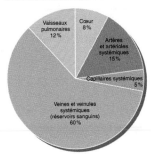

Vaisseaux pulmonaires 12%

Cœur 8%

Artères et artérioles systémiques 15%

Capillaires systémiques 5%

Veines et veinules systémiques (réservoirs sanguins) 60%

Q Si votre volume sanguin total est de 5 L, quel volume de sang contiennent vos veinules, vos veines et vos capillaires à ce moment précis ?

et les veinules. Les artères qui ne s'anastomosent pas sont appelées **artères terminales.** L'obstruction d'une artère terminale interrompt l'irrigation de tout un segment d'organe et provoque la nécrose (mort) de ce segment. Le sang peut également emprunter des vaisseaux qui ne s'anastomosent pas mais qui desservent la même région du corps.

penser la diminution de la pression artérielle. Les veines des organes abdominaux (surtout du foie et de la rate) et de la peau font partie des principaux réservoirs sanguins.

1. Expliquez l'importance des fibres élastiques et du muscle lisse dans la tunique moyenne des artères.
2. Comparez la situation, l'histologie et la fonction des artères élastiques et musculaires.
3. Décrivez les particularités structurales des capillaires qui permettent l'échange de substances entre le sang et les cellules de l'organisme.
4. Faites la distinction entre un réservoir de pression et un réservoir sanguin. Expliquez pourquoi chacun est important.
5. Décrivez la relation entre les anastomoses et la circulation collatérale.

ÉCHANGES CAPILLAIRES

OBJECTIF

• *Décrire les pressions qui agissent dans le mouvement des liquides entre les capillaires et les espaces interstitiels.*

Le système cardiovasculaire est chargé de maintenir l'écoulement sanguin dans les capillaires afin de permettre les **échanges capillaires,** soit les mouvements de substances entre l'intérieur et l'extérieur des capillaires. Bien que 5 % seulement du volume sanguin se trouve dans les capillaires systémiques, c'est surtout ce sang qui permet les échanges avec le liquide interstitiel. Les substances entrent dans les capillaires et en sortent suivant trois mécanismes de base : la diffusion, la transcytose et l'écoulement de masse.

Diffusion

La diffusion simple est le principal mécanisme qui permet les échanges capillaires. Des substances comme l'oxygène (O_2), le gaz carbonique (CO_2), le glucose, les acides aminés et les

---

5

VALIDER
Au fil de votre lecture, faites les **activités de révision** numérotées, qui vous permettront de vérifier si vous avez atteint les objectifs d'apprentissage.

Lorsque vous terminez un chapitre, allez à l'**autoévaluation** et répondez aux questions rédigées dans des styles variés. (Les réponses sont données à l'appendice D.)

AUTOÉVALUATION

Phrases à compléter

1. Tandis que la ___ des os dépend des sels minéraux cristallisés, les fibres collagènes et les autres molécules organiques fournissent aux os ___.
2. L'os compact se compose de ___ ; l'os spongieux se compose de ___.
3. L'ossification endochondrale est la formation de matière osseuse dans ___ ; l'ossification intramembraneuse désigne la formation de matière osseuse directement à partir de ___.
4. L'hormone qui contribue le plus à la régulation des échanges d'ions calcium entre les os et le sang est ___.

5. Associez les éléments suivants :
   ___ a) espace dans la diaphyse de l'os qui contient, selon l'âge de l'individu, de la moelle osseuse rouge ou de la moelle osseuse jaune
   ___ b) tissu qui emmagasine des triglycérides
   ___ c) tissu hématopoïétique
   ___ d) mince couche de cartilage hyalin recouvrant le point d'union entre les extrémités osseuses (articulation)
   ___ e) extrémités distale et proximale des os
   ___ f) partie principale, longue et cylindrique, de l'os ; corps de l'os
   ___ g) dans un os en croissance, région qui contient la zone de croissance
   ___ h) membrane épaisse qui entoure la surface de l'os

QUESTIONS À COURT DÉVELOPPEMENT

1. Un père conduit sa fillette au service des urgences après qu'elle est tombée de sa bicyclette. Le médecin de garde lui apprend que la fillette a une fracture en bois vert à l'avant-bras. Le père est perplexe car il n'y avait pas de bouts de bois à l'endroit où sa fille est tombée. Quelle explication le médecin lui fournira-t-il ? (INDICE : *Ce type de fracture ne touche que les enfants.*)
2. Tante Édith célèbre aujourd'hui son 95ᵉ anniversaire. Elle raconte qu'elle raccourcit un peu plus chaque année et que bientôt elle

3. Les astronautes en mis[...] l'exercice physique, ma[...] après un long séjour da[...] *est la force à laquelle nou[...] l'espace ?)*

Répondez à au moins une des **questions à court développement**, qui vous invitent à placer les concepts d'anatomie et de physiologie dans une situation concrète. (Les réponses sont données à l'appendice D.)

SOMMAIRE

TABLE DES MATIÈRES

CHAPITRE 3
LE NIVEAU CELLULAIRE
D'ORGANISATION 63

MODÈLE GÉNÉRAL DE LA CELLULE 63

MEMBRANE PLASMIQUE 64

TRANSPORT MEMBRANAIRE 69

CYTOPLASME 81

NOYAU 90

SYNTHÈSE DES PROTÉINES 92

DIVISION CELLULAIRE NORMALE 97

VIEILLISSEMENT DES CELLULES 102

DIVERSITÉ CELLULAIRE 102

CHAPITRE 4
LE NIVEAU TISSULAIRE
D'ORGANISATION 111

TYPES DE TISSUS ET ORIGINES 111

JONCTIONS CELLULAIRES 112

TISSU ÉPITHÉLIAL 113

TISSU CONJONCTIF 125

CHAPITRE 11
LE SYSTÈME MUSCULAIRE 321

CHAPITRE 21
SYSTÈME CARDIOVASCULAIRE:
LES VAISSEAUX SANGUINS ET
L'HÉMODYNAMIQUE 709

APPLICATIONS CLINIQUES

CHAPITRE 25
LE MÉTABOLISME 924

CHAPITRE 26
LE SYSTÈME URINAIRE 971

CHAPITRE 29
LE DÉVELOPPEMENT PRÉNATAL, LA NAISSANCE ET L'HÉRÉDITÉ 1087

INTRODUCTION
AU CORPS HUMAIN

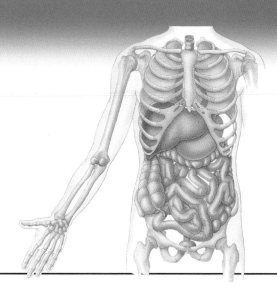

Vous entreprenez aujourd'hui un voyage dans l'univers fascinant du corps humain. Nous traiterons d'abord de l'anatomie et de la physiologie en tant que disciplines scientifiques, puis nous décrirons l'organisation des êtres vivants et leurs propriétés communes. Nous verrons ensuite comment l'organisme régit son propre milieu intérieur. Ce processus ininterrompu, appelé homéostasie, est un thème qui reviendra dans chacun des chapitres du manuel. Enfin, nous présenterons un vocabulaire de base qui vous aidera à parler du corps humain de façon à être bien compris à la fois des scientifiques et des professionnels de la santé.

DÉFINITION DE L'ANATOMIE ET DE LA PHYSIOLOGIE

OBJECTIF

• *Définir l'anatomie et la physiologie et nommer plusieurs sous-disciplines de ces sciences.*

L'anatomie et la physiologie sont les deux disciplines scientifiques qui nous permettent de comprendre les différentes parties et fonctions du corps humain. L'**anatomie** (*anatemnein* = disséquer) est l'étude des structures de l'organisme et des relations entre ces structures. Les premiers anatomistes avaient recours à la **dissection** (*dissecare* = couper), action qui consiste à découper avec soin les structures du corps humain afin d'étudier comment elles sont reliées les unes aux autres. Aujourd'hui, de nombreuses techniques d'imagerie contribuent à l'évolution de l'anatomie. Nous

comparerons les procédés d'imagerie les plus couramment utilisés dans une section de ce chapitre. Tandis que l'anatomie s'intéresse aux structures de l'organisme, la **physiologie** (*phusis* = nature ; *logos* = science) est l'étude des fonctions du corps humain, c'est-à-dire du fonctionnement normal de ses diverses parties. Le tableau 1.1 présente plusieurs sous-disciplines de l'anatomie et de la physiologie.

La structure et le fonctionnement de votre corps ressemblent beaucoup à ceux de personnes du même âge et du même sexe que vous. Il est donc normal que l'étude de l'anatomie et de la physiologie commence par l'apprentissage des structures et des processus que la plupart des adultes ont en commun. Cependant, chaque être humain est unique. Il hérite de ses parents un ensemble de traits caractéristiques qui déterminent son apparence physique et son potentiel. La science de l'hérédité, qui étudie la façon dont ces traits sont transmis des parents à leur progéniture, est appelée **génétique.** À plusieurs reprises dans ce manuel, nous mettrons en relief des différences subtiles entre les structures et les fonctions du corps humain qui découlent de variations génétiques normales.

Vous vous familiariserez avec le corps humain en étudiant ensemble l'anatomie et la physiologie. Rappelez-vous toujours que la structure de chaque partie du corps est adaptée aux fonctions qu'elle assure. Par exemple, les os du crâne sont fermement soudés pour former un boîtier rigide qui protège l'encéphale. Les os des doigts sont liés par des articulations souples qui permettent divers types de mouvements. Chaque dent a une forme bien précise selon qu'elle doit

Tableau 1.1 Quelques sous-disciplines de l'anatomie et de la physiologie

SOUS-DISCIPLINE DE L'ANATOMIE	CHAMP D'ÉTUDE	SOUS-DISCIPLINE DE LA PHYSIOLOGIE	CHAMP D'ÉTUDE
Embryologie (*embruon* = embryon)	Structures se formant depuis la fécondation de l'ovule jusqu'à la huitième semaine de développement *in utero*.	**Physiologie cellulaire**	Fonctions des cellules.
Anatomie du développement	Structures se formant depuis la fécondation de l'ovule jusqu'au stade adulte.	**Neurophysiologie** (*neuron* = nerf)	Propriétés fonctionnelles des cellules nerveuses.
Cytologie (*kutos* = cellule)	Structure chimique et microscopique des cellules.	**Endocrinologie** (*endon* = en dedans ; *krinein* = sécréter)	Hormones (substances chimiques transportées par le sang) et leur régulation des fonctions de l'organisme.
Histologie (*histos* = tissu)	Structure microscopique des tissus.	**Physiologie cardiovasculaire** (*kardia* = cœur ; *vasculum* = petit vase)	Fonctions du cœur et des vaisseaux sanguins.
Anatomie de surface	Repères anatomiques visibles et palpables sur la surface du corps.	**Immunologie** (*immunis* = exempt)	Mécanismes de défense de l'organisme contre les agents pathogènes.
Anatomie macroscopique	Structures visibles sans l'emploi d'un microscope.	**Physiologie respiratoire** (*respirare* = souffler à nouveau)	Fonctions des voies respiratoires et des poumons.
Anatomie des systèmes	Structure des systèmes spécifiques comme les systèmes nerveux et respiratoire.	**Physiologie rénale** (*renes* = reins)	Fonctions des reins.
Anatomie régionale	Régions spécifiques du corps comme la tête ou le tronc.	**Physiologie des systèmes**	Fonctions de chacun des systèmes du corps humain.
Anatomie radiologique (*radius* = rayon)	Structures internes visibles au moyens de la radiographie.	**Physiologie de l'exercice**	Changements fonctionnels produits par l'activité musculaire sur les cellules et les organes.
Anatomie pathologique (*pathos* = maladie)	Altérations (tant au niveau macroscopique qu'au niveau microscopique) causées aux structures par la maladie.	**Physiopathologie**	Changements fonctionnels causés par la maladie et le vieillissement.

mordre, déchirer ou broyer les aliments. Dans les poumons, la minceur des sacs alvéolaires facilite le passage de l'oxygène dans le sang, puis vers les cellules de l'organisme, ainsi que l'expulsion du gaz carbonique du sang vers les poumons, où il est exhalé durant l'expiration.

APPLICATION CLINIQUE
Palpation, auscultation et percussion

Les professionnels de la santé et les étudiants en anatomie et physiologie utilisent habituellement trois méthodes non effractives pour évaluer certains aspects de la structure et des fonctions du corps. La **palpation** consiste à explorer par le toucher les surfaces du corps. Ainsi, la palpation d'un vaisseau sanguin (plus particulièrement d'une artère) permet de trouver le pouls et de mesurer la fréquence cardiaque. L'**auscultation** (*auscultare* = écouter) est utilisée pour écouter les sons émis par le corps afin d'évaluer le fonctionnement de certains organes, à l'aide d'un stéthoscope qui sert à amplifier ces sons. Ainsi, l'auscultation des poumons pendant la respiration permet de révéler de petits bruits secs indiquant une accumulation anormale de liquide. La **percussion** (*percussio* = coup) consiste à frapper légèrement sur la surface du corps avec les doigts puis à écouter l'écho de ces tapotements. Ainsi, la percussion permet de déceler la présence anormale de liquide dans les poumons ou d'air dans les intestins. Elle permet également d'apprécier la taille, la consistance et la situation d'une structure sous-jacente. ■

1. À quelle fonction du corps les inhalothérapeutes s'intéressent-ils ?

2. Donnez un exemple de la relation qui existe entre la structure d'une partie du corps et sa fonction.

NIVEAUX D'ORGANISATION DU CORPS

OBJECTIFS

- *Décrire les niveaux d'organisation structurale du corps humain.*
- *Définir les onze systèmes du corps humain, les organes qu'ils comprennent et leurs fonctions générales.*

Les niveaux d'organisation du langage (lettres de l'alphabet, mots, phrases, paragraphes, etc.) ressemblent aux niveaux d'organisation du corps humain et peuvent nous aider à mieux les comprendre. Vous étudierez le corps humain dans son ensemble, des plus petites structures jusqu'aux plus grandes tout en analysant leurs fonctions. Les six niveaux d'organisation du corps, qui correspondent chacun à des constituants de taille différente, sont des points de repère utiles en anatomie et en physiologie ; ce sont les niveaux chimique, cellulaire, tissulaire, organique, systémique et de l'organisme entier (figure 1.1).

1 Le *niveau chimique* comprend les **atomes,** les plus petites particules de matière participant aux réactions chimiques, et les **molécules,** issues de l'union de deux ou plusieurs atomes. Certains atomes, comme le carbone (C), l'hydrogène (H), l'oxygène (O), l'azote (N) et le calcium (Ca), sont essentiels au maintien de la vie. Dans le corps humain, les molécules les plus connues sont l'acide désoxyribonucléique (ADN), c'est-à-dire le patrimoine génétique transmis d'une génération à l'autre, l'hémoglobine, protéine qui transporte l'oxygène dans le sang, et le glucose, dont il est question quand on parle de glycémie. Nous étudions le niveau chimique de l'organisation du corps humain aux chapitres 2 et 25.

2 Les molécules se combinent pour former les cellules, qui constituent le *niveau cellulaire* d'organisation. Les **cellules** sont les unités structurales et fonctionnelles de base d'un organisme et les plus petites unités vivantes dans le corps humain. Les cellules musculaires, nerveuses et sanguines en sont des exemples. La figure 1.1 montre une cellule musculaire lisse, l'un des trois types de cellules musculaires présents dans le corps humain. Nous étudions le niveau cellulaire d'organisation au chapitre 3.

3 Le niveau d'organisation suivant est le *niveau tissulaire.* Les **tissus** sont des groupes de cellules entourés de matériaux qui exécutent ensemble une fonction particulière. Il existe quatre types de tissus dans le corps humain : le *tissu épithélial,* le *tissu conjonctif,* le *tissu musculaire* et le *tissu nerveux,* que nous décrivons au chapitre 4. Le tissu musculaire lisse est constitué de cellules musculaires lisses étroitement réunies.

4 Lorsque divers types de tissus s'associent, ils forment un autre échelon d'organisation, le *niveau organique.* Les **organes** sont toujours composés de deux types au moins de tissus ; ils jouent chacun un rôle précis et ont habituellement une forme reconnaissable. L'estomac, le cœur, le foie, les poumons et le cerveau sont des exemples d'organes. La figure 1.1 montre les divers tissus qui composent l'estomac. L'enveloppe extérieure, la *séreuse,* est une couche de tissu épithélial et de tissu conjonctif qui protège l'estomac et les autres organes ; elle réduit également la friction entre l'estomac et les organes avec lesquels ce dernier entre en contact lorsqu'il est en mouvement. Sous la séreuse, des *couches de tissu musculaire* se contractent pour mélanger les aliments et les acheminer vers l'organe de digestion suivant, l'intestin grêle. La couche la plus interne est constituée de *tissu épithélial* qui sécrète des liquides et des substances chimiques favorisant les processus digestifs dans l'estomac.

5 Le niveau d'organisation suivant est le *niveau systémique.* Chaque **système** est constitué d'organes associés pour accomplir une fonction commune. Le système digestif, dont le rôle est de dégrader et d'absorber les aliments, en est un exemple. Les organes du système digestif sont la bouche, les glandes salivaires, le pharynx (gorge), l'œsophage, l'estomac, l'intestin grêle, le gros intestin, le rectum, le foie, la vésicule biliaire et le pancréas. Un organe peut faire partie de plusieurs systèmes. Ainsi, le pancréas fait partie et du système digestif et du système endocrinien, lequel est responsable de la production hormonale.

6 Le plus grand niveau d'organisation est le *niveau de l'organisme entier.* Tout être vivant est un **organisme.** Toutes les parties du corps humain qui interagissent les unes avec les autres forment l'organisme entier, la personne vivante.

Dans les chapitres qui suivent, vous étudierez l'anatomie et la physiologie des principaux systèmes du corps humain. Le tableau 1.2 présente les composantes et les fonctions de ces systèmes dans l'ordre de leur apparition dans cet ouvrage. Vous découvrirez également que chaque système agit sur les autres. Prenons l'exemple des systèmes tégumentaire et osseux. Le système tégumentaire, qui comprend la peau, les poils et les ongles, protège tous les autres systèmes, y compris le système osseux, formé par l'ensemble des os et des articulations du corps. La peau protège les tissus et les organes des agressions du milieu extérieur. Elle contribue également à la production de la vitamine D nécessaire au dépôt du calcium et d'autres minéraux dans le tissu osseux. Quant au système osseux, il soutient le système tégumentaire, sert de réservoir de calcium – l'emmagasinant lorsqu'il est abondant pour le libérer lorsque les autres tissus en ont besoin – et produit des cellules qui aident la peau à résister aux invasions d'organismes pathogènes. Lorsque vous étudierez plus en détail chacun des systèmes de l'organisme, vous découvrirez qu'ils travaillent de concert pour maintenir l'organisme en bonne santé, le protéger contre les maladies et assurer la reproduction de l'espèce humaine.

Figure 1.1 Niveaux d'organisation structurale du corps humain.

Les six niveaux d'organisation structurale sont les niveaux chimique, cellulaire, tissulaire, organique, systémique et de l'organisme entier.

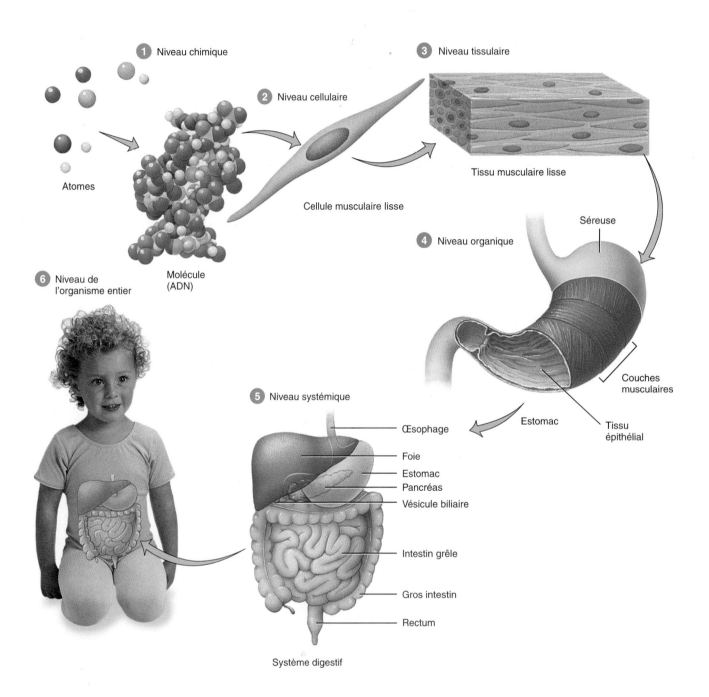

Q Quel niveau d'organisation structurale comprend au moins deux types de tissus qui s'associent pour accomplir une fonction donnée?

Tableau 1.2 Les onze systèmes du corps humain

SYSTÈME	COMPOSANTES	FONCTIONS	FIGURES DE RÉFÉRENCE
Système tégumentaire	Peau et structures dérivées comme les poils, les ongles ainsi que les glandes sudoripares et sébacées.	Protège l'organisme ; favorise la thermorégulation ; élimine certains déchets ; contribue à la synthèse de la vitamine D ; détecte les sensations (douleur, toucher, chaud et froid).	Figure 5.1, p. 149.
Système osseux	Os et articulations ainsi que leurs cartilages.	Soutient et protège l'organisme ; facilite les mouvements du corps ; abrite les cellules donnant naissance aux cellules sanguines ; emmagasine les minéraux.	Figure 7.1, p. 196.
Système musculaire	Muscles composés de tissu musculaire squelettique, ainsi nommé parce qu'il est habituellement fixé aux os.	Produit les mouvements du corps, comme la marche ; stabilise la position du corps (posture) ; produit de la chaleur.	Figure 11.3, p. 329.
Système nerveux	Encéphale, moelle épinière, nerfs et récepteurs sensoriels comme l'œil et l'oreille.	Utilise des potentiels d'action (influx nerveux) pour réguler les activités de l'organisme ; détecte les changements des milieux intérieur et extérieur, les interprète et y réagit en provoquant des contractions musculaires ou des sécrétions glandulaires.	Figures 13.2 et 14.1, p. 437 et 470.
Système endocrinien	Cellules et glandes qui sécrètent des hormones, comme l'hypophyse, la thyroïde et le pancréas.	Assure la régulation des activités de l'organisme en libérant des hormones, messagers chimiques transportés par le sang d'une glande endocrine à un organe cible.	Figure 18.1, p. 597.
Système cardiovasculaire	Sang, cœur et vaisseaux sanguins.	Le cœur pompe le sang dans les vaisseaux sanguins ; le sang transporte l'oxygène et les nutriments aux cellules et débarrasse celles-ci du gaz carbonique et de certains déchets ; il contribue ainsi à la régulation de l'acidité, de la température et de la teneur en eau des liquides de l'organisme ; les constituants sanguins aident l'organisme à se défendre contre les maladies et à réparer les vaisseaux sanguins endommagés.	Figures 20.1, 21.18 et 21.24, p. 673, 734 et 752.
Systèmes lymphatique et immunitaire	Lymphe et vaisseaux lymphatiques ; structures ou organes contenant un grand nombre de globules blancs appelés lymphocytes, comme la rate, le thymus, les nœuds lymphatiques et les amygdales.	Réacheminent les protéines et les liquides vers le sang ; transportent les lipides du tube digestif jusqu'au sang ; sièges de maturation et de prolifération des lymphocytes qui combattent les organismes pathogènes.	Figure 22.1, p. 781.
Système respiratoire	Poumons et voies respiratoires.	Transfère l'oxygène de l'air inspiré au sang et le gaz carbonique du sang à l'air expiré ; participe à la régulation de l'acidité des liquides de l'organisme ; facilite l'émission des sons grâce au passage de l'air à travers les cordes vocales.	Figure 23.1, p. 822.
Système digestif	Tube digestif, qui comprend plusieurs organes : la bouche, l'œsophage, l'estomac, les intestins et l'anus ; comprend également les organes participant à la digestion, comme les glandes salivaires, le foie, la vésicule biliaire et le pancréas.	Assure la dégradation physique et chimique des aliments ; absorbe les nutriments ; élimine les déchets solides.	Figure 24.1, p. 868.

Tableau 1.2 Les onze systèmes du corps humain (suite)

SYSTÈME	COMPOSANTES	FONCTIONS	FIGURES DE RÉFÉRENCE
Système urinaire	Reins, uretères, vessie et urètre.	Produit, emmagasine et élimine l'urine ; élimine les déchets et règle le volume et la composition chimique du sang ; maintient l'équilibre minéral de l'organisme ; participe à l'érythropoïèse.	Figure 26.1, p. 972.
Système reproducteur	Gonades (ovaires ou testicules) et leurs organes associés : trompes utérines, utérus et vagin chez la femme, épididymes, conduits déférents et pénis chez l'homme.	Les gonades produisent les gamètes (ovule ou spermatozoïde) qui s'unissent pour former un nouvel organisme et libèrent les hormones régissant la reproduction et d'autres processus ; les organes associés transportent et emmagasinent les gamètes.	Figures 28.1 et 28.11, p. 1037 et 1049.

1. Définissez les termes suivants : atome, molécule, cellule, tissu, organe, système et organisme.
2. Quels niveaux d'organisation le physiologiste de l'exercice utilise-t-il pour étudier le corps humain ? (INDICE : *Voir le tableau 1.1.*)
3. En vous appuyant sur le tableau 1.2, dites quels systèmes d'organes favorisent l'élimination des déchets.

CARACTÉRISTIQUES DE L'ORGANISME HUMAIN VIVANT

OBJECTIFS

• *Définir les principales fonctions vitales du corps humain.*

• *Définir l'*homéostasie *et expliquer sa relation avec le liquide interstitiel.*

Principales fonctions vitales

Les organismes vivants accomplissent des fonctions qui les distinguent de la matière inerte. Les six principales fonctions vitales du corps humain sont les suivantes.

Le **métabolisme** est la somme de toutes les réactions chimiques qui ont lieu dans l'organisme. Il comprend la dégradation de grandes molécules complexes en unités constitutives plus petites et plus simples ainsi que l'élaboration des composantes structurales et fonctionnelles de l'organisme. Par exemple, les protéines alimentaires sont scindées en acides aminés, qui sont les unités constitutives des protéines. Les acides aminés peuvent servir à constituer de nouvelles protéines qui forment à leur tour diverses structures comme les muscles et les os. Grâce à l'activité métabolique, l'oxygène fourni par le système respiratoire et les nutriments dégradés par le système digestif produisent l'énergie chimique dont les cellules ont besoin pour fonctionner.

La **réactivité** est la capacité de l'organisme à percevoir les changements provenant du milieu intérieur ou du milieu extérieur et à y répondre. Des cellules spécialisées perçoivent les divers changements et y répondent de façon spécifique. Les cellules nerveuses émettent des signaux électriques, appelés influx nerveux. Les cellules musculaires se contractent pour donner aux diverses parties du corps la force de se mouvoir. Les cellules endocrines du pancréas réagissent à une hausse du taux de glucose sanguin (ou glycémie) en sécrétant une hormone, l'insuline. Les autres cellules du corps réagissent à l'insuline en captant le glucose, ce qui a pour effet de ramener la glycémie à la normale.

Le **mouvement** est l'activité motrice du corps dans son ensemble, mais aussi de chaque organe, de chaque cellule et de chaque structure cellulaire, aussi infime soit-elle. Par exemple, les muscles de la jambe agissent de façon coordonnée pour déplacer le corps d'un endroit à un autre au moyen de la marche ou de la course. Après un repas riche en matières grasses, la vésicule biliaire se contracte et éjecte de la bile dans le tube digestif pour faciliter la dégradation des graisses. Lorsqu'un tissu est blessé ou infecté, certains globules blancs, les lymphocytes, se déplacent du sang vers le tissu lésé pour le nettoyer et assurer son rétablissement. Dans chaque cellule, divers organites se déplacent pour exécuter leurs tâches.

La **croissance** est l'augmentation du volume du corps résultant de l'augmentation de la taille des cellules existantes, de leur nombre, ou des deux. Il arrive aussi qu'un tissu croisse à la suite d'une augmentation de la quantité de matière entre les cellules qui le composent. Ainsi, dans un os en croissance, des minéraux se déposent autour des cellules osseuses si bien que l'os croît en longueur et en largeur.

Chaque type de cellule présente une forme et une fonction uniques. La **différenciation** est le processus par lequel une cellule non spécialisée devient spécialisée. Les cellules spécialisées ont une structure et une fonction différentes de celles des cellules dont elles sont issues. Ainsi, les globules rouges et divers types de globules blancs se différencient à partir des mêmes cellules non spécialisées de la moelle osseuse rouge. On appelle **cellules souches** les cellules capables de se diviser en d'autres cellules qui se différencient. C'est également grâce à la différenciation que l'ovule fécondé passe au stade d'embryon, puis à celui de fœtus, de nourrisson, d'enfant et enfin d'adulte.

La **reproduction** est soit la formation de nouvelles cellules destinées à la croissance, à la réparation tissulaire ou au remplacement de cellules par de nouvelles cellules, soit la production d'un nouvel individu. Certains types de cellules, comme les cellules épithéliales, se reproduisent continuellement au cours de la vie. D'autres, comme les cellules nerveuses et les cellules musculaires, perdent leur capacité de division et de prolifération et ne peuvent donc plus être remplacées si elles sont détruites. Par ailleurs, c'est grâce à la formation de spermatozoïdes et d'ovules que la vie est transmise de génération en génération.

Bien que ces processus ne soient pas actifs en permanence dans l'ensemble des cellules de l'organisme, tout ce qui perturbe leur déroulement normal détruit les cellules et peut mettre en péril l'organisme entier. Le corps humain est déclaré cliniquement mort lorsque le cœur ne bat plus, que la respiration spontanée arrête et que les fonctions cérébrales cessent.

APPLICATION CLINIQUE
Autopsie

L'**autopsie** (*autos* = soi-même ; *opsis* = vue) est l'examen *post mortem* (après la mort) du corps ; elle comprend une dissection des organes internes visant à confirmer ou à déterminer la cause du décès. L'autopsie permet de révéler l'existence de maladies non diagnostiquées, de définir l'ampleur des lésions et d'expliquer comment ces lésions ont contribué à la mort de l'individu. Elle peut également servir à étayer des épreuves diagnostiques, à établir les effets bénéfiques et nocifs de médicaments, à révéler les effets de l'environnement sur le corps, à apporter des renseignements supplémentaires sur une maladie, à contribuer à la collecte de données statistiques et à former les étudiants en sciences de la santé. Par ailleurs, l'autopsie peut révéler des troubles susceptibles d'affecter les descendants ou la fratrie du défunt (telles les cardiopathies congénitales). Elle peut être demandée par une cour de justice, lors d'une enquête criminelle ou pour résoudre un différend entre les bénéficiaires d'une personne décédée et la compagnie d'assurance au sujet de la cause du décès. ■

Homéostasie

Le physiologiste français Claude Bernard (1813-1878) a été le premier à observer que les cellules des organismes pluricellulaires prolifèrent parce qu'elles vivent dans la stabilité relative du *milieu intérieur,* et ce en dépit des fluctuations constantes du milieu extérieur. Le physiologiste américain Walter B. Cannon (1871-1945) a inventé le terme *homéostasie* pour décrire cette constance dynamique. L'**homéostasie** (*homoios* = semblable ; *stasis* = position) est l'état d'équilibre du milieu intérieur qui résulte de l'interaction incessante de tous les mécanismes de régulation de l'organisme. C'est un état dynamique, car le point d'équilibre du corps peut varier en réponse à diverses situations mais toujours dans des limites étroites propres au maintien de la vie. Par exemple, la glycémie ne chute normalement pas en deçà de 3,9 mmol de glucose par litre de sang et ne s'élève pas au-dessus de 6,1 mmol/L. Du niveau cellulaire au niveau systémique, chaque structure de l'organisme contribue à sa façon à garder le milieu intérieur dans les limites de la normale.

Liquides de l'organisme

Une facette importante de l'homéostasie consiste à maintenir le volume et la composition des **liquides de l'organisme,** c'est-à-dire les solutions aqueuses diluées présentes aussi bien à l'intérieur qu'à l'extérieur des cellules. Le liquide à l'intérieur des cellules est appelé **liquide intracellulaire** (*intra* = à l'intérieur de) et celui qui entoure les cellules, **liquide extracellulaire** (*extra* = en dehors de). Les liquides intracellulaire et extracellulaire contiennent en dissolution certaines substances vitales comme de l'oxygène, des nutriments, des protéines et diverses particules chimiques porteuses d'une charge électrique, appelées *ions*. Le liquide extracellulaire comblant les espaces étroits entre les cellules des tissus se nomme **liquide interstitiel** (*inter* = entre). Dans les vaisseaux sanguins, le liquide extracellulaire est appelé **plasma.**

Comme Bernard l'avait compris, le bon fonctionnement des cellules de l'organisme dépend de la régulation précise de la composition des liquides qui les entourent. Puisque le liquide interstitiel entoure toutes les cellules, il est souvent désigné par le terme *milieu intérieur.* La composition du liquide interstitiel change au gré des échanges de substances effectués avec le plasma. Ces échanges se produisent à travers les parois minces des plus petits vaisseaux sanguins, les *capillaires.* Ce mouvement de va-et-vient à travers les capillaires apporte aux cellules des tissus les matériaux dont elles ont besoin, comme le glucose, l'oxygène et les ions, et débarrasse le liquide interstitiel des déchets, comme le gaz carbonique.

1. Quelle fonction vitale du corps humain soutient toutes les autres ?
2. Situez le liquide intracellulaire, le liquide extracellulaire, le liquide interstitiel et le plasma.
3. Pourquoi le liquide interstitiel est-il aussi appelé milieu intérieur de l'organisme ?

RÉGULATION DE L'HOMÉOSTASIE
OBJECTIFS

• *Décrire les composantes d'un mécanisme de régulation.*

• *Comparer les mécanismes de rétro-inhibition et les mécanismes de rétroactivation.*

• *Expliquer les conséquences des déséquilibres homéostatiques.*

L'homéostasie du corps humain est constamment perturbée. Certaines perturbations sont attribuables à des agressions physiques du milieu extérieur, comme une chaleur intense ou un manque d'oxygène. D'autres viennent du milieu intérieur, comme une glycémie trop basse. Les déséquilibres homéostatiques peuvent aussi être causés par des tensions psychologiques provenant de notre environnement social, par exemple celles que nous imposent le travail ou l'école. Dans la plupart des cas, la perturbation est légère et temporaire, et les cellules répondent rapidement pour rétablir l'équilibre du milieu intérieur. Dans d'autres cas, la perturbation est intense et prolongée, par exemple durant une intoxication, une exposition trop longue à des extrêmes de température, une infection grave ou une épreuve comme la mort du conjoint; la régulation de l'homéostasie peut alors échouer.

L'organisme a toutefois la chance de disposer de nombreux mécanismes de régulation chargés de rééquilibrer le milieu intérieur. Le plus souvent, c'est le système nerveux et le système endocrinien, agissant de concert ou chacun de son côté, qui apportent les mesures correctrices nécessaires. Le système nerveux régule l'homéostasie en détectant tout écart de l'état d'équilibre, puis en transmettant cette information, sous la forme d'*influx nerveux,* aux organes chargés de corriger l'écart. Le système endocrinien, formé de glandes qui sécrètent dans le sang des molécules, les *hormones,* régule aussi l'homéostasie. Tandis que les influx nerveux causent généralement des modifications rapides, les hormones agissent habituellement plus lentement. Les deux moyens de régulation ont toutefois un même objectif, soit le maintien de l'homéostasie. Comme nous le verrons, les deux fonctionnent principalement par rétro-inhibition.

Mécanismes de régulation

L'organisme régit son milieu intérieur au moyen de multiples mécanismes de régulation. Un **mécanisme de régulation** est un cycle d'événements par lequel l'état d'une situation donnée est constamment surveillé, évalué, modifié au besoin, surveillé à nouveau et réévalué. Chaque variable ainsi surveillée, que ce soit la température corporelle, la pression artérielle ou la glycémie, est un *facteur contrôlé.* Toute perturbation qui modifie un facteur contrôlé est un *stimulus.* Les trois composantes de base d'un mécanisme de régulation sont le récepteur, le centre de régulation et l'effecteur (figure 1.2).

* Le **récepteur** est la structure qui surveille les changements d'un facteur contrôlé et transmet une information, sous forme d'influx nerveux ou de signaux chimiques, à un centre de régulation. Les terminaisons nerveuses de la peau qui détectent la température figurent parmi les centaines de récepteurs de l'organisme.

Figure 1.2 Fonctionnement d'un mécanisme de régulation. La flèche pointillée représente la rétro-inhibition.

Les trois composantes de base d'un mécanisme de régulation sont les récepteurs, le centre de régulation et les effecteurs.

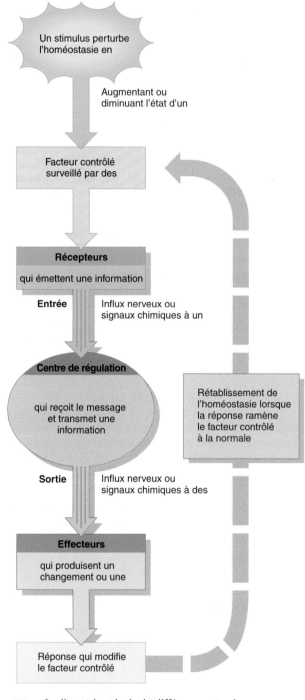

Un stimulus perturbe l'homéostasie en

Augmentant ou diminuant l'état d'un

Facteur contrôlé surveillé par des

Récepteurs
qui émettent une information

Entrée Influx nerveux ou signaux chimiques à un

Centre de régulation
qui reçoit le message et transmet une information

Rétablissement de l'homéostasie lorsque la réponse ramène le facteur contrôlé à la normale

Sortie Influx nerveux ou signaux chimiques à des

Effecteurs
qui produisent un changement ou une

Réponse qui modifie le facteur contrôlé

Q Quelle est la principale différence entre les mécanismes de rétro-inhibition et les mécanismes de rétroactivation?

- Le **centre de régulation** fixe les écarts de valeurs à l'intérieur desquelles le facteur contrôlé doit être maintenu, il interprète l'information fournie par le récepteur et transmet la réponse quand elle est requise. Cette réponse peut prendre la forme d'influx nerveux, d'hormones ou d'autres signaux chimiques.

- L'**effecteur** est la structure qui reçoit la réponse du centre de régulation et déclenche une *réaction* ou produit un effet permettant de modifier l'état du facteur contrôlé. Tous les organes et tissus de l'organisme, ou presque, peuvent jouer le rôle d'effecteur. Par exemple, lorsque la température corporelle chute brusquement, le cerveau (centre de régulation) transmet des influx nerveux aux muscles squelettiques (effecteurs), qui déclenchent le frisson, dont l'effet est de produire de la chaleur et d'élever la température corporelle.

Tout groupe de récepteurs et d'effecteurs relié à un centre de régulation forme un mécanisme régulateur qui peut agir sur un facteur contrôlé dans le milieu intérieur. Chaque mécanisme régulateur fonctionne comme une *boucle de rétroaction,* dont la réponse modifie d'une façon ou d'une autre le facteur contrôlé. Dans un tel mécanisme, la rétroaction peut être positive ou négative, selon le cas. Lorsque la réponse inverse le stimulus initial, comme dans l'exemple sur la température corporelle, elle est produite par un *mécanisme de rétro-inhibition.* Par contre, si la réponse amplifie ou fait augmenter le stimulus initial, elle est produite par un *mécanisme de rétroactivation.*

Mécanismes de rétro-inhibition

Un **mécanisme de rétro-inhibition** inverse un changement dans un facteur contrôlé. Dans un premier temps, un stimulus perturbe l'homéostasie en modifiant un facteur contrôlé. Les récepteurs du mécanisme régulateur détectent le changement et transmettent l'information à un centre de régulation. Ce dernier interprète l'information et envoie au besoin une commande à l'effecteur. L'effecteur déclenche une réponse physiologique qui a pour effet de ramener le facteur contrôlé à son état normal.

Prenons comme exemple un mécanisme de rétro-inhibition qui entre en jeu dans la régulation de la pression artérielle. La pression artérielle est la force exercée par le sang contre les parois des vaisseaux sanguins. Lorsque le cœur bat plus vite ou plus fort, la pression artérielle augmente. Lorsqu'un stimulus interne ou externe fait augmenter la pression artérielle (facteur contrôlé), un cycle d'événements se déclenche (figure 1.3). L'élévation de la pression est détectée par des *barorécepteurs,* cellules nerveuses sensibles à la pression (récepteurs) situées dans les parois de certains vaisseaux sanguins. Les barorécepteurs envoient des influx nerveux (information d'entrée) au cerveau (centre de régulation), qui les interprète et répond en envoyant des influx nerveux (information de sortie) au cœur (effecteur). La fréquence

cardiaque baisse, ce qui cause une diminution de la pression artérielle (réponse). Cette série d'événements ramène le facteur contrôlé (pression artérielle) à la normale et rétablit l'homéostasie. Notez que l'activité de l'effecteur a produit un résultat (baisse de la pression artérielle) inverse au stimulus (hausse de la pression artérielle) ; il s'agit donc d'un mécanisme de rétro-inhibition.

Mécanismes de rétroactivation

Un **mécanisme de rétroactivation** amplifie ou fait augmenter un changement dans un facteur contrôlé. Il agit de la même façon que le mécanisme de rétro-inhibition, sauf que la réponse produite touche différemment le facteur contrôlé. Un stimulus modifie un facteur contrôlé, lequel se trouve sous la surveillance de récepteurs qui envoient une information à un centre de régulation. Le centre de régulation transmet à son tour une commande à un effecteur, mais ce dernier déclenche une réponse physiologique visant à *amplifier* le stimulus de départ. L'effet de la rétroactivation se poursuit tant qu'un mécanisme extérieur au système de régulation ne l'interrompt pas.

L'accouchement normal illustre bien le fonctionnement d'un mécanisme de rétroactivation (figure 1.4). Les premières contractions utérines (stimulus) poussent en partie le bébé dans le col de l'utérus, c'est-à-dire la portion inférieure de l'utérus qui débouche dans le vagin. Des cellules nerveuses sensibles à l'étirement (récepteurs) surveillent le degré d'étirement du col de l'utérus (facteur contrôlé). Lorsque l'étirement augmente, les cellules transmettent un plus grand nombre d'influx nerveux (information d'entrée) au cerveau (centre de régulation), qui à son tour libère dans le sang une hormone, l'ocytocine (information de sortie). Sous l'effet de l'ocytocine, les muscles de la paroi de l'utérus (effecteurs) se contractent encore plus vigoureusement. Ces contractions poussent le bébé plus bas dans l'utérus, ce qui a pour effet d'étirer encore davantage le col. Ce cycle d'étirements suivis par la libération d'hormone et des contractions progressivement plus fortes ne prend fin qu'à l'expulsion du bébé. Ce n'est qu'à ce moment que l'étirement du col et la libération d'ocytocine cessent.

Ces exemples portent à croire qu'il existe des différences majeures entre les mécanismes de rétro-inhibition et les mécanismes de rétroactivation. Puisque le mécanisme de rétroactivation amplifie le changement touchant un facteur contrôlé, il doit être interrompu par un événement qui lui est extérieur. Si l'action du mécanisme de rétroactivation se poursuit, la « machine » peut s'emballer et menacer la survie de l'organisme. Par contre, le mécanisme de rétro-inhibition ralentit puis s'arrête lorsque le facteur contrôlé revient à son état initial. En général, les mécanismes de rétroactivation interviennent dans des situations assez peu fréquentes, tandis que les mécanismes de rétro-inhibition agissent sur des facteurs qui restent relativement stables pendant de longues périodes.

Figure 1.3 Régulation homéostatique de la pression artérielle par un mécanisme de rétro-inhibition. Notez que la réponse fait partie du mécanisme, ce qui permet à ce dernier de continuer à abaisser la pression artérielle jusqu'à ce qu'elle revienne à la normale (homéostasie).

🔑 **Si la réponse inverse le stimulus initial, il s'agit d'un mécanisme de rétro-inhibition.**

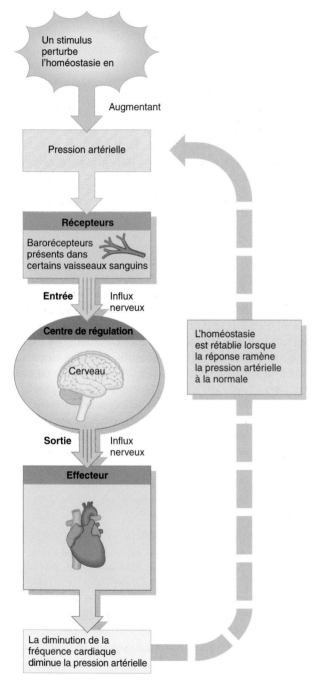

Figure 1.4 Régulation par un mécanisme de rétroactivation des contractions de l'utérus durant l'accouchement. La flèche pleine représente la rétroactivation.

🔑 **Si la réponse fait augmenter ou amplifie le stimulus initial, il s'agit d'un mécanisme de rétroactivation.**

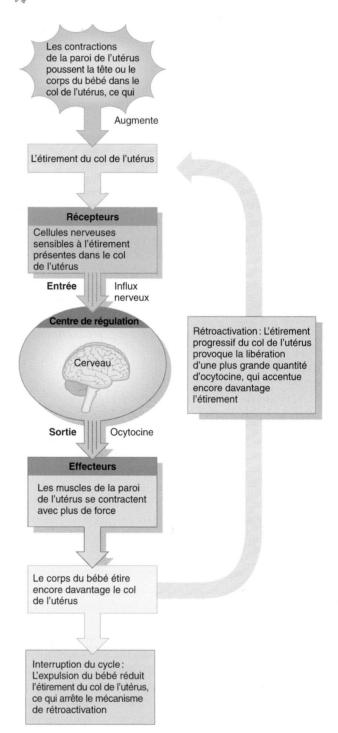

 Qu'adviendrait-il de la fréquence cardiaque si un stimulus causait une baisse de la pression artérielle ? Quel serait le mécanisme qui interviendrait (rétro-inhibition ou rétroactivation) ?

Q Pourquoi les mécanismes de rétroactivation, qui font partie d'une réaction physiologique normale, sont-ils dotés d'un mécanisme d'interruption ?

Déséquilibres homéostatiques

Dans la mesure où tous les facteurs contrôlés de l'organisme demeurent à l'intérieur de certaines limites étroites, les cellules fonctionnent adéquatement, l'homéostasie est maintenue et l'organisme reste sain. Cependant, si une ou plusieurs parties de l'organisme perdent leur capacité de contribuer à l'homéostasie, l'équilibre entre les diverses fonctions vitales peut être perturbé. Si le déséquilibre est modéré, il peut causer une anomalie ou une maladie; lorsqu'il est grave, il peut entraîner la mort.

Le terme **anomalie** englobe tout ce qui perturbe le fonctionnement normal de l'organisme. Le terme **maladie** désigne de façon plus spécifique un trouble caractérisé par un ensemble identifiable de signes et de symptômes. Une *maladie locale* ne touche qu'une partie ou une région limitée du corps; une *maladie générale* affecte l'ensemble de l'organisme ou plusieurs de ses parties. La maladie altère les structures et les fonctions du corps humain de manière caractéristique. Une personne malade peut présenter des **symptômes,** c'est-à-dire des changements subjectifs et non apparents dans ses fonctions vitales, tels un mal de tête ou des nausées. Les **signes** sont des changements objectifs, observables et mesurables par un clinicien. Les signes d'une maladie peuvent être anatomiques, comme un œdème ou une éruption, ou physiologiques, comme une fièvre ou une paralysie.

La discipline qui étudie pourquoi, quand et où les maladies apparaissent, et comment elles sont transmises entre les individus d'une collectivité est appelée **épidémiologie** (*epi* = sur; *dêmos* = peuple). La discipline qui traite des effets et de l'usage des médicaments dans le traitement des maladies est appelée **pharmacologie** (*pharmakon* = remède).

APPLICATION CLINIQUE
Diagnostic d'une maladie

Le **diagnostic** (*dia* = à travers; *gnôsis* = connaissance) est la science et l'art de distinguer une anomalie ou une maladie de toutes les autres. Le diagnostic est fondé sur les signes et les symptômes du patient, ses antécédents médicaux, un examen physique et des épreuves en laboratoire. L'*anamnèse,* histoire des antécédents médicaux, regroupe tous les événements susceptibles d'avoir un lien avec l'état actuel du patient; elle comprend le problème qui l'a amené à consulter, l'évolution de ce problème, les troubles médicaux antérieurs, les antécédents médicaux familiaux, la situation sociale et professionnelle et une revue de l'ensemble des symptômes. L'*examen physique* est une évaluation méthodique de l'organisme et de ses fonctions. Il comprend l'inspection (examen superficiel ou interne du corps au moyen de divers instruments), la palpation, l'auscultation, la percussion, la prise des signes vitaux (température, pouls, fréquence respiratoire et pression artérielle) et, parfois, des épreuves en laboratoire. ■

1. Quels types de perturbations peuvent déclencher un mécanisme de régulation?
2. En quoi les mécanismes de rétro-inhibition et de rétro-activation se ressemblent-ils? En quoi sont-ils différents?
3. Établissez la distinction entre les signes et les symptômes d'une maladie et donner des exemples.
4. Qu'est-ce qu'un diagnostic?

TERMINOLOGIE ANATOMIQUE DE BASE
OBJECTIFS

• *Décrire l'orientation du corps en position anatomique.*

• *Connaître le nom courant et le terme anatomique correspondant pour les diverses régions du corps humain.*

• *Définir les plans et les coupes anatomiques ainsi que les termes utilisés pour décrire l'orientation du corps humain.*

Dans le monde scientifique et médical, on utilise un langage spécialisé pour désigner les structures du corps humain et leurs fonctions. Le langage de l'anatomie et de la physiologie définit tout avec précision pour que nous puissions communiquer sans nous encombrer de termes superflus ou ambigus. Par exemple, peut-on dire: «Le poignet se situe au-dessus des doigts»? Cet énoncé est exact si les bras reposent le long du corps. Mais si vous levez les mains au-dessus de la tête, vos doigts se retrouvent au-dessus de vos poignets. Pour éviter une telle confusion, les anatomistes se servent d'une position anatomique standard et d'un vocabulaire spécialisé pour situer les différentes parties du corps les unes par rapport aux autres.

Positions du corps

En anatomie, on décrit les régions ou les parties du corps humain en supposant que le corps se trouve dans une posture bien précise appelée **position anatomique.** Dans cette position, la personne se tient debout, face à l'observateur, la tête droite et les yeux fixés en avant. Les pieds sont posés à plat sur le sol et pointent en avant, les bras pendent le long du corps et les paumes sont tournées en avant (figure 1.5). Lorsque le corps est en position anatomique, il est plus facile de visualiser et de comprendre l'organisation de ses diverses régions.

En position anatomique, le corps est debout. Cependant, lorsque le corps est en position couchée, il se trouve en **décubitus ventral** si le visage fait face vers le bas, et en **décubitus dorsal** si le visage fait face vers le haut.

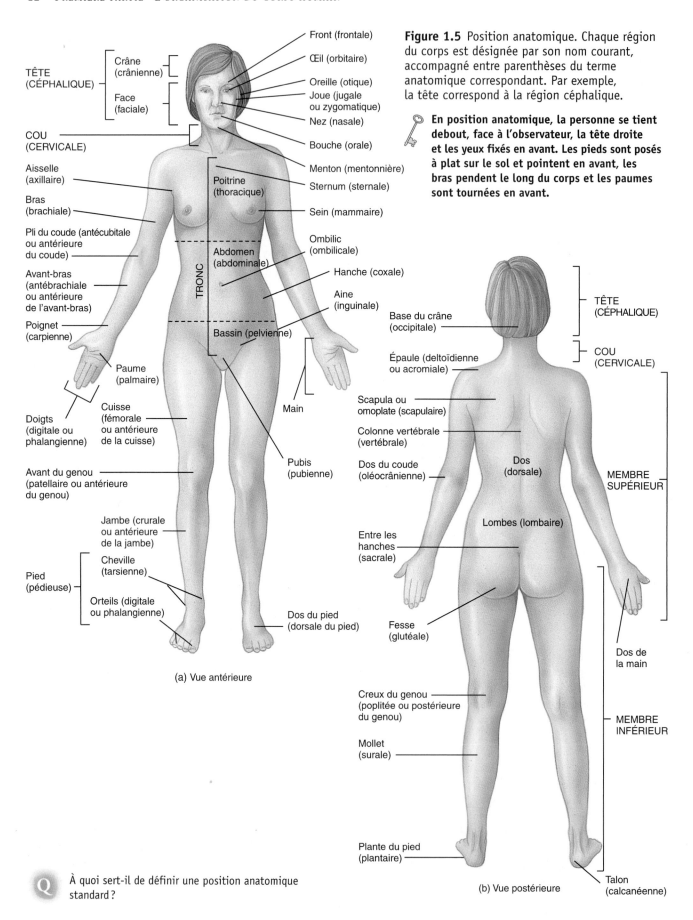

TÊTE
(CÉPHALIQUE)

Crâne
(crânienne)

Face
(faciale)

COU
(CERVICALE)

Aisselle
(axillaire)

Bras
(brachiale)

Pli du coude (antécubitale
ou antérieure
du coude)

Avant-bras
(antébrachiale
ou antérieure
de l'avant-bras)

Poignet
(carpienne)

Paume
(palmaire)

Doigts
(digitale ou
phalangienne)

Avant du genou
(patellaire ou antérieure
du genou)

Jambe (crurale
ou antérieure
de la jambe)

Pied
(pédieuse)

Cheville
(tarsienne)

Orteils (digitale
ou phalangienne)

Front (frontale)

Œil (orbitaire)

Oreille (otique)

Joue (jugale
ou zygomatique)

Nez (nasale)

Bouche (orale)

Menton (mentonnière)

Sternum (sternale)

Sein (mammaire)

Ombilic
(ombilicale)

Hanche (coxale)

Aine
(inguinale)

Poitrine
(thoracique)

TRONC

Abdomen
(abdominale)

Bassin (pelvienne)

Cuisse
(fémorale
ou antérieure
de la cuisse)

Main

Pubis
(pubienne)

Dos du pied
(dorsale du pied)

(a) Vue antérieure

Figure 1.5 Position anatomique. Chaque région
du corps est désignée par son nom courant,
accompagné entre parenthèses du terme
anatomique correspondant. Par exemple,
la tête correspond à la région céphalique.

En position anatomique, la personne se tient
debout, face à l'observateur, la tête droite
et les yeux fixés en avant. Les pieds sont posés
à plat sur le sol et pointent en avant, les
bras pendent le long du corps et les paumes
sont tournées en avant.

Base du crâne
(occipitale)

Épaule (deltoïdienne
ou acromiale)

Scapula ou
omoplate (scapulaire)

Colonne vertébrale
(vertébrale)

Dos du coude
(oléocrânienne)

Dos
(dorsale)

Entre les
hanches
(sacrale)

Lombes (lombaire)

Fesse
(glutéale)

TÊTE
(CÉPHALIQUE)

COU
(CERVICALE)

MEMBRE
SUPÉRIEUR

Dos de
la main

Creux du genou
(poplitée ou postérieure
du genou)

Mollet
(surale)

MEMBRE
INFÉRIEUR

Plante du pied
(plantaire)

Talon
(calcanéenne)

(b) Vue postérieure

Q À quoi sert-il de définir une position anatomique
standard ?

Régions du corps

Le corps humain se divise en plusieurs régions. Les principales régions sont la tête, le cou, le tronc, les membres supérieurs et les membres inférieurs (voir la figure 1.5). La *tête* comprend le crâne et la face. Le crâne sert de boîtier protecteur à l'encéphale, tandis que la face, qui forme la partie antérieure de la tête, comprend les yeux, le nez, la bouche, le front, les joues et le menton. Le *cou* soutient la tête et la relie au tronc. Le *tronc* comprend la poitrine, l'abdomen et le bassin. Chaque *membre supérieur* est rattaché au tronc et comprend l'épaule, l'aisselle, le bras (partie du membre allant de l'épaule au coude), l'avant-bras (partie du membre allant du coude au poignet), le poignet et la main. Chaque *membre inférieur,* également rattaché au tronc, comprend la fesse, la cuisse (partie du membre allant de la fesse au genou), la jambe (partie du membre allant du genou à la cheville), la cheville et le pied. L'*aine,* située sur la face antérieure du corps, se caractérise par les replis qu'elle forme de chaque côté du corps à l'endroit où le tronc est relié à la cuisse.

La figure 1.5 donne le terme courant désignant chacune des principales parties du corps avec le terme anatomique correspondant à cette région entre parenthèses. Par exemple, lorsqu'on reçoit une injection antitétanique dans la fesse, il s'agit d'une injection dans la région glutéale. La raison pour laquelle le terme anatomique diffère du nom courant est qu'il est dérivé du mot grec ou latin désignant cette partie ou région du corps. Ainsi, le mot latin pour aisselle est *axilla*, et le nerf qui traverse l'aisselle est appelé nerf axillaire. Au fil de votre lecture, vous apprendrez les racines d'un grand nombre de termes anatomiques et physiologiques.

Plans et coupes

Vous étudierez également le corps humain en utilisant des plans, c'est-à-dire des surfaces planes imaginaires traversant une partie du corps (figure 1.6). Le **plan sagittal** (*sagitta* = flèche) est un plan vertical divisant le corps ou un organe en deux côtés, droit et gauche. Lorsque le plan sagittal passe au milieu du corps ou d'un organe pour le diviser en deux côtés égaux, il est nommé **plan sagittal médian,** ou plan médian. Si, au lieu de passer par le centre, le plan sagittal divise le corps ou un organe en deux côtés inégaux, il est appelé **plan parasagittal** (*para* = à côté de). Le **plan frontal,** ou plan coronal (*corona* = couronne), divise le corps ou un organe en une partie antérieure (avant) et une partie postérieure (arrière). Le **plan transversal,** ou plan horizontal, divise le corps ou un organe en une partie supérieure (haut) et une partie inférieure (bas). Les plans sagittal, frontal et transversal sont perpendiculaires les uns par rapport aux autres. Par ailleurs, le **plan oblique** divise le corps ou un organe selon un angle intermédiaire entre un plan transversal et un plan soit sagittal, soit frontal.

Figure 1.6 Plans du corps humain.

🗝 **Les plans frontal, transversal, sagittal et oblique divisent chacun le corps selon une orientation spécifique.**

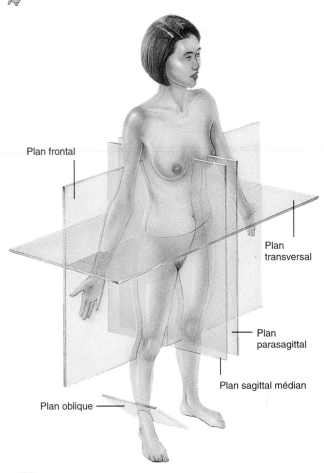

Plan frontal

Plan transversal

Plan parasagittal

Plan sagittal médian

Plan oblique

Ⓠ Quel plan divise le cœur en une partie antérieure et une partie postérieure?

Les régions du corps que vous étudierez seront souvent représentées en **coupe,** ce qui signifie que vous ne verrez qu'une image bidimensionnelle d'une structure tridimensionnelle. Il sera donc important de savoir quelle coupe a été utilisée pour bien comprendre la relation anatomique entre les diverses parties représentées. La figure 1.7 montre comment trois coupes différentes, la *coupe transversale*, la *coupe frontale* et la *coupe sagittale médiane*, présentent l'encéphale sous trois angles différents.

1. Décrivez la position anatomique et expliquez son utilité.
2. Repérez chaque région sur votre propre corps et donnez son nom courant, puis le terme anatomique correspondant.
3. Quels sont les quatre plans qui servent à diviser le corps? Expliquez comment chacun divise le corps.

Figure 1.7 Plans et coupes de diverses parties de l'encéphale. Le schéma de gauche montre le plan et la photographie de droite, la coupe correspondante. (Remarque : les flèches des schémas indiquent de quelle perspective on voit chaque coupe. Ces flèches seront utilisées tout au long de cet ouvrage pour indiquer les perspectives de visualisation.)

 Les plans divisent le corps de diverses façons pour produire des coupes.

(a)
Plan transversal

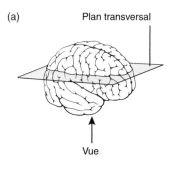

Vue

Coupe transversale

(b)
Plan frontal

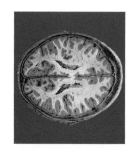

Vue

Coupe frontale

(c)
Plan sagittal médian

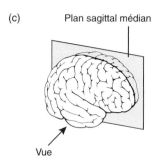

Vue

Coupe sagittale médiane

Q Quel plan divise l'encéphale en une partie droite et une partie gauche inégales ?

Termes relatifs à l'orientation du corps

Pour situer les diverses structures du corps, les anatomistes utilisent une *terminologie de l'orientation* spécifique qui décrit la position d'une partie du corps par rapport à une autre. Les termes peuvent être groupés en paires dont le sens de chaque composante s'oppose, par exemple antérieur (devant) et postérieur (derrière). L'exposé 1.1 présente les principaux termes relatifs à l'orientation.

Figure 1.8 Cavités du corps. Les pointillés en (a) et (b) indiquent la limite entre la cavité abdominale et la cavité pelvienne.

 Les deux principales cavités du corps sont la cavité postérieure et la cavité antérieure.

☐ CAVITÉ POSTÉRIEURE

☐ CAVITÉ ANTÉRIEURE

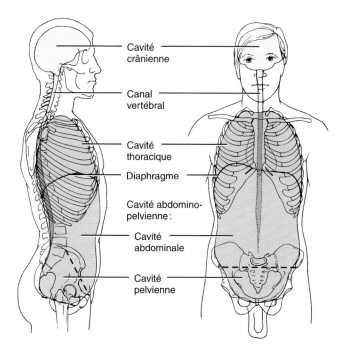

Cavité crânienne

Canal vertébral

Cavité thoracique

Diaphragme

Cavité abdomino-pelvienne :

Cavité abdominale

Cavité pelvienne

(a) Vue latérale droite   (b) Vue antérieure

Q Dans quelle cavité se situent les organes suivants : vessie, estomac, cœur, pancréas, intestin grêle, organes génitaux internes féminins, thymus, rate et foie ? Utilisez les abréviations suivantes dans votre réponse : T = cavité thoracique ; A = cavité abdominale ; P = cavité pelvienne.

Cavités du corps
OBJECTIF

• *Décrire les principales cavités du corps, les organes qu'elles contiennent et les membranes qui les tapissent.*

Les **cavités du corps** sont des espaces qui contribuent à protéger, isoler et soutenir les organes internes. Les os, les muscles et les ligaments séparent les diverses cavités les unes des autres. Les deux principales cavités du corps humain sont la cavité postérieure et la cavité antérieure (figure 1.8).

Suite du texte à la page 17

Exposé 1.1 — *Termes relatifs à l'orientation des parties du corps humain (figure 1.9)*

La plupart des termes relatifs à l'orientation des parties du corps humain sont groupés en paires dont le sens de chaque composante s'oppose. Par exemple, **supérieur** signifie vers le haut du corps et **inférieur**, vers le bas du corps. Il faut également se rappeler que ces termes n'ont de sens que s'ils servent à décrire la situation d'une structure par rapport à une autre. Par exemple, le genou est supérieur par rapport à la cheville, même si les deux sont situés dans la moitié inférieure du corps. À l'aide du tableau suivant,

étudiez les termes relatifs à l'orientation et lisez l'exemple d'utilisation donné pour chacun. Au fur et à mesure, reportez-vous à la figure 1.8 pour situer la structure dont il est question.

Faites une phrase contenant chaque terme relatif à l'orientation décrit dans l'exposé 1.1. (INDICE : Servez-vous des structures présentées dans la figure 1.9.)

TERME	DÉFINITION	EXEMPLE
Supérieur (céphalique ou **crânien)**	Vers la tête ou le haut d'une structure.	Le cœur est supérieur par rapport au foie.
Inférieur (caudal)	À l'opposé de la tête ou vers le bas d'une structure.	L'estomac est inférieur par rapport aux poumons.
Antérieur (ventral)*	Vers l'avant ou à l'avant du corps.	Le sternum est antérieur par rapport au cœur.
Postérieur (dorsal)*	Vers le dos ou à l'arrière du corps.	L'œsophage est postérieur par rapport à la trachée.
Médial	Vers le plan médian† ou vers l'intérieur du corps.	L'ulna est situé du côté médial de l'avant-bras.
Médian	Au milieu du corps ou d'une structure.	Le médiastin est médian par rapport aux poumons.
Latéral	À l'opposé du plan médian ou vers l'extérieur du corps.	Les poumons sont latéraux par rapport au cœur.
Intermédiaire	Entre deux structures.	Le côlon transverse est intermédiaire par rapport aux côlons ascendant et descendant.
Homolatéral	Du même côté du corps qu'une autre structure.	La vésicule biliaire et le côlon ascendant sont homolatéraux.
Controlatéral	Du côté du corps situé à l'opposé d'une autre structure.	Les côlons ascendant et descendant sont controlatéraux.
Proximal	Plus près du point d'attache d'un membre au tronc ; plus près de l'origine d'une structure.	L'humérus est proximal par rapport au radius.
Distal	Plus éloigné du point d'attache d'un membre au tronc ; plus éloigné de l'origine d'une structure.	Les phalanges sont distales par rapport aux os du carpe.
Superficiel	Près de la surface ou à la surface du corps.	Les côtes sont superficielles par rapport aux poumons.
Profond	Loin de la surface du corps.	Les côtes sont profondes par rapport à la peau de la poitrine.

* Le terme « ventral » renvoie à la face ventrale, et le terme « dorsal », au dos. Chez les quadrupèdes, antérieur = céphalique (vers la tête), ventral = inférieur, postérieur = caudal (vers la queue) et dorsal = supérieur.

† Le plan médian est une ligne verticale imaginaire qui divise le corps en une partie droite et une partie gauche égales.

Exposé 1.1 *Termes relatifs à l'orientation des parties du corps humain (suite)*

Figure 1.9 Termes relatifs à l'orientation.

Les termes relatifs à l'orientation situent avec précision les diverses parties du corps les unes par rapport aux autres.

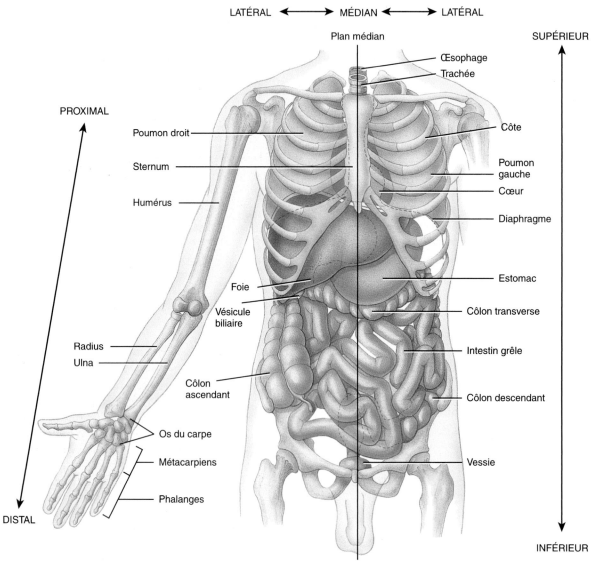

LATÉRAL ⟷ MÉDIAN ⟷ LATÉRAL

Plan médian

SUPÉRIEUR

PROXIMAL

Œsophage
Trachée

Poumon droit
Côte

Sternum
Poumon gauche

Humérus
Cœur

Diaphragme

Estomac

Foie

Vésicule biliaire

Côlon transverse

Radius
Intestin grêle

Ulna

Côlon ascendant
Côlon descendant

Os du carpe

Métacarpiens
Vessie

Phalanges

DISTAL

INFÉRIEUR

Vue antérieure du tronc et du membre supérieur droit

Le radius est-il proximal par rapport à l'humérus ? L'œsophage est-il antérieur par rapport à la trachée ? Les côtes sont-elles superficielles par rapport aux poumons ? La vessie est-elle médiale par rapport au côlon ascendant ? Le sternum est-il latéral par rapport au côlon descendant ?

Figure 1.10 Cavité thoracique. La ligne pointillée indique les limites du médiastin. La cavité péricardique entoure le cœur, et les cavités pleurales entourent les poumons.

 Le médiastin est médian par rapport aux poumons ; il s'étend du sternum à la colonne vertébrale et du cou au diaphragme.

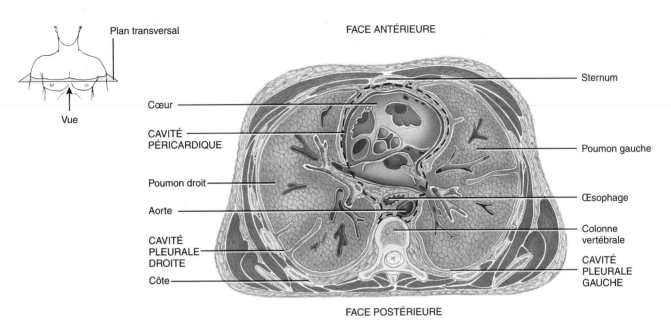

(a) Vue inférieure d'une coupe transversale de la cavité thoracique

Cavité postérieure

La **cavité postérieure,** ou cavité dorsale, est située le long de la face dorsale (postérieure) du corps et se subdivise en deux parties, la cavité crânienne et le canal vertébral. La **cavité crânienne** est circonscrite par les os du crâne et contient l'encéphale. Le **canal vertébral** est constitué par les os de la colonne vertébrale et renferme la moelle épinière. Trois membranes protectrices, appelées **méninges,** tapissent la cavité postérieure.

Cavité antérieure

L'autre grande cavité du corps est appelée **cavité antérieure,** ou cavité ventrale. Elle est située le long de la face ventrale (antérieure) du corps et se subdivise également en deux grandes parties, la cavité thoracique et la cavité abdomino-pelvienne. Le **diaphragme** est le grand muscle en forme de dôme qui assure l'expansion des poumons pendant la respiration ; il forme le plancher de la cavité thoracique et le toit de la cavité abdomino-pelvienne. Les organes situés à l'intérieur de la cavité antérieure sont regroupés sous le nom de **viscères.**

La partie supérieure de la cavité antérieure, appelée **cavité thoracique** (figure 1.10), est délimitée par les côtes, les muscles du thorax, le sternum et la partie thoracique de la colonne vertébrale. Elle se subdivise en trois petites cavités : la **cavité péricardique** (*peri* = autour ; *kardia* = cœur), espace rempli de liquide où loge le cœur, et deux **cavités pleurales** (*pleura* = côté), dont chacune contient un poumon baignant dans une petite quantité de liquide. La partie centrale de la cavité thoracique est appelée **médiastin** (*mediastinus* = qui se tient au milieu). Situé entre les cavités pleurales, le médiastin s'étend du sternum jusqu'à la colonne vertébrale, et du cou jusqu'au diaphragme (voir la figure 1.10b). Il contient tous les viscères thoraciques, à l'exception des poumons. Le cœur, l'œsophage, la trachée, le thymus et plusieurs gros vaisseaux sanguins sont des structures du médiastin.

La partie inférieure de la cavité antérieure, appelée **cavité abdomino-pelvienne** (voir la figure 1.8), s'étend du diaphragme à l'aine et est circonscrite par la paroi abdominale et les os et muscles du bassin. Comme son nom l'indique, la cavité abdomino-pelvienne se divise en deux parties qui ne sont cependant séparées par aucune paroi (figure 1.11). La partie supérieure, appelée **cavité abdominale,** renferme l'estomac, la rate, le foie, la vésicule biliaire, l'intestin grêle et la majeure partie du gros intestin. La partie inférieure, appelée **cavité pelvienne** (*pelvis* = bassin), renferme la vessie, certaines parties du gros intestin et les organes génitaux internes.

Figure 1.10 Cavité thoracique (suite)

Plan
sagittal

Vue

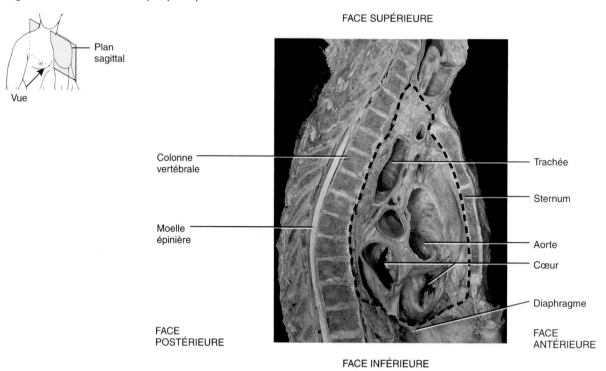

FACE SUPÉRIEURE

Colonne
vertébrale

Moelle
épinière

FACE
POSTÉRIEURE

Trachée

Sternum

Aorte

Cœur

Diaphragme

FACE
ANTÉRIEURE

FACE INFÉRIEURE

(b) Coupe sagittale de la cavité thoracique montrant
les limites du médiastin (ligne pointillée)

Q Lesquelles des structures suivantes se situent dans le médiastin : poumon
droit, cœur, œsophage, moelle épinière, aorte, côte, cavité pleurale gauche ?

Membranes des cavités thoracique et abdominale

Une mince membrane, la **séreuse,** recouvre les viscères dans les cavités thoracique et abdominale et tapisse les parois du thorax et de l'abdomen. La séreuse comprend deux feuillets : 1) le *feuillet pariétal,* qui tapisse la paroi des cavités, et 2) le *feuillet viscéral,* qui recouvre les viscères et y adhère. Entre ces deux feuillets de la séreuse, un liquide analogue à la lymphe et appelé sérosité réduit la friction entre les viscères ; la sérosité permet aussi le glissement des viscères les uns contre les autres quand le corps est en mouvement, par exemple lorsque les poumons se gonflent et se dégonflent au cours de la respiration.

La **plèvre** est la séreuse des cavités pleurales. La *plèvre viscérale* adhère à la surface des poumons, tandis que la *plèvre pariétale* tapisse la paroi thoracique. L'espace entre les deux feuillets de la plèvre, appelé cavité pleurale, est rempli d'une petite quantité de sérosité. Le **péricarde** est la séreuse de la cavité péricardique. Le *feuillet viscéral du péricarde* recouvre le cœur, tandis que le *feuillet pariétal du péricarde* tapisse la paroi thoracique. L'espace entre les deux feuillets du péricarde est appelé cavité péricardique. Le **péritoine** est la

séreuse de la cavité abdominale. Le *péritoine viscéral* recouvre les viscères abdominaux, tandis que le *péritoine pariétal* tapisse la paroi abdominale. L'espace entre les deux feuillets du péritoine est appelé cavité péritonéale.

Le tableau 1.3 présente un résumé des cavités du corps et de leurs membranes.

1. Quels repères séparent les diverses cavités du corps les unes des autres ?
2. Définissez le médiastin.

Régions et quadrants abdomino-pelviens

OBJECTIF

• *Nommer et décrire les neuf régions abdomino-pelviennes et les quatre quadrants abdomino-pelviens.*

Afin de situer plus facilement les nombreux organes abdominaux et pelviens, les anatomistes et les cliniciens se servent de deux méthodes pour diviser la cavité abdomino-pelvienne. Dans la première, on sépare la cavité en neuf

Figure 1.11 Cavité abdomino-pelvienne. La ligne horizontale noire indique la frontière approximative entre la cavité abdominale et la cavité pelvienne.

 La cavité abdomino-pelvienne s'étend du diaphragme jusqu'à l'aine.

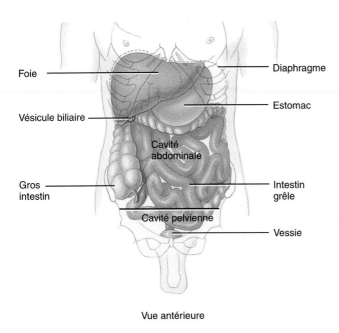

Foie — Diaphragme
Vésicule biliaire — Estomac
Cavité abdominale
Gros intestin — Intestin grêle
Cavité pelvienne — Vessie

Vue antérieure

 À quels systèmes du corps humain les organes présentés ci-dessus dans les cavités abdominale et pelvienne appartiennent-ils ? (INDICE : *Reportez-vous au tableau 1.2, p. 5.*)

Tableau 1.3 Résumé des cavités du corps et de leurs membranes

CAVITÉ	DESCRIPTION
Cavité postérieure	
Cavité crânienne	Formée par les os du crâne, elle contient l'encéphale.
Canal vertébral	Formé par la colonne vertébrale, il contient la moelle épinière.
Cavité antérieure	
Cavité thoracique	Partie supérieure de la cavité antérieure ; contient les cavités pleurale et péricardique ainsi que le médiastin.
Cavité pleurale	Chaque cavité pleurale abrite un poumon ; la séreuse des cavités pleurales est la plèvre.
Cavité péricardique	Contient le cœur ; la séreuse de la cavité péricardique est le péricarde.
Médiastin	Partie centrale de la cavité thoracique située entre les cavités pleurales ; s'étend du sternum à la colonne vertébrale et du cou au diaphragme ; contient le cœur, le thymus, l'œsophage, la trachée et plusieurs gros vaisseaux sanguins.
Cavité abdomino-pelvienne	Partie inférieure de la cavité antérieure ; divisée en cavité abdominale et cavité pelvienne.
Cavité abdominale	Contient l'estomac, la rate, le foie, la vésicule biliaire, le pancréas, l'intestin grêle et la plus grande partie du gros intestin ; la séreuse de la cavité abdominale est le péritoine.
Cavité pelvienne	Contient la vessie, certaines parties du gros intestin et les organes génitaux internes.

régions abdomino-pelviennes au moyen de deux plans transversaux et de deux plans verticaux placés comme dans une grille de tic-tac-toc (ou jeu de morpion) (figure 1.12a). Le *plan transversal supérieur* passe juste sous les côtes, à travers la partie inférieure de l'estomac ; le *plan transversal inférieur* passe juste au-dessus des hanches. Les *plans parasagittaux* gauche et droit (tous deux verticaux) traversent chacun le centre d'une clavicule et sont médiaux par rapport aux mamelons. Ces quatre plans divisent la cavité abdomino-pelvienne en une grande partie médiane et deux parties plus petites à gauche et à droite. Les neuf régions abdomino-pelviennes sont les régions hypochondriaque droite, épigastrique, hypochondriaque gauche, latérale (lombaire) droite, ombilicale, latérale (lombaire) gauche, inguinale (iliaque) droite, hypogastrique (pubienne) et inguinale (iliaque) gauche.

La deuxième méthode de division, plus simple, sépare la cavité abdomino-pelvienne en **quadrants** (*quadrans* = quart), comme le montre la figure 1.12b. Un plan transversal et un plan sagittal médian traversent l'**ombilic** (*umbilicus* = nombril). Les quadrants abdomino-pelviens sont le quadrant supérieur droit (QSD), le quadrant supérieur gauche (QSG), le quadrant inférieur droit (QID) et le quadrant inférieur gauche (QIG). Alors que les neuf régions servent plutôt aux anatomistes, les quadrants sont utilisés plus volontiers par les cliniciens pour situer une douleur, une tumeur ou une autre anomalie dans la cavité abdomino-pelvienne.

1. Situez sur votre propre corps les neuf régions abdomino-pelviennes et les quatre quadrants abdomino-pelviens, et nommez quelques-uns des organes que chaque division contient.

Figure 1.12 Régions et quadrants de la cavité abdomino-pelvienne.

  La division en neuf régions est utilisée en anatomie, tandis que la division en quadrants sert à situer une douleur, une tumeur ou une autre anomalie.

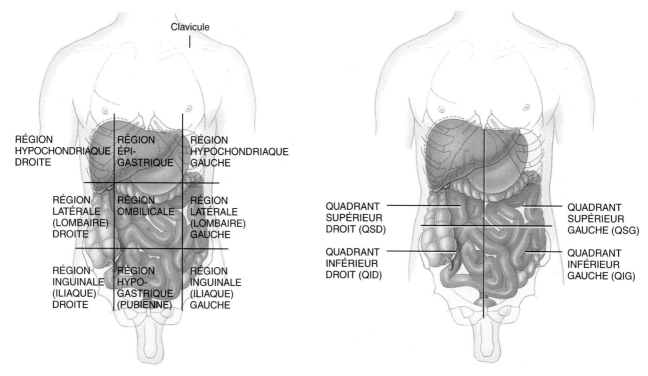

Clavicule

RÉGION
HYPOCHONDRIAQUE
DROITE

RÉGION
ÉPI-
GASTRIQUE

RÉGION
HYPOCHONDRIAQUE
GAUCHE

RÉGION
LATÉRALE
(LOMBAIRE)
DROITE

RÉGION
OMBILICALE

RÉGION
LATÉRALE
(LOMBAIRE)
GAUCHE

RÉGION
INGUINALE
(ILIAQUE)
DROITE

RÉGION
HYPO-
GASTRIQUE
(PUBIENNE)

RÉGION
INGUINALE
(ILIAQUE)
GAUCHE

QUADRANT
SUPÉRIEUR
DROIT (QSD)

QUADRANT
SUPÉRIEUR
GAUCHE (QSG)

QUADRANT
INFÉRIEUR
DROIT (QID)

QUADRANT
INFÉRIEUR
GAUCHE (QIG)

(a) Vue antérieure montrant les neuf régions abdomino-pelviennes

(b) Vue antérieure montrant les quadrants abdomino-pelviens

Q Dans quelle *région* abdomino-pelvienne se situent les organes suivants : la plus grande partie du foie, le côlon transverse, la vessie et la rate ? Dans quel *quadrant* abdomino-pelvien la douleur causée par une appendicite (inflammation de l'appendice vermiforme) sera-t-elle ressentie ?

IMAGERIE MÉDICALE

OBJECTIF

• *Décrire les principes de l'imagerie médicale et son importance dans l'évaluation des fonctions organiques et le diagnostic des maladies.*

Diverses techniques d'**imagerie médicale** permettent de visualiser les structures internes du corps humain et de diagnostiquer avec plus de précision un large éventail de troubles anatomiques et physiologiques. L'ancêtre de toutes les techniques d'imagerie médicale est la radiographie, dont on se sert en médecine depuis la fin des années 1940. Les méthodes plus récentes non seulement facilitent le diagnostic des

maladies, mais elles permettent aussi d'approfondir notre compréhension de la physiologie normale. Le tableau 1.4 présente quelques techniques d'imagerie médicale couramment utilisées. Nous aborderons dans des chapitres suivants d'autres méthodes, tel le cathétérisme cardiaque.

1. Quelles formes d'imagerie médicale utilisent les rayonnements ? Lesquelles ne les utilisent pas ?
2. Quelle technique d'imagerie révèle le mieux la physiologie d'une structure ?
3. Quelle technique d'imagerie montre le mieux un os fracturé ?

Tableau 1.4 Quelques techniques d'imagerie médicale courantes

Radiographie

Procédé : Un faisceau simple de rayons X traverse le corps et produit une image des structures internes sur une pellicule sensible aux rayons X. Cette image bidimensionnelle est appelée *radiographie*.

Commentaires : Fournit des images claires des structures osseuses ou denses, mais des images médiocres des tissus mous et des organes, qui paraissent flous ou sombres.

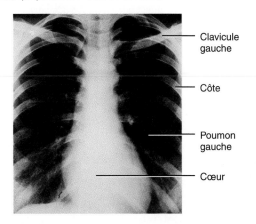

Clavicule gauche

Côte

Poumon gauche

Cœur

Vue antérieure du thorax

Tomodensitométrie

Procédé : Radiographie informatisée utilisant un faisceau de rayons X pour tracer un arc sous divers angles autour d'une partie du corps. La coupe transversale ainsi obtenue, appelée *tranche tomographique,* est reproduite sur un écran.

Commentaires : Donne une image plus détaillée des tissus mous et des organes que la radiographie classique. Les différentes densités tissulaires apparaissent dans divers tons de gris. On peut assembler plusieurs tranches tomographiques pour obtenir une image tri-dimensionnelle d'une structure.

FACE ANTÉRIEURE

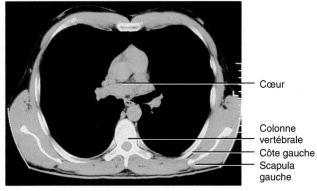

Cœur

Colonne vertébrale
Côte gauche
Scapula gauche

FACE POSTÉRIEURE

Vue inférieure de la coupe transversale du thorax

Remarque : En radiographie, une convention veut qu'on visualise toujours la face inférieure d'une région. Le côté gauche du corps apparaît donc à droite sur la photographie.

Angiographie numérique avec soustraction

Procédé : Un ordinateur compare les radiographies d'une région du corps avant et après l'injection d'un produit de contraste dans les vaisseaux sanguins. Les tissus entourant les vaisseaux sont effacés (par numérisation) de la deuxième image. On obtient ainsi une vue non obstruée des vaisseaux sanguins.

Commentaires : Utilisée surtout pour étudier les vaisseaux sanguins de l'encéphale et du cœur.

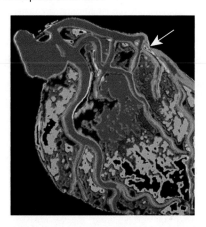

Vaisseaux sanguins (en rouge) entourant le cœur (la flèche indique le vaisseau rétréci)

Échographie

Procédé : Ultrasons émis par un appareil tenu à la main, réfléchis par les tissus et captés de nouveau par le même instrument. L'image obtenue, qui est fixe ou mobile, est appelée **sonogramme** ; elle est reproduite sur un écran.

Commentaires : Méthode sans risque connu, non effractive et indolore, n'utilisant aucun produit de contraste. Utilisée principalement pour visualiser le fœtus durant la grossesse. Sert aussi à déterminer la taille, la situation et le fonctionnement des organes et à observer l'écoulement sanguin dans les vaisseaux.

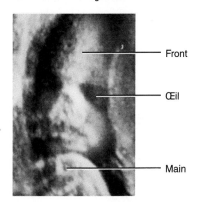

Front

Œil

Main

Avec la permission de Andrew Joseph Tortora et Damaris Soler

Tableau 1.4 Quelques techniques d'imagerie médicale courantes (suite)

Imagerie par résonance magnétique (IRM)

Procédé : L'exposition du corps à un champ magnétique très intense provoque dans les liquides et tissus de l'organisme un réaménagement des protons (petites particules positives à l'intérieur d'atomes tels que l'hydrogène) par rapport au champ produit. Des ondes radio «lisent» ensuite ces motifs d'ions et une image chromocodée apparaît sur l'écran. Cette image représente l'empreinte en deux ou trois dimensions de la composition chimique des cellules.

Commentaires : Relativement sûr, ce procédé ne convient pas aux personnes portant des objets métalliques à l'intérieur du corps. Montre des détails précis des tissus mous mais non des os. Sert le plus souvent à distinguer les tissus normaux des tissus anormaux. Utilisé pour déceler des tumeurs, des dépôts lipidiques obstruant les artères ou encore des anomalies cérébrales, et pour mesurer le débit sanguin.

Tomographie par émission de positrons (TEP)

Procédé : On injecte au patient une substance émettant des positrons (particules à charge positive) qui est absorbée par les tissus. La collision de ces positrons avec les électrons à charge négative présents dans les tissus produit des rayonnements gamma (semblables aux rayons X) qui sont captés par des caméras gamma installées autour du patient. Un ordinateur reçoit l'information des caméras et construit en direct une *image tomographique* en couleurs. On peut alors voir à quel endroit la substance injectée a été absorbée dans le corps.

Commentaires : Utilisée pour étudier la physiologie des structures, par exemple le métabolisme du cerveau ou du cœur.

FACE ANTÉRIEURE

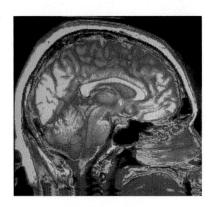

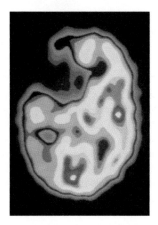

Coupe sagittale de l'encéphale

FACE POSTÉRIEURE

Coupe transversale montrant le débit sanguin dans l'encéphale (la région plus foncée dans le coin supérieur gauche indique le siège d'un accident vasculaire cérébral)

RÉSUMÉ

DÉFINITION DE L'ANATOMIE ET DE LA PHYSIOLOGIE (p. 1)

1. L'anatomie est l'étude des structures de l'organisme et des relations entre ces structures ; la physiologie est l'étude des fonctions du corps humain.

2. La dissection consiste à découper soigneusement les structures du corps afin d'étudier comment elles sont reliées les unes aux autres.

3. Les sous-disciplines de l'anatomie comprennent l'embryologie, l'anatomie du développement, la cytologie, l'histologie, l'anatomie de surface, l'anatomie macroscopique, l'anatomie des systèmes, l'anatomie régionale, l'anatomie radiologique et l'anatomie pathologique (voir le tableau 1.1, p. 2).

4. Les sous-disciplines de la physiologie comprennent la physiologie cellulaire, la neurophysiologie, l'endocrinologie, la physiologie cardiovasculaire, l'immunologie, la physiologie respiratoire, la physiologie rénale, la physiologie de l'exercice et la physiopathologie (voir le tableau 1.1, p. 2).

5. La génétique est la science de l'hérédité ; elle étudie la façon dont les caractéristiques des parents sont transmises à leur progéniture.

NIVEAUX D'ORGANISATION DU CORPS (p. 3)

1. Le corps humain comprend six niveaux d'organisation structurale : les niveaux chimique, cellulaire, tissulaire, organique, systémique et de l'organisme entier.

2. Les cellules sont les unités structurales et fonctionnelles de base d'un organisme et les plus petites unités vivantes dans le corps humain.

3. Les tissus sont des groupes de cellules entourés de matériaux qui exécutent ensemble une fonction particulière.

4. Les organes sont toujours composés d'au moins deux types de tissus ; ils jouent un rôle spécifique et se présentent sous une forme reconnaissable.

5. Chaque système est constitué d'organes associés pour accomplir une fonction commune.

6. On entend par organisme tout être vivant.

7. Le tableau 1.2, p. 5, présente les onze systèmes du corps humain : tégumentaire, osseux, musculaire, nerveux, endocrinien, cardiovasculaire, lymphatique et immunitaire, respiratoire, digestif, urinaire et reproducteur.

CARACTÉRISTIQUES DE L'ORGANISME HUMAIN VIVANT (p. 6)

1. Les organismes vivants accomplissent des fonctions qui les distinguent de la matière inerte.

2. Les principales fonctions vitales du corps humain sont le métabolisme, la réactivité, le mouvement, la croissance, la différenciation et la reproduction.

3. L'homéostasie est l'état d'équilibre du milieu intérieur résultant de l'interaction incessante de tous les mécanismes de régulation de l'organisme.

4. Les liquides de l'organisme sont des solutions aqueuses diluées. Le liquide intracellulaire se trouve à l'intérieur des cellules, tandis que le liquide extracellulaire entoure les cellules. Le liquide interstitiel est le liquide extracellulaire qui comble les espaces entre les cellules des tissus ; le plasma est le liquide extracellulaire qui circule dans les vaisseaux sanguins.

5. Puisqu'il entoure toutes les cellules de l'organisme, le liquide interstitiel est aussi appelé milieu intérieur.

RÉGULATION DE L'HOMÉOSTASIE (p. 7)

1. Les perturbations de l'homéostasie sont attribuables à des agressions externes ou internes et/ou à des tensions psychologiques.

2. Lorsque la perturbation de l'homéostasie est légère et temporaire, les cellules réagissent rapidement pour rétablir l'équilibre du milieu intérieur. Lorsqu'elle est grave, la régulation de l'homéostasie peut échouer.

3. Le plus souvent, l'homéostasie est régie par le système nerveux et le système endocrinien, agissant de concert ou chacun de son côté. Le système nerveux détecte les changements dans l'organisme et envoie des influx nerveux visant à corriger l'écart. Le système endocrinien rétablit l'homéostasie en sécrétant des hormones.

4. Les composantes d'un mécanisme de régulation sont 1) les récepteurs qui détectent les changements d'un facteur contrôlé et transmettent l'information à 2) un centre de régulation qui fixe la fourchette de valeurs normales d'un facteur contrôlé, évalue le message reçu et donne des ordres au besoin, et 3) les effecteurs qui reçoivent l'information du centre de régulation et déclenchent une réaction (un effet) pour modifier le facteur contrôlé.

5. Si la réponse inverse le stimulus initial, le mécanisme de régulation est une rétro-inhibition. Si la réponse amplifie le stimulus initial, le mécanisme de régulation est une rétroactivation.

6. Le mécanisme qui participe à la régulation de la pression artérielle est un mécanisme de rétro-inhibition. Lorsqu'un stimulus augmente la pression artérielle (le facteur contrôlé), les barorécepteurs (cellules nerveuses sensibles à la pression, les récepteurs), situés dans les vaisseaux sanguins, envoient des influx nerveux au cerveau (le centre de régulation). Le cerveau envoie à son tour des influx (l'information de sortie) au cœur (l'effecteur). En bout de ligne, la fréquence cardiaque diminue (réponse) et la pression artérielle retourne à la normale (rétablissement de l'homéostasie).

7. L'accouchement est régi par un mécanisme de rétroactivation. Au début du travail, le col de l'utérus s'étire (stimulus) et des cellules nerveuses sensibles à l'étirement (récepteurs) envoient des influx nerveux (information d'entrée) au cerveau (centre de régulation). Le cerveau répond en libérant de l'ocytocine (information de sortie), hormone qui provoque des contractions plus fortes (réponse) de l'utérus (effecteur). La progression du fœtus accroît l'étirement du col de l'utérus et le cerveau répond en libérant encore plus d'ocytocine, ce qui provoque des contractions encore plus fortes. Le cycle prend fin au moment de la naissance du bébé.

8. Les perturbations de l'homéostasie (déséquilibres homéostatiques) peuvent provoquer des anomalies, des maladies et parfois la mort.

9. Le terme « anomalie » englobe tout ce qui perturbe le fonctionnement normal de l'organisme. Le terme « maladie », plus précis, désigne un ensemble identifiable de signes et de symptômes.

10. Les symptômes sont des changements subjectifs et non apparents dans les fonctions vitales, tandis que les signes sont des changements objectifs, observables et mesurables.

TERMINOLOGIE ANATOMIQUE DE BASE (p. 11)

Positions du corps (p. 11)

1. Chaque fois qu'on décrit une région du corps, on suppose que le corps se trouve en position anatomique. Dans cette position, la personne se tient debout, face à l'observateur, la tête droite et les yeux fixés en avant. Les pieds sont posés à plat sur le sol et pointent en avant, les bras pendent le long du corps et les paumes sont tournées en avant.

2. Lorsque le corps est en position allongée, le visage faisant face vers le bas, il se trouve en décubitus ventral. Si le visage fait face vers le haut, le corps se trouve en décubitus dorsal.

Régions du corps (p. 13)

1. Chaque région du corps porte un nom. Les principales régions sont la tête, le cou, le tronc, les membres supérieurs et les membres inférieurs.

2. Dans chaque région, on désigne les parties du corps par un nom courant et le terme anatomique correspondant. Par exemple, le thorax (thoracique), le nez (nasale) et le poignet (carpienne).

Plans et coupes (p. 13)

1. Les plans sont des surfaces planes imaginaires servant à diviser le corps ou ses organes en parties. Le plan sagittal médian divise le corps ou un organe en deux côtés, gauche et droit, égaux ; le plan parasagittal divise le corps ou un organe en deux côtés, gauche et droit, inégaux ; le plan frontal divise le corps ou un organe en une partie antérieure et une partie postérieure ; le plan transversal divise le corps ou un organe en une partie supérieure et une partie inférieure ; le plan oblique divise le corps ou un organe selon un plan intermédiaire entre un plan transversal et un plan soit sagittal, soit frontal.

2. Les coupes sont les surfaces planes résultant de la division de structures corporelles. Elles portent le même nom que les plans auxquels elles correspondent ; on distingue les coupes transversale, frontale et sagittale.

Termes relatifs à l'orientation du corps (p. 14)

1. Les termes relatifs à l'orientation du corps situent les diverses parties du corps les unes par rapport aux autres.

2. L'exposé 1.1, p. 15, présente un résumé des termes relatifs à l'orientation les plus couramment utilisés.

Cavités du corps (p. 14)

1. Dans le corps humain, les espaces qui contribuent à protéger, isoler et soutenir les organes internes sont appelés cavités du corps.

2. La cavité postérieure et la cavité antérieure sont les deux principales cavités du corps.

3. La cavité postérieure se subdivise en deux parties : la cavité crânienne, qui contient l'encéphale, et le canal vertébral, qui renferme la moelle épinière. Les méninges sont des membranes protectrices qui tapissent la cavité postérieure.

4. La cavité antérieure est divisée par le diaphragme en deux parties : la cavité thoracique et la cavité abdomino-pelvienne. Les viscères sont les organes abrités par la cavité antérieure. Une séreuse tapisse la paroi de la cavité et adhère aux viscères.

5. La cavité thoracique se subdivise en trois petites cavités : la cavité péricardique, qui loge le cœur, et deux cavités pleurales, qui contiennent chacune un poumon.

6. Le médiastin forme la partie centrale de la cavité thoracique. Situé entre les cavités pleurales, il s'étend du sternum à la colonne vertébrale et du cou au diaphragme. Il contient tous les viscères thoraciques, à l'exception des poumons.

7. La cavité abdomino-pelvienne se divise en une partie supérieure, la cavité abdominale, et une partie inférieure, la cavité pelvienne.

8. Les viscères de la cavité abdominale sont l'estomac, la rate, le foie, la vésicule biliaire, le pancréas, l'intestin grêle et la majeure partie du gros intestin.

9. Les viscères de la cavité pelvienne sont la vessie, certaines parties du gros intestin et les organes génitaux internes.

10. Des séreuses tapissent les parois des cavités thoracique et abdominale et recouvrent les organes que celles-ci contiennent. Il s'agit de la plèvre, associée aux poumons, du péricarde, associé au cœur, et du péritoine, associé à la cavité abdominale.

11. Le tableau 1.3, p. 19, présente un résumé des cavités du corps et de leurs membranes.

Régions et quadrants abdomino-pelviens (p. 18)

1. Pour situer les organes plus facilement, on divise la cavité abdomino-pelvienne en neuf régions : hypochondriaque droite, épigastrique, hypochondriaque gauche, latérale (lombaire) droite, ombilicale, latérale (lombaire) gauche, inguinale (iliaque) droite, hypogastrique (pubienne) et inguinale (iliaque) gauche.

2. Pour situer une anomalie dans la région abdomino-pelvienne, les cliniciens divisent cette cavité en quadrants : le quadrant supérieur droit (QSD), le quadrant supérieur gauche (QSG), le quadrant inférieur droit (QIF) et le quadrant inférieur gauche (QIG).

IMAGERIE MÉDICALE (p. 20)

1. Diverses techniques d'imagerie médicale permettent de visualiser les structures internes et de diagnostiquer des anomalies anatomiques et des perturbations physiologiques.

2. Le tableau 1.4, p. 21, présente quelques techniques d'imagerie médicale.

AUTOÉVALUATION

Phrases à compléter

1. L'unité structurale et fonctionnelle de base d'un organisme est ___ .

2. Les quatre principaux types de tissus du corps humain sont ___ , ___ , ___ et ___ .

3. La phase du métabolisme pendant laquelle de grandes molécules complexes sont dégradées en unités plus petites et plus simples est appelée ___ .

4. L'état d'équilibre du milieu intérieur dans les limites de certains paramètres physiologiques est appelé ___ .

5. Associez les éléments suivants:

___ 1) système nerveux

___ 2) système endocrinien

___ 3) système urinaire

___ 4) système cardio-vasculaire

___ 5) système musculaire

___ 6) système respiratoire

___ 7) système digestif

___ 8) système osseux

a) effectue la régulation des activités de l'organisme au moyen de substances chimiques transportées dans le sang vers divers organes cibles

b) régit le volume et la composition chimique du sang

c) produit les mouvements du corps et stabilise sa position

d) soutient et protège le corps, sert de charpente interne

e) transporte l'oxygène et les nutriments vers les cellules, protège l'organisme contre les maladies et débarrasse les cellules de leurs déchets

f) effectue la régulation des activités de l'organisme au moyen de potentiels d'action, reçoit l'information sensorielle, l'interprète et y réagit

g) assure la dégradation physique et chimique des aliments et l'absorption des nutriments

h) fournit de l'oxygène et élimine le gaz carbonique

Vrai ou faux

6. Dans un mécanisme de rétro-inhibition, la réponse fait augmenter ou amplifie le stimulus initial.

7. La cavité antérieure contient le cœur, les poumons et les viscères abdominaux.

Choix multiples

8. Lesquels des énoncés suivants permettent de définir un mécanisme de régulation? 1) Un mécanisme de régulation comprend un centre de régulation, un récepteur et un effecteur. 2) Le centre de régulation reçoit l'information d'entrée de l'effecteur. 3) Le récepteur détecte les changements qui perturbent l'organisme. 4) L'effecteur réagit à un stimulus. 5) Un mécanisme de régulation est un cycle d'événements permettant de surveiller un facteur contrôlé et de signaler toute déviation de la normale à un centre de régulation.
a) 1 et 2. b) 1, 2 et 3. c) 1, 3 et 5. d) 1, 3, 4 et 5. e) 2 et 4.

9. Lesquels des énoncés suivants permettent de définir une séreuse? 1) Elle tapisse les cavités du corps n'ayant aucun contact direct avec le milieu extérieur. 2) Elle tapisse les cavités du corps en contact direct avec le milieu extérieur. 3) Elle comporte deux feuillets. 4) La plèvre, le péricarde et le péritoine sont des séreuses. 5) Elle tapisse les cavités mais ne recouvre pas les organes que ces dernières contiennent.
a) 1, 3, 4 et 5. b) 1, 3 et 4. c) 1, 3 et 5. d) 1 et 3. e) 1 et 5.

10. Dans quelle région abdomino-pelvienne se trouve l'appendice vermiforme? a) Iliaque droite. b) Latérale droite. c) Hypogastrique (pubienne). d) Ombilicale. e) Épigastrique.

11. Un plan vertical qui divise le corps ou un organe en deux côtés, droit et gauche, est: a) un plan frontal; b) un plan sagittal; c) un plan transversal; d) un plan oblique; e) un plan coronal.

12. Les deux systèmes responsables de la régulation homéostatique de l'organisme sont les systèmes: a) nerveux et cardiovasculaire; b) respiratoire et cardiovasculaire; c) endocrinien et cardiovasculaire; d) cardiovasculaire et urinaire; e) endocrinien et nerveux.

13. La membrane qui recouvre le cœur est: a) la plèvre; b) le péritoine; c) le péricarde; d) la membrane synoviale; e) la membrane cutanée.

14. Associez les termes courants suivants à leur description anatomique:

___ 1) axilliaire

___ 2) inguinale

___ 3) cervicale

___ 4) crânienne

___ 5) brachiale

___ 6) orbitaire

___ 7) glutéale

___ 8) zygomatique

a) crâne
b) œil
c) joue
d) aisselle
e) bras
f) aine
g) fesse
h) cou

15. Associez les termes relatifs à l'orientation suivants à leur définition:

___ 1) à l'avant du corps

___ 2) plus près du tronc

___ 3) vers le haut d'une structure

___ 4) vers le plan médian du corps

___ 5) plus éloigné du plan médian du corps

___ 6) au dos du corps

___ 7) plus éloigné du tronc

___ 8) vers le bas d'une structure

a) supérieur
b) inférieur
c) antérieur (ventral)
d) postérieur (dorsal)
e) médial
f) latéral
g) proximal
h) distal

QUESTIONS À COURT DÉVELOPPEMENT

1. Dans son premier examen d'anatomie et physiologie, Hélène définit l'homéostasie comme «l'état du corps lorsque sa température se stabilise au niveau de la température ambiante». Êtes-vous d'accord avec cette définition? (INDICE: *Un thermomètre buccal peut-il mesurer une température de 25 °C?*)

2. Sarah ressent un engourdissement et des picotements dans les deux mains. Son médecin lui apprend qu'elle souffre du syndrome du canal carpien et recommande l'application d'attelles bilatérales. Où portera-t-elle ces attelles? (INDICE: *Les attelles restreignent quelque peu les mouvements de la main.*)

3. Âgé de 80 ans, Henri tombe d'une échelle et craint de s'être fracturé le bras. Au service des urgences, le médecin fait faire une radiographie. Henri demande de subir un examen plus poussé d'imagerie par résonance magnétique afin qu'on vérifie par la même occasion son stimulateur cardiaque. Le médecin refuse. Pourquoi? (INDICE: *Les stimulateurs cardiaques contiennent du métal.*)

RÉPONSES AUX QUESTIONS DES FIGURES

1.1 Les organes comprennent toujours au moins deux types de tissus qui s'associent pour exécuter une fonction donnée.

1.2 Dans les mécanismes de rétro-inhibition, la réponse inverse le stimulus initial, tandis que dans les mécanismes de rétroactivation, la réponse amplifie le stimulus initial.

1.3 Lorsqu'un facteur donné provoque la diminution de la pression artérielle, la fréquence cardiaque augmente à la suite du déclenchement de ce mécanisme de rétro-inhibition.

1.4 Puisque les mécanismes de rétroactivation amplifient progressivement le stimulus initial, un mécanisme d'interruption doit assurer la fin du cycle d'événements.

1.5 Grâce à une position anatomique standard, on peut orienter clairement chaque élément et situer n'importe quelle partie du corps par rapport à une autre.

1.6 Le plan frontal divise le cœur en une partie antérieure et une partie postérieure.

1.7 Le plan parasagittal divise l'encéphale en une partie droite et une partie gauche inégales.

1.8 P, A, T, A, A, T, P, T, A, A.

1.9 Non, non, oui, oui, non.

1.10 Les structures qui se trouvent dans le médiastin sont le cœur, l'œsophage, la trachée, le thymus et plusieurs gros vaisseaux sanguins.

1.11 Les organes de la cavité abdominale présentés dans la figure appartiennent tous au système digestif (foie, vésicule biliaire, estomac, appendice vermiforme, intestin grêle et la plus grande partie du gros intestin). Les organes de la cavité pelvienne présentés dans la figure appartiennent soit au système urinaire (vessie), soit au système digestif (certaines parties du gros intestin).

1.12 Le foie est situé principalement dans la région épigastrique; le côlon transverse est situé dans la région ombilicale; la vessie est située dans la région hypogastrique; la rate est située dans la région hypochondriaque gauche. La douleur associée à l'appendicite est ressentie dans le quadrant inférieur droit (QID).

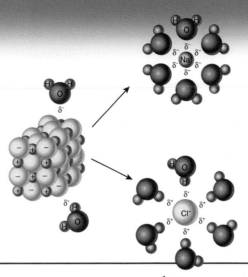

Nous avons vu au chapitre 1 que, au niveau chimique d'organisation du corps humain, les atomes et les molécules s'unissent pour former des structures et des systèmes dont la taille et la complexité étonnent. Dans ce chapitre, nous découvrirons comment les atomes se lient pour former des molécules, comment les atomes et les molécules libèrent ou emmagasinent de l'énergie au cours de processus appelés réactions chimiques et comment l'eau que contient notre organisme participe à la plupart des réactions chimiques. Enfin, nous étudierons cinq familles de molécules dont les propriétés uniques sont mises à contribution pour assembler les structures de l'organisme ou alimenter les fonctions caractéristiques de la vie.

La **chimie** est la science de la structure et des interactions de la matière. Tous les êtres vivants et non vivants sont constitués de **matière,** c'est-à-dire de tout ce qui occupe un volume et possède une masse. La quantité de matière qu'un objet contient est sa **masse.** Sur la terre, la *pesanteur* est la force gravitationnelle qui agit sur la matière. Les objets pèsent moins lourd lorsqu'ils sont loin de la terre car la force gravitationnelle est plus faible. Dans l'espace, la pesanteur est presque nulle mais la masse demeure la même que sur la terre.

ORGANISATION DE LA MATIÈRE

OBJECTIFS

• *Nommer les principaux éléments chimiques présents dans le corps humain.*

• *Décrire les structures des atomes, des ions, des molécules, des radicaux libres et des composés.*

Éléments chimiques

Toutes les formes de matière, qu'elles soient vivantes ou non, se composent d'un nombre limité d'unités constitutives appelées **éléments chimiques.** Chaque élément est une substance qui ne peut se diviser en substances plus simples au moyen de méthodes chimiques ordinaires. Les chercheurs ont jusqu'à présent identifié 112 éléments, dont 92 sont présents sur notre planète et 20 sont dérivés d'éléments naturels au moyen d'instruments comme les accélérateurs de particules ou les réacteurs nucléaires. Chaque élément est désigné par un **symbole chimique,** formé de la première ou des deux premières lettres de son nom en anglais, en latin ou dans une autre langue. Par exemple, H représente l'hydrogène, C le carbone, O l'oxygène, N (*nitrogène*) l'azote, Ca le calcium, Na (*natrium*) le sodium, K (*kalium*) le potassium, Fe le fer et P le phosphore*.

Des 92 éléments naturels, 26 sont normalement présents dans le corps humain. De ce nombre, quatre seulement, soit l'oxygène, le carbone, l'hydrogène et l'azote, constituent environ 96 % de la masse corporelle. Neuf autres – le calcium, le phosphore, le potassium, le soufre (S), le sodium, le chlore (Cl), le magnésium (Mg), l'iode (I) et le fer – constituent 3,9 % de la masse corporelle. Le tableau 2.1 donne une liste des 13 éléments qui composent la majeure partie de l'organisme avec leurs caractéristiques les plus importantes. Treize autres éléments, appelés *oligoéléments* et présents dans de très faibles

---

* Le tableau périodique des éléments, qui énumère tous les éléments chimiques connus, est fourni à l'appendice B.

Tableau 2.1 Principaux éléments chimiques présents dans le corps humain

ÉLÉMENT CHIMIQUE (SYMBOLE)	% DE LA MASSE CORPORELLE TOTALE	IMPORTANCE
Oxygène (O)	65,0	Constituant de l'eau et de nombreuses molécules organiques (carbonées); essentiel à la production d'ATP, molécule dans laquelle les cellules emmagasinent temporairement de l'énergie chimique.
Carbone (C)	18,5	Forme les chaînes et les structures cycliques du squelette de toutes les molécules organiques, notamment des glucides, des lipides (matières grasses), des protéines et des acides nucléiques (ADN et ARN).
Hydrogène (H)	9,5	Constituant de l'eau et de la plupart des molécules organiques; sous forme ionisée (H^+), rend les liquides de l'organisme plus acides.
Azote (N)	3,2	Présent dans toutes les protéines et tous les acides nucléiques.
Calcium (Ca)	1,5	Contribue à la solidité des os et des dents; sous forme ionisée (Ca^{2+}), il est nécessaire à la coagulation du sang, à la libération des hormones, à la contraction musculaire et à de nombreux autres processus.
Phosphore (P)	1,0	Présent dans les acides nucléiques et l'ATP; nécessaire à la structure normale des os et des dents.
Potassium (K)	0,4	L'ion potassium (K^+) est le cation (ion positif) le plus abondant dans le liquide intracellulaire; nécessaire à la transmission de l'influx nerveux et à la contraction musculaire.
Soufre (S)	0,3	Présent dans certaines vitamines et de nombreuses protéines.
Sodium (Na)	0,2	L'ion sodium (Na^+) est le cation le plus abondant dans le liquide extracellulaire; essentiel au maintien de l'équilibre hydrique; nécessaire à la transmission de l'influx nerveux et à la contraction musculaire.
Chlore (Cl)	0,2	L'ion chlorure (Cl^-) est l'anion (ion négatif) le plus abondant dans le liquide extracellulaire; essentiel au maintien de l'équilibre hydrique.
Magnésium (Mg)	0,1	L'ion magnésium (Mg^{2+}) participe à l'activité de nombreuses enzymes (molécules qui accélèrent les réactions chimiques dans les organismes).
Iode (I)	0,1	Constituant des hormones thyroïdiennes, qui régissent le métabolisme.
Fer (Fe)	0,1	Les formes ionisées (Fe^{2+} et Fe^{3+}) sont des constituants de l'hémoglobine (protéine transportant l'oxygène dans le sang) et de certaines enzymes.

concentrations dans l'organisme, constituent le 0,1 % restant. Ce sont l'aluminium (Al), le bore (B), le chrome (Cr), le cobalt (Co), le cuivre (Cu), le fluor (F), le manganèse (Mn), le molybdène (Mo), le sélénium (Se), le silicium (Si), l'étain (Sn), le vanadium (V) et le zinc (Zn). On sait que certains oligoéléments assurent d'importantes fonctions dans l'organisme, mais le rôle des autres reste à définir.

Structure de l'atome

Chaque élément est constitué d'**atomes**, les plus petites unités de matière qui conservent les propriétés et les caractéristiques de l'élément. Les atomes sont extrêmement petits. Si on regroupait deux cent mille des plus grands atomes, cet ensemble tiendrait dans le point final qui termine cette phrase. Les plus petits atomes, les atomes d'hydrogène, ont un diamètre inférieur à 0,1 nanomètre ($0,1 \times 10^{-9}$ m = 0,0000000001 m), et les plus grands ne sont que cinq fois plus gros.

Les atomes comprennent trois principaux types de **particules subatomiques:** les protons, les neutrons et les électrons (figure 2.1). Le **noyau,** centre dense de l'atome, contient des particules à charge électrique positive, les **protons** (p^+), et des particules neutres, les **neutrons** (n^0). Les minuscules **électrons** (e^-) sont électronégatifs et circulent dans l'espace qui entoure le noyau. Ils ne décrivent aucune trajectoire fixe mais forment plutôt un « nuage » chargé négativement qui enveloppe le noyau (voir la figure 2.1a). Bien qu'il soit impossible de prédire leur position exacte, certains groupes d'électrons occupent presque toujours certaines régions précises autour du noyau. Ces régions, appelées **couches électroniques,** sont représentées par des cercles autour du noyau même si leur forme n'est pas toujours sphérique. Chaque couche électronique ne peut contenir qu'un certain nombre d'électrons. Le modèle planétaire traduit particulièrement bien cette caractéristique structurale de l'atome (voir la figure 2.1b). Par exemple, la première couche électronique, celle qui est située le plus près du

Figure 2.1 Deux représentations de la structure de l'atome. Les électrons circulent autour du noyau, qui contient des neutrons et des protons. (a) Dans le modèle des orbitales, la partie ombragée représente les régions où un électron pourrait se trouver autour du noyau. (b) Dans le modèle planétaire, chaque cercle plein représente des électrons décrivant des cercles concentriques dans la couche électronique qu'ils occupent. Dans les deux modèles représentés, l'exemple choisi est un atome de carbone possédant 6 protons, 6 neutrons et 6 électrons.

 L'atome est la plus petite unité de matière qui conserve les propriétés et les caractéristiques de son élément.

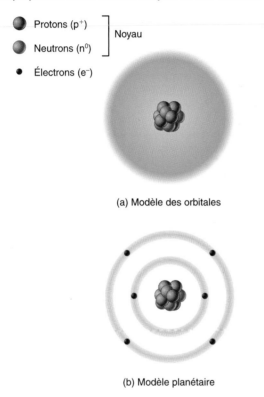

- ● Protons (p$^+$) ⎤
- ● Neutrons (n^0) ⎬ Noyau
- • Électrons (e$^-$) ⎦

(a) Modèle des orbitales

(b) Modèle planétaire

Q Comment les électrons du carbone sont-ils répartis entre la première et la deuxième couche électronique ?

noyau, ne contient jamais plus de deux électrons. La deuxième couche électronique peut contenir au plus huit électrons, tandis que la troisième peut en contenir jusqu'à 18. Dans la figure 2.2, remarquez que le sodium (Na) contient deux électrons dans sa première couche électronique, huit dans la deuxième et un dans la troisième. Les couches électroniques plus éloignées du noyau (dont le nombre peut atteindre sept) peuvent contenir beaucoup plus d'électrons. Dans le corps humain, l'élément le plus massif est l'iode, qui compte au total 53 électrons : 2 dans la première couche électronique, 8 dans la deuxième, 18 dans la troisième, 18 dans la quatrième et 7 dans la cinquième.

Dans un atome, le nombre d'électrons est toujours égal au nombre de protons. Comme chaque électron possède une charge négative, les charges négatives des électrons et les charges positives des protons s'annulent toujours. L'atome est donc électriquement neutre puisque sa charge est nulle.

Numéro atomique et nombre de masse

Le *nombre de protons* dans le noyau de l'atome, désigné par le **numéro atomique,** permet de distinguer les atomes d'un élément de ceux d'un autre. La figure 2.2 montre que les atomes de divers éléments ont des numéros atomiques différents parce qu'ils possèdent chacun un nombre différent de protons. Par exemple, l'oxygène a un numéro atomique de 8 parce que son noyau possède 8 protons, tandis que le sodium a un numéro atomique de 11 parce que son noyau possède 11 protons.

Le **nombre de masse** d'un atome est la somme de la masse de ses protons et de celle de ses neutrons. Le sodium, qui possède 11 protons et 12 neutrons, a un nombre de masse de 23 (voir la figure 2.2). Même si tous les atomes d'un élément ont le même nombre de protons, ils peuvent avoir un nombre différent de neutrons et donc des nombres de masse différents. Dans un élément, les atomes qui ont des nombres de masse différents sont appelés **isotopes.** Par exemple, dans un échantillon d'oxygène, la plupart des atomes possèdent 8 neutrons mais quelques-uns en ont 9 ou 10, même si tous possèdent 8 protons et 8 électrons. La plupart des isotopes sont stables, ce qui signifie que leur structure nucléaire ne change jamais. Les isotopes stables de l'oxygène sont ^{16}O, ^{17}O et ^{18}O (ou O−16, O−17 et O−18). Le chiffre correspond au nombre de masse (nombre total de protons et de neutrons) de chaque isotope. Nous verrons plus loin que les propriétés chimiques d'un atome sont déterminées par ses électrons. Bien que les isotopes d'un élément ne possèdent pas tous le même nombre de neutrons, ils ont le même nombre d'électrons et donc les mêmes propriétés chimiques.

Certains isotopes, appelés **radio-isotopes,** sont instables ; leur noyau se désintègre pour adopter une configuration plus simple et plus stable. Les atomes ^{3}H, ^{14}C, ^{15}O et ^{19}O sont des radio-isotopes. Lorsqu'ils se désintègrent, ils irradient des particules subatomiques ou de l'énergie et forment souvent un autre élément. Ainsi par exemple, le radio-isotope du carbone, ^{14}C, devient ^{14}N. La désintégration d'un radio-isotope peut se produire en une fraction de seconde seulement, comme elle peut prendre des millions, voire des milliards d'années. Chaque radio-isotope se caractérise par sa **demi-vie,** c'est-à-dire la période requise pour que la moitié de ses atomes radioactifs se désintègrent pour former un atome plus stable. La demi-vie de ^{14}C est de 5 600 ans, tandis que celle de ^{131}I est de 8 jours.

Figure 2.2 Structure atomique de quelques atomes stables.

 Les atomes des divers éléments ont des numéros atomiques différents car ils contiennent des nombres différents de protons.

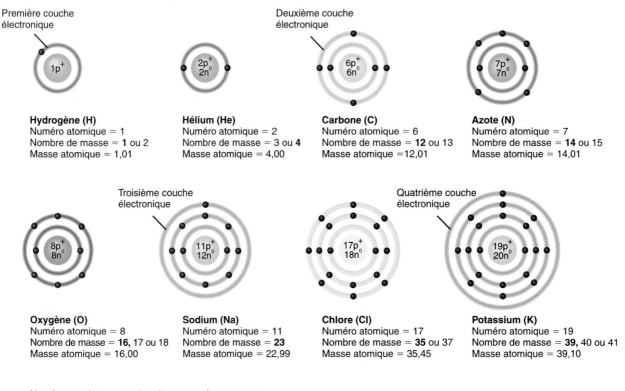

Numéro atomique = nombre de protons dans un atome
Nombre de masse = nombre de protons et de neutrons dans un atome (l'isotope le plus abondant est indiqué en caractères gras)
Masse atomique = moyenne des masses de tous les atomes stables d'un élément

Q Parmi les huit éléments cités ci-dessus, précisez les quatre qui sont les plus abondants dans les organismes vivants.

 APPLICATION CLINIQUE
Dangers et avantages de l'irradiation

Les radio-isotopes présentent aussi bien des dangers que des avantages. Ils sont dangereux pour le corps humain car leurs rayonnements ont la capacité de dégrader des molécules, ce qui peut endommager les tissus et causer diverses formes de cancer. Même si la désintégration de radio-isotopes naturels ne libère habituellement qu'une faible quantité de rayonnements dans le milieu extérieur, des accumulations localisées peuvent survenir. Le radon 222, par exemple, un gaz incolore et inodore, est un produit radioactif naturel qui résulte de la désintégration de l'uranium ; il peut s'infiltrer dans le sol et s'accumuler dans les bâtiments. L'exposition au radon accroît notablement les risques de cancer du poumon chez les fumeurs tout en étant souvent la cause de ce même cancer chez les non-fumeurs. Cependant, certains radio-isotopes sont utiles en imagerie médicale et d'autres ont la capacité de détruire les cellules cancéreuses. ■

Masse atomique

L'unité standard servant à mesurer la masse des atomes et de leurs particules subatomiques est le **dalton**, aussi appelé *unité de masse atomique* (*u.m.a.*). Un neutron a une masse de 1,008 daltons et un proton, une masse de 1,007 daltons. La masse d'un électron est de 0,0005 dalton, ce qui est près de 2 000 fois inférieur à la masse d'un neutron ou d'un proton. La **masse atomique,** ou *poids atomique*, d'un élément est la moyenne des masses de tous ses isotopes naturels ; elle reflète l'abondance relative des isotopes ayant des nombres de masse différents. Par exemple, la masse atomique du chlore est de 35,45 daltons. Environ 76 % de tous les atomes de chlore ont 18 neutrons (nombre de masse = 35), tandis que 24 % ont 20 neutrons (nombre de masse = 37). De façon générale, la masse atomique d'un élément est à peu près égale au nombre de masse de son isotope le plus abondant.

La masse d'un seul atome est légèrement inférieure à la somme des masses de ses neutrons, de ses protons et de ses électrons, car une partie de cette masse (moins de 1 %) a été perdue lorsque les composantes de l'atome se sont liées. Cela explique pourquoi la masse atomique d'un élément peut être légèrement inférieure au nombre de masse de son plus petit isotope stable. Par exemple, la masse atomique du sodium est inférieure à 23.

Ions, molécules, radicaux libres et composés

Nous avons vu plus haut que les atomes d'un même élément ont le même nombre de protons. Par ailleurs, les atomes de chaque élément ont une manière caractéristique de perdre, de gagner ou de partager des électrons au cours de leurs interactions avec d'autres atomes. Le comportement des électrons détermine si les atomes du corps auront une charge électrique (ions) ou s'ils se combineront avec d'autres pour former des combinaisons complexes (molécules). Lorsqu'un atome *perd* ou *gagne* des électrons, il devient un **ion,** c'est-à-dire un atome qui a une charge positive ou une charge négative parce qu'il comporte un nombre inégal de protons et d'électrons. L'*ionisation* est le processus par lequel les atomes perdent ou gagnent des électrons. Pour symboliser un ion, on écrit son symbole chimique suivi du nombre de ses charges positives (+) ou négatives (−). Par exemple, Ca^{2+} représente un ion calcium qui a deux charges positives parce qu'il a perdu deux électrons.

Par ailleurs, lorsque deux ou plusieurs atomes *partagent* des électrons, ils forment une nouvelle combinaison appelée **molécule.** Une molécule peut comprendre deux atomes de même type, par exemple une molécule d'oxygène (figure 2.3a). La *formule moléculaire* indique les éléments d'une molécule et le nombre d'atomes de chaque élément. La formule moléculaire d'une molécule d'oxygène est O_2. L'indice 2 signifie qu'il y a deux atomes dans la molécule. Une molécule peut également être constituée de deux ou plusieurs types d'atomes. Par exemple, dans la molécule d'eau, H_2O, un atome d'oxygène partage des électrons avec deux atomes d'hydrogène.

Un **radical libre** est un atome ou un groupe d'atomes chargé électriquement qui comporte un électron non apparié dans sa couche électronique la plus externe. Par exemple, le superoxyde est un radical libre formé lorsqu'une molécule d'oxygène gagne un électron (figure 2.3b). L'électron non apparié du radical libre le rend instable, très réactif et nocif pour les molécules environnantes. Le radical libre se stabilise soit en cédant son électron non apparié, soit en acceptant un électron d'une autre molécule. Ce processus peut toutefois briser d'importantes molécules du corps.

Un **composé** est une substance qui peut se diviser en deux ou plusieurs éléments différents par des méthodes chimiques courantes. Un composé contient donc toujours des atomes d'au moins deux éléments différents. La plupart des

Figure 2.3 Structure atomique d'une molécule d'oxygène et d'un radical libre, le superoxyde.

 Un radical libre possède un électron non apparié dans sa couche électronique la plus externe.

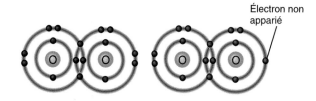

Électron non apparié

(a) Molécule d'oxygène   (b) Radical libre (superoxyde)

 Quelles substances de l'organisme peuvent inactiver les radicaux libres dérivés de l'oxygène ?

atomes du corps humain forment des composés. L'eau (H_2O) et le chlorure de sodium (NaCl), ou sel de table, sont des composés. Cependant, une molécule d'oxygène (O_2) n'est pas un composé car elle est constituée d'atomes d'un seul élément.

APPLICATION CLINIQUE
Les radicaux libres et leurs effets sur la santé

Les radicaux libres sont produits par l'absorption d'énergie en provenance de diverses sources comme des rayonnements ultraviolets ou des rayons X, par des réactions d'oxydation (dont il sera question sous peu) se déroulant au cours des processus normaux du métabolisme, et aussi par des réactions métaboliques dans lesquelles interviennent des substances nocives comme le tétrachlorure de carbone, un solvant utilisé pour le nettoyage à sec. Les radicaux libres dérivés de l'oxygène peuvent être responsables en partie de multiples troubles et maladies comme le cancer, l'athérosclérose, la maladie d'Alzheimer, l'emphysème pulmonaire, le diabète, les cataractes, la dégénérescence maculaire, la polyarthrite rhumatoïde et la dégénérescence associée au vieillissement. Selon certaines études, une consommation accrue d'*antioxydants* (substances qui inactivent les radicaux libres dérivés de l'oxygène) peut ralentir la progression des dommages causés par les radicaux libres. Les principaux antioxydants alimentaires sont les vitamines E et C, le sélénium et le bêta-carotène. ■

1. Donnez le nom et le symbole chimique des 13 éléments chimiques les plus abondants dans le corps humain.
2. Comparez les définitions du numéro atomique, du nombre de masse et de la masse atomique.
3. Que sont les isotopes et les radio-isotopes d'un élément chimique ?

LIAISONS CHIMIQUES

OBJECTIFS

- *Décrire la façon dont les électrons de valence forment des liaisons chimiques.*
- *Distinguer les liaisons ioniques, les liaisons covalentes et les liaisons hydrogène.*

Les molécules et les composés sont les produits de **liaisons chimiques** qui maintiennent ensemble les atomes comme s'ils étaient enduits d'une « colle » très efficace. Les probabilités qu'un atome forme une liaison chimique avec un autre atome dépendent du nombre d'électrons que contient sa couche électronique la plus externe, également appelée **couche de valence.** Un atome dont la couche de valence contient 8 électrons est *chimiquement stable,* c'est-à-dire qu'il n'est pas porté à former de liaisons chimiques avec d'autres atomes. Par exemple, le néon possède 8 électrons dans sa couche de valence, ce qui l'empêche de se lier à d'autres atomes. L'hydrogène et l'hélium font toutefois exception, car leur couche de valence ne peut contenir que 2 électrons. Puisque l'hélium possède 2 électrons de valence (figure 2.2), il est également stable et se lie rarement à d'autres atomes.

Les atomes de la plupart des éléments importants d'un point de vue biologique n'ont pas 8 électrons dans leur couche de valence. Dans des conditions propices, deux ou plusieurs atomes peuvent interagir et devenir chimiquement stables en réorganisant leurs électrons pour se retrouver chacun avec 8 électrons de valence. Ce principe chimique, appelé **règle de l'octet** (*octo* = huit), explique pourquoi les atomes interagissent de façon élective. Un atome est plus porté à se lier à un autre si cette liaison procure à chacun 8 électrons de valence. Pour obtenir ce résultat, il doit se débarrasser des électrons dans sa couche de valence incomplète, la remplir avec les électrons cédés ou partager des électrons avec d'autres atomes. La façon dont les électrons de valence se répartissent détermine le type de liaison chimique. Voyons maintenant les trois types de liaisons chimiques : les liaisons ioniques, les liaisons covalentes et les liaisons hydrogène.

Liaisons ioniques

Lorsqu'un atome perd ou gagne un électron de valence, des ions se forment. Les ions électropositifs et les ions électronégatifs s'attirent mutuellement, puisque les charges opposées s'attirent. Lorsque cette force d'attraction maintient ensemble des ions qui possèdent des charges opposées, elle crée une **liaison ionique.** Prenons par exemple des atomes de sodium et de chlore. Le sodium possède 1 électron de valence (figure 2.4a). S'il *perd* cet électron, il lui reste 8 électrons dans sa deuxième couche électronique, soit un octet complet. Cependant, le nombre total de ses protons (11) dépassant le nombre total de ses électrons (10), l'atome de sodium devient un **cation** (ion de charge positive). Un ion sodium qui a une charge de 1+ est représenté par le symbole Na^+. Le chlore possède

quant à lui 7 électrons de valence (figure 2.4b). S'il *acquiert* un électron d'un atome voisin, il aura un octet complet dans sa troisième couche électronique. Le nombre total de ses électrons (18) dépassera alors le nombre total de ses protons (17), ce qui le transformera en **anion** (ion de charge négative). La forme ionique du chlore est appelée ion chlorure. L'ion chlorure, qui a une charge de 1⁻, est représenté par le symbole Cl^-. Lorsqu'un atome de sodium cède son unique électron de valence à un atome de chlore, la rencontre des charges positive et négative rapproche les deux ions et crée une liaison ionique (figure 2.4c). Le composé produit est le chlorure de sodium, ou NaCl.

En règle générale, les composés ioniques existent sous forme de solides dont l'arrangement des ions est ordonné et répétitif ; le cristal de NaCl en est un exemple (figure 2.4d). Un cristal de NaCl peut être grand ou petit car le nombre total de ses ions peut varier, mais le rapport entre Na^+ et Cl^- reste toujours de 1 à 1. Dans le corps humain, les liaisons ioniques se trouvent principalement dans les dents et les os, où elles confèrent une grande solidité aux tissus. La plupart des autres ions sont dissous dans les liquides de l'organisme. Un composé ionique qui se dissocie en ions positifs et en ions négatifs dans une solution est appelé **électrolyte** car la solution peut conduire un courant électrique. (Nous traitons en détail de la chimie et de l'importance des électrolytes au chapitre 27.)

Lorsqu'un ion sodium électropositif et un ion chlorure électronégatif forment une liaison ionique, la charge nette du composé formé, le NaCl, est nulle. Il en va de même pour tous les composés formés par liaison ionique. Cependant, vous découvrirez de nombreux composés dont la charge nette est positive ou négative. Par exemple, l'ammonium (NH_4^+) et l'hydroxyle (OH^-) sont des composés ioniques que l'on retrouve souvent dans le corps humain. Ces composés portent une charge car ils sont le produit d'une liaison covalente (voir la section suivante) plutôt que d'une liaison ionique. Le tableau 2.2 donne le nom et le symbole des ions et composés ioniques les plus abondants dans le corps humain.

Tableau 2.2 Ions les plus abondants dans le corps humain

CATIONS		ANIONS	
NOM	**SYMBOLE**	**NOM**	**SYMBOLE**
Ion hydrogène	H^+	Ion fluorure	F^-
Ion sodium	Na^+	Ion chlorure	Cl^-
Ion potassium	K^+	Ion iodure	I^-
Ion ammonium	NH_4^+	Ion hydroxyle	OH^-
Ion hydronium	H_3O^+	Ion nitrate	NO_3^-
Ion magnésium	Mg^{2+}	Ion bicarbonate	HCO_3^-
Ion calcium	Ca^{2+}	Ion oxyde	O^{2-}
Ion ferreux (II)	Fe^{2+}	Ion sulfure	S^{2-}
Ion ferrique (III)	Fe^{3+}	Ion phosphate	PO_4^{3-}

Figure 2.4 Ions et formation d'une liaison ionique. (a) Un atome de sodium acquiert un octet complet d'électrons dans sa couche électronique la plus externe en cédant un électron. (b) Un atome de chlore acquiert un octet complet en gagnant un électron. (c) Une liaison ionique se forme entre des ions de charges opposées. (d) Dans un cristal de NaCl, chaque ion Na⁺ est entouré par six ions Cl⁻. Dans (a), (b) et (c), l'électron qui est perdu ou gagné est coloré en rouge.

 Une liaison ionique est la force d'attraction qui maintient ensemble des ions de charges opposées.

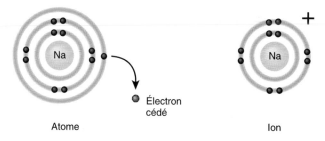

(a) Sodium : 1 électron de valence

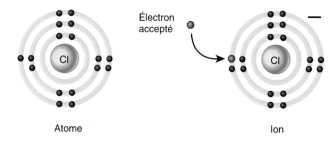

(b) Chlore : 7 électrons de valence

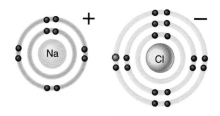

(c) Liaison ionique du chlorure de sodium (NaCl)

(d) Ions compactés dans un cristal de chlorure de sodium

Q Que sont les cations et les anions ?

Liaisons covalentes

Dans une **liaison covalente,** aucun des atomes ne perd ni ne gagne des électrons. Ces atomes forment plutôt une molécule en *partageant* une, deux ou trois paires d'électrons de valence. Plus le nombre de paires d'électrons partagées entre deux atomes est grand, plus la liaison covalente est forte. On dit des électrons de chaque paire qu'ils sont partagés car ils se trouvent la plupart du temps dans l'espace séparant les noyaux des deux atomes. Contrairement aux liaisons ioniques, les liaisons covalentes peuvent se former entre les atomes d'un même élément ou entre les atomes d'éléments différents. Les liaisons covalentes sont les liaisons chimiques que l'on retrouve le plus souvent dans le corps humain, et les composés qu'elles produisent constituent la majeure partie des structures de l'organisme.

Pour mieux comprendre la nature des liaisons covalentes, citons en exemple les liaisons qui se forment entre les atomes d'un même élément. Comme nous l'avons vu, les atomes liés par une liaison covalente peuvent partager jusqu'à trois paires d'électrons. Dans une **liaison covalente simple,** deux atomes partagent une paire d'électrons. Par exemple, une molécule d'hydrogène se forme lorsque deux atomes d'hydrogène partagent leur unique électron de valence (figure 2.5a), ce qui leur permet d'avoir une couche électronique complète au moins de façon temporaire. Dans une **liaison covalente double,** deux atomes partagent deux paires d'électrons, comme cela se produit dans une molécule d'oxygène (figure 2.5b). Une **liaison covalente triple** a lieu lorsque deux atomes partagent trois paires d'électrons, comme dans une molécule d'azote (figure 2.5c). Notez que dans les *formules développées* donnés pour les molécules issues d'une liaison covalente à la figure 2.5, le nombre de lignes qui séparent les symboles chimiques des deux atomes indique si la liaison covalente est simple (—), double (=) ou triple (≡).

Les principes s'appliquant pour une liaison covalente entre atomes d'un même élément valent également pour une liaison covalente entre atomes d'éléments différents. Les liaisons covalentes du méthane (CH_4), un gaz, sont formées entre les atomes de deux éléments différents (figure 2.5d). La couche de valence de l'atome de carbone peut contenir 8 électrons mais n'en possède que 4. L'unique couche électronique d'un atome d'hydrogène peut contenir 2 électrons, mais chaque atome d'hydrogène n'en possède que 1. Une molécule de méthane est le produit de quatre liaisons covalentes simples ; chaque atome d'hydrogène partage une paire d'électrons avec l'atome de carbone.

Dans certaines liaisons covalentes, deux atomes partagent les mêmes électrons, c'est-à-dire qu'aucun des deux atomes n'attire les électrons partagés plus fortement que l'autre. Ce type de liaison est appelée **liaison covalente non polaire.** Les liaisons entre deux atomes identiques sont toujours covalentes et non polaires (voir la figure 2.5a, b et c). La liaison covalente

Figure 2.5 Formation d'une liaison covalente. Les électrons colorés en rouge sont toujours partagés *en parts égales*. Dans la formule développée d'une molécule issue d'une liaison covalente, chaque paire d'électrons partagée est représentée par une ligne droite entre les symboles chimiques des deux atomes. Dans la formule moléculaire, le nombre d'atomes dans chaque molécule est placé en indice.

🗝 **Dans une liaison covalente, deux atomes partagent une, deux ou trois paires d'électrons de valence.**

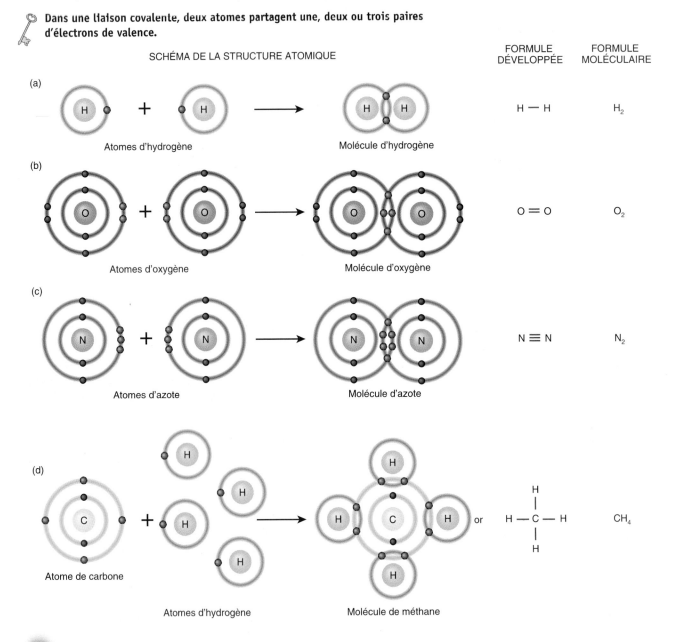

SCHÉMA DE LA STRUCTURE ATOMIQUE   FORMULE DÉVELOPPÉE   FORMULE MOLÉCULAIRE

(a) Atomes d'hydrogène   Molécule d'hydrogène   H — H H_2

(b) Atomes d'oxygène   Molécule d'oxygène   O = O O_2

(c) Atomes d'azote   Molécule d'azote   N ≡ N N_2

(d) Atome de carbone   Atomes d'hydrogène   Molécule de méthane CH_4

Q Quelle est la principale différence entre une liaison ionique et une liaison covalente ?

simple entre le carbone et chacun des atomes d'hydrogène d'une molécule de méthane est un autre exemple de liaison covalente non polaire (voir la figure 2.5d).

Dans une **liaison covalente polaire,** le partage des électrons entre deux atomes est inégal, c'est-à-dire qu'un des atomes attire les électrons partagés plus que l'autre.

Lorsqu'une liaison covalente polaire se forme, la molécule produite possède une charge partiellement négative à proximité de l'atome qui attire plus fortement les électrons ; on dit alors de cet atome qu'il a une plus grande **électronégativité.** Au moins un autre des atomes de la molécule aura une charge partiellement positive. Les charges partielles sont représentées par la lettre grecque minuscule delta accompagnée du signe

Figure 2.6 Liaisons covalentes polaires entre les atomes d'oxygène et les atomes d'hydrogène d'une molécule d'eau. Les électrons colorés en rouge sont partagés *en parts inégales.* Puisque le noyau de l'oxygène attire plus fortement les électrons partagés, l'extrémité de la molécule d'eau qui contient l'atome d'oxygène a une charge partiellement négative, représentée par δ^-, et les extrémités qui contiennent de l'hydrogène ont une charge partiellement positive, représentée par δ^+.

 Une liaison covalente polaire se produit lorsqu'un noyau d'atome attire plus fortement les électrons partagés que le noyau d'un autre atome dans la molécule.

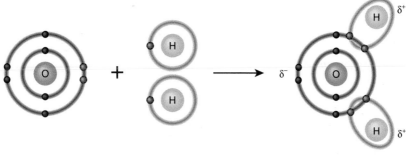

Atome d'oxygène   Atomes d'hydrogène   Molécule d'eau

 Dans une molécule d'eau, quel atome a la plus grande électronégativité ?

plus ou moins : δ^- et δ^+. Dans les organismes vivants, le meilleur exemple de liaison covalente polaire est le lien qui unit l'oxygène à l'hydrogène dans une molécule d'eau (figure 2.6). Nous verrons un peu plus loin comment les liaisons covalentes polaires permettent à l'eau de dissoudre de nombreuses molécules qui jouent un rôle vital.

Liaisons hydrogène

Les liaisons covalentes polaires qui se forment entre les atomes d'hydrogène et d'autres atomes peuvent donner lieu à un troisième type de liaison chimique, la **liaison hydrogène** (figure 2.7). La liaison covalente polaire confère à l'atome d'hydrogène une charge partiellement positive (δ^+) qui attire la charge partiellement négative (δ^-) des atomes électronégatifs environnants, qui sont le plus souvent des atomes d'oxygène ou d'azote dans les organismes vivants. Les liaisons hydrogène sont faibles ; leur force équivaut à environ 5 % de la force des liaisons covalentes. Par conséquent, elles ne peuvent pas lier les atomes pour former des molécules. Elles peuvent toutefois établir des liens entre des molécules, par exemple entre des molécules d'eau ou entre diverses parties d'une grande molécule, tels une protéine ou un acide nucléique (dont nous parlerons ci-dessous). Bien que les liaisons hydrogène simples soient faibles, les très grandes molécules en contiennent parfois des centaines. Lorsqu'elles sont nombreuses, les liaisons hydrogène donnent de la force et de la stabilité aux grosses molécules et contribuent à déterminer la forme tridimensionnelle de ces dernières. Comme nous le verrons plus loin dans ce chapitre, la forme d'une grosse molécule détermine comment elle se comportera dans l'organisme.

Figure 2.7 Liaison hydrogène entre des molécules d'eau. Chaque molécule d'eau forme des liaisons hydrogène, indiquées par des lignes pointillées, avec trois ou quatre molécules d'eau situées à proximité.

 Les liaisons hydrogène se produisent lorsque les atomes d'hydrogène d'une molécule d'eau sont attirés par la charge partiellement négative d'un atome d'oxygène dans une autre molécule d'eau.

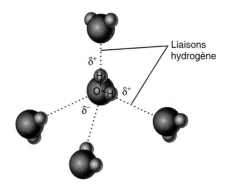

Liaisons hydrogène

 Pourquoi va-t-il de soi que l'ammoniac (NH_3) forme des liaisons hydrogène avec des molécules d'eau ?

1. Laquelle des couches électroniques de l'atome forme sa couche de valence ? Quelle est l'importance de cette couche ?
2. Expliquez le lien entre la couche de valence et la règle de l'octet.
3. Quelle information particulière donne-t-on lorsqu'on écrit la formule moléculaire ou la formule développée d'une molécule ?

RÉACTIONS CHIMIQUES

OBJECTIFS

• *Définir une réaction chimique.*

• *Décrire les diverses formes d'énergie.*

Une **réaction chimique** a lieu chaque fois que des liaisons se forment ou se rompent entre des atomes. Les réactions chimiques sont à la base de toutes les fonctions vitales et, comme nous l'avons vu, les interactions des électrons de valence sont nécessaires à toutes les réactions chimiques. Considérons comment les molécules d'hydrogène et d'oxygène réagissent pour former des molécules d'eau (figure 2.8). Les substances constitutives de l'eau, H_2 et O_2, sont ses **réactifs,** et les substances produites, deux molécules de H_2O, sont ses **produits.** Dans la figure 2.8, la flèche indique dans quelle direction la réaction se déroule. Selon la **loi de la conservation de la masse,** dans une réaction chimique, la masse totale des réactifs est égale à la masse totale des produits. Le nombre d'atomes de chaque élément est donc le même avant et après la réaction. Cependant, puisque les atomes sont réarrangés, les réactifs et les produits ont des propriétés chimiques différentes. Les milliers de réactions chimiques qui se produisent dans l'organisme lui permettent de construire ses structures et d'exécuter ses fonctions vitales. Le terme **métabolisme** désigne toutes les réactions chimiques qui se produisent dans l'organisme

Formes d'énergie et réactions chimiques

Chaque réaction chimique transforme de l'énergie. L'**énergie** (*en* = dedans ; *ergon* = travail) est la capacité de fournir un travail. Les deux principales formes d'énergie sont l'**énergie potentielle,** emmagasinée par la matière en fonction de sa position, et l'**énergie cinétique,** associée à la matière en mouvement. Par exemple, l'énergie stockée dans une pile, dans l'eau retenue par un barrage ou dans une personne qui s'apprête à sauter quelques marches d'un escalier, est de l'énergie potentielle. Lorsque la pile sert à alimenter une horloge, que les vannes du barrage s'ouvrent pour permettre à l'eau d'alimenter une génératrice ou que la personne saute, l'énergie potentielle est convertie en énergie cinétique. L'**énergie chimique** est une forme d'énergie potentielle emmagasinée dans les liaisons des composés et des molécules. Dans le corps humain, l'énergie chimique fournie par les aliments ingérés est convertie en diverses formes d'énergie cinétique, par exemple en énergie mécanique, pour nous permettre de marcher et de parler, et en énergie thermique, pour maintenir notre température corporelle. La quantité totale d'énergie est la même au début et à la fin de la réaction chimique, car l'énergie ne peut être ni créée ni détruite, seulement convertie d'une forme à une autre. Ce principe porte le nom de **loi de la conservation de l'énergie.**

Figure 2.8 Réaction chimique entre deux molécules d'hydrogène (H_2) et une molécule d'oxygène (O_2) pour former deux molécules d'eau (H_2O). Remarquez que la réaction se produit par rupture des liaisons existantes et formation de nouvelles liaisons.

 Le nombre d'atomes de chaque élément est le même avant et après une réaction chimique.

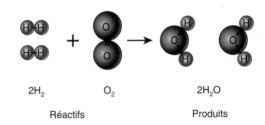

 Pourquoi faut-il deux molécules de H_2 pour réaliser cette réaction ?

Transfert énergétique dans les réactions chimiques

OBJECTIFS

• *Connaître les principales différences entre les réactions chimiques exothermiques et les réactions chimiques endothermiques.*

• *Décrire le rôle de l'énergie d'activation et celui des enzymes.*

Dans les réactions chimiques, la rupture de liaisons existantes requiert de l'énergie tandis que la formation de nouvelles liaisons en libère. Étant donné que, dans la plupart des réactions chimiques, il y a à la fois rupture de liaisons dans les réactifs et formation de liaisons dans les produits, la *réaction globale* peut soit libérer de l'énergie, soit en absorber. Les **réactions exothermiques,** ou réactions exergoniques (*ex* = hors de), libèrent plus d'énergie qu'elles n'en absorbent. Dans une réaction exothermique, la quantité d'énergie libérée durant la formation de nouvelles liaisons est *supérieure* à la quantité d'énergie requise pour rompre les liaisons existantes ; un surcroît d'énergie est donc libéré au moment de la réaction (figure 2.9a). À la fin de la réaction exothermique, les produits ont *moins* d'énergie potentielle que les réactifs. Par ailleurs, les **réactions endothermiques,** ou réactions endergoniques (*endon* = en dedans), absorbent plus d'énergie qu'elles n'en libèrent. Dans une réaction endothermique, la quantité d'énergie libérée durant la formation de nouvelles liaisons est *inférieure* à la quantité d'énergie requise pour rompre les liaisons existantes ; il doit donc y avoir absorption d'énergie pour que la réaction ait lieu (figure 2.9b). À la fin d'une réaction endothermique, les produits ont *plus* d'énergie potentielle que les réactifs.

Figure 2.9 Transfert énergétique durant les réactions exothermiques et endothermiques.

 Les réactions exothermiques libèrent de l'énergie, tandis que les réactions endothermiques en absorbent.

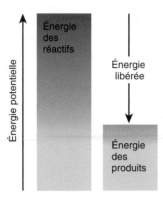

(a) Réaction exothermique

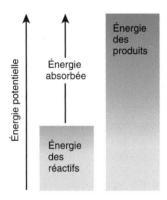

(b) Réaction endothermique

 Dans quel type de réaction les produits ont-ils plus d'énergie chimique potentielle que les réactifs?

Le couplage des réactions exothermiques et des réactions endothermiques est une des principales caractéristiques du métabolisme. L'énergie libérée durant une réaction exothermique sert à alimenter une réaction endothermique. En règle générale, les réactions exothermiques ont lieu lorsque des nutriments comme le glucose sont dégradés. Une partie de l'énergie libérée est temporairement emmagasinée dans une molécule particulière appelée *adénosine triphosphate* (*ATP*), que nous décrivons plus loin. Quand une molécule de glucose est entièrement dégradée, l'énergie chimique que contenaient ses liaisons peut servir à produire jusqu'à 38 molécules d'ATP. L'énergie transférée aux molécules d'ATP servira plus tard à alimenter les réactions endothermiques nécessaires à la formation de structures du corps comme les muscles et les os. Cette énergie est également utile pour le travail mécanique, par exemple le travail fourni au cours de la contraction musculaire ou du mouvement des substances qui entrent dans les cellules et en sortent.

Figure 2.10 Énergie d'activation.

L'énergie d'activation est l'énergie nécessaire à la rupture de liaisons chimiques dans les molécules de réactifs pour qu'une réaction se déclenche.

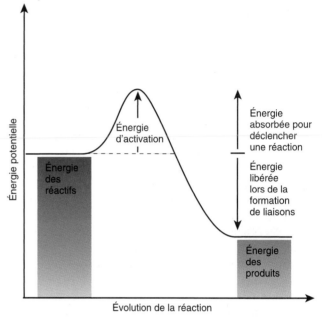

Q Pourquoi la réaction illustrée est-elle exothermique?

Énergie d'activation

Comme les particules de matière telles que les atomes, les ions et les molécules possèdent une énergie cinétique, elles sont constamment en mouvement et se frappent entre elles. Une collision d'une force suffisante peut perturber le mouvement des électrons de valence et provoquer la rupture ou la formation d'une liaison chimique. L'énergie de collision nécessaire à la rupture de liaisons chimiques dans les réactifs est appelée **énergie d'activation** (figure 2.10). Il s'agit de l'énergie qui doit être investie au départ pour qu'une réaction se déclenche. Les réactifs doivent absorber suffisamment d'énergie dans le milieu environnant pour que leurs liaisons chimiques deviennent instables et que leurs électrons de valence puissent interagir afin de former de nouvelles combinaisons. Lorsque de nouvelles liaisons se forment, l'énergie est libérée. Deux facteurs déterminent la probabilité qu'une collision se produise et déclenche une réaction chimique:

1. *Concentration.* Plus il y a de particules de matière dans un espace restreint, plus les risques de collision entre ces particules augmentent. La concentration de particules augmente lorsque de nouvelles particules pénètrent dans l'espace qui les contient ou que la pression exercée sur cet espace augmente et force les particules à se rapprocher, ce qui multiplie les risques de collision.

Figure 2.11 Comparaison entre l'énergie nécessaire pour qu'une réaction chimique se produise avec un catalyseur (courbe verte) et sans catalyseur (courbe rouge).

🔑 **Les catalyseurs accélèrent les réactions chimiques en abaissant l'énergie d'activation.**

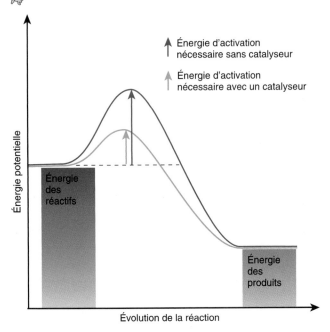

⬆ Énergie d'activation nécessaire sans catalyseur

⬆ Énergie d'activation nécessaire avec un catalyseur

Énergie potentielle

Énergie des réactifs

Énergie des produits

Évolution de la réaction

Q Le catalyseur change-t-il l'énergie potentielle des produits et des réactifs ?

2. *Température.* Lorsque la température augmente, les particules de matière se déplacent plus rapidement. En principe donc, plus la température de la matière est élevée, plus la collision entre les particules est forte et plus les probabilités qu'une collision déclenche une réaction sont grandes.

Catalyseurs

Comme nous l'avons vu plus haut, les réactions chimiques ont lieu lorsque des liaisons chimiques se rompent ou se forment à la suite d'une collision entre des atomes, des ions ou des molécules. Dans l'organisme, la température et la pression normales sont toutefois trop basses pour déclencher des réactions chimiques assez rapides pour permettre la vie. Si on augmentait la température et le nombre de particules de matière réactives à l'intérieur de l'organisme, on augmenterait la fréquence des collisions et, par conséquent, la vitesse des réactions chimiques, mais on risquerait également d'endommager ou de détruire des cellules.

Les **catalyseurs** sont les substances qui résolvent ce problème. Il s'agit de composés chimiques qui accélèrent les réactions chimiques en abaissant l'énergie d'activation nécessaire au déclenchement d'une réaction (figure 2.11). Le

catalyseur n'affecte en rien la différence d'énergie potentielle entre les réactifs et les produits ; il ne fait qu'abaisser la quantité d'énergie nécessaire pour qu'une réaction démarre.

Pour qu'une réaction chimique ait lieu, il faut que des particules de matière, surtout de grosses molécules, entrent en collision non seulement avec une force suffisante, mais aussi en des endroits précis. Le catalyseur agit en orientant les particules de matière pour qu'elles entrent en collision à des endroits où le déclenchement d'une réaction est possible. Bien que le catalyseur ait pour effet d'accélérer une réaction chimique, il reste intact à la fin de la réaction. Une seule molécule de catalyseur peut donc servir à déclencher de nombreuses réactions chimiques. Les plus importants catalyseurs dans le corps humain sont les enzymes, dont nous parlerons sous peu.

Modes de réactions chimiques
OBJECTIF
- *Décrire les réactions de synthèse, de dégradation, d'échange, réversibles et d'oxydoréduction.*

Après une réaction chimique, les atomes des réactifs sont réarrangés et forment des produits aux nouvelles propriétés chimiques. Nous allons nous pencher maintenant sur les modes de réactions chimiques que toutes les cellules vivantes ont en commun. Lorsque vous les connaîtrez, vous comprendrez mieux les diverses réactions chimiques qui seront abordées dans des chapitres ultérieurs.

Réactions de synthèse – Anabolisme

Lorsqu'au moins deux atomes, ions ou molécules se combinent pour former une nouvelle molécule plus grosse, on parle de **réaction de synthèse.** Le terme *synthèse* est dérivé d'un mot grec qui signifie « réunion ». On peut représenter les réactions de synthèse de la façon suivante :

Se combinent pour former

A + B ⟶ AB

Atome, ion, ou molécule A — Atome, ion, ou molécule B — Nouvelle molécule AB

Voici un exemple de réaction de synthèse :

Se combinent pour former

N_2 + $3H_2$ ⟶ $2NH_3$

Une molécule d'azote — Trois molécules d'hydrogène — Deux molécules d'ammoniac

Toutes les réactions de synthèse qui ont lieu dans le corps humain forment un ensemble de processus appelé **anabolisme.** Les réactions anaboliques sont la plupart du temps des réactions endothermiques puisqu'elles absorbent plus d'énergie qu'elles n'en libèrent. Par exemple, la combinaison de molécules simples, comme les acides aminés (que nous décrirons sous peu), pour former de grosses molécules, comme les protéines, est une réaction anabolique.

Réactions de dégradation – Catabolisme

Dans une **réaction de dégradation,** de grosses molécules se divisent en atomes, ions ou molécules plus petits. On peut représenter les réactions de dégradation de la façon suivante :

$$
\underset{\text{Molécule AB}}{AB} \xrightarrow{\text{Se divise en}} \underset{\substack{\text{Atome, ion,}\\\text{ou molécule A}}}{A} + \underset{\substack{\text{Atome, ion,}\\\text{ou molécule B}}}{B}
$$

Par exemple, dans des conditions propices, le méthane se dégrade en molécules de carbone et en molécules d'hydrogène :

$$
\underset{\substack{\text{Une molécule}\\\text{de méthane}}}{CH_4} \xrightarrow{\text{Se divise en}} \underset{\substack{\text{Un atome}\\\text{de carbone}}}{C} + \underset{\substack{\text{Deux molécules}\\\text{d'hydrogène}}}{2H_2}
$$

Toutes les réactions de dégradation qui ont lieu dans le corps humain font partie d'un ensemble de processus appelé **catabolisme.** Les réactions cataboliques sont la plupart du temps exothermiques puisqu'elles libèrent plus d'énergie qu'elles n'en absorbent. La série de réactions qui dégrade le glucose en acide pyruvique, produisant deux molécules d'ATP, est un des meilleurs exemples de réaction catabolique. Les réactions cataboliques sont décrites au chapitre 25.

Réactions d'échange

Dans le corps humain, de nombreuses réactions sont des **réactions d'échange,** c'est-à-dire qu'elles comportent à la fois une synthèse et une dégradation. Les réactions d'échange peuvent être représentées de la façon suivante :

$$ AB + CD \longrightarrow AD + BC $$

Les liaisons entre A et B ainsi qu'entre C et D se rompent (dégradation) et de nouvelles liaisons se forment (synthèse) entre A et D ainsi qu'entre B et C. Voici un exemple de réaction d'échange :

$$
\underset{\substack{\text{Acide}\\\text{chlorhydrique}}}{HCl} + \underset{\substack{\text{Bicarbonate}\\\text{de sodium}}}{NaHCO_3} \longrightarrow \underset{\substack{\text{Acide}\\\text{carbonique}}}{H_2CO_3} + \underset{\substack{\text{Chlorure}\\\text{de sodium}}}{NaCl}
$$

On constate que les ions des deux composés ont changé de partenaire. L'ion hydrogène (H^+) de la molécule HCl s'est lié à l'ion bicarbonate (HCO_3^-) de la molécule $NaHCO_3$, et l'ion sodium (Na^+) s'est lié à l'ion chlorure (Cl^-).

Réactions réversibles

Une réaction chimique peut se dérouler dans une seule direction, à partir des réactifs jusqu'aux produits, indiquée par une flèche simple dans les exemples précédents, ou elle peut être réversible. Dans une **réaction réversible,** les produits peuvent se reconvertir en réactifs. La réversibilité de la réaction est symbolisée par deux demi-flèches pointant dans des directions opposées :

$$
AB \underset{\text{Se combinent pour former}}{\overset{\text{Se dégrade en}}{\rightleftarrows}} A + B
$$

Certaines réactions sont réversibles uniquement dans des conditions précises :

$$
AB \underset{\text{Chaleur}}{\overset{\text{Eau}}{\rightleftarrows}} A + B
$$

Dans cet exemple, nous avons écrit les conditions nécessaires à la réaction au-dessus ou en dessous des flèches. AB se dégrade en A et en B uniquement lorsqu'on ajoute de l'eau, et A et B se combinent pour former AB uniquement en présence de chaleur.

Réactions d'oxydoréduction

L'**oxydation** est la *perte d'électrons* que subit une molécule, ce qui entraîne la diminution de son énergie potentielle. Ce processus est ainsi nommé car la molécule qui accepte les électrons perdus est souvent une molécule d'oxygène. Dans les cellules, les réactions d'oxydation comprennent souvent deux événements simultanés : la perte d'un *ion hydrogène* (H^+, un noyau d'hydrogène sans électron) et la perte d'un *ion hydrure* (H^-, un noyau d'hydrogène possédant deux électrons). Cette réaction équivaut à retirer deux atomes d'hydrogène ($H^+ + H^- = 2H$). Par exemple, la conversion de l'acide lactique, déchet de l'activité musculaire, en acide pyruvique, molécule que l'organisme utilise pour produire de l'ATP, est une réaction d'oxydation. Une fois la réaction d'oxydation complétée, la molécule a perdu deux électrons et son ion hydrure :

$$
\underset{\text{Acide lactique}}{\begin{array}{c}COOH\\|\\H-C-OH\\|\\CH_3\end{array}} \xrightarrow{\text{Oxydation}} \underset{\substack{\text{Acide}\\\text{pyruvique}}}{\begin{array}{c}COOH\\|\\C=O\\|\\CH_3\end{array}} + \underset{\substack{\text{Ion}\\\text{hydrogène}}}{H^+} + \underset{\substack{\text{Ion}\\\text{hydrure}}}{H^-}
$$

$$= 2 \text{ atomes d'hydrogène}$$

La **réduction** est le contraire de l'oxydation. La molécule bénéficie d'un *gain d'électrons* et son énergie potentielle augmente. Par exemple, la conversion de l'acide pyruvique en acide lactique est une réaction de réduction :

$$
\underset{\text{Acide pyruvique}}{\begin{array}{c}COOH\\|\\C=O\\|\\CH_3\end{array}} + \underset{\substack{\text{2 atomes}\\\text{d'hydrogène}}}{H^+ + H^-} \xrightarrow{\text{Réduction}} \underset{\text{Acide lactique}}{\begin{array}{c}COOH\\|\\H-C-OH\\|\\CH_3\end{array}}
$$

Dans une cellule, les réactions d'oxydation et de réduction sont toujours couplées ; ainsi, chaque fois qu'une substance est oxydée, une autre est simultanément réduite. Ces réactions couplées sont appelées **réactions d'oxydoréduction, ** ou **réactions redox.**

1. Quelle est la relation entre les réactifs et les produits dans une réaction chimique?
2. Comparez l'énergie potentielle et l'énergie cinétique, et décrivez la loi de la conservation de l'énergie.
3. Définissez l'énergie d'activation. Quel effet les catalyseurs produisent-ils sur cette énergie?
4. Dans quel type de réaction chimique une molécule acquiert-elle des électrons d'un ion hydrure?
5. Comment l'anabolisme et le catabolisme sont-ils reliés aux réactions de synthèse et de dégradation respectivement

COMPOSÉS ET SOLUTIONS INORGANIQUES

OBJECTIFS

• *Décrire les propriétés des acides, des bases et des sels inorganiques ainsi que de l'eau.*

• *Établir une distinction entre les solutions, les colloïdes et les suspensions.*

Dans l'organisme, la plupart des substances chimiques existent sous forme de composés. Les biologistes et les chimistes divisent ces composés en deux grandes catégories: les composés inorganiques et les composés organiques. Généralement, les **composés inorganiques** sont dépourvus de carbone et possèdent une structure simple. Ils comprennent notamment l'eau ainsi qu'un grand nombre de sels, d'acides et de bases. Les composés inorganiques peuvent avoir des liaisons ioniques ou des liaisons covalentes. Les **composés organiques,** quant à eux, contiennent toujours du carbone, souvent de l'hydrogène, et ont toujours des liaisons covalentes. Cependant, certains composés carbonés comme le gaz carbonique (CO_2) et l'ion bicarbonate (HCO_3^-) sont considérés comme des composés inorganiques.

Acides, bases et sels inorganiques

Lorsque des acides, des bases ou des sels inorganiques se dissolvent dans l'eau, on dit qu'ils **se dissocient**, c'est-à-dire qu'ils se séparent en ions et deviennent entourés de molécules d'eau. Un **acide** (figure 2.12a) est une substance qui se dissocie en **ions hydrogène** (H^+) et en anions. Puisque H^+ est composé d'un seul proton doté d'une charge positive, les acides sont également des **donneurs de protons**. Une **base** (figure 2.12b) se dissocie en **ions hydroxyle** (OH^-) et en cations. Comme les ions hydroxyle sont fortement attirés par les protons, les bases sont des **accepteurs de protons.** Un **sel** qui se dissout dans l'eau se dissocie en cations et en anions autres que H^+ ou OH^- (figure 2.12c). Dans l'organisme, les sels sont des électrolytes qui jouent un rôle important dans la conduction des courants électriques (ions circulant d'un endroit à un autre), en particulier dans les tissus nerveux et musculaires. Les ions des sels fournissent également de nombreux éléments chimiques essentiels aux liquides intracellulaires et extracellulaires, par exemple le sang, la lymphe et le liquide interstitiel des tissus.

Figure 2.12 Dissociation des acides, des bases et des sels inorganiques.

 La dissociation est la séparation des acides, des bases et des sels inorganiques en ions dans une solution.

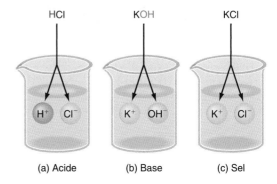

(a) Acide   (b) Base   (c) Sel

 Le composé $CaCO_3$ (carbonate de calcium) se dissocie en un ion calcium (Ca^{2+}) et un ion carbonate (CO_3^{2-}). Est-ce un acide, une base ou un sel? Qu'en est-il de H_2SO_4, qui se dissocie en deux ions H^+ et un ion SO_4^{2-}?

Les acides et les bases réagissent les uns avec les autres pour former des sels. Ainsi, la réaction entre l'acide chlorhydrique (HCl) et l'hydroxyde de potassium (KOH), une base, produit le chlorure de potassium (KCl), un sel, et de l'eau (H_2O). On peut représenter cette réaction d'échange par la formule suivante:

$$HCl + KOH \longrightarrow H^+ + Cl^- + K^+ + OH^- \longrightarrow KCl + H_2O$$

Acide   Base   Ions dissociés   Sel   Eau

Solutions, colloïdes et suspensions

Un **mélange** est une combinaison d'éléments ou de composés qui sont physiquement entremêlés sans être chimiquement liés. Par exemple, l'air que nous respirons est un mélange de gaz composé principalement d'azote, d'oxygène et d'argon. Les trois grandes catégories de mélanges liquides sont les solutions, les colloïdes et les suspensions.

Dans une **solution,** une substance appelée **solvant** dissout une autre substance appelée **soluté.** Le solvant y est presque toujours plus abondant que le soluté. Par exemple, la sueur est une solution diluée faite d'eau (le solvant) et de petites quantités de sels (les solutés). Une fois mélangés, les solutés sont répartis uniformément parmi les molécules de solvant. Comme les particules de soluté sont très petites, une solution est toujours claire et transparente.

Le **colloïde** se distingue de la solution surtout par la taille de ses particules. Dans un colloïde, les particules de soluté sont assez grosses pour diffuser la lumière, comme les gouttelettes d'eau suspendues dans le brouillard diffusent la lumière provenant des phares d'une automobile. C'est pour cette raison que les colloïdes sont souvent translucides ou opaques. Le lait est à la fois un colloïde et une solution. Les

Tableau 2.3 Pourcentage et molarité

DÉFINITION	EXEMPLE
Pourcentage (masse par volume) Nombre de grammes d'une substance par 100 millilitres (mL) de solution	Pour obtenir une solution de NaCl à 10 %, il faut ajouter à 10 g de NaCl suffisamment d'eau pour obtenir au total 100 mL de solution.
Molarité = moles (mol) par litre Une solution molaire (1 M) = 1 mole de soluté par litre de solution	Pour obtenir une solution molaire (1 M) de NaCl, il faut dissoudre 1 mole de NaCl (58,44 g) dans suffisamment d'eau pour obtenir au total 1 L de solution.

grosses protéines qu'il contient en font un colloïde, tandis que les sels de calcium, le sucre de lait (ou lactose) et d'autres petites particules forment une solution. Dans les solutions comme dans les colloïdes, les solutés ne se déposent pas au fond du contenant.

Dans une **suspension**, la matière en suspension peut se mélanger au liquide ou au milieu de suspension pendant un certain temps, mais elle finit toujours par se déposer. Le sang est un exemple de suspension. Le sang fraîchement prélevé dans l'organisme a une couleur rougeâtre uniforme. Si on le laisse reposer quelque temps dans une éprouvette, une couche supérieure jaune pâle se forme (voir la figure 19.1a, p. 646). Cette couche est constituée de la portion liquide du sang, le plasma, qui est à la fois une solution composée d'ions et d'autres petits solutés et un colloïde contenant des protéines plasmatiques. Les globules rouges qui se déposent au fond de l'éprouvette forment la couche inférieure rouge.

Il existe diverses façons de représenter la **concentration** d'une solution. Dans les deux méthodes les plus courantes, on l'exprime en un **pourcentage** qui correspond à la masse relative du soluté dans un volume donné de solution, et en unités de **moles par litre** (**mol/L**), qui représentent le nombre total de molécules dans un volume donné de solution. Une **mole** est la quantité en gramme de toute substance dont la masse égale les masses atomiques combinées de tous les atomes qui la constituent. Par exemple, une mole de chlore (masse atomique = 35,45) pèse 35,45 grammes et une mole de chlorure de sodium (NaCl) pèse 58,44 grammes (22,99 pour Na + 35,45 pour Cl). Tout comme une douzaine équivaut toujours à 12 unités, une mole possède toujours le même nombre de particules, soit $6,023 \times 10^{23}$. Ce nombre gigantesque est appelé *nombre d'Avogadro*. Ainsi, lorsqu'on exprime une substance en moles, on donne le nombre d'atomes, d'ions ou de molécules qu'elle contient. Cette information est particulièrement importante dans les réactions chimiques, car il faut toujours un nombre défini d'atomes de certains éléments pour déclencher une réaction. Le tableau 2.3 présente ces deux façons d'exprimer la concentration.

Eau

L'**eau** est le composé inorganique le plus important et le plus abondant dans tous les organismes vivants. L'eau est en fait le milieu dans lequel se déroulent toutes les réactions chimiques. L'eau possède de nombreuses propriétés qui en font un composé indispensable au maintien de la vie. La propriété la plus importante de l'eau est sa polarité, c'est-à-dire la capacité d'une molécule d'eau à partager en parts inégales ses électrons de valence pour donner une charge partiellement négative à l'atome d'oxygène et des charges partiellement positives aux deux atomes d'hydrogène qui la constituent (voir la figure 2.6). À elle seule, cette propriété fait de l'eau un excellent solvant pour d'autres substances ioniques ou polaires, assure la cohésion de ses molécules (force d'attraction entre les molécules) et lui permet de modérer les changements de température.

L'eau en tant que solvant

Au Moyen-Âge, les alchimistes étaient à la recherche du solvant universel qui pourrait dissoudre toutes les autres matières. L'eau était le composé qui répondait le mieux à ce critère. Cependant, même si l'eau est le solvant le plus universel que l'on connaisse, elle n'est pas «le solvant universel». Si elle l'était, elle ne pourrait tenir dans aucun contenant, car elle le dissoudrait !

L'eau est un solvant universel pour les substances ionisées, ou polaires, parce que ses liaisons covalentes polaires et sa forme «arquée» permettent à chacune de ses molécules d'interagir avec au moins quatre ions ou molécules de son entourage. Les solutés qui présentent des liaisons covalentes polaires sont **hydrophiles**, ce qui signifie qu'ils ont une affinité pour l'eau et s'y dissolvent aisément. Les molécules qui présentent surtout des liaisons covalentes non polaires sont pour leur part **hydrophobes**, c'est-à-dire qu'elles ne sont pas très solubles dans l'eau.

Pour comprendre la capacité de dissolution de l'eau, pensez à un cristal de sel comme le chlorure de sodium (NaCl) que l'on déposerait dans de l'eau (figure 2.13). Les ions sodium et chlorure à la surface du cristal de sel sont exposés aux molécules polaires de l'eau. L'extrémité électronégative (oxygène) des molécules d'eau est attirée par les ions sodium (Na^+), tandis que leurs extrémités électropositives (hydrogène) sont attirées par les ions chlorure (Cl^-). Il faut peu de temps aux molécules d'eau pour entourer et séparer quelques ions Na^+ et Cl^-, ce qui a pour effet de rompre les liaisons ioniques du NaCl. C'est donc ainsi que les molécules d'eau dissocient les ions d'un sel. Lorsqu'un sel se dissocie dans une solution, chacun de ses ions se retrouve entouré de plusieurs molécules d'eau. Ce cercle de molécules d'eau rend plus difficile l'union d'ions de charges opposées et donc la formation d'une nouvelle liaison ionique. Lorsqu'elles sont dissoutes, certaines molécules organiques du corps existent également sous forme d'ions et constituent des couches d'hydratation de la même façon que les ions Na^+ et Cl^-.

Figure 2.13 Dissolution de sels et de substances polaires dans des molécules polaires d'eau. Lorsqu'on dépose un cristal de chlorure de sodium dans l'eau, l'extrémité «oxygène» légèrement négative (en rouge) des molécules d'eau est attirée par les ions sodium positifs (Na$^+$), et ses extrémités «hydrogène» légèrement négatives (en gris) sont attirées par les ions chlorure négatifs (Cl$^-$). Adapté de Karen Timberlake, *Chemistry*, 6e édition, Menlo Park, Californie, Addison Wesley Longman, 1999, F8.5, p. 255. © 1999 Addison Wesley Longman, Inc.

 L'eau est un solvant universel car ses liaisons covalentes polaires, dans lesquelles ses électrons sont partagés en parts inégales, créent des régions positives et des régions négatives.

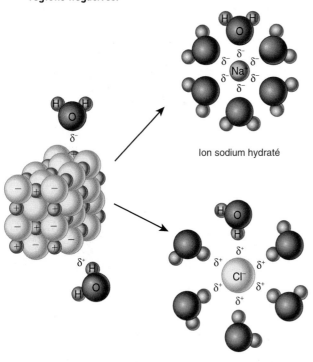

Ion sodium hydraté

Ion chlorure hydraté

 Le sucre de table (sucrose) se dissout aisément dans l'eau sans pour autant être un électrolyte. Est-il possible que les liaisons covalentes entre les atomes du sucrose soient toutes non polaires?

D'autres molécules organiques sont hydrophiles car elles contiennent des liaisons covalentes polaires qui répartissent des charges partiellement négatives et partiellement positives dans diverses régions de la molécule.

La capacité de l'eau à former des solutions et des suspensions est essentielle à notre santé et notre survie. Puisque l'eau peut dissoudre ou garder en suspension un grand nombre de substances différentes, elle constitue un milieu idéal pour les réactions métaboliques. L'eau permet aux réactifs dissous d'entrer en collision pour former des produits. L'eau peut également dissoudre des déchets dans l'urine afin qu'ils soient ensuite éliminés de l'organisme.

L'eau dans les réactions chimiques

L'eau sert non seulement de milieu pour la plupart des réactions chimiques qui ont lieu dans l'organisme, mais elle participe également à certaines réactions soit en tant que réactif, soit en tant que produit. Durant la digestion, par exemple, des molécules d'eau se fixent à de grosses molécules de nutriments pour les dégrader en plus petites molécules. Ce type de réaction de dégradation, appelée **hydrolyse** (*hudôr* = eau; *lusis* = dissolution), permet à l'organisme d'utiliser l'énergie fournie par les nutriments. Par ailleurs, dans une **réaction de synthèse par déshydratation** (*dis* = indique l'éloignement, la séparation), deux petites molécules s'unissent pour former une grosse molécule, et une molécule d'eau est cédée. Comme nous le verrons un peu plus loin, de telles réactions ont lieu pendant la synthèse des protéines et d'autres grandes molécules.

Grande capacité thermique de l'eau

Si on la compare avec d'autres substances, l'eau peut absorber ou libérer une quantité relativement importante de chaleur même si sa propre température varie peu. C'est pourquoi on dit de l'eau qu'elle possède un grande *capacité thermique*, attribuable au grand nombre de liaisons hydrogène qu'elle contient. Comme l'eau absorbe de l'énergie thermique, une partie de cette énergie sert à rompre des liaisons hydrogène. Il reste donc moins d'énergie pour accélérer le mouvement de ses molécules, et ainsi augmenter sa température. On verse de l'eau dans les radiateurs des automobiles parce que sa grande capacité thermique lui permet de refroidir le moteur en absorbant de la chaleur sans que sa température devienne trop élevée. Les grandes quantités d'eau que contient le corps humain produisent le même effet: elles atténuent les effets des écarts de la température ambiante et contribuent au maintien de l'homéostasie thermique.

L'eau a également besoin d'une grande quantité de chaleur pour passer de l'état liquide à l'état gazeux; sa *chaleur de vaporisation* est élevée. L'eau qui s'évapore à la surface de la peau élimine de grandes quantités de chaleur, ce qui constitue un mécanisme de refroidissement efficace.

Cohésion des molécules d'eau

Les liaisons hydrogène qui relient les molécules d'eau (voir la figure 2.7) confèrent à l'eau une grande *cohésion*, définie comme la force d'attraction qui unit des particules semblables. La cohésion des molécules d'eau crée une **tension superficielle** très élevée, qui traduit jusqu'à quel point il est difficile d'étirer ou de rompre la surface d'un liquide. À la frontière qui sépare l'eau de l'air, la tension superficielle de l'eau est très élevée car les molécules d'eau sont beaucoup plus attirées les unes vers les autres qu'elles ne le sont par les molécules dans l'air. L'influence de la tension superficielle de l'eau sur l'organisme se reflète dans l'effort accru qu'il faut fournir pour respirer. Les sacs alvéolaires des poumons sont tapissés d'une mince pellicule de liquide aqueux qui rend chaque inspiration plus laborieuse, car elle doit vaincre la résistance de la tension superficielle lorsque les sacs alvéolaires s'ouvrent et se dilatent pour absorber l'air.

L'eau en tant que lubrifiant

L'eau constitue un élément important du mucus et des liquides lubrifiants. La poitrine et l'abdomen ont particulièrement besoin de lubrification car les organes qu'ils contiennent se touchent et glissent les uns contre les autres. Il en va de même pour les articulations, là où les os, les ligaments et les tendons se frottent les uns aux autres. Dans le tube digestif, l'eau présente dans le mucus humidifie les aliments pour faciliter leur passage.

Équilibre acidobasique: le concept du pH

OBJECTIFS

• *Définir le pH.*

• *Expliquer le rôle des tampons dans l'homéostasie.*

Pour maintenir l'homéostasie, les liquides intracellulaires et extracellulaires doivent contenir des quantités presque égales d'acides et de bases. Plus le nombre d'ions hydrogène (H^+) dissous dans une solution est élevé, plus la solution est acide; à l'inverse, plus le nombre d'ions hydroxyle (OH^-) est élevé, plus la solution est alcaline, ou basique. Dans l'organisme, les réactions chimiques sont très sensibles aux plus infimes changements d'acidité ou d'alcalinité des liquides dans lesquels elles se produisent. Chaque fois que les limites étroites qui définissent les concentrations normales de H^+ et de OH^- sont dépassées, les fonctions vitales sont grandement perturbées.

L'acidité ou l'alcalinité d'une solution s'exprime par l'**échelle des pH,** qui va de 0 à 14 (figure 2.14). Cette échelle indique la concentration d'ions H^+ en moles par litre. Un pH de 7 signifie qu'une solution contient un dix-millionième (0,000 000 1) d'une mole d'ions hydrogène par litre. En langage scientifique, ce nombre s'écrit 1×10^{-7}, soit le chiffre 1 avec le signe décimal déplacé de sept espaces vers la gauche. Pour exprimer ce nombre en pH, on donne à l'exposant négatif (-7) une valeur positive (7). Une solution dont la concentration d'ions H^+ est de 0,000 1 (10^{-4}) moles par litre a donc un pH de 4, tandis qu'une solution dont la concentration d'ions H^+ est de 0,000 000 001 (10^{-9}) moles par litre a un pH de 9.

À un pH de 7, soit la valeur médiane de l'échelle des pH, les concentrations d'ions H^+ et d'ions OH^- sont égales. Une substance à un pH de 7, telle l'eau distillée (pure), est dite neutre. Une solution qui contient plus d'ions H^+ que d'ions OH^- est une **solution acide**; son pH est inférieur à 7. Une solution qui contient plus d'ions OH^- que d'ions H^+ est une **solution alcaline** (ou **basique**); son pH est supérieur à 7. Il faut également savoir que chaque nombre entier de l'échelle

Figure 2.14 Échelle des pH. Une solution dont le pH est inférieur à 7 est acide et contient donc plus d'ions H^+ que d'ions OH^-. Plus la valeur numérique du pH diminue, plus la solution est acide, car la concentration des ions H^+ devient progressivement plus grande. Une solution dont le pH est supérieur à 7 est alcaline (ou basique), c'est-à-dire qu'elle contient plus d'ions OH^- que d'ions H^+. Plus le pH est élevé, plus la solution est alcaline.

🔑 À un pH de 7 (neutralité), les concentrations d'ions H^+ et d'ions OH^- sont égales (10^{-7} mol/L).

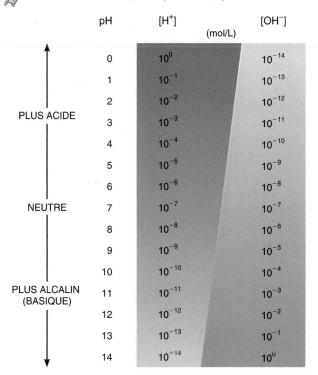

Q Quelle est la concentration d'ions H^+ et d'ions OH^- d'une solution à un pH de 6? Lequel des pH 6,82 ou 6,91 est le plus acide? Lequel des pH 8,41 ou 5,59 est le plus près de la neutralité?

des pH correspond à *dix fois* la valeur du nombre qui le précède. Ainsi, un pH de 1 représente une concentration d'ions H^+ 10 fois plus grande qu'un pH de 2, tandis qu'un pH de 3 représente une concentration d'ions H^+ 10 fois moins grande qu'un pH de 2 et 100 fois moins grande qu'un pH de 1.

Maintien du pH: tampons

Le pH de la plupart des liquides de l'organisme varie généralement dans un intervalle très restreint. Le tableau 2.4 compare le pH de certains liquides de l'organisme avec celui d'autres substances connues. Des mécanismes homéostatiques maintiennent le pH du sang entre 7,35 et 7,45, ce qui est légèrement plus alcalin que l'eau pure. La salive est légèrement acide, et le sperme légèrement alcalin. Comme les reins

Tableau 2.4 pH de quelques substances

SUBSTANCE	pH
• Suc gastrique (dans l'estomac)	1,2 à 3,0
Jus de citron	2,3
Vinaigre	3,0
Boisson gazeuse	3,0 à 3,5
Jus d'orange	3,5
• Sécrétions vaginales	3,5 à 4,5
Jus de tomate	4,2
Café	5,0
• Urine	4,6 à 8,0
• Salive	6,35 à 6,85
Lait	6,8
Eau distillée (pure)	7,0
• Sang	7,35 à 7,45
• Liquide séminal (contenant les spermatozoïdes)	7,20 à 7,60
• Liquide cérébro-spinal (associé au système nerveux)	7,4
• Suc pancréatique (suc digestif du pancréas)	7,1 à 8,2
• Bile (sécrétion du foie favorisant la digestion des lipides)	7,6 à 8,6
Lait de magnésie	10,5
Soude caustique	14,0

• Substances présentes dans le corps humain.

contribuent à éliminer l'excès d'acide de l'organisme, l'urine peut être assez acide. Bien que l'organisme absorbe et produise continuellement des bases et des acides assez forts, le pH des liquides intracellulaires et extracellulaires demeure relativement constant. Cette constance est attribuable à la présence de **tampons** dont le rôle est de convertir les bases et les acides forts en bases et en acides faibles. Les acides (et les bases) forts s'ionisent facilement et augmentent la concentration d'ions H^+ (ou OH^-) d'une solution. Ils peuvent donc changer radicalement le pH et perturber le métabolisme de l'organisme. Les acides (et les bases) faibles ne s'ionisent pas aussi aisément et apportent moins d'ions H^+ (ou OH^-). Ils ont donc moins d'effet sur le pH. Les composés chimiques qui peuvent convertir des bases et des acides forts en bases et en acides faibles sont également appelés tampons.

Dans l'organisme, l'un des plus importants tampons est le **système tampon acide carbonique-bicarbonate.** Puisque l'acide carbonique (H_2CO_3) peut se comporter comme un acide faible et que l'ion bicarbonate (HCO_3^-) peut se comporter en base faible, ce système tampon peut compenser un

excès ou un manque d'ions H^+. Par exemple, en cas d'excès d'ions H^+ (condition acide), l'ion HCO_3^- peut se comporter comme une base faible et éliminer le surplus d'ions H^+ :

$$H^+ + HCO_3^- \longrightarrow H_2CO_3 \longrightarrow H_2O + CO_2$$

Ion hydrogène   Ion bicarbonate   Acide carbonique   Eau   Gaz carbonique

Par ailleurs, en cas de manque d'ions H^+ (condition alcaline), l'ion H_2CO_3 peut se comporter en acide faible et fournir les ions H^+ manquants :

$$H_2CO_3 \longrightarrow H^+ + HCO_3^-$$

Acide carbonique (acide faible)   Ion hydrogène   Ion bicarbonate

Les tampons et leur rôle dans le maintien de l'équilibre acido-basique sont décrits plus en détail au chapitre 27.

1. En quoi les composés inorganiques diffèrent-ils des composés organiques ?

2. Décrivez deux façons d'exprimer la concentration d'une solution.

3. Décrivez les propriétés et les fonctions de l'eau dans le corps humain.

4. Qu'est-ce que le pH ? Pourquoi le pH du corps reste-t-il relativement constant ?

5. Quelles sont les composantes d'un système tampon ? Comment l'action d'un tampon est-elle un exemple d'homéostasie ?

COMPOSÉS ORGANIQUES

OBJECTIFS

• *Décrire les groupements fonctionnels des molécules organiques.*

• *Nommer les unités constitutives et les fonctions des glucides, des lipides, des protéines, des enzymes, de l'acide désoxyribonucléique (ADN), de l'acide ribonucléique (ARN) et de l'adénosine triphosphate (ATP).*

L'eau constitue à elle seule de 55 à 60 % de la masse corporelle totale d'un adulte, tandis que tous les autres composés inorganiques ne représentent que 1 à 2 % de cette masse. Ces composés relativement simples, dont les molécules possèdent quelques atomes à peine, ne peuvent fournir aux cellules ce dont elles ont besoin pour accomplir des tâches biologiques complexes. Par contre, de nombreuses molécules organiques ont une taille suffisante et les propriétés nécessaires pour exécuter des fonctions complexes. Les classes de composés organiques les plus importantes, qui constituent environ 40 % de la masse corporelle, sont les glucides, les lipides, les protéines, les acides nucléiques et l'adénosine triphosphate (ATP).

Tableau 2.5 Principaux groupements fonctionnels

NOM ET FORMULE DÉVELOPPÉE*	OCCURRENCE ET IMPORTANCE	NOM ET FORMULE DÉVELOPPÉE*	OCCURRENCE ET IMPORTANCE
Hydroxyle R—O—H	Les *alcools* contiennent un groupement —OH polaire et hydrophile puisqu'il possède un atome O électronégatif. Les molécules ayant de nombreux groupements —OH se dissocient facilement dans l'eau.	Ester $$\begin{array}{c} O \\ \| \\ R-C-O-R \end{array}$$	Les *esters* occupent une place prédominante dans les graisses et les huiles alimentaires et sont également présents dans la graisse corporelle. L'aspirine est un ester d'acide salicylique, molécule analgésique dérivée de l'écorce du saule.
Sulfhydryle R—S—H	Les *thiols* ont un groupement —SH polaire et hydrophile puisqu'il possède un atome S électronégatif. Certains acides aminés (unités constitutives des protéines) contiennent des groupements —SH qui contribuent à stabiliser la forme des protéines.	Phosphate $$\begin{array}{c} O \\ \| \\ R-O-P-O^- \\ \| \\ O^- \end{array}$$	Les *phosphates* contiennent un groupement phosphate (PO_4) très hydrophile car il possède deux charges négatives. Un composé phosphaté, l'adénosine triphosphate (ATP), transfère l'énergie chimique entre les molécules organiques durant les réactions chimiques.
Carbonyle $$\begin{array}{c} O \\ \| \\ R-C-R \end{array}$$ ou $$\begin{array}{c} O \\ \| \\ R-C-H \end{array}$$	Les *cétones* contiennent un groupement carbonyle dans leur squelette carboné. Le groupement carbonyle est polaire et hydrophile puisqu'il possède un atome O électronégatif. Les *aldéhydes* ont un groupement carbonyle à l'extrémité de leur squelette carboné.	Amine $$\begin{array}{c} H \\ / \\ R-N \\ \backslash \\ H \end{array}$$ ou $$\begin{array}{c} H \\ / \\ R-N^+-H \\ \backslash \\ H \end{array}$$	Les *amines* ont un groupement —NH$_2$ qui peut se comporter comme une base et absorber un ion hydrogène pour donner au groupement amine une charge positive. Au pH des liquides de l'organisme, la plupart des groupements amine ont une charge de 1+. Tous les acides aminés ont un groupement amine à l'une de leurs extrémités.
Carboxyle $$\begin{array}{c} O \\ \| \\ R-C-OH \end{array}$$ ou $$\begin{array}{c} O \\ \| \\ R-C-O^- \end{array}$$	Les *acides carboxyle* contiennent un groupement carboxyle à l'extrémité de leur squelette carboné. Tous les acides aminés ont un groupement —COOH à l'une de leurs extrémités. Au pH des cellules de l'organisme, la forme électronégative prédomine et elle est hydrophile.		

^A La lettre R représente le squelette carboné de la molécule.

Le carbone et ses groupements fonctionnels

Le carbone possède plusieurs propriétés qui le rendent particulièrement utile pour les organismes vivants. Il peut notamment se lier à des milliers d'autres atomes de carbone pour créer de grandes molécules dont la forme peut varier. Le corps peut ainsi construire une multitude de composés organiques différents présentant chacun une structure et des fonctions uniques. De plus, la grande taille de la plupart des molécules carbonées et l'incapacité de certaines à se dissocier dans l'eau font de ces éléments des matériaux utiles à la constitution des structures de l'organisme.

Les composés organiques contiennent principalement des liaisons covalentes. Le carbone possède quatre électrons de valence, ce qui lui permet de former des liaisons covalentes avec divers atomes, y compris d'autres atomes de carbone, pour former des structures cycliques et des chaînes linéaires ou ramifiées. Les autres éléments qui se lient le plus souvent au carbone dans les composés organiques sont l'hydrogène (une liaison), l'oxygène (deux liaisons) et l'azote (trois liaisons). Le soufre (deux liaisons) et le phosphore (cinq liaisons) se retrouvent moins fréquemment dans les composés organiques. D'autres éléments sont également présents dans un nombre restreint de composés organiques.

Dans une molécule organique, la chaîne d'atomes de carbone est appelée **squelette carboné.** La plupart de ces atomes sont liés à des atomes d'hydrogène. Des **groupements fonctionnels** distincts, fixés au squelette carboné, fournissent d'autres éléments qui se lient aux atomes de carbone et d'hydrogène. Chaque type de groupement fonctionnel présente une disposition d'atomes particulière qui confère aux molécules organiques leurs propriétés chimiques caractéristiques. Le tableau 2.5 donne une liste des groupements fonctionnels les plus connus des molécules organiques et décrit quelques-unes de leurs propriétés. Comme les molécules organiques sont souvent de grande taille, une représentation abrégée permet d'exprimer leur formule développée. La figure 2.15 explique les deux méthodes qui

Figure 2.15 Deux versions de la formule développée du glucose.

 Dans la représentation abrégée, les atomes de carbone se trouvent à la jonction de deux liaisons et les atomes simples d'hydrogène ne sont pas indiqués.

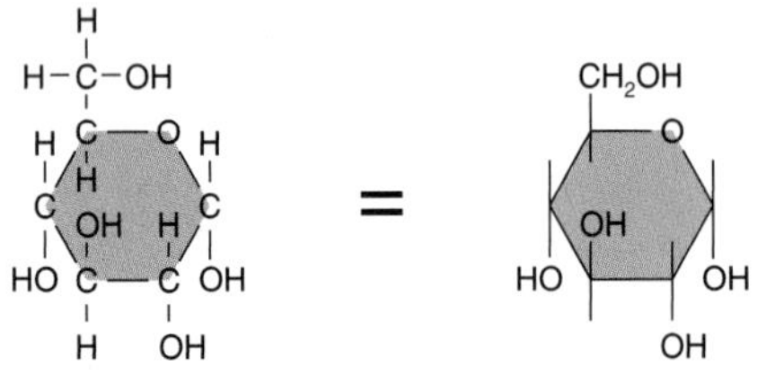

Tous les atomes   Représentation
sont indiqués   abrégée

Q Combien y a-t-il de groupements hydroxyle dans une molécule de glucose? Combien y a-t-il d'atomes de carbone dans le squelette carboné cyclique du glucose?

servent à indiquer la structure du glucose, molécule dont le squelette carboné cyclique présente plusieurs groupements hydroxyle qui y sont attachés.

De petites molécules organiques peuvent s'associer pour former de très grandes molécules appelées **macromolécules** (*makros* = grand). Les macromolécules sont habituellement des **polymères** (*polus* = nombreux; *meros* = partie), c'est-à-dire de grandes molécules constituées de liaisons covalentes entre de nombreuses petites unités identiques ou similaires appelées **monomères** (*monos* = unique). Lorsque deux monomères s'unissent, la réaction qui s'ensuit comprend habituellement une synthèse par déshydratation, c'est-à-dire la perte d'un atome d'hydrogène dans un des monomères et d'un groupement hydroxyle dans l'autre. Les macromolécules, par exemple les glucides, les lipides, les protéines et les acides nucléiques, s'assemblent de cette façon dans la cellule. Elles peuvent également se décomposer en monomères par hydrolyse.

Les molécules qui ont une même formule moléculaire mais des structures différentes sont appelées **isomères** (*isos* = égal). Par exemple, la formule moléculaire du glucose et du fructose est $C_6H_{12}O_6$, mais les atomes de ces deux sucres sont disposés différemment dans le squelette carboné.

Glucides

Les **glucides** comprennent les sucres, les amidons, le glycogène et la cellulose. Bien que les glucides regroupent des composés organiques aussi nombreux que diversifiés et qu'ils assurent plusieurs fonctions, ils ne constituent que de 2 à 3 % de la masse corporelle totale. Les végétaux emmagasinent les glucides sous forme d'amidon et utilisent la cellulose qu'ils renferment pour construire la paroi de leurs cellules. La cellulose est la substance organique la plus abondante sur la terre. Les êtres humains en consomment, mais ne peuvent

la digérer. Cependant, la cellulose forme une masse qui favorise le passage des aliments et des déchets dans le tube digestif. Chez les animaux, la principale fonction des glucides est de fournir une source rapidement utilisable d'énergie chimique pour produire l'ATP qui alimente les réactions métaboliques. Seuls quelques glucides assurent des fonctions structurales chez les animaux. Par exemple, le désoxyribose, un sucre, est une unité constitutive de l'acide désoxyribonucléique (ADN), la molécule qui contient notre bagage héréditaire. Certains autres glucides constituent des réserves d'énergie. Chez les animaux, le glycogène est le principal glucide de stockage dans le foie et les muscles squelettiques.

Le carbone, l'hydrogène et l'oxygène sont les unités constitutives des glucides. On trouve généralement deux atomes d'hydrogène pour un atome d'oxygène, comme dans l'eau. À quelques exceptions près, les glucides sont composés d'un atome de carbone pour chaque molécule d'eau; c'est pourquoi on les appelait autrefois «hydrates de carbone» (hydrate signifie «formé d'eau»). Les glucides sont classés en trois principaux groupes selon leur taille: les monosaccharides, les disaccharides et les polysaccharides (tableau 2.6).

Monosaccharides et disaccharides: sucres simples

Les monosaccharides et les disaccharides sont également appelés **sucres simples.** Les unités constitutives (monomères) des glucides, les **monosaccharides** (*saccharum* = sucre), contiennent de trois à sept atomes de carbone. Le nombre d'atomes de carbone dans la molécule est indiqué par un préfixe. Par exemple, les monosaccharides qui possèdent trois atomes de carbone sont appelés trioses (*tri* = trois). On distingue en outre les tétroses (quatre atomes de carbone), les pentoses (cinq atomes de carbone), les hexoses (six atomes de carbone) et les heptoses (sept atomes de carbone). Le glucose, un hexose, est le principal fournisseur d'énergie de l'organisme.

Deux molécules de monosaccharide peuvent s'associer à la suite d'une synthèse par déshydratation pour former une molécule de **disaccharide** (*di* = deux fois) et une molécule d'eau. Par exemple, les molécules de deux monosaccharides, le glucose et le fructose, s'unissent pour former une molécule de disaccharide, le sucrose (sucre ordinaire), comme le montre la figure 2.16. Bien que le glucose et le fructose aient la même formule moléculaire, ce sont des monosaccharides différents car la position relative de leurs atomes d'oxygène et de carbone est différente. Il faut noter que la formule du sucrose est $C_{12}H_{22}O_{11}$, non $C_{12}H_{24}O_{12}$, car une molécule d'eau se détache lorsque deux monosaccharides se combinent.

Les disaccharides peuvent également se diviser en molécules plus petites et plus simples par hydrolyse. Par exemple, une molécule de sucrose à laquelle on ajoute de l'eau peut être hydrolysée en ses constituants, le glucose et le fructose. La figure 2.16 présente cette réaction.

Tableau 2.6 Principaux glucides

TYPE DE GLUCIDES	EXEMPLES	TYPE DE GLUCIDES	EXEMPLES
Monosaccharides	Glucose (dans le sang)	**Polysaccharides**	Glycogène (forme stockée de glucides chez les animaux)
	Fructose (dans les fruits)		Amidon (forme stockée de glucides chez les végétaux et principal glucide alimentaire)
	Galactose		
	Désoxyribose (dans l'ADN)		Cellulose (constituant des parois cellulaires des végétaux ; ne peut être digérée par l'être humain mais favorise le passage des aliments dans les intestins)
	Ribose (dans l'ARN)		
Disaccharides	Sucrose (sucre ordinaire) = glucose + fructose		
	Lactose (sucre de lait) = glucose + galactose		
	Maltose = glucose + glucose		

Figure 2.16 Formule développée et formule moléculaire de deux monosaccharides, le glucose et le fructose, et d'un disaccharide, le sucrose. Au cours de la synthèse par déshydratation (qui se lit de gauche à droite), deux molécules plus petites, le glucose et le fructose, s'unissent pour former une molécule plus grande de sucrose. Notez qu'il y a perte d'une molécule d'eau. Au cours de l'hydrolyse (qui se lit de droite à gauche), l'ajout d'une molécule d'eau à la grande molécule de sucrose divise le disaccharide en deux molécules plus petites de glucose et de fructose.

 Les monosaccharides sont les unités constitutives monomériques des glucides.

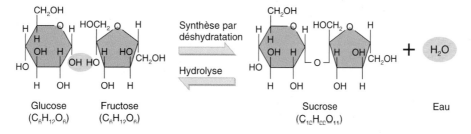

Glucose ($C_6H_{12}O_6$) Fructose ($C_6H_{12}O_6$) Sucrose ($C_{12}H_{22}O_{11}$) Eau

Q La synthèse par déshydratation est-elle une réaction anabolique ou catabolique ? Combien y a-t-il d'atomes de carbone dans le fructose ? Dans le sucrose ?

Polysaccharides

Le troisième groupe de glucides, les **polysaccharides,** contient des dizaines, voire des centaines de monosaccharides qui se sont liés au cours de réactions de synthèse par déshydratation. Dans le corps humain, le principal polysaccharide est le glycogène, composé d'unités de glucose liées les unes aux autres. Le glycogène est emmagasiné dans le foie et les muscles squelettiques. À l'instar des disaccharides, les polysaccharides peuvent être dégradés en monosaccharides par hydrolyse. Par exemple, lorsque la glycémie baisse, les cellules du foie dégradent le glycogène en glucose et le libèrent dans le sang. C'est ainsi que le glucose devient disponible pour les cellules de l'organisme, qui le dégradent afin de synthétiser l'ATP. Cependant, contrairement aux sucres simples comme le fructose et le sucrose, les polysaccharides ne sont habituellement pas solubles dans l'eau et n'ont pas un goût sucré.

Lipides

Les **lipides** (*lipos* = graisse) forment un deuxième groupe important de composés organiques. Ils constituent entre 18 et 25 % de la masse corporelle chez les adultes minces. À l'instar des glucides, les lipides contiennent du carbone, de l'hydrogène et de l'oxygène mais leur rapport hydrogène-oxygène n'est pas toujours de 2 à 1. La proportion d'atomes d'oxygène électronégatifs dans les lipides est habituellement plus faible que dans les glucides, de sorte qu'ils forment moins de liaisons covalentes polaires. Par conséquent, la plupart des lipides sont insolubles dans des solvants polaires comme l'eau ; ils sont *hydrophobes.* Cependant, les solvants non polaires, comme le chloroforme et l'éther, dissolvent facilement les lipides. Puisqu'ils sont hydrophobes, seuls les plus petits lipides (certains acides gras) sont en solution dans le sang aqueux. Pour devenir plus solubles dans le plasma sanguin, certains lipides forment des complexes avec des pro-téines hydrophiles ; les particules de lipides et de protéines qui en résultent sont appelées **lipoprotéines.**

La famille des lipides inclut les triglycérides (graisses et huiles), les phospholipides (lipides contenant du phosphore), les stéroïdes (lipides contenant des structures cycliques d'atomes de carbone), les eicosanoïdes (lipides à 20 carbones) et divers autres lipides comme les acides gras, les vitamines liposolubles (A, D, E et K) et les lipoprotéines. Le tableau 2.7 résume les types de lipides et décrit leur rôle dans le corps humain.

Triglycérides

Les lipides les plus abondants dans l'organisme et les ali-ments sont les **triglycérides.** À la température ambiante, les triglycérides se présentent sous forme solide (graisses) ou liquide (huiles), et ils constituent la forme d'énergie chi-mique la plus concentrée dans l'organisme. Un gramme de triglycérides fournit plus du double de l'énergie fournie par un gramme de glucides ou de protéines. Notre capacité à emmagasiner les triglycérides dans le tissu adipeux est prati-quement illimitée. Tous les excédents de glucides, de protéines, de graisses et d'huiles que nous consommons ont un même destin : ils se déposent dans le tissu adipeux sous forme de triglycérides.

Un triglycéride comporte deux types d'unités constitu-tives : une molécule simple de glycérol et trois molécules d'acides gras. La molécule de **glycérol** à trois carbones forme le squelette d'un triglycéride (figure 2.17). Les trois **acides gras** sont fixés au cours de réactions de synthèse par déshy-dratation, à raison d'un acide gras pour chaque atome de carbone du squelette de glycérol. La liaison chimique qui se produit chaque fois qu'une molécule d'eau est cédée est appelée *estérification.* La réaction inverse, l'hydrolyse, dégrade une molécule simple de triglycéride en trois molécules d'acides gras et une molécule de glycérol.

Dans des chapitres ultérieurs, nous parlerons des graisses saturées, mono-insaturées et poly-insaturées. Les **graisses saturées** sont des triglycérides constitués uniquement de *liaisons covalentes simples* entre les atomes de carbone des acides gras. Puisqu'il n'y a aucune liaison double entre les atomes de carbone des acides gras, chaque atome de carbone est *saturé d'atomes d'hydrogène* (voir les exemples de l'acide palmitique et de l'acide stéarique dans la figure 2.17c). Les triglycérides composés de nombreux acides gras saturés ont tendance à demeurer sous forme solide à la température ambiante et sont présents surtout dans les tissus animaux. On les retrouve également dans certains produits végétaux comme le beurre de cacao, l'huile de palme et l'huile de noix de coco.

Les **graisses mono-insaturées** contiennent des acides gras n'ayant qu'*une* liaison covalente double entre deux atomes de carbone ; elles ne sont donc pas complètement saturées

d'atomes d'hydrogène (voir l'exemple de l'acide oléique dans la figure 2.17c). L'huile d'olive et l'huile d'arachide sont riches en triglycérides contenant des acides gras mono-insaturés.

Les **graisses poly-insaturées** contiennent *plus d'une liaison covalente double* entre les atomes de carbone des acides gras. L'acide linoléique en est un exemple. Les huiles de maïs, de carthame, de tournesol, de coton, de sésame et de soja contiennent toutes un pourcentage élevé d'acides gras poly-insaturés.

Tableau 2.7 Types de lipides présents dans l'organisme

TYPE DE LIPIDES	FONCTIONS
Triglycérides *(graisses et huiles)*	Protection, isolation, stockage de l'énergie.
Phospholipides	Principale composante lipidique des membranes cellulaires.
Stéroïdes	
Cholestérol	Composante de toutes les membranes cellulaires animales ; précurseur des sels biliaires, de la vitamine D et des hormones stéroïdiennes.
Sels biliaires	Nécessaires à l'absorption des graisses alimentaires.
Vitamine D	Favorise la régulation du taux de calcium dans l'organisme ; nécessaire à la croissance et à la réparation des os.
Hormones du cortex surrénalien	Favorise la régulation du métabolisme, de la résistance au stress et de l'équilibre de l'eau et de certains ions.
Hormones sexuelles	Stimulent les fonctions de reproduction et le maintien des caractéristiques sexuelles.
Eicosanoïdes	Agissent de diverses façons sur la coagulation, l'inflammation, l'immunité, la sécrétion d'acide gastrique, le diamètre des voies respiratoires, la dégradation des lipides et la contraction des muscles lisses.
Autres lipides	
Acides gras	Catabolisés pour produire l'adénosine triphos-phate (ATP) ou utilisés dans la synthèse des triglycérides et des phospholipides.
Carotènes	Nécessaires à la synthèse de la vitamine A, qui sert à constituer les pigments visuels de l'œil.
Vitamine E	Favorise la réparation des tissus, prévient les cicatrices, contribue à la structure et au fonc-tionnement normaux du système nerveux et agit comme un antioxydant.
Vitamine K	Nécessaire à la synthèse des protéines de coagulation.
Lipoprotéines	Transportent les lipides dans le sang, acheminent les triglycérides et le cholestérol vers les tissus et éliminent l'excès de cholestérol du sang.

Figure 2.17 Formation d'un triglycéride à partir d'une molécule de glycérol et de trois molécules d'acides gras. Chaque fois qu'une molécule de glycérol (a) et une molécule d'acide gras (b) se lient au cours d'une synthèse par déshydratation, une molécule d'eau est perdue. La molécule de glycérol se lie par estérification à chacune des trois molécules d'acides gras, qui n'ont pas nécessairement la même longueur ni le même site de liaison double entre leurs atomes de carbone (C = C). Dans (c), on voit une molécule de triglycéride contenant deux molécules d'acides gras saturés et une molécule d'acide gras mono-insaturé. Dans l'acide oléique, un coude se forme à la liaison double.

🔑 **Les unités constitutives des triglycérides sont une molécule de glycérol et trois molécules d'acides gras.**

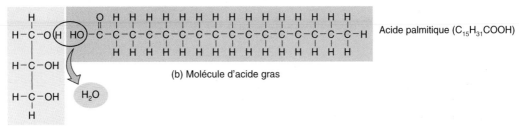

Acide palmitique ($C_{15}H_{31}COOH$)

(b) Molécule d'acide gras

H_2O

(a) Molécule de glycérol

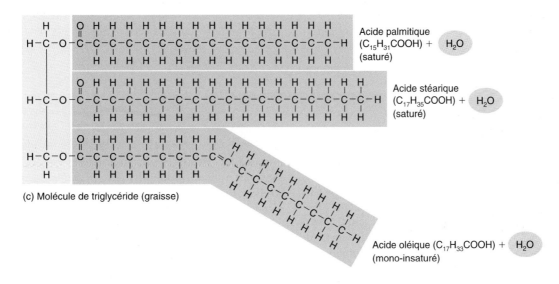

Acide palmitique ($C_{15}H_{31}COOH$) + H_2O (saturé)

Acide stéarique ($C_{17}H_{35}COOH$) + H_2O (saturé)

Acide oléique ($C_{17}H_{33}COOH$) + H_2O (mono-insaturé)

(c) Molécule de triglycéride (graisse)

Q L'oxygène dans la molécule d'eau perdue au cours de la synthèse par déshydratation provient-il du glycérol ou d'un acide gras?

Phospholipides

Comme les triglycérides, les **phospholipides** ont un squelette de glycérol et deux chaînes d'acides gras fixées aux deux premiers atomes de carbone. Cependant, en troisième position, un groupement phosphate (PO_4^{3-}) se lie à un petit groupement chargé dont le squelette contient habituellement de l'azote (N) (figure 2.18). Cette région de la molécule (la «tête») est polaire et peut former des liaisons hydrogène avec des molécules d'eau. Les deux acides gras (les «queues») sont pour leur part non polaires et peuvent se lier uniquement à d'autres lipides. Les molécules qui ont à la fois des régions polaires et des régions non polaires sont dites **amphiphiles** (*amphi* = des deux côtés; *philos* = ami de). Les phospholipides, qui possèdent cette caractéristique inhabituelle, s'alignent par leurs queues non polaires en deux rangées de molécules superposées qui constituent la majeure partie de la membrane entourant chaque cellule (figure 2.18c).

Stéroïdes

Les **stéroïdes** se composent de quatre anneaux d'atomes de carbone appelés A, B, C et D (figure 2.19). Leur structure est très différente de celle des triglycérides. Certains stéroïdes

Figure 2.18 Phospholipides. (a) Au cours de la synthèse des phospholipides, deux acides gras se lient aux deux premiers atomes de carbone du squelette de glycérol. Un groupement phosphate unit un petit groupement chargé au troisième atome de carbone du glycérol. Dans (b), le cercle représente la tête polaire et les deux lignes ondulées représentent les deux queues non polaires. Les liaisons doubles dans la chaîne hydrocarbonée d'acides gras forment souvent un coude dans la queue.

 Les phospholipides sont des molécules amphiphiles ; ils possèdent à la fois des régions polaires et des régions non polaires.

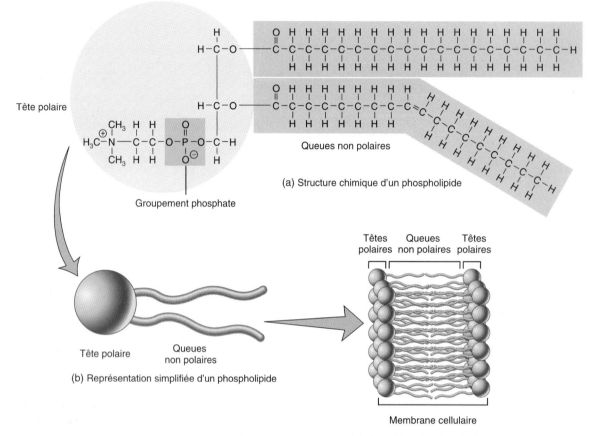

Tête polaire

Groupement phosphate

Queues non polaires

(a) Structure chimique d'un phospholipide

Tête polaire

Queues non polaires

(b) Représentation simplifiée d'un phospholipide

Têtes polaires Queues non polaires Têtes polaires

Membrane cellulaire

(c) Disposition des phospholipides dans une portion de membrane cellulaire

 Quelle région d'un phospholipide est hydrophile, et laquelle est hydrophobe ?

peuvent être synthétisés à partir du cholestérol (figure 2.19a), qui comporte une importante région non polaire composée de quatre anneaux et d'une queue hydrocarbonée. Dans l'organisme, les principaux stéroïdes, comme le cholestérol, les hormones sexuelles, le cortisol, les sels biliaires et la vitamine D, forment un groupe appelé **stérols** car ils possèdent un groupement hydroxyle (alcool, −OH) lié à un ou plusieurs de leurs anneaux. Ces groupements hydroxyle polaires rendent les stérols légèrement amphiphiles. Bien que le cholestérol favorise l'accumulation des plaques lipidiques responsables

de l'athérosclérose, il est également une composante des membranes cellulaires animales et un matériau de base servant à la synthèse d'autres stéroïdes (voir le tableau 2.7).

Eicosanoïdes et autres lipides

Les **eicosanoïdes** (*eikosan* = vingt) sont des lipides dérivés d'un acide gras à 20 carbones, l'acide arachidonique. Les deux principales catégories d'eicosanoïdes sont les **prostaglandines** et les **leucotriènes.** Les prostaglandines participent à un grand nombre de fonctions de l'organisme. Par exemple,

Figure 2.19 Stéroïdes. Tous les stéroïdes possèdent quatre anneaux d'atomes de carbone (A à D).

 Le cholestérol est le matériau de base servant à la synthèse d'autres stéroïdes dans l'organisme.

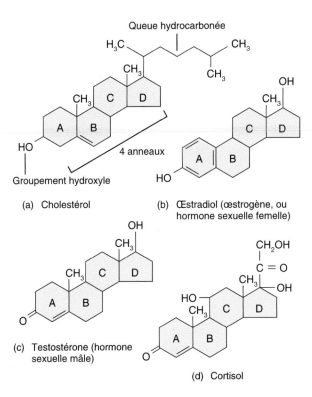

(a) Cholestérol

(b) Œstradiol (œstrogène, ou hormone sexuelle femelle)

(c) Testostérone (hormone sexuelle mâle)

(d) Cortisol

 Qu'est-ce qui distingue la structure de l'œstradiol de celle de la testostérone ?

Tableau 2.8 Fonctions des protéines

TYPE DE PROTÉINE	FONCTIONS
Structurale	Constitue la structure de diverses parties du corps.
	Exemples : le collagène dans les os et d'autres tissus conjonctifs, et la kératine dans la peau, les poils et les ongles.
Régulatrice	Agit en tant qu'hormone, assure la régulation de divers mécanismes physiologiques, régit la croissance et le développement et transmet les réponses du système nerveux.
	Exemples : l'insuline, qui régit la glycémie, et la substance P, qui transmet la sensation de douleur dans le système nerveux.
Contractile	Permet le raccourcissement des cellules musculaires, qui est à l'origine du mouvement.
	Exemples : la myosine et l'actine.
Immunologique	Participe aux réactions qui protègent l'organisme contre les substances étrangères et les agents pathogènes.
	Exemples : les anticorps et les interleukines.
Transport	Transporte les substances vitales partout dans l'organisme.
	Exemple : l'hémoglobine, qui transporte une grande partie de l'oxygène et une partie du gaz carbonique dans le sang.
Catalyseur	Agit en tant qu'enzyme pour régler les réactions biochimiques.
	Exemples : l'amylase salivaire, la lipase et la lactase.

elles modifient les réponses aux hormones, contribuent à la réaction inflammatoire (chapitre 22), préviennent les ulcères d'estomac, dilatent les voies respiratoires, régissent la température corporelle et influent sur la formation des caillots sanguins. Les leucotriènes interviennent dans les réactions allergiques et inflammatoires.

Les lipides présents dans l'organisme comprennent également les acides gras (qui peuvent se lier par hydrolyse pour synthétiser l'ATP ou par déshydratation pour constituer des triglycérides et des phospholipides), certaines vitamines liposolubles comme les bêta-carotènes (pigments jaunes et orange du jaune d'œuf, de la carotte et de la tomate convertis en vitamine A), les vitamines D, E et K ainsi que les lipoprotéines.

Protéines

Les **protéines** forment un troisième groupe de composés organiques. Leur structure est beaucoup plus complexe et elles assurent des fonctions plus variées que les glucides ou les lipides. Un corps d'adulte normal et mince contient entre 12 et 18 % de protéines. Certaines protéines sont des matériaux de structure des cellules, tandis que d'autres assurent des fonctions biologiques. Par exemple, sous forme d'enzymes, les protéines accélèrent la plupart des réactions biochimiques essentielles ; d'autres encore font partie du mécanisme de la contraction musculaire. Les anticorps sont des protéines qui défendent l'organisme contre les microbes. Certaines hormones participant au maintien de l'homéostasie sont également des protéines. Le tableau 2.8 décrit quelques fonctions des protéines.

Acides aminés et polypeptides

Les protéines contiennent toujours du carbone, de l'hydrogène, de l'oxygène et de l'azote ; certaines contiennent également du soufre. Tout comme les monosaccharides sont les unités constitutives des polysaccharides, les **acides aminés** sont les unités constitutives (monomériques) des protéines. Chacun des 20 acides aminés est formé de trois groupements fonctionnels importants liés à un atome central de carbone

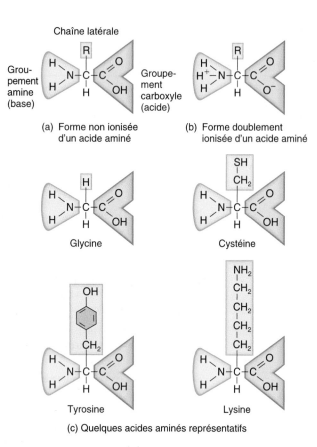

(c) Quelques acides aminés représentatifs

Figure 2.20 Acides aminés. (a) Conformément à leur nom, les acides aminés ont un groupement amine (représenté en bleu) et un groupement carboxyle (acide) (représenté en rouge). La chaîne latérale (groupement R) est différente dans chaque acide aminé. (b) À un pH se rapprochant de 7, le groupement amine et le groupement carboxyle sont ionisés. (c) La glycine est le plus simple des acides aminés ; sa chaîne latérale est constituée d'un seul atome d'hydrogène. La cystéine est l'un des deux acides aminés qui contiennent du soufre (S). La chaîne latérale de la tyrosine contient un anneau à 6 carbones. La lysine possède un deuxième groupement amine à l'extrémité de sa chaîne latérale.

🔑 **Dans l'organisme, les protéines contiennent 20 acides aminés différents possédant chacun une chaîne latérale unique.**

Q Dans un acide aminé, quel est le nombre minimal d'atomes de carbone ? D'atomes d'azote ?

(figure 2.20a) : il y a 1) un groupement amine ($-NH_2$), 2) un groupement carboxyle ($-COOH$) et 3) une chaîne latérale (groupement R). Au pH normal des liquides de l'organisme, le groupement amine et le groupement carboxyle sont ionisés (figure 2.20b). La chaîne latérale confère à chaque acide aminé une identité chimique unique (figure 2.20c).

La synthèse d'une protéine suit plusieurs étapes : un acide aminé se lie à un deuxième, un troisième s'ajoute aux deux premiers, et ainsi de suite. La liaison covalente qui unit

chaque paire d'acides aminés est appelée **liaison peptidique.** Elle se forme toujours entre le groupement carboxyle ($-COOH$) d'un acide aminé et le groupement amine ($-NH_2$) d'un autre. Au site de formation d'une liaison peptidique, une molécule d'eau est libérée (figure 2.21). Il s'agit donc d'une réaction de synthèse par déshydratation. La rupture d'une liaison peptidique, qui se produit par exemple au cours de la digestion des protéines alimentaires, est une réaction d'hydrolyse (voir la figure 2.21).

Figure 2.21 Formation d'une liaison peptidique entre deux acides aminés au cours de la synthèse par déshydratation (à lire de gauche à droite). Dans cet exemple, la glycine se lie à l'alanine (pour former un dipeptide). La liaison peptidique est rompue par hydrolyse (à lire de droite à gauche).

🔑 **Les acides aminés sont les unités constitutives monomériques des protéines.**

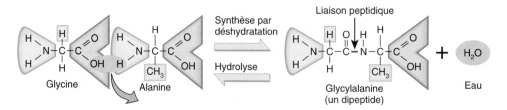

Q Quel type de réaction se produit durant le catabolisme des protéines ?

La liaison de deux acides aminés produit un **dipeptide.** Si on ajoute un acide aminé à un dipeptide, on obtient un **tripeptide.** L'ajout d'autres acides aminés mènerait à la formation d'un **peptide** (4 à 10 acides aminés) ou d'un **polypeptide** (10 à 2 000 acides aminés ou plus). Les petites protéines ne contiennent parfois que 50 acides aminés. Une protéine peut aussi ne comprendre qu'une seule chaîne polypeptidique ou plusieurs chaînes repliées les unes sur les autres.

Il existe d'innombrables variétés de protéines car chaque fois que le nombre ou la séquence d'acides aminés varie, on obtient une nouvelle protéine. C'est comme si nous disposions d'un alphabet de 20 lettres pour former des mots. Chaque acide aminé correspond à une lettre, et les combinaisons d'acides aminés possibles (peptides, polypeptides ou protéines) correspondent aux mots.

Niveaux d'organisation structurale des protéines

Les protéines présentent quatre niveaux d'organisation structurale. La **structure primaire** est la seule séquence d'acides aminés maintenus par des liaisons peptidiques covalentes pour former une chaîne polypeptidique (figure 2.22a). Cette structure est déterminée génétiquement. Toute modification de la séquence d'acides aminés d'une protéine peut avoir de graves conséquences pour l'organisme. Dans la drépanocytose, un acide aminé non polaire (la valine) remplace un acide aminé polaire (l'acide glutamique) dans deux sites seulement de l'hémoglobine (protéine qui transporte l'oxygène). Cette modification diminue la solubilité de l'hémoglobine. Par conséquent, l'hémoglobine a tendance à former des cristaux à l'intérieur des globules rouges, ce qui produit des cellules en forme de faucilles qui ne peuvent passer dans les étroits vaisseaux sanguins.

Dans la **structure secondaire** d'une protéine, les acides aminés de la chaîne polypeptidique se tordent ou se replient sur eux-mêmes (figure 2.22b). Deux des structures secondaires les plus courantes sont l'hélice alpha et le ruban plissé en accordéon. La structure secondaire d'une protéine est stabilisée par des liaisons hydrogène qui reviennent à intervalles réguliers le long du squelette polypeptidique.

La **structure tertiaire** d'une chaîne polypeptidique a une forme tridimensionnelle. Le motif de plissage en accordéon peut permettre le rapprochement des acides aminés situés aux extrémités de la chaîne (figure 2.22c). Chaque protéine possède une structure tertiaire unique qui détermine son mode de fonctionnement. Comme la plupart des protéines dans l'organisme se trouvent dans un milieu aqueux, le motif plissé de la structure déplace la plupart des acides aminés dont les chaînes latérales sont hydrophobes de la surface de la protéine vers le centre. La figure 2.23 illustre les types de liaisons qui stabilisent la structure tertiaire d'une protéine. Les liaisons les plus fortes, mais les moins courantes, sont les liaisons covalentes S—S, appelées *ponts disulfure.* Ces liaisons se forment entre les groupements sulfhydrylés de deux mono-

mères d'un acide aminé, la cystéine. De nombreuses liaisons faibles (liaisons hydrogène, liaisons ioniques et interactions hydrophobes) déterminent également le motif des plis.

Lorsqu'une protéine contient plus d'une chaîne polypeptidique, ces chaînes se disposent les unes par rapport aux autres pour former la **structure quaternaire** (figure 2.22d). Les liaisons qui unissent les chaînes polypeptidiques sont essentiellement les mêmes que dans la structure tertiaire.

La structure des protéines varie considérablement. Chaque protéine possède sa propre architecture et sa propre forme tridimensionnelle, qui déterminent les fonctions assurées par la protéine. Des mécanismes homéostatiques maintiennent la température et la composition chimique des liquides de l'organisme, ce qui permet aux protéines qui y baignent de conserver leur forme tridimensionnelle unique. Lorsqu'une cellule fabrique une protéine, la chaîne polypeptidique se plie d'une certaine façon. Ces plis se forment parce que certaines parties du polypeptide sont attirées par l'eau (hydrophiles) tandis que d'autres la fuient (hydrophobes). Il arrive souvent que des molécules auxiliaires appelées chaperons participent à la formation de ces plis.

Généralement, la fonction d'une protéine dépend de sa capacité à reconnaître une autre molécule et à s'y fixer, comme une clé convient parfaitement à la serrure dans laquelle on la glisse. Une hormone se fixe à une protéine spécifique d'une cellule dont elle modifiera la fonction, et un anticorps se fixe à une substance étrangère (antigène) qui s'est introduite dans l'organisme. Grâce à sa forme unique, chaque protéine peut interagir avec d'autres molécules pour exécuter des tâches spécifiques.

Lorsqu'une protéine se trouve dans un milieu où la température, le pH ou la concentration des électrolytes sont modifiés, elle peut réagir en se dépliant et perdre sa forme caractéristique (structures secondaire, tertiaire et quaternaire). On dit alors qu'elle est **dénaturée.** Les protéines dénaturées ne sont plus fonctionnelles. Un exemple courant de dénaturation permanente se produit lorsqu'on fait cuire un œuf. Dans un œuf cru, la protéine blanche soluble (l'albumine) a la forme d'un liquide clair et visqueux. Lorsqu'on la soumet à la chaleur, cette protéine change de forme (se dénature), devient insoluble et blanchit.

Enzymes

Dans les cellules vivantes, la plupart des catalyseurs sont des molécules protéiques appelées **enzymes.** Certaines enzymes comprennent deux parties : une fraction protéique appelée **apoenzyme** et une fraction non protéique appelée **cofacteur.** Le cofacteur peut être l'ion d'un métal (comme le fer, le magnésium, le zinc ou le calcium) ou une molécule organique appelée *coenzyme.* Les coenzymes sont souvent dérivées des vitamines. Ensemble, l'apoenzyme et le cofacteur forment une **holoenzyme,** c'est-à-dire une enzyme entière. Le nom des enzymes se termine souvent par le suffixe –*ase.* Toutes les enzymes peuvent être classées selon le type de réaction

Figure 2.22 Niveaux d'organisation structurale des protéines. (a) La structure primaire est la séquence d'acides aminés dans le polypeptide. (b) Les structures secondaires les plus courantes sont l'hélice alpha et le ruban plissé en accordéon. Par souci de simplification, les groupements R des acides aminés ne sont pas représentés. (c) La structure tertiaire est la forme tridimensionnelle résultant du plissage de la protéine. (d) Dans la structure quaternaire, deux ou plusieurs chaînes polypeptidiques se disposent les unes par rapport aux autres. Adapté de Neil Campbell, Jane Reece et Larry Mitchell, *Biology*, 5ᵉ édition, Menlo Park, Californie, Addison Wesley Longman, 1999, F5.24, p. 75. © 1999, Addison Wesley Longman, Inc.

 La forme unique de chaque protéine lui permet d'exécuter des tâches spécifiques.

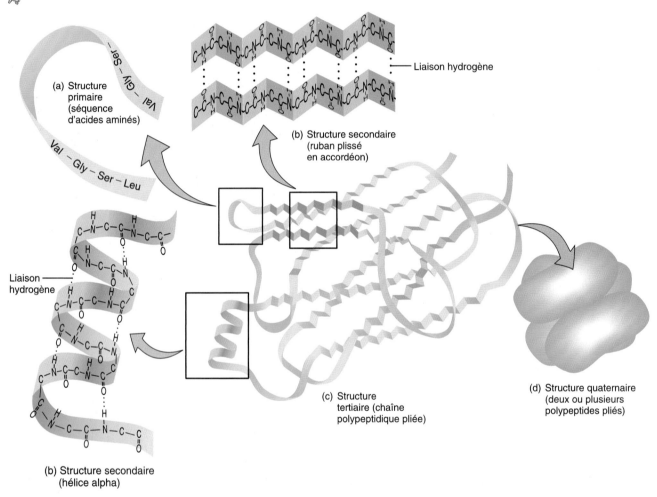

(a) Structure primaire (séquence d'acides aminés)

Liaison hydrogène

(b) Structure secondaire (ruban plissé en accordéon)

Liaison hydrogène

(c) Structure tertiaire (chaîne polypeptidique pliée)

(d) Structure quaternaire (deux ou plusieurs polypeptides pliés)

(b) Structure secondaire (hélice alpha)

Q Les protéines possèdent-elles toutes une structure quaternaire?

chimique qu'elles catalysent. Par exemple, les *oxydases* ajoutent de l'oxygène, les *kinases* ajoutent du phosphate, les *déshydrogénases* éliminent l'hydrogène, les *ATPases* divisent l'ATP, les *anhydrases* enlèvent l'eau, les *protéases* dégradent les protéines et les *lipases* dégradent les lipides.

Les enzymes catalysent des réactions bien précises avec une grande efficacité et à l'aide de nombreux mécanismes de régulation intégrés. Leurs trois principales propriétés sont les suivantes:

1. *Les enzymes sont très spécialisées.* Chacune correspond à ses **substrats,** c'est-à-dire aux molécules de réactifs sur lesquelles elle agit. Dans certains cas, la partie d'une enzyme qui catalyse la réaction, le **site actif,** est aussi adaptée au substrat qu'une clé à une serrure. Dans d'autres cas, le site actif change de forme pour s'ajuster parfaitement au substrat qui s'y est introduit. On appelle ce phénomène l'*ajustement induit.* Chacune du millier d'enzymes et plus présentes dans l'organisme a une forme

Figure 2.23 Types de liaisons qui stabilisent la structure tertiaire des protéines. Adapté de Neil Campbell, Jane Reece et Larry Mitchell, *Biology,* 5ᵉ édition, Menlo Park, Californie, Addison Wesley Longman, 1999, F5.22, p. 74. © 1999, Addison Wesley Longman, Inc.

 Le pont disulfure est une liaison covalente forte, tandis que la liaison hydrogène, l'interaction hydrophobe et la liaison ionique sont des liaisons faibles.

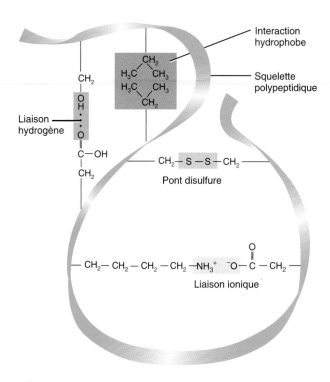

 Q Pourquoi les groupements méthyle (—CH₃) sont-ils hydrophobes?

Figure 2.24 Fonctionnement d'une enzyme.

 Une enzyme accélère une réaction chimique sans que sa molécule s'altère.

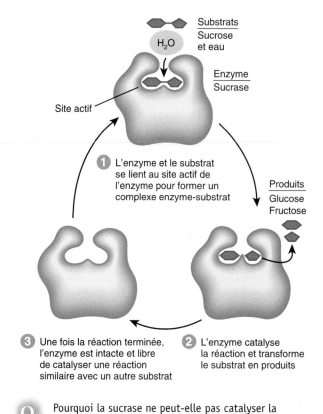

Q Pourquoi la sucrase ne peut-elle pas catalyser la formation de sucrose à partir du glucose et du fructose?

tridimensionnelle caractéristique et une configuration de surface unique qui lui permettent de reconnaître certains substrats seulement et de ne se fixer qu'à eux.

L'enzyme est non seulement spécialisée pour un certain substrat, elle catalyse également une réaction bien précise. Parmi la multitude de molécules présentes dans une cellule, une enzyme doit reconnaître son substrat, puis l'isoler ou le fusionner avec un autre substrat pour former un ou plusieurs produits spécifiques.

2. *Les enzymes sont très efficaces.* Dans des conditions optimales, les enzymes peuvent catalyser des réactions à une vitesse de 100 millions à 10 milliards de fois plus élevée que la vitesse des réactions qui ont lieu sans leur concours. Une seule molécule d'enzyme peut convertir entre 1 et 10 000 molécules de substrat en molécules de produit en une seconde, et ce nombre peut atteindre 600 000.

3. *Les enzymes sont assujetties à une régulation cellulaire.* Leur vitesse de synthèse et leur concentration sont en tout temps régies par les gènes des cellules. Les substances présentes à l'intérieur de la cellule peuvent soit amplifier, soit inhiber l'activité d'une enzyme donnée. De nombreuses enzymes possèdent à la fois une forme active et une forme inactive dans les cellules; la vitesse à laquelle elles sont activées ou désactivées dépend des paramètres chimiques à l'intérieur de la cellule.

Les enzymes diminuent l'énergie d'activation nécessaire pour une réaction chimique car elles rendent moins aléatoires les collisions entre les molécules. Elles aident également les substrats à s'aligner dans une position qui permet leur interaction chimique. La figure 2.24 illustre le fonctionnement d'une enzyme (dans l'état des connaissances actuelles):

① Les substrats entrent en contact avec le site actif à la surface de la molécule d'enzyme, ce qui crée un composé intermédiaire temporaire appelé **complexe enzyme-substrat.** Dans l'exemple illustré, les substrats sont le sucrose (un disaccharide) et une molécule d'eau.

2 Les molécules de substrat sont transformées à la suite du réarrangement des atomes en place, de la dégradation de la molécule de substrat ou de la liaison de plusieurs molécules de substrats dans les produits de la réaction. Dans l'exemple illustré, les produits sont deux monosaccharides, le glucose et le fructose.

3 Une fois la réaction terminée, les produits s'éloignent de l'enzyme, qui est alors libre de se fixer à d'autres molécules de substrats.

Une seule enzyme peut parfois catalyser une réaction réversible dans la mesure où les substrats et les produits sont assez abondants. Par exemple, l'*anhydrase carbonique* catalyse la réaction réversible suivante :

$$\underset{\substack{\text{Gaz}\\\text{carbonique}}}{CO_2} + \underset{\text{Eau}}{H_2O} \xrightleftharpoons[]{\text{Anhydrase carbonique}} \underset{\substack{\text{Acide}\\\text{carbonique}}}{H_2CO_3}$$

Pendant l'exercice, une plus grande quantité de gaz carbonique (CO_2) est produite et libérée dans le sang, ce qui favorise la réaction vers la droite et augmente la quantité d'acide carbonique dans le sang. Lorsque du gaz carbonique est exhalé, la teneur en CO_2 du sang diminue et la réaction s'inverse vers la gauche, ce qui convertit l'acide carbonique en CO_2 et en H_2O.

APPLICATION CLINIQUE
Galactosémie

La **galactosémie** (*galaktos* = lait ; *haima* = sang) est une anomalie héréditaire dans laquelle un monosaccharide, le galactose, ne peut pas être converti en glucose en l'absence de l'enzyme nécessaire et s'accumule dans le sang. Le nouveau-né atteint présente un déficit de croissance dès la première semaine de vie provoqué par l'anorexie (perte d'appétit), des vomissements et la diarrhée. Puisque la source principale de galactose est le lactose (ou sucre de lait), le traitement consiste à supprimer le lait du régime alimentaire du nourrisson. S'il n'est pas traité rapidement, le nourrisson restera petit et pourra souffrir d'arriération mentale. ■

Acides nucléiques : acide désoxyribonucléique (ADN) et acide ribonucléique (ARN)

Les **acides nucléiques** sont ainsi nommés parce qu'ils ont été découverts dans les noyaux des cellules. Ces énormes molécules organiques contiennent du carbone, de l'hydrogène, de l'oxygène, de l'azote et du phosphore. On distingue deux variétés d'acides nucléiques. La première, l'**acide désoxyribonucléique** (**ADN**), constitue le matériel génétique héréditaire de chaque cellule. Chaque **gène** est un segment d'une molécule d'ADN. Nos gènes déterminent quels traits nous sont transmis et, en régissant la synthèse des protéines, ils assurent la régulation de la plupart des activités qui se déroulent dans

nos cellules tout au long de la vie. Lorsqu'une cellule se divise, l'information héréditaire qu'elle contient est transmise à la génération de cellules suivante. La seconde variété d'acide nucléique, l'**acide ribonucléique** (**ARN**), achemine les instructions des gènes jusqu'aux cellules, qui assemblent les acides aminés pour constituer les protéines.

Les monomères des acides nucléiques sont appelés **nucléotides**. Un acide nucléique est une chaîne composée d'une séquence de nucléotides. Chaque nucléotide d'ADN se divise en trois parties (figure 2.25a) :

1. *Base azotée.* L'ADN contient quatre **bases azotées** différentes qui renferment des atomes de carbone, d'hydrogène, d'oxygène et d'azote. Les quatre bases de l'ADN sont l'adénine (A), la thymine (T), la cytosine (C) et la guanine (G). L'adénine et la guanine sont de grosses molécules formées de deux structures cycliques et sont appelées **purines** ; la thymine et la cytosine sont des molécules plus petites ne comportant qu'une seule structure cyclique et sont appelées **pyrimidines.** Chaque nucléotide est nommé en fonction de la base qu'il contient. Par exemple, un nucléotide contenant de la thymine est un nucléotide de thymine, un autre qui contient de l'adénine est un nucléotide d'adénine, etc.

2. *Pentose (sucre).* Un sucre à cinq carbones, le **désoxyribose,** se fixe à chaque base de l'ADN.

3. *Groupement phosphate.* Des groupements phosphate (PO_4^{3-}) et des pentoses sont présents en alternance dans le squelette d'une chaîne d'ADN ; les bases azotées pointent toutes vers l'intérieur de la chaîne (figure 2.25b).

En 1953, le britannique F. H. C. Crick et le jeune chercheur américain J. D. Watson ont publié un court article décrivant comment ces trois composantes étaient disposées dans l'ADN. En analysant les données recueillies par d'autres chercheurs, ils ont construit un modèle si sophistiqué et simple qu'il a immédiatement fait l'unanimité dans le monde scientifique. Dans le modèle à **double hélice** de Watson et Crick, l'ADN ressemble à une échelle en spirale (voir la figure 2.25b). Deux chaînes composées chacune d'une alternance de groupements phosphate et de désoxyribose forment les montants de l'échelle ; des paires de bases complémentaires, retenues par des liaisons hydrogène, en forment les barreaux. L'adénine s'associe toujours à la thymine, et la cytosine à la guanine. Dès que l'on connaît la séquence des bases dans une chaîne d'ADN, on peut prédire la séquence sur la chaîne complémentaire (secondaire). Chaque fois que l'ADN est reproduit, par exemple lorsqu'un organisme fabrique des cellules, les deux chaînes se déroulent et chacune sert de matrice sur laquelle une seconde chaîne est élaborée. Comme nous le verrons plus loin, tout changement dans la séquence de bases d'une chaîne d'ADN constitue une *mutation.* Certaines mutations ont pour effet de détruire les cellules, d'autres causent le cancer et d'autres encore provoquent des défauts génétiques qui seront transmis aux descendants.

Figure 2.25 Molécule d'ADN. (a) Un nucléotide se compose d'une base, d'un pentose et d'un groupement phosphate. (b) Les bases complémentaires pointent vers l'intérieur de la double hélice. Des liaisons hydrogène (représentées par des lignes pointillées) entre chaque paire complémentaire assurent la stabilité de la structure. On trouve deux liaisons hydrogène entre l'adénine et la thymine, et trois entre la cytosine et la guanine.

🗝 **Les nucléotides sont les unités constitutives monomériques des acides nucléiques.**

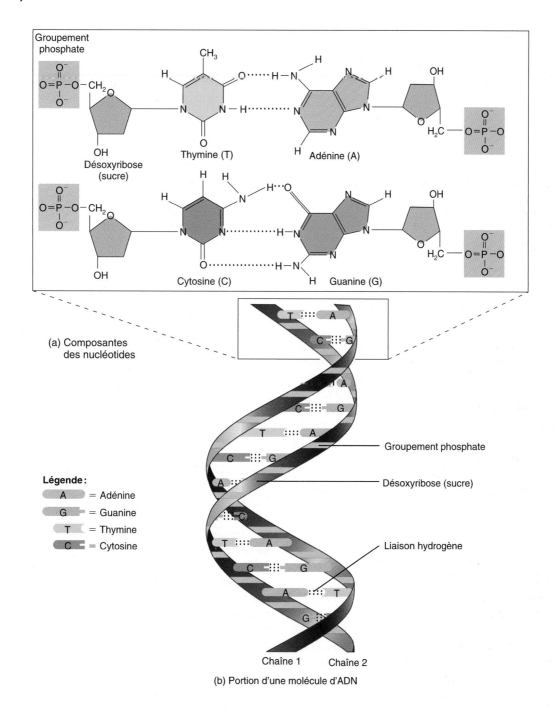

(a) Composantes des nucléotides

Légende :
- A = Adénine
- G = Guanine
- T = Thymine
- C = Cytosine

(b) Portion d'une molécule d'ADN

Ⓠ Nommez les bases qui sont toujours appariées l'une à l'autre.

Figure 2.26 Structures de l'ATP et de l'ADP. Les deux liaisons phosphate qui peuvent servir au transfert d'énergie sont indiquées par le symbole ~. Le transfert d'énergie s'effectue habituellement par hydrolyse du groupement phosphate terminal de l'ATP.

🔑 **L'ATP transfère aux cellules l'énergie chimique requise pour leurs activités.**

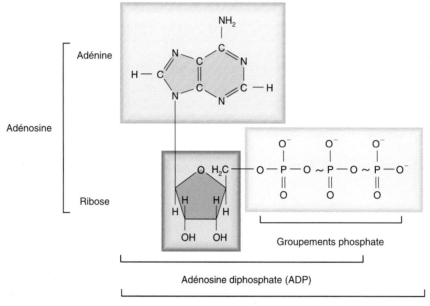

Q Quelles sont les activités cellulaires qui dépendent de l'énergie libérée par l'ATP ? (Donnez quelques exemples.)

La seconde variété d'acide nucléique, l'ARN, est différente de l'ADN à bien des égards. Chez l'être humain, l'ARN est une molécule à chaîne simple. Le sucre de la molécule d'ARN est un pentose, le **ribose,** et la base de pyrimidine de l'ARN contient l'uracil (U) plutôt que la thymine. Dans les cellules, on trouve trois types d'ARN: l'ARN messager, l'ARN ribosomal et l'ARN de transfert. Chacun joue un rôle distinct dans le processus de transmission des instructions codées de l'ADN (voir p. 93).

APPLICATION CLINIQUE
Identification de l'ADN

Les chercheurs et les tribunaux ont recours à la technique d'identification de l'ADN pour vérifier si l'ADN d'une personne correspond à un échantillon d'ADN obtenu par prélèvement ou présent sur des pièces à conviction comme des taches de sang ou des cheveux. Chez chaque individu, certains segments d'ADN contiennent des séquences de bases qui se répètent plusieurs fois. Le nombre de répétitions dans chaque région et le nombre de régions dans lesquelles on trouve des répétitions diffèrent d'une personne à une autre. On peut pro-

céder à l'identification de l'ADN sur des quantités infimes d'ADN, par exemple sur un cheveu, une goutte de sperme ou une tache de sang. Cette technique sert également à identifier la victime d'un crime ou les parents biologiques d'un enfant et peut même déterminer si deux personnes ont un ancêtre commun. ■

Adénosine triphosphate

L'**adénosine triphosphate** (**ATP**) est la « devise énergétique » des organismes vivants (figure 2.26). L'ATP emmagasine temporairement l'énergie libérée au cours de réactions cataboliques exothermiques et la transfère aux cellules qui en ont besoin pour accomplir leurs tâches (réactions endothermiques). Cette énergie sert notamment à la contraction musculaire, au mouvement des chromosomes durant la division cellulaire, au mouvement des structures à l'intérieur des cellules, au transport de substances à travers les membranes cellulaires et à la synthèse de grosses molécules à partir de molécules plus petites. D'un point de vue structural, l'ATP est constituée de trois groupements phosphate fixés à une unité d'adénosine composée d'adénine et d'un sucre à cinq carbones, le ribose.

Lorsque le groupement phosphate terminal (PO_4^{3-}), représenté par le symbole Ⓟ dans la formule suivante, est hydrolysé par l'ajout d'une molécule d'eau, la réaction globale libère de l'énergie. Cette énergie sert à alimenter l'activité cellulaire. L'enzyme qui catalyse l'hydrolyse de l'ATP est appelée *ATPase*. Lorsque le groupement phosphate terminal est éliminé, on obtient une molécule appelée **adénosine diphosphate** (**ADP**). On peut représenter cette réaction par la formule suivante :

$$\text{ATP} + \text{H}_2\text{O} \xrightarrow{\text{ATPase}} \text{ADP} + Ⓟ + \text{E}$$

| Adénosine triphosphate | Eau | | Adénosine diphosphate | Groupement phosphate | Énergie |

L'énergie libérée par le catabolisme de l'ATP en ADP est constamment utilisée par les cellules. Puisque les quantités d'ATP sont toujours limitées, un mécanisme assure le réapprovisionnement. Une enzyme, l'*ATP synthase,* catalyse l'ajout d'un groupement phosphate à l'ADP :

$$\text{ADP} + Ⓟ + \text{E} \xrightarrow{\text{ATP synthase}} \text{ATP} + \text{H}_2\text{O}$$

| Adénosine diphosphate | Groupement phosphate | Énergie | | Adénosine triphosphate | Eau |

Dans cette réaction, il faut de l'énergie pour produire l'ATP. L'énergie nécessaire à la liaison d'un groupement phosphate à l'ADP provient en grande partie du catabolisme du glucose au cours du processus de la respiration cellulaire. La respiration cellulaire comporte une phase anaérobie et une phase aérobie :

1. *Phase anaérobie.* En l'absence d'oxygène, le glucose se dégrade partiellement en acide pyruvique au cours d'une série de réactions cataboliques. Chaque molécule de glucose convertie en acide pyruvique produit deux molécules d'ATP.

2. *Phase aérobie.* En présence d'oxygène, le glucose se dégrade complètement en gaz carbonique et en eau. Ces réactions produisent de la chaleur et un grand nombre de molécules d'ATP, soit 36 à 38 molécules d'ATP par molécule de glucose.

Les chapitres 10 et 25 traitent plus en détail de la respiration cellulaire.

1. Comment classifie-t-on les glucides ?
2. Comparez la synthèse par déshydratation et l'hydrolyse.
3. Expliquez l'importance des lipides suivants dans l'organisme : triglycérides, phospholipides, stéroïdes, lipoprotéines et eicosanoïdes.
4. Distinguez les graisses saturées, les graisses mono-insaturées et les graisses poly-insaturées.
5. Définissez la *protéine*. Qu'est-ce qu'une liaison peptidique ?
6. Expliquez comment on classifie les protéines selon leur niveau d'organisation structurale.
7. Qu'est-ce qui distingue l'ADN de l'ARN ?
8. Dans la réaction catalysée par l'ATP synthase, quels sont les substrats et les produits ? S'agit-il d'une réaction exothermique ou d'une réaction endothermique ?

RÉSUMÉ

ORGANISATION DE LA MATIÈRE (p. 27)

1. Toutes les formes de matière se composent d'éléments chimiques.
2. L'oxygène, le carbone, l'hydrogène et l'azote constituent environ 96 % de la masse corporelle.
3. Chaque élément est constitué de petites unités appelées atomes.
4. Les atomes comprennent un noyau, qui contient des protons et des neutrons, ainsi que des électrons, qui circulent autour du noyau dans des régions appelées couches électroniques.
5. Le nombre de protons (numéro atomique) permet de distinguer les atomes d'un élément de ceux d'un autre élément.
6. Le nombre de masse d'un atome est la somme de la masse de ses protons et de celle de ses neutrons.
7. Les atomes d'un élément qui ont le même nombre de protons mais un nombre différent de neutrons sont appelés isotopes. Les radio-isotopes sont instables et se désintègrent.
8. La masse atomique d'un élément est la moyenne des masses de tous ses isotopes naturels.
9. Un atome qui *perd* ou *gagne* des électrons devient un ion, c'est-à-dire un atome qui a une charge positive ou une charge négative parce qu'il comporte un nombre différent de protons et d'électrons. Les ions qui ont une charge positive sont des cations, et ceux qui ont une charge négative sont des anions.

10. Lorsque deux atomes partagent des électrons, ils forment une molécule. Un composé contient des atomes de deux éléments ou plus.
11. Un radical libre est un atome ou un groupe d'atomes chargé électriquement qui comporte un électron non apparié dans sa couche électronique la plus externe. Par exemple, le superoxyde est un radical libre formé lorsqu'un électron s'ajoute à une molécule d'oxygène.

LIAISONS CHIMIQUES (p. 32)

1. Les atomes sont maintenus ensemble par des forces d'attraction appelées liaisons chimiques. Ces liaisons se forment lorsque les atomes gagnent, perdent ou partagent des électrons de leur couche de valence.
2. La plupart des atomes deviennent stables lorsqu'ils ont huit électrons (un octet) dans leur couche de valence (couche la plus externe).
3. Lorsqu'une force d'attraction maintient ensemble des ions de charges opposées, elle crée une liaison ionique.
4. Dans une liaison covalente, les atomes partagent des paires d'électrons de valence. Les liaisons covalentes peuvent être simples, doubles ou triples, de même que polaires ou non polaires.

5. Un atome d'hydrogène qui forme une liaison covalente polaire avec un atome d'oxygène ou d'azote peut également former une liaison plus faible, appelée liaison hydrogène, avec un atome électronégatif. La liaison covalente polaire confère à l'atome d'hydrogène une charge partiellement positive (δ^+) qui attire la charge partiellement négative (δ^-) des atomes électronégatifs environnants, qui sont souvent des atomes d'oxygène ou d'azote.

RÉACTIONS CHIMIQUES (p. 36)

1. Chaque fois que des liaisons se forment ou se rompent entre des atomes, une réaction chimique a lieu. Les substances constitutives sont les réactifs, et les substances produites sont les produits.

2. L'énergie, qui est la capacité de fournir un travail, prend deux formes principales: l'énergie potentielle (emmagasinée) et l'énergie cinétique (associée au mouvement).

3. Les réactions endothermiques requièrent de l'énergie, tandis que les réactions exothermiques en libèrent. L'ATP couple les réactions endothermiques et les réactions exothermiques.

4. L'énergie de départ nécessaire au déclenchement d'une réaction est appelée énergie d'activation. Plus la concentration et la température des particules de réactifs sont élevées, plus les probabilités qu'une réaction ait lieu augmentent.

5. Les catalyseurs accélèrent les réactions chimiques en diminuant l'énergie d'activation. La plupart des catalyseurs dans les organismes vivants sont des molécules de protéines appelées enzymes.

6. Dans les réactions de synthèse, des réactifs se combinent pour former des molécules plus grosses. Ce sont des réactions anaboliques, habituellement endothermiques.

7. Dans les réactions de dégradation, une substance se divise en molécules plus petites. Ce sont des réactions cataboliques, habituellement exothermiques.

8. Au cours d'un processus appelé synthèse par déshydratation, de petites molécules organiques se combinent pour former des molécules plus grosses et libèrent par le fait même une molécule d'eau. Dans le processus inverse, appelé hydrolyse, de grosses molécules se dégradent en molécules plus petites quand on ajoute de l'eau.

9. Les réactions d'échange se caractérisent par le remplacement d'un atome ou d'un groupe d'atomes par un autre atome ou groupe d'atomes.

10. Dans les réactions réversibles, les produits peuvent se reconvertir en réactifs.

11. Dans une réaction d'oxydoréduction (redox), un composé est oxydé (perd des électrons) tandis qu'un autre est réduit (gagne des électrons).

COMPOSÉS ET SOLUTIONS INORGANIQUES (p. 40)

1. Les composés inorganiques sont habituellement petits et dépourvus de carbone. Les composés organiques contiennent toujours du carbone, souvent de l'hydrogène, et ont toujours des liaisons covalentes.

2. Les acides, les bases et les sels inorganiques se dissocient en ions dans l'eau. Un acide s'ionise en anions et en ions hydrogène (H^+); une base s'ionise en cations et en ions hydroxyle (OH^-). Un sel s'ionise en cations et en anions autres que H^+ et OH^-.

3. Un mélange est la combinaison d'éléments ou de composés qui sont physiquement entremêlés sans être chimiquement liés. Les solutions, les colloïdes et les suspensions sont des mélanges possédant des propriétés différentes.

4. Les deux façons d'exprimer la concentration d'une solution sont le pourcentage et le nombre de moles par litre. Une mole est la quan-tité en grammes de toute substance dont la masse égale les masses atomiques combinées de tous les atomes qui la constituent.

5. L'eau est le composé inorganique le plus abondant dans le corps. L'eau est un solvant polyvalent et un excellent milieu de suspension, elle participe à certaines réactions métaboliques et elle sert de lubrifiant. Comme elles possèdent de nombreuses liaisons hydrogène, les molécules d'eau ont une grande cohésion, ce qui crée une tension superficielle élevée. L'eau possède une grande capacité thermique et une chaleur de vaporisation élevée.

6. Le pH des liquides de l'organisme doit rester relativement constant pour que l'homéostasie soit maintenue. Dans l'échelle des pH, un pH de 7 représente la neutralité. Une solution dont le pH est inférieur à 7 est acide, tandis qu'une solution dont le pH est supérieur à 7 est alcaline.

7. Les tampons sont habituellement composés d'un acide faible et d'une base faible. Ils réagissent lorsque la concentration de H^+ ou de OH^- est trop grande pour contribuer au maintien de l'homéostasie.

8. L'un des plus importants tampons est le système tampon acide carbonique-bicarbonate. L'ion bicarbonate (HCO_3^-) se comporte en base faible et l'acide carbonique (H_2CO_3), en acide faible.

COMPOSÉS ORGANIQUES (p. 44)

1. Le carbone, qui possède quatre électrons de valence, forme des liaisons covalentes avec d'autres atomes de carbone pour constituer de grosses molécules dont la forme varie. Des groupements fonctionnels fixés au squelette carboné des molécules organiques confèrent à ces dernières des propriétés chimiques caractéristiques.

2. Les glucides fournissent la majeure partie de l'énergie chimique nécessaire à la production d'ATP. Ils sont classés en trois groupes: les monosaccharides, les disaccharides et les polysaccharides.

3. Les lipides forment un ensemble diversifié de composés comprenant les triglycérides (graisses et huiles), les phospholipides, les stéroïdes et les eicosanoïdes. Les triglycérides assurent des fonctions de protection, d'isolation et de stockage de l'énergie. Les phospholipides sont d'importantes composantes de la membrane cellulaire. Les eicosanoïdes (prostaglandines et leucotriènes) modifient les réponses aux hormones, contribuent à la réaction inflammatoire, dilatent les voies respiratoires et régissent la température corporelle.

4. Les protéines sont constituées d'acides aminés. Elles participent à la structure du corps et à la régulation des processus physiologiques, assurent une protection, favorisent la contraction musculaire, transportent des substances et jouent le rôle d'enzymes. Les protéines ont des niveaux d'organisation structurale primaire, secondaire, tertiaire et quaternaire.

5. L'acide désoxyribonucléique (ADN) et l'acide ribonucléique (ARN) sont des acides nucléiques qui contiennent des bases azotées, un sucre à cinq carbones (pentose) et des groupements phosphate. L'ADN présente une structure à double hélice et constitue le principal matériel chimique des gènes. L'ARN possède une structure et une composition chimique différentes de celles de l'ADN et participe aux réactions de synthèse protéique.

6. L'adénosine triphosphate (ATP) est la principale molécule de transfert énergétique des organismes vivants. Lorsqu'elle fournit de l'énergie dans une réaction endothermique, elle est dégradée en adénosine diphosphate (ADP) et en Ⓟ. La synthèse de l'ATP à partir de l'ADP et de Ⓟ est alimentée par l'énergie libérée au cours de diverses réactions de dégradation, en particulier celles du glucose.

AUTOÉVALUATION

Phrases à compléter

1. Les atomes sont constitués de ___, ___ et ___.

2. Pour demeurer chimiquement stables, les atomes de tous les éléments, sauf l'hydrogène et l'hélium, doivent avoir ___ électrons dans leur couche de valence.

3. La liaison chimique qui sert le plus souvent à unir des molécules est la liaison ___.

4. Les facteurs qui influent sur les probabilités qu'une collision ait lieu et déclenche une réaction chimique sont ___ et ___.

5. Associez les éléments suivants:

   ___ a) acide
   ___ b) base
   ___ c) tampon
   ___ d) enzyme
   ___ e) pH
   ___ f) ATP
   ___ g) sel
   ___ h) eau

   1) molécule covalente polaire qui joue le rôle de solvant; dotée d'une grande capacité thermique, elle crée une tension superficielle élevée et sert de lubrifiant

   2) substance qui se dissocie en un ou plusieurs ions hydrogène et un ou plusieurs anions

   3) substance qui se dissocie en cations et en anions autres que des ions hydrogène ou hydroxyle

   4) accepteur de protons

   5) mesure de la concentration en ions hydrogène

   6) composé chimique pouvant convertir les bases et les acides forts en bases et acides faibles

   7) catalyseur de réactions chimiques spécifique, efficace et régi par les cellules

   8) composé qui emmagasine temporairement l'énergie libérée au cours de réactions exothermiques et la transmet aux cellules qui en ont besoin pour leurs activités

Vrai ou faux

6. Dans une cellule, lorsqu'une substance est oxydée, une autre peut être réduite presque simultanément.

7. Des liaisons ioniques se forment lorsque des atomes perdent, gagnent et partagent les électrons de leur couche de valence.

Choix multiples

8. Lesquels des énoncés suivants décrivent les liaisons covalentes? 1) Les atomes forment une molécule en partageant une, deux ou trois paires d'électrons de valence. 2) Des liaisons covalentes peuvent se former entre les atomes de différents éléments. 3) Plus le nombre de paires d'électrons partagées est élevé, plus la liaison covalente est forte. 4) Les liaisons covalentes sont les liaisons chimiques les moins courantes dans l'organisme. 5) Les liaisons covalentes peuvent être polaires ou non polaires. a) 1, 2 et 3. b) 1, 3 et 5. c) 2, 4 et 5. d) 1, 2 et 5. e) 1, 3 et 4.

9. Les composés organiques dont la principale fonction est de fournir de l'énergie chimique rapidement utilisable pour la production de l'ATP qui alimente les réactions métaboliques sont: a) les lipides; b) les acides nucléiques; c) l'eau; d) les glucides; e) les protéines.

10. La forme la plus concentrée d'énergie chimique dans l'organisme est: a) un triglycéride; b) une lipoprotéine; c) le glycogène; d) un stéroïde; e) un eicosanoïde.

11. Les composés organiques qui interviennent dans la structure, la régulation, la contractilité, l'immunité, le transport et la catalyse sont: a) les lipides; b) les glucides; c) les protéines; d) les acides nucléiques; e) les tampons.

12. Quels sont, respectivement, les composés qui constituent le matériel génétique héréditaire à l'intérieur de chaque cellule et qui transmettent les instructions données par les gènes pour la synthèse des protéines? a) L'ARN et l'ADN. b) L'ATP et l'ADN. c) L'ATP et l'ARN. d) L'ADN et l'ATP. e) L'ADN et l'ARN.

13. Lesquels des énoncés suivants sur la molécule d'ATP sont vrais? 1) L'ATP est la devise énergétique de la cellule. 2) L'énergie fournie par l'hydrolyse de l'ATP est constamment utilisée par les cellules. 3) Pour produire de l'ATP, il faut de l'énergie. 4) La production d'ATP requiert une phase anaérobie et une phase aérobie. 5) Le processus de production d'énergie sous forme d'ATP est appelé loi de la conservation de l'énergie. a) 1, 2, 3 et 4. b) 1, 2, 3 et 5. c) 2, 4 et 5. d) 1, 2 et 4. e) 3, 4 et 5.

14. Associez les éléments suivants:

   ___ a) élément chimique
   ___ b) matière
   ___ c) atome
   ___ d) composé
   ___ e) molécule
   ___ f) isotope
   ___ g) radical libre
   ___ h) ion

   1) atome ou groupe d'atomes portant une charge électrique qui ont un électron non apparié dans leur couche la plus externe

   2) combinaison formée lorsqu'au moins deux atomes partagent des électrons

   3) unité constitutive de toute forme de matière

   4) tout ce qui occupe un espace et qui possède une masse

   5) atome d'un élément dont le nombre de neutrons, et donc le numéro de masse, est différent de celui des autres atomes du même élément

   6) la plus petite unité de matière qui conserve les propriétés et les caractéristiques d'un élément

   7) atome qui a cédé ou gagné des électrons

   8) substance qui peut se dégrader en deux ou plusieurs éléments différents au moyen de méthodes chimiques ordinaires

15. Associez les éléments suivants:

   ___ a) $H_2 + Cl_2 \rightarrow 2HCl$
   ___ b) $3NaOH + H_3PO_4 \rightarrow Na_3PO_4 + 3H_2O$
   ___ c) $CaCO_3 + CO_2 + H_2O \rightarrow Ca(HCO_3)_2$
   ___ d) $HNO_3 \rightarrow H^+ + NO_3^-$
   ___ e) $NH_3 + H_2O \rightleftharpoons NH_4^+ + OH^-$

   1) réaction de synthèse
   2) réaction d'échange
   3) réaction d'oxydoréduction
   4) réaction de dégradation
   5) réaction réversible

QUESTIONS À COURT DÉVELOPPEMENT

1. Lorsque Sophie a adhéré à la Société pour la protection des invertébrés, elle a pris la résolution de ne plus jamais manger de sucre ni d'acides gras. Quelles sont les probabilités qu'elle tienne sa promesse? (INDICE: *Le régime de Sophie la mettra en appétit devant du pain et de l'eau.*)
2. Marc lit dans un quotidien un article décrivant la technique d'identification de l'ADN utilisée comme preuve lors d'un procès criminel. L'article explique que l'ADN est formé de 20 combi-naisons d'acides aminés qui diffèrent d'une personne à une autre. Que devrait écrire Marc dans sa réponse au journal? (INDICE: *Que signifie l'acronyme ADN?*)
3. Lorsqu'on lui demande le pH du sang, Serge, qui étudie les mathé-matiques, répond: «Le même que l'eau.» Catherine s'exclame qu'il n'y est pas du tout! Expliquez à Serge ce qu'est le pH en utili-sant des termes qu'il pourra comprendre. (INDICE: *Exprimez en termes mathématiques le pH du sang.*)

RÉPONSES AUX QUESTIONS DES FIGURES

2.1 Dans le carbone, la première couche contient deux électrons et la seconde, quatre électrons.

2.2 Les quatre éléments les plus abondants dans les organismes vivants sont l'oxygène, le carbone, l'hydrogène et l'azote.

2.3 Les antioxydants comme les vitamines C et E peuvent inactiver les radicaux libres de l'oxygène.

2.4 Un cation est un ion chargé positivement; un anion est un ion chargé négativement.

2.5 Dans une liaison ionique, il y a *perte* et *gain* d'électrons; dans une liaison covalente, il y a *partage* de paires d'électrons.

2.6 L'atome d'oxygène dans une molécule d'eau est plus électro-négatif que les atomes d'hydrogène.

2.7 L'atome d'azote dans l'ammoniac est électronégatif; il attire les électrons plus fortement que les atomes d'hydrogène, ce qui donne à l'extrémité azotée de la molécule d'ammoniac une charge légèrement électronégative. Les atomes d'hydro-gène des molécules d'eau (ou d'autres molécules d'ammo-niac) peuvent former des liaisons hydrogène avec l'azote. De même, les atomes d'oxygène des molécules d'eau peuvent former des liaisons hydrogène avec les atomes d'hydrogène des molécules d'ammoniac.

2.8 La loi de la conservation de la masse stipule que dans les réac-tifs, le nombre d'atomes d'hydrogène est égal au nombre pré-sent dans les produits; dans l'exemple donné, le nombre total d'atomes d'hydrogène est 4. Autrement dit, deux molécules de H_2 sont nécessaires pour que le nombre d'atomes d'hydro-gène et d'oxygène dans les réactifs soit le même que dans les produits.

2.9 Dans une réaction endothermique, les produits ont une plus grande énergie potentielle que les réactifs.

2.10 Cette réaction est exothermique car les réactifs ont une plus grande énergie potentielle que les produits.

2.11 Non. Un catalyseur ne change pas les énergies potentielles des produits et des réactifs; il ne fait que réduire l'énergie d'acti-vation nécessaire au déclenchement d'une réaction.

2.12 $CaCO_3$ est un sel et H_2SO_4 est un acide.

2.13 Puisque le sucre se dissout facilement dans un solvant polaire (l'eau), on peut dire qu'il possède plusieurs liaisons covalentes polaires.

2.14 $[H^+] = 10^{-6}$ mol/L; $[OH^-] = 10^{-8}$ mol/L. Un pH de 6,82 est plus acide qu'un pH de 6,91. Les pH 8,41 et 5,59 sont à 1,41 unités de pH du pH neutre (7).

2.15 La structure cyclique du glucose comprend cinq groupements $-OH$ et cinq atomes de carbone.

2.16 La synthèse par déshydratation est une réaction anabolique. Le fructose contient 6 atomes de carbone et le sucrose, 12.

2.17 L'oxygène dans la molécule d'eau provient d'un acide gras.

2.18 La tête polaire est hydrophile, et la queue non polaire est hydrophobe.

2.19 Les seules différences sont le nombre de liaisons doubles dans l'anneau A et les types de groupements fonctionnels qui s'y rattachent.

2.20 Un acide aminé comprend au moins deux atomes de carbone et un atome d'azote (voir la structure de la glycine dans la figure 2.20c).

2.21 L'hydrolyse a lieu durant le catabolisme des protéines.

2.22 Les protéines constituées d'une seule chaîne polypeptidique n'ont pas de structure quaternaire.

2.23 Les groupements méthyle $(-CH_3)$ sont hydrophobes car les liaisons entre les atomes de carbone et les atomes d'hydrogène sont des liaisons covalentes non polaires; par conséquent, aucun de ces atomes n'est électronégatif.

2.24 La sucrase a une spécificité pour la molécule de sucrose; elle ne peut donc pas «reconnaître» le glucose ni le fructose.

2.25 La thymine s'associe toujours à l'adénine, et la cytosine à la guanine.

2.26 Parmi les activités cellulaires qui dépendent de l'énergie fournie par l'ATP, on compte la contraction musculaire, le mouvement des chromosomes, le transport des substances à travers les mem-branes cellulaires et les réactions de synthèse (anaboliques).

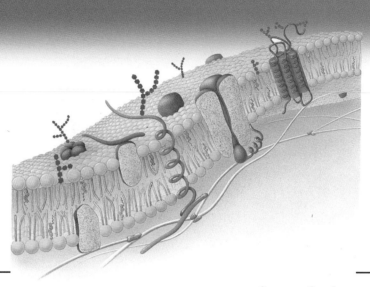

La **cellule** vivante est l'unité structurale et fonctionnelle fondamentale du corps humain. Elle est composée d'éléments caractéristiques dont le fonctionnement est coordonné de telle façon que chaque type de cellule soit apte à remplir un rôle biochimique et structural unique. La **cytologie** (*kytos* = cellule ; *logos* = science) est la science des structures cellulaires et la **physiologie cellulaire,** celle des fonctions de la cellule. En étudiant les différentes parties de la cellule et leurs rapports, vous verrez que ces structures et ces fonctions sont interdépendantes et inséparables. Les cellules sont le siège d'une multitude de réactions chimiques à l'origine des processus vitaux. Cette diversité d'activité est rendue possible par la compartimentation, c'est-à-dire l'isolement de certains types de réactions chimiques dans des structures spécialisées de la cellule. Les réactions isolées sont coordonnées de manière à maintenir la vie dans la cellule, le tissu, l'organe, le système et, enfin, l'organisme.

On peut dire, d'une façon très générale, que la cellule effectue des opérations de base de plusieurs types. Par exemple, elle régule l'entrée et la sortie de substances afin d'assurer que les conditions optimales pour les processus vitaux soient maintenues. Elle utilise également l'information génétique (ADN) qu'elle contient pour guider la synthèse de la plupart de ses constituants et gouverner la plupart de leurs activités chimiques. Parmi ces activités, citons la production d'ATP à partir du métabolisme des aliments, la synthèse de molécules, le transport de molécules à l'intérieur des cellules et de l'une à l'autre, l'élimination des déchets et le déplacement de parties de la cellule, voire de cellules entières.

MODÈLE GÉNÉRAL DE LA CELLULE

OBJECTIF

• *Nommer et décrire les trois principales parties de la cellule.*

La figure 3.1 présente un modèle de la cellule composé d'éléments tirés d'un grand nombre de cellules différentes du corps. La plupart des cellules possèdent plusieurs de ces éléments, mais aucune ne les a tous. Pour en faciliter l'étude, on peut diviser la cellule en trois parties principales : la membrane plasmique, le cytoplasme et le noyau.

• La **membrane plasmique** forme autour de la cellule une enveloppe résistante qui sépare son contenu de son environnement. C'est une barrière sélective qui coordonne l'entrée et la sortie des substances afin d'assurer l'établissement et le maintien d'un milieu propice à l'activité cellulaire normale. La membrane plasmique joue aussi un rôle clé dans la communication entre les cellules elles-mêmes et entre celles-ci et leur environnement.

• Le **cytoplasme** (*plasma* = chose façonnée) est tout le contenu cellulaire situé entre la membrane plasmique et le noyau. On distingue deux parties dans ce compartiment : le cytosol et les organites. Le **cytosol** est la portion fluide du cytoplasme. Il est constitué surtout d'eau, avec des solutés dissous et des particules en suspension. Les **organites** (= petits organes) sont des structures subcellulaires hautement organisées, dotées chacune d'une forme caractéristique et de fonctions spécifiques. Citons par exemple

Figure 3.1 Modèle général de la cellule.

 La cellule vivante est l'unité structurale et fonctionnelle fondamentale du corps humain.

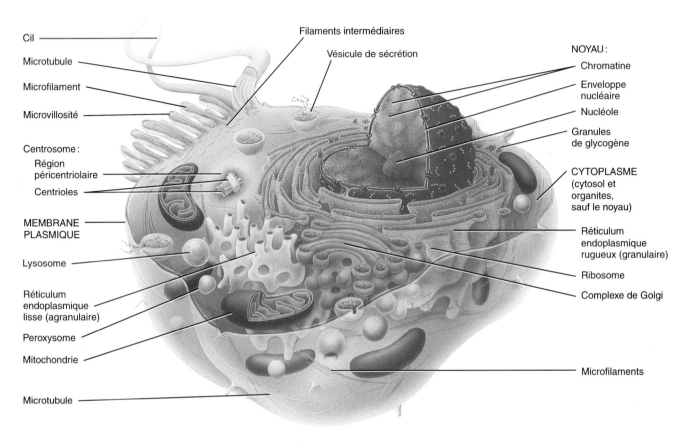

Cil

Microtubule

Microfilament

Microvillosité

Centrosome :
　Région péricentriolaire
　Centrioles

MEMBRANE PLASMIQUE

Lysosome

Réticulum endoplasmique lisse (agranulaire)

Peroxysome

Mitochondrie

Microtubule

Filaments intermédiaires

Vésicule de sécrétion

NOYAU :
　Chromatine
　Enveloppe nucléaire
　Nucléole
　Granules de glycogène

CYTOPLASME (cytosol et organites, sauf le noyau)

Réticulum endoplasmique rugueux (granulaire)

Ribosome

Complexe de Golgi

Microfilaments

Coupe transversale

Q Quelles sont les trois principales parties de la cellule ?

le cytosquelette, les ribosomes, le réticulum endoplasmique, le complexe de Golgi, les lysosomes, les peroxysomes et les mitochondries.

- Bien qu'il soit à proprement parler un organite, nous traitons du **noyau** séparément en raison de ses fonctions nombreuses et diverses. Le noyau contient des gènes, qui dictent la structure de la cellule et en gouvernent la plupart des activités.

MEMBRANE PLASMIQUE

OBJECTIF

- *Décrire la structure et les fonctions de la membrane plasmique.*

La **membrane plasmique** est une barrière à la fois souple et résistante qui enveloppe et retient le cytoplasme de la cellule. Le *modèle de la mosaïque fluide* rend compte de sa structure : en raison de sa composition moléculaire, on considère la membrane plasmique comme une mer lipidique en mouvement contenant une « mosaïque » de protéines très diverses (figure 3.2). Certaines protéines flottent librement comme des icebergs, d'autres sont ancrées à des endroits précis, d'autres encore sont remorquées sur la mer lipidique. Les lipides opposent une barrière à l'entrée et à la sortie des substances chargées ou polaires, tandis que certaines protéines membranaires jouent le rôle de « portes » qui régulent le passage des ions et des molécules polaires. Dans la plupart des cellules du corps, la masse de la membrane plasmique est formée à parts à peu près égales de protéines et de lipides

Figure 3.2 Représentation de la membrane plasmique avec sa mosaïque fluide de lipides et de protéines.

 Les membranes sont des structures fluides parce que les lipides et nombre de protéines pivotent librement et se déplacent latéralement dans leur propre moitié de la bicouche.

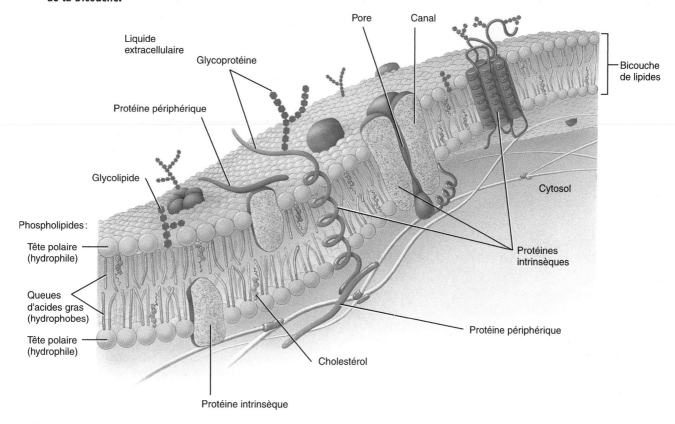

Q Qu'est-ce que le glycocalyx?

réunis par des liens non covalents tels que les liaisons hydrogène. Mais comme les protéines membranaires sont de plus grande taille et plus lourdes que les lipides membranaires, il y a environ 50 molécules lipidiques pour chaque molécule de protéine.

Bicouche de lipides

La trame fondamentale de la membrane plasmique est la **bicouche de lipides,** qui est formée de deux feuillets juxtaposés dos à dos et composée de trois types de molécules lipidiques – des phospholipides, du cholestérol et des glycolipides (voir la figure 3.2). Environ 75 % des lipides membranaires sont des **phospholipides,** c'est-à-dire des lipides qui contiennent des groupements phosphate. On trouve en plus petite quantité du **cholestérol,** stéroïde auquel est lié un groupement – OH (alcool), et divers **glycolipides,** molécules lipidiques liées à des glucides.

La formation d'une bicouche a lieu parce que les lipides sont des molécules **amphiphiles,** c'est-à-dire qui sont en partie polaires et en partie non polaires. Dans les phospholipides (voir la figure 2.18, p. 50), la région polaire est la « tête » hydrophile (*hydor* = eau; *philos* = ami de) qui comprend des groupements phosphate. Les régions non polaires sont les deux grandes « queues » d'acides gras qui forment des chaînes hydrocarbonées hydrophobes (*phobos* = aversion). *Qui se ressemble s'assemble,* dit le proverbe. Il en va de même ici: les molécules de phospholipides s'orientent dans la bicouche de manière à exposer leurs têtes polaires vers l'extérieur. C'est ainsi que les têtes polaires sont en contact des deux côtés de la membrane avec un fluide aqueux – le cytosol à l'intérieur et le liquide extracellulaire à l'extérieur. Les queues d'acides gras hydrophobes dans les deux moitiés de la bicouche sont tournées vers le centre de la membrane où elles forment une région hydrophobe, non polaire.

Les glycolipides constituent environ 5 % des lipides membranaires. La partie glucidique forme une « tête » polaire alors que leurs « queues », composées d'acides gras, sont non polaires. Les glycolipides sont présents seulement dans la couche de la membrane en contact avec le liquide extracellulaire. Cela explique en partie pourquoi la bicouche est asymétrique, c'est-à-dire qu'elle n'est pas identique des deux côtés. Les 20 % de lipides membranaires qui restent sont des molécules de cholestérol peu amphiphiles (voir la figure 2.19, p. 51) disséminées parmi les autres lipides dans les deux couches. Le petit groupement – OH constitue la seule région polaire de la molécule de cholestérol et il forme des liaisons hydrogène avec les têtes polaires des phospholipides et des glycolipides. Les anneaux stéroïdes rigides et la queue hydrocarbonée du cholestérol sont non polaires ; ils s'insèrent parmi les queues d'acides gras des phospholipides et des glycolipides. En général, la membrane plasmique contient plus de cholestérol que les membranes des organites.

Position des protéines dans la membrane plasmique

On classe les protéines membranaires en deux catégories, soit les protéines intrinsèques et les protéines périphériques, selon qu'elles sont enchâssées ou non dans la membrane plasmique (voir la figure 3.2). Les **protéines intrinsèques** s'enfoncent parmi les queues d'acides gras dans la bicouche de lipides. Pour les détacher, il faut utiliser des techniques qui perturbent la structure de la membrane. Les **protéines périphériques,** quant à elles, s'associent aux lipides membranaires ou aux protéines intrinsèques, à la face interne ou externe de la membrane, et peuvent être délogées grâce à des techniques qui ne portent pas atteinte à l'intégrité de la membrane plasmique. À l'instar des lipides membranaires, les protéines intrinsèques sont amphiphiles. Leurs régions hydrophiles font saillie soit dans le liquide extracellulaire aqueux, soit dans le cytosol, et leurs régions hydrophobes s'insèrent parmi les queues d'acides gras. Les protéines intrinsèques qui traversent toute l'épaisseur de la bicouche et pointent à la surface des deux côtés de la membrane plasmique sont appelées *protéines transmembranaires*. Souvent, la partie de la protéine qui passe dans la région non polaire de la membrane est formée d'une hélice alpha composée d'acides aminés ayant surtout des chaînes latérales non polaires et hydrophobes. Dans certains cas, la chaîne d'acides aminés de la protéine se replie sur elle-même et traverse la membrane plasmique à plusieurs reprises ; les segments hydrophobes de l'hélice alpha qui s'enfoncent dans la membrane alternent avec des régions polaires et hydrophiles qui font saillie dans le milieu aqueux de chaque côté de la membrane. Bien qu'un grand nombre de protéines intrinsèques soient libres de se déplacer latéralement dans la bicouche lipidique, chacune possède une orientation bien définie qui détermine ce qui sera exposé à la face interne ou à la face externe de la membrane. Cette particularité contribue à l'asymétrie de la membrane plasmique.

Beaucoup de protéines intrinsèques sont des **glycoprotéines,** c'est-à-dire des protéines ayant des glucides fixés aux segments qui font saillie dans le liquide extracellulaire. Ces glucides sont des chaînes courtes, tantôt droites, tantôt ramifiées, composées de 2 à 60 monosaccharides. La partie glucidique des glycolipides et des glycoprotéines forme une vaste couche de sucres appelée **glycocalyx,** qui joue plusieurs rôles importants. La composition du glycocalyx confère aux cellules une sorte de « signature » moléculaire grâce à laquelle elles peuvent se reconnaître les unes les autres. Par exemple, les globules blancs sont en mesure de repérer les glycocalyx « étrangers ». Cette propriété joue un rôle fondamental dans la réponse immunitaire, dont la tâche est d'aider le corps à détruire les organismes qui l'attaquent. Par ailleurs, le glycocalyx permet aux cellules d'adhérer les unes aux autres dans certains tissus, et les empêche d'être digérées par les enzymes dans le liquide extracellulaire. Les propriétés hydrophiles du glycocalyx maintiennent une pellicule liquide à la surface de beaucoup de cellules. C'est ainsi que les globules rouges glissent facilement dans les vaisseaux sanguins étroits et que les cellules qui tapissent les voies respiratoires et le tube digestif évitent l'assèchement.

Fonctions des protéines membranaires

En général, les types de lipides varient peu d'une membrane plasmique à une autre. Par contre, il existe des différences remarquables entre les cellules et entre les organites quant à l'assortiment des protéines qui occupent leurs membranes respectives. Nombre de fonctions de la membrane sont déterminées par ces protéines. La figure 3.3 en présente quelques exemples. Certaines protéines transmembranaires sont des **canaux** s'ouvrant sur un *pore,* ou orifice, par lequel une substance particulière, tel l'ion potassium (K^+), peut entrer dans la cellule ou en sortir. La plupart des canaux sont *sélectifs* ; ils ne laissent passer qu'un seul type d'ion. D'autres protéines membranaires sont des **transporteurs.** Ceux-ci se lient à une substance polaire d'un côté de la membrane et, en changeant de conformation, l'acheminent vers l'autre côté, où ils la relâchent. Les protéines intrinsèques appelées **récepteurs** servent de sites de reconnaissance cellulaire. Elles reconnaissent et capturent des molécules spécifiques, par exemple une hormone comme l'insuline ou un nutriment comme le glucose, qui jouent un rôle important dans une fonction cellulaire donnée. Une molécule spécifique qui se lie à un récepteur est appelée *ligand* (*ligare* = lier). Certaines protéines intrinsèques et périphériques sont des **enzymes.** Les glycoprotéines et les glycolipides membranaires sont souvent des **marqueurs d'identité cellulaire.** Ils permettent à des cellules de reconnaître d'autres cellules du même type quand un tissu se forme ou d'identifier des cellules étrangères potentiellement dangereuses et d'y réagir. Les marqueurs des groupes sanguins du système ABO en sont des exemples. Lorsqu'on reçoit une transfusion sanguine, le groupe sanguin du donneur doit être compatible avec celui du receveur.

Figure 3.3 Fonctions des protéines membranaires.

 Dans une large mesure, la nature des protéines membranaires est le reflet des fonctions qu'une cellule peut accomplir.

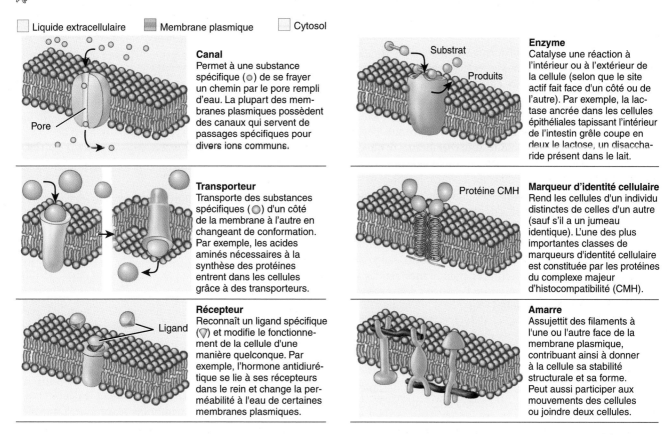

☐ Liquide extracellulaire   ☐ Membrane plasmique   ☐ Cytosol

Canal
Permet à une substance spécifique (○) de se frayer un chemin par le pore rempli d'eau. La plupart des membranes plasmiques possèdent des canaux qui servent de passages spécifiques pour divers ions communs.

Pore

Transporteur
Transporte des substances spécifiques (○) d'un côté de la membrane à l'autre en changeant de conformation. Par exemple, les acides aminés nécessaires à la synthèse des protéines entrent dans les cellules grâce à des transporteurs.

Récepteur
Reconnaît un ligand spécifique (▽) et modifie le fonctionnement de la cellule d'une manière quelconque. Par exemple, l'hormone antidiurétique se lie à ses récepteurs dans le rein et change la perméabilité à l'eau de certaines membranes plasmiques.

Ligand

Enzyme
Catalyse une réaction à l'intérieur ou à l'extérieur de la cellule (selon que le site actif fait face d'un côté ou de l'autre). Par exemple, la lactase ancrée dans les cellules épithéliales tapissant l'intérieur de l'intestin grêle coupe en deux le lactose, un disaccharide présent dans le lait.

Substrat
Produits

Marqueur d'identité cellulaire
Rend les cellules d'un individu distinctes de celles d'un autre (sauf s'il a un jumeau identique). L'une des plus importantes classes de marqueurs d'identité cellulaire est constituée par les protéines du complexe majeur d'histocompatibilité (CMH).

Protéine CMH

Amarre
Assujettit des filaments à l'une ou l'autre face de la membrane plasmique, contribuant ainsi à donner à la cellule sa stabilité structurale et sa forme. Peut aussi participer aux mouvements des cellules ou joindre deux cellules.

 Lorsqu'elle stimule une cellule, l'insuline – une hormone – se lie d'abord à une protéine de la membrane plasmique. De quelle fonction des protéines membranaires cette action est-elle la plus représentative ?

Les protéines intrinsèques et périphériques peuvent servir d'**amarres,** pour joindre les protéines membranaires de cellules juxtaposées ou pour fixer ces protéines à des filaments à l'intérieur ou à l'extérieur de la cellule.

Fluidité de la membrane

Les membranes sont des structures fluides, un peu comme l'huile, parce que la plupart des lipides et un grand nombre des protéines qui s'y trouvent tournent librement sur eux-mêmes et se déplacent latéralement dans leur propre moitié de la bicouche. Les molécules de lipides changent de place avec leurs voisines environ 10 millions de fois par seconde et peuvent faire le tour de la cellule en quelques minutes ! La fluidité de la membrane dépend à la fois du nombre de liaisons doubles dans les acides gras qui forment les queues des lipides et de la quantité de cholestérol dans la membrane. Chaque liaison

double cause une ondulation sur les queues d'acides gras (voir la figure 2.18, p. 50), ce qui rend impossible la juxtaposition serrée des molécules de lipides dans la membrane. En raison de la fluidité des lipides membranaires, la bicouche se reforme d'elle-même quand elle est déchirée ou percée. Quand on enfonce une aiguille à travers une membrane plasmique et qu'on la retire, le trou se referme spontanément et la cellule n'éclate pas. C'est grâce à cette propriété des membranes que les scientifiques peuvent fertiliser un œuf en y injectant un spermatozoïde à l'aide d'une petite seringue ou remplacer le noyau d'une cellule dans une expérience de clonage, comme on l'a fait pour créer la brebis Dolly.

Bien que les lipides et les protéines membranaires jouissent d'une grande mobilité du côté de la bicouche où ils se trouvent, il est rare qu'ils passent d'un côté à l'autre. C'est que les régions hydrophiles ne pénètrent le cœur hydrophobe de la membrane qu'avec grande difficulté. Comme ce type d'échange entre les deux feuillets de la bicouche est peu fréquent, la membrane est asymétrique – le feuillet externe contient des lipides et des protéines qui diffèrent, sur les plans structural et fonctionnel, de ceux du feuillet interne.

Parce que le cholestérol forme des liaisons hydrogène avec les têtes des phospholipides et des glycolipides avoisinants et qu'il remplit l'espace entre les queues ondulées des acides gras, il rend la bicouche de lipides plus résistante mais moins fluide à la température normale du corps. Fait intéressant, à basse température, le cholestérol produit l'effet contraire – il augmente la fluidité de la membrane, ce qui est important pour les ectothermes, ou animaux à sang froid (mais ne l'est pas pour les endothermes comme les humains). Quand la membrane plasmique des humains accumule trop de cholestérol, elle devient plus rigide. Une des conséquences de l'athérosclérose, communément appelée «durcissement des artères», est l'accumulation de cholestérol dans la membrane plasmique des cellules qui tapissent les vaisseaux sanguins. Le surplus de cholestérol rend les membranes rigides et contribue ainsi à la diminution de l'élasticité des vaisseaux sanguins qui caractérise cette affection.

Perméabilité de la membrane

On dit qu'une membrane est *perméable* aux substances qui peuvent la traverser et *imperméable* à celles qui ne peuvent pas passer. Bien qu'il n'y ait pas de substances auxquelles les membranes plasmiques soient tout à fait perméables, il en est qui passent plus facilement que d'autres. Cette propriété des membranes est appelée **perméabilité sélective.**

La bicouche lipidique de la membrane est perméable à la plupart des molécules non polaires et non chargées telles que l'oxygène, le gaz carbonique et les stéroïdes, mais elle est imperméable aux ions et aux molécules chargées ou polaires telles que le glucose. Elle est aussi perméable à l'eau, propriété surprenante puisque l'eau est composée de molécules polaires. Même les membranes artificielles, composées uniquement de phospholipides, sont perméables à l'eau. On croit que cette dernière traverse la bicouche lipidique de la façon suivante. Les queues d'acides gras des phospholipides et des glycolipides de la membrane se déplacent de façon aléatoire et créent momentanément de petits interstices dans le milieu hydrophobe de la membrane. Les molécules d'eau sont assez petites pour se faufiler d'un interstice à l'autre et traverser ainsi la membrane.

Les protéines transmembranaires qui jouent le rôle de canaux et de transporteurs augmentent la perméabilité de la membrane plasmique à diverses substances polaires et chargées (y compris des ions), de petite ou de moyenne taille, qui ne peuvent pas traverser la bicouche lipidique. Ces protéines sont très sélectives – chacune est spécifique pour un ion ou une molécule donnée. Les macromolécules comme les protéines ne peuvent pas passer à travers la membrane plasmique, sauf par transport vésiculaire (voir plus loin).

Gradients de la membrane plasmique

En raison de sa perméabilité sélective, la membrane plasmique laisse entrer certaines substances dans la cellule et en exclut d'autres. Cette propriété permet à la cellule vivante de maintenir certaines substances dans le cytosol à des concentrations soit plus élevées, soit plus faibles que dans le liquide extracellulaire. La différence de concentration ainsi établie de part et d'autre de la membrane est appelée *gradient de concentration*. Beaucoup d'ions et de molécules sont plus concentrés soit dans le cytosol, soit dans le liquide extracellulaire. Par exemple, la concentration des molécules d'oxygène et des ions sodium (Na^+) est plus élevée dans le liquide extracellulaire que dans le cytosol, alors que c'est l'inverse pour les molécules de gaz carbonique et les ions potassium (K^+) (figure 3.4a). La membrane plasmique maintient également une distribution inégale des ions négatifs et des ions positifs de part et d'autre de la membrane. Il en résulte un *gradient électrique*, aussi appelé *potentiel de membrane*. En général, la face interne de la membrane est plus chargée négativement et la face externe, plus chargée positivement (figure 3.4b).

Nous verrons bientôt que le maintien du gradient de concentration et du gradient électrique sont importants pour la vie de la cellule parce qu'ils facilitent le déplacement des substances à travers la membrane plasmique. Dans bien des cas, les substances traversent la membrane en *suivant leur gradient de concentration,* c'est-à-dire qu'elles descendent le «courant» de l'endroit où elles sont plus concentrées vers l'endroit où elles le sont moins. De même, une substance qui a une charge positive aura tendance à se diriger vers une région chargée négativement, et une substance qui a une charge négative sera attirée par une région où la charge est positive. Parce que les ions sont soumis à l'influence de leur gradient de *concentration* et de leur gradient *électrique,* on appelle cet effet combiné **gradient électrochimique.**

1. Décrivez les forces chimiques qui poussent les lipides membranaires à se constituer en bicouche. En quoi la bicouche de lipides de la membrane plasmique est-elle une barrière?
2. Justifiez la proposition suivante: Les protéines présentes dans la membrane plasmique déterminent les fonctions que celle-ci peut accomplir.
3. Décrivez un des avantages fonctionnels de la fluidité de la membrane. Quels sont les effets du cholestérol sur la fluidité membranaire?
4. Pourquoi dit-on que les membranes possèdent une perméabilité sélective?
5. Décrivez les deux composantes d'un gradient électrochimique.

Figure 3.4 Gradients à travers la membrane plasmique. (a) Dans ces gradients de concentration, les ions sodium et les molécules d'oxygène sont plus concentrés dans le liquide extracellulaire, alors que les ions potassium et le gaz carbonique sont plus concentrés dans le cytosol. (b) Dans la plupart des cellules, un gradient électrique existe à travers la membrane parce que la face interne de cette dernière est négative par rapport à sa face externe.

> 🔑 **Toute substance tend à traverser la membrane en suivant son gradient électrochimique.**

- ⬤ Ion sodium (Na⁺)
- 🔺 Ion potassium (K⁺)
- ⬤ Molécule d'oxygène (O_2)
- ⬤ Molécule de gaz carbonique (CO_2)

(a) Gradients de concentration

(b) Gradient électrique

- ☐ Liquide extracellulaire
- ■ Membrane plasmique
- ☐ Cytosol

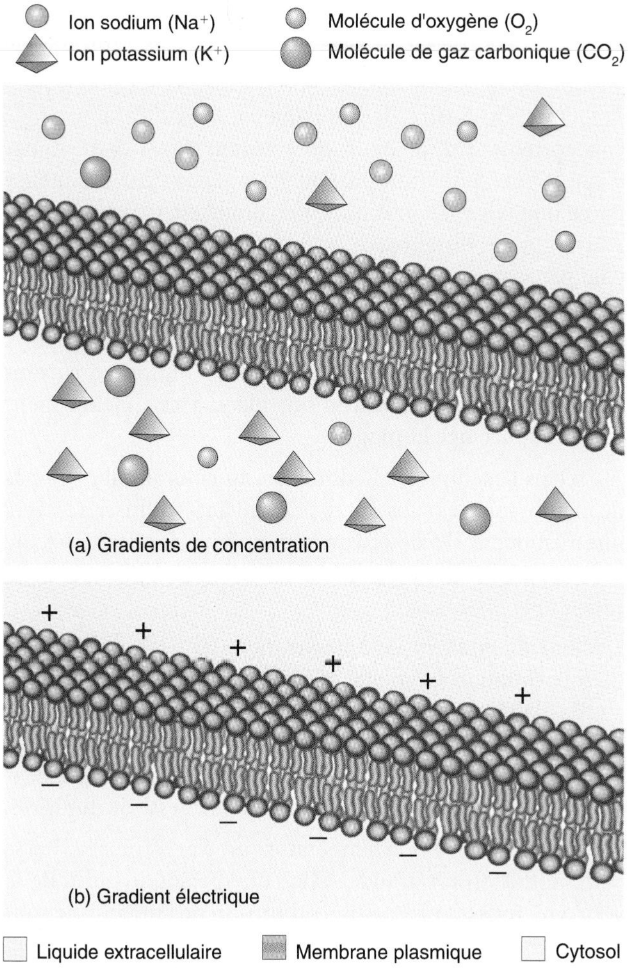

Q Le gradient électrochimique attire-t-il le Na⁺ vers l'intérieur ou l'extérieur de la cellule?

TRANSPORT MEMBRANAIRE

OBJECTIF

- *Décrire les mécanismes du transport des substances à travers la membrane plasmique.*

Le transport de substances à travers la membrane plasmique est une fonction essentielle à la vie de la cellule. Certaines substances doivent entrer dans la cellule pour sou-

tenir les réactions métaboliques; d'autres doivent en sortir parce qu'elles ont été produites par la cellule pour être exportées ou pour être éliminées car elles sont des déchets. Nous avons vu que certaines substances peuvent traverser librement la bicouche lipidique de la membrane, alors que d'autres se servent de canaux ou de transporteurs formés de protéines membranaires.

Les substances traversent la membrane cellulaire par des mécanismes de transport qu'on classifie selon deux critères: 1) selon que le transport est assisté ou non et 2) selon que le mécanisme en jeu est actif ou passif. Dans le *transport assisté*, les substances traversent la membrane à l'aide d'un transporteur protéique, alors que dans le *transport non assisté*, aucun transporteur n'est requis. Dans le *transport passif*, les substances franchissent la membrane en suivant leur gradient de concentration et se déplacent sous l'impulsion de leur propre énergie cinétique. Dans le *transport actif*, une source d'énergie cellulaire, habituellement sous la forme d'ATP, est nécessaire pour déplacer les substances contre leur gradient de concentration.

Les cellules vivantes utilisent trois mécanismes de transport passif (figure 3.5a). Deux d'entre eux sont non assistés: la diffusion à travers la bicouche lipidique et la diffusion à travers un canal protéique. Le troisième mécanisme, la diffusion facilitée, est assisté. Dans les mécanismes de transport actif, qui sont tous assistés, il y a plusieurs types de transporteurs (figure 3.5b). Les *uniporteurs* ne font passer qu'une seule substance à travers la membrane. Dans le transport couplé, deux substances traversent la membrane en même temps. Si elles se déplacent dans le même sens, le transporteur protéique est appelé *symporteur*. Si elles vont en sens contraire, il s'agit d'un *antiporteur*.

Il y a un autre moyen pour les substances d'entrer dans la cellule ou d'en sortir. Ce mécanisme met en jeu la formation de vésicules ayant une enveloppe membraneuse. Il y a deux types de **transport vésiculaire** (voir les figures 3.13 à 3.15). Dans le premier, de minuscules vésicules se détachent de la membrane plasmique et entraînent avec elles des substances dans la cellule; c'est l'*endocytose*. Dans le second, les vésicules fusionnent avec la membrane plasmique et relâchent leur contenu à l'extérieur de la cellule; c'est l'*exocytose*. Les grosses particules, comme les bactéries et les globules rouges, ou les macromolécules, comme les polysaccharides et les protéines, peuvent entrer dans les cellules ou en sortir grâce au transport vésiculaire.

Principes de la diffusion

Pour comprendre pourquoi les substances diffusent à travers la membrane plasmique, il faut comprendre comment s'effectue la diffusion dans une solution. La **diffusion** est la répartition aléatoire des particules dans une solution résultant de leur énergie cinétique. Les *solutés* – les substances dissoutes – aussi bien que le *solvant* – le liquide qui dissout –

Figure 3.5 Mécanismes de transport des substances à travers la membrane plasmique. (a) Dans le transport passif, les substances traversent la membrane en suivant leur gradient de concentration; dans le transport actif, les substances sont déplacées par l'énergie de la cellule contre leur gradient de concentration. (b) Dans le transport assisté, une protéine membranaire intrinsèque aide les substances à franchir la membrane. Les transporteurs du type uniport (ou uniporteurs) font passer une seule substance à travers la membrane; les transporteurs du type symport (ou symporteurs) transportent deux substances dans la même direction; les transporteurs du type antiport (ou antiporteurs) font passer deux substances dans des directions opposées.

Dans le transport passif, les substances suivent leur gradient de concentration, alors que dans le transport actif, c'est l'énergie de la cellule qui déplace les substances contre leur gradient de concentration.

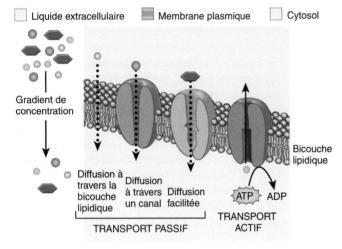

(a) Mécanismes de transport actif et passif

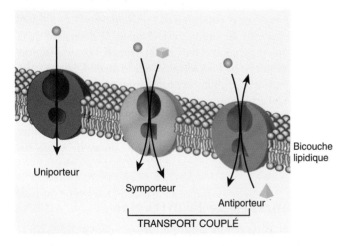

(b) Types de transporteurs dans le transport assisté

 Quels sont les mécanismes de transport assisté?

sont soumis à la diffusion. Si une substance donnée se trouve en concentration élevée dans une région de la solution et en concentration faible ailleurs, une plus grande quantité de molécules vont diffuser de l'endroit où la concentration est élevée vers celui où la concentration est faible que dans le sens inverse. La différence entre ces mouvements opposés est appelée **diffusion nette.** Les substances qui se trouvent sous l'influence de ce phénomène se déplacent des zones de haute concentration vers celles de basse concentration. On dit alors qu'elles *suivent leur gradient de concentration.* L'équilibre est atteint quand les molécules sont distribuées uniformément dans la solution. À l'état d'équilibre, les molécules continuent de se déplacer de façon aléatoire en raison de leur énergie cinétique, mais leur concentration ne change plus.

On peut illustrer le phénomène de la diffusion par le comportement d'un grain de colorant dans un récipient d'eau (figure 3.6). Tout près du grain, la couleur est intense parce que la concentration du colorant est maximale à cet endroit. À des distances de plus en plus éloignées, la couleur pâlit parce que la concentration diminue. Au bout de quelque temps, à l'état d'équilibre, la couleur de la solution est uniforme. Sous l'action de la diffusion nette, les molécules de colorant se sont répandues dans la solution en suivant leur gradient de concentration, jusqu'à ce qu'elles aient formé un mélange homogène.

Dans l'exemple de la diffusion du colorant, il n'y a pas de membrane. Les substances peuvent aussi diffuser à travers une membrane, si celle-ci leur est perméable. Plusieurs facteurs influent sur la vitesse de diffusion des substances à travers la membrane plasmique:

1. *Pente du gradient de concentration.* Plus la différence de concentration est grande de part et d'autre de la membrane, plus la vitesse de diffusion est élevée. Quand il s'agit de particules chargées, c'est à la fois la pente du gradient de concentration et celle du gradient électrique – le gradient électrochimique – qui déterminent la vitesse de diffusion.

2. *Température.* Plus la température est élevée, plus la vitesse de diffusion est grande. Chez une personne qui a de la fièvre, tous les processus de diffusion de l'organisme sont accélérés.

3. *Taille ou masse de la substance qui diffuse.* Plus la taille ou la masse de la particule qui diffuse est grande, plus sa vitesse de diffusion est faible. Les molécules qui ont une petite masse moléculaire diffusent plus rapidement que celles qui ont une plus grande masse.

4. *Surface.* Plus la surface de la membrane accessible aux particules qui diffusent est étendue, plus la vitesse de diffusion est élevée. Par exemple, les cellules des poumons présentent une grande surface pour la diffusion de l'oxygène de l'air vers le sang. Certaines maladies, comme l'emphysème pulmonaire, diminuent la surface disponible, ce qui ralentit la diffusion et rend la respiration plus difficile.

Figure 3.6 Diffusion. Un grain de colorant au fond d'un cylindre d'eau se dissout (phase initiale). Il y a diffusion nette de la région où la concentration du colorant est la plus élevée vers celles où elle est plus faible (phase intermédiaire). À l'état d'équilibre, la concentration du colorant est uniforme dans la solution.

 À l'état d'équilibre, la diffusion nette cesse mais le mouvement aléatoire continue.

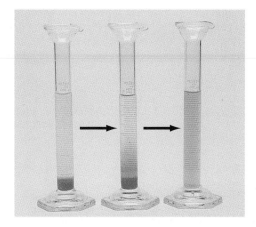

Phase initiale Phase intermédiaire Équilibre

 Quel est l'effet de la fièvre sur les processus vitaux où la diffusion est en jeu?

5. *Distance de diffusion.* Plus la distance sur laquelle la diffusion doit se faire est grande, plus le processus sera long. La diffusion à travers la membrane plasmique, qui est très mince, s'effectue en une fraction de seconde.

Nous allons aborder le transport membranaire en examinant d'abord comment l'eau, en tant que solvant, traverse la membrane, puis nous nous pencherons sur les diverses catégories de solutés.

Osmose

L'**osmose** est le déplacement net d'un solvant à travers une membrane à perméabilité sélective. Chez les organismes vivants, l'eau est le solvant et celui-ci traverse la membrane plasmique en passant d'une région où la *concentration d'eau* est *plus élevée* à une autre où la *concentration d'eau est plus faible.* Pour mieux comprendre cette idée, considérons la concentration des solutés: il y a osmose quand l'eau se déplace à travers une membrane à perméabilité sélective à partir d'une région où la *concentration de soluté* est *plus faible* vers une région où la *concentration de soluté* est *plus élevée.* Les molécules d'eau franchissent la membrane plasmique de deux façons – par diffusion à travers la bicouche lipidique, comme nous l'avons vu précédemment, et en passant par les **aquaporines,** protéines transmembranaires servant de canaux spécifiques pour l'eau.

Il y a osmose seulement quand une membrane est perméable à l'eau mais ne l'est pas à certains solutés. On peut démontrer ce phénomène par une expérience simple. Considérons un tube en U dans lequel une membrane à perméabilité sélective sépare les branches l'une de l'autre (figure 3.7a). On verse dans la branche gauche un volume d'eau pure et, dans la branche droite, un volume égal d'une solution ayant un soluté auquel la membrane est imperméable (figure 3.7a). La concentration d'eau étant plus élevée à gauche et plus basse à droite, un déplacement net de molécules d'eau – l'osmose – a lieu de la gauche vers la droite, car l'eau suit son gradient de concentration. En même temps, la membrane s'oppose à la diffusion du soluté de la branche droite vers la branche gauche. En conséquence, le volume d'eau dans la branche gauche diminue, alors que le volume de la solution dans la branche droite augmente (figure 3.7b).

On pourrait imaginer que l'osmose se poursuivra jusqu'à ce qu'il ne reste plus d'eau dans la branche gauche, mais tel n'est *pas* le cas. Dans cette expérience, plus la colonne de solution dans la branche droite s'élève, plus la pression qu'elle exerce de son côté de la membrane augmente. La pression exercée de cette façon par un liquide est appelée *pression hydrostatique.* Elle force les molécules d'eau à retourner dans la branche gauche. L'équilibre est atteint lorsqu'il y a autant de molécules d'eau qui se déplacent de droite à gauche sous l'action de la pression hydrostatique qu'il y en a qui vont de gauche à droite sous l'action de l'osmose (figure 3.7b). Une solution qui contient des particules de soluté ne pouvant traverser la membrane exerce une force appelée **pression osmotique.** Cette pression est proportionnelle à la concentration de particules de soluté qui ne peuvent pas franchir la membrane – plus la concentration de soluté est élevée, plus la pression osmotique de la solution est élevée. Considérons ce qui se passe si un piston est utilisé pour augmenter la pression sur le liquide dans la branche droite. Si cette pression est suffisamment élevée, le volume de liquide dans chaque branche est ramené à sa valeur initiale, et la concentration de soluté à droite revient à ce qu'elle était au départ (figure 3.7c). La pression nécessaire pour recréer les conditions initiales est égale à la pression osmotique. C'est ainsi qu'on peut considérer la pression osmotique comme la pression nécessaire pour arrêter le déplacement de l'eau vers une solution contenant des solutés quand les deux liquides sont séparés par une membrane seulement perméable à l'eau. Remarquez que la pression osmotique d'une solution n'est pas à l'origine du déplacement de l'eau durant l'osmose. Elle constitue plutôt la pression qui *préviendrait* ce déplacement.

La **tonicité** (*tonos* = tension) d'une solution influe sur le volume et la forme des cellules en causant l'entrée ou la sortie d'eau par osmose. Normalement, la pression osmotique du cytosol est égale à celle du liquide interstitiel. Comme elle est la même de part et d'autre de la membrane plasmique (dont la perméabilité est sélective), le volume de la cellule demeure

Figure 3.7 Principe de l'osmose. Les molécules d'eau traversent la membrane à perméabilité sélective ; les molécules de soluté dans la branche droite ne peuvent pas passer à travers la membrane. (a) Au départ, les molécules d'eau se déplacent de la branche gauche vers la branche droite, en suivant leur gradient de concentration. (b) Au bout d'un certain temps, le volume d'eau dans la branche gauche a diminué et celui de la solution dans la branche droite a augmenté. À l'état d'équilibre, le mouvement osmotique net est nul : il y a autant de molécules d'eau qui vont de droite à gauche sous l'action de la pression hydrostatique qu'il y en a qui se déplacent de gauche à droite sous l'action de la pression osmotique. (c) Si on exerce une pression sur la solution dans la branche droite, on peut revenir aux conditions initiales. Cette pression, qui arrête l'osmose, est égale à la pression osmotique. Adapté de Martini, *Fundamentals of Anatomy and Physiology,* 4ᵉ éd., Upper Saddle River, NJ, Prentice Hall, 1998, F3.7, p. 75. © 1998 Prentice Hall, Inc.

 L'osmose est le déplacement de molécules d'eau à travers une membrane à perméabilité sélective.

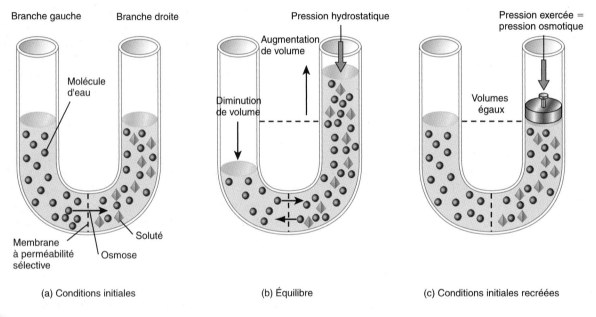

(a) Conditions initiales (b) Équilibre (c) Conditions initiales recréées

Q Est-ce que le niveau du liquide dans la branche droite augmente jusqu'à ce que la concentration d'eau soit la même des deux côtés ?

relativement constant. Toute solution dans laquelle une cellule – par exemple, un globule rouge – conserve sa forme habituelle et son volume normal est appelée **solution isotonique** (*isos* = égal) (figure 3.8a). Il s'agit d'une solution où la concentration des solutés qui ne peuvent pas traverser la membrane plasmique est la *même* des deux côtés de la membrane. Dans les conditions normales, une solution de NaCl (chlorure de sodium, ou sel ordinaire) à 0,9 %, appelée *solution saline normale,* est isotonique aux globules rouges. Bien que la membrane plasmique du globule rouge permette à l'eau de passer, elle se comporte comme si elle était imperméable au Na^+ et au Cl^-, c'est-à-dire aux solutés. Les ions Na^+ et Cl^- qui entrent dans la cellule par les canaux ou à l'aide de transporteurs sont immédiatement expulsés par transport actif ou par un autre moyen. Ainsi, ces ions agissent comme s'ils ne pouvaient pas pénétrer la membrane. Quand les globules

rouges baignent dans une solution de NaCl à 0,9 %, les molécules d'eau entrent et sortent au même rythme, ce qui permet aux cellules de garder leur volume normal.

La situation est différente quand les globules rouges sont placés dans une solution ayant une concentration de solutés *plus faible* que celle de leur cytosol. Les cellules sont alors dans une **solution hypotonique** (*hypo* = au-dessous) (figure 3.8b). Dans cet état, les molécules d'eau entrent dans les cellules plus rapidement qu'elles n'en sortent, les faisant gonfler puis éclater. Cet éclatement des globules rouges est appelé **hémolyse,** et on dit qu'ils sont hémolysés. L'eau pure est très hypotonique.

Une **solution hypertonique** (*hype* = au-delà) possède une *plus grande* concentration de solutés que le cytosol des globules rouges (figure 3.8c). Tel est le cas d'une solution de

Figure 3.8 Effet de la tonicité sur les globules rouges. Une solution de NaCl à 0,9 % est isotonique aux globules rouges.

 Lorsqu'elles baignent dans une solution isotonique, les cellules gardent leur forme parce qu'il n'y a pas de déplacement net d'eau à travers la membrane plasmique.

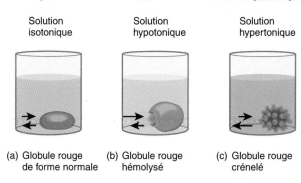

| Solution isotonique | Solution hypotonique | Solution hypertonique |

(a) Globule rouge de forme normale
(b) Globule rouge hémolysé
(c) Globule rouge crénelé

 Dans une solution de NaCl à 2 %, les globules rouges deviennent-ils crénelés ou sont-ils hémolysés ?

NaCl à 2 %, où les molécules d'eau sortent des cellules plus rapidement qu'elles n'y entrent et les font rétrécir. Les globules rouges deviennent alors **crénelés.** Les solutions hypertoniques et hypotoniques peuvent endommager ou détruire les cellules du corps. C'est pourquoi la plupart des solutions administrées aux patients par voie intraveineuse sont isotoniques.

Diffusion à travers la bicouche lipidique

Les molécules hydrophobes et non polaires diffusent à travers la bicouche lipidique de la membrane plasmique et peuvent ainsi entrer dans la cellule et en sortir. Ces molécules comprennent l'oxygène, le gaz carbonique, l'azote et ses composés gazeux, les acides gras, les stéroïdes et les vitamines liposolubles (A, E, D et K), les alcools simples et l'ammoniaque. Puisque la membrane plasmique est assez perméable à toutes ces substances, celles-ci ne contribuent pas à la pression osmotique ou à la tonicité des liquides de l'organisme. La diffusion à travers la bicouche lipidique joue un rôle important dans l'échange d'oxygène et de gaz carbonique entre le sang et les cellules de l'organisme, ainsi qu'entre le sang et l'air dans les poumons au cours de la respiration. Elle est également le moyen par lequel la cellule absorbe certains nutriments et excrète certains déchets. Ces activités contribuent à l'homéostasie.

Diffusion à travers les canaux membranaires

La plupart des canaux membranaires sont des *canaux ioniques*; ils permettent le passage de petits ions inorganiques qui sont trop hydrophiles pour accéder à l'intérieur non polaire de la membrane plasmique. Chacun de ces ions ne peut diffuser à travers la membrane qu'aux endroits où se trouve un canal qui lui est spécifique. Dans la plupart des membranes plasmiques, les canaux ioniques les plus nombreux sont sélectifs pour le K^+ (ions potassium) ou le Cl^- (ions chlorure); il y a moins de canaux ioniques pour le Na^+ (ions sodium) ou le Ca^{2+} (ions calcium). En général, la diffusion des solutés à travers les canaux est plus lente qu'à travers la bicouche lipidique parce que les canaux occupent une plus petite partie de la surface totale de la membrane. Néanmoins, elle constitue un processus très rapide. Plus de un million d'ions potassium peuvent traverser un canal à K^+ en une seconde !

Bien que la plupart des canaux ioniques soient ouverts en tout temps, certains, appelés canaux à fonctionnement commandé, sont munis de «vannes» – c'est-à-dire qu'une partie de la protéine qui constitue le canal adopte une forme particulière pour ouvrir le pore et une autre pour le fermer (figure 3.9). Certaines vannes s'ouvrent et se referment de façon aléatoire. D'autres le font en réponse à des changements chimiques ou électriques à l'intérieur et à l'extérieur de la cellule. Quand les vannes sont ouvertes, les ions qui diffusent entrent dans la cellule ou en sortent en suivant leur gradient électrochimique.

Selon le type de cellule, la membrane plasmique peut posséder plus ou moins de canaux ioniques et, de ce fait, sa perméabilité aux divers ions peut varier. Le nombre total de canaux spécifiques à un soluté particulier peut également être régulé par des signaux à l'intérieur ou à l'extérieur de la cellule.

Diffusion facilitée

Plusieurs solutés dont la polarité ou la charge est trop élevée pour qu'ils diffusent à travers la bicouche lipidique et dont la taille est trop grande pour qu'ils empruntent les canaux membranaires peuvent franchir la membrane plasmique par **diffusion facilitée.** Pendant longtemps, on a cru qu'un transporteur protéique se liait à un soluté et diffusait avec ce dernier à travers la membrane. Malheureusement, l'appellation est trompeuse parce qu'il ne s'agit pas réellement de diffusion. En fait, le soluté se lie à un transporteur spécifique d'un côté de la membrane, puis est largué de l'autre côté après un changement de conformation du transporteur. C'est pourquoi certains chercheurs proposent qu'on emploie plutôt l'expression *transport* facilité. Néanmoins, comme dans la diffusion, le résultat net est un déplacement en suivant le gradient de concentration à partir d'une région de plus haute concentration vers une région de plus faible concentration. Ce phénomène a lieu parce que le soluté se lie plus souvent au transporteur du côté de la membrane où sa concentration est plus élevée avant d'être déplacé vers le côté où sa concentration est moins élevée. Une fois que la concentration est égale de part et d'autre de la membrane, les molécules de soluté se lient au transporteur du

Figure 3.9 Diffusion de K⁺ à travers un canal membranaire à fonctionnement commandé. La plupart des membranes plasmiques ont des canaux sélectifs pour les ions potassium (K^+), sodium (Na^+), calcium (Ca^{2+}) et chlorure (Cl^-).

🔑 **Les canaux sont des protéines membranaires intrinsèques qui permettent le passage, par diffusion, de petits ions inorganiques spécifiques à travers la membrane plasmique.**

☐ Liquide extracellulaire ▨ Membrane plasmique ☐ Cytosol

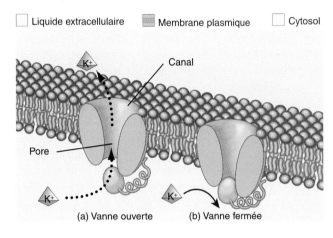

(a) Vanne ouverte   (b) Vanne fermée

Ⓠ Décrivez la façon dont un canal à fonctionnement commandé joue son rôle.

côté du cytosol et sortent dans le liquide extracellulaire aussi rapidement qu'elles se lient au transporteur du côté extracellulaire et passent dans le cytosol. Ainsi, la vitesse de la diffusion facilitée est déterminée par la pente du gradient de concentration entre les deux côtés de la membrane. Le nombre de transporteurs dans la membrane plasmique fixe la vitesse limite à laquelle la diffusion facilitée peut s'effectuer. Cette limite est appelée *transport maximal*. Quand tous les transporteurs sont occupés, le transport maximal est atteint et toute augmentation supplémentaire du gradient de concentration reste sans effet sur la vitesse de diffusion. En conséquence, le processus de la diffusion facilitée présente une *saturation*.

Les solutés qui traversent la membrane plasmique par diffusion facilitée comprennent le glucose, l'urée, le fructose, le galactose et certaines vitamines. Le glucose entre ainsi dans un grand nombre de cellules de l'organisme de la façon suivante (figure 3.10) :

① Le glucose se lie à un transporteur protéique spécifique appelé GluT du côté extracellulaire de la membrane.

② Le GluT change de conformation.

③ Le GluT relâche le glucose de l'autre côté de la membrane.

Après que le glucose est entré dans la cellule par diffusion facilitée, une enzyme appelée kinase lui attache un groupement phosphate pour former une nouvelle molécule, le glucose-6-phosphate. Cette réaction maintient à un niveau très bas la concentration intracellulaire du glucose, si bien que le gradient de concentration de ce dernier favorise toujours sa diffusion facilitée vers le cytosol.

Figure 3.10 Diffusion facilitée du glucose à travers la membrane plasmique. Le transporteur (GluT) se lie au glucose dans le liquide extracellulaire et le relâche dans le cytosol.

🔑 **La diffusion facilitée à travers la membrane plasmique requiert un transporteur mais ne consomme pas d'ATP.**

☐ Liquide extracellulaire ▨ Membrane plasmique ☐ Cytosol

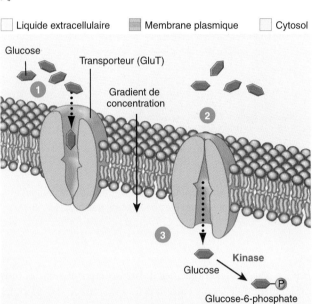

Ⓠ Quels sont les facteurs qui déterminent la vitesse de la diffusion facilitée ?

La perméabilité sélective de la membrane plasmique est souvent régulée de façon à assurer l'homéostasie. Par exemple, l'action de l'insuline (une hormone) entraîne l'insertion, dans la membrane plasmique de certaines cellules, d'un grand nombre de molécules d'un transporteur de glucose de type particulier. C'est ainsi que l'effet de l'insuline est d'augmenter le transport maximal pour la diffusion facilitée du glucose. Comme il y a plus de transporteurs disponibles, les cellules de l'organisme peuvent absorber plus rapidement le glucose circulant dans le sang.

Transport actif

Certains solutés polaires ou chargés qui doivent entrer dans la cellule ou en sortir ne peuvent utiliser aucun type de transport passif pour traverser la membrane parce qu'ils devraient alors circuler à «contre-courant», c'est-à-dire *contre* leur gradient de concentration. Ils doivent donc traverser la membrane par **transport actif.** Le transport actif est un mécanisme assisté qui exige une dépense d'énergie. Il met en jeu des transporteurs protéiques qui acheminent les solutés à travers la membrane contre leur gradient de concentration. Deux sources d'énergie sont utilisées : 1) l'hydrolyse de l'ATP, qui fournit l'énergie nécessaire au *transport actif primaire* ; 2) l'énergie emmagasinée dans le gradient de concentration

Figure 3.11 Pompe à sodium (Na$^+$-K$^+$ ATPase). Les ions sodium (Na$^+$) sont expulsés de la cellule et les ions potassium (K$^+$) sont dirigés vers le cytosol. La pompe fonctionne à condition qu'il y ait du Na$^+$ et de l'ATP dans le cytosol ainsi que du K$^+$ dans le liquide extracellulaire.

 La pompe à sodium fait en sorte que la concentration intracellulaire d'ions sodium reste basse.

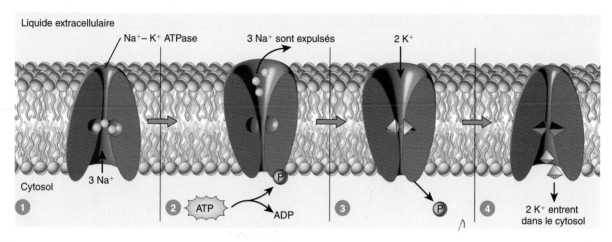

 Quel rôle l'ATP joue-t-elle dans le fonctionnement de cette pompe ?

ionique, qui sert au *transport actif secondaire.* Tout comme la diffusion facilitée, les mécanismes de transport actif présentent deux caractéristiques, soit le transport maximal et la saturation. Les solutés transportés activement à travers la membrane plasmique comprennent plusieurs ions, tels Na$^+$, K$^+$, H$^+$, Ca^{2+}, I$^-$ et Cl$^-$, des acides aminés et des monosaccharides. (Rappelez-vous que certaines de ces substances traversent aussi la membrane par diffusion, facilitée ou non, quand les canaux et les transporteurs appropriés sont présents.)

Transport actif primaire

Le **transport actif primaire** utilise l'énergie obtenue par hydrolyse de l'ATP pour changer la conformation d'un transporteur protéique, qui peut alors « pomper » une substance à travers la membrane plasmique contre son gradient de concentration. C'est ainsi que les protéines dont la fonction est le transport actif primaire sont souvent appelées **pompes.** En général, les cellules de l'organisme consacrent environ 40 % de l'ATP qu'elles produisent au transport actif primaire. Les substances qui inhibent la production d'ATP – par exemple, le cyanure – sont des poisons mortels parce qu'elles bloquent le transport actif dans toutes les cellules de l'organisme.

Le mécanisme de transport actif primaire le plus répandu expulse les ions sodium (Na$^+$) des cellules et les remplace par des ions potassium (K$^+$). En raison des ions spécifiques qu'il déplace, ce système antiport est appelé **pompe à Na$^+$-K$^+$** ou, tout simplement, **pompe à sodium.** Toutes les cellules possèdent des milliers de pompes à

sodium dans leur membrane plasmique. Étant donné qu'une partie de la pompe à sodium agit comme une enzyme qui hydrolyse l'ATP (ATPase), on l'appelle aussi **Na$^+$-K$^+$ ATPase.** La pompe à sodium maintient à un faible niveau la concentration d'ions sodium dans le cytosol en les pompant vers le liquide extracellulaire contre leur gradient de concentration. En même temps, elle ramène des ions potassium dans la cellule contre le gradient de concentration K$^+$. Comme le K$^+$ et le Na$^+$ s'écoulent lentement à travers la membrane plasmique en suivant leurs gradients électrochimiques – par transport passif ou par transport actif secondaire – les pompes à sodium doivent fonctionner continuellement pour maintenir une faible concentration d'ions sodium et une forte concentration d'ions potassium dans le cytosol. La figure 3.11 représente la conception actuelle de la pompe à sodium.

❶ Trois ions sodium (Na$^+$) se lient à la pompe protéique dans le cytosol.

❷ La liaison de Na$^+$ déclenche l'hydrolyse de l'ATP en ADP, laquelle provoque la liaison d'un groupement phosphate (Ⓟ) à la protéine de la pompe. Cette réaction change la conformation de la pompe, si bien que les trois Na$^+$ sont relâchés dans le liquide extracellulaire. La nouvelle conformation favorise alors la liaison des ions potassium présents dans le liquide extracellulaire.

❸ La liaison des ions potassium (K$^+$) provoque la libération du groupement phosphate par la pompe protéique, ce qui entraîne à nouveau un changement de la conformation de la pompe.

Figure 3.12 Mécanismes de transport actif secondaire. (a) Les antiporteurs font passer deux substances à travers la membrane dans des directions opposées. (b) Les symporteurs font traverser deux substances dans la même direction.

 Les mécanismes de transport actif secondaire utilisent l'énergie emmagasinée dans un gradient de concentration (ici, celui de Na$^+$). Comme ce gradient se maintient grâce à des pompes du transport actif primaire qui hydrolysent l'ATP, le transport actif secondaire consomme de l'ATP indirectement.

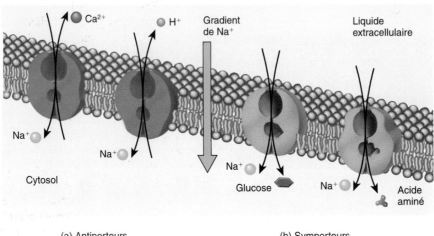

(a) Antiporteurs   (b) Symporteurs

Q Quelle est la principale différence entre les mécanismes de transport actif primaire et les mécanismes de transport actif secondaire?

4 Quand elle reprend sa conformation première, la pompe protéique relâche deux ions potassium dans le cytosol. La pompe est alors prête à se lier à nouveau au sodium, et le cycle recommence.

En plus de garder la concentration intracellulaire de Na$^+$ à un niveau bas et celle de K$^+$ à un niveau élevé, le fonctionnement continu des pompes à sodium est important pour le maintien d'un volume cellulaire normal. Rappelez-vous que la pression osmotique d'une solution est proportionnelle à la concentration des particules de solutés qui ne peuvent pas traverser la membrane. Étant donné que les ions sodium qui entrent dans la cellule par diffusion ou par transport actif secondaire sont immédiatement refoulés vers l'extérieur, c'est comme s'ils n'avaient jamais pénétré dans la cellule. Et de fait, les ions sodium se comportent comme s'ils ne pouvaient pas passer à travers la membrane. En conséquence, ils jouent un rôle essentiel dans la pression osmotique du liquide extracellulaire. Les ions potassium jouent le même rôle en ce qui concerne la moitié de la pression osmotique du cytosol. En contribuant au maintien d'une pression osmotique normale de part et d'autre de la membrane plasmique, les pompes à sodium font en sorte que les cellules ne soient pas soumises à des mouvements osmotiques d'eau vers l'intérieur ou l'extérieur, qui les feraient gonfler ou rétrécir.

Transport actif secondaire

Le **transport actif secondaire** utilise l'énergie emmagasinée dans les gradients de concentration des ions sodium ou des ions hydrogène pour entraîner d'autres substances à travers la membrane plasmique contre leur propre gradient de concentration. Puisque le gradient du Na$^+$ et du H$^+$ est établi par transport actif primaire, le transport actif secondaire utilise *indirectement* l'énergie produite par hydrolyse de l'ATP.

La pompe à sodium maintient de part et d'autre de la membrane un fort gradient de concentration de Na$^+$. De ce fait, les ions sodium possèdent de l'énergie en réserve, ou énergie potentielle, tout comme l'eau de retenue derrière un barrage. C'est pourquoi, si une voie de retour dans la cellule s'offre à Na$^+$, une partie de l'énergie en réserve peut être convertie en énergie cinétique (énergie de mouvement) et utilisée pour transporter d'autres substances *contre leur gradient de concentration*. En somme, les protéines du transport actif secondaire tirent profit de l'énergie contenue dans le gradient de concentration de Na$^+$, et ce en fournissant au sodium un moyen facile de rentrer dans la cellule. La protéine agit comme un système couplé puisqu'elle se lie simultanément à Na$^+$ et à une autre substance, puis change de conformation, permettant ainsi à deux types de molécules de traverser la membrane en même temps.

La membrane plasmique contient plusieurs systèmes antiports et symports qui utilisent pour moteur le gradient de Na^+ (figure 3.12). Dans la plupart des cellules de l'organisme, la concentration des ions calcium (Ca^{2+}) est faible dans le cytosol parce que des antiporteurs protéiques Na^+-Ca^{2+} laissent entrer les ions sodium dans la cellule tout en expulsant les ions calcium. De la même façon, des antiporteurs Na^+-H^+ contribuent à la régulation du pH (concentration de H^+) dans le cytosol en profitant du gradient de Na^+ pour expulser les ions H^+ en excès. Par ailleurs, les acides aminés et le glucose alimentaires sont absorbés par les cellules qui tapissent l'intestin grêle par l'intermédiaire des symporteurs Na^+-glucose et Na^+-acide aminé (figure 3.12b). Dans chaque cas, les ions sodium se déplacent suivant leur gradient de concentration alors que les solutés couplés traversent à «contre-courant», contre leur gradient de concentration. Rappelez-vous que ces systèmes symports et antiports peuvent accomplir leur tâche parce que les pompes à sodium maintiennent la concentration de Na^+ dans le cytosol à un faible niveau.

APPLICATION CLINIQUE
Digitaline

Comme elle stimule le cœur à battre plus fort, la digitaline est souvent administrée aux patients qui souffrent d'insuffisance cardiaque. La digitaline a pour effet de ralentir la pompe à sodium, ce qui permet une accumulation de Na^+ dans les cellules du muscle cardiaque. Il en résulte un plus petit gradient de concentration de Na^+ de part et d'autre de la membrane, ce qui cause un ralentissement du système antiport Na^+-Ca^{2+}. Un plus grand nombre d'ions Ca^{2+} sont ainsi retenus dans les cellules. Cette légère augmentation de Ca^{2+} dans le cytosol des cellules du muscle cardiaque accroît l'intensité de leurs contractions et donne plus de force aux battements du cœur. Cet exemple illustre à quel point l'équilibre entre les concentrations de Na^+ et de Ca^{2+} dans le cytosol et le liquide extracellulaire est décisive pour le fonctionnement normal des cellules musculaires. ■

Transport vésiculaire

Une **vésicule** est un petit sac membraneux sphérique qui se forme par bourgeonnement et se détache d'une membrane existante. La membrane vésiculaire est à perméabilité sélective et contient une petite quantité de liquide ainsi que des particules dissoutes ou en suspension. Les vésicules assurent le transport de substances d'une structure cellulaire à une autre, apportent des substances du liquide extracellulaire vers le cytosol et libèrent des substances dans le liquide extracellulaire. Nous examinerons plus loin le transport vésiculaire entre les structures cellulaires après avoir mieux cerné l'anatomie de la cellule. Nous allons nous pencher maintenant sur les deux principaux types de transport vésiculaire entre la cellule et le liquide extracellulaire: 1) l'**endocytose** (*endon*

= en dedans), qui est le mécanisme par lequel des substances entrent dans la cellule enveloppées dans une vésicule formée à partir de la membrane plasmique; 2) l'**exocytose** (*exô* = dehors), qui permet l'évacuation de substances de la cellule par fusion des vésicules avec la membrane plasmique. Ces deux processus consomment de l'énergie sous forme d'ATP.

Endocytose

Les substances qui entrent dans la cellule par endocytose sont enveloppées par une portion de la membrane plasmique qui s'invagine et se détache pour créer une vésicule contenant le matériau ingéré. Nous décrivons ci-dessous trois types d'endocytose: l'endocytose par récepteurs interposés, la pinocytose et la phagocytose.

Endocytose par récepteurs interposés Ce type d'endocytose très sélectif permet l'entrée de ligands particuliers dans la cellule. Une vésicule se forme lorsqu'un récepteur protéique de la membrane plasmique reconnaît un ligand spécifique dans le liquide extracellulaire et s'y lie. Les cellules utilisent l'endocytose par récepteurs interposés pour absorber la transferrine (protéine de transport du fer dans le sang), certaines vitamines, les lipoprotéines de basse densité (LDL), les anticorps, certaines hormones et d'autres macromolécules ou particules spécifiques. L'endocytose par récepteurs interposés se déroule de la façon suivante (figure 3.13):

1. *Liaison.* Un ligand se lie à un récepteur spécifique du côté extracellulaire de la membrane plasmique pour former un complexe récepteur-ligand. Les récepteurs sont des protéines membranaires intrinsèques qui sont concentrées dans des *puits tapissés*, régions spécifiques de la surface membranaire ainsi nommées parce que le côté cytoplasmique de la membrane est recouvert d'une couche de protéines périphériques appelées *clathrines*. L'interaction de la clathrine et des complexes récepteurs-ligands entraîne l'invagination de la membrane.

2. *Formation d'une vésicule.* Les bords de la membrane à la périphérie du puits tapissé fusionnent et la poche membraneuse se détache. La *vésicule tapissée* qui s'est ainsi formée contient les complexes récepteurs-ligands.

3. *Dépouillement.* Presque aussitôt après sa formation, la vésicule tapissée se défait de sa couche de clathrine pour devenir une *vésicule non tapissée*.

4. *Fusion avec un endosome primaire.* Plusieurs vésicules non tapissées fusionnent avec un *endosome primaire*. Ce dernier est un type de vésicule qui sert de compartiment de triage où les ligands se séparent de leurs récepteurs. Le contenu d'un endosome primaire finit par retourner à la membrane plasmique ou aboutit dans un lysosome, organite où a lieu le processus de dégradation des déchets.

5. *Recyclage des récepteurs.* Beaucoup de récepteurs qui se trouvent dans l'endosome primaire entrent dans une *vésicule de transport* qui se forme par bourgeonnement

Figure 3.13 Endocytose par récepteurs interposés.

🔑 **L'endocytose par récepteurs interposés permet à la cellule d'absorber certaines substances dont elle a besoin.**

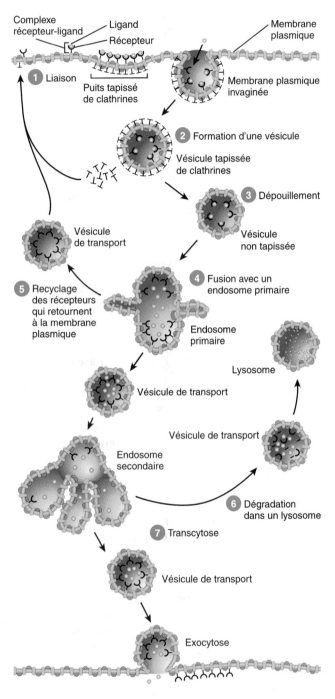

① **Liaison**

Complexe récepteur-ligand — Ligand — Récepteur

Membrane plasmique

Puits tapissé de clathrines

Membrane plasmique invaginée

② **Formation d'une vésicule**

Vésicule tapissée de clathrines

③ **Dépouillement**

Vésicule de transport

Vésicule non tapissée

⑤ **Recyclage des récepteurs qui retournent à la membrane plasmique**

④ **Fusion avec un endosome primaire**

Endosome primaire

Lysosome

Vésicule de transport

Vésicule de transport

Endosome secondaire

⑥ **Dégradation dans un lysosome**

⑦ **Transcytose**

Vésicule de transport

Exocytose

Ⓠ Quels exemples de ligands pouvez-vous donner?

de l'endosome. Cette vésicule reconduit les récepteurs à la membrane plasmique. La clathrine retourne aussi à la face interne de la membrane plasmique.

⑥ *Dégradation dans un lysosome.* Les ligands (et leurs récepteurs) qui sont destinés à subir la dégradation dans les lysosomes sont transportés de l'endosome primaire, par une ou plusieurs vésicules de transport, vers un *endosome secondaire.* Celui-ci donne naissance à d'autres vésicules de transport qui fusionnent avec les lysosomes. Dans ces derniers se trouvent des enzymes digestives qui peuvent dégrader diverses grosses molécules telles que les protéines, les polysaccharides, les lipides et les acides nucléiques.

⑦ *Transcytose.* Dans certains cas, les ligands et les récepteurs traversent la cellule dans des vésicules de transport et sont relâchés de l'autre côté par exocytose. Ce phénomène porte le nom de **transcytose.** Les vésicules de transport déversent leur contenu dans le liquide extracellulaire en fusionnant avec la membrane plasmique. La transcytose a lieu le plus souvent dans les cellules endothéliales qui tapissent les vaisseaux sanguins. Elle permet l'échange de substances entre le plasma et le liquide interstitiel.

🩺 APPLICATION CLINIQUE
Virus et endocytose par récepteurs interposés

Bien que l'endocytose par récepteurs interposés serve normalement à l'absorption de substances utiles, certains virus profitent de ce mécanisme pour infecter les cellules de l'organisme. Par exemple, le virus de l'immunodéficience humaine (VIH), qui cause le syndrome d'immunodéficience acquise (SIDA), entre dans les cellules en se fixant à un récepteur de la membrane plasmique appelé CD4. Ce récepteur se trouve à la surface de certaines cellules de l'organisme, tels les lymphocytes T auxiliaires (type de globules blancs). Après s'être lié au CD4, le VIH pénètre dans la cellule au moyen de l'endocytose par récepteurs interposés. ■

Phagocytose La **phagocytose** (*phagein* = manger) est une forme d'endocytose par laquelle de grosses particules solides, comme des bactéries ou des virus entiers, sont absorbées par la cellule (figure 3.14). La phagocytose est amorcée par la liaison de la particule à un récepteur de la membrane plasmique. La cellule réagit en projetant des **pseudopodes** (*pseudein* = tromper; *podos* = pied), c'est-à-dire des prolongements de la membrane plasmique et de son cytoplasme. Les pseudopodes entourent la particule à l'extérieur de la cellule et leurs membranes fusionnent pour former une vésicule appelée *phagosome,* qui pénètre dans le cytoplasme et fusionne à son tour avec un ou plusieurs lysosomes. La matière absorbée est alors digérée par les enzymes lysosomiales. Dans la plupart des cas, les substances non digérées du phagosome, devenu un *corps résiduel,* sont relâchées dans le liquide extracellulaire par exocytose.

La phagocytose a lieu seulement dans certaines cellules de l'organisme appelées **phagocytes,** qui englobent et détruisent les bactéries et autres substances étrangères. Ces cellules comprennent certains types de globules blancs et les macrophages

Figure 3.14 Phagocytose : une forme d'endocytose.

🔑 La phagocytose est un mécanisme de défense essentiel qui contribue à protéger l'organisme contre la maladie.

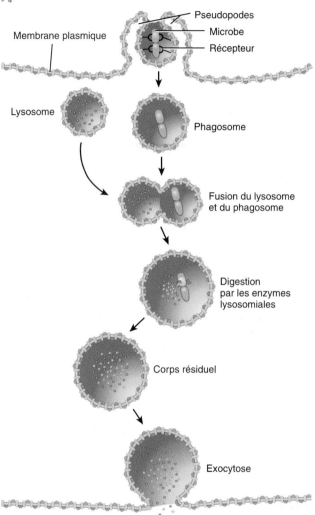

Ⓠ Qu'est-ce qui déclenche la formation de pseudopodes ?

Figure 3.15 Pinocytose : une forme d'endocytose.

🔑 La pinocytose est l'absorption non sélective de minuscules gouttelettes de liquide extracellulaire.

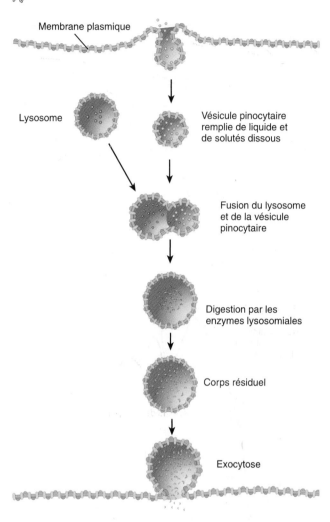

Ⓠ En quoi l'endocytose par récepteurs interposés et la phagocytose diffèrent-elles de la pinocytose ?

qu'on trouve dans la plupart des tissus du corps humain. La phagocytose constitue un mécanisme de défense essentiel qui contribue à protéger l'organisme contre la maladie.

Pinocytose La **pinocytose** (*pinein* = boire) est une forme d'endocytose qui permet à la cellule d'absorber, de manière *non sélective,* de minuscules gouttelettes de liquide extracellulaire (figure 3.15). Aucun récepteur protéique n'est requis. Tous les types de solutés qui se trouvent dans le liquide extracellulaire sont entraînés dans la cellule. Lors de la pinocytose, la membrane plasmique s'invagine et forme une *vésicule pinocytaire* contenant une gouttelette de liquide extracellulaire. La vésicule pinocytaire se détache de la membrane, pénètre dans le cytosol et fusionne avec un ou plusieurs lysosomes.

Les enzymes du lysosome dégradent les substances ingérées. Comme dans la phagocytose, la matière non digérée s'accumule dans un corps résiduel. Dans la plupart des cas, le corps résiduel fusionne avec la membrane plasmique et déverse son contenu au-dehors par exocytose. La plupart des cellules de l'organisme utilisent la pinocytose.

Exocytose

Comme l'illustrent les figures 3.13 à 3.15, l'**exocytose** est le processus par lequel la cellule libère des substances dans le milieu extracellulaire en les transportant dans des vésicules qui fusionnent avec la membrane plasmique. Les substances exportées peuvent être soit des déchets, soit des molécules sécrétées utiles à l'organisme. Toutes les cellules accomplissent

Tableau 3.1 Mécanismes de transport qui permettent les échanges entre la cellule et le liquide extracellulaire

MÉCANISME DE TRANSPORT	DESCRIPTION	SUBSTANCES TRANSPORTÉES
OSMOSE	Déplacement de molécules d'eau à travers une membrane à perméabilité sélective à partir d'une région où la concentration d'eau est plus élevée vers une région où elle est plus basse.	Solvant : l'eau, dans les organismes vivants.
DIFFUSION	Répartition aléatoire de molécules ou d'ions résultant de leur énergie cinétique. Il y a diffusion nette quand une substance suit son gradient de concentration jusqu'à ce que l'équilibre s'établisse.	
Diffusion à travers la bicouche lipidique	Diffusion passive d'une substance à travers la bicouche lipidique de la membrane plasmique.	Solutés hydrophobes, non polaires : oxygène, gaz carbonique et azote ; acides gras, stéroïdes et vitamines liposolubles ; glycérol, petits alcools ; ammoniaque.
Diffusion à travers les canaux membranaires	Diffusion passive d'une substance qui suit son gradient électrochimique à travers des canaux qui traversent la bicouche lipidique ; certains canaux sont toujours ouverts alors que d'autres sont munis de vannes (canaux à fonctionnement commandé).	Petits solutés inorganiques, surtout des ions : K^+, Cl^-, Na^+ et Ca^{2+}.
DIFFUSION FACILITÉE	Mécanisme de transport passif mais assisté par lequel une substance, qui suit son gradient de concentration, traverse la membrane à l'aide de protéines transmembranaires qui servent de transporteurs ; la vitesse de diffusion maximale est limitée par le nombre de transporteurs disponibles.	Solutés polaires ou chargés : glucose, fructose, galactose, urée et certaines vitamines.
TRANSPORT ACTIF	Mécanisme de transport assisté dans lequel la cellule dépense de l'énergie pour faire passer une substance à travers la membrane contre son gradient de concentration à l'aide de protéines transmembranaires qui servent de transporteurs ; le transport maximal est limité par le nombre de transporteurs disponibles.	Solutés polaires ou chargés.
Transport actif primaire	Transport d'une substance à travers la membrane contre son gradient de concentration par des protéines transmembranaires appelées pompes qui utilisent de l'énergie sous forme d'ATP.	Na^+, K^+, Ca^{2+}, H^+, I^-, Cl^- et autres ions.
Transport actif secondaire	Système couplé qui permet le transport de deux substances à travers la membrane plasmique grâce à l'énergie emmagasinée dans un gradient de concentration de Na^+ ou de H^+ qui est maintenu par les pompes du transport actif primaire. Les antiporteurs font passer le Na^+ (ou le H^+) et une autre substance dans des directions opposées à travers la membrane ; les symporteurs font passer le Na^+ (ou le H^+) et une autre substance dans la même direction à travers la membrane.	Système antiport : Ca^{2+}, H^+ vers l'extérieur de la cellule ; système symport : glucose, acides aminés vers l'intérieur de la cellule.
TRANSPORT VÉSICULAIRE	Déplacement de substances vers l'intérieur ou l'extérieur de la cellule dans des vésicules qui se forment à partir de la membrane plasmique ou fusionnent avec cette dernière ; nécessite de l'énergie sous forme d'ATP.	
Endocytose	Absorption par la cellule de substances contenues dans des vésicules.	
Endocytose par récepteurs interposés	Complexes ligands-récepteurs qui déclenchent l'invagination de puits tapissés de clathrines et mènent à la formation de vésicules renfermant des ligands.	Ligands : transferrine, lipoprotéines de basse densité (LDL) ; certaines vitamines, certaines hormones, anticorps.
Phagocytose	« Action de manger d'une cellule » ; absorption d'une particule solide par une cellule à la suite de la formation de pseudopodes qui emprisonnent la particule dans un phagosome.	Bactéries, virus et cellules mortes ou sénescentes.
Pinocytose	« Action de boire d'une cellule » ; absorption de liquide extracellulaire à la suite de la formation d'une vésicule pinocytaire par invagination de la membrane plasmique.	Solutés du liquide extracellulaire.
Exocytose	Déplacement de substances vers l'extérieur de la cellule dans des vésicules de sécrétion qui fusionnent avec la membrane plasmique et relâchent leur contenu dans le liquide extracellulaire.	Neurotransmetteurs, hormones et enzymes digestives.

l'exocytose, mais ce processus est surtout important pour deux types de cellules : les cellules nerveuses qui libèrent des substances appelées *neurotransmetteurs* et les cellules qui sécrètent les enzymes digestives et les hormones. Au cours de l'exocytose dans les cellules sécrétrices, des vésicules membraneuses appelées *vésicules de sécrétion* se forment dans le cytoplasme, fusionnent avec la membrane plasmique et relâchent leur contenu dans le liquide extracellulaire.

Les parties de la membrane plasmique qui sont perdues par endocytose sont recouvrées ou recyclées par exocytose. Il s'établit un équilibre entre ces deux processus qui fait en sorte que la surface de la membrane plasmique reste relativement constante. Ce type d'échange de parties de membranes est assez considérable dans certaines cellules. Par exemple, les cellules sécrétrices du pancréas remplacent une quantité de membrane plasmique équivalant à leur surface totale toutes les 90 minutes.

Le tableau 3.1 résume les mécanismes de transport par lesquels les substances entrent dans la cellule et en sortent.

1. Décrivez la différence fondamentale entre le transport actif et le transport passif.
2. Définissez les *uniporteurs*, les *symporteurs* et les *antiporteurs*.
3. Quels sont les facteurs qui augmentent ou diminuent la vitesse de diffusion ?
4. Qu'est-ce que la pression osmotique ?
5. Quelles sont les substances qui diffusent directement à travers la bicouche lipidique ?
6. La diffusion à travers les canaux membranaires et la diffusion facilitée sont-elles comparables ?
7. Quelle est la différence entre le transport actif primaire et le transport actif secondaire ?
8. Définissez le *transport vésiculaire* et comparez-en les trois types.

CYTOPLASME

OBJECTIF

• *Décrire la structure et les fonctions du cytoplasme, du cytosol et des organites.*

Le cytoplasme comprend deux composantes : 1) le cytosol et 2) les organites.

Cytosol

Le **cytosol** est la partie liquide du cytoplasme qui entoure les organites (voir la figure 3.1) et qui constitue environ 55 % du volume total de la cellule. Bien que sa composition et sa consistance varient d'un endroit à l'autre de la cellule, il comprend de 75 à 90 % d'eau et divers composants en solution et en suspension. On compte parmi ces derniers des ions, du glucose, des acides aminés, des acides gras, des protéines, des lipides, de l'ATP et des déchets. On trouve aussi des molécules organiques qui forment des agrégats et sont gardées en réserve. Ces molécules peuvent apparaître puis disparaître à divers moments au cours de la vie de la cellule. Les *gouttelettes de lipides* qui contiennent des triglycérides et les amas de molécules de glycogène appelés *granules de glycogène* en sont des exemples (voir la figure 3.1).

De nombreuses réactions chimiques nécessaires à l'existence de la cellule ont lieu dans le cytosol. Par exemple, les enzymes du cytosol catalysent un grand nombre de réactions chimiques. L'énergie produite par ces dernières sert à alimenter l'activité cellulaire. De plus, ces réactions fournissent les matières premières indispensables au maintien de la structure, de la croissance et des fonctions de la cellule.

Organites

Nous avons déjà noté que les **organites** sont des structures spécialisées qui ont des formes caractéristiques et qui accomplissent des fonctions spécifiques reliées à la croissance, à l'entretien et à la reproduction des cellules. Malgré le grand nombre de réactions chimiques qui se produisent en même temps dans la cellule, il y a peu d'interférence entre elles parce qu'elles ont lieu dans des organites différents. Chaque type d'organite possède son propre bagage d'enzymes qui catalysent des réactions spécifiques, et chacun est un compartiment fonctionnel où se déroulent des processus physiologiques spécifiques. En outre, les organites collaborent souvent pour maintenir l'homéostasie.

Le nombre et la nature des organites varient d'un type de cellule à l'autre selon la fonction que cette dernière accomplit. Les *organites non membraneux* sont dépourvus de membrane et sont en contact direct avec le cytosol. Le cytosquelette, les centrosomes, les cils, les flagelles et les ribosomes en sont des exemples. Pour leur part, les *organites membraneux* sont enveloppés par une ou deux membranes constituées de bicouches lipidiques (semblables à celle de la membrane plasmique) qui isolent leur milieu interne du cytosol. Les organites membraneux comprennent le réticulum endoplasmique, le complexe de Golgi, les mitochondries, les lysosomes et les peroxysomes. Bien que le noyau soit un organite membraneux, il est traité à part en raison de son rôle particulier, aux commandes de l'activité cellulaire.

Cytosquelette

Le **cytosquelette** est un réseau constitué de plusieurs types de filaments protéiques qui s'étendent dans tout le cytosol (figure 3.16). Le cytosquelette sert de charpente à la cellule. Il joue le rôle d'un échafaudage qui contribue à donner à la cellule sa forme et à organiser son contenu. Le cytosquelette assure également les mouvements cellulaires, dont le transport interne des organites et de certaines molécules, la migration des chromosomes durant la division cellulaire et les déplacements de cellules entières comme les phagocytes. Bien que son nom indique une certaine rigidité, le cytosquelette se

Figure 3.16 Cytosquelette.

 Le cytosquelette est un réseau constitué de trois types de filaments protéiques qui s'étendent dans tout le cytoplasme, soit les microfilaments, les filaments intermédiaires et les microtubules.

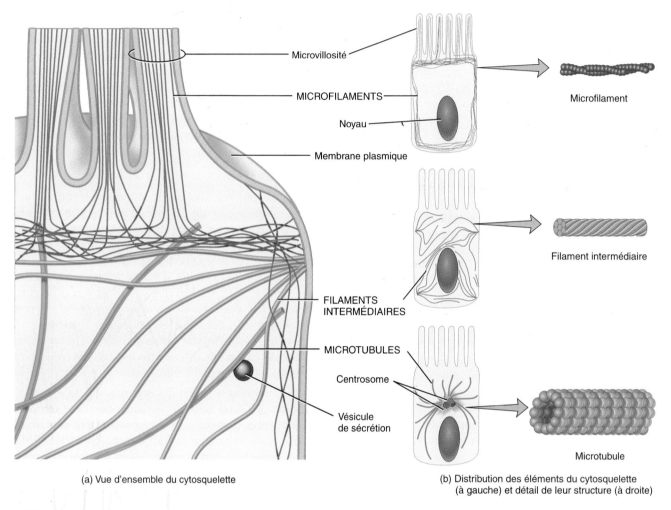

(a) Vue d'ensemble du cytosquelette

(b) Distribution des éléments du cytosquelette (à gauche) et détail de leur structure (à droite)

Q Quel élément du cytosquelette contribue à former la structure des centrioles, des cils et des flagelles?

réorganise continuellement suivant les mouvements et les changements de forme de la cellule. C'est le cas, entre autres, durant la division cellulaire. Les trois types de filaments protéiques qui forment le cytosquelette sont, par ordre de diamètre croissant, les microfilaments, les filaments intermédiaires et les microtubules.

Microfilaments Ce sont les éléments les plus minces du cytosquelette. La plupart sont composés d'une protéine, l'*actine*, et sont concentrés à la périphérie de la cellule (voir la figure 3.16a et b). Les microfilaments assurent deux grandes fonctions: la motilité et le soutien mécanique. Sur le plan de la motilité, les microfilaments participent à la contraction musculaire et à la division cellulaire; ils participent aussi à la

locomotion des cellules, comme pendant la migration des cellules embryonnaires en développement, ou durant l'invasion des tissus par les globules blancs qui combattent les infections ou encore durant la migration des cellules de la peau au cours de la cicatrisation.

Les microfilaments assurent en grande partie le soutien mécanique qui confère à la cellule sa forme et sa résistance. Ils fixent le cytosquelette aux protéines intrinsèques de la membrane plasmique. Ils stabilisent les **microvillosités** (*mikros* = petit; *villus* = touffe de poils), qui sont des prolongements filiformes microscopiques de la membrane plasmique, sans mobilité propre. Au cœur de chaque microvillosité se trouve un faisceau de microfilaments parallèles qui lui sert de soutien et l'attache au cytosquelette (voir la figure 3.16a et b). Ces structures sont nombreuses à la surface des cellules liées à l'absorption telles que les cellules épithéliales qui tapissent l'intestin grêle. Certains microfilaments dépassent la membrane plasmique et contribuent à amarrer les cellules les unes aux autres ou à la matière extracellulaire.

Filaments intermédiaires Comme le suggère leur nom, les filaments intermédiaires sont plus gros que les microfilaments mais plus minces que les microtubules (voir la figure 3.16a et b). Plusieurs protéines différentes peuvent entrer dans la composition des filaments intermédiaires, qui sont remarquablement forts. On les trouve dans des parties de la cellule soumises à des tensions mécaniques. Ils aident aussi à amarrer des organites tels que le noyau (voir la figure 3.16a et b).

Microtubules Les microtubules sont les plus gros composants du cytosquelette. Ce sont de longs tubes creux sans ramifications surtout composés d'une protéine appelée *tubuline*. Ils prennent naissance dans un organite, le centrosome (voir ci-dessous), où s'amorce leur assemblage et d'où ils s'allongent en direction de la périphérie de la cellule (voir la figure 3.16a et b). Les microtubules servent à déterminer la forme de la cellule et son rôle dans le transport intracellulaire des organites, telles les vésicules de sécrétion, ainsi que la migration des chromosomes durant la division cellulaire. Ils participent également au mouvement de prolongements cellulaires spécialisés, tels les cils et les flagelles. Des *protéines motrices* appelées *kinésines* et *dynéines* sont à l'origine des mouvements auxquels participent les microtubules. Ces protéines servent de locomotives miniatures qui entraînent les substances et les organites le long des microtubules comme si elles étaient des wagons sur des rails.

Centrosome

Le **centrosome,** qui est situé près du noyau, est formé de deux éléments: la région péricentriolaire et les centrioles (figure 3.17a). La *région péricentriolaire* est une zone du cytosol constituée d'un réseau serré de petites fibres protéiques. Elle est le centre d'organisation du fuseau mitotique, qui joue un rôle clé durant la division cellulaire, et des microtubules qui se forment dans les cellules qui ne se divisent pas. Dans cette région, on trouve les *centrioles,* une paire de structures cylindriques dont chacune est composée de neuf groupes de trois microtubules (triplets) disposés en cercle. Cet arrangement porte le nom de *disposition de type 9 + 0* (figure 3.17b). Le 9 désigne les neuf groupes de microtubules et le 0, l'absence de microtubules au centre. L'axe longitudinal d'un centriole est perpendiculaire à l'axe longitudinal de l'autre centriole (figure 3.17c). Les centrioles jouent un rôle dans la formation et la régénération des cils et des flagelles.

Cils et flagelles

Les microtubules sont les principaux composants structuraux et fonctionnels des cils et des flagelles, qui sont tous deux des prolongements mobiles de la surface cellulaire.

Figure 3.17 Centrosome.

🔑 **La région péricentriolaire du centrosome préside à la mise en place du fuseau mitotique durant la division cellulaire, alors que les centrioles participent à la formation et à la régénération des flagelles et des cils.**

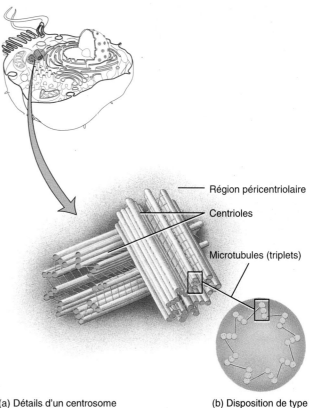

(a) Détails d'un centrosome

Région péricentriolaire
Centrioles
Microtubules (triplets)

(b) Disposition de type 9 + 0 d'un centriole

Coupe transversale d'un centriole

Région péricentriolaire

Coupe longitudinale d'un centriole

(c) Centrioles **MET** 76 000 ×

FONCTIONS
1. La région péricentriolaire sert de centre d'organisation des microtubules dans les cellules qui ne se divisent pas et préside à la formation du fuseau mitotique durant la division cellulaire.
2. Les centrioles jouent un rôle dans la formation et la régénération des cils et des flagelles.

 Si vous remarquez qu'une cellule n'a pas de centrosome, quelle prévision pouvez-vous faire quant à sa capacité de se diviser?

Dans le corps humain, les cellules fixes se servent de cils pour déplacer les liquides à leur surface. Les cellules pourvues de mobilité, tels les spermatozoïdes, utilisent un flagelle pour se propulser dans un milieu liquide.

Les **cils** sont de courtes projections de la surface cellulaire qui ressemblent à des poils par leur abondance et leur aspect (voir la figure 3.1). Chaque cil contient en son centre un faisceau de microtubules enveloppé de membrane plasmique (figure 3.18a). Le faisceau comprend neuf groupes de deux microtubules (doublets) qui forment un cercle autour d'une paire de microtubules centraux. Cet arrangement porte le nom de *disposition de type 9 + 2*. Chacun des cils est amarré à un *corpuscule basal*, qui est situé immédiatement sous la surface de la membrane plasmique et qui possède une structure semblable à celle du centriole. En fait, on considère le corpuscule basal et le centriole comme deux manifestations fonctionnelles différentes de la même structure. La fonction du corpuscule basal est d'amorcer l'assemblage des cils et des flagelles. Le cil présente un battement qui s'apparente au mouvement d'une rame qui serait relativement rigide dans la phase de la poussée mais plutôt flexible dans celle de la récupération (figure 3.18b). Le mouvement coordonné de nombreux cils permet à la cellule d'assurer une circulation continuelle des liquides à sa surface. Par exemple, beaucoup de cellules des voies respiratoires ont des centaines de cils qui aident à balayer vers l'extérieur des poumons les particules étrangères emprisonnées dans le mucus. Leur mouvement est paralysé par la nicotine contenue dans la fumée de cigarette. En conséquence, les fumeurs toussent souvent pour expulser les corps étrangers qu'ils ont inspirés. Les cellules qui tapissent les trompes utérines (ou trompes de Fallope) ont également des cils qui acheminent l'ovule vers l'utérus.

Le **flagelle** (*flagellum* = fouet) possède une structure semblable à celle du cil, mais il est beaucoup plus long. Habituellement, il sert à déplacer une cellule entière. Il pousse celle-ci vers l'avant, dans le sens de son axe, au moyen d'un mouvement ondulatoire rapide (figure 3.18c). Le seul exemple de flagelle dans le corps humain est la queue du spermatozoïde qui propulse ce dernier vers son rendez-vous avec l'ovule.

Ribosomes

Les **ribosomes** sont le siège de la synthèse des protéines. Ces petits organites sont composés d'**ARN ribosomal** (**ARNr**) et de nombreuses protéines ribosomales. Les ribosomes tirent leur nom de leur haute teneur en acide *ribo*nucléique. Sur le plan structural, un ribosome comprend deux sous-unités, l'une environ deux fois plus grosse que l'autre (figure 3.19). Celles-ci sont fabriquées séparément dans le nucléole, corps sphérique situé à l'intérieur du noyau. Puis elles sortent du noyau et sont assemblées dans le cytosol.

Certains ribosomes, appelés *ribosomes libres,* ne sont fixés à aucune structure dans le cytoplasme. Leur fonction première est la synthèse des protéines utilisées *à l'intérieur de*

Figure 3.18 Cils et flagelles.

🔑 **Les centrioles sont composés de microtubules qui présentent une disposition de type 9 + 0. Les cils et les flagelles présentent une disposition de type 9 + 2.**

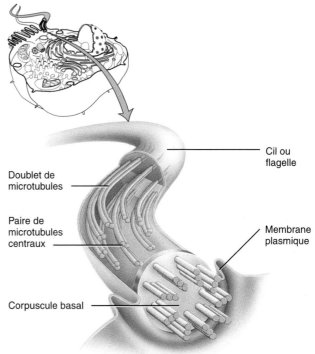

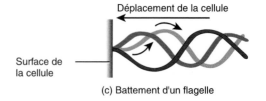

(a) Disposition de type 9 + 2

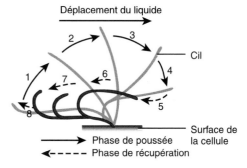

(b) Battement d'un cil

(c) Battement d'un flagelle

FONCTIONS
1. Les cils déplacent les liquides à la surface de la cellule.
2. Le flagelle fait avancer une cellule entière.

 Quelle est la différence fonctionnelle entre les cils et les flagelles ?

Figure 3.19 Ribosome.

 Les ribosomes sont le siège de la synthèse
des protéines.

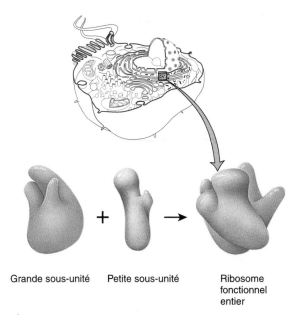

Détails des sous-unités du ribosome

Grande sous-unité	Petite sous-unité	Ribosome fonctionnel entier

FONCTIONS

1. Ribosome libre : synthèse des protéines utilisées à l'intérieur de la cellule.

2. Ribosome lié à la membrane : synthèse des protéines qui seront insérées dans la membrane plasmique ou exportées de la cellule.

Q Où sont synthétisées et assemblées les sous-unités des ribosomes ?

Figure 3.20 Réticulum endoplasmique.

 Le réticulum endoplasmique est un réseau de sacs ou
de tubules membraneux appelés citernes qui traversent
le cytoplasme et sont reliés à l'enveloppe nucléaire.

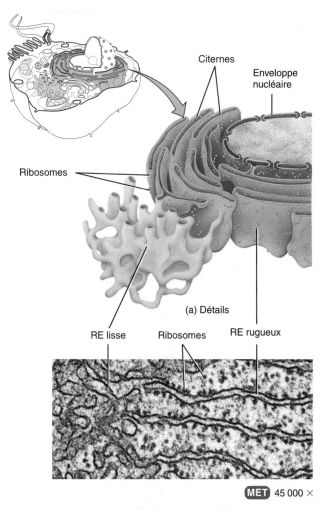

(a) Détails

MET 45 000 ×

(b) Coupe transversale

FONCTIONS

1. Le RE rugueux synthétise les protéines qui seront sécrétées et des phospholipides. Il crée ou renouvelle les membranes des structures cellulaires.

2. Le RE lisse synthétise des phospholipides, des lipides et des stéroïdes.

Q Quelles sont les différences structurales et fonctionnelles entre le RE rugueux et le RE lisse ?

la cellule. D'autres ribosomes, appelés *ribosomes liés à la membrane,* sont amarrés à l'enveloppe nucléaire et au réticulum endoplasmique, système membranaire qui compte de multiples replis. Ces ribosomes synthétisent des protéines qui seront insérées dans la membrane plasmique ou exportées de la cellule. On trouve aussi des ribosomes dans les mitochondries où ils assurent la synthèse de protéines mitochondriales. À l'occasion, il se forme des chapelets de ribosomes comprenant de 10 à 20 unités ; ce sont les *polyribosomes.*

Réticulum endoplasmique

Le **réticulum endoplasmique** (*reticulum* = réseau ; *plasma* = chose façonnée), ou **RE,** est une vaste toile membraneuse qui forme des sacs plats ou des tubules appelés **citernes** (= réservoir) (figure 3.20). Il se déploie dans le cytoplasme à partir de la membrane qui entoure le noyau

(enveloppe nucléaire), à laquelle il est relié. Il est si étendu qu'il constitue plus de la moitié de la surface membranaire dans le cytoplasme de la plupart des cellules.

Les cellules contiennent deux formes de RE ayant des structures et des fonctions différentes mais reliées. La membrane du **RE rugueux** (ou granulaire) se joint à celle

Figure 3.21 Complexe de Golgi.

🔑 **Les faces opposées du complexe de Golgi diffèrent par leur taille, leur forme, leur contenu, leur activité enzymatique et les vésicules qui s'y trouvent.**

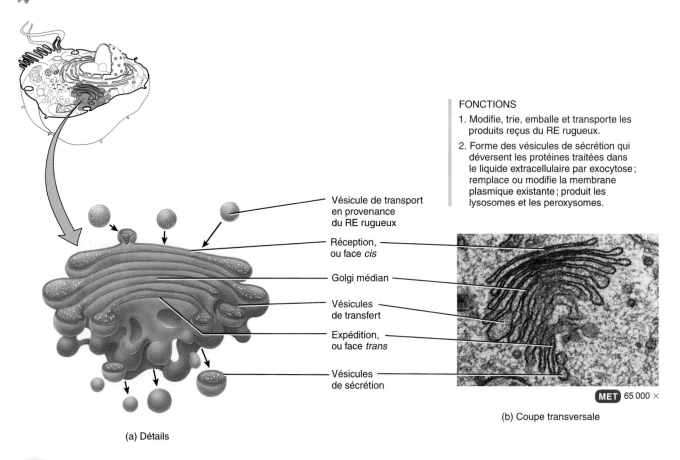

FONCTIONS

1. Modifie, trie, emballe et transporte les produits reçus du RE rugueux.

2. Forme des vésicules de sécrétion qui déversent les protéines traitées dans le liquide extracellulaire par exocytose; remplace ou modifie la membrane plasmique existante; produit les lysosomes et les peroxysomes.

Vésicule de transport en provenance du RE rugueux

Réception, ou face *cis*

Golgi médian

Vésicules de transfert

Expédition, ou face *trans*

Vésicules de sécrétion

MET 65 000 ×

(b) Coupe transversale

(a) Détails

Ⓠ En quoi les faces *cis* et *trans* sont-elles différentes sur le plan fonctionnel?

de l'enveloppe nucléaire si bien que ces structures sont dans le prolongement l'une de l'autre; en général, elle s'étend de manière à former une série de sacs plats. La face externe du RE rugueux est parsemée de ribosomes où s'effectue la synthèse des protéines. Ces dernières passent ensuite dans les citernes du RE où elles sont traitées et triées. Dans certains cas, des enzymes contenues dans les citernes attachent les protéines à des glucides pour former des glycoprotéines. Dans d'autres cas, des enzymes lient les protéines à des phospholipides, également synthétisés par le RE rugueux. Ces molécules peuvent être incorporées à des membranes d'organites ou à la membrane plasmique. En somme, le RE rugueux est une usine qui synthétise les protéines destinées à la sécrétion ainsi que des molécules membranaires.

Le **RE lisse** (ou agranulaire) prolonge le RE rugueux pour former un réseau de tubules membraneux (voir la figure 3.20). Contrairement au RE rugueux, il ne porte pas de ribosomes sur la face externe de sa membrane. Toutefois, il contient des enzymes uniques qui lui confèrent une plus grande diversité

fonctionnelle. Il ne synthétise pas de protéines, mais il produit des phospholipides, comme le RE rugueux. Il synthétise aussi des lipides et des stéroïdes, telles les œstrogènes et la testostérone. Dans les cellules du foie, les enzymes du RE lisse participent à la libération du glucose dans le sang et inactivent ou détoxifient les médicaments et les substances qui peuvent avoir des effets nocifs, comme l'alcool. Dans les cellules musculaires, les ions calcium libérés par le réticulum sarcoplasmique, un type de RE lisse, déclenche le processus de la contraction.

Complexe de Golgi

La plupart des protéines synthétisées par les ribosomes du RE rugueux finissent par être transportées vers d'autres parties de la cellule. La première étape du transport consiste à passer par un organite appelé **complexe de Golgi.** Ce dernier comprend de 3 à 20 sacs membraneux aplatis au milieu et bombés à la périphérie, les **citernes,** qui ressemblent à des pains pitas empilés (figure 3.21). Les citernes sont

Figure 3.22 Emballage par le complexe de Golgi des protéines synthétisées.

🔑 **Toutes les protéines sécrétées par la cellule sont traitées dans le complexe de Golgi.**

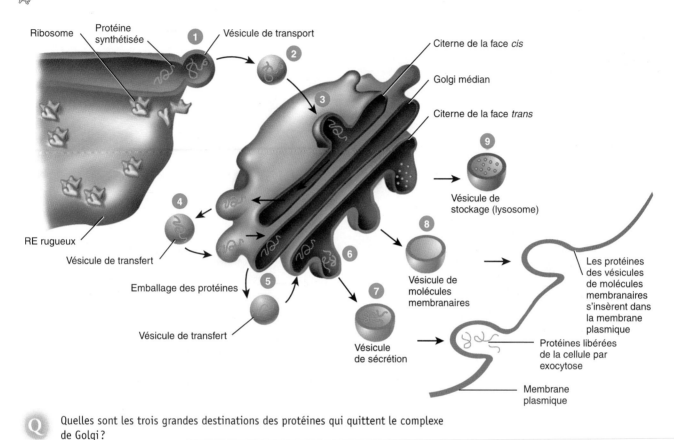

Q Quelles sont les trois grandes destinations des protéines qui quittent le complexe de Golgi?

souvent courbées et confèrent à cet organite l'aspect d'une tasse. Dans la plupart des cellules, il n'y a qu'un complexe de Golgi, mais il arrive qu'il y en ait plusieurs. Cet organite est plus étendu dans les cellules qui sécrètent des protéines dans le liquide extracellulaire. C'est là une indication du rôle que le complexe de Golgi joue dans la cellule.

Les citernes situées aux extrémités opposées du complexe de Golgi diffèrent par leur taille, leur forme, leur contenu, leur activité enzymatique et les vésicules qui s'y trouvent (voir ci-dessous). Le côté **réception,** ou **face *cis,*** est convexe et se compose de citernes tournées vers le RE rugueux. Le côté **expédition,** ou **face *trans,*** est concave et se compose de citernes tournées vers la membrane plasmique. Les citernes situées entre la face *cis* et la face *trans* font partie du **Golgi médian.**

La face *cis,* le Golgi médian et la face *trans* du complexe de Golgi contiennent différentes enzymes qui permettent à chacune de ces structures de modifier, trier et emballer les protéines en vue de les expédier à différents endroits. Par exemple, la face *cis* reçoit et modifie les protéines synthétisées par le RE rugueux. Le Golgi médian ajoute des glucides aux protéines et aux lipides pour former des glycoprotéines et

des glycolipides. Il ajoute également des protéines à des lipides pour créer des lipoprotéines. La face *trans* poursuit la modification des molécules, puis elle les trie et les emballe afin qu'elles puissent être transportées jusqu'à leur destination.

C'est par une série d'échanges entre vésicules que les protéines pénètrent dans le complexe de Golgi, le traversent et en sortent (figure 3.22):

❶ Les protéines synthétisées par les ribosomes du RE rugueux sont enveloppées par une portion de la membrane du RE qui se détache de la surface membranaire par bourgeonnement pour former une **vésicule de transport.**

❷ La vésicule de transport s'approche de la face *cis* (côté réception) du complexe de Golgi.

❸ La vésicule de transport fusionne avec la face *cis* du complexe de Golgi et relâche les protéines dans la citerne.

❹ Les protéines sont modifiées et passent de la face *cis* à une ou plusieurs citernes du Golgi médian au moyen de **vésicules de transfert** qui se forment par bourgeonnement de la membrane aux extrémités des citernes. Les enzymes du Golgi médian modifient les protéines pour donner des glycoprotéines, des glycolipides et des lipoprotéines.

5 Les produits du Golgi médian sont transportés par des vésicules de transfert et pénètrent à l'intérieur de la face *trans*.

6 Dans la face *trans*, les produits sont soumis à d'autres modifications, puis ils sont triés et emballés.

7 Certaines des protéines traitées quittent la face *trans* (côté expédition) dans des **vésicules de sécrétion** qui les transportent jusqu'à la membrane plasmique, où elles sont libérées dans le liquide extracellulaire par exocytose.

8 D'autres protéines traitées quittent la face *trans* dans des vésicules qui vont livrer leur contenu à la surface de la membrane plasmique pour qu'il y soit incorporé. C'est ainsi que le complexe de Golgi renouvelle la membrane plasmique et comble les pertes qu'elle subit. C'est aussi de cette façon qu'il modifie le nombre de molécules dans la membrane et règle leur distribution.

9 Enfin, certaines protéines quittent la face *trans* dans des vésicules appelées **vésicules de stockage.** La principale vésicule de stockage est le lysosome, dont nous examinons plus loin la structure et les fonctions.

APPLICATION CLINIQUE
Mucoviscidose

Il arrive qu'une erreur d'aiguillage dans l'itinéraire d'une molécule donne lieu à une maladie. C'est le cas de la **mucoviscidose** (ou fibrose kystique du pancréas), une affection héréditaire mortelle qui touche plusieurs systèmes de l'organisme. La protéine défectueuse produite par le gène muté de la mucoviscidose ne se rend pas à la membrane plasmique où elle est censée s'insérer et contribuer à expulser les ions chlorure (Cl^-) de certaines cellules. De toute évidence, cette protéine de pompage reste emprisonnée dans le réticulum endoplasmique ou dans le complexe de Golgi et n'arrive jamais à destination. Il en résulte un déséquilibre dans le transport des liquides et des ions à travers la membrane plasmique qui cause l'accumulation d'un mucus épais à l'extérieur de certains types de cellules. Ce mucus obstrue les voies aériennes dans les poumons et rend la respiration difficile. Il perturbe également la sécrétion des enzymes digestives du pancréas et entraîne des troubles digestifs. ■

Lysosomes

Les **lysosomes** (*lysis* = dissolution, destruction; *sôma* = corps) sont des vésicules membraneuses qui se forment dans le complexe de Golgi (figure 3.23). Ils contiennent jusqu'à 40 types d'enzymes digestives très actives qui peuvent hydrolyser, ou décomposer, une grande variété de molécules. Les enzymes lysosomiales sont surtout efficaces à pH acide; le lysosome est pourvu d'une membrane unique, munie de pompes qui y font entrer des ions hydrogène (H^+) par transport actif, si bien que le pH à l'intérieur du lysosome est de 5, soit 100 fois plus acide que celui du cytosol qui se maintient

Figure 3.23 Lysosomes.

Les lysosomes se forment dans le complexe de Golgi et emmagasinent plusieurs types d'enzymes digestives très actives.

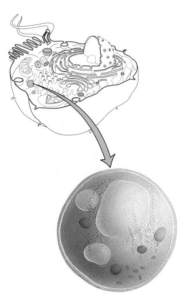

(a) Lysosome

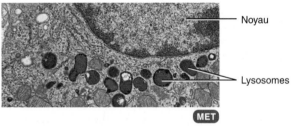

(b) Plusieurs lysosomes dans le cytoplasme

FONCTIONS
1. Digère les substances qui entrent dans la cellule par endocytose.
2. Autophagie – digestion des organites usés.
3. Autolyse – digestion de la cellule entière.
4. Digestion extracellulaire.

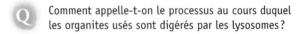

Q Comment appelle-t-on le processus au cours duquel les organites usés sont digérés par les lysosomes?

à 7. La membrane du lysosome permet aussi le transport dans le cytosol des produits finaux de la digestion, tels les glucides et les acides aminés.

Les enzymes lysosomiales permettent également à la cellule de recycler ses propres structures. Un lysosome peut absorber un autre organite, le digérer et retourner ses composants au cytosol afin qu'ils soient réutilisés. C'est ainsi que les organites vieillissants sont continuellement remplacés. On appelle **autophagie** (*autos* = soi; *phagein* = manger) le processus de digestion des organites usés. Chez l'humain par exemple, une cellule hépatique recycle environ la moitié de son contenu cytoplasmique toutes les semaines. Au cours de l'autophagie, l'organite cible est enfermé dans une membrane dérivée du RE. La vésicule ainsi créée, appelée **autophagosome,** fusionne avec un lysosome. Les enzymes lysosomiales peuvent aussi détruire la cellule qui les contient. Ce processus, appelé **autolyse,** se manifeste dans certaines affections pathologiques et cause également la détérioration des tissus qu'on observe immédiatement après la mort.

La plupart des activités digestives qui mettent en jeu des enzymes lysosomiales ont lieu à l'intérieur de la cellule, mais il y a des cas où les enzymes agissent à l'extérieur de la cellule. Par exemple, des enzymes lysosomiales sont relâchées durant la fécondation. Les lysosomes de la tête du spermatozoïde s'ouvrent sur l'extérieur et libèrent des enzymes qui facilitent la pénétration de l'ovule.

APPLICATION CLINIQUE
Maladie de Tay-Sachs

Certains troubles sont causés par des lysosomes défectueux. Par exemple, la **maladie de Tay-Sachs** est une affection héréditaire qui touche, dans la plupart des cas, des enfants de familles ashkénazes originaires d'Europe de l'Est. Elle se caractérise par l'absence d'une seule enzyme lysosomiale. La fonction normale de cette enzyme est de dégrader un glycolipide membranaire, le ganglioside G_{M2}, qui est particulièrement abondant dans les cellules nerveuses. L'accumulation de gangliosides G_{M2} réduit l'efficacité des cellules nerveuses. Les enfants atteints de cette maladie sont souvent pris de crises d'épilepsie et souffrent de rigidité musculaire. Ils deviennent progressivement aveugles, tombent en démence, perdent la coordination de leurs mouvements et meurent généralement avant l'âge de 5 ans. On a identifié le gène à l'origine de cette maladie et des tests de dépistage permettent de déterminer si un adulte est porteur du gène déficient. ∎

Peroxysomes

Les **peroxysomes** (*per* = par ; *oxys* = très pénétrant ; *sôma* = corps ; voir la figure 3.1) sont un groupe d'organites dont la structure rappelle celle des lysosomes mais en plus petit. On a cru par le passé qu'ils se formaient par bourgeonnement du RE, mais il est généralement admis aujourd'hui qu'ils se forment par division de peroxysomes existants.

Les peroxysomes contiennent une ou plusieurs enzymes qui peuvent oxyder diverses substances organiques (en retirer des atomes d'hydrogène). Par exemple, au cours du métabolisme cellulaire normal, il y a oxydation des acides aminés et des acides gras dans les peroxysomes. De plus, certaines enzymes de peroxysomes assurent l'oxydation de substances toxiques, tel l'alcool. Ces réactions d'oxydation donnent lieu à la formation de peroxyde d'hydrogène (H_2O_2), un composé qui peut lui-même être toxique. Toutefois, on trouve aussi dans les peroxysomes une enzyme appelée *catalase* qui décompose la molécule de H_2O_2. Comme la production et la dégradation de H_2O_2 s'effectuent dans le même organite, les peroxysomes protègent le reste de la cellule contre les effets toxiques de H_2O_2.

Mitochondries

Étant donné qu'elles ont pour fonction de produire l'ATP, les **mitochondries** (*mitos* = trame ; *chondrion* = petit grumeau) sont les centrales énergétiques de la cellule. Celle-ci peut contenir une centaine seulement de mitochondries ou jusqu'à plusieurs milliers. Les cellules très actives sur le plan physiologique, comme celles des muscles, du foie et des reins, ont beaucoup de mitochondries parce qu'elles consomment une grande quantité d'ATP. À l'intérieur de la cellule, les mitochondries sont généralement situées là où le besoin d'énergie est le plus grand, par exemple entre les protéines contractiles des cellules musculaires. La mitochondrie est limitée par deux membranes dont la structure rappelle celle de la membrane plasmique (figure 3.24). La *membrane mitochondriale externe* est lisse. La *membrane mitochondriale interne* forme une série de replis appelés **crêtes.** La cavité centrale remplie de liquide, qui est entourée par la membrane interne avec ses crêtes, est appelée **matrice mitochondriale.** Les multiples replis des crêtes procurent une énorme surface pour les réactions chimiques qui font partie de la phase aérobie de la *respiration cellulaire.* Ce sont ces réactions qui produisent l'essentiel de l'ATP cellulaire. Les enzymes qui catalysent la respiration cellulaire se trouvent dans la matrice et sur les crêtes.

À l'instar des peroxysomes, les mitochondries se reproduisent d'elles-mêmes, quand les besoins énergétiques de la cellule augmentent ou avant qu'elle se divise. Chaque mitochondrie possède un grand nombre de copies identiques d'une molécule d'ADN circulaire qui contient 37 gènes. Ces gènes et d'autres situés dans le noyau de la cellule régissent la production des protéines qui fabriquent les composants de la mitochondrie. Comme il y a également des ribosomes dans la matrice mitochondriale, une partie de la synthèse des protéines s'effectue à l'intérieur des mitochondries.

Alors que le noyau de chaque cellule somatique contient des gènes provenant et du père et de la mère, les gènes des mitochondries sont habituellement hérités de la mère seulement. La tête du spermatozoïde (la partie qui pénètre et féconde l'ovule) est normalement dépourvue de la plupart des organites, tels les mitochondries, les ribosomes, le réticulum endoplasmique et le complexe de Golgi.

1. Expliquez la différence entre le cytosol, le cytoplasme et les organites.
2. Quelles sont les composantes et les fonctions du cytosquelette ?
3. Décrivez brièvement la structure et les fonctions du centrosome, des cils et des flagelles, des ribosomes, du réticulum endoplasmique, du complexe de Golgi, des lysosomes, des peroxysomes et des mitochondries.

Figure 3.24 Mitochondries.

 Dans les mitochondries, l'ATP est produit par un ensemble de réactions chimiques appelé respiration cellulaire.

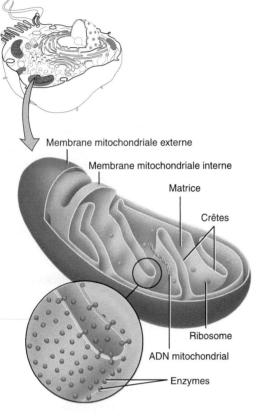

(a) Intérieur de la mitochondrie

Membrane mitochondriale externe
Membrane mitochondriale interne
Matrice
Crêtes
Ribosome
ADN mitochondrial
Enzymes

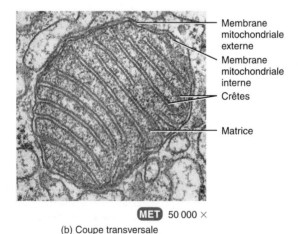

Membrane mitochondriale externe
Membrane mitochondriale interne
Crêtes
Matrice

MET 50 000 ×

(b) Coupe transversale

FONCTION
Produit l'ATP au cours des réactions
de la respiration cellulaire aérobie.

 Comment les crêtes contribuent-elles à la fonction de production d'ATP qui caractérise la mitochondrie ?

NOYAU

OBJECTIF

• *Décrire la structure et la fonction du noyau.*

Le **noyau** présente une forme sphérique ou ovale ; c'est la structure qui, en général, est la plus facile à reconnaître dans une cellule (figure 3.25). La plupart des cellules de l'organisme possèdent un seul noyau. Certaines, comme les globules rouges matures, n'en ont pas du tout. D'autres cellules par contre, comme celles des muscles squelettiques, en ont plusieurs. Une membrane double, appelée **enveloppe nucléaire,** sépare le noyau du cytoplasme. Elle comprend deux bicouches lipidiques semblables à la membrane plasmique. La membrane externe de l'enveloppe nucléaire et le réticulum endoplasmique rugueux sont dans le prolongement l'un de l'autre et leurs structures se ressemblent. L'enveloppe nucléaire est traversée de nombreux canaux appelés **pores nucléaires** (voir la figure 3.25c) qui sont chacun composés de protéines disposées en cercle autour d'un grand passage central. Le diamètre de ce dernier est environ 10 fois plus grand que celui des canaux protéiques de la membrane plasmique.

Les pores nucléaires règlent le mouvement des substances entre le noyau et le cytoplasme. Les petites molécules et les ions passent par diffusion passive à travers des canaux aqueux ouverts dans les pores. Cependant, la plupart des grosses molécules telles que les ARN et les protéines ne peuvent pas passer par diffusion à travers les pores nucléaires. Leur transport s'effectue par un mécanisme actif qui, après la reconnaissance de ces molécules, permet leur passage de façon sélective et dans une seule direction. Lors de ce processus, les pores nucléaires s'ouvrent pour accommoder les grosses molécules. C'est ainsi que les protéines sont transportées de façon sélective du cytosol dans le noyau et que les ARN quittent le noyau pour le cytosol.

Le noyau contient un ou plusieurs corps sphériques appelés **nucléoles.** Ils sont composés de protéines, d'ADN et d'ARN mais ne sont pas entourés d'une membrane. C'est là que sont synthétisées les deux sous-unités ribosomales, qui jouent un rôle clé dans la synthèse des protéines. Les nucléoles occupent beaucoup d'espace dans les cellules qui synthétisent de grandes quantités de protéines, comme les cellules des muscles et du foie. Les nucléoles se défont et disparaissent durant la division cellulaire et se reforment une fois que les nouvelles cellules sont constituées.

On trouve dans le noyau la plupart des unités de l'hérédité, les **gènes.** Les gènes ont pour fonction de déterminer la structure de la cellule et de diriger la plupart de ses activités. Ils sont disposés en une seule file le long des **chromosomes** (*chrôma* = couleur ; *sôma* = corps). Chez l'humain, les cellules somatiques possèdent 46 chromosomes, 23 hérités de la mère et 23 du père. Chaque chromosome est une longue molécule d'ADN qui s'enroule autour de plusieurs protéines (figure 3.26). Dans une cellule qui n'est pas en train de se diviser, les 46 chromosomes se présentent comme une masse

Figure 3.25 Noyau.

 Le noyau contient la plupart des gènes de la cellule. Ceux-ci sont situés sur les chromosomes.

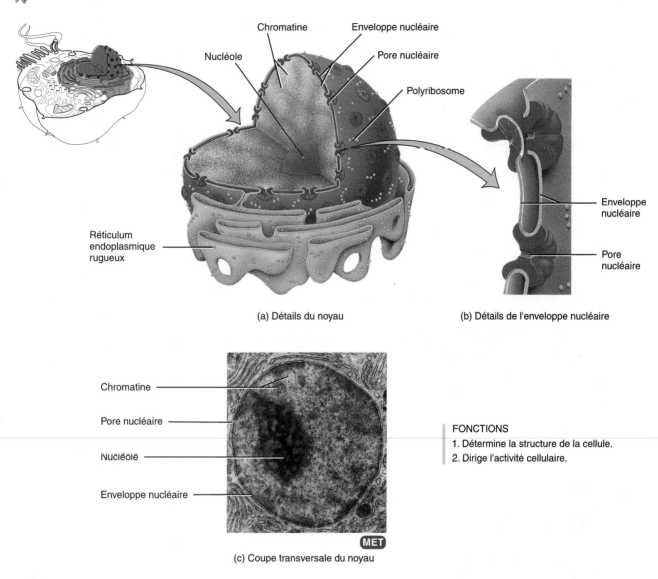

(a) Détails du noyau

(b) Détails de l'enveloppe nucléaire

(c) Coupe transversale du noyau

FONCTIONS
1. Détermine la structure de la cellule.
2. Dirige l'activité cellulaire.

 Quelles sont les fonctions des gènes nucléaires?

granuleuse diffuse appelée **chromatine.** La microscopie électronique montre que cette structure ressemble à un chapelet de « perles sur un fil ». Chaque « perle » est un **nucléosome** composé d'ADN bicaténaire enroulé deux fois autour d'un noyau de huit protéines appelées **histones** qui facilitent l'enroulement et le repliement de l'ADN. Le « fil » qui relie les « perles » est constitué d'**ADN intercalaire** qui sert à maintenir ensemble les nucléosomes adjacents. Grâce à une autre histone, les nucléosomes s'enroulent en une **fibre de chromatine** de diamètre plus grand, et cette dernière se replie à son tour pour former de grandes boucles. C'est ainsi

que l'ADN est condensé dans une cellule qui n'est pas en train de se diviser. Juste avant la division cellulaire, l'ADN se réplique (se dédouble) et les boucles se condensent encore plus pour former une paire de **chromatides sœurs.** Celles-ci se reconnaissent facilement au microscope photonique par leur forme en bâtonnet.

Le tableau 3.2 en page 93 présente en résumé les principales parties de la cellule et leurs fonctions.

1. Décrivez comment l'ADN se condense dans le noyau.

Figure 3.26 Condensation de l'ADN en chromosome dans une cellule qui se divise. Au terme de la condensation, deux molécules identiques d'ADN avec leurs histones forment un paire de chromatides sœurs retenues par un centromère.

🔑 **Le chromosome est une molécule d'ADN enroulée et repliée plusieurs fois sur elle-même, et associée à des molécules de protéines.**

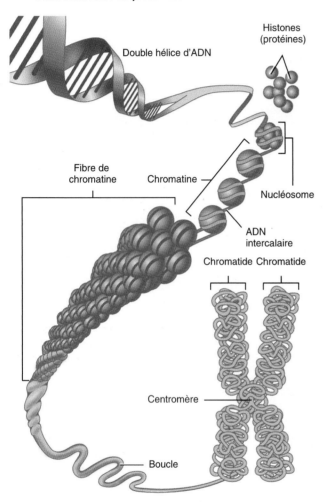

🇶 Quels sont les composants du nucléosome ?

SYNTHÈSE DES PROTÉINES

OBJECTIF

• *Décrire les étapes de la synthèse des protéines.*

Bien que les cellules effectuent la synthèse de nombreux corps chimiques en vue de maintenir l'homéostasie, la plus grande partie de la machinerie cellulaire est employée à synthétiser en quantité des protéines de toutes sortes. À leur tour, les protéines déterminent les caractéristiques physiques et chimiques des cellules et, par conséquent, des organismes. Certaines protéines servent à l'assemblage de structures cellulaires telles que la membrane plasmique, le cytosquelette

Figure 3.27 Vue d'ensemble de la transcription et de la traduction.

🔑 **La transcription a lieu dans le noyau, alors que la traduction se fait dans le cytoplasme.**

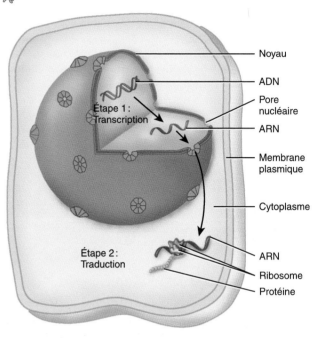

🇶 Pourquoi les protéines sont-elles importantes dans la vie de la cellule ?

et les autres organites. D'autres jouent le rôle d'hormones, d'anticorps ou d'éléments contractiles dans les tissus musculaires. D'autres encore sont des enzymes qui régulent la vitesse des nombreuses réactions chimiques en cours dans les cellules.

Les instructions pour la fabrication des protéines se trouvent surtout dans l'ADN du noyau. L'information codée sur un segment d'ADN doit d'abord être *transcrite* (copiée) pour produire une molécule spécifique d'ARN (acide ribonucléique) (figure 3.27). Ensuite, l'information contenue dans l'ARN est *traduite* en une séquence correspondante d'acides aminés qui forme une molécule de protéine.

L'ADN a le potentiel de diriger la production de plusieurs milliers de protéines différentes. Nous avons vu au chapitre 2 que 20 acides aminés seulement entrent dans la composition des protéines. Dans une cellule qui synthétise des protéines, les ribosomes doivent assembler les acides aminés appropriés pour former une séquence dictée par un segment d'ARN qui a lui-même été produit selon les instructions codées sur un segment correspondant d'ADN.

L'information est enregistrée dans l'ADN (et dans l'ARN) au moyen d'unités formées de trois bases azotées appelées nucléotides. Une séquence de trois nucléotides dans l'ADN est appelée **triplet.** Sa transcription (ou copie) produit une séquence complémentaire de trois nucléotides d'ARN, appelée

Tableau 3.2 Les parties de la cellule et leurs fonctions

PARTIE	STRUCTURE	FONCTIONS
MEMBRANE PLASMIQUE	Mosaïque fluide : bicouche lipidique constituée de phospholipides, de cholestérol et de glycolipides, et parsemée de protéines ; entoure le cytoplasme.	Protège le contenu de la cellule ; assure la jonction avec les autres cellules ; contient des protéines qui servent de canaux, de transporteurs, de récepteurs, d'enzymes, de marqueurs d'identité cellulaire et d'amarres ; gouverne l'entrée et la sortie des substances.
CYTOPLASME	Contenu de la cellule situé entre la membrane plasmique et le noyau : cytosol et organites. Le cytosol est constitué d'eau, de solutés, de particules en suspension, de gouttelettes de lipides et de granules de glycogène. Les organites sont des structures spécialisées, limités dans certains cas par une membrane, ayant une forme caractéristique et des fonctions spécifiques.	
Cytosquelette	Réseau composé de trois types de filaments protéiques : microfilaments, filaments intermédiaires et microtubules.	Maintient la forme et l'organisation générale du contenu de la cellule ; assure les mouvements de la cellule.
Centrosome	Comprend une région péricentriolaire et une paire de centrioles (microtubules présentant une disposition de type 9 + 0).	La région péricentriolaire est le centre d'organisation des microtubules et du fuseau mitotique ; les centrioles assurent la formation et la régénération des cils et des flagelles.
Cils et flagelles	Prolongements de la surface cellulaire doués de motilité, composés de microtubules (disposition de type 9 + 2) et, dans le cas des cils, d'un corpuscule basal.	Les cils déplacent les liquides à la surface des cellules ; le flagelle déplace la cellule entière.
Ribosome	Comprend deux sous-unités formées d'ARN ribosomal et de protéines ; peut être libre dans le cytosol ou fixé au RE rugueux.	Synthèse des protéines.
Réticulum endoplasmique (RE)	Réseau membraneux de sacs ou de tubules plats appelés citernes. Le RE rugueux est couvert de ribosomes et relié à la membrane nucléaire ; le RE lisse ne contient pas de ribosomes.	Le RE rugueux synthétise les protéines destinées à la sécrétion, ainsi que des phospholipides et des membranes ; le RE lisse sécrète des phospholipides, des lipides et des stéroïdes.
Complexe de Golgi	De 3 à 20 sacs membraneux plats appelés citernes ; on distingue, sur les plans structural et fonctionnel, la face *cis*, le Golgi médian et la face *trans*.	La face *cis* reçoit les protéines du RE rugueux ; le Golgi médian forme les glycoprotéines, les glycolipides et les lipoprotéines ; la face *trans* emmagasine, emballe et exporte les produits du Golgi médian.
Lysosome	Vésicule qui prend naissance dans le complexe de Golgi ; contient des enzymes digestives.	Fusionne avec les endosomes secondaires, les vésicules pinocytaires et les phagosomes, et en digère le contenu ; digère les organites usés (autophagie), la cellule entière (autolyse) et des matériaux extracellulaires.
Peroxysome	Vésicule contenant des enzymes oxydantes.	Détoxifie les substances nocives.
Mitochondrie	Constituée des membranes mitochondriales externe et interne, de crêtes et de la matrice mitochondriale.	Centre des réactions de la respiration aérobie qui produit l'essentiel de l'ATP de la cellule.
NOYAU	Constitué d'une enveloppe nucléaire avec des pores, de nucléoles et de chromatine (ou chromosomes).	Contient les gènes qui déterminent la structure de la cellule et gouvernent la plus grande partie de son activité.

codon. Un codon donné spécifie un acide aminé. Le **code génétique** est l'ensemble des règles qui définissent les rapports entre la séquence de triplets de l'ADN, les codons correspondants de l'ARN et les acides aminés qu'ils spécifient.

La première étape de la synthèse d'une protéine est la transcription. Nous allons maintenant l'examiner de plus près.

Transcription

Au cours de la **transcription,** qui a lieu dans le noyau, l'information génétique représentée par la séquence de triplets de l'ADN est copiée sur un brin d'ARN. Les triplets servent de matrice pour la synthèse d'une séquence complémentaire de codons. Trois sortes d'ARN sont produits à partir

Figure 3.28 Transcription.

🔑 Au cours de la transcription, l'information génétique contenue dans l'ADN est copiée sous forme d'ARN.

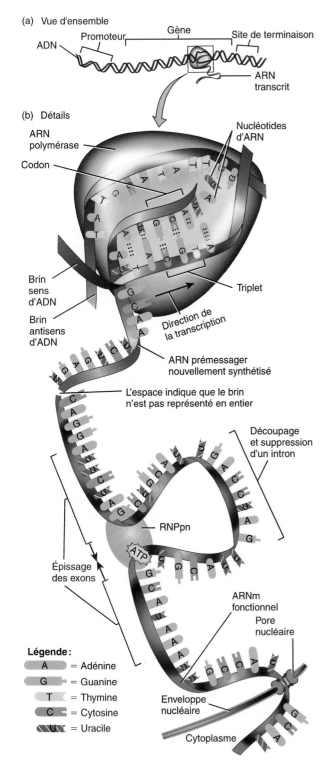

(a) Vue d'ensemble

(b) Détails

Légende :

A = Adénine
G = Guanine
T = Thymine
C = Cytosine
U = Uracile

Q Si la matrice d'ADN présente la séquence de bases AGCT, quelle sera la séquence de bases de l'ARNm ? Quelle enzyme catalyse la transcription d'ADN ?

de la matrice d'ADN : l'**ARN messager** (**ARNm**), qui dirige la synthèse des protéines ; l'**ARN ribosomal** (**ARNr**), qui, avec les protéines ribosomales, forme les ribosomes ; et l'**ARN de transfert** (**ARNt**), qui se lie aux acides aminés et les maintient sur les ribosomes jusqu'à ce qu'ils soient incorporés à des protéines à l'étape de la traduction. Il y a plus de 20 types d'ARNt, mais chacun se lie à seulement un des 20 acides aminés. Ainsi, la transcription d'un gène contenu dans un segment d'ADN produit un ARNm, un ARNr ou un ARNt particulier.

L'*ARN polymérase* est l'enzyme qui catalyse la transcription de l'ADN. Cependant, elle doit recevoir des instructions précises pour savoir quand amorcer le processus et où le terminer. Le segment d'ADN où commence la transcription est une séquence de nucléotides particulière appelée **promoteur** qui est située près du début du gène à transcrire (figure 3.28a). C'est là que l'ARN polymérase se lie à l'ADN. Au cours de la transcription, les bases ne forment des paires que si elles sont complémentaires : la cytosine (C), la guanine (G) et la thymine (T) de la matrice d'ADN spécifient respectivement la guanine, la cytosine et l'adénine (A) dans le brin d'ARN correspondant (figure 3.28b). Toutefois, l'adénine dans la matrice d'ADN commande l'uracile (U), et non la thymine, dans l'ARN :

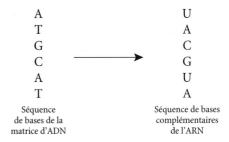

Séquence de bases de la matrice d'ADN → Séquence de bases complémentaires de l'ARN

Un seul des deux brins d'ADN sert de matrice pour la synthèse d'ARN. Il est appelé **brin sens.** L'autre brin (qui n'est pas transcrit) est le **brin antisens.**

La transcription du brin sens d'ADN se poursuit jusqu'à une séquence de nucléotides particulière appelée **site de terminaison,** qui spécifie la fin du gène (voir la figure 3.28a). Quand l'ARN polymérase atteint le site de terminaison, elle se détache de la molécule d'ARN transcrite et du brin sens d'ADN.

On trouve dans les gènes des segments appelés **introns,** qui n'ont *pas* de séquences codantes pour les protéines. Ils sont situés entre les **exons,** segments qui *ont* des séquences codantes pour les protéines. Immédiatement après la transcription, l'ARNm contient l'information des introns et des exons, et est appelé **ARN prémessager.** Les introns sont retranchés de l'ARN prémessager par les **petites ribonucléoprotéines nucléaires** (RNPpn ; voir la figure 3.28b), des enzymes qui font en même temps l'épissage (ou recollage) des exons. Il en résulte une molécule d'ARNm fonctionnelle qui traverse un pore de l'enveloppe nucléaire et passe dans le cytoplasme, où s'effectue la traduction.

Traduction

La **traduction** est le processus au cours duquel la séquence de nucléotides d'une molécule d'ARNm spécifie la séquence d'acides aminés d'une protéine. Ce processus est réalisé par les ribosomes dans le cytoplasme. La petite sous-unité du ribosome possède un *site de liaison* de l'ARNm; la grande sous-unité possède deux sites de liaison de molécules d'ARNt (figure 3.29). Le premier site de liaison de l'ARNt est le *site P*, où la première molécule d'ARNt portant son acide aminé spécifique se lie à l'ARNm. Le second est le *site A*, qui retient la molécule d'ARNt suivante portant son acide aminé. La traduction comprend les étapes suivantes (figure 3.30):

1. Une molécule d'ARNm se lie à la petite sous-unité ribosomale au site de liaison de l'ARNm. Un ARNt spécifique, appelé *ARNt d'initiation,* se lie au codon d'initiation (AUG) de l'ARNm. C'est là que la traduction commence.

2. La grande sous-unité ribosomale se lie à la petite pour former un ribosome fonctionnel. L'ARNt d'initiation se place dans le site P du ribosome. À une extrémité de l'ARNt se trouve un acide aminé spécifique et à l'autre, un triplet de nucléotides appelé **anticodon.** Cet anticodon se lie au codon complémentaire de l'ARNm par la formation de paires de bases. Par exemple, si le codon de l'ARNm est AUG, alors un ARNt avec l'anticodon UAC s'y liera.

3. L'anticodon d'un autre ARNt avec son acide aminé se fixe au codon complémentaire de l'ARNm au site A du ribosome.

4. Le polypeptide naissant se sépare de l'ARNt au site P et forme une liaison peptidique avec l'acide aminé qui se trouve sur l'ARNt du site A. Une enzyme de la grande sous-unité ribosomale catalyse la formation d'une liaison peptidique.

5. Après la formation de la liaison peptidique, l'ARNt au site P se détache du ribosome et le ribosome fait avancer le brin d'ARNm d'un codon. L'ARNt du site A qui porte la protéine naissante vient occuper le site P, ce qui permet la liaison d'un ARNt portant son acide aminé approprié avec le nouveau codon qui occupe maintenant le site A. Les étapes 4 et 5 sont répétées et la protéine s'allonge petit à petit.

6. La synthèse de la protéine se termine quand le ribosome atteint un codon d'arrêt au site A. La protéine se détache alors du dernier ARNt, qui quitte à son tour le site A. Le ribosome se défait et libère ses deux sous-unités.

La synthèse d'une protéine s'effectue au rythme d'environ 15 acides aminés par seconde. Au fur et à mesure que le ribosome avance sur l'ARNm, et avant même qu'il ait terminé la synthèse de la protéine, un nouveau ribosome peut se fixer derrière lui sur le même brin d'ARNm et commencer à le traduire. C'est ainsi que plusieurs ribosomes peuvent être attachés au même ARNm et former un polyribosome.

Figure 3.29 Ribosomes et traduction.

Les ribosomes ont un site de liaison de l'ARNm. Ils ont également un site P et un site A pour la liaison de l'ARNt.

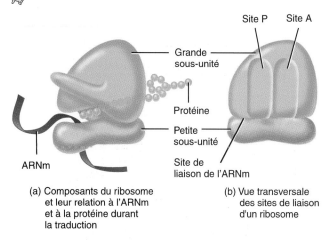

(a) Composants du ribosome et leur relation à l'ARNm et à la protéine durant la traduction

(b) Vue transversale des sites de liaison d'un ribosome

Q Quels sont les rôles des sites A et P?

Cette lecture simultanée par plusieurs ribosomes permet de traduire en très peu de temps une molécule d'ARNm en plusieurs protéines identiques.

APPLICATION CLINIQUE
ADN recombiné

Depuis leurs premiers succès dans ce domaine en 1973, les scientifiques mettent au point des techniques pour introduire dans diverses cellules des gènes provenant d'autres organismes. À la suite de ces manipulations, les organismes hôtes produisent des protéines que, normalement, ils ne synthétisent pas. Les organismes ainsi modifiés sont appelés **recombinants**, et leur ADN – une combinaison d'ADN de différentes sources – porte le nom d'**ADN recombiné.** Si l'ADN recombiné fonctionne comme prévu, l'hôte synthétise la protéine spécifiée par le gène qu'il a acquis. On appelle **génie génétique** la technologie qui est née de la manipulation du matériel génétique.

Les applications qui découlent de cette technologie ont une portée considérable. À l'heure actuelle, des souches de bactéries recombinantes produisent en grande quantité de nombreuses substances thérapeutiques importantes. Mentionnons, entre autres, l'*hormone de croissance humaine* (hGH), qui est nécessaire à la croissance chez les enfants et joue un rôle important dans le métabolisme chez les adultes; l'*insuline,* une hormone qui participe à la régulation de la concentration du glucose dans le sang et qui est utilisée par les diabétiques; l'*interféron* (IFN), une substance antivirale (et peut-être anticancéreuse); et l'*érythropoïétine,* une hormone qui stimule la production des globules rouges. ■

1. Comparez la transcription et la traduction.
2. Résumez les étapes de la transcription et de la traduction.

Figure 3.30 Traduction : élongation de la protéine et terminaison de la synthèse.

🔑 **Durant la synthèse des protéines, les sous-unités ribosomales sont reliées, mais elles se séparent au terme du processus.**

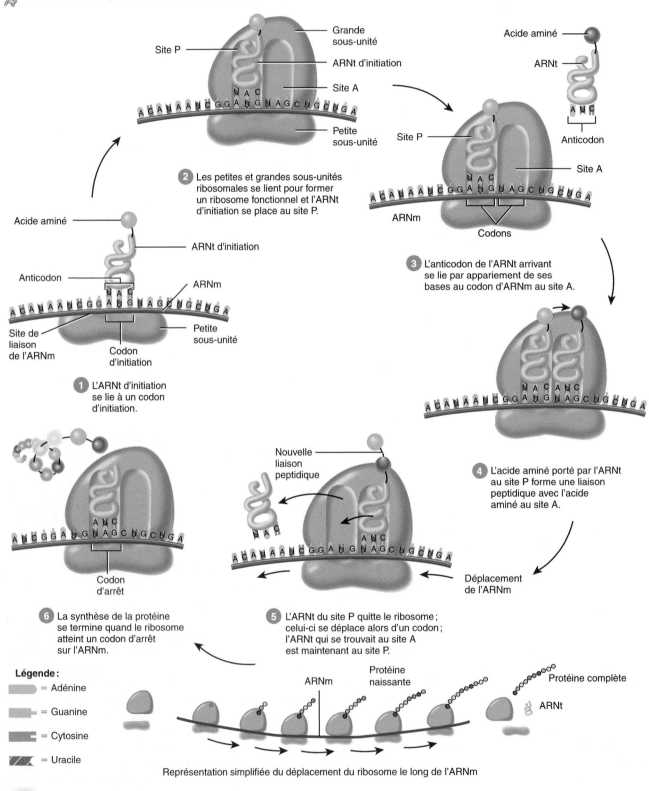

Site P · Grande sous-unité · ARNt d'initiation · Site A · Petite sous-unité

2 Les petites et grandes sous-unités ribosomales se lient pour former un ribosome fonctionnel et l'ARNt d'initiation se place au site P.

Acide aminé · ARNt · Anticodon · Site P · Site A · ARNm · Codons

3 L'anticodon de l'ARNt arrivant se lie par appariement de ses bases au codon d'ARNm au site A.

Acide aminé · ARNt d'initiation · Anticodon · ARNm · Site de liaison de l'ARNm · Codon d'initiation · Petite sous-unité

1 L'ARNt d'initiation se lie à un codon d'initiation.

Nouvelle liaison peptidique

4 L'acide aminé porté par l'ARNt au site P forme une liaison peptidique avec l'acide aminé au site A.

Déplacement de l'ARNm

Codon d'arrêt

6 La synthèse de la protéine se termine quand le ribosome atteint un codon d'arrêt sur l'ARNm.

5 L'ARNt du site P quitte le ribosome ; celui-ci se déplace alors d'un codon ; l'ARNt qui se trouvait au site A est maintenant au site P.

Légende :
- ▬ = Adénine
- ▬ = Guanine
- ▬ = Cytosine
- ▨ = Uracile

ARNm · Protéine naissante · Protéine complète · ARNt

Représentation simplifiée du déplacement du ribosome le long de l'ARNm

Q Quelle est la fonction du codon d'arrêt ?

Figure 3.31 Le cycle cellulaire. La cytocinèse, ou division du cytoplasme, qui a lieu à la fin de l'anaphase ou au début de la télophase, n'est pas représentée ici.

 Le cycle cellulaire est complet quand la cellule a fini de reproduire son contenu et s'est divisée en deux cellules filles.

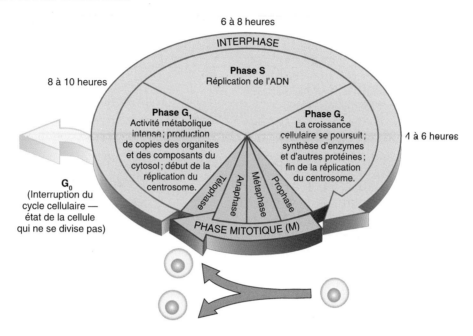

 À quelle phase du cycle cellulaire la réplication de l'ADN s'effectue-t-elle ?

DIVISION CELLULAIRE NORMALE

OBJECTIF

• *Examiner le déroulement de la division des cellules somatiques et son importance.*

La plupart des activités cellulaires ont pour but d'entretenir les fonctions vitales de la cellule au jour le jour. Cependant, quand les cellules somatiques sont endommagées, deviennent malades ou sont trop vieilles, elles sont remplacées grâce à la **division cellulaire,** processus par lequel les cellules se reproduisent. On distingue deux types de division cellulaire : la division des cellules somatiques (du corps) et celle des cellules reproductrices.

La **division des cellules somatiques** comprend une division nucléaire appelée **mitose** et une division du cytoplasme appelée **cytocinèse.** Elle aboutit à la formation de deux **cellules filles** identiques ayant chacune le même nombre et le même type de chromosomes que la cellule d'origine. Cette forme de division permet de remplacer les cellules mortes ou endommagées et d'ajouter de nouvelles cellules aux tissus en croissance.

La **division des cellules reproductrices** est le mécanisme qui produit les gamètes – spermatozoïdes et ovules –, c'est-à-dire les cellules nécessaires à la formation d'une nouvelle

génération d'organismes capables à leur tour de se reproduire sexuellement. Ce processus met en jeu une forme de division particulière, appelée **méiose,** qui s'effectue en deux étapes et par laquelle le nombre de chromosomes dans le noyau se trouve réduit de moitié. La méiose est décrite au chapitre 28. Nous nous pencherons maintenant sur la division des cellules somatiques.

Le cycle cellulaire des cellules somatiques

Le **cycle cellulaire** est une suite ordonnée d'événements au cours de laquelle la cellule produit une réplique de son contenu et se divise en deux. La cellule humaine, sauf le gamète, contient 23 paires de chromosomes. Les deux chromosomes qui forment une paire – l'un venant de la mère, l'autre du père – portent le nom de **chromosomes homologues.** Ils ont des gènes semblables, disposés généralement dans le même ordre. Quand une cellule se reproduit, tous ses chromosomes doivent se répliquer (produire une copie d'eux-mêmes) afin que ses gènes soient transmis à la nouvelle génération de cellules. Le cycle cellulaire comprend deux grandes périodes : l'interphase, pendant laquelle la cellule ne se divise pas, et la phase mitotique (phase M), pendant laquelle la cellule se divise (figure 3.31).

Interphase

Durant l'**interphase,** la cellule procède à la réplication de son ADN. Elle produit également des organites supplémentaires et des composants du cytosol en vue de la division cellulaire. L'interphase est une période d'activité métabolique intense. C'est surtout à ce moment que s'effectue la croissance cellulaire.

L'interphase se divise elle-même en trois phases : G_1, S et G_2 (figure 3.31). La lettre S représente la synthèse de l'ADN. Les phases G sont des intervalles où il n'y a pas d'activité qui se rapporte à la réplication de l'ADN. Elles sont considérées comme des phases de transition (G = *gap* = intervalle) sans synthèse d'ADN. La **phase G_1** est l'intervalle entre la phase mitotique et la phase S. La cellule est active sur le plan métabolique ; elle produit des copies des organites et des composants du cytosol, mais il n'y a pas de synthèse de l'ADN. La réplication du centrosome commence mais ne se terminera qu'à la phase G_2 ; presque toutes les activités cellulaires dont il est question dans le présent chapitre ont lieu durant la phase G_1. Dans une cellule typique du corps humain, avec un cycle cellulaire de 24 heures, la phase G_1 s'effectue sur une période d'environ 8 à 10 heures. Toutefois, la durée de cette phase est assez variable. Elle peut être de quelques minutes ou de quelques heures, voire de quelques années selon le type de cellule. La **phase S** est l'intervalle entre G_1 et G_2 et met entre 6 et 8 heures à se réaliser. Sa durée est aussi passablement variable selon le type de cellule. C'est à ce moment qu'a lieu la réplication de l'ADN qui assure que les deux cellules filles issues de la division cellulaire possèdent le même matériel génétique. La **phase G_2** est l'intervalle entre la phase S et la phase mitotique. Elle dure de 4 à 6 heures environ. La croissance cellulaire se poursuit, des enzymes et d'autres protéines sont synthétisées en préparation de la division cellulaire, et la réplication du centrosome s'achève. Les cellules qui restent très longtemps en phase G_1 et qui, dans certains cas, ne se diviseront plus, sont dites en **phase G_0.** La plupart des cellules nerveuses, par exemple, sont dans cet état. Mais lorsqu'une cellule entre en phase S, elle doit aller jusqu'au bout et se diviser.

Lorsque l'ADN se réplique durant la phase S, la double hélice s'ouvre partiellement et les deux brins se séparent en brisant les liaisons hydrogène entre les bases appariées (figure 3.32). Chaque base ainsi exposée se joint à une base complémentaire (avec son sucre et son groupement phosphate). Ce processus de séparation et d'appariement de bases se poursuit jusqu'à ce que chacun des deux brins d'origine soit associé à un nouveau brin complémentaire. La molécule d'ADN du début a donné naissance à deux molécules d'ADN identiques.

Quand on observe une cellule au microscope pendant l'interphase, on voit une enveloppe nucléaire bien définie ainsi que le nucléole et la chromatine (figure 3.33a). L'absence de chromosomes distincts est une caractéristique de cette étape. Dès qu'une cellule a terminé ses activités des phases G_1, S et G_2, la phase mitotique débute.

Figure 3.32 Réplication de l'ADN. Les deux brins de la double hélice se séparent par suite de la rupture des liaisons hydrogène (représentées par les pointillés) entre les nucléotides. De nouveaux nucléotides complémentaires viennent se lier aux endroits appropriés et un nouveau brin d'ADN est synthétisé le long de chacun des brins d'origine. Les flèches indiquent la formation de nouvelles liaisons hydrogène entre les bases appariées.

 La réplication double la quantité d'ADN.

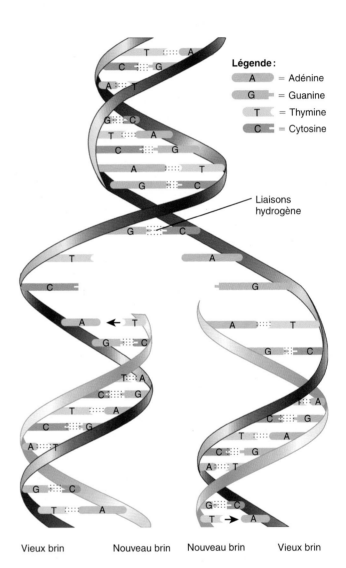

Légende :
A = Adénine
G = Guanine
T = Thymine
C = Cytosine

Liaisons hydrogène

Vieux brin   Nouveau brin   Nouveau brin   Vieux brin

 Pourquoi est-il essentiel, durant la division des cellules somatiques, que la réplication de l'ADN ait lieu avant la cytocinèse ?

Phase mitotique

La **phase mitotique** (ou **phase M**) comprend la division nucléaire, ou mitose, et la division du cytoplasme, ou cytocinèse. Les événements qui marquent cette phase sont faciles à observer au microscope parce que la chromatine se condense en chromosomes.

Division nucléaire : mitose La **mitose** est la distribution des deux jeux de chromosomes à la suite de laquelle on trouve un jeu dans chacun des nouveaux noyaux. Le processus assure une répartition *exacte* de l'information génétique. Par commodité, les biologistes divisent le phénomène en quatre étapes : la prophase, la métaphase, l'anaphase et la télophase. Toutefois, la mitose est un processus continu où les étapes se fondent les unes dans les autres.

- **Prophase.** Au début de la prophase, les fibres de chromatine se condensent et raccourcissent (figure 3.33b). La condensation a peut-être pour but d'empêcher que les longues chaînes d'ADN ne s'emmêlent au cours des déplacements qu'elles vont subir pendant la mitose. Puisque la réplication de l'ADN a eu lieu durant la phase S de l'interphase, chaque chromosome durant la prophase est composé d'une paire de chromatides bicaténaires identiques. Les chromatides qui constituent une paire sont reliées par un **centromère.** Cette structure, située là où le chromosome forme un étranglement, est nécessaire à la ségrégation appropriée des chromatides. Un complexe de protéines appelé **kinétochore** est fixé à la face externe de chaque centromère. Sa fonction est décrite plus loin.

Plus tard durant la prophase, le nucléole disparaît (voir la figure 3.33b) et l'enveloppe nucléaire se disloque. Chaque centrosome se rend à un pôle (extrémité) opposé de la cellule. Pendant ce temps, la région péricentriolaire des centrosomes commence à mettre en place le **fuseau mitotique,** assemblage de microtubules dont la forme rappelle un ballon de football. L'allongement des microtubules entre les centrosomes pousse ceux-ci vers les pôles de la cellule, si bien que le fuseau s'étend d'un pôle à l'autre. Tout au long du développement du fuseau mitotique, trois types de microtubules prennent naissance dans la région péricentriolaire : 1) les **microtubules polaires** s'étendent entre les deux centrosomes mais ne se lient pas aux kinétochores ; 2) les **microtubules du kinétochore** s'allongent vers l'équateur et se fixent aux kinétochores ; 3) les **microtubules de l'aster** forment des rayons qui s'éloignent du fuseau mitotique. La migration des chromatides vers les pôles opposés de la cellule est assurée par le fuseau mitotique.

- **Métaphase.** Durant la métaphase, les microtubules du kinétochore alignent les centromères des paires de chromatides exactement au centre du fuseau mitotique (figure 3.33c) et créent ainsi la **lame équatoriale.**

- **Anaphase.** Au cours de l'anaphase, les centromères se divisent, ce qui a pour effet de séparer les chromatides sœurs. Cela permet à une chromatide de chaque paire de se rendre aux pôles opposés de la cellule (figure 3.33d). Après leur séparation, les chromatides portent le nom de **chromosomes.** La traction des microtubules du kinétochore sur les chromosomes pendant l'anaphase leur donne l'aspect d'un V, alors que les centromères ouvrent la voie en tirant les branches des chromosomes vers le pôle.

- **Télophase.** La dernière étape de la mitose, appelée télophase, commence quand les chromosomes cessent leur migration (figure 3.33e). Les deux jeux identiques de chromosomes, qui occupent maintenant les pôles opposés de la cellule, se déroulent et reprennent l'aspect filamenteux de la chromatine. Une enveloppe nucléaire se forme autour de chacune des masses de chromatine, les nucléoles redeviennent visibles dans les noyaux et le fuseau mitotique se défait.

Division du cytoplasme : cytocinèse On appelle **cytocinèse** (*kytos* = cellule ; *kinêsis* = mouvement) la division du cytoplasme et des organites de la cellule mère. Ce processus commence à la fin de l'anaphase ou au début de la télophase par la formation d'un **sillon annulaire** qui se manifeste au départ par un léger étranglement de la membrane plasmique. Le sillon ceinture la cellule, habituellement à mi-chemin entre les centrosomes (voir la figure 3.33d et e). Le sillon annulaire est produit par l'action de microfilaments d'actine qui se trouvent près de la face interne de la membrane plasmique. Ces microfilaments forment un *anneau contractile* qui, peu à peu, tire la membrane plasmique vers l'intérieur et qui, en se resserrant autour du centre de la cellule, finit par la couper en deux. Le plan du sillon annulaire est toujours perpendiculaire au fuseau mitotique, de telle sorte que les deux jeux de chromosomes se retrouvent nécessairement dans des cellules filles différentes. La fin de la cytocinèse marque le début d'une nouvelle interphase (figure 3.33f).

Ainsi, dans le cycle cellulaire complet, les événements se déroulent dans l'ordre suivant :

Phase $G_1 \rightarrow$ phase S $\rightarrow$ phase $G_2 \rightarrow$ mitose $\rightarrow$ cytocinèse

Le tableau 3.3 en page 101 présente un résumé des étapes du cycle de la cellule somatique.

Régulation du sort de la cellule
OBJECTIF

- *Examiner les signaux qui déclenchent la division cellulaire et décrire l'apoptose.*

La cellule a trois vocations possibles – accomplir ses fonctions sans se diviser, croître et se diviser, ou mourir. L'homéostasie est réalisée quand un équilibre s'établit entre la prolifération et la mort des cellules. Les signaux qui indiquent à la cellule si elle doit vivre en phase G_0, se diviser ou mourir

Figure 3.33 Division cellulaire : mitose et cytocinèse. Les étapes du cycle sont représentées à la suite (à partir de *a*) dans le sens des aiguilles d'une montre. Bien que les chromatides sœurs soient identiques, elles portent ici des couleurs différentes (rouge et jaune) pour qu'il soit plus facile de suivre leur déplacement.

🔑 **Lorsqu'elle se divise, la cellule somatique, qui est diploïde, donne naissance à deux cellules filles diploïdes.**

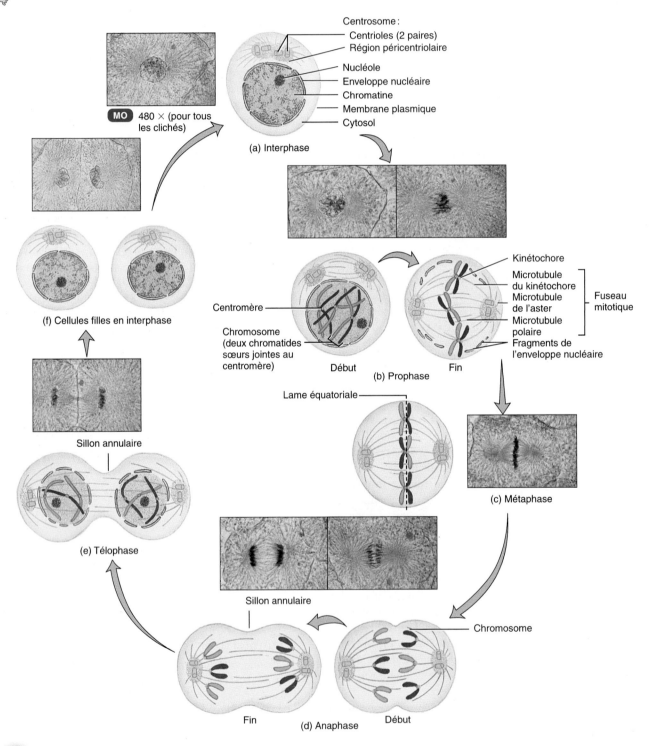

À quel moment la cytocinèse commence-t-elle ?

Tableau 3.3 Cycle de la cellule somatique

PHASE	ACTIVITÉ
INTERPHASE	La cellule est entre deux divisions ; les chromosomes ne sont pas visibles au microscope photonique.
Phase G_1	Métabolisme cellulaire intense ; synthèse d'organites et de composants du cytosol ; la réplication du centrosome débute.
Phase S	Réplication de l'ADN.
Phase G_2	La croissance cellulaire, la synthèse d'enzymes et de protéines se poursuivent ; fin de la réplication du centrosome.
PHASE MITOTIQUE	La cellule mère produit des cellules filles dotées de chromosomes identiques ; les chromosomes sont visibles au microscope photonique.
Mitose	Division nucléaire ; répartition des deux jeux de chromosomes dans des noyaux séparés.
Prophase	Les filaments de chromatine se condensent pour former des chromatides appariés ; disparition du nucléole et de l'enveloppe nucléaire ; migration des centrosomes vers les pôles opposés de la cellule.
Métaphase	Les centromères des paires de chromatides s'alignent sur la lame équatoriale.
Anaphase	Les centromères se divisent ; les jeux identiques de chromosomes se rendent aux pôles opposés de la cellule.
Télophase	Les enveloppes nucléaires et les nucléoles redeviennent visibles ; les chromosomes se transforment en chromatine ; le fuseau mitotique se disloque.
Cytocinèse	Division du cytoplasme ; l'anneau contractile forme le sillon annulaire autour du centre de la cellule et divise le cytoplasme en deux portions égales.

ont fait l'objet de recherches intenses et fructueuses au cours de la dernière décennie. Un des plus importants de ces signaux est une substance appelée **facteur de promotion de la maturation** (**MPF**, « maturation promoting factor »), qui déclenche la division cellulaire. Le MPF est formé de plusieurs composants, dont un groupe d'enzymes appelées **protéines cdc2** qui tirent leur nom de leur participation au cycle de division cellulaire (cdc). Un autre composant du MPF est la **cycline**. Cette protéine est ainsi nommée parce qu'elle augmente et diminue en quantité au cours du cycle

cellulaire. Elle s'accumule dans la cellule durant l'interphase, ce qui entraîne l'activation des protéines cdc2 et donc du MPF. La cellule passe alors à l'étape de la mitose.

La mort fait aussi l'objet de régulation dans la cellule. Au cours de sa vie, un organisme perd certaines cellules qui meurent par un processus ordonné, programmé dans les gènes, qu'on appelle **apoptose** (*apoptein* = rejeter). Un agent déclencheur, de l'intérieur ou de l'extérieur de la cellule, stimule des gènes « suicidaires » à produire des enzymes qui s'attaquent à la cellule de plusieurs façons et perturbent, entre autres structures, le cytosquelette et le noyau. La cellule rétrécit et se sépare des cellules voisines. L'ADN se fragmente dans le noyau et le cytoplasme se contracte, mais la membrane plasmique reste intacte. La cellule mourante est ensuite absorbée par des phagocytes. L'apoptose, forme de mort cellulaire normale, diffère de la **nécrose** (*nekros* = mort), qui est d'origine pathologique et résulte de blessures aux tissus. Lorsqu'il y a nécrose, un grand nombre de cellules voisines gonflent, crèvent et répandent leur cytoplasme dans le liquide interstitiel. Les débris cellulaires causent généralement une réponse inflammatoire du système immunitaire, ce qui n'a pas lieu lors de l'apoptose. L'apoptose est particulièrement utile parce qu'elle élimine les cellules superflues durant le développement prénatal. Elle continue de se produire après la naissance afin de réguler le nombre de cellules dans les tissus et de supprimer les cellules potentiellement dangereuses, comme celles qui sont de nature cancéreuse.

APPLICATION CLINIQUE
Gènes suppresseurs de tumeur

Beaucoup de maladies sont liées à des anomalies des gènes qui régissent le cycle cellulaire et l'apoptose. Par exemple, certains cancers sont causés par des défectuosités des gènes appelés **gènes suppresseurs de tumeur,** qui produisent des protéines dont la fonction normale est d'inhiber la division cellulaire. La perte ou la modification du gène suppresseur de tumeur *p53* situé sur le chromosome 17 est le changement génétique causal le plus fréquemment observé dans une grande variété de tumeurs, dont les cancers du sein et du côlon. La protéine *p53* normale retient la cellule dans la phase G_1, ce qui empêche la division cellulaire. Cette protéine est aussi requise pour déclencher l'apoptose. ■

1. Comparez la division des cellules somatiques et celle des cellules reproductrices. Pourquoi les deux sont-elles importantes ?
2. Définissez l'*interphase*. À quel moment la réplication de l'ADN a-t-elle lieu ?
3. Décrivez les principaux événements de chaque étape de la phase mitotique.
4. Comment le sort de la cellule est-il régulé ?

VIEILLISSEMENT DES CELLULES

OBJECTIF

- *Expliquer la relation entre le vieillissement et les processus vitaux de la cellule.*

Le **vieillissement** est un processus normal qui s'accompagne d'une détérioration progressive des réponses adaptatives liées à l'homéostasie. Il entraîne des changements observables des structures et des fonctions, et augmente la vulnérabilité à la maladie et au stress exercé par l'environnement. La branche de la médecine qui se spécialise dans les troubles de la vieillesse et les soins aux personnes âgées est appelée **gériatrie** (*gerôn* = vieillard ; *iatreuein* = soigner).

Même si des millions de nouvelles cellules sont normalement produites toutes les minutes, plusieurs types de cellules de l'organisme – en particulier dans le cœur, les muscles squelettiques et le système nerveux – ne se divisent pas parce qu'elles sont retenues en permanence dans la phase G_0. Des expériences ont montré que, dans beaucoup d'autres types de cellules, la capacité de se diviser est limitée. Les cellules qui sont mises en culture se divisent un certain nombre de fois, puis s'arrêtent. Ces observations suggèrent que la cessation de la mitose est une propriété normale qui est programmée dans les gènes. Selon cette hypothèse, les « gènes du vieillissement » font partie du patrimoine génétique et s'activent à des moments prédéterminés pour ralentir ou interrompre divers processus vitaux.

Le glucose, qui est le sucre le plus abondant dans l'organisme, joue un rôle dans le vieillissement. Il est ajouté au hasard aux protéines à l'intérieur et à l'extérieur des cellules, et forme des liaisons irréversibles entre les molécules protéiques qui sont voisines les unes des autres. Avec l'âge, ces liaisons deviennent plus nombreuses et contribuent à la raideur et à la perte d'élasticité qu'on observe dans les tissus vieillissants.

Les radicaux libres sont des agents oxydants qui causent des dommages aux lipides, aux protéines et aux acides nucléiques en leur arrachant des électrons pour les apparier à leurs propres électrons libres. Certains effets se traduisent par les rides sur la peau, les raideurs dans les articulations et le durcissement des artères. Le métabolisme cellulaire normal – la respiration cellulaire aérobie dans les mitochondries, par exemple – produit des radicaux libres. D'autres sont présents dans la pollution atmosphérique, les rayonnements et certains aliments que nous consommons. Certaines enzymes qui se trouvent dans les peroxysomes et le cytosol débarrassent normalement la cellule de ces radicaux. Certaines substances dans la nourriture, comme la vitamine E, la vitamine C, le bêta-carotène et le sélénium, sont des anti-oxydants qui inhibent leur formation.

Selon certaines théories, les causes du vieillissement se situent au niveau cellulaire. Pour d'autres, elles sont liées aux mécanismes qui assurent la régulation de l'organisme entier.

Par exemple, le système immunitaire peut se tourner contre l'organisme lui-même et se mettre à attaquer ses cellules. Cette *réponse auto-immune* peut être causée par des modifications des marqueurs d'identité à la surface des cellules. Celles-ci deviennent alors la cible des anticorps et sont appelées à être détruites. Au fur et à mesure que se multiplient les altérations des protéines de la membrane plasmique, la réponse auto-immune s'intensifie et produit les signes bien connus du vieillissement.

1. Qu'est-ce que le vieillissement ?

2. Nommez quelques-uns des changements cellulaires qui accompagnent le vieillissement.

DIVERSITÉ CELLULAIRE

Jusqu'ici, nous avons étudié la complémentarité des structures et des fonctions *intracellulaires*. La plupart des cellules (mais pas toutes) possèdent un assortiment complet d'organites. Chacun de ceux-ci accomplit un ensemble spécifique de processus physiologiques dans la cellule. Mais toutes les cellules du corps ne se ressemblent pas, et elles ne remplissent pas davantage des fonctions identiques.

Le corps d'un adulte moyen est composé de près de 100 billions de cellules qu'on peut regrouper approximativement en 200 types différents. La taille des cellules varie considérablement. Il faut un microscope puissant pour voir les plus petites. La plus grosse, l'ovule, est à peine visible à l'œil nu. On mesure le diamètre des cellules en *micromètres*. Un micromètre (μm) égale 1 millionième de mètre, ou 10^{-6} m. Le globule rouge a un diamètre de 8 μm et l'ovule, un diamètre d'environ 140 μm.

La forme des cellules est aussi très variable (figure 3.34). On trouve des cellules rondes, ovales, plates, cuboïdes, prismatiques, allongées, en forme d'étoile, cylindriques ou encore discoïdes. La forme de la cellule est reliée à sa fonction dans le corps. Par exemple, le spermatozoïde possède une longue queue (flagelle) qu'il utilise comme un fouet pour avancer. La forme discoïde du globule rouge lui confère une grande surface qui accroît sa capacité de transmettre l'oxygène aux autres cellules. Certaines cellules possèdent des microvillosités qui augmentent considérablement leur surface ; c'est le cas des cellules épithéliales qui tapissent l'intestin grêle, où les microvillosités favorisent l'absorption des aliments digérés. Les cellules nerveuses ont des prolongements qui leur permettent de transmettre les influx nerveux sur de grandes distances.

La diversité cellulaire est le tremplin qui nous amènera à considérer des niveaux d'organisation du corps plus complexes tels que les tissus et les organes.

Figure 3.34 Diversité de la forme et de la taille des cellules humaines. La différence de taille entre la plus petite et la plus grande cellule est en réalité beaucoup plus marquée que dans la présente figure.

 Les quelque 100 billions de cellules d'un adulte moyen peuvent être regroupées en près de 200 types différents.

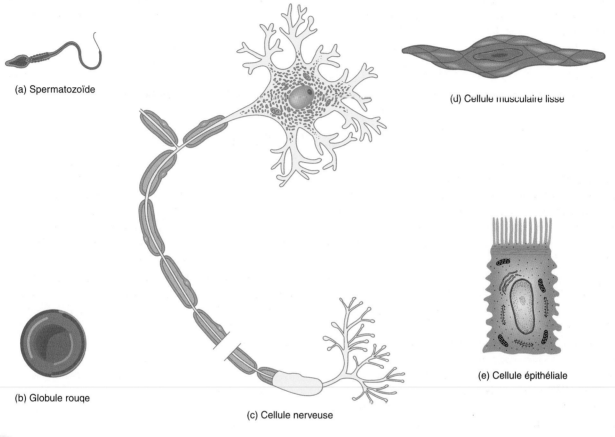

(a) Spermatozoïde

(d) Cellule musculaire lisse

(b) Globule rouge

(c) Cellule nerveuse

(e) Cellule épithéliale

Q Pourquoi le spermatozoïde est-il la seule cellule du corps qui possède un flagelle ?

DÉSÉQUILIBRES HOMÉOSTATIQUES

CANCER

Le **cancer** est un groupe de maladies caractérisées par une prolifération cellulaire anarchique. Quand les cellules d'une partie de l'organisme se divisent sans que les systèmes de régulation puissent intervenir, la masse de tissu excédentaire qui se forme est appelée **tumeur**, ou **néoplasme** (*neos* = nouveau; *plassein* = former). L'étude des tumeurs porte le nom d'**oncologie** (*onkos* = tumeur, enflure; *logos* = science). Les tumeurs peuvent être cancéreuses et parfois mortelles, ou elles peuvent être bénignes. Un néoplasme cancéreux est appelé **tumeur maligne.** Une de ses propriétés est la capacité de former des **métastases,** c'est-à-dire de se répandre et d'occuper d'autres parties du corps. Une **tumeur bénigne** résulte de la prolifération de cellules non cancéreuses. Elle ne se propage pas

par métastases, mais il arrive qu'on l'enlève par une opération chirurgicale si elle nuit au fonctionnement normal de l'organisme ou cause un défigurement.

Types de cancers

Le nom d'un cancer reflète le type de tissu dans lequel il prend naissance. La plupart des cancers humains sont des **carcinomes** (*karkinos* = crabe; *nomê* = tumeur), soit des tumeurs malignes issues de cellules épithéliales. Par exemple, les **mélanomes** (*melas* = noir) sont des néoplasmes malins des mélanocytes, les cellules épithéliales qui synthétisent le pigment de la peau, appelé mélanine. Le terme **sarcome** (*sarkôma* = excroissance de chair) englobe tous les cancers formés à partir de cellules musculaires ou des tissus conjonctifs. Par exemple, l'**ostéosarcome** (*osteon* = os), qui est le cancer le plus fréquent chez l'enfant, détruit les tissus osseux normaux. La **leucémie** (*leukos* = blanc ; *haima* = sang) est un cancer des organes hématopoïétiques caractérisé par la multiplication rapide de leucocytes (ou globules blancs) anormaux. Le **lymphome** est un néoplasme malin des tissus lymphatiques – des nœuds lymphatiques, par exemple.

Croissance et propagation du cancer

Les cellules des tumeurs malignes se multiplient rapidement et continuellement. Elles envahissent les tissus environnants et déclenchent l'**angiogenèse**, c'est-à-dire la formation de nouveaux réseaux de vaisseaux sanguins. Les protéines à l'origine de ce processus sont appelées **facteurs d'angiogenèse tumoraux** (**TAF**, « tumor angiogenesis factors »). Le cancer qui s'étend commence à prendre la place des tissus normaux et les prive de nutriments. Avec le temps, les tissus normaux rétrécissent et meurent. Des cellules malignes peuvent se détacher de la tumeur primitive et passer dans une cavité de l'organisme ou encore entrer dans la circulation sanguine ou lymphatique et aller coloniser d'autres tissus pour former des tumeurs secondaires. Ces cellules résistent aux moyens de défense antitumoraux de l'organisme. La douleur qui accompagne les cancers se manifeste quand la tumeur comprime des nerfs ou cause des engorgements de sécrétions dans les canaux des organes.

Causes du cancer

Plusieurs facteurs peuvent concourir à dérégler une cellule normale et à la rendre cancéreuse. Certains agents présents dans l'environnement peuvent causer le cancer : des substances dans l'air que nous respirons, l'eau que nous buvons et les aliments que nous consommons. Un **cancérogène** est un agent chimique ou un rayonnement qui produit un cancer. Il donne naissance à des **mutations,** qui sont des modifications structurales permanentes de l'ADN touchant les séquences de bases des gènes. L'Organisation mondiale de la santé (OMS) estime qu'entre 60 et 90 % des cancers chez l'humain sont associés à des cancérogènes. On compte parmi ces derniers les hydrocarbures contenus dans le goudron des cigarettes, le radon, un gaz qui s'échappe du sous-sol, et les rayonnements ultraviolets (UV) du soleil.

Les virus sont une deuxième cause de cancers. Ces agents infectieux sont de minuscules assemblages d'acides nucléiques, sous forme d'ADN ou d'ARN, qui peuvent s'introduire dans les cellules et les convertir en cellules productrices de virus. Bien que le lien entre les virus et le cancer soit attesté pour plusieurs types de cancers chez les animaux, le rapport est moins clair chez les humains, parce que le nombre d'individus infectés par ces virus est plus élevé que le nombre d'individus chez qui un cancer se déclare. Les résultats de la recherche indiquent que jusqu'à un cinquième des cancers sont liés à des infections virales chroniques.

Les chercheurs déploient présentement de grands efforts pour élucider l'action des gènes qui causent le cancer, appelés **oncogènes.** Quand ils sont activés de façon inappropriée, ces gènes peuvent transformer une cellule normale en cellule cancéreuse. Les oncogènes se forment à partir de gènes normaux qui régulent la croissance et le développement, les **proto-oncogènes.** À la suite d'une modification quelconque, les proto-oncogènes se mettent à produire une molécule anormale ou, si leurs mécanismes de régulation sont perturbés, ils s'expriment de façon inappropriée, c'est-à-dire que leur produit est synthétisé à l'excès ou quand il ne doit pas l'être. Les scientifiques estiment que certains oncogènes causent une surproduction de facteurs de croissance, les agents chimiques qui poussent les cellules à se multiplier. D'autres oncogènes entraînent des changements dans les récepteurs membranaires qui se mettent alors à transmettre des signaux comme s'ils étaient activés par un facteur de croissance. Il en résulte une croissance anormale de la cellule.

Les proto-oncogènes accomplissent des fonctions normales dans toutes les cellules jusqu'à ce qu'ils subissent une perturbation maligne. Il semblerait que certains d'entre eux deviennent des oncogènes à la suite de mutations de leur ADN. D'autres sont activés par un réarrangement des chromosomes. Il se produit alors des échanges de segments d'ADN, si bien qu'un proto-oncogène peut se retrouver à proximité de gènes qui stimulent son activité. On croit que les virus causent le cancer en insérant leurs oncogènes ou leurs proto-oncogènes dans l'ADN de la cellule hôte.

Carcinogenèse : processus à étapes multiples

La **carcinogenèse,** ou formation des cancers, est un processus qui se réalise en plusieurs étapes. Il faut parfois que s'accumulent jusqu'à dix mutations distinctes dans une cellule pour qu'elle devienne cancéreuse. La progression des modifications génétiques qui mènent à la maladie est très bien connue dans le cas du cancer du côlon (tumeur colorectale). Ce type de cancer, comme celui du poumon ou du sein, met des années, voire des décennies à se former. Au début, la tumeur apparaît comme une région de prolifération cellulaire accrue qui résulte d'une seule mutation. Elle croît petit à petit pour former des adénomes, excroissances anormales mais non cancéreuses. Après deux ou trois autres mutations, le gène suppresseur de tumeur *p53* fait à son tour l'objet d'une mutation et un carcinome prend naissance. Le fait qu'autant de mutations soient nécessaires pour qu'un cancer apparaisse indique que la croissance cellulaire est normalement régie par un grand nombre de mécanismes qui s'équilibrent les uns les autres.

Traitement du cancer

On a recours à la chirurgie pour extirper un grand nombre de tumeurs. Par contre, quand le cancer est répandu dans tout le corps ou se trouve dans des organes comme le cerveau dont le fonctionnement serait sérieusement compromis par la chirurgie, on peut utiliser la chimiothérapie ou la radiothérapie. La chimiothérapie consiste à administrer des médicaments qui empoisonnent les cellules cancéreuses. La radiothérapie détruit les chromosomes de ces cellules, les empêchant de se diviser. Comme les cellules cancéreuses se multiplient rapidement, elles sont plus sensibles que les cellules normales aux effets destructeurs de la chimiothérapie et de la radiothérapie. Néanmoins, ces deux formes de traitement peuvent aussi tuer des cellules normales ou perturber leur fonctionnement.

Traiter le cancer est difficile parce qu'il ne s'agit pas d'une maladie simple et qu'il est rare que toutes les cellules d'une même tumeur se comportent de la même façon. On estime que la plupart des tumeurs se forment à partir d'une seule cellule, mais quand elles deviennent assez grosses pour être détectées, elles peuvent déjà être composées d'une population diversifiée de cellules anormales. Par exemple, certaines cellules cancéreuses forment spontanément des métastases alors que d'autres n'en produisent pas ; certaines sont sensibles à la chimiothérapie alors que d'autres y sont résistantes. C'est ainsi qu'un médicament employé en chimiothérapie peut détruire les cellules vulnérables mais permettre aux cellules résistantes de proliférer.

Un des facteurs qui diminuent l'efficacité des médicaments anticancéreux transportés dans le sang est la barrière physique que leur opposent certaines tumeurs solides, comme celles qui se forment dans les seins, les poumons, le côlon et d'autres organes. Les fortes pressions exercées par ces tumeurs sur leur propre vascularisation causent l'affaissement des vaisseaux sanguins à l'intérieur de la masse cancéreuse. Il devient alors difficile, sinon impossible, pour les agents anticancéreux qui circulent dans le sang de pénétrer la tumeur.

TERMES MÉDICAUX

Anaplasie (*anaphasis* = régénération, réfection) Perte de différenciation et de fonction tissulaires qui caractérise la plupart des cancers.

Atrophie (*a* = sans; *trophê* = nutrition) Diminution de la taille des cellules qui mène à une diminution de la taille du tissu ou de l'organe touché; dépérissement.

Dysplasie (*dys* = déformation; *plassein* = façonner) Altération de la taille, de la forme et de la disposition des cellules due à une irritation ou à une inflammation chroniques; peut mener à une néoplasie (formation de tumeur généralement maligne); peut aussi revenir à la normale si l'irritation cesse.

Hyperplasie (*hype* = au-delà) Augmentation du nombre de cellules d'un tissu due à un accroissement de la fréquence des divisions cellulaires.

Hypertrophie Augmentation de la taille des cellules sans division cellulaire.

Métaplasie (*meta* = changement) Transformation d'un type de cellule en un autre.

RÉSUMÉ

INTRODUCTION (p. 63)
1. La **cellule** vivante est l'unité structurale et fonctionnelle fondamentale du corps humain.
2. La **cytologie** est la science des structures cellulaires. La **physiologie cellulaire** est la science des fonctions de la cellule.

MODÈLE GÉNÉRAL DE LA CELLULE (p. 63)
1. La figure 3.1 présente un modèle de la cellule composé d'éléments tirés d'un grand nombre de cellules différentes du corps.
2. Les principales parties de la cellule sont la membrane plasmique, le cytoplasme qui comprend le cytosol et les organites, et le noyau.

MEMBRANE PLASMIQUE (p. 64)
1. La membrane plasmique enveloppe et retient le cytoplasme de la cellule.
2. La masse de la membrane est formée à parts à peu près égales de protéines et de lipides liés entre eux par des liens non covalents.
3. Selon le modèle de la mosaïque fluide, la membrane est une mosaïque de protéines qui flottent comme des icebergs sur une mer de lipides constitués en bicouche.
4. La bicouche de lipides est composée de deux feuillets juxtaposés dos à dos et comprenant des phospholipides, du cholestérol et des glycolipides. La formation d'une bicouche a lieu parce que les lipides sont des molécules amphiphiles, c'est-à-dire qui sont en partie polaires et en partie non polaires.
5. Les protéines intrinsèques s'enfoncent dans la bicouche lipidique; certaines la traversent. Les protéines périphériques s'associent aux lipides membranaires ou aux protéines intrinsèques, à la face interne ou externe de la membrane.
6. Beaucoup de protéines intrinsèques sont des glycoprotéines, ayant des glucides fixés aux segments qui font saillie dans le liquide extracellulaire. Elles forment avec les glycolipides un glycocalyx à la surface extérieure de la cellule.

7. Les protéines membranaires remplissent diverses fonctions. Les canaux et les transporteurs facilitent le passage de solutés spécifiques à travers la membrane. Les récepteurs servent de sites de reconnaissance cellulaire. Les amarres fixent certaines protéines membranaires à des filaments à l'intérieur ou à l'extérieur de la cellule. Certaines protéines membranaires sont des enzymes et d'autres, des marqueurs d'identité cellulaire.
8. La fluidité de la membrane est plus grande quand il y a plus de liaisons doubles dans les queues des acides gras qui composent la bicouche. Le cholestérol rend la bicouche lipidique plus résistante mais moins fluide à la température normale du corps. Grâce à sa fluidité, la bicouche lipidique se répare d'elle-même quand elle est déchirée ou percée.
9. La perméabilité sélective de la membrane permet à certaines substances de passer plus facilement que d'autres. La bicouche lipidique est perméable à l'eau et à la plupart des molécules non polaires et non chargées, mais elle est imperméable aux ions et aux molécules chargées ou polaires autres que l'eau. Les canaux et les transporteurs augmentent la perméabilité de la membrane plasmique à diverses substances polaires et chargées (y compris des ions), de petite ou de moyenne taille, qui ne peuvent pas traverser la bicouche lipidique.
10. La perméabilité sélective de la membrane plasmique rend possible l'existence de gradients de concentration, qui sont des différences entre les concentrations des substances de part et d'autre de la membrane.

TRANSPORT MEMBRANAIRE (p. 69)
1. On parle de transport assisté quand le déplacement d'une substance à travers la membrane est facilité par sa liaison à un transporteur protéique. Les uniporteurs font passer une seule substance à la fois. Dans le transport couplé, deux substances traversent la membrane en même temps. Si elles se déplacent

dans le même sens, elles sont transportées par un symporteur. Si elles vont en sens contraire, elles sont transportées par un antiporteur.

2. On parle de transport passif quand les substances franchissent la membrane en suivant leur gradient de concentration et se déplacent sous l'impulsion de leur propre énergie cinétique. Dans le transport actif, une source d'énergie cellulaire est nécessaire pour déplacer les substances contre leur gradient de concentration.

3. On parle de transport vésiculaire quand de petites vésicules se détachent de la membrane plasmique, entraînant de la matière dans la cellule, ou fusionnent avec la membrane pour déverser leur contenu à l'extérieur de la cellule.

4. La diffusion nette est le mouvement net de molécules ou d'ions d'une région de concentration plus élevée vers une région de concentration plus basse ; elle se poursuit jusqu'à ce que l'équilibre soit atteint.

5. La vitesse de diffusion à travers la membrane plasmique dépend de la pente du gradient de concentration, de la température, de la taille ou de la masse de la substance qui diffuse, de la surface accessible aux particules qui diffusent et de la distance de diffusion.

6. L'osmose est le mouvement net d'eau à travers une membrane à perméabilité sélective à partir d'une zone où la concentration d'eau est plus élevée vers une zone où elle est plus faible.

7. Dans une solution isotonique, les globules rouges gardent leur forme normale ; dans une solution hypotonique, ils subissent une hémolyse ; dans une solution hypertonique, ils deviennent crénelés.

8. Les molécules hydrophobes et non polaires diffusent à travers la bicouche lipidique de la membrane plasmique. Elles comprennent l'oxygène, le gaz carbonique, l'azote, les stéroïdes, les vitamines liposolubles (A, E, D et K), les alcools simples et l'ammoniaque.

9. Des canaux ioniques sélectifs pour K^+, Cl^-, Na^+ et Ca^{2+} permettent à ces petits ions inorganiques, qui sont trop hydrophiles pour accéder à l'intérieur non polaire de la membrane, de diffuser à travers la membrane plasmique.

10. Dans la diffusion facilitée, un soluté comme le glucose se lie à un transporteur spécifique d'un côté de la membrane et passe de l'autre côté à la suite d'une modification de la conformation du transporteur. Le nombre de transporteurs étant limité, la diffusion facilitée est soumise au transport maximal et à la saturation.

11. Certaines substances peuvent traverser la membrane à « contrecourant » – contre leur gradient de concentration – par transport actif. Ces substances comprennent plusieurs ions, tels que Na^+, K^+, H^+, Ca^{2+}, I^-, Cl^-, ainsi que les acides aminés et les monosaccharides.

12. Deux sources d'énergie font fonctionner le transport actif. L'énergie obtenue de l'hydrolyse de l'ATP est utilisée dans le transport actif primaire. L'énergie emmagasinée dans les gradients de concentration de Na^+ et de H^+ est utilisée dans le transport actif secondaire.

13. La protéine de transport actif primaire la plus répandue est la pompe à sodium, ou Na^+-K^+ ATPase.

14. Les mécanismes de transport actif secondaire comprennent des systèmes symports et antiports actionnés par des gradients de concentration de Na^+ ou de H^+.

15. Le transport vésiculaire comprend l'endocytose et l'exocytose.

16. L'endocytose par récepteurs interposés est l'absorption sélective de grosses molécules et de particules (ligands) qui se lient à des récepteurs spécifiques situés dans les régions de la membrane appelées puits tapissés de clathrines.

17. La phagocytose est l'ingestion de particules solides. C'est un processus important utilisé par certains globules blancs pour détruire les bactéries qui envahissent l'organisme.

18. La pinocytose est l'ingestion de liquide extracellulaire. Elle s'effectue par la formation d'une vésicule pinocytaire qui englobe le liquide.

19. L'exocytose permet à la cellule de sécréter des molécules ou d'évacuer ses déchets par la fusion de vésicules avec la membrane plasmique.

CYTOPLASME (p. 81)

1. Le cytoplasme comprend tous les constituants cellulaires situés entre la membrane plasmique et le noyau.

2. Il est composé du cytosol et des organites.

Cytosol (p. 81)

1. Le cytosol est la partie liquide du cytoplasme.

2. Il contient surtout de l'eau. On y trouve aussi des ions, du glucose, des acides aminés, des acides gras, des protéines, des lipides, de l'ATP et des déchets.

3. Le cytosol est le siège de nombreuses réactions chimiques nécessaires à l'existence de la cellule.

Organites (p. 81)

1. Les organites sont des structures spécialisées qui ont des formes caractéristiques et qui accomplissent des fonctions précises.

2. Certains organites, tels le cytosquelette, les centrosomes, les cils, les flagelles et les ribosomes, sont des structures non membraneuses (ils n'ont pas de membrane).

3. D'autres organites, tels le réticulum endoplasmique, le complexe de Golgi, les mitochondries, les lysosomes et les peroxysomes, sont des structures membraneuses (ils possèdent une ou plusieurs membranes composées de phospholipides).

4. Le cytosquelette est un réseau constitué de plusieurs types de filaments protéiques qui s'étendent dans tout le cytoplasme.

5. Les constituants du cytosquelette sont les microfilaments, les filaments intermédiaires et les microtubules.

6. Le cytosquelette sert de charpente à la cellule et est à l'origine des mouvements cellulaires.

7. Le centrosome est constitué d'une région péricentriolaire et de centrioles.

8. La région péricentriolaire sert de centre d'organisation des microtubules dans les cellules qui ne se divisent pas et préside à la formation du fuseau mitotique durant la division cellulaire.

9. Les centrioles jouent un rôle dans la formation et la régénération des cils et des flagelles.

10. Les cils et les flagelles sont des prolongements de la surface cellulaire doués de motilité.

11. Les cils déplacent les liquides à la surface des cellules.

12. Le flagelle sert à déplacer une cellule entière.

13. Les ribosomes sont composés d'ARN ribosomal et de protéines ribosomales ; ils comprennent deux sous-unités produites dans le noyau.

14. Les ribosomes libres ne sont fixés à aucune structure cytoplasmique ; les ribosomes liés à la membrane sont amarrés au réticulum endoplasmique.

15. Les ribosomes sont le siège de la synthèse des protéines.

16. Le réticulum endoplasmique (RE) est un réseau de membranes qui forment des sacs plats ou des tubules appelés citernes. Il se déploie dans tout le cytoplasme à partir de l'enveloppe nucléaire.

17. Le RE rugueux est parsemé de ribosomes et sa fonction première est la synthèse des protéines. Il forme aussi des glycoprotéines et lie des protéines à des phospholipides qu'il synthétise.

18. Le RE lisse est dépourvu de ribosomes. Il synthétise des phospholipides, des lipides et des stéroïdes; il libère dans la circulation sanguine le glucose du foie; il neutralise ou détoxifie les médicaments et d'autres substances qui peuvent avoir des effets nocifs; dans les cellules musculaires, il libère les ions calcium qui déclenchent la contraction.

19. Le complexe de Golgi est constitué de sacs aplatis appelés citernes qui diffèrent les unes des autres par leur taille, leur forme, leur contenu, leur activité enzymatique et les vésicules qui les accompagnent. Les citernes de la face *cis* (réception) sont tournées vers le RE rugueux, celles de la face *trans* (expédition) sont tournées vers la membrane plasmique et le Golgi médian se trouve entre les deux.

20. Le complexe de Golgi reçoit les produits synthétisés par le RE rugueux et les modifie, les trie, les emballe et les transporte dans des vésicules vers différentes destinations.

21. Certaines des protéines ainsi traitées quittent la cellule dans des vésicules de sécrétion, certaines sont incorporées à la membrane plasmique et d'autres sont emmagasinées dans les lysosomes.

22. Les lysosomes sont des vésicules membraneuses qui contiennent des enzymes digestives.

23. Les endosomes secondaires, les phagosomes et les vésicules pinocytaires déversent leur contenu dans des lysosomes pour qu'il soit dégradé.

24. Les lysosomes digèrent les organites usés (autophagie), la cellule entière (autolyse) et des matériaux extracellulaires.

25. Les peroxysomes sont semblables aux lysosomes, mais sont plus petits.

26. Les peroxysomes oxydent diverses substances organiques telles que les acides aminés, les acides gras et les substances toxiques. Ce faisant, ils produisent du peroxyde d'hydrogène.

27. Le peroxyde d'hydrogène résultant de l'oxydation est dégradé dans le peroxysome par une enzyme appelée catalase.

28. La mitochondrie est composée d'une membrane externe lisse, d'une membrane interne qui forme des crêtes et d'une cavité remplie de liquide appelée matrice mitochondriale. Elle est la centrale énergétique de la cellule parce qu'elle produit l'ATP.

NOYAU (p. 90)

1. Le noyau comprend une enveloppe nucléaire double, des pores nucléaires qui règlent le mouvement des substances entre le noyau et le cytoplasme, des nucléoles qui produisent les ribosomes, et des gènes situés sur des chromosomes.

2. Les gènes déterminent la structure de la cellule et dirigent la plupart des activités cellulaires.

SYNTHÈSE DES PROTÉINES (p. 92)

1. La plus grande partie de la machinerie cellulaire est employée à la synthèse des protéines.

2. Les cellules fabriquent les protéines en transcrivant et en traduisant l'information génétique codée dans l'ADN.

3. Le code génétique est l'ensemble des règles qui définissent les rapports entre les séquences de triplets de l'ADN, les codons correspondants de l'ARN et les acides aminés qu'ils spécifient.

4. Au cours de la transcription, l'information génétique représentée par la séquence de triplets de l'ADN est copiée sur un brin d'ARN messager. Les triplets servent de matrice pour la synthèse d'une séquence complémentaire de codons.

5. La transcription est amorcée sur l'ADN à un endroit appelé promoteur.

6. Les régions de l'ADN qui ont des séquences codantes pour la synthèse des protéines sont appelées exons; celles qui n'en ont pas sont appelées introns.

7. Aussitôt synthétisé, l'ARN prémessager est modifié, et ce dans le noyau.

8. La traduction est le processus au cours duquel la séquence de nucléotides d'une molécule d'ARNm spécifie la séquence d'acides aminés d'une protéine.

9. Au cours de la traduction, l'ARNm se lie à un ribosome, les acides aminés se lient à leurs ARNt spécifiques et les anticodons des ARNt s'apparient aux codons de l'ARNm pour mettre les acides aminés spécifiques en position dans la protéine en formation.

10. La traduction commence au codon d'initiation et se termine au codon d'arrêt.

DIVISION CELLULAIRE NORMALE (p. 97)

1. La division cellulaire est le processus par lequel les cellules se reproduisent. Elle comprend la division nucléaire (mitose ou méiose) et la division cytoplasmique (cytocinèse).

2. La division cellulaire qui mène à une augmentation du nombre des cellules du corps est appelée division de cellules somatiques; elle comprend une division nucléaire appelée mitose ainsi que la cytocinèse.

3. La division cellulaire qui mène à la production de spermatozoïdes et d'ovules est appelée division de cellules reproductrices; elle comprend une division nucléaire appelée méiose ainsi que la cytocinèse.

Le cycle cellulaire des cellules somatiques (p. 97)

1. Le cycle cellulaire est une suite ordonnée d'événements au cours de laquelle la cellule produit une réplique de son contenu et se divise en deux. Il comprend l'interphase et la phase mitotique.

2. Avant la phase mitotique, les molécules d'ADN se répliquent afin que chacune des cellules de la nouvelle génération reçoive un jeu identique de chromosomes.

3. Quand une cellule est entre deux divisions et qu'elle accomplit tous les processus vitaux sauf la division, on dit qu'elle est en interphase. Cette période comprend trois phases: G_1, S et G_2.

4. Durant la phase G_1, la cellule produit des copies de ses organites et des constituants du cytosol; durant la phase S, la réplication de l'ADN s'effectue; pendant la phase G_2, des enzymes et d'autres protéines sont synthétisées, et la réplication du centrosome est menée à terme.

5. La mitose est le processus par lequel les deux jeux de chromosomes se séparent et forment de nouveaux noyaux identiques. Elle comprend la prophase, la métaphase, l'anaphase et la télophase.

6. En général, la cytocinèse commence à la fin de l'anaphase et se termine à la télophase.

7. Un sillon annulaire se forme dans le plan de la lame équatoriale et se creuse vers l'intérieur de la cellule, si bien qu'il coupe le cytoplasme en deux portions.

Régulation du sort de la cellule (p. 99)

1. Une cellule peut soit vivre et fonctionner sans se diviser, soit croître et se diviser, soit mourir.
2. Le facteur de promotion de la maturation (MPF) déclenche la division cellulaire (mitose et méiose). Le MPF est formé de cycline, qui s'accumule durant l'interphase, et des protéines cdc2, qui sont activées par la cycline.
3. L'apoptose, ou mort cellulaire programmée, est un processus normal de mort cellulaire. Elle se manifeste au départ durant le développement de l'embryon, puis tout au long de la vie de l'organisme.
4. Certains gènes régulent à la fois la division cellulaire et l'apoptose. Les anomalies de ces gènes sont associées à une grande variété de troubles et de maladies.

VIEILLISSEMENT DES CELLULES (p. 102)

1. Le vieillissement est un processus normal qui s'accompagne d'une détérioration progressive des réponses adaptatives liées à l'homéostasie.
2. On a proposé plusieurs théories sur le vieillissement, dont la cessation génétiquement programmée de la division cellulaire, l'accumulation de radicaux libres et l'intensification d'une réponse auto-immune.

DIVERSITÉ CELLULAIRE (p. 102)

1. La taille et la forme des quelque 200 types de cellules du corps varient considérablement.
2. La taille des cellules se mesure en micromètres. Un micromètre égale 10^{-6} m.
3. La forme de la cellule est reliée à sa fonction.

AUTOÉVALUATION

Phrases à compléter

1. Les trois principales parties de la cellule sont la ___, le ___ et le ___.
2. L'___ est une mort cellulaire programmée, alors que la ___ est une mort qui résulte de blessures aux tissus.
3. La partie liquide du cytoplasme est le ___.
4. La formation des ribosomes a lieu dans le ___.
5. Associez les éléments suivants:

   ___ a) mitose   ___ d) métaphase   ___ g) cytocinèse
   ___ b) méiose   ___ e) anaphase   ___ h) interphase
   ___ c) prophase   ___ f) télophase

   1) division cytoplasmique
   2) division de la cellule somatique qui donne naissance à des cellules filles identiques
   3) division de la cellule reproductrice qui réduit le nombre de chromosomes de moitié
   4) étape de croissance cellulaire et d'activité métabolique
   5) étape durant laquelle les fibres de chromatine se condensent et raccourcissent pour former les chromosomes
   6) étape durant laquelle les centromères se divisent et les chromatides sœurs se rendent aux pôles opposés de la cellule
   7) étape au cours de laquelle les centromères des paires de chromatides s'alignent au milieu du fuseau mitotique
   8) étape au cours de laquelle les chromosomes se déroulent et redeviennent de la chromatine

Vrai ou faux

6. En général, la face interne de la membrane cellulaire est chargée positivement et sa face externe est chargée négativement.
7. La pompe à sodium est un exemple de transport actif primaire.

Choix mutiples

8. L'élément structural fondamental de la membrane plasmique est: a) la bicouche lipidique; b) la protéine intrinsèque; c) la molécule de cholestérol; d) la protéine périphérique; e) le complexe glycoprotéine-glycolipide.
9. Les protéines intrinsèques dans la membrane cellulaire servent à remplir toutes les fonctions suivantes *sauf* celle de: a) canal; b) transporteur; c) récepteur; d) vésicule d'exocytose; e) marqueur d'identité cellulaire.

10. Lesquels des facteurs suivants influent sur la vitesse de diffusion des substances à travers la membrane plasmique? 1) Le gradient de concentration. 2) La distance de diffusion. 3) L'étendue de la surface. 4) La taille de la substance qui diffuse. 5) La température. a) 1, 2, 3 et 5. b) 1, 2, 3, 4 et 5. c) 2, 3, 4 et 5. d) 1, 2 et 5. e) 2, 3 et 5.
11. Une solution dans laquelle la cellule conserve sa forme et son volume normaux est appelée: a) solution hypertonique; b) solution hypotonique; c) solution isotonique; d) soluté; e) solvant.
12. Lesquels des énoncés suivants à propos du noyau sont vrai? 1) Les nucléoles dans le noyau sont le siège de la synthèse des ribosomes. 2) La plupart des unités héréditaires de la cellule, appelées gènes, sont situées dans le noyau. 3) La membrane nucléaire est une membrane solide et imperméable. 4) La synthèse des protéines a lieu dans le noyau. 5) Dans les cellules qui ne sont pas en train de se diviser, l'ADN se trouve dans le noyau sous la forme de chromatine. a) 1, 2 et 3. b) 1, 2 et 4. c) 1, 2 et 5. d) 2, 4 et 5. e) 2, 3 et 4.
13. Associez les éléments suivants:

    ___ a) codon   ___ e) transcription   ___ h) ARN de
    ___ b) ARN   ___ f) traduction   transfert
         polymérase   ___ g) ARN   ___ i) ARN
    ___ c) intron   messager   ribosomal
    ___ d) exon   ___ j) RNPpn

    1) segment d'ADN qui ne code pas pour la synthèse d'une partie d'une protéine
    2) segment d'ADN qui code pour la synthèse d'une partie d'une protéine
    3) enzyme qui supprime tous les introns et fait l'épissage des exons
    4) séquence transcrite composée de trois nucléotides d'ARN
    5) processus de copie du message de l'ADN sur une molécule d'ARN messager
    6) se joint aux protéines ribosomales pour former des ribosomes
    7) se lie aux acides aminés et les place sur les ribosomes de façon qu'ils puissent s'incorporer à une protéine
    8) dicte la synthèse d'une protéine
    9) lecture de l'ARN messager en vue de la synthèse d'une protéine
    10) enzyme qui catalyse la transcription de l'ADN

14. Associez les éléments suivants :

___ a) cytosquelette
___ b) centrosome
___ c) ribosomes
___ d) RE rugueux
___ e) RE lisse
___ f) complexe de Golgi
___ g) lysosomes
___ h) peroxysomes
___ i) mitochondries

1) vésicules membraneuses formées dans le complexe de Golgi et contenant des enzymes digestives puissantes
2) réseau de filaments protéiques qui s'étendent dans le cytoplasme
3) sièges de la synthèse des protéines
4) vésicules membraneuses contenant des enzymes qui utilisent l'oxygène moléculaire pour oxyder diverses substances organiques
5) usine de synthèse des protéines de sécrétion et des membranes
6) participe à la synthèse des phospholipides, à la sécrétion des lipides et des stéroïdes, à la libération du glucose du foie dans la circulation sanguine par des cellules hépatiques et à la détoxication
7) produisent de l'ATP
8) modifie, trie, emballe et transporte les produits synthétisés à partir du RE rugueux
9) sert de centre d'organisation et de formation des microtubules dans les cellules qui ne sont pas en train de se diviser et participe à la formation et à la régénération des cils et des flagelles

15. Associez les éléments suivants :

___ a) diffusion
___ b) osmose
___ c) diffusion facilitée
___ d) transport actif primaire
___ e) transport actif secondaire
___ f) transport vésiculaire
___ g) phagocytose
___ h) pinocytose
___ i) exocytose
___ j) endocytose par récepteurs interposés

1) mécanisme de transport passif par lequel un soluté se lie à un récepteur spécifique d'un côté de la membrane et est libéré de l'autre côté
2) processus par lequel la cellule sécrète ou évacue des substances par la fusion de vésicules avec la membrane plasmique
3) répartition aléatoire de particules dans une solution sous l'impulsion de leur énergie cinétique
4) transport de substances, soit vers l'intérieur, soit vers l'extérieur de la cellule, au moyen d'un petit sac membraneux et sphérique formé par bourgeonnement d'une membrane existante
5) utilise l'énergie libérée par l'hydrolyse de l'ATP pour changer la conformation d'une protéine de transport, qui « pompe » une substance à travers une membrane cellulaire contre son gradient de concentration
6) utilise indirectement l'énergie libérée par la dégradation de l'ATP ; fait appel aux antiporteurs et aux symporteurs
7) forme d'endocytose qui consiste en l'absorption non sélective de minuscules gouttelettes de liquide extracellulaire
8) forme d'endocytose qui consiste en l'absorption de grosses particules solides
9) déplacement de l'eau d'une région où sa concentration est plus élevée vers une région où elle est plus faible, à travers une membrane à perméabilité sélective
10) processus qui permet à la cellule d'absorber une substance en grande quantité sans devoir ingérer tout le volume correspondant de liquide extracellulaire

QUESTIONS À COURT DÉVELOPPEMENT

1. Peu après la mort, le corps devient rigide mais il ne reste pas indéfiniment dans cet état. Au bout de quelque temps, les tissus ramollissent. Quelle est la cause de ce changement ? (INDICE : *Les organites usés connaissent le même sort.*)

2. La mucine est une protéine qui se trouve dans la salive et dans d'autres sécrétions. Quand elle se mélange à l'eau, elle forme une substance visqueuse appelée mucus. Décrivez l'itinéraire de la mucine dans la cellule, depuis sa synthèse jusqu'à sa sécrétion.

Nommez tous les organites et tous les processus cellulaires concernés. (INDICE : *Toutes les protéines sont produites au départ par le même organite.*)

3. Si vous deviez trouver la séquence d'ADN à l'origine d'un ARNm, chercheriez-vous parmi les introns ou les exons d'un gène et examineriez-vous le brin sens ou le brin antisens ? (INDICE : *L'ARNm est complémentaire de certaines parties spécifiques de l'ADN.*)

RÉPONSES AUX QUESTIONS DES FIGURES

3.1 La membrane plasmique, le cytoplasme et le noyau.

3.2 Le glycocalyx est la couche de sucres qui se trouve sur la face extracellulaire de la membrane plasmique. Il est composé des glucides qui font partie des glycolipides et des glycoprotéines membranaires.

3.3 La protéine membranaire qui se lie à l'insuline est un récepteur.

3.4 Le gradient de concentration et le gradient électrique favorisent tous deux l'entrée de Na^+ dans la cellule.

3.5 La diffusion facilitée et le transport actif sont des processus de transport assisté.

3.6 La fièvre est une augmentation de la température corporelle. En conséquence, elle fait augmenter la vitesse de tous les processus de diffusion.

3.7 Non, la concentration d'eau ne peut jamais être la même dans les deux branches, parce que celle de gauche contient de l'eau pure alors que celle de droite contient une solution dont la teneur en eau est inférieure à 100%.

3.8 Les globules rouges deviennent crénelés dans une solution de NaCl à 2% parce qu'elle est hypertonique.

3.9 Le canal à fonctionnement commandé s'ouvre et se referme en réponse à des changements chimiques ou électriques à l'intérieur ou à l'extérieur de la cellule. Quand la vanne est ouverte, les ions peuvent diffuser à travers le canal.

3.10 La vitesse de la diffusion facilitée dépend du gradient de concentration et du nombre de transporteurs disponibles.

3.11 La pompe protéique est phosphorylée par l'ATP (c'est-à-dire qu'elle en reçoit un groupement phosphate). Cette réaction change la conformation tridimensionnelle de la pompe.

3.12 Dans le transport actif secondaire, l'hydrolyse de l'ATP ne sert qu'indirectement au fonctionnement des antiporteurs et des symporteurs, alors que dans le transport actif primaire elle actionne directement la pompe protéique.

3.13 Le cholestérol, le fer, les vitamines et les hormones sont des exemples de ligands.

3.14 La liaison de particules à des récepteurs de la membrane plasmique déclenche la formation de pseudopodes.

3.15 Contrairement à la pinocytose, l'endocytose par récepteurs interposés et la phagocytose mettent en jeu des récepteurs protéiques.

3.16 Les microtubules.

3.17 Une cellule sans centrosome est probablement incapable de se diviser.

3.18 Les cils déplacent les liquides à la surface des cellules. Les flagelles déplacent les cellules entières.

3.19 Les petites et grandes sous-unités ribosomales sont synthétisées dans le nucléole du noyau et sont assemblées dans le cytoplasme.

3.20 Le RE rugueux contient des ribosomes, contrairement au RE lisse. Le RE rugueux synthétise des protéines qui seront exportées de la cellule ; le RE lisse est associé à la synthèse de lipides et à d'autres réactions métaboliques.

3.21 La face *cis* reçoit et modifie les protéines du RE rugueux. La face *trans* modifie, trie, emballe et transporte des molécules.

3.22 Certaines protéines quittent la cellule par exocytose ; certaines sont incorporées à la membrane plasmique ; d'autres sont gardées dans des vésicules de stockage qui deviennent des lysosomes.

3.23 La digestion des organites usés par les lysosomes est appelée autophagie.

3.24 Les crêtes des mitochondries procurent une plus grande surface pour les réactions chimiques et contiennent certaines des enzymes nécessaires à la production d'ATP.

3.25 Ils déterminent la structure de la cellule et dirigent la plupart de ses activités.

3.26 Le nucléosome est un segment d'ADN bicaténaire enroulé deux fois autour d'un noyau de huit histones (protéines).

3.27 Les protéines déterminent les caractéristiques physiques et chimiques de la cellule.

3.28 AGCT, la séquence de bases d'ADN, deviendra après transcription UCGA, la séquence de bases d'ARN. L'ARN polymérase catalyse la transcription de l'ADN.

3.29 Le site P retient l'ARNt fixé à la protéine en formation. Le site A retient l'ARNt portant l'acide aminé qui est sur le point d'être ajouté à la protéine.

3.30 Quand un ribosome arrive à un codon d'arrêt au site A, la protéine maintenant complète se détache du dernier ARNt.

3.31 Les chromosomes se répliquent durant la phase S.

3.32 La réplication de l'ADN a lieu avant la cytocinèse afin que chacune des cellules filles soit pourvue d'un jeu complet de gènes.

3.33 En général, la cytocinèse commence à la fin de l'anaphase ou au début de la télophase.

3.34 Le spermatozoïde, qui utilise son flagelle pour se déplacer, est la seule cellule du corps appelée à franchir une distance considérable.

LE NIVEAU TISSULAIRE D'ORGANISATION

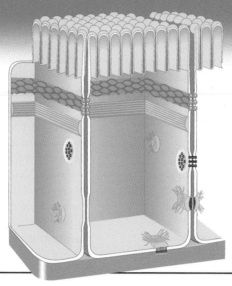

Une cellule est un assemblage complexe de compartiments où se déroule la myriade de réactions biochimiques nécessaires au maintien de la vie. Les cellules, cependant, fonctionnent rarement isolément. Elles travaillent au sein d'ensembles appelés tissus. Un **tissu** est un groupe de cellules semblables qui ont le plus souvent une origine embryonnaire commune et qui concourent à l'accomplissement d'activités spécialisées. La structure et les propriétés d'un tissu donné dépendent de facteurs comme la nature du matériau extracellulaire et les liens entre les cellules constituantes. Les tissus peuvent être durs, tels les os, semi-solides, telle la graisse, et même liquides, tel le sang. Les tissus varient aussi considérablement quant aux types de cellules qui les composent, à la disposition des cellules et aux types de fibres qu'ils renferment éventuellement. L'étude scientifique des tissus est appelée **histologie** (*histos* = tissu ; *logos* = science). Un scientifique qui étudie les cellules et les tissus en laboratoire pour aider les médecins à formuler des diagnostics précis est un **pathologiste** (*pathos* = maladie). L'une des principales fonctions d'un pathologiste consiste à examiner des tissus afin d'y déceler des changements qui pourraient indiquer la présence d'une maladie.

TYPES DE TISSUS ET ORIGINES

OBJECTIF

• *Donner les caractéristiques des quatre grands types de tissus qui composent le corps humain.*

On classe les tissus en quatre grands types selon leur fonction et leur structure :

1. Le **tissu épithélial** recouvre les surfaces du corps et tapisse la paroi interne des organes creux, des cavités et des conduits. Il forme aussi les glandes.

2. Le **tissu conjonctif** protège et soutient le corps et les organes. Il en existe divers types dont les fonctions sont de relier les organes, de constituer des réserves d'énergie sous forme de graisse et de protéger l'organisme contre les agents pathogènes.

3. Le **tissu musculaire** produit la force physique nécessaire au mouvement des structures corporelles.

4. Le **tissu nerveux** détecte les variations des conditions du milieu extérieur et du milieu intérieur et y réagit en produisant des influx nerveux. Le tissu nerveux qui compose l'encéphale contribue au maintien de l'homéostasie.

Dans le présent chapitre, nous étudierons le tissu épithélial et le tissu conjonctif en détail. Le tissu osseux et le sang, deux tissus conjonctifs particuliers, feront respectivement l'objet des chapitres 6 et 19. Nous n'en présenterons ici que les caractéristiques générales. De même, nous ferons une étude détaillée de la structure et de la fonction du tissu musculaire et du tissu nerveux aux chapitres 10 et 12 respectivement.

Tous les tissus de l'organisme proviennent des trois **feuillets embryonnaires primitifs,** les premiers tissus à se former dans un embryon humain, soit l'**ectoderme,** l'**endoderme** et le **mésoderme.** Les tissus épithéliaux naissent des trois feuillets embryonnaires primitifs. Tous les tissus conjonctifs et la plupart des tissus musculaires dérivent du mésoderme. Le tissu nerveux provient de l'ectoderme. (Le tableau 29.1, p. 1094, contient une liste des structures dérivées des feuillets embryonnaires primitifs.)

La plupart des cellules qui composent un tissu restent normalement rattachées les unes aux autres ainsi qu'à une membrane basale (décrite plus loin) et à des tissus conjonctifs. Quelques cellules, dont les phagocytes, circulent librement à travers l'organisme à la recherche de corps étrangers. Avant la naissance, cependant, de nombreuses cellules migrent dans l'organisme du fœtus à mesure que progressent la croissance et le développement.

APPLICATION CLINIQUE
Biopsie

Une **biopsie** (*bios* = vie ; *opsis* = vue) consiste à prélever un échantillon de tissu vivant et à l'examiner au microscope. Ce procédé sert à diagnostiquer de nombreuses maladies, le cancer en particulier, et à déterminer la cause d'infections et d'inflammations inexpliquées. On prélève à la fois du tissu normal et du tissu douteux à des fins de comparaison. Une fois l'échantillon prélevé, soit chirurgicalement soit à l'aide d'une seringue, on peut le conserver, le colorer pour en faire ressortir certaines propriétés ou le couper en fines tranches pour l'observer au microscope. Il arrive qu'on procède à une biopsie pendant une intervention chirurgicale, alors que le patient est sous anesthésie, afin de déterminer le traitement le plus approprié. Si, par exemple, une biopsie de tissu mammaire révèle la présence de cellules cancéreuses, le chirurgien peut amorcer aussitôt l'intervention la plus opportune. ■

1. Définissez le *tissu*.
2. Quels sont les quatre grands types de tissus du corps humain ?

JONCTIONS CELLULAIRES

OBJECTIF

• *Décrire la structure et les fonctions des cinq principaux types de jonctions cellulaires.*

La plupart des cellules épithéliales ainsi qu'un certain nombre de cellules musculaires et de cellules nerveuses sont étroitement réunies de manière à former des unités fonctionnelles. Les **jonctions cellulaires** sont des points de contact entre les membranes plasmiques de cellules voisines. Leur fonction (trois sont possibles) dépend de leur structure. Certaines jonctions cellulaires forment entre les cellules des joints étanches semblables à la fermeture d'un sac à sandwich refermable. D'autres ancrent les cellules les unes aux autres ou au matériau extracellulaire. D'autres enfin servent de

canaux qui laissent passer les molécules et les ions d'une cellule à l'autre à l'intérieur d'un tissu. Les cinq principaux types de jonctions cellulaires sont les suivants (figure 4.1) :

• Les **jonctions serrées** (ou jonctions étanches) relient les cellules des tissus qui tapissent la paroi interne des organes et des cavités (figure 4.1a). Une bande de protéines enchevêtrées fusionne les faces extérieures de membranes plasmiques adjacentes. Les jonctions serrées bloquent le passage de substances entre les cellules ; on les trouve en grand nombre dans les tissus épithéliaux qui tapissent l'estomac, l'intestin et la vessie. Elles empêchent le contenu de ces organes de s'infiltrer dans le sang ou dans les tissus environnants, événement qui pourrait être catastrophique.

• Les **jonctions d'adhérence** sont composées d'une *plaque*, couche dense de protéines située sur la face interne de la membrane plasmique (figure 4.1b). Des microfilaments s'étendent depuis la plaque jusque dans le cytoplasme. Des glycoprotéines transmembranaires (protéines intrinsèques) ancrées dans la plaque d'une cellule traversent l'espace entre les membranes et s'unissent à des protéines transmembranaires de la cellule adjacente. Dans les cellules épithéliales, les jonctions d'adhérence forment souvent des *ceintures d'adhésion*, bandes qui encerclent la cellule. Les liens latéraux étendus formés par les ceintures d'adhésion aident les surfaces épithéliales à résister à la séparation.

• Les **desmosomes** (*desmos* = lien ; *sôma* = corps), comme les jonctions d'adhérence, sont formés d'une plaque et reliés par des glycoprotéines transmembranaires qui font le pont entre les membranes plasmiques adjacentes (figure 4.1c). Contrairement aux jonctions d'adhérence, les desmosomes sont dotés de filaments intermédiaires qui émergent de la plaque, traversent le cytoplasme et rejoignent les desmosomes situés du côté opposé de la cellule. Les desmosomes contribuent ainsi à la stabilité des cellules et du tissu. On trouve un grand nombre de desmosomes dans les cellules de l'épiderme, la couche la plus superficielle de la peau, de même qu'entre les cellules du muscle cardiaque.

• Les **hémidesmosomes** (*hêmi* = à moitié) ont l'apparence de moitiés de desmosomes (figure 4.1d). Ils ancrent les cellules au matériau extracellulaire et notamment à la membrane basale (décrite plus loin). Ils servent à lier deux types de tissu.

• Les **jonctions communicantes** font converger les couches superficielles externes de membranes plasmiques adjacentes mais laissent un minuscule espace entre les cellules (figure 4.1e). Cet espace est parcouru de canaux de protéines transmembranaires, les *connexons*, qui forment de minuscules tunnels remplis de liquide. À travers les connexons, les ions et les petites molécules peuvent diffuser du cytosol d'une cellule au cytosol d'une autre cellule. Les jonctions communicantes permettent aux cellules d'un

Figure 4.1 Jonctions cellulaires. Adapté de Lewis Kleinsmith et Valerie Kish, *Principles of Cell and Molecular Biology*, 2ᵉ éd., New York, HarperCollins, 1995, F6.44, p. 237; F6.46, p. 238; F6.47, p. 239; F6.50, p. 241. © 1995 HarperCollins College Publishers. Reproduit avec l'autorisation de Addison Wesley Longman.

 La plupart des cellules épithéliales ainsi qu'un certain nombre de cellules musculaires et nerveuses contiennent des jonctions cellulaires.

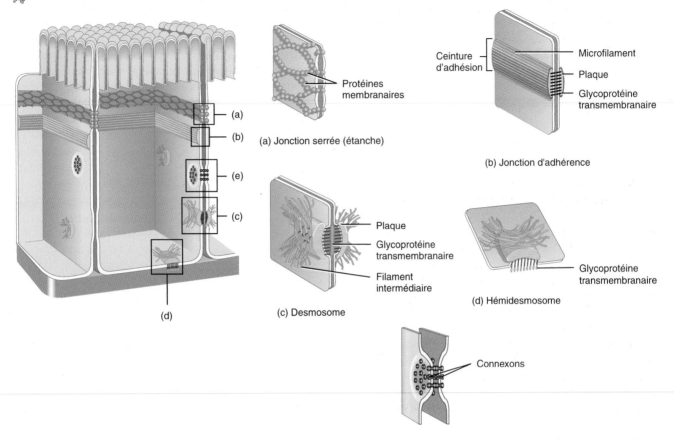

(a) Jonction serrée (étanche)

(b) Jonction d'adhérence

(c) Desmosome

(d) Hémidesmosome

(e) Jonction communicante

 Quel type de jonction cellulaire permet à des cellules adjacentes de communiquer?

tissu de communiquer. Dans l'embryon, certains des signaux chimiques et électriques qui régissent la croissance et la différenciation cellulaire se propagent par l'intermédiaire de jonctions communicantes. Les jonctions communicantes assurent en outre la propagation rapide des influx nerveux et musculaires, qui est une propriété essentielle au fonctionnement normal de certaines parties du système nerveux ainsi qu'aux contractions du muscle cardiaque et des muscles du tube digestif.

1. Définissez la *jonction cellulaire*.

2. Quel type de jonctions cellulaires trouve-t-on dans le tissu épithélial?

TISSU ÉPITHÉLIAL

OBJECTIF

• *Donner les caractéristiques générales du tissu épithélial et indiquer la structure, la situation et la fonction des différents types d'épithéliums.*

Le **tissu épithélial**, ou **épithélium**, est composé de cellules disposées en un ou plusieurs feuillets continus. Les cellules, serrées les unes contre les autres, sont fermement réunies par de nombreuses jonctions cellulaires et ne laissent que peu d'espace extracellulaire entre les membranes plasmiques adjacentes (figure 4.2). La **surface apicale** des cellules épithéliales peut faire face à une cavité, à la lumière d'un organe interne ou à l'extérieur de l'organisme. La **surface basale** adhère à un tissu conjonctif adjacent.

Figure 4.2 Surfaces des cellules épithéliales ainsi que structure et situation de la membrane basale.

 La membrane basale est située entre l'épithélium et le tissu conjonctif.

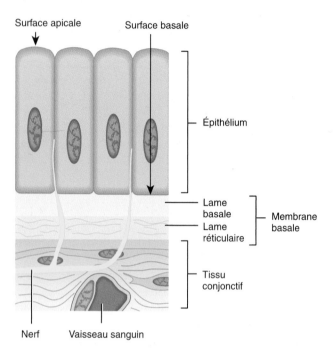

Q Quelles sont les fonctions de la membrane basale ?

Le lien entre la surface basale et le tissu conjonctif est formé par une mince couche extracellulaire appelée **membrane basale** et habituellement constituée de deux feuillets, la lame basale et la lame réticulaire. La *lame basale* (*lamina* = couche mince) contient des fibres collagènes (décrites plus loin) et d'autres protéines. La *lame réticulaire* renferme des protéines structurales telles que des fibres réticulaires et de la fibronectine. La membrane basale soutient le tissu épithélial, sert de filtre dans les reins et guide les cellules en migration au cours de la croissance et de la réparation des tissus.

Le tissu épithélial est **avasculaire** (*a* = sans ; *vasculum* = vaisseau), c'est-à-dire qu'il est dépourvu de vaisseaux sanguins. Il obtient ses nutriments et se débarrasse de ses déchets par l'intermédiaire des vaisseaux sanguins situés dans le tissu conjonctif adjacent. L'échange de substances entre le tissu conjonctif et l'épithélium s'accomplit par diffusion. Bien qu'il soit avasculaire, le tissu épithélial possède une innervation.

Puisque le tissu épithélial forme les limites entre les organes et entre l'organisme et le milieu extérieur, il est constamment sujet aux lésions et à la dégradation physique. Cependant, le taux de division cellulaire y est très élevé, si bien que le tissu se renouvelle sans cesse ; il se reconstitue en éliminant les cellules mortes ou endommagées et en les

remplaçant par de nouvelles cellules. Le tissu épithélial remplit de nombreuses fonctions dans l'organisme, les principales étant la protection, la filtration, la sécrétion, l'absorption et l'excrétion. De plus, le tissu épithélial s'associe au tissu nerveux pour former les organes de l'odorat, de l'ouïe, de la vue et du toucher.

Le tissu épithélial peut être divisé en deux types : l'épithélium de revêtement et l'épithélium glandulaire. L'**épithélium de revêtement** constitue l'épiderme et l'enveloppe externe de certains organes internes. Il tapisse en outre la paroi interne des vaisseaux sanguins, des conduits, des cavités ainsi que des organes des systèmes respiratoire, digestif, urinaire et reproducteur. L'**épithélium glandulaire** constitue la partie sécrétrice des glandes comme la glande thyroïde, les glandes surrénales et les glandes sudoripares.

Épithélium de revêtement

On classe les épithéliums de revêtement selon deux critères : la disposition des cellules en couches et la forme des cellules.

1. Disposition des couches. L'épithélium de revêtement comprend généralement une ou plusieurs couches, selon ses fonctions.

   a) Un *épithélium simple* est une seule couche de cellules qui intervient dans la diffusion, l'osmose, la filtration, la *sécrétion* (production et libération de substances comme le mucus, la sueur et les enzymes) et l'*absorption* (ingestion de liquides ou d'autres substances par les cellules).

   b) Un *épithélium stratifié* est formé de deux couches ou plus de cellules qui protègent le tissu sous-jacent dans les endroits sujets à l'usure.

   c) Un *épithélium pseudostratifié* ne contient qu'une couche de cellules mais paraît en comprendre plusieurs, car les noyaux sont situés à différentes hauteurs et les cellules n'atteignent pas toutes la surface apicale. Les cellules qui n'atteignent pas la surface apicale sont dotées de cils ou sécrètent du mucus.

2. Forme des cellules.

   a) Les cellules *pavimenteuses* sont minces et disposées comme les carreaux d'un dallage, ce qui permet le transport rapide des substances à travers elles.

   b) Les cellules *cuboïdes* ont la forme de cubes, ou d'hexaèdres. Elles accomplissent des fonctions de sécrétion ou d'absorption.

   c) Les cellules *prismatiques,* hautes et cylindriques, protègent les tissus sous-jacents. Certaines possèdent des cils ou sont spécialisées dans la sécrétion ou l'absorption.

   d) Les cellules *transitionnelles* changent de forme et peuvent s'allonger puis s'aplatir selon que les parties du corps s'étirent, se dilatent ou remuent.

En se fondant sur le nombre de couches et la forme des cellules, on classe comme suit les épithéliums de revêtement :

    I. Épithélium simple
        A. Épithélium simple pavimenteux
        B. Épithélium simple cuboïde
        C. Épithélium simple prismatique

    II. Épithélium stratifié
        A. Épithélium stratifié pavimenteux*
        B. Épithélium stratifié cuboïde*
        C. Épithélium stratifié prismatique*
        D. Épithélium transitionnel

    III. Épithélium pseudostratifié prismatique

Chacun de ces épithéliums de revêtement est décrit dans les sections qui suivent et représenté dans le tableau 4.1 au moyen d'une photomicrographie, du schéma correspondant et d'une illustration montrant un des principaux emplacements du tissu dans l'organisme. Le tableau indique également la structure des différents épithéliums, leur situation et leurs fonctions.

Épithélium simple

Épithélium simple pavimenteux L'épithélium simple pavimenteux est formé d'une seule couche de cellules aplaties qui, vues de la surface apicale, ont l'aspect d'un dallage (tableau 4.1A). Les noyaux, de forme ovale ou sphérique, sont situés au centre des cellules. On trouve des épithéliums simples pavimenteux dans les parties du corps où la filtration ou la diffusion sont les fonctions prioritaires (les reins ou les poumons par exemple). Ces épithéliums sont absents des régions sujettes à l'usure.

L'épithélium simple pavimenteux qui tapisse l'intérieur du cœur, des vaisseaux sanguins et des vaisseaux lymphatiques est appelé **endothélium** (*endon* = en dedans ; *thêlê* = mamelle) ; celui qui forme le feuillet épithélial des séreuses est appelé **mésothélium** (*mesos* = au milieu). L'endothélium et le mésothélium dérivent tous deux du mésoderme embryonnaire.

Épithélium simple cuboïde La forme cubique des cellules de l'épithélium simple cuboïde (tableau 4.1B) n'apparaît qu'en coupe transversale du tissu. Les noyaux sont habituellement ronds et centraux. Les fonctions de l'épithélium simple cuboïde sont la sécrétion et l'absorption.

Épithélium simple prismatique Vues de côté, les cellules d'un épithélium simple prismatique paraissent rectangulaires et leurs noyaux, ovales ; ces derniers sont situés près de la base de la cellule. L'épithélium simple prismatique se présente sous deux formes : l'épithélium simple prismatique non cilié et l'épithélium simple prismatique cilié.

L'*épithélium simple prismatique non cilié* contient des microvillosités et des cellules caliciformes (tableau 4.1C). Les **microvillosités** sont des prolongements cytoplasmiques minuscules en forme de doigts qui accroissent la surface de la membrane plasmique (voir la figure 3.1, p. 64). Leur présence augmente la vitesse d'absorption des substances dans la cellule. Les **cellules caliciformes** sont des cellules prismatiques modifiées qui sécrètent du mucus, un liquide légèrement collant. Avant sa libération, le mucus s'accumule dans la partie supérieure de la cellule et en provoque la distension. La cellule prend alors l'aspect d'un calice, d'où son nom. Le mucus sécrété lubrifie les muqueuses des voies digestives, respiratoires et génitales ainsi que la majeure partie des voies urinaires. De plus, le mucus emprisonne les particules de poussière qui pénètrent dans les voies respiratoires et il empêche les enzymes digestives de détruire la muqueuse de l'estomac.

L'*épithélium simple prismatique cilié* (tableau 4.1D) contient des cellules dotées de cils et appelées cellules ciliées. Il est parsemé de cellules caliciformes dans quelques segments des voies aériennes supérieures. Le mucus sécrété par les cellules caliciformes forme une pellicule qui recouvre les voies aériennes et emprisonne les particules étrangères inhalées. Les cils ondulent à l'unisson, de sorte que le mucus et les particules remontent vers la gorge, d'où ils peuvent être expectorés, puis avalés ou crachés. Les cils concourent également à propulser l'ovule jusque dans l'utérus par l'intermédiaire des trompes utérines.

Épithélium stratifié

Contrairement à l'épithélium simple, l'épithélium stratifié comprend au moins deux couches de cellules. Il est donc plus résistant et protège mieux les tissus sous-jacents. Certaines de ses cellules produisent des sécrétions. Les noms des différents épithéliums stratifiés traduisent la forme des cellules de la surface apicale.

Épithélium stratifié pavimenteux Les cellules d'un épithélium stratifié pavimenteux sont aplaties dans les couches superficielles et de forme variable dans les couches profondes (tableau 4.1E). Les cellules basales (les plus profondes) se divisent continuellement et, poussées par les nouvelles cellules, montent vers la surface apicale. À mesure qu'elles s'éloignent du tissu conjonctif sous-jacent et de leur apport sanguin, elles se déshydratent, rétrécissent et durcissent. Arrivées à la surface, elles perdent leurs jonctions cellulaires et se détachent. Elles sont cependant remplacées par les nouvelles cellules qui ne cessent d'émerger de la surface basale.

L'épithélium stratifié pavimenteux se présente sous une forme kératinisée et une forme non kératinisée. Dans un *épithélium stratifié pavimenteux kératinisé,* une couche résistante

---

* Cette classification repose sur la forme des cellules de la surface apicale.

Suite du texte à la page 123

Tableau 4.1 Tissus épithéliaux

ÉPITHÉLIUM DE REVÊTEMENT

A. Épithélium simple pavimenteux

Description : Couche unique de cellules aplaties au noyau central.

Situation : Tapisse l'intérieur du cœur, des vaisseaux sanguins, des vaisseaux lymphatiques, des sacs alvéolaires des poumons et des capsules glomérulaires des reins ainsi que la face interne du tympan ; forme le feuillet épithélial des séreuses.

Fonctions : Filtration, diffusion, osmose et sécrétion dans les séreuses.

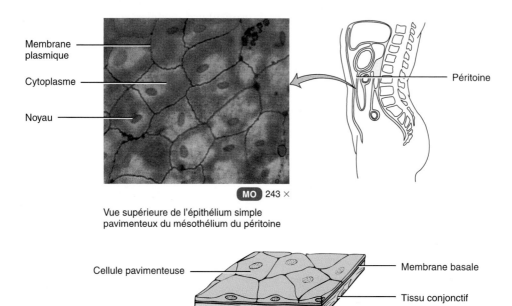

Membrane plasmique

Cytoplasme

Noyau

Péritoine

MO 243 ×

Vue supérieure de l'épithélium simple pavimenteux du mésothélium du péritoine

Cellule pavimenteuse

Membrane basale

Tissu conjonctif

Épithélium simple pavimenteux

B. Épithélium simple cuboïde

Description : Couche unique de cellules cuboïdes au noyau central.

Situation : Recouvre la surface de l'ovaire, tapisse la face antérieure de la capsule du cristallin, forme la partie pigmentaire de la rétine, tapisse l'intérieur des tubules rénaux et des petits conduits de nombreuses glandes et constitue la partie sécrétrice de quelques glandes, dont la glande thyroïde.

Fonctions : Sécrétion et absorption.

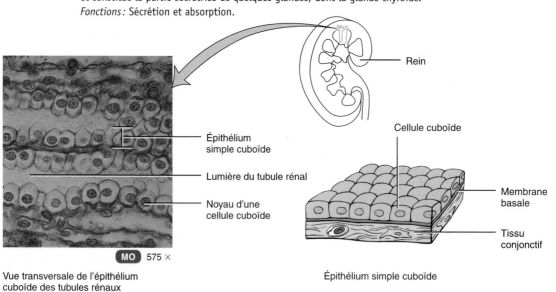

Rein

Épithélium simple cuboïde

Lumière du tubule rénal

Noyau d'une cellule cuboïde

Cellule cuboïde

Membrane basale

Tissu conjonctif

MO 575 ×

Vue transversale de l'épithélium cuboïde des tubules rénaux

Épithélium simple cuboïde

Tableau 4.1 (suite)

ÉPITHÉLIUM DE REVÊTEMENT

C. Épithélium simple prismatique non cilié

Description : Couche unique de cellules rectangulaires non ciliées ; noyau situé à la base de la cellule ; à certains endroits, contient des cellules caliciformes et des cellules dotées de microvillosités.
Situation : Tapisse l'intérieur du tube digestif depuis l'estomac jusqu'à l'anus, de la vésicule biliaire et des conduits de nombreuses glandes.
Fonctions : Sécrétion et absorption.

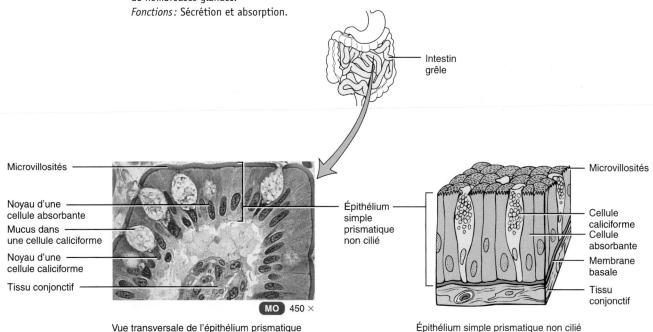

Vue transversale de l'épithélium prismatique non cilié de la muqueuse de l'intestin grêle

Épithélium simple prismatique non cilié

D. Épithélium simple prismatique cilié

Description : Couche unique de cellules rectangulaires ciliées ; noyau situé à la base de la cellule ; contient des cellules caliciformes à certains endroits.
Situation : Tapisse l'intérieur de quelques parties des voies aériennes supérieures, des trompes utérines, de l'utérus, de quelques sinus paranasaux et du canal central de la moelle épinière.
Fonction : Propulsion du mucus et d'autres substances par l'action des cils cellulaires.

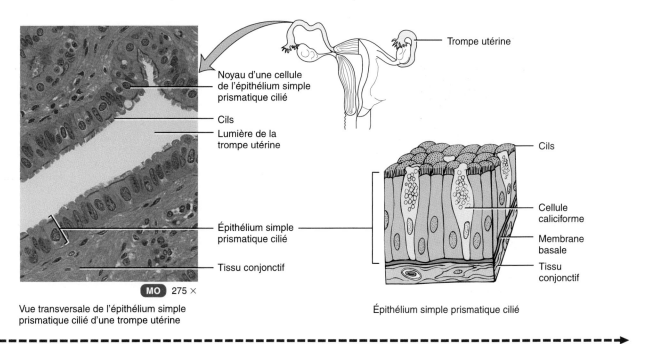

Vue transversale de l'épithélium simple prismatique cilié d'une trompe utérine

Épithélium simple prismatique cilié

Tableau 4.1 Tissus épithéliaux (suite)

ÉPITHÉLIUM DE REVÊTEMENT

E. Épithélium stratifié
pavimenteux

Description : Plusieurs couches de cellules ; les cellules basales sont cuboïdes ou prismatiques et les cellules apicales,
pavimenteuses ; les cellules des couches apicales sont remplacées à mesure qu'elles meurent par des cellules des
couches basales.

Situation : La variété kératinisée forme la couche superficielle de la peau ; la variété non kératinisée recouvre la langue
et tapisse les surfaces humides comme les muqueuses de la bouche, de l'œsophage, d'une partie de l'épiglotte et du vagin.

Fonction : Protection.

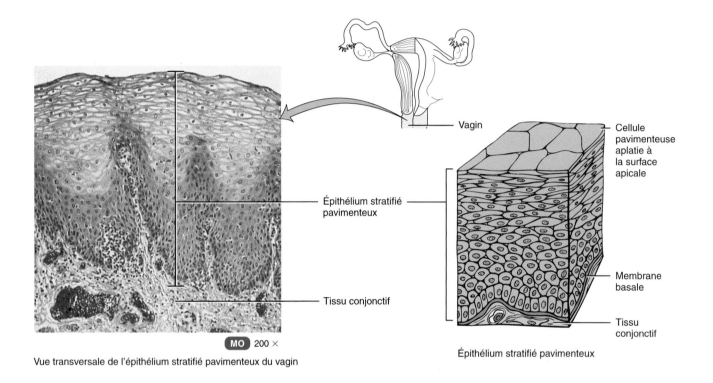

Vagin

Épithélium stratifié
pavimenteux

Tissu conjonctif

MO 200 ×

Vue transversale de l'épithélium stratifié pavimenteux du vagin

Cellule
pavimenteuse
aplatie à
la surface
apicale

Membrane
basale

Tissu
conjonctif

Épithélium stratifié pavimenteux

Tableau 4.1 (suite)

ÉPITHÉLIUM DE REVÊTEMENT

F. Épithélium stratifié cuboïde

Description : Deux couches ou plus de cellules ; les cellules de la surface apicale sont cuboïdes.

Situation : Conduits des glandes sudoripares chez l'adulte et une partie de l'urètre chez l'homme.

Fonctions : Protection et, dans une certaine mesure, sécrétion et absorption.

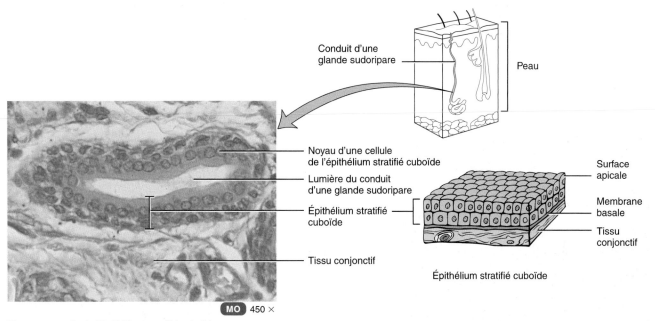

Conduit d'une glande sudoripare

Peau

Noyau d'une cellule de l'épithélium stratifié cuboïde

Lumière du conduit d'une glande sudoripare

Épithélium stratifié cuboïde

Tissu conjonctif

Surface apicale

Membrane basale

Tissu conjonctif

Épithélium stratifié cuboïde

MO 450 ×

Vue transversale de l'épithélium stratifié cuboïde du conduit d'une glande sudoripare

G. Épithélium stratifié prismatique

Description : Plusieurs couches de cellules polyédriques ; les cellules prismatiques ne se trouvent que dans la couche apicale.

Situation : Tapisse l'intérieur d'une partie de l'urètre et des gros conduits excréteurs de certaines glandes, de petites régions de la muqueuse anale et une partie de la conjonctive de l'œil.

Fonctions : Protection et sécrétion.

Glande salivaire submandibulaire

Épithélium stratifié prismatique

Lumière du conduit

Noyau d'une cellule de l'épithélium stratifié prismatique

Tissu conjonctif

Surface apicale

Membrane basale

Tissu conjonctif

MO 420 ×

Vue transversale de l'épithélium stratifié prismatique du conduit d'une glande salivaire submandibulaire

Épithélium stratifié prismatique

Tableau 4.1 Tissus épithéliaux (suite)

ÉPITHÉLIUM DE REVÊTEMENT

H. Épithélium transitionnel

Description : Apparence variable (d'où le nom de «transitionnel») ; les cellules de la surface apicale sont bombées (comme des cellules cuboïdes) ou aplaties (comme des cellules pavimenteuses) selon le degré d'étirement de l'organe.
Situation : Tapisse l'intérieur de la vessie et de parties des uretères et de l'urètre.
Fonction : Permet la distension.

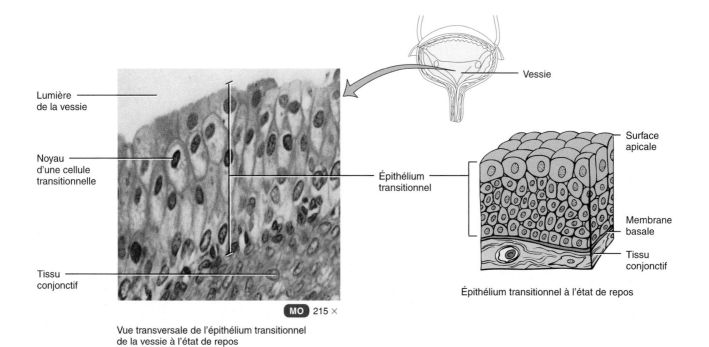

Lumière de la vessie

Noyau d'une cellule transitionnelle

Tissu conjonctif

Épithélium transitionnel

Vessie

Surface apicale

Membrane basale

Tissu conjonctif

MO 215 ×

Vue transversale de l'épithélium transitionnel de la vessie à l'état de repos

Épithélium transitionnel à l'état de repos

Tableau 4.1 (suite)

ÉPITHÉLIUM DE REVÊTEMENT

I. Épithélium pseudo-
stratifié prismatique

Description : N'est pas véritablement un tissu stratifié ; les noyaux des cellules sont situés à différentes hauteurs ;
toutes les cellules sont rattachées à la membrane basale mais toutes n'atteignent pas la surface apicale.
Situation : La variété ciliée tapisse l'intérieur de la majeure partie des voies aériennes supérieures ; la variété non ciliée
tapisse l'intérieur des gros conduits de nombreuses glandes, des épididymes et d'une partie de l'urètre chez l'homme.
Fonctions : Sécrétion et propulsion du mucus par l'action des cils.

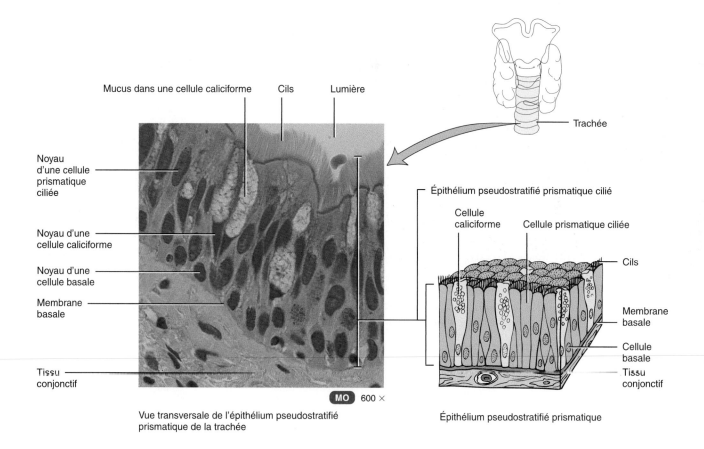

Mucus dans une cellule caliciforme — Cils — Lumière

Trachée

Noyau d'une cellule prismatique ciliée

Noyau d'une cellule caliciforme

Noyau d'une cellule basale

Membrane basale

Tissu conjonctif

MO 600 ×

Vue transversale de l'épithélium pseudostratifié
prismatique de la trachée

Épithélium pseudostratifié prismatique cilié

Cellule caliciforme — Cellule prismatique ciliée

Cils

Membrane basale

Cellule basale

Tissu conjonctif

Épithélium pseudostratifié prismatique

Tableau 4.1 Tissus épithéliaux (suite)

ÉPITHÉLIUM GLANDULAIRE

J. Glandes endocrines

Description : Les produits de sécrétion (hormones) diffusent dans la circulation sanguine après avoir traversé le liquide interstitiel.

Situation : Par exemple, l'hypophyse à la base de l'encéphale, la glande pinéale dans l'encéphale, la glande thyroïde et les glandes parathyroïdes près du larynx, les glandes surrénales au-dessus des reins, le pancréas près de l'estomac, les ovaires dans la cavité pelvienne, les testicules dans le scrotum ainsi que le thymus dans la cavité thoracique.

Fonction : Production d'hormones qui régissent diverses fonctions physiologiques.

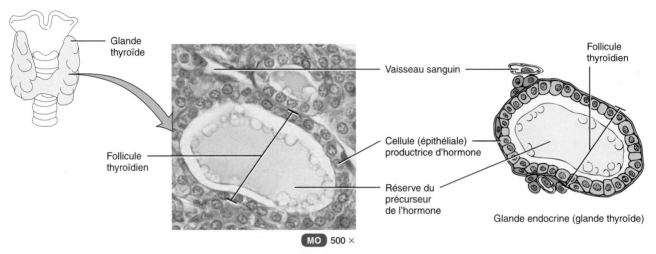

Glande thyroïde

Follicule thyroïdien

Vaisseau sanguin

Cellule (épithéliale) productrice d'hormone

Réserve du précurseur de l'hormone

Follicule thyroïdien

MO 500 ×

Vue transversale d'une glande endocrine (glande thyroïde)

Glande endocrine (glande thyroïde)

K. Glandes exocrines

Description : Les produits de sécrétion sont libérés dans des conduits.

Situation : Glandes de la peau comme les glandes sudoripares, sébacées et cérumineuses ; glandes mammaires ; glandes digestives comme les glandes salivaires, qui sécrètent leur produit dans la cavité orale ; pancréas, qui sécrète ses produits dans l'intestin grêle.

Fonctions : Production de mucus, de sueur, de sébum, de cérumen, de lait, de salive ou d'enzymes digestives.

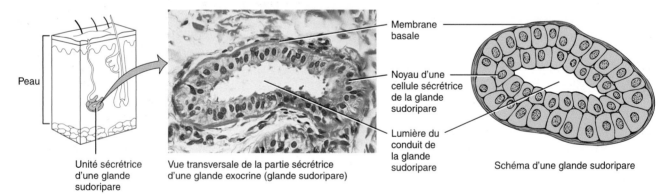

Peau

Unité sécrétrice d'une glande sudoripare

Vue transversale de la partie sécrétrice d'une glande exocrine (glande sudoripare)

Membrane basale

Noyau d'une cellule sécrétrice de la glande sudoripare

Lumière du conduit de la glande sudoripare

Schéma d'une glande sudoripare

de kératine se constitue dans les cellules superficielles. La **kératine** est une protéine qui résiste à la friction et contribue à repousser les bactéries. Un *épithélium stratifié pavimenteux non kératinisé* ne contient pas de kératine et demeure humide.

APPLICATION CLINIQUE
Cytologie cervico-vaginale

Un examen cytologique consiste à prélever et à examiner au microscope des cellules qui se sont détachées de la surface d'un tissu. La **cytologie cervico-vaginale**, couramment appelée frottis cervico-vaginal, sert à l'étude des cellules présentes dans les sécrétions du col de l'utérus et du vagin. Ce procédé permet de détecter précocement des changements cellulaires qui pourraient indiquer la présence d'un cancer ou d'un état précancéreux dans le système reproducteur de la femme. On conseille aux femmes de subir un examen gynécologique et un examen cytologique cervico-vaginal chaque année à compter de l'âge de 18 ans (ou plus tôt si elles sont sexuellement actives). ■

Épithélium stratifié cuboïde L'épithélium stratifié cuboïde est un type d'épithélium relativement rare qui comprend parfois plus de deux couches de cellules (tableau 4.1F). Il a une fonction de protection et, dans une moindre mesure, de sécrétion et d'absorption.

Épithélium stratifié prismatique Comme l'épithélium stratifié cuboïde, l'épithélium stratifié prismatique est peu répandu. La ou les couches basales sont habituellement composées de cellules courtes semblables à des polyèdres irréguliers. Seules les cellules apicales ont une forme prismatique (tableau 4.1G). Ce type d'épithélium a des fonctions de protection et de sécrétion.

Épithélium transitionnel L'épithélium transitionnel change d'apparence selon le degré de relâchement ou de distension de l'organe dont il tapisse la paroi interne. À l'état de repos (tableau 4.1H), l'épithélium transitionnel ressemble à l'épithélium stratifié cuboïde, sauf que les cellules apicales ont tendance à être grosses et arrondies. Le tissu peut ainsi se distendre sans que les cellules superficielles se séparent les unes des autres. Les cellules prennent une forme pavimenteuse en s'étirant et donnent à l'épithélium l'aspect d'un épithélium stratifié pavimenteux. Étant donné son élasticité, l'épithélium transitionnel tapisse l'intérieur des structures creuses sujettes à l'expansion, comme la vessie. Sa fonction consiste à prévenir la rupture de tels organes.

Épithélium pseudostratifié prismatique

La troisième catégorie d'épithélium de revêtement comprend l'épithélium pseudostratifié prismatique (tableau 4.1I). Les noyaux des cellules sont situés à différentes hauteurs. Toutes les cellules sont rattachées à la membrane basale en une seule couche, mais certaines n'atteignent pas la surface apicale. Vues de côté, elles semblent former plusieurs couches alors qu'il n'en est rien, d'où le nom d'épithélium *pseudo*stratifié (*pseudein* = tromper). Dans un *épithélium pseudostratifié prismatique cilié*, les cellules qui atteignent la surface apicale sécrètent du mucus (cellules caliciformes) ou portent des cils qui propulsent le mucus et les particules étrangères emprisonnées en vue de l'élimination. L'*épithélium pseudostratifié prismatique non cilié* ne contient ni cils ni cellules caliciformes.

Épithélium glandulaire

La fonction d'un épithélium glandulaire est de sécréter, et il l'accomplit par l'intermédiaire des cellules glandulaires qui se trouvent souvent en grappes en dessous de l'épithélium de revêtement. Une **glande** est composée d'une cellule ou d'un groupe de cellules épithéliales très spécialisées qui sécrètent des substances dans des conduits, sur une surface ou dans la circulation sanguine. La production de ces substances demande toujours un travail actif aux cellules et occasionne une dépense d'énergie. Les glandes sont soit endocrines, soit exocrines.

Les sécrétions des **glandes endocrines** (tableau 4.1J) pénètrent dans le liquide extracellulaire puis diffusent dans la circulation sanguine directement, sans passer par un conduit. Ces sécrétions, appelées *hormones*, régissent de nombreuses activités métaboliques et physiologiques afin de maintenir l'homéostasie. L'hypophyse, la glande thyroïde et les glandes surrénales comptent parmi les glandes endocrines. Nous reviendrons sur le sujet en détail au chapitre 18.

Les **glandes exocrines** (*exô* = dehors ; *krinein* = sécréter ; tableau 4.1K) sécrètent leurs produits dans des conduits qui s'ouvrent sur la surface d'un épithélium de revêtement ou directement sur une surface libre. Une glande exocrine peut libérer son produit sur la surface de la peau ou dans la lumière (la cavité) d'un organe creux. Le mucus, la sueur, le sébum, le cérumen et les enzymes digestives sont des sécrétions de glandes exocrines. Parmi les glandes exocrines, on compte les glandes sudoripares, qui produisent la sueur pour abaisser la température corporelle, et les glandes salivaires, qui sécrètent du mucus et des enzymes digestives.

Classification structurale des glandes exocrines

Les glandes exocrines sont soit unicellulaires, soit multicellulaires. Les **glandes unicellulaires** comprennent une seule cellule. Les cellules caliciformes, qui sécrètent du mucus, sont d'importantes glandes exocrines unicellulaires même si elles ne possèdent pas de conduit. La plupart des glandes sont des **glandes multicellulaires,** c'est-à-dire qu'elles comprennent plusieurs cellules qui forment une structure microscopique ou un organe distinct. Tel est le cas des glandes sudoripares, sébacées et salivaires.

Figure 4.3 Glandes exocrines multicellulaires. Les unités sécrétrices sont représentées en jaune or et les conduits, en bleu.

🔑 La classification structurale des glandes exocrines multicellulaires repose sur la forme de l'unité sécrétrice et sur celle du conduit.

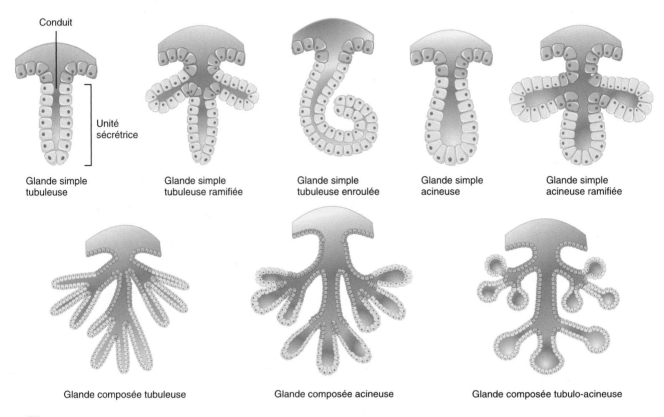

Conduit

Unité sécrétrice

Glande simple tubuleuse

Glande simple tubuleuse ramifiée

Glande simple tubuleuse enroulée

Glande simple acineuse

Glande simple acineuse ramifiée

Glande composée tubuleuse

Glande composée acineuse

Glande composée tubulo-acineuse

Q Qu'est-ce qui distingue les glandes multicellulaires simples des glandes multi-cellulaires composées?

On classe les glandes multicellulaires selon deux critères: la structure du conduit (ramifié ou non) et la forme de l'unité sécrétrice (figure 4.3). On a une **glande simple** si le conduit ne se ramifie pas, et une **glande composée** si le conduit se ramifie. Une glande dotée d'une unité sécrétrice tubulaire est une **glande tubuleuse**; une glande dont l'unité sécrétrice a la forme d'une ampoule est une **glande acineuse,** ou alvéolaire. Une glande dont l'unité sécrétrice a la forme de tubes aux extrémités renflées est une **glande tubulo-acineuse,** ou tubulo-alvéolaire.

La classification structurale des glandes exocrines multi-cellulaires s'établit donc comme suit:

I. Glandes simples: conduit unique et non ramifié.
   A. Glande simple tubuleuse. L'unité sécrétrice est rectiligne et tubulaire. Exemple: grosses glandes intestinales.
   B. Glande simple tubuleuse ramifiée. L'unité sécrétrice est tubulaire et ramifiée. Exemple: glandes gastriques.
   C. Glande simple tubuleuse enroulée. L'unité sécrétrice est enroulée. Exemple: glandes sudoripares.
   D. Glande simple acineuse. L'unité sécrétrice est en forme d'ampoule. Exemple: glandes de l'urètre chez l'homme.
   E. Glande simple acineuse ramifiée. L'unité sécrétrice est en forme d'ampoule et ramifiée. Exemple: glandes sébacées.

II. Glandes composées: conduit ramifié.
   A. Glande composée tubuleuse. L'unité sécrétrice est tubulaire. Exemple: glandes bulbo-urétrales (ou glandes de Cowper).
   B. Glande composée acineuse. L'unité sécrétrice est en forme d'ampoule. Exemple: glandes mammaires.
   C. Glande composée tubulo-acineuse. L'unité sécrétrice est à la fois en forme de tube et en forme d'ampoule. Exemple: glandes tubulo-acineuses du pancréas.

Classification fonctionnelle des glandes exocrines

La classification fonctionnelle des glandes exocrines repose sur le mode de sécrétion. La sécrétion des glandes exocrines peut en effet être composée du produit de sécrétion seulement ou encore comprendre le produit et une partie ou la totalité des cellules glandulaires elles-mêmes. Les **glandes mérocrines** (*meros* = partie), comme les glandes salivaires et le pancréas, élaborent leur produit de sécrétion et l'expulsent à mesure. Le produit de sécrétion est formé par les ribosomes du RE rugueux, transformé, trié et emballé par le complexe de Golgi, puis libéré de la cellule par exocytose dans des vésicules de sécrétion (figure 4.4a). La plupart des glandes exocrines de l'organisme produisent des sécrétions mérocrines. Les **glandes apocrines** (*apo* = loin de) accumulent leur produit de sécrétion à la surface apicale de la cellule sécrétrice. Cette partie de la cellule se détache du reste et forme la sécrétion (figure 4.4b). La partie restante de la cellule se répare et répète le processus. La question de la présence de glandes apocrines dans l'organisme humain fait l'objet d'une controverse depuis qu'on peut étudier les cellules au microscope électronique. Des glandes que l'on prenait autrefois pour des glandes apocrines, les glandes mammaires par exemple, sont probablement des glandes mérocrines. Les cellules des **glandes holocrines** (*holos* = tout) accumulent leur produit de sécrétion dans leur cytosol, arrivent à maturité puis meurent, devenant elles-mêmes un produit de sécrétion avant d'être remplacées (figure 4.4c). Les glandes sébacées de la peau appartiennent à la catégorie des glandes holocrines.

1. Décrivez les formes et les dispositions des cellules dans les différents types d'épithéliums.
2. Quelles sont les caractéristiques communes à tous les tissus épithéliaux?
3. Expliquez le rapport entre la structure et les fonctions des types d'épithéliums suivants: épithélium simple pavimenteux, épithélium simple cuboïde, épithélium simple prismatique (cilié et non cilié), épithélium stratifié pavimenteux (kératinisé et non kératinisé), épithélium stratifié cuboïde, épithélium stratifié prismatique, épithélium transitionnel et épithélium pseudostratifié prismatique (cilié et non cilié).
4. Définissez l'*endothélium* et le *mésothélium*.
5. Qu'est-ce qu'une glande? Qu'est-ce qui distingue les glandes endocrines et les glandes exocrines? Nommez les trois classes fonctionnelles de glandes exocrines et donnez un exemple de glande de chaque classe.

TISSU CONJONCTIF

OBJECTIF

• *Donner les caractéristiques générales du tissu conjonctif et indiquer la structure, la situation et la fonction des différents types de tissus conjonctifs.*

Figure 4.4 Classification fonctionnelle des glandes exocrines multicellulaires.

 Une glande est dite mérocrine, apocrine ou holocrine selon que sa sécrétion est composée du produit seulement ou comprend le produit de sécrétion et une partie ou la totalité de la cellule glandulaire elle-même.

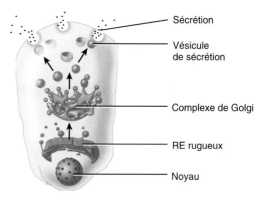

Sécrétion

Vésicule de sécrétion

Complexe de Golgi

RE rugueux

Noyau

(a) Sécrétion mérocrine

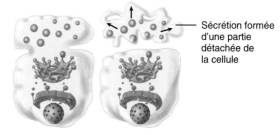

Sécrétion formée d'une partie détachée de la cellule

(b) Sécrétion apocrine

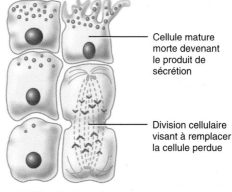

Cellule mature morte devenant le produit de sécrétion

Division cellulaire visant à remplacer la cellule perdue

(c) Sécrétion holocrine

Q À quelle classe les glandes sébacées appartiennent-elles? À quelle classe les glandes salivaires appartiennent-elles?

Le **tissu conjonctif** est le tissu le plus abondant et le plus répandu dans le corps humain. Sous ses diverses formes, il remplit un éventail de fonctions. Il relie, soutient et renforce d'autres tissus; il protège les organes internes et leur sert d'isolant; il enveloppe et isole des structures comme les

Figure 4.5 Cellules et fibres caractéristiques du tissu conjonctif.

 Les fibroblastes sont habituellement les cellules les plus nombreuses dans le tissu conjonctif.

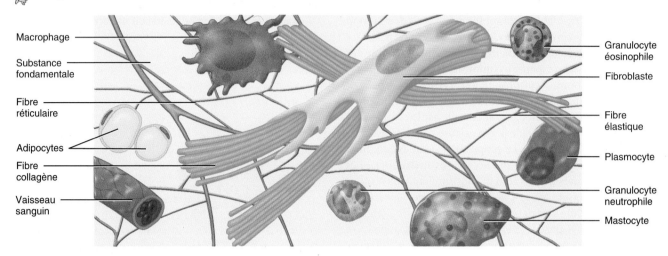

Macrophage

Substance fondamentale

Fibre réticulaire

Adipocytes

Fibre collagène

Vaisseau sanguin

Granulocyte éosinophile

Fibroblaste

Fibre élastique

Plasmocyte

Granulocyte neutrophile

Mastocyte

 Quelle est la fonction des fibroblastes?

muscles squelettiques; il constitue le principal système de transport de l'organisme (le sang étant un tissu conjonctif liquide); il forme des réserves d'énergie (tissu adipeux).

Caractéristiques générales du tissu conjonctif

Le tissu conjonctif comprend deux éléments fondamentaux: des cellules et une matrice extracellulaire. La **matrice extracellulaire** est généralement formée de fibres et de substance fondamentale, la composante qui occupe l'espace entre les cellules et les fibres. La matrice tend à empêcher les cellules de se toucher; elle peut être liquide, semi-liquide, gélatineuse, fibreuse ou calcifiée. Elle est habituellement sécrétée par les cellules du tissu conjonctif et elle détermine les propriétés du tissu. La matrice du sang est liquide (elle n'est pas sécrétée par les cellules sanguines), celle du cartilage est ferme mais souple, tandis que celle de l'os est dure et rigide.

Contrairement aux épithéliums, les tissus conjonctifs ne se retrouvent pas sur les surfaces libres comme l'enveloppe ou le revêtement intérieur des organes internes, le revêtement intérieur des cavités et la surface extérieure du corps. Cependant, les cavités articulaires sont tapissées d'un type de tissu conjonctif appelé tissu conjonctif aréolaire. Tandis que les tissus épithéliaux sont avasculaires, les tissus conjonctifs sont fortement vascularisés, c'est-à-dire qu'ils contiennent beaucoup de vaisseaux sanguins. Le cartilage et les tendons

font exception à la règle; le premier est avasculaire et les seconds sont peu vascularisés. Exception faite du cartilage, le tissu conjonctif est innervé, comme le sont les épithéliums.

Examinons en détail les composantes du tissu conjonctif.

Composantes du tissu conjonctif

Cellules du tissu conjonctif

Les cellules du tissu conjonctif proviennent de cellules du mésoderme embryonnaire appelées cellules mésenchymateuses. Chaque grande classe de tissu conjonctif comprend un type immature de cellules dont le nom se termine par le suffixe -*blaste*, qui signifie «germe». Il s'agit des *fibroblastes* dans les tissus conjonctifs lâche et dense, des *chondroblastes* dans le cartilage et des *ostéoblastes* dans le tissu osseux. Les blastes conservent la capacité de se diviser et sécrètent la matrice caractéristique du tissu. Une fois que la matrice du cartilage et des os est produite, les fibroblastes se différencient en cellules matures dont les noms se terminent par le suffixe -*cyte*, comme les chondrocytes et les ostéocytes. Les cellules matures ont une capacité de division réduite et ne contribuent que dans une faible mesure à la formation de la matrice; elles servent principalement à l'entretien de la matrice.

Selon la classe à laquelle ils appartiennent, les tissus conjonctifs contiennent différents types de cellules, et notamment les suivantes (figure 4.5):

1. Les **fibroblastes** (*fibra* = filament) sont de grandes cellules aplaties et fusiformes dotées de prolongements ramifiés. Présents dans tous les tissus conjonctifs, ils y constituent habituellement le type de cellules le plus abondant. Les fibroblastes migrent à travers le tissu conjonctif et sécrètent les fibres et la substance fondamentale de la matrice.

2. Les **macrophages** (*makros* = grand; *phagein* = manger) proviennent des monocytes, un type de globules blancs. De forme irrégulière, ils possèdent de courts prolongements ramifiés et sont capables d'ingérer des bactéries et des débris cellulaires par phagocytose. Les **macrophages fixes** demeurent dans un tissu en particulier; tel est le cas des macrophages alvéolaires dans les poumons et des macrophages spléniques dans la rate. Les **macrophages libres** parcourent les tissus et se rassemblent dans les sites d'infection ou d'inflammation.

3. Les **plasmocytes** sont petits et soit ronds ou irréguliers. Ils proviennent d'un type de globules blancs appelés lymphocytes B. Ils sécrètent des *anticorps,* protéines qui attaquent ou neutralisent les substances étrangères à l'organisme. Les plasmocytes constituent de ce fait un important élément du système immunitaire. Ils sont disséminés un peu partout dans l'organisme, mais la plupart demeurent dans les tissus conjonctifs, surtout dans le tube digestif et les glandes mammaires.

4. Les **mastocytes** sont abondants le long des vaisseaux sanguins qui irriguent le tissu conjonctif. Ils produisent l'*histamine,* substance chimique qui provoque la dilatation des petits vaisseaux sanguins au cours de la réaction de l'organisme à une lésion ou à une infection.

5. Les **adipocytes,** aussi appelés cellules adipeuses, contiennent des réserves de triglycérides (lipides). Ils sont situés sous la peau et autour d'organes comme le cœur et les reins.

6. Les **globules blancs** ne sont pas abondants dans le tissu conjonctif normal. Dans certaines conditions, cependant, ils migrent en grand nombre de la circulation sanguine dans les tissus conjonctifs. Les *granulocytes neutrophiles,* par exemple, s'accumulent dans les sites d'infection, tandis que les *granulocytes éosinophiles* augmentent en nombre en cas d'allergie et d'infection parasitaire.

Matrice du tissu conjonctif

Chaque type de tissu conjonctif possède des propriétés uniques reliées à la composition de la matrice qui s'accumule entre les cellules. La matrice doit ses propriétés à sa *substance fondamentale* liquide, gélatineuse ou solide, laquelle contient des *fibres* protéiques.

Substance fondamentale Comme nous l'avons déjà indiqué, la substance fondamentale est la composante du tissu conjonctif qui est située entre les cellules et les fibres. La substance fondamentale soutient et relie les cellules; c'est à travers elle que s'effectue l'échange des substances entre le sang et les cellules. On croyait autrefois qu'elle ne constituait rien de plus qu'une trame inerte soutenant les tissus. On sait à présent qu'elle joue un rôle actif dans les tissus et qu'elle participe à leur développement, à leur migration, à leur prolifération, à leurs changements de forme et à l'accomplissement de leurs fonctions métaboliques.

La substance fondamentale contient un assortiment de grosses molécules, dont beaucoup sont des associations complexes de polysaccharides et de protéines. L'**acide hyaluronique,** par exemple, est une substance visqueuse qui relie les cellules, lubrifie les articulations et concourt à maintenir la forme du globe oculaire. Il semble aussi faciliter la migration des phagocytes dans le tissu conjonctif pendant le développement et la cicatrisation des blessures. Les globules blancs, les spermatozoïdes et quelques bactéries produisent de l'*hyaluronidase,* enzyme qui dégrade l'acide hyaluronique et liquéfie la substance fondamentale du tissu conjonctif. La capacité de produire de l'hyaluronidase permet aux globules blancs de se déplacer dans les tissus conjonctifs, aux spermatozoïdes de pénétrer dans l'ovule pour le féconder et aux bactéries de se disséminer dans les tissus conjonctifs. Le **chondroïtine sulfate** est une substance gélatineuse qui concourt au soutien et à l'adhésivité dans le cartilage, les os, la peau et les vaisseaux sanguins. La peau, les tendons, les vaisseaux sanguins et les valves cardiaques contiennent du **dermatane sulfate,** tandis que les os, le cartilage et la cornée renferment du **kératane sulfate.** La substance fondamentale contient enfin des **protéines d'adhésion,** dont la fonction est de relier les composantes de la substance entre elles et à la surface des cellules. La principale protéine d'adhésion du tissu conjonctif est la *fibronectine*; elle se lie aux fibres collagènes (dont nous traiterons plus loin) et à la substance fondamentale et les unit comme dans un filet. De plus, la fibronectine ancre les cellules à la substance fondamentale.

Fibres Les fibres de la matrice renforcent et soutiennent les tissus conjonctifs. Il en existe trois types: les fibres collagènes, les fibres élastiques et les fibres réticulaires.

Les **fibres collagènes** (*kolla* = colle), dont il existe au moins cinq types, sont très solides et elles résistent à la traction; elles ne sont pas rigides pour autant et elles concourent à la souplesse des tissus. Elles se présentent souvent sous forme de faisceaux parallèles (voir la figure 4.5), disposition très propice à la résistance. Sur le plan chimique, les fibres collagènes sont composées de *collagène.* Cette protéine, la plus abondante du corps humain, constitue 25 % de la teneur en protéines de l'organisme. On trouve des fibres collagènes dans la plupart des types de tissus conjonctifs, et surtout dans les os, le cartilage, les tendons et les ligaments.

Les **fibres élastiques,** dont le diamètre est inférieur à celui des fibres collagènes, se ramifient et se réunissent pour former un réseau à l'intérieur d'un tissu. Elles sont composées d'une protéine appelée *élastine,* dont les molécules sont entourées d'une glycoprotéine essentielle à leur stabilité, la *fibrilline*. Étant donné leur structure moléculaire unique, les fibres élastiques sont solides mais peuvent s'étirer sans se rompre pour atteindre jusqu'à 150 % de leur longueur au repos. Les fibres élastiques ont aussi la capacité de retrouver leur forme initiale après un étirement, propriété appelée *élasticité*. Elles abondent dans la peau, les parois des vaisseaux sanguins et le tissu pulmonaire.

Les **fibres réticulaires** (*reticulum* = réseau) sont composées de *collagène* et d'un revêtement de glycoprotéines. Elles soutiennent les parois des vaisseaux sanguins et forment un réseau autour des cellules adipeuses, des fibres nerveuses et des cellules du muscle squelettique et du muscle lisse. Produites par les fibroblastes, elles sont beaucoup plus fines que les fibres collagènes et se ramifient abondamment. Comme les fibres collagènes, les fibres réticulaires soutiennent et renforcent les tissus ; elles constituent en outre le **stroma** (*strôma* = tapis, couverture), c'est-à-dire la charpente de nombreux organes mous tels que la rate et les nœuds lymphatiques. Les fibres réticulaires, enfin, entrent dans la composition de la membrane basale.

APPLICATION CLINIQUE
Syndrome de Marfan

Le **syndrome de Marfan** est une maladie héréditaire causée par une anomalie du gène qui code pour la fibrilline. Elle se caractérise par un développement anormal des fibres élastiques, de sorte que les tissus qui en contiennent beaucoup sont faibles ou difformes. Les structures les plus gravement touchées sont le périoste (enveloppe des os), le ligament suspenseur du cristallin (dans l'œil) et les parois des grosses artères. Les personnes atteintes du syndrome de Marfan sont pour la plupart de grande taille ; leurs bras, leurs jambes, leurs doigts et leurs orteils sont anormalement longs. La maladie se manifeste souvent par une vision embrouillée due au déplacement du cristallin. La complication la plus redoutable de ce syndrome est un affaiblissement de l'aorte (principale artère qui émerge du cœur), qui peut entraîner sa rupture. ■

Classification des tissus conjonctifs

Les cellules et les matrices présentes dans les tissus conjonctifs sont si diversifiées et leurs proportions relatives varient tellement qu'il est difficile de classifier les tissus conjonctifs de manière absolument rigoureuse. Nous adopterons pour notre part la classification suivante :

   I. Tissu conjonctif embryonnaire
      A. Mésenchyme
      B. Tissu conjonctif muqueux
   II. Tissu conjonctif mature
      A. Tissu conjonctif lâche
         1. Tissu conjonctif aréolaire
         2. Tissu adipeux
         3. Tissu conjonctif réticulaire

      B. Tissu conjonctif dense
         1. Tissu conjonctif dense régulier
         2. Tissu conjonctif dense irrégulier
         3. Tissu conjonctif élastique
      C. Cartilage
         1. Cartilage hyalin
         2. Cartilage fibreux
         3. Cartilage élastique
      D. Tissu osseux
      E. Sang
      F. Lymphe

Notez que notre classification comprend deux grandes sous-classes : le tissu conjonctif embryonnaire et le tissu conjonctif mature. Le **tissu conjonctif embryonnaire** se trouve principalement dans l'*embryon* (nom que porte l'être humain en formation de la fécondation jusqu'au troisième mois de la grossesse) et dans le *fœtus* (nom que porte l'être humain en formation du troisième mois de la grossesse jusqu'à la naissance).

Le **mésenchyme** est un tissu conjonctif embryonnaire qui existe presque seulement chez l'embryon. C'est du mésenchyme que dériveront tous les autres tissus conjonctifs (tableau 4.2A). Le mésenchyme est composé de cellules aux formes irrégulières, d'une substance fondamentale semi-liquide et de fibres réticulaires délicates. Le **tissu conjonctif muqueux**, ou **tissu mucoïde de connexion,** est un tissu embryonnaire qui se trouve principalement dans le cordon ombilical. Cette forme de mésenchyme contient des fibroblastes épars, une substance fondamentale gélatineuse appelée gelée de Wharton et des fibres collagènes (tableau 4.2B).

La deuxième grande sous-classe de tissu conjonctif, le **tissu conjonctif mature,** est présente dans l'organisme du nouveau-né et contient des cellules dérivées du mésenchyme. Nous décrirons les différents types de tissu conjonctif mature dans la section qui suit.

Types de tissu conjonctif mature

Les six types de tissu conjonctif mature sont : 1) le tissu conjonctif lâche, 2) le tissu conjonctif dense, 3) le cartilage, 4) le tissu osseux, 5) le sang et 6) la lymphe. Nous les étudierons en détail ici.

Tissu conjonctif lâche

Le **tissu conjonctif lâche** contient des fibres lâchement entremêlées ainsi que de nombreuses cellules. Il se présente sous trois formes : le tissu conjonctif aréolaire, le tissu adipeux et le tissu conjonctif réticulaire.

Tissu conjonctif aréolaire Le **tissu conjonctif aréolaire** (*areola* = petite surface) est l'un des tissus conjonctifs les plus répandus dans le corps humain. Il contient plusieurs types de cellules, dont des fibroblastes, des macrophages, des plasmocytes, des mastocytes, des adipocytes et quelques globules blancs (tableau 4.3A). Les trois types de fibres

Tableau 4.2 Tissu conjonctif embryonnaire

A. Mésenchyme

Description : Composé de cellules mésenchymateuses de forme irrégulière enchâssées dans une substance fondamentale semi-liquide contenant des fibres réticulaires.

Situation : Sous la peau et le long des os en formation chez l'embryon ; on trouve quelques cellules mésenchymateuses dans le tissu conjonctif adulte, le long des vaisseaux sanguins en particulier.

Fonction : Forme tous les autres types de tissu conjonctif.

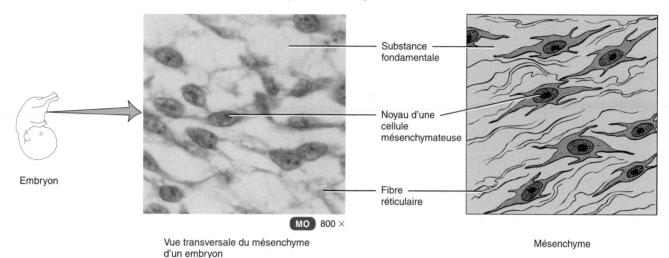

Embryon

Substance fondamentale

Noyau d'une cellule mésenchymateuse

Fibre réticulaire

MO 800 ×

Vue transversale du mésenchyme d'un embryon

Mésenchyme

B. Tissu conjonctif muqueux

Description : Composé de fibroblastes épars pris dans une substance fondamentale gélatineuse et visqueuse contenant des fibres collagènes fines.

Situation : Cordon ombilical.

Fonction : Soutien.

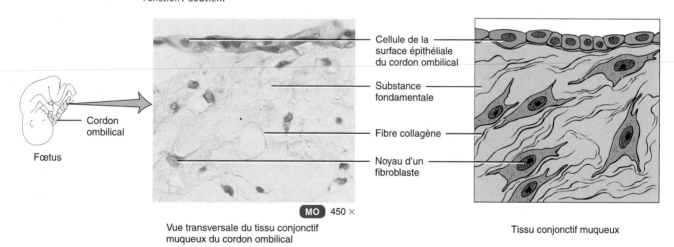

Fœtus

Cordon ombilical

Cellule de la surface épithéliale du cordon ombilical

Substance fondamentale

Fibre collagène

Noyau d'un fibroblaste

MO 450 ×

Vue transversale du tissu conjonctif muqueux du cordon ombilical

Tissu conjonctif muqueux

(collagènes, élastiques et réticulaires) sont dispersées au hasard dans le tissu. La substance fondamentale contient de l'acide hyaluronique, du chondroïtine sulfate, du dermatane sulfate et du kératane sulfate. Associé au tissu adipeux, le tissu conjonctif aréolaire forme la *couche sous-cutanée,* couche de tissu qui rattache la peau aux tissus et aux organes sous-jacents.

Tissu adipeux Le tissu adipeux est un tissu conjonctif lâche dont les cellules, appelées **adipocytes,** sont spécialisées dans le stockage des triglycérides (lipides) (tableau 4.3B). Les adipocytes dérivent des fibroblastes. Ils sont remplis d'une grosse gouttelette de triglycérides, de sorte que le cytoplasme et le noyau sont repoussés à la périphérie. On trouve du tissu adipeux partout où il y a du tissu conjonctif aréolaire. Le tissu adipeux est un bon isolant et limite la déperdition de chaleur à travers la peau. Outre qu'il constitue une importante réserve d'énergie, il protège et soutient divers organes.

Suite du texte à la page 135

Tableau 4.3 Tissu conjonctif mature

TISSU CONJONCTIF LÂCHE

A. Tissu conjonctif aréolaire

Description : Composé de fibres (collagènes, élastiques et réticulaires) et de plusieurs types de cellules (fibroblastes, macrophages, plasmocytes, adipocytes et mastocytes) enchâssées dans une substance fondamentale semi-liquide.

Situation : Couche sous-cutanée ; derme papillaire (couche superficielle du derme) ; chorion des muqueuses ; autour des vaisseaux sanguins, des nerfs et des organes.

Fonctions : Renforcement, élasticité et soutien.

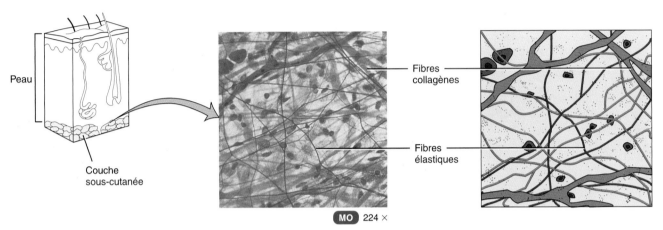

MO 224 ×

Vue transversale du tissu conjonctif aréolaire sous-cutané

Tissu conjonctif aréolaire

B. Tissu adipeux

Description : Composé d'adipocytes, cellules qui emmagasinent les triglycérides (lipides) au centre de leur cytoplasme et dont le noyau est repoussé à la périphérie.

Situation : Couche sous-cutanée de la peau, autour du cœur et des reins, moelle jaune des os longs, coussins autour des articulations et derrière le globe oculaire dans l'orbite.

Fonctions : Réduction des déperditions de chaleur à travers la peau, réserve d'énergie, soutien et protection. Chez le nouveau-né, la graisse brune produit une grande quantité de chaleur et contribue ainsi au maintien de la température corporelle.

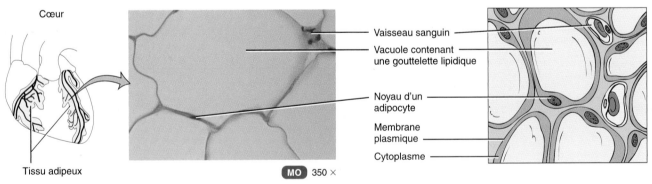

MO 350 ×

Vue transversale de la graisse blanche

Tissu adipeux

Tableau 4.3 (suite)

TISSU CONJONCTIF LÂCHE

C. Tissu conjonctif réticulaire

Description : Composé d'un réseau de fibres réticulaires entrelacées et de cellules réticulaires.
Situation : Stroma (charpente) du foie, de la rate et des nœuds lymphatiques ; partie de la moelle osseuse qui produit les cellules sanguines ; lame réticulaire de la membrane basale ; autour des vaisseaux sanguins et des muscles.
Fonctions : Composition du stroma ; liaison des cellules du muscle lisse.

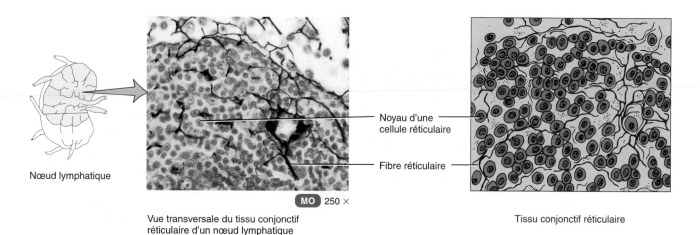

Nœud lymphatique

Noyau d'une cellule réticulaire

Fibre réticulaire

MO 250 ×

Vue transversale du tissu conjonctif réticulaire d'un nœud lymphatique

Tissu conjonctif réticulaire

TISSU CONJONCTIF DENSE

D. Tissu conjonctif dense régulier

Description : La matrice est d'un blanc luisant ; composé principalement de fibres collagènes regroupées en faisceaux ; les fibroblastes sont disposés en rangées entre les faisceaux.
Situation : Tendons (structures qui relient les muscles aux os), la plupart des ligaments (structures qui relient les os entre eux) et aponévroses (tendons en forme de feuillets qui relient des muscles entre eux ou à des os).
Fonction : Formation de liens solides entre des structures.

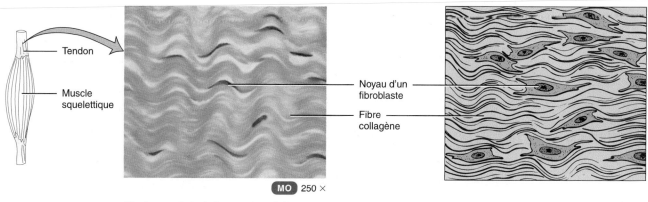

Tendon

Muscle squelettique

Noyau d'un fibroblaste

Fibre collagène

MO 250 ×

Vue transversale du tissu conjonctif dense régulier d'un tendon

Tissu conjonctif dense régulier

Tableau 4.3 Tissu conjonctif mature (suite)

TISSU CONJONCTIF DENSE

E. Tissu conjonctif dense irrégulier

Description : Composé principalement de fibres collagènes orientées dans tous les sens ainsi que de quelques fibroblastes.
Situation : Fascias (tissu situé sous la peau et autour des muscles et d'autres organes), couche réticulaire (profonde) du derme, périoste, périchondre, capsules articulaires, capsules membraneuses autour de divers organes (reins, foie, testicules, nœuds lymphatiques), péricarde et valves cardiaques.
Fonction : Renforcement.

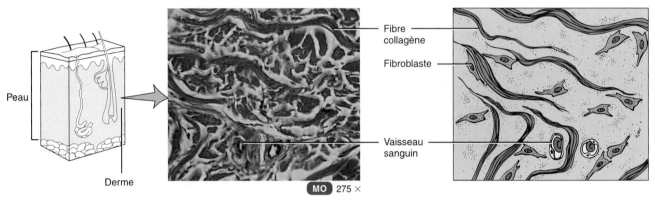

Peau

Derme

Fibre collagène

Fibroblaste

Vaisseau sanguin

MO 275 ×

Vue transversale du tissu conjonctif dense irrégulier de la couche réticulaire du derme

Tissu conjonctif dense irrégulier

F. Tissu conjonctif élastique

Description : Composé principalement de fibres élastiques ramifiées ; des fibroblastes sont situés dans les espaces entre les fibres.
Situation : Tissu pulmonaire, parois des artères élastiques, trachée, bronches, cordes vocales vraies, ligament suspenseur du pénis et ligaments intervertébraux.
Fonction : Élasticité de divers organes.

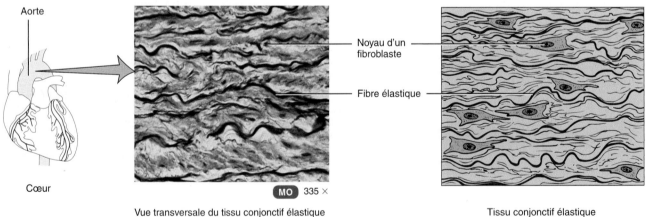

Aorte

Cœur

Noyau d'un fibroblaste

Fibre élastique

MO 335 ×

Vue transversale du tissu conjonctif élastique de l'aorte

Tissu conjonctif élastique

Tableau 4.3 (suite)

CARTILAGE

G. Cartilage hyalin

Description : Composé d'une substance fondamentale luisante d'un blanc bleuté comprenant des fibres collagènes fines ; contient de nombreux chondrocytes ; type de cartilage le plus abondant.

Situation : Extrémités des os longs, extrémités antérieures des côtes, nez, parties du larynx, trachée, bronches et squelette de l'embryon.

Fonctions : Surface lisse pour la mobilité articulaire, souplesse et soutien.

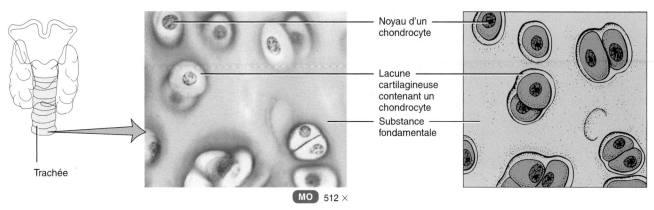

Trachée

Noyau d'un chondrocyte

Lacune cartilagineuse contenant un chondrocyte

Substance fondamentale

MO 512 ×

Vue transversale du cartilage hyalin de la trachée

Cartilage hyalin

H. Cartilage fibreux

Description : Composé de chondrocytes disséminés parmi des faisceaux de fibres collagènes dans la matrice.

Situation : Symphyse pubienne (point où les os coxaux se rejoignent sur la face antérieure), disques intervertébraux, ménisques (coussins de cartilage) du genou et parties des tendons qui s'insèrent dans le cartilage.

Fonctions : Soutien et fusion.

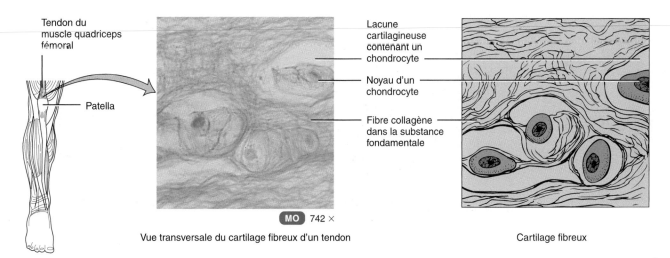

Tendon du muscle quadriceps fémoral

Patella

Partie du membre inférieur droit

Lacune cartilagineuse contenant un chondrocyte

Noyau d'un chondrocyte

Fibre collagène dans la substance fondamentale

MO 742 ×

Vue transversale du cartilage fibreux d'un tendon

Cartilage fibreux

Tableau 4.3 Tissu conjonctif mature (suite)

CARTILAGE

I. Cartilage élastique

Description: Composé de chondrocytes situés dans un réseau filamenteux de fibres élastiques à l'intérieur de la matrice.
Situation: Épiglotte, pavillon de l'oreille, conduit auditif.
Fonctions: Soutien et maintien de la forme.

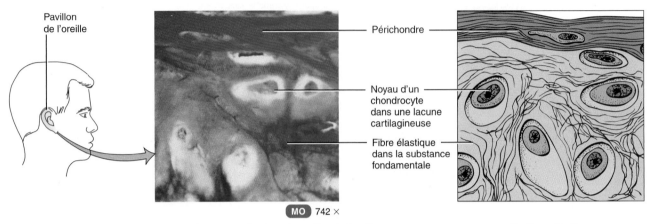

Pavillon de l'oreille

Périchondre

Noyau d'un chondrocyte dans une lacune cartilagineuse

Fibre élastique dans la substance fondamentale

MO 742 ×

Vue transversale du cartilage élastique du pavillon de l'oreille

Cartilage élastique

TISSU OSSEUX

J. Os compact

Description: L'os compact est composé d'ostéones contenant des lamelles, des lacunes, des ostéocytes, des canalicules et des canaux centraux de l'ostéone (ou canaux de Havers). L'os spongieux (voir la figure 6.3, p. 174) est composé de minces travées appelées trabécules; les espaces intratrabéculaires sont remplis de moelle osseuse rouge.
Situation: L'os compact et l'os spongieux forment les différentes parties des os.
Fonctions: Soutien, protection, stockage; siège des tissus hématopoïétiques; associé au tissu musculaire, action de levier permettant les mouvements.

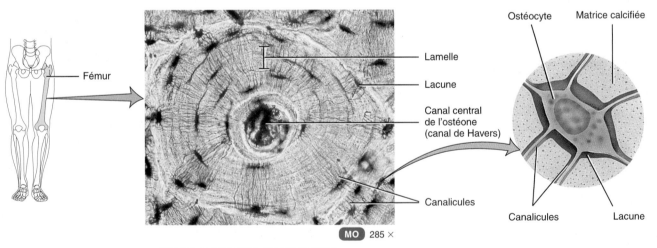

Fémur

Ostéocyte

Matrice calcifiée

Lamelle

Lacune

Canal central de l'ostéone (canal de Havers)

Canalicules

Canalicules

Lacune

MO 285 ×

Vue transversale d'une ostéone du fémur (os de la cuisse)

Tableau 4.3 (suite)

SANG

K. Sang

Description : Composé de plasma et d'éléments figurés, c'est-à-dire les globules rouges (ou érythrocytes) les globules blancs (ou leucocytes) et les plaquettes.

Situation : À l'intérieur des vaisseaux sanguins (artères, artérioles, capillaires, veinules et veines) et des cavités du cœur.

Fonctions : Transport de l'oxygène et du gaz carbonique (globules rouges) ; phagocytose, réactions allergiques et réponse immunitaire (globules blancs) ; coagulation (plaquettes).

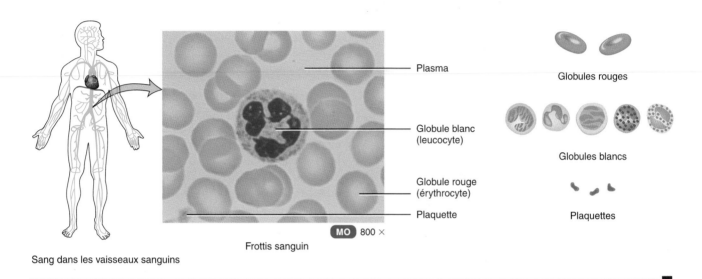

Sang dans les vaisseaux sanguins

Frottis sanguin

MO 800 ×

Chez l'adulte, la majeure partie du tissu adipeux est de la **graisse blanche,** le type que nous venons de décrire. Il existe aussi de la **graisse brune,** qui doit sa couleur à sa riche vascularisation et à ses nombreuses mitochondries ; celles-ci contiennent des pigments qui participent à la respiration cellulaire aérobie. La graisse brune est abondante chez le fœtus et le nourrisson mais rare chez l'adulte. Elle produit une importante quantité de chaleur et concourt probablement au maintien de la température corporelle chez le nouveau-né. La chaleur produite par les mitochondries se disperse dans les autres tissus grâce aux nombreux vaisseaux sanguins qui parcourent ce tissu adipeux.

APPLICATION CLINIQUE
Liposuccion

L'intervention chirurgicale appelée **liposuccion** (*lipos* = graisse), ou lipectomie d'aspiration (*ektomê* = ablation), consiste à aspirer de petites quantités de tissu adipeux de diverses parties du corps. La technique peut servir à amincir les régions où le tissu adipeux s'accumule, les cuisses, les fesses, les bras, les seins et l'abdomen. L'intervention peut entraîner des complications telles que l'embolie graisseuse, l'infection, la déplétion hydrique, des lésions aux structures internes et une douleur postopératoire intense. ■

Tissu conjonctif réticulaire Le tissu conjonctif réticulaire comprend de fines fibres réticulaires entrelacées et des cellules réticulaires. Ces cellules sont reliées les unes aux autres et forment un réseau (tableau 4.3C). Le tissu conjonctif réticulaire constitue le stroma (charpente) de certains organes et concourt à lier les cellules du muscle lisse.

Tissu conjonctif dense

Le **tissu conjonctif dense** contient plus de fibres mais beaucoup moins de cellules que le tissu conjonctif lâche. Ses fibres, en outre, sont plus épaisses et plus denses. Il existe trois types de tissu conjonctif dense : le tissu conjonctif dense régulier, le tissu conjonctif dense irrégulier et le tissu conjonctif élastique.

Tissu conjonctif dense régulier Dans le tissu conjonctif dense régulier, les fibres collagènes sont disposées en faisceaux *réguliers* et *parallèles* (tableau 4.3D). Cette disposition confère une grande solidité au tissu et lui permet de résister aux tractions exercées dans l'axe des fibres. Les fibroblastes, qui produisent les fibres et la substance fondamentale, forment des rangées entre les fibres. Le tissu est d'un blanc argenté et, bien que résistant, il possède une certaine souplesse. On en trouve dans les tendons et dans la plupart des ligaments.

Tissu conjonctif dense irrégulier   Le tissu conjonctif dense irrégulier contient des fibres collagènes habituellement disposées de manière *irrégulière* (tableau 4.3E). Il est présent dans les parties du corps soumises à des forces de traction exercées dans différentes directions. Il se présente généralement sous forme de feuillets, comme c'est le cas dans le derme (sous l'épiderme). Les valves cardiaques, le périchondre (membrane entourant le cartilage) et le périoste (membrane entourant les os) sont formés de tissu conjonctif dense irrégulier, encore que les fibres collagènes y soient disposées de manière assez ordonnée.

Tissu conjonctif élastique   Les fibres élastiques ramifiées prédominent dans le tissu conjonctif élastique (tableau 4.3F) et lui donnent une couleur jaunâtre à l'état naturel. Les fibroblastes sont situés dans les espaces entre les fibres. Le tissu conjonctif élastique est solide et peut reprendre sa forme initiale après un étirement. Cette propriété est essentielle au fonctionnement normal du tissu pulmonaire, qui se rétracte au cours des expirations, et des artères, dont la rétraction entre les battements cardiaques favorise le débit sanguin.

Cartilage

Le **cartilage** consiste en un réseau dense de fibres collagènes et de fibres élastiques fermement enchâssées dans du chondroïtine sulfate, composante caoutchouteuse de la substance fondamentale. Le cartilage peut tolérer beaucoup plus de stress que les tissus conjonctifs lâche et dense. Il doit sa résistance aux fibres collagènes et sa résilience (capacité de reprendre sa forme initiale après une déformation) au chondroïtine sulfate.

Les cellules du cartilage mature, appelées **chondrocytes** (*khondros* = cartilage), se présentent seules ou en groupe dans des espaces appelés **lacunes cartilagineuses** (*lacuna* = fosse), dans la matrice. La surface du cartilage est généralement entourée d'une membrane de tissu conjonctif dense irrégulier appelée **périchondre** (*peri* = autour). Contrairement aux autres tissus conjonctifs, le cartilage ne contient ni vaisseaux sanguins ni nerfs, sauf dans le périchondre. On distingue trois types de cartilage : le cartilage hyalin, le cartilage fibreux et le cartilage élastique.

Cartilage hyalin   Le cartilage hyalin possède une substance fondamentale gélatineuse et résiliente et offre un aspect blanc bleuté vitreux. Les techniques de coloration ordinaires ne font pas apparaître ses fines fibres collagènes. Les chondrocytes, cependant, sont très apparents dans les lacunes cartilagineuses (tableau 4.3G). Le cartilage hyalin est recouvert d'un périchondre, sauf dans les articulations et dans les épiphyses (parties des os qui allongent pendant la croissance). Il s'agit du type de cartilage le plus abondant mais le plus faible dans le corps humain. Il confère souplesse et soutien aux structures et, dans les articulations, il réduit la friction et absorbe les chocs.

Cartilage fibreux   Dans le cartilage fibreux, les chondrocytes sont disséminés parmi des faisceaux bien visibles de fibres collagènes à l'intérieur de la matrice (tableau 4.3H). Ce type de cartilage est dépourvu de périchondre. Il associe résistance et rigidité, et c'est le plus fort des trois types de cartilage. On le trouve notamment dans les disques intervertébraux.

Cartilage élastique   Les chondrocytes du cartilage élastique sont situés à l'intérieur d'un réseau filamenteux de fibres élastiques, dans la matrice (tableau 4.3I). Ce type de cartilage est entouré d'un périchondre. Il apporte résistance et élasticité et permet à certaines structures de conserver leur forme, comme dans le cas de l'oreille externe.

Croissance et réparation du cartilage   Le cartilage croît lentement ; il est relativement inactif. Il guérit lentement des lésions et des inflammations, car il est avasculaire. Les substances nécessaires à sa réparation et les cellules sanguines qui participent au processus doivent diffuser ou migrer à partir du périchondre. La croissance du cartilage peut être interstitielle ou par apposition.

Dans la **croissance interstitielle,** les dimensions du cartilage augmentent rapidement car les chondrocytes existants se divisent et élaborent une quantité croissante de matrice. L'expansion progresse de l'intérieur vers l'extérieur, d'où le terme « *inter*stitiel ». Ce mode de croissance se produit lorsque le cartilage est jeune et malléable, c'est-à-dire pendant l'enfance et l'adolescence.

Dans la **croissance par apposition,** l'expansion est due à l'activité des cellules de la couche chondrogène profonde du périchondre. Les cellules profondes du périchondre, les fibroblastes, se divisent ; certaines se différencient et deviennent des chondroblastes. À mesure que la différenciation progresse, les chondroblastes s'enrobent de matrice et deviennent des chondrocytes. La matrice s'accumule par conséquent en dessous du périchondre, à la surface du cartilage, et en augmente la largeur. La croissance par apposition s'amorce plus tard que la croissance interstitielle et se poursuit jusqu'à la fin de l'adolescence.

Tissu osseux

Le cartilage, les articulations et les os forment le système osseux. Les os sont des organes composés de plusieurs types de tissus conjonctifs, dont le **tissu osseux,** le périoste, la moelle osseuse rouge, la moelle osseuse jaune et l'endoste (membrane tapissant la paroi de la cavité qui contient la moelle osseuse jaune). Le tissu osseux est dit compact ou spongieux, selon l'organisation de la matrice et des cellules.

L'unité fondamentale du tissu osseux compact est l'**ostéone** (tableau 4.3J). Chaque ostéone est composée de quatre éléments :

- Les **lamelles** sont des anneaux concentriques de matrice constitués de sels minéraux (calcium et phosphates principalement), qui donnent au tissu osseux sa dureté, et de fibres collagènes, qui donnent au tissu osseux sa résistance.

- Les **lacunes** sont, comme leur nom l'indique, de petits espaces situés entre les lamelles; elles contiennent les cellules osseuses matures, les **ostéocytes.**

- Les **canalicules** sont des réseaux de minuscules canaux qui émergent des lacunes et contiennent les prolongements des ostéocytes. Ils constituent des voies de transport par lesquelles les nutriments atteignent les ostéocytes et par où sortent les déchets.

- Le **canal central de l'ostéone** (ou **canal de Havers**) contient les vaisseaux sanguins et les nerfs.

L'os spongieux ne renferme pas d'ostéones; il est plutôt composé de travées osseuses appelées **trabécules osseuses** (*trabecula* = petite poutre) qui contiennent des lamelles, des ostéocytes, des lacunes et des canalicules. Les espaces entre les trabécules sont remplis de moelle osseuse rouge. Nous étudierons l'histologie de l'os en détail au chapitre 6.

Le système osseux remplit plusieurs fonctions. Il soutient les tissus mous, protège les structures fragiles et, en association avec les muscles squelettiques, produit les mouvements. Le tissu osseux emmagasine le calcium et du phosphore, abrite la moelle osseuse rouge (qui élabore les cellules sanguines) et la moelle osseuse jaune (qui contient des réserves d'énergie sous forme de triglycérides).

Sang

Le **sang** est un tissu conjonctif dont la matrice liquide est appelée **plasma.** Ce liquide aqueux jaune paille contient surtout de l'eau avec une vaste gamme de solutés, et notamment des nutriments, des déchets, des enzymes, des hormones, des gaz respiratoires et des ions (tableau 4.3K). Les éléments figurés du sang, soit les globules rouges (ou érythrocytes), les globules blancs (ou leucocytes) et les plaquettes, sont en suspension dans le plasma. Les **globules rouges** transportent l'oxygène jusqu'aux cellules et en retirent le gaz carbonique. Les **globules blancs** interviennent dans la phagocytose, l'immunité et les réactions allergiques. Les **plaquettes** participent à la coagulation du sang. Nous étudierons le sang en détail au chapitre 19.

Lymphe

La **lymphe** est le liquide interstitiel qui circule dans les vaisseaux lymphatiques. Ce tissu conjonctif est composé d'un liquide clair qui ressemble au plasma, mais qui contient beaucoup moins de protéines. Ce liquide contient des cellules et des substances chimiques diverses, et sa composition varie selon les parties du corps. Ainsi, la lymphe qui sort des nœuds lymphatiques renferme de nombreux lymphocytes, un type de globules blancs, tandis que la lymphe de l'intestin grêle est riche en lipides fraîchement absorbés des aliments. Nous étudierons la lymphe en détail au chapitre 22.

1. Énumérez les différences entre le tissu conjonctif et le tissu épithélial.

2. Décrivez les cellules, la substance fondamentale et les fibres qui composent le tissu conjonctif.

3. Quelle est la classification des tissus conjonctifs? Énumérez les différents types de tissus conjonctifs.

4. Qu'est-ce qui distingue le tissu conjonctif embryonnaire du tissu conjonctif mature?

5. Expliquez le rapport entre la structure et les fonctions des tissus conjonctifs matures suivants: le tissu conjonctif aréolaire, le tissu adipeux, le tissu conjonctif réticulaire, le tissu conjonctif dense régulier, le tissu conjonctif dense irrégulier, le tissu conjonctif élastique, le cartilage hyalin, le cartilage fibreux, le cartilage élastique, le tissu osseux et le sang.

6. Quelle est la différence entre la croissance interstitielle et la croissance par apposition du cartilage?

MEMBRANES

OBJECTIF

- *Définir la membrane et donner la classification des membranes.*

Les **membranes** sont des feuillets de tissu malléable qui recouvrent ou tapissent une partie du corps. L'association d'un feuillet épithélial et du tissu conjonctif sous-jacent constitue une **membrane épithéliale.** Les principales membranes épithéliales du corps humain sont les muqueuses, les séreuses et la membrane cutanée, c'est-à-dire la peau. (Nous ne décrirons pas la peau ici car nous l'étudierons en détail au chapitre 5.) Les **membranes synoviales,** par ailleurs, tapissent les articulations et contiennent du tissu conjonctif mais pas de tissu épithélial.

Membranes épithéliales

Muqueuses

Une **muqueuse** est une membrane qui tapisse l'intérieur d'une cavité ouverte directement sur l'extérieur. On trouve des muqueuses sur toutes les parois internes des systèmes digestif, respiratoire et reproducteur ainsi que sur la plupart de celles du système urinaire. Les muqueuses sont formées d'un feuillet épithélial surmontant un feuillet de tissu conjonctif.

Le feuillet épithélial d'une muqueuse est une importante composante des mécanismes de défense de l'organisme, car il oppose une barrière aux microorganismes et aux autres agents pathogènes. Les cellules sont en général reliées par des jonctions serrées, si bien que les matières ne peuvent s'infiltrer entre elles. Certaines cellules du feuillet épithélial des muqueuses, dont les cellules caliciformes, sécrètent du mucus. Ce liquide visqueux prévient l'assèchement des cavités, emprisonne les particules dans les voies respiratoires et lubrifie la nourriture au cours de son trajet dans le tube digestif. Par ailleurs, le feuillet épithélial sécrète quelques-unes des enzymes nécessaires à la digestion et constitue le siège de l'absorption de la nourriture et des liquides dans le tube digestif. Les épithéliums des muqueuses varient considérablement selon les parties du corps. Celui de la muqueuse de l'intestin grêle, par exemple, est de type simple prismatique (voir le tableau 4.1C), tandis que celui des grandes voies respiratoires est de type pseudostratifié prismatique cilié (voir le tableau 4.1I).

Le feuillet de tissu conjonctif d'une muqueuse est un tissu conjonctif aréolaire qui porte le nom de **chorion.** Le chorion (ou lamina propria) soutient l'épithélium, le relie aux structures sous-jacentes et donne une certaine flexibilité à la membrane. En outre, il maintient les vaisseaux sanguins en place et protège les muscles sous-jacents contre l'abrasion et la perforation. L'oxygène et les nutriments diffusent du chorion vers l'épithélium qui le recouvre, tandis que le gaz carbonique et les déchets diffusent dans le sens opposé.

Séreuses

Une **séreuse** (*serum* = petit-lait) est une membrane qui tapisse la paroi interne d'une cavité fermée et recouvre les organes situés à l'intérieur. Les séreuses sont formées de tissu conjonctif aréolaire recouvert de mésothélium (épithélium simple pavimenteux) et elles comprennent deux couches. Celle qui est rattachée à la paroi de la cavité est appelée **feuillet pariétal** (*paries* = paroi) et celle qui recouvre les organes et les rattache à la cavité est appelée **feuillet viscéral.** Le mésothélium d'une séreuse sécrète une **sérosité,** liquide aqueux lubrifiant qui permet aux organes de glisser facilement les uns sur les autres ou contre la paroi de la cavité.

La séreuse qui tapisse la cavité thoracique et recouvre les poumons est la **plèvre.** La séreuse qui recouvre le cœur est le **péricarde.** La séreuse qui tapisse la cavité abdominale et recouvre les organes abdominaux est le **péritoine.**

Membranes synoviales

Les **membranes synoviales** recouvrent les parois des cavités des articulations libres (*syn* = ensemble ; les os s'unissent au niveau des articulations). Comme les séreuses, les membranes synoviales tapissent des structures qui ne s'ouvrent pas sur l'extérieur. Contrairement aux muqueuses, aux séreuses et à la peau, elles ne comprennent pas d'épithélium et ne sont donc pas des membranes épithéliales. Les membranes synoviales sont formées de tissu conjonctif aréolaire contenant des fibres élastiques et un nombre variable d'adipocytes. Les membranes synoviales sécrètent la **synovie,** liquide qui lubrifie et nourrit le cartilage recouvrant les os dans les articulations mobiles ; ces membranes sont appelées *membranes synoviales articulaires.* D'autres membranes synoviales tapissent les *bourses synoviales,* structures en forme de sacs qui servent de coussins dans les articulations, et les *gaines synoviales,* qui facilitent le mouvement des tendons dans les mains et les pieds.

1. Définissez la *muqueuse*, la *séreuse*, la *membrane cutanée* et la *membrane synoviale.*
2. Indiquez la situation de chaque type de membrane dans l'organisme. Énumérez les fonctions de chacune.

TISSU MUSCULAIRE
OBJECTIF

- *Donner les caractéristiques générales du tissu musculaire et comparer la structure, la situation et le mode de régulation des trois types de tissu musculaire.*

Le **tissu musculaire** est composé de cellules musculaires appelées fibres musculaires, ou myocytes ; plus longues que larges, ces cellules sont merveilleusement agencées pour engendrer une force. Grâce à cette caractéristique, le tissu musculaire permet le mouvement, maintient la posture et produit de la chaleur. La classification du tissu musculaire repose sur sa situation de même que sur certaines caractéristiques structurales et fonctionnelles. On distingue ainsi le tissu musculaire squelettique, le tissu musculaire cardiaque et le tissu musculaire lisse (tableau 4.4).

Le **tissu musculaire squelettique,** comme son nom l'indique, est habituellement rattaché aux os (tableau 4.4A). Les myocytes comportent une alternance de bandes claires et de bandes sombres, les *stries,* qui sont perpendiculaires à l'axe longitudinal des cellules et qui sont visibles au microscope optique. Le tissu musculaire squelettique a donc un aspect *strié.* Le muscle squelettique est qualifié de *volontaire* car ses contractions et ses relâchements obéissent à la volonté. Les myocytes squelettiques sont très longs et de forme plutôt cylindrique ; leurs nombreux noyaux sont situés en périphérie. Les myocytes sont disposés parallèlement les uns aux autres dans un muscle.

Le **tissu musculaire cardiaque** forme la plus grande partie de la paroi du cœur (tableau 4.4B). Il est strié, à l'instar du muscle squelettique. Contrairement au muscle squelettique, cependant, il est involontaire, c'est-à-dire que ses contractions ne sont pas régies consciemment. Les myocytes cardiaques sont ramifiés et possèdent un noyau central, deux dans de rares cas. Ils sont reliés bout à bout par des épaississements transversaux de la membrane plasmique, les **disques intercalaires,** qui contiennent à la fois des desmosomes et des jonctions communicantes. Seul le muscle cardiaque contient des disques intercalaires. Les desmosomes renforcent le tissu et retiennent les myocytes ensemble pendant leurs vigoureuses contractions. Les jonctions communicantes permettent aux potentiels d'action de se propager rapidement à travers le cœur.

Le **tissu musculaire lisse** est situé dans les parois des structures internes creuses comme les vaisseaux sanguins, les voies aériennes, l'estomac, l'intestin, la vésicule biliaire et la vessie (tableau 4.4C). Ses contractions favorisent la constriction des vaisseaux sanguins, dégradent mécaniquement

Tableau 4.4 Tissu musculaire

A. Tissu musculaire squelettique

Description : Myocytes allongés, cylindriques et striés possédant plusieurs noyaux situés en périphérie ; volontaire.
Situation : Habituellement relié aux os par des tendons.
Fonctions : Mouvement, posture, production de chaleur.

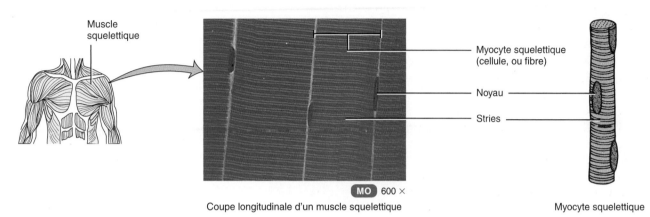

Muscle squelettique

Myocyte squelettique (cellule, ou fibre)

Noyau

Stries

MO 600 ×

Coupe longitudinale d'un muscle squelettique

Myocyte squelettique

B. Tissu musculaire cardiaque

Description : Myocytes striés et ramifiés possédant un ou deux noyaux centraux ; contient des disques intercalaires ; involontaire.
Situation : Paroi du cœur.
Fonction : Propulser le sang dans les vaisseaux sanguins de l'organisme entier.

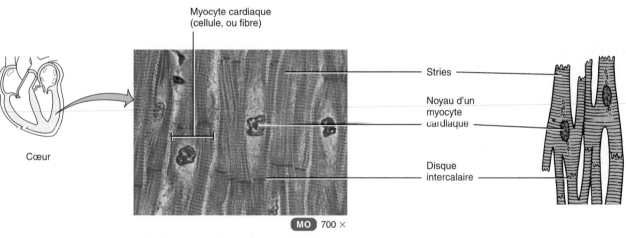

Myocyte cardiaque (cellule, ou fibre)

Cœur

Stries

Noyau d'un myocyte cardiaque

Disque intercalaire

MO 700 ×

Coupe longitudinale du tissu musculaire cardiaque

Myocytes cardiaques

Tableau 4.4 Tissu musculaire (suite)

C. Tissu musculaire lisse   *Description :* Myocytes fusiformes non striés possédant un noyau central ; involontaire.

Situation : Parois des structures internes creuses comme les vaisseaux sanguins, les voies aériennes, l'estomac, l'intestin, la vésicule biliaire, la vessie et l'utérus.

Fonction : Mouvement (constriction des vaisseaux sanguins et des voies aériennes, propulsion de la nourriture dans le tube digestif, contraction de la vessie et de la vésicule biliaire).

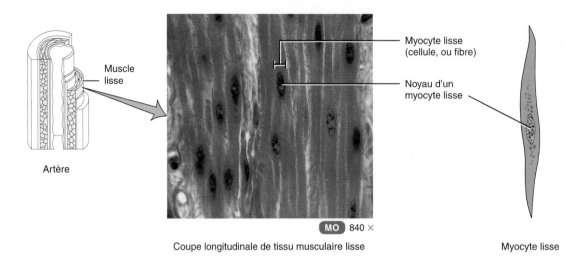

Muscle lisse

Artère

Myocyte lisse (cellule, ou fibre)

Noyau d'un myocyte lisse

MO 840 ×

Coupe longitudinale de tissu musculaire lisse

Myocyte lisse

la nourriture et la font avancer dans le tube digestif, propulsent les liquides dans l'organisme et éliminent les déchets. Le muscle lisse est *non strié* (d'où son nom) et habituellement *involontaire.* Un myocyte lisse est une cellule fusiforme de petite taille (plus épaisse en son centre qu'à ses extrémités) qui contient un seul noyau central. Dans certains muscles lisses, et notamment dans la paroi des intestins, de nombreux myocytes lisses sont reliés par des jonctions communicantes, ce qui leur permet de se contracter à l'unisson. Ailleurs, dans l'iris par exemple, on ne trouve pas de jonctions communicantes, et les myocytes lisses se contractent individuellement, comme les myocytes squelettiques. Nous reviendrons en détail sur le tissu musculaire au chapitre 10.

1. Quel tissu musculaire est strié et lequel est lisse ?
2. Quel tissu musculaire contient des jonctions communicantes ?

TISSU NERVEUX

OBJECTIF

• *Donner les caractéristiques structurales et les fonctions du tissu nerveux.*

Le tissu nerveux, malgré sa stupéfiante complexité, n'est composé que de deux grands types de cellules, les neurones et les cellules gliales. Les **neurones,** ou cellules nerveuses, sont sensibles à divers stimulus. Ils convertissent les stimulus

en influx nerveux (potentiels d'action) qu'ils acheminent à d'autres neurones, à des muscles ou à des glandes. La plupart des neurones comprennent trois composantes fondamentales : un corps cellulaire et deux types de prolongements, les dendrites et l'axone (tableau 4.5). Le **corps cellulaire** contient le noyau et les autres organites. Les **dendrites** (*dendron* = arbre) sont effilés, très ramifiés et habituellement courts. Ils constituent les parties réceptrices du neurone. L'unique **axone** (*axon* = axe) est mince, cylindrique et, dans certains cas, très long. Il s'agit de la partie émettrice du neurone, car il achemine les influx nerveux vers un autre neurone ou vers un autre tissu.

Les **cellules gliales** (*gloios* = glu), ou névroglie, ne produisent ni n'acheminent d'influx nerveux, mais elles accomplissent d'importantes fonctions (voir le tableau 12.1, p. 407). Nous présentons en détail la structure et les fonctions des neurones et des cellules gliales au chapitre 12.

APPLICATION CLINIQUE
Génie tissulaire

Une technologie appelée **génie tissulaire** a vu le jour il y a quelques années. À l'aide d'une panoplie de matériaux, les scientifiques essaient de fabriquer des tissus en laboratoire afin de remplacer les tissus endommagés. Ils ont déjà réussi à produire de la peau et du cartilage. Pour ce faire, ils ont cultivé des cellules de peau ou de cartilage sur des substrats de matières synthétiques biodégradables ou de collagène. Ces

Tableau 4.5 Tissu nerveux

Description : Composé de neurones (ou cellules nerveuses) et de cellules gliales (ou névroglie). Les neurones comprennent un corps cellulaire et des prolongements, soit de nombreux dendrites et un seul axone. Les cellules gliales ne produisent ni n'acheminent d'influx nerveux, mais elles accomplissent d'importantes fonctions.
Situation : Système nerveux.
Fonctions : Réagit à divers types de stimulus, convertit les stimulus en influx nerveux et achemine les influx nerveux vers d'autres neurones, des myocytes ou des glandes.

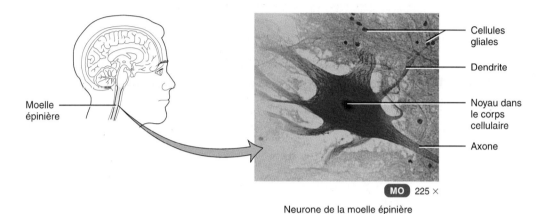

MO 225 ×

Neurone de la moelle épinière

---

matrices se dégradent à mesure que les cellules se divisent et s'assemblent. On greffe ensuite le nouveau tissu permanent dans l'organisme du patient. Les spécialistes du génie tissulaire cherchent en ce moment à fabriquer des os, des tendons, des valves cardiaques, de la moelle osseuse et du tissu intestinal. Ils travaillent également à la fabrication de cellules productrices d'insuline (pancréatiques) à l'intention des diabétiques et de cellules productrices de dopamine (cérébrales) à l'intention des personnes atteintes de la maladie de Parkinson. Ils pensent même parvenir un jour à synthétiser des foies et des reins entiers. ■

1. Faites la distinction entre un neurone et une cellule gliale (ou névroglie).
2. Quelles sont les fonctions des dendrites, du corps cellulaire et de l'axone d'un neurone ?

RÉPARATION DES TISSUS : RÉTABLISSEMENT DE L'HOMÉOSTASIE

OBJECTIF

• *Décrire le rôle que joue la réparation des tissus dans le rétablissement de l'homéostasie.*

La réparation des tissus est le processus par lequel les cellules usées, endommagées ou mortes sont remplacées. Les nouvelles cellules sont produites grâce à la division cellulaire

et proviennent soit du **stroma,** le tissu conjonctif de soutien, soit du **parenchyme,** l'ensemble des cellules qui constituent la partie fonctionnelle du tissu ou de l'organe. Chez l'adulte, la capacité de renouveler les cellules parenchymateuses perdues à la suite d'une lésion, d'une maladie ou d'autres phénomènes varie selon les quatre types fondamentaux de tissus (épithélial, conjonctif, musculaire et nerveux).

Les cellules épithéliales, qui sont sujettes à l'usure voire aux lésions à certains endroits du corps, se renouvellent constamment. Dans certains cas, les cellules immatures indifférenciées appelées **cellules souches** se divisent pour remplacer les cellules mortes ou endommagées. Par exemple, les cellules souches qui se trouvent dans des parties protégées de l'épithélium de la peau et du tube digestif remplacent les cellules qui se détachent de la surface apicale. De même, les cellules souches situées dans la moelle osseuse rouge ne cessent jamais de produire des globules blancs, des globules rouges et des plaquettes. Il arrive aussi que des cellules matures différenciées se divisent ; c'est le cas des hépatocytes (cellules du foie) et des cellules endothéliales des vaisseaux sanguins.

Certains tissus conjonctifs ont aussi la capacité de se renouveler continuellement. Le tissu osseux fait partie de ceux-là, grâce à un généreux apport sanguin. D'autres tissus conjonctifs, tels le cartilage et le tissu conjonctif fibreux, remplacent leurs cellules plus lentement pour différentes raisons, notamment parce qu'ils sont faiblement vascularisés.

Le tissu musculaire a une faible capacité de renouvellement. Les myocytes cardiaques ne peuvent se diviser. Le tissu musculaire squelettique, quant à lui, contient des cellules souches appelées *cellules satellites,* mais celles-ci ne se divisent pas assez rapidement pour remplacer les myocytes très endommagés. Les myocytes lisses, enfin, prolifèrent dans une certaine mesure, mais beaucoup plus lentement que les cellules des tissus épithéliaux et conjonctifs.

De tous les tissus de l'organisme, le tissu nerveux est celui qui a la plus faible capacité de renouvellement. Bien que des expériences récentes aient révélé la présence de quelques cellules souches dans l'encéphale, ces cellules ne peuvent normalement pas se diviser pour remplacer les neurones endommagés. Les scientifiques ne savent pas encore pourquoi il en est ainsi, mais ils cherchent sans relâche des moyens de faciliter la réparation du tissu nerveux endommagé ou malade.

Étapes de la réparation des tissus

Un tissu ou un organe endommagé retrouvera sa structure initiale et son fonctionnement normal dans la mesure où les cellules du parenchyme ou celles du stroma sont actives dans le processus de réparation.

Le facteur crucial de la réparation des tissus est la capacité de régénération du tissu parenchymateux. Cette capacité dépend elle-même de la capacité des cellules parenchymateuses de se reproduire rapidement. Si ce sont des cellules du parenchyme qui effectuent la réparation, la **régénération** est possible et le tissu endommagé peut se reconstruire presque parfaitement. Mais si ce sont les fibroblastes du stroma qui s'activent, le tissu endommagé est remplacé par un nouveau tissu conjonctif. Les fibroblastes, en effet, synthétisent du collagène et d'autres matériaux matriciels qui s'agrègent pour former du tissu cicatriciel en un processus appelé **fibrose.** Étant donné que le tissu cicatriciel n'a pas la spécialisation nécessaire pour accomplir les fonctions du tissu parenchymateux, le tissu ou l'organe ne pourra pas remplir normalement sa fonction initiale.

Si les dommages sont étendus, en présence d'une grande plaie ouverte par exemple, le processus de réparation fait intervenir et le stroma du tissu conjonctif et les cellules du parenchyme. De nombreux fibroblastes se divisent alors rapidement et donnent des fibres collagènes pour renforcer la structure du nouveau tissu. Les capillaires sanguins bourgeonnent pour fournir au tissu en voie de guérison les substances dont il a besoin. Tous ces phénomènes produisent un tissu conjonctif en croissance active appelé **tissu de granulation.** Ce nouveau tissu se forme par-dessus la blessure ou l'incision chirurgicale pour fournir une charpente (stroma) aux cellules épithéliales qui migrent vers l'ouverture afin de la combler. Le tissu de granulation sécrète en outre un liquide qui détruit les bactéries.

APPLICATION CLINIQUE
Adhérences

Le tissu cicatriciel peut constituer des **adhérences,** c'est-à-dire des attaches anormales entre les tissus. Il se forme fréquemment des adhérences dans l'abdomen, autour du siège d'une inflammation antérieure (de l'appendice vermiforme par exemple). Les adhérences peuvent aussi apparaître à la suite d'une intervention chirurgicale. Elles ne sont pas toujours problématiques, mais elles peuvent amoindrir la souplesse des tissus, causer des obstructions (dans l'intestin notamment) et compromettre les interventions subséquentes. Il faut parfois les éliminer par voie chirurgicale en procédant à une *libération opératoire d'adhérences.* ◼

Facteurs influant sur la réparation des tissus

Trois facteurs influent sur la réparation des tissus : la nutrition, la circulation sanguine et l'âge. La nutrition est cruciale parce que la cicatrisation nécessite une grande quantité de nutriments et peut épuiser les réserves de l'organisme. Il est important de garantir un apport protéique adéquat car les protéines forment la majeure partie des composantes structurales des tissus. Plusieurs vitamines jouent un rôle direct dans la cicatrisation des blessures et la réparation des tissus. La vitamine C, par exemple, intervient dans la production et l'entretien des matières de la matrice, le collagène en particulier. De plus, la vitamine C favorise la formation de nouveaux vaisseaux sanguins et les renforce. Une carence en vitamine C peut empêcher la guérison des blessures, même superficielles, et rendre les parois des vaisseaux sanguins très fragiles.

Une circulation sanguine suffisante est essentielle au transport de l'oxygène, des nutriments, des anticorps et de nombreuses cellules du système immunitaire jusqu'à la lésion. En outre, le sang participe à l'élimination du liquide tissulaire, des bactéries, des corps étrangers et des débris qui pourraient entraver la cicatrisation.

VIEILLISSEMENT DES TISSUS

En règle générale, les lésions guérissent plus rapidement et laissent moins de cicatrices apparentes chez les jeunes que chez les personnes âgées. De fait, les interventions chirurgicales ne laissent aucune cicatrice chez le fœtus. L'organisme jeune est en meilleur état nutritionnel, ses tissus sont mieux irrigués et ses cellules ont un métabolisme plus rapide. Les cellules peuvent donc synthétiser les matières nécessaires et se diviser rapidement. Les composantes extracellulaires des tissus se modifient avec l'âge. Les fibres collagènes, à l'origine de la résistance des tendons, se multiplient et se détériorent. Si les artères perdent leur élasticité, c'est autant à cause des transformations du collagène que contiennent leurs parois que de l'accumulation de dépôts lipidiques – associés à l'athérosclérose – sur leur paroi interne. Les vaisseaux sanguins et la peau doivent leur élasticité à l'élastine, autre composante extracellulaire. Avec le temps, cependant, l'élastine s'épaissit, se fragmente et acquiert une affinité croissante pour le calcium. Il est probable que ces changements sont eux aussi associés à l'apparition de l'athérosclérose.

1. Qu'est-ce que la réparation des tissus ?
2. Comparez la réparation due aux cellules du stroma et la réparation due aux cellules du parenchyme.
3. Quelle est l'importance du tissu de granulation ?
4. Quels changements le vieillissement provoque-t-il dans les tissus épithéliaux et conjonctifs ?

DÉSÉQUILIBRES HOMÉOSTATIQUES

SYNDROME DE GOUGEROT-SJÖGREN

Le **syndrome de Gougerot-Sjögren** est une maladie auto-immune répandue qui entraîne l'inflammation et la destruction des glandes exocrines, en particulier des glandes lacrymales et salivaires. Une **maladie auto-immune** apparaît lorsque les anticorps produits par le système immunitaire confondent les corps étrangers et les tissus de l'organisme et s'attaquent à ceux-ci. Le syndrome de Gougerot-Sjögren se caractérise par la sécheresse des muqueuses des yeux et de la bouche et par l'hypertrophie des glandes salivaires. Ses effets systémiques comprennent l'arthrite, les difficultés de déglutition, la pancréatite (inflammation du pancréas), la pleurésie (inflammation de la plèvre) et la migraine. Le trouble atteint neuf femmes pour un homme. Environ 20 % des personnes âgées présentent quelques signes de la maladie. Les personnes atteintes sont beaucoup plus sujettes que les individus sains au lymphome malin. Le traitement vise à soulager les symptômes. Ainsi, le patient peut s'humecter les yeux à l'aide de collyres (gouttes ophtalmiques) et s'humecter la bouche en sirotant des liquides, en mâchant de la gomme sans sucre et en prenant des substituts de salive.

LUPUS ÉRYTHÉMATEUX AIGU DISSÉMINÉ

Le **lupus érythémateux aigu disséminé**, ou simplement lupus érythémateux, est une maladie inflammatoire chronique des tissus conjonctifs qui atteint principalement des femmes non blanches en âge de procréer. Cette maladie auto-immune peut endommager les tissus de tous les systèmes de l'organisme. Bénigne chez la plupart des patients, elle peut cependant évoluer rapidement vers la mort. Son évolution est jalonnée de périodes d'exacerbation et de rémission. Le lupus érythémateux atteint environ 1 personne sur 2 000 et 8 ou 9 femmes pour un homme.

La cause du lupus érythémateux est inconnue, mais l'étude des antécédents familiaux et les recherches effectuées auprès de jumeaux laissent croire à une tendance héréditaire. La maladie est aussi liée à des facteurs environnementaux comme les virus, les bactéries, les substances chimiques, les médicaments et les drogues, l'exposition excessive au soleil et le stress. On a aussi de bonnes raisons de croire que les hormones sexuelles comme les œstrogènes peuvent déclencher le lupus érythémateux.

Le lupus érythémateux se manifeste par des douleurs articulaires, une fièvre légère, de la fatigue, des ulcères de la bouche, une perte pondérale, une hypertrophie des nœuds lymphatiques et de la rate, une sensibilité à la lumière solaire, une alopécie rapide (perte des cheveux) et une anorexie (perte d'appétit). L'apparition sur le nez et les joues d'une éruption en forme de papillon est un signe distinctif de la maladie. D'autres lésions cutanées, telles des vésicules et des ulcérations, peuvent aussi apparaître. On voyait autrefois une ressemblance entre certaines lésions cutanées causées par la maladie et les morsures de loup, d'où le nom de *lupus* (qui signifie « loup » en latin). L'inflammation des reins, du foie, de la rate, des poumons, du cœur, de l'encéphale et du tube digestif constitue la pire complication de cette maladie. Elle reste incurable à ce jour et le traitement consiste à soulager les symptômes au moyen d'agents anti-inflammatoires, comme l'aspirine, et d'agents immunosuppresseurs.

TERMES MÉDICAUX

Atrophie (*a* = sans ; *trophê* = nourriture) Diminution de la taille des cellules entraînant une diminution de la taille du tissu ou de l'organe qu'elles composent.

Greffe Remplacement d'un tissu ou d'un organe malade ou endommagé. Les greffes les plus sûres se font à l'aide des tissus du patient ou de ceux d'un jumeau identique. Les tissus d'un donneur sont moins compatibles et compromettent le succès des greffes.

Hypertrophie (*hyper* = au-dessus) Augmentation de la taille d'un tissu due au fait que les cellules grossissent sans subir de division cellulaire.

Rejet Réponse immunitaire dirigée contre les protéines étrangères d'un tissu ou d'un organe greffé ; les médicaments immuno-suppresseurs comme la cyclosporine empêchent aujourd'hui le rejet chez les patients ayant subi une greffe du cœur, du rein ou du foie.

Xénogreffe (*xenos* = étranger) Remplacement d'un tissu ou d'un organe malade ou endommagé par des cellules ou des tissus provenant d'un animal. On ne compte jusqu'à maintenant que quelques cas de xénogreffes réussies.

RÉSUMÉ

TYPES DE TISSUS ET ORIGINES (p. 111)

1. Un tissu est un assemblage de cellules semblables qui ont généralement la même origine embryonnaire et qui sont spécialisées dans l'accomplissement d'une fonction particulière.
2. Les quatre types fondamentaux de tissus sont le tissu épithélial, le tissu conjonctif, le tissu musculaire et le tissu nerveux.
3. Tous les tissus de l'organisme proviennent des trois feuillets embryonnaires primitifs, les premiers tissus à se former chez l'embryon humain, soit l'ectoderme, l'endoderme et le mésoderme.

JONCTIONS CELLULAIRES (p. 112)

1. Les jonctions cellulaires sont des points de contact entre des membranes plasmiques adjacentes.
2. Les jonctions serrées (ou étanches) forment des joints étanches entre les cellules. Les jonctions d'adhérence, les desmosomes et les hémidesmosomes relient des cellules entre elles ou à la membrane basale. Les jonctions communicantes permettent aux signaux électriques et chimiques de passer entre les cellules.

TISSU ÉPITHÉLIAL (p. 113)

1. Les sous-types de tissu épithélial sont l'épithélium de revêtement et l'épithélium glandulaire.
2. Un épithélium est composé principalement de cellules; le matériel extracellulaire est peu abondant entre les membranes plasmiques adjacentes. Les épithéliums sont disposés en feuillets et rattachés à une membrane basale. Ils sont avasculaires mais innervés. Ils proviennent des trois feuillets embryonnaires primitifs et se renouvellent rapidement.

Épithélium de revêtement (p. 114)

1. Les feuillets épithéliaux peuvent être simples (formés d'une seule couche de cellules), stratifiés (formés de plusieurs couches de cellules) ou pseudostratifiés (formés d'une seule couche de cellules mais paraissant en comprendre plusieurs). Les cellules épithéliales peuvent être pavimenteuses (aplaties), cuboïdes (cubiques), prismatiques (rectangulaires) ou transitionnelles (de forme variable).
2. Un épithélium simple pavimenteux est formé d'une seule couche de cellules aplaties (tableau 4.1A). On trouve un tel épithélium dans les parties du corps où la filtration ou la diffusion sont les fonctions prioritaires. Un type d'épithélium simple pavimenteux, l'endothélium, tapisse les parois internes du cœur et des vaisseaux sanguins. Un autre type, le mésothélium, forme les séreuses qui tapissent les cavités thoracique et abdomino-pelvienne et en recouvrent les organes.
3. L'épithélium simple cuboïde est formé d'une seule couche de cellules cubiques ayant des fonctions de sécrétion et d'absorption (tableau 4.1B). On en trouve qui recouvre les ovaires, ainsi que dans les reins et les yeux et sur la paroi interne des conduits de certaines glandes.
4. L'épithélium simple prismatique non cilié est formé d'une seule couche de cellules rectangulaires non ciliées (tableau 4.1C). Il tapisse la majeure partie du tube digestif. Il contient des cellules spécialisées dotées de microvillosités qui ont des fonctions d'absorption et des cellules caliciformes qui sécrètent du mucus.

5. L'épithélium simple prismatique cilié est formé d'une seule couche de cellules rectangulaires ciliées (tableau 4.1D). On trouve un tel épithélium dans quelques parties des voies aériennes supérieures, où sa fonction est d'expulser les particules étrangères emprisonnées dans le mucus.
6. L'épithélium stratifié pavimenteux est formé de plusieurs couches de cellules; celles de la surface apicale sont aplaties (tableau 4.1E). Cet épithélium remplit une fonction de protection. Une variété non kératinisée tapisse la cavité orale, tandis qu'une variété kératinisée forme l'épiderme, la couche superficielle de la peau.
7. L'épithélium stratifié cuboïde est formé de plusieurs couches de cellules; celles de la surface apicale sont cubiques (tableau 4.1F). On trouve un tel épithélium dans les glandes sudoripares chez l'adulte et dans une partie de l'urètre chez l'homme.
8. L'épithélium stratifié prismatique est formé de plusieurs couches de cellules; celles de la surface apicale sont rectangulaires (tableau 4.1G). On trouve un tel épithélium dans une partie de l'urètre chez l'homme et dans les gros conduits excréteurs de certaines glandes.
9. L'épithélium transitionnel est formé de plusieurs couches de cellules dont l'apparence varie selon le degré d'étirement (tableau 4.1H). Il tapisse l'intérieur de la vessie.
10. L'épithélium pseudostratifié prismatique est formé d'une seule couche de cellules mais semble en comprendre plusieurs (tableau 4.1I). La variété ciliée contient des cellules caliciformes et tapisse la majeure partie des voies aériennes supérieures. La variété non ciliée ne contient pas de cellules caliciformes et tapisse les conduits de nombreuses glandes, les épididymes et une partie de l'urètre chez l'homme.

Épithélium glandulaire (p. 123)

1. Une glande peut être composée d'une seule cellule ou d'un groupe de cellules épithéliales adaptées à la sécrétion.
2. Les glandes endocrines sécrètent des hormones dans la circulation sanguine (tableau 4.1J).
3. Les glandes exocrines (muqueuses, sudoripares, sébacées et digestives) sécrètent leurs produits dans des conduits ou directement sur une surface libre (tableau 4.1K).
4. Au point de vue structural, on classe les glandes exocrines en glandes unicellulaires et multicellulaires.
5. Au point de vue fonctionnel, on classe les glandes exocrines en glandes holocrines, apocrines et mérocrines.

TISSU CONJONCTIF (p. 125)

1. Le tissu conjonctif est le tissu le plus abondant dans le corps humain.
2. Le tissu conjonctif comprend des cellules et une matrice formée de substance fondamentale et de fibres. La matrice est abondante, tandis que les cellules sont relativement peu nombreuses. Le tissu conjonctif est innervé (exception faite du cartilage) et fortement vascularisé (exception faite du cartilage, des tendons et des ligaments). On trouve rarement du tissu conjonctif sur les surfaces libres.

Composantes du tissu conjonctif (p. 126)

1. Les cellules du tissu conjonctif proviennent de cellules mésenchymateuses.

2. Les cellules comprises dans le tissu conjonctif sont les fibroblastes (qui sécrètent la matrice), les macrophages (qui accomplissent la phagocytose), les plasmocytes (qui sécrètent les anticorps), les mastocytes (qui produisent l'histamine), les adipocytes (qui renferment des réserves de lipides) et les globules blancs (qui migrent de la circulation sanguine en présence d'infections).

3. La matrice est formée de substance fondamentale et de fibres.

4. La substance fondamentale soutient et unit les cellules, constitue un milieu pour l'échange des substances et influe sur les fonctions cellulaires.

5. La substance fondamentale contient de l'acide hyaluronique, du chondroïtine sulfate, du dermatane sulfate, du kératane sulfate et des protéines d'adhésion.

6. Les fibres de la matrice remplissent des fonctions de renforcement et de soutien. Elles se divisent en trois catégories : a) les fibres collagènes (composées de collagène) sont abondantes dans les os, les tendons et les ligaments ; b) les fibres élastiques (composées d'élastine, de fibrilline et d'autres glycoprotéines) se trouvent dans la peau, les parois des vaisseaux sanguins et les poumons ; c) les fibres réticulaires (composées de collagène et de glycoprotéines) se trouvent autour des adipocytes, des fibres nerveuses et des myocytes squelettiques et lisses.

Classification des tissus conjonctifs (p. 128)

1. Les deux principales sous-classes de tissu conjonctif sont le tissu conjonctif embryonnaire et le tissu conjonctif mature.

2. Les autres tissus conjonctifs proviennent tous du mésenchyme (tableau 4.2A).

3. On trouve du tissu conjonctif muqueux dans le cordon ombilical, où il joue un rôle de soutien (tableau 4.2B).

Types de tissu conjonctif mature (p. 128)

1. Le tissu conjonctif mature est un tissu conjonctif qui se différencie à partir du mésenchyme et qui est présent dans l'organisme du nouveau-né. Les catégories de tissus conjonctifs matures sont le tissu conjonctif lâche, le tissu conjonctif dense, le cartilage, le tissu osseux et le sang.

2. Les catégories de tissus conjonctifs lâches sont le tissu conjonctif aréolaire, le tissu adipeux et le tissu conjonctif réticulaire.

3. Le tissu conjonctif aréolaire est composé des trois types de fibres, de plusieurs cellules et d'une substance fondamentale semi-liquide (tableau 4.3A). Il est présent dans la couche sous-cutanée, dans les muqueuses et autour des vaisseaux sanguins, des nerfs et des organes.

4. Le tissu adipeux est composé d'adipocytes, cellules qui emmagasinent des triglycérides (tableau 4.3B). Il est présent dans la couche sous-cutanée, autour des organes et dans la moelle jaune des os longs.

5. Le tissu conjonctif réticulaire est composé de fibres réticulaires et de cellules réticulaires. Il est présent dans le foie, la rate et les nœuds lymphatiques (tableau 4.3C).

6. Les catégories de tissus conjonctifs denses sont le tissu conjonctif dense régulier, le tissu conjonctif dense irrégulier et le tissu conjonctif élastique.

7. Le tissu conjonctif dense régulier est composé de fibroblastes et de faisceaux parallèles de fibres collagènes (tableau 4.3D). Il forme les tendons, la plupart des ligaments et les aponévroses.

8. Le tissu conjonctif dense irrégulier est composé de fibres collagènes habituellement disposées au hasard et de quelques fibroblastes (tableau 4.3E). Il est présent dans les fascias, le derme et les capsules membraneuses entourant les organes.

9. Le tissu conjonctif élastique est composé de fibres élastiques ramifiées et de fibroblastes (tableau 4.3F). Il est présent dans les poumons, la trachée, les bronches et les parois des grosses artères.

10. Le cartilage contient des chondrocytes ; sa matrice caoutchouteuse (chondroïtine sulfate) contient du collagène et des fibres élastiques.

11. Le cartilage hyalin est présent dans le squelette de l'embryon, à l'extrémité des os, dans le nez et dans les structures respiratoires (tableau 4.3G). Il est flexible, permet les mouvements et remplit une fonction de soutien.

12. Le cartilage fibreux est présent dans la symphyse pubienne, les disques intervertébraux et les ménisques (coussins de cartilage) de l'articulation du genou (tableau 4.3H).

13. Le cartilage élastique maintient la forme d'organes comme l'épiglotte, les conduits auditifs et l'oreille externe (tableau 4.3I).

14. Le cartilage peut connaître une croissance interstitielle (de l'intérieur vers l'extérieur) ou une croissance par apposition (de l'extérieur vers l'intérieur).

15. Le tissu osseux est composé de sels minéraux et de fibres collagènes, qui lui donnent sa dureté, ainsi que de cellules appelées ostéocytes, situées dans des lacunes (tableau 4.3J). Le tissu osseux soutient et protège les organes, concourt à la production des mouvements, emmagasine des minéraux et renferme le tissu hématopoïétique (qui forme le sang).

16. Le sang est composé de plasma et d'éléments figurés (globules rouges, globules blancs et plaquettes) (tableau 4.3K). Ses cellules transportent l'oxygène et le gaz carbonique, participent aux réactions allergiques, interviennent dans l'immunité et permettent la coagulation.

17. La lymphe est un liquide clair qui circule dans les vaisseaux lymphatiques. Sa composition varie selon les parties du corps.

MEMBRANES (p. 137)

1. Une membrane épithéliale est formée d'un feuillet épithélial surmontant un feuillet de tissu conjonctif. Les muqueuses, les séreuses et la membrane cutanée sont des exemples de membranes épithéliales.

2. Les muqueuses tapissent les cavités qui s'ouvrent sur l'extérieur, tel le tube digestif.

3. Les séreuses tapissent des cavités fermées (plèvre, péricarde, péritoine) et recouvrent les organes situés dans des cavités. Les séreuses sont formées d'un feuillet pariétal et d'un feuillet viscéral.

4. La membrane cutanée est la peau.

5. Les membranes synoviales tapissent les cavités articulaires, les bourses et les gaines synoviales ; elle sont formées de tissu conjonctif aréolaire et non d'épithélium.

TISSU MUSCULAIRE (p. 138)

1. Le tissu musculaire est composé de fibres qui sont spécialisées dans la contraction. Il permet le mouvement, maintient la posture et produit de la chaleur.

2. Le tissu musculaire squelettique est rattaché aux os et strié. Sa contraction est volontaire (tableau 4.4A).

3. Le tissu musculaire cardiaque forme la majeure partie de la paroi du cœur ; il est strié et sa contraction est involontaire (tableau 4.4B).

4. Le tissu musculaire lisse se trouve dans les parois des structures internes creuses (vaisseaux sanguins et viscères) ; il est non strié et sa contraction est involontaire (tableau 4.4C).

TISSU NERVEUX (p. 140)

1. Le système nerveux est composé de neurones, ou cellules nerveuses, et de cellules gliales, ou névroglie (cellules de protection et de soutien) (tableau 4.5).

2. Les neurones sont sensibles aux stimulus, les convertissent en influx nerveux et acheminent les influx nerveux.

3. La plupart des neurones sont composés d'un corps cellulaire et de deux types de prolongements, les dendrites et l'axone.

RÉPARATION DES TISSUS : RÉTABLISSEMENT DE L'HOMÉOSTASIE (p. 141)

1. La réparation des tissus est le remplacement des cellules usées, endommagées ou mortes par des cellules saines.

2. Les cellules souches peuvent se diviser pour remplacer les cellules mortes ou endommagées.

3. Si la lésion est superficielle, la réparation des tissus fait intervenir les cellules du parenchyme ; si les dommages sont étendus, du tissu de granulation apparaît.

4. La réparation des tissus fait intervenir diverses vitamines et protéines d'origine alimentaire. Elle nécessite donc une bonne alimentation et une circulation sanguine adéquate.

VIEILLISSEMENT DES TISSUS (p. 142)

1. Les lésions des tissus guérissent plus rapidement et laissent moins de cicatrices chez les jeunes que chez les personnes âgées ; les interventions chirurgicales exécutées sur des fœtus ne laissent pas de cicatrices.

2. Les composantes extracellulaires des tissus, tels le collagène et les fibres élastiques, se modifient avec l'âge.

AUTOÉVALUATION

1. Associez les éléments suivants :

____ a) empêche le contenu des organes de s'infiltrer dans le sang ou dans les tissus environnants

____ b) forme des ceintures d'adhésion qui aident le tissu épithélial à résister à la séparation

____ c) stabilise les tissus en reliant les cytosquelettes des cellules

____ d) relie les cellules aux éléments extracellulaires tels que la membrane plasmique ; ancre un type de tissu à un autre

____ e) permet aux cellules d'un tissu de communiquer ; permet aux influx nerveux ou musculaires de se propager rapidement d'une cellule à l'autre

1) jonction communicante   4) hémidesmosome
2) jonction serrée   5) jonction d'adhérence
3) desmosome

Vrai ou faux

2. Les feuillets embryonnaires primitifs sont l'endoderme, l'ectoderme et le mésoderme.

3. Le tissu nerveux contient des neurones, des cellules gliales et des fibroblastes.

Choix multiples

4. Le type de tissu qui peut détecter les variations des milieux intérieur et extérieur et y réagir est : a) le tissu nerveux ; b) le tissu musculaire ; c) le tissu conjonctif ; d) l'épithélium.

5. Lesquelles des affirmations suivantes sont vraies pour l'épithélium ? 1) Les cellules sont disposées en une ou plusieurs couches continues. 2) La structure qui unit la couche basale et le tissu conjonctif est appelée membrane basale. 3) Le tissu est fortement vascularisé. 4) Le taux de division cellulaire est élevé dans le tissu. 5) Le tissu a des fonctions de protection, de sécrétion, d'absorption et d'excrétion.
a) 1, 2, 3 et 4. b) 2, 3, 4 et 5. c) 1, 2, 4 et 5. d) 1, 3 et 5. e) 2, 4 et 5.

6. Le type de glande exocrine qui forme son produit de sécrétion puis l'expulse aussitôt de la cellule est : a) une glande apocrine ; b) une glande mérocrine ; c) une glande holocrine ; d) une glande endocrine ; e) une glande apicale.

7. Les cellules du tissu conjonctif qui sécrètent des anticorps sont appelées : a) macrophages ; b) mastocytes ; c) fibroblastes ; d) adipocytes ; e) plasmocytes.

8. La membrane qui tapisse l'intérieur d'une cavité ouverte directement sur l'extérieur est : a) une séreuse ; b) une muqueuse ; c) une membrane synoviale ; d) une membrane plasmique ; e) une membrane basale.

9. Le tissu musculaire qui forme l'essentiel de la paroi du cœur est : a) le muscle squelettique ; b) le muscle lisse ; c) le muscle lisse involontaire ; d) le muscle cardiaque ; e) le muscle strié volontaire.

10. Associez les éléments suivants :

____ a) tissu d'où proviennent tous les autres tissus conjonctifs

____ b) tissu situé principalement dans le cordon ombilical

____ c) tissu composé de plusieurs types de cellules, contenant les trois types de fibres et situé dans la couche sous-cutanée

____ d) tissu spécialisé dans le stockage des triglycérides

____ e) tissu qui contient des fibres réticulaires et des cellules réticulaires et qui forme le stroma de certains organes, dont la rate

____ f) tissu qui contient des fibres collagènes disposées de manière irrégulière et qui se trouve dans le derme

____ g) tissu résistant situé dans les poumons et qui peut reprendre sa forme initiale après un étirement

____ h) tissu qui confère de la souplesse aux articulations et qui y réduit la friction

____ i) tissu qui confère résistance et rigidité et qui est le plus résistant des trois types de cartilage

____ j) tissu conjonctif avasculaire dont il existe trois types

____ k) tissu qui forme la charpente interne du corps et qui, avec les muscles squelettiques, produit le mouvement

____ l) tissu conjonctif contenant des éléments figurés en suspension dans une matrice liquide appelée plasma

1) sang   8) tissu conjonctif aréolaire
2) cartilage fibreux   9) tissu conjonctif réticulaire
3) mésenchyme   10) os
4) cartilage   11) tissu conjonctif élastique
5) tissu conjonctif muqueux   12) tissu adipeux
6) cartilage hyalin
7) tissu conjonctif dense irrégulier

11. Associez les éléments suivants :

___ a) tissu formé d'une seule couche de cellules aplaties se trouvant dans les parties du corps où la filtration (reins) ou la diffusion (poumons) sont les activités prioritaires

___ b) tissu qui tapisse les parois internes du cœur, des vaisseaux sanguins et des vaisseaux lymphatiques

___ c) tissu formé de cellules cubiques, présent dans les reins et dont les fonctions sont la sécrétion et l'absorption

___ d) tissu formé de cellules dotées de microvillosités et de cellules caliciformes, situé dans le revêtement des systèmes digestif, reproducteur et urinaire

___ e) tissu situé dans la partie superficielle de la peau, pouvant résister à la friction et repousser les bactéries

___ f) tissu situé dans la vessie, dont les cellules peuvent changer de forme (s'étirer ou se relâcher)

___ g) tissu dont les cellules sont rattachées à la membrane basale mais qui n'atteignent pas toutes la surface apicale ; celles qui l'atteignent sécrètent du mucus ou portent des cils

___ h) type d'épithélium plutôt rare qui remplit surtout une fonction de protection

1) épithélium pseudostratifié prismatique cilié
2) endothélium
3) épithélium transitionnel
4) épithélium simple pavimenteux
5) épithélium simple cuboïde
6) épithélium simple prismatique non cilié
7) épithélium stratifié cuboïde
8) épithélium stratifié pavimenteux kératinisé

Phrases à compléter

12. Un groupe de cellules qui ont une origine commune et une fonction spécialisée est appelé ___.

13. Les sécrétions des glandes ___ entrent dans le liquide extracellulaire puis diffusent dans la circulation sanguine.

14. Les trois constituants du tissu conjonctif sont ___, ___ et ___.

15. La réparation des tissus accomplie par les cellules du parenchyme est appelée ___ ; la réparation des tissus accomplie par les fibroblastes est appelée ___ et produit du tissu cicatriciel.

QUESTIONS À COURT DÉVELOPPEMENT

1. Projetez-vous dans 50 ans d'ici et imaginez que vous pouvez mettre au point des êtres humains adaptés à leur environnement. On vous demande une composition tissulaire adaptée à la vie sur une grosse planète où l'attraction gravitationnelle est forte, le climat froid et sec et l'atmosphère mince. Quelles modifications apporteriez-vous à la structure et/ou à la quantité des tissus ? Justifiez votre réponse. (INDICE : *Pensez aux adaptations des êtres humains et des animaux qui vivent dans l'Arctique par opposition à celles des êtres humains et des animaux qui vivent près de l'équateur.*)

2. Les enfants de votre quartier se promènent avec des épingles et des aiguilles piquées dans le bout des doigts. Pourtant, ils ne perdent pas une goutte de sang. Quel type de tissu les enfants ont-ils percé ? Qu'arriverait-il s'ils s'enfonçaient une aiguille tout droit dans le bout du doigt ? (INDICE : *Si on se perce le lobe d'une oreille, il saigne.*)

3. Assise dans la cafétéria de l'université, Catherine lisait son manuel d'anatomie et de physiologie. Elle avait de la difficulté à se représenter les tissus jusqu'à ce que sa colocataire s'installe à côté d'elle pour manger un aspic. La préparation était rose pâle et contenait des raisins, des carottes râpées et de la noix de coco. En regardant l'aspic trembloter dans l'assiette, Catherine eut un éclair de génie. Elle venait de comprendre la structure du tissu conjonctif. Établissez un parallèle entre la structure de l'aspic et celle du tissu conjonctif. (INDICE : *Les fruits et les légumes sont en suspension dans la gélatine.*)

RÉPONSES AUX QUESTIONS DES FIGURES

4.1 Les jonctions communicantes permettent aux signaux chimiques et électriques de se propager entre des cellules adjacentes.

4.2 La membrane basale fournit un support physique à l'épithélium, sert de filtre dans les reins et guide la migration des cellules pendant le développement et la réparation des tissus.

4.3 Les glandes exocrines simples multicellulaires ont un conduit non ramifié, tandis que les glandes exocrines composées multicellulaires ont un conduit ramifié.

4.4 Les glandes sébacées sont des glandes holocrines, tandis que les glandes salivaires sont des glandes mérocrines.

4.5 Les fibroblastes sécrètent les fibres et la substance fondamentale de la matrice.

5 LE SYSTÈME TÉGUMENTAIRE

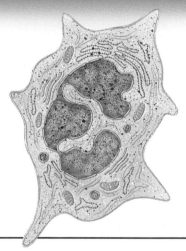

Le **système tégumentaire** (*tegumentum* = couverture) est formé de la peau et de ses annexes, c'est-à-dire les poils et les ongles ainsi qu'une série de glandes, de muscles et de nerfs. Ce système a pour fonctions de protéger l'intégrité physique et biochimique de l'organisme, de maintenir une température corporelle constante et de fournir l'information sensorielle relative au milieu extérieur. C'est le plus visible des systèmes de l'organisme, celui qui, souvent, détermine l'image de soi.

STRUCTURE DE LA PEAU

OBJECTIF

• *Décrire les couches de l'épiderme et du derme ainsi que les cellules dont elles sont composées.*

La **peau** est constituée de différents tissus qui s'unissent pour accomplir des fonctions précises. Sa surface et son poids en font le plus lourd et le plus étendu des organes du corps humain. La peau a une surface d'environ 2 m² chez l'adulte ; avec un poids de 4,5 à 5 kg, elle représente environ 16 % du poids corporel. Son épaisseur varie entre 0,5 mm sur les paupières et 4 mm sur les talons ; elle est de 1 à 2 mm sur la majeure partie du corps. La branche de la médecine qui diagnostique et traite les maladies de la peau est la **dermatologie** (*derma* = peau ; *logos* = science).

Sur le plan structural, la peau est formée de deux parties principales (figure 5.1). La partie superficielle, la plus mince des deux, est composée de *tissu épithélial* et appelée **épiderme** (*epi* = sur). La partie la plus profonde et la plus épaisse est composée de *tissu conjonctif* et appelée **derme.** Elle surmonte la couche sous-cutanée, l'**hypoderme** (*hupo* = au-dessous), qui n'appartient pas à la peau proprement dite. Aussi appelé **fascia superficiel,** l'hypoderme est composé de tissu aréolaire et de tissu adipeux. Des fibres issues du derme unissent la peau à l'hypoderme et celui-ci se rattache à son tour aux tissus et aux organes sous-jacents. L'hypoderme sert de réserve de tissu adipeux et contient de gros vaisseaux sanguins qui irriguent la peau. Cette couche (et, dans certains cas, le derme) renferme aussi des terminaisons nerveuses appelées *corpuscules lamelleux,* ou *corpuscules de Pacini,* qui sont sensibles à la pression (voir la figure 5.1).

Épiderme

L'**épiderme** est un épithélium stratifié pavimenteux kératinisé. Les quatre principaux types de cellules qui le composent sont les kératinocytes, les mélanocytes, les cellules de Langerhans et les cellules de Merkel (figure 5.2). Les **kératinocytes** (*keras* = corne ; *kytos* = cellule) constituent 90 % des cellules épidermiques ; ils produisent la **kératine** (figure 5.2a). Nous avons indiqué au chapitre 4 que la kératine est une protéine fibreuse et résistante qui protège la peau et les tissus sous-jacents contre la chaleur, les microorganismes et les substances chimiques. Les kératinocytes sécrètent en outre des granules lamellés, qui libèrent un enduit imperméabilisant.

Les **mélanocytes** (*melas* = noir) constituent environ 8 % des cellules épidermiques et élaborent la mélanine (figure 5.2b). Leurs prolongements longs et minces s'insinuent entre les

Figure 5.1 Composantes du système tégumentaire. La peau est formée d'une couche épaisse, le derme, surmontée d'une couche mince, l'épiderme. L'hypoderme, en dessous de la peau, rattache le derme aux organes et aux tissus sous-jacents.

🔑 **Le système tégumentaire est formé de la peau et de ses annexes (poils, ongles et glandes) ainsi que des muscles et des nerfs qui leur sont associés.**

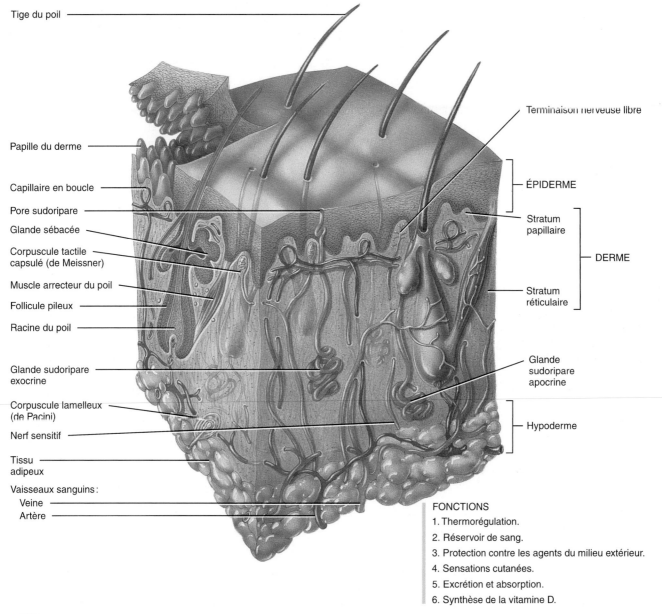

Tige du poil

Papille du derme

Capillaire en boucle

Pore sudoripare

Glande sébacée

Corpuscule tactile capsulé (de Meissner)

Muscle arrecteur du poil

Follicule pileux

Racine du poil

Glande sudoripare exocrine

Corpuscule lamelleux (de Pacini)

Nerf sensitif

Tissu adipeux

Vaisseaux sanguins :
Veine
Artère

Terminaison nerveuse libre

ÉPIDERME

Stratum papillaire

DERME

Stratum réticulaire

Glande sudoripare apocrine

Hypoderme

FONCTIONS
1. Thermorégulation.
2. Réservoir de sang.
3. Protection contre les agents du milieu extérieur.
4. Sensations cutanées.
5. Excrétion et absorption.
6. Synthèse de la vitamine D.

Ⓠ De quels types de tissus l'épiderme et le derme sont-ils formés ?

kératinocytes et leur transfèrent des granules de mélanine. La **mélanine** est un pigment brun foncé qui colore la peau et absorbe les rayonnements ultraviolets (UV) nocifs. Une fois parvenus à l'intérieur des kératinocytes, les granules de mélanine s'agglutinent pour former un voile protecteur sur la face du noyau qui est tournée vers le milieu extérieur ; ils mettent ainsi l'ADN nucléaire à l'abri des rayonnements ultraviolets.

Les **cellules de Langerhans,** considérés comme des macrophages intraépidermiques, sont élaborés dans la moelle osseuse rouge puis migrent vers l'épiderme (figure 5.2c), où elles constituent une faible proportion des cellules. Elles participent à la défense de l'organisme contre les microbes qui envahissent la peau, et elles sont très sensibles aux rayonnements ultraviolets.

Figure 5.2 Types de cellules épidermiques. L'épiderme contient des kératinocytes, des mélanocytes (qui élaborent la mélanine), des cellules de Langerhans (qui participent à la réponse immunitaire) et des cellules de Merkel (qui interviennent dans les sensations tactiles). Adapté de Ira Telford et Charles Bridgman, *Introduction to Functional Histology*, 2ᵉ éd., New York, HarperCollins, 1995, p. 84 et 261. © 1995 HarperCollins College Publishers. Avec l'autorisation de Addison Wesley Longman.

🔑 **L'épiderme est en majeure partie formé de kératinocytes, qui élaborent la kératine (protéine qui protège les tissus sous-jacents), et de granules lamellés (qui contiennent un enduit imperméabilisant).**

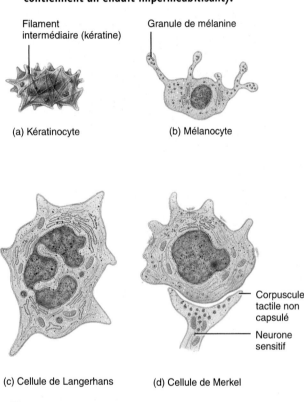

(a) Kératinocyte

(b) Mélanocyte

(c) Cellule de Langerhans

(d) Cellule de Merkel

Q Quelle est la fonction de la mélanine?

Les **cellules de Merkel** sont des récepteurs sensoriels ; elles sont les moins nombreuses des cellules de l'épiderme. Situées dans la couche la plus profonde de l'épiderme, elles entrent en contact avec le prolongement aplati d'un neurone sensitif appelé **corpuscule tactile non capsulé** (figure 5.2d). Les cellules de Merkel et les corpuscules tactiles non capsulés interviennent dans les sensations tactiles.

L'épiderme se subdivise en plusieurs couches (figure 5.3). Dans la plupart des régions du corps, il en compte quatre, soit la couche basale, la couche épineuse, la couche granuleuse et la couche cornée, très mince. Aux endroits exposés à une friction intense, le bout des doigts, la paume des mains et la plante des pieds, par exemple, l'épiderme comprend cinq couches : la couche basale, la couche épineuse, la couche granuleuse, la couche claire et une couche cornée épaisse.

Couche basale

La **couche basale,** ou stratum basale, est la couche la plus profonde de l'épiderme. Elle comprend une rangée de kératinocytes prismatiques ou cuboïdes ; certaines de ces cellules sont des *cellules souches* qui se divisent pour produire sans cesse de nouveaux kératinocytes. Aussi la couche basale est-elle parfois appelée **couche germinative,** ou stratum germinativum. Les kératinocytes de la couche basale possèdent un gros noyau ; leur cytoplasme renferme de nombreux ribosomes, un petit complexe de Golgi, quelques mitochondries et une faible quantité de réticulum endoplasmique rugueux. Le cytosquelette des cellules de la couche basale comprend des filaments intermédiaires composés de kératine. Ces filaments s'attachent à des desmosomes qui relient les cellules de la couche basale entre elles et aux cellules de la couche épineuse adjacente. Les filaments de kératine s'unissent également à des hémidesmosomes qui rattachent les kératinocytes à la membrane basale située entre l'épiderme et le derme. En outre, la kératine protège les couches sous-jacentes contre les lésions. Les mélanocytes, les cellules de Langerhans et les cellules de Merkel (avec leurs corpuscules tactiles non capsulés) sont disséminés parmi les kératinocytes de la couche basale.

APPLICATION CLINIQUE
Greffes de peau

La peau ne peut se régénérer après une blessure qui a détruit la couche basale et les cellules souches qu'elle contenait. La seule manière de traiter une lésion de cette gravité est de procéder à une **greffe de peau.** L'intervention consiste à recouvrir la plaie avec un morceau de peau saine. Pour éviter le rejet, on prélève le greffon chez le blessé lui-même (*autogreffe*) ou chez son jumeau identique (*isogreffe*). Si la blessure est tellement étendue qu'une autogreffe est impossible, on peut recourir à la *greffe de peau autologue*. Cette technique, la plus couramment utilisée pour traiter les grands brûlés, consiste à prélever de petites quantités de l'épiderme du patient et à cultiver les kératinocytes en laboratoire afin d'obtenir de minces feuillets de peau. On recouvre ensuite la plaie avec ces feuillets, qui produisent bientôt une peau permanente. ■

Couche épineuse

La **couche épineuse,** ou stratum spinosum, est située par-dessus la couche basale ; elle est formée de 8 à 10 épaisseurs de kératinocytes polyédriques serrés les uns contre les autres. Les kératinocytes s'aplatissent quelque peu dans la partie superficielle de la couche épineuse. Ils possèdent les mêmes organites que les cellules de la couche basale et certains conservent leur capacité de se diviser. Les cellules de la couche épineuse que l'on prépare en vue d'un examen microscopique

Figure 5.3 Couches de l'épiderme.

 L'épiderme est formé d'un épithélium stratifié pavimenteux kératinisé.

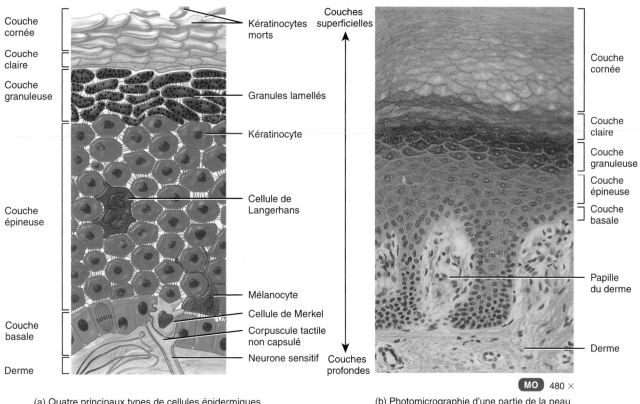

(a) Quatre principaux types de cellules épidermiques

(b) Photomicrographie d'une partie de la peau

MO 480 ×

Q Quelle couche de l'épiderme contient des cellules souches qui se divisent continuellement ?

---

rétrécissent et se détachent les unes des autres ; elles paraissent alors recouvertes d'épines (voir la figure 5.2) même si elles sont plus grosses et plus arrondies dans le tissu vivant. Au niveau de chaque « épine », des faisceaux de filaments intermédiaires du cytosquelette s'insèrent dans des desmosomes qui relient étroitement les cellules. Cette structure confère à la peau sa résistance en même temps que sa souplesse. La couche épineuse contient aussi des prolongements à la fois de cellules de Langerhans et de mélanocytes.

Couche granuleuse

La **couche granuleuse,** ou stratum granulosum, est située au milieu de l'épiderme ; elle est formée de trois à cinq épaisseurs de kératinocytes aplatis en apoptose. Leurs noyaux et leurs organites commencent à dégénérer et les filaments intermédiaires deviennent de plus en plus apparents. Les cellules de cette couche ont ceci de particulier qu'elles renferment des granules qui prennent une teinte sombre à la coloration ;

ces derniers sont formés de **kératohyaline,** protéine qui regroupe les filaments intermédiaires en faisceaux épais. Les kératinocytes contiennent en outre des **granules lamellés** recouverts d'une membrane. Ces granules libèrent une sécrétion lipidique qui comble les espaces entre les cellules de la couche granuleuse et entre les cellules plus superficielles de l'épiderme. Cette sécrétion sert de revêtement imperméabilisant qui limite la déperdition d'eau et fait obstacle aux substances étrangères. Lorsque les noyaux se dégradent, les réactions métaboliques vitales cessent et les kératinocytes meurent. Aussi la couche granuleuse constitue-t-elle la ligne de démarcation entre les couches profondes actives sur le plan métabolique et les cellules mortes des couches superficielles.

Couche claire

La **couche claire,** ou stratum lucidum, n'est présente que dans la peau du bout des doigts, de la paume des mains et de la plante des pieds. Elle est formée de trois à cinq épaisseurs de kératinocytes morts transparents et aplatis contenant des filaments intermédiaires entassés et des membranes plasmiques épaissies.

Couche cornée

La **couche cornée,** ou stratum corneum, est formée de 25 à 30 épaisseurs de kératinocytes morts et aplatis. L'intérieur des cellules contient surtout des filaments intermédiaires entassés et de la kératohyaline. Les cellules sont séparées par des lipides qui, produits par les granules lamellés, concourent à imperméabiliser la couche. Les kératinocytes morts tombent et sont remplacés par des cellules issues des couches sous-jacentes. La couche cornée empêche la pénétration de l'eau et des microorganismes et elle protège la peau contre les lésions. L'exposition constante à la friction déclenche la formation d'une *callosité,* épaississement anormal de l'épiderme.

Kératinisation et croissance de l'épiderme

Les cellules nouvellement formées de la couche basale subissent une **kératinisation** au cours de leur développement. À mesure qu'elles montent d'une couche de l'épiderme à une autre, elles accumulent une quantité croissante de kératine. Elles entrent ensuite en apoptose : leur noyau se fragmente, d'autres organites disparaissent et les cellules meurent. Finalement, les cellules kératinisées se détachent et sont remplacées par les cellules sous-jacentes, lesquelles se kératiniseront à leur tour. Le cycle complet (formation des cellules dans la couche basale, ascension vers la surface, kératinisation et détachement) s'étend sur une période d'environ quatre semaines dans un épiderme moyen de 0,1 mm d'épaisseur. Le rythme de la division cellulaire dans la couche basale s'accélère lorsque les couches superficielles de l'épiderme subissent des abrasions ou des brûlures. Les scientifiques n'ont pas encore élucidé le mécanisme qui régit ce mode de croissance exceptionnel, mais ils savent qu'il fait intervenir des protéines hormonoïdes comme le **facteur de croissance épidermique** (EGF, « epidermal growth factor »).

Le tableau 5.1 présente un résumé des caractéristiques des différentes couches de l'épiderme.

APPLICATION CLINIQUE
Psoriasis

Le **psoriasis** est une dermatose (maladie de la peau) chronique répandue. Il est causé par une division excessivement rapide des kératinocytes et par leur migration précoce de la couche basale à la couche cornée. De plus, les kératinocytes se détachent prématurément, au bout de 7 à 10 jours dans certains cas. Les kératinocytes immatures élaborent une kératine anormale qui forme des squames argentées à la surface de la peau, surtout sur les genoux, les coudes et le cuir chevelu (pellicules). Les traitements efficaces (divers onguents topiques et photothérapie aux rayonnements UV) empêchent la division cellulaire, ralentissent le rythme de croissance des cellules ou inhibent la kératinisation. ■

Tableau 5.1 Comparaison entre les couches de l'épiderme

COUCHE	DESCRIPTION
Basale	Couche la plus profonde ; formée d'une seule épaisseur de kératinocytes cuboïdes ou prismatiques contenant des filaments intermédiaires composés de kératine ; les cellules souches se divisent pour produire de nouveaux kératinocytes ; des mélanocytes, des cellules de Langerhans et des cellules de Merkel associées à des corpuscules tactiles non capsulés sont disséminés parmi les kératinocytes.
Épineuse	Formée de 8 à 10 épaisseurs de kératinocytes polyédriques ; comprend des prolongements de mélanocytes et de cellules de Langerhans.
Granuleuse	Formée de trois à cinq rangées de kératinocytes aplatis dont les organites commencent à se dégrader ; les cellules contiennent de la kératohyaline, protéine qui organise les filaments intermédiaires en faisceaux épais, et des granules lamellés, qui libèrent une sécrétion lipidique imperméabilisante.
Claire	Présente seulement dans la peau du bout des doigts, de la paume des mains et de la plante des pieds ; formée de trois à cinq épaisseurs de kératinocytes morts transparents et aplatis ainsi que de filaments intermédiaires entassés.
Cornée	Formée de 25 à 30 épaisseurs de kératinocytes morts aplatis contenant des filaments intermédiaires entassés, de la kératohyaline et des granules lamellés.

Derme

La couche profonde de la peau, le **derme,** est formée principalement de tissu conjonctif contenant des fibres collagènes et élastiques. Le derme renferme un petit nombre de cellules, dont des fibroblastes, des macrophages et quelques adipocytes. Le derme possède aussi des vaisseaux sanguins, des nerfs, des glandes et des follicules pileux. Selon sa structure histologique, on peut diviser le derme en deux couches : le stratum papillaire et le stratum réticulaire.

Le **stratum papillaire,** superficiel, constitue environ un cinquième de l'épaisseur totale du derme (voir la figure 5.1). Il est composé de tissu conjonctif aréolaire contenant des fibres élastiques. De petites projections appelées **papilles du derme** (*papilla* = bout du sein) accroissent considérablement sa surface. Ces structures en forme de mamelons donnent à la surface de l'épiderme un relief accidenté et contiennent des boucles de capillaires. Quelques papilles du derme renferment aussi des récepteurs du toucher appelés **corpuscules tactiles capsulés,** ou corpuscules de Meissner, qui sont des terminaisons nerveuses sensibles aux contacts. Les papilles du derme abritent enfin des **terminaisons nerveuses libres,** c'est-à-dire des dendrites apparemment dénués de spécialisation structurale. Les terminaisons nerveuses libres déclenchent des signaux qui engendrent en bout de ligne des sensations de chaleur, de froid, de douleur, de chatouillement et de démangeaison.

Le **stratum réticulaire** (*reticulum* = réseau), la partie profonde du derme, est composé de tissu conjonctif dense irrégulier contenant des faisceaux de fibres collagènes et quelques grosses fibres élastiques. Les faisceaux de fibres collagènes s'entrelacent à la manière des fils d'un filet. Les espaces entre les fibres sont occupés par quelques adipocytes, des follicules pileux, des nerfs, des glandes sébacées et des glandes sudoripares.

L'association de fibres collagènes et de fibres élastiques dans le stratum réticulaire confère à la peau sa résistance, son *extensibilité* (capacité de s'étirer) et son *élasticité* (capacité de reprendre sa forme initiale après un étirement). L'extensibilité de la peau n'est nulle part plus manifeste que chez les femmes enceintes et les personnes obèses. Cependant, l'étirement extrême produit dans le derme de petites déchirures appelées *vergetures* qui ont l'aspect de stries rouges ou blanc argenté à la surface de la peau.

La surface de la paume des mains, des doigts, de la plante des pieds et des orteils est parcourue de crêtes et de sillons formant des lignes droites ou, encore, sur le bout des doigts, des boucles et des volutes. Ces **crêtes épidermiques** apparaissent au cours des troisième et quatrième mois du développement fœtal, à mesure que l'épiderme épouse les contours des papilles du derme situées dans le stratum papillaire. Les crêtes augmentent la capacité de friction des surfaces des mains et des pieds et, par conséquent, raffermissent la prise. Puisque les conduits des glandes sudoripares s'ouvrent par des pores au sommet des crêtes épidermiques, la sueur et les crêtes forment des empreintes digitales (ou des empreintes de pied) au contact d'un objet lisse. La disposition des crêtes est génétiquement déterminée et donc, propre à chaque individu. Étant donné que l'empreinte digitale ne subit aucun autre changement que la croissance au cours de la vie, elle peut servir à l'identification d'une personne. Le tableau 5.2 présente une comparaison entre les caractéristiques structurales du stratum papillaire et celles du stratum réticulaire.

Éléments structuraux de la couleur de la peau

OBJECTIF

- *Expliquer les éléments qui contribuent à la couleur de la peau.*

Trois pigments, la mélanine, la carotène et l'hémoglobine, donnent à la peau sa coloration. La quantité de **mélanine,** le pigment situé en majeure partie dans l'épiderme, produit une coloration qui varie du jaune pâle au noir en passant par tous les tons de brun. Les parties du corps qui contiennent le plus de mélanocytes sont les muqueuses, le pénis, les mamelons, les aréoles, le visage et les membres. Le *nombre* de mélanocytes varie très peu d'un individu à l'autre quelle que soit

Tableau 5.2 Comparaison entre le stratum papillaire et le stratum réticulaire du derme

STRATUM	DESCRIPTION
Papillaire	Partie superficielle du derme (constitue environ un cinquième de son épaisseur totale) ; composé de tissu conjonctif aréolaire et de fibres élastiques ; contient les papilles du derme (qui abritent des capillaires), des corpuscules tactiles et des terminaisons nerveuses libres.
Réticulaire	Partie profonde du derme (constitue environ les quatre cinquièmes de son épaisseur totale) ; composé de tissu conjonctif dense irrégulier, de faisceaux de fibres collagènes et de quelques grosses fibres élastiques. Les espaces entre les fibres contiennent quelques adipocytes, des follicules pileux, des nerfs, des glandes sébacées et des glandes sudoripares.

la race ; c'est la *quantité de pigment* qu'ils élaborent et transmettent aux kératinocytes qui détermine pour l'essentiel les différentes couleurs de peau. Chez certaines personnes, la mélanine a tendance à s'accumuler localement et à former des *taches de rousseur*. Le vieillissement, par ailleurs, peut provoquer la formation de *taches séniles* plates dont la couleur varie du brun pâle au noir. Comme les taches de rousseur, auxquelles elles ressemblent, les taches séniles sont des accumulations de mélanine.

Les mélanocytes synthétisent la mélanine à partir d'un acide aminé appelé *tyrosine* en présence d'une enzyme appelée *tyrosinase*. La synthèse se déroule dans un organite appelé **mélanosome.** L'exposition aux rayonnements ultraviolets intensifie l'activité enzymatique dans les mélanosomes et provoque un accroissement de la production de mélanine. Celle-ci, devenue plus abondante et plus sombre, donne à la peau un aspect bronzé et protège l'organisme contre les rayonnements ultraviolets. La mélanine joue donc jusqu'à un certain point un rôle protecteur. Nous verrons cependant qu'une exposition répétée aux rayonnements ultraviolets peut causer le cancer de la peau. Les vacanciers perdent leur bronzage lorsque les kératinocytes contenant de la mélanine se détachent de la couche cornée.

La **carotène** (*carota* = carotte), un pigment orangé, est le précurseur de la vitamine A, laquelle sert à synthétiser les pigments nécessaires à la vision. La carotène se trouve dans la couche cornée ainsi que dans les zones adipeuses du derme et de l'hypoderme.

Un épiderme qui contient peu de mélanine et de carotène paraît translucide. Aussi la couleur de la peau des personnes de race blanche varie-t-elle du rose au rouge, selon la quantité et la teneur en oxygène du sang qui circule dans les capillaires du derme. La couleur rouge est due à l'**hémoglobine,** le pigment qui transporte l'oxygène dans les globules rouges.

L'**albinisme** (*albus* = blanc) est une anomalie héréditaire caractérisée par l'incapacité de produire de la mélanine. Chez la plupart des individus albinos, les mélanocytes ne synthétisent pas de tyrosinase. Leurs cheveux, leurs yeux et leur peau sont dépourvus de mélanine. Le **vitiligo,** par ailleurs, correspond à la disparition partielle ou totale des mélanocytes dans certaines régions de la peau et se manifeste par des taches blanches irrégulières.

APPLICATION CLINIQUE
Couleur de la peau et diagnostic

La couleur de la peau et des muqueuses peut fournir des indices qui facilitent le diagnostic de certaines affections. Lorsque le sang ne capte pas une quantité suffisante d'oxygène dans les poumons, en cas d'arrêt respiratoire par exemple, les membranes, le lit des ongles et la peau deviennent **cyanosés** (*kyanos* = bleu), c'est-à-dire qu'ils prennent une teinte bleutée. L'hémoglobine dépourvue d'oxygène tire en effet sur le violet. L'**ictère** (*ikteros* = jaunisse) est dû à l'accumulation de bilirubine, un pigment jaune, dans le sang. Cet état donne à la peau et au blanc des yeux une teinte jaunâtre. L'ictère est généralement signe d'une maladie du foie. L'**érythème** (*eruthêma* = rougeur), ou rougeur de la peau, est causé par un engorgement des capillaires du derme consécutif à une lésion cutanée, à une exposition à la chaleur, à une infection, à une inflammation ou à une réaction allergique. Tous les changements de la coloration de la peau sont plus évidents chez les personnes à la peau claire que chez les personnes à la peau foncée. ■

1. Qu'est-ce que le système tégumentaire?
2. Quelles sont les relations entre l'hypoderme et la peau?
3. Comparez la structure de l'épiderme et celle du derme.
4. Énumérez les caractéristiques distinctives des couches de l'épiderme, de la plus profonde à la plus superficielle.
5. Comparez la composition du stratum papillaire et celle du stratum réticulaire du derme.
6. Comment les crêtes épidermiques se forment-elles?
7. Décrivez les éléments qui contribuent à la couleur de la peau.

ANNEXES CUTANÉES

OBJECTIF

- *Comparer la structure, la répartition et les fonctions de la peau, des glandes de la peau et des ongles.*

Les annexes cutanées, soit les poils, les glandes et les ongles, se développent à partir de l'épiderme embryonnaire. Elles remplissent de nombreuses fonctions importantes. Les poils et les ongles jouent un rôle de protection, tandis que les glandes sudoripares participent à la thermorégulation.

Poils

On trouve des **poils** sur la majeure partie de la peau, mais jamais sur la paume des mains, la face palmaire des doigts, la plante des pieds ni la face plantaire des orteils. Chez la plupart des adultes, les poils sont plus denses sur le cuir chevelu, sur l'arcade sourcilière et autour des organes génitaux externes. La densité et la répartition des poils répondent à des influences génétiques et hormonales.

Anatomie du poil

Chaque poil est composé d'une colonne de cellules kératinisées mortes réunies par des protéines extracellulaires. La **tige du poil** est la partie superficielle du poil, celle qui dépasse de la surface de la peau (figure 5.4a). La tige d'un poil droit est ronde en coupe transversale, tandis que celle d'un poil ondulé est ovale. La **racine du poil** est la partie du poil qui, située sous la tige, pénètre dans le derme et parfois dans l'hypoderme. La tige et la racine sont formées de trois zones concentriques (figure 5.4c et d). La *médulla du poil,* au centre, est composée de deux ou trois épaisseurs de cellules polyédriques contenant des granules de pigment et des espaces remplis d'air. Le *cortex du poil,* la zone intermédiaire, forme la majeure partie de la tige et est constitué de cellules allongées contenant des granules de pigment dans le cas des poils foncés et de l'air en majeure partie dans le cas des poils gris ou blancs. La *cuticule du poil,* la zone superficielle, consiste en une seule épaisseur de cellules plates et minces, les plus fortement kératinisées. Les cellules de la cuticule sont disposées comme des bardeaux, leur bord libre orienté vers l'extrémité du poil (figure 5.4b).

Le **follicule pileux** entoure la racine. Il est composé d'une gaine radiculaire externe et d'une gaine radiculaire interne (voir la figure 5.4c et d). La *gaine radiculaire externe* est un prolongement de l'épiderme. Près de la surface, elle en contient toutes les couches constituantes. À la base du follicule pileux, elle ne contient plus que la couche basale. La *gaine radiculaire interne* forme un feuillet cellulaire tubulaire entre la gaine radiculaire externe et le poil.

À la base de chaque follicule pileux se trouve une structure en forme d'oignon, le **bulbe pileux** (voir la figure 5.4c). Cette structure abrite une saillie pointue, la **papille du poil,** composée de tissu conjonctif aréolaire. Cette papille renferme de nombreux vaisseaux sanguins qui nourrissent le follicule en croissance. Le bulbe contient également une couche germinative de cellules appelée **matrice du poil.** Les cellules de la matrice proviennent de la couche basale, siège de la division cellulaire. Elles sont donc à l'origine de la croissance des poils existants et produisent de nouveaux poils pour remplacer ceux qui sont tombés. Ce processus de renouvellement se déroule à l'intérieur d'un même follicule. Les cellules de la matrice donnent aussi naissance aux cellules de la gaine radiculaire interne.

Figure 5.4 Structure d'un poil.

Les poils sont des annexes cutanées composées de cellules kératinisées mortes.

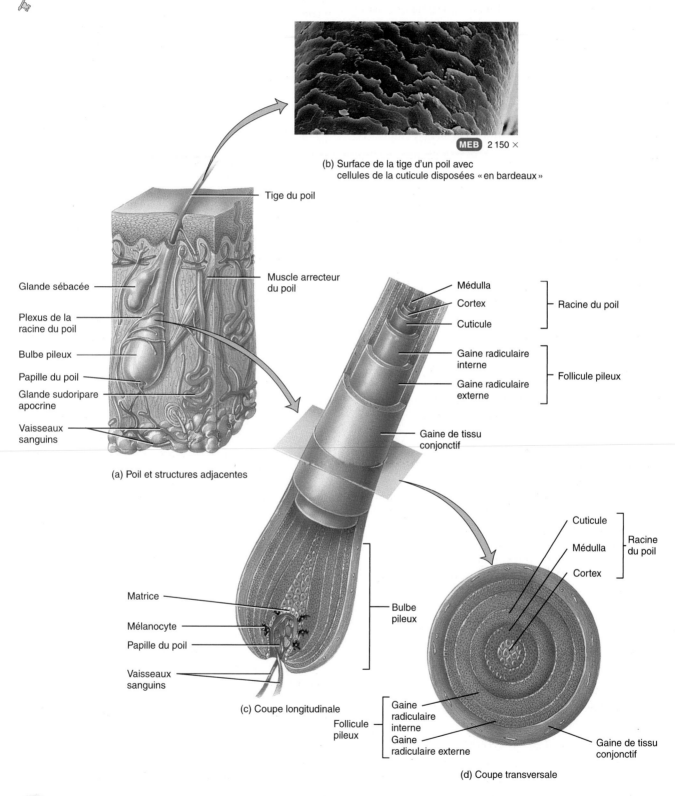

MEB 2 150 ×

(b) Surface de la tige d'un poil avec cellules de la cuticule disposées « en bardeaux »

Tige du poil

Muscle arrecteur du poil

Glande sébacée

Plexus de la racine du poil

Bulbe pileux

Papille du poil

Glande sudoripare apocrine

Vaisseaux sanguins

(a) Poil et structures adjacentes

Médulla

Cortex

Cuticule

Racine du poil

Gaine radiculaire interne

Gaine radiculaire externe

Follicule pileux

Gaine de tissu conjonctif

Matrice

Mélanocyte

Papille du poil

Vaisseaux sanguins

Bulbe pileux

(c) Coupe longitudinale

Follicule pileux

Cuticule

Médulla

Cortex

Racine du poil

Gaine radiculaire interne

Gaine radiculaire externe

Gaine de tissu conjonctif

(d) Coupe transversale

Q Pourquoi est-il douloureux de s'arracher un cheveu et non de le couper ?

Les poils sont associés aux glandes sébacées (que nous décrirons plus loin) et à un faisceau de cellules musculaires lisses (voir la figure 5.4a). Le muscle lisse est appelé **muscle arrecteur du poil** (*arrigere* = dresser). Il s'étend de la partie superficielle du derme jusqu'au côté du follicule pileux. En position normale, les poils émergent obliquement de la surface de la peau. Mais sous le coup d'un stress physiologique comme le froid ou d'un stress psychologique comme la peur, les terminaisons nerveuses autonomes provoquent la contraction des muscles arrecteurs du poil. Ceux-ci tirent alors sur les tiges et les rendent perpendiculaires à la surface de la peau. La peau située autour des tiges forme de petites éminences : c'est la « chair de poule ».

Chaque follicule pileux est entouré de dendrites qui forment le **plexus de la racine du poil** (voir la figure 5.4a). Sensible au toucher, le plexus de la racine du poil émet des influx nerveux si la tige du poil se déplace.

Croissance des poils

Chaque follicule pileux traverse un *cycle de croissance* comprenant une phase de croissance et une phase de repos. Pendant la **phase de croissance,** les cellules de la matrice se différencient, se kératinisent et meurent. C'est ainsi que se forment la gaine radiculaire et la tige du poil. Le poil allonge à mesure que de nouvelles cellules s'ajoutent à la base de la racine. La **phase de repos** s'amorce quand la croissance du poil s'arrête. Une nouvelle phase de croissance débute après la phase de repos. La racine du vieux poil tombe ou est expulsée hors du follicule, et un nouveau poil apparaît. La phase de croissance des poils du cuir chevelu (des cheveux) dure de deux à six ans et est suivie d'une phase de repos d'environ trois mois. À tout instant, environ 85 % des cheveux se trouvent en phase de croissance.

Un adulte perd normalement de 70 à 100 cheveux par jour. Les maladies, le régime alimentaire, une forte fièvre, les interventions chirurgicales, les pertes de sang, le stress psychologique intense et le sexe influent sur le rythme de croissance et le cycle de renouvellement des cheveux. Les régimes amaigrissants draconiens qui limitent à l'excès l'apport énergétique et protéique accélèrent la chute des cheveux. La perte des cheveux est également plus importante pendant les 3 à 4 mois suivant un accouchement, après la prise de certains médicaments ou à la suite d'une radiothérapie.

Couleur des poils

La couleur des poils ou des cheveux tient en grande partie à la quantité et au type de mélanine contenue dans les cellules kératinisées. La mélanine est synthétisée par les mélanocytes disséminés dans la matrice du bulbe pileux puis transmise aux cellules du cortex et de la médulla (voir la figure 5.4c). Les poils foncés contiennent principalement de la mélanine vraie, tandis que les poils blonds et roux en contiennent des variantes renfermant du fer et une plus grande quantité de soufre. Le grisonnement des poils est dû à une disparition progressive de la tyrosinase, tandis que leur blanchissement découle d'une accumulation de bulles d'air dans la médulla de la tige.

Fonctions des poils

Les cheveux confèrent au cuir chevelu une certaine protection contre les lésions et les rayonnements du soleil. Ils limitent en outre les déperditions de chaleur. Les sourcils et les cils, les poils des narines et ceux des conduits auditifs externes empêchent les corps étrangers de pénétrer dans les yeux, les narines et les oreilles respectivement. Les récepteurs tactiles associés aux follicules pileux (plexus de la racine du poil) s'activent dès qu'un poil remue un tant soit peu. Les poils ont donc un rôle à jouer dans la détection des contacts légers.

Glandes de la peau

La peau renferme quatre types de glandes exocrines : les glandes sébacées, les glandes sudoripares, les glandes cérumineuses et les glandes mammaires. Les glandes mammaires sont des glandes sudoripares spécialisées qui sécrètent du lait ; nous en traitons au chapitre 28, en même temps que du système reproducteur de la femme.

Glandes sébacées

Les **glandes sébacées** (*sebum* = suif) sont des glandes simples acineuses ramifiées. À quelques exceptions près, elles sont reliées aux follicules pileux (voir les figures 5.1 et 5.4a). L'unité sécrétrice d'une glande sébacée est située dans le derme et s'ouvre habituellement dans le rétrécissement du follicule pileux. À certains endroits, et notamment dans les lèvres, le gland du pénis, les petites lèvres de la vulve et les glandes tarsales des paupières, les glandes sébacées débouchent directement à la surface de la peau. La paume des mains et la plante des pieds sont dépourvues de glandes sébacées. La taille et la forme des glandes sébacées varient selon les parties du corps. Ainsi, elles sont petites dans la plupart des régions du tronc et des membres mais volumineuses dans la peau des seins, du visage, du cou et de la partie supérieure du thorax.

Les glandes sébacées sécrètent une substance huileuse appelée **sébum,** mélange de lipides, de cholestérol, de protéines, de sels inorganiques et de phéromones (substances qui excitent l'odorat). Le sébum recouvre la surface des poils et des cheveux et les protège contre le dessèchement et les cassures. De plus, il prévient l'évaporation excessive de l'eau à la surface de l'épiderme, garde la peau douce et souple et inhibe la croissance de certaines bactéries.

APPLICATION CLINIQUE
Acné

L'**acné** est une inflammation des glandes sébacées qui apparaît habituellement à la puberté, au moment où les glandes sébacées grossissent et sécrètent une quantité accrue de sébum. Bien que la testostérone, une hormone sexuelle mâle, soit le principal facteur de stimulation des glandes sébacées, d'autres hormones stéroïdes produites par les ovaires et les glandes surrénales stimulent aussi la sécrétion de sébum chez la femme. L'acné touche surtout les follicules pilo-sébacés qui ont été colonisés par des bactéries, dont certaines prolifèrent dans le sébum riche en lipides. L'infection peut entraîner la formation d'un kyste ou d'une poche de cellules de tissu conjonctif qui détruit ou déplace les cellules de l'épiderme. Cette affection, appelée **acné kystique,** peut laisser des cicatrices permanentes sur l'épiderme. ■

Glandes sudoripares

De trois à quatre millions de **glandes sudoripares** (*sudor* = sueur; *parere* = engendrer) libèrent leurs sécrétions par exocytose et les déversent dans les follicules pileux ou à la surface de la peau par l'intermédiaire de pores. Selon leur structure, leur situation et leur type de sécrétion, on distingue les glandes sudoripares exocrines et les glandes sudoripares apocrines.

Les **glandes sudoripares exocrines** (*exô* = dehors; *krinein* = sécréter), beaucoup plus nombreuses que les glandes sudoripares apocrines, sont des glandes simples tubuleuses enroulées. Elles sont réparties sur toute l'étendue de la peau, sauf au bord des lèvres, dans le lit des ongles des doigts et des orteils, dans le gland du pénis, dans le gland du clitoris, dans les petites lèvres de la vulve et dans les tympans. Les glandes sudoripares exocrines sont particulièrement concentrées dans la peau du front, de la paume des mains et de la plante des pieds; leur densité peut atteindre 450 par centimètre carré dans les paumes. L'unité sécrétrice des glandes sudoripares exocrines est située pour l'essentiel dans les couches profondes du derme (parfois dans la partie supérieure de l'hypoderme). Le conduit excréteur traverse le derme et l'épiderme et s'ouvre par un pore à la surface de la peau (voir la figure 5.1).

La sueur sécrétée par les glandes sudoripares exocrines (à raison d'environ 600 mL par jour) est composée d'eau, d'ions (Na^+ et Cl^- principalement), d'urée, d'acide urique, d'ammoniaque, d'acides aminés, de glucose et d'acide lactique. Sa principale fonction est de concourir à la thermorégulation par l'évaporation. À mesure que la sueur s'évapore, en effet, une grande quantité d'énergie calorifique s'échappe de la surface du corps. En règle générale, la sueur apparaît d'abord sur le front et le cuir chevelu, puis sur le visage et le reste du corps et enfin sur la paume des mains et la plante des pieds. En période de stress psychologique, cependant, elle apparaît en premier sur la paume des mains, la plante des pieds et les aisselles. Les glandes sudoripares exocrines contribuent dans une faible mesure à l'élimination des déchets comme l'urée, l'acide urique et l'ammoniaque. La sueur qui s'évapore de la peau avant que sa présence ne soit perçue est appelée **transpiration insensible.** La sueur qui est excrétée en grande quantité et dont la présence suscite une sensation d'humidité sur la peau est appelée **transpiration sensible.**

Les **glandes sudoripares apocrines** sont elles aussi des glandes simples tubuleuses enroulées. Elles sont situées principalement dans la peau des aisselles, des aines, des aréoles (régions pigmentées entourant les mamelons) et des régions barbues du visage chez l'homme adulte. On croyait autrefois que la sueur était libérée de ces glandes dans des parties qui se détachaient de la cellule, d'où le qualificatif d'apocrines. On sait à présent que la sueur est libérée par exocytose, soit un mode de sécrétion caractéristique des glandes mérocrines (voir le chapitre 4), mais on continue d'utiliser le terme *apocrines.* L'unité sécrétrice des glandes sudoripares apocrines est située en majeure partie dans l'hypoderme, et le conduit excréteur s'ouvre dans un follicule pileux (voir la figure 5.1). Le produit de sécrétion est légèrement visqueux par comparaison avec les sécrétions exocrines; il contient les mêmes composantes, ainsi que des lipides et des protéines. Chez la femme, les cellules des glandes sudoripares apocrines grossissent au moment de l'ovulation et rapetissent pendant les menstruations. Alors que les glandes sudoripares exocrines commencent à fonctionner peu de temps après la naissance, les glandes apocrines n'entrent en activité qu'à la puberté. Les glandes sudoripares apocrines sont stimulées par le stress psychologique et l'excitation sexuelle et produisent ce qu'on appelle communément des « sueurs froides ».

Le tableau 5.3 présente une comparaison entre les glandes sudoripares exocrines et les glandes sudoripares apocrines.

Glandes cérumineuses

Dans l'oreille externe, des glandes sudoripares modifiées appelées **glandes cérumineuses** (*cera* = cire) produisent une sécrétion cireuse. L'unité sécrétrice des glandes cérumineuses est située dans l'hypoderme, en dessous des glandes sébacées. Leur conduit excréteur s'ouvre directement à la surface du conduit auditif externe ou dans les conduits de glandes sébacées. Le mélange des sécrétions des glandes cérumineuses et des glandes sébacées est appelé **cérumen.** Avec les poils du conduit auditif externe, le cérumen constitue une barrière collante qui empêche les corps étrangers de pénétrer dans l'oreille.

APPLICATION CLINIQUE
Bouchon de cérumen

Certaines personnes produisent une quantité excessive de cérumen. Le cérumen peut s'accumuler dans le conduit auditif externe et former un bouchon qui, fermement implanté, empêche les ondes sonores d'atteindre le tympan. Pour se débarrasser d'un bouchon de cérumen, on doit procéder à des irrigations périodiques de l'oreille ou consulter un professionnel de la santé qui le retirera à l'aide d'un instrument spécial. On doit éviter l'usage de cotons-tiges ou d'objets pointus, car on risque d'enfoncer le bouchon de cérumen dans le conduit auditif externe et d'endommager le tympan. ■

Tableau 5.3 Comparaison entre les glandes sudoripares exocrines et les glandes sudoripares apocrines

CARACTÉRISTIQUE	GLANDES SUDORIPARES EXOCRINES	GLANDES SUDORIPARES APOCRINES
Répartition	Dans toute la peau, sauf celle du bord des lèvres, du lit des ongles, du gland du pénis, du gland du clitoris, des petites lèvres de la vulve et des tympans.	Peau des aisselles, des aines, des aréoles et des régions barbues du visage chez l'homme.
Situation de l'unité sécrétrice	Surtout dans les couches profondes du derme.	Surtout dans l'hypoderme.
Terminaison du conduit excréteur	Surface de l'épiderme.	Follicule pileux.
Sécrétion	Peu visqueuse; composée d'eau, d'ions (Na^+ et Cl^-), d'urée, d'acide urique, d'ammoniaque, d'acides aminés, de glucose et d'acide lactique.	Visqueuse; mêmes composantes que la sécrétion des glandes sudoripares exocrines avec, en plus, des lipides et des protéines.
Fonctions	Thermorégulation et élimination des déchets.	Stimulées en période de stress psychologique et d'excitation sexuelle.
Début de la sécrétion	Peu de temps après la naissance.	À la puberté.

Ongles

Les **ongles** sont des plaques de cellules épidermiques kératinisées, dures et entassées. Les cellules forment un revêtement translucide et solide sur la face dorsale de l'extrémité distale des doigts. Chaque ongle est composé d'un **corps** (la partie visible), d'un **bord libre** (la partie qui dépasse de l'extrémité distale du doigt) et d'une **racine** (la partie enfouie sous un repli de la peau) (figure 5.5). La coloration rosée de la majeure partie de l'ongle est due au sang qui circule dans les capillaires sous-jacents. Le bord libre est blanc parce qu'il ne surmonte pas de capillaires. Le croissant blanchâtre qui apparaît à l'extrémité proximale de l'ongle est appelé **lunule** (*lunula* = petite lune). L'épaississement de la couche basale dans cette région empêche le tissu vasculaire sous-jacent de transparaître et donne à la lunule sa couleur blanche. Sous le bord libre se trouve un épaississement de la couche cornée appelé **hyponychium** (*hupo* = au-dessous; *onux* = ongle) qui rattache l'ongle au bout du doigt. L'**éponychium** (*epi* = sur), ou **cuticule,** est une étroite bande d'épiderme qui naît de la bordure latérale de l'ongle et y adhère. Il occupe la bordure proximale de l'ongle et est composé de couche cornée.

L'épithélium situé sous la racine de l'ongle est appelé **matrice de l'ongle.** La division des cellules de la matrice est à l'origine de la croissance de l'ongle. La croissance se produit par suite de la transformation des cellules superficielles de la matrice en cellules de l'ongle. La couche superficielle dure est alors poussée vers l'avant par-dessus la couche basale. Le rythme de croissance des ongles dépend du rythme de division des cellules de la matrice, sur lequel influent des facteurs tels que l'âge, l'état de santé et l'état nutritionnel. La croissance des ongles varie aussi selon les saisons, le moment de la journée et la température ambiante. Les ongles des doigts allongent en moyenne d'environ 1 mm par semaine. Les ongles des orteils poussent un peu plus lentement. L'ongle pousse d'autant plus vite que le doigt est long.

Sur le plan fonctionnel, les ongles nous aident à saisir et à manipuler les petits objets, protègent les extrémités des doigts contre les blessures et nous permettent de gratter diverses parties du corps.

1. Décrivez la structure d'un poil. Qu'est-ce qui produit la « chair de poule »?
2. Comparez la situation et les fonctions des glandes sébacées, des glandes sudoripares et des glandes cérumineuses.
3. Décrivez les principales parties d'un ongle.

TYPES DE PEAU

OBJECTIF

• *Comparer la structure et les fonctions de la peau fine et de la peau épaisse.*

La structure de la peau varie peu d'une région du corps à l'autre. La peau présente cependant un certain nombre de variations locales en ce qui a trait à l'épaisseur de l'épiderme, à la résistance, à la souplesse, au degré de kératinisation, à la répartition et au type de poils, à la densité et aux types des glandes, à la pigmentation, à la vascularisation et à l'innervation. En se fondant sur certaines propriétés structurales et fonctionnelles, on distingue deux grands types de peau: la peau fine (velue) et la peau épaisse (sans poils).

La **peau fine** recouvre toutes les parties du corps sauf la paume des mains, la face palmaire des doigts et la plante des pieds. Son épiderme ne mesure que de 0,10 à 0,15 mm d'épaisseur. Elle est dépourvue d'une couche claire distincte et est dotée d'une couche épineuse et d'une couche cornée relativement minces. Les papilles du derme sont aplaties, larges et peu nombreuses dans la peau fine, de sorte qu'elles ne forment pas de crêtes épidermiques. La peau fine contient des follicules pileux, des muscles arrecteurs du poil et des

Figure 5.5 Structure de l'ongle.

 Les cellules des ongles proviennent de la transformation des cellules superficielles de la matrice de l'ongle.

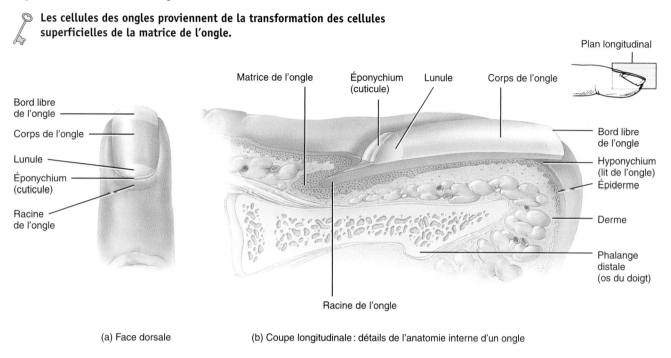

(a) Face dorsale

(b) Coupe longitudinale : détails de l'anatomie interne d'un ongle

Q Pourquoi les ongles sont-ils si durs ?

glandes sébacées, mais elle renferme moins de glandes sudoripares que la peau épaisse. Enfin, les récepteurs sensoriels y sont plus clairsemés que dans la peau épaisse.

La **peau épaisse** recouvre la paume des mains, la face palmaire des doigts et la plante des pieds. Son épiderme mesure de 0,6 à 4,5 mm d'épaisseur et comprend une couche claire distincte de même qu'une couche épineuse et une couche cornée épaisses. Les papilles du derme de la peau épaisse sont plus élevées, plus étroites et plus nombreuses que celles de la peau fine et forment des crêtes épidermiques. La peau épaisse ne contient pas de follicules pileux, de muscles arrecteurs du poil ni de glandes sébacées, mais elle renferme plus de glandes sudoripares que la peau fine. Les récepteurs sensoriels y sont aussi plus densément distribués.

Le tableau 5.4 présente un résumé des caractéristiques de la peau fine et de la peau épaisse.

FONCTIONS DE LA PEAU

OBJECTIF

- *Décrire le rôle que joue la peau dans la thermorégulation, la protection, la perception des sensations, l'excrétion, l'absorption et la synthèse de la vitamine D.*

La peau concourt à la régulation de la température corporelle, fait office de barrière imperméable et protectrice entre le milieu extérieur et les tissus internes, contient les terminaisons de nerfs sensitifs, excrète de petites quantités de sels et de composés organiques divers, absorbe certaines substances et participe à la synthèse de la forme active de la vitamine D. Nous étudierons en détail chacune de ces fonctions dans les sections qui suivent.

Thermorégulation

La peau participe à la *thermorégulation,* c'est-à-dire la régulation homéostatique de la température corporelle, de deux manières : en libérant de la sueur et en ajustant le débit sanguin dans le derme. En réponse à une température ambiante élevée ou à la chaleur produite par l'activité physique, l'évaporation de la sueur à la surface de la peau contribue à abaisser la température corporelle. La production de sueur diminue si la température ambiante baisse, ce qui permet de conserver la chaleur. Pendant l'activité physique modérée, le sang afflue dans la peau, et une quantité accrue de chaleur s'échappe du corps par rayonnement.

Chez un adulte au repos, le réseau étendu de vaisseaux sanguins contenu dans le derme transporte de 8 à 10 % de la quantité totale de sang. Aussi dit-on que la peau sert de *réservoir de sang*. Pendant une activité physique très intense toutefois, il y a constriction (resserrement) des vaisseaux sanguins de la peau afin de détourner le sang vers le cœur et les muscles squelettiques. Cette dérivation du sang entrave cependant la déperdition de chaleur par la peau, de sorte que la température corporelle tend à augmenter.

Tableau 5.4 Comparaison entre la peau fine et la peau épaisse

CARACTÉRISTIQUE	PEAU FINE	PEAU ÉPAISSE
Répartition	Toutes les parties du corps sauf la paume des mains, la face palmaire des doigts et la plante des pieds.	Paume des mains, face palmaire des doigts et plante des pieds.
Épaisseur de l'épiderme	De 0,10 à 0,15 mm.	De 0,6 à 4,5 mm.
Couches de l'épiderme	Couche claire absente pour l'essentiel ; couche épineuse et couche cornée minces.	Couche claire, couche épineuse et couche cornée épaisses.
Crêtes épidermiques	Absentes en raison du peu de développement et du faible nombre des papilles du derme.	Présentes en raison de la structure développée et du grand nombre des papilles du derme.
Follicules pileux et muscles arrecteurs du poil	Présents.	Absents.
Glandes sébacées	Présentes.	Absentes.
Glandes sudoripares	Rares.	Nombreuses.
Récepteurs sensoriels	Clairsemés.	Denses.

Protection

La peau recouvre le corps et constitue une barrière physique, chimique et biologique. Au point de vue physique, la peau protège les tissus sous-jacents de l'abrasion ; les kératinocytes fermement imbriqués font obstacle aux microbes présents sur la surface de la peau. Les lipides libérés par les granules lamellés ralentissent l'évaporation de l'eau de la surface de la peau et protègent ainsi l'organisme contre la déshydratation ; ils empêchent également l'entrée de l'eau dans la peau lorsque nous nageons ou prenons une douche. Le sébum huileux produit par les glandes sébacées prévient l'assèchement de la peau et des poils et contient des substances qui détruisent les bactéries présentes à la surface. La mélanine offre une certaine protection contre les effets nocifs des rayonnements ultraviolets. Les fonctions de protection à caractère biologique relèvent des cellules de Langerhans de l'épiderme et des macrophages du derme. Les premiers signalent au système immunitaire la présence de microbes potentiellement nuisibles, tandis que les seconds phagocytent les bactéries et les virus qui ont réussi à pénétrer la surface de la peau.

Sensations cutanées

Les *sensations cutanées*, c'est-à-dire les sensations qui prennent naissance dans la peau, comprennent les sensations tactiles (toucher, pression, vibration et chatouillement), les sensations thermiques (la chaleur et le froid) et les sensations douloureuses. Ces dernières signalent généralement l'imminence ou la présence d'une lésion. Parmi la vaste gamme de terminaisons nerveuses et de récepteurs abondamment répartis dans la peau figurent les corpuscules tactiles non capsulés de l'épiderme, les corpuscules tactiles capsulés du derme et les plexus de la racine du poil autour de chaque follicule pileux. Nous reviendrons en détail sur les sensations cutanées au chapitre 15.

Excrétion et absorption

La peau joue un rôle de second plan dans l'*excrétion*, c'est-à-dire l'élimination des substances, et dans l'*absorption*, c'est-à-dire la pénétration de matières du milieu extérieur dans les cellules. La couche cornée, en dépit de ses propriétés imperméabilisantes, laisse s'évaporer environ 400 mL d'eau par jour. L'organisme perd en plus 200 mL d'eau par jour sous forme de sueur si la personne est sédentaire, davantage si la personne est physiquement active. Outre que la sueur contribue à l'élimination de l'eau et à la déperdition de chaleur (par évaporation), elle sert à l'excrétion de petites quantités de sels, de gaz carbonique et de deux molécules organiques produites par la dégradation des protéines, l'ammoniaque et l'urée.

La peau absorbe des quantités négligeables de substances hydrosolubles, mais laisse pénétrer certaines matières liposolubles, dont les vitamines liposolubles (A, D, E et K), l'oxygène et le gaz carbonique. Parmi les substances toxiques pouvant être absorbées par la peau, on compte les solvants organiques comme l'acétone (contenu dans certains dissolvants de vernis à ongles), le tétrachlorure de carbone (liquide utilisé pour le nettoyage à sec), les sels des métaux lourds comme le plomb, le mercure et l'arsenic ainsi que les toxines du sumac vénéneux et du sumac de l'Ouest (famille des Anacardiacées).

Synthèse de la vitamine D

Ce que l'on appelle communément la vitamine D est en réalité un groupe de composés étroitement apparentés. Pour que s'effectue la synthèse de la vitamine D, les rayonnements ultraviolets de la lumière solaire doivent activer un précurseur présent dans la peau. Puis, dans le foie et les reins, des enzymes modifient la molécule activée et produisent le *calcitriol*, la forme la plus active de la vitamine D. Le calcitriol favorise l'absorption du calcium alimentaire.

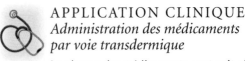

APPLICATION CLINIQUE
Administration des médicaments par voie transdermique

La plupart des médicaments sont soit absorbés par le système digestif, soit injectés dans un muscle ou un tissu sous-cutané. On peut cependant administrer certains médicaments par **voie transdermique**, au moyen d'un timbre que l'on colle sur la peau. Le médicament contenu dans le timbre traverse l'épiderme et entre dans les vaisseaux sanguins du derme. La libération du médicament s'effectue à un rythme contrôlé et s'échelonne sur un ou plusieurs jours. Comme la couche cornée constitue le principal obstacle à la pénétration de la plupart des médicaments, les régions de la peau où cette couche est mince sont les plus propices à l'absorption transdermique. Le nombre de médicaments administrés par voie transdermique ne cesse d'augmenter. Parmi ces médicaments, on compte la nitroglycérine, pour la prévention de l'angine de poitrine (douleur thoracique associée à la maladie coronarienne), la scopolamine, contre le mal des transports, l'œstradiol, pour l'hormonothérapie de substitution prescrite aux femmes en ménopause, et la nicotine, destinée aux personnes qui veulent abandonner l'usage du tabac. ■

1. Quels sont les deux rôles de la peau dans la thermorégulation ?
2. En quoi la peau fait-elle office de barrière protectrice ?
3. Quelles sensations résultent de la stimulation des neurones de la peau ?
4. Quels types de molécules peuvent traverser la couche cornée ?

MAINTIEN DE L'HOMÉOSTASIE : CICATRISATION DES LÉSIONS DE LA PEAU

OBJECTIF

• *Expliquer la cicatrisation des lésions superficielles et des lésions profondes.*

En cas d'atteinte à l'intégrité ou à la continuité de la peau, une série de mécanismes s'amorce pour rétablir la structure et le fonctionnement normaux (ou quasi normaux) de la peau. Deux processus de cicatrisation peuvent alors s'enclencher, selon la profondeur des blessures. La cicatrisation des lésions superficielles se produit lors de blessures qui ne touchent que l'épiderme, et la cicatrisation des lésions profondes se produit lors de blessures qui pénètrent le derme ou l'hypoderme.

Cicatrisation des lésions superficielles

Même lorsque la partie centrale d'une lésion superficielle s'enfonce jusque dans le derme, les cellules épidermiques superficielles situées sur les bords de la plaie ne sont habituellement que légèrement endommagées. Tel est le cas après une abrasion (raclage d'une partie de la peau) et une brûlure mineure.

Après une lésion superficielle, les cellules basales de l'épiderme entourant la plaie se détachent de la membrane basale. Elles grossissent et migrent vers le centre de la lésion

sous forme de feuillets (figure 5.6a). Lorsque les cellules provenant des bords opposés de la plaie se rencontrent, une réponse cellulaire appelée **inhibition de contact** fait cesser leur progression. La migration s'arrête complètement lorsque tous les côtés de chaque cellule entrent en contact avec d'autres cellules de l'épiderme.

Tandis que certaines cellules basales de l'épiderme migrent, une hormone appelée facteur de croissance épidermique (EGF) stimule la division des cellules souches basales afin de remplacer celles qui ont migré dans la plaie. Le remplacement des cellules basales se poursuit jusqu'à ce que la plaie soit recouverte (figure 5.6b). Par la suite, les cellules déplacées se divisent pour produire de nouvelles couches, si bien que l'épiderme régénéré épaissit.

Cicatrisation des lésions profondes

La cicatrisation des lésions profondes a lieu lorsqu'une blessure atteint le derme et l'hypoderme. Comme plusieurs couches de tissu sont abîmées, le processus de réparation est plus complexe que celui des lésions superficielles. En outre, il entraîne la formation de tissu cicatriciel qui ne peut accomplir certaines des fonctions de la peau normale. La cicatrisation des lésions profondes s'effectue en quatre phases : la phase inflammatoire, la phase de migration, la phase de prolifération et la phase de maturation.

Pendant la **phase inflammatoire**, un caillot se forme dans la plaie et en réunit lâchement les bords (figure 5.7a). Cette phase se caractérise par l'**inflammation**, réponse vasculaire et cellulaire qui concourt à l'élimination des microbes, des corps étrangers et des tissus morts. La vasodilatation et l'accroissement de la perméabilité vasculaire associés à l'inflammation favorisent la libération de globules blancs (granulocytes neutrophiles), de monocytes (qui deviennent des macrophages et phagocytent les microbes) et de cellules mésenchymateuses (qui deviennent des fibroblastes) (figure 5.7a).

Les trois phases qui suivent sont celles de la réparation proprement dite. Au cours de la **phase de migration**, le caillot se transforme en croûte, et les cellules épithéliales migrent en dessous pour fermer la plaie. Les fibroblastes migrent le long de filaments de fibrine et commencent à synthétiser du tissu cicatriciel (formé de fibres collagènes et de glycoprotéines) tandis que les vaisseaux sanguins abîmés se régénèrent. Le tissu qui remplit la plaie pendant cette phase est appelé **tissu de granulation**. La **phase de prolifération** se caractérise par la croissance importante des cellules épithéliales sous la croûte, le dépôt désordonné de fibres collagènes par les fibroblastes et la croissance continue des vaisseaux sanguins. Durant la **phase de maturation**, enfin, la croûte tombe une fois que l'épiderme a retrouvé son épaisseur normale. Les fibres collagènes, qui s'étaient disposées au hasard, s'organisent, le nombre de fibroblastes diminue et les vaisseaux sanguins reviennent à la normale (figure 5.7b).

Figure 5.6 Cicatrisation des lésions superficielles.

🔑 **Une lésion superficielle ne touche pas le derme, mais seulement l'épiderme.**

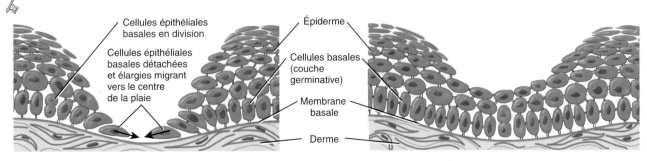

(a) Division des cellules épithéliales basales et migration vers le centre de la plaie

(b) Épaississement de l'épiderme

Q Selon vous, une lésion superficielle saigne-t-elle ? Justifiez votre réponse.

Figure 5.7 Cicatrisation des lésions profondes. La phase inflammatoire (a) est suivie par une phase de migration, une phase de prolifération et, enfin, une phase de maturation (b).

🔑 **Une lésion profonde s'enfonce jusque dans le derme.**

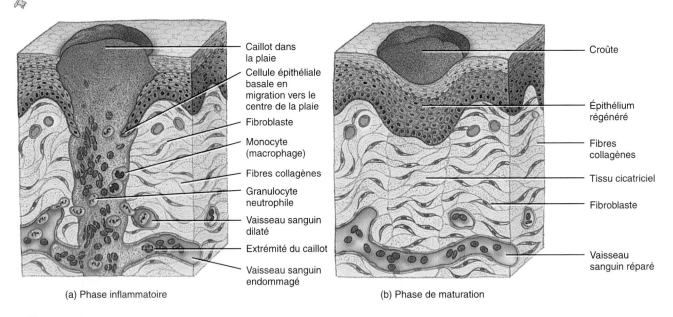

(a) Phase inflammatoire

(b) Phase de maturation

Q Pourquoi l'arrivée des granulocytes neutrophiles et des macrophages est-elle utile au site d'une lésion ?

Comme nous l'avons indiqué au chapitre 4, la formation de tissu cicatriciel est appelée **fibrose.** Dans certains cas, la réparation des lésions profondes produit tellement de tissu cicatriciel qu'une cicatrice surélevée apparaît. Si une telle cicatrice demeure enclose dans les limites de la plaie, elle prend le nom de **cicatrice hypertrophique**; si elle s'étend au-delà des limites de la plaie et envahit les tissus environnants normaux, elle est appelée **cicatrice chéloïdienne.** Le tissu cicatriciel se distingue de la peau normale par la densité de ses fibres

collagènes. En outre, il contient moins de vaisseaux sanguins et, parfois, moins de poils, de glandes et de structures senso-rielles que la peau intacte. Les cicatrices sont généralement plus claires que la peau normale en raison de la disposition des fibres collagènes et de la rareté des vaisseaux sanguins.

1. Pourquoi la guérison des lésions superficielles ne produit-elle pas de cicatrice ?

DÉVELOPPEMENT EMBRYONNAIRE DU SYSTÈME TÉGUMENTAIRE

OBJECTIF

- *Décrire le développement de l'épiderme, des annexes cutanées et du derme.*

Nous réserverons une section au développement embryonnaire à la fin d'un bon nombre des chapitres du présent ouvrage. Puisque nous ne décrivons le développement embryonnaire en détail qu'au chapitre 29, il nous faut réviser ici la signification de quelques termes et en définir d'autres afin que vous puissiez comprendre la formation des différents systèmes.

Pendant les premiers stades du développement d'un ovule fécondé, une partie de l'embryon se différencie en trois couches de tissu appelées **feuillets embryonnaires primitifs.** De l'extérieur vers l'intérieur, il s'agit de l'**ectoderme** (*ektos* = en dehors), du **mésoderme** (*mesos* = au milieu) et de l'**endoderme** (*endon* = en dedans). De ces trois feuillets naîtront tous les tissus et tous les organes de l'organisme (voir le tableau 29.1, p. 1094).

L'*épiderme* provient de l'**ectoderme.** Au début de la huitième semaine suivant la fécondation, l'ectoderme est composé d'un épithélium simple cuboïde. Ces cellules s'aplatissent et forment le **périderme.** Au quatrième mois du développement fœtal, toutes les couches de l'épiderme sont formées et chacune possède sa structure caractéristique.

Le *derme* dérive du **mésoderme,** la région située en dessous de l'ectoderme. Après avoir subi une transformation, les cellules du mésoderme forment les tissus conjonctifs qui apparaissent dans le derme autour de la 11e semaine du développement.

Les *ongles* émergent vers la 10e semaine. Au début, ils sont composés d'une épaisse couche d'épithélium appelée **lame de l'ongle.** L'ongle lui-même est constitué d'un épithélium kératinisé et croît à partir de la base. Les ongles n'atteignent l'extrémité des doigts que pendant le neuvième mois du développement fœtal.

Les *follicules pileux* se développent entre la 9e et la 12e semaine sous forme d'invaginations de la couche basale de l'épiderme dans le derme sous-jacent. Les invaginations se différencient bientôt pour former le bulbe pileux et la papille du derme, l'ébauche des parties épithéliales des glandes sébacées et d'autres structures associées au follicule pileux. Au cinquième ou sixième mois du développement fœtal, les follicules produisent des poils très fins, le **lanugo,** sur la tête d'abord puis sur les autres parties du corps. Le lanugo tombe habituellement avant la naissance.

Les parties épithéliales (sécrétrices) des *glandes sébacées* émergent des côtés des follicules pileux vers la 16e semaine et demeurent reliées aux follicules.

Les parties épithéliales des *glandes sudoripares* dérivent aussi d'invaginations de la couche basale de l'épiderme dans le derme. Elles apparaissent vers la 20e semaine dans la paume des mains et la plante des pieds, un peu plus tard ailleurs. Le tissu conjonctif et les vaisseaux sanguins associés aux glandes proviennent du **mésoderme.**

Vers le sixième mois du développement fœtal, les sécrétions des glandes sébacées se mêlent à des cellules détachées de l'épiderme et à des poils pour former le **vernix caseosa** (*vernix* = vernis; *caseus* = fromage). Cette substance graisseuse recouvre et protège la peau du fœtus qui baigne continuellement dans le liquide amniotique. De plus, la viscosité du vernix caseosa facilite l'expulsion du fœtus.

1. Quelles structures apparaissent à la suite des invaginations de la couche basale dans le derme?

VIEILLISSEMENT DU SYSTÈME TÉGUMENTAIRE

OBJECTIF

- *Décrire les effets du vieillissement sur le système tégumentaire.*

Les maladies de la peau sont relativement rares chez les enfants. L'acné, par contre, est fréquente à l'adolescence.

Les effets du vieillissement de la peau ne deviennent apparents que vers la fin de la quarantaine. La plupart des changements liés à l'âge se produisent dans le derme. Les fibres collagènes s'y raréfient, durcissent, se brisent et forment des enchevêtrements désorganisés. Les fibres élastiques perdent une partie de leur élasticité, forment des amas et s'effilochent, processus que l'usage du tabac accélère considérablement. Les fibroblastes, qui sécrètent les fibres collagènes et les fibres élastiques, diminuent en nombre. Il se forme alors dans la peau les sillons caractéristiques appelés rides.

Avec le temps, les cellules de Langerhans diminuent en nombre et la phagocytose perd de son efficacité, de sorte que la réponse immunitaire s'affaiblit dans la peau. L'atrophie des glandes sébacées assèche et abîme la peau et la prédispose aux infections. L'activité des glandes sudoripares diminue, ce qui contribue probablement à la fréquence élevée des coups de chaleur chez les personnes âgées. La diminution du nombre de mélanocytes actifs fait grisonner les cheveux et donne à la peau une coloration atypique par endroits. L'augmentation de la taille de certains mélanocytes provoque l'apparition des taches séniles. Les parois des vaisseaux sanguins du derme s'épaississent et perdent une partie de leur imperméabilité, tandis que la quantité de tissu adipeux sous-cutané diminue. C'est pour cette raison que la peau âgée (le derme en particulier) est plus mince que la peau jeune et que la migration des cellules de la couche basale à la surface de l'épiderme ralentit considérablement. À l'âge adulte avancé, la peau guérit plus lentement et devient sujette aux affections comme le cancer, les démangeaisons et les escarres de décubitus.

La croissance des ongles et des poils ralentit pendant la vingtaine et la trentaine. Les ongles deviennent cassants en raison de la déshydratation ou de l'usage répété de dissolvant de cuticules et de vernis à ongles.

APPLICATION CLINIQUE
Photosensibilisation

Les caresses des chauds rayons du soleil sont certes agréables, mais il vaut mieux les éviter. Les rayonnements ultraviolets A (de grande longueur d'onde) et les rayonnements ultraviolets B (de courte longueur d'onde) peuvent entraîner une **photosensibilisation** de la peau. L'exposition excessive aux rayonnements UVB a le même effet chez tous les individus, qu'ils aient la peau claire ou foncée : un coup de soleil. Même en l'absence d'un coup de soleil, les rayonnements UVB peuvent endommager l'ADN des cellules de l'épiderme et provoquer ainsi des mutations génétiques causant le cancer de la peau. En pénétrant dans le derme, les rayonnements UVA produisent des radicaux libres qui abîment les fibres collagènes et élastiques dans la matrice extra-cellulaire. Telle est la principale raison pour laquelle la peau des personnes qui passent beaucoup de temps au soleil sans se protéger se ride fortement. ■

DÉSÉQUILIBRES HOMÉOSTATIQUES

CANCER DE LA PEAU

L'exposition excessive au soleil a causé l'immense majorité des quelque un million de cas de **cancer de la peau** diagnostiqués aux États-Unis en l'an 2000. Les trois cancers de la peau les plus répandus sont l'épithélioma basocellulaire, l'épithélioma spinocellulaire et le mélanome malin. L'**épithélioma basocellulaire** compte pour 78 % des cas de cancer de la peau. Les tumeurs surgissent des cellules de la couche basale de l'épiderme et produisent rarement des métastases. L'**épithélioma spinocellulaire,** qui compte pour environ 20 % des cas de cancer de la peau, prend naissance dans les cellules pavi-menteuses de l'épiderme et a un potentiel métastatique variable. Il résulte la plupart du temps de lésions préexistantes dans une peau exposée au soleil. L'épithélioma basocellulaire et l'épithélioma spi-nocellulaire constituent les *cancers de la peau non mélaniques* et sont de 50 % plus fréquents chez les hommes que chez les femmes. Le **mélanome malin** naît des mélanocytes et compte pour environ 2 % des cas de cancer de la peau. C'est le plus fréquent des cancers potentiellement mortels chez les jeunes femmes. L'American Academy of Dermatology évalue en ce moment à 1 sur 75 le risque à vie de contracter le mélanome malin, une proportion deux fois plus élevée qu'il y a 15 ans seulement. L'augmentation tient en partie à la destruction de la couche d'ozone (qui absorbe une certaine quantité de rayonnements ultraviolets) mais surtout au fait que plus de gens passent de plus en plus de temps au soleil. Le méla-nome malin produit rapidement des métastases et peut évoluer vers la mort en quelques mois.

Le dépistage précoce constitue la clé du traitement du méla-nome malin. On désigne les premiers signes de la maladie à l'aide de l'acronyme ABCD. A signifie *asymétrie* : la lésion est habituellement asymétrique ; B signifie *bordures* : les bordures de la lésion sont den-telées ou indistinctes ; C signifie *couleur* : la lésion a une coloration inégale ou est multicolore ; D signifie *diamètre* : un nævus normal (ou grain de beauté) a un diamètre inférieur à 6 mm, soit celui de la gomme à effacer d'un crayon. Un mélanome malin qui possède déjà les carac-téristiques A, B et C dépasse généralement les 6 mm de diamètre.

Les facteurs de risque du cancer de la peau sont notamment les suivants :

1. ***Type de peau.*** Les personnes qui ont la peau claire et qui brûlent au lieu de bronzer sont particulièrement sujettes au cancer de la peau.
2. ***Exposition au soleil.*** Le risque d'apparition du cancer de la peau est plus élevé dans les régions situées en altitude (où les rayon-nements ultraviolets sont intenses) ou qui comptent un grand nombre de jours d'ensoleillement par année. De même, le travail à l'extérieur et des antécédents de trois coups de soleil graves ou plus font augmenter le risque.
3. ***Antécédents familiaux.*** La fréquence du cancer de la peau est plus élevée dans certaines familles que dans d'autres.
4. ***Âge.*** Les personnes âgées sont particulièrement sujettes au cancer de la peau en raison des heures d'exposition au soleil qu'elles ont accumulées.
5. ***État immunologique.*** La fréquence des cancers de la peau est plus élevée chez les personnes dont le système immunitaire est affaibli que chez les individus bien portants.

BRÛLURES

Une **brûlure** est une lésion causée par la chaleur excessive, l'électricité, la radioactivité ou des substances corrosives qui déna-turent les protéines contenues dans les cellules cutanées. Les brûlures suppriment quelques-unes des fonctions homéostatiques de la peau, dont la protection contre les microorganismes et la dessication ainsi que la thermorégulation.

On classe les brûlures selon leur gravité. Une *brûlure du premier degré* atteint seulement l'épiderme. Elle se caractérise par une douleur modérée et un érythème (rougeur) mais n'entraîne pas la formation de cloques. Les fonctions de la peau restent intactes. On peut limiter la douleur et les dommages causés par une brûlure du premier degré en l'aspergeant immédiatement avec de l'eau froide. Une brûlure du premier degré guérit habituellement en une période de trois à six jours ; la guérison peut s'accompagner de desquam-ation. Un léger coup de soleil est une brûlure du premier degré.

Tableau 5.5 Méthode de Lund-Browder (% de la surface corporelle)

PARTIE DU CORPS	ÂGE (ANNÉES)					PARTIE DU CORPS	ÂGE (ANNÉES)				
	DE 0 À 1	DE 1 À 4	DE 5 À 9	DE 10 À 15	ADULTE		DE 0 À 1	DE 1 À 4	DE 5 À 9	DE 10 À 15	ADULTE
Tête	19,0	17,0	13,0	10,0	7,0	Avant-bras droit	3,0	3,0	3,0	3,0	3,0
Cou	2,0	2,0	2,0	2,0	2,0	Avant-bras gauche	3,0	3,0	3,0	3,0	3,0
Face antérieure du tronc	13,0	13,0	13,0	13,0	13,0	Main droite	2,5	2,5	2,5	2,5	2,5
Face postérieure du tronc	13,0	13,0	13,0	13,0	13,0	Main gauche	2,5	2,5	2,5	2,5	2,5
Fesse droite	2,5	2,5	2,5	2,5	2,5	Cuisse droite	5,5	6,5	8,5	8,5	9,5
Fesse gauche	2,5	2,5	2,5	2,5	2,5	Cuisse gauche	5,5	6,5	8,5	8,5	9,5
Organes génitaux	1,0	1,0	1,0	1,0	1,0	Jambe droite	5,0	5,0	5,5	6,0	7,0
Bras droit	4,0	4,0	4,0	4,0	4,0	Jambe gauche	5,0	5,0	5,5	6,0	7,0
Bras gauche	4,0	4,0	4,0	4,0	4,0	Pied droit	3,5	3,5	3,5	3,5	3,5
						Pied gauche	3,5	3,5	3,5	3,5	3,5

Une *brûlure du deuxième degré* détruit une partie de l'épiderme et, dans certains cas, du derme. Elle supprime une partie des fonctions de la peau et entraîne une rougeur, la formation de cloques, un œdème et de la douleur. (La formation de cloques est causée par la séparation de l'épiderme et du derme à la suite de l'accumulation de liquide tissulaire entre les couches.) En règle générale, une brûlure du second degré laisse les annexes cutanées (comme les follicules pileux, les glandes sébacées et les glandes sudoripares) intactes. En l'absence d'infection, ce genre de brûlure guérit sans nécessiter de greffe de peau en une période de trois ou quatre semaines, mais elle peut laisser une cicatrice.

Une *brûlure du troisième degré* détruit une partie de l'épiderme, du derme et des structures annexes et supprime les fonctions de la peau. La lésion a une coloration qui varie du blanc marbré à l'acajou ou prend un aspect carbonisé et desséché. L'œdème est considérable et la destruction des terminaisons nerveuses provoque un engourdissement de la région atteinte. La régénération est lente, et une grande quantité de tissu de granulation se forme avant que la plaie ne se recouvre d'épithélium. On procède dans certains cas à une greffe de peau afin de favoriser la guérison et de limiter la formation de cicatrices.

La lésion du tissu cutané entré en contact direct avec l'agent nocif est l'*effet local* de la brûlure. Les *effets systémiques* d'une brûlure grave peuvent cependant menacer davantage la survie de la victime. Ces effets peuvent comprendre: 1) une forte déperdition d'eau, de plasma et de protéines plasmatiques, ce qui peut causer un état de choc; 2) une infection bactérienne; 3) une diminution de la circulation sanguine; 4) une diminution de la production d'urine; 5) un affaiblissement de la réponse immunitaire.

La gravité d'une brûlure dépend de son étendue et de sa profondeur de même que de l'âge et de l'état de santé de la victime. Selon la classification établie par l'American Burn Association, une brûlure grave correspond à une brûlure du troisième degré étendue sur plus de 10 % de la surface corporelle, à une brûlure du deuxième degré étendue sur plus de 25 % de la surface corporelle ou à toute brûlure du troisième degré sur le visage, les mains, les pieds ou le périnée (régions anale et urogénitale). Plus de la moitié des victimes ne survivent pas aux brûlures dont l'étendue dépasse 70 % de la surface corporelle. Il existe une méthode rapide pour estimer la surface corporelle atteinte par une brûlure chez l'adulte. Il s'agit de la **règle des neuf**:
1. Compter 9 % si les faces antérieure et postérieure de la tête et du cou sont touchées.
2. Compter 9 % pour les faces antérieure et postérieure de chaque bras (soit un total de 18 % pour les deux bras).
3. Compter quatre fois neuf, ou 36 %, pour les faces antérieure et postérieure du tronc, incluant les fesses.
4. Compter 9 % pour la face antérieure et 9 % pour la face postérieure de chaque jambe jusqu'aux fesses (soit un total de 36 % pour les deux jambes).
5. Compter 1 % pour le périnée.

Une méthode d'estimation plus précise, la **méthode de Lund-Browder,** consiste à comparer l'étendue des régions touchées au pourcentage de la surface corporelle correspondant à chaque partie du corps (tableau 5.5). Certains pourcentages varient en fonction de l'âge puisque la plupart des proportions corporelles se modifient au cours de la croissance.

ESCARRES DE DÉCUBITUS

Les **escarres de décubitus,** communément appelées «plaies de lit», sont causées par une insuffisance constante de l'irrigation des tissus. En règle générale, le tissu atteint surmonte une saillie osseuse qui a été soumise à une pression prolongée exercée par un objet tel qu'un lit, un plâtre ou une attelle. Si on soulage la pression en moins de quelques heures, la rougeur subsiste mais on évite les dommages permanents aux tissus. La présence d'ampoules sur la région touchée peut indiquer des dommages superficiels, tandis qu'une décoloration bleu rougeâtre peut signaler une lésion profonde. La pression prolongée entraîne une ulcération. Les petites ruptures de l'épiderme s'infectent, tandis que l'hypoderme et les tissus sous-jacents sont abîmés. Finalement, le tissu meurt. Les escarres de décubitus guettent surtout les patients confinés au lit. On peut prévenir ces lésions au moyen de soins appropriés.

TERMES MÉDICAUX

Alopécie Chute partielle ou complète des cheveux et des poils ; peut être causée par le vieillissement, des troubles endocriniens, la chimiothérapie anticancéreuse et des dermatoses.

Callosité et durillon Épaississements coniques douloureux de la couche cornée de l'épiderme ; causés par la friction et la pression, ils apparaissent principalement sur les articulations des orteils ou entre les orteils. Ils sont durs ou mous, selon leur situation. Les durillons (durs) apparaissent habituellement sur les articulations des orteils et les callosités (molles), entre le quatrième et le cinquième orteil.

Dermatite de contact (*derma* = peau ; *ite* = inflammation) Inflammation de la peau caractérisée par une rougeur, une démangeaison et un œdème ; causée par l'exposition de la peau à des substances chimiques qui, telle la toxine du sumac vénéneux, provoquent une réaction allergique.

Hémangiome (*haima* = sang ; *angeion* = vaisseau ; *ome* = tumeur) Tumeur localisée de la peau et de l'hypoderme ; causée par une multiplication anormale des vaisseaux sanguins. La **tache de vin** est un type d'hémangiome plat de couleur rose, rouge ou violette présent à la naissance, sur la nuque habituellement.

Herpès labial Lésion de la muqueuse orale causée par le virus *Herpes simplex* de type 1 transmis par voie orale ou respiratoire. Inactif dans la circulation, le virus est activé par des facteurs comme les rayonnements ultraviolets, les changements hormonaux et le stress psychologique. Aussi appelé *bouton de fièvre*.

Impétigo Infection superficielle de la peau causée par un staphylocoque ; atteint surtout les enfants.

Intradermique (*intra* = à l'intérieur) À l'intérieur de la peau. Synonyme : *intracutané*.

Lacération (*lacerare* = déchirer) Déchirure irrégulière de la peau.

Nævus Tache de peau pigmentée ronde, plate ou surélevée ; peut être présente à la naissance ou apparaître plus tard. La couleur varie du brun jaunâtre au noir. Aussi appelé *tache de naissance*, ou *grain de beauté*.

Prurit (*prurire* = démanger) Démangeaison. L'un des troubles dermatologiques les plus fréquents, le prurit peut être causé par des maladies de la peau (infections), des maladies systémiques (cancer, insuffisance rénale), des facteurs psychogènes (stress psychologique) ou des réactions allergiques.

Topique Se dit d'un médicament qui s'applique sur la surface de la peau plutôt que d'être ingéré ou injecté.

Urticaire Maladie de la peau caractérisée par la présence de taches rouges surélevées et, souvent, prurigineuses ; généralement causée par une infection, un traumatisme physique, un médicament, un stress psychologique, un additif alimentaire ou une allergie alimentaire.

Verrue Masse produite par la croissance désordonnée des cellules épithéliales de la peau et causée par un papillomavirus. La plupart des verrues ne sont pas cancéreuses.

RÉSUMÉ

STRUCTURE DE LA PEAU (p. 148)

1. Le système tégumentaire est formé de la peau et de ses annexes, soit les poils, les ongles, des glandes, des muscles et des nerfs.
2. La peau est le plus lourd et le plus étendu des organes. Ses principales parties sont l'épiderme (partie superficielle) et le derme (partie profonde).
3. L'hypoderme est situé sous le derme et ne fait pas partie de la peau. Il ancre le derme aux tissus et aux organes sous-jacents et contient les corpuscules lamelleux.
4. Les types de cellules présents dans l'épiderme sont les kératinocytes, les mélanocytes, les cellules de Langerhans et les cellules de Merkel.
5. Les couches de l'épiderme sont, de l'intérieur vers l'extérieur, la couche basale, la couche épineuse, la couche granuleuse, la couche claire (dans la peau épaisse seulement) et la couche cornée. Les cellules souches de la couche basale se divisent sans cesse pour produire les kératinocytes des autres couches.
6. Le derme est formé du stratum papillaire et du stratum réticulaire. Le stratum papillaire est composé de tissu conjonctif aréolaire contenant de fines fibres élastiques, les papilles du derme et des corpuscules tactiles capsulés. Le stratum réticulaire est composé de tissu conjonctif dense irrégulier contenant des fibres collagènes et de grosses fibres élastiques entrelacées, du tissu adipeux, des follicules pileux, des nerfs, des glandes sébacées et les conduits des glandes sudoripares.
7. Les crêtes épidermiques forment les empreintes digitales et les empreintes des pieds.
8. La couleur de la peau est due à la mélanine, à la carotène et à l'hémoglobine.

ANNEXES CUTANÉES (p. 154)

1. Les annexes de la peau (c'est-à-dire les poils, les glandes de la peau et les ongles) proviennent de l'épiderme embryonnaire.
2. Un poil est composé d'une tige (dont la majeure partie émerge de la surface), d'une racine qui pénètre dans le derme et, parfois, dans l'hypoderme, et d'un follicule pileux.
3. Chaque follicule pileux est associé à une glande sébacée, à un muscle arrecteur du poil et à un plexus de la racine du poil.
4. Les poils proviennent de la division des cellules de la matrice, dans le bulbe. Le renouvellement et la croissance des poils obéit à un cycle qui fait alterner des phases de croissance et des phases de repos.
5. Les poils ont une fonction de protection limitée contre le soleil, la déperdition de chaleur ainsi que l'entrée de corps étrangers dans les yeux, le nez et les oreilles. Ils jouent aussi un rôle dans la perception des sensations tactiles légères.

6. Les glandes sébacées sont généralement reliées à des follicules pileux; elles sont absentes dans la paume des mains et la plante des pieds. Elles sécrètent du sébum, substance qui humecte les poils et imperméabilise la peau. L'obstruction des glandes sébacées peut causer l'acné.

7. Les glandes sudoripares sont exocrines ou apocrines. Les glandes exocrines sont réparties dans toute la peau, sauf à quelques endroits. Leurs conduits s'ouvrent par des pores à la surface de l'épiderme. Les glandes apocrines sont situées seulement dans la peau des aisselles, des aines et des aréoles; leurs conduits s'ouvrent dans des follicules pileux. Elles commencent à fonctionner à la puberté et sont stimulées par le stress psychologique et l'excitation sexuelle. Les glandes mammaires sont des glandes sudoripares modifiées qui sécrètent du lait.

8. Les glandes cérumineuses sont des glandes sudoripares modifiées qui sécrètent du cérumen. Elles sont situées dans le conduit auditif externe.

9. Les ongles sont formés de cellules épidermiques kératinisées et dures, situées sur la face dorsale de l'extrémité distale des doigts.

10. Les principales parties de l'ongle sont le corps de l'ongle, le bord libre, la racine, la lunule, l'éponychium et la matrice. La croissance d'un ongle repose sur la division des cellules de la matrice.

TYPES DE PEAU (p. 158)

1. La peau fine recouvre toutes les parties du corps sauf la paume des mains, la face palmaire des doigts et la plante des pieds.

2. La peau épaisse recouvre la paume des mains, la face palmaire des doigts et la plante des pieds.

FONCTIONS DE LA PEAU (p. 159)

1. Les principales fonctions de la peau sont la thermorégulation, la protection, la sensation, l'excrétion, l'absorption et la synthèse de la vitamine D.

2. La peau participe à la thermorégulation en libérant de la sueur à sa surface et en régissant le débit sanguin dans le derme.

3. La peau constitue une barrière physique, chimique et biologique qui concourt à protéger l'intégrité de l'organisme.

4. Les sensations cutanées sont notamment les sensations tactiles, thermiques et douloureuses.

MAINTIEN DE L'HOMÉOSTASIE: CICATRISATION DES LÉSIONS DE LA PEAU (p. 161)

1. Dans une lésion superficielle, la partie centrale de la plaie s'enfonce habituellement jusque dans le derme, tandis que les bords ne causent que des dommages superficiels aux cellules de l'épiderme.

2. Les étapes de la cicatrisation des lésions superficielles sont l'élargissement et la migration des cellules basales, l'inhibition de contact et la division des cellules basales migrantes et stationnaires.

3. Pendant la phase inflammatoire de la cicatrisation d'une lésion profonde, un caillot réunit les bords de la plaie, les cellules épithéliales migrent vers le centre de la plaie, la vasodilatation et l'accroissement de la perméabilité des vaisseaux sanguins favorisent l'afflux de phagocytes et les cellules mésenchymateuses se transforment en fibroblastes.

4. Pendant la phase de migration, les fibroblastes migrent le long de filaments de fibrine et commencent à synthétiser des fibres collagènes et des glycoprotéines.

5. Pendant la phase de prolifération, les cellules épithéliales se multiplient.

6. Pendant la phase de maturation, la croûte se détache, l'épiderme retrouve son épaisseur normale, les fibres collagènes s'organisent, les fibroblastes disparaissent peu à peu et les vaisseaux sanguins reviennent à la normale.

DÉVELOPPEMENT EMBRYONNAIRE DU SYSTÈME TÉGUMENTAIRE (p. 163)

1. L'épiderme se développe à partir de l'ectoderme embryonnaire et les annexes de la peau (poils, ongles et glandes de la peau) proviennent de l'épiderme.

2. Le derme provient des cellules du mésoderme.

VIEILLISSEMENT DU SYSTÈME TÉGUMENTAIRE (p. 163)

1. Les effets du vieillissement sur le système tégumentaire commencent généralement à apparaître à la fin de la quarantaine.

2. Les effets du vieillissement sur le système tégumentaire sont notamment la formation de rides, la perte de tissu adipeux sous-cutané, l'atrophie des glandes sébacées ainsi que la diminution du nombre de mélanocytes et des cellules de Langerhans.

AUTOÉVALUATION

Phrases à compléter

1. Les deux principales parties de la peau sont ___ et ___.

2. L'association de fibres collagènes et de fibres élastiques dans le stratum réticulaire du derme confère à la peau ___, ___ et ___.

3. Les deux régions du derme sont ___ et ___.

4. Les pigments qui donnent à la peau sa coloration sont ___, ___ et ___.

Vrai ou faux

5. La couleur des poils et des cheveux est due principalement à la mélanine.

6. Les glandes sudoripares modifiées situées dans l'oreille sont appelées glandes sudoripares apocrines.

7. Associez les éléments suivants:

___ a) libération de sueur à la surface et régulation du débit sanguin dans le derme

___ b) constitution d'une barrière chimique, résistance aux invasions microbiennes et protection des tissus sous-jacents contre l'abrasion

___ c) entrée de l'information sensorielle relative au toucher, à la pression, à la douleur, à la chaleur et au froid

___ d) élimination des substances inutiles et entrée de substances du milieu extérieur dans les cellules

___ e) production d'un précurseur du calcitriol

1) protection   4) synthèse de la vitamine D
2) sensation   5) excrétion et absorption
3) thermorégulation

Choix multiples

8. La substance qui prévient l'évaporation excessive d'eau de la peau, garde la peau douce et souple et inhibe la croissance bactérienne est : a) le sébum ; b) la sueur ; c) le cérumen ; d) la carotène ; e) la mélatonine.

9. Les crêtes épidermiques : a) indiquent la direction prédominante des faisceaux sous-jacents de fibres collagènes ; b) facilitent la préhension ; c) contiennent les pigments qui colorent la peau ; d) synthétisent la vitamine D dans l'épiderme.

10. Lesquels des énoncés suivants sont vrais pour les poils ? 1) Ils ont un rôle de protection. 2) Ils favorisent la déperdition de chaleur. 3) Les cellules de la matrice sont à l'origine de leur croissance. 4) Le mouvement de la tige active le plexus de la racine du poil. 5) Ils préviennent la déshydratation.
a) 1, 2 et 3. b) 1, 2 et 4. c) 1, 2, 3 et 5. d) 1, 3, 4 et 5. e) 3, 4 et 5.

11. Lesquels des énoncés suivants sont vrais ? 1) Les ongles sont composés de cellules épidermiques kératinisées, dures et entassées formant un revêtement translucide et solide par-dessus la face dorsale de l'extrémité distale des doigts. 2) Le bord libre de l'ongle est blanc en raison de l'absence de capillaires. 3) Les ongles facilitent la préhension et la manipulation des petits objets. 4) Les ongles protègent l'extrémité des doigts contre les lésions. 5) La couleur des ongles est due à l'association de la mélanine et de la carotène.
a) 1, 2 et 3. b) 1, 3 et 4. c) 1, 2, 3 et 4. d) 2, 3 et 4. e) 1, 3 et 5.

12. La couche la plus profonde de l'épiderme, composée d'une seule épaisseur de kératinocytes mitotiques, est : a) la couche basale ; b) la couche granuleuse ; c) la couche épineuse ; d) la couche claire ; e) la couche cornée.

13. Lesquels des énoncés suivants sont vrais ? 1) Une brûlure du premier degré touche seulement l'épiderme superficiel. 2) Une brûlure du deuxième degré n'entrave en rien les fonctions de la peau. 3) Une brûlure du troisième degré détruit l'épiderme, le derme et les dérivés de l'épiderme. 4) Les brûlures qui s'étendent sur plus de 70 % de la surface corporelle entraînent la mort dans plus de la moitié des cas.
a) 1, 2 et 3. b) 2, 3 et 4. c) 1, 2 et 4. d) 1, 3 et 4.

14. Associez les éléments suivants :
_____ a) produit la protéine qui protège la peau et les tissus sous-jacents contre la lumière, la chaleur, les microbes et de nombreuses substances chimiques
_____ b) produit le pigment qui colore la peau et absorbe les rayonnements ultraviolets
_____ c) cellules qui proviennent de la moelle osseuse rouge, migrent vers l'épiderme et participent à la réponse immunitaire
_____ d) cellules qu'on croyait autrefois associées aux sensations tactiles
_____ e) épaississement anormal de l'épiderme
_____ f) libère une sécrétion lipidique qui imperméabilise la couche granuleuse
_____ g) cellules sensibles à la pression situées pour la plupart dans l'hypoderme
_____ h) substance grasse qui recouvre et protège la peau du fœtus pendant qu'il baigne dans le liquide amniotique

1) cellules de Merkel	5) mélanocytes
2) callosité	6) granules lamellés
3) kératinocytes	7) corpuscules lamelleux
4) cellules de Langerhans	8) vernix caseosa

15. Associez les éléments suivants :
_____ a) affection de la peau dans laquelle les kératinocytes se divisent rapidement, migrent trop tôt vers la surface de la peau, se détachent prématurément et produisent une kératine anormale
_____ b) incapacité héréditaire de produire la mélanine
_____ c) présence de taches blanches irrégulières, due à la perte totale ou partielle des mélanocytes
_____ d) jaunissement du blanc des yeux et de la peau claire, généralement signe d'une maladie du foie
_____ e) coloration bleuâtre des muqueuses, du lit des ongles et de la peau claire due à un manque d'oxygène
_____ f) rougeur de la peau causée par l'engorgement des capillaires situés dans le derme
_____ g) perte complète ou partielle des poils ou des cheveux
_____ h) inflammation des glandes sébacées
_____ i) forme la plus répandue de cancer de la peau
_____ j) lésion cutanée causée par un arrêt de la circulation sanguine dans les tissus surmontant une saillie osseuse, à la suite d'une pression prolongée
_____ k) formation de tissu cicatriciel
_____ l) réponse vasculaire et cellulaire dont la fonction est d'éliminer les microbes, les corps étrangers et le tissu mort en vue de la cicatrisation
_____ m) forme de cancer de la peau qui produit rapidement des métastases et peut entraîner la mort

1) fibrose	8) acné
2) érythème	9) mélanome malin
3) vitiligo	10) escarre de décubitus
4) cyanose	11) épithélioma basocellulaire
5) psoriasis	12) albinisme
6) alopécie	13) inflammation
7) ictère	

QUESTIONS À COURT DÉVELOPPEMENT

1. La quantité de poussière qui s'accumule dans une maison habitée par une famille, des chats et des chiens est à proprement parler stupéfiante. Un grand nombre de ces particules ont déjà fait partie de l'organisme des occupants de la maison. De quelle partie du corps proviennent celles que produisent les êtres humains? (INDICE: *Les chiens, les chats et les êtres humains perdent des composantes différentes.*)

2. Kiko a une conception bien particulière de l'hygiène personnelle. Elle est persuadée que les sécrétions de la peau sont malpropres et veut subir une ablation des glandes exocrines. Serait-ce là un geste opportun? (INDICE: *Le nombre de glandes sudoripares seulement varie entre trois et quatre millions.*)

3. Votre neveu a étudié la cellule dans son cours de sciences et, à présent, il refuse de prendre un bain. «Puisque toutes les cellules ont une membrane semi-perméable, raisonne-t-il, et que la peau est composée de cellules, je vais gonfler et exploser si je prends un bain.» Donnez les explications appropriées à votre neveu avant qu'il ne commence à attirer les mouches. (INDICE: *Les membranes semi-perméables sont actives dans les cellules vivantes.*)

RÉPONSES AUX QUESTIONS DES FIGURES

5.1 L'épiderme est composé de tissu épithélial et le derme, de tissu conjonctif.

5.2 La mélanine protège l'ADN contenu dans le noyau des kératinocytes contre les rayonnements ultraviolets.

5.3 La couche basale est la couche de l'épiderme qui contient les cellules souches.

5.4 Arracher un cheveu stimule les plexus de la racine du poil, dans le derme, et certaines de ces structures sont sensibles à la douleur. Se couper un cheveu n'est pas douloureux parce que la tige du poil se compose de cellules mortes et ne renferme pas de nerfs.

5.5 Les ongles sont durs parce qu'ils sont composés de cellules épidermiques kératinisées, dures et entassées.

5.6 Une lésion superficielle ne saigne pas parce que l'épiderme est dépourvu de vaisseaux sanguins.

5.7 Les granulocytes neutrophiles et les macrophages détruisent les microbes et concourent à éliminer les débris cellulaires venant de la lésion.

SYSTÈME OSSEUX : LE TISSU OSSEUX

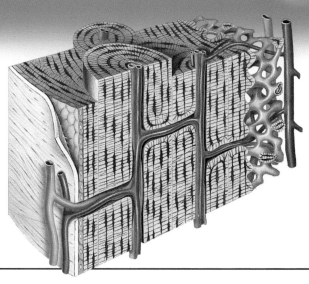

Simple en apparence, l'os est un tissu vivant complexe et dynamique. Le tissu osseux est soumis à un processus continu de remaniement par lequel la matière osseuse se forme et se dégrade. L'os se compose de différents tissus qui assurent ensemble plusieurs fonctions : tissu osseux, cartilage, tissus conjonctifs denses, épithélium, divers tissus hématopoïétiques, tissu adipeux et tissu nerveux. C'est pourquoi on dit de chaque os qu'il est un organe. L'ensemble des os et de leurs cartilages constitue le **système osseux.** Ce chapitre décrit les composantes des os pour vous permettre de comprendre comment les os se forment et vieillissent et comment l'exercice physique influe sur leur densité et leur résistance. L'étude de la structure des os et du traitement des troubles osseux est appelée **ostéologie** (*osteon* = os ; *logos* = science).

FONCTIONS DU SYSTÈME OSSEUX

OBJECTIF

• *Décrire les fonctions du système osseux.*

Le tissu osseux et le système osseux assurent plusieurs fonctions fondamentales :

1. *Soutien.* Les os constituent une structure rigide qui sert de support aux tissus mous et de point d'attache aux tendons de la plupart des muscles squelettiques.

2. *Protection.* Les os protègent de nombreux organes internes contre les blessures. Par exemple, les os du crâne protègent l'encéphale, les vertèbres protègent la moelle épinière et la cage thoracique protège le cœur et les poumons.

3. *Mouvement.* Lorsque les muscles squelettiques se contractent, ils agissent comme des leviers sur les os pour produire le mouvement.

4. *Homéostasie des minéraux.* Le tissu osseux sert de réservoir à plusieurs minéraux, notamment le calcium et le phosphore, qui contribuent à la force des os. Les os libèrent des minéraux dans la circulation sanguine selon les besoins afin de maintenir l'homéostasie des minéraux et de les distribuer à d'autres organes.

5. *Formation des cellules sanguines.* Dans certaines parties des os, un tissu conjonctif appelé **moelle osseuse rouge** produit les globules rouges, les globules blancs et les plaquettes au cours du processus de l'**hématopoïèse** (*haima* = sang ; *poïein* = faire). La moelle osseuse rouge, qui est l'un des deux types de moelle osseuse, est composée de cellules sanguines en formation à l'intérieur d'un réseau de fibres réticulaires. Elle comprend également des adipocytes, des macrophages et des fibroblastes.

6. *Stockage des triglycérides.* Chez le nourrisson, toute la moelle osseuse est rouge et participe à l'hématopoïèse. Au fil du temps, la production de cellules sanguines diminue et la moelle osseuse rouge se transforme presque entièrement en moelle osseuse jaune. La **moelle osseuse jaune** est surtout composée d'adipocytes et de quelques cellules sanguines disséminées.

1. Quels sont les tissus qui constituent le système osseux ?
2. En quoi la composition, la situation et la fonction de la moelle osseuse rouge et de la moelle osseuse jaune diffèrent-elles ?

Figure 6.1 Parties d'un os long. L'os spongieux de l'épiphyse et de la métaphyse contient la moelle osseuse rouge, tandis que la cavité médullaire de la diaphyse contient la moelle osseuse jaune (chez l'adulte).

 Dans un os long, le cartilage articulaire recouvre les épiphyses proximale et distale et le périoste entoure la diaphyse.

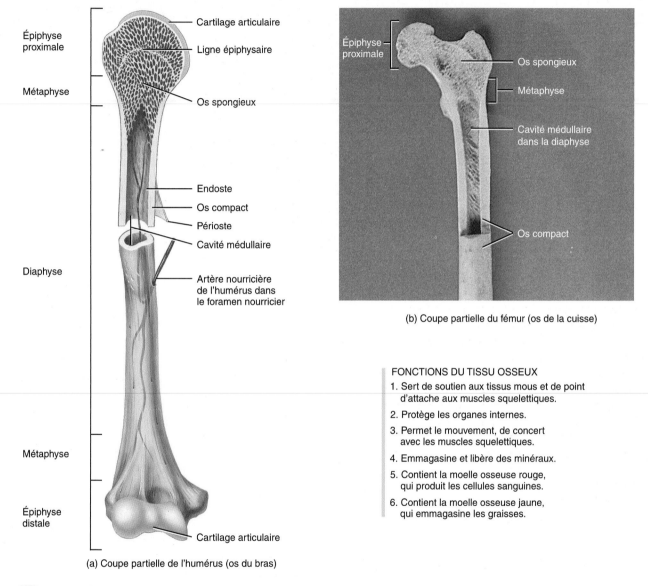

Cartilage articulaire

Ligne épiphysaire

Os spongieux

Épiphyse proximale

Métaphyse

Endoste

Os compact

Périoste

Cavité médullaire

Diaphyse

Artère nourricière de l'humérus dans le foramen nourricier

Métaphyse

Épiphyse distale

Cartilage articulaire

(a) Coupe partielle de l'humérus (os du bras)

Épiphyse proximale

Os spongieux

Métaphyse

Cavité médullaire dans la diaphyse

Os compact

(b) Coupe partielle du fémur (os de la cuisse)

FONCTIONS DU TISSU OSSEUX

1. Sert de soutien aux tissus mous et de point d'attache aux muscles squelettiques.
2. Protège les organes internes.
3. Permet le mouvement, de concert avec les muscles squelettiques.
4. Emmagasine et libère des minéraux.
5. Contient la moelle osseuse rouge, qui produit les cellules sanguines.
6. Contient la moelle osseuse jaune, qui emmagasine les graisses.

 Quelle est l'importance du périoste du point de vue fonctionnel ?

STRUCTURE DES OS

OBJECTIF

• *Décrire les composantes d'un os long.*

On peut étudier la structure des os en considérant les parties d'un os long comme l'humérus (os du bras) ou le fémur (os de la cuisse) (figure 6.1). Un os long est toujours plus long que large. Un os long typique comprend les parties suivantes :

1. La **diaphyse** (*diaphusis* = séparation naturelle) est le corps de l'os ; longue et cylindrique, elle constitue la majeure partie de l'os.

2. Les **épiphyses** (*epi* = sur) sont les extrémités distale et proximale de l'os.

3. Les **métaphyses** (*meta* = entre) sont les régions où la diaphyse rejoint les épiphyses dans un os adulte. Dans un os en croissance, les métaphyses comprennent le cartilage

Figure 6.2 Types de cellules dans le tissu osseux.

🔑 **Les cellules ostéogéniques se divisent et se transforment en ostéoblastes, cellules qui sécrètent la matrice osseuse.**

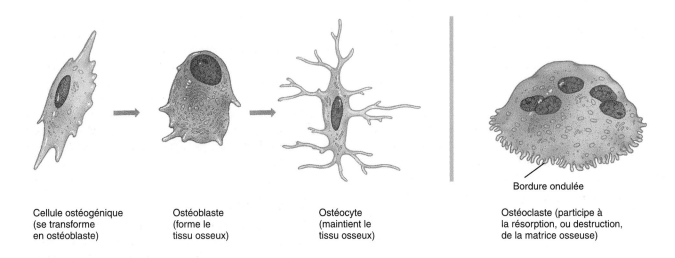

Cellule ostéogénique
(se transforme
en ostéoblaste)

Ostéoblaste
(forme le
tissu osseux)

Ostéocyte
(maintient le
tissu osseux)

Bordure ondulée

Ostéoclaste (participe à
la résorption, ou destruction,
de la matrice osseuse)

Q Pourquoi la résorption osseuse est-elle un processus important ?

de conjugaison, soit l'endroit où le cartilage est remplacé par de la matière osseuse. Le cartilage de conjugaison est une couche de cartilage hyalin qui permet à la diaphyse de croître en longueur mais pas en largeur.

4. Le **cartilage articulaire** est une mince couche de cartilage hyalin recouvrant l'épiphyse au point d'union entre deux os (articulation). Le cartilage articulaire réduit la friction et absorbe les chocs que subissent les articulations mobiles.

5. Le **périoste** (*peri* = autour) est une épaisse membrane de tissu conjonctif dense irrégulier qui entoure la surface osseuse aux endroits où elle est dépourvue de cartilage articulaire. Le périoste contient des cellules productrices de matière osseuse qui permettent aux os de croître en diamètre ou en épaisseur, mais pas en longueur. Il protège également l'os, favorise la consolidation des fractures, nourrit le tissu osseux et sert de point d'attache aux ligaments et aux tendons.

6. La **cavité médullaire** (*medulla* = moelle), ou **canal médullaire,** est l'espace à l'intérieur de la diaphyse qui contient la moelle osseuse jaune lipidique.

7. L'**endoste** (*endon* = en dedans) est une membrane qui contient des cellules productrices de matière osseuse ; il tapisse la cavité médullaire.

1. Représentez sur un schéma les parties d'un os long et énumérez les fonctions de chacune.

HISTOLOGIE DU TISSU OSSEUX

OBJECTIF

• *Décrire les caractéristiques histologiques du tissu osseux.*

Comme tout tissu conjonctif, le **tissu osseux** contient une matrice riche en matériaux intercellulaires qui entourent des cellules disséminées. La matrice d'un os est composée à 25 % d'eau, à 25 % de fibres protéiques et à 50 % de sels minéraux cristallisés. Le tissu osseux comprend quatre types de cellules : les cellules ostéogéniques, les ostéoblastes, les ostéocytes et les ostéoclastes (figure 6.2).

1. Les **cellules ostéogéniques** (*genos* = origine) sont des cellules souches non spécialisées dérivées du mésenchyme, le tissu qui donne naissance à tous les tissus conjonctifs. Ce sont les seules cellules osseuses capables de se diviser ; leurs cellules filles se transforment en ostéoblastes. Les cellules ostéogéniques sont présentes dans la partie interne du périoste, dans l'endoste ainsi que dans les canaux par où passent les vaisseaux sanguins à l'intérieur de l'os.

2. Les **ostéoblastes** (*blastos* = germe) sont des cellules productrices de matière osseuse. Ils synthétisent et sécrètent des fibres collagènes et d'autres composantes organiques nécessaires à la formation de la matrice du tissu osseux, et amorcent la calcification (dont nous parlerons plus loin). (Remarque : le suffixe –*blaste* désigne la sécrétion de matrice dans les os ou tout autre tissu conjonctif.)

3. Les **ostéocytes** (*kutos* = cellule) sont des cellules osseuses matures ; ce sont les cellules les plus abondantes dans le tissu osseux. Les ostéocytes sont dérivés des ostéoblastes emprisonnés dans les sécrétions de la matrice. Cependant, les ostéocytes ne sécrètent plus de matrice. Ils maintiennent plutôt les activités cellulaires quotidiennes du tissu osseux, comme ses échanges de nutriments et de déchets avec le sang. (Remarque : le suffixe –*cyte* désigne le maintien du tissu, que ce soit le tissu osseux ou tout autre tissu.)

4. Les **ostéoclastes** (*klastos* = brisé) sont des cellules géantes dérivées de la fusion de plusieurs – parfois jusqu'à 50 – monocytes (un type de globule blanc) ; ils sont concentrés dans l'endoste. Du côté de la cellule adjacente à la surface osseuse, la membrane plasmique de l'ostéoclaste forme un pli profond appelé *bordure ondulée*. C'est de cette bordure que la cellule libère des enzymes lysosomiales et des acides puissants qui digèrent les protéines et les minéraux de l'os sous-jacent. Cette dégradation de la matrice osseuse fait partie du processus normal de développement, de croissance, de maintien et de réparation de l'os. (Remarque : le suffixe –*claste* désigne la destruction de matrice osseuse.)

La matrice des os se distingue de celle des autres tissus conjonctifs par sa haute teneur en sels minéraux inorganiques ; elle contient surtout de l'*hydroxyapatite* (phosphate de calcium) mais aussi du carbonate de calcium. Elle renferme également de petites quantités d'hydroxyde de magnésium, de fluorure et de sulfate. À mesure que ces sels minéraux se déposent dans la charpente formée par les fibres collagènes de la matrice, ils se cristallisent et le tissu durcit. Ce processus, appelé **calcification,** ou **minéralisation,** est déclenché par les ostéoblastes.

Tandis que la *dureté* de l'os dépend de sa teneur en sels minéraux inorganiques cristallisés, sa *flexibilité* est fonction des fibres collagènes qu'il contient. Telles les tiges d'armature qui renforcent le béton, les fibres collagènes et d'autres molécules organiques confèrent à l'os sa *force de tension*, c'est-à-dire sa résistance aux forces d'étirement ou de déchirement. Si on dissolvait les sels minéraux d'un os en trempant ce dernier dans du vinaigre, par exemple, il deviendrait caoutchouteux et flexible.

On croyait jadis que la calcification se produisait chaque fois que des sels minéraux étaient présents en quantité suffisante pour former des cristaux. On sait maintenant que ce processus n'est possible qu'en présence de fibres collagènes. Les sels minéraux commencent à se cristalliser dans les espaces microscopiques entre les fibres collagènes. Une fois ces espaces remplis, des cristaux de minéraux s'accumulent autour des fibres collagènes. C'est l'assemblage des sels cristallisés et des fibres collagènes qui confère à l'os sa dureté caractéristique.

L'os n'est pas complètement dur ; de nombreux petits espaces séparent ses composantes solides. Certains de ces espaces fournissent un accès aux vaisseaux sanguins qui approvisionnent en nutriments les cellules osseuses. D'autres servent au stockage de la moelle osseuse rouge. La taille et la répartition de ces espaces déterminent les régions qui sont faites d'os compact et celles qui sont faites d'os spongieux (voir la figure 6.1). Le squelette dans son ensemble contient environ 80 % d'os compact et 20 % d'os spongieux.

Os compact

L'**os compact** comporte peu d'espaces entre ses composantes solides. Il constitue l'enveloppe externe de tous les os et la majeure partie de la diaphyse des os longs. L'os compact joue un rôle de protection et de soutien tout en offrant une résistance aux forces que le poids et le mouvement exercent sur lui.

L'os compact se divise en unités appelées **ostéones,** ou systèmes de Havers (figure 6.3a). Les vaisseaux sanguins, les vaisseaux lymphatiques et les nerfs du périoste pénètrent dans l'os compact par les **canaux perforants,** ou canaux de Volkmann. Les vaisseaux et les nerfs des canaux perforants rejoignent ceux de la cavité médullaire, du périoste et du **canal central de l'ostéone,** ou canal de Havers. Le canal central de l'ostéone traverse l'os longitudinalement. Les canaux sont entourés de **lamelles concentriques** composées de matrice solide calcifiée. Entre les lamelles se trouvent de petits espaces, appelés **lacunes** (= petits lacs)**,** qui contiennent les ostéocytes. De ces lacunes, de minuscules **canalicules** (= petits canaux) remplis de liquide extracellulaire partent dans toutes les directions. Les canalicules contiennent de minces excroissances issues des ostéocytes (voir le médaillon de gauche dans la figure 6.3a). Les canalicules relient les lacunes entre elles et avec le canal central de l'ostéone. Les multiples ramifications de ce réseau offrent de nombreuses voies de passage aux nutriments et à l'oxygène, qui, transportés par le sang, diffusent dans l'espace liquidien pour atteindre les ostéocytes, ainsi qu'aux déchets, qui diffusent en sens contraire.

Les ostéones de l'os compact sont alignées dans le même axe que les lignes de contrainte. Dans la diaphyse, par exemple, elles sont parallèles à l'axe longitudinal de l'os. C'est pourquoi la diaphyse d'un os long résiste aux flexions ou aux fractures, même si une force considérable est appliquée de l'une ou l'autre de ses extrémités. L'os compact est généralement plus épais dans les régions où les contraintes s'exercent dans quelques directions seulement. Les lignes de

Figure 6.3 Histologie de l'os compact et de l'os spongieux. (a) Coupes de la diaphyse d'un os long montrant le périoste à gauche, l'os compact au centre, et l'os spongieux et la cavité médullaire à droite. En médaillon (en haut à gauche), un ostéocyte dans une lacune. (b et c) Détails de l'os spongieux. Le tableau 4.3 de la page 134 présente une photomicrographie de l'os compact.

🔑 Dans l'os compact, les ostéocytes sont logés dans des lacunes disposées en cercles concentriques autour d'un canal central de l'ostéone ; dans l'os spongieux, les ostéocytes sont logés dans des lacunes disposées de façon irrégulière dans les trabécules osseuses.

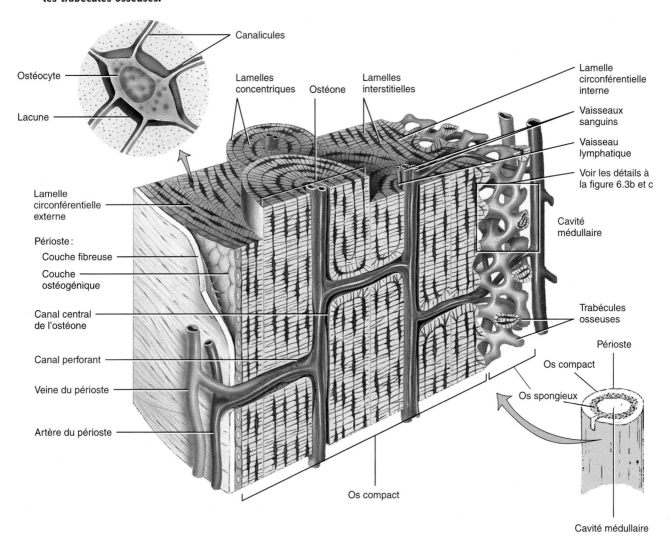

(a) Ostéones (ou systèmes de Havers) dans un os compact et trabécules osseuses dans un os spongieux

contrainte dans un os ne sont pas statiques. Elles changent lorsque le bébé apprend à marcher ou qu'une personne pratique une activité physique intense et répétée, par exemple un entraînement avec des poids. Les lignes de contrainte d'un os changent également à la suite de fractures ou de déformations physiques. Les ostéones se réorganisent donc constamment en fonction des contraintes physiques que subit le squelette.

Les espaces entre les ostéones contiennent des **lamelles interstitielles,** qui renferment aussi des lacunes avec des ostéocytes et des canalicules. Les lamelles interstitielles sont des fragments d'ostéones qui ont été partiellement détruits lors du remaniement osseux ou au cours de la croissance. Les lamelles qui entourent l'os juste en dessous du périoste sont appelées **lamelles circonférentielles externes** et celles qui entourent la cavité médullaire, **lamelles circonférentielles internes.**

Figure 6.3 (suite)

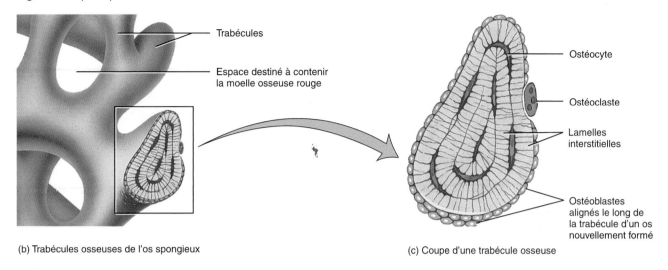

(b) Trabécules osseuses de l'os spongieux

Trabécules

Espace destiné à contenir la moelle osseuse rouge

Ostéocyte

Ostéoclaste

Lamelles interstitielles

Ostéoblastes alignés le long de la trabécule d'un os nouvellement formé

(c) Coupe d'une trabécule osseuse

Q Avec l'âge, certains canaux centraux de l'ostéone peuvent s'obstruer. Quel est l'effet de cette obstruction sur les ostéocytes ?

Os spongieux

Contrairement à l'os compact, l'**os spongieux** ne contient pas de véritables ostéones (figure 6.3b et c). Il est constitué de lamelles formant une trame irrégulière de minces colonnes de tissu osseux appelées **trabécules osseuses** (= petits piliers). Les espaces macroscopiques entre les trabécules de certains os sont remplis de moelle osseuse rouge, lieu de formation des cellules sanguines. À l'intérieur de chaque trabécule se trouvent des ostéocytes logés dans des lacunes, et de ces dernières irradient des canalicules. Les ostéocytes des trabécules sont nourris directement par le sang circulant dans les cavités médullaires.

L'os spongieux constitue la plus grande partie du tissu osseux des os courts, plats et irréguliers, et la plus grande partie des épiphyses des os longs ; il forme un mince anneau autour de la cavité médullaire de la diaphyse des os longs.

À première vue, la structure des ostéones de l'os compact semble très ordonnée comparativement à celle des trabécules osseuses de l'os spongieux. Les trabécules osseuses de l'os spongieux sont pourtant orientées précisément le long des lignes de contrainte, ce qui aide les os à résister aux contraintes et à transférer des forces sans se rompre. L'os spongieux est situé principalement aux endroits où les os ne subissent pas de grandes contraintes ou qui subissent des contraintes provenant de nombreuses directions à la fois.

L'os spongieux et l'os compact diffèrent à deux égards. Premièrement, l'os spongieux est léger, ce qui diminue la masse totale de l'os et permet à ce dernier de se déplacer plus aisément lorsqu'il est tiré par un muscle squelettique. Deu-

xièmement, les trabécules osseuses de l'os spongieux soutiennent et protègent la moelle osseuse rouge. L'os spongieux situé dans les os coxaux (os de la hanche), les côtes, le sternum, la colonne vertébrale et les extrémités des os longs est le seul site de stockage de la moelle osseuse rouge et donc le seul siège de l'hématopoïèse chez l'adulte.

APPLICATION CLINIQUE
Scintigraphie osseuse

La **scintigraphie osseuse** est une épreuve diagnostique qui tire avantage du fait que l'os est un tissu vivant. Une petite quantité de traceur radioactif facilement assimilable par l'os est injectée par voie intraveineuse. Le degré d'absorption du traceur est directement proportionnel à la quantité de sang qui circule dans l'os. Un scintigraphe mesure le rayonnement émis par les os, et transpose cette information sur une photographie ou un schéma aussi lisible qu'une radiographie. Les régions entièrement grises indiquent une absorption uniforme du traceur radioactif et représentent le tissu osseux normal. Les régions plus foncées ou plus pâles peuvent indiquer des anomalies osseuses. Les régions plus foncées sont des « zones chaudes » où l'accélération du métabolisme occasionne une plus grande absorption du traceur radioactif. Les zones chaudes sont parfois des indices de cancer des os, d'une fracture mal consolidée ou d'une croissance osseuse anormale. Les régions plus pâles, dites « zones froides », indiquent un ralentissement du métabolisme causant une absorption plus faible du traceur radioactif. Les zones froides peuvent indiquer des troubles tels qu'une maladie dégénérative des os, une

Figure 6.4 Vascularisation d'un os long adulte, le tibia.

 **Les os sont abondamment vascularisés.**

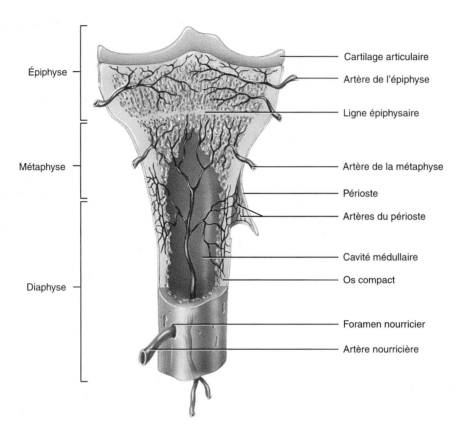

Épiphyse

Métaphyse

Diaphyse

Cartilage articulaire

Artère de l'épiphyse

Ligne épiphysaire

Artère de la métaphyse

Périoste

Artères du périoste

Cavité médullaire

Os compact

Foramen nourricier

Artère nourricière

Q À quel endroit les artères du périoste pénètrent-elles dans le tissu osseux?

décalcification osseuse, des fractures, des infections osseuses, la maladie osseuse de Paget et la polyarthrite rhumatoïde. La scintigraphie osseuse détecte les anomalies trois à six mois plus tôt qu'une radiographie courante et diminue le nombre de procédures radiographiques nécessaires. ■

1. Pourquoi l'os est-il considéré comme un tissu conjonctif?
2. Décrivez les quatre types de cellules du tissu osseux.
3. Quels sont les constituants de la matrice du tissu osseux?
4. Établissez la distinction entre l'os spongieux et l'os compact en comparant leur aspect microscopique, leur situation et leur fonction.

VASCULARISATION ET INNERVATION DES OS

OBJECTIF

• *Décrire la vascularisation et l'innervation des os.*

Les os sont généreusement vascularisés. Les vaisseaux sanguins, particulièrement abondants dans les régions de l'os contenant la moelle osseuse rouge, pénètrent dans les os par le périoste. Nous décrirons l'apport sanguin d'un os long adulte en prenant pour exemple le tibia représenté à la figure 6.4.

Les **artères du périoste** pénètrent dans la diaphyse, accompagnées de nerfs, en empruntant les nombreux canaux perforants (ou canaux de Volkmann) et irriguent le périoste et la partie externe de l'os compact (voir la figure 6.3a). Près du centre de la diaphyse, une grosse **artère nourricière** traverse obliquement l'os compact en passant par un trou appelé **foramen nourricier** (voir la figure 6.1a). Lorsqu'elle entre dans la cavité médullaire, l'artère nourricière se divise en un rameau proximal et un rameau distal pour irriguer la partie interne de l'os compact de la diaphyse ainsi que l'os spongieux et la moelle osseuse rouge jusqu'aux cartilages de conjugaison. Certains os, tel le tibia, n'ont qu'une seule artère nourricière; d'autres, tel le fémur, en ont plusieurs.

Les extrémités des os longs sont irriguées par les artères des métaphyses et des épiphyses, qui émergent des artères irriguant l'articulation correspondante. Les **artères des métaphyses** s'introduisent dans les métaphyses d'un os long et se joignent à l'artère nourricière pour irriguer la moelle osseuse rouge et le tissu osseux des métaphyses. Les **artères des épiphyses** pénètrent dans les épiphyses d'un os long et irriguent la moelle osseuse rouge et le tissu osseux des épiphyses.

Les veines qui évacuent le sang des os longs se situent à trois endroits : 1) une ou deux **veines nourricières** accompagnent l'artère nourricière dans la diaphyse ; 2) de nombreuses **veines des épiphyses** et **veines des métaphyses** émergent avec leurs artères correspondantes dans les épiphyses ; 3) de multiples petites **veines du périoste** émergent avec leurs artères correspondantes dans le périoste.

Les vaisseaux sanguins qui irriguent les os sont accompagnés de nerfs. Le périoste est riche en nerfs sensitifs, dont certains transmettent la sensation de douleur. Ces nerfs sont particulièrement sensibles aux déchirures et aux contraintes, ce qui explique la douleur aiguë qui accompagne les fractures ou les tumeurs osseuses.

1. Situez les artères nourricières, les foramens nourriciers, les artères des épiphyses et les artères du périoste et décrivez leurs rôles.

FORMATION DES OS

OBJECTIF

• *Décrire les étapes de l'ossification intramembraneuse et de l'ossification endochondrale.*

Le processus par lequel les os se forment est appelé **ossification,** ou **ostéogenèse** (*genesis* = formation). Le « squelette » de l'embryon humain est composé de membranes de tissu conjonctif fibreux dérivées de tissu conjonctif embryonnaire condensé (mésenchyme) ou de fragments de cartilage hyalin dont la forme ressemble à celle des os. Ce tissu embryonnaire sert de base à l'ossification, qui commence au cours de la sixième ou septième semaine du développement fœtal et peut se dérouler de deux façons. Les deux modes d'ossification produisent toutefois la même structure dans les os adultes ; seul le processus de formation des os est différent.

• **L'ossification intramembraneuse** (*intra* = à l'intérieur de ; *membrum* = membre) est la formation des os directement sur les membranes de tissu conjonctif fibreux dérivées des cellules mésenchymateuses condensées ou à l'intérieur de ces membranes. Les os sont *directement* issus du mésenchyme sans passer par le stade cartilagineux.

• **L'ossification endochondrale** (*khondros* = cartilage) est la formation des os à l'intérieur du cartilage hyalin. Lors de ce processus, les cellules mésenchymateuses se transforment en chondroblastes, qui produisent un « modèle » de cartilage hyalin de l'os. Par la suite, des ostéoblastes remplacent graduellement le cartilage par de l'os.

Ossification intramembraneuse

L'un des deux processus de formation des os, l'ossification intramembraneuse, se déroule en quelques étapes seulement. Les os plats du crâne et de la mandibule (mâchoire inférieure) sont formés de cette façon. Les quatre stades de l'ossification intramembraneuse sont les suivants (figure 6.5) :

1 Au siège de formation de l'os, des cellules mésenchymateuses dans les membranes de tissu conjonctif fibreux se regroupent et se différencient, d'abord en cellules ostéogéniques, puis en ostéoblastes. L'endroit où a lieu ce regroupement est appelé **point d'ossification.** Les ostéoblastes sécrètent la matrice osseuse organique jusqu'à ce que cette dernière les recouvre complètement.

2 La sécrétion de matrice cesse. Les ostéoblastes se transforment en ostéocytes, qui sont logés dans les lacunes et étendent leurs minces prolongements cytoplasmiques dans des canalicules orientés dans toutes les directions. En quelques jours, du calcium et d'autres sels minéraux se déposent, et la matrice durcit et se calcifie. La calcification n'est donc que l'une des étapes de l'ossification.

3 La matrice osseuse se forme en *trabécules osseuses,* qui fusionnent pour constituer l'os spongieux. Des vaisseaux sanguins se forment dans les espaces séparant les trabécules du mésenchyme, le long de la surface de l'os nouvellement formé. Le tissu conjonctif associé aux vaisseaux sanguins dans les trabécules se différencie en moelle osseuse rouge.

4 Sur la face externe de l'os, le mésenchyme se condense et se différencie en périoste. La plupart des couches superficielles d'os spongieux sont remplacées par de l'os compact, mais l'os spongieux reste présent au centre. La majeure partie de l'os nouvellement formé est remaniée (détruite et reconstituée) au cours d'une lente transformation qui donnera un os de forme et de taille adultes.

Ossification endochondrale

L'ossification endochondrale assure le remplacement du cartilage par de la matière osseuse. Bien que la plupart des os se forment de cette façon, c'est dans l'os long qu'on peut le mieux observer ce processus. Les étapes de l'ossification endochondrale sont les suivantes (figure 6.6) :

1 *Formation du modèle de cartilage.* Au siège de formation de l'os, les cellules mésenchymateuses s'assemblent en adoptant la forme de l'os à former. Les cellules mésenchymateuses se différencient en chondroblastes qui produisent une matrice de cartilage. Entre-temps, une membrane appelée **périchondre** croît autour du modèle de cartilage.

Figure 6.5 Ossification intramembraneuse. Reportez-vous à cette figure à mesure que vous lirez les paragraphes numérotés correspondants dans le texte.

🔑 **L'ossification intramembraneuse est la formation d'os soit directement sur les membranes de tissu conjonctif fibreux dérivées de groupes de cellules mésenchymateuses, soit à l'intérieur de ces membranes.**

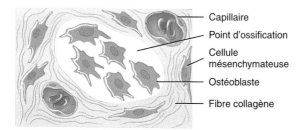

Capillaire
Point d'ossification
Cellule mésenchymateuse
Ostéoblaste
Fibre collagène

1 Formation du point d'ossification

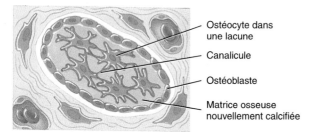

Ostéocyte dans une lacune
Canalicule
Ostéoblaste
Matrice osseuse nouvellement calcifiée

2 Dépôt de sels minéraux par les ostéocytes (calcification)

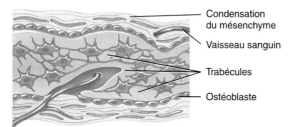

Condensation du mésenchyme
Vaisseau sanguin
Trabécules
Ostéoblaste

3 Formation des trabécules osseuses

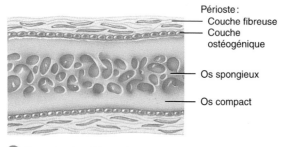

Périoste :
— Couche fibreuse
— Couche ostéogénique
Os spongieux
Os compact

4 Formation du périoste, de l'os spongieux et de l'os compact

Q Quels sont les os qui se forment par ossification intramembraneuse ?

2 *Croissance du modèle de cartilage.* Lorsque les chondroblastes sont profondément enfouis dans la matrice de cartilage, ils deviennent des chondrocytes. Le modèle de cartilage croît en longueur par division cellulaire continue des chondrocytes et par sécrétion additionnelle de matrice de cartilage. Cette croissance en longueur est appelée **croissance interstitielle,** c'est-à-dire croissance à partir de l'intérieur. Par contre, le cartilage croît en épaisseur surtout lorsque de nouveaux chondroblastes issus du périchondre déposent de la matrice à la périphérie du modèle. Ce type de croissance caractérisé par le dépôt de matrice à la surface du cartilage est appelé **croissance par apposition.**

À mesure que le modèle de cartilage croît, les chondrocytes de la région médiane s'hypertrophient (grossissent), probablement parce qu'ils accumulent du glycogène pour la production d'ATP et produisent des enzymes pour catalyser d'autres réactions chimiques. Certaines cellules hypertrophiées éclatent et le contenu qu'elles libèrent modifie le pH de la matrice. Ce changement de pH déclenche le processus de calcification. Les chondrocytes à l'intérieur du cartilage en voie de calcification meurent car les nutriments ne diffusent plus assez rapidement à travers la matrice. À mesure que les chondrocytes meurent, des lacunes se forment et fusionnent pour constituer de petites cavités.

3 *Formation du point d'ossification primaire.* Une artère nourricière pénètre dans le périchondre et le modèle de cartilage en voie de calcification en empruntant un foramen nourricier de la région médiane du modèle, ce qui stimule la différenciation des cellules ostéogéniques du périchondre en ostéoblastes. Les cellules sécrètent en dessous du périchondre une mince enveloppe d'os compact, appelée **collet osseux sous-périosté.** Lorsque le périchondre commence à produire de la matière osseuse, il est appelé **périoste.** Près du centre du modèle, des capillaires du périoste croissent à l'intérieur du cartilage calcifié en voie de désintégration. Ces vaisseaux, de même que les ostéoblastes, les ostéoclastes et les cellules de la moelle osseuse rouge qui y sont associés, forment le **bourgeon périosté.** Tandis qu'ils croissent dans le modèle de cartilage, les capillaires induisent la croissance d'un **point d'ossification primaire,** dans lequel le tissu osseux remplacera presque tout le cartilage. Les ostéoblastes commencent ensuite à déposer de la matrice osseuse sur les vestiges de cartilage calcifié pour former des trabécules d'os spongieux. Le point d'ossification grossit en direction des extrémités de l'os et les ostéoclastes dégradent les trabécules d'os spongieux nouvellement formées. À la fin du processus il reste une cavité, appelée cavité médullaire, au centre du modèle. Cette cavité se remplit alors de moelle osseuse rouge. L'ossification primaire se déroule *vers l'intérieur* à partir de la face externe de l'os.

Figure 6.6 Ossification endochondrale.

🗝 **Durant l'ossification endochondrale, la matière osseuse remplace graduellement le modèle de cartilage.**

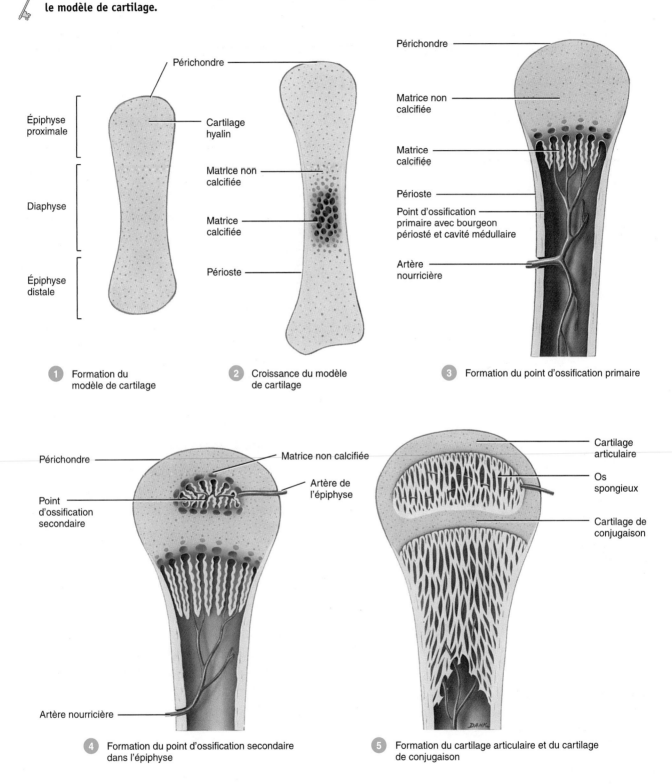

1 Formation du modèle de cartilage

2 Croissance du modèle de cartilage

3 Formation du point d'ossification primaire

4 Formation du point d'ossification secondaire dans l'épiphyse

5 Formation du cartilage articulaire et du cartilage de conjugaison

Ⓠ Sur les radiographies d'une étoile de basketball âgée de 18 ans, les cartilages de conjugaison sont clairement visibles, mais on ne voit aucune ligne épiphysaire. Cette jeune femme grandira-t-elle encore ?

Formation de points d'ossification secondaires. La diaphyse, qui était auparavant une masse solide de cartilage hyalin, est remplacée par l'os compact, dont le centre contient une cavité médullaire remplie de moelle osseuse rouge. Lorsque les vaisseaux sanguins pénètrent dans les épiphyses, des **points d'ossification secondaires** apparaissent, habituellement vers le moment de la naissance. La formation des os se produit ici de la même façon que dans le point d'ossification primaire, sauf que l'os spongieux demeure à l'intérieur des épiphyses (où aucune cavité médullaire ne se forme). L'ossification secondaire se déroule *vers l'extérieur,* du centre des épiphyses jusqu'à la face externe de l'os.

⑤ *Formation du cartilage articulaire et du cartilage de conjugaison.* Le cartilage hyalin qui recouvre les épiphyses se transforme en cartilage articulaire. Avant l'âge adulte, le cartilage hyalin demeure entre la diaphyse et l'épiphyse et forme le *cartilage de conjugaison* ; c'est ce cartilage qui assure la croissance en longueur des os longs.

1. Résumez les étapes marquantes de l'ossification intramembraneuse et de l'ossification endochondrale, et expliquez les principales différences entre ces deux processus.

CROISSANCE DES OS

OBJECTIF

- *Décrire comment les os croissent en longueur et en épaisseur, et comment les nutriments et les hormones régissent leur croissance.*

Durant l'enfance, la croissance par apposition est responsable de l'épaississement des os de l'ensemble du corps, alors que les os longs croissent par dépôt de matière osseuse sur la partie du cartilage de conjugaison qui fait face à la diaphyse. Les os cessent de croître en longueur vers l'âge de 25 ans, mais ils continuent parfois d'épaissir.

Croissance en longueur des os

Pour comprendre comment un os croît en longueur, il faut connaître certaines caractéristiques de la structure du cartilage de conjugaison (figure 6.7). Le **cartilage de conjugaison** est une couche de cartilage hyalin située dans la métaphyse d'un os en croissance; elle comprend quatre zones (voir la figure 6.7b):

1. *Zone de cartilage au repos.* Cette couche de cartilage, la plus proche de l'épiphyse, se compose de petits chondrocytes dispersés. On dit que le cartilage est au repos car ses cellules ne participent pas à la croissance de l'os; elles servent plutôt à attacher le cartilage de conjugaison à l'os de l'épiphyse.

Figure 6.7 Le cartilage de conjugaison est une couche de cartilage hyalin située dans la métaphyse d'un os en croissance. Sur la radiographie, le cartilage de conjugaison est la bande sombre apparaissant entre les zones calcifiées plus pâles.

🔑 **Le cartilage de conjugaison permet à la diaphyse d'un os de croître en longueur.**

(a) Radiographie montrant le cartilage de conjugaison du tibia d'un enfant de 3 ans

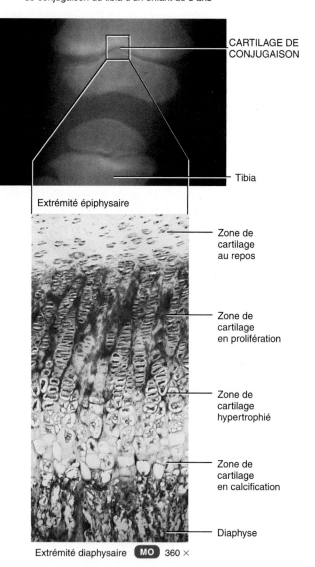

(b) Histologie du cartilage de conjugaison

 Qu'est-ce qui cause la croissance en longueur de la diaphyse ?

2. *Zone de cartilage en prolifération.* Les chondrocytes légèrement plus gros de cette zone sont empilés comme des pièces de monnaie. Ils se divisent pour remplacer les chondrocytes qui meurent dans la partie du cartilage de conjugaison qui fait face à la diaphyse.

3. *Zone de cartilage hypertrophié.* Dans cette zone, les chondrocytes sont toujours empilés mais ils sont plus gros. La diaphyse s'allonge lorsque les cellules de la zone de cartilage en prolifération se divisent et deviennent matures dans la zone de cartilage hypertrophié.

4. *Zone de cartilage en calcification.* La dernière zone du cartilage de conjugaison a une épaisseur de quelques cellules seulement ; elle se compose surtout de chondrocytes morts à la suite de la calcification de la matrice qui les entourent. Le cartilage calcifié est dissous par les ostéoclastes et la zone est envahie par des ostéoblastes et des capillaires provenant de la diaphyse. Les ostéoblastes déposent ensuite une matrice osseuse qui remplacera le cartilage calcifié. Par conséquent, la bordure du cartilage de conjugaison située du côté de la diaphyse est solidement fixée à l'os de la diaphyse.

Seule l'activité du cartilage de conjugaison permet à la diaphyse de croître en longueur. À mesure que l'os croît, les chondrocytes prolifèrent à l'extrémité épiphysaire du cartilage. De nouveaux chondrocytes recouvrent les anciens, qui sont alors détruits par le processus de calcification. C'est ainsi que le cartilage est remplacé par de la matière osseuse à l'extrémité diaphysaire du cartilage. L'épaisseur du cartilage de conjugaison reste relativement constante, même si l'os à l'extrémité diaphysaire s'allonge.

Entre l'âge de 18 et 25 ans, les cartilages de conjugaison se referment ; leurs cellules cessent de se diviser et le cartilage est remplacé par de la matière osseuse. Le cartilage épiphysaire s'amincit pour faire place à un nouveau tissu osseux appelé *ligne épiphysaire*. L'apparition de la ligne épiphysaire marque l'arrêt de la croissance en longueur de l'os. La clavicule est le dernier os à franchir cette étape. Lorsqu'une fracture endommage le cartilage de conjugaison, l'os fracturé risque d'être plus court que la normale lorsqu'il atteindra sa taille adulte. En effet, le cartilage n'étant pas vascularisé, la lésion précipite sa fermeture et inhibe la croissance en longueur de l'os.

Croissance en épaisseur des os

Contrairement au cartilage, qui peut épaissir soit par un processus de croissance interstitielle, soit par un processus de croissance par apposition, l'os ne peut croître en épaisseur, ou en diamètre, que par apposition (figure 6.8) :

1 À la surface de l'os, les cellules du périoste se différencient en ostéoblastes, lesquels sécrètent les fibres collagènes et les autres molécules organiques qui constituent la matrice osseuse. Les ostéoblastes sont ensuite enveloppés de matrice et se transforment en ostéocytes. Ce processus engendre la formation de crêtes osseuses de part et d'autre du vaisseau sanguin du périoste. Ces crêtes grossissent lentement et creusent un sillon qui accueillera le vaisseau sanguin du périoste.

2 Par la suite, les crêtes se replient les unes sur les autres et fusionnent ; le sillon devient un tunnel qui entoure complètement le vaisseau sanguin. Le périoste, transformé en endoste, tapisse ce tunnel.

3 De nouvelles lamelles concentriques se forment lorsque les ostéoblastes de l'endoste déposent de la matière osseuse. La formation de ces lamelles s'effectue vers l'intérieur en direction du vaisseau sanguin du périoste. Le tunnel se remplit et une nouvelle ostéone est créée.

4 Au cours de la formation d'une ostéone, les ostéoblastes situés en dessous du périoste déposent de nouvelles lamelles circonférentielles externes, ce qui contribue à épaissir l'os. La croissance en épaisseur se poursuit à mesure que d'autres vaisseaux sanguins du périoste sont enveloppés, de la même façon que dans le processus décrit à l'étape 1.

Il importe de se rappeler que, à mesure que du nouveau tissu osseux se dépose sur la face externe de l'os, le tissu osseux tapissant la cavité médullaire est détruit par les ostéoclastes de l'endoste. C'est ce qui permet à la cavité médullaire de grossir en même temps que l'os croît en diamètre.

Facteurs régissant la croissance des os

La croissance et le maintien des os dépendent d'un apport adéquat en minéraux et en vitamines et de concentrations suffisantes de plusieurs hormones. D'importantes quantités de calcium et de phosphore sont nécessaires à la croissance des os, de même que des quantités plus modestes de fluorure, de magnésium, de fer et de manganèse. La vitamine D est essentielle à l'absorption du calcium dans le tube digestif ainsi qu'à la minéralisation des os pendant la croissance. La vitamine C participe à la synthèse de la principale protéine osseuse, le collagène, et à la différenciation des ostéoblastes en ostéocytes. Les vitamines K et B_{12} jouent également un rôle dans la synthèse des protéines, tandis que la vitamine A stimule l'activité des ostéoblastes.

Pendant l'enfance, les hormones les plus importantes qui stimulent la croissance des os sont les facteurs de croissance analogues à l'insuline (IGF, « insulinlike growth factors »), sécrétés par le tissu osseux et le foie. Les IGF favorisent la division cellulaire dans le cartilage de conjugaison et le périoste et activent la synthèse des protéines nécessaires à la formation de matière osseuse. La production des IGF est elle-même stimulée par l'hormone de croissance humaine (hGH, « human growth hormone »), sécrétée par l'adénohypophyse. Les hormones thyroïdiennes (T_3 et T_4), sécrétées par la glande thyroïde, et l'insuline, sécrétée par le pancréas, participent également à la croissance normale des os.

Figure 6.8 Croissance en diamètre des os : croissance par apposition.

Tandis que le cartilage peut croître en suivant soit le processus de croissance interstitielle, soit le processus de croissance par apposition, l'os ne peut croître en diamètre que par apposition.

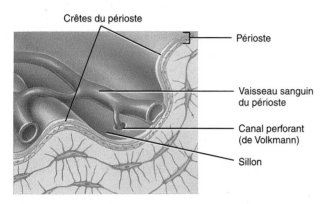

Crêtes du périoste

Périoste

Vaisseau sanguin du périoste

Canal perforant (de Volkmann)

Sillon

1 Les crêtes du périoste creusent un sillon qui accueillera le vaisseau sanguin du périoste.

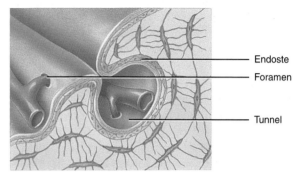

Endoste

Foramen

Tunnel

2 Les crêtes du périoste fusionnent pour former un tunnel tapissé d'endoste.

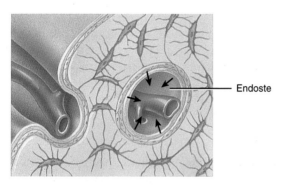

Endoste

3 Les ostéoblastes situés dans l'endoste déposent de nouvelles lamelles concentriques, de l'extérieur vers le centre du tunnel ; une nouvelle ostéone est créée.

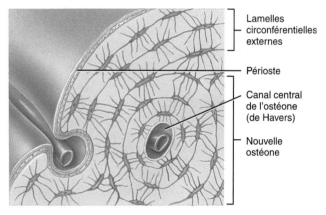

Lamelles circonférentielles externes

Périoste

Canal central de l'ostéone (de Havers)

Nouvelle ostéone

4 L'os croît vers l'extérieur à mesure que les ostéoblastes du périoste déposent de nouvelles lamelles circonférentielles externes. Une nouvelle ostéone apparaît chaque fois que des crêtes du périoste se replient autour des vaisseaux sanguins.

Q Comment la cavité médullaire grossit-elle pendant la croissance en diamètre de l'os ?

À la puberté, les ovaires et les testicules commencent à sécréter des hormones appelées stéroïdes sexuels ; les ovaires produisent des œstrogènes chez la femme et les testicules produisent des androgènes chez l'homme. Bien que les taux d'œstrogènes soient beaucoup plus élevés chez la femme et les taux d'androgènes beaucoup plus élevés chez l'homme, la femme possède également des androgènes et l'homme des œstrogènes, mais en quantités plus faibles. En effet, la glande surrénale produit chez les deux sexes des androgènes et certains tissus, tel le tissu adipeux, sont capables de convertir les andro-

gènes en œstrogènes. Les stéroïdes sexuels sont responsables de la soudaine poussée de croissance qui survient pendant l'adolescence. Les œstrogènes provoquent chez la femme des modifications osseuses typiques telles que l'élargissement du bassin. Ce sont également les stéroïdes sexuels, en particulier les œstrogènes chez les deux sexes, qui arrêtent la croissance des cartilages de conjugaison et donc la croissance en longueur des os. Habituellement, les os cessent de croître en longueur plus tôt chez la femme que chez l'homme en raison des taux plus élevés d'œstrogènes dans l'organisme féminin.

*Déséquilibres hormonaux affectant
la taille du squelette*

Lorsqu'une personne sécrète une quantité trop élevée ou trop faible des hormones participant à la croissance normale des os, elle peut devenir anormalement grande ou demeurer petite. Pendant l'enfance, une hypersécrétion de hGH provoque le gigantisme ; la personne est démesurément grande et lourde. Par ailleurs, une sécrétion trop faible de hGH ou d'hormones thyroïdiennes entraîne le nanisme. Puisque les œstrogènes arrêtent la croissance des cartilages de conjugaison, les hommes et les femmes qui ont des taux trop bas d'œstrogènes ou un nombre insuffisant de récepteurs cellulaires d'œstrogènes deviennent anormalement grands. ■

1. Décrivez les zones du cartilage de conjugaison et leurs fonctions.
2. Expliquez comment l'os croît en épaisseur.
3. Quelle est l'importance de la ligne épiphysaire ?
4. Pourquoi les nutriments et les hormones sont-ils importants pour la croissance des os ?

HOMÉOSTASIE OSSEUSE

OBJECTIFS

• *Décrire les mécanismes du remaniement osseux.*
• *Décrire les étapes de la consolidation d'une fracture.*

Remaniement osseux

Même lorsqu'ils ont atteint leur forme et leur taille adultes, les os continuent de se renouveler. Le **remaniement osseux**, ou **remodelage osseux**, est un processus continu par lequel des ostéoclastes creusent de petits tunnels dans le vieux tissu osseux et des ostéoblastes le reconstruisent. Un cycle complet de remaniement osseux peut se dérouler sur deux ou trois mois ou durer beaucoup plus longtemps selon la partie du squelette où le remaniement a lieu. Par exemple, la partie distale du fémur est entièrement remplacée tous les quatre mois. Le remaniement vise normalement deux objectifs : renouveler le tissu osseux avant qu'il se détériore et redistribuer la matrice osseuse le long des lignes de contrainte mécanique. Le remaniement permet également la guérison des fractures.

La destruction de matrice osseuse par les ostéoclastes est appelée **résorption osseuse**. Au cours de ce processus, un ostéoclaste se fixe solidement à la surface osseuse de l'endoste ou du périoste et forme un sceau étanche aux extrémités de sa bordure ondulée (voir la figure 6.2). Il libère ensuite dans cette pochette scellée des enzymes lysosomiales, qui digèrent les protéines, ainsi que plusieurs acides. Les enzymes digèrent les fibres collagènes et d'autres substances organiques tandis que les acides dissolvent les minéraux de l'os. Unissant leurs efforts, plusieurs ostéoclastes creusent de petits tunnels dans la matière

osseuse vieillie. Les protéines osseuses et les minéraux de la matrice dégradés (principalement le calcium et le phosphore) pénètrent dans un ostéoclaste par endocytose, traversent la cellule dans des vésicules et migrent par exocytose de l'autre côté de la bordure ondulée. Parvenus dans le liquide interstitiel, les produits de la résorption osseuse diffusent dans les capillaires adjacents. Dès qu'ils ont résorbé une petite portion de matière osseuse, les ostéoclastes s'éloignent et les ostéoblastes viennent les remplacer dans cette région pour reconstruire l'os.

Pour que l'homéostasie osseuse soit maintenue, les activités de résorption osseuse des ostéoclastes et les activités de reconstitution osseuse des ostéoblastes doivent s'équilibrer. Si les ostéoblastes fabriquent trop de tissu osseux, les os deviennent anormalement épais et lourds. Si le tissu osseux devient trop calcifié, d'épais bourrelets appelés *excroissances osseuses* peuvent apparaître et restreindre les mouvements articulaires. À l'inverse, une perte trop importante de calcium ou une formation insuffisante de nouveau tissu affaiblit le tissu osseux.

La régulation de la croissance et du remaniement des os est un phénomène complexe qui n'est pas encore bien compris. On sait que plusieurs hormones circulantes et que des substances produites localement y participent. Les stéroïdes sexuels ralentissent la résorption osseuse et favorisent le dépôt de nouvelle matière osseuse. Les œstrogènes ralentissent eux aussi la résorption en favorisant l'apoptose des ostéoclastes. La parathormone et la vitamine D activée régissent le remaniement osseux et influent également sur la calcémie (voir la figure 6.11).

Fracture et consolidation des os

Une **fracture** est une rupture de la continuité d'un os. Les fractures sont nommées en fonction de leur gravité, de la forme ou de la situation du trait de fracture, ou en l'honneur du médecin qui en a fait la première description. Les fractures les plus courantes sont les suivantes (figure 6.9) :

• **Fracture ouverte.** Les bouts d'os cassés percent la peau (figure 6.9a). À l'inverse, une **fracture fermée** ne pénètre pas la peau.

• **Fracture plurifragmentaire** (ou **comminutive**). L'os se fractionne au point d'impact en deux grands fragments séparés par de petits fragments (figure 6.9b).

• **Fracture en bois vert.** Os fracturé de façon incomplète ; une extrémité de l'os est fracturée, tandis que l'autre n'est que fléchie ; propre à l'enfant, dont l'ossification n'est pas entièrement terminée (figure 6.9c).

• **Fracture engrenée.** L'une des extrémités de l'os fracturé est poussée vigoureusement à l'intérieur de l'autre (figure 6.9d).

• **Fracture de Pott** (ou **de Dupuytren**). Fracture de l'extrémité distale de la fibula, ou péroné (os latéral de la jambe), accompagnée d'une atteinte grave de l'articulation tibiale distale (figure 6.9e).

Figure 6.9 Types de fractures.

Une fracture est une rupture de la continuité d'un os.

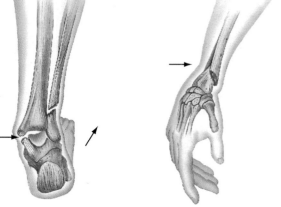

(a) Fracture ouverte

(b) Fracture plurifragmentaire (comminutive)

(c) Fracture en bois vert

(d) Fracture engrenée

(e) Fracture de Pott (de Dupuytren)

(f) Fracture de Pouteau-Colles

Q Qu'est-ce qu'un cal fibrocartilagineux?

- **Fracture de Pouteau-Colles.** Fracture de l'extrémité distale du radius (os latéral de l'avant-bras) caractérisée par le déplacement postérieur du fragment distal de l'os fracturé (figure 6.9f).

Dans certains cas, un os peut se fracturer sans rupture apparente. Par exemple, dans la **fracture de stress,** une série de fissures microscopiques se forment sans que les autres tissus semblent atteints. Chez les adultes en bonne santé, ces fractures sont causées par des activités physiques intenses et répétées comme la course, le saut ou la danse aérobique. Des fractures de stress accompagnent également certains processus pathologiques perturbant la minéralisation normale des os, par exemple l'ostéoporose (dont nous traiterons plus loin). Environ 25 % des fractures de stress touchent le tibia.

Les étapes de la consolidation d'une fracture sont les suivantes (figure 6.10):

1 *Formation d'un hématome.* Lorsqu'un os se fracture, les vaisseaux sanguins croisant le trait de fracture, c'est-à-dire ceux du périoste, des ostéones, de la cavité médullaire et des canaux perforants, se rompent. Le sang qui s'écoule des vaisseaux déchirés coagule autour de la fracture. Cette masse de sang coagulé, appelée **hématome** (*haima* = sang; *ome* = tumeur), se forme habituellement dans les six à huit heures suivant la fracture. L'hématome interrompt la circulation du sang, ce qui entraîne la mort des cellules osseuses au point de fracture. L'hématome devient alors la cible de l'afflux de cellules de remplacement qui suit. L'œdème et l'inflammation qui surviennent après la mort des cellules osseuses produisent d'autres déchets cellulaires. Des capillaires s'infiltrent dans l'hématome, tandis que des phagocytes (granulocytes neutrophiles et macrophages) et des ostéoclastes commencent à évacuer le tissu mort ou endommagé de l'hématome et de la région entourant l'hématome. Cette étape peut durer plusieurs semaines.

2 *Formation du cal fibrocartilagineux.* L'infiltration de nouveaux capillaires dans l'hématome contribue à la formation d'un tissu de granulation (voir p. 142) appelé **précal.** Puis, des fibroblastes issus du périoste et des cellules ostéogéniques issues du périoste, de l'endoste et de la moelle osseuse rouge envahissent le précal. Les fibroblastes produisent des fibres collagènes qui facilitent la soudure des deux bouts d'os fracturé. Entre-temps, les phagocytes continuent l'évacuation des déchets cellulaires. Les cellules ostéogéniques se transforment en chondroblastes dans le tissu osseux sain non vascularisé et commencent à produire le cartilage fibreux. Le précal est peu à peu converti en **cal fibrocartilagineux,** masse de tissu reconstitué qui forme une éclisse entre les bouts d'os fracturé. Le stade du cal fibrocartilagineux dure environ trois semaines.

3 *Formation du cal osseux.* Près du tissu osseux sain bien vascularisé, les cellules ostéogéniques se transforment en ostéoblastes qui commencent à produire des trabécules d'os spongieux. Ces trabécules relient les parties vivantes

Figure 6.10 Étapes de la consolidation d'une fracture. Adapté de Priscilla LeMone et Karen M. Burke, *Medical-Surgical Nursing,* The Benjamin/Cummings Publishing Company, Menlo Park, Californie, 1996, p. 1560. © 1996 The Benjamin/Cummings Publishing Company.

L'os guérit plus rapidement que le cartilage car il est mieux vascularisé.

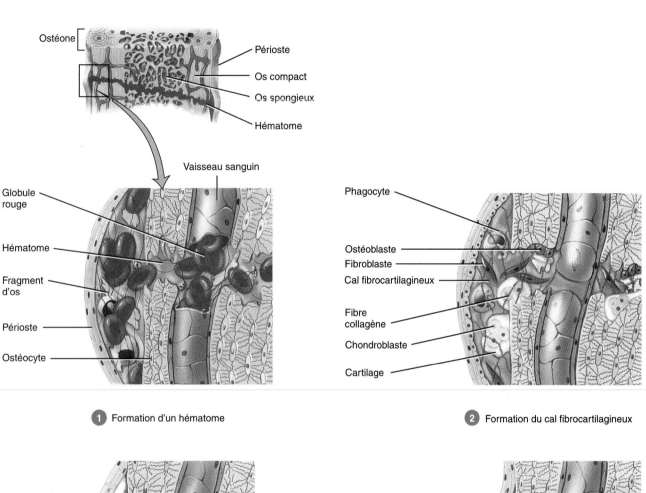

Ostéone

Périoste

Os compact

Os spongieux

Hématome

Vaisseau sanguin

Globule rouge

Hématome

Fragment d'os

Périoste

Ostéocyte

Phagocyte

Ostéoblaste

Fibroblaste

Cal fibrocartilagineux

Fibre collagène

Chondroblaste

Cartilage

1 Formation d'un hématome

2 Formation du cal fibrocartilagineux

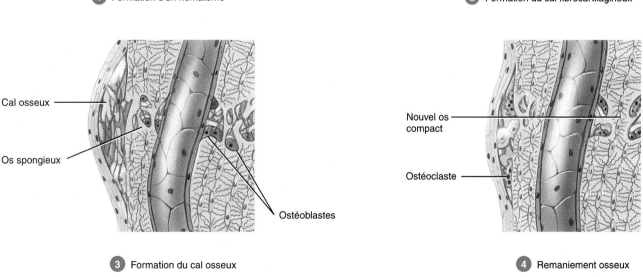

Cal osseux

Os spongieux

Ostéoblastes

Nouvel os compact

Ostéoclaste

3 Formation du cal osseux

4 Remaniement osseux

Q Pourquoi une fracture met-elle parfois des mois à guérir ?

et les parties mortes des fragments d'os. Au bout d'un certain temps, le cartilage fibreux est converti en os spongieux; le cal fibrocartilagineux est alors appelé **cal osseux.** Le stade du cal osseux dure de trois à quatre mois environ.

4 *Remaniement osseux.* L'étape finale de la consolidation d'une fracture est le **remaniement osseux** du cal. Les sections mortes des fragments d'os fracturé sont graduellement résorbées par les ostéoclastes. L'os compact remplace l'os spongieux à la périphérie de la fracture. La reconstitution est parfois si complète que le trait de fracture n'est plus visible, même sur une radiographie. Cependant, une région épaissie peut subsister à la surface de l'os, preuve qu'une fracture a été consolidée à cet endroit.

Bien que l'os soit abondamment vascularisé, le processus de consolidation peut durer plusieurs mois. Le calcium et le phosphore nécessaires à la consolidation et au durcissement de la nouvelle matière osseuse ne se déposent que graduellement, et les cellules osseuses croissent et se reproduisent lentement. Qui plus est, l'apport sanguin vers l'os fracturé est parfois temporairement interrompu, ce qui explique pourquoi les fractures graves guérissent si difficilement.

APPLICATION CLINIQUE
Traitement des fractures

Le traitement des fractures varie en fonction de l'âge de l'individu, du type de fracture et de l'os atteint. Les objectifs du traitement sont le réalignement anatomique des fragments osseux, l'immobilisation de l'os permettant de maintenir cet alignement et le rétablissement des fonctions de l'os. Pour réunir les bouts d'os cassé, on procède d'abord à leur réalignement par **réduction,** puis on immobilise l'os le temps qu'il faut pour que la fracture guérisse. Dans la **réduction à peau fermée,** on replace de façon manuelle les extrémités de l'os dans leur position normale et la peau demeure intacte. Dans la **réduction chirurgicale,** on relie les deux extrémités fracturées lors d'une intervention chirurgicale en utilisant divers dispositifs de fixation internes (vis, plaques, broches, tiges ou fils). Après la réduction, l'os fracturé est immobilisé dans un plâtre, une écharpe, une attelle, un pansement élastique, un dispositif de retenue externe ou toute combinaison de ces moyens. ■

Rôle des os dans l'homéostasie du calcium
OBJECTIF

- *Décrire le rôle des os dans l'homéostasie du calcium.*

Les os constituent le principal site de stockage de calcium de l'organisme, puisqu'ils emmagasinent 99 % du calcium absorbé. Le taux de calcium dans le sang, ou calcémie, est maintenu en régissant la vitesse de résorption du calcium (des os jusqu'au sang) et la vitesse de dépôt du calcium (du sang jusqu'aux os). Le calcium joue plusieurs rôles dans l'organisme. Le fonctionnement des cellules nerveuses repose principalement

sur une concentration très précise d'ions calcium (Ca^{2+}) dans le sang. De plus, de nombreuses enzymes utilisent le Ca^{2+} comme cofacteur (substance requise pour qu'une réaction enzymatique se produise), et la coagulation du sang ne peut se faire sans Ca^{2+}. C'est pourquoi un mécanisme de régulation rigoureux fait en sorte que la concentration des ions calcium dans le plasma sanguin demeure entre 2,4 et 2,6 mmol/L. Un changement même minime de cette concentration peut être fatal; si la concentration de Ca^{2+} est trop élevée, le cœur peut cesser de battre (arrêt cardiaque), et si elle est trop faible, la respiration peut cesser (arrêt respiratoire). Les os jouent un rôle de tampons dans l'homéostasie du calcium en libérant du Ca^{2+} dans le plasma sanguin lorsque la concentration de calcium diminue, et en retenant du Ca^{2+} lorsque cette concentration augmente. Ces échanges sont régis par des hormones.

La **parathormone** (**PTH**), qui est sécrétée par les glandes parathyroïdes (voir la figure 18.13, p. 617), est la principale hormone participant à la régulation des échanges de Ca^{2+} entre les os et le sang. La sécrétion de PTH est associée à de multiples mécanismes de rétro-inhibition qui ajustent la concentration de Ca^{2+} dans le sang. Lorsqu'un stimulus provoque une baisse du Ca^{2+} sanguin, les cellules des glandes parathyroïdes (récepteurs) captent ce changement (figure 6.11). Le centre de régulation est le gène codant pour la PTH situé dans le noyau d'une cellule de la glande parathyroïde. L'une des informations d'entrée que reçoit le centre de régulation est l'augmentation du taux d'AMP cyclique (adénosine monophosphate) dans le cytosol. L'AMP cyclique accélère les réactions qui « activent » le gène de la PTH, ce qui accélère la synthèse de la PTH et libère une plus grande quantité de cette hormone dans le sang (information de sortie). La PTH accroît le nombre et l'activité des ostéoclastes (effecteurs), qui accélèrent à leur tour la vitesse de résorption osseuse. Les os libèrent alors du Ca^{2+} (et des ions phosphate) dans le plasma sanguin, ce qui augmente la concentration de Ca^{2+} et ramène la calcémie à la normale.

Une autre hormone contribue à l'homéostasie de la concentration sanguine d'ions calcium en exerçant un effet sur les os. Lorsque le taux de Ca^{2+} dans le sang s'élève au-dessus de la normale, les *cellules parafolliculaires* de la glande thyroïde sécrètent la **calcitonine.** La calcitonine inhibe l'activité des ostéoclastes, accélère la captation des ions calcium du sang et leur déposition dans l'os. La calcitonine facilite donc la formation osseuse et diminue la calcémie. Malgré ces bienfaits, on ne connaît pas le rôle précis de la calcitonine dans l'homéostasie du calcium chez l'humain; en effet, qu'elle soit totalement absente ou abondante, la calcitonine ne semble causer aucun symptôme clinique.

---

1. Définissez le *remaniement osseux* et décrivez le rôle des ostéoblastes et des ostéoclastes dans ce processus.
2. Définissez la *fracture* et résumez les quatre étapes de la consolidation d'une fracture.
3. Comment les hormones agissent-elles sur les os dans la régulation de l'homéostasie du calcium ?

Figure 6.11 Mécanisme de rétro-inhibition intervenant dans la régulation de la concentration sanguine d'ions calcium (Ca^{2+}), ou calcémie. PTH = parathormone.

🔑 **La libération de calcium par la matrice osseuse et la rétention de calcium par les reins sont les deux principaux mécanismes qui font augmenter la calcémie.**

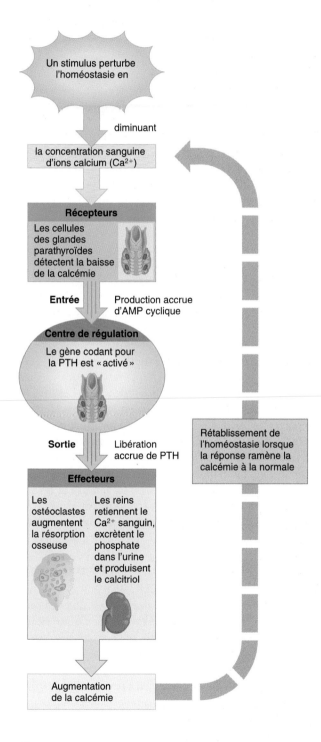

Un stimulus perturbe l'homéostasie en

diminuant

la concentration sanguine d'ions calcium (Ca^{2+})

Récepteurs

Les cellules des glandes parathyroïdes détectent la baisse de la calcémie

Entrée Production accrue d'AMP cyclique

Centre de régulation

Le gène codant pour la PTH est « activé »

Sortie Libération accrue de PTH

Effecteurs

Les ostéoclastes augmentent la résorption osseuse

Les reins retiennent le Ca^{2+} sanguin, excrètent le phosphate dans l'urine et produisent le calcitriol

Rétablissement de l'homéostasie lorsque la réponse ramène la calcémie à la normale

Augmentation de la calcémie

 Quelles fonctions biologiques dépendent d'une concentration adéquate de Ca^{2+} ?

EFFETS DE L'EXERCICE SUR LE TISSU OSSEUX
OBJECTIF

• *Décrire les effets de l'exercice physique et des forces mécaniques sur le tissu osseux.*

Dans une certaine mesure, les os sont capables d'adapter leur résistance à diverses sollicitations mécaniques. Sous l'effet d'une contrainte, le tissu osseux devient plus fort par une augmentation du dépôt de sels minéraux et de la production de fibres collagènes. Tout effort a également pour effet de stimuler la production de calcitonine, hormone qui inhibe la résorption osseuse. En l'absence de sollicitations mécaniques, les os ne se remanient pas normalement car la résorption l'emporte sur la formation osseuse. De plus, ils s'affaiblissent, car ils se déminéralisent et produisent moins de fibres collagènes.

Les principales forces mécaniques qui s'exercent sur les os sont produites par la contraction des muscles squelettiques et la gravitation. Les os d'une personne alitée ou qui porte un plâtre pour immobiliser un os fracturé s'affaiblissent car ils ne sont pas sollicités. Les astronautes soumis à l'apesanteur dans l'espace perdent également une partie de leur masse osseuse. Dans les deux cas, la perte osseuse peut être fulgurante et atteindre un taux de 1 % par semaine. Les os des athlètes, qui sont fortement et fréquemment sollicités, deviennent considérablement plus épais que ceux des personnes qui ne pratiquent pas d'activité physique. Les exercices qui nécessitent le port du poids corporel et sollicitent les articulations portantes, tels la marche ou l'entraînement modéré avec des poids (mais pas la natation), contribuent à la formation et à la rétention de masse osseuse. Il devient évident que les adolescents et les jeunes adultes devraient pratiquer régulièrement des exercices ou des sports sollicitant les articulations portantes avant que leurs cartilages de conjugaison se soudent définitivement. Ces exercices favorisent en effet la constitution d'une masse osseuse totale optimale avant que commence son inévitable diminution au cours du vieillissement. Même les personnes âgées peuvent renforcer leurs os en s'adonnant à de tels exercices.

1. Décrivez les types de forces mécaniques qui peuvent rendre le tissu osseux plus fort.

DÉVELOPPEMENT EMBRYONNAIRE DU SYSTÈME OSSEUX
OBJECTIF

• *Décrire le développement du système osseux et des membres.*

Comme nous l'avons vu, l'ossification intramembraneuse et l'ossification endochondrale débutent lorsque les *cellules mésenchymateuses,* cellules du tissu conjonctif dérivées du mésoderme, migrent dans la région où la formation

Figure 6.12 Caractéristiques d'un embryon humain entre la cinquième et la huitième semaine du développement. Les protubérances du foie et du cœur sont des renflements témoignant de la croissance sous-jacente de ces organes. L'embryon reçoit de l'oxygène et des nutriments de sa mère par les vaisseaux sanguins du cordon ombilical.

 Lorsque les bourgeons des membres apparaissent, l'ossification endochondrale des os des membres commence (septième semaine du développement).

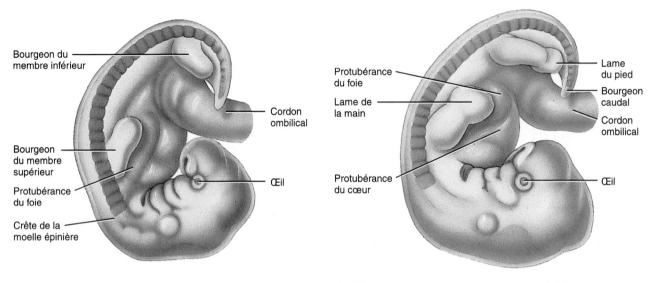

(a) Développement des bourgeons des membres chez un embryon de cinq semaines

(b) Développement des lames de la main et du pied chez un embryon de six semaines

osseuse se déroulera. Dans certaines structures osseuses, les cellules mésenchymateuses se différencient en chondroblastes pour former du cartilage. Dans d'autres structures osseuses, elles se différencient en ostéoblastes pour former du *tissu osseux* par ossification intramembraneuse ou endochondrale.

La description du développement du système osseux offre une excellente occasion d'aborder le développement des membres. Les membres font leur apparition vers la cinquième semaine de vie intra-utérine sous forme de petites saillies fixées de part et d'autre du tronc et appelées **bourgeons des membres** (figure 6.12a). Les bourgeons des membres sont des masses de **mésoderme** recouvertes d'**ectoderme.** À ce stade du développement, un squelette mésenchymateux est présent dans les membres; une partie du mésoderme entourant les os en croissance constituera plus tard les muscles squelettiques des membres.

À la sixième semaine, une constriction s'est formée au centre des bourgeons des membres. Cette constriction engendre les segments distaux des bourgeons des membres supérieurs, appelés **lames de la main,** et les segments distaux des bourgeons des membres inférieurs, appelés **lames du pied** (figure 6.12b). Ces lames donneront naissance aux mains et aux pieds, respectivement. À cette étape du développement des membres, un squelette cartilagineux est en place. À la septième semaine (figure 6.12c), les bras, les avant-bras et les mains sont visibles dans les bourgeons des membres supérieurs, et les cuisses, les jambes et les pieds émergent dans les bourgeons des membres inférieurs. L'ossification endochondrale est amorcée. À la huitième semaine (figure 6.12d), les épaules, les coudes et les poignets font leur apparition. Les bourgeons des membres supérieurs deviennent les membres supérieurs et les bourgeons des membres inférieurs, les membres inférieurs.

La **notochorde,** ou **chorde dorsale,** est une tige souple de mésoderme qui définit le plan médian de l'embryon et lui confère une certaine rigidité. Elle se situe à l'endroit où la colonne vertébrale se développera. Lorsque les vertèbres se forment, la notochorde est graduellement entourée par les corps vertébraux. Elle disparaît peu à peu et ne laisse que des vestiges qui deviennent les *noyaux pulpeux* des disques intervertébraux (voir la figure 7.16, p. 215).

1. Expliquez à quel moment et comment les membres se développent.

Figure 6.12 (suite)

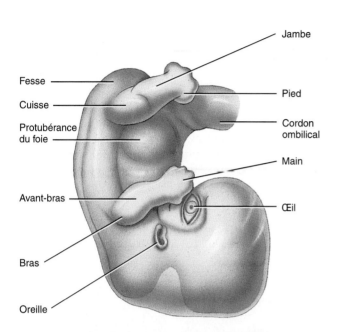

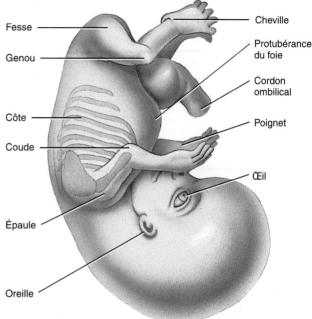

(c) Développement du bras, de l'avant-bras et de la main dans le bourgeon du membre supérieur ainsi que de la cuisse, de la jambe et du pied dans le bourgeon du membre inférieur chez un embryon de sept semaines

(d) Bourgeons des membres qui se sont développés en membres supérieurs et inférieurs chez un embryon de huit semaines

 Lequel des trois principaux tissus embryonnaires (ectoderme, mésoderme et endoderme) donne naissance au système osseux ?

VIEILLISSEMENT DU TISSU OSSEUX

OBJECTIF

• *Décrire les effets du vieillissement sur le tissu osseux.*

De la naissance jusqu'à l'adolescence, la production de tissu osseux l'emporte sur la perte osseuse au cours du remaniement osseux. Chez les jeunes adultes, les taux de dépôt et de résorption de matière osseuse sont à peu près identiques. À mesure que la concentration de stéroïdes sexuels diminue durant l'âge adulte, en particulier chez les femmes après la ménopause, la masse osseuse diminue car la résorption est plus rapide que le dépôt de matière osseuse. Chez les personnes âgées, la perte de matière osseuse par résorption est plus rapide que le gain. Comme les os des femmes sont habituellement plus petits et moins massifs que ceux des hommes, la perte de masse osseuse a des conséquences plus graves pour les femmes âgées que pour les hommes.

Les principaux effets du vieillissement sur le tissu osseux sont la perte de masse osseuse et la fragilisation des os. La perte de masse osseuse est causée par la perte de calcium et d'autres minéraux de la matrice osseuse (déminéralisation). Cette baisse commence habituellement après l'âge de 30 ans chez les femmes, s'accélère vers l'âge de 45 ans à mesure que les concentrations sanguines d'œstrogènes baissent et se poursuit jusqu'à ce que les os aient perdu 30 % de leurs réserves de calcium à l'âge de 70 ans. Les femmes perdent environ 8 % de leur masse osseuse par décennie. Les hommes ne perdent habituellement pas de masse osseuse avant l'âge de 60 ans, et cette perte se limite à environ 3 % par décennie. La déperdition de calcium osseux est l'une des caractéristiques de l'ostéoporose (décrite ci-dessous).

Le deuxième effet majeur du vieillissement sur le système osseux est la fragilisation des os, causée par un ralentissement de la synthèse des protéines qui diminue la teneur organique de la matrice osseuse, en particulier la proportion de fibres collagènes, qui confère aux os leur résistance aux forces de traction. Par conséquent, les minéraux inorganiques occupent graduellement une plus grande place dans la matrice osseuse. Les os étant moins résistants à la traction, ils deviennent plus fragiles et se fracturent plus facilement. Chez certaines personnes âgées, le ralentissement de la synthèse des fibres collagènes est causé en partie par une diminution de la production de l'hormone de croissance humaine. En plus de rendre les os plus vulnérables aux fractures, la perte de masse osseuse occasionne parfois des difformités, des douleurs, des raideurs, une perte de stature et la chute des dents.

1. Qu'est-ce que la déminéralisation et comment affecte-t-elle le fonctionnement des os?
2. Quels changements se produisent dans la partie organique de la matrice osseuse au cours du vieillissement?

DÉSÉQUILIBRES HOMÉOSTATIQUES

OSTÉOPOROSE

Le terme **ostéoporose** (*poros* = pore; *ose* = affection chronique) désigne littéralement la porosité des os (figure 6.13). Le problème majeur est que la résorption osseuse s'effectue plus rapidement que le dépôt de matière osseuse. Ce trouble est causé en grande partie par une déplétion de l'organisme en calcium; l'organisme élimine plus de calcium dans l'urine, les fèces et la sueur qu'il n'en absorbe des aliments. La masse osseuse diminue à un point tel que les os se fracturent, souvent spontanément, sous l'effet des sollicitations mécaniques de la vie quotidienne. Par exemple, une personne peut se fracturer la hanche simplement parce qu'elle s'est assise trop rapidement. Aux États-Unis, l'ostéoporose est responsable de plus de un million de fractures par année, principalement à la hanche, au poignet et aux vertèbres. L'ostéoporose atteint tout le système osseux. Outre les fractures, elle provoque une diminution en volume des vertèbres, une perte staturale, la cyphose dorsale et des douleurs osseuses.

Trente millions d'Américains souffrent d'ostéoporose. La maladie frappe surtout les adultes d'âge moyen et les personnes âgées, dont 80 % sont des femmes. Les femmes âgées sont atteintes d'ostéoporose plus souvent que les hommes pour deux raisons. D'une part les os des femmes sont moins massifs que ceux des hommes; d'autre part la production d'œstrogènes chez les femmes diminue considérablement et brusquement à la ménopause, tandis que chez les hommes, la production de la principale hormone androgène, la testostérone, diminue peu et seulement de manière graduelle. Les autres facteurs de risque de l'ostéoporose comprennent des antécédents familiaux de la maladie, l'ascendance européenne ou asiatique, une constitution morphologique mince ou petite, l'inactivité physique, le tabagisme, un régime pauvre en calcium et en vitamine D, la consommation de plus de deux verres d'alcool par jour et l'utilisation de certains médicaments.

Chez les femmes ménopausées, il est possible de traiter l'ostéoporose par œstrogénothérapie (faibles doses d'œstrogènes) ou par hormonothérapie substitutive (combinaison d'œstrogènes et de progestérone, autre stéroïde sexuel). Bien que ces traitements aident à combattre l'ostéoporose, ils augmentent également les risques de cancer du sein chez la femme. Le raloxifène est un médicament qui imite les effets bénéfiques des œstrogènes sur les os sans augmenter les risques de cancer du sein. L'alendronate, une substance non hormonale qui bloque la résorption de matière osseuse par les ostéoclastes, est également utilisé dans le traitement de l'ostéoporose.

La prévention de l'ostéoporose demeure toutefois la meilleure stratégie. Une femme a tout avantage à consommer suffisamment de calcium et à pratiquer des exercices exigeant le port du poids corporel quand elle est jeune pour éviter plus tard la nécessité de prendre des médicaments et des suppléments de calcium.

Figure 6.13 Os spongieux chez (a) un jeune adulte normal et (b) une personne atteinte d'ostéoporose. Remarquez les trabécules osseuses affaiblies dans (b). L'os compact est affecté de la même façon par l'ostéoporose.

 Dans l'ostéoporose, la résorption se fait plus rapidement que la formation de matière osseuse, ce qui diminue la masse osseuse.

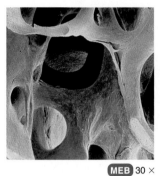 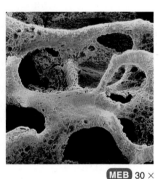

MEB 30 ×   MEB 30 ×

(a) Os normal   (b) Os ostéoporotique

 Si vous vouliez créer un médicament qui réduirait les effets de l'ostéoporose, chercheriez-vous une substance qui inhibe l'activité des ostéoblastes ou celle des ostéoclastes?

RACHITISME ET OSTÉOMALACIE

Le **rachitisme** et l'**ostéomalacie** (*malakos* = mou) se caractérisent par l'absence de calcification des os. Bien que la production de matrice organique se poursuive, le dépôt des sels de calcium ne se fait pas, les os deviennent «mous» ou caoutchouteux et se déforment facilement. Le rachitisme affecte les os en croissance chez l'enfant. Comme la matière osseuse formée dans les cartilages de conjugaison ne s'ossifie pas, les jambes sont arquées et le crâne, la cage thoracique et le bassin sont difformes. Le rachitisme est causé par une déficience en vitamine D. Dans l'ostéomalacie, appelée parfois «rachitisme des adultes», la matière osseuse formée pendant le remaniement ne se calcifie pas. Ce trouble occasionne des douleurs plus ou moins intenses et une sensibilité des os, surtout aux hanches et aux jambes. Les os se fracturent parfois à la suite de traumatismes mineurs.

TERMES MÉDICAUX

Arthrose (*arthron* = articulation) Dégénérescence du cartilage articulaire amenant les extrémités osseuses à se toucher ; la friction des os les uns contre les autres est un facteur aggravant ; fréquente chez les personnes âgées.

Ostéomyélite Inflammation osseuse caractérisée par une forte fièvre, des sueurs, des frissons, de la douleur, des nausées, la formation de pus, un œdème et une sensation de chaleur dans l'os atteint et les muscles rigides qui le recouvrent ; souvent causé par une bactérie, habituellement *Staphylococcus aureus* ; la bactérie peut provenir de l'extérieur du corps (elle s'infiltre par une fracture ouverte ou une plaie pénétrante, ou lors d'une intervention chirurgicale orthopédique), d'autres sièges d'infection dans l'organisme par l'intermédiaire du sang (abcès dentaire, infection associée à une brûlure, infection des voies urinaires ou infection des voies aériennes supérieures) et d'infections des tissus mous adjacents (infections associées au diabète, par exemple).

Ostéopénie (*penia* = pauvreté) Réduction de la masse osseuse causée par un ralentissement de la synthèse osseuse, qui ne parvient plus à compenser même une résorption osseuse normale ; désigne également une diminution de la masse osseuse en deçà des limites de la normale ; l'ostéoporose est une forme d'ostéopénie.

Ostéosarcome (*sarkôma* = excroissance de chair) Cancer des os qui affecte principalement les ostéoblastes et survient le plus souvent durant la période de croissance chez l'adolescent ; situé fréquemment sur la métaphyse du fémur, du tibia et de l'humérus. Les métastases touchent préférentiellement les poumons ; le traitement fait appel à la polychimiothérapie après ablation de la tumeur maligne, voire l'amputation du membre atteint.

RÉSUMÉ

INTRODUCTION (p. 170)

1. L'os se compose de différents tissus : tissu osseux, cartilage, tissus conjonctifs denses, épithélium, divers tissus hématopoïétiques, tissu adipeux et tissu nerveux.
2. L'ensemble des os et de leurs cartilages constitue le système osseux.

FONCTIONS DU SYSTÈME OSSEUX (p. 170)

1. Le système osseux assure des fonctions de soutien, de protection, de mouvement, de stockage et de libération des minéraux, d'hématopoïèse et de stockage des triglycérides.

STRUCTURE DES OS (p. 171)

1. Un os long typique comprend la diaphyse (corps), les épiphyses (extrémités) proximale et distale, les métaphyses, le cartilage articulaire, le périoste, la cavité médullaire et l'endoste.

HISTOLOGIE DU TISSU OSSEUX (p. 172)

1. Le tissu osseux contient une matrice qui entoure des cellules disséminées.
2. Les quatre principaux types de cellules osseuses sont les cellules ostéogéniques, les ostéoblastes, les ostéocytes et les ostéoclastes.
3. La matrice des os est riche en sels minéraux inorganiques (surtout en hydroxyapatite) et en fibres collagènes.
4. L'os compact se compose d'ostéones (ou systèmes de Havers) séparées par de petits espaces.
5. L'os compact recouvre l'os spongieux dans les épiphyses et constitue la majeure partie du tissu osseux dans la diaphyse. Il assure des fonctions de protection, de soutien et de résistance aux contraintes mécaniques.
6. L'os spongieux ne contient pas d'ostéones. Il est constitué de trabécules entourant ses nombreux espaces remplis de moelle osseuse rouge.
7. L'os spongieux constitue la plus grande partie des os courts, plats et irréguliers, et la plus grande partie des épiphyses des os longs ; ses trabécules offrent une résistance le long des lignes de contrainte, soutiennent et protègent la moelle osseuse rouge et allègent les os pour faciliter leurs mouvements.

VASCULARISATION ET INNERVATION DES OS (p. 176)

1. Les os longs reçoivent leur apport sanguin des artères du périoste, des artères nourricières et des artères des épiphyses ; toutes ces artères sont accompagnées de veines.
2. Des nerfs accompagnent les vaisseaux sanguins dans les os ; le périoste est riche en nerfs sensitifs.

FORMATION DES OS (p. 177)

1. Les os se forment par un processus appelé ossification (ou ostéogenèse), qui débute lorsque les cellules mésenchymateuses se transforment en cellules ostéogéniques. Ces cellules se divisent et donnent naissance à d'autres cellules qui se différencient en ostéoblastes et en ostéoclastes.
2. L'ossification commence à la sixième ou septième semaine de développement embryonnaire. Les deux types d'ossification, intramembraneuse et endochondrale, visent le remplacement du tissu conjonctif par de la matière osseuse.
3. L'ossification intramembraneuse se déroule à l'intérieur des membranes de tissu conjonctif fibreux.
4. L'ossification endochondrale se déroule à l'intérieur du modèle de cartilage hyalin. Le point d'ossification primaire d'un os long se situe dans la diaphyse. Le cartilage se dégrade, laissant des cavités qui fusionnent pour former la cavité médullaire. Des ostéoblastes déposent ensuite de la matière osseuse. L'ossification se poursuit dans les épiphyses, où la matière osseuse remplace le cartilage, sauf dans le cartilage de conjugaison.

CROISSANCE DES OS (p. 180)

1. Le cartilage de conjugaison comprend quatre zones: les zones de cartilage au repos, les zones de cartilage en prolifération, les zones de cartilage hypertrophié et les zones de cartilage en calcification.
2. L'activité du cartilage de conjugaison permet la croissance en longueur de la diaphyse.
3. Les os croissent en épaisseur, ou en diamètre, lorsque les ostéoblastes du périoste déposent du nouveau tissu osseux autour de la face externe de l'os (croissance par apposition).
4. Des minéraux alimentaires (surtout du calcium et du phosphore) et des vitamines (D, C, K et B$_{12}$) sont nécessaires à la croissance et au maintien des os. Les facteurs de croissance analogues à l'insuline, l'hormone de croissance humaine, les hormones thyroïdiennes, l'insuline, les œstrogènes et les androgènes stimulent la croissance des os. Les stéroïdes sexuels, en particulier les œstrogènes, arrêtent la croissance des cartilages de conjugaison.

HOMÉOSTASIE OSSEUSE (p. 183)

1. Le remaniement osseux (ou remodelage osseux) est un processus continu par lequel des ostéoclastes creusent de petits tunnels dans le vieux tissu osseux et des ostéoblastes le reconstruisent.
2. Au cours de la résorption osseuse, les ostéoclastes libèrent des enzymes et des acides qui dégradent les fibres collagènes et dissolvent les sels minéraux.
3. Les stéroïdes sexuels ralentissent la résorption osseuse et favorisent le dépôt de nouvelle matière osseuse. Les œstrogènes ralentissent la résorption osseuse en favorisant l'apoptose des ostéoclastes.
4. Une fracture est une rupture de la continuité d'un os.
5. La consolidation d'une fracture comprend la formation d'un hématome, d'un cal fibrocartilagineux et d'un cal osseux, et un remaniement osseux.

6. Les types de fractures les plus courants sont la fracture fermée, la fracture ouverte, la fracture plurifragmentaire, la fracture en bois vert, la fracture engrenée, la fracture de stress, la fracture de Pott (ou de Dupuytren) et la fracture de Pouteau-Colles.
7. L'os est le principal site de stockage du calcium de l'organisme.
8. La parathormone (PTH) sécrétée par la glande parathyroïde augmente la calcémie, tandis que la calcitonine sécrétée par la glande thyroïde peut diminuer la calcémie.

EFFETS DE L'EXERCICE SUR LE TISSU OSSEUX (p. 187)

1. Les contraintes mécaniques augmentent la résistance des os en augmentant le dépôt de sels minéraux et la production de fibres collagènes.
2. L'absence de contraintes mécaniques affaiblit les os car ils se déminéralisent et produisent moins de fibres collagènes.

DÉVELOPPEMENT EMBRYONNAIRE DU SYSTÈME OSSEUX (p. 187)

1. Les os se forment à partir du mésoderme par ossification intramembraneuse ou par ossification endochondrale.
2. Les membres se développent à partir des bourgeons des membres composés de mésoderme et d'ectoderme.

VIEILLISSEMENT DU TISSU OSSEUX (p. 189)

1. Le principal effet du vieillissement sur les os est une déperdition de calcium qui peut entraîner l'ostéoporose.
2. Un autre effet du vieillissement est une baisse de la production de protéines de la matrice (principalement des fibres collagènes), qui rend les os plus fragiles et plus vulnérables aux fractures.

AUTOÉVALUATION

Phrases à compléter

1. Tandis que la ___ des os dépend des sels minéraux cristallisés, les fibres collagènes et les autres molécules organiques fournissent aux os ___.
2. L'os compact se compose de ___; l'os spongieux se compose de ___.
3. L'ossification endochondrale est la formation de matière osseuse dans ___; l'ossification intramembraneuse désigne la formation de matière osseuse directement à partir de ___.
4. L'hormone qui contribue le plus à la régulation des échanges d'ions calcium entre les os et le sang est ___.

5. Associez les éléments suivants:
   ___ a) espace dans la diaphyse de l'os qui contient, selon l'âge de l'individu, de la moelle osseuse rouge ou de la moelle osseuse jaune
   ___ b) tissu qui emmagasine des triglycérides
   ___ c) tissu hématopoïétique
   ___ d) mince couche de cartilage hyalin recouvrant le point d'union entre les extrémités osseuses (articulation)
   ___ e) extrémités distale et proximale des os
   ___ f) partie principale, longue et cylindrique, de l'os; corps de l'os
   ___ g) dans un os en croissance, région qui contient la zone de croissance
   ___ h) membrane épaisse qui entoure la surface de l'os aux endroits où elle dépourvue de cartilage
   ___ i) membrane tapissant l'intérieur des os
   ___ j) vestige du cartilage de conjugaison actif; signe que l'os a cessé de croître en longueur

   1) cartilage articulaire   6) métaphyse
   2) endoste   7) périoste
   3) cavité médullaire   8) moelle osseuse rouge
   4) diaphyse   9) moelle osseuse jaune
   5) épiphyses   10) ligne épiphysaire

Vrai ou faux

6. L'activité du cartilage de conjugaison est le seul mécanisme permettant la croissance en longueur de la diaphyse.

7. L'os peut dans une certaine mesure adapter sa résistance en fonction des sollicitations mécaniques ; par conséquent, lorsqu'il est soumis à une force mécanique, l'os devient plus fort en absorbant moins de sels minéraux et en produisant moins de fibres collagènes.

8. Associez les éléments suivants :

___ a) petits espaces entre les lamelles qui contiennent des ostéocytes

___ b) canaux perforants qui pénètrent dans l'os compact ; acheminent les vaisseaux sanguins, les vaisseaux lymphatiques et les nerfs provenant du périoste

___ c) régions situées entre les ostéones

___ d) unité microscopique de l'os compact

___ e) minuscules canaux remplis de liquide extracellulaire ; relient les lacunes entre elles et au canal central de l'ostéone

___ f) canaux qui traversent l'os dans le sens de la longueur et relient les vaisseaux sanguins et les nerfs aux ostéocytes

___ g) dans l'os spongieux, trame irrégulière composée de minces colonnes de tissu osseux

___ h) anneaux de matrice osseuse calcifiée entourant les canaux centraux de l'ostéone

___ i) ouverture dans la diaphyse de l'os permettant à une artère de traverser l'os

___ j) couche de cartilage hyalin située entre la diaphyse et l'extrémité d'un os en croissance

1) lacunes
2) canaux perforants
3) canaux centraux de l'ostéone
4) lamelles concentriques
5) cartilage de conjugaison
6) trabécules osseuses
7) lamelles interstitielles
8) canalicules
9) foramen nourricier
10) ostéone

Choix multiples

9. Lesquelles des fonctions suivantes sont des caractéristiques du tissu osseux et du système osseux ? 1) Soutien. 2) Excrétion. 3) Participation au mouvement. 4) Homéostasie des minéraux. 5) Hématopoïèse.
a) 1, 2 et 3. b) 2, 3 et 4. c) 3, 4 et 5. d) 1, 3, 4 et 5. e) 2, 3, 4 et 5.

10. Lesquels des énoncés suivants sont vrais ? 1) Les cellules ostéogéniques se différencient directement en ostéoclastes. 2) Les cellules ostéogéniques sont des cellules souches non spécialisées. 3) Les ostéoblastes forment les os. 4) Les ostéocytes sont les principales cellules du tissu osseux. 5) Les ostéoclastes participent à la résorption osseuse. 6) Les ostéoblastes maintiennent les activités cellulaires quotidiennes du tissu osseux.
a) 1, 2, 4, 5 et 6. b) 2, 3 et 4. c) 1, 3, 5 et 6. d) 2, 4 et 6. e) 1, 2, 4, 5 et 6.

11. Lesquels des énoncés suivants sont vrais ? a) La matrice osseuse se compose de sels minéraux inorganiques, principalement l'hydroxyapatite. b) L'os spongieux constitue la majeure partie du tissu osseux des os longs des membres. c) La moelle osseuse jaune n'est présente que dans les os de l'embryon. d) Une fois qu'il est formé, l'os est un tissu mort qui reste dans l'organisme tout au long de la vie. e) La moelle osseuse rouge n'est présente que dans l'os compact.

12. Lesquels des énoncés suivants sont vrais ? 1) Les cellules ostéogéniques sont présentes dans le périoste. 2) Le cartilage de conjugaison façonne les surfaces articulaires. 3) L'os peut croître en épaisseur, ou en diamètre, uniquement par apposition. 4) Les hormones ne jouent aucun rôle dans la croissance des os ; elles ne servent qu'au maintien des os adultes. 5) La ligne épiphysaire se forme avant le cartilage de conjugaison.
a) 1, 3 et 5. b) 2, 4 et 5. c) 1, 2 et 3. d) 2, 4 et 5. e) 1, 2, 3 et 5.

13. Lesquels des énoncés suivants sont vrais ? 1) Les exercices qui sollicitent les articulations portantes favorisent la formation et la rétention de la masse osseuse. 2) Sans sollicitation mécanique, les os s'affaiblissent. 3) En l'absence de sollicitation mécanique, la résorption l'emporte sur la formation de matière osseuse. 4) Les forces mécaniques diminuent la production de calcitonine, hormone qui inhibe la résorption osseuse. 5) Les principales forces mécaniques qui s'exercent sur les os résultent de la contraction des muscles squelettiques et de la gravitation.
a) 1, 2, 3 et 5. b) 2, 3, 4 et 5. c) 1, 3 et 5. d) 2, 4 et 5. e) 2, 3 et 4.

14. Parmi les facteurs suivants, lequel n'est *pas* nécessaire à la croissance normale des os, au remaniement osseux chez l'adulte et à la consolidation des os fracturés ? a) Facteurs de croissance analogues à l'insuline. b) Kératine. c) Vitamine C. d) Parathormone. e) Exercices qui nécessitent le port du poids corporel.

15. Associez les éléments suivants :

___ a) cancer des os touchant principalement les ostéoblastes des os chez l'adolescent

___ b) trouble des os poreux caractérisé par une perte de masse osseuse et une plus grande vulnérabilité aux fractures

___ c) os brisé en deux fragments principaux séparés par de petits fragments

___ d) os brisé qui ne pénètre pas la peau

___ e) fracture partielle dans laquelle une extrémité de l'os est fracturée et l'autre est fléchie

___ f) os brisé qui traverse la peau

___ g) fractures microscopiques découlant de l'incapacité de résister à des contraintes répétées

___ h) dégénérescence du cartilage articulaire amenant les extrémités osseuses à se toucher ; aggravée par la friction entre les os

___ i) trouble caractérisé par l'absence de calcification de la nouvelle matière osseuse formée par remaniement osseux chez l'adulte

___ j) infection des os

1) fracture fermée
2) fracture ouverte
3) fracture en bois vert
4) fracture de stress
5) fracture plurifragmentaire
6) ostéoporose
7) ostéomalacie
8) ostéomyélite
9) arthrose
10) ostéosarcome

QUESTIONS À COURT DÉVELOPPEMENT

1. Un père conduit sa fillette au service des urgences après qu'elle est tombée de sa bicyclette. Le médecin de garde lui apprend que la fillette a une fracture en bois vert à l'avant-bras. Le père est perplexe car il n'y avait pas de bouts de bois à l'endroit où sa fille est tombée. Quelle explication le médecin lui fournira-t-il? (INDICE: *Ce type de fracture ne touche que les enfants.*)

2. Tante Édith célèbre aujourd'hui son 95ᵉ anniversaire. Elle raconte qu'elle raccourcit un peu plus chaque année et que bientôt elle disparaîtra complètement. Qu'est-il en train de lui arriver? (INDICE: *Son intelligence est toujours aussi vive; pensez à ses os.*)

3. Les astronautes en mission dans l'espace font chaque jour de l'exercice physique, mais leurs os s'affaiblissent quand même après un long séjour dans l'espace. Pourquoi? (INDICE: *Quelle est la force à laquelle nous devons résister sur la terre mais pas dans l'espace?*)

RÉPONSES AUX QUESTIONS DES FIGURES

6.1 Le périoste est essentiel à la croissance en diamètre des os, au remaniement osseux et à la nutrition des os. Il sert également de point d'attache aux ligaments et aux tendons.

6.2 La résorption osseuse est nécessaire au développement, à la croissance, au maintien et à la consolidation des os.

6.3 Puisque les canaux centraux de l'ostéone sont les principales voies d'accès pour l'approvisionnement sanguin des ostéocytes, leur obstruction entraînerait la mort des ostéocytes.

6.4 Les artères du périoste pénètrent dans le tissu osseux par des perforations (canaux perforants, ou canaux de Volkmann).

6.5 Les os plats du crâne et de la mandibule (mâchoire inférieure) se développent par ossification intramembraneuse.

6.6 Elle grandira probablement encore. Les lignes épiphysaires apparaissent lorsque les zones de croissance ne sont plus actives. L'absence de lignes épiphysaires indique donc que l'os croît encore en longueur.

6.7 La croissance en longueur de la diaphyse est causée par les divisions cellulaires dans le cartilage en prolifération et par la maturation des cellules dans le cartilage hypertrophié.

6.8 La cavité médullaire s'hypertrophie sous l'effet de l'activité des ostéoclastes dans l'endoste.

6.9 Un cal fibrocartilagineux est une masse de tissu de réparation fibrocartilagineux qui relie les extrémités d'os fracturés.

6.10 La guérison des fractures peut durer des mois car le dépôt de calcium et de phosphore est un processus lent, et que, en général, les cellules osseuses croissent et se reproduisent lentement.

6.11 La fréquence cardiaque, la respiration, le fonctionnement des cellules nerveuses, le fonctionnement des enzymes et la coagulation du sang dépendent du maintien de concentrations adéquates de calcium dans le sang.

6.12 Le système osseux se développe à partir du mésoderme.

6.13 L'inhibition de l'activité des ostéoclastes peut atténuer les effets de l'ostéoporose.

SYSTÈME OSSEUX:
LE SQUELETTE AXIAL

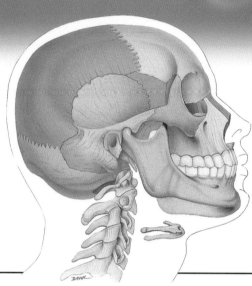

Comme le système osseux constitue la charpente du corps, il importe de se familiariser avec le nom, la forme et la situation de chaque os pour localiser les autres organes. L'artère radiale, par exemple, qui sert habituellement à la palpation du pouls, est ainsi appelée parce qu'elle se trouve près du radius, l'os latéral de l'avant-bras. Le lobe frontal du cerveau est situé derrière l'os frontal (os du front). Le muscle tibial antérieur longe la face antérieure du tibia. Le nerf ulnaire court le long de l'ulna, l'os médial de l'avant-bras.

Certains mouvements tels que lancer une balle, faire de la bicyclette et marcher nécessitent une interaction entre les os et les muscles. Pour comprendre comment les muscles produisent divers mouvements, vous devez étudier leurs points d'attache sur les os et les articulations qui sont sollicitées lors des contractions musculaires. Les os, les muscles et les articulations forment un système intégré appelé **système musculosquelettique.**

DIVISIONS DU SYSTÈME OSSEUX

OBJECTIF

• *Décrire les divisions axiale et appendiculaire du squelette.*

Le squelette d'un être humain adulte comprend 206 os identifiés, dont la plupart sont appariés sur les côtés droit et gauche du corps. On regroupe les os en deux divisions principales : les 80 os du **squelette axial** et les 126 os du **squelette appendiculaire** (*appendix* = ce qui pend ou ce qui est suspendu). La figure 7.1 montre comment ces deux divisions sont liées pour former l'ensemble du squelette. L'**axe** longitudinal, ou centre, du corps humain est une ligne verticale qui suit le centre de gravité du corps, du sommet de la tête jusqu'à l'espace entre les pieds. Le squelette axial comprend les os qui se trouvent le long de cet axe : les os de la tête, les osselets de l'ouïe, l'os hyoïde (voir la figure 7.4), les côtes, le sternum et les os de la colonne vertébrale. Le squelette appendiculaire comprend les os des **membres supérieurs** et **inférieurs** ainsi que les os des **ceintures** qui relient les membres au squelette axial. Sur le plan fonctionnel, les osselets de l'ouïe situés dans l'oreille moyenne ne font partie ni du squelette axial ni du squelette appendiculaire, mais nous les incluons dans le squelette axial par souci de commodité. Les osselets de l'ouïe vibrent lorsque des ondes sonores frappent la membrane du tympan, et ils jouent un rôle essentiel dans l'audition (voir le chapitre 16). Le tableau 7.1 présente la division classique des 80 os du squelette axial et des 126 os du squelette appendiculaire.

Notre étude du système osseux s'articule autour de ces deux divisions et s'intéresse plus particulièrement à la façon dont les nombreux os du corps sont reliés entre eux. Dans le présent chapitre, nous nous concentrerons sur le squelette axial, en examinant d'abord les os de la tête puis les os de la colonne vertébrale et du thorax. Dans le chapitre 8, qui traite du squelette appendiculaire, nous examinerons les os de la ceinture scapulaire (épaule) et des membres supérieurs, puis les os de la ceinture pelvienne (hanche) et des membres inférieurs. Avant de commencer l'étude des os de la tête, considérons certaines caractéristiques générales des os.

1. Énumérez les os qui constituent les divisions axiale et appendiculaire du squelette.

Figure 7.1 Divisions du système osseux. Le squelette axial est représenté en bleu et le squelette appendiculaire, en jaune.

 Le squelette d'un être humain adulte comprend 206 os classés en une division axiale et une division appendiculaire.

 Lesquelles des structures suivantes font partie du squelette axial et lesquelles font partie du squelette appendiculaire ? Os de la tête, clavicule, colonne vertébrale, ceinture scapulaire, humérus, ceinture pelvienne et fémur.

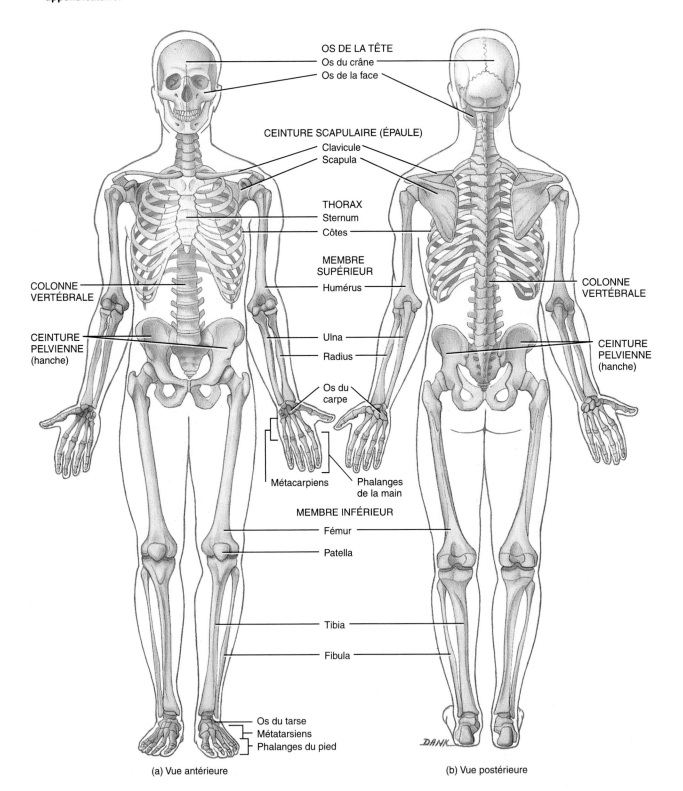

OS DE LA TÊTE
Os du crâne
Os de la face

CEINTURE SCAPULAIRE (ÉPAULE)
Clavicule
Scapula

THORAX
Sternum
Côtes

MEMBRE SUPÉRIEUR
Humérus

COLONNE VERTÉBRALE

Ulna
Radius

CEINTURE PELVIENNE (hanche)

Os du carpe

Métacarpiens
Phalanges de la main

MEMBRE INFÉRIEUR
Fémur
Patella

COLONNE VERTÉBRALE

CEINTURE PELVIENNE (hanche)

Tibia
Fibula

Os du tarse
Métatarsiens
Phalanges du pied

(a) Vue antérieure

(b) Vue postérieure

TYPES D'OS

OBJECTIF

• *Classer les os selon leur forme et leur situation.*

Presque tous les os peuvent être classés en cinq principaux types selon leur forme: os longs, os courts, os plats, os irréguliers et os sésamoïdes (figure 7.2). Les **os longs** sont plus longs que larges et comprennent une diaphyse et un nombre variable d'épiphyses (extrémités). Leur forme légèrement incurvée leur confère une certaine force. En effet, l'os incurvé absorbe la pression exercée par la masse corporelle en plusieurs endroits différents et la répartit uniformément. Si les os longs étaient droits, la masse corporelle serait répartie de façon inégale et les fractures seraient plus fréquentes. La diaphyse des os longs est composée principalement d'os compact, mais leurs épiphyses contiennent une quantité considérable d'os spongieux. Les os de la cuisse (fémur), de la jambe (tibia et fibula, ou péroné), du bras (humérus), de l'avant-bras (ulna et radius) et des doigts et des orteils (phalanges) sont des os longs.

Les **os courts,** presque aussi larges que longs, sont cuboïdes. Ils sont composés d'os spongieux, mais leur surface est recouverte d'une fine couche d'os compact. Les os du poignet (sauf l'os pisiforme, qui est un os sésamoïde) et les os de la cheville (sauf le calcanéus, qui est un os irrégulier) sont des os courts.

Les **os plats** sont généralement minces et comportent deux lames plus ou moins parallèles d'os compact entourant une couche d'os spongieux. Les os plats offrent une excellente protection et de nombreux points d'attache pour les muscles. Ils comprennent les os du crâne (qui protègent l'encéphale), le sternum et les côtes (qui recouvrent les organes du thorax) et les scapulas, ou omoplates.

Les **os irréguliers** présentent une forme complexe et n'appartiennent à aucune des catégories précédentes. Ils comportent des quantités variables d'os spongieux et d'os compact. Les vertèbres et certains os de la face sont des os irréguliers.

Les **os sésamoïdes** (= qui ressemble à un grain de sésame) apparaissent dans certains tendons soumis à des frictions, des tensions et des contraintes physiques considérables, tels ceux de la paume des mains et de la plante des pieds. Leur nombre varie d'une personne à l'autre, ils ne sont pas toujours entièrement ossifiés et ils possèdent habituellement un diamètre de quelques millimètres seulement. La patella du genou, ou rotule, est un grand os sésamoïde présent en règle générale chez tous les individus. Les os sésamoïdes ont pour fonction de protéger les tendons contre un usage exagéré et de modifier la direction de la traction que ces derniers exercent, ce qui améliore le rendement mécanique des articulations.

Il existe un autre type d'os, que l'on classifie selon la situation des os plutôt que selon leur forme. Les **os suturaux** (*suere* = coudre) sont de petits os situés à l'intérieur des articulations, appelées sutures, qui unissent certains os du crâne (voir la figure 7.6). Leur nombre varie grandement d'une personne à l'autre.

1. Donnez des exemples d'os longs, courts, plats et irréguliers.

Tableau 7.1 Os du squelette adulte

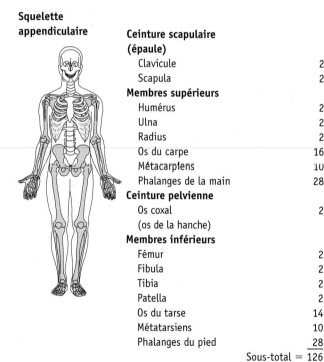

DIVISION DU SQUELETTE	STRUCTURE	NOMBRE D'OS
Squelette axial		
	Os de la tête	
	Os du crâne	8
	Os de la face	14
	Os hyoïde	1
	Osselets de l'ouïe	6
	Colonne vertébrale	26
	Thorax	
	Sternum	1
	Côtes	24
		Sous-total = 80
Squelette appendiculaire		
	Ceinture scapulaire (épaule)	
	Clavicule	2
	Scapula	2
	Membres supérieurs	
	Humérus	2
	Ulna	2
	Radius	2
	Os du carpe	16
	Métacarpiens	10
	Phalanges de la main	28
	Ceinture pelvienne	
	Os coxal	2
	(os de la hanche)	
	Membres inférieurs	
	Fémur	2
	Fibula	2
	Tibia	2
	Patella	2
	Os du tarse	14
	Métatarsiens	10
	Phalanges du pied	28
		Sous-total = 126
		Total = 206

Figure 7.2 Classification des os selon leur forme. Les os représentés ne sont pas dessinés à l'échelle.

 La forme d'un os détermine en grande partie ses fonctions.

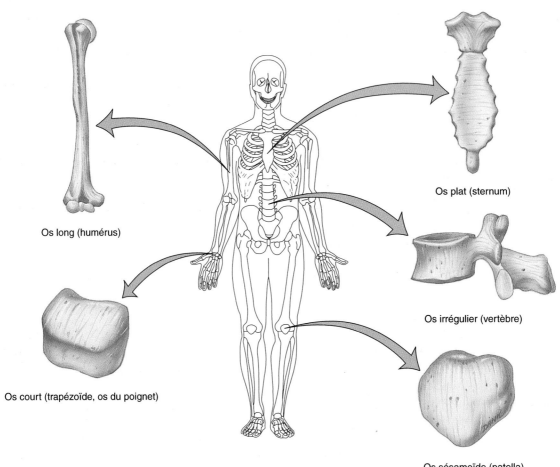

Os long (humérus)

Os court (trapézoïde, os du poignet)

Os plat (sternum)

Os irrégulier (vertèbre)

Os sésamoïde (patella)

Q Quel type d'os offre surtout une protection et de nombreux points d'attache aux muscles?

RELIEF OSSEUX

OBJECTIF

• *Décrire les principaux éléments du relief osseux et les fonctions de chacun.*

Les os présentent un **relief osseux** caractéristique formé d'éléments dont la structure est adaptée à une fonction particulière. Les éléments du relief osseux se divisent en deux grands groupes: 1) les *dépressions et ouvertures*, qui forment les articulations ou permettent le passage de tissus mous (comme les vaisseaux sanguins et les nerfs); 2) les *protubérances*, qui sont des crêtes ou des excroissances participant à la formation des articulations ou servant de points d'attache au tissu conjonctif (aux ligaments et aux tendons, par exemple). Le tableau 7.2 décrit les divers éléments du relief osseux et donne des exemples pour chacun.

1. Nommez les 15 éléments du relief osseux, décrivez-les et donnez un exemple pour chacun. Comparez ensuite votre liste avec celle du tableau 7.2.

OS DE LA TÊTE

OBJECTIF

• *Nommer les os du crâne et de la face et en donner le nombre dans chaque groupe.*

Les **os de la tête,** au nombre de 22, reposent sur l'extrémité supérieure de la colonne vertébrale. Ils se divisent en deux groupes: les os du crâne et les os de la face. Les **os du crâne** forment la cavité crânienne, qui entoure et protège l'encéphale. Les 8 os du crâne sont l'os frontal, les 2 os pariétaux, les 2 os temporaux, l'os occipital, l'os sphénoïde et l'os

Tableau 7.2 Relief osseux

ÉLÉMENT DU RELIEF	DESCRIPTION	EXEMPLE
Dépressions et ouvertures : permettent le passage des tissus mous (nerfs, vaisseaux sanguins, ligaments, tendons) ou forment les articulations.		
Fissure ou scissure	Fente étroite reliant les parties adjacentes des os et servant de passage aux vaisseaux sanguins ou aux nerfs.	Fissure orbitaire supérieure de l'os sphénoïde (figure 7.13).
Foramen ou canal	Ouverture (*foramen* = trou) par laquelle passent les vaisseaux sanguins, les nerfs ou les ligaments.	Canal optique de l'os sphénoïde (figure 7.13).
Fosse ou fossette	Dépression peu profonde (*fossa* = creux).	Fosse coronoïdienne de l'humérus (figure 8.5a).
Sillon	Dépression linéaire longeant la surface d'un os et permettant le passage d'un vaisseau sanguin, d'un nerf ou d'un tendon.	Sillon intertuberculaire de l'humérus (figure 8.5a).
Protubérances : crêtes ou excroissances osseuses qui forment les articulations ou servent de points d'attache au tissu conjonctif, comme les ligaments et les tendons.		
Protubérances formant des articulations :		
Condyle	Grande protubérance arrondie (*kondulos* = articulation) située à l'extrémité d'un os.	Condyle latéral du fémur (figure 8.13a et b).
Facette	Surface articulaire lisse et plate.	Facette articulaire supérieure d'une vertèbre (figure 7.18d).
Tête	Protubérance articulaire arrondie portée sur le col (portion rétrécie) d'un os.	Tête du fémur (figure 8.13a et b).
Protubérances servant de points d'attache au tissu conjonctif :		
Crête	Arête bien en évidence ou projection allongée.	Crête iliaque de l'os coxal (figure 8.10b et c).
Épicondyle	Partie renflée au-dessus d'un condyle (*epi* = sur).	Épicondyle médial du fémur (figure 8.13a et b).
Ligne	Arête ou bordure longue et étroite (moins en évidence qu'une crête).	Ligne âpre du fémur (figure 8.13b).
Processus épineux ou épine	Saillie étroite et pointue.	Processus épineux d'une vertèbre (figure 7.17a et b).
Trochanter	Très grosse protubérance.	Grand trochanter du fémur (figure 8.13 a et b).
Tubercule	Petite protubérance arrondie (*tuber* = excroissance).	Tubercule majeur de l'humérus (figure 8.5a et b).
Tubérosité	Grosse protubérance ronde, habituellement rugueuse.	Tubérosité iliaque de l'os coxal (figure 8.10c).

ethmoïde. Les 14 **os de la face** sont les 2 os nasaux, les 2 maxillaires, les 2 os zygomatiques, la mandibule, les 2 os lacrymaux, les 2 os palatins, les 2 cornets nasaux inférieurs et le vomer. Les figures 7.3 à 7.8 présentent diverses vues de ces os.

Caractéristiques générales

Outre la grande cavité crânienne, les os de la tête forment plusieurs petites cavités, dont les cavités nasales et les orbites qui s'ouvrent à l'extérieur. Certains os de la tête contiennent également des cavités tapissées d'une muqueuse, appelées sinus paranasaux. Ces sinus communiquent avec les cavités nasales. Quelques os de la tête comprennent aussi de petites cavités qui abritent des structures participant à l'audition et au maintien de l'équilibre.

La mandibule (ou mâchoire inférieure) est le seul os mobile de la tête, mis à part les osselets de l'ouïe situés à l'intérieur des os temporaux. La plupart des os de la tête sont maintenus en place par des articulations immobiles, appelées sutures, qui sont particulièrement apparentes sur la face externe de la tête.

La tête présente un relief osseux accidenté formé de foramens et de scissures permettant le passage de vaisseaux sanguins et de nerfs. Vous apprendrez le nom des principaux éléments du relief osseux de la tête à mesure que vous étudierez les os qui la constituent.

En plus de protéger l'encéphale, les os du crâne assurent d'autres fonctions. Leurs faces internes sont reliées à des membranes (les méninges) qui stabilisent la position de l'encéphale, des vaisseaux sanguins et des nerfs. Leurs faces

Figure 7.3 Os de la tête.

Les os de la tête comprennent deux groupes d'os : les os du crâne
et les os de la face.

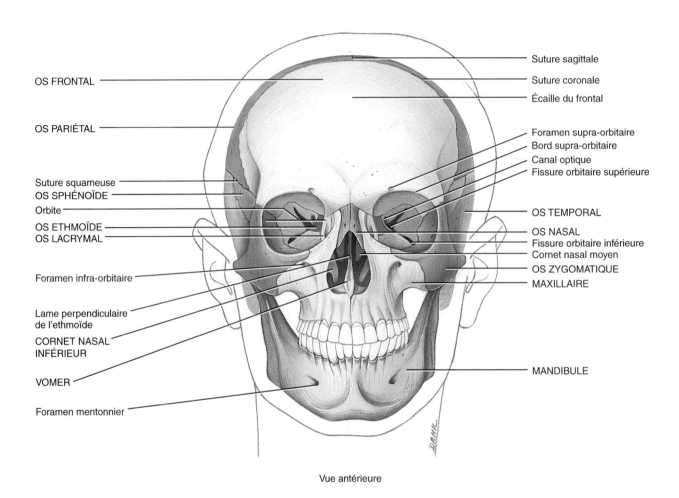

OS FRONTAL

OS PARIÉTAL

Suture squameuse
OS SPHÉNOÏDE
Orbite
OS ETHMOÏDE
OS LACRYMAL

Foramen infra-orbitaire

Lame perpendiculaire
de l'ethmoïde
CORNET NASAL
INFÉRIEUR

VOMER

Foramen mentonnier

Suture sagittale
Suture coronale
Écaille du frontal

Foramen supra-orbitaire
Bord supra-orbitaire
Canal optique
Fissure orbitaire supérieure

OS TEMPORAL

OS NASAL
Fissure orbitaire inférieure
Cornet nasal moyen
OS ZYGOMATIQUE
MAXILLAIRE

MANDIBULE

Vue antérieure

Q Parmi les os illustrés ci-dessus, lesquels sont des os du crâne ?

externes offrent de nombreux points d'attache aux muscles
qui font bouger diverses parties de la tête. Les os de la tête
fixent également certains muscles participant à l'expression
faciale. Les os de la face forment la charpente du visage mais
ils protègent et soutiennent aussi les voies d'accès aux systèmes digestif et respiratoire. Ensemble, les os du crâne et de la
face protègent et soutiennent les délicats organes de la vision,
du goût, de l'odorat, de l'ouïe et de l'équilibre.

Nous étudierons plus loin certaines caractéristiques particulières de la tête telles que les sutures, les foramens, les
sinus paranasaux, les orbites, les fontanelles et le septum
nasal. Vous comprendrez mieux leur rôle lorsque vous aurez
appris le nom, les différentes parties et la situation des os du
crâne et de la face.

Os du crâne

Os frontal

L'**os frontal** forme le front (partie antérieure du crâne),
le plafond des orbites et une grande partie du plancher crânien
antérieur (figure 7.3). Peu après la naissance, les côtés gauche
et droit de l'os frontal sont unis par la *suture frontale,* qui disparaît habituellement vers l'âge de 6 ans. Lorsqu'elle persiste
au-delà de cet âge, elle est appelée *suture métopique.*

Sur la vue antérieure de la tête présentée à la figure 7.3, on
peut observer l'*écaille du frontal,* lame écailleuse de tissu osseux
qui forme le front. L'écaille du frontal s'incline graduellement
vers le bas à partir de la suture coronale, puis devient brusquement escarpée et presque verticale. Au-dessus des orbites,

l'os frontal épaissit pour constituer le *bord supra-orbitaire* (*supra* = au-dessus). À partir du bord supra-orbitaire, l'os frontal se prolonge vers l'arrière pour former le plafond de l'orbite et une partie du plancher de la cavité crânienne. Le bord supra-orbitaire comporte une ouverture médiale par rapport à son centre appelée *foramen supra-orbitaire*. À mesure que nous décrirons les foramens et canaux associés aux os du crâne, reportez-vous au tableau 7.4, p. 212, afin de noter les structures qui les traversent. Les *sinus frontaux* sont situés derrière l'écaille du frontal. Les sinus paranasaux servent de caisse de résonance à la voix et assurent également d'autres fonctions.

APPLICATION CLINIQUE
Œil au beurre noir

Immédiatement au-dessus du bord supra-orbitaire se dessine une crête prononcée. Lorsqu'un coup est porté à cet endroit, il arrive souvent que l'os frontal se fracture ou que la peau qui le recouvre soit lacérée, provoquant une hémorragie. La contusion de la peau entraîne une accumulation de liquide et de sang dans le tissu conjonctif adjacent. Il s'ensuit un œdème et une décoloration de la peau appelés contusion oculaire, ou **œil au beurre noir.** ■

Os pariétaux

Les deux **os pariétaux** (*paries* = paroi) forment la plus grande partie des faces latérales et supérieure de la cavité crânienne (figure 7.4). Les faces internes des os pariétaux présentent de nombreuses saillies et dépressions par lesquelles peuvent passer les vaisseaux sanguins qui alimentent la dure-mère, c'est-à-dire la membrane superficielle (méninge) recouvrant l'encéphale.

Os temporaux

Les deux **os temporaux** (*tempus* = tempe) forment les côtés inférieurs et latéraux du crâne ainsi qu'une partie de son plancher. La vue latérale de la tête (voir la figure 7.4) montre une portion mince et plate de l'os temporal, *l'écaille du temporal,* qui forme les parties antérieure et supérieure de la tempe. La portion inférieure de l'écaille du temporal se prolonge pour constituer le *processus zygomatique du temporal,* qui s'articule avec le processus temporal de l'os zygomatique. Ensemble, le processus zygomatique du temporal et le processus temporal de l'os zygomatique forment *l'arcade zygomatique.*

La *fosse mandibulaire* est une excavation dans la face postérieure et inférieure du processus zygomatique du temporal. Cette fosse reçoit une bosse arrondie, le *tubercule articulaire de l'os temporal* (voir la figure 7.4). La fosse mandibulaire et le tubercule articulaire de l'os temporal s'articulent avec la mandibule pour former *l'articulation temporo-mandibulaire.*

La *partie mastoïdienne* (*mastoeidês* = en forme de mamelle) se trouve à l'arrière de l'os temporal (voir la figure 7.4), plus précisément en arrière et en dessous du

conduit auditif externe, qui dirige les ondes sonores vers l'intérieur de l'oreille. Chez l'adulte, le conduit auditif externe contient plusieurs *cellules mastoïdiennes,* minuscules alvéoles remplies d'air séparées de l'encéphale par de minces cloisons osseuses. Lorsqu'une **mastoïdite** (inflammation des cellules mastoïdiennes) survient, l'infection peut se propager à l'oreille moyenne et à l'encéphale.

Le *processus mastoïde* est une saillie arrondie de la partie mastoïdienne de l'os temporal. Situé derrière le conduit auditif externe, il sert de point d'attache à plusieurs muscles du cou. Le *conduit auditif interne* (figure 7.5) est l'ouverture par laquelle passent deux nerfs crâniens, le nerf facial (VII) et le nerf vestibulo-cochléaire (VIII). Le *processus styloïde de l'os temporal* (*stulos* = colonne) prolonge vers le bas la face inférieure de l'os temporal et sert de point d'attache à certains muscles et ligaments de la langue et du cou (voir la figure 7.4). Le *foramen stylo-mastoïdien* sépare le processus styloïde de l'os temporal du processus mastoïde (voir la figure 7.7).

À la base de la cavité crânienne (voir la figure 7.8a) se trouve la *partie pétreuse de l'os temporal,* élément triangulaire situé à la base de la tête, entre l'os sphénoïde et l'os occipital. La partie pétreuse de l'os temporal abrite l'oreille interne et l'oreille moyenne, deux structures participant aux sens de l'ouïe et de l'équilibre. Elle contient également le *canal carotidien,* qu'emprunte l'artère carotide (voir la figure 7.7). Derrière le canal carotidien, sur la face antérieure de l'os occipital, le *foramen jugulaire* permet le passage de la veine jugulaire.

Os occipital

L'**os occipital** (*occiput* = partie postérieure de la tête) forme la paroi postérieure et la majeure partie de la base du crâne (figure 7.6; voir aussi la figure 7.4). Le *foramen magnum* (= grand trou) est situé dans la partie inférieure de l'os. À l'intérieur de cet orifice, le bulbe rachidien (partie inférieure de l'encéphale) rejoint la moelle épinière. Les artères vertébrales et spinales passent également à travers le foramen magnum. Les *condyles occipitaux* sont des saillies ovales aux surfaces convexes situées de part et d'autre du foramen magnum (figure 7.7). Ils s'articulent avec des dépressions sur la première vertèbre cervicale (appelée atlas) pour former *l'articulation atlanto-occipitale.* Au-dessus de chaque condyle occipital sur la face inférieure de la tête se dessine le *canal hypoglosse* (*hupo* = au-dessous; *glôssa* = langue) (voir la figure 7.5).

La *protubérance occipitale externe* est un prolongement médian proéminent de la face postérieure de l'os occipital situé juste au-dessus du foramen magnum. Cette bosse bien définie est palpable derrière la tête, juste au-dessus du cou (voir la figure 7.4). Un gros ligament fibreux et élastique, le *ligament nuchal* (*nucha* = nuque), qui contribue au soutien de la tête, s'étend de la protubérance occipitale externe à la septième vertèbre cervicale. Les deux lignes courbes qui

Figure 7.4 Os de la tête. Même si l'os hyoïde ne fait pas partie de la tête, il est représenté ci-dessous à titre de référence.

 L'arcade zygomatique est formée par le processus zygomatique du temporal et le processus temporal de l'os zygomatique.

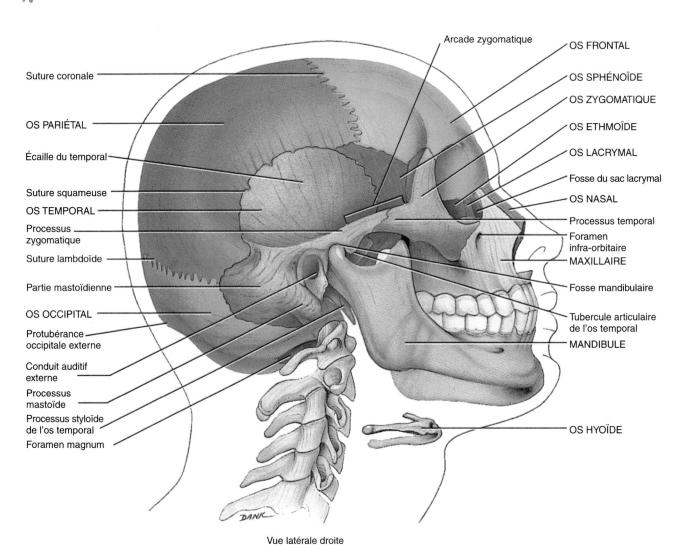

Vue latérale droite

 Quels sont les principaux os longeant la suture squameuse, la suture lambdoïde et la suture coronale ?

irradient latéralement de la protubérance occipitale externe sont appelées *lignes nuchales supérieures* ; en dessous, les *lignes nuchales inférieures* servent de points d'attache musculaire (voir la figure 7.7). Les parties de l'os occipital ainsi que les structures adjacentes sont représentées dans la vue inférieure de la tête dans la figure 7.7.

Os sphénoïde

L'**os sphénoïde** (= en forme de coin) occupe la partie centrale de la base du crâne (figures 7.7 et 7.8). On le considère comme l'os clé du plancher du crâne parce qu'il s'articule avec tous les autres os du crâne et les maintient en place. La

Figure 7.5 Os de la tête.

 Les os du crâne sont l'os frontal, les os pariétaux, les os temporaux, l'os occipital, l'os sphénoïde et l'os ethmoïde. Les os de la face sont les os nasaux, les maxillaires, les os zygomatiques, la mandibule, les os lacrymaux, les os palatins, les cornets nasaux inférieurs et le vomer.

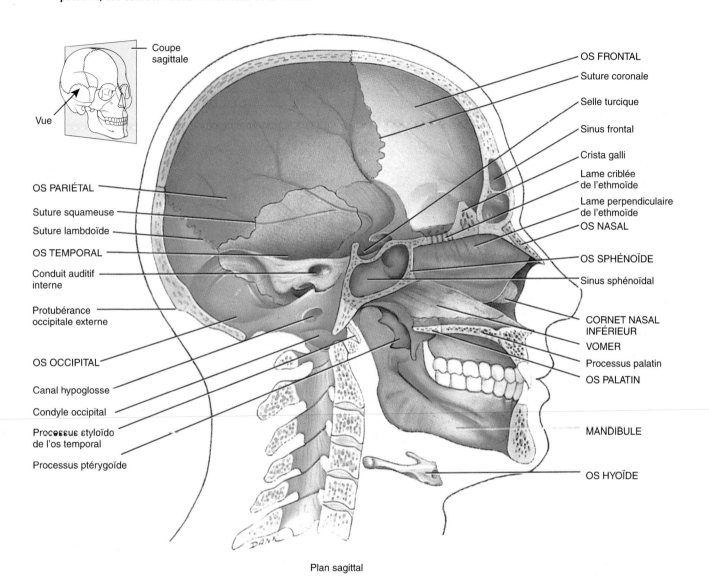

Plan sagittal

Q Avec quels os l'os temporal s'articule-t-il ?

vue supérieure du plancher du crâne (figure 7.8a) montre comment l'os sphénoïde s'articule à l'avant avec l'os frontal, de côté avec les os temporaux et à l'arrière avec l'os occipital. L'os sphénoïde se trouve à l'arrière et légèrement au-dessus des cavités nasales et forme une partie du plancher, des parois latérales et de la paroi postérieure des orbites (voir la figure 7.13).

L'os sphénoïde ressemble à une chauve-souris aux ailes déployées (voir la figure 7.8b). Le *corps de l'os sphénoïde* est la portion médiale cuboïde qui sépare l'os ethmoïde de l'os occipital. Il contient des *sinus sphénoïdaux* qui débouchent dans les cavités nasales (voir la figure 7.11). Sur la face supérieure du corps de l'os sphénoïde se trouve une dépression, appelée *selle turcique* (*turcicus* = turc), qui abrite l'hypophyse.

Figure 7.6 Os de la tête. Le dessin des sutures a été exagéré pour les mettre en évidence.

 L'os occipital forme la majeure partie des portions postérieure et inférieure du crâne.

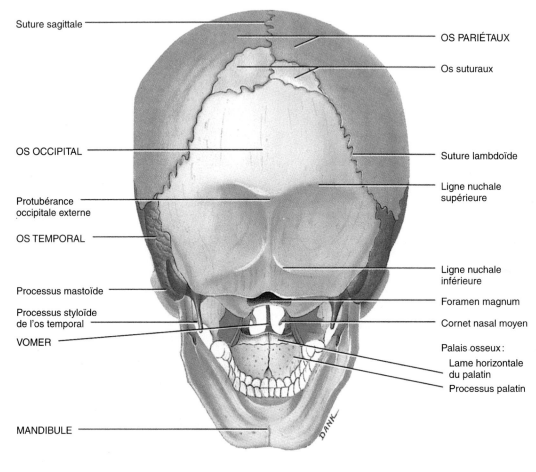

Suture sagittale

OS PARIÉTAUX

Os suturaux

OS OCCIPITAL

Suture lambdoïde

Protubérance occipitale externe

Ligne nuchale supérieure

OS TEMPORAL

Ligne nuchale inférieure

Processus mastoïde

Foramen magnum

Processus styloïde de l'os temporal

Cornet nasal moyen

VOMER

Palais osseux :
Lame horizontale du palatin
Processus palatin

MANDIBULE

Vue postérieure

 Quels os forment les portions postérieures et latérales du crâne ?

Les *grandes ailes* s'étendent de chaque côté du corps de l'os sphénoïde et forment le plancher antérieur et latéral du crâne. Les grandes ailes contribuent également à la paroi latérale de la tête, partie bien en évidence située juste devant l'os temporal. Les *petites ailes du sphénoïde,* plus petites que les grandes ailes, forment une bordure osseuse à l'avant et au-dessus de ces dernières. Les petites ailes participent au plancher du crâne et à la partie postérieure des orbites.

Entre le corps et la petite aile du sphénoïde, juste devant la selle turcique, se trouve le *canal optique* (*optikos* = relatif à la vue). L'orifice s'ouvrant sur le côté du corps de l'os sphé-

noïde, entre les grandes ailes et les petites ailes, est appelé *fissure orbitaire supérieure.* Vous pouvez observer cette fissure sur la vue antérieure de l'orbite dans la figure 7.13.

Les figures 7.7 et 7.8b montrent les *processus ptérygoïdes* (*pterugoeidês* = en forme d'aile) implantés dans la partie inférieure de l'os sphénoïde. Ces structures pointent vers le bas à partir de l'endroit où le corps et les grandes ailes de l'os sphénoïde s'unissent pour former la région postérieure et latérale des cavités nasales. Certains des muscles qui font bouger la mandibule sont fixés aux processus ptérygoïdes. À la base du processus ptérygoïde latéral de la grande aile de

Figure 7.7 Os de la tête. La mandibule (ou mâchoire inférieure) a été enlevée.

 Les condyles occipitaux s'articulent avec la première vertèbre cervicale (atlas) pour former les articulations atlanto-occipitales.

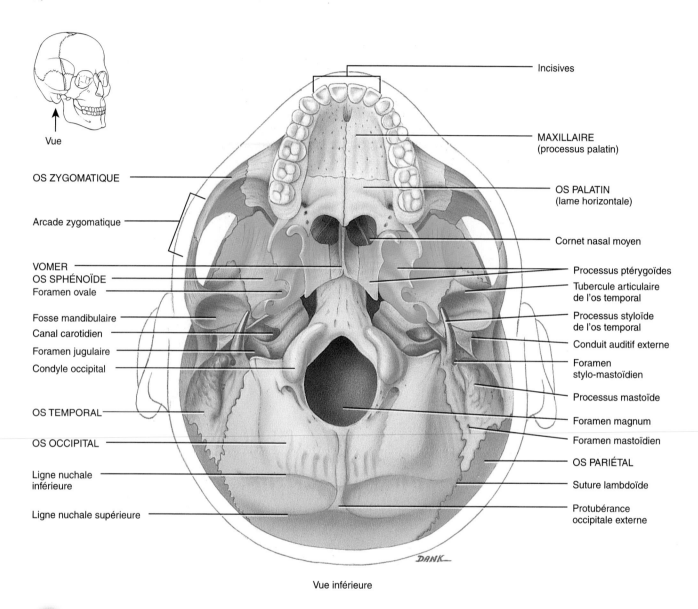

Vue

Incisives

MAXILLAIRE
(processus palatin)

OS PALATIN
(lame horizontale)

Cornet nasal moyen

Processus ptérygoïdes

Tubercule articulaire
de l'os temporal

Processus styloïde
de l'os temporal

Conduit auditif externe

Foramen
stylo-mastoïdien

Processus mastoïde

Foramen magnum

Foramen mastoïdien

OS PARIÉTAL

Suture lambdoïde

Protubérance
occipitale externe

OS ZYGOMATIQUE

Arcade zygomatique

VOMER
OS SPHÉNOÏDE
Foramen ovale

Fosse mandibulaire
Canal carotidien
Foramen jugulaire
Condyle occipital

OS TEMPORAL

OS OCCIPITAL

Ligne nuchale
inférieure

Ligne nuchale supérieure

DANK

Vue inférieure

Q Quelles sont les parties du système nerveux qui s'unissent à l'intérieur du foramen magnum ?

l'os sphénoïde, se trouve le *foramen ovale.* Le *foramen rond* est un autre orifice associé à l'os sphénoïde ; il est situé à la jonction des parties antérieure et médiale de cet os.

Os ethmoïde

L'**os ethmoïde** (= en forme de crible) est un os léger qui fait penser à une éponge. Il est situé au centre de la partie antérieure du plancher crânien, entre les orbites (figure 7.9).

Il se trouve en avant de l'os sphénoïde et en arrière des os nasaux. L'os ethmoïde forme : 1) une partie de la portion antérieure du plancher crânien, 2) la paroi médiale des orbites, 3) les portions supérieures du septum nasal, cloison qui sépare les deux cavités nasales, droite et gauche, et 4) la majeure partie des parois latérales et supérieures des cavités nasales. L'os ethmoïde joue un rôle de soutien important dans la région supérieure des cavités nasales.

Figure 7.8 Os sphénoïde.

L'os sphénoïde est considéré comme l'os clé du plancher crânien parce qu'il s'articule avec tous les autres os du crâne et les maintient en place.

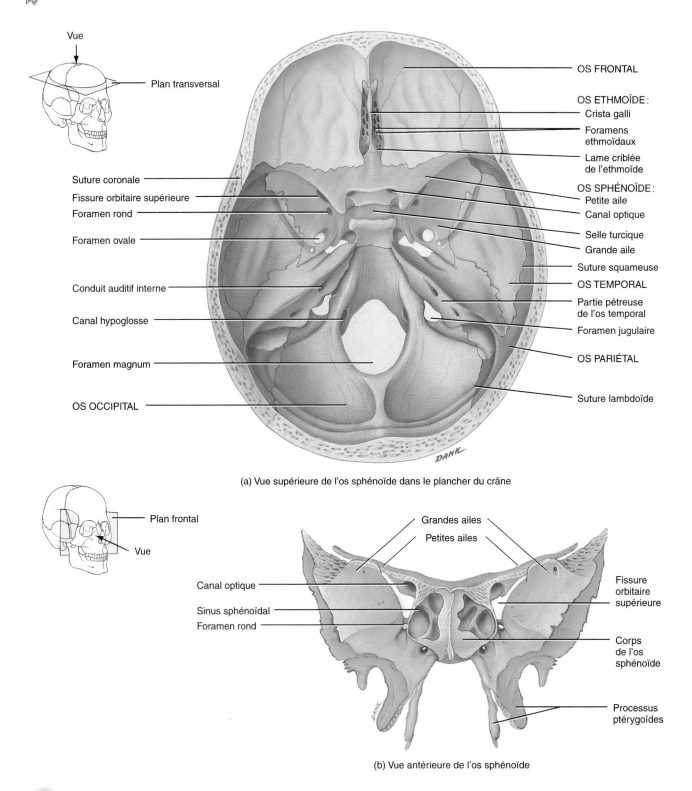

Vue

Plan transversal

OS FRONTAL

OS ETHMOÏDE :
Crista galli
Foramens ethmoïdaux
Lame criblée de l'ethmoïde

Suture coronale

Fissure orbitaire supérieure

Foramen rond

Foramen ovale

OS SPHÉNOÏDE :
Petite aile
Canal optique
Selle turcique
Grande aile
Suture squameuse
OS TEMPORAL

Conduit auditif interne

Canal hypoglosse

Partie pétreuse de l'os temporal
Foramen jugulaire

Foramen magnum

OS PARIÉTAL

OS OCCIPITAL

Suture lambdoïde

(a) Vue supérieure de l'os sphénoïde dans le plancher du crâne

Plan frontal

Vue

Grandes ailes
Petites ailes

Canal optique

Sinus sphénoïdal

Foramen rond

Fissure orbitaire supérieure

Corps de l'os sphénoïde

Processus ptérygoïdes

(b) Vue antérieure de l'os sphénoïde

Q Quels sont les os qui s'articulent avec l'os sphénoïde (dans le sens des aiguilles d'une montre, en commençant à la crista galli de l'os ethmoïde) ?

Les *labyrinthes ethmoïdaux,* ou masses latérales de l'ethmoïde, constituent la plus grande partie de la paroi séparant les cavités nasales des orbites. Ils contiennent de petites cavités remplies d'air, dont le nombre varie de 3 à 18 et qui donnent à l'os l'apparence d'un tamis. Ces «cellules» ethmoïdales forment ensemble les *sinus ethmoïdaux* (voir la figure 7.11). La *lame perpendiculaire de l'ethmoïde* forme la partie supérieure du septum nasal (voir la figure 7.9). La *lame criblée de l'ethmoïde* repose sur le plancher antérieur du crâne et forme le toit des cavités nasales. Elle contient les *foramens ethmoïdaux.* La lame criblée de l'ethmoïde se prolonge vers le haut en un processus triangulaire pointu, la *crista galli (crista* = crête ; *gallus* = coq). Cette structure sert de point d'attache aux membranes qui recouvrent l'encéphale.

Les labyrinthes ethmoïdaux présentent deux projections minces en forme de volute de part et d'autre du septum nasal, les *cornets nasaux supérieurs* et *moyens.* Les cornets nasaux inférieurs forment une troisième paire d'os distincte dont nous parlerons sous peu. Les cornets nasaux font tourbillonner l'air inhalé, si bien que les nombreuses particules que ce dernier contient sont emprisonnées dans le mucus tapissant les voies nasales. Les cornets nasaux aident donc à filtrer l'air inhalé avant qu'il pénètre dans le reste des voies respiratoires. L'air qui entre en contact avec la muqueuse des cornets nasaux devient également chaud et humide.

Os de la face

La forme de la face change considérablement au cours des deux premières années de vie. L'encéphale et les os du crâne grossissent, les dents se forment et émergent tandis que les sinus paranasaux prennent du volume. La croissance du massif facial cesse vers l'âge de 16 ans.

Os nasaux

Les deux **os nasaux** se joignent par le milieu (voir la figure 7.3) pour former une partie de l'arête du nez. La structure du nez est principalement constituée de cartilage.

Maxillaires

Les deux **maxillaires** (= os de la mâchoire) s'unissent pour former la mâchoire supérieure et s'articulent directement avec chaque os de la face, sauf la mandibule, ou mâchoire inférieure (voir les figures 7.4 et 7.7). Ils contribuent au plancher des orbites, aux parois latérales et à la base des cavités nasales ainsi qu'à la majeure partie du palais osseux. Le palais osseux est une cloison osseuse formée par les processus palatins des maxillaires et les lames horizontales des os palatins ; il constitue le toit de la bouche.

Chaque maxillaire contient un grand *sinus maxillaire* qui communique avec les cavités nasales (voir la figure 7.11). L'*arcade alvéolaire (alveolus* = petite cavité) est une saillie arciforme creusée d'*alvéoles dentaires* dans lesquelles logent les dents supérieures. Le *processus palatin* du maxillaire est une saillie horizontale qui forme les trois quarts antérieurs du palais osseux. L'union et la fusion des maxillaires sont terminées normalement avant la naissance.

Le *foramen infra-orbitaire (infra* = en dessous), que l'on peut observer dans la vue antérieure de la tête de la figure 7.3, est une ouverture située juste sous l'orbite. La *fissure orbitaire inférieure,* située entre la grande aile de l'os sphénoïde et le maxillaire, est une structure associée à la fois au maxillaire et à l'os sphénoïde (voir la figure 7.13).

APPLICATION CLINIQUE
Fissure palatine et bec-de-lièvre

Les processus palatins des maxillaires se soudent en général entre la dixième et la douzième semaine du développement embryonnaire. Lorsqu'ils ne se soudent pas, une **fissure palatine** en résulte. Elle est parfois accompagnée d'une fusion incomplète des lames horizontales des os palatins (voir les figures 7.6 et 7.7). Le **bec-de-lièvre** est une autre forme de fissure touchant la lèvre supérieure. La fissure palatine et le bec-de-lièvre surviennent souvent ensemble. Selon la taille et l'emplacement de la fissure, l'élocution et la déglutition peuvent être perturbées. De plus, les enfants présentant une fissure palatine sont plus vulnérables aux infections de l'oreille, qui peuvent mener à une déficience auditive. Le stomatologiste recommande habituellement la fermeture du bec-de-lièvre dès les premières semaines de vie ; cette intervention a un taux de réussite élevé. La fermeture de la fissure palatine se pratique généralement lorsque l'enfant est âgé entre 12 et 18 mois, idéalement avant qu'il commence à parler. Des séances d'orthophonie sont parfois nécessaires, car le palais joue un rôle important dans la prononciation des consonnes, ainsi que des traitements orthodontiques afin d'aligner les dents. Les résultats sont habituellement excellents. ◼

Os zygomatiques

Les deux **os zygomatiques** (*dzugoûn* = joindre), couramment appelés os des pommettes, forment les protubérances des joues et une partie de la paroi latérale et du plancher de chaque orbite (voir la figure 7.13). Ils s'articulent avec l'os frontal, les maxillaires, l'os sphénoïde et les os temporaux.

Os lacrymaux

Les deux **os lacrymaux** (*lacrima* = larme) sont des os minces dont la taille et la forme rappellent celles d'un ongle (voir les figures 7.3 et 7.4). Ce sont les plus petits os de la face. Situés sur la face postérieure et latérale des os nasaux, les os lacrymaux contribuent en partie à la paroi médiale de chaque orbite. Chacun contient une *fosse du sac lacrymal,* sorte de tunnel vertical aussi formé par la branche frontale du maxillaire et abritant le sac lacrymal, structure qui accumule les larmes et les achemine dans la cavité nasale (voir la figure 7.13).

Figure 7.9 Os ethmoïde.

L'os ethmoïde forme une partie de la portion antérieure du plancher du crâne, la paroi médiale des orbites, les portions supérieures du septum nasal et la majeure partie des parois latérales des cavités nasales.

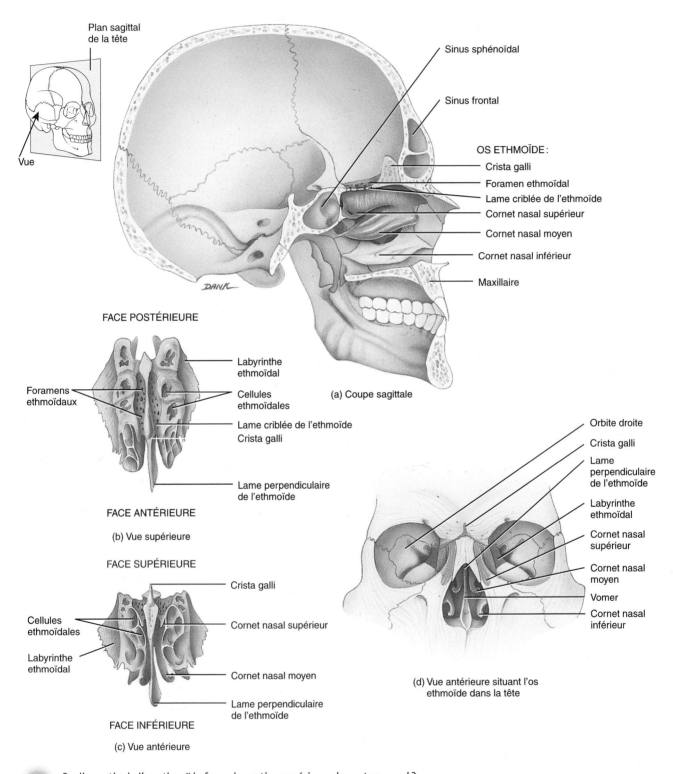

Plan sagittal de la tête

Vue

Sinus sphénoïdal

Sinus frontal

OS ETHMOÏDE :

Crista galli
Foramen ethmoïdal
Lame criblée de l'ethmoïde
Cornet nasal supérieur
Cornet nasal moyen
Cornet nasal inférieur
Maxillaire

(a) Coupe sagittale

FACE POSTÉRIEURE

Labyrinthe ethmoïdal
Cellules ethmoïdales
Foramens ethmoïdaux
Lame criblée de l'ethmoïde
Crista galli
Lame perpendiculaire de l'ethmoïde

FACE ANTÉRIEURE

(b) Vue supérieure

FACE SUPÉRIEURE

Crista galli
Cornet nasal supérieur
Cellules ethmoïdales
Labyrinthe ethmoïdal
Cornet nasal moyen
Lame perpendiculaire de l'ethmoïde

FACE INFÉRIEURE

(c) Vue antérieure

Orbite droite
Crista galli
Lame perpendiculaire de l'ethmoïde
Labyrinthe ethmoïdal
Cornet nasal supérieur
Cornet nasal moyen
Vomer
Cornet nasal inférieur

(d) Vue antérieure situant l'os ethmoïde dans la tête

Quelle partie de l'os ethmoïde forme la portion supérieure du septum nasal ?
Laquelle forme les parois médiales des orbites ?

Figure 7.10 Mandibule.

La mandibule est l'os de la face le plus volumineux et le plus résistant.

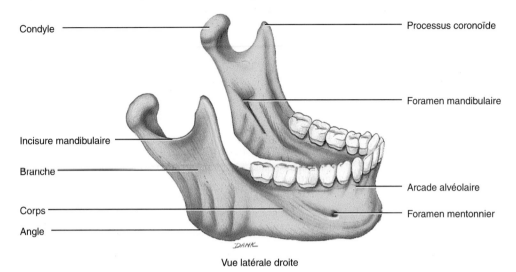

Condyle — Processus coronoïde

Incisure mandibulaire — Foramen mandibulaire

Branche

Corps — Arcade alvéolaire

Angle — Foramen mentonnier

Vue latérale droite

Q Quelle fonction de la mandibule distingue cet os des autres os de la tête ?

Os palatins

Les deux **os palatins** ont la forme d'un L (voir la figure 7.7). Ils constituent la partie postérieure du palais osseux, une partie du plancher et des parois latérales des cavités nasales et une petite portion du plancher des orbites. La partie postérieure du palais osseux, qui sépare les cavités nasales de la cavité orale, est formée des *lames horizontales du palatin* (voir les figures 7.6 et 7.7).

Cornets nasaux inférieurs

Les deux **cornets nasaux inférieurs** sont des os en forme de volute qui constituent une partie de la paroi latérale et inférieure des cavités nasales et se prolongent dans les cavités nasales en dessous des cornets nasaux supérieurs et moyens de l'os ethmoïde (voir les figures 7.3 et 7.9a). Ils assurent la même fonction que les cornets nasaux de l'os ethmoïde, qui est de faire tourbillonner et de filtrer l'air inhalé avant qu'il ne parvienne aux poumons. Les cornets nasaux inférieurs sont des os distincts de l'os ethmoïde.

Vomer

Le **vomer** (= soc de charrue) est un os triangulaire du plancher des cavités nasales qui s'articule en haut avec la lame perpendiculaire de l'ethmoïde et en bas avec les maxillaires et les os palatins, sur la ligne médiane de la tête (voir les figures 7.3 et 7.7). Le vomer est l'une des composantes du septum nasal, cloison qui sépare les deux cavités nasales, droite et gauche.

Mandibule

La **mandibule** (*mandere* = manger), ou mâchoire inférieure, est l'os de la face le plus volumineux et le plus résistant (figure 7.10). Il s'agit du seul os mobile de la tête si l'on exclut les osselets de l'ouïe. Vue de côté, la mandibule présente une portion horizontale incurvée, le *corps de la mandibule,* et deux segments perpendiculaires, les *branches de la mandibule.* Chaque branche de la mandibule forme avec le corps un *angle de la mandibule.* Chacune possède un *condyle de la mandibule* postérieur qui s'articule avec la fosse mandibulaire et le tubercule articulaire de l'os temporal (voir la figure 7.4) pour former l'**articulation temporo-mandibulaire,** ainsi qu'un *processus coronoïde de la mandibule* antérieur auquel le muscle temporal se rattache. L'encoche située entre le processus coronoïde et le condyle de la mandibule est appelée *incisure mandibulaire.* L'*arcade alvéolaire* est une saillie arciforme creusée d'*alvéoles dentaires* dans lesquelles logent les dents inférieures.

Le *foramen mentonnier* se situe plus ou moins en dessous de la deuxième prémolaire. C'est à proximité de ce foramen que les dentistes atteignent le nerf mentonnier pour y injecter un anesthésique. Le *foramen mandibulaire* est un autre orifice associé à la mandibule ; situé sur la face médiale de chaque branche de la mandibule, il est également utilisé par les dentistes pour les injections d'anesthésique. Le foramen mandibulaire est l'entrée du *canal mandibulaire* qui traverse obliquement la branche de la mandibule, en avant du corps de la mandibule. Ce canal permet aux vaisseaux sanguins et aux nerfs alvéolaires inférieurs de gagner les dents de la mâchoire inférieure.

APPLICATION CLINIQUE
Syndrome de Costen

Le **syndrome de Costen** est un trouble touchant l'articulation temporo-mandibulaire, caractérisé par une douleur sourde autour de l'oreille, une sensibilité des muscles de la mâchoire, des craquements lors de l'ouverture ou de la fermeture de la bouche, une ouverture restreinte ou anormale de la bouche, des céphalées, une sensibilité dentaire et l'usure anormale des dents. Le syndrome de Costen peut être causé par un mauvais alignement des dents, le bruxisme ou des crispations en occlusion, un traumatisme à la tête et au cou ou l'arthrite. Le traitement peut comprendre l'application de chaleur humide ou de glace, un régime de consistance molle, l'administration d'analgésiques comme l'aspirine, une rééducation des muscles, un ajustement ou un redressement des dents, des soins orthodontiques ou une chirurgie. ■

Particularités anatomiques des os de la tête

OBJECTIF

• *Décrire les particularités anatomiques suivantes des os de la tête : sutures, sinus paranasaux, fontanelles, foramens, orbites et septum nasal.*

Nous connaissons maintenant la situation et les composantes des os du crâne et de la face et sommes prêts à examiner certaines particularités des os de la tête, en commençant par les sutures.

Sutures

Une **suture** est une articulation immobile qui relie entre eux les os de la tête et les maintient généralement en place. Les sutures sont classées selon la façon dont elles unissent les bords des os. Dans certaines sutures, les bords osseux sont assez lisses. Dans d'autres, les bords se chevauchent ou s'emboîtent comme les morceaux d'un puzzle, ce qui rend la suture plus résistante et moins vulnérable aux fractures.

Le nom de nombreuses sutures renvoie aux os qu'elles unissent. Par exemple, la suture fronto-zygomatique se situe entre l'os frontal et l'os zygomatique, et la suture sphéno-pariétale relie l'os sphénoïde à l'os pariétal. Cependant, certains noms de suture ne sont pas aussi descriptifs. Les quatre sutures principales de la tête sont les suivantes :

1. La **suture coronale** (*corona* = couronne) unit l'os frontal aux deux os pariétaux (voir la figure 7.4).

2. La **suture sagittale** (*sagitta* = flèche) unit les deux os pariétaux sur la ligne médiane supérieure de la tête (voir la figure 7.6). Elle est ainsi nommée parce que chez le nourrisson, avant que les os de la tête soient fermement soudés ensemble, la suture et les fontanelles de cette région ressemblent à une flèche.

3. La **suture lambdoïde** unit les os pariétaux et l'os occipital. Elle est ainsi nommée parce qu'elle ressemble à la lettre grecque *lambda* (λ), comme on peut l'observer à la figure 7.6. Les os suturaux se trouvent à l'intérieur des sutures sagittale et lambdoïde.

4. Les **sutures squameuses** (*squama* = écaille) unissent les os pariétaux et temporaux sur les faces latérales de la tête (voir la figure 7.4).

Sinus paranasaux

Il convient maintenant de mentionner les **sinus paranasaux** (*para* = à côté de), bien qu'ils ne soient ni des os du crâne ni des os de la face. Les sinus paranasaux sont des cavités appariées dans certains os du crâne et de la face entourant les cavités nasales ; on peut les observer sur une coupe sagittale de la tête (figure 7.11). Leurs muqueuses rejoignent celle des cavités nasales. Les os de la tête situés autour des sinus paranasaux sont les os frontal, sphénoïde et ethmoïde ainsi que les maxillaires. Mis à part la sécrétion de mucus, les sinus paranasaux augmentent la résonance de la voix lorsque nous parlons ou chantons.

APPLICATION CLINIQUE
Sinusite

Les sécrétions produites par les muqueuses des sinus paranasaux s'écoulent dans les cavités nasales. La **sinusite** est une inflammation de ces muqueuses causée par une réaction allergique ou une infection. Lorsque les muqueuses enflent au point de bloquer l'écoulement des sécrétions dans les cavités nasales, elles exercent une pression accrue sur les sinus paranasaux et provoquent une céphalée. La sinusite chronique peut également être causée par une déviation importante du septum nasal ou par des polypes nasaux, excroissances dont l'ablation est réalisée au cours d'une intervention chirurgicale. ■

Fontanelles

Le squelette d'un jeune embryon se compose de cartilage et de membranes de tissu conjonctif fibreux qui ont la forme des os. Graduellement, le processus d'ossification permet à la matière osseuse de remplacer ce cartilage et ces membranes. À la naissance, des espaces membraneux appelés **fontanelles** (= petites fontaines) séparent les os du crâne (figure 7.12). Au cours de l'ossification intramembraneuse, ces membranes seront remplacées par de la matière osseuse et deviendront des sutures. Sur le plan fonctionnel, les fontanelles permettent à la tête du fœtus de changer de taille et de forme pour emprunter le canal génital et elles favorisent la croissance rapide de l'encéphale pendant l'enfance. La fermeture plus ou moins grande des fontanelles permet au médecin d'évaluer le développement de l'encéphale. En outre, la fontanelle antérieure sert de point de repère pour les prélèvements sanguins dans le sinus sagittal supérieur

Figure 7.11 Sinus paranasaux.

🔑 **Les sinus paranasaux sont des cavités tapissées d'une muqueuse situées à l'intérieur des os frontal, sphénoïde et ethmoïde ainsi que des maxillaires et reliées aux cavités nasales.**

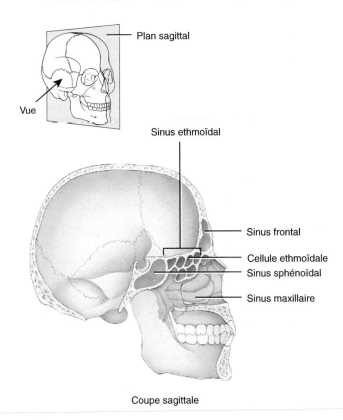

Plan sagittal

Vue

Sinus ethmoïdal

Sinus frontal

Cellule ethmoïdale
Sinus sphénoïdal

Sinus maxillaire

Coupe sagittale

Q Quelles sont les fonctions des sinus paranasaux ?

Figure 7.12 Fontanelles du nouveau-né.

🔑 **Les fontanelles sont des espaces membraneux présents à la naissance qui séparent les os du crâne.**

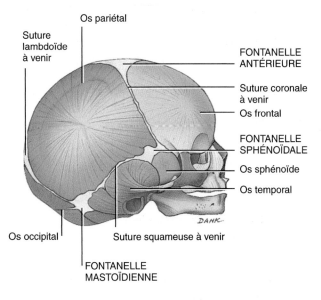

Os pariétal

Suture lambdoïde à venir

FONTANELLE ANTÉRIEURE

Suture coronale à venir

Os frontal

FONTANELLE SPHÉNOÏDALE

Os sphénoïde

Os temporal

Os occipital

Suture squameuse à venir

FONTANELLE MASTOÏDIENNE

Vue latérale droite

Q Laquelle des fontanelles est entourée de quatre os de la tête différents ?

(grosse veine située sur la face médiane du cerveau). Bien que le nouveau-né possède parfois de nombreuses fontanelles, la forme et la situation de plusieurs d'entre elles sont relativement constantes (tableau 7.3).

Foramens et canaux

De nombreux **foramens** et **canaux** associés aux os de la tête sont mentionnés dans les descriptions des os du crâne et de la face qu'ils pénètrent. Le tableau 7.4 présente une liste alphabétique de ces foramens et canaux ainsi que des structures qui les traversent ; vous pourrez y revenir lorsque vous étudierez d'autres systèmes de l'organisme, notamment les systèmes nerveux et cardiovasculaire.

Orbites

Chaque **orbite** est une structure pyramidale contenant un globe oculaire et ses annexes. Constituée de sept os de la tête (figure 7.13), l'orbite comprend quatre régions qui convergent vers l'arrière pour former un *apex* (extrémité postérieure) :

1. La *paroi supérieure de l'orbite* est constituée de portions des os frontal et sphénoïde.
2. La *paroi latérale de l'orbite* est constituée de portions des os zygomatique et sphénoïde.
3. La *paroi inférieure de l'orbite* est constituée de portions du maxillaire et des os zygomatique et palatin.
4. La *paroi médiale de l'orbite* est constituée de portions du maxillaire et des os lacrymal, ethmoïde et sphénoïde.

Chaque orbite est associée à cinq ouvertures :

- Le canal optique, à la jonction des parois supérieure et médiale.
- La fissure orbitaire supérieure, à l'angle latéro-supérieur de l'apex.
- La fissure orbitaire inférieure, à la jonction des parois latérale et inférieure.
- Le foramen supra-orbitaire, du côté médial du bord supra-orbitaire de l'os frontal.
- La fosse du sac lacrymal dans l'os lacrymal.

Septum nasal

L'intérieur du nez est divisé en deux cavités nasales, droite et gauche, par une cloison verticale, le **septum nasal.** Ce septum est formé par le vomer, le cartilage septal du nez

Tableau 7.3 Fontanelles (Voir aussi la figure 7.12.)

FONTANELLE		SITUATION	DESCRIPTION
Antérieure (frontale)		Entre les deux os pariétaux et l'os frontal.	Plus ou moins en forme de losange ; la plus grande des six fontanelles ; se ferme habituellement dans les 18 à 24 mois suivant la naissance.
Postérieure (occipitale)		Entre les deux os pariétaux et l'os occipital.	En forme de losange ; beaucoup plus petite que la fontanelle antérieure ; se ferme habituellement 2 mois environ après la naissance.
Sphénoïdale (antéro-latérale)		Une de chaque côté de la tête, entre les os frontal, pariétal, temporal et sphénoïde.	Petite et de forme irrégulière ; se ferme normalement 3 mois environ après la naissance.
Mastoïdienne (postéro-latérale)		Une de chaque côté de la tête, entre les os pariétal, occipital et temporal.	De forme irrégulière ; commence à se fermer 1 ou 2 mois après la naissance, mais n'est complètement fermée qu'au bout de 12 mois.

Tableau 7.4 Principaux foramens et canaux des os de la tête

FORAMEN ET CANAL	SITUATION	STRUCTURES QUI LES TRAVERSENT
Canal carotidien (associé à l'artère carotide dans le cou)	Partie pétreuse de l'os temporal (figure 7.7).	Artère carotide interne et nerfs sympathiques des yeux.
Canal hypoglosse (*hupo* = au-dessous ; *glôssa* = langue)	Au-dessus de la base des condyles occipitaux (figure 7.8).	Nerf crânien XII (hypoglosse) et rameau de l'artère pharyngienne ascendante.
Canal optique	Entre la portion supérieure et la portion inférieure de la petite aile du sphénoïde (figure 7.13).	Nerf crânien II (optique) et artère ophtalmique.
Foramen ethmoïdal	Lame criblée de l'ethmoïde (figure 7.8).	Nerf crânien I (olfactif).
Foramen infra-orbitaire (*infra* = en dessous)	En dessous de l'orbite dans le maxillaire (figure 7.13).	Nerf infra-orbitaire, vaisseaux sanguins et rameau de la branche maxillaire du nerf crânien V (trijumeau).
Foramen jugulaire (*jugulum* = gorge)	Derrière le canal carotidien, entre la partie pétreuse de l'os temporal et l'os occipital (figure 7.8).	Veine jugulaire interne, nerfs crâniens IX (glosso-pharyngien), X (vague) et XI (accessoire).
Foramen magnum (= grand)	Os occipital (figure 7.7).	Bulbe rachidien et ses membranes (les méninges), nerf crânien XI (accessoire), artères vertébrales et spinales.
Foramen mandibulaire (*mandere* = manger)	Face médiale de la branche de la mandibule (figure 7.10).	Nerf alvéolaire inférieur et vaisseaux sanguins.
Foramen mastoïdien (*mastos* = mamelle)	Bord postérieur du processus mastoïde de l'os temporal (figure 7.7).	Veine émissaire du sinus transverse et rameau de l'artère occipitale vers la dure-mère.
Foramen mentonnier	En dessous de la deuxième prémolaire dans la mandibule (figure 7.10).	Nerf mentonnier et vaisseaux sanguins.
Foramen ovale	Grande aile du sphénoïde (figure 7.8).	Branche mandibulaire du nerf crânien V (trijumeau).
Foramen rond	Jonction des parties antérieure et médiale de l'os sphénoïde (figure 7.8).	Branche maxillaire du nerf crânien V (trijumeau).
Foramen stylo-mastoïdien (*stulos* = colonne)	Entre le processus styloïde et le processus mastoïde de l'os temporal (figure 7.7).	Nerf crânien VII (facial) et artère stylo-mastoïdienne.
Foramen supra-orbitaire (*supra* = au-dessus)	Bord supra-orbitaire de l'orbite dans l'os frontal (figure 7.13).	Nerf et artère supra-orbitaires.

Figure 7.13 Détails de l'orbite.

 L'orbite est une structure pyramidale qui contient le globe oculaire et ses annexes.

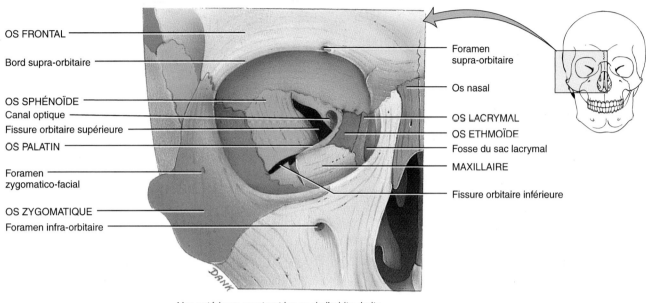

OS FRONTAL

Bord supra-orbitaire

OS SPHÉNOÏDE

Canal optique

Fissure orbitaire supérieure

OS PALATIN

Foramen zygomatico-facial

OS ZYGOMATIQUE

Foramen infra-orbitaire

Foramen supra-orbitaire

Os nasal

OS LACRYMAL

OS ETHMOÏDE

Fosse du sac lacrymal

MAXILLAIRE

Fissure orbitaire inférieure

Vue antérieure montrant les os de l'orbite droite

 Quels sont les sept os qui forment l'orbite ?

Figure 7.14 Septum nasal.

 Les structures qui forment le septum nasal sont la lame perpendiculaire de l'ethmoïde, le vomer et le cartilage septal du nez.

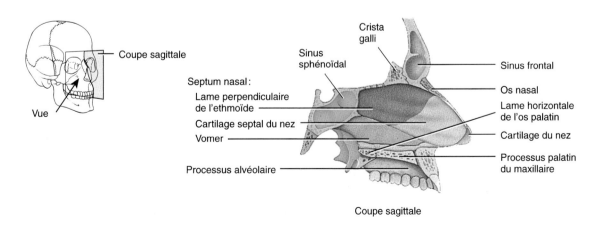

Coupe sagittale

Vue

Septum nasal :

Lame perpendiculaire de l'ethmoïde

Cartilage septal du nez

Vomer

Processus alvéolaire

Sinus sphénoïdal

Crista galli

Sinus frontal

Os nasal

Lame horizontale de l'os palatin

Cartilage du nez

Processus palatin du maxillaire

Coupe sagittale

Quelle est la fonction du septum nasal ?

et la lame perpendiculaire de l'ethmoïde (figure 7.14). Le bord antérieur du vomer s'articule avec le cartilage septal du nez, composé de cartilage hyalin, pour constituer la portion antérieure du septum. Le bord supérieur du vomer s'articule avec la lame perpendiculaire de l'ethmoïde pour constituer le reste du septum nasal.

APPLICATION CLINIQUE
Déviation de la cloison du nez

La **déviation de la cloison du nez** est une déviation latérale du septum nasal par rapport à la ligne médiane du nez. Survenant habituellement à la jonction entre l'os et le cartilage septal du nez, cette déviation est parfois secondaire à une anomalie de développement ou à un traumatisme. Lorsqu'elle est grave, elle peut bloquer entièrement les voies nasales. Même si le blocage n'est que partiel, il existe un danger d'infection. L'inflammation des voies nasales peut entraîner une congestion nasale, le blocage des ouvertures des sinus paranasaux, une sinusite chronique, une céphalée et des saignements de nez. Une intervention chirurgicale permet habituellement de corriger la déviation. ■

OS HYOÏDE

OBJECTIF

• *Décrire la relation entre l'os hyoïde et les os de la tête.*

L'**os hyoïde** (= en forme de U) est une composante unique du squelette axial puisqu'il ne s'articule avec aucun autre os (voir la figure 7.4). En fait, il est retenu aux processus styloïdes des os temporaux par des ligaments et des muscles. Situé à l'avant du cou, entre la mandibule et le larynx, l'os hyoïde soutient la langue et offre des points d'attache à certains muscles de la langue et aux muscles du cou et du pharynx. Il comprend un *corps de l'os hyoïde* horizontal et deux paires de prolongements, les *grandes cornes* et les *petites cornes de l'os hyoïde* (figure 7.15), auxquelles se rattachent des muscles et des ligaments.

L'os hyoïde de même que les cartilages du larynx et de la trachée sont souvent fracturés lors d'une strangulation. On examine attentivement ces régions lorsqu'on procède à une autopsie pour confirmer les soupçons de mort par strangulation.

1. Énumérez les os du crâne et de la face et décrivez les caractéristiques générales de la tête.
2. Définissez la *suture*, le *sinus paranasal*, la *fontanelle* et le *foramen*.
3. Nommez les os de l'orbite.
4. Nommez les structures qui forment le septum nasal.
5. Quelles sont les fonctions de l'os hyoïde ?

Figure 7.15 Os hyoïde.

L'os hyoïde soutient la langue et fournit des points d'attache aux muscles de la langue, du cou et du pharynx.

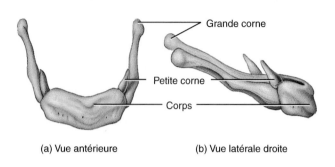

Grande corne

Petite corne

Corps

(a) Vue antérieure   (b) Vue latérale droite

Q Qu'est-ce qui distingue l'os hyoïde de tous les autres os du squelette axial ?

COLONNE VERTÉBRALE

OBJECTIF

• *Nommer les régions et les courbures normales de la colonne vertébrale.*

La **colonne vertébrale,** également appelée *épine dorsale,* forme avec le sternum et les côtes le squelette du tronc. Tandis que la colonne vertébrale est constituée d'os et de tissu conjonctif, la moelle épinière est constituée de tissu nerveux. La colonne vertébrale est une tige à la fois robuste et souple qui peut fléchir vers l'avant, l'arrière et les côtés ou pivoter. Elle renferme et protège la moelle épinière, soutient la tête et sert de point d'attache aux côtes, à la ceinture pelvienne et aux muscles du dos.

La colonne vertébrale, qui représente environ les deux cinquièmes de la hauteur totale du corps, est formée d'une série d'os appelés **vertèbres.** Elle mesure environ 71 cm chez un homme adulte de taille moyenne et 61 cm chez une femme adulte de taille moyenne. Entre chaque vertèbre se trouvent des ouvertures, les *foramens intervertébraux* (ou *trous de conjugaison*), qu'empruntent les nerfs spinaux reliant la moelle épinière à diverses parties du corps.

La colonne vertébrale d'un adulte se divise en cinq régions contenant 26 os répartis de la façon suivante (figure 7.16a):

• La région cervicale (*cervix* = cou) contient 7 vertèbres cervicales situées dans le cou.

• La région thoracique contient 12 vertèbres thoraciques situées derrière la cavité thoracique.

• La région lombaire (*lumbus* = rein) contient 5 vertèbres lombaires qui soutiennent le bas du dos.

• La région sacrale contient le *sacrum* (= os sacré), os formé par la fusion de 5 vertèbres sacrales.

Figure 7.16 Colonne vertébrale. Dans (a), les nombres entre parenthèses indiquent combien de vertèbres compte chaque région. Dans (d), la taille relative du disque a été augmentée pour qu'on le voie mieux. Une « fenêtre » a été pratiquée dans l'anneau fibreux du disque intervertébral afin de montrer le noyau pulpeux.

La colonne vertébrale d'un adulte contient habituellement 26 vertèbres.

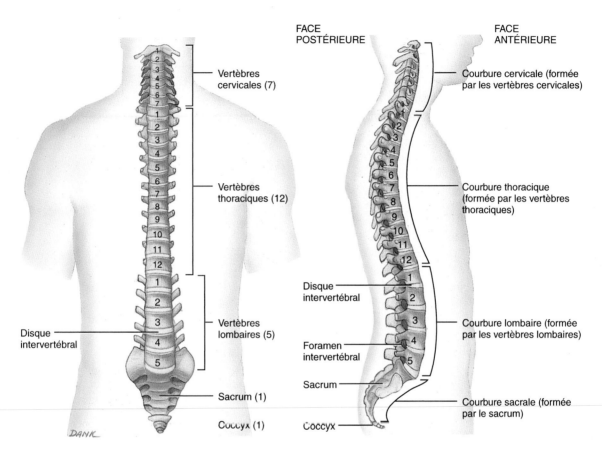

FACE POSTÉRIEURE

FACE ANTÉRIEURE

Vertèbres cervicales (7)

Vertèbres thoraciques (12)

Disque intervertébral

Vertèbres lombaires (5)

Sacrum (1)

Coccyx (1)

Courbure cervicale (formée par les vertèbres cervicales)

Courbure thoracique (formée par les vertèbres thoraciques)

Disque intervertébral

Foramen intervertébral

Sacrum

Courbure lombaire (formée par les vertèbres lombaires)

Courbure sacrale (formée par le sacrum)

Coccyx

(a) Vue antérieure montrant les régions de la colonne vertébrale

(b) Vue latérale droite montrant les quatre courbures normales

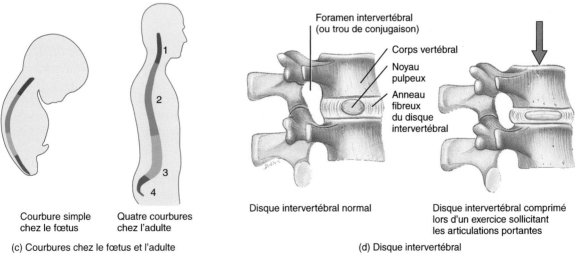

Courbure simple chez le fœtus

Quatre courbures chez l'adulte

(c) Courbures chez le fœtus et l'adulte

Foramen intervertébral (ou trou de conjugaison)

Corps vertébral

Noyau pulpeux

Anneau fibreux du disque intervertébral

Disque intervertébral normal

Disque intervertébral comprimé lors d'un exercice sollicitant les articulations portantes

(d) Disque intervertébral

Q   Quelles courbures sont concaves (par rapport à l'avant du corps) ?

• La région coccygienne contient un os (parfois deux) appelé *coccyx* (= en forme de bec de coucou), issu de la fusion de 4 vertèbres coccygiennes.

Avant la fusion des vertèbres sacrales et coccygiennes, le nombre total de vertèbres est de 33. Les vertèbres cervicales, thoraciques et lombaires sont mobiles, mais le sacrum et le coccyx ne le sont pas. Nous nous pencherons plus en détail sur chacune de ces régions un peu plus loin.

Disques intervertébraux

Les **disques intervertébraux** sont situés entre les corps de vertèbres adjacentes, à partir de la deuxième vertèbre cervicale jusqu'au sacrum (figure 7.16d). Chaque disque comporte un anneau externe de cartilage fibreux appelé *anneau fibreux du disque intervertébral* et une substance interne molle, pulpeuse et très élastique appelée *noyau pulpeux*. Les disques intervertébraux sont des articulations solides permettant à la colonne vertébrale de bouger et d'absorber les chocs verticaux. Lorsqu'ils sont comprimés, ils s'aplatissent, s'élargissent et saillent de l'espace intervertébral qu'ils occupent. Au-dessus du sacrum, les disques intervertébraux constituent environ un quart de la longueur de la colonne vertébrale.

Courbures normales de la colonne vertébrale

Vue de côté, la colonne vertébrale présente quatre **courbures normales** (figure 7.16b). Les *courbures cervicale* et *lombaire* sont convexes (bombées) vers l'avant, tandis que les *courbures thoracique* et *sacrale* sont concaves (renfoncées) par rapport à l'avant du corps. Les courbures de la colonne vertébrale revêtent une grande importance car elles la rendent plus résistante et la protègent des fractures ; en outre, elles contribuent au maintien de l'équilibre en position debout et absorbent les chocs pendant la marche.

Le fœtus ne possède qu'une seule courbure concave par rapport à l'avant du corps (figure 7.16c). Trois mois environ après la naissance, lorsque le nourrisson commence à tenir sa tête droite, la courbure cervicale apparaît. Plus tard, lorsque l'enfant peut s'asseoir, se tenir debout et marcher, la courbure lombaire se développe. Les courbures thoracique et sacrale sont appelées *courbures primaires* parce qu'elles se forment durant le développement fœtal. Les courbures cervicale et lombaire sont dites *courbures secondaires* car elles ne se forment que plusieurs mois après la naissance. Toutes les courbures sont pleinement développées à l'âge de 10 ans. Nous nous pencherons plus loin sur les causes de quelques types de courbures anormales comme la scoliose, la cyphose et la lordose (voir p. 227).

Parties d'une vertèbre typique

Bien que chaque vertèbre des différentes régions de la colonne vertébrale ait une taille, une forme et des caractéristiques qui lui sont propres, les vertèbres forment un ensemble assez homogène pour que nous puissions généraliser leurs structures et leurs fonctions (figure 7.17). Une vertèbre typique comprend habituellement un corps vertébral, un arc vertébral et plusieurs processus.

Corps vertébral

Le *corps vertébral* est la partie antérieure épaisse et discoïde constituant la région portante de la vertèbre. Ses faces supérieure et inférieure sont rugueuses, ce qui permet aux disques intervertébraux cartilagineux de s'y fixer. Ses faces antérieure et latérale contiennent des foramens nourriciers par lesquels pénètrent les vaisseaux sanguins.

Arc vertébral

L'*arc vertébral* prolonge vers l'arrière le corps vertébral, avec lequel il encercle la moelle épinière. L'arc vertébral est constitué de deux processus courts et épais, les *pédicules vertébraux* (*pediculus* = petit pied). Situés derrière le corps vertébral, les pédicules vertébraux s'unissent aux lames. Les *lames vertébrales* sont les portions aplaties qui se joignent pour former la partie postérieure de l'arc vertébral. Le *foramen vertébral* est cerné par l'arc vertébral et le corps vertébral ; il contient la moelle épinière, de la graisse, du tissu conjonctif aréolaire et des vaisseaux sanguins. La succession des foramens vertébraux de toutes les vertèbres forment le canal vertébral, qui constitue la portion inférieure de la cavité dorsale. Les pédicules vertébraux comportent deux entailles, les *incisures vertébrales supérieure* et *inférieure*. Superposées les unes aux autres, ces incisures circonscrivent un orifice entre les vertèbres adjacentes de chaque côté de la colonne. Cet orifice, qui permet le passage d'un seul nerf spinal, est appelé *foramen intervertébral* (ou trou de conjugaison).

Processus

Sept *processus* sont issus de l'arc vertébral. Le *processus transverse* est situé à la jonction d'une lame vertébrale et d'un pédicule vertébral, de part et d'autre de l'arc vertébral. Un *processus épineux* unique prolonge vers l'arrière le point d'union des lames vertébrales. Ces trois processus sont des points d'attache musculaire. Les quatre autres forment des articulations avec les vertèbres adjacentes, supérieure ou inférieure. Les deux *processus articulaires supérieurs* d'une vertèbre s'articulent avec les deux processus articulaires inférieurs de la vertèbre située juste au-dessus. Les deux *processus articulaires inférieurs* d'une vertèbre s'articulent avec les deux processus articulaires supérieurs de la vertèbre située juste en dessous. Les surfaces de contact des processus articulaires sont appelées *facettes*. Les articulations formées par les corps vertébraux et les facettes articulaires des vertèbres successives sont appelées *articulations de la colonne vertébrale*.

Figure 7.17 Structure d'une vertèbre typique, la vertèbre thoracique. Dans (b), un seul nerf spinal est représenté ; il a été prolongé au-delà du foramen intervertébral pour qu'on le voie mieux. Le tronc sympathique fait partie du système nerveux autonome (voir la figure 17.2).

🔑 **Une vertèbre comprend un corps vertébral, un arc vertébral et plusieurs processus.**

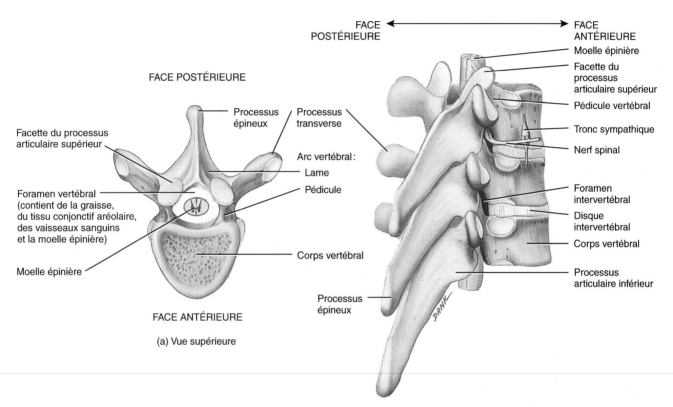

(a) Vue supérieure

(b) Vue postéro-latérale droite de vertèbres articulées

Q Quelles sont les fonctions des foramens vertébraux et intervertébraux ?

Régions de la colonne vertébrale

Nous étudierons maintenant les cinq régions de la colonne vertébrale, en allant du haut vers le bas. Les vertèbres de chaque région sont numérotées suivant la même direction.

Région cervicale

Le corps des **vertèbres cervicales** (C1 à C7) est plus petit que celui des vertèbres thoraciques (figure 7.18a) mais leur arc vertébral est plus grand. Toutes les vertèbres cervicales comprennent trois foramens : un foramen vertébral et deux foramens transverses (figure 7.18b). Le foramen vertébral des vertèbres cervicales est le plus grand des foramens de la colonne vertébrale puisqu'il abrite la portion cervicale de la moelle épinière. Chaque processus transverse cervical contient un *foramen transverse* par lequel passent l'artère

vertébrale ainsi que sa veine et ses fibres nerveuses correspondantes. Le processus épineux des vertèbres C2 à C6 est souvent *bifide,* c'est-à-dire fendu en deux (figure 7.18c et d).

Les deux premières vertèbres cervicales sont très différentes des autres. Comme Atlas dans la mythologie, qui portait le monde sur ses épaules, la première vertèbre cervicale (C1), appelée **atlas,** soutient la tête (figure 7.18a et b). L'atlas est un anneau osseux comportant des *arcs osseux antérieur* et *postérieur* et de grosses *masses latérales*. Il ne possède ni corps ni processus épineux. Les faces supérieures des masses latérales, appelées *facettes articulaires supérieures de l'atlas,* sont concaves et s'articulent avec les condyles occipitaux pour former les *articulations atlanto-occipitales*. Ces articulations permettent d'incliner la tête en signe d'assentiment. Les faces inférieures des masses latérales,

Figure 7.18 Vertèbres cervicales.

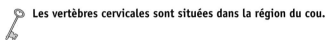 **Les vertèbres cervicales sont situées dans la région du cou.**

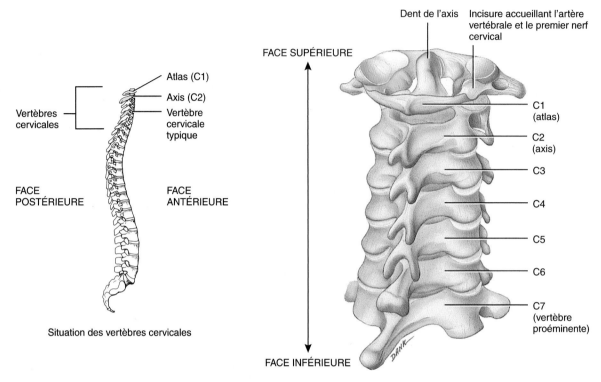

Situation des vertèbres cervicales

(a) Vue postérieure des vertèbres cervicales articulées

appelées facettes *articulaires inférieures de l'atlas,* s'articulent avec la deuxième vertèbre cervicale. Les processus transverses et les foramens transverses de l'atlas sont assez volumineux.

La deuxième vertèbre cervicale (C2), appelée **axis** (voir la figure 7.18a et c), possède un corps. Un processus en forme de dent appelé *dent de l'axis* s'élève au-dessus de la partie antérieure du foramen vertébral de l'atlas. La dent de l'axis sert de pivot pour la rotation de l'atlas et de la tête ; elle permet par exemple de faire non de la tête. Cette configuration permet donc à la tête de tourner d'un côté à l'autre. L'articulation formée par l'arc osseux antérieur de l'atlas et la dent de l'axis, et leurs facettes articulaires, est appelée *articulation atlanto-axoïdienne.* Dans certains cas de traumatisme crânien, la dent de l'axis s'enfonce dans le bulbe rachidien de l'encéphale. Il s'agit habituellement de ce genre de lésion quand un coup de fouet cervical antéro-postérieur (« coup du lapin ») entraîne la mort.

Les quatre vertèbres cervicales suivantes (C3 à C6), représentées dans la figure 7.18d, possèdent une structure semblable à celle de la vertèbre cervicale typique que nous venons de décrire. La septième vertèbre cervicale (C7),

appelée *vertèbre proéminente,* est légèrement différente (voir la figure 7.18a). Elle ne possède qu'un seul grand processus épineux que l'on peut voir et palper à la base du cou.

Région thoracique

Les **vertèbres thoraciques** (T1 à T12 ; figure 7.19) sont beaucoup plus grandes et robustes que les vertèbres cervicales. De plus, les processus épineux des vertèbres T1 et T2 sont longs, aplatis sur les côtés et dirigés vers le bas. En comparaison, les processus épineux des vertèbres T11 et T12 sont plus courts, plus larges et dirigés vers l'arrière. Les vertèbres thoraciques ont également des processus transverses plus longs et plus larges que les vertèbres cervicales.

La principale particularité des vertèbres thoraciques est le fait qu'elles s'articulent avec les côtes. Les surfaces articulaires des vertèbres sont appelées *facettes* ou *fossettes* selon leur situation. À l'exception de T11 et T12, les processus transverses des vertèbres thoraciques présentent des fossettes costales leur permettant de s'articuler avec les *tubercules des côtes.* Leurs corps possèdent également des fossettes costales qui s'articulent avec les *têtes des côtes.* Les articulations

Figure 7.18 (suite)

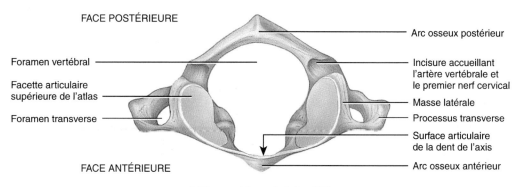

FACE POSTÉRIEURE

Foramen vertébral

Facette articulaire
supérieure de l'atlas

Foramen transverse

Arc osseux postérieur

Incisure accueillant
l'artère vertébrale et
le premier nerf cervical

Masse latérale

Processus transverse

Surface articulaire
de la dent de l'axis

Arc osseux antérieur

FACE ANTÉRIEURE

(b) Vue supérieure de l'atlas (C1)

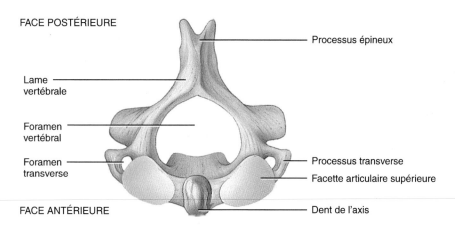

FACE POSTÉRIEURE

Processus épineux

Lame
vertébrale

Foramen
vertébral

Foramen
transverse

Processus transverse

Facette articulaire supérieure

FACE ANTÉRIEURE

Dent de l'axis

(c) Vue supérieure de l'axis (C2)

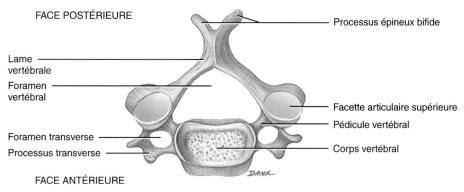

FACE POSTÉRIEURE

Processus épineux bifide

Lame
vertébrale

Foramen
vertébral

Foramen transverse

Processus transverse

Facette articulaire supérieure

Pédicule vertébral

Corps vertébral

DANK

FACE ANTÉRIEURE

(d) Vue supérieure d'une vertèbre cervicale typique

Q Quels sont les os qui permettent à la tête de tourner en signe de dénégation ?

Figure 7.19 Vertèbres thoraciques.

Les vertèbres thoraciques sont situées dans la région thoracique et s'articulent avec les côtes.

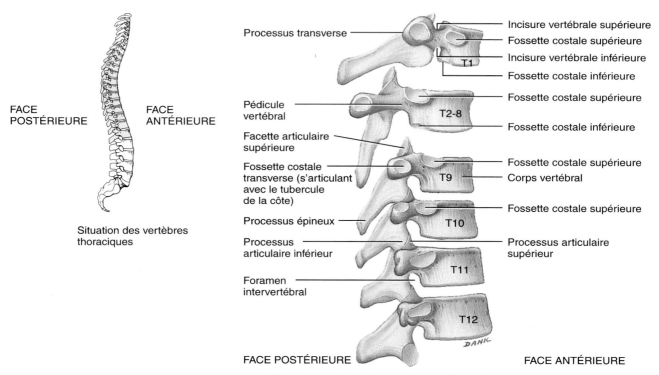

Situation des vertèbres thoraciques

(a) Vue latérale droite de plusieurs vertèbres thoraciques articulées

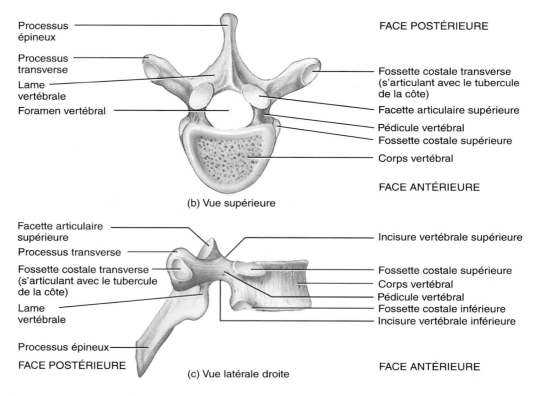

(b) Vue supérieure

(c) Vue latérale droite

Q Quelles parties des vertèbres thoraciques s'articulent avec les côtes?

Tableau 7.5 Principales différences structurales entre les vertèbres cervicales, les vertèbres thoraciques et les vertèbres lombaires

CARACTÉRISTIQUE	VERTÈBRES CERVICALES	VERTÈBRES THORACIQUES	VERTÈBRES LOMBAIRES
Structure générale	Voir la figure 7.18d, p. 219	Voir la figure 7.19b, p. 220	Voir la figure 7.20b, p. 222
Taille	Petites	Plus grandes	Les plus grandes
Foramens	Un foramen vertébral et deux foramens transverses	Un foramen vertébral	Un foramen vertébral
Processus épineux	Minces et souvent bifides (C2 à C6)	Longs et relativement épais (surtout dirigés vers le bas)	Courts et émoussés (dirigés vers l'arrière plutôt que vers le bas)
Processus transverses	Petits	Relativement grands	Grands et émoussés
Fossettes costales	Absentes	Présentes	Absentes
Orientation des facettes articulaires			
Supérieures	Vers le haut et l'arrière	Vers l'arrière et de côté	Vers le centre
Inférieures	Vers le bas et l'avant	Vers l'avant et le centre	De côté
Disques intervertébraux	Épais par rapport aux corps vertébraux	Minces par rapport aux corps vertébraux	Massifs

formées par les vertèbres thoraciques et les côtes sont appelées *articulations costo-vertébrales*. Comme le montre la figure 7.19a, la vertèbre T1 possède une fossette costale supérieure et une fossette costale inférieure de part et d'autre de son corps vertébral. Les vertèbres T2 à T8 possèdent une fossette costale supérieure et une fossette costale inférieure de part et d'autre de leur corps vertébral. T9 présente une fossette costale supérieure de chaque côté de son corps vertébral, et T10 à T12 présentent une fossette costale supérieure de part et d'autre de leur corps vertébral. Les mouvements de la région thoracique sont limités par de minces disques intervertébraux et par les points d'attache entre les côtes et le sternum.

Région lombaire

Les **vertèbres lombaires** (L1 à L5) sont les vertèbres les plus grandes et les plus robustes, car le poids corporel supporté par les vertèbres augmente toujours dans la portion inférieure de la colonne vertébrale (figure 7.20). Les processus des vertèbres lombaires sont courts et épais. Les processus articulaires supérieurs sont orientés vers le centre plutôt que vers le haut et les processus articulaires inférieurs, de côté plutôt que vers le bas. Les processus épineux, de forme quadrilatérale, sont épais, larges et dirigés presque directement vers l'arrière. Ils constituent d'excellents points d'attache pour les grands muscles dorsaux.

Le tableau 7.5 présente un résumé des principales différences structurales entre les vertèbres cervicales, les vertèbres thoraciques et les vertèbres lombaires.

Sacrum

Le **sacrum** est un os triangulaire formé par l'union de cinq vertèbres sacrales (S1 à S5), représentées à la figure 7.21. La fusion des vertèbres sacrales commence entre l'âge de 16 et 18 ans et prend habituellement fin vers l'âge de 30 ans. Le sacrum constitue une assise solide sur laquelle s'appuie la ceinture pelvienne. Il est situé dans la partie postérieure de la cavité pelvienne, entre les deux os coxaux. Le sacrum de la femme est plus court, plus large et plus recourbé entre les vertèbres S2 et S3 que celui de l'homme (voir le tableau 8.1).

La face antérieure concave du sacrum fait face à la cavité pelvienne. Elle est lisse et contient quatre *lignes transverses* constituant le site de fusion des corps vertébraux du sacrum (voir la figure 7.21a). Ces lignes transverses se terminent par quatre paires de *foramens sacraux pelviens*. La portion latérale de la face supérieure du sacrum présente une surface lisse, l'*aile du sacrum*, formée par la fusion des processus transverses de la première vertèbre sacrale (S1).

La face postérieure convexe du sacrum contient une *crête sacrale médiane* issue de la fusion des processus épineux des vertèbres sacrales supérieures, une *crête sacrale latérale* issue de la fusion des processus transverses des vertèbres sacrales et quatre paires de *foramens sacraux postérieurs* (figure 7.21b). Ces foramens communiquent avec les foramens sacraux pelviens qui servent de passage aux nerfs et aux vaisseaux sanguins. Le *canal sacral* est le prolongement du canal vertébral. Par ailleurs, les lames de la cinquième vertèbre sacrale, et parfois de la quatrième, ne se rencontrent pas, ce qui laisse un passage inférieur vers le canal vertébral appelé *hiatus sacral*. De part et d'autre du hiatus sacral pointent les *cornes sacrales*, qui sont les processus articulaires inférieurs de la cinquième vertèbre sacrale. Ces cornes sont fixées par des ligaments au coccyx.

La partie inférieure et étroite du sacrum est appelée *apex du sacrum*, tandis que sa partie supérieure, plus large, est appelée *base du sacrum*. Le bord antérieur saillant de la base, nommé *promontoire*, est l'un des repères utilisés pour mesurer

Figure 7.20 Vertèbres lombaires.

🔑 **Les vertèbres lombaires sont situées dans le bas du dos.**

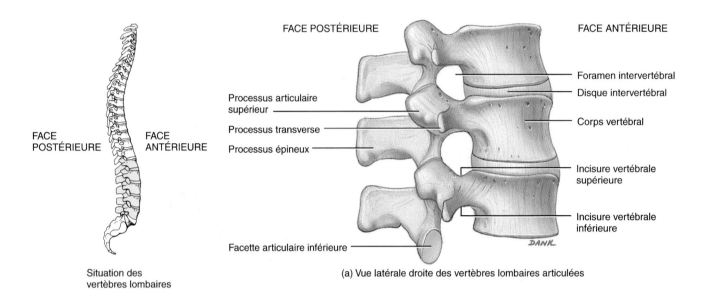

FACE POSTÉRIEURE

FACE ANTÉRIEURE

Processus articulaire supérieur

Processus transverse

Processus épineux

Facette articulaire inférieure

Foramen intervertébral

Disque intervertébral

Corps vertébral

Incisure vertébrale supérieure

Incisure vertébrale inférieure

FACE POSTÉRIEURE

FACE ANTÉRIEURE

Situation des vertèbres lombaires

(a) Vue latérale droite des vertèbres lombaires articulées

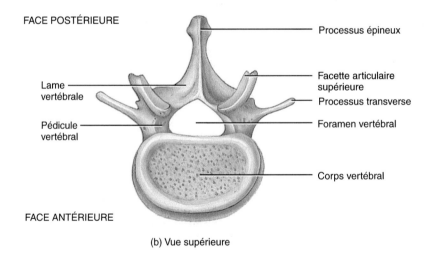

FACE POSTÉRIEURE

Lame vertébrale

Pédicule vertébral

Processus épineux

Facette articulaire supérieure

Processus transverse

Foramen vertébral

Corps vertébral

FACE ANTÉRIEURE

(b) Vue supérieure

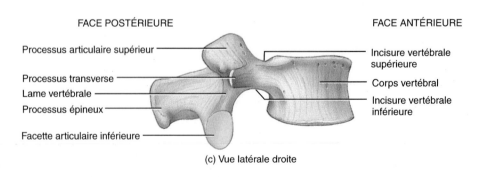

FACE POSTÉRIEURE

FACE ANTÉRIEURE

Processus articulaire supérieur

Processus transverse

Lame vertébrale

Processus épineux

Facette articulaire inférieure

Incisure vertébrale supérieure

Corps vertébral

Incisure vertébrale inférieure

(c) Vue latérale droite

Q Pourquoi les vertèbres lombaires sont-elles les plus grandes et les plus robustes de la colonne vertébrale ?

Figure 7.21 Sacrum et coccyx.

 Le sacrum est formé par l'union de cinq vertèbres sacrales et le coccyx, par l'union de quatre vertèbres coccygiennes.

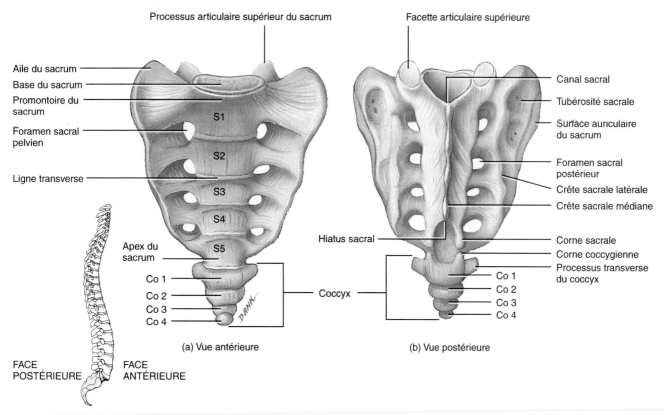

Processus articulaire supérieur du sacrum

Aile du sacrum
Base du sacrum
Promontoire du sacrum
Foramen sacral pelvien
Ligne transverse

S1
S2
S3
S4
S5

Apex du sacrum
Co 1
Co 2
Co 3
Co 4

Coccyx

(a) Vue antérieure

Facette articulaire supérieure

Canal sacral
Tubérosité sacrale
Surface auriculaire du sacrum
Foramen sacral postérieur
Crête sacrale latérale
Crête sacrale médiane

Hiatus sacral

Corne sacrale
Corne coccygienne
Processus transverse du coccyx

Co 1
Co 2
Co 3
Co 4

(b) Vue postérieure

FACE POSTÉRIEURE
FACE ANTÉRIEURE

Situation du sacrum et du coccyx

 Combien de foramens percent le sacrum, et quelle est leur fonction ?

le bassin. Le sacrum comporte sur chacune de ses faces latérales une grande *surface auriculaire* qui s'articule avec l'ilium de chaque os coxal pour former l'*articulation sacro-iliaque*. Située à l'arrière de la surface auriculaire du sacrum, la *tubérosité sacrale* est une surface rugueuse dont les dépressions permettent aux ligaments de se fixer. Elle s'articule également avec les os coxaux pour former les articulations sacro-iliaques. Les *processus articulaires supérieurs du sacrum* s'articulent pour leur part avec la cinquième vertèbre lombaire, et la base du sacrum s'articule avec le corps vertébral de cette vertèbre pour former l'*articulation lombo-sacrale*.

Coccyx

Le **coccyx** est également un os de forme triangulaire ; il est issu de la fusion de quatre vertèbres coccygiennes (Co1 à Co4), représentées à la figure 7.21. Les vertèbres coccygiennes fusionnent entre l'âge de 20 et 30 ans. La face dorsale

du corps du coccyx contient deux longues *cornes coccygiennes* qui sont reliées par des ligaments aux cornes sacrales. Les cornes coccygiennes sont les pédicules vertébraux et les processus articulaires supérieurs de la première vertèbre coccygienne. Sur les faces latérales du coccyx se trouve une série de *processus transverses du coccyx,* dont la première paire est la plus grande. Le coccyx s'articule en haut avec l'apex du sacrum. Chez la femme, le coccyx pointe vers le bas, tandis que chez l'homme, il pointe vers l'avant (voir le tableau 8.1).

APPLICATION CLINIQUE
Anesthésie péridurale

L'anesthésie péridurale consiste à injecter dans l'hiatus sacral des anesthésiques agissant sur les nerfs sacral et coccygien. Cette procédure est le plus souvent utilisée pour soulager les douleurs de l'accouchement et pour

Figure 7.22 Squelette du thorax.

 Les os du thorax entourent et protègent les organes de la cavité thoracique et de la cavité abdominale supérieure.

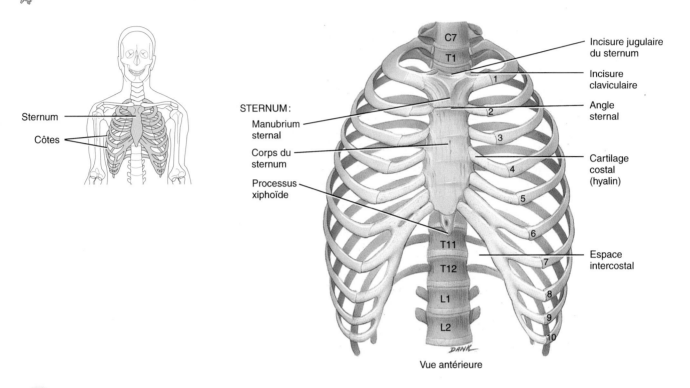

Vue antérieure

Q Quelles sont les côtes que l'on appelle «vraies côtes»? Lesquelles sont dites «fausses côtes»?

anesthésier la région périanale. Comme l'hiatus sacral se trouve entre les cornes sacrales, ces cornes sont d'importants repères osseux pour le localiser. On injecte parfois aussi des anesthésiques dans le foramen sacral postérieur. ■

1. Quelles sont les fonctions de la colonne vertébrale?
2. À quel moment les courbures vertébrales secondaires apparaissent-elles?
3. Quelles sont les principales particularités des os des diverses régions de la colonne vertébrale?

THORAX

OBJECTIF

• *Nommer les os du thorax.*

Le mot **thorax** désigne l'ensemble de la poitrine. La portion osseuse du thorax, ou cage thoracique, est formée par le sternum, les cartilages costaux, les côtes et le corps des vertèbres thoraciques (figure 7.22). La cage thoracique est plus étroite à son extrémité supérieure et plus large à son extrémité inférieure. Vue de côté, elle est plutôt aplatie. La

cage thoracique entoure et protège les organes des cavités thoracique et abdominale supérieure. Elle soutient également les os de la ceinture scapulaire et des membres supérieurs.

Sternum

Le **sternum** est un os plat et étroit mesurant environ 15 cm de longueur. Il est situé sur la ligne médiane antérieure de la paroi thoracique. On pratique une section sagittale médiane du sternum en chirurgie pour avoir accès à certaines structures de la cavité thoracique comme le thymus ou le cœur et ses gros vaisseaux.

Le sternum se divise en trois parties (voir la figure 7.22): le *manubrium sternal* (*manubrium* = poignée), la partie supérieure; le *corps du sternum*, la partie moyenne, et la plus grande; le *processus xiphoïde* (= en forme d'épée), la partie inférieure, et la plus petite. La jonction du manubrium et du corps du sternum forme l'*angle sternal*. Le manubrium porte sur sa face supérieure une échancrure appelée *incisure jugulaire de sternum*. De part et d'autre de l'incisure jugulaire, les *incisures claviculaires* s'articulent avec les extrémités médiales des clavicules pour former les *articulations*

Figure 7.23 Structure des côtes. Chaque côte comprend une tête, un col et un corps. Les facettes et la surface articulaire du tubercule permettent à la côte de s'articuler avec une vertèbre.

Chaque côte s'articule en arrière avec la vertèbre thoracique de même rang.

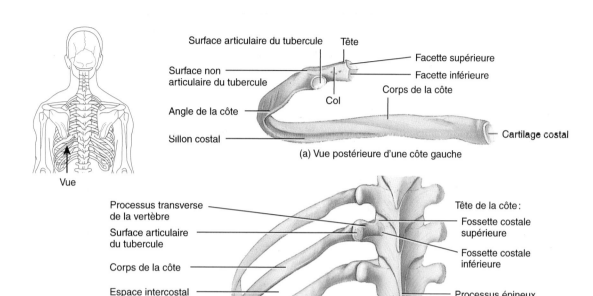

Surface articulaire du tubercule — Tête — Facette supérieure — Facette inférieure — Surface non articulaire du tubercule — Col — Corps de la côte — Angle de la côte — Sillon costal — Cartilage costal

(a) Vue postérieure d'une côte gauche

Vue

Processus transverse de la vertèbre — Surface articulaire du tubercule — Corps de la côte — Espace intercostal — Angle de la côte — Sillon costal — Tête de la côte : — Fossette costale supérieure — Fossette costale inférieure — Processus épineux de la vertèbre — Sternum — Cartilage costal

(b) Vue postérieure des côtes gauches articulées avec les vertèbres thoraciques et le sternum

Suite à la page suivante

sterno-claviculaires. Le manubrium sternal s'articule également avec les cartilages costaux des première et deuxième côtes pour former les *articulations sterno-costales.*

Le corps du sternum s'articule directement ou indirectement avec les cartilages costaux de la deuxième à la dixième côte. Le processus xiphoïde se compose de cartilage hyalin pendant l'enfance et ne s'ossifie complètement que vers l'âge de 40 ans. Il n'est rattaché à aucune côte mais il offre des points d'attache à certains muscles abdominaux. Si un secouriste pratiquant la réanimation cardiorespiratoire ne place pas ses mains de façon correcte sur le thorax, il risque de fracturer le processus xiphoïde, qui s'enfoncerait alors dans les organes internes.

Côtes

Douze paires de **côtes** soutiennent les côtés de la cavité thoracique (voir la figure 7.22). La longueur des côtes augmente progressivement de la première à la septième, puis diminue de la huitième à la douzième côte. Chaque côte s'articule en arrière avec la vertèbre thoracique correspondante.

À l'avant, les sept premières paires de côtes sont fixées directement au sternum par des segments de cartilage hyalin appelés *cartilages costaux.* Ces côtes sont appelées *vraies côtes,* ou *côtes sternales.* Les cinq autres paires sont appelées *fausses côtes* car leurs cartilages costaux s'attachent indirectement au sternum ou ne s'y attachent pas du tout. Les cartilages des huitième, neuvième et dixième paires de côtes sont reliés les uns aux autres ainsi qu'aux cartilages de la septième côte. C'est pourquoi les fausses côtes sont dites *côtes asternales.* Les onzième et douzième paires de côtes sont des fausses côtes dites *côtes flottantes* car le cartilage costal de leur extrémité antérieure ne possède aucun point d'ancrage sur le sternum. Ces côtes sont fixées uniquement par l'arrière aux vertèbres thoraciques.

La figure 7.23 montre une côte typique (côtes 3 à 9). La *tête de la côte* fait saillie à l'extrémité postérieure de la côte. Elle comprend une ou deux *facettes* qui s'articulent avec des fossettes sur le corps des vertèbres thoraciques adjacentes pour former les *articulations costo-vertébrales.* Le *col de la côte* est la partie étranglée située immédiatement à côté de la tête de la côte. Le *tubercule de la côte* est une structure arrondie

Figure 7.23 Structure des côtes (suite)

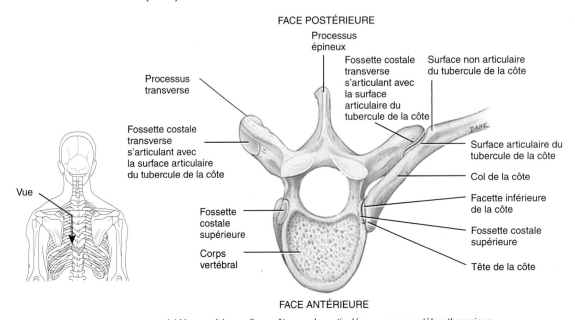

FACE POSTÉRIEURE

Processus épineux

Fossette costale transverse s'articulant avec la surface articulaire du tubercule de la côte

Surface non articulaire du tubercule de la côte

Processus transverse

Fossette costale transverse s'articulant avec la surface articulaire du tubercule de la côte

Surface articulaire du tubercule de la côte

Vue

Col de la côte

Facette inférieure de la côte

Fossette costale supérieure

Fossette costale supérieure

Corps vertébral

Tête de la côte

FACE ANTÉRIEURE

(c) Vue supérieure d'une côte gauche articulée avec une vertèbre thoracique

Q Comment une côte s'articule-t-elle avec une vertèbre thoracique ?

située sur la face postérieure de la côte, à la jonction du col de la côte et de son corps. Il comprend une surface non articulaire qui offre un point d'attache à son ligament, et une surface articulaire qui s'articule avec la facette d'un processus transverse inférieur des deux vertèbres auxquelles la tête de la côte est reliée. Ces fixations forment les articulations costo-vertébrales. Le *corps de la côte* constitue la majeure partie de la côte. À quelque distance du tubercule, on observe un changement abrupt dans la courbure du corps de la côte. Ce point est appelé *angle de la côte*. La face interne de la côte comporte un *sillon costal* qui protège les vaisseaux sanguins et un petit nerf.

En résumé, la portion postérieure de la côte se fixe à une vertèbre thoracique par sa tête et par la surface articulaire de son tubercule. La facette de la tête de la côte s'insère dans une fossette costale du corps d'une vertèbre ou dans les fossettes costales de deux vertèbres adjacentes. La surface articulaire du tubercule s'articule avec la fossette costale transverse du processus transverse de la vertèbre.

Les espaces entre les côtes, appelés *espaces intercostaux*, sont occupés par des muscles intercostaux, des vaisseaux sanguins et des nerfs. Lors d'une intervention chirurgicale, on accède généralement aux poumons et aux autres organes de la cavité thoracique par un espace intercostal. Des écarteurs conçus à cet effet servent à créer un espace plus grand entre

les côtes. Chez un jeune individu, les cartilages costaux sont suffisamment élastiques pour résister à une flexion considérable sans se briser.

APPLICATION CLINIQUE
Fractures des côtes

Les **fractures des côtes** sont les blessures du thorax les plus courantes. Elles sont habituellement causées par un traumatisme direct, découlant principalement de l'impact d'un volant de voiture, d'une chute ou d'un enfoncement accidentel de la poitrine. Les côtes ont tendance à se briser à l'endroit qui a subi le plus grand choc, mais elles peuvent aussi se fracturer à leur point le plus vulnérable, c'est-à-dire leur plus grande courbure, située juste devant l'angle de la côte. Dans certains cas, les côtes fracturées peuvent percer le cœur ou ses gros vaisseaux, les poumons, la trachée, les bronches, l'œsophage, la rate, le foie et les reins. Les fractures des côtes sont habituellement assez douloureuses. ■

1. Quels sont les os du squelette du thorax ?
2. Quelles fonctions assurent-ils ?
3. Classez les côtes en fonction de leur mode de fixation au sternum.

DÉSÉQUILIBRES HOMÉOSTATIQUES

HERNIE DISCALE

Les disques intervertébraux absorbent les chocs, ce qui leur vaut d'être constamment comprimés. Lorsque leurs ligaments antérieur et postérieur subissent des lésions ou s'affaiblissent, la pression dans le noyau pulpeux peut devenir si forte qu'elle provoque la rupture du fibrocartilage environnant (anneau fibreux du disque intervertébral). Le noyau pulpeux fait alors saillie vers l'arrière ou dans l'un des corps vertébraux adjacents ; c'est la **hernie discale.** Ce trouble frappe le plus souvent la région lombaire, qui supporte la majeure partie du poids corporel et est la région le plus souvent fléchie.

Généralement, le noyau pulpeux glisse vers l'arrière, contre la moelle épinière et les nerfs spinaux (figure 7.24) ; ce mouvement exerce une pression sur les nerfs spinaux et provoque une douleur aiguë. Si les racines du nerf sciatique, qui va de la moelle épinière jusqu'au pied, sont comprimées, la douleur irradie à l'arrière de la cuisse, puis dans le mollet et parfois dans le pied. Lorsque la pression s'exerce sur la moelle épinière, certains de ses neurones peuvent être détruits. La hernie discale peut être traitée par *laminectomie* ; cette intervention consiste à retirer certaines parties des lames des vertèbres et des disques intervertébraux pour diminuer la pression exercée sur les nerfs.

COURBURES ANORMALES DE LA COLONNE VERTÉBRALE

Les **courbures anormales** de la colonne vertébrale peuvent être des courbures normales qui ont été accentuées par divers facteurs ; elles peuvent aussi résulter d'une déviation latérale de la colonne.

La **scoliose** (*skolios* = tortueux) est une courbure latérale de la colonne vertébrale le plus souvent localisée dans la région thoracique. Elle est la plus courante des courbures anormales. Elle peut être causée par une anomalie congénitale (présente à la naissance) des vertèbres, une sciatique chronique, une paralysie des muscles d'un côté de la colonne vertébrale, une mauvaise posture ou des membres inférieurs de longueur inégale.

La **cyphose** (*kuphôsis* = bosse) est une courbure thoracique dont la convexité est exagérée. Dans une tuberculose osseuse, les corps vertébraux sont partiellement effondrés, ce qui provoque une flexion angulaire aiguë de la colonne vertébrale. Chez les personnes âgées, la dégénérescence des disques intervertébraux peut conduire à la cyphose. La cyphose peut également être causée par le rachitisme et une mauvaise posture. Elle est courante chez les femmes souffrant d'ostéoporose à un stade avancé. Les personnes qui ont les « épaules arrondies » sont souvent atteintes de cyphose légère.

Figure 7.24 Hernie discale.

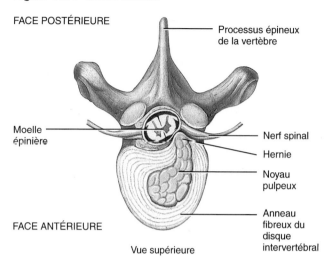

FACE POSTÉRIEURE

Processus épineux de la vertèbre

Moelle épinière

Nerf spinal

Hernie

Noyau pulpeux

FACE ANTÉRIEURE

Anneau fibreux du disque intervertébral

Vue supérieure

La **lordose** (*lordos* = voûte) est une courbure lombaire excessive de la colonne vertébrale. Elle survient lorsqu'une trop grande charge est appliquée à l'avant du corps, comme dans la grossesse ou l'obésité extrême, et peut résulter aussi d'une mauvaise posture, du rachitisme ou d'une tuberculose osseuse.

SPINA BIFIDA

Le **spina bifida** est une anomalie congénitale de la colonne vertébrale caractérisée par l'absence d'union médiane entre les lames vertébrales. Dans les cas graves, la protrusion des membranes (les méninges) entourant la moelle épinière ou de la moelle épinière elle-même cause des troubles sérieux tels qu'une paralysie complète ou partielle, une perte complète ou partielle de la maîtrise des sphincters de la vessie et l'absence de réflexes. Pendant la grossesse, une carence en acide folique, une vitamine du groupe B, fait augmenter l'incidence du spina bifida. Le diagnostic prénatal du spina bifida comprend un prélèvement sanguin pour vérifier la présence d'une substance produite par le fœtus, l'alphafœtoprotéine, ainsi qu'une échographie ou une amniocentèse (prélèvement de liquide amniotique à des fins d'analyse).

RÉSUMÉ

INTRODUCTION (p. 195)

1. En plus d'assurer des fonctions de protection et de faciliter les mouvements, les os servent de points de repère pour situer les autres systèmes du corps humain.
2. Les os, les muscles et les articulations forment un système intégré appelé système musculosquelettique.

DIVISIONS DU SYSTÈME OSSEUX (p. 195)

1. Le squelette axial comprend tous les os situés le long de l'axe longitudinal du corps : les os de la tête, les osselets de l'ouïe, l'os hyoïde, les côtes, le sternum et les os de la colonne vertébrale.
2. Le squelette appendiculaire comprend les os des membres supérieurs et inférieurs ainsi que les os des ceintures scapulaire et pelvienne, qui relient les membres au squelette axial.

TYPES D'OS (p. 197)

1. Presque tous les os peuvent être classés selon leur forme: os longs, courts, plats, irréguliers et sésamoïdes. Les os sésamoïdes apparaissent dans les tendons ou les ligaments.

2. Les os suturaux sont situés à l'intérieur de certains os du crâne.

RELIEF OSSEUX (p. 198)

1. Les éléments du relief osseux sont des caractéristiques structurales des os visibles à leur surface.

2. Chaque élément du relief osseux (dépression, ouverture ou protubérance) possède une structure adaptée à sa fonction, qui peut être de former une articulation, de fixer un muscle ou de permettre le passage de nerfs et de vaisseaux sanguins (voir le tableau 7.2).

OS DE LA TÊTE (p. 198)

1. Les 22 os de la tête se divisent en os du crâne et en os de la face.

2. Les 8 os du crâne sont l'os frontal, les 2 os pariétaux, les 2 os temporaux, l'os occipital, l'os sphénoïde et l'os ethmoïde.

3. Les 14 os de la face sont les 2 os nasaux, les 2 maxillaires, les 2 os zygomatiques, la mandibule, les 2 os lacrymaux, les 2 os palatins, les 2 cornets nasaux inférieurs et le vomer.

4. Les sutures sont des articulations immobiles qui maintiennent en place la plupart des os de la tête. Les principales sutures sont la suture coronale, la suture sagittale, la suture lambdoïde et les sutures squameuses.

5. Les sinus paranasaux sont des cavités de certains os de la tête qui communiquent avec les cavités nasales. Ils sont tapissés d'une muqueuse. Les os du crâne situés autour des sinus paranasaux sont les os frontal, sphénoïde et ethmoïde et les maxillaires.

6. Les fontanelles sont des espaces membraneux de tissu conjonctif fibreux qui séparent les os du crâne du fœtus et du nourrisson. Les principales fontanelles sont la fontanelle antérieure, la fontanelle postérieure, la fontanelle sphénoïdale et la fontanelle mastoïdienne (voir le tableau 7.3). Lorsqu'elles se remplissent de matière osseuse, elles deviennent des sutures.

7. Les foramens et canaux des os de la tête permettent le passage des nerfs et des vaisseaux sanguins (voir le tableau 7.4).

8. Chaque orbite est formée par sept os de la tête.

9. Le septum nasal comprend le vomer, la lame perpendiculaire de l'ethmoïde et le cartilage septal du nez. Il sépare les deux cavités nasales, gauche et droite.

OS HYOÏDE (p. 214)

1. L'os hyoïde est un os en forme de U qui ne s'articule avec aucun autre os.

2. Il soutient la langue et offre des points d'attache à certains muscles de la langue et aux muscles du cou et du pharynx.

COLONNE VERTÉBRALE (p. 214)

1. La colonne vertébrale forme avec le sternum et les côtes le squelette du tronc.

2. Les 26 os de la colonne vertébrale d'un adulte sont les 7 vertèbres cervicales, les 12 vertèbres thoraciques, les 5 vertèbres lombaires, le sacrum (5 vertèbres fusionnées) et le coccyx (habituellement 4 vertèbres fusionnées).

3. La colonne vertébrale présente des courbures normales (cervicale, thoracique, lombaire et sacrale) qui la rendent plus résistante, la soutiennent et contribuent au maintien de l'équilibre.

4. Toutes les vertèbres possèdent plus ou moins la même structure: elles ont chacune un corps vertébral, un arc vertébral et plusieurs processus. Les vertèbres des différentes parties de la colonne varient selon leur taille, leur forme et leurs caractéristiques.

THORAX (p. 224)

1. La portion osseuse du thorax (cage thoracique) est formée par le sternum, les côtes, les cartilages costaux et les vertèbres thoraciques.

2. La cage thoracique protège les organes vitaux des cavités thoracique et abdominale supérieure.

AUTOÉVALUATION

Vrai ou faux

1. Le squelette axial comprend tous les os qui longent l'axe longitudinal du corps: os de la tête, osselets de l'ouïe, os hyoïde, côtes, sternum et ceintures pelvienne et scapulaire.

2. La première vertèbre cervicale est l'axis, et la deuxième est l'atlas.

Phrases à compléter

3. La selle turcique de l'os sphénoïde abrite ___ .

4. Les espaces membraneux situés entre les os du crâne du fœtus qui permettent à la tête de changer de taille et de forme pour emprunter le canal génital sont appelés ___ .

5. L'os du squelette axial qui ne s'articule avec aucun autre os est

___ .

6. Les ___ séparent les vertèbres adjacentes à partir de la deuxième vertèbre cervicale jusqu'au sacrum.

7. Associez les éléments suivants:

___ a) foramen supra-orbitaire

___ b) articulation temporo-mandibulaire

___ c) conduit auditif externe

___ d) foramen magnum

___ e) canal optique

___ f) lame criblée de l'ethmoïde

___ g) processus palatin

___ h) os en forme de volute

___ i) rameau, corps et processus condylaire

___ j) foramen transverse, processus bifides

___ k) dent

___ l) vestige d'une queue

___ m) cartilages costaux

___ n) processus xiphoïde

___ o) innerve l'ensemble du membre supérieur

1) os temporal
2) os sphénoïde
3) cornets nasaux inférieurs
4) vertèbres cervicales
5) os ethmoïde
6) articulation formée par la mandibule et l'os temporal (fosse mandibulaire et tubercule articulaire)
7) os occipital
8) os frontal
9) maxillaires
10) mandibule
11) axis
12) coccyx
13) sternum
14) plexus brachial
15) côtes

8. Associez les éléments suivants (la même réponse peut servir plus d'une fois):
___ a) os plus longs que larges qui sont formés d'un corps et d'un nombre variable d'épiphyses
___ b) os cuboïdes qui sont presque aussi longs que larges
___ c) os qui se forment dans certains tendons soumis à des frictions, des tensions et des contraintes physiques considérables
___ d) petits os situés à l'intérieur des articulations entre certains os du crâne
___ e) os minces composés de deux lames vertébrales presque parallèles d'os compact entourant une couche d'os spongieux
___ f) os aux formes complexes comprenant les vertèbres et le calcanéus
___ g) comprennent la patella et l'os pisiforme
___ h) os qui offrent une grande protection et de nombreux points d'attache musculaire
___ i) comprennent le fémur, le tibia, la fibula, l'humérus, l'ulna et le radius
___ j) comprennent les os du crâne, le sternum et les côtes
___ k) comprennent presque tous les os du carpe et du tarse

1) os irréguliers
2) os longs
3) os courts
4) os plats
5) os sésamoïdes
6) os suturaux

Choix multiples

9. Lesquelles des descriptions suivantes correspondent aux os du crâne et/ou de la face? 1) Leurs faces internes sont fixées à des membranes qui stabilisent la situation de l'encéphale, des vaisseaux sanguins et des nerfs. 2) Leurs faces externes servent de points d'attache aux muscles qui font bouger diverses parties de la tête. 3) Ils protègent et soutiennent les voies d'accès aux systèmes digestif, respiratoire et tégumentaire. 4) Ils fixent les muscles de l'expression faciale. 5) Ils protègent et soutiennent les délicats organes des sens.
a) 1, 2, 4 et 5. b) 2, 3, 4 et 5. c) 1, 3, 4 et 5. d) 1, 2, 3 et 5. e) 1, 2, 3, 4 et 5.

10. Lequel ou lesquels des os suivants ne contiennent *pas* les sinus paranasaux? a) Os frontal. b) Os sphénoïde. c) Os lacrymaux. d) Os ethmoïde. e) Maxillaires.

11. Lesquelles des fonctions suivantes caractérisent les courbures vertébrales? 1) Protection du cœur et des poumons. 2) Augmentation de la résistance. 3) Maintien de l'équilibre en position debout. 4) Absorption des chocs pendant la marche. 5) Protection des vertèbres contre les fractures.
a) 1, 2, 3 et 4. b) 2, 3, 4 et 5. c) 1, 3, 4 et 5. d) 1, 2, 3 et 5. e) 1, 2, 3, 4 et 5.

12. L'exagération de la courbure thoracique de la colonne vertébrale est appelée: a) scoliose; b) cyphose; c) lordose; d) spina bifida; e) hernie.

13. La suture qui unit les deux os pariétaux est la: a) suture coronale; b) suture lambdoïde; c) suture squameuse; d) suture sagittale; e) suture frontale.

14. Lesquels des énoncés suivants sont vrais? 1) La cage thoracique abrite et protège les organes de la cavité thoracique et de la cavité abdominale supérieure. 2) Le thorax soutient les os de la ceinture scapulaire et des membres supérieurs. 3) Le thorax est formé par le sternum, les cartilages costaux, les côtes et le corps des vertèbres thoraciques. 4) Les côtes thoraciques comprennent les vraies côtes, les fausses côtes et les côtes flottantes. 5) Le sternum comprend le manubrium, le corps du sternum et le processus xiphoïde.
a) 1, 2 et 3. b) 2, 3 et 4. c) 1, 2, 3 et 5. d) 2, 3, 4 et 5. e) 1, 2, 3, 4 et 5.

15. Associez les éléments suivants:
___ a) forme le front
___ b) forment les faces latérales inférieures du crâne et une partie du plancher du crâne; contiennent le processus zygomatique et le processus mastoïde
___ c) forme une partie de la portion antérieure du plancher du crâne, la paroi médiale des orbites, les portions supérieures du septum nasal et la majeure partie des parois latérales des cavités nasales; constitue une structure de soutien importante des cavités nasales
___ d) forment la proéminence de la joue et une partie de la paroi latérale et du plancher de chaque orbite
___ e) os le plus large et le plus fort de la face; seul os mobile de la tête
___ f) os plus ou moins triangulaire situé à la base des cavités nasales; une des composantes du septum nasal
___ g) forment la plus grande partie des côtés et du toit de la cavité crânienne
___ h) forme la partie postérieure et la majeure partie de la base du crâne; contient le foramen magnum
___ i) considéré comme l'os clé du plancher du crâne; contient la selle turcique, le canal optique et les processus ptérygoïdes
___ j) forment l'arête du nez
___ k) les plus petits os de la face; contiennent une fosse verticale abritant une structure qui accumule les larmes et les achemine dans les cavités nasales
___ l) s'unissent pour former la mâchoire supérieure et s'articulent avec chaque os de la face à l'exception de la mâchoire inférieure
___ m) forment la partie postérieure du palais osseux, une partie du plancher et des parois latérales des cavités nasales et une petite portion du plancher des orbites
___ n) os en forme de volute qui constituent une partie des parois latérales des cavités nasales; font tourbillonner et filtrent l'air inhalé

1) os frontal
2) os pariétaux
3) os temporaux
4) os occipital
5) os sphénoïde
6) os ethmoïde
7) os nasaux
8) maxillaires
9) os zygomatiques
10) os lacrymaux
11) os palatins
12) vomer
13) mandibule
14) cornets nasaux inférieurs

QUESTIONS À COURT DÉVELOPPEMENT

1. Tandis qu'elle examine son frère qui vient de naître, Laure, 4 ans, palpe sur son crâne une partie molle et déclare que le bébé doit retourner d'où il vient parce qu'il n'est pas terminé. Expliquez la présence des régions molles sur le crâne d'un bébé. (INDICE: *Un nouveau-né doit avoir le crâne mou, sinon il ne pourrait pas naître.*)

2. Béatrice, une femme de 35 ans, dévale l'escalier en chaussettes, glisse et atterrit brutalement sur son derrière. La douleur est assez forte pour lui faire venir les larmes aux yeux et elle doit s'asseoir avec beaucoup de précaution pour se rendre au service des urgences. Le médecin lui explique qu'elle a un os fracturé mais qu'elle ne portera pas de plâtre. Quel os s'est-elle brisé? (INDICE: *Les muscles fessiers évitent habituellement à cet os les chocs qui se produisent chaque fois que l'on s'assied.*)

3. Une publicité annonce fièrement: «Notre nouveau matelas garde votre colonne vertébrale parfaitement droite, comme lorsque vous étiez un bébé! Une colonne vertébrale droite favorise le sommeil!» Achèteriez-vous un matelas de cette compagnie? Justifiez votre réponse. (INDICE: *Regardez de côté la colonne vertébrale.*)

RÉPONSES AUX QUESTIONS DES FIGURES

7.1 Squelette axial: os de la tête, colonne vertébrale. Squelette appendiculaire: clavicule, ceinture scapulaire, humérus, ceinture pelvienne, fémur.

7.2 Les os plats offrent une protection et de nombreux points d'attache aux muscles.

7.3 Les os frontal, pariétal, sphénoïde, ethmoïde et temporal sont des os du crâne.

7.4 Suture squameuse: os pariétal et os temporal. Suture lambdoïde: os pariétal et os occipital. Suture coronale: os pariétal et os frontal.

7.5 L'os temporal s'articule avec les os pariétal, sphénoïde, zygomatique et occipital.

7.6 Les os pariétaux forment les portions latérales et postérieures du crâne.

7.7 Le bulbe rachidien de l'encéphale s'unit à la moelle épinière dans le foramen magnum.

7.8 Crista galli de l'os ethmoïde, os frontal, os pariétal, os temporal, os occipital, os temporal, os pariétal, os frontal, crista galli de l'os ethmoïde.

7.9 La lame perpendiculaire de l'os ethmoïde forme la partie supérieure du septum nasal et ses labyrinthes ethmoïdaux constituent la majeure partie des parois médiales des orbites.

7.10 La mandibule est le seul os mobile de la tête si l'on exclut les osselets de l'ouïe.

7.11 Les sinus paranasaux produisent du mucus et augmentent la résonance de la voix.

7.12 La fontanelle sphénoïdale est entourée de quatre os.

7.13 Les os formant l'orbite sont les os frontal, sphénoïde, zygomatique, maxillaire, lacrymal, ethmoïde et palatin.

7.14 Le septum nasal sépare les deux cavités nasales, droite et gauche.

7.15 L'os hyoïde ne s'articule avec aucun autre os.

7.16 Les courbures thoracique et sacrale sont concaves.

7.17 Les foramens vertébraux abritent la moelle épinière, tandis que les foramens intervertébraux permettent la sortie des nerfs spinaux de la colonne vertébrale.

7.18 L'atlas s'articulant sur l'axis permet le mouvement de la tête en signe de dénégation.

7.19 Les fossettes costales du corps des vertèbres thoraciques s'articulent avec les facettes des têtes costales; les fossettes costales transverses des processus transverses des vertèbres thoraciques s'articulent avec les tubercules des côtes.

7.20 Les vertèbres lombaires sont robustes car le poids corporel augmente toujours dans la portion inférieure de la colonne vertébrale.

7.21 Il existe quatre paires de foramens sacraux, pour un total de huit. Chaque foramen sacral pelvien rejoint un foramen sacral postérieur à la hauteur du foramen intervertébral. Les nerfs et les vaisseaux sanguins passent par ces orifices.

7.22 Vraies côtes: paires 1 à 7; fausses côtes: paires 8 à 12.

7.23 La facette de la tête de la côte s'insère dans une fossette costale du corps d'une vertèbre, et la surface articulaire du tubercule d'une côte s'articule avec la fossette costale transverse du processus transverse d'une vertèbre.

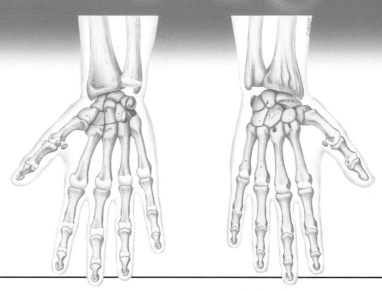

8 SYSTÈME OSSEUX: LE SQUELETTE APPENDICULAIRE

Les deux grandes divisions du système osseux sont le squelette axial et le squelette appendiculaire. Tandis que le squelette axial sert surtout à protéger et à soutenir les organes internes, le squelette appendiculaire, qui fait l'objet de ce chapitre, facilite surtout les mouvements. Le squelette appendiculaire comprend les os des membres supérieurs et des membres inférieurs ainsi que les ceintures osseuses qui relient les membres au squelette axial. Dans ce chapitre vous apprendrez comment les os du squelette appendiculaire collaborent entre eux et avec les muscles squelettiques pour rendre possible toute une variété de mouvements.

CEINTURE SCAPULAIRE (ÉPAULE)

OBJECTIF

• *Nommer les os et les principaux éléments du relief osseux de la ceinture scapulaire.*

Les deux **ceintures scapulaires,** ou ceintures pectorales, fixent les os des membres supérieurs au squelette axial (figure 8.1). Chacune comprend une clavicule et une scapula. À l'avant, la *clavicule* s'articule avec le *sternum* au niveau de l'*articulation sterno-claviculaire.* À l'arrière, la *scapula* s'articule avec la clavicule pour former l'*articulation acromio-claviculaire* et avec l'humérus pour donner l'*articulation gléno-humérale.* Les ceintures scapulaires ne s'articulent pas avec la colonne vertébrale; elles sont maintenues en place par des attaches musculaires complexes.

Clavicule

La **clavicule** est un os mince, incurvé en S, qui s'étend horizontalement dans la partie antérieure et supérieure du thorax, au-dessus de la première côte (figure 8.2). La portion interne de la clavicule est convexe vers l'avant, tandis que sa portion externe est concave vers l'avant. Son extrémité interne, appelée *extrémité sternale,* est arrondie et s'articule avec le sternum pour former l'*articulation sterno-claviculaire.* Son extrémité externe, appelée *extrémité acromiale,* est large et aplatie et s'articule avec l'acromion de la scapula pour former l'*articulation acromio-claviculaire* (voir la figure 8.1). Le *tubercule conoïde* (= en forme de cône), situé sur la face inférieure de l'extrémité acromiale de la clavicule, sert de point d'attache au ligament conoïde. L'*empreinte du ligament costo-claviculaire,* située sur la face inférieure de l'extrémité sternale, sert de point d'attache au ligament costo-claviculaire.

APPLICATION CLINIQUE
Fracture de la clavicule

La clavicule transmet la force mécanique du membre supérieur au tronc. Une **fracture de la clavicule** peut survenir lorsque l'os subit un choc d'une trop grande force, par exemple lors d'une chute amortie par les bras tendus. La clavicule est l'un des os du corps le plus souvent fracturés. La jonction de ses deux courbures est son point le plus faible, et c'est là que se produit habituellement la fracture. ■

Figure 8.1 Ceinture scapulaire droite.

🔑 **La clavicule constitue la partie antérieure de la ceinture scapulaire
et la scapula, sa partie postérieure.**

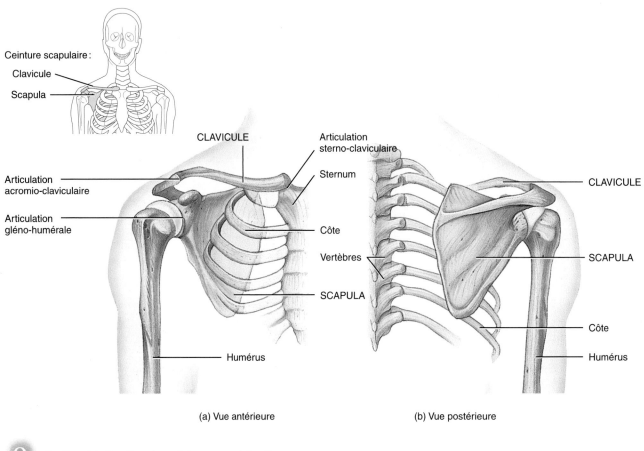

Ceinture scapulaire :
Clavicule
Scapula

CLAVICULE
Articulation
sterno-claviculaire
Sternum
Articulation
acromio-claviculaire
Articulation
gléno-humérale
Côte
Vertèbres
SCAPULA
Humérus

CLAVICULE
SCAPULA
Côte
Humérus

(a) Vue antérieure   (b) Vue postérieure

Q Quelle est la fonction des ceintures scapulaires ?

Figure 8.2 Clavicule droite.

🔑 **La clavicule s'articule avec le sternum du côté médial et avec l'acromion
de la scapula du côté latéral.**

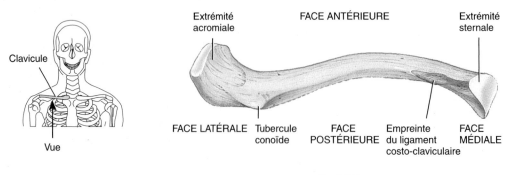

Clavicule
Vue

Extrémité
acromiale
FACE ANTÉRIEURE
Extrémité
sternale

FACE LATÉRALE Tubercule
conoïde
FACE
POSTÉRIEURE
Empreinte
du ligament
costo-claviculaire
FACE
MÉDIALE

Vue inférieure

Q Quel est le point le plus faible de la clavicule ?

Figure 8.3 Scapula (ou omoplate) droite.

 La cavité glénoïdale de la scapula s'articule avec la tête de l'humérus pour former l'articulation de l'épaule.

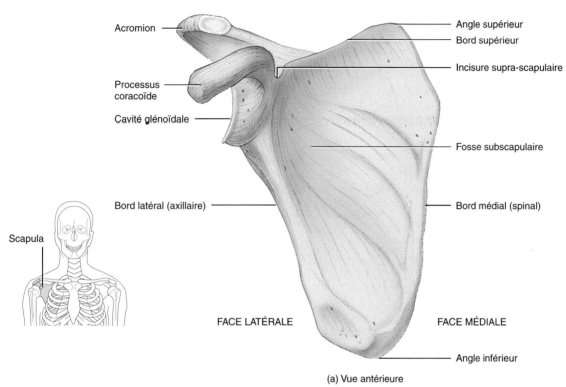

Acromion

Processus coracoïde

Cavité glénoïdale

Bord latéral (axillaire)

Scapula

FACE LATÉRALE

Angle supérieur

Bord supérieur

Incisure supra-scapulaire

Fosse subscapulaire

Bord médial (spinal)

FACE MÉDIALE

Angle inférieur

(a) Vue antérieure

Suite à la page suivante

Scapula

La **scapula,** ou omoplate, est un os large, plat et triangulaire situé en haut de la partie dorsale du thorax, entre la deuxième et la septième côte (figure 8.3). Ses bords internes se trouvent à environ 5 cm de la colonne vertébrale.

Une crête aiguë, l'*épine scapulaire,* traverse en diagonale la face postérieure du *corps* aplati et triangulaire de la scapula. L'extrémité externe de l'épine scapulaire se prolonge en un processus large et plat appelé *acromion* (*akrômion* = pointe de l'épaule), que l'on peut palper au plus haut point de l'épaule. Les tailleurs partent de l'acromion pour mesurer la longueur du membre supérieur. L'acromion s'articule avec l'extrémité acromiale de la clavicule pour former l'*articulation acromio-claviculaire.* En dessous de l'acromion se trouve une dépression peu profonde, la *cavité glénoïdale* de la scapula. Cette cavité reçoit la tête de l'humérus (os du bras), avec laquelle elle forme l'*articulation gléno-humérale* (voir la figure 8.1).

Le bord mince de la scapula situé près de la colonne vertébrale est appelé *bord médial* (ou *spinal*). Son bord épais situé plus près du bras est appelé *bord latéral* (ou *axillaire*).

La jonction des bords médial et latéral forme l'*angle inférieur.* Le *bord supérieur* de la scapula rejoint le bord médial au niveau de l'*angle* supérieur de la scapula. L'*incisure supra-scapulaire* est une gouttière proéminente qui longe le bord supérieur de la scapula et achemine le nerf suprascapulaire.

À l'extrémité externe du bord supérieur de la scapula, sur la face antérieure, on observe une saillie appelée *processus coracoïde* (*korakoeides* = semblable à un corbeau), à laquelle se rattachent les tendons des muscles. Au-dessus et en dessous de l'épine scapulaire se trouvent, respectivement, la *fosse supra-épineuse* et la *fosse infra-épineuse.* Ces deux fosses servent de points d'attache aux tendons des muscles de l'épaule, soit les muscles supra-épineux et infra-épineux. La région légèrement excavée sur la face antérieure de la scapula, appelée *fosse subscapulaire,* sert également de point d'insertion aux tendons des muscles de l'épaule.

1. Quels os ou quelles parties d'os de la ceinture scapulaire forment les articulations sterno-claviculaire, acromio-claviculaire et gléno-humérale ?

Figure 8.3 Scapula (ou omoplate) droite (suite)

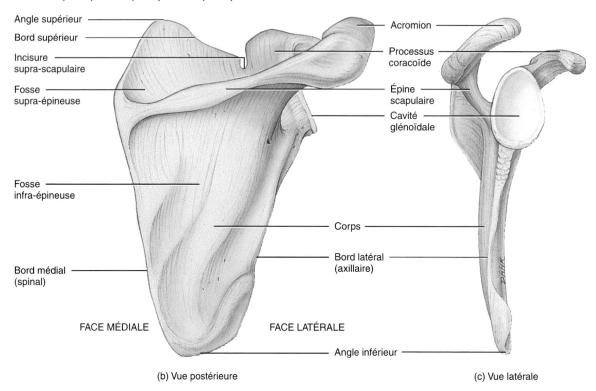

Angle supérieur
Bord supérieur
Incisure supra-scapulaire
Fosse supra-épineuse
Fosse infra-épineuse
Bord médial (spinal)

Acromion
Processus coracoïde
Épine scapulaire
Cavité glénoïdale
Corps
Bord latéral (axillaire)

FACE MÉDIALE
FACE LATÉRALE
Angle inférieur

(b) Vue postérieure
(c) Vue latérale

 Quelle partie de la scapula forme la pointe de l'épaule ?

MEMBRE SUPÉRIEUR

OBJECTIF

• *Nommer les os et les principaux éléments du relief osseux du membre supérieur.*

Les deux **membres supérieurs** comptent au total 60 os. Chacun comprend un humérus (bras), un ulna et un radius (avant-bras), des os du carpe (poignet), des métacarpiens (paume) et des phalanges de la main (doigts) (figure 8.4).

Humérus

L'**humérus,** ou os du bras, est l'os le plus long et le plus large du membre supérieur (figure 8.5). Son extrémité proximale s'articule avec la scapula et son extrémité distale, avec l'ulna et le radius.

Située à l'extrémité proximale, la *tête de l'humérus* forme une saillie arrondie qui s'articule avec la cavité glénoïdale de la scapula pour former l'*articulation gléno-humérale.* Le *col anatomique de l'humérus,* qui est distal par rapport à la tête de l'humérus, abrite la ligne épiphysaire, une incisure oblique évidente. Le *tubercule majeur* fait saillie sur la face externe de l'humérus, en dessous du col anatomique. Il s'agit du repère osseux le plus externe que l'on puisse palper dans la région

de l'épaule. Le *tubercule mineur* prolonge la face antérieure de l'os. Ces deux tubercules sont séparés par un *sillon inter-tuberculaire.* En allant vers l'extrémité distale, on trouve le *col chirurgical de l'humérus,* une portion rétrécie à la jonction de la tête et du corps de l'humérus ; il est ainsi nommé parce qu'il est souvent fracturé.

Le *corps de l'humérus* est plus ou moins cylindrique à son extrémité proximale, puis devient graduellement triangulaire et enfin plat et large à son extrémité distale. Sur la face externe de sa partie moyenne, on observe une région rugueuse en forme de V appelée *tubérosité deltoïdienne.* Cette région offre des points d'attache aux tendons du muscle deltoïde.

Plusieurs saillies sont évidentes à l'extrémité distale de l'humérus. Le *capitulum de l'humérus (caput* = tête) est une bosse arrondie sur la face externe de l'os qui s'articule avec la tête du radius. La *fosse radiale* est une dépression antérieure qui reçoit la tête du radius lorsque le coude est fléchi. La *trochlée humérale,* située à l'opposé du capitulum, est une surface en forme de poulie qui s'articule avec l'ulna. La *fosse coronoïdienne* (= en forme de couronne) est une dépression antérieure qui reçoit le processus coronoïde de l'ulna lorsque le coude est fléchi. La *fosse olécrânienne* (= coude) est une cuvette postérieure qui reçoit l'olécrâne de l'ulna lorsque le

Figure 8.4 Membre supérieur droit.

Chaque membre supérieur comprend un humérus, un ulna, un radius, les os du carpe, les métacarpiens et les phalanges de la main.

Q Combien d'os compte chaque membre supérieur ?

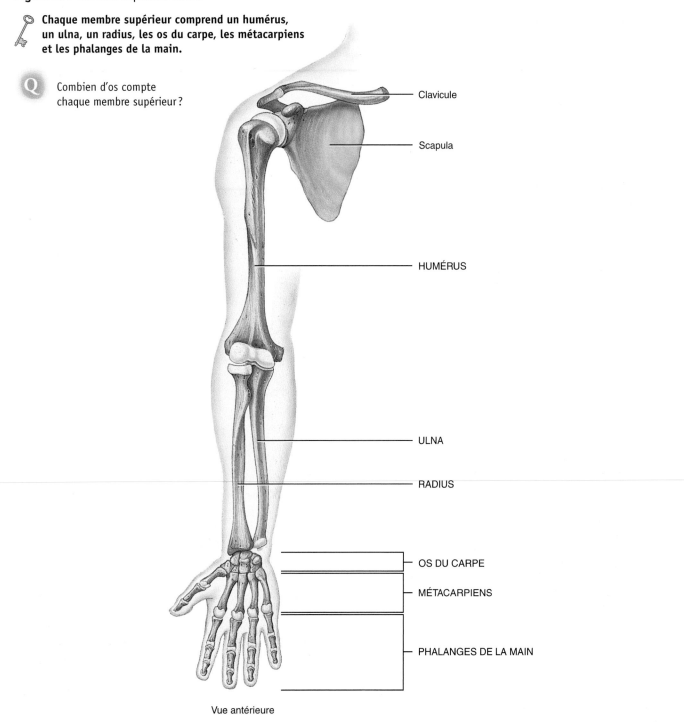

Clavicule

Scapula

HUMÉRUS

ULNA

RADIUS

OS DU CARPE

MÉTACARPIENS

PHALANGES DE LA MAIN

Vue antérieure

bras est étendu (droit). L'*épicondyle médial* et l'*épicondyle latéral de l'humérus* sont des saillies rugueuses situées de part et d'autre de l'extrémité distale, à laquelle les tendons de la plupart des muscles de l'avant-bras se rattachent. Le nerf ulnaire longe la face postérieure de l'épicondyle médial ; on peut le palper en roulant un doigt sur la peau au-dessus de l'épicondyle médial.

Ulna et radius

L'**ulna**, situé sur le côté interne de l'avant-bras (du côté du petit doigt), est plus long que le radius (figure 8.6). Il est fixé au radius par une **membrane interosseuse antébrachiale** large et plate composée de tissu conjonctif fibreux. Cette membrane sert également de point d'attache à quelques tendons des muscles squelettiques profonds de l'avant-bras.

Figure 8.5 Humérus droit en rapport avec la scapula, l'ulna et le radius.

🔑 **L'humérus est l'os le plus long et le plus large du membre supérieur.**

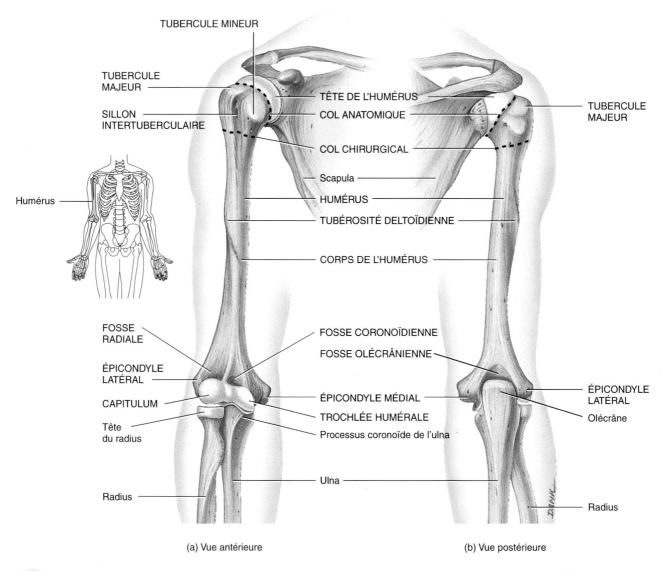

(a) Vue antérieure

(b) Vue postérieure

Ⓠ Quelles parties de l'humérus s'articulent avec le radius au niveau du coude ?
Lesquelles s'articulent avec l'ulna au même niveau ?

À l'extrémité proximale de l'ulna (figure 8.6b) se trouve l'*olécrâne*, qui forme le volumineux processus du coude. Le *processus coronoïde de l'ulna* (figure 8.6a) constitue une saillie antérieure qui, avec l'olécrâne, reçoit la trochlée humérale. Située entre l'olécrâne et le processus coronoïde de l'ulna, l'*incisure trochléaire* est une grande échancrure qui forme une partie de l'articulation du coude (voir la figure 8.7b). Juste en dessous du processus coronoïde de l'ulna, on observe la *tubérosité ulnaire*. L'extrémité distale de l'os comprend une

tête de l'ulna séparée du poignet par un disque fibrocartilagineux. Le *processus styloïde de l'ulna* (*stulos* = colonne) prolonge la face postérieure de cette extrémité.

Le **radius** se trouve sur le côté externe de l'avant-bras (du côté du pouce) (voir la figure 8.6). Son extrémité proximale comporte une *tête du radius* discoïde qui s'articule avec le capitulum de l'humérus et l'incisure radiale de l'ulna. Le *col du radius* est une portion rétrécie située en dessous de la

Figure 8.6 Ulna et radius droits en rapport avec l'humérus et les os du carpe.

🔑 **L'avant-bras comporte sur sa face médiale l'ulna et sur sa face latérale, le radius, qui est plus court que l'ulna.**

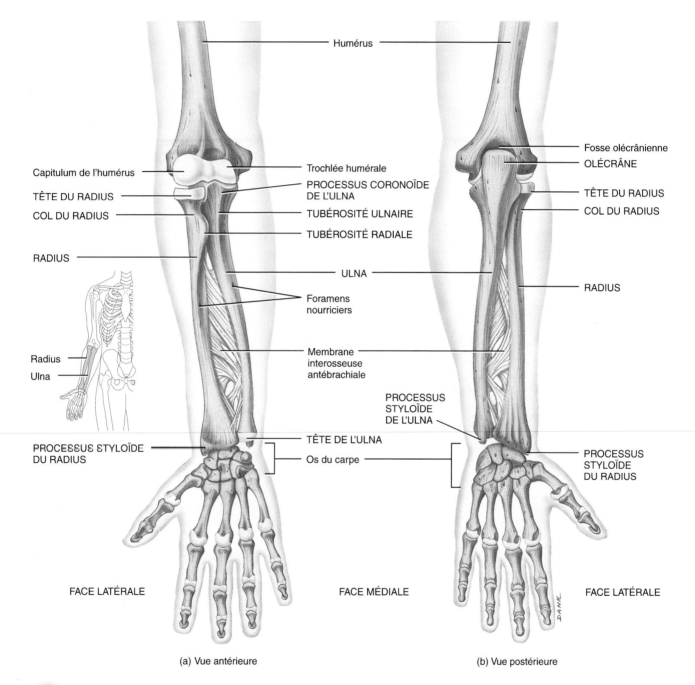

(a) Vue antérieure

(b) Vue postérieure

Ⓠ Quelle partie de l'ulna est appelée le « coude » ?

tête du radius. Sous ce col, sur la face interne du radius, une région rugueuse appelée *tubérosité radiale* offre des points d'attache aux tendons du muscle biceps brachial. Le corps du radius s'élargit sur la face externe de l'extrémité distale pour former le *processus styloïde du radius.*

L'articulation du coude unit le radius et l'ulna à l'humérus en deux endroits : à la jonction de la tête du radius et du capitulum de l'humérus (figure 8.7a) et à la jonction de la trochlée humérale et de l'incisure trochléaire de l'ulna (figure 8.7b).

Figure 8.7 Articulations formées par l'ulna et le radius. (a) Articulation du coude. (b) Surfaces articulaires à l'extrémité proximale de l'ulna. (c) Surfaces articulaires aux extrémités distales du radius et de l'ulna.

🔑 **L'articulation du coude est formée par deux articulations: 1) l'union de l'incisure trochléaire de l'ulna et de la trochlée humérale et 2) l'union de la tête du radius et du capitulum de l'humérus.**

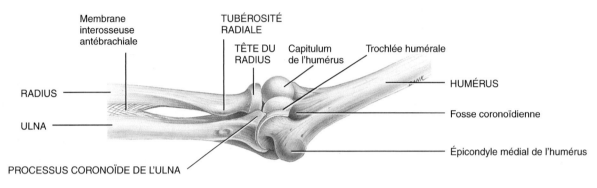

Membrane interosseuse antébrachiale
TUBÉROSITÉ RADIALE
TÊTE DU RADIUS
Capitulum de l'humérus
Trochlée humérale
RADIUS
ULNA
HUMÉRUS
Fosse coronoïdienne
Épicondyle médial de l'humérus
PROCESSUS CORONOÏDE DE L'ULNA

a) Vue médiale en rapport avec l'humérus

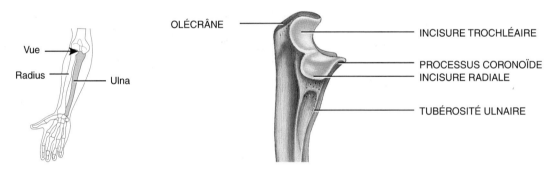

Vue
Radius
Ulna

OLÉCRÂNE
INCISURE TROCHLÉAIRE
PROCESSUS CORONOÏDE
INCISURE RADIALE
TUBÉROSITÉ ULNAIRE

(b) Vue latérale de l'extrémité proximale de l'ulna

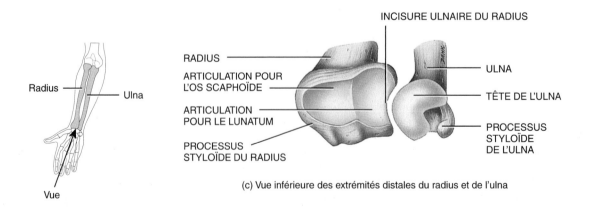

Radius
Ulna
Vue

INCISURE ULNAIRE DU RADIUS
RADIUS
ARTICULATION POUR L'OS SCAPHOÏDE
ARTICULATION POUR LE LUNATUM
PROCESSUS STYLOÏDE DU RADIUS
ULNA
TÊTE DE L'ULNA
PROCESSUS STYLOÏDE DE L'ULNA

(c) Vue inférieure des extrémités distales du radius et de l'ulna

Q Combien y a-t-il d'articulations entre le radius et l'ulna? Comment s'appellent-elles?

Figure 8.8 Poignet droit et main droite en rapport avec l'ulna et le radius.

🔑 Le squelette de la main comprend les os du carpe à son extrémité proximale, les métacarpiens au centre et les phalanges de la main à son extrémité distale.

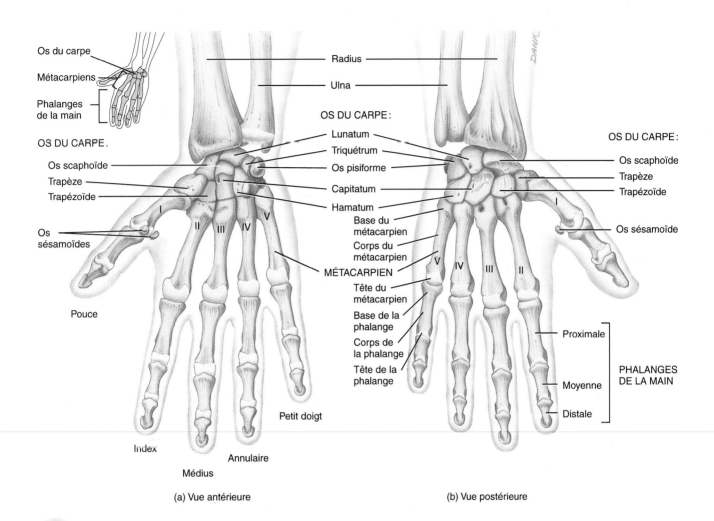

(a) Vue antérieure

(b) Vue postérieure

Ⓠ Quel est l'os du poignet le plus souvent fracturé ?

L'ulna et le radius s'articulent également l'un avec l'autre en deux autres points. À l'extrémité proximale, la tête du radius s'articule avec l'*incisure radiale* de l'ulna, une dépression située à l'extérieur et en dessous de l'incisure trochléaire de l'ulna (figure 8.7b). Cette articulation est appelée *articulation radio-ulnaire proximale*. À l'extrémité distale, la tête de l'ulna s'articule avec l'*incisure ulnaire* du radius (figure 8.7c) pour former l'*articulation radio-ulnaire distale*. Enfin, l'extrémité distale du radius s'articule avec trois os du poignet – le lunatum, l'os scaphoïde et le triquétrum – pour former l'*articulation radio-carpienne*.

Os du carpe, métacarpiens et phalanges de la main

Le **carpe**, ou poignet, est la région proximale de la main et comprend huit petits os, appelés **os du carpe**, unis entre eux par des ligaments (figure 8.8). Les articulations entre les os du carpe sont appelées *articulations intercarpiennes*. Les os du carpe sont disposés sur deux rangées transverses de quatre os chacune. Leur nom dénote leur forme. Les os de la rangée proximale sont, de l'extérieur vers l'intérieur, l'**os scaphoïde** (*skaphê* = barque), le **lunatum** (*luna* = lune), ou os semi-lunaire, le **triquétrum** (= qui a trois angles), ou os pyramidal, et l'**os pisiforme** (*pisum* = pois). Les os de la rangée distale sont, de l'extérieur vers l'intérieur, le **trapèze** (*trapez* = table à quatre pieds), le **trapézoïde**, le **capitatum** et l'**hamatum** (= crochu), ou os crochu. Le capitatum est le plus grand os du carpe ; sa tête est une saillie arrondie s'articulant avec le lunatum. L'hamatum est ainsi appelé parce qu'il comporte sur sa face antérieure une grande saillie en forme de crochet. Dans environ 70 % des fractures du carpe, seul l'os scaphoïde est touché, car l'impact d'une chute amortie par la main étendue est transmis par cet os du capitatum jusqu'au radius.

L'espace concave formé par l'os pisiforme et l'hamatum (du côté de l'ulna) ainsi que par l'os scaphoïde et le trapèze (du côté du radius) constitue, avec le *rétinaculum des fléchisseurs des doigts*, le **canal carpien**. Les longs tendons fléchisseurs des doigts et du pouce de même que le nerf médian passent par ce canal. Le rétrécissement du canal carpien provoque parfois un trouble appelé syndrome du canal carpien (voir p. 370).

Le **métacarpe** (*meta* = ensuite), ou paume de la main, est la région moyenne de la main et comprend cinq os appelés **métacarpiens**. Chaque métacarpien présente une *base du métacarpien* proximale, un *corps du métacarpien* moyen et une *tête du métacarpien* distale (figure 8.8b). Les métacarpiens sont numérotés de I à V en commençant par celui du pouce. Leurs bases s'articulent avec les os de la rangée distale du carpe pour former les *articulations carpo-métacarpiennes*, et leurs têtes s'articulent avec les phalanges proximales pour former les *articulations métacarpo-phalangiennes*. Poing serré, les têtes des métacarpiens deviennent proéminentes.

Les **phalanges** (*phalanx* = formation de combat), ou os des doigts, constituent la région distale de la main. Les cinq doigts de chaque main comportent au total 14 phalanges. Comme les métacarpiens, ils sont numérotés de I à V en commençant par le pouce. Chaque phalange comprend une *base de la phalange de la main* proximale, un *corps de la phalange de la main* moyen et une *tête de la phalange de la main* distale. Le pouce, ou *pollex*, comprend deux phalanges et les quatre autres doigts en possèdent trois chacun. À partir du pouce, ces quatre autres doigts sont appelés communément l'index, le médius (ou majeur), l'annulaire et le petit doigt (ou auriculaire). Les *phalanges proximales*, qui forment la première rangée de phalanges, s'articulent avec les métacarpiens et les phalanges moyennes. Les *phalanges moyennes* de la deuxième rangée s'articulent avec les phalanges proximales et les phalanges distales. Les *phalanges distales* de la troisième rangée s'articulent avec les phalanges moyennes. Le pouce ne possède pas de phalange moyenne. Les articulations unissant les phalanges de la main sont appelées *articulations interphalangiennes de la main*.

1. Nommez les os qui forment le membre supérieur, de l'extrémité proximale à l'extrémité distale.

2. Décrivez les articulations que les os du membre supérieur forment entre eux.

CEINTURE PELVIENNE (HANCHE)
OBJECTIF

- *Nommer les os et les principaux éléments du relief osseux de la ceinture pelvienne.*

La **ceinture pelvienne** est constituée des deux **os coxaux** (*coxa* = hanche), aussi appelés os iliaques ou encore **os de la hanche** (figure 8.9). Les os coxaux se rejoignent à l'avant au niveau d'une articulation appelée **symphyse pubienne**. À l'arrière, ils s'unissent au sacrum pour former les *articulations sacro-iliaques*. L'anneau formé par les os coxaux, la symphyse pubienne et le sacrum est une structure profonde appelée **bassin**, ou **pelvis**. Au point de vue fonctionnel, le bassin offre une assise solide et stable à la colonne vertébrale et aux viscères abdominaux. La ceinture pelvienne du bassin fixe également les os des membres inférieurs au squelette axial.

Chez le nouveau-né, chaque os coxal est constitué de trois os séparés par du cartilage : l'*ilium* en haut, le *pubis* en avant et en bas et l'*ischium* en arrière. Ces trois os fusionnent avec l'âge (figure 8.10a). Bien que l'os coxal fonctionne comme un seul os, les anatomistes en parlent souvent comme s'il s'agissait de trois os.

Ilium

L'**ilium** (= flanc) est la plus grande des trois composantes de l'os coxal (figure 8.10b et c). Il est divisé en une *aile de l'ilium* supérieure et un *corps de l'ilium* inférieur ; le corps contribue à la formation de l'*acétabulum*, la fosse qui reçoit la tête du fémur. Son bord supérieur, appelé *crête iliaque*, se termine à l'avant par une saillie émoussée, l'*épine iliaque antéro-supérieure*, laquelle surplombe une saillie aiguë, l'*épine iliaque antéro-inférieure*. À l'arrière, la crête iliaque se termine par l'*épine iliaque postéro-supérieure*, sous laquelle pointe l'*épine iliaque postéro-inférieure*. Ces épines servent de points d'attache aux tendons des muscles du tronc, de la hanche et des cuisses. En dessous de l'épine iliaque postéro-inférieure se trouve la *grande incisure ischiatique*, qui offre un passage au plus long nerf du corps, le nerf sciatique (ou nerf ischiatique). La face interne de l'ilium contient la *fosse iliaque*, une région concave qui fixe le tendon du muscle iliaque. Derrière cette fosse, on observe la *tubérosité iliaque*, point d'insertion du ligament sacro-iliaque, et la *surface auriculaire de l'ilium* (*auricula* = oreille), qui s'articule avec le sacrum pour former l'*articulation sacro-iliaque* (voir la figure 8.9). La *ligne arquée de l'ilium* est une crête située en avant et au-dessus de la surface auriculaire. Les autres éléments marqués du relief osseux de l'ilium, situés sur sa face externe, sont les *lignes glutéale postérieure* (*gluteus* = fesse), *glutéale antérieure* et *glutéale inférieure*. Les tendons des muscles fessiers se rattachent à l'ilium entre ces trois lignes.

Figure 8.9 Bassin. Le bassin d'une femme est représenté ici.

 Les os coxaux s'unissent à l'avant au niveau de la symphyse pubienne et à l'arrière au niveau du sacrum pour former le bassin.

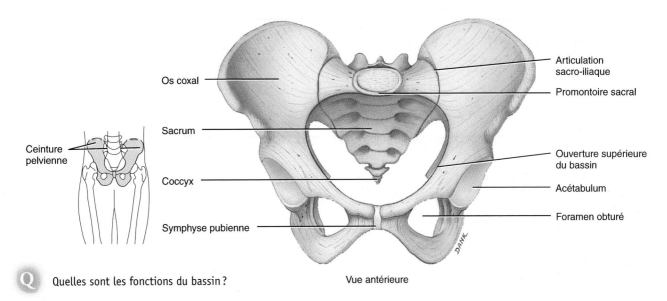

Articulation sacro-iliaque

Promontoire sacral

Os coxal

Sacrum

Ceinture pelvienne

Coccyx

Ouverture supérieure du bassin

Acétabulum

Foramen obturé

Symphyse pubienne

Vue antérieure

Q Quelles sont les fonctions du bassin ?

Figure 8.10 Os coxal droit. Les lignes qui unissent l'ilium, l'ischium et le pubis représentées dans (a) ne sont pas toujours visibles chez un adulte.

 L'acétabulum est la cavité articulaire formée par la convergence des trois parties de l'os coxal.

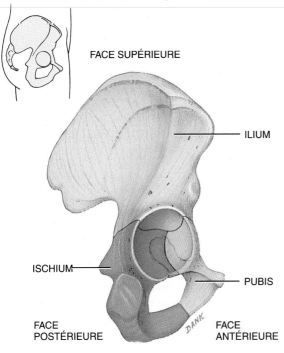

FACE SUPÉRIEURE

ILIUM

ISCHIUM

PUBIS

FACE POSTÉRIEURE

FACE ANTÉRIEURE

(a) Vue latérale montrant les parties de l'os coxal

Suite à la page suivante

Ischium

L'**ischium** (*iskhion* = hanches) est la partie postérieure et inférieure de l'os coxal (voir la figure 8.10b et c). Il est constitué d'un *corps de l'ischium* supérieur et d'une *branche de l'ischium* inférieure, qui rejoint le pubis. L'ischium présente aussi une *épine ischiatique* proéminente, une *petite incisure ischiatique* (située en dessous de l'épine) et une *tubérosité ischiatique* épaisse et irrégulière. Cette dernière est si saillante qu'elle peut blesser la personne sur laquelle on s'assied. Ensemble, la branche de l'ischium et le pubis circonscrivent le *foramen obturé* (*obturare* = boucher), le plus grand foramen du squelette. On l'appelle ainsi parce qu'il est presque complètement fermé par une *membrane obturatrice* fibreuse, bien qu'il permette quand même le passage de vaisseaux sanguins et de nerfs.

Pubis

Le **pubis** est la partie antérieure et inférieure de l'os coxal (figure 8.10b et c). Il comprend la *branche supérieure du pubis*, la *branche inférieure du pubis* et, entre les deux, le *corps du pubis*, qui contribue à la symphyse pubienne. Le bord antérieur du corps du pubis est appelé *crête pubienne*, et son extrémité externe est une saillie appelée *tubercule pubien*. De ce tubercule part une ligne soulevée, le *pecten du pubis*, qui court sur la face supérieure et externe de la branche supérieure du pubis puis fusionne avec la ligne arquée de

Figure 8.10 Os coxal droit (suite)

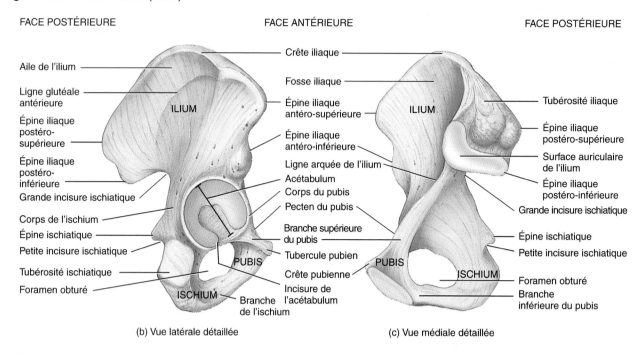

FACE POSTÉRIEURE   FACE ANTÉRIEURE   FACE POSTÉRIEURE

Aile de l'ilium

Ligne glutéale antérieure

Épine iliaque postéro-supérieure

Épine iliaque postéro-inférieure

Grande incisure ischiatique

Corps de l'ischium

Épine ischiatique

Petite incisure ischiatique

Tubérosité ischiatique

Foramen obturé

ILIUM

PUBIS

ISCHIUM

Crête iliaque

Fosse iliaque

Épine iliaque antéro-supérieure

Épine iliaque antéro-inférieure

Ligne arquée de l'ilium

Acétabulum

Corps du pubis

Pecten du pubis

Branche supérieure du pubis

Tubercule pubien

Crête pubienne

Incisure de l'acétabulum

Branche de l'ischium

Tubérosité iliaque

Épine iliaque postéro-supérieure

Surface auriculaire de l'ilium

Épine iliaque postéro-inférieure

Grande incisure ischiatique

Épine ischiatique

Petite incisure ischiatique

Foramen obturé

Branche inférieure du pubis

ILIUM

PUBIS

ISCHIUM

(b) Vue latérale détaillée   (c) Vue médiale détaillée

Q Quelle partie de l'os coxal s'articule avec le fémur ? Laquelle s'articule avec le sacrum ?

l'ilium. Comme nous le verrons bientôt, ces deux lignes sont d'importants repères osseux permettant de situer les parties supérieure et inférieure du bassin.

La symphyse pubienne est un disque fibrocartilagineux qui unit les deux os coxaux (voir la figure 8.9). L'arcade pubienne est formée par la convergence des branches inférieures des deux pubis (voir le tableau 8.1). L'*acétabulum* (= vase à vinaigre) est la fosse profonde délimitée par l'ilium, l'ischium et le pubis. C'est la cavité articulaire qui reçoit la tête arrondie du fémur. Ensemble, l'acétabulum et la tête du fémur forment l'*articulation de la hanche* (ou *articulation coxo-fémorale*). Sur la partie inférieure de l'acétabulum se trouve une échancrure profonde, l'*incisure de l'acétabulum*. Il s'agit d'un foramen que les vaisseaux nourriciers et les nerfs traversent pour atteindre l'articulation, et qui sert de point d'attache aux ligaments du fémur (par exemple, celui de la tête du fémur).

Grand et petit bassins

Le bassin est divisé en une partie supérieure et une partie inférieure par rapport à l'*ouverture supérieure du bassin* (figure 8.11a). On peut définir le contour de cette ouverture en suivant dans un plan oblique les repères osseux formés par certaines parties des os coxaux. En commençant à l'arrière, au *promontoire sacral*, suivez les *lignes arquées de l'ilium* qui courent vers l'extérieur et le bas des os coxaux. Continuez ensuite vers le bas, le long des *pectens du pubis*.

Enfin, bifurquez vers l'avant jusqu'à la partie supérieure de la *symphyse pubienne*. Ensemble, ces points forment, dans un plan oblique, un cercle qui est plus élevé en arrière qu'en avant. Ce cercle délimite l'ouverture supérieure du bassin.

La partie du bassin située au-dessus de l'ouverture supérieure est appelée **grand bassin** (voir la figure 8.11b). Le grand bassin est circonscrit à l'arrière par les vertèbres lombaires, sur les côtés par les portions supérieures des os coxaux et à l'avant par la paroi abdominale. L'espace qu'occupe le grand bassin fait partie de l'abdomen mais ne contient aucun organe pelvien, à l'exception de la vessie (lorsqu'elle est pleine) et de l'utérus pendant la grossesse.

La partie du bassin située en dessous de l'ouverture supérieure est appelée **petit bassin** (figure 8.11b). Le petit bassin est bordé à l'arrière par le sacrum et le coccyx, sur les côtés par les portions inférieures de l'ilium et de l'ischium et à l'avant par le pubis. Le petit bassin entoure la cavité pelvienne (voir la figure 1.8, p. 14). L'ouverture supérieure du petit bassin est appelée *détroit supérieur* et son ouverture inférieure, *détroit inférieur*. L'*axe du pelvis* est une ligne imaginaire qui s'incurve dans le petit bassin et rejoint les points centraux des plans des détroits supérieur et inférieur. Pendant l'accouchement, la tête de l'enfant suit l'axe du pelvis au cours de sa descente dans le bassin.

1. Établissez la distinction entre le grand bassin et le petit bassin.

Figure 8.11 Grand et petit bassins. Le bassin d'une femme est représenté ici. Par souci de simplification, les repères osseux de l'ouverture supérieure du bassin ne sont montrés que du côté gauche du corps, et le contour de cette ouverture n'apparaît que du côté droit. L'ouverture supérieure du bassin est représentée en entier à la figure 8.9.

Le grand bassin et le petit bassin sont séparés par l'ouverture supérieure du bassin.

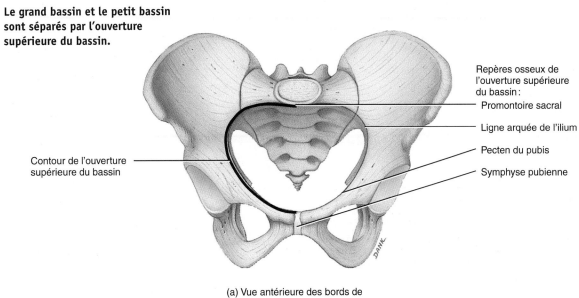

Repères osseux de l'ouverture supérieure du bassin :
- Promontoire sacral
- Ligne arquée de l'ilium
- Pecten du pubis
- Symphyse pubienne

Contour de l'ouverture supérieure du bassin

(a) Vue antérieure des bords de l'ouverture supérieure du bassin

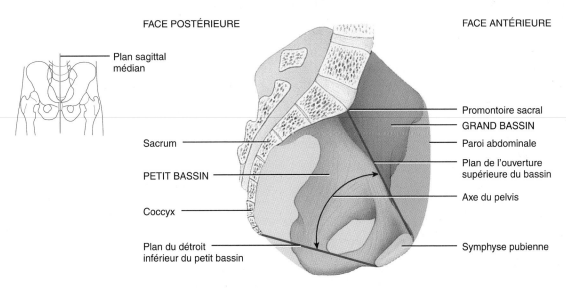

FACE POSTÉRIEURE

FACE ANTÉRIEURE

Plan sagittal médian

Promontoire sacral
GRAND BASSIN
Paroi abdominale
Plan de l'ouverture supérieure du bassin
Axe du pelvis

Sacrum

PETIT BASSIN

Coccyx

Symphyse pubienne

Plan du détroit inférieur du petit bassin

(b) Coupe sagittale médiane situant le grand et le petit bassin

Q Quelle est l'importance de l'axe du pelvis ?

COMPARAISON DES BASSINS FÉMININ ET MASCULIN

OBJECTIF

- *Donner les principales différences structurales entre le bassin féminin et le bassin masculin.*

En règle générale, les os de l'homme sont plus larges et plus lourds que les os de la femme, et leurs repères sont plus marqués. Les différences entre les os de l'homme et ceux de la femme sont particulièrement évidentes lorsqu'on compare les bassins. La plupart de ces différences structurales relèvent de l'adaptation du bassin féminin aux exigences de la grossesse et de l'accouchement. Le bassin de la femme est plus large et moins profond que celui de l'homme (tableau 8.1). Par conséquent, le petit bassin de la femme est plus spacieux, surtout dans les détroits supérieur et inférieur, par où la tête

Tableau 8.1 Comparaison des bassins féminin et masculin

POINT DE COMPARAISON	FEMME	HOMME
Structure générale	Léger et mince.	Lourd et épais.
Grand bassin	Peu profond.	Profond.
Ouverture supérieure du bassin	Plus large et ovale.	Plus petite, en forme de cœur.
Acétabulum	Petit et tourné vers l'avant.	Grand et tourné vers le côté.
Foramen obturé	Ovale.	Rond.
Arcade pubienne	Angle de plus de 90°.	Angle de moins de 90°.

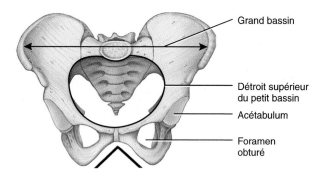

Grand bassin

Détroit supérieur du petit bassin

Acétabulum

Foramen obturé

Arcade pubienne (angle de plus de 90°)

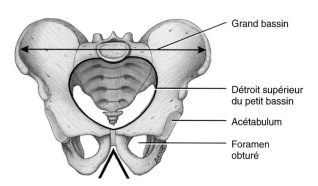

Grand bassin

Détroit supérieur du petit bassin

Acétabulum

Foramen obturé

Arcade pubienne (angle de moins de 90°)

Vues antérieures

Crête iliaque	Moins incurvée.	Plus incurvée.
Ilium	Moins vertical.	Plus vertical.
Grande incisure ischiatique	Large.	Étroite.
Coccyx	Plus mobile et plus incurvé vers l'avant.	Moins mobile et moins incurvé vers l'avant.
Sacrum	Court, large (voir les vues antérieures) et plus incurvé vers l'avant.	Long, étroit (voir les vues antérieures) et moins incurvé vers l'avant.

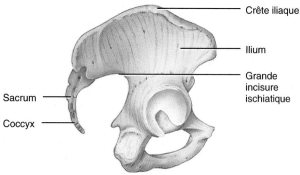

Crête iliaque

Ilium

Grande incisure ischiatique

Sacrum

Coccyx

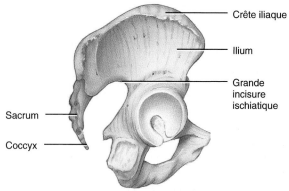

Crête iliaque

Ilium

Grande incisure ischiatique

Sacrum

Coccyx

Vues latérales droites

Tableau 8.1 (suite)

POINT DE COMPARAISON	FEMME	HOMME
Détroit inférieur du petit bassin	Plus large.	Plus étroit.
Tubérosités ischiatiques	Plus longues, moins espacées et plus tournées vers l'intérieur.	Plus courtes, plus espacées et plus tournées vers l'extérieur.

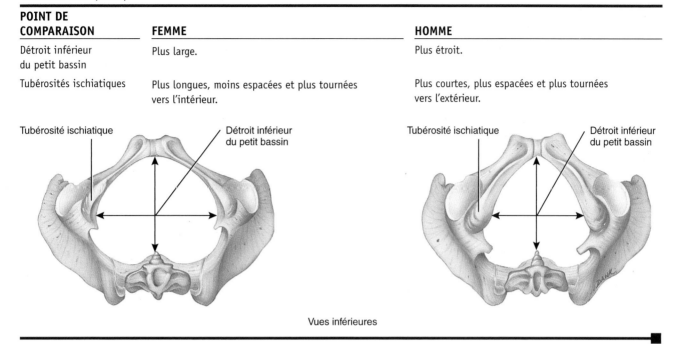

Vues inférieures

de l'enfant passe pendant l'accouchement. Le tableau 8.1 présente une liste des principales différences structurales entre le bassin féminin et le bassin masculin accompagnée d'illustrations.

1. Pourquoi les différences structurales entre le bassin féminin et le bassin masculin sont-elles importantes ?

COMPARAISON DES CEINTURES SCAPULAIRE ET PELVIENNE

OBJECTIF

• *Décrire les différences entre la ceinture scapulaire et la ceinture pelvienne.*

Puisque nous connaissons maintenant la structure des ceintures scapulaire et pelvienne, nous pouvons examiner ce qui les différencie. La ceinture scapulaire ne s'articule pas directement avec la colonne vertébrale, contrairement à la ceinture pelvienne, qui s'articule avec la colonne vertébrale au niveau de l'articulation sacro-iliaque. Les cavités articulaires de la ceinture scapulaire (cavités glénoïdales) qui reçoivent les membres supérieurs sont peu profondes et permettent une amplitude de mouvement maximale, tandis que les cavités articulaires de la ceinture pelvienne (acétabulums) qui reçoivent les membres inférieurs sont profondes et permettent moins de mouvements. Globalement, la structure de la ceinture scapulaire offre plus de mobilité que de force, et celle de la ceinture pelvienne, plus de force que de mobilité.

MEMBRE INFÉRIEUR

OBJECTIF

• *Nommer les os et les principaux éléments du relief osseux du membre inférieur.*

Chacun des deux **membres inférieurs** comprend 30 os : le fémur de la cuisse, la patella, le tibia et la fibula de la jambe, les os du tarse (cheville), les métatarsiens et les phalanges du pied (orteils) (figure 8.12).

Fémur

Le **fémur,** ou os de la cuisse, est le plus long, le plus lourd et le plus résistant de tous les os du corps (figure 8.13). Son extrémité proximale s'articule avec l'acétabulum de l'os coxal et son extrémité distale, avec le tibia et la patella. Le *corps du fémur* oblique vers l'intérieur, ce qui rapproche les genoux du plan médian du corps. L'angle de convergence est plus grand chez la femme car son bassin est plus large.

À l'extrémité proximale du fémur, la *tête du fémur* arrondie s'articule par son ligament avec l'acétabulum de l'os coxal pour former l'*articulation de la hanche.* Le *col du fémur* est une partie rétrécie située en dessous de la tête. Le *grand trochanter* et le *petit trochanter* sont deux saillies servant de points d'attache aux tendons de certains muscles de la cuisse et des muscles fessiers. Le grand trochanter est une éminence palpable et visible en avant du creux situé sur le côté de la hanche. Il sert souvent de repère pour trouver le point d'injection intramusculaire sur la face externe de la cuisse. Le petit trochanter est situé en dessous du grand trochanter et

Figure 8.12 Membre inférieur droit.

 Chaque membre inférieur comprend un fémur, une patella, un tibia, une fibula, des os du tarse (cheville), des métatarsiens et des phalanges du pied (orteils).

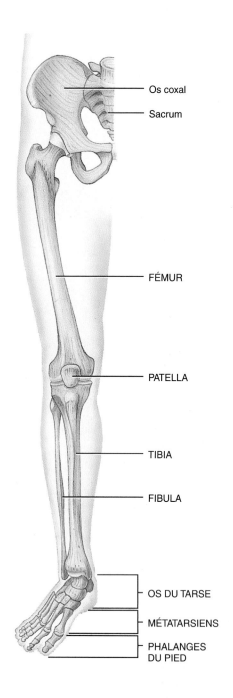

Os coxal

Sacrum

FÉMUR

PATELLA

TIBIA

FIBULA

OS DU TARSE

MÉTATARSIENS

PHALANGES DU PIED

Vue antérieure

Q Combien d'os y a-t-il dans chaque membre inférieur?

vers l'intérieur par rapport à ce dernier. Les faces antérieures des trochanters sont unies par l'étroite *ligne intertrochantérique* (figure 8.13a) et leurs faces postérieures, par la *crête intertrochantérique* (figure 8.13b).

En dessous de la crête intertrochantérique, sur la face postérieure du corps du fémur, se trouve la *tubérosité glutéale,* qui fusionne avec une autre crête verticale appelée *ligne âpre.* Ces deux crêtes servent de points d'attache aux tendons de plusieurs muscles de la cuisse.

L'extrémité distale du fémur, plus évasée, porte le *condyle médial du fémur* et le *condyle latéral du fémur.* Ces masses osseuses s'articulent avec les condyles médial et latéral du tibia. Au-dessus des condyles du fémur se trouvent l'*épicondyle médial du fémur* et l'*épicondyle latéral du fémur.* Sur la face postérieure, une échancrure appelée *fosse intercondylaire* est comprise entre les deux condyles. Sur la face antérieure, c'est la *surface patellaire* qui les sépare.

Patella

La **patella** (= petit plat), ou rotule, est un petit os triangulaire situé devant l'articulation du genou (figure 8.14). Cet os sésamoïde se forme dans le tendon du muscle quadriceps fémoral. Il comporte une large extrémité supérieure appelée *base de la patella* et une extrémité inférieure en pointe appelée *apex de la patella*. La face postérieure de la patella porte deux *facettes articulaires,* une pour le condyle médial du fémur et l'autre pour le condyle latéral du fémur. Le ligament patellaire relie la patella à la tubérosité tibiale. L'*articulation fémoro-patellaire,* située entre la face postérieure de la patella et la surface patellaire du fémur, constitue la partie moyenne de l'*articulation fémoro-tibiale* (ou *articulation du genou*). La patella accroît l'effet de levier du tendon du muscle quadriceps fémoral, maintient la position de ce tendon lorsque le genou est fléchi et protège l'articulation du genou.

APPLICATION CLINIQUE
Syndrome fémoro-patellaire

Le **syndrome fémoro-patellaire** est l'un des problèmes les plus courants touchant les adeptes de la course à pied. Pendant la flexion et l'extension normales du genou, la patella coulisse verticalement dans le sillon qui sépare les condyles du fémur. Dans le syndrome fémoro-patellaire, ce mouvement coulissant ne se fait pas normalement. La patella glisse plutôt latéralement et la pression accrue que subit l'articulation cause une douleur continue ou une sensibilité au toucher autour ou en dessous de la patella. La douleur est habituellement ressentie après une longue période en position assise, surtout après une séance d'exercice. Elle est aggravée lorsque la personne s'accroupit ou descend un escalier. Le fait de s'adonner à des activités de marche, de course à pied ou de jogging toujours du même côté de la route est une cause de ce syndrome. En effet, les routes présentent toujours un léger affaissement sur les côtés, de sorte que le genou le plus près

Figure 8.13 Fémur droit en rapport avec l'os coxal, la patella, le tibia et la fibula.

L'acétabulum de l'os coxal et la tête du fémur se rejoignent pour former l'articulation de la hanche.

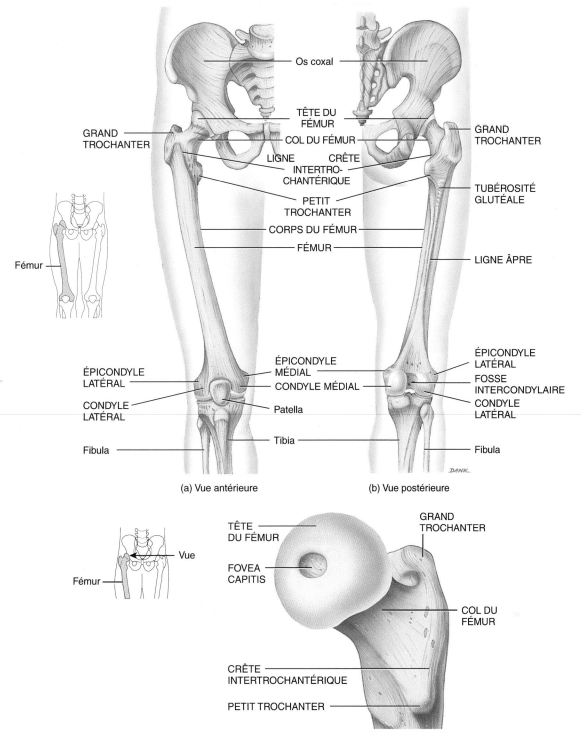

(a) Vue antérieure

(b) Vue postérieure

(c) Vue médiale de l'extrémité proximale du fémur

Q Pourquoi l'angle de convergence des fémurs est-il plus grand chez la femme que chez l'homme ?

Figure 8.14 Patella droite.

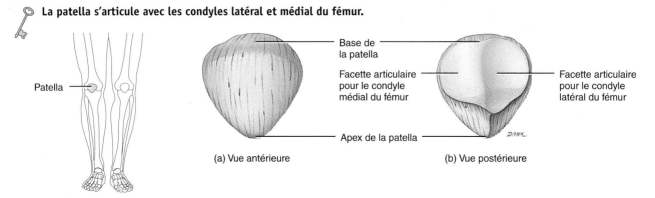

La patella s'articule avec les condyles latéral et médial du fémur.

Patella

Base de
la patella

Facette articulaire
pour le condyle
médial du fémur

Apex de la patella

Facette articulaire
pour le condyle
latéral du fémur

(a) Vue antérieure

(b) Vue postérieure

Q Puisque la patella se forme dans le tendon d'un muscle, à quel type d'os
appartient-elle ?

du centre de la route est soumis à une plus grande contrainte mécanique car il n'est jamais en extension complète pendant le trajet. Les genoux cagneux, la course en terrain montagneux et la course de fond (sur des longues distances) sont également des facteurs prédisposants. ■

Tibia et fibula

Le **tibia** est l'os le plus large et le plus interne de la jambe qui supporte le poids corporel (figure 8.15). Son extrémité proximale s'articule avec le fémur et la fibula, et son extrémité distale, avec la fibula et le talus de la cheville. À l'instar de l'ulna et du radius, le tibia et la fibula sont unis par une membrane interosseuse.

L'extrémité proximale du tibia est élargie par le *condyle latéral du tibia* et le *condyle médial du tibia*. Ces condyles s'articulent avec ceux du fémur pour former les *articulations fémoro-tibiales* latérale et médiale. La face inférieure du condyle latéral du tibia s'articule avec la tête de la fibula. Les condyles légèrement concaves du tibia sont séparés en haut par une saillie appelée *éminence intercondylaire* (figure 8.15b). La *tubérosité tibiale,* située sur la face antérieure, sert de point d'attache au ligament patellaire. Elle se prolonge vers le bas pour former une crête pointue que l'on peut palper sous la peau, appelée *bord antérieur du tibia*.

La face interne de l'extrémité distale du tibia constitue la *malléole médiale (malleolus = marteau),* qui s'articule avec le talus de la cheville pour former une proéminence palpable sur la face interne de la cheville. L'*incisure fibulaire* (figure 8.15c) s'articule avec l'extrémité distale de la fibula pour former l'*articulation tibio-fibulaire distale*.

La **fibula,** ou péroné, externe par rapport au tibia et qui lui est parallèle, est beaucoup plus petite que ce dernier. Son extrémité proximale, la *tête de la fibula,* s'articule avec la face

inférieure du condyle latéral du tibia, sous le niveau de l'articulation du genou, pour former l'*articulation tibio-fibulaire proximale.* Son extrémité distale présente une saillie appelée *malléole latérale,* qui s'articule avec le talus de la cheville. La malléole latérale forme la volumineuse bosse externe de la cheville. Comme nous l'avons vu, la fibula s'articule également avec le tibia au niveau de l'incisure fibulaire.

Os du tarse, métatarsiens et phalanges du pied

Le **tarse** (cheville) est la région proximale du pied et comprend les sept **os du tarse** (figure 8.16). Parmi ces derniers, le **talus** (= os de la cheville) et le **calcanéus** (= talon) sont situés dans la partie postérieure du pied. Le calcanéus est l'os du tarse le plus gros et le plus fort. Les os du tarse antérieur sont l'**os cuboïde,** l'**os naviculaire** (*naviculus* = nacelle) et les trois **os cunéiformes** (= en forme de coin), appelés **cunéiforme médial, cunéiforme intermédiaire** et **cunéiforme latéral.** Les articulations entre les os du tarse sont appelées *articulations intertarsiennes.* L'os le plus haut du tarse, le talus, est le seul os du pied qui s'articule avec la fibula et le tibia. Il s'articule d'un côté avec la malléole médiale du tibia et de l'autre, avec la malléole latérale de la fibula. Ces articulations forment l'*articulation talo-crurale.* Pendant la marche, le talus transmet environ la moitié du poids corporel au calcanéus et le reste aux autres os du tarse.

Le **métatarse** est la région intermédiaire du pied. Il est constitué de cinq **métatarsiens** numérotés de I à V de l'intérieur vers l'extérieur (figure 8.16). Comme les métacarpiens de la paume de la main, chaque métatarsien comprend une *base du métatarsien* proximale, un *corps du métatarsien* moyen et une *tête du métatarsien* distale. Les métatarsiens s'articulent par leur extrémité proximale avec les trois os

Figure 8.15 Tibia et fibula droits en rapport avec le fémur, la patella et le talus.

L'extrémité proximale du tibia s'articule avec le fémur et la fibula, et son extrémité distale, avec la fibula et le talus.

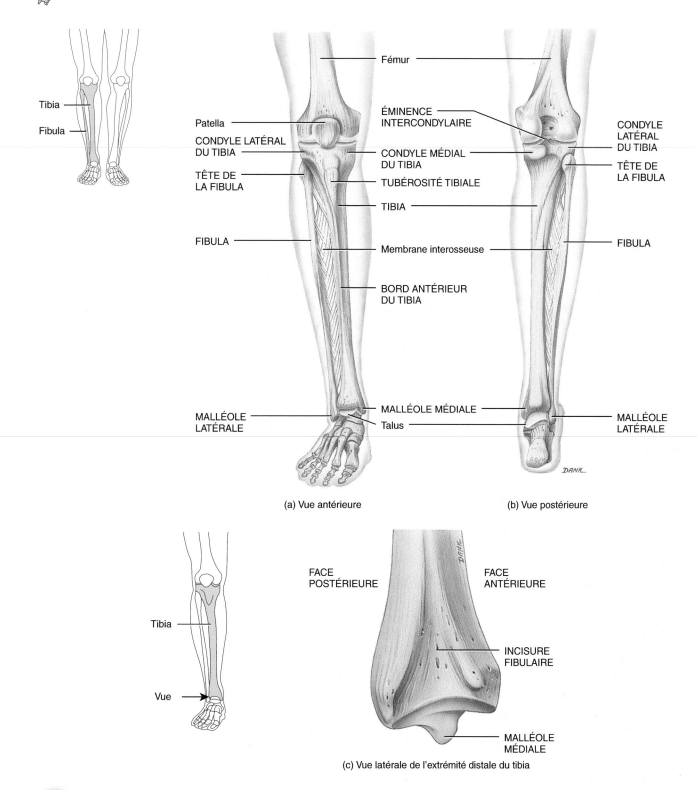

Tibia

Fibula

Fémur

ÉMINENCE INTERCONDYLAIRE

Patella

CONDYLE LATÉRAL DU TIBIA

CONDYLE MÉDIAL DU TIBIA

TÊTE DE LA FIBULA

TUBÉROSITÉ TIBIALE

TIBIA

FIBULA

Membrane interosseuse

BORD ANTÉRIEUR DU TIBIA

CONDYLE LATÉRAL DU TIBIA

TÊTE DE LA FIBULA

FIBULA

MALLÉOLE LATÉRALE

MALLÉOLE MÉDIALE

Talus

MALLÉOLE LATÉRALE

(a) Vue antérieure

(b) Vue postérieure

DANK

Tibia

Vue

FACE POSTÉRIEURE

FACE ANTÉRIEURE

INCISURE FIBULAIRE

MALLÉOLE MÉDIALE

(c) Vue latérale de l'extrémité distale du tibia

Q Quel os de la jambe soutient le poids corporel ?

Figure 8.16 Pied droit.

 Le squelette du pied comprend à son extrémité proximale les os du tarse, au centre les métatarsiens et à son extrémité distale, les phalanges du pied.

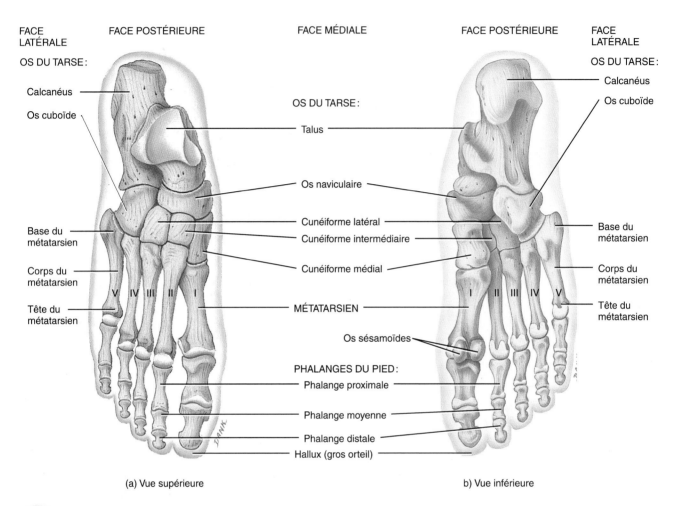

(a) Vue supérieure

b) Vue inférieure

Q Quel os du tarse s'articule avec le tibia et la fibula?

cunéiformes et l'os cuboïde pour former les *articulations tarso-métatarsiennes.* Leur extrémité distale s'articule avec la rangée proximale des phalanges pour constituer les *articulations métatarso-phalangiennes.* Le premier métatarsien est plus épais que les autres car il supporte une plus lourde charge.

Les **phalanges du pied,** ou orteils, forment la partie distale du pied. Elles ressemblent aux phalanges de la main en ce qui concerne leur nombre et leur disposition. Les orteils sont numérotés de I à V en commençant par l'hallux (ou gros orteil). Chacun comprend une *base de la phalange du pied* proximale, un *corps de la phalange du pied* moyen et une *tête de la phalange du pied* distale. L'hallux comporte deux phalanges, une proximale et une distale, plus grandes et plus lourdes que les autres. Les quatre autres orteils comprennent chacun trois phalanges (proximale, moyenne et distale). Tout comme les phalanges de la main, les phalanges du pied sont unies par des articulations, qui sont appelées *articulations interphalangiennes du pied.*

Arcs plantaires

Le pied présente deux **arcs** (figure 8.17) qui lui permettent de supporter le poids du corps, répartissent uniformément cette masse au-dessus de ses tissus durs et mous et produisent

Figure 8.17 Arcs du pied droit.

 Les arcs plantaires permettent au pied de supporter le poids corporel, de répartir cette masse et de produire un effet de levier pendant la marche.

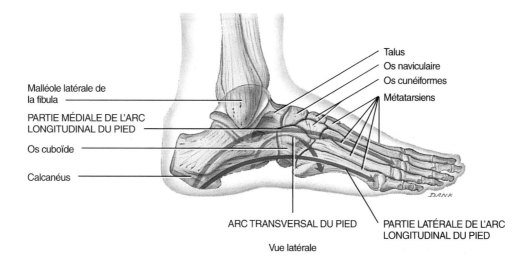

Talus
Os naviculaire
Os cunéiformes
Métatarsiens

Malléole latérale de la fibula

PARTIE MÉDIALE DE L'ARC LONGITUDINAL DU PIED

Os cuboïde

Calcanéus

ARC TRANSVERSAL DU PIED

PARTIE LATÉRALE DE L'ARC LONGITUDINAL DU PIED

Vue latérale

Q Quelle caractéristique structurale des arcs plantaires leur permet d'amortir les chocs ?

un effet de levier durant la marche. Les arcs plantaires ne sont pas rigides: ils fléchissent sous le poids corporel et reviennent en place une fois allégés, ce qui contribue à amortir les chocs. Habituellement, les arcs du pied sont complètement développés vers l'âge de 12 ou 13 ans.

L'*arc longitudinal du pied* se divise en deux parties constituées chacune d'os du tarse et de métatarsiens disposés en forme d'arc, de la face antérieure à la face postérieure du pied. La *partie médiale de l'arc longitudinal du pied* prend naissance dans le calcanéus, s'élève jusqu'au niveau du talus et redescend sur les piliers formés par l'os naviculaire, les trois os cunéiformes et les têtes des trois métatarsiens internes. La *partie latérale de l'arc longitudinal du pied* commence également au niveau du calcanéus, puis s'élève jusqu'au niveau de l'os cuboïde et redescend vers les têtes des deux métatarsiens externes.

L'*arc transversal du pied* unit les faces interne et externe du pied. Il est formé par l'os naviculaire, les trois os cunéiformes et les bases des cinq métatarsiens.

 APPLICATION CLINIQUE
Pied plat, pied en griffe et pied bot
Les os qui composent les arcs plantaires sont maintenus en place par des ligaments et des tendons.

Lorsque ces ligaments et tendons s'affaiblissent, la partie médiale de l'arc longitudinal peut s'affaisser. Le **pied plat** qui en résulte peut être causé par une charge excessive, des anomalies posturales, un affaiblissement des tissus de soutien et une prédisposition génétique. On prescrit souvent une orthèse plantaire fabriquée sur mesure pour corriger le pied plat.

Le **pied en griffe** se caractérise par une élévation anormale de la partie médiale de l'arc longitudinal. Il est souvent causé par des difformités musculaires, par exemple lorsque des lésions neurologiques secondaires au diabète provoquent l'atrophie des muscles du pied.

Le **pied bot** est une difformité héréditaire du pied qui frappe 1 nouveau-né sur 1 000. Le pied est tordu vers le bas et l'intérieur, et l'arc forme un angle plus grand que la normale. Le traitement consiste à redonner une courbure normale à l'arc au moyen d'un plâtre ou d'une bande adhésive, habituellement peu de temps après la naissance. Le port de chaussures correctives ou une chirurgie s'avèrent parfois nécessaires. ■

1. Nommez les os du membre inférieur, en allant de l'extrémité proximale à l'extrémité distale.
2. Décrivez les articulations que les os du membre inférieur forment les uns avec les autres.
3. Quelles sont les fonctions des arcs plantaires ?

DÉSÉQUILIBRES HOMÉOSTATIQUES

FRACTURE DE LA HANCHE

Bien que toutes les régions de la ceinture pelvienne puissent se fracturer, l'expression **fracture de la hanche** désigne communément la fracture des os formant l'articulation de la hanche, c'est-à-dire la tête, le col ou les trochanters du fémur, ou encore les os qui forment l'acétabulum. Aux États-Unis, de 300 000 à 500 000 personnes se fracturent la hanche chaque année. L'incidence de ce type de fracture est en hausse, en partie à cause de l'augmentation de l'espérance de vie. La réduction de la masse osseuse qui découle de l'ostéoporose (maladie qui atteint plus fréquemment les femmes) et une plus grande vulnérabilité aux chutes prédisposent les personnes âgées aux fractures de la hanche.

Les fractures de la hanche nécessitent souvent une intervention chirurgicale qui vise à réparer et à stabiliser la fracture, à accroître la mobilité et à diminuer la douleur. On utilise parfois des broches, des vis, des clous ou des plaques pour fixer la tête du fémur. Lorsque la fracture est grave, la tête du fémur ou l'acétabulum peuvent être remplacés par des prothèses (dispositifs artificiels). L'intervention qui vise le remplacement de l'une ou l'autre de ces parties d'os est appelée *hémiarthroplastie* (*hêmi* = à moitié; *arthron* = articulation; *plassein* = façonner). L'*arthroplastie totale de la hanche* consiste à remplacer à la fois la tête du fémur et l'acétabulum. La prothèse qui remplace l'acétabulum est en plastique, tandis que celle qui remplace la tête du fémur est en métal. Toutes deux sont conçues pour supporter de fortes contraintes. Elles sont fixées aux parties saines de l'os par un ciment acrylique et des vis.

TERMES MÉDICAUX

Genu valgum (*valgus* = tourné en dehors) Déformation caractérisée par une distance plus faible entre les genoux et plus grande entre les chevilles, causée par une angulation interne des jambes par rapport à la cuisse. Aussi appelé **genou cagneux** ou encore **jambes en X.**

Genu varum (*varus* = tourné en dedans) Déformation caractérisée par une distance plus grande entre les genoux, causée par une angulation externe des jambes par rapport à la cuisse. Aussi appelé **jambe arquée** ou encore **jambes en O.**

Hallux valgus Déviation du gros orteil (ou hallux) par rapport à la ligne médiane du corps, souvent causée par le port de chaussures trop étroites. Caractérisé par une déviation externe de la phalange proximale de l'hallux et une déviation interne du premier métatarsien. Aussi appelé **oignon.**

Pelvimétrie Mensuration des détroits supérieur et inférieur du petit bassin (canal génital) obtenue par échographie ou par examen physique.

RÉSUMÉ

CEINTURE SCAPULAIRE (ÉPAULE) (p. 231)
1. Chaque ceinture scapulaire comprend une clavicule et une scapula.
2. Chaque ceinture scapulaire fixe un membre supérieur au squelette axial.

MEMBRE SUPÉRIEUR (p. 234)
1. Les deux membres supérieurs comptent au total 60 os.
2. Chaque membre supérieur comprend un humérus, un ulna, un radius, des os du carpe, des métacarpiens et des phalanges de la main.

CEINTURE PELVIENNE (HANCHE) (p. 240)
1. La ceinture pelvienne est formée des deux os coxaux.
2. Chaque os coxal est constitué de trois os fusionnés : l'ilium, le pubis et l'ischium.
3. Les os coxaux, le sacrum et la symphyse pubienne forment le bassin. Le bassin soutient la colonne vertébrale et les viscères abdominaux, et fixe les membres inférieurs au squelette axial.

4. Le grand bassin est séparé du petit bassin par l'ouverture supérieure du bassin.

COMPARAISON DES BASSINS FÉMININ ET MASCULIN (p. 243)
1. Les os de l'homme sont en général plus larges et plus lourds que les os de la femme, et leurs repères sont plus marqués.
2. Le bassin de la femme est adapté à la grossesse et à l'accouchement. Les différences entre le bassin de la femme et celui de l'homme sont énumérées et illustrées au tableau 8.1.

COMPARAISON DES CEINTURES SCAPULAIRE ET PELVIENNE (p. 245)
1. La ceinture scapulaire ne s'articule pas directement avec la colonne vertébrale, contrairement à la ceinture pelvienne.
2. Les cavités glénoïdales des scapulas sont peu profondes et permettent une amplitude de mouvement maximale, tandis que les acétabulums des os coxaux sont profonds et permettent moins de mouvements.

MEMBRE INFÉRIEUR (p. 245)

1. Les deux membres inférieurs comportent au total 60 os.
2. Chaque membre inférieur comprend un fémur, une patella, un tibia, une fibula, des os du tarse, des métatarsiens et des phalanges du pied.
3. Chaque pied présente deux arcs, l'arc longitudinal et l'arc transversal, qui le soutiennent et produisent un effet de levier.

AUTOÉVALUATION

Phrases à compléter

1. D'un point de vue fonctionnel, le squelette axial sert principalement à ___ les organes internes, tandis que le squelette appendiculaire sert davantage à ___.
2. L'os sésamoïde large et triangulaire situé en avant de l'articulation du genou est appelé ___.
3. L'os qui supporte le premier le poids de l'ensemble du corps pendant la marche est appelé ___.
4. L'un des os du corps le plus souvent fracturés est ___.

Choix multiples

5. Lequels des énoncés suivants sont vrais? 1) La ceinture scapulaire comprend la scapula, la clavicule et le sternum. 2) Bien que les articulations de la ceinture scapulaire ne soient pas très stables, elles permettent une liberté de mouvement dans de nombreuses directions. 3) La composante antérieure de la ceinture scapulaire est la scapula. 4) La ceinture scapulaire s'articule directement avec la colonne vertébrale. 5) La composante postérieure de la ceinture scapulaire est le sternum.
   a) 1, 2 et 3. b) 2 seulement. c) 4 seulement. d) 2, 3 et 5. e) 3, 4 et 5.
6. Lesquels des os suivants appartiennent au carpe? 1) Phalanges. 2) Os scaphoïde, lunatum et os pisiforme. 3) Trapèze, trapézoïde et capitatum. 4) Hamatum et triquétrum. 5) Calcanéus et talus.
   a) 1, 2 et 3. b) 2, 3 et 4. c) 1, 2, 3 et 4. d) 2, 3, 4 et 5. e) 1, 2, 3, 4 et 5.
7. Lequel des énoncés suivants est vrai? a) L'ilium est la plus petite composante de l'os coxal. b) La grande incisure ischiatique est située sur l'ischium. c) L'ischium est la partie antérieure et supérieure de l'os coxal. d) La symphyse pubienne est l'articulation qui unit les deux os coxaux. e) Le foramen obturé est le plus petit foramen du corps.
8. L'acétabulum fait partie : a) de la fibula ; b) du sacrum ; c) de l'os coxal ; d) du fémur ; e) du tibia.
9. Lesquels des énoncés suivants sont vrais? 1) Les os de l'homme sont en général plus larges et plus lourds que ceux de la femme. 2) Le bassin de la femme est plus large que celui de l'homme. 3) Le petit bassin de l'homme est plus spacieux que celui de la femme. 4) Les os du squelette masculin présentent en général des repères plus marqués que ceux du squelette féminin. 5) La plupart des différences structurales entre le bassin de l'homme et celui de la femme ont trait à la grossesse et à l'accouchement.
   a) 1, 2 et 3. b) 2, 3 et 4. c) 3, 4 et 5. d) 1, 2, 3 et 5. e) 1, 2, 4 et 5.
10. Lequel des os suivants n'appartient *pas* au tarse? a) Patella. b) Os naviculaire. c) Calcanéus. d) Talus. e) Os cunéiforme.

Vrai ou faux

11. Les arcs plantaires permettent au pied de supporter le poids corporel, ils répartissent également ce poids au-dessus des tissus durs et mous du pied et ils produisent un effet de levier pendant la marche.
12. D'un point de vue fonctionnel, le bassin offre un soutien solide et stable à la colonne vertébrale et aux viscères abdominaux.
13. Associez les éléments suivants :

    ___ a) olécrâne
    ___ b) fosse olécrânienne
    ___ c) trochlée
    ___ d) grand trochanter
    ___ e) malléole médiale
    ___ f) empreinte du ligament costo-claviculaire
    ___ g) capitulum
    ___ h) acromion
    ___ i) tubérosité radiale
    ___ j) malléole latérale
    ___ k) cavité glénoïdale
    ___ l) processus coronoïde
    ___ m) ligne âpre

    1) clavicule
    2) scapula
    3) humérus
    4) ulna
    5) radius
    6) fémur
    7) tibia
    8) fibula

14. Associez les éléments suivants :

    ___ a) os large, triangulaire et plat situé dans la partie postérieure du thorax
    ___ b) os en forme de S situé horizontalement dans la partie antérieure et supérieure du thorax
    ___ c) s'articule par son extrémité proximale avec la scapula et par son extrémité distale avec le radius et l'ulna
    ___ d) situé sur la face interne de l'avant-bras
    ___ e) situé sur la face externe de l'avant-bras
    ___ f) os le plus long, le plus lourd et le plus résistant du corps
    ___ g) os le plus grand et le plus interne de la jambe
    ___ h) os le plus petit et le plus externe de la jambe
    ___ i) os du talon
    ___ j) os du carpe

    1) calcanéus
    2) scapula
    3) os scaphoïde
    4) radius
    5) fémur
    6) clavicule
    7) ulna
    8) tibia
    9) humérus
    10) fibula

15. Associez les éléments suivants:
    ___ a) causé par un rétrécissement du canal carpien
    ___ b) trouble caractérisé par une élévation anormale de la partie médiale de l'arc longitudinal; fréquemment causé par un déséquilibre musculaire
    ___ c) autre nom du genu valgum
    ___ d) difformité héréditaire caractérisée par un pied tordu vers le bas et l'intérieur et un angle d'arc plus grand
    ___ e) autre nom du genu varum
    ___ f) mouvement coulissant anormal de la patella, touchant les adeptes de la course à pied
    ___ g) affaissement de la partie médiale de l'arc longitudinal consécutif à l'affaiblissement des ligaments et des tendons
    ___ h) difformité du gros orteil

1) pied plat
2) pied en griffe
3) pied bot
4) hallux valgus
5) syndrome fémoro-patellaire
6) genou cagneux
7) jambe arquée
8) syndrome du canal carpien

QUESTIONS À COURT DÉVELOPPEMENT

1. Le jeune Thomas regarde trop la télévision, surtout les dessins animés et les films d'horreur. Lorsqu'il a appris que son grand-oncle avait un « pied en griffe », il ne savait pas s'il devait s'en réjouir ou avoir peur. Expliquez à Thomas ce qu'est un pied en griffe. (INDICE: *Son grand-oncle est un humain comme les autres.*)
2. Le journal local rapporte qu'un ouvrier s'est coincé la main dans un engrenage mécanique jeudi dernier. Il a perdu les deux doigts externes de la main gauche. L'auteur de l'article, qui terminera bientôt l'école secondaire, précise qu'il reste à la victime trois phalanges. Est-ce exact, ou notre reporter a-t-il besoin d'un cours de rattrapage en anatomie? (INDICE: *Combien y a-t-il de phalanges dans chaque doigt?*)
3. Puisque les hanches et les épaules sont situées dans le tronc, pourquoi ne font-elles pas partie du squelette axial comme tous les autres os du tronc? (INDICE: *Avez-vous déjà vu un serpent avec des épaules?*)

RÉPONSES AUX QUESTIONS DES FIGURES

8.1 Les ceintures scapulaires fixent les membres supérieurs au squelette axial.

8.2 Le point le plus faible de la clavicule est sa région moyenne, à la jonction des deux courbures.

8.3 L'acromion forme la pointe de l'épaule.

8.4 Chaque membre supérieur comporte 30 os.

8.5 Le radius s'articule au niveau du coude avec le capitulum et la fosse radiale de l'humérus. L'ulna s'articule au niveau du coude avec la trochlée, la fosse coronoïdienne et la fosse olécrânienne de l'humérus.

8.6 L'olécrâne est la partie de l'ulna que l'on appelle le « coude ».

8.7 Le radius et l'ulna forment deux articulations, les articulations radio-ulnaires proximale et distale.

8.8 L'os du poignet le plus souvent fracturé est l'os scaphoïde.

8.9 Le bassin fixe les membres inférieurs au squelette axial et soutient la colonne vertébrale ainsi que les viscères abdominaux.

8.10 Le fémur s'articule avec l'acétabulum de l'os coxal; le sacrum s'articule avec la surface auriculaire de l'ilium de l'os coxal.

8.11 Pendant l'accouchement, la tête de l'enfant suit l'axe du pelvis au cours de sa descente dans le bassin.

8.12 Chaque membre inférieur comporte 30 os.

8.13 L'angle de convergence des fémurs est plus grand chez la femme que chez l'homme car le bassin de la femme est plus large.

8.14 La patella est un os sésamoïde, en l'occurrence le plus gros du corps.

8.15 Le tibia est l'os de la jambe qui soutient le poids corporel.

8.16 Le talus s'articule avec le tibia et la fibula.

8.17 Les arcs plantaires ne sont *pas* rigides: ils fléchissent sous le poids corporel et reprennent leur forme une fois allégés.

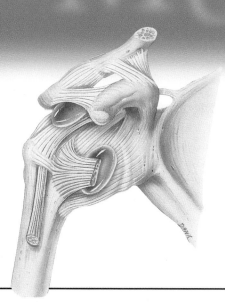

Les os sont trop rigides pour fléchir sans être endommagés. Heureusement, les articulations, qui sont formées de tissus conjonctifs souples, relient les os tout en permettant, dans la plupart des cas, une certaine mobilité. L'**articulation,** ou **jointure,** est le point de contact de deux os, d'un os et d'un cartilage ou d'un os et d'une dent. Lorsqu'on dit qu'un os *s'articule* avec un autre, cela signifie que ces os se rencontrent et bougent l'un par rapport à l'autre. La plupart des mouvements du corps se produisent au niveau des articulations. Nous comprenons mieux l'importance des articulations lorsque nous avons du mal à marcher parce que notre genou est prisonnier d'un plâtre ou lorsque les petits objets deviennent difficiles à manipuler parce qu'une attelle immobilise un de nos doigts. L'étude scientifique des articulations est appelée **arthrologie** (*arthron* = articulation; *logos* = science) et l'étude du mouvement du corps humain, **kinésiologie** (*kinêsis* = mouvement).

CLASSIFICATION DES ARTICULATIONS

OBJECTIF

• *Décrire les classifications structurale et fonctionnelle des articulations.*

On classifie les articulations selon leur structure, c'est-à-dire leurs caractéristiques anatomiques, ou selon leurs fonctions, soit le type de mouvement qu'elles permettent.

La classification structurale des articulations repose sur deux critères : 1) la présence ou l'absence d'un espace, appelé cavité articulaire, entre les os qui s'articulent et 2) le type de tissu conjonctif qui unit les os. Les trois catégories structurales d'articulations sont :

• **Articulations fibreuses :** Les os sont reliés par du tissu conjonctif fibreux riche en fibres collagènes; les articulations fibreuses sont dépourvues de cavité articulaire.

• **Articulations cartilagineuses :** Les os sont unis par du cartilage, et il n'y a pas de cavité articulaire.

• **Articulations synoviales :** Les os comportent une cavité articulaire; ils sont unis par le tissu conjonctif dense irrégulier d'une capsule articulaire et, souvent, par des ligaments.

La classification fonctionnelle des articulations reflète le degré de mouvement qu'elles permettent. Les trois catégories fonctionnelles d'articulations sont :

• **Articulations immobiles,** ou **synarthroses** (*sun* = avec).

• **Articulation semi-mobiles,** ou **amphiarthroses** (*amphi* = des deux côtés).

• **Articulations mobiles,** ou **diarthroses**. Toutes les articulations mobiles sont des articulations synoviales. Leur forme varie et elles permettent différents types de mouvements.

Dans les sections suivantes, nous utiliserons la classification structurale des articulations mais nous donnerons aussi, pour chaque type d'articulation, ses caractéristiques fonctionnelles.

ARTICULATIONS FIBREUSES

OBJECTIF

• *Décrire la structure et les fonctions des trois types d'articulations fibreuses.*

Les **articulations fibreuses** sont dépourvues de cavité articulaire, et les os sont presque soudés ensemble par du tissu conjonctif fibreux. Elles ne permettent aucun mouvement, ou en permettent très peu. Les trois types d'articulations fibreuses sont les sutures, les syndesmoses et les gomphoses.

Sutures

La **suture** (littéralement, «couture») est une articulation fibreuse composée d'une mince couche de tissu conjonctif fibreux dense qui unit les os du crâne. La suture coronale, entre les os pariétal et frontal (figure 9.1a), en est un exemple. Les bords irréguliers des sutures s'emboîtent pour accroître la résistance de l'articulation et diminuer le risque de fractures. D'un point de vue fonctionnel, la suture est une articulation immobile.

Certaines sutures, qui persistent durant l'enfance, sont remplacées par de la matière osseuse à l'âge adulte. On les appelle alors **synostoses,** c'est-à-dire «jonctions osseuses»; les os qui bordent la suture sont complètement fusionnés. La suture frontale qui unit les côtés gauche et droit de l'os frontal et commence à fusionner durant la petite enfance est un exemple de synostose.

Syndesmoses

Dans la **syndesmose** (*sundesmos* = ligament), la distance qui sépare les os et le tissu conjonctif fibreux est plus grande que dans la suture. Le tissu conjonctif fibreux se présente sous forme de faisceau (ligament) ou de membrane (membrane interosseuse) (figure 9.1b). L'articulation tibio-fibulaire distale, qui relie le ligament tibio-fibulaire antérieur au tibia et à la fibula, est une syndesmose, de même que la membrane interosseuse unissant les bords parallèles du tibia et de la fibula. La syndesmose est peu mobile, ce qui la place dans la catégorie des articulations semi-mobiles.

Gomphoses

La **gomphose** (*gomphos* = clou, cheville) est une articulation fibreuse par laquelle un os s'enclave dans la cavité d'un autre os. Les seuls exemples en sont les articulations unissant les racines dentaires aux processus alvéolaires des maxillaires et de la mandibule (figure 9.1c). Le ligament périodontal, composé de tissu conjonctif dense fibreux, fixe la dent à son alvéole. D'un point de vue fonctionnel, la gomphose est une articulation immobile.

Figure 9.1 Articulations fibreuses.

🔑 **Dans une articulation fibreuse, les os sont unis par du tissu conjonctif fibreux.**

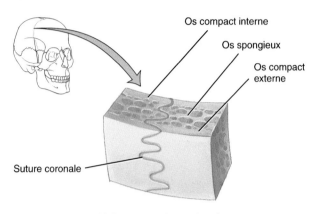

Os compact interne
Os spongieux
Os compact externe
Suture coronale

(a) Suture entre les os du crâne

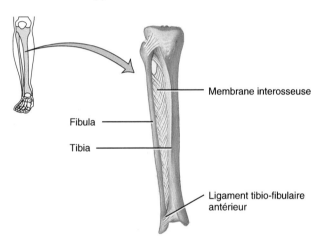

Membrane interosseuse
Fibula
Tibia
Ligament tibio-fibulaire antérieur

(b) Syndesmoses entre le tibia et la fibula

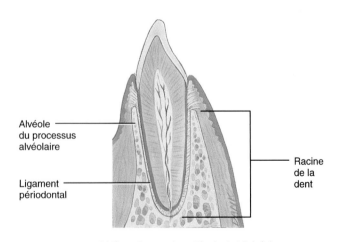

Alvéole du processus alvéolaire
Ligament périodontal
Racine de la dent

(c) Gomphose unissant la dent et l'alvéole d'un processus alvéolaire

 Pourquoi les sutures entrent-elles dans la catégorie fonctionnelle des synarthroses, et les syndesmoses, dans celle des amphiarthroses?

ARTICULATIONS CARTILAGINEUSES

OBJECTIF

• *Décrire la structure et les fonctions des deux types d'articulations cartilagineuses.*

Comme l'articulation fibreuse, l'**articulation cartilagineuse** est dépourvue de cavité articulaire et permet peu de mouvement, parfois aucun. Les os sont étroitement liés par du cartilage fibreux ou hyalin. Les deux types d'articulations cartilagineuses sont les synchondroses et les symphyses.

Synchondroses

Dans la **synchondrose** (*khondros* = cartilage), le matériau de jonction des os est une lame de cartilage hyalin. Le cartilage de conjugaison qui unit l'épiphyse et la diaphyse d'un os en croissance en est un exemple (figure 9.2a). La synchondrose est une articulation immobile. Lorsque l'os cesse de croître en longueur, de la matière osseuse remplace le cartilage hyalin et la synchondrose devient une synostose. L'articulation qui unit la première côte au manubrium sternal est une synchondrose qui s'ossifie à l'âge adulte pour devenir une synostose immobile.

Symphyses

Dans la **symphyse** (*sumphusis* = union naturelle), les extrémités des os sont recouvertes de cartilage hyalin, mais les os sont unis par un disque large et plat de cartilage fibreux. Toutes les symphyses sont situées sur la ligne médiane du corps. La symphyse pubienne qui relie les faces antérieures des os coxaux en est un exemple (figure 9.2b). On trouve également une symphyse à la jonction du manubrium et du corps du sternum (voir la figure 7.22, p. 224) et entre les corps des vertèbres, unis par les articulations intervertébrales (voir la figure 7.17, p. 217). Une partie du disque intervertébral est constituée de cartilage fibreux. La symphyse est une articulation semi-mobile, permettant donc peu de mouvement.

1. Énumérez les types d'articulations fibreuses et d'articulations cartilagineuses. Pour chaque type, donnez un exemple en le situant sur le corps et en décrivant le type de tissu qui unit les os qui s'articulent.
2. Lesquelles des articulations fibreuses et cartilagineuses sont des articulations semi-mobiles ?

ARTICULATIONS SYNOVIALES

OBJECTIF

• *Décrire la structure des articulations synoviales.*

Dans les **articulations synoviales,** il y a entre les os qui s'articulent un espace appelé **cavité articulaire** (figure 9.3). La structure de ces articulations leur confère une grande liberté de mouvement. Toutes les articulations synoviales sont donc des articulations mobiles.

Figure 9.2 Articulations cartilagineuses.

 Dans une articulation cartilagineuse, les os sont unis par du cartilage.

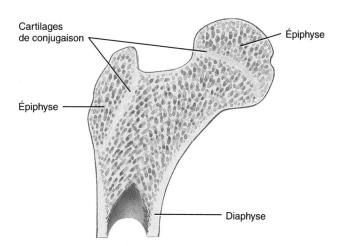

(a) Synchondrose

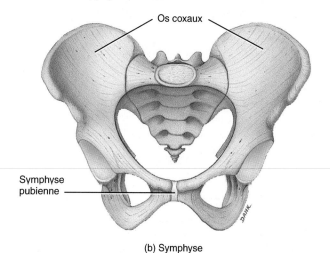

(b) Symphyse

Q Quelle est la différence structurale entre une synchondrose et une symphyse ?

Structure des articulations synoviales

Les os unis par une articulation synoviale sont recouverts d'un **cartilage articulaire,** le plus souvent du cartilage hyalin, mais aussi parfois du cartilage fibreux. Le cartilage articulaire est lisse et luisant, il entoure la surface articulaire des os mais ne les relie pas. Il réduit la friction entre les os pendant les mouvements et contribue à amortir les chocs.

Capsule articulaire

Une **capsule articulaire** en forme de manchon entoure l'articulation synoviale. Elle contient la cavité articulaire et unit les os. La capsule articulaire comprend deux couches :

Figure 9.3 Structure d'une articulation synoviale typique. Remarquez les deux couches de la capsule articulaire : la capsule fibreuse et la membrane synoviale. Le liquide synovial se trouve dans la cavité articulaire, entre la membrane synoviale et le cartilage articulaire.

 L'articulation synoviale se caractérise par la cavité synoviale située entre les os qu'elle unit.

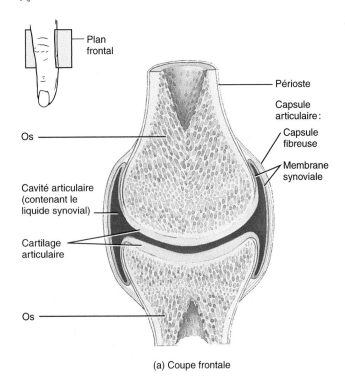

(a) Coupe frontale

Q À quelle catégorie fonctionnelle appartiennent les articulations synoviales ?

une capsule fibreuse à l'extérieur et une membrane synoviale à l'intérieur (voir la figure 9.3). La couche externe, appelée **capsule fibreuse,** est habituellement composée de tissu conjonctif dense irrégulier et adhère au périoste des os de l'articulation. Sa souplesse permet une amplitude de mouvement considérable, tandis que sa grande résistance à la traction protège les os des luxations. Les fibres de certaines capsules fibreuses sont disposées en faisceaux parallèles qui opposent une très grande résistance aux contraintes. Ces faisceaux sont appelés **ligaments** (*ligare* = lier) et on les désigne souvent par des noms distincts. La force des ligaments est l'un des principaux facteurs mécaniques qui assurent l'union des os dans une articulation synoviale. La couche interne de la capsule articulaire, nommée **membrane synoviale,** est composée de tissu conjonctif aréolaire contenant des fibres élastiques. Dans de nombreuses articulations synoviales, la membrane synoviale accumule du tissu adipeux appelé **corps adipeux.** Le corps adipeux infrapatellaire du genou en est un exemple (voir la figure 9.14c).

Liquide synovial

La membrane synoviale sécrète le **liquide synovial** (*ovum* = œuf), qui forme une mince pellicule sur les surfaces internes de la capsule articulaire. Ce liquide visqueux, transparent ou jaune pâle, a l'apparence et la consistance d'un blanc d'œuf cru, d'où son nom. Le liquide synovial se compose d'acide hyaluronique et de liquide interstitiel filtré du plasma sanguin. D'un point de vue fonctionnel, il réduit la friction en lubrifiant l'articulation, fournit des nutriments aux chondrocytes à l'intérieur du cartilage articulaire et débarrasse ces derniers de leurs déchets. (Rappelez-vous que le cartilage est un tissu avasculaire.) Le liquide synovial contient également des phagocytes qui éliminent les microbes et les débris issus de l'usure normale de l'articulation. Lorsqu'une articulation synoviale reste immobile pendant un certain temps, le liquide devient plus visqueux (gélatineux) mais à mesure que l'articulation reprend sa mobilité, la viscosité du liquide diminue. Entre autres avantages, la période d'échauffement qui précède une séance d'exercice favorise la production et la sécrétion de liquide synovial.

Disques articulaires et ligaments

De nombreuses articulations synoviales contiennent également des **ligaments accessoires,** soit les **ligaments extra-capsulaires** et **intra-capsulaires.** Les *ligaments extra-capsulaires* sont situés en dehors de la capsule articulaire. Les ligaments collatéraux fibulaire et tibial de l'articulation du genou en sont un exemple (voir la figure 9.14d). Les *ligaments intra-capsulaires* se trouvent à l'intérieur de la capsule articulaire mais sont séparés de la cavité articulaire par les plis de la membrane synoviale. Les ligaments croisés antérieur et postérieur du genou sont des ligaments intra-capsulaires (voir la figure 9.14d).

À l'intérieur de certaines articulations synoviales, comme celle du genou, des coussinets de cartilage fibreux fixés à la capsule fibreuse s'insèrent entre les surfaces articulaires des os. Ces coussinets sont appelés **disques articulaires,** ou **ménisques.** La figure 9.14d représente les ménisques latéral et médial de l'articulation du genou. Ces disques subdivisent habituellement la cavité synoviale en deux espaces distincts. En modifiant ainsi la forme des surfaces articulaires des os, les disques articulaires permettent à deux os de forme différente de mieux s'ajuster ensemble. Ils contribuent également à la stabilité de l'articulation et acheminent le liquide synovial vers les régions soumises à un degré élevé de friction.

 APPLICATION CLINIQUE
Cartilage déchiré et arthroscopie

La rupture des disques articulaires (ou ménisques) du genou – on parle communément de **cartilage déchiré** – est fréquente chez les athlètes. Le cartilage endommagé s'use, ce qui peut entraîner l'apparition d'arthrite à moins qu'on ne procède à son ablation chirurgicale (méniscectomie).

Afin de traiter le cartilage déchiré, on a recours à l'**arthroscopie** (*skopein* = observer). Cette procédure consiste à examiner l'intérieur d'une articulation, habituellement celle du genou, au moyen d'un instrument de visualisation lumineux appelé arthroscope. L'arthroscopie permet d'évaluer la nature et l'étendue des lésions consécutives à une blessure au genou ; elle guide le médecin qui enlève le cartilage déchiré, répare les ligaments croisés ou prélève des échantillons pour les analyser. Elle sert en outre à surveiller la progression de la maladie et l'efficacité du traitement. Le chirurgien peut également recourir à l'arthroscopie lors d'interventions touchant les articulations de l'épaule, du coude, de la cheville et du poignet. ■

Innervation et irrigation sanguine

Les nerfs qui traversent les articulations sont les mêmes que ceux qui innervent les muscles squelettiques permettant les mouvements articulaires. Les articulations synoviales possèdent de nombreuses terminaisons nerveuses dans leur capsule articulaire et les ligaments qui la renforcent. Certaines de ces terminaisons transmettent l'information sur la douleur provenant de l'articulation jusqu'à la moelle épinière et à l'encéphale, qui en assureront le traitement. D'autres captent l'information sur le degré de mouvement et d'étirement d'une articulation et la transmettent à la moelle épinière et à l'encéphale, qui y réagissent en émettant d'autres influx nerveux vers les muscles chargés d'adapter les mouvements du corps.

Les artères alimentant une articulation synoviale se ramifient en de nombreuses branches qui pénètrent dans les ligaments et la capsule articulaire pour leur fournir de l'oxygène et des nutriments. Les veines éliminent le gaz carbonique et les déchets des articulations. Habituellement, les branches de diverses artères s'unissent autour d'une articulation avant de pénétrer dans la capsule articulaire. Les portions articulaires d'une articulation synoviale sont nourries par le liquide synovial, tandis que ses autres tissus sont alimentés par des capillaires.

APPLICATION CLINIQUE
Entorse et foulure

Une **entorse** est une élongation ou une déchirure des ligaments, sans luxation, qui résulte d'une torsion forcée de l'articulation. Elle survient lorsque les ligaments sont soumis à des forces dépassant leur capacité de résistance normale. Certaines entorses endommagent également les vaisseaux sanguins, les muscles, les tendons ou les nerfs environnants. Une entorse grave peut être si douloureuse qu'il est impossible de bouger l'articulation. On observe un œdème marqué causé par l'hémorragie des vaisseaux sanguins rompus. Les entorses les plus courantes sont celles de la cheville, suivies par celles de la région lombaire. La **foulure** est une entorse légère dans laquelle un muscle est étiré ou partiellement déchiré. Elle se produit souvent lorsqu'on contracte un muscle trop brusquement et trop fort, par exemple lorsqu'un sprinter accélère trop vite. ■

1. Comment la structure des articulations synoviales rend-elle celles-ci mobiles ?
2. Quelles sont les fonctions du cartilage articulaire, du liquide synovial et des disques articulaires ?
3. Quels types de sensations les articulations perçoivent-elles, et de quelles sources les différentes composantes des articulations puisent-elles leurs nutriments ?

Types d'articulations synoviales
OBJECTIF

• *Décrire les six types d'articulations synoviales.*

Bien que les articulations synoviales aient en commun certaines caractéristiques structurales, elles ne possèdent pas toutes la même forme. Par conséquent, on les subdivise en six catégories : planes, trochléennes, trochoïdes, condylaires, en selle et sphéroïdes.

Articulations planes

Dans les **articulations planes,** les surfaces articulaires sont plates ou légèrement recourbées (figure 9.4a). Citons à titre d'exemples les articulations intercarpiennes (dans le poignet entre les os du carpe), les articulations intertarsiennes (dans la cheville entre les os du tarse), les articulations sterno-claviculaires (entre le sternum et la clavicule), les articulations acromio-claviculaires (entre l'acromion de la scapula et la clavicule), les articulations sterno-costales (entre le sternum et les extrémités des cartilages costaux de la deuxième à la septième paire de côtes) et les articulations costo-vertébrales (entre les têtes et les tubercules des côtes et les processus transverses des vertèbres thoraciques). Les articulations planes permettent surtout des mouvements de glissement d'un côté à l'autre et d'avant en arrière (que nous décrivons plus loin). On dit qu'elles sont *non axiales* car le mouvement qu'elles permettent ne s'effectue pas autour d'un axe. Cependant, des radiographies prises pendant des mouvements du poignet et de la cheville ont révélé qu'une certaine rotation des petits os du carpe et du tarse accompagnait le mouvement de glissement.

Articulations trochléennes

Dans les **articulations trochléennes,** la saillie convexe d'un os s'ajuste dans la surface concave d'un autre os (figure 9.4b). Les articulations du genou, du coude et de la cheville, de même que les articulations interphalangiennes, sont des articulations trochléennes. Elles permettent un mouvement angulaire d'ouverture et de fermeture semblable à celui d'une charnière de porte. Les articulations trochléennes sont *uniaxiales* car elles permettent des mouvements autour d'un seul axe.

Articulations trochoïdes

Dans une **articulation trochoïde,** la surface arrondie ou conique d'un os s'adapte à un anneau formé conjointement par un autre os et par un ligament (figure 9.4c). Les articulations

Figure 9.4 Types d'articulations synoviales. Une illustration et un schéma simplifié accompagnent chaque type d'articulation.

 Les articulations synoviales sont classées en sous-catégories selon la forme de leurs surfaces articulaires.

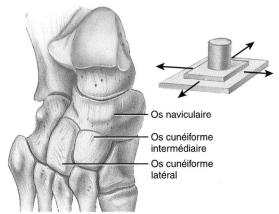

Os naviculaire
Os cunéiforme intermédiaire
Os cunéiforme latéral

(a) Articulation plane entre l'os naviculaire et les os cunéiformes intermédiaire et latéral du tarse

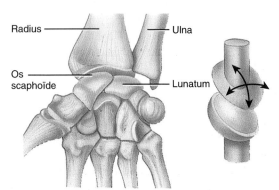

Radius
Ulna
Os scaphoïde
Lunatum

(d) Articulation condylaire entre le radius, l'os scaphoïde et le lunatum du carpe

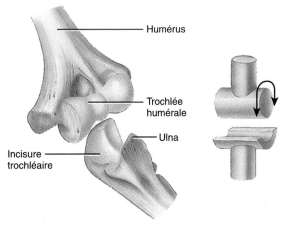

Humérus
Trochlée humérale
Ulna
Incisure trochléaire

(b) Articulation trochléenne entre la trochlée humérale et l'incisure trochléaire de l'ulna au niveau du coude

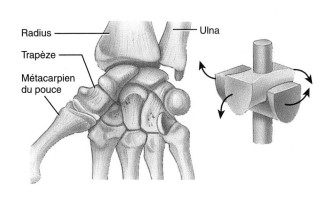

Radius
Ulna
Trapèze
Métacarpien du pouce

(e) Articulation en selle entre le trapèze du carpe et le métacarpien du pouce

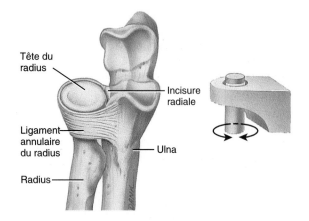

Tête du radius
Incisure radiale
Ligament annulaire du radius
Ulna
Radius

(c) Articulation trochoïde entre la tête du radius et l'incisure radiale de l'ulna

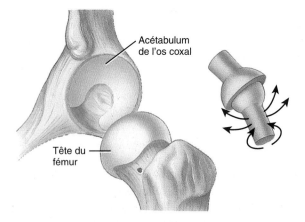

Acétabulum de l'os coxal
Tête du fémur

(f) Articulation sphéroïde entre la tête du fémur et l'acétabulum de l'os coxal

 Lesquelles des articulations représentées sont biaxiales ?

trochoïdes sont *uniaxiales* puisqu'elles permettent des mouvements de rotation autour de leur axe longitudinal seulement. L'articulation atlanto-axoïdienne, qui permet à l'atlas de tourner autour de l'axis, et donc à la tête de bouger de chaque côté pour signifier « non » (voir la figure 9.9a, p. 266), ainsi que l'articulation radio-ulnaire, qui permet la rotation antérieure et postérieure de la paume (voir la figure 9.10h, p. 267), en sont des exemples.

Articulations condylaires

Dans les **articulations condylaires** (*kondulos* = articulation), ou *articulations ellipsoïdes*, la saillie convexe de forme ovale d'un os s'adapte à la cavité concave de même forme d'un autre os (figure 9.4d). Les articulations du poignet et les articulations métacarpo-phalangiennes unissant les métacarpiens aux phalanges du deuxième au cinquième doigt en sont des exemples. Les articulations condylaires sont *biaxiales* car elles permettent des mouvements autour de deux axes. C'est ainsi que l'on peut bouger l'index de haut en bas et d'un côté à l'autre.

Articulations en selle

Dans une **articulation en selle,** la surface articulaire d'un os est en forme de selle, et la surface articulaire de l'autre os la chevauche comme un cavalier sur sa selle (figure 9.4e). L'articulation carpo-métacarpienne qui unit le trapèze du carpe au métacarpien du pouce en est un exemple. L'articulation en selle est en réalité une articulation condylaire modifiée qui permet une plus grande liberté de mouvement. Elle est dite *biaxiale* car elle permet des mouvements latéraux et verticaux.

Articulations sphéroïdes

Les **articulations sphéroïdes** comportent d'une part la surface sphérique d'un os et d'autre part la cavité concave d'un autre os (figure 9.4f). Les articulations de l'épaule et de la hanche sont des articulations sphéroïdes. Elles sont dites *multiaxiales* car elles permettent des mouvements le long des trois axes et dans tous les plans.

Bourses et gaines de tendons
OBJECTIF

• *Décrire la structure et la fonction des bourses et des gaines de tendons.*

Lorsque le corps bouge, il se produit une friction entre les parties qui s'articulent. Les **bourses** sont des structures sacculiformes placées à des endroits stratégiques pour réduire la friction dans certaines articulations, comme celles de l'épaule et du genou (voir la figure 9.11, p. 269, et la figure 9.14c, p. 275). Les bourses ne font pas vraiment partie des articulations synoviales, mais elles s'apparentent aux capsules articulaires puisque leurs parois se composent de tissu conjonctif et sont tapissées d'une membrane synoviale. Elles sont également remplies d'un liquide semblable au liquide synovial. Les bourses sont situées entre la peau et les os, aux endroits de friction. On les trouve également aux points de rencontre des os avec les tendons, des muscles avec les os et des ligaments avec les os. Ces sacs remplis de liquide fonctionnent comme des coussins insérés entre les diverses parties du corps qui s'articulent.

Les **gaines de tendons** réduisent également la friction autour des articulations. Les gaines de tendon se présentent sous la forme de bourses allongées qui entourent des tendons aux endroits soumis à un frottement intense. Les tendons qui traversent une cavité synoviale, par exemple le tendon du muscle biceps brachial au niveau de l'articulation de l'épaule (voir la figure 9.11c, p. 270), sont pourvus d'une telle gaine. Le poignet et la cheville, dans lesquels de nombreux tendons se rencontrent dans un espace restreint (voir la figure 11.22, p. 389), profitent également de l'effet amortisseur des gaines de tendons, de même que les doigts et les orteils, qui sont constamment en mouvement (voir la figure 11.18a, p. 372).

Le tableau 9.1 présente un résumé des classes structurales et fonctionnelles des articulations.

APPLICATION CLINIQUE
Bursite

La **bursite** est une inflammation aiguë ou chronique d'une bourse. Elle peut être causée par un traumatisme, une infection aiguë ou chronique (y compris la syphilis et la tuberculose) ou la polyarthrite rhumatoïde (voir p. 279). Les articulations que l'on soumet à de trop grandes contraintes présentent souvent une bursite accompagnée d'une inflammation locale et d'une accumulation de liquide. Les symptômes de la bursite comprennent la douleur, l'œdème, la sensibilité au toucher et la perte de mobilité. ■

1. Expliquez quels types d'articulations sont non axiales, uniaxiales, biaxiales et multiaxiales.
2. En quoi les bourses ressemblent-elles aux capsules articulaires? En quoi sont-elles différentes?

MOUVEMENTS PERMIS PAR LES ARTICULATIONS SYNOVIALES
OBJECTIF

• *Décrire les types de mouvements permis par les articulations synoviales.*

Les anatomistes, les physiothérapeutes et les kinésithérapeutes utilisent des termes précis pour décrire les mouvements permis par les articulations synoviales. Ces termes reflètent la forme du mouvement, sa direction ou la relation entre

Tableau 9.1 Résumé des classes structurales et des caractéristiques fonctionnelles des articulations

CLASSE STRUCTURALE	DESCRIPTION	CARACTÉRISTIQUES FONCTIONNELLES	EXEMPLE
Fibreuse	Os unis par du tissu conjonctif fibreux; aucune cavité articulaire.		
Suture	Os unis par une mince couche de tissu conjonctif fibreux dense située entre les os du crâne. Avec l'âge, certaines sutures sont remplacées par une synostose, dans laquelle les os fusionnent complètement.	Immobile (synarthrose).	Suture frontale.
Syndesmose	Os réunis par du tissu conjonctif fibreux dense, soit un ligament, soit une membrane interosseuse.	Semi-mobile (amphiarthrose).	Articulation tibio-fibulaire distale.
Gomphose	Os réunis par un ligament périodontal; cheville conique s'insérant dans une cavité.	Immobile.	À la racine des dents, dans les alvéoles des maxillaires et de la mandibule.
Cartilagineuse	Os réunis par du cartilage; aucune cavité articulaire.		
Synchondrose	Os unis par du cartilage hyalin; remplacée par une synostose à la fin de la croissance en longueur des os.	Immobile.	Cartilage de conjugaison entre la diaphyse et l'épiphyse d'un os long.
Symphyse	Os unis par un disque large et plat de cartilage fibreux.	Semi-mobile.	Articulations intervertébrales, symphyse pubienne et jonction du manubrium et du corps du sternum.
Synoviale	Contient une cavité articulaire, du cartilage articulaire et une capsule articulaire; peut contenir des ligaments accessoires, des disques articulaires et des bourses.		
Plane	Surfaces articulaires plates ou légèrement recourbées.	Mobile (diarthrose) non axiale; mouvement de glissement.	Articulations intercarpiennes, intertarsiennes, sterno-costales (entre le sternum et les deuxième à septième paires de côtes) et costo-vertébrales.
Trochléenne	Surface convexe s'ajustant dans une surface concave.	Mobile uniaxiale; mouvement angulaire.	Articulations du coude et de la cheville et articulations interphalangiennes.
Trochoïde	Surface arrondie ou conique s'ajustant dans un anneau formé conjointement par un os et par un ligament.	Mobile uniaxiale; rotation.	Articulations atlanto-axoïdiennes et radio-ulnaires.
Condylaire	Saillie ovale s'ajustant dans une cavité ovale.	Mobile biaxiale; mouvement angulaire.	Articulations radio-carpiennes et métacarpo-phalangiennes.
En selle	Surface articulaire en forme de selle «chevauchée» par une autre surface articulaire.	Mobile biaxiale; mouvement angulaire.	Articulation carpo-métacarpienne entre le trapèze et le pouce.
Sphéroïde	Surface sphérique s'ajustant dans une cavité concave.	Mobile multiaxiale; mouvement angulaire et rotation.	Articulations de l'épaule et de la hanche.

les parties du corps qui s'articulent pendant un mouvement. Les articulations synoviales permettent quatre types de mouvements: 1) le glissement, 2) les mouvements angulaires, 3) la rotation et 4) les mouvements spéciaux. Les mouvements spéciaux sont produits par certaines articulations seulement.

Glissement

Le **glissement** est un mouvement simple par lequel une surface osseuse relativement plate se déplace d'avant en arrière et d'un côté à l'autre par rapport à une autre surface osseuse

Figure 9.5 Mouvements de glissement permis par les articulations synoviales.

 Le glissement est un mouvement qui se produit d'avant en arrière et d'un côté à l'autre.

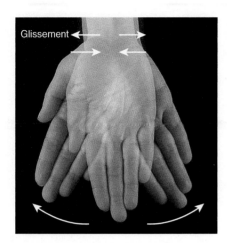

Articulations intercarpiennes

 Quel type d'articulation synoviale permet les mouvements de glissement?

(figure 9.5), sans que l'angle formé par ces os change de façon notable. L'amplitude des mouvements de glissement est limitée par la structure de la capsule articulaire et des ligaments et os qui s'y rattachent. Les articulations planes produisent des mouvements de glissement.

Mouvements angulaires

Les **mouvements angulaires** augmentent ou diminuent l'angle entre deux os qui s'articulent. Les principaux mouvements angulaires sont la flexion, l'extension, la flexion latérale, l'hyperextension, l'abduction, l'adduction et la circumduction. Dans les descriptions suivantes, le corps se trouve en position anatomique.

Flexion, extension, flexion latérale et hyperextension

La flexion et l'extension sont des mouvements opposés l'un à l'autre. La **flexion** (*flectere* = fléchir) entraîne une diminution de l'angle entre deux os, tandis que l'**extension** (*extendere* = étendre) augmente l'angle entre les os, souvent afin de replacer une partie du corps fléchie en position anatomique (figure 9.6). Les deux mouvements se produisent habituellement dans un plan sagittal. Les articulations trochléennes, trochoïdes, condylaires, en selle et sphéroïdes permettent toutes la flexion et l'extension :

- flexion de la tête en direction du thorax au niveau de l'articulation atlanto-occipitale qui unit l'atlas (première vertèbre) et l'os occipital de la tête, et au niveau des articulations intervertébrales cervicales qui joignent les vertèbres cervicales (figure 9.6a) ;
- flexion du tronc vers l'avant au niveau des articulations intervertébrales ;
- déplacement de l'humérus vers l'avant au niveau de l'articulation de l'épaule, par exemple lorsqu'on balance les bras vers l'avant pendant la marche (figure 9.6b) ;
- déplacement de l'avant-bras vers le bras au niveau de l'articulation du coude, entre l'humérus, l'ulna et le radius (figure 9.6c) ;
- déplacement de la paume vers l'avant-bras au niveau de l'articulation du poignet, ou articulation radio-carpienne, entre le radius et les os du carpe (figure 9.6d) ;
- flexion des doigts ou des orteils au niveau des articulations interphalangiennes, qui unissent les phalanges ;
- déplacement du fémur vers l'avant au niveau de l'articulation de la hanche, entre le fémur et l'os coxal, par exemple au cours de la marche (figure 9.6e) ;
- déplacement de la jambe vers la cuisse au niveau de l'articulation du genou, ou articulation fémoro-tibiale, entre le tibia, le fémur et la patella, par exemple lorsqu'on fléchit le genou (figure 9.6f).

Bien que la flexion et l'extension se produisent habituellement dans un plan sagittal, il existe quelques exceptions. Par exemple, lorsqu'on fléchit le pouce pour aller toucher le côté opposé de la paume, il faut déplacer le pouce vers l'extérieur par-dessus toute la surface de la paume en utilisant l'articulation carpo-métacarpienne qui unit le trapèze au métacarpien du pouce. Le mouvement du tronc vers la droite ou la gauche au niveau de la taille est une autre exception. Ce mouvement, qui se produit dans un plan frontal et sollicite les articulations intervertébrales, est appelé **flexion latérale** (figure 9.6g).

Le mouvement qui consiste à prolonger une extension au-delà de la position anatomique est appelé **hyperextension** (*huper* = au-delà). Voici quelques exemples d'hyperextension :

- flexion de la tête vers l'arrière au niveau des articulations atlanto-occipitales et intervertébrales cervicales (figure 9.6a) ;
- flexion du tronc vers l'arrière au niveau des articulations intervertébrales ;
- déplacement de l'humérus vers l'arrière au niveau de l'articulation de l'épaule, par exemple lorsqu'on balance les bras vers l'arrière pendant la marche (figure 9.6b) ;
- déplacement de la paume vers l'arrière au niveau de l'articulation du poignet (figure 9.6d) ;
- déplacement du fémur vers l'arrière au niveau de l'articulation de la hanche, par exemple au cours de la marche (figure 9.6e).

Figure 9.6 Mouvements angulaires permis par les articulations synoviales : flexion, extension, hyperextension et flexion latérale.

🔑 **Les mouvements angulaires augmentent ou diminuent l'angle formé par deux os.**

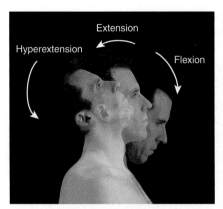

(a) Articulations atlanto-occipitales et intervertébrales cervicales

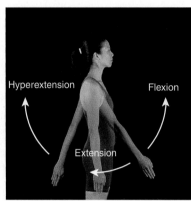

(b) Articulation de l'épaule

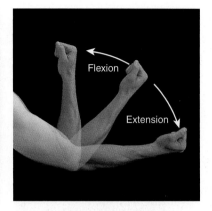

(c) Articulation du coude

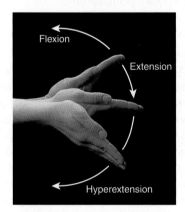

(d) Articulation du poignet

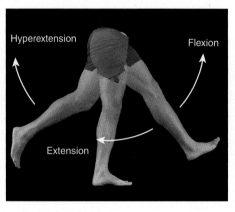

(e) Articulation de la hanche

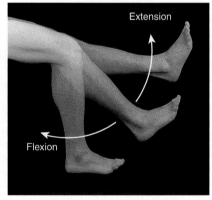

(f) Articulation du genou

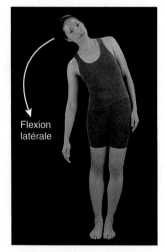

(g) Articulations intervertébrales

Q Pouvez-vous donner deux exemples de flexion qui ne se produisent pas dans un plan sagittal ?

L'hypertension des articulations du coude et du genou et des articulations interphalangiennes n'est généralement pas possible étant donné la disposition des ligaments et l'alignement anatomique des os dans ces régions.

Abduction, adduction et circumduction

L'**abduction** (*abductio* = action d'enlever) est le mouvement qui écarte un os de la ligne médiane du corps, tandis que l'**adduction** (*adductio* = action d'attirer) est le mouvement qui rapproche un os de la ligne médiane du corps. Tous deux se produisent surtout dans un plan frontal. Les articulations condylaires, en selle et sphéroïdes permettent l'abduction et l'adduction. Le déplacement latéral de l'humérus au niveau de l'articulation de l'épaule, le déplacement latéral de la paume au niveau de l'articulation du poignet et le déplacement latéral du fémur au niveau de l'articulation de la hanche sont des abductions (figure 9.7a, b et c). Le mouvement qui ramène chacune de ces parties du corps en position anatomique est une adduction (voir la figure 9.7a, b et c).

Figure 9.7 Mouvements angulaires permis par les articulations synoviales : abduction et adduction.

 L'abduction et l'adduction se produisent habituellement dans un plan frontal.

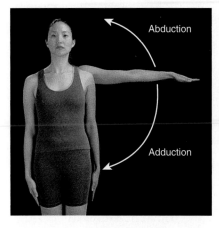

(a) Articulation de l'épaule

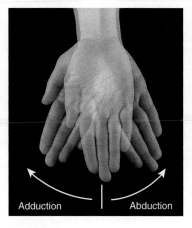

(b) Articulation du poignet

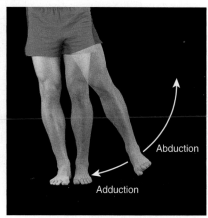

(c) Articulation de la hanche

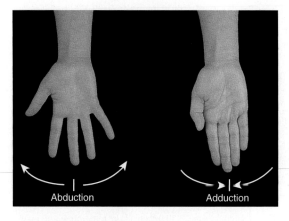

(d) Articulations métacarpo-phalangiennes des doigts (à l'exception du pouce).

 Pourquoi l'expression « addition d'un membre au tronc » permet-elle de mémoriser ce qu'est l'adduction ?

L'abduction et l'adduction des doigts et des orteils ne se décrivent pas par rapport à la ligne médiane du corps. Dans l'abduction des doigts (à l'exception du pouce), le point de référence est une ligne imaginaire traversant l'axe longitudinal du doigt médian (le doigt le plus long) ; l'abduction consiste à écarter les doigts (en les étendant) pour les éloigner du doigt médian (figure 9.7d). Dans l'abduction du pouce, le pouce s'écarte de la paume dans un plan sagittal (voir la figure 11.18c, p. 372). Le point de référence de l'abduction des orteils est une ligne imaginaire traversant le deuxième orteil. Le mouvement qui ramène les doigts et les orteils en position anatomique est une adduction. L'adduction du pouce consiste à amener le pouce vers la paume dans un plan sagittal (voir la figure 11.18c).

La **circumduction** (*circumducere* = conduire autour) est le mouvement au cours duquel l'extrémité distale d'une partie du corps décrit un cercle (figure 9.8). Elle est le résultat de la séquence continue des mouvements de flexion, d'abduction, d'extension et d'adduction. Lorsqu'on fait tourner l'humérus au niveau de l'articulation de l'épaule (figure 9.8a), la main au niveau de l'articulation du poignet, le pouce au niveau de l'articulation carpo-métacarpienne, les doigts au niveau des articulations métacarpo-phalangiennes (entre les métacarpiens et les phalanges) et le fémur au niveau de l'articulation de la hanche, on réalise une circumduction (figure 9.8b). Les articulations de la hanche et de l'épaule permettent la circumduction, bien que les mouvements de flexion, d'abduction, d'extension et d'adduction soient plus limités au niveau des articulations de la hanche en raison des contraintes qui s'exercent sur certains ligaments et muscles de cette région (voir les exposés 9.1 et 9.3).

Rotation

La **rotation** (*rotare* = tourner) est le mouvement d'un os autour de son axe longitudinal. Les articulations trochoïdes et sphéroïdes permettent la rotation. Le fait de tourner la tête d'un côté à l'autre au niveau de l'articulation atlanto-axoïdienne (entre l'atlas et l'axis) afin de signifier « non » est un exemple de rotation (figure 9.9a), de même que le fait de tourner le tronc d'un côté à l'autre au niveau des articulations intervertébrales tout en maintenant les hanches et les membres inférieurs en position anatomique. La rotation des membres se définit par rapport à la ligne médiane du corps au moyen de termes précis. Le mouvement qui consiste à

Figure 9.8 Mouvements angulaires permis par les articulations synoviales : circumduction.

 Lors de la circumduction, l'extrémité distale d'une partie du corps décrit un cercle.

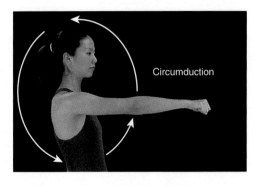

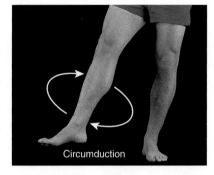

(a) Articulation de l'épaule

(b) Articulation de la hanche

Q Quelle est la séquence de mouvements qui aboutit à la circumduction ?

Figure 9.9 Rotation permise par les articulations synoviales.

La rotation est le mouvement d'un os autour de son axe longitudinal.

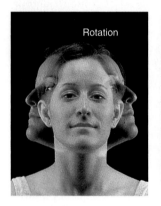

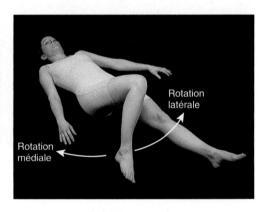

(a) Articulation atlanto-axoïdienne

(b) Articulation de l'épaule

(c) Articulation de la hanche

Q Qu'est-ce qui différencie la rotation médiale de la rotation latérale ?

tourner la face antérieure de l'os d'un membre vers la ligne médiane du corps est appelé *rotation médiale* (ou *interne*). La rotation médiale de l'humérus au niveau de l'articulation de l'épaule résulte de la séquence de mouvements suivante : placez-vous en position anatomique, fléchissez le coude et amenez la paume en direction de la poitrine (figure 9.9b). La rotation médiale de l'avant-bras au niveau des articulations radio-ulnaires (entre le radius et l'ulna) consiste à se placer en position anatomique et à tourner la paume vers l'intérieur (voir la figure 9.10h). Pour tourner le fémur vers l'intérieur au niveau de l'articulation de la hanche, il

faut se coucher sur le dos, fléchir les genoux et écarter la jambe et le pied de la ligne médiane du corps. Bien que la jambe et le pied se déplacent latéralement, le fémur effectue une rotation médiale (figure 9.9c). La rotation médiale de la jambe au niveau de l'articulation du genou consiste à s'asseoir sur une chaise, à fléchir le genou, à lever la jambe au-dessus du sol et à tourner les orteils vers l'intérieur. Le mouvement qui consiste à tourner la face antérieure de l'os d'un membre pour l'écarter de la ligne médiane du corps est appelé *rotation latérale* (ou *externe*) (voir la figure 9.9b et c).

Figure 9.10 Mouvements spéciaux permis par les articulations synoviales.

 Les mouvements spéciaux ne sont permis que par certaines articulations synoviales.

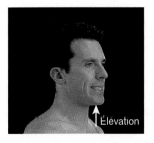 

(a) Articulation temporo-mandibulaire (b)

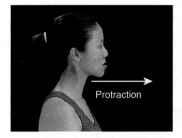 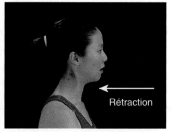

(c) Articulation temporo-mandibulaire (d)

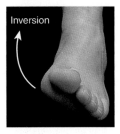 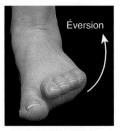

(e) Articulation intertarsienne (f)

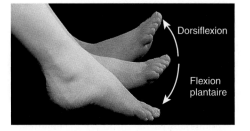

(g) Articulation de la cheville

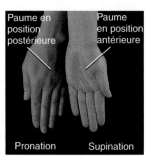

(h) Articulation radio-ulnaire

Q Quel mouvement de la ceinture scapulaire permet d'amener les bras vers l'avant jusqu'à ce que les coudes se touchent?

Mouvements spéciaux

Nous savons déjà que les **mouvements spéciaux** ne sont permis que par certaines articulations seulement. Ces mouvements sont l'élévation, l'abaissement, la protraction, la rétraction, l'inversion, l'éversion, la dorsiflexion, la flexion plantaire, la supination, la pronation et l'opposition (figure 9.10).

- L'**élévation** est le déplacement d'une partie du corps en position supérieure, par exemple lorsqu'on ferme la bouche au niveau de l'articulation temporo-mandibulaire (qui unit la mandibule et l'os temporal) pour élever la mandibule (figure 9.10a), ou lorsqu'on hausse les épaules au niveau de l'articulation acromio-claviculaire pour élever la scapula.

- L'**abaissement** est le mouvement d'une partie du corps en position inférieure. Ouvrir la bouche pour abaisser la mandibule (figure 9.10b) ou replacer les épaules soulevées dans la position anatomique pour abaisser la scapula en sont des exemples.

- La **protraction** est le déplacement d'une partie du corps vers l'avant dans un plan transversal. La mandibule est protractée au niveau de l'articulation temporo-mandibulaire lorsqu'elle est projetée vers l'avant (figure 9.10c) et les clavicules sont protractées au niveau des articulations acromio-claviculaires et sterno-claviculaires lorsqu'on croise les bras.

- La **rétraction** est le mouvement qui ramène une partie du corps protractée en position anatomique (figure 9.10d).

- L'**inversion** est le mouvement médial de la plante des pieds au niveau des articulations intertarsiennes (entre les os du tarse); les deux plantes sont ainsi placées l'une contre l'autre (figure 9.10e).

- L'**éversion** est le mouvement latéral de la plante des pieds au niveau des articulations intertarsiennes; les deux plantes sont ainsi orientées dans des directions opposées (figure 9.10f).

- La **dorsiflexion** est la flexion du pied vers le dos du pied (face supérieure) au niveau de l'articulation de la cheville, ou articulation talo-crurale (entre le tibia, la fibula et le talus) (figure 9.10g). Le pied se trouve en dorsiflexion lorsqu'on se tient sur les talons.

- La **flexion plantaire** consiste à fléchir le pied vers la plante du pied (face inférieure) au niveau de l'articulation de la cheville (voir la figure 9.10g). Pour tenir sur la pointe des pieds, on effectue une flexion plantaire.

- La **supination** est le mouvement de l'avant-bras au niveau des articulations radio-ulnaires proximale et distale pour tourner la paume en position antérieure ou supérieure (figure 9.10h). La supination est l'une des caractéristiques de la position anatomique.

- La **pronation** est le mouvement de l'avant-bras au niveau des articulations radio-ulnaires proximale et distale pour que l'extrémité distale du radius croise l'extrémité distale de l'ulna ; la paume se trouve en position postérieure ou inférieure (voir la figure 9.10h).

- L'**opposition** est le mouvement du pouce au niveau de l'articulation carpo-métacarpienne (entre le trapèze et le métacarpien du pouce) qui permet au pouce de croiser la paume pour aller toucher le bout des doigts de la même main (voir la figure 11.18c, p. 372). Ce mouvement exclusif aux humains et aux primates leur permet de saisir et de manipuler des objets avec une grande précision.

Un résumé des mouvements permis par les articulations synoviales est donné au tableau 9.2.

1. Faites une démonstration de chaque mouvement décrit au tableau 9.2 sur vous-même ou une autre personne.

QUELQUES ARTICULATIONS DU CORPS

La présente section présente quatre articulations du corps sous forme d'exposés détaillés. Chaque exposé traite d'une articulation synoviale, dont il donne : 1) une définition qui décrit le type d'articulation et les os qui la forme ; 2) une description des composantes anatomiques, c'est-à-dire des principaux ligaments, du disque articulaire, de la capsule articulaire et des autres traits distinctifs de l'articulation ; 3) les mouvements permis. Chaque exposé renvoie également à une figure qui illustre l'articulation. Les quatre articulations décrites sont celles de l'épaule (gléno-humérale), du coude, de la hanche (coxo-fémorale) et du genou (fémoro-tibiale).

Suite du texte à la page 276

Tableau 9.2 Résumé des mouvements permis par les articulations synoviales

MOUVEMENTS	DESCRIPTION
Glissement	Mouvement d'une surface osseuse relativement plate au-dessus d'une autre vers l'avant et l'arrière et d'un côté à l'autre ; peu de changement dans l'angle formé par les os.
Angulaires	Augmentation ou diminution de l'angle formé par les os.
Flexion	Diminution de l'angle formé par les os, habituellement dans un plan sagittal.
Flexion latérale	Mouvement du tronc dans un plan frontal.
Extension	Augmentation de l'angle formé par les os, habituellement dans un plan sagittal.
Hyperextension	Extension au-delà de la position anatomique.
Abduction	Mouvement qui éloigne un os de la ligne médiane du corps, habituellement dans un plan frontal.
Adduction	Mouvement qui rapproche un os de la ligne médiane du corps, habituellement dans un plan frontal.
Circumduction	Succession des mouvements de flexion, d'abduction, d'extension et d'adduction permettant à l'extrémité distale d'une partie du corps de décrire un cercle.
Rotation	Mouvement d'un os autour de son axe longitudinal ; la rotation des membres peut être médiale (vers la ligne médiane du corps) ou latérale (en direction opposée de la ligne médiane du corps).
Spéciaux	Permis par certaines articulations seulement.
Élévation	Déplacement d'une partie du corps en position supérieure.
Abaissement	Déplacement d'une partie du corps en position inférieure.
Protraction	Déplacement d'une partie du corps vers l'avant dans un plan transversal.
Rétraction	Déplacement d'une partie du corps vers l'arrière dans un plan transversal.
Inversion	Mouvement médial de la plante des pieds pour placer les deux plantes l'une contre l'autre.
Éversion	Mouvement latéral de la plante des pieds pour orienter les deux plantes en direction opposée l'une de l'autre.
Dorsiflexion	Flexion du pied vers sa face supérieure (dos du pied).
Flexion plantaire	Flexion du pied vers sa face inférieure (plante du pied).
Supination	Mouvement de l'avant-bras qui tourne la paume en position antérieure ou supérieure.
Pronation	Mouvement de l'avant-bras qui tourne la paume en position postérieure ou inférieure.
Opposition	Mouvement du pouce par lequel il croise la paume pour aller toucher le bout des doigts de la même main.

Exposé 9.1 — Articulation de l'épaule (gléno-humérale) (figure 9.11)

OBJECTIF

• *Décrire les composantes anatomiques de l'articulation de l'épaule et expliquer les types de mouvements qu'elle permet.*

DÉFINITION

Articulation sphéroïde formée par la tête de l'humérus et la cavité glénoïdale de la scapula.

COMPOSANTES ANATOMIQUES

1. *Capsule articulaire.* Sac mince et lâche, recouvrant entièrement l'articulation, qui va de la cavité glénoïdale de la scapula au col anatomique de l'humérus. Sa partie inférieure est son point le plus faible.

2. *Ligament coraco-huméral.* Ligament large et résistant qui renforce la partie supérieure de la capsule articulaire ; il s'étend du processus coracoïde de la scapula jusqu'au grand tubercule de l'humérus.

3. *Ligaments gléno-huméraux.* Trois prolongements épaissis de la capsule articulaire situés au-dessus de la face antérieure de l'articulation. Ils s'étendent de la cavité glénoïdale de la scapula jusqu'au petit tubercule et au col anatomique de l'humérus. Ces ligaments sont souvent mal définis, parfois même absents, et contribuent peu à la résistance de l'articulation.

4. *Ligament huméral transverse.* Bandelette étroite tendue entre le grand tubercule et le petit tubercule de l'humérus.

5. *Bourrelet glénoïdal.* Anneau mince de cartilage fibreux formant le rebord plus profond et élargi de la cavité glénoïdale de la scapula.

6. Quatre *bourses* sont associées à l'articulation de l'épaule. Ce sont la *bourse subtendineuse du muscle subscapulaire,* la *bourse subdeltoïdienne,* la *bourse subacromiale* et la *bourse subcoracoïde.*

MOUVEMENTS PERMIS

L'articulation de l'épaule permet la flexion, l'extension, l'abduction, l'adduction, la rotation médiale, la rotation latérale et la circumduction du bras (voir les figures 9.6 à 9.9).

De toutes les articulations, c'est celle qui offre la plus grande liberté de mouvement, puisque sa capsule articulaire est singulièrement lâche et que la cavité glénoïdale de la scapula est peu profonde comparativement à la grande taille de la tête de l'humérus.

Bien que les ligaments de l'articulation de l'épaule lui confèrent une certaine résistance, elle puise la grande partie de sa force dans les muscles qui l'entourent, en particulier les *muscles de la coiffe des rotateurs* (supra-épineux, infra-épineux, petit rond et subscapulaire). Ces muscles relient la scapula à l'humérus (voir aussi la figure 11.14). Leurs tendons, qui forment un ensemble appelé **coiffe des rotateurs,** entourent l'articulation (à l'exception de sa partie inférieure) et fusionnent avec la capsule articulaire. Ensemble, les muscles de la coiffe des rotateurs maintiennent la tête de l'humérus dans la cavité glénoïdale.

Quels tendons de l'articulation de l'épaule d'un lanceur de baseball sont les plus susceptibles de se déchirer lors d'un vigoureux mouvement de circumduction ?

Figure 9.11 Articulation de l'épaule (gléno-humérale) droite.

 La stabilité de l'articulation de l'épaule est attribuable principalement à la disposition des muscles de la coiffe des rotateurs.

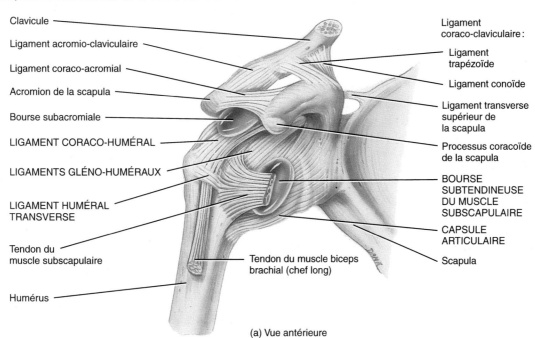

(a) Vue antérieure

Exposé 9.1　*Articulation de l'épaule (gléno-humérale) (suite)*

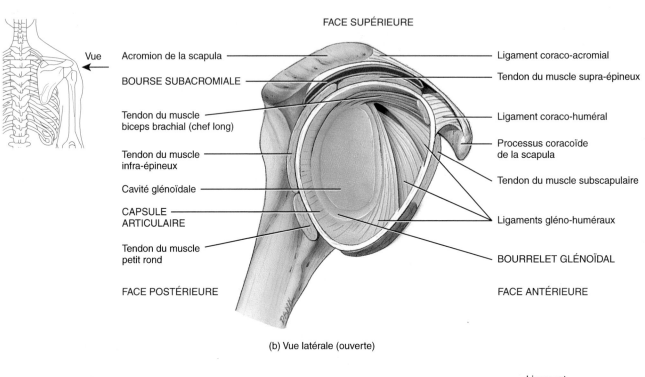

FACE SUPÉRIEURE

Vue

Acromion de la scapula

BOURSE SUBACROMIALE

Tendon du muscle
biceps brachial (chef long)

Tendon du muscle
infra-épineux

Cavité glénoïdale

CAPSULE
ARTICULAIRE

Tendon du muscle
petit rond

FACE POSTÉRIEURE

Ligament coraco-acromial

Tendon du muscle supra-épineux

Ligament coraco-huméral

Processus coracoïde
de la scapula

Tendon du muscle subscapulaire

Ligaments gléno-huméraux

BOURRELET GLÉNOÏDAL

FACE ANTÉRIEURE

(b) Vue latérale (ouverte)

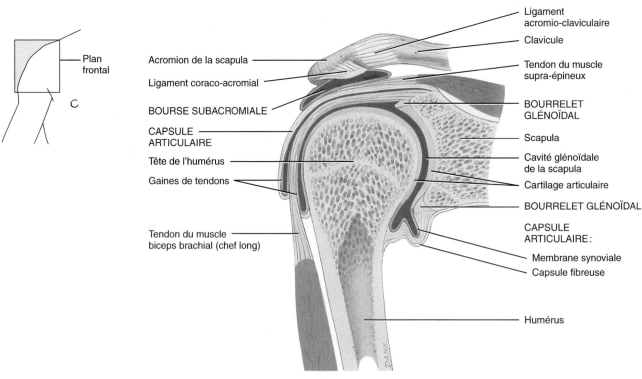

Plan
frontal

Acromion de la scapula

Ligament coraco-acromial

BOURSE SUBACROMIALE

CAPSULE
ARTICULAIRE

Tête de l'humérus

Gaines de tendons

Tendon du muscle
biceps brachial (chef long)

Ligament
acromio-claviculaire

Clavicule

Tendon du muscle
supra-épineux

BOURRELET
GLÉNOÏDAL

Scapula

Cavité glénoïdale
de la scapula

Cartilage articulaire

BOURRELET GLÉNOÏDAL

CAPSULE
ARTICULAIRE:

Membrane synoviale

Capsule fibreuse

Humérus

(c) Coupe frontale

Q　Pourquoi l'articulation de l'épaule est-elle plus mobile que les autres articulations
du corps?

| **Exposé 9.2** | *Articulation du coude (figure 9.12)* |

OBJECTIF

• *Décrire les composantes anatomiques de l'articulation du coude et expliquer les types de mouvements qu'elle permet.*

DÉFINITION

Articulation trochléenne formée par la trochlée de l'humérus, l'incisure trochléaire de l'ulna et la tête du radius.

COMPOSANTES ANATOMIQUES

1. *Capsule articulaire.* La partie antérieure de la capsule articulaire couvre la partie antérieure de l'articulation, depuis les fosses radiale et coronoïdienne de l'humérus jusqu'au processus coronoïde de l'ulna et au ligament annulaire du radius. Sa partie postérieure s'étend du capitulum, de la fosse olécrânienne et de l'épicondyle latéral de l'humérus jusqu'au ligament annulaire du radius, à l'olécrâne de l'ulna et à l'ulna, derrière l'incisure radiale.

2. *Ligament collatéral ulnaire.* Ce ligament épais de forme triangulaire s'étend de l'épicondyle médial de l'humérus jusqu'au processus coronoïde et à l'olécrâne de l'ulna.

3. *Ligament collatéral radial.* Ce ligament triangulaire résistant s'étend de l'épicondyle latéral de l'humérus jusqu'au ligament annulaire du radius et à l'incisure radiale de l'ulna.

MOUVEMENTS PERMIS

Flexion et extension de l'avant-bras (voir la figure 9.6c).

Dans l'articulation du coude, quels ligaments relient a) l'humérus et l'ulna et b) l'humérus et le radius ?

Figure 9.12 Articulation du coude droit.

L'articulation du coude est formée par des parties de trois os : l'humérus, l'ulna et le radius.

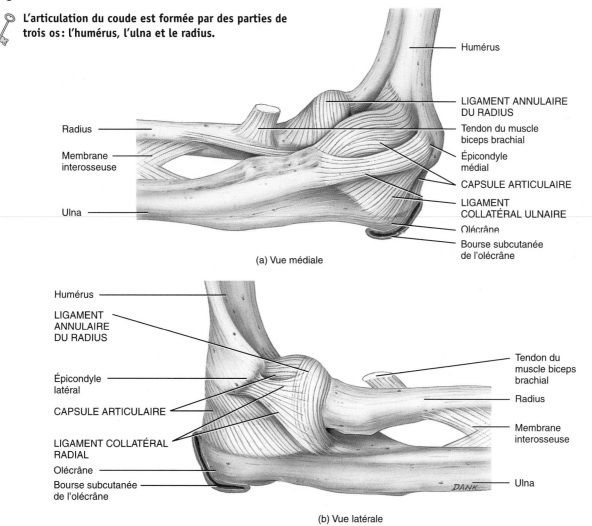

(a) Vue médiale

(b) Vue latérale

Q Quels mouvements sont permis par une articulation trochléenne ?

Exposé 9.3 | *Articulation de la hanche (coxo-fémorale) (figure 9.13)*

OBJECTIF

• *Décrire les composantes anatomiques de l'articulation de la hanche et expliquer les types de mouvements qu'elle permet.*

DÉFINITION

Articulation sphéroïde formée par la tête du fémur et l'acétabulum de l'os coxal.

COMPOSANTES ANATOMIQUES

1. *Capsule articulaire.* Capsule très dense et résistante qui s'étend du pourtour de l'acétabulum jusqu'au col du fémur. Cette structure, l'une des plus robustes du corps, comprend des fibres circulaires et longitudinales. Ses fibres circulaires, qui forment la *zone orbiculaire,* délimitent un collier autour du col du fémur. Ses fibres longitudinales sont renforcées par trois ligaments accessoires (ilio-fémoral, pubo-fémoral et ischio-fémoral).

2. *Ligament ilio-fémoral.* Portion épaissie de la capsule articulaire qui s'étend de l'épine iliaque antéro-inférieure de l'os coxal jusqu'à la ligne intertrochantérique du fémur.

3. *Ligament pubo-fémoral.* Portion épaissie de la capsule articulaire qui s'étend de la partie pubienne du pourtour de l'acétabulum jusqu'au col du fémur.

4. *Ligament ischio-fémoral.* Portion épaissie de la capsule articulaire qui s'étend de la paroi ischiatique de l'acétabulum jusqu'au col du fémur.

5. *Ligament de la tête fémorale.* Bande triangulaire plate qui s'étend de la fosse de l'acétabulum jusqu'à la fovea capitis (fossette de la tête du fémur).

6. *Bourrelet acétabulaire.* Anneau de cartilage fibreux fixé au pourtour de l'acétabulum, dont il augmente la profondeur. Puisque le diamètre du pourtour de l'acétabulum est plus petit que celui de la tête du fémur, la luxation du fémur est rare.

7. *Ligament transverse de l'acétabulum.* Ligament résistant qui croise l'incisure de l'acétabulum. Il soutient une partie du bourrelet acétabulaire, et est relié au ligament de la tête fémorale et à la capsule articulaire.

MOUVEMENTS PERMIS

Flexion, extension, abduction, adduction, circumduction, rotation médiale et rotation latérale de la cuisse (voir les figures 9.6 à 9.9).

L'excellente stabilité de l'articulation de la hanche lui vient de sa capsule articulaire très résistante renforcée par les ligaments accessoires, de la manière dont le fémur s'insère dans l'acétabulum et des muscles entourant l'articulation. Bien que les articulations de l'épaule et de la hanche soient toutes deux sphéroïdes, l'articulation de la hanche permet une moins grande amplitude de mouvement. La flexion est limitée par la rencontre de la face antérieure de la cuisse avec la paroi abdominale antérieure lorsque le genou est fléchi, et par la tension qu'exercent les muscles de la loge postérieure de la cuisse lorsque le genou est droit. L'extension est limitée par la tension qu'exercent les ligaments ilio-fémoral, pubo-fémoral et ischio-fémoral. L'abduction est limitée par la tension du ligament pubo-fémoral ; l'adduction est limitée par le contact avec le membre opposé et par la tension dans le ligament de la tête fémorale. La rotation médiale est limitée par la tension dans le ligament ischio-fémoral ; la rotation latérale est limitée par la tension dans les ligaments ilio-fémoral et pubo-fémoral.

> Expliquez les facteurs qui limitent la flexion et l'abduction de l'articulation de la hanche.

Figure 9.13 Articulation de la hanche (coxo-fémorale) droite.

 La capsule articulaire de l'articulation de la hanche est l'une des structures les plus robustes du corps.

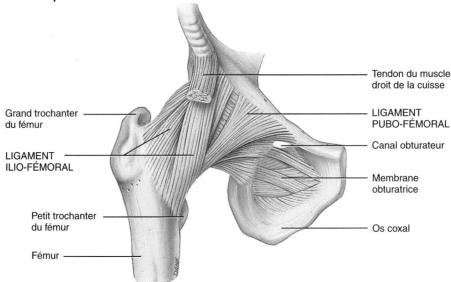

Tendon du muscle droit de la cuisse

LIGAMENT PUBO-FÉMORAL

Canal obturateur

Membrane obturatrice

Os coxal

Grand trochanter du fémur

LIGAMENT ILIO-FÉMORAL

Petit trochanter du fémur

Fémur

(a) Vue antérieure

Exposé 9.3 *(suite)*

Figure 9.13 (suite)

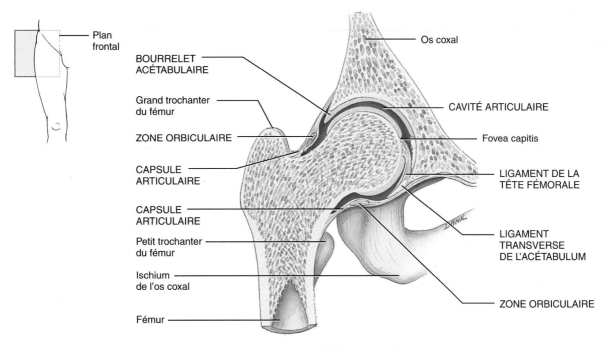

Plan frontal

BOURRELET ACÉTABULAIRE

Grand trochanter du fémur

ZONE ORBICULAIRE

CAPSULE ARTICULAIRE

CAPSULE ARTICULAIRE

Petit trochanter du fémur

Ischium de l'os coxal

Fémur

Os coxal

CAVITÉ ARTICULAIRE

Fovea capitis

LIGAMENT DE LA TÊTE FÉMORALE

LIGAMENT TRANSVERSE DE L'ACÉTABULUM

ZONE ORBICULAIRE

(b) Coupe frontale

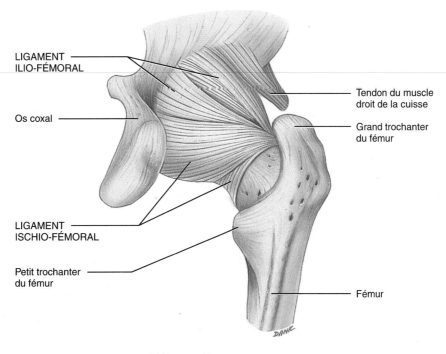

LIGAMENT ILIO-FÉMORAL

Os coxal

LIGAMENT ISCHIO-FÉMORAL

Petit trochanter du fémur

Tendon du muscle droit de la cuisse

Grand trochanter du fémur

Fémur

(c) Vue postérieure

Q Quels sont les ligaments qui limitent l'extension permise par l'articulation de la hanche?

Exposé 9.4 *Articulation du genou (fémoro-tibiale) (figure 9.14)*

OBJECTIF

• *Décrire les composantes anatomiques de l'articulation du genou et expliquer les types de mouvements qu'elle permet.*

DÉFINITION

L'articulation du genou est la plus grande et la plus complexe des articulations du corps. Elle comprend en fait trois articulations réunies à l'intérieur d'une même cavité articulaire : 1) une articulation fémoro-patellaire moyenne unissant la patella et la surface patellaire du fémur, soit une articulation plane ; 2) une articulation fémoro-tibiale externe unissant le condyle latéral du fémur, le ménisque latéral et le condyle latéral du tibia, soit une articulation trochléenne modifiée ; et 3) une articulation fémoro-tibiale interne unissant le condyle médial du fémur, le ménisque médial et le condyle médial du tibia, soit également une articulation trochléenne modifiée.

COMPOSANTES ANATOMIQUES

1. *Capsule articulaire.* Aucune capsule articulaire complète et indépendante n'unit les os. La gaine ligamenteuse entourant l'articulation comprend principalement des tendons de muscles ou des prolongements de ces tendons. Certaines fibres capsulaires relient toutefois certains os entre eux.

2. *Rétinaculums patellaires médial et latéral.* Les rétinaculums sont des tendons fusionnés du muscle quadriceps fémoral et du fascia lata (membrane profonde des muscles de la cuisse) qui renforcent la face antérieure de l'articulation.

3. *Ligament patellaire.* Prolongement du tendon du muscle quadriceps fémoral qui s'étend de la patella à la tubérosité tibiale. Ce ligament renforce également la face antérieure de l'articulation. La face postérieure de l'articulation est séparée de la membrane synoviale par un corps adipeux infrapatellaire.

4. *Ligament poplité oblique.* Ligament large et plat qui s'étend de la fosse intercondylaire du fémur à la tête du tibia. Le tendon du muscle semi-membraneux, situé au-dessus de ce ligament, passe du condyle médial du tibia au condyle latéral du fémur. Ensemble, ce ligament et ce tendon renforcent la face postérieure de l'articulation.

5. *Ligament poplité arqué.* Ligament qui s'étend du condyle latéral du fémur au processus styloïde de la tête de la fibula. Il renforce la partie latérale et inférieure de la face postérieure de l'articulation.

6. *Ligament collatéral tibial.* Ligament large et plat de la face médiale de l'articulation qui s'étend du condyle médial du fémur au condyle médial du tibia. Les tendons des muscles sartorius, gracile et semi-tendineux qu'il croise contribuent collectivement à renforcer la face médiale de l'articulation. Le ligament collatéral tibial est fermement soudé au ménisque médial, et lorsqu'il se déchire, le ménisque est souvent atteint, ce qui endommage le ligament croisé antérieur du genou, décrit au point 8a.

7. *Ligament collatéral fibulaire.* Ligament résistant et arrondi de la face latérale de l'articulation qui s'étend du condyle latéral du fémur à la face latérale de la tête de la fibula ; il renforce la face latérale de l'articulation du genou. Il est recouvert par le tendon du muscle biceps fémoral. Le tendon du muscle poplité est situé sous ce ligament.

8. *Ligaments intra-capsulaires.* Ligaments situés à l'intérieur de la capsule articulaire qui relient le tibia au fémur.

   a) *Ligament croisé antérieur du genou.* S'étend latéralement vers l'arrière depuis la partie antérieure de l'éminence intercondylaire du tibia jusqu'à la partie postérieure de la face médiale du condyle latéral du fémur. Dans environ 70 % des blessures graves au genou, ce ligament est étiré ou déchiré.

   b) *Ligament croisé postérieur du genou.* S'étend médialement vers l'avant depuis une cavité sur la partie postérieure de l'aire intercondylaire du tibia et du ménisque latéral jusqu'à la partie antérieure de la face médiale du condyle médial du fémur.

9. *Disques articulaires (ménisques).* Ces deux disques de cartilage fibreux situés entre les condyles du tibia et du fémur compensent en partie les formes irrégulières des os et assurent la circulation du liquide synovial.

   a) *Ménisque médial.* Cartilage fibreux semi-lunaire (en forme de C). Son extrémité antérieure est fixée à la fosse intercondylaire antérieure du tibia, en avant du ligament croisé antérieur du genou. Son extrémité postérieure est rattachée à la fosse intercondylaire postérieure du tibia, entre les points d'insertion du ligament croisé postérieur du genou et du ménisque latéral.

   b) *Ménisque latéral.* Cartilage fibreux presque circulaire (rappelant un 0 incomplet). Son extrémité antérieure est fixée à l'avant de l'éminence intercondylaire du tibia et, latéralement, à l'arrière du ligament croisé antérieur du genou. Son extrémité postérieure est rattachée à l'arrière de l'éminence intercondylaire du tibia et à l'avant de l'extrémité postérieure du ménisque médial. Les ménisques médial et latéral sont unis par le *ligament transverse du genou* et s'accrochent aux bords de la tête du tibia par les *ligaments annulaires* (non représentés).

10. Les principales *bourses* du genou sont :

    a) la *bourse subcutanée prépatellaire,* entre la patella et la peau ;

    b) la *bourse infrapatellaire profonde,* entre la partie supérieure du tibia et le ligament patellaire ;

    c) la *bourse synoviale suprapatellaire,* entre la partie inférieure du fémur et la face profonde du muscle quadriceps fémoral.

MOUVEMENTS PERMIS

Flexion, extension, légère rotation médiale et rotation latérale de la jambe en position fléchie (voir les figures 9.6f et 9.9c).

Pourquoi dit-on que l'articulation du genou est « triple » ?

Exposé 9.4 (suite)

Figure 9.14 Articulation du genou (fémoro-tibiale) droit.

 L'articulation du genou est la plus grande et la plus complexe des articulations du corps.

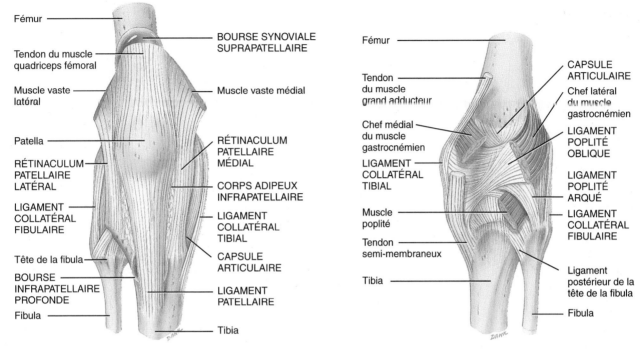

(a) Vue antérieure (plan superficiel)

(b) Vue postérieure (plan profond)

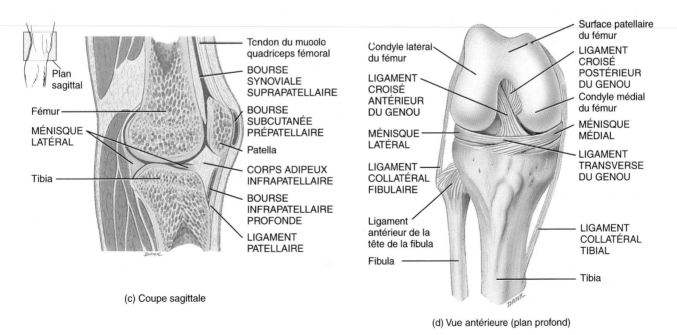

(c) Coupe sagittale

(d) Vue antérieure (plan profond)

Q Quel mouvement de l'articulation du genou résulte de la contraction du muscle quadriceps fémoral?

Tableau 9.3 Quelques articulations classées selon leurs composantes articulaires, leurs caractéristiques structurales et fonctionnelles et les mouvements qu'elles permettent

ARTICULATION	COMPOSANTES ARTICULAIRES	CLASSIFICATION	MOUVEMENTS PERMIS
Squelette axial			
Suture	Entre les os du crâne.	*Structurale :* fibreuse. *Fonctionnelle :* immobile.	Aucun.
Temporo-mandibulaire	Entre le processus condylaire de la mandibule et la fosse mandibulaire ainsi que le tubercule articulaire de l'os temporal.	*Structurale :* synoviale (trochléenne et plane combinées). *Fonctionnelle :* mobile.	Abaissement, élévation, protraction, rétraction, déplacement latéral et légère rotation de la mandibule.
Atlanto-occipitale	Entre les facettes articulaires supérieures de l'atlas et les condyles occipitaux de l'os occipital.	*Structurale :* synoviale (condylaire). *Fonctionnelle :* mobile.	Flexion et extension de la tête, et légère flexion latérale de la tête des deux côtés.
Atlanto-axoïdienne	1) Entre la dent de l'axis et l'arc antérieur de l'atlas et 2) les masses latérales de l'atlas et celles de l'axis.	*Structurale :* synoviale (trochoïde) entre la dent de l'axis et l'arc antérieur de l'atlas, et synoviale (plane) entre les masses latérales de l'atlas et celles de l'axis. *Fonctionnelle :* mobile.	Rotation de la tête.
Intervertébrale	1) Entre les corps des vertèbres et 2) entre les arcs vertébraux.	*Structurale :* cartilagineuse (symphyse) entre les corps des vertèbres, et synoviale (plane) entre les arcs vertébraux. *Fonctionnelle :* semi-mobile entre les corps des vertèbres, et mobile entre les arcs vertébraux.	Flexion, extension, flexion latérale et rotation de la colonne vertébrale.
Costo-vertébrale	1) Entre les facettes des têtes costales et les facettes des corps des vertèbres thoraciques adjacentes et des disques intervertébraux qui les relient et 2) entre la portion articulaire des tubercules des côtes et les facettes des processus transverses des vertèbres thoraciques.	*Structurale :* synoviale (plane). *Fonctionnelle :* mobile.	Léger glissement.
Sterno-costale	Entre le sternum et les sept premières paires de côtes.	*Structurale :* cartilagineuse (synchondrose) entre le sternum et la première paire de côtes, et synoviale (plane) entre le sternum et les deuxième à septième paires de côtes. *Fonctionnelle :* immobile entre le sternum et la première paire de côtes, et mobile entre le sternum et les deuxième à septième paires de côtes.	Aucun entre le sternum et la première paire de côtes ; léger glissement entre le sternum et les deuxième à septième paires de côtes.
Lombo-sacrale	1) Entre le corps de la cinquième vertèbre lombaire et la base du sacrum et 2) entre les facettes articulaires inférieures de la cinquième vertèbre lombaire et les facettes articulaires supérieures de la première vertèbre sacrale.	*Structurale :* cartilagineuse (symphyse) entre le corps et la base, et synoviale (plane) entre les facettes articulaires. *Fonctionnelle :* semi-mobile entre le corps et la base, et mobile entre les facettes articulaires.	Flexion, extension, flexion latérale et rotation de la colonne vertébrale.

Dans les chapitres précédents, nous avons étudié les principaux os et les éléments du relief osseux. Dans le présent chapitre, nous avons examiné la structure et les fonctions des articulations ainsi que les mouvements qu'elles permettent. Le tableau 9.3 vous aidera à faire le lien entre vos connaissances sur les os et celles sur les classifications des

Tableau 9.3 (suite)

ARTICULATION	COMPOSANTES ARTICULAIRES	CLASSIFICATION	MOUVEMENTS PERMIS
Ceintures et membres			
Sterno-claviculaire	Entre l'extrémité sternale de la clavicule, le manubrium sternal et le premier cartilage costal.	*Structurale :* synoviale (plane et trochoïde). *Fonctionnelle :* mobile.	Glissement accompagné de mouvements limités dans presque toutes les directions.
Acromio-claviculaire	Entre l'acromion de la scapula et l'extrémité acromiale de la clavicule.	*Structurale :* synoviale (plane). *Fonctionnelle :* mobile.	Glissement et rotation de la scapula sur la clavicule.
Radio-ulnaire	Proximale : entre la tête du radius et l'incisure radiale de l'ulna ; distale : entre l'incisure ulnaire du radius et la tête de l'ulna.	*Structurale :* synoviale (trochoïde). *Fonctionnelle :* mobile.	Rotation de l'avant-bras.
Radio-carpienne (du poignet)	Entre l'extrémité distale du radius et l'os scaphoïde, le lunatum et le triquétrum du carpe.	*Structurale :* synoviale (condylaire). *Fonctionnelle :* mobile.	Flexion, extension, abduction, adduction et circumduction du poignet.
Intercarpienne	Entre les rangées proximale et distale des os du carpe et entre les deux rangées d'os du carpe (articulations médio-carpiennes).	*Structurale :* synoviale (plane) à l'exception des articulations médio-carpiennes (hamatum, os scaphoïde et lunatum), qui sont synoviales (en selle). *Fonctionnelle :* mobile.	Glissement avec flexion et abduction au niveau des articulations médio-carpiennes.
Carpo-métacarpienne	Pouce : entre le trapèze du carpe et le premier métacarpien ; autres doigts : entre le carpe et les métacarpiens II à V.	*Structurale :* synoviale (en selle) pour le pouce et synoviale (plane) pour les autres doigts. *Fonctionnelle :* mobile.	Flexion, extension, abduction, adduction et circumduction pour le pouce ; glissement pour les autres doigts.
Métacarpo-phalangienne et métatarso-phalangienne	Entre les têtes des métacarpiens (ou des métatarsiens) et les bases des phalanges proximales.	*Structurale :* synoviale (condylaire). *Fonctionnelle :* mobile.	Flexion, extension, abduction, adduction et circumduction des phalanges.
Interphalangienne	Entre les têtes des phalanges et les bases des phalanges plus distales de la main.	*Structurale :* synoviale (trochoïde). *Fonctionnelle :* mobile.	Flexion et extension des phalanges.

articulations et leurs mouvements. Le tableau fournit une liste de quelques-unes des principales articulations du corps en précisant leurs composantes articulaires (les os qui s'articulent), leur classification structurale et fonctionnelle ainsi que les types de mouvements qu'elles permettent. Puisque nous avons déjà traité des articulations de l'épaule, du coude, de la hanche et du genou dans les exposés 9.1 à 9.4, elles ne sont pas mentionnées dans le tableau 9.3.

FACTEURS INFLUANT SUR LE CONTACT DANS LES ARTICULATIONS SYNOVIALES ET SUR L'AMPLITUDE DE MOUVEMENT QU'ELLES PERMETTENT

OBJECTIF

• *Décrire les six facteurs qui déterminent le type et l'amplitude de mouvement qu'une articulation synoviale permet.*

La façon dont les surfaces articulaires des articulations synoviales entrent en contact les unes avec les autres détermine le type de mouvement et son amplitude possible. L'**amplitude de mouvement** est la mesure de la mobilité des os compris dans une articulation, exprimée en degrés d'angle dans un cercle. Les facteurs suivants permettent en partie aux surfaces articulaires de rester en contact et influent sur l'amplitude des mouvements.

1. *Structure ou forme des os qui s'articulent.* La structure ou la forme des os détermine jusqu'à quel point ceux-ci sont adaptés les uns aux autres. Les surfaces articulaires de certains os s'imbriquent les unes dans les autres. Cette étroite relation spatiale est particulièrement évidente dans l'articulation de la hanche, entre la tête du fémur et l'acétabulum de l'os coxal. L'ajustement serré de ces surfaces permet le mouvement de rotation.

2. *Résistance et tension des ligaments articulaires.* Les différentes composantes d'une capsule fibreuse ne sont tendues que lorsque l'articulation se trouve dans certaines positions.

Tableau 9.3 Quelques articulations classées selon leurs composantes articulaires, leurs caractéristiques structurales et fonctionnelles et les mouvements qu'elles permettent (suite)

ARTICULATION	COMPOSANTES ARTICULAIRES	CLASSIFICATION	MOUVEMENTS PERMIS
Ceintures et membres			
Sacro-iliaque	Entre les surfaces auriculaires du sacrum et les iliums des os coxaux.	*Structurale :* synoviale (plane). *Fonctionnelle :* mobile.	Léger glissement (accentué pendant la grossesse).
Symphyse pubienne	Entre les surfaces antérieures des os coxaux.	*Structurale :* cartilagineuse (symphyse). *Fonctionnelle :* semi-mobile.	Légers mouvements (accentués pendant la grossesse).
Tibio-fibulaire	Proximale : entre le condyle latéral du tibia et la tête de la fibula ; distale : entre l'extrémité distale de la fibula et l'incisure fibulaire du tibia.	*Structurale :* synoviale (plane) à l'articulation proximale ; fibreuse (syndesmose) à l'articulation distale. *Fonctionnelle :* mobile à l'articulation proximale ; semi-mobile à l'articulation distale.	Léger glissement à l'articulation proximale ; légère rotation de la fibula durant la dorsiflexion du pied.
Talo-crurale (de la cheville)	1) Entre l'extrémité distale du tibia, la malléole médiale du tibia et le talus, et 2) entre la malléole latérale de la fibula et le talus.	*Structurale :* synoviale (trochléenne). *Fonctionnelle :* mobile.	Dorsiflexion et flexion plantaire du pied.
Intertarsienne	Subtalaire : entre le talus et le calcanéus du tarse ; talo-calcanéo-naviculaire : entre le talus, le calcanéus et l'os naviculaire du tarse ; calcanéo-cuboïde : entre le calcanéus et l'os cuboïde du tarse.	*Structurale :* synoviale (plane) aux articulations subtalaire et calcanéo-cuboïde ; synoviale à l'articulation talo-calcanéo-naviculaire. *Fonctionnelle :* mobile.	Inversion et éversion du pied.
Tarso-métatarsienne	Entre les trois os cunéiformes du tarse et les bases des cinq métatarsiens.	*Structurale :* synoviale (plane). *Fonctionnelle :* mobile.	Léger glissement.

Lorsqu'ils sont tendus, les ligaments ne limitent pas seulement l'amplitude des mouvements, mais ils orientent également le mouvement des os qui s'articulent. Par exemple, dans l'articulation du genou, le ligament croisé antérieur est tendu et le ligament croisé postérieur est lâche lorsque le genou est droit, et l'inverse se produit lorsque le genou est fléchi.

3. *Disposition et tension des muscles.* La tension musculaire augmente la contrainte que les ligaments exercent sur une articulation et limite donc le mouvement. L'effet de la tension musculaire est bien illustré dans l'articulation de la hanche. Lorsque la cuisse est levée mais que le genou reste droit, le mouvement est limité par la tension des muscles de la loge postérieure de la cuisse. Cependant, si le genou est fléchi, la tension sur les muscles de la loge postérieure de la cuisse se relâche, et la cuisse peut être levée plus haut.

4. *Apposition des tissus mous.* Le point de contact de deux surfaces corporelles peut limiter la mobilité. Par exemple, lorsque le bras est fléchi au niveau du coude, il ne peut plus aller au-delà du point de rencontre entre la face antérieure de l'avant-bras et le muscle biceps brachial, car ces deux surfaces se pressent l'une contre l'autre. La présence de tissu adipeux peut également restreindre le mouvement de l'articulation.

5. *Hormones.* Certains facteurs hormonaux peuvent modifier la souplesse d'une articulation. Par exemple, la relaxine, une hormone produite par le placenta et les ovaires, augmente la souplesse du cartilage fibreux de la symphyse pubienne et relâche les ligaments reliant le sacrum, l'os coxal et le coccyx vers la fin de la grossesse. Ces changements permettent l'expansion du détroit inférieur du bassin, nécessaire au passage du bébé.

6. *Inactivité.* Le mouvement que permet une articulation peut être restreint si l'articulation reste inactive pendant une longue période. Par exemple, lorsque l'articulation du coude est immobilisée dans un plâtre, seuls des mouvements d'une amplitude limitée seront possibles une fois le plâtre retiré. La restriction du mouvement due à une immobilité prolongée peut être causée par une baisse de la quantité de liquide synovial, une diminution de la souplesse des ligaments et des tendons et une atrophie musculaire, c'est-à-dire une réduction de la taille d'un muscle ou la perte de masse musculaire.

1. Mis à part l'articulation de la hanche, dans quelles articulations les os s'imbriquent-ils les uns dans les autres pour permettre la rotation?

VIEILLISSEMENT DES ARTICULATIONS
OBJECTIF

• *Expliquer les effets du vieillissement sur les articulations.*

Le processus du vieillissement entraîne habituellement une baisse de la production de liquide synovial dans les articulations. Par ailleurs, le cartilage articulaire s'amincit, les ligaments raccourcissent et perdent de leur souplesse. Les effets du vieillissement, qui peuvent varier considérablement d'une personne à l'autre, sont dus à des facteurs génétiques et à l'usure subie par les articulations. Bien que la dégénérescence des articulations commence parfois dès l'âge de 20 ans, elle ne survient en général que beaucoup plus tard. La plupart des personnes âgées de 80 ans présentent une forme quelconque de dégénérescence articulaire dans les genoux, les coudes, les hanches et les épaules. Chez les hommes, la dégénérescence de la colonne vertébrale est fréquente, ce qui donne lieu à une déviation de la courbure dorsale et exerce une pression sur les racines des nerfs. Comme nous le verrons dans la section suivante, une forme d'arthrite appelée arthrose est associée en partie à l'âge. Presque toutes les personnes âgées de plus de 70 ans présentent des signes d'arthrose.

1. Quelles sont les articulations qui présentent des signes de dégénérescence chez presque tous les individus au fil des ans?

DÉSÉQUILIBRES HOMÉOSTATIQUES

RHUMATISME ET ARTHRITE

Le terme **rhumatisme** désigne toutes les affections douloureuses des structures formant la charpente du corps, c'est-à-dire les os, les ligaments, les tendons et les muscles. L'**arthrite** est une forme de rhumatisme caractérisée par l'inflammation des articulations. L'inflammation, la douleur et la raideur peuvent également gagner les muscles adjacents. Aux États-Unis, 40 millions de personnes environ souffrent d'arthrite.

Les trois grandes catégories d'arthrite sont: 1) les maladies diffuses du tissu conjonctif, comme la polyarthrite rhumatoïde, 2) les maladies dégénératives des articulations, comme l'arthrose et 3) les déséquilibres métaboliques et endocriniens accompagnant l'arthrite, comme l'arthrite goutteuse.

Polyarthrite rhumatoïde

La **polyarthrite rhumatoïde** est une maladie auto-immune, c'est-à-dire un trouble dans lequel le système immunitaire de l'organisme attaque ses propres tissus; dans le cas présent, la maladie touche le cartilage et l'enveloppe des articulations. La polyarthrite rhumatoïde est caractérisée par une inflammation de l'articulation, qui provoque un œdème, de la douleur et une perte fonctionnelle. Habituellement, l'atteinte est bilatérale: lorsqu'un poignet est atteint, l'autre risque de l'être aussi, mais dans une moindre mesure.

Le principal symptôme de la polyarthrite rhumatoïde est l'inflammation de la membrane synoviale. Sans traitement, la membrane épaissit et le liquide synovial s'accumule. La pression qui en résulte cause de la douleur et une sensibilité au toucher. La membrane produit ensuite un tissu de granulation anormal, appelé *pannus*, qui adhère à la surface du cartilage articulaire et provoque parfois l'érosion complète de ce dernier. En l'absence de cartilage, le tissu fibreux se soude aux extrémités osseuses exposées, puis s'ossifie et fusionne avec l'articulation, qui devient alors immobile. Il s'agit de l'effet invalidant le plus grave de la polyarthrite rhumatoïde. La croissance du tissu de granulation provoque la déformation des doigts caractéristique chez les personnes atteintes de cette maladie.

Arthrose

L'**arthrose** est une maladie dégénérative des articulations qui semble causée par un ensemble de facteurs comprenant le vieillissement, l'irritation des articulations, l'usure et l'abrasion. L'arthrose est la principale cause d'invalidité chez les personnes âgées.

L'arthrose attaque progressivement les articulations synoviales, en particulier celles qui supportent le poids du corps. Elle se caractérise par la détérioration du cartilage articulaire et la formation de nouvelle matière osseuse dans les régions sous-chondrales et sur le bord des articulations. Le cartilage se dégrade lentement, et, à mesure que les extrémités osseuses deviennent exposées, des excroissances faites de nouveau tissu osseux s'y déposent. Ces excroissances empiètent sur l'espace de la cavité articulaire et limitent les mouvements. Contrairement à la polyarthrite rhumatoïde, l'arthrose s'attaque principalement au cartilage articulaire, bien que la membrane synoviale s'enflamme souvent dans les derniers stades de la maladie. Par ailleurs, l'arthrose touche d'abord les grandes articulations (genou, hanche), tandis que la polyarthrite rhumatoïde s'attaque d'abord aux petites.

Arthrite goutteuse

L'acide urique (substance qui donne son nom à l'urine) est un déchet du métabolisme des sous-unités de l'acide nucléique (ADN et ARN). Une personne atteinte de **goutte** produit des quantités excessives d'acide urique ou n'est pas en mesure d'excréter cette substance de façon normale. Il s'ensuit une accumulation d'acide urique dans le sang. L'acide urique en trop réagit alors avec le sodium pour former un sel, appelé urate de sodium. Les cristaux de ce sel se déposent dans les tissus mous, comme les reins, et dans le cartilage des oreilles et des articulations.

Dans l'**arthrite goutteuse,** les cristaux d'urate de sodium se déposent dans les tissus mous des articulations. Ils irritent le cartilage et entraînent son érosion, ce qui cause une inflammation, un œdème et une douleur aiguë. Les cristaux finissent par détruire tous les tissus articulaires. Si le problème n'est pas traité, les extrémités des os fusionnent et l'articulation devient immobile.

TERMES MÉDICAUX

Arthralgie (*arthron* = articulation; *algos* = douleur) Douleur dans une articulation.

Bursectomie (*ektomê* = ablation) Excision chirurgicale d'une bourse.

Chondrite (*khondros* = cartilage) Inflammation du cartilage.

Luxation Déplacement d'un os de sa situation dans une articulation, provoquant la déchirure des ligaments, des tendons et des capsules articulaires; habituellement causé par un coup ou une chute.

Subluxation Luxation partielle ou incomplète.

Synovite Inflammation de la membrane synoviale d'une articulation.

RÉSUMÉ

INTRODUCTION (p. 255)

1. L'articulation est le point de contact entre deux os, entre un os et un cartilage ou entre un os et une dent.
2. Selon sa structure, une articulation peut permettre plus ou moins de mouvements ou n'en permettre aucun.

CLASSIFICATION DES ARTICULATIONS (p. 255)

1. La classification structurale des articulations repose sur la présence ou l'absence d'une cavité articulaire et sur le type de tissu conjonctif qui unit les os. Les trois catégories structurales d'articulations sont les articulations fibreuses, les articulations cartilagineuses et les articulations synoviales.
2. La classification fonctionnelle des articulations traduit le degré de mouvement permis. Les trois catégories fonctionnelles d'articulations sont les articulations immobiles (ou synarthroses), semi-mobiles (ou amphiarthroses) et mobiles (ou diarthroses).

ARTICULATIONS FIBREUSES (p. 256)

1. Les os unis par des articulations fibreuses sont reliés ensemble par du tissu conjonctif fibreux.
2. Les articulations fibreuses comprennent les sutures immobiles (situées entre les os du crâne), les syndesmoses semi-mobiles (comme l'articulation tibio-fibulaire distale) et les gomphoses immobiles (entre les racines des dents et les alvéoles de la mandibule et des maxillaires).

ARTICULATIONS CARTILAGINEUSES (p. 257)

1. Les os des articulations cartilagineuses sont unis par du cartilage.
2. Les articulations cartilagineuses comprennent les synchondroses immobiles unies par du cartilage hyalin (cartilage de conjugaison entre les diaphyses et les épiphyses) et les symphyses semi-mobiles unies par du cartilage fibreux (comme la symphyse pubienne).

ARTICULATIONS SYNOVIALES (P. 257)

1. Dans les articulations synoviales, les os sont unis par l'intermédiaire d'un espace appelé cavité articulaire. Toutes les articulations synoviales sont des articulations mobiles.
2. Les articulations synoviales se caractérisent également par la présence de cartilage articulaire et d'une capsule articulaire composée d'une capsule fibreuse et d'une membrane synoviale.

3. La membrane synoviale sécrète le liquide synovial, qui forme une mince pellicule visqueuse sur les surfaces internes de la capsule articulaire.
4. De nombreuses articulations synoviales contiennent également des ligaments accessoires (extra-capsulaires et intra-capsulaires) et des disques articulaires, ou ménisques.
5. Les articulations synoviales possèdent de nombreuses terminaisons nerveuses et une bonne irrigation sanguine. Les nerfs transmettent de l'information sur la douleur, le mouvement et le degré d'étirement d'une articulation. Les vaisseaux sanguins pénètrent dans la capsule articulaire et les ligaments.
6. Les six types d'articulations synoviales sont les articulations planes, trochléennes, trochoïdes, condylaires, en selle et sphéroïdes.
7. Articulations planes: les surfaces articulaires sont plates; les os glissent d'un côté à l'autre et d'avant en arrière (mouvement non axial); elles sont situées entre les os du tarse et entre les os du carpe.
8. Articulations trochléennes: la saillie convexe d'un os s'ajuste dans la surface concave d'un autre os; elles permettent un mouvement angulaire autour d'un seul axe (uniaxial); les articulations du coude, du genou et de la cheville sont trochléennes.
9. Articulations trochoïdes: la surface arrondie ou conique d'un os s'adapte à un anneau formé conjointement par un autre os et par un ligament; le mouvement de rotation est permis (uniaxial); les articulations atlanto-axoïdiennes et radio-ulnaires sont trochoïdes.
10. Articulations condylaires: la saillie convexe de forme ovale d'un os s'adapte à la cavité concave de même forme d'un autre os; le mouvement angulaire autour de deux axes est permis (biaxial); l'articulation du poignet et les articulations métacarpophalangiennes allant du deuxième au cinquième doigt sont condylaires.
11. Articulations en selle: la surface articulaire d'un os est en forme de selle, et la surface articulaire de l'autre os la chevauche comme un cavalier sur sa selle; le mouvement angulaire autour de deux axes est permis (biaxial); l'articulation carpo-métacarpienne entre le trapèze et le métacarpien du pouce est une articulation en selle.
12. Articulations sphéroïdes: la surface sphérique d'un os s'adapte à la cavité concave d'un autre os; le mouvement angulaire et la rotation le long de trois axes et dans toutes les directions sont

13. Les bourses sont des structures sacculiformes, s'apparentant aux capsules articulaires, qui réduisent la friction dans certaines articulations comme celles de l'épaule et du genou.

14. Les gaines de tendons sont des bourses allongées qui entourent les tendons aux endroits soumis à un frottement intense.

15. Le tableau 9.1 (p. 262) résume les classifications structurale et fonctionnelle des articulations.

MOUVEMENTS PERMIS PAR LES ARTICULATIONS SYNOVIALES (p. 261)

1. Dans le glissement, une surface osseuse relativement plate se déplace d'avant en arrière et d'un côté à l'autre par rapport à une autre. Les articulations planes permettent des mouvements de glissement.

2. Les mouvements angulaires augmentent ou diminuent l'angle entre deux os. La flexion, l'extension, la flexion latérale, l'hyperextension, l'abduction et l'adduction sont des mouvements angulaires. La circumduction est le résultat de la séquence des mouvements de flexion, d'abduction, d'extension et d'adduction. Les articulations trochléennes, condylaires, en selle et sphéroïdes permettent les mouvements angulaires.

3. La rotation est le mouvement d'un os autour de son axe longitudinal. Les articulations trochoïdes et sphéroïdes permettent la rotation.

4. Les mouvements spéciaux ne sont possibles qu'au niveau de certaines articulations synoviales. Ces mouvements sont l'élévation, l'abaissement, la protraction, la rétraction, l'inversion, l'éversion, la dorsiflexion, la flexion plantaire, la supination, la pronation et l'opposition.

5. Le tableau 9.2 (p. 268) résume les divers mouvements permis par les articulations synoviales.

QUELQUES ARTICULATIONS DU CORPS (p. 268)

1. L'articulation de l'épaule (gléno-humérale) unit la tête de l'humérus et la cavité glénoïdale de la scapula (exposé 9.1, p. 269).

2. L'articulation du coude unit la trochlée de l'humérus, l'incisure trochléaire de l'ulna et la tête du radius (exposé 9.2, p. 271).

3. L'articulation de la hanche (coxo-fémorale) unit la tête du fémur et l'acétabulum de l'os coxal (exposé 9.3, p. 272).

4. L'articulation du genou (fémoro-tibiale) unit la patella et la surface patellaire du fémur; le condyle latéral du fémur, le ménisque latéral et le condyle latéral du tibia; et le condyle médial du fémur, le ménisque médial et le condyle médial du tibia (exposé 9.4, p. 274).

5. Le tableau 9.3 (p. 276) décrit quelques-unes des principales articulations du corps en précisant leurs composantes articulaires, leur classification structurale et fonctionnelle et les types de mouvements qu'elles permettent.

FACTEURS INFLUANT SUR LE CONTACT DANS LES ARTICULATIONS SYNOVIALES ET SUR L'AMPLITUDE DE MOUVEMENT QU'ELLES PERMETTENT (p. 277)

1. La façon dont les surfaces articulaires des articulations synoviales entrent en contact les unes avec les autres détermine le type de mouvement qu'elles permettent.

2. Plusieurs facteurs permettent aux surfaces articulaires de rester en contact et influent sur l'amplitude de mouvement: la structure ou la forme des os qui s'articulent, la résistance et la tension des ligaments articulaires, la disposition et la tension des muscles, l'apposition des tissus mous, les hormones et l'inactivité.

VIEILLISSEMENT DES ARTICULATIONS (p. 279)

1. Le processus du vieillissement entraîne une baisse de la production de liquide synovial, un amincissement du cartilage articulaire et une perte de souplesse dans les ligaments.

2. La plupart des personnes âgées présentent une forme quelconque de dégénérescence articulaire dans les genoux, les coudes, les hanches et les épaules.

AUTOÉVALUATION

Phrases à compléter

1. Le point de contact entre deux os, entre un os et un cartilage ou entre un os et une dent est appelé ___.

2. Le ___ lubrifie les articulations, réduit la friction qu'elles subissent, leur fournit des nutriments et les débarrasse de leurs déchets.

3. L'articulation la plus grande et la plus complexe du corps est l'articulation ___.

4. Les ___ ou ___ permettent à deux os de forme différente de mieux s'articuler ensemble, contribuent à la stabilité de l'articulation et acheminent le liquide synovial vers les régions soumises à un degré élevé de friction.

Choix multiples

5. Une articulation dépourvue de cavité articulaire et qui unit les os par du tissu conjonctif fibreux riche en collagène est une: a) articulation mobile; b) articulation synoviale; c) articulation cartilagineuse; d) articulation fibreuse; e) articulation fonctionnelle.

6. Une articulation légèrement mobile est une: a) synarthrose; b) amphiarthrose; c) diarthrose; d) suture; e) synostose.

7. Laquelle des articulations suivantes est une articulation cartilagineuse? a) Symphyse. b) Gomphose. c) Suture. d) Syndesmose. e) Articulation synoviale.

8. Lesquels des énoncés suivants sont vrais? 1) Les os unis par une articulation synoviale sont recouverts d'une muqueuse. 2) La capsule articulaire entoure l'articulation synoviale, abrite la cavité articulaire et unit les os. 3) La capsule fibreuse de la capsule articulaire permet une grande liberté de mouvement. 4) La résistance à la traction de la capsule fibreuse contribue à prévenir la désarticulation des os. 5) Toutes les articulations contiennent une capsule fibreuse.

a) 1, 2, 3 et 4. b) 2, 3, 4 et 5. c) 2, 3 et 4. d) 1, 2 et 3. e) 2, 4 et 5.

9. Lesquels des facteurs suivants maintiennent les surfaces articulaires des articulations synoviales en contact et influent sur l'amplitude de mouvement? 1) Structure ou forme des os qui s'articulent. 2) Résistance et tension des ligaments articulaires. 3) Disposition et tension des muscles. 4) Vitamines. 5) Hormones. a) 1, 2, 3 et 5. b) 2, 3, 4 et 5. c) 1, 3, 4 et 5. d) 1, 3 et 5. e) 1, 2, 3, 4 et 5.

10. Lequel des éléments suivants ne réduit *pas* la friction dans les articulations? a) Bourses. b) Cartilage articulaire. c) Gaines de tendons. d) Liquide synovial. e) Ligaments.

11. Associez les éléments suivants:

___ a) articulation fibreuse qui unit les os du crâne; immobile
___ b) articulation fibreuse entre le tibia et la fibula; semi-mobile
___ c) articulation entre un os et une dent
___ d) cartilage de conjugaison
___ e) articulation entre les deux os du pubis
___ f) articulation osseuse

1) synostose
2) synchondrose
3) syndesmose
4) suture
5) symphyse
6) gomphose

Vrai ou faux

12. Les fibres de certaines capsules fibreuses sont disposées en faisceaux parallèles appelés ligaments.

13. Une entorse est un étirement violent ou une torsion forcée d'une articulation, accompagné d'une élongation ou d'une déchirure de ses ligaments, mais sans luxation.

14. Associez les éléments suivants:

___ a) mouvement par lequel des surfaces osseuses relativement plates se déplacent d'avant en arrière et d'un côté à l'autre les unes par rapport aux autres
___ b) diminution de l'angle entre les os
___ c) augmentation de l'angle entre les os
___ d) mouvement qui éloigne un os de la ligne médiane du corps
___ e) mouvement qui rapproche un os de la ligne médiane du corps
___ f) mouvement circulaire de l'extrémité distale d'une partie du corps
___ g) mouvement d'un os qui tourne autour de son axe longitudinal

1) flexion
2) extension
3) abduction
4) adduction
5) glissement
6) rotation
7) circumduction

15. Associez les éléments suivants:

___ a) déplacement d'une partie du corps en position supérieure
___ b) déplacement d'une partie du corps en position inférieure
___ c) déplacement d'une partie du corps vers l'avant dans un plan transversal
___ d) déplacement d'une partie du corps projetée vers l'avant pour la replacer en position anatomique
___ e) mouvement médial de la plante des pieds au niveau des articulations intertarsiennes
___ f) mouvement latéral de la plante des pieds
___ g) mouvement produit lorsqu'on se soulève sur les talons
___ h) mouvement produit lorsqu'on se tient sur la pointe des pieds
___ i) rotation de l'avant-bras qui permet de tourner la paume en position antérieure
___ j) rotation de l'avant-bras qui permet de tourner la paume en position postérieure
___ k) mouvement du pouce lui permettant de croiser la paume pour aller toucher le bout des doigts de la même main

1) pronation
2) flexion plantaire
3) éversion
4) rétraction
5) opposition
6) élévation
7) abaissement
8) inversion
9) protraction
10) dorsiflexion
11) supination

QUESTIONS À COURT DÉVELOPPEMENT

1. Catherine adore s'imaginer qu'elle est un boulet de canon. Lorsqu'elle se prépare à plonger du tremplin de la piscine, elle se place d'abord dans la bonne position : tête et cuisses repliées contre la poitrine, dos arrondi, bras fermement appuyés sur les côtés et avant-bras croisés sur les tibias pour maintenir les jambes bien repliées contre la poitrine. Utilisez la terminologie anatomique appropriée pour décrire la position du dos, de la tête et des membres de Catherine. (INDICE : *Cette position est aux antipodes de la position anatomique.*)

2. On vient de retirer un plâtre au bras de Monsieur Séguin, qui est âgé de 85 ans. Celui-ci doit maintenant suivre une physiothérapie pour remettre en mouvement son articulation du coude. Lorsque la thérapeute lui explique qu'elle doit dégager la « charnière », Monsieur Séguin rétorque : « Vous devez réparer mon coude, pas la porte de ma véranda ! » Expliquez ce que la thérapeute a voulu dire. (INDICE : *Qu'est-ce qui permet à une porte de bouger ?*)

3. Claude est attablé dans la cafétéria, une demi-heure avant son examen final d'anatomie et de physiologie. « Je ne m'en fais pas car j'ai tout compris, dit-il à son partenaire de laboratoire tout en sirotant sa troisième tasse de café. Il y a trois types d'articulations : les articulations cartilagineuses, qui sont faites de cartilage hyalin, comme les disques intervertébraux et les sutures, puis les articulations fibreuses, qui comportent une capsule articulaire, et enfin les articulations séreuses, dont les cavités ne s'ouvrent pas sur l'extérieur. » Le partenaire de Claude est interloqué. Pouvez-vous mieux expliquer les trois types d'articulations ? (INDICE : *Le liquide synovial lubrifie les articulations mobiles.*)

RÉPONSES AUX QUESTIONS DES FIGURES

9.1 Les sutures sont des synarthroses parce qu'elles sont immobiles, et les syndesmoses sont des amphiarthroses car elles sont légèrement mobiles.

9.2 La synchondrose et la symphyse n'ont pas le même type de cartilage ; la synchondrose est faite de cartilage hyalin et la symphyse, de cartilage fibreux.

9.3 Les articulations synoviales font partie de la catégorie fonctionnelle des articulations mobiles, c'est-à-dire celles qui bougent librement.

9.4 Les articulations condylaires et les articulations en selle sont des articulations biaxiales.

9.5 Les mouvements de glissement sont permis par les articulations planes.

9.6 La flexion du pouce et la flexion latérale du tronc ne se produisent pas dans un plan sagittal.

9.7 En procédant à l'adduction d'un membre, on le rapproche de la ligne médiane du corps (on l'« additionne » au tronc).

9.8 La circumduction est une séquence continue de mouvements de flexion, d'abduction, d'extension et d'adduction.

9.9 Dans la rotation médiale, la face antérieure d'un os ou d'un membre est tournée vers la ligne médiane du corps, et dans la rotation latérale, elle est tournée dans la direction opposée.

9.10 La protraction consiste à amener les bras vers l'avant jusqu'à ce que les coudes se touchent.

9.11 L'articulation de l'épaule est extrêmement mobile parce que sa capsule articulaire est lâche et que la cavité glénoïdale de la scapula est peu profonde comparativement à la taille de la tête de l'humérus.

9.12 Une articulation trochléenne permet la flexion et l'extension.

9.13 La tension des ligaments ilio-fémoral, pubo-fémoral et ischio-fémoral limite l'extension permise par l'articulation de la hanche.

9.14 La contraction du muscle quadriceps fémoral permet l'extension de l'articulation du genou.

LE TISSU MUSCULAIRE

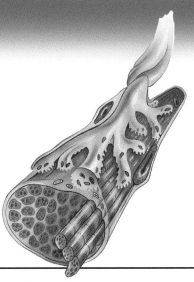

Bien qu'ils fournissent une force d'appui et qu'ils forment la structure du corps humain, les os ne peuvent faire bouger seuls les parties du corps. Nos mouvements sont produits par la contraction et le relâchement alternés des muscles, qui constituent de 40 à 50 % de notre masse corporelle totale. Notre force musculaire résulte de la fonction principale des muscles : transformer une énergie chimique en énergie mécanique pour produire une force, exécuter une tâche, effectuer un mouvement. Le tissu musculaire entre également en jeu pour stabiliser la posture du corps, réguler le volume des organes, produire de la chaleur et faire circuler les liquides et les aliments à travers les divers systèmes de l'organisme. La partie de l'anatomie qui traite des muscles est appelée **myologie** (*mus* = muscle ; *logos* = science).

TISSU MUSCULAIRE : VUE D'ENSEMBLE

OBJECTIF

• *Mettre en corrélation les trois types de tissus musculaires, leurs fonctions et leurs caractéristiques.*

Types de tissus musculaires

Il existe trois types de tissus musculaires : le tissu musculaire squelettique, le tissu musculaire cardiaque et le tissu musculaire lisse (voir la comparaison au tableau 4.4, p. 139-140). Même si ces trois types de tissus musculaires ont en commun certaines propriétés, ils diffèrent par leur anatomie microscopique, les parties du corps où ils sont situés et la façon dont les systèmes nerveux et endocrinien les régissent.

Le **tissu musculaire squelettique** est ainsi nommé parce que la fonction de la plupart des muscles squelettiques est la mise en mouvement des os du squelette (quelques muscles squelettiques sont fixés à des tissus autres que le tissu osseux). On qualifie ce tissu musculaire de *strié* à cause des bandes alternées de couleur claire et de couleur sombre (*striations*) visibles au microscope (voir la figure 10.5, p. 292). L'activité du tissu musculaire squelettique est surtout *volontaire,* car elle peut être régie consciemment par les neurones (ou cellules nerveuses) associés à la partie somatique du système nerveux. (La figure 12.1, p. 399, illustre les parties du système nerveux.) Jusqu'à un certain point, la plupart des muscles squelettiques sont aussi régis de façon involontaire. Ainsi, nous ne sommes généralement pas conscients de l'alternance de la contraction et du relâchement du diaphragme qui est le muscle squelettique principal de la respiration, ni de la contraction des muscles extenseurs qui stabilisent notre posture, ni des réflexes d'étirement, ou réflexes myotatiques, qui contribuent à régler la tonicité musculaire (voir la figure 13.6, p. 444).

Seul le cœur contient du **tissu musculaire cardiaque,** qui constitue la majeure partie de ses parois. Le muscle cardiaque est lui aussi *strié,* mais son activité est *involontaire* : la contraction et le relâchement alternés ne peuvent être influencés consciemment. Les battements du cœur sont déterminés par un centre d'automatisme, ou pacemaker, qui déclenche chaque contraction et impose un rythme intrinsèque appelé *autorythmicité*. Plusieurs hormones et neurotransmetteurs agissent sur le centre d'automatisme pour accélérer ou pour ralentir le rythme cardiaque.

Le **tissu musculaire lisse** est situé dans les parois des structures internes creuses, comme les vaisseaux sanguins et les voies aériennes, et dans celles de la plupart des organes situés dans les cavités abdominale et pelvienne. On en trouve aussi dans la peau, associé aux follicules pileux. Au microscope, ce tissu apparaît *non strié*, ou *lisse*. L'activité de ce type de muscles est généralement *involontaire*, et certains d'entre eux agissent aussi par autorythmicité. Le muscle cardiaque et les muscles lisses sont régis par les neurones du système nerveux autonome (involontaire) et par des hormones libérées par les glandes endocrines.

Fonctions du tissu musculaire

Par le biais de contractions soutenues ou de contractions et relâchements alternés, les muscles remplissent cinq fonctions clés: la production des mouvements du corps, la stabilisation de la posture, la régulation du volume des organes, le déplacement de diverses substances dans l'organisme et la production de chaleur.

1. *Production des mouvements du corps.* Courir ou marcher met en mouvement le corps tout entier, alors que saisir un crayon ou hocher la tête constituent des mouvements localisés. Mais tous ces types de mouvements font appel au fonctionnement coordonné des os, des articulations et des muscles squelettiques.

2. *Stabilisation de la posture.* Les contractions des muscles squelettiques stabilisent les articulations et contribuent à maintenir les postures que nous prenons, comme la station debout ou assise. Certains des muscles agissant sur la posture restent continuellement contractés dès qu'une personne est éveillée. Ainsi, c'est la contraction continue des muscles du cou qui maintient la tête droite.

3. *Régulation du volume des organes.* La contraction continue de muscles circulaires lisses appelés *sphincters* sert à empêcher l'écoulement du contenu des organes creux. Le stockage temporaire de la nourriture dans l'estomac ou de l'urine dans la vessie est possible grâce aux sphincters, dont la contraction ferme l'orifice de ces organes.

4. *Déplacement de substances dans l'organisme.* Les contractions du muscle cardiaque propulsent le sang dans les vaisseaux sanguins. La contraction et le relâchement du tissu musculaire lisse qui se trouve dans les parois de ces vaisseaux contribuent à ajuster leur diamètre et donc à régler le débit sanguin. Les contractions de muscles lisses entrent également en jeu dans le mouvement de la nourriture et de substances telles que la bile et les enzymes dans le tube digestif, dans le mouvement des gamètes (spermatozoïdes et ovocytes) dans le système reproducteur et dans celui de l'urine dans le système urinaire. Les contractions des muscles squelettiques font circuler la lymphe et contribuent au retour du sang vers le cœur.

5. *Production de chaleur.* Lorsque le tissu d'un muscle se contracte, il produit également de la chaleur. Une grande partie de cette chaleur sert à maintenir la température normale de l'organisme. Les contractions musculaires involontaires que l'on appelle le «frisson» peuvent grandement augmenter la production de chaleur en cas de besoin.

Propriétés du tissu musculaire

Le tissu musculaire possède quatre propriétés qui lui permettent de fonctionner et de contribuer à l'homéostasie:

1. **Excitabilité électrique.** Cette propriété, commune aux fibres (ou cellules) musculaires et aux neurones, est la capacité de réagir à certains stimulus en produisant des signaux électriques, par exemple des *potentiels d'action* (voir au chapitre 12, p. 412, la description du déclenchement d'un potentiel d'action). Les potentiels d'action se propagent le long de la membrane plasmique d'une cellule grâce à la présence de canaux ioniques spécifiques. Dans le cas des fibres musculaires, les stimulus qui déclenchent les potentiels d'action peuvent être des signaux électriques autorythmiques émanant du tissu musculaire lui-même, comme dans le centre d'automatisme du cœur, ou des stimulus chimiques tels que les neurotransmetteurs libérés par les neurones, des hormones transportées par le sang, ou même des modifications locales du pH.

2. **Contractilité.** C'est la capacité du tissu musculaire de se contracter avec force lorsqu'il est stimulé par un potentiel d'action. Lorsqu'un muscle se contracte, il génère une tension (force de contraction) en effectuant une traction sur ses points d'attache. Une **contraction isométrique** (*isos* = égal; *metron* = mesure) augmente la tension du muscle mais n'entraîne pas son raccourcissement. C'est ce qui se passe lorsque vous tenez un livre à bout de bras. Si la tension provoquée est assez grande pour surmonter la résistance au mouvement d'un objet, le muscle se raccourcit et un mouvement se produit. Le phénomène est inverse lors d'une **contraction isotonique** (*tonos* = tension): il y a raccourcissement du muscle sans modification marquée de sa tension.

3. **Extensibilité.** C'est la capacité du muscle de s'étirer sans se déchirer. Cette propriété lui permet de se contracter avec force même s'il est déjà étiré. Ce sont généralement les muscles lisses qui sont sujets aux étirements les plus élevés. Chaque fois que l'estomac se remplit de nourriture, par exemple, le tissu musculaire de ses parois s'étire. Le tissu musculaire du cœur s'étire lui aussi chaque fois que le cœur se remplit de sang. Au cours d'activités normales, l'étirement des muscles squelettiques demeure relativement constant.

4. **Élasticité.** C'est la capacité du tissu musculaire de retrouver sa longueur et sa forme d'origine après une contraction ou un étirement.

Ce chapitre met l'accent sur la structure et la fonction des muscles squelettiques. Le muscle cardiaque et les muscles lisses sont étudiés ailleurs plus en détail – dans l'étude du système nerveux autonome au chapitre 17, dans celle du cœur au chapitre 20, et dans les chapitres traitant des divers organes contenant du tissu musculaire lisse.

1. Quelles caractéristiques distinguent les trois types de tissus musculaires ?
2. Résumez les fonctions du tissu musculaire.

TISSU MUSCULAIRE SQUELETTIQUE

OBJECTIF

• *Expliquer les relations existant entre les composantes des tissus conjonctifs, les vaisseaux sanguins, les nerfs et les muscles squelettiques.*

Chaque muscle squelettique est un organe distinct constitué de centaines ou de milliers de cellules appelées **fibres** à cause de leur forme allongée. Des tissus conjonctifs entourent les fibres musculaires et les muscles eux-mêmes, et les vaisseaux sanguins et les nerfs pénètrent à l'intérieur des muscles (figure 10.1). Pour comprendre comment la contraction d'un muscle squelettique peut générer une tension, il faut d'abord comprendre son anatomie macroscopique et microscopique.

Composantes de tissu conjonctif

Le tissu conjonctif enveloppe et protège le tissu musculaire. Le **fascia** (= bande), ou aponévrose de revêtement, est une large couche de tissu conjonctif fibreux située profondément sous la peau et qui enveloppe les muscles ainsi que d'autres organes.

Le **fascia superficiel,** ou **hypoderme,** sépare le muscle de la peau (voir la figure 5.1, p. 149). Il est composé de tissu conjonctif aréolaire et de tissu adipeux, et offre un passage aux vaisseaux sanguins et aux nerfs qui entrent dans le muscle et en sortent. Le tissu adipeux du fascia superficiel emmagasine la majeure partie des triglycérides de l'organisme, sert de couche isolante réduisant la perte de chaleur et protège les muscles contre les lésions. Le **fascia profond** est un tissu conjonctif dense irrégulier qui tapisse les parois de l'organisme et des membres, et qui tient ensemble les muscles ayant des fonctions similaires. Il facilite la liberté de mouvement des muscles, contient des nerfs, des vaisseaux sanguins et des vaisseaux lymphatiques, et comble l'espace entre les muscles.

Trois couches de tissu conjonctif naissent du fascia profond, renforçant ainsi le muscle et lui assurant une meilleure protection (voir la figure 10.1). La couche la plus externe qui enveloppe l'ensemble du muscle est appelée **épimysium** (*epi* = sur). Le **périmysium** (*peri* = autour) entoure des groupes de 10 à 100 fibres musculaires individuelles, parfois davantage, et les sépare en paquets appelés **faisceaux** (*fascis* = paquet). De nombreux faisceaux sont assez gros pour se voir à l'œil nu. Ils donnent à un morceau de viande son apparence caractéristique, et c'est le long des faisceaux que la viande se sépare lorsqu'on la déchire. L'épimysium et le périmysium sont des tissus conjonctifs denses irréguliers. L'**endomysium** (*endon* = en dedans), une mince membrane de tissu conjonctif aréolaire, pénètre à l'intérieur de chaque faisceau et enveloppe chaque fibre musculaire.

Le fascia profond, l'épimysium, le périmysium et l'endomysium prolongent, par les fibres collagènes dont ils sont constitués, le tissu conjonctif qui fixe les muscles squelettiques à d'autres structures telles que les os ou d'autres muscles. Les trois couches de tissu conjonctif peuvent s'étendre au-delà des fibres musculaires pour former un **tendon,** cordon de tissu conjonctif dense régulier fixant le muscle au périoste de l'os. Le tendon calcanéen (ou tendon d'Achille) du muscle gastrocnémien de la jambe en est un exemple (voir la figure 11.22, p. 389). Lorsque les éléments de tissu conjonctif se prolongent en une large lame aplatie, le tendon porte le nom d'**aponévrose** (*apo* = loin de ; *neuron* = nerf). Un exemple en est la galéa aponévrotique, ou aponévrose épicrânienne, située sur la voûte crânienne (voir la figure 11.4, p. 333).

Apport sanguin et innervation

Les muscles squelettiques sont parcourus par un réseau généreux de nerfs et de vaisseaux sanguins. En général, une artère et une ou deux veines accompagnent chaque nerf qui pénètre à l'intérieur d'un muscle squelettique (voir la figure 10.2). Les neurones qui provoquent la contraction des muscles squelettiques sont les *neurones moteurs* (ou motoneurones) *somatiques*. Chaque neurone moteur somatique possède un prolongement filiforme, l'axone, qui s'étend de l'encéphale ou de la moelle épinière jusqu'à un groupe de fibres musculaires squelettiques (figure 10.2). L'axone est gainé de *myéline* produite par des cellules de Schwann adjacentes. Les ramifications d'un axone rejoignent généralement plusieurs fibres musculaires distinctes. Au point de contact entre le neurone moteur et la fibre musculaire, appelé *jonction neuromusculaire*, les terminaisons axonales s'élargissent en grappes de *boutons terminaux*.

Une multitude de vaisseaux sanguins microscopiques appelés capillaires pénètrent dans le tissu musculaire, et chaque fibre musculaire est en contact étroit avec un ou plusieurs capillaires (voir la figure 10.2). Les capillaires sanguins apportent au muscle de l'oxygène et des nutriments, et évacuent la chaleur et les déchets produits par son métabolisme. Surtout au moment de la contraction, une fibre musculaire synthétise et utilise une grande quantité

Figure 10.1 Agencement d'un muscle squelettique et de ses gaines de tissu conjonctif.

 Un muscle squelettique est constitué de fibres (ou cellules) musculaires individuelles formées en faisceaux et entourées de trois couches de tissu conjonctif qui sont des prolongements du fascia profond.

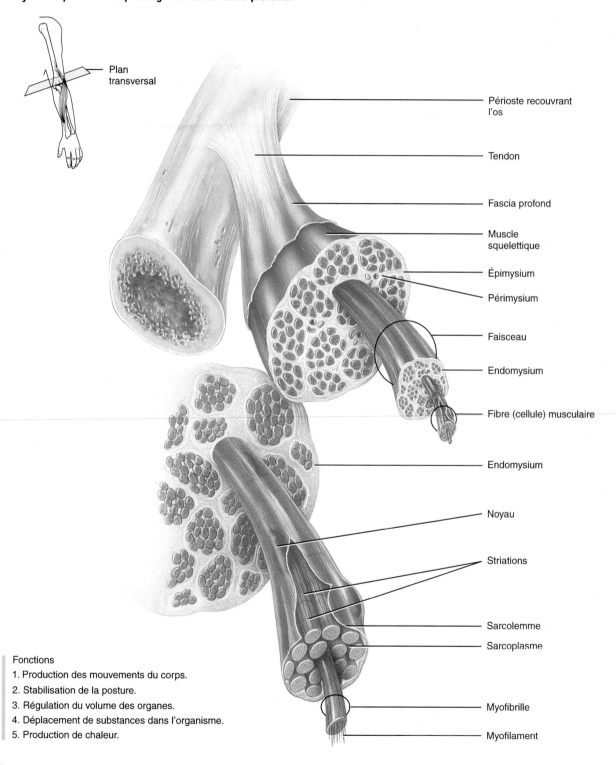

Plan transversal

Périoste recouvrant l'os

Tendon

Fascia profond

Muscle squelettique

Épimysium

Périmysium

Faisceau

Endomysium

Fibre (cellule) musculaire

Endomysium

Noyau

Striations

Sarcolemme

Sarcoplasme

Myofibrille

Myofilament

Fonctions
1. Production des mouvements du corps.
2. Stabilisation de la posture.
3. Régulation du volume des organes.
4. Déplacement de substances dans l'organisme.
5. Production de chaleur.

Q Quelle membrane de tissu conjonctif enveloppe les groupes de fibres musculaires et les sépare en faisceaux?

Figure 10.2 Apport sanguin et innervation d'un muscle squelettique. Le point de contact entre un neurone moteur somatique et une fibre musculaire squelettique est la jonction neuromusculaire.

 Les ramifications d'un neurone moteur sont presque toujours en contact avec de nombreuses fibres musculaires.

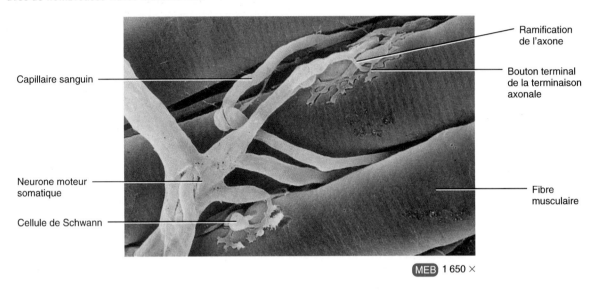

Capillaire sanguin

Neurone moteur somatique

Cellule de Schwann

Ramification de l'axone

Bouton terminal de la terminaison axonale

Fibre musculaire

MEB 1 650 ×

 Quelles sont les fonctions des capillaires sanguins dans le muscle ?

d'adénosine triphosphate (ATP). Ces réactions métaboliques requièrent de l'oxygène, du glucose, des acides gras et d'autres substances apportées par le sang.

Anatomie microscopique d'une fibre musculaire squelettique

OBJECTIF

• *Décrire l'anatomie microscopique d'une fibre musculaire squelettique.*

Au cours du développement embryonnaire, chaque fibre d'un muscle squelettique se forme par fusion d'une centaine ou plus de petites cellules du mésoderme appelées *myoblastes* (figure 10.3a). C'est pourquoi chaque fibre musculaire squelettique à maturité comporte une centaine ou plus de noyaux. Après la fusion, la fibre perd sa capacité de division cellulaire. Ainsi le nombre de fibres musculaires squelettiques est-il déterminé avant la naissance, et la plupart d'entre elles durent toute la vie. La remarquable croissance musculaire qui se produit à partir de la naissance est provoquée en grande partie par le grossissement de fibres existantes. Quelques myoblastes demeurent en tant que *cellules satellites* dans le muscle squelettique parvenu à maturité ; ces cellules conservent la capacité à fusionner entre elles ou avec des fibres endommagées lors du processus de régénération de la fibre musculaire. Les fibres musculaires matures sont

parallèles les unes aux autres et ont un diamètre qui va de 10 à 100 μm*. Même si, généralement, leur longueur est de 100 μm, certaines mesurent jusqu'à 30 cm.

Sarcolemme, tubules T et sarcoplasme

Les nombreux noyaux d'une fibre musculaire squelettique sont situés juste sous le **sarcolemme** (*sarx* = chair ; *lemma* = gaine), la membrane plasmique de la fibre (figure 10.3b). Des milliers de minuscules invaginations du sarcolemme, les **tubules T** (**transverses**), creusent des tunnels de la surface jusqu'au centre de chaque fibre musculaire (figure 10.3c). L'ouverture des tubules T à l'extérieur de la fibre leur permet de se remplir de liquide extracellulaire. Les potentiels d'action musculaire se propagent le long du sarcolemme et par les tubules T, ce qui assure leur diffusion rapide à l'ensemble de la fibre et l'excitation presque simultanée de toutes les parties de la fibre.

À l'intérieur du sarcolemme se trouve le **sarcoplasme,** soit le cytoplasme d'une fibre musculaire. Le sarcoplasme contient une grande quantité de glycogène, qui se scinde en glucose utilisé dans la synthèse de l'ATP. Le sarcoplasme contient également de la **myoglobine** qui donne sa couleur rouge au muscle et lui apporte l'oxygène. Cette protéine que

---

* Un micron (μm) = 1 millionième de mètre (10^{-6}).

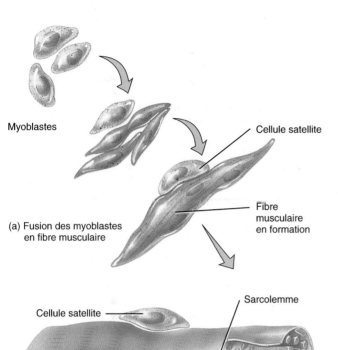

Myoblastes

Cellule satellite

Fibre
musculaire
en formation

(a) Fusion des myoblastes
en fibre musculaire

Figure 10.3 Organisation microscopique d'un muscle squelettique. (a) Au cours du développement embryonnaire, de nombreux myoblastes fusionnent pour constituer une fibre musculaire squelettique. Une fois que ces fusions se sont produites, la fibre musculaire squelettique perd sa capacité de division cellulaire, mais les cellules satellites la conservent. (b) Le sarcolemme de la fibre enveloppe le sarcoplasme et les myofibrilles, qui sont striées. (c) Une gaine de réticulum sarcoplasmique (RS) entoure chaque myofibrille. Des milliers de tubules T, emplis de liquide extracellulaire, s'invaginent du sarcoplasme vers le centre de la fibre musculaire. Un tubule T et les deux citernes terminales du RS situées de chaque côté constituent une triade. Adapté de Martini, *Fundamentals of Anatomy and Physiology*, 4ᵉ éd., Upper Saddle River (New Jersey), Prentice Hall, 1998, F10.2, p. 280. ©1998 Prentice Hall, Inc.

> 🔑 **Les éléments contractiles des fibres musculaires sont les myofibrilles, constituées de myofilaments fins et de myofilaments épais qui se chevauchent.**

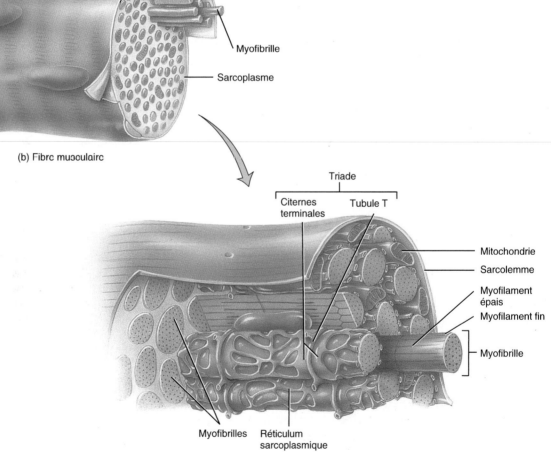

Cellule satellite

Sarcolemme

Myofibrille

Sarcoplasme

(b) Fibre musculaire

Triade

Citernes
terminales

Tubule T

Mitochondrie

Sarcolemme

Myofilament
épais

Myofilament fin

Myofibrille

Myofibrilles

Réticulum
sarcoplasmique

(c) Plusieurs myofibrilles

Ⓠ Dans cette illustration, quelle structure libère des ions calcium pour déclencher la contraction musculaire ?

l'on ne trouve que dans les fibres musculaires emmagasine les molécules d'oxygène nécessaires à la production d'ATP dans les mitochondries. De forme allongée, les mitochondries sont alignées à travers toute la fibre musculaire, stratégiquement situées près des protéines musculaires qui utilisent l'ATP pendant la contraction.

Myofibrilles et réticulum sarcoplasmique

À très fort grossissement, le sarcoplasme apparaît truffé de minces filaments. Ces petites structures sont les éléments contractiles du muscle squelettique, les **myofibrilles** (voir la figure 10.3b et c). Les myofibrilles ont un diamètre d'environ 2 μm et s'étendent sur toute la longueur de la fibre. Ce sont leurs stries bien visibles qui donnent son apparence striée à la fibre musculaire.

Un système de sacs membraneux emplis de liquide, le **réticulum sarcoplasmique (RS)**, entoure chaque myofibrille (voir la figure 10.3c). Ce système complexe est semblable au réticulum endoplasmique lisse des cellules autres que musculaires. Les extrémités dilatées des sacs du réticulum sarcoplasmique, appelées *citernes terminales*, enserrent le tubule T de chaque côté. Un tubule transverse et les deux citernes terminales associées forment une *triade*. Dans une fibre musculaire relâchée, le réticulum sarcoplasmique emmagasine des ions calcium (Ca^{2+}). C'est la libération du Ca^{2+} des citernes terminales qui déclenche la contraction musculaire.

APPLICATION CLINIQUE
Atrophie et hypertrophie musculaires

L'**atrophie musculaire** (*a* = sans; *trophê* = nutrition), ou amyotrophie, est un dépérissement des muscles causé par la diminution du volume des fibres musculaires, elle-même provoquée par la disparition graduelle des myofibrilles. Lorsqu'elle résulte de la non-utilisation des muscles, on la nomme *atrophie due à l'inactivité*. C'est ce que vivent les malades grabataires ou alités pour de longues périodes, ainsi que ceux qui doivent porter un plâtre, à cause de la diminution marquée d'influx nerveux vers un muscle inactif. Dans le cas où l'influx nerveux est interrompu ou coupé, le muscle subit une *amyotrophie par dénervation*. En une période qui peut aller de 6 mois à 2 ans, le muscle perd les trois quarts de son volume, et le tissu musculaire est remplacé par du tissu conjonctif fibreux. Lorsque la transformation en tissu conjonctif est terminée, le processus est irréversible.

L'**hypertrophie musculaire** (*hyper* = au-dessus) est l'accroissement du diamètre des fibres musculaires provoqué par la production d'une plus grande quantité de myofibrilles, mitochondries, réticulum sarcoplasmique, etc. Elle survient en cas d'activité musculaire vigoureuse répétitive comme les exercices de musculation. Grâce à la présence d'un plus grand nombre de myofibrilles, les muscles hypertrophiés peuvent effectuer des contractions plus énergiques. ■

Myofilaments et sarcomère

Les myofibrilles sont constituées de deux types de structures encore plus petites, appelées **myofilaments,** dont la longueur varie de 1 à 2 μm (voir la figure 10.3c). Le diamètre des *myofilaments fins* est d'environ 8 nm*, alors que celui des *myofilaments épais* est d'environ 16 nm. Les myofilaments situés à l'intérieur d'une myofibrille ne couvrent pas toute la longueur d'une fibre, mais sont disposés en segments appelés **sarcomères** (*meros* = partie), qui sont les unités de contraction d'une myofibrille (figure 10.4a). Des zones étroites en forme de lames faites de matière dense et appelées *disques Z* séparent les sarcomères entre eux.

Les myofilaments fins et les myofilaments épais se chevauchent plus ou moins selon que le muscle est contracté, relâché ou étiré. La configuration de ce chevauchement constitué d'une variété de zones et de bandes (figure 10.4b) crée l'effet de stries visible sur les myofibrilles et dans l'ensemble de la fibre musculaire. La partie centrale plus sombre d'un sarcomère est la **bande A,** qui s'étend sur toute la longueur des myofilaments épais (voir la figure 10.4b). Près de l'extrémité de chaque bande A se trouve une *zone de chevauchement* où les myofilaments fins et les myofilaments épais sont disposés côte à côte. Dans cette zone, six myofilaments fins entourent chaque myofilament épais, et trois myofilaments épais entourent chaque myofilament fin. Dans l'ensemble, il y a deux myofilaments fins pour chaque myofilament épais. La **bande I** est une zone moins dense et plus claire qui contient la longueur restante des myofilaments fins mais pas de myofilaments épais (voir la figure 10.4b). Un disque Z passe par le centre de chaque bande I. Une zone étroite, la *zone H*, située au centre de chaque bande A contient des myofilaments épais mais pas de myofilaments fins. Les protéines de soutien qui maintiennent les myofilaments épais au centre de la zone H forment la *ligne M*, ainsi nommée parce qu'elle est située au *milieu* du sarcomère. La figure 10.5 montre les liens existant entre les zones, les bandes et les lignes telles qu'on peut les voir au microscope électronique à transmission.

APPLICATION CLINIQUE
Lésion musculaire provoquée par l'exercice

La comparaison de micrographies électroniques du tissu musculaire des athlètes, avant et après un effort intense, révèle les atteintes importantes subies par le muscle au cours d'exercices très vigoureux, y compris des sarcolemmes déchirés dans certaines fibres et des lésions aux myofibrilles et aux disques Z. Ces lésions microscopiques causées par l'effort violent sont également mises en évidence par l'augmentation des concentrations sanguines de certaines protéines, comme la myoglobine et la créatine kinase (une enzyme), normalement confinées aux fibres musculaires. De 12 à 48 heures après une période d'exercice vigoureux, les muscles squelettiques deviennent souvent douloureux. Ce **retard**

---

* Un nanomètre (nm) = 1 millionième de millimètre (10^{-9}).

Figure 10.4 Disposition des myofilaments dans un sarcomère. Le sarcomère est le segment de myofibrille situé entre deux disques Z.

🔑 **Les myofibrilles contiennent deux types de myofilaments : les myofilaments fins et les myofilaments épais.**

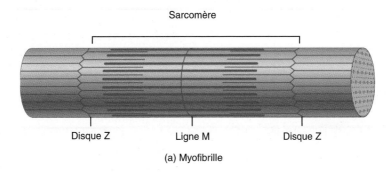

Sarcomère

Disque Z   Ligne M   Disque Z

(a) Myofibrille

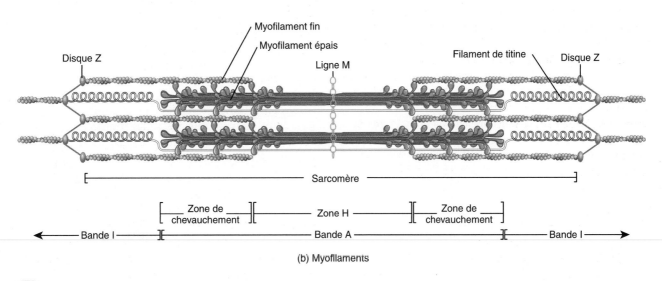

Myofilament fin
Myofilament épais

Disque Z   Ligne M   Filament de titine   Disque Z

Sarcomère

Zone de chevauchement — Zone H — Zone de chevauchement

◄── Bande I ──┤ ├── Bande A ──┤ ├── Bande I ──►

(b) Myofilaments

Q Parmi les éléments suivants – fibre musculaire, myofilament épais, myofibrille –, lequel est le plus petit ? Lequel est le plus grand ?

d'apparition des douleurs musculaires s'accompagne de raideurs, de sensibilité et d'enflure. Bien que les causes de ce délai ne soient pas bien connues, la présence de lésions musculaires microscopiques semble en être un facteur décisif. ■

Protéines des muscles

Les myofibrilles sont composées de trois sortes de protéines : 1) les protéines contractiles qui génèrent la force durant la contraction ; 2) les protéines régulatrices qui agissent comme des « interrupteurs » pour enclencher et arrêter le processus de contraction ; 3) les protéines structurales qui maintiennent l'alignement approprié des myofilaments fins et épais, donnent son élasticité et son extensibilité à la myofibrille, et lient les myofibrilles aux sarcolemmes et à la matrice extracellulaire.

Les deux *protéines contractiles* du muscle sont la myosine et l'actine, la première étant la composante principale des myofilaments épais, l'autre celle des myofilaments fins. La myosine agit comme une *protéine motrice* dans les trois types de tissu musculaire. Les protéines motrices se déplacent pour produire un mouvement en transformant l'énergie chimique de l'ATP en énergie mécanique ou en force. Un myofilament épais est composé d'environ 300 molécules de **myosine.** La molécule de myosine a la forme de deux bâtons de golf tressés (figure 10.6a). Les *queues de myosine* (les manches des bâtons) des molécules de myosine sont dirigées vers la ligne M au centre du sarcomère ; disposées parallèlement les unes aux autres, elles constituent la tige du myofilament épais. Les deux protubérances de chaque molécule de myosine portent le nom de *têtes de myosine,* ou *ponts d'union.* Ces têtes sont

Figure 10.5 Micrographie électronique à transmission montrant les zones et les bandes caractéristiques d'un sarcomère.

🔑 **Les striations visibles sur un muscle squelettique sont dues à l'alternance de bandes A sombres et de bandes I plus claires.**

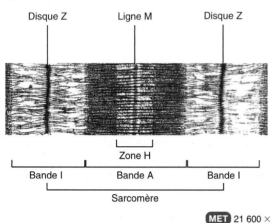

MET 21 600 ×

❓ Dans un muscle squelettique, quelle est la proportion de myofilaments fins et de myofilaments épais?

Figure 10.6 Structure des myofilaments minces et épais. (a) Un myofilament épais contient près de 300 molécules de myosine (une molécule est illustrée sous le myofilament épais). Les queues de myosine de ces molécules forment la tige du myofilament épais, alors que les têtes de myosine sont dirigées vers l'extérieur et les myofilaments fins voisins. (b) Les myofilaments fins contiennent de l'actine, de la troponine et de la tropomyosine.

🔑 **Les protéines contractiles (myosine et actine) donnent sa force à la contraction, tandis que les protéines régulatrices (troponine et tropomyosine) agissent comme des interrupteurs pour enclencher et arrêter le processus de contraction.**

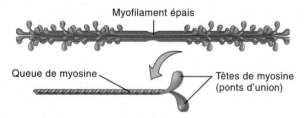

(a) Un myofilament épais et une molécule de myosine

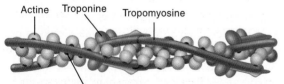

(b) Segment d'un myofilament fin

❓ Quelles sont les protéines reliées aux disques Z? Lesquelles sont présentes dans la bande A, dans la bande I?

dirigées en spirale vers l'extérieur par rapport à la tige du myofilament, chacune en direction de l'un des six myofilaments fins qui entourent un myofilament épais.

Les myofilament fins s'étendent à partir de points d'ancrage dans les disques Z (voir la figure 10.4b). Ils sont surtout composés d'une protéine appelée **actine**. Les molécules d'actine se joignent pour former un myofilament d'actine tressé en hélice (figure 10.6b). Chaque molécule d'actine comporte un *site de liaison de la myosine* où peut se fixer une tête de myosine. Deux autres *protéines régulatrices* – la **tropomyosine** et la **troponine** – interviennent en plus petite quantité dans la constitution des myofilaments fins. Dans un muscle relâché, l'association myosine-actine (actomyosine) est inhibée par la tropomyosine qui couvre le *site de liaison de la myosine* sur la molécule d'actine. Le filament de tropomyosine est maintenu en place par la troponine.

En plus des protéines contractiles et régulatrices, le muscle contient près d'une douzaine de *protéines structurales* qui contribuent à l'alignement, à la stabilité, à l'élasticité et à l'extensibilité des myofibrilles. Les protéines structurales les plus importantes sont la titine, la myomésine, la nébuline et la dystrophine. La *titine* (de *titan*) est la troisième protéine en importance dans les muscles squelettiques (après l'actine et la myosine). Son nom reflète sa taille énorme; avec une masse moléculaire de près de 3 millions de daltons, la titine est 50 fois plus grande qu'une protéine moyenne. Chaque molécule de titine couvre la moitié d'un sarcomère, d'un disque Z à la ligne M (voir la figure 10.4b), soit une distance de 1 à 1,2 μm dans un muscle relâché. La titine fixe les extrémités des myofilament épais aux disques Z et aux lignes M, contribuant ainsi à stabiliser la position de ces myofilaments. La partie de la molécule qui s'étend du disque Z jusqu'au début du myofilament épais étant très élastique, elle peut s'étirer jusqu'à près de quatre fois sa longueur au repos puis reprendre sa longueur initiale; la titine compte beaucoup dans l'extensibilité et l'élasticité des myofibrilles. La titine aide probablement le sarcomère à retrouver sa longueur au repos après la contraction ou l'étirement d'un muscle.

La ligne M est constituée de molécules d'une protéine, la *myomésine*, qui se lient à la titine et maintiennent également ensemble les myofilaments épais adjacents. La *nébuline*, une protéine de grande taille mais sans élasticité, est située le long des myofilaments fins et s'attache aussi aux disques Z. Elle contribue à maintenir l'alignement des myofilaments fins dans le sarcomère. La *dystrophine* est une protéine du cytosquelette qui lie les myofilaments fins du sarcomère aux protéines intrinsèques de la membrane du sarcolemme. À leur tour, ces protéines s'attachent à celles qui sont présentes dans la matrice du tissu conjonctif entourant les fibres musculaires. C'est la raison pour laquelle on pense que la dystrophine et ses protéines associées renforcent le sarcolemme et contribuent à transmettre aux tendons la tension générée par les sarcomères.

Tableau 10.1 Types de protéines présentes dans les fibres musculaires squelettiques

TYPES DE PROTÉINES	NOM*	SITUATION ET FONCTION
Protéines contractiles	Myosine (44 %)	Les queues de myosine constituent la tige des myofilaments épais ; pendant la contraction, les têtes de myosine (ou ponts d'union) se fixent aux sites de liaison de la myosine sur l'actine.
	Actine (22 %)	Constitue l'« épine dorsale » des myofilaments fins ; comporte les sites où se fixent les têtes de myosine pendant la contraction musculaire.
Protéines régulatrices	Tropomyosine (5 %)	Composante des myofilaments fins ; recouvre les sites de liaison de la myosine sur l'actine lorsque le muscle est relâché.
	Troponine (5 %)	Composante des myofilaments fins ; maintient la tropomyosine en position.
Protéines structurales	Titine (9 %)	S'étend des disques Z à la ligne M et se fixe à la myosine ; arrime les myofilaments épais aux disques Z, contribue à les stabiliser pendant la contraction et le relâchement, et joue un rôle important dans l'élasticité et l'extensibilité des myofibrilles.
	Myomésine	Forme la ligne M ; contribue à stabiliser la position des myofilaments épais.
	Nébuline (3 %)	S'attache aux disques Z et s'étend le long des myofilaments minces ; contribue à maintenir leur alignement.
	Dystrophine	Lie les myofilaments minces aux protéines intrinsèques de la membrane du sarcolemme ; contribue à la transmission de la tension musculaire aux tendons.

*Pourcentage protéique total dans les myofibrilles.

Le tableau 10.1 donne une liste des types de protéines présentes dans les fibres des muscles squelettiques.

1. Décrivez les types de fascia qui recouvrent les muscles squelettiques.
2. Pourquoi la contraction musculaire requiert-elle un généreux apport sanguin ?
3. Décrivez les composantes d'un sarcomère. En quoi les myofilaments fins et les myofilaments épais diffèrent-ils sur le plan structural ?

CONTRACTION ET RELÂCHEMENT DES FIBRES MUSCULAIRES SQUELETTIQUES

Lorsque des chercheurs ont examiné les premières micrographies électroniques de muscles squelettiques au milieu des années 1950, ils ont été surpris de voir qu'il n'y avait pas de modification de la longueur des myofilaments fins et des myofilaments épais au passage de la phase de contraction à celle du relâchement du muscle. On croyait jusqu'alors que la contraction musculaire était un processus de « pliage » similaire à celui d'un accordéon. Cependant, il apparut aux chercheurs que le muscle squelettique se raccourcit lors de la contraction parce que les myofilaments fins et les myofilaments épais glissent latéralement les uns sur les autres. Le modèle qui décrit la contraction d'un muscle est connu sous le nom de **mécanisme de glissement des myofilaments.**

Mécanisme de glissement des myofilaments

OBJECTIF

- *Décrire les étapes du mécanisme de glissement des myofilaments lors de la contraction musculaire.*

Une contraction musculaire se produit lorsque les têtes de myosine se fixent aux myofilaments fins, puis se déplacent le long de ces derniers aux deux extrémités d'un sarcomère, entraînant ainsi progressivement les myofilaments fins vers la ligne M (figure 10.7). Les myofilaments fins glissent donc vers l'intérieur et se rencontrent au centre du sarcomère. Leur déplacement peut même être si poussé que leurs extrémités vont se chevaucher (figure 10.7c). Alors que ces myofilaments fins glissent vers l'intérieur du sarcomère, les disques Z se rapprochent et le sarcomère se raccourcit. Toutefois, la longueur des myofilaments individuels, épais et fins, n'est pas modifiée. Le raccourcissement des sarcomères provoque celui de l'ensemble de la fibre musculaire et finalement celui du muscle tout entier.

Cycle de la contraction

Au début de la contraction, le réticulum sarcoplasmique libère des ions calcium (Ca^{2+}) qui se lient à la troponine et forcent les complexes troponine-tropomyosine à s'éloigner des sites de liaison de la myosine sur l'actine. Lorsque ces sites sont « libres », le **cycle de la contraction** – la répétition de la séquence d'événements qui fait glisser les filaments – commence. Il comporte quatre phases (figure 10.8) :

1 *Hydrolyse de l'ATP.* La tête de myosine comporte une poche de liaison de l'ATP et une ATPase, enzyme qui hydrolyse l'ATP en ADP (adénosine diphosphate) et en un groupement phosphate. Cette réaction d'hydrolyse active la tête de myosine. Notez que les produits d'hydrolyse de l'ATP – l'ADP et un groupement phosphate – sont toujours liés à la tête de myosine.

Figure 10.7 Mécanisme de glissement des myofilaments lors de la contraction musculaire, tel qu'il se produit dans deux sarcomères adjacents.

🔑 **Pendant les contractions musculaires, les myofilaments fins se déplacent vers la ligne M de chaque sarcomère.**

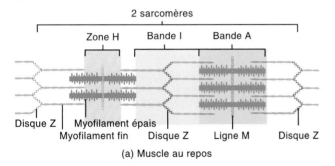

(a) Muscle au repos

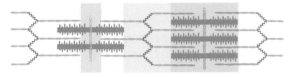

(b) Contraction partielle du muscle

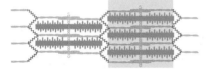

(c) Contraction maximale du muscle

Q Qu'arrive-t-il à la bande I et à la zone H lorsque le muscle se contracte ? La longueur des myofilaments épais et des myofilaments fins change-t-elle ?

2 *Liaison de la myosine à l'actine, et formation de ponts d'union.* La tête de myosine activée se fixe aux sites de liaison de la myosine sur l'actine puis libère le groupement phosphate hydrolysé auparavant.

3 *Production de la force motrice.* La libération du groupement phosphate déclenche la **production de la force motrice** de la contraction, pendant laquelle la poche de la tête de myosine où l'ADP est toujours fixée s'ouvre, ce qui fait pivoter la tête de myosine et libère l'ADP. Ce pivotement de la tête de myosine vers le centre du sarcomère produit l'énergie qui fait glisser le filament fin contre le myofilament épais en direction de la ligne M.

4 *Séparation de la myosine et de l'actine.* À la fin de la phase précédente, la tête de myosine reste fermement attachée à l'actine jusqu'à ce qu'elle lie une autre molécule d'ATP. Tandis que l'ATP se lie à la poche de liaison sur la tête de myosine, cette dernière se sépare de l'actine.

Le cycle de la contraction se répète lorsque l'ATPase de la myosine hydrolyse à nouveau l'ATP. La réaction réoriente la tête de myosine et transfère l'énergie de l'ATP à cette dernière qui, activée, est prête à s'unir à un autre site de liaison plus

loin sur le myofilament fin. Le cycle de la contraction se répète encore et encore tant qu'il y a présence d'ATP et que le taux de Ca^{2+} près du myofilament fin est suffisamment élevé. Les têtes de myosine continuent à pivoter dans un sens et dans l'autre à chaque fois que se déclenche la force de contraction, entraînant les myofilaments fins vers la ligne M. Chaque tête – il y en a 600 sur chaque myofilament fin – se fixe et se sépare près de 5 fois par seconde. À tout moment, certaines des têtes de myosine sont liées à l'actine et produisent de l'énergie tandis que d'autres sont libérées et prêtes à se fixer à nouveau. Le phénomène de la contraction est assez semblable à ce que serait la progression sur un tapis roulant non motorisé. Un pied (la tête de myosine) touche le tapis (le myofilament fin) et le pousse vers l'arrière (vers la ligne M). L'autre pied provoque ensuite une seconde poussée. Le tapis (le myofilament fin) subit un mouvement régulier tandis que le coureur (le myofilament épais) reste sur place. Chaque tête de myosine progresse ainsi le long d'un myofilament fin, se rapprochant d'un disque Z à chaque «pas», alors que le myofilament fin se rapproche de la ligne M. Comme les jambes du coureur, les têtes de myosine ont besoin, pour continuer leur progression, d'une alimentation constante en énergie, soit une molécule d'ATP à chaque cycle de la contraction!

Ce mouvement continu des têtes de myosine donne la force qui rapproche les disques Z les uns vers les autres, et le sarcomère raccourcit. Ainsi, les myofibrilles se contractent et la fibre musculaire tout entière raccourcit. Au cours d'une contraction musculaire maximale, la distance entre les disques Z peut diminuer jusqu'à la moitié de ce qu'elle est quand le muscle est au repos. Toutefois, la production de la force motrice de contraction ne provoque pas toujours le raccourcissement d'une fibre musculaire. Dans les contractions isométriques, les têtes de myosine pivotent et génèrent une tension, mais les myofilaments fins ne glissent pas vers l'intérieur parce que cette tension n'est pas suffisante pour vaincre la résistance.

Couplage excitation-contraction

Une augmentation de la concentration en Ca^{2+} dans le cytosol déclenche la contraction musculaire, tandis qu'une diminution l'interrompt. Au repos, la concentration de Ca^{2+} dans le cytosol est très basse – environ 0,1 millimole/litre. Cependant, une grande quantité de Ca^{2+} est emmagasinée dans le RS (figure 10.9a). Lorsqu'un potentiel d'action musculaire se propage le long du sarcolemme et dans les tubules T, il provoque l'ouverture des **canaux de libération du Ca^{2+}** de la membrane du RS (figure 10.9b), permettant ainsi que le Ca^{2+} diffuse à travers la membrane. Les ions calcium passent alors du RS dans le cytosol qui entoure les myofilaments fins et épais, ce qui augmente de dix fois ou plus la concentration en Ca^{2+}. Le Ca^{2+} libéré se combine avec la troponine, qui change de forme. Cette modification éloigne le complexe troponine-tropomyosine des sites de liaison de la myosine sur l'actine. Une fois ces sites libres, les têtes de myosine s'y

Figure 10.8 Cycle de la contraction. Les sarcomères se raccourcissent au cours de la répétition des cycles pendant lesquels les têtes de myosine (ou ponts d'union) se fixent à l'actine, pivotent puis se détachent.

🔑 **Pendant la production de la force motrice de la contraction, les têtes de myosine pivotent et «tirent» les myofilaments fins par-dessus les myofilaments épais vers le centre du sarcomère.**

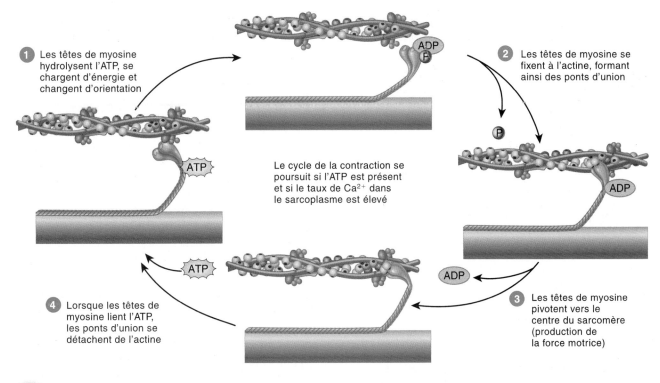

1 Les têtes de myosine hydrolysent l'ATP, se chargent d'énergie et changent d'orientation

2 Les têtes de myosine se fixent à l'actine, formant ainsi des ponts d'union

Le cycle de la contraction se poursuit si l'ATP est présent et si le taux de Ca^{2+} dans le sarcoplasme est élevé

4 Lorsque les têtes de myosine lient l'ATP, les ponts d'union se détachent de l'actine

3 Les têtes de myosine pivotent vers le centre du sarcomère (production de la force motrice)

Q Qu'arriverait-il s'il n'y avait plus d'ATP après que le sarcomère a commencé à raccourcir?

fixent et le cycle de la contraction commence. Les phases que nous venons de décrire constituent le **couplage excitation-contraction**, soit l'étape qui associe l'excitation (un potentiel d'action se propageant par les tubules T) à la contraction de la fibre musculaire.

La membrane du réticulum sarcoplasmique contient également des **pompes calciques à transport actif** qui hydrolysent l'ATP par l'entrée continue de Ca^{2+} du cytosol dans le RS (voir la figure 10.9b). Tant que la propagation des potentiels d'action musculaires se poursuit dans les tubules T, les canaux de libération du Ca^{2+} restent ouverts et les ions calcium diffusent dans le cytosol plus vite qu'ils ne sont pompés en direction inverse. Une fois que le dernier potentiel d'action s'est propagé par les tubules T, les canaux de libération du Ca^{2+} se ferment. Tandis que les pompes renvoient le Ca^{2+} dans le RS, la concentration en ions calcium dans le cytosol diminue rapidement. Dans le RS, les molécules d'une protéine de liaison du calcium, fort justement appelée **calséquestrine,** lient le Ca^{2+} et en retiennent encore plus à l'intérieur du RS. C'est la raison pour laquelle la concentration en Ca^{2+} dans le réticulum

sarcoplasmique d'un muscle détendu est 10 000 fois supérieure à celle que l'on trouve dans le cytosol. Tandis que la concentration de Ca^{2+} chute dans le cytosol, les complexes troponine-tropomyosine reprennent leur position sur les sites de liaison de la myosine, et la fibre musculaire se relâche.

🩺 APPLICATION CLINIQUE
Rigidité cadavérique

Après la mort, les membranes cellulaires se dégradent progressivement, et les ions calcium s'échappent du RS vers le cytosol, ce qui entraîne la fixation des têtes de myosine à l'actine. Cependant, la synthèse de l'ATP ayant cessé, les ponts d'union ne se détachent plus de l'actine. Ce phénomène qui s'observe après la mort et au cours duquel les muscles deviennent rigides, ne pouvant ni se contracter ni se détendre, est appelé **rigidité cadavérique.** Il se manifeste de 3 à 4 heures après la mort et dure environ 24 heures. Il disparaît ensuite lorsque les enzymes protéolytiques des lysosomes décomposent les ponts d'union. ▪

Figure 10.9 Rôle du Ca²⁺ dans la régulation de la contraction par la troponine et la tropomyosine. (a) Quand le muscle est relâché, le taux de Ca²⁺ dans le sarcoplasme est bas (à peine 0,1 millimole/litre), car les ions calcium sont pompés dans le réticulum sarcoplasmique (RS) par les pompes calciques à transport actif. (b) Un potentiel d'action musculaire qui se propage le long d'un tubule T ouvre les canaux calciques du RS, et les ions calcium se répandent dans le cytosol ; la contraction commence.

🔑 Une augmentation du taux de Ca²⁺ dans le sarcoplasme déclenche le glissement des myofilaments fins ; lorsque le taux de Ca²⁺ diminue, le glissement s'interrompt.

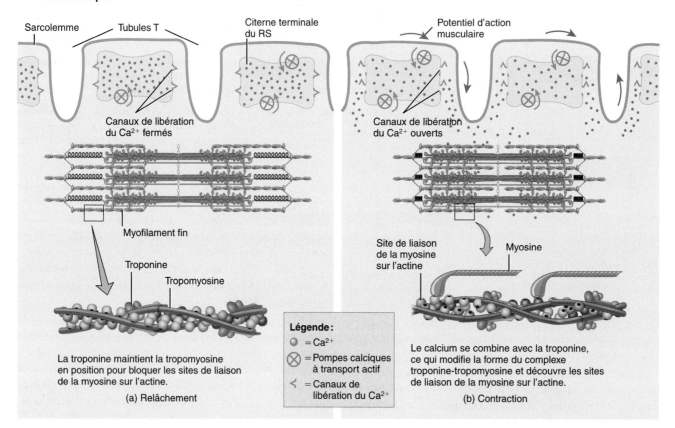

Légende :
- ○ = Ca²⁺
- ⊗ = Pompes calciques à transport actif
- ≺ = Canaux de libération du Ca²⁺

La troponine maintient la tropomyosine en position pour bloquer les sites de liaison de la myosine sur l'actine.

(a) Relâchement

Le calcium se combine avec la troponine, ce qui modifie la forme du complexe troponine-tropomyosine et découvre les sites de liaison de la myosine sur l'actine.

(b) Contraction

 Quelles sont les trois fonctions de l'ATP dans la contraction musculaire ?

Relation tension-longueur

La figure 10.10 illustre la **relation tension-longueur** dans un muscle squelettique. On voit que la force de la contraction musculaire dépend de la longueur des sarcomères dans un muscle *avant que commence la contraction*. Avec une longueur de sarcomère allant de 2 à 2,4 μm, la zone de chevauchement de chacun d'entre eux est à son maximum, et la fibre musculaire peut atteindre une tension maximale. Notez dans la figure 10.10 que cette tension maximale (100 %) se produit lorsque la zone de chevauchement entre un myofilament épais et un myofilament fin s'étend de la bordure de la zone H jusqu'à l'extrémité du myofilament épais.

Lorsque les sarcomères d'une fibre musculaire sont étirés davantage, la zone de chevauchement est plus courte et un nombre moins élevé de têtes de myosine peuvent entrer en contact avec les myofilaments fins. La tension que la fibre peut générer diminue alors. À 170 % d'étirement de la longueur maximale de la fibre d'un muscle squelettique, il n'y a aucun chevauchement entre les myofilaments fins et les myofilaments épais. Comme aucune des têtes de myosine ne peut se fixer aux myofilaments fins, la fibre ne peut se contracter, et la tension est nulle. À mesure que la longueur des sarcomères devient beaucoup plus courte que leur longueur maximale, la tension qui pourrait être générée diminue encore davantage.

Figure 10.10 Relation tension-longueur dans une fibre musculaire squelettique. La tension maximale pendant la contraction se produit lorsque la longueur du sarcomère au repos est de 2 à 2,4 μm.

 Une fibre musculaire atteint sa tension la plus élevée lorsqu'il y a une zone optimale de chevauchement entre les myofilaments fins et les myofilaments épais.

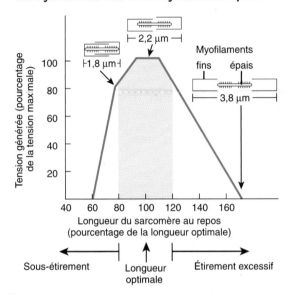

 Pourquoi la tension est-elle à son maximum lorsque la longueur du sarcomère est de 2,2 μm ?

Ce phénomène est causé par les myofilaments épais qui se recroquevillent lorsqu'ils sont comprimés par les disques Z, ce qui diminue d'autant le nombre de têtes de myosine capables d'établir le contact avec les myofilaments fins. Normalement, la longueur de la fibre musculaire au repos est maintenue très près de la longueur optimale par les points d'attache des muscles squelettiques sur les os (par le biais de leurs tendons) et sur d'autres tissus non élastiques ; cela évite les étirements excessifs.

Tension active et tension passive

Lorsque les myofilaments fins commencent à glisser le long des myofilaments épais, ils effectuent une traction sur les disques Z qui, à leur tour, tirent sur les sarcomères voisins. Finalement, des cellules musculaires entières tirent sur les couches de tissus conjonctifs environnants. Certaines des composantes structurales des muscles sont élastiques et s'étirent légèrement avant de transférer la tension générée par le glissement des myofilaments. Parmi ces composantes élastiques, on trouve les molécules de titine, les tissus conjonctifs entourant les fibres musculaires (endomysium, périmysium, épimysium) et les tendons qui fixent les muscles aux os. La tension musculaire produite par les composantes contractiles (myofilaments fins et myofilaments épais) est appelée **tension active** ; celle qui est produite par les composantes élastiques est appelée **tension passive.** Jusqu'à un

certain point, plus l'étirement des composantes élastiques est important, plus la tension passive est élevée. Lorsque le muscle commence à raccourcir, la traction s'exerce d'abord sur les enveloppes de tissus conjonctifs et les tendons. Les enveloppes et les tendons s'étirent puis se tendent, et la tension transmise par les tendons tire sur les os auxquels ils sont attachés. Il en résulte le mouvement d'une partie du corps.

Jonction neuromusculaire

OBJECTIF

• *Décrire la façon dont les potentiels d'action musculaires naissent au niveau de la jonction neuromusculaire.*

Une fibre musculaire se contracte en réponse à un ou plusieurs potentiels d'action musculaires qui se propagent le long de son sarcolemme et à travers son système de tubules T. Les potentiels d'action naissent à la **jonction neuromusculaire,** soit la synapse située entre un neurone moteur somatique et une fibre musculaire squelettique (figure 10.11a). Une *synapse* est une zone de contact et de communication entre deux neurones, ou entre un neurone et une cellule cible – un neurone moteur et une cellule musculaire, par exemple. À la plupart des synapses se trouve un petit intervalle appelé *fente synaptique* qui sépare les deux cellules. Comme celles-ci ne se « touchent » pas vraiment, le potentiel d'action d'une cellule ne peut « sauter par-dessus » cet espace pour aller activer l'autre. La première cellule communique plutôt indirectement avec la seconde en libérant un médiateur chimique appelé **neurotransmetteur.**

À la jonction neuromusculaire, la terminaison axonale du neurone moteur se divise pour former une grappe de boutons terminaux (figure 10.11a). En suspension dans le cytosol à l'intérieur de chaque bouton, se trouvent des centaines de petits sacs appelés **vésicules synaptiques.** Chaque vésicule synaptique contient des milliers de molécules d'**acétylcholine** (**ACh**), le neurotransmetteur libéré au niveau de la jonction neuromusculaire. La partie du sarcolemme adjacente aux boutons terminaux est appelée **plaque motrice.** Elle contient de 30 à 40 millions de *récepteurs de l'acétylcholine,* qui sont des protéines intrinsèques transmembranaires se liant spécifiquement à l'ACh. Comme vous le verrez, les récepteurs de l'acétylcholine sont des canaux ioniques à fonctionnement commandé. Une jonction neuromusculaire est donc constituée de tous les boutons terminaux, d'un côté de la fente synaptique, et de la plaque motrice de la fibre musculaire de l'autre côté.

Un influx nerveux déclenche un potentiel d'action musculaire de la façon suivante (figure 10.11c) :

1 *Libération d'acétylcholine.* L'arrivée de l'influx nerveux aux boutons terminaux déclenche l'exocytose de nombreuses vésicules synaptiques. Les vésicules fusionnent avec la membrane plasmique du neurone moteur et libèrent l'ACh, qui diffuse dans la fente synaptique entre le neurone moteur et la plaque motrice.

Figure 10.11 Structure de la jonction neuromusculaire, la synapse située entre un neurone moteur somatique et une fibre musculaire squelettique.

 Les boutons terminaux à l'extrémité des terminaisons axonales contiennent des vésicules synaptiques remplies d'acétylcholine.

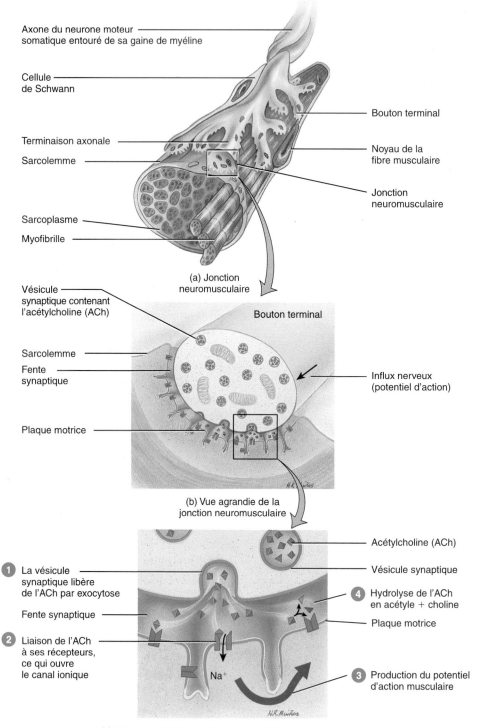

Axone du neurone moteur somatique entouré de sa gaine de myéline

Cellule de Schwann

Terminaison axonale

Sarcolemme

Sarcoplasme

Myofibrille

Bouton terminal

Noyau de la fibre musculaire

Jonction neuromusculaire

(a) Jonction neuromusculaire

Vésicule synaptique contenant l'acétylcholine (ACh)

Sarcolemme

Fente synaptique

Plaque motrice

Bouton terminal

Influx nerveux (potentiel d'action)

(b) Vue agrandie de la jonction neuromusculaire

Acétylcholine (ACh)

Vésicule synaptique

❶ La vésicule synaptique libère de l'ACh par exocytose

Fente synaptique

❷ Liaison de l'ACh à ses récepteurs, ce qui ouvre le canal ionique

Na⁺

❹ Hydrolyse de l'ACh en acétyle + choline

Plaque motrice

❸ Production du potentiel d'action musculaire

(c) Liaison de l'acétylcholine aux récepteurs de la plaque motrice

Q Comment appelle-t-on la partie du sarcolemme qui contient les récepteurs de l'acétylcholine ?

Figure 10.12 Résumé des phases de contraction et de relâchement dans une fibre musculaire squelettique.

🔑 **L'acétylcholine libérée à la jonction neuromusculaire déclenche un potentiel d'action musculaire, ce qui conduit à une contraction.**

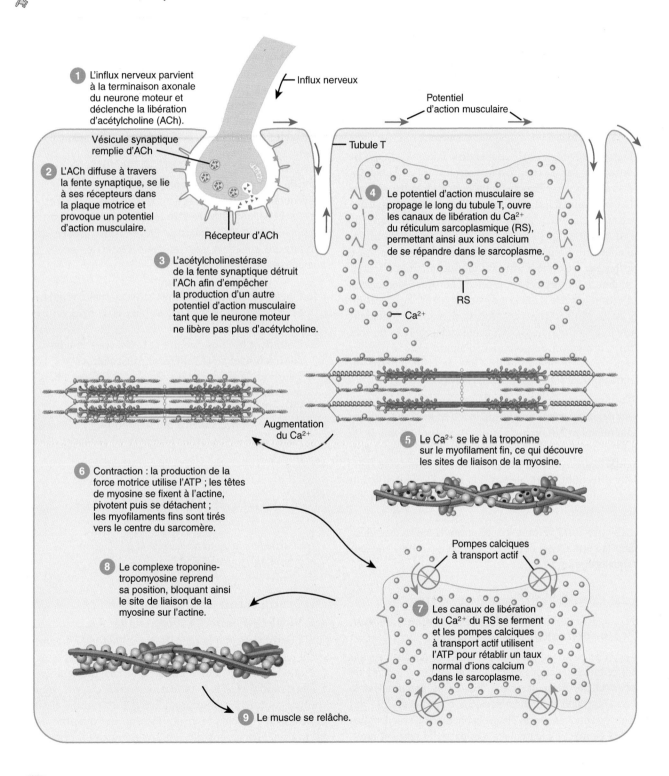

1 L'influx nerveux parvient à la terminaison axonale du neurone moteur et déclenche la libération d'acétylcholine (ACh).

Influx nerveux

Potentiel d'action musculaire

Vésicule synaptique remplie d'ACh

Tubule T

2 L'ACh diffuse à travers la fente synaptique, se lie à ses récepteurs dans la plaque motrice et provoque un potentiel d'action musculaire.

4 Le potentiel d'action musculaire se propage le long du tubule T, ouvre les canaux de libération du Ca²⁺ du réticulum sarcoplasmique (RS), permettant ainsi aux ions calcium de se répandre dans le sarcoplasme.

Récepteur d'ACh

3 L'acétylcholinestérase de la fente synaptique détruit l'ACh afin d'empêcher la production d'un autre potentiel d'action musculaire tant que le neurone moteur ne libère pas plus d'acétylcholine.

RS

Ca²⁺

Augmentation du Ca²⁺

5 Le Ca²⁺ se lie à la troponine sur le myofilament fin, ce qui découvre les sites de liaison de la myosine.

6 Contraction : la production de la force motrice utilise l'ATP ; les têtes de myosine se fixent à l'actine, pivotent puis se détachent ; les myofilaments fins sont tirés vers le centre du sarcomère.

Pompes calciques à transport actif

8 Le complexe troponine-tropomyosine reprend sa position, bloquant ainsi le site de liaison de la myosine sur l'actine.

7 Les canaux de libération du Ca²⁺ du RS se ferment et les pompes calciques à transport actif utilisent l'ATP pour rétablir un taux normal d'ions calcium dans le sarcoplasme.

9 Le muscle se relâche.

Ⓠ Parmi les étapes ci-dessus, lesquelles font partie du couplage excitation-contraction ?

2 *Activation des récepteurs de l'acétylcholine.* La liaison de l'ACh à ses récepteurs dans le sarcolemme ouvre la portion à fonctionnement commandé des canaux des récepteurs, ce qui permet à de petits cations, surtout des ions Na+, de se répandre à travers la membrane.

3 *Production du potentiel d'action musculaire.* L'arrivée de Na+ (suivant son gradient de concentration) augmente la charge positive de l'intérieur de la fibre, ce qui change le potentiel de membrane et déclenche un potentiel d'action musculaire. Celui-ci se propage le long du sarcolemme et à travers le système de tubules T. En général, chaque influx nerveux est suivi d'un potentiel d'action musculaire.

4 *Fin de l'activité de l'ACh.* L'effet de la liaison de l'ACh ne dure pas car ce neurotransmetteur est rapidement dégradé par une enzyme appelée **acétylcholinestérase** (**AChE**), qui est liée aux fibres collagènes dans la matrice extracellulaire de la fente synaptique. L'hydrolyse de l'ACh produit de l'acétyle et de la choline, qui n'ont pas d'effet activateur sur les récepteurs d'ACh. Si un autre influx nerveux libère une plus grande quantité d'acétylcholine, les étapes 2 et 3 se répètent. Lorsque les potentiels d'action cessent dans le neurone moteur, la libération d'ACh s'interrompt et l'AChE dégrade rapidement l'ACh déjà présente dans la fente synaptique. Cela met fin à l'émission de potentiels d'action musculaires, et les canaux de libération du Ca²⁺ de la membrane du réticulum sarcoplasmique se ferment.

Comme les fibres musculaires squelettiques sont souvent des cellules très longues, la jonction neuromusculaire est généralement située à égale distance des extrémités de la fibre musculaire. Les potentiels d'action musculaires naissent à la jonction neuromusculaire et se propagent dans les deux directions. Cette disposition permet une activation (et donc une contraction) quasi simultanée de toutes les parties de la fibre.

La figure 10.12 résume les événements qui se déroulent pendant la contraction et le relâchement de la fibre musculaire squelettique.

APPLICATION CLINIQUE
Effets pharmacologiques touchant la jonction neuromusculaire

Plusieurs médicaments et dérivés de plantes peuvent inhiber certaines réactions spécifiques ayant lieu à la jonction neuromusculaire. Ainsi, la *toxine botulinique* produite par la bactérie *Clostridium botulinum* empêche-t-elle l'exocytose des vésicules synaptiques, ce qui bloque la libération d'acétylcholine et donc la contraction musculaire. Ces bactéries peuvent proliférer dans certains aliments mal préparés ou mal conservés, et leur toxicité est extrêmement élevée (risque de botulisme). Une infime quantité peut être mortelle, car elle provoque la paralysie du diaphragme. Cependant, elle est également la

première toxine à avoir été employée à des fins thérapeutiques (Botox). Chez les patients atteints de strabisme (défaut de convergence des deux axes visuels) ou de blépharospasme (contraction spasmodique du muscle orbiculaire de l'œil), des injections de Botox dans les muscles touchés ont un effet myorelaxant.

Le *curare,* poison d'origine végétale utilisé par les autochtones d'Amérique du Sud pour chasser les animaux à l'arc ou à la sarbacane, provoque la paralysie musculaire en se liant aux récepteurs de l'ACh et en bloquant l'ouverture des canaux ioniques. Des médicaments semblables au curare sont souvent employés pendant les opérations chirurgicales pour détendre les muscles squelettiques. Un groupe de substances chimiques appelées *anticholinergiques* ont la propriété d'inhiber l'activité enzymatique de l'acétylcholinestérase, ce qui ralentit la disparition de l'ACh de la fente synaptique. À faibles doses, ces agents peuvent renforcer les contractions musculaires. L'un d'entre eux est la néostigmine, utilisée dans le traitement de la myasthénie grave (voir p. 315). La néostigmine est aussi utilisée comme antidote du curare et pour en faire cesser les effets après une opération. ■

1. Quels rôles les protéines contractiles, régulatrices et structurales jouent-elles dans la contraction et le relâchement musculaires?

2. Comment les ions calcium et l'ATP contribuent-ils à la contraction et au relâchement musculaires?

3. Pourquoi la longueur du sarcomère influe-t-elle sur la tension maximale possible pendant une contraction musculaire?

4. Décrivez les événements qui se produisent à la jonction neuromusculaire, où ils génèrent un potentiel d'action musculaire.

MÉTABOLISME MUSCULAIRE
OBJECTIF

• *Décrire les réactions associées à la production d'ATP par les fibres musculaires.*

Production d'ATP dans les fibres musculaires

Contrairement à la plupart des cellules de l'organisme, les fibres des muscles squelettiques passent souvent d'un état presque inactif, où elles sont au repos et n'utilisent qu'une faible quantité d'ATP, à un état de grande activité, où elles sont en contraction et utilisent l'ATP à un rythme élevé. La contraction musculaire exige une énorme quantité d'ATP pour alimenter en énergie son cycle, pour pomper le Ca²⁺ dans le réticulum sarcoplasmique afin de revenir au relâchement, et pour d'autres réactions métaboliques. Cependant, l'ATP présente dans les fibres musculaires ne peut soutenir la contraction plus de quelques secondes. La synthèse rapide d'ATP supplémentaire est nécessaire si un exercice vigoureux dépasse cette durée. Les fibres musculaires dépendent de trois sources pour produire de l'ATP : 1) la créatine phosphate ; 2) la respiration cellulaire anaérobie ; 3) la respiration cellulaire aérobie (figure 10.13). Alors que la première de ces sources est spécifique aux fibres musculaires, toutes les cellules de l'organisme ont recours aux deux autres. Nous allons nous pencher brièvement sur les phases de la respiration cellulaire, que nous verrons plus en détail au chapitre 25.

Créatine phosphate

Lorsqu'elles sont au repos, les fibres musculaires produisent plus d'ATP que n'en nécessite leur métabolisme à ce moment-là. Une partie de ce trop plein d'ATP sert à synthétiser la **créatine phosphate,** molécule à potentiel énergétique élevé particulière aux fibres musculaires (figure 10.13a). C'est une enzyme, la *créatine kinase (CK),* qui catalyse le transfert de l'un des groupements phosphate riche en énergie de l'ATP à la créatine, formant ainsi de la créatine phosphate et de l'ADP. Il y a de 3 à 6 fois plus de créatine phosphate que d'ATP dans le sarcoplasme. Au début de la contraction, lorsque le taux d'ADP commence à s'élever, la CK catalyse de nouveau le transfert d'un groupement phosphate riche en énergie de la créatine phosphate à l'ADP. Ce mécanisme de phosphorylation directe crée rapidement de nouvelles molécules d'ATP. Ensemble, la créatine phosphate et l'ATP fournissent suffisamment d'énergie aux muscles pour une contraction maximale d'environ 15 secondes. Cette énergie suffit pour des activités vigoureuses de très courte durée – pour courir un 100 mètres, par exemple.

APPLICATION CLINIQUE
Administration d'un supplément de créatine

La créatine est une petite molécule semblable à un acide animé, synthétisée dans l'organisme et également présente dans les aliments. Un adulte doit synthétiser et ingérer près de 2 g de créatine quotidiennement pour compenser la perte, dans l'urine, de la créatinine, qui est le produit de la dégradation de la créatine. Des recherches ont montré une amélioration sensible de la performance pendant des exercices intensifs chez les sujets qui avaient reçu des suppléments de créatine. Ainsi, des joueurs de football qui ont reçu un supplément de créatine de 15 g par jour pendant 4 semaines ont présenté une augmentation de la masse musculaire et sont parvenus à de meilleures performances que les sujets du groupe témoin aux poids et haltères de même qu'au sprint. D'autres recherches, cependant, n'ont pas donné de résultats aussi probants sur l'amélioration de la performance. En outre, l'ingestion de suppléments de créatine tend à inhiber la synthèse naturelle de créatine par l'organisme, et on ne sait pas encore si la synthèse naturelle se rétablit après une longue période d'administration d'un supplément de créatine. Des recherches plus poussées sont nécessaires pour vérifier l'innocuité à long terme ainsi que l'efficacité de ces suppléments. ■

Respiration cellulaire anaérobie

La **respiration cellulaire anaérobie** est une série de réactions génératrices d'ATP qui se déroulent en l'absence d'oxygène. Lorsque l'activité musculaire se prolonge et que la réserve de créatine phosphate est épuisée, le glucose est catabolisé pour produire de l'ATP. Par diffusion facilitée, le glucose passe du sang aux fibres des muscles en contraction, et il est également produit par la dégradation du glycogène dans les fibres elles-mêmes (figure 10.13b). Ensuite, une série de dix réactions appelée *glycolyse* décompose rapidement chaque molécule de glucose en deux molécules d'acide pyruvique (la figure 25.3, p. 930-931, illustre les étapes de la glycolyse). Ces réactions chimiques utilisent deux ATP mais en forment quatre ; il y a donc un gain d'énergie net de deux ATP.

Généralement, l'acide pyruvique, formé par glycolyse dans le cytosol, pénètre les mitochondries où son oxydation produit une grande quantité d'ATP à partir de l'ADP, après une série de réactions appelées respiration cellulaire aérobie (décrite plus loin). Lors de certaines activités, cependant, la dégradation complète de l'acide pyruvique peut être freinée par le manque d'oxygène. Lorsque cela arrive, la plus grande partie de l'acide pyruvique est convertie en acide lactique dans le cytosol. Près de 80 % de l'acide lactique ainsi produit passe des fibres musculaires squelettiques au sang. Les cellules hépatiques peuvent reconvertir une partie de l'acide lactique en glucose. Cette conversion a deux avantages : l'apport de nouvelles molécules de glucose et la réduction de l'acidité. Par ce processus, la respiration cellulaire anaérobie peut fournir suffisamment d'énergie pour une période de 30 à 40 secondes d'activité musculaire maximale, assez, par exemple, pour courir un 200 mètres en compétition. Il faut toutefois que les réserves en glycogène du muscle soient reconstituées par la suite.

Respiration cellulaire aérobie

Une activité musculaire se prolongeant plus de 30 secondes va dépendre progressivement de la **respiration cellulaire aérobie,** une série de réactions s'effectuant dans les mitochondries pour produire de l'ATP, mais en présence d'oxygène. Si la quantité d'oxygène est suffisante, l'acide pyruvique pénètre les mitochondries où, après oxydation complète, il produit de l'ATP, du gaz carbonique, de l'eau et de la chaleur (figure 10.13c). Bien que la respiration cellulaire aérobie soit plus lente que la glycolyse, elle produit beaucoup plus d'ATP – près de 36 molécules d'ATP pour chaque molécule de glucose.

Le tissu musculaire dispose de deux sources d'oxygène : 1) l'oxygène qui diffuse du sang dans les fibres musculaires et 2) l'oxygène libéré par la myoglobine à l'intérieur des fibres musculaires. L'hémoglobine (dans les globules rouges) et la myoglobine sont toutes deux des protéines qui fixent l'oxygène lorsqu'il y en a en grande quantité, puis le libèrent lorsqu'il se raréfie.

Figure 10.13 Production d'ATP destinée à la contraction musculaire. (a) La créatine phosphate, qui provient de l'ATP lorsque le muscle est au repos, transfère un groupement phosphate riche en énergie à l'ADP, produisant ainsi de l'ATP, pendant la contraction. (b) La dégradation du glycogène du muscle en glucose et la production d'acide pyruvique provenant du glucose par le biais de la glycolyse produisent à la fois de l'ATP et de l'acide lactique. Comme il n'y a aucun besoin en oxygène, cette réaction est anaérobie. (c) Dans les mitochondries, l'acide pyruvique, les acides gras et les acides aminés sont utilisés pour produire de l'ATP par le biais de la respiration cellulaire aérobie, réaction qui nécessite de l'oxygène.

🔑 **Au cours d'une activité de longue durée, comme un marathon, la plus grande partie de l'ATP est produite par respiration cellulaire aérobie.**

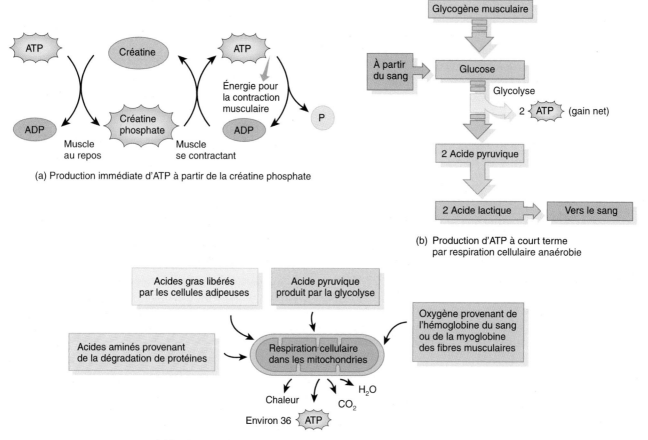

(a) Production immédiate d'ATP à partir de la créatine phosphate

(b) Production d'ATP à court terme par respiration cellulaire anaérobie

(c) Production d'ATP à long terme par respiration cellulaire aérobie

 Dans quelle partie de la fibre musculaire les événements décrits ci-dessus ont-ils lieu ?

La respiration cellulaire aérobie fournit assez d'ATP pour une activité prolongée tant qu'il y a suffisamment d'oxygène et de nutriments disponibles. En plus de l'acide pyruvique obtenu par glycolyse du glucose, ces nutriments comprennent des acides gras (provenant de la dégradation des triglycérides des cellules adipeuses) et des acides aminés (provenant de la dégradation des protéines). Dans les activités qui durent plus de 10 minutes, le système aérobie fournit plus de 90 % des besoins en ATP, et à la fin d'une épreuve d'endurance, comme un marathon, il en fournit près de 100 %.

Fatigue musculaire

L'incapacité d'un muscle de se contracter avec force après une activité prolongée est appelée **fatigue musculaire.** Elle est surtout provoquée par des changements qui s'opèrent à l'intérieur des fibres musculaires. Avant même que la fatigue musculaire commence à se manifester, une personne peut ressentir des signes de lassitude et l'envie de cesser l'activité. Cette réponse, appelée *fatigue centrale,* est sans doute un mécanisme de protection puisqu'il peut convaincre une personne de s'arrêter avant qu'il y ait véritablement de lésions aux muscles. Comme vous le verrez, certains types de fibres musculaires squelettiques se fatiguent plus rapidement que d'autres.

Bien que les mécanismes précis qui provoquent la fatigue musculaire ne soient pas encore tous connus, on estime qu'elle est due à une combinaison de facteurs. L'un de ceux-ci est une déficience dans la libération des ions calcium du RS, qui est alors suivie d'une baisse du taux de calcium dans le sarcoplasme. L'épuisement de créatine phosphate est également associé à la fatigue musculaire. Par contre, on constate très souvent que les taux d'ATP dans un muscle fatigué ne sont pas beaucoup plus bas que ceux que l'on enregistre dans un muscle au repos. Parmi les autres facteurs, citons le manque d'oxygène, l'épuisement du glycogène et d'autres nutriments, l'accumulation d'acide lactique et d'ADP, et l'incapacité des potentiels d'action, dans les neurones moteurs, à libérer assez d'acétylcholine.

Consommation d'oxygène après un exercice

Pendant les périodes de contraction musculaire prolongée, l'augmentation de l'activité respiratoire et de la circulation sanguine accroît l'apport d'oxygène au tissu musculaire. Lorsque la contraction musculaire cesse, les efforts respiratoires continuent pendant un certain temps et la consommation d'oxygène reste plus élevée qu'au repos. Selon l'intensité de l'exercice, la période de récupération peut aller de quelques minutes à plusieurs heures. En 1922, A. V. Hill créa le terme « **dette d'oxygène** » pour décrire l'apport supplémentaire en oxygène (au-dessus du niveau normal de consommation) nécessaire à l'organisme après un exercice. Il avança l'idée que cet oxygène supplémentaire était utilisé pour « rembourser » à l'organisme un déficit momentané et ramener le métabolisme aux conditions du repos, et ce de trois façons : 1) reconversion de l'acide lactique en réserves de glycogène dans le foie, 2) resynthèse de la créatine phosphate et de l'ATP et 3) remplacement de l'oxygène retiré de la myoglobine.

Les modifications métaboliques qui ont lieu *pendant l'exercice,* cependant, ne sont responsables que d'une partie de l'oxygène supplémentaire utilisé *après l'exercice.* Seule une petite quantité de glycogène est resynthétisée à partir de l'acide lactique. Les réserves de glycogène sont plutôt reconstituées plus tard à partir des glucides des aliments. Une grande partie de l'acide lactique restant après l'exercice est reconvertie en acide pyruvique et utilisée pour la production d'ATP par le biais de la respiration cellulaire aérobie dans le cœur, le foie, les reins et le tissu des muscles squelettiques. La consommation d'oxygène après un exercice est également stimulée par des changements en cours. Premièrement, la température élevée de l'organisme consécutive à un exercice vigoureux augmente le rythme des réactions chimiques dans tout le corps. Ces réactions plus rapides utilisent plus rapidement l'ATP, d'où un accroissement de la demande en oxygène pour produire de l'ATP. Deuxièmement, le cœur et les muscles qui entrent en jeu dans la respiration « travaillent » plus qu'en période de repos ou d'activité normale et consomment donc plus d'ATP. Troisièmement, les processus de régénération des tissus ont lieu à une fréquence plus élevée. Pour toutes ces raisons, le terme « **consommation d'oxygène de récupération** » décrit mieux la forte consommation d'oxygène qui suit un exercice physique que le terme « dette d'oxygène ».

1. Décrivez quelles réactions productrices d'ATP sont aérobies et lesquelles sont anaérobies.
2. Expliquez en quoi la durée de la contraction musculaire influe sur le choix des sources d'ATP auxquelles l'organisme fait appel.
3. Quels facteurs contribuent à la fatigue musculaire ?
4. Pourquoi le terme « dette d'oxygène » est-il inexact ?

RÉGULATION DE LA TENSION MUSCULAIRE

OBJECTIFS

- *Décrire la structure et la fonction d'une unité motrice.*
- *Expliquer les phases d'une secousse musculaire simple*
- *Décrire l'effet de la fréquence de stimulation sur la tension musculaire.*

Un seul influx nerveux dans un neurone moteur ne déclenche qu'un seul potentiel d'action musculaire dans toutes les fibres musculaires avec lesquelles il forme des synapses. Contrairement aux potentiels d'action, qui ont toujours la même ampleur dans un neurone ou une fibre musculaire donnés, la contraction qui suit un unique potentiel d'action musculaire a une force beaucoup moins élevée que la force maximale dont la fibre est capable. La tension totale que peut produire une seule fibre dépend principalement de la fréquence à laquelle les influx nerveux parviennent à la jonction neuromusculaire. Le nombre d'influx par seconde est la *fréquence de stimulation*. De plus, comme nous l'avons vu à la figure 10.10, l'ampleur de l'étirement avant la contraction détermine la tension maximale possible au moment de la contraction. Enfin, certaines conditions telles que l'apport en oxygène et en nutriments peut influer sur la tension que peut générer une fibre. Si l'on considère la contraction d'un muscle entier, la tension totale qu'il peut produire dépend du nombre de fibres qui se contractent à l'unisson.

Unités motrices

Même si chaque fibre musculaire squelettique ne possède qu'une seule jonction neuromusculaire, l'axone d'un neurone moteur se ramifie et forme des jonctions neuromusculaires avec une multitude de fibres musculaires différentes.

Figure 10.14 Unités motrices. Deux neurones moteurs somatiques sont représentés ici, l'un en violet et l'autre en vert, chacun stimulant les fibres musculaires de son unité motrice.

 Une unité motrice est constituée d'un neurone moteur somatique et de toutes les fibres musculaires qu'il stimule.

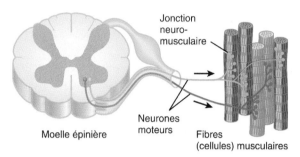

Jonction neuro-musculaire

Moelle épinière

Neurones moteurs

Fibres (cellules) musculaires

Q Quel est l'effet de la taille d'une unité motrice sur sa force de contraction? (Supposez que chaque fibre musculaire génère à peu près la même tension.)

Figure 10.15 Myogramme d'une secousse musculaire simple. La flèche indique le moment où le stimulus a lieu.

 Un myogramme est la courbe graphique témoignant d'une contraction musculaire.

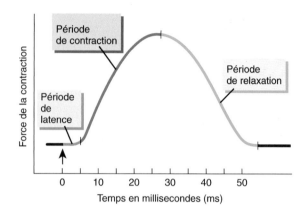

Période de contraction

Période de relaxation

Période de latence

Force de la contraction

Temps en millisecondes (ms)

Q Quels événements ont lieu pendant la période de latence?

L'ensemble structural constitué d'un neurone moteur somatique et de toutes les fibres musculaires squelettiques qu'il stimule est appelé **unité motrice** (figure 10.14). Un seul neurone moteur est en contact avec 150 fibres musculaires, en moyenne, et toutes les fibres musculaires de cette unité motrice se contractent simultanément. Généralement, les fibres d'une unité motrice sont réparties dans tout le muscle plutôt que regroupées.

Les muscles qui régissent des mouvements précis comprennent un certain nombre de petites unités motrices. Ainsi, les muscles du larynx qui régissent la voix ne possèdent pas plus de 2 ou 3 fibres musculaires par unité motrice, et ceux qui régissent les mouvements des yeux peuvent en posséder de 10 à 20. D'un autre côté, certaines unités motrices des muscles responsables de mouvements grands et puissants, comme le muscle biceps brachial du bras ou le muscle gastrocnémien de la jambe, peuvent posséder chacune de 2 000 à 3 000 fibres. Souvenez-vous que toutes les fibres musculaires d'une unité motrice se contractent et se relâchent simultanément. Donc, la force totale d'une contraction dépend en partie de la taille des unités motrices et du nombre d'unités activées en même temps.

Secousse musculaire simple

Une **secousse musculaire simple** est une brève contraction de toutes les fibres musculaires d'une unité motrice en réponse à un unique potentiel d'action provenant de son neurone moteur. Ce type de secousse peut être observé en laboratoire par stimulus électrique direct d'un neurone moteur ou de ses fibres musculaires. La figure 10.15 représente la courbe graphique d'une contraction musculaire,

appelée **myogramme.** Nous voyons que, par rapport à la durée très courte d'un potentiel d'action de 1 à 2 millisecondes (ms), celle d'une secousse musculaire simple est assez longue, soit de 20 à 200 ms.

Observez le court délai enregistré entre l'application du stimulus (temps zéro du graphique) et le commencement de la contraction. Ce délai d'environ 2 ms est la **période de latence,** au cours de laquelle les ions calcium sont libérés dans le réticulum sarcoplasmique, les myofilaments se mettent à exercer une tension, les composantes élastiques s'étirent, et le raccourcissement commence. La deuxième phase, la **période de contraction,** dure de 10 à 100 ms. La troisième phase, la **période de relaxation,** qui a elle aussi une durée de 10 à 100 ms, est provoquée par le retour, par un mécanisme de transport actif, des ions calcium dans le réticulum sarcoplasmique. La durée réelle de ces périodes dépend du type de fibres musculaires. Certaines fibres, comme celles qui agissent sur le mouvement des yeux, ont une capacité de contraction très rapide (décrite plus loin) qui peut être de l'ordre de 10 ms, suivie d'une période de relaxation tout aussi rapide. D'autres, comme celles qui agissent sur le mouvement des muscles de la jambe, sont beaucoup plus lentes, avec des périodes de contraction et de relaxation de l'ordre de 100 ms.

Si l'on applique deux stimulus consécutifs, le muscle répond au premier mais pas au second. Lorsqu'une fibre musculaire reçoit suffisamment de stimulation pour se contracter, elle perd temporairement son excitabilité et ne peut réagir pendant un certain temps. Cette période d'excitabilité disparue, appelée **période réfractaire,** est une caractéristique commune à toutes les cellules musculaires et

Figure 10.16 Myogrammes montrant les effets de différentes fréquences de stimulation. (a) Secousse musculaire simple. (b) Si un deuxième stimulus a lieu avant que le muscle soit relâché, la deuxième contraction est plus forte que la première ; ce phénomène est appelé sommation temporelle (la ligne tiretée indique ce qu'aurait été la force de contraction d'une seule secousse musculaire simple). (c) Dans le tétanos incomplet, la courbe est en dents de scie à cause du relâchement partiel du muscle entre les stimulus. (d) Dans le tétanos complet qui a lieu quand il y a de 80 à 100 stimulus par seconde, la force de la contraction est soutenue et continue.

🔑 **À cause de la sommation temporelle, la tension produite au cours d'une contraction continue est plus grande qu'au cours d'une seule secousse musculaire.**

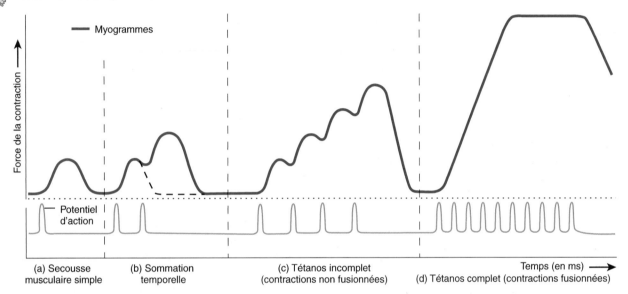

Q Si le deuxième stimulus était appliqué quelques millisecondes plus tard, le pic de force de la deuxième contraction en (b) serait-il plus élevé ou plus bas ?

nerveuses. La durée de cette période réfractaire varie selon les muscles sollicités. Celle des muscles squelettiques dure environ 5 ms, tandis que celle du muscle cardiaque peut durer jusqu'à 300 ms.

Fréquence de stimulation

Si le deuxième de deux stimulus est appliqué après la fin de la période réfractaire, le muscle squelettique réagira aux deux stimulus. En fait, si le second se produit après la période réfractaire mais avant que la fibre musculaire soit relâchée, la deuxième contraction sera même plus forte que la première (figure 10.16a et b). Ce phénomène de contractions plus fortes produites par des stimulus appliqués en succession est appelé **sommation temporelle.**

Lorsqu'un muscle squelettique est stimulé à une fréquence de 20 à 30 fois par seconde, il ne peut se relâcher que partiellement entre les stimulus, ce qui provoque une contraction soutenue mais « tremblotante » appelée **tétanos incomplet** (*tetanos* = tension, rigidité) (figure 10.16c). À une fréquence encore plus élevée de 80 à 100 stimulus par seconde, la contraction est soutenue et les secousses individuelles ne

sont plus détectables : c'est le **tétanos complet** (figure 10.16d). La sommation temporelle ainsi que les tétanos incomplet et complet résultent de l'addition de Ca^{2+} libéré par le réticulum sarcoplasmique au moment du deuxième stimulus puis des stimulus subséquents au Ca^{2+} déjà présent dans le sarcoplasme au moment du premier stimulus. Comme le taux de Ca^{2+} augmente, le pic de tension généré au cours du tétanos complet est de 5 à 10 fois supérieur au pic de tension produit avec une seule secousse musculaire. Toutefois, les contractions musculaires volontaires soutenues et fluides sont surtout le résultat du tétanos incomplet asynchrone survenant dans les différentes unités motrices.

L'étirement des éléments élastiques de la fibre est également lié à la sommation temporelle. Pendant cette sommation, les éléments élastiques n'ont pas beaucoup de temps entre les contractions pour reprendre leur forme normale, et restent donc tendus. Dans cet état, ils ne requièrent pas beaucoup d'étirement avant le déclenchement de la contraction musculaire suivante. La combinaison de la tension des éléments élastiques et de l'état partiellement contracté des myofilaments permet l'addition plus rapide de la force d'une autre contraction à la précédente.

Recrutement des unités motrices

Le processus au cours duquel le nombre d'unités motrices actives augmente est appelé **recrutement des unités motrices.** Les divers neurones moteurs d'un muscle entier envoient leurs influx de façon *asynchrone,* c'est-à-dire que, tandis que certaines unités motrices sont actives et se contractent, d'autres sont inactives et relâchées. Ce schéma de l'activité des unités motrices retarde la fatigue musculaire en les laissant prendre le relais les unes des autres afin d'assurer une contraction soutenue du muscle pendant une longue période. Les unités motrices les plus faibles ont tendance à être recrutées en premier, tandis que les plus fortes s'ajoutent progressivement selon le degré de force requis.

Le recrutement est un facteur, entre autres, qui permet d'obtenir des mouvements fluides et souples au lieu d'une suite de mouvements saccadés. Comme nous l'avons vu, le nombre de fibres musculaires innervées par chaque neurone moteur varie beaucoup. Les gestes précis sont obtenus par de petits changements dans la contraction musculaire. C'est pourquoi les muscles qui produisent les mouvements précis sont composés de petites unités motrices. De cette façon, quand une de ces unités motrices est recrutée ou non sollicitée, on n'observe que peu de changement dans la tension musculaire. Par contre, ce sont de grandes unités motrices qui sont recrutées si une tension intense est exigée et que la précision est moins importante.

APPLICATION CLINIQUE
Entraînements à l'endurance et à la musculation

Les activités régulières et répétées comme le jogging ou la danse aérobique augmentent l'approvisionnement de sang riche en oxygène pour la respiration cellulaire aérobie des muscles squelettiques. Par contre, des activités sportives comme le lever de poids et haltères dépendent plutôt de la production anaérobie d'ATP par le biais de la glycolyse. Des activités de ce type stimulent la synthèse des protéines des muscles, ce qui augmente la masse musculaire au bout d'un certain temps (hypertrophie musculaire). L'entraînement aérobique stimule pour sa part l'endurance à des activités prolongées, tandis que l'entraînement anaérobie soutient la force musculaire pour des prouesses à court terme. L'**entraînement fractionné** (ou *interval training*) est une forme de conditionnement physique qui associe les deux types d'entraînements : il s'agit, par exemple, d'alterner des périodes de sprint et des périodes de jogging. ■

Tonus musculaire

Dans un muscle squelettique, un petit nombre d'unités motrices sont activées involontairement pour produire une contraction soutenue de leurs fibres musculaires, tandis que la majorité des unités motrices n'est pas activée et que leurs fibres restent relâchées. De ce phénomène découle le **tonus musculaire** (*tonos* = tension). Pour maintenir ainsi la tonicité du muscle, de petits groupes d'unités motrices sont activés et désactivés en alternance selon un ordre qui se modifie constamment. Le tonus musculaire maintient la fermeté des muscles, mais il n'en résulte pas une contraction assez forte pour produire un mouvement. Par exemple, lorsque les muscles de la nuque sont en phase normale de contraction, ils maintiennent la tête droite et l'empêchent de tomber en avant vers la poitrine, mais ils ne génèrent pas suffisamment de force pour la tirer vers l'arrière en hyperextension. Le tonus musculaire est également important pour les muscles lisses comme ceux qui se trouvent dans le tube digestif, où les parois des organes du système digestif appliquent une tension soutenue sur leur contenu. Le tonus des muscles lisses dans la paroi des vaisseaux sanguins joue un rôle essentiel dans la régulation de la tension artérielle.

Contractions isotoniques et isométriques

Les contractions isotoniques interviennent dans les mouvements du corps et pour déplacer des objets. Il existe deux types de contractions isotoniques : concentriques et excentriques. Au cours d'une **contraction isotonique concentrique,** le muscle se raccourcit et effectue une traction sur une autre structure, comme un tendon, pour produire un mouvement et réduire l'angle d'une articulation. Ramasser un livre sur une table fait appel à ce type de contraction du muscle biceps brachial du bras (figure 10.17a). Lorsque l'on repose le livre sur la table, le biceps qui s'était raccourci s'allonge progressivement tout en continuant d'être contracté. Lorsque la longueur générale d'un muscle augmente pendant une contraction, il s'agit d'une **contraction isotonique excentrique** (figure 10.17b). Pour des raisons que l'on ne comprend pas encore parfaitement, la répétition de contractions isotoniques excentriques provoque plus de lésions musculaires et plus souvent l'apparition différée de douleurs musculaires que ce n'est le cas avec les contractions isotoniques concentriques.

Les contractions isométriques sont importantes parce qu'elles stabilisent certaines articulations pendant que d'autres sont en mouvement. Elles jouent un rôle majeur dans le maintien de la posture et le port d'objets dans une position fixe. Bien que les contractions isométriques ne soient pas suivies de mouvements du corps, il y a tout de même une dépense d'énergie. Dans les **contractions isométriques,** une tension considérable est générée sans raccourcissement musculaire. Un exemple d'une telle contraction serait le fait de tenir un livre à bout de bras pendant un certain temps (figure 10.17c). Le poids du livre tire le bras vers le bas, étirant les muscles du bras et de l'épaule. La contraction isométrique de ces muscles contrebalance l'étirement. Les deux forces – contraction et étirement – appliquées dans des

Figure 10.17 Comparaison des contractions isotoniques (concentriques et excentriques) et des contractions isométriques. Les photos (a) et (b) montrent la contraction isotonique du muscle biceps brachial. La photo (c) montre la contraction isométrique des muscles de l'épaule et du bras.

🔑 **Dans une contraction isotonique, la tension ne change pas mais la longueur du muscle augmente ou diminue ; dans une contraction isométrique, la tension augmente beaucoup sans modification de la longueur du muscle.**

(a) Contraction concentrique

(b) Contraction excentrique

(c) Contraction isométrique

Q Quels types de contractions se produisent dans les muscles de votre cou lorsque vous lisez ce qui est écrit au tableau d'une salle de cours ?

directions contraires créent la tension. La plupart des activités humaines font intervenir les contractions isométriques et les contractions isotoniques.

1. Expliquez le lien existant entre la taille des unités motrices et le degré de régulation musculaire qu'elle permet.
2. Pourquoi le recrutement des unités motrices est-il si important ?
3. Définissez le *tonus musculaire* et expliquez l'importance de son rôle.
4. Définissez les termes suivants : *contraction isotonique concentrique*, *contraction isotonique excentrique* et *contraction isométrique*.

TYPES DE FIBRES MUSCULAIRES SQUELETTIQUES

 OBJECTIF

• *Comparer la structure et la fonction des trois types de fibres musculaires squelettiques.*

Les fibres musculaires squelettiques n'ont pas toutes la même fonction ni la même composition. Par exemple, leur contenu en myoglobine, la protéine rouge qui fixe l'oxygène dans le tissu musculaire, varie grandement. Les fibres musculaires squelettiques riches en myoglobine sont appelées

fibres musculaires rouges et celles qui en contiennent peu, *fibres musculaires blanches*. Les fibres musculaires rouges contiennent également plus de mitochondries pour la production d'ATP et sont irriguées par un plus grand nombre de capillaires sanguins.

Les fibres musculaires squelettiques se contractent et se relâchent à des vitesses différentes. Une fibre musculaire sera qualifiée de « lente » ou de « rapide » selon la vitesse à laquelle l'ATPase de ses têtes de myosine hydrolyse l'ATP. Nous avons vu également que les fibres musculaires squelettiques se différencient par les réactions métaboliques qu'elles utilisent pour produire l'ATP et par la vitesse à laquelle elles se fatiguent. À partir de ces caractéristiques structurales et fonctionnelles, on répartit les fibres musculaires squelettiques en trois grandes catégories : 1) les fibres oxydatives lentes, 2) les fibres oxydatives-glycolytiques rapides et 3) les fibres glycolytiques rapides.

Fibres oxydatives lentes

Les **fibres oxydatives lentes** ont le diamètre le plus petit et sont donc les moins puissantes des fibres musculaires. Elles ont une apparence rouge sombre, car elles contiennent un réseau capillaire très dense et sont riches en myoglobine. Comme elles comportent de nombreuses mitochondries, elles produisent l'ATP surtout par respiration cellulaire aérobie, et c'est pourquoi elles sont appelées fibres oxydatives. Elles sont aussi dites «lentes» parce que l'ATPase de leurs têtes de myosine hydrolyse l'ATP à un rythme plutôt lent, ce qui est également le cas du cycle de la contraction, plus lent que dans les fibres «rapides». Leurs secousses musculaires simples durent de 100 à 200 ms, et il leur faut plus de temps pour atteindre leur pic de tension. Cependant, les fibres lentes résistent très bien à la fatigue et sont capables d'effectuer des contractions soutenues et prolongées pendant des heures. Ces fibres aux secousses lentes et résistantes à la fatigue sont adaptées au maintien de la posture et aux activités d'endurance en aérobie telles que le marathon.

Fibres oxydatives-glycolytiques rapides

Les **fibres oxydatives-glycolytiques rapides** ont un diamètre moyen par rapport aux deux autres types de fibres. Comme les fibres oxydatives lentes, elles contiennent de grandes quantités de myoglobine et un réseau capillaire très dense. Leur apparence est donc aussi rouge sombre. Ces fibres produisent une grande quantité d'ATP par respiration cellulaire aérobie, d'où une résistance modérément élevée à la fatigue. Comme leur taux de glycogène intracellulaire est élevé, elles produisent aussi l'ATP par glycolyse anaérobie. Elles sont dites «rapides» parce que l'ATPase de leurs têtes de myosine hydrolyse l'ATP de 3 à 5 fois plus vite que celle des fibres lentes, d'où une vitesse de contraction plus grande. Les secousses musculaires des fibres oxydatives-glycolytiques rapides atteignent leur pic de tension plus rapidement que les fibres oxydatives lentes, mais elles sont de plus courte durée – moins de 100 ms. Les fibres oxydatives-glycolytiques rapides contribuent à des activités comme la marche et le sprint.

Fibres glycolytiques rapides

Les **fibres glycolytiques rapides** ont le diamètre le plus grand, elles contiennent le plus grand nombre de myofibrilles et peuvent donc générer les contractions les plus puissantes. Elles contiennent peu de myoglobine, peu de mitochondries et les capillaires sanguins qui les irriguent sont peu nombreux; elles apparaissent donc plutôt blanches. Riches en glycogène, elles produisent l'ATP surtout par glycolyse. Leur grande taille associée à une hydrolyse rapide de l'ATP leur permet de se contracter fortement et rapidement. Ces fibres à secousses rapides sont adaptées aux mouvements anaérobies intenses de courte durée, comme lancer une balle ou soulever des poids et haltères, mais elles se fatiguent rapidement. Les programmes de musculation qui exigent une grande force pour de courtes périodes entraînent une augmentation de leur masse, de leur force et de leur contenu en glycogène. Les fibres glycolytiques rapides d'un haltérophile peuvent être de 50 % plus grandes que celles d'une personne sédentaire ou qui pratique des sports d'endurance. L'augmentation de la masse musculaire est causée par une synthèse plus importante des protéines musculaires, d'où un accroissement du muscle par hypertrophie des fibres glycolytiques rapides.

Répartition et recrutement des différents types de fibres

La plupart des muscles squelettiques sont constitués d'une combinaison des trois types de fibres musculaires squelettiques, dont la moitié sont des fibres oxydatives lentes. Cette proportion varie selon la fonction du muscle, le programme d'entraînement de la personne et certains facteurs génétiques. Ainsi, les muscles de posture continuellement actifs du cou, du dos et des jambes contiennent une proportion élevée de fibres oxydatives lentes. Par contre, les muscles des épaules et des bras, qui n'ont qu'une activité intermittente et brève destinée à produire des tensions fortes, comme de lever ou lancer des objets, contiennent une proportion élevée de fibres glycolytiques rapides. Les muscles des jambes qui non seulement soutiennent le corps, mais aussi interviennent dans la marche et la course, ont une forte proportion et de fibres oxydatives lentes et de fibres oxydatives-glycolytiques rapides.

Même si la plupart des muscles squelettiques possèdent les trois types de fibres, les fibres musculaires squelettiques d'une unité motrice donnée sont toujours du même type. Cependant, l'ordre dans lequel les unités motrices sont recrutées dépend très précisément de la tâche à accomplir. Par exemple, si des contractions faibles suffisent à accomplir une tâche, seules les unités motrices de fibres oxydatives lentes sont activées. S'il faut un peu plus de puissance, des unités motrices de fibres oxydatives-glycolytiques rapides seront recrutées. Enfin, pour une puissance maximale de contraction, des unités de fibres glycolytiques rapides entrent également en action. L'activation des unités motrices est régie par l'encéphale et la moelle épinière.

Le tableau 10.2 résume les caractéristiques des trois types de fibres musculaires squelettiques.

APPLICATION CLINIQUE
Stéroïdes anabolisants

L'utilisation illégale de **stéroïdes anabolisants** par des sportifs fait souvent les manchettes. Ces composés de synthèse apparentés à la testostérone sont absorbés pour augmenter le volume musculaire, et donc améliorer la force, l'endurance et la performance sportive. Toutefois, les doses importantes nécessaires pour obtenir des résultats ont des effets secondaires dangereux et parfois dévastateurs, y compris des cancers du foie, des lésions aux reins, une augmentation des risques de maladie coronarienne, un ralentissement de la croissance, des sautes d'humeur brutales, de l'irritation et de l'agressivité. Chez les femmes, on peut observer l'atrophie des seins et de l'utérus, des irrégularités dans les menstruations, la stérilité, la pilosité du visage et des changements de la voix.

Tableau 10.2 Caractéristiques des trois types de fibres musculaires squelettiques

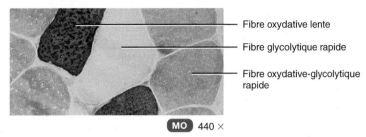

— Fibre oxydative lente
— Fibre glycolytique rapide
— Fibre oxydative-glycolytique rapide

MO 440 ×

Coupe transversale des trois types de fibres musculaires squelettiques

CARACTÉRISTIQUES STRUCTURALES	FIBRES OXYDATIVES LENTES	FIBRES OXYDATIVES-GLYCOLYTIQUES RAPIDES	FIBRES GLYCOLYTIQUES RAPIDES
Diamètre	Le plus petit	Intermédiaire	Le plus grand
Myoglobine	Grande quantité	Grande quantité	Petite quantité
Mitochondries	Nombreuses	Nombreuses	Peu nombreuses
Capillaires sanguins	Nombreux	Nombreux	Peu nombreux
Couleur	Rouge	Rouge-violet	Blanc (pâle)
CARACTÉRISTIQUES FONCTIONNELLES			
Capacité à générer l'ATP ; voies métaboliques utilisées	Très élevée ; par respiration cellulaire aérobie (requérant de l'oxygène)	Intermédiaire ; par respiration cellulaire aérobie et par glycolyse (anaérobie)	Faible ; par glycolyse (respiration cellulaire anaérobie)
Vitesse d'hydrolyse de l'ATP par l'ATPase de la myosine	Lente	Rapide	Rapide
Vitesse de contraction	Lente	Rapide	Rapide
Résistance à la fatigue	Élevée	Intermédiaire	Faible
Stockage du glycogène	Bas	Intermédiaire	Élevé
Urdre d'activation (recrutement)	En premier	En deuxième	En troisième
Abondance de ce type de fibres	Muscles de la posture (comme ceux du cou)	Muscles des jambes	Muscles des bras
Fonctions premières des fibres	Maintien de la posture, activités d'endurance	Marche, sprint	Mouvements vigoureux, rapides et de courte durée

Quant aux hommes, ils peuvent connaître une diminution de la sécrétion naturelle de testostérone, une atrophie des testicules ainsi qu'une calvitie. ■

1. Quelles sont les caractéristiques servant à la classification des fibres musculaires squelettiques en trois types ?

TISSU MUSCULAIRE CARDIAQUE
OBJECTIF

• *Décrire les principales caractéristiques structurales et fonctionnelles du tissu musculaire cardiaque.*

Le principal tissu musculaire composant les parois du cœur est le **tissu musculaire cardiaque** (décrit plus en détail au chapitre 20 ; voir aussi la figure 20.9, p. 686). Les fibres musculaires cardiaques présentent la même disposition d'actine et de myosine, avec des zones, des bandes, des disques Z semblables à ceux des fibres musculaires squelettiques. Cependant, les extrémités des fibres cardiaques se connectent aux fibres adjacentes par des zones transversales épaissies et irrégulières du sarcolemme appelées *disques intercalaires*. Ces disques contiennent des *desmosomes*, qui joignent les fibres entre elles, et des *jonctions communicantes*, qui permettent aux potentiels d'action musculaires de se propager d'une fibre cardiaque à l'autre (voir la figure 4.1, p. 113).

En réponse à un potentiel d'action unique, le tissu cardiaque reste contracté de 10 à 15 fois plus longtemps que le tissu musculaire squelettique, grâce à l'apport prolongé de Ca^{2+} dans le sarcoplasme. Dans les fibres cardiaques, les ions calcium qui pénètrent dans le sarcoplasme proviennent du réticulum sarcoplasmique (comme dans les muscles squelettiques) et du liquide extracellulaire. Les canaux qui permettent l'arrivée du Ca^{2+} provenant du liquide extracellulaire restent ouverts pour une durée assez longue, ce qui fait que la contraction du muscle cardiaque (voir la figure 20.11, p. 689) est beaucoup plus longue que la secousse musculaire simple des muscles squelettiques.

Nous avons vu que le tissu musculaire squelettique ne se contracte que s'il est stimulé par l'acétylcholine libérée par l'influx nerveux d'un neurone moteur. Le tissu musculaire cardiaque, quant à lui, se contracte lorsqu'il est stimulé par l'autoryhtmicité de ses propres fibres. Dans des conditions normales (au repos), le tissu cardiaque se contracte et se relâche en moyenne 75 fois par minute. Cette activité rythmique continue constitue la différence physiologique majeure entre le tissu musculaire cardiaque et le tissu musculaire squelettique. Le tissu musculaire cardiaque requiert donc un approvisionnement continu en oxygène, et les mitochondries de ses fibres sont beaucoup plus grandes et plus nombreuses que celles des fibres squelettiques. Cette caractéristique structurale explique pourquoi le tissu musculaire cardiaque dépend grandement de la respiration cellulaire aérobie pour générer de l'ATP. De plus, les fibres musculaires cardiaques peuvent utiliser l'acide lactique produit par les fibres des muscles squelettiques pour fabriquer une plus grande quantité d'ATP, ce qui est un avantage pendant les exercices physiques.

1. Dressez un tableau comparatif des propriétés d'un muscle squelettique et du muscle cardiaque.

TISSU MUSCULAIRE LISSE

OBJECTIF

• *Décrire les principales caractéristiques structurales et fonctionnelles du tissu musculaire lisse.*

Comme pour le tissu du muscle cardiaque, la stimulation du **tissu musculaire lisse** est généralement involontaire. Des deux types de tissus musculaires lisses, le plus répandu dans l'organisme est le **tissu musculaire lisse viscéral** (ou **unitaire**) (figure 10.18a). On le trouve dans les tuniques internes des parois des petites artères, des veines et de viscères creux tels que l'estomac, les intestins, l'utérus et la vessie. À l'instar du muscle cardiaque, les muscles lisses viscéraux fonctionnent par autorythmicité. Les potentiels d'action musculaires se propagent dans le réseau de fibres par l'intermédiaire des jonctions communicantes. Lorsqu'un neurotransmetteur, une hormone ou un signal autorythmique stimule une fibre, le potentiel d'action se propage dans les fibres adjacentes qui se contractent alors à l'unisson, comme une seule unité.

Le second type de tissu musculaire lisse est le **tissu musculaire lisse multi-unitaire** (figure 10.18b). Il est constitué de fibres individuelles possédant leurs propres terminaisons

Figure 10.18 Deux types de tissus musculaires lisses. (a) Un neurone moteur autonome fait synapse avec plusieurs fibres lisses viscérales, et les potentiels d'action se propagent aux fibres adjacentes par le biais des jonctions communicantes. (b) Trois neurones moteurs autonomes font synapse avec plusieurs fibres lisses multi-unitaires individuelles. La stimulation de l'une d'entre elles ne déclenche que sa propre contraction.

 Les fibres musculaires lisses viscérales sont reliées entre elles par des jonctions communicantes et se contractent à l'unisson ; les fibres lisses multi-unitaires ne comportent pas de jonctions communicantes et se contractent indépendamment les unes des autres.

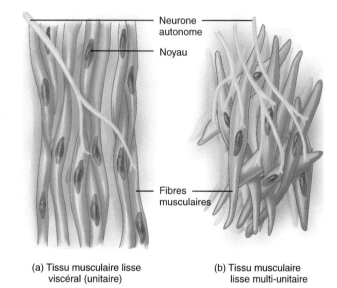

Neurone autonome

Noyau

Fibres musculaires

(a) Tissu musculaire lisse viscéral (unitaire)

(b) Tissu musculaire lisse multi-unitaire

 Des deux types de muscles lisses, lequel ressemble le plus au muscle cardiaque tant par sa structure que par sa fonction ?

axonales de neurones moteurs et très peu de jonctions communicantes entre les fibres adjacentes. Tandis que la stimulation d'une seule fibre musculaire viscérale déclenche la contraction de nombreuses fibres voisines, la stimulation d'une seule fibre multi-unitaire ne déclenche que sa propre contraction. Le tissu musculaire lisse multi-unitaire se retrouve dans les parois des grandes artères, dans les voies aériennes, dans les muscles arrecteurs des poils associés aux follicules pileux, dans les muscles de l'iris responsables de la dilatation et de la constriction de la pupille, et dans le corps ciliaire qui régit la focalisation du cristallin.

Anatomie microscopique du muscle lisse

Un endomysium enveloppe les fibres musculaires lisses, qui sont beaucoup plus petites que les fibres musculaires squelettiques. Relâchée, une fibre musculaire lisse mesure de

Figure 10.19 Anatomie microscopique d'une fibre musculaire lisse.

 **Les fibres musculaires lisses ont des myofilaments épais et fins
mais pas de tubules T, et un réticulum sarcoplasmique peu abondant.**

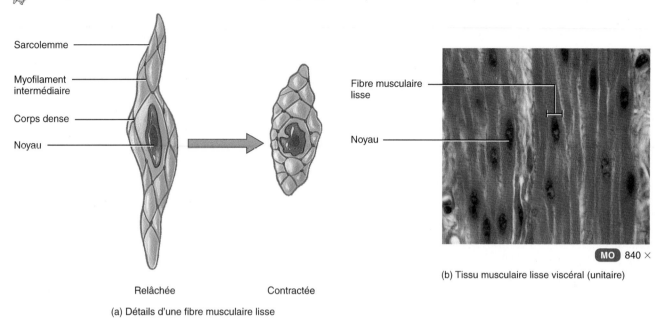

(a) Détails d'une fibre musculaire lisse

(b) Tissu musculaire lisse viscéral (unitaire)

MO 840 ×

Q La vitesse de déclenchement et la durée de contraction d'une fibre musculaire
lisse sont-elles semblables à celles d'une fibre musculaire squelettique? Précisez.

30 à 200 μm de long, est plus épaisse au centre (de 3 à 8 μm) et aplatie aux extrémités (figure 10.19a). On trouve au centre de chaque fibre un seul noyau ovale (voir aussi le tableau 4.4, p. 139). Le sarcoplasme des fibres musculaires lisses contient à la fois des *myofilaments épais* et des *myofilaments fins* dans une proportion qui va de 1 pour 10 à 1 pour 15, mais ils ne sont pas disposés régulièrement comme dans les sarcomères des muscles striés. Les fibres musculaires lisses contiennent également des *myofilaments intermédiaires*. Comme il n'y a pas de chevauchement régulier des divers myofilaments, elles ne présentent pas l'apparence striée des fibres musculaires squelettiques, d'où leur nom de fibres *lisses*. Les fibres lisses ne contiennent pas non plus de système de tubules T, et le réticulum sarcoplasmique pour le stockage de Ca^{2+} est peu abondant.

Dans les fibres musculaires lisses, les myofilaments intermédiaires sont attachés à des structures appelées **corps denses,** qui ont des fonctions semblables à celles des disques Z des muscles striés. Certains de ces corps denses sont dispersés dans tout le sarcoplasme, d'autres sont attachés au sarcolemme. Des groupes de myofilaments intermédiaires s'étendent d'un corps dense à un autre (voir la figure 10.19a). Au cours d'une contraction, le mécanisme de glissement des myofilaments épais et fins génère une tension qui se répercute aux myofilaments intermédiaires. Ces derniers exercent à leur tour une traction sur les corps denses du sarcolemme, ce

qui provoque un raccourcissement de l'ensemble de la fibre. Notez que ce raccourcissement produit une dilatation en forme de bulle du sarcolemme (figure 10.19b). La fibre musculaire lisse se contracte par une torsion similaire à celle d'un tire-bouchon: la contraction provoque un mouvement hélicoïdal dans un sens, le relâchement le provoque dans le sens inverse.

Physiologie du muscle lisse

Bien que les principes de la contraction soient semblables pour les trois types de tissus musculaires, le tissu musculaire lisse présente d'importantes différences physiologiques. Par comparaison avec la contraction de la fibre musculaire squelettique, celle d'une fibre musculaire lisse commence plus lentement et dure beaucoup plus longtemps. D'autre part, l'ampleur du raccourcissement et celle de l'étirement sont plus grandes dans les muscles lisses.

C'est l'augmentation du taux de Ca^{2+} dans le cytosol du muscle lisse qui amorce la contraction, comme pour un muscle strié. Le réticulum sarcoplasmique (le réservoir de Ca^{2+} dans le muscle strié) est peu abondant dans le muscle lisse. Les ions calcium qui se répandent dans son cytosol proviennent du liquide extracellulaire et du réticulum sarcoplasmique, mais étant donné qu'il n'y a pas de tubules T dans les fibres musculaires lisses, le Ca^{2+} prend plus de temps pour parvenir aux myofilaments au centre de la fibre et déclencher le processus contractile. Cela explique en partie le démarrage plus lent et la contraction prolongée des muscles lisses.

Plusieurs mécanismes régulent la contraction et le relâchement des cellules des muscles lisses. Dans l'un, une protéine régulatrice appelée **calmoduline** se lie au calcium dans le cytosol (souvenez-vous que c'est le rôle de la troponine dans les fibres musculaires striées). La calmoduline active ensuite une enzyme appelée *kinase des chaînes légères de la myosine*. Cette enzyme utilise l'ATP pour phosphoryler (ajouter un groupement phosphate à) un segment de la tête de myosine. Une fois que le groupement phosphate a modifié la tête de myosine, celle-ci peut se fixer à l'actine et la contraction peut avoir lieu. La kinase des chaînes légères de myosine est lente à agir, ce qui contribue aussi à la lenteur de la contraction des fibres musculaires lisses.

Non seulement les ions calcium pénètrent-ils lentement dans les fibres lisses, mais leur déplacement aussi est lent pour en sortir lorsque l'excitation diminue, ce qui retarde le relâchement. La présence prolongée de Ca^{2+} dans le cytosol produit le **tonus des muscles lisses,** soit un état de contraction partielle continue. Le tissu musculaire lisse peut ainsi soutenir un tonus à long terme, ce qui est important dans le tube digestif dont les parois maintiennent une pression constante sur son contenu, ainsi que dans les parois des vaisseaux sanguins appelés artérioles qui maintiennent une pression constante sur le sang.

La plupart des fibres musculaires lisses se contractent et se relâchent en réponse aux potentiels d'action du système nerveux autonome. Nombre d'entre elles le font également en réponse à l'étirement, aux hormones ou à des facteurs locaux tels que des changements dans les taux de pH, d'oxygène et de gaz carbonique, et les modifications de la température et de la concentration en certains ions. L'adrénaline, par exemple, une hormone libérée par la médullosurrénale, joue un rôle dans le relâchement des muscles lisses des voies respiratoires et des parois de certains vaisseaux sanguins (ceux qui ont des récepteurs ß$_2$; voir le tableau 17.3, p. 588).

Contrairement aux fibres musculaires striées, les fibres musculaires lisses peuvent s'étirer de manière considérable tout en conservant leur fonction contractile. Lorsqu'elles s'étirent, elles commencent par se contracter, ce qui augmente leur tension. Au bout d'une minute environ, la tension décroît. Ce phénomène, appelé **réponse tension-relaxation,** permet aux muscles lisses de subir de grandes modifications de leur longueur sans perdre leur capacité contractile. C'est la raison pour laquelle, même si les muscles lisses des parois des vaisseaux sanguins et d'organes creux comme l'estomac, les intestins et la vessie peuvent s'étirer, la pression sur le contenu de ces organes change très peu. Lorsque l'organe se vide, toutefois, les muscles lisses des parois reprennent leur longueur initiale et retrouvent leur fermeté.

1. Quelles sont les différences entre un muscle lisse multi-unitaire et un muscle lisse viscéral ?
2. Dressez un tableau comparatif des propriétés des muscles lisses et des muscles squelettiques.

RÉGÉNÉRATION DU TISSU MUSCULAIRE
OBJECTIF
- *Expliquer le processus de régénération des fibres musculaires.*

Étant donné que les fibres musculaires squelettiques matures ont perdu leur capacité de division cellulaire, la croissance des muscles squelettiques après la naissance est surtout due à l'hypertrophie (agrandissement des cellules existantes) plutôt qu'à l'hyperplasie (augmentation du nombre de cellules). Les cellules satellites se divisent lentement et s'incorporent aux fibres existantes pour contribuer aussi bien à la croissance du muscle qu'à la régénération des fibres endommagées. En réaction à une blessure du muscle ou à une maladie dégénérative, des cellules additionnelles issues de la moelle osseuse rouge migrent dans le muscle et participent à la régénération des fibres touchées. Cependant, le nombre de nouvelles fibres musculaires squelettiques formées de cette façon n'est pas suffisant pour compenser une atteinte importante. Dans ces cas, les fibres squelettiques subissent une **fibrose,** soit le remplacement des fibres musculaires par du tissu fibreux de cicatrisation. Pour cette raison, la régénération du tissu musculaire squelettique est limitée.

Le muscle cardiaque ne possède pas de cellules comparables aux cellules satellites du muscle squelettique. Les fibres cardiaques endommagées ne sont donc pas réparées ou remplacées et la guérison se fait par fibrose. Par contre, il peut y avoir hypertrophie des cellules du tissu musculaire cardiaque s'il y a augmentation de l'activité physique. Ainsi constate-t-on que le cœur est plus gros chez de nombreux athlètes.

À l'instar des tissus musculaires squelettiques et cardiaque, le tissu musculaire lisse peut connaître une hypertrophie. De plus, certaines fibres musculaires lisses, comme celles de l'utérus, conservent leur capacité de division et peuvent donc croître par hyperplasie. De nouvelles fibres lisses peuvent aussi apparaître à partir de cellules appelées *péricytes,* cellules souches associées aux petites veines et aux capillaires sanguins. La prolifération des fibres lisses peut parfois être provoquée par certaines maladies comme l'athérosclérose (voir p. 702). Par comparaison avec les deux autres types de tissus musculaires, le tissu lisse possède de plus grandes capacités régénératrices, mais elles sont tout de même limitées par rapport à celles d'autres tissus, comme l'épithélium.

Le tableau 10.3 résume les caractéristiques principales des trois types de tissus musculaires.

Tableau 10.3 Résumé des principales caractéristiques des trois types de tissus musculaires

CARACTÉRISTIQUES	MUSCLE SQUELETTIQUE	MUSCLE CARDIAQUE	MUSCLE LISSE
Apparence des cellules	Fibre cylindrique allongée possédant plusieurs noyaux situés en périphérie ; striée.	Fibre cylindrique ramifiée possédant un noyau central ; disques intercalaires réunissant les fibres adjacentes ; striée.	Fibre fusiforme possédant un noyau central ; non striée.
Situation	Surtout fixé aux os par des tendons.	Cœur.	Parois des organes creux (viscères, voies respiratoires, vaisseaux sanguins), iris et corps ciliaire de l'œil, muscles arrecteurs des poils associés aux follicules pileux.
Diamètre des fibres	Très grand (de 10 à 100 μm).	Grand (14 μm).	Petit (de 3 à 8 μm).
Composantes du tissu conjonctif	Endomysium, périmysium, épimysium.	Endomysium.	Endomysium.
Longueur des fibres	De 100 μm à 30 cm.	De 50 à 100 μm.	De 30 à 200 μm.
Protéines contractiles organisées en sarcomères	Oui.	Oui.	Non.
Réticulum sarcoplasmique	Abondant.	Présent.	Peu abondant.
Présence de tubules T ?	Oui. Alignés avec chaque jonction des bandes I et A.	Oui. Alignés avec chaque disque Z.	Non.
Jonctions entre les fibres	Aucune.	Disques intercalaires contenant des jonctions communicantes et des desmosomes.	Jonctions communicantes dans le tissu lisse viscéral ; aucune dans le tissu lisse multi-unitaire.
Autorythmicité	Non.	Oui.	Oui, dans les muscles lisses viscéraux.
Source du Ca^{2+} nécessaire à la contraction	Réticulum sarcoplasmique.	Réticulum sarcoplasmique et liquide extracellulaire.	Réticulum sarcoplasmique et liquide extracellulaire.
Protéines régulatrices de la contraction	Troponine et tropomyosine.	Troponine et tropomyosine.	Calmoduline et kinase des chaînes légères de la myosine.
Vitesse de contraction	Rapide.	Modérée.	Lente.
Régulation nerveuse	Volontaire (système nerveux somatique).	Involontaire (système nerveux autonome).	Involontaire (système nerveux autonome).
Régulation de la contraction	Acétylcholine libérée par les neurones moteurs somatiques.	Acétylcholine et noradrénaline libérées par les neurones moteurs autonomes ; plusieurs hormones.	Acétylcholine et noradrénaline libérées par les neurones moteurs autonomes ; plusieurs hormones ; changements chimiques locaux ; étirement.
Capacité de régénération	Limitée, se fait par le biais des cellules satellites.	Aucune.	Considérable, par le biais des péricytes (limitée par rapport à celle de l'épithélium).

Figure 10.20 Situation et structure des somites, éléments clés dans le développement du système musculaire.

La plupart des muscles sont dérivés du mésoderme.

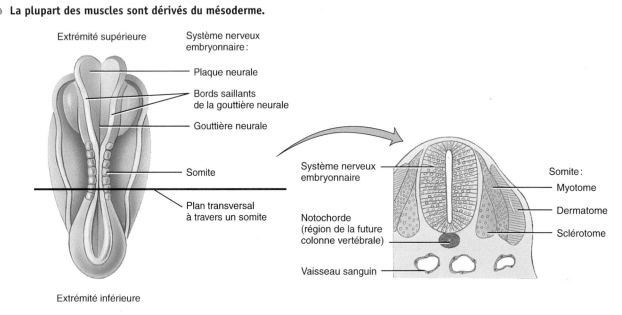

(a) Vue dorsale d'un embryon montrant les somites

(b) Coupe transversale d'un somite

Q Quelle partie du somite va se différencier en muscle squelettique ?

DÉVELOPPEMENT EMBRYONNAIRE DU SYSTÈME MUSCULAIRE

OBJECTIF

• *Décrire le développement embryonnaire du système musculaire.*

Dans cette brève description du développement embryonnaire du système musculaire humain, nous nous concentrerons sur les muscles squelettiques. À l'exception des muscles de la pupille et des muscles arrecteurs des poils associés aux follicules pileux, tous les muscles de notre organisme sont dérivés du **mésoderme.** Pendant le développement du mésoderme, une portion de ce dernier s'organise en colonnes denses de part et d'autre du système nerveux en formation. Ces colonnes de mésoderme se segmentent à leur tour en petits blocs de cellules disposés par paires et appelés **somites** (figure 10.20a). La première paire de somites apparaît au 20e jour du développement embryonnaire, et au 30e jour, 44 paires se seront formées.

À l'exception des muscles squelettiques de la tête et des membres, les *muscles squelettiques* se développent à partir du **mésoderme des somites.** Comme il y a très peu de somites dans la région céphalique de l'embryon, la plupart des muscles squelettiques de la tête se développent à partir du **mésoderme général** de cette partie du corps. Les muscles squelettiques des membres se forment à partir d'amas cellulaires du mésoderme général qui se développent autour des os en formation dans les bourgeons des membres (origines des futurs membres ; voir la figure 6.12a, p. 188).

Les somites se différencient en trois régions : 1) le **myotome,** qui forme quelques-uns des muscles squelettiques ; 2) le **dermatome,** qui forme les tissus conjonctifs, dont le derme ; 3) le **sclérotome,** qui forme les vertèbres (figure 10.20b).

Le *muscle cardiaque* se développe à partir de *cellules mésodermiques* qui migrent vers le cœur embryonnaire et l'enveloppent lorsqu'il en est encore au stade des tubes cardiaques primitifs (voir la figure 20.17, p. 701).

Les *muscles lisses* se développent à partir de **cellules mésodermiques** qui migrent vers le tube digestif et les viscères embryonnaires en formation et les enveloppent.

VIEILLISSEMENT DU TISSU MUSCULAIRE

OBJECTIF

• *Expliquer comment le vieillissement affecte le tissu musculaire squelettique.*

À partir de l'âge de trente ans, les humains subissent une perte progressive de la masse musculaire squelettique qui est remplacée surtout par du tissu conjonctif fibreux et du tissu adipeux. Ce déclin est en partie causé par la diminution de l'activité physique. Une baisse de la force musculaire maximale et un ralentissement des réflexes musculaires accompagnent cette perte. On constate parfois, dans certains muscles, une perte sélective de certains types de fibres. Avec le vieillissement, le nombre de fibres oxydatives lentes semble augmenter ; ce phénomène est peut-être dû à l'atrophie des fibres des autres types ou à leur transformation en fibres oxydatives lentes. On ne sait pas encore si le vieillissement est directement en cause ou si cela est lié à la baisse de

l'activité physique. Quoi qu'il en soit, les programmes de musculation et d'entraînement à l'endurance donnent des résultats probants chez les personnes âgées et ralentissent ou même inversent le déclin de la performance musculaire associé au vieillissement.

1. Pourquoi les fibres musculaires squelettiques ont-elles un pouvoir limité de régénération ?
2. Pourquoi la force musculaire diminue-t-elle avec l'âge ?

DÉSÉQUILIBRES HOMÉOSTATIQUES

La fonction musculaire peut être altérée à la suite de maladies ou d'atteintes à l'une des composantes d'une unité motrice : les neurones moteurs somatiques, les jonctions neuromusculaires ou les fibres musculaires. Le terme **affection neuromusculaire** englobe les troubles touchant ces trois éléments, tandis que le terme **myopathie** s'applique à un trouble touchant le tissu musculaire squelettique lui-même.

MYASTHÉNIE GRAVE

La **myasthénie grave** est une maladie auto-immune provoquant une détérioration chronique progressive de la jonction neuromusculaire. Chez les personnes atteintes, le système immunitaire se met à produire des anticorps qui bloquent en s'y liant certains récepteurs de l'acétylcholine, ce qui fait diminuer le nombre de ce type de récepteurs fonctionnels au niveau des plaques motrices des muscles squelettiques (voir la figure 10.11). Comme on constate une hyperplasie des cellules du thymus ou des tumeurs à cet organe chez 75 % des patients, il est possible que des anomalies thymiques soient à l'origine de la myasthénie. Au fur et à mesure que progresse la maladie, de plus en plus de récepteurs de l'ACh sont touchés, les muscles s'affaiblissent, s'épuisent de plus en plus rapidement, et peuvent finir par cesser de fonctionner.

On relève environ un cas de myasthénie grave pour 10 000 personnes. La maladie est plus fréquente chez les femmes, qui en sont atteintes entre 20 et 40 ans, que chez les hommes, dont l'âge au moment de l'apparition est de 50 à 60 ans. Ce sont le plus souvent les muscles du visage et du cou qui sont atteints. Le déficit moteur frappe d'abord les muscles de l'œil, ce qui peut provoquer une diplopie (perception visuelle dédoublée), et ceux du pharynx et du larynx (difficultés à déglutir). Par la suite, le patient ressent de la difficulté à mastiquer et à parler. Les muscles des membres peuvent finir par être atteints. La paralysie des muscles respiratoires provoque parfois la mort du sujet, mais il est rare que la maladie atteigne ce stade.

Dans le traitement de la myasthénie grave, on utilise d'abord des médicaments à action anticholinestérasique comme la pyridostigmine (Mestinon) ou la néostigmine. Ce sont des inhibiteurs de l'acétylcholinestérase, l'enzyme qui dégrade l'ACh. Ils créent donc une augmentation du taux d'acétylcholine, qui peut alors se lier aux récepteurs toujours en état de fonctionner. Plus récemment, des corticostéroïdes comme la prednisone ont été utilisés avec succès pour diminuer les taux d'anticorps. Un autre traitement, la plasmaphérèse, permet de retirer les anticorps du sang. On a également recours dans certains cas à l'ablation chirurgicale du thymus.

DYSTROPHIE MUSCULAIRE

Le terme **dystrophie musculaire** regroupe plusieurs affections héréditaires dégénératives des fibres musculaires squelettiques. La plus courante d'entre elles est la *dystrophie musculaire* (ou myopathie) *de Duchenne*. Comme le gène mutant est situé sur le chromosome X, dont les garçons ne possèdent qu'une copie, seuls les garçons ou presque sont touchés (l'hérédité liée au sexe est décrite au chapitre 29). Chaque année dans le monde, près de 21 000 bébés de sexe masculin en sont atteints (1 sur 3 500). Les signes de la maladie se manifestent en général chez l'enfant entre 2 et 5 ans ; les parents constatent alors que l'enfant tombe souvent et qu'il a des difficultés à courir, sauter ou sautiller. Vers l'âge de 12 ans, la plupart des jeunes patients ne peuvent plus marcher. L'espérance de vie (entre 20 et 30 ans) dépend des complications cardiaques ou respiratoires qui peuvent entraîner la mort.

Dans la dystrophie musculaire de Duchenne, il y a peu ou pas de dystrophine, puisque le gène qui code normalement pour cette protéine subit une mutation. Sans l'effet consolidateur de la dystrophine, le sarcolemme peut se rompre facilement durant la contraction musculaire. Comme leur membrane plasmique est endommagée, les fibres musculaires se rompent et meurent. Le gène de la dystrophine a été découvert en 1987 et, en 1990, les premiers essais de thérapie génique ont eu lieu. Des myoblastes portant des gènes sans anomalie ont été injectés dans les muscles de trois jeunes garçons, mais seules quelques fibres retrouvèrent leur capacité à produire de la dystrophine. Des traitements semblables ont été tentés sans plus de succès chez d'autres patients. Les chercheurs étudient une approche différente qui consiste à découvrir un moyen pour stimuler une production plus grande d'utrophine par les fibres musculaires. Il s'agit d'une protéine dont la structure est semblable à celle de la dystrophine et qui pourrait peut-être se substituer à elle. Des expériences effectuées dans ce sens sur des souris déficientes en dystrophine laissent entrevoir quelques lueurs d'espoir.

CONTRACTIONS ANORMALES DES MUSCLES SQUELETTIQUES

Un **spasme** est la contraction anormale subite et involontaire d'un seul muscle au sein d'un groupe de plusieurs muscles. Une **crampe** est une contraction spasmodique douloureuse. Un **tic** est un mouvement convulsif involontaire provoqué par des muscles normalement régis par la commande volontaire. Les tressaillements de la paupière et d'autres muscles du visage sont des exemples de tics. Le **tremblement** est une agitation du corps ou d'une partie du corps causée par des contractions rythmiques involontaires. Une **fasciculation** est une brève contraction involontaire de faisceaux musculaires entiers, visible sous la peau et survenant irrégulièrement, mais qui ne provoque pas de mouvement du muscle. On peut observer des fasciculations associées à la sclérose en plaques (voir p. 428) et à la sclérose latérale amyotrophique (ou maladie de Lou Gehrig). Une **fibrillation** est une contraction spontanée d'une seule fibre musculaire qui n'est pas visible sous la peau mais qui peut être enregistrée par électromyographie. Les fibrillations peuvent être symptomatiques d'une destruction des neurones moteurs.

TERMES MÉDICAUX

Contusion musculaire Déchirement d'un muscle à la suite d'un choc violent, accompagné de saignement et de douleur vive. Assez courante dans les sports de contact, elle frappe souvent le muscle quadriceps fémoral, sur la face antérieure de la cuisse. Elle se traite par une application immédiate de glace, du repos, un bandage de soutien et l'élévation du membre blessé.

Hypertonie Augmentation pathologique du tonus musculaire entraînant un état de rigidité (contracture des muscles) ou de spasticité (rigidité convulsive associée à l'exagération du réflexe tendineux).

Hypotonie Perte ou diminution du tonus musculaire; généralement causée par une atteinte aux neurones moteurs somatiques.

Myalgie (*algos* = douleur) Douleur musculaire.

Myomalacie Ramollissement d'un muscle dû à une atrophie et à une dégénérescence des fibres musculaires.

Myome (*ome* = tumeur) Tumeur bénigne constituée de tissu musculaire.

Myosite (*ite* = inflammation) Inflammation des fibres musculaires.

Myotonie Excitabilité et contractilité des muscles, lenteur à se relâcher; spasme musculaire.

Syndrome de Volkmann Raccourcissement permanent d'un muscle à la suite du remplacement des fibres musculaires dégénérées par du tissu conjonctif fibreux, qui manque d'extensibilité. La destruction des fibres musculaires peut survenir si la circulation sanguine est interrompue sous un bandage trop serré, une bande élastique ou un plâtre mal adapté.

RÉSUMÉ

INTRODUCTION (p. 284)

1. Le mouvement résulte de la contraction et du relâchement alternés des muscles, qui constituent de 40 à 50 % de la masse corporelle totale.
2. La fonction première des muscles est la transformation de l'énergie chimique en énergie mécanique pour accomplir une tâche.

TISSU MUSCULAIRE: VUE D'ENSEMBLE (p. 284)

1. Les trois types de tissu musculaire sont les tissus squelettique, cardiaque et lisse. Le tissu musculaire squelettique est essentiellement fixé aux os; il est strié et volontaire. Le tissu musculaire cardiaque constitue les parois du cœur; il est strié et involontaire. Le tissu musculaire lisse est surtout situé dans les organes internes; il est non strié (lisse) et involontaire.
2. En alternant contraction et relâchement, le tissu musculaire assure cinq fonctions importantes: la production des mouvements corporels, la stabilisation de la posture, la régulation du volume des organes, le déplacement des substances dans l'organisme, la production de chaleur.
3. Les quatre propriétés des tissus musculaires sont: l'excitabilité électrique, soit la capacité de répondre à des stimulus en produisant des potentiels d'action; la contractilité, soit la capacité de générer une tension pour accomplir une tâche; l'extensibilité, soit la capacité de s'étirer; l'élasticité, soit la capacité de reprendre sa forme originelle après la contraction ou l'étirement.
4. Il y a contraction isotonique lorsque le muscle se raccourcit pour déplacer une charge donnée; la tension demeure alors presque constante. Dans une contraction isométrique, il y a augmentation de la tension sans raccourcissement du muscle.

TISSU MUSCULAIRE SQUELETTIQUE (p. 286)

1. Les tissus conjonctifs enveloppant le muscle sont: l'épimysium qui recouvre le muscle entier; le périmysium qui couvre les faisceaux; l'endomysium qui entoure les fibres (cellules) musculaires. Le fascia superficiel sépare les muscles de la peau.
2. Les tendons et les aponévroses sont des prolongements du tissu conjonctif au-delà des fibres musculaires, qui fixent le muscle à un os ou à un autre muscle.
3. Les muscles squelettiques sont parcourus par des nerfs et des vaisseaux sanguins. Généralement, une artère et une ou deux veines accompagnent chaque nerf qui pénètre un muscle squelettique.
4. Les neurones moteurs somatiques procurent les influx nerveux qui stimulent la contraction des muscles squelettiques.
5. Les capillaires sanguins apportent l'oxygène et les nutriments, et évacuent la chaleur et les déchets produits par le métabolisme des muscles.
6. Chaque fibre musculaire squelettique comporte 100 noyaux ou plus parce qu'elle s'est formée par fusion de nombreux myoblastes. Les cellules satellites sont des myoblastes qui persistent même après la naissance. Le sarcolemme est la membrane plasmique d'une fibre musculaire; il entoure le sarcoplasme. Les tubules T sont des invaginations du sarcolemme.
7. Chaque fibre musculaire contient des myofibrilles, qui sont les unités fonctionnelles contractiles du muscle squelettique. Un réticulum sarcoplasmique entoure chaque myofibrille, dans laquelle des myofilaments fins et épais sont disposés en compartiments appelés sarcomères.
8. Le «chevauchement» des myofilaments fins et des myofilaments épais produit l'effet de stries; des bandes A sombres alternent avec des bandes I plus claires.

9. Les myofibrilles sont composées de trois types de protéines : contractiles, régulatrices et structurales. Les protéines contractiles sont la myosine (des myofilaments épais) et l'actine (des myofilaments fins). Les protéines régulatrices sont la tropomyosine et la troponine (deux des composantes des myofilaments fins). Les protéines structurales sont la titine (qui fixe les disques Z à la ligne M et stabilise les myofilaments épais), la myomésine (des lignes M), la nébuline (qui est située le long des myofilaments fins), l'alpha-actinine (des disques Z) et la dystrophine (qui lie les myofilaments fins au sarcolemme).

10. Les têtes de myosine (ou ponts d'union) comportent des sites de liaison à l'actine et à l'ATP ; ce sont les protéines motrices qui donnent son énergie à la contraction musculaire.

11. Le tableau 10.1, p. 293, récapitule les types de protéines que l'on trouve dans les fibres musculaires squelettiques.

CONTRACTION ET RELÂCHEMENT DES FIBRES MUSCULAIRES SQUELETTIQUES (p. 293)

1. La contraction musculaire se produit parce que les têtes de myosine se fixent aux myofilaments fins puis « se déplacent » le long de ces derniers aux deux extrémités d'un sarcomère, tirant ainsi progressivement les myofilaments fins vers le centre du sarcomère. Le glissement graduel des myofilaments vers l'intérieur rapproche les disques Z, et le sarcomère se raccourcit.

2. Le cycle de la contraction s'effectue par la répétition de la séquence d'événements qui provoque le glissement des myofilaments : 1) l'ATPase de la myosine hydrolyse l'ATP, la tête de myosine se charge d'énergie ; 2) la tête de myosine se fixe à l'actine ; 3) la rotation de la tête de myosine vers le centre du sarcomère génère une force (production de la force motrice) ; 4) la liaison de l'ATP par la myosine sépare la myosine de l'actine. La tête de myosine hydrolyse à nouveau l'ATP, reprend sa position de départ et se fixe à un nouveau site sur l'actine, à mesure que le cycle continue.

3. L'augmentation du taux de Ca^{2+} dans le cytosol déclenche le glissement des myofilaments, tandis que la baisse du taux de Ca^{2+} interrompt ce mouvement latéral.

4. Le potentiel d'action musculaire se propage dans le système de tubules T, ce qui ouvre les canaux de libération du Ca^{2+} du réticulum sarcoplasmique. Les ions calcium diffusent du RS dans le cytosol et se combinent avec la troponine, et le complexe troponine-tropomyosine s'éloigne des sites de liaison de la myosine sur l'actine.

5. Les pompes calciques à transport actif font repasser le Ca^{2+} du sarcoplasme vers le RS. Lorsque le taux d'ions calcium diminue dans le cytosol, les complexes troponine-tropomyosine glissent de nouveau sur les sites de liaison de la myosine et les recouvrent. La fibre musculaire se relâche.

6. Une fibre musculaire atteint son degré de tension le plus élevé lorsqu'il y a chevauchement maximal des myofilaments fins et épais. C'est la relation tension-longueur.

7. La tension générée par les éléments contractiles est appelée tension active ; celle qui est générée par les éléments élastiques est appelée tension passive.

8. La jonction neuromusculaire est la synapse entre un neurone moteur somatique et une fibre musculaire squelettique. Elle est constituée des terminaisons axonales et des boutons terminaux du neurone moteur, ainsi que de la plaque motrice adjacente du sarcolemme de la fibre musculaire.

9. Lorsqu'un influx nerveux atteint les boutons terminaux d'un neurone moteur somatique, il déclenche l'exocytose des vésicules synaptiques. L'ACh diffuse à travers la fente synaptique et se lie aux récepteurs de l'ACh, ce qui amorce un potentiel d'action musculaire. L'acétylcholinestérase détruit ensuite rapidement l'ACh.

MÉTABOLISME MUSCULAIRE (p. 300)

1. Les fibres musculaires disposent de trois sources de production d'ATP : la créatine, la respiration cellulaire anaérobie et la respiration cellulaire aérobie.

2. La créatine kinase (CK) catalyse le transfert d'un groupement phosphate riche en énergie de la créatine phosphate à l'ADP pour former de nouvelles molécules d'ATP. Ensemble, la créatine phosphate et l'ATP fournissent suffisamment d'énergie pour une contraction maximale des muscles d'environ 15 secondes.

3. Le glucose est converti en acide pyruvique au cours de la glycolyse, qui produit deux molécules d'ATP en l'absence d'oxygène. Cette respiration cellulaire anaérobie peut fournir assez d'énergie pour une activité musculaire maximale de 30 à 40 secondes.

4. Si l'activité musculaire dure plus de 30 secondes, elle dépend de la respiration cellulaire aérobie, c'est-à-dire des réactions mitochondriales qui ont besoin d'oxygène pour la production d'ATP. La respiration cellulaire aérobie produit 36 molécules d'ATP environ à partir de chaque molécule de glucose.

5. L'incapacité d'un muscle à se contracter avec force après une activité prolongée est appelée fatigue musculaire.

6. La consommation élevée d'oxygène après un exercice physique est appelée consommation d'oxygène de récupération.

RÉGULATION DE LA TENSION MUSCULAIRE (p. 303)

1. Une unité motrice est constituée d'un neurone moteur et des fibres musculaires qu'il stimule. Une unité motrice peut comporter seulement 2 fibres musculaires, mais elle peut en posséder jusqu'à 3 000.

2. Le recrutement des unités motrices est le processus au cours duquel le nombre d'unités motrices actives sollicitées augmente.

3. Une secousse musculaire simple est une brève contraction de toutes les fibres musculaires d'une unité motrice en réponse à un unique potentiel d'action.

4. L'enregistrement (courbe graphique) d'une contraction est appelé myogramme. Il se compose d'une période de latence, d'une période de contraction et d'une période de relaxation. La période réfractaire est le moment où la fibre musculaire perd temporairement son excitabilité ; elle est de courte durée dans les muscles squelettiques mais plus longue dans le muscle cardiaque.

5. La sommation temporelle est l'augmentation de la force de contraction qui a lieu si un deuxième stimulus parvient à la fibre avant qu'elle soit complètement relâchée.

6. Des stimulus répétés peuvent produire une contraction musculaire soutenue avec relâchement partiel entre les stimulus, appelée tétanos incomplet. Une fréquence de stimulation plus rapide produit le tétanos complet, c'est-à-dire une contraction soutenue sans relâchement partiel entre les stimulus.

7. L'activation continue involontaire d'un petit nombre d'unités motrices produit le tonus musculaire, qui est essentiel au maintien de la posture du corps.

8. Au cours d'une contraction isotonique concentrique, le muscle raccourcit pour produire le mouvement et diminuer l'angle d'une articulation. Pendant une contraction isotonique excentrique, la longueur du muscle augmente.

9. Les contractions isométriques, au cours desquelles la tension est générée sans que le muscle se raccourcisse, sont importantes parce qu'elles stabilisent certaines articulations pendant que d'autres sont en mouvement.

TYPES DE FIBRES MUSCULAIRES SQUELETTIQUES (p. 307)

1. Les fibres musculaires squelettiques sont classées selon leur structure et leurs fonctions : fibres oxydatives lentes, fibres oxydatives-glycolytiques rapides, fibres glycolytiques rapides.
2. La plupart des muscles squelettiques contiennent des fibres des trois types ; la proportion varie selon la fonction du muscle.
3. Les unités motrices d'un muscle sont recrutées selon l'ordre suivant : d'abord les fibres oxydatives lentes, puis les fibres oxydatives-glycolytiques rapides, et enfin les fibres glycolytiques rapides.
4. Le tableau 10.2, p. 309, résume les caractéristiques des trois types de fibres.

TISSU MUSCULAIRE CARDIAQUE (p. 309)

1. Le tissu musculaire cardiaque ne se retrouve que dans le cœur. Les fibres musculaires cardiaques ont la même disposition d'actine et de myosine, et les mêmes bandes, zones et disques Z que les fibres musculaires squelettiques. Les fibres se joignent entre elles par le biais des disques intercalaires, qui contiennent à la fois des jonctions communicantes et des desmosomes.
2. Le tissu musculaire cardiaque reste contracté de 10 à 15 fois plus longtemps que le tissu musculaire squelettique grâce à l'apport prolongé de Ca^{2+} dans le sarcoplasme.
3. Le tissu cardiaque se contracte lorsqu'il est stimulé par ses propres fibres autorythmiques. Comme cette activité autorythmique est continuelle, le muscle cardiaque dépend beaucoup de la respiration cellulaire aérobie pour produire de l'ATP.

TISSU MUSCULAIRE LISSE (p. 310)

1. Le tissu musculaire lisse est non strié et involontaire.
2. Les fibres musculaires lisses contiennent des myofilaments intermédiaires et des corps denses (dont la fonction est similaire à celle des disques Z).

3. Le tissu musculaire lisse viscéral (ou unitaire) se retrouve dans les parois des organes creux et des petits vaisseaux sanguins. De nombreuses fibres forment un réseau qui se contracte à l'unisson.
4. Le tissu musculaire lisse multi-unitaire se retrouve dans les parois des vaisseaux sanguins de grande taille, dans les voies aériennes, dans les muscles arrecteurs des poils et dans les muscles de l'œil (pour ajuster le diamètre de la pupille et focaliser le cristallin). Ces fibres musculaires agissent indépendamment et non à l'unisson.
5. La durée de la contraction et du relâchement d'un muscle lisse est plus longue que celle d'un muscle squelettique.
6. La contraction des fibres musculaires lisses se fait en réponse à des influx nerveux, des hormones et des facteurs locaux.
7. Les fibres musculaires lisses peuvent s'étirer considérablement tout en conservant leur capacité contractile.

RÉGÉNÉRATION DU TISSU MUSCULAIRE (p. 312)

1. Les fibres des muscles squelettiques ne peuvent se diviser, et elles ont un potentiel restreint de régénération. Les fibres du muscle cardiaque ne peuvent ni se diviser ni se régénérer. Les fibres des muscles lisses ont un certain potentiel de division et de régénération.
2. Le tableau 10.3, p. 313, résume les caractéristiques principales des trois types de tissus musculaires.

DÉVELOPPEMENT EMBRYONNAIRE DU SYSTÈME MUSCULAIRE (p. 314)

1. À quelques exceptions près, les muscles se développent à partir du mésoderme.
2. Les muscles squelettiques de la tête et des membres se développent à partir du mésoderme général, les autres à partir du mésoderme des somites.

VIEILLISSEMENT DU TISSU MUSCULAIRE (p. 314)

1. Les humains connaissent une perte progressive de la masse musculaire squelettique à partir de l'âge de trente ans. Le tissu perdu est remplacé par du tissu conjonctif fibreux et du tissu adipeux.
2. Le vieillissement provoque également une diminution de la force et des réflexes musculaires.

AUTOÉVALUATION

Vrai ou faux

1. Les fonctions clés d'un muscle sont la production des mouvements du corps, le déplacement de substances dans l'organisme, la stabilisation de la posture, la régulation du volume des organes et la formation d'énergie.
2. La séquence d'événements qui provoque la contraction musculaire squelettique est la suivante : a) génération d'un influx nerveux ; b) libération d'acétylcholine, un neurotransmetteur ; c) génération d'un potentiel d'action musculaire ; d) libération des ions calcium du réticulum sarcoplasmique ; e) fixation des ions calcium sur le complexe troponine-tropomyosine ; f) production de la force motrice par la fixation puis la libération d'actine et de myosine.
3. Associez les éléments suivants :
   ___ a) gaine de tissu conjonctif aréolaire enveloppant individuellement les fibres musculaires squelettiques
   ___ b) gaine de tissu conjonctif dense irrégulier entourant des groupes de fibres musculaires individuelles

   ___ c) groupes de fibres musculaires
   ___ d) couche la plus externe du tissu conjonctif des muscles squelettiques
   ___ e) tissu conjonctif dense irrégulier tapissant les parois du corps et des membres, et regroupant les muscles aux fonctions similaires
   ___ f) cordon de tissu conjonctif dense régulier fixant le muscle au périoste de l'os
   ___ g) tissu conjonctif aréolaire et adipeux séparant le muscle de la peau
   ___ h) éléments de tissu conjonctif se prolongeant en une lame large et aplatie.
   ___ i) tubes de tissu conjonctif fibreux contenant une pellicule de synovie, situés entre les deux couches de tissus conjonctif et servant à diminuer la friction
   ___ j) éléments contractiles du muscle squelettique

1) gaines synoviales
   de tendons
2) myofibrilles
3) aponévrose de revêtement
4) fascia profond
5) fascia superficiel

6) tendon
7) endomysium
8) périmysium
9) épimysium
10) faisceaux

4. Associez les éléments suivants :

___ a) point de contact entre un neurone moteur et une fibre musculaire

___ b) cellules donnant naissance à de nouvelles fibres musculaires lisses

___ c) myoblastes persistant dans les muscles squelettiques adultes

___ d) membrane plasmique d'une fibre musculaire

___ e) protéine fixant l'oxygène présente seulement dans les fibres musculaires

___ f) système tubulaire de stockage des ions calcium semblable au réticulum endoplasmique lisse

___ g) unité de contraction du muscle squelettique

___ h) zone de l'unité de contraction du muscle squelettique où se trouvent les myofilaments épais

___ i) zone de l'unité de contraction du muscle squelettique où se trouvent les myofilaments fins

___ j) sépare les unités de contraction les unes des autres

1) bande A
2) bande I
3) disque Z
4) sarcomère
5) jonction neuromusculaire

6) myoglobine
7) cellules satellites
8) péricytes
9) réticulum sarcoplasmique
10) sarcolemme

Phrases à compléter

5. Les trois types de tissus musculaires sont le ___, le ___ et le ___.

6. Les tissus musculaires présentant une autorythmicité sont le ___ et le ___.

7. Les propriétés du muscle qui lui permettent de remplir ses fonctions et de contribuer à l'homéostasie sont ___, ___, ___ et ___.

8. Les protéines contractiles des muscles sont ___ et ___.

Choix multiples

9. Dans la contraction musculaire, qu'est-ce qui amorce le glissement des myofilaments ? a) L'augmentation du taux de Ca^{2+} dans le cytosol. b) La baisse du taux de Na^+ dans le cytosol. c) Le fléchissement des têtes de myosine. d) La libération d'énergie provenant de la dégradation de l'ATP. e) La production de la force motrice.

10. Que se passerait-il si la réserve d'ATP était brusquement épuisée après que le sarcomère a commencé de raccourcir ? a) Rien, la contraction se déroulerait normalement. b) Les têtes de myosine ne pourraient plus se détacher de l'actine. c) La troponine se fixerait aux têtes de myosine. d) Les myofilaments d'actine et de myosine se sépareraient et ne pourraient plus se recombiner. e) Les têtes de myosine se détacheraient complètement de l'actine et se fixeraient au complexe troponine-tropomyosine.

11. Un muscle lisse : a) possède des fibres qui se joignent par le biais de disques intercalaires ; b) contient des fibres oxydatives à contraction rapide ; c) peut se raccourcir et s'étirer beaucoup plus qu'un muscle squelettique ou que le muscle cardiaque ; d) utilise les complexes troponine-tropomyosine comme protéines régulatrices ; e) possède des myofilaments d'actine et de myosine disposés en sarcomères réguliers.

12. La protéine liant le calcium dans le réticulum sarcoplasmique d'un muscle squelettique est : a) la calmoduline ; b) l'acétylcholinestérase ; c) la troponine ; d) la titine ; e) la calséquestrine.

13. Parmi les éléments suivants, lesquels sont des sources de production d'ATP pour la contraction musculaire ? 1) Créatine phosphate. 2) Glycolyse. 3) Respiration cellulaire anaérobie. 4) Respiration cellulaire aérobie. 5) Dégradation de la calmoduline. a) 1, 2 et 3. b) 2, 3 et 4. c) 2, 3 et 5. d) 1, 2, 3 et 4. e) 2, 3, 4 et 5.

14. Lesquelles de ces affirmations sont vraies ? 1) Les fibres musculaires squelettiques riches en myoglobine sont appelées fibres musculaires blanches. 2) Les fibres oxydatives lentes produisent de l'ATP surtout par respiration cellulaire aérobie, résistent bien à la fatigue et peuvent effectuer des contractions soutenues prolongées. 3) Les fibres glycolytiques rapides génèrent les contractions les plus fortes, produisent de l'ATP surtout par glycolyse et sont adaptées aux mouvements anaérobies vigoureux. 4) Les fibres oxydatives-glycolytiques rapides produisent une grande quantité d'ATP par respiration cellulaire aérobie mais peuvent aussi le faire par glycolyse anaérobie. 5) La plupart des muscles squelettiques contiennent une combinaison de fibres oxydatives lentes, de fibres glycolytiques rapides, et de fibres oxydatives-glycolytiques rapides dans des proportions variées. 6) Les fibres musculaires squelettiques d'une unité motrice donnée sont de plusieurs types. a) 1, 2, 3 et 4. b) 2, 3, 4, 5 et 6. c) 2, 3, 4 et 5. d) 3, 4, 5 et 6. e) 2, 4 et 6.

15. Associez les éléments suivants :

___ a) propriété des muscles lisses permettant aux fibres de maintenir leur fonction contractile même lorsqu'elles sont étirées

___ b) contraction brève de toutes les fibres d'une unité motrice d'un muscle en réponse à un seul potentiel d'action circulant dans son neurone moteur

___ c) contraction soutenue d'un muscle

___ d) contractions plus fortes provoquées par plusieurs stimulus consécutifs

___ e) processus au cours duquel un plus grand nombre d'unités motrices sont activées

___ f) contraction pendant laquelle le muscle raccourcit

___ g) incapacité d'un muscle à maintenir sa force de contraction, ou tension, pendant une activité prolongée

___ h) produit par l'activation involontaire continue d'un petit nombre des unités motrices d'un muscle squelettique

___ i) contraction avec production de tension sans raccourcissement du muscle

___ j) contraction pendant laquelle le muscle s'allonge

___ k) tension produite par l'actine et la myosine et résultant en une contraction

___ l) tension produite par le tissu conjonctif entourant les fibres musculaires mais sans lien avec la contraction

1) tension active
2) tension passive
3) fatigue musculaire
4) secousse musculaire simple
5) sommation temporelle
6) tétanos complet
7) contraction isotonique concentrique

8) recrutement d'unités motrices
9) tonus musculaire
10) contraction isotonique excentrique
11) contraction isométrique
12) réponse tension-relaxation

QUESTIONS À COURT DÉVELOPPEMENT

1. Comment un muscle lisse peut-il se contracter s'il ne possède ni striations ni sarcomères ? (INDICE : *Pensez aux similitudes de structure des muscles lisses et des muscles striés.*)
2. Pierre est un culturiste amateur qui possède un équipement de poids et haltères impressionnant dans le sous-sol de sa maison. Sa petite sœur Martine a essayé de lever la barre à disques de 50 kg sans réussir à la faire bouger d'un millimètre. Pierre l'a levée au-dessus de sa tête, l'a maintenue ainsi quelques instants puis l'a reposée. Martine était très impressionnée par son grand frère. Décrivez les types de contractions musculaires effectuées par Martine puis celles effectuées par son frère. (INDICE : *La contraction effectuée par Martine est du même type que celle effectuée par son frère pour maintenir la barre au-dessus de sa tête.*)
3. Les étudiants de M. Klopfer sortent de son cours d'anatomie et de physiologie en se massant la main. L'un d'entre eux s'exclame : « Il était en forme aujourd'hui ! Deux heures à nous faire prendre des notes, et sans pause ! J'ai affreusement mal à la main. » Qu'est-ce qui provoque cette douleur musculaire ? (INDICE : *Après deux heures d'anatomie et de physiologie, le cerveau n'est pas la seule partie de l'anatomie à être fatiguée.*)

RÉPONSES AUX QUESTIONS DES FIGURES

10.1 Le périmysium regroupe les fibres musculaires en faisceaux.

10.2 Les capillaires sanguins apportent au muscle l'oxygène et les nutriments, et en évacuent la chaleur et les déchets produits par son métabolisme.

10.3 Le réticulum sarcoplasmique libère des ions calcium, ce qui déclenche la contraction.

10.4 Du plus petit au plus grand : myofilament épais, myofibrille, fibre musculaire.

10.5 Il y a deux myofilament fins pour chaque myofilament épais dans le muscle squelettique.

10.6 L'actine, la titine et la nébuline sont reliées aux disques Z. Les bandes A contiennent de la myosine, de l'actine, de la troponine, de la tropomyosine, de la titine et de la nébuline ; les bandes I contiennent les mêmes protéines que les bandes A, sauf la myosine.

10.7 Les bandes I et les zones H disparaissent. La longueur des myofilaments ne change pas.

10.8 S'il y avait un manque soudain d'ATP, les têtes de myosine ne pourraient pas se détacher de l'actine.

10.9 Les trois fonctions de l'ATP dans la contraction musculaire sont : 1) son hydrolyse par une ATPase active les têtes de myosine, qui peuvent alors se fixer à l'actine et pivoter ; 2) sa liaison à la myosine fait que celle-ci se détache de l'actine après la production de la force motrice de contraction ; 3) elle fait fonctionner les pompes qui renvoient le Ca^{2+} du cytosol vers le réticulum sarcoplasmique.

10.10 Dans un sarcomère de 2,2 μm de long, la zone de chevauchement entre les segments des myofilaments épais qui comportent les têtes de myosine et les myofilaments fins n'est pas assez grande pour limiter le raccourcissement du sarcomère.

10.11 La partie du sarcolemme qui contient les récepteurs de l'acétylcholine est la plaque motrice.

10.12 Les étapes **4** à **6** font partie du couplage excitation-contraction (potentiel d'action musculaire par le biais de la liaison des têtes de myosine sur l'actine).

10.13 La glycolyse, échange de phosphate entre la créatine phosphate et l'ADP, et la dégradation du glycogène ont lieu dans le cytosol. L'oxydation de l'acide pyruvique, des acides aminés et des acides gras (respiration cellulaire aérobie) a lieu dans les mitochondries.

10.14 Les unités motrices comprenant un grand nombre de fibres musculaires peuvent effectuer des contractions plus vigoureuses que celles qui ne comportent que quelques fibres.

10.15 Les événements qui ont lieu pendant la période de latence sont les étapes du couplage excitation-contraction : la libération du calcium qui provient du RS et sa liaison à la troponine permettent aux têtes de myosine de se lier à l'actine et de pivoter.

10.16 Si le deuxième stimulus était appliqué un peu plus tard, la courbe de la deuxième contraction serait moins élevée que celle illustrée en (b).

10.17 Le maintien de la tête droite et immobile fait surtout appel à des contractions isométriques.

10.18 Le muscle lisse viscéral et le muscle cardiaque se ressemblent parce qu'ils présentent des jonctions communicantes qui permettent aux potentiels d'action de se propager d'une cellule aux cellules adjacentes.

10.19 La contraction d'une fibre musculaire lisse commence plus lentement et dure plus longtemps que la contraction d'une fibre musculaire squelettique.

10.20 Comme son nom l'indique, c'est le myotome du somite qui se différencie en tissu musculaire squelettique.

LE SYSTÈME MUSCULAIRE

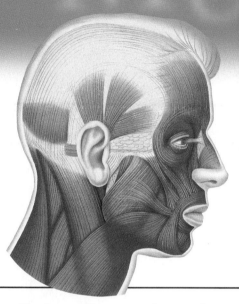

On appelle **système musculaire** l'ensemble des muscles squelettiques volontaires, c'est-à-dire le tissu musculaire squelettique et le tissu conjonctif qui constituent les organes musculaires individuels, comme le muscle biceps brachial. Pour comprendre quels sont les mouvements autorisés par chacune des articulations, il faut pouvoir identifier les principaux groupes musculaires squelettiques du corps. Il importe également de connaître l'origine et l'insertion de chaque muscle ainsi que son innervation, soit le ou les nerfs qui stimulent sa contraction. Après avoir étudié ces éléments clés de l'anatomie des muscles squelettiques, vous serez en mesure d'analyser comment sont produits les mouvements normaux. Ces connaissances sont particulièrement utiles pour les professionnels paramédicaux et les professionnels de la réadaptation qui travaillent auprès de personnes dont la fonction motrice et la mobilité ont été perturbées par des événements tels qu'un traumatisme physique, une intervention chirurgicale ou une paralysie musculaire.

COMMENT LES MUSCLES SQUELETTIQUES PRODUISENT LES MOUVEMENTS

Points d'attache des muscles : origine et insertion
OBJECTIF

• *Décrire les interactions des os et des muscles squelettiques qui produisent les mouvements du corps.*

Les muscles squelettiques produisent des mouvements en exerçant une force sur les tendons, qui tirent eux-mêmes sur des os ou d'autres structures, comme la peau. La plupart des muscles croisent au moins une articulation et sont habituellement attachés aux os mobiles qui forment cette dernière (figure 11.1a).

Quand un muscle se contracte, il attire l'un vers l'autre les os d'une articulation. En règle générale, les deux os d'une articulation ne se déplacent pas de manière égale en réponse à la contraction. L'un d'eux demeure stationnaire ou près de sa position d'origine, soit parce que d'autres muscles le stabilisent en se contractant et en le tirant dans le sens opposé, soit parce que sa structure le rend moins mobile. La plupart du temps, on appelle **origine** le point d'attache du tendon d'un muscle à l'os stationnaire ; le point d'attache de l'autre tendon à l'os mobile porte le nom d'**insertion,** ou **terminaison.** On peut comparer ce système à un ressort sur une porte. La partie du ressort qui est fixée au cadre est l'origine ; celle qui est attachée à la porte est l'insertion. Le plus souvent, l'origine est proximale et l'insertion distale, surtout dans le cas des membres.

La partie charnue du muscle entre les tendons d'origine et les tendons d'insertion est appelée **ventre du muscle.** Rappelez-vous que, souvent, les muscles ne recouvrent pas les parties du corps qu'ils déplacent. La figure 11.1b montre que, bien que l'une des fonctions du muscle biceps brachial soit de déplacer l'avant-bras, le ventre de ce muscle repose sur l'humérus et non sur l'avant-bras. Nous verrons également que l'action des muscles qui croisent deux articulations,

Figure 11.1 Relation entre les muscles squelettiques et les os. (a) Les muscles sont attachés aux os par des tendons appelés origine et insertion. (b) Les muscles squelettiques produisent les mouvements en tirant sur les os. Les os servent de leviers et les articulations sont les points d'appui de ces leviers. Le principe du levier est illustré ici par le mouvement de l'avant-bras. Remarquez à quels endroits la résistance et l'effort sont appliqués dans cet exemple.

> **Dans les membres, en général, le point d'origine d'un muscle est proximal et le point d'insertion est distal.**

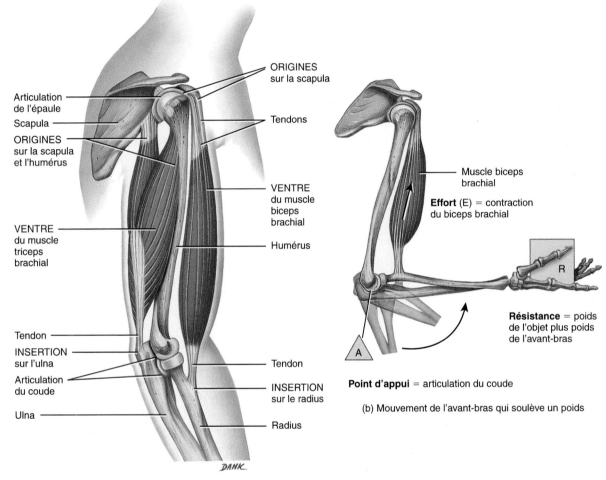

(a) Origine et insertion d'un muscle squelettique

Q Où se situe le ventre du muscle qui permet l'extension de l'avant-bras ?

tels le muscle droit de la cuisse et le muscle sartorius, est plus complexe que celle des muscles qui croisent une seule articulation.

APPLICATION CLINIQUE
Ténosynovite

La **ténosynovite** est une inflammation des tendons, des gaines de tendons et des membranes synoviales qui entourent certaines articulations. Les tendons le plus souvent touchés sont ceux des poignets, des épaules, des coudes (comme dans le cas de l'épicondylite des joueurs de tennis), des articulations des doigts (comme dans le cas du doigt à ressort), des chevilles et des pieds. On observe parfois une tuméfaction des gaines affectées en raison de l'accumulation de liquide. Les mouvements des régions enflammées s'accompagnent fréquemment de sensibilité et de douleurs. Ce trouble est souvent lié à un traumatisme, à une foulure ou à des exercices excessifs. La ténosynovite du dos du pied peut être causée par des chaussures lacées trop serrées. Par ailleurs, les gymnastes sont prédisposés à l'apparition de l'affection par suite de l'hyperextension maximale chronique et répétitive des poignets. ■

1. Décrivez, à l'aide des termes *origine*, *insertion* et *ventre*, comment les muscles squelettiques produisent les mouvements du corps en tirant sur les os.

Systèmes de levier, avantage et désavantage mécaniques
OBJECTIF

• *Définir le « levier » et son « point d'appui », et comparer les trois genres de leviers quant à la situation du point d'appui, de l'effort et de la résistance.*

Lorsqu'ils participent à la production des mouvements, les os jouent le rôle de leviers et les articulations leur servent de points d'appui. On peut définir le **levier** comme une tige rigide qui pivote par rapport à un point fixe appelé **point d'appui**, représenté par la lettre A. Deux forces, appliquées à deux endroits différents, s'exercent sur le levier : l'**effort** (E) qui cause le mouvement et la **résistance** R, ou *charge*, qui s'y oppose. L'effort est la force exercée par la contraction musculaire, alors que la résistance est, le plus souvent, le poids de la partie du corps qui se déplace. Le mouvement est produit quand l'effort appliqué sur l'os au point d'insertion dépasse la résistance (charge). Considérons le muscle biceps brachial qui fléchit l'avant-bras au niveau du coude pour soulever un objet (voir la figure 11.1b). Quand l'avant-bras est levé, le coude est le point d'appui. Le poids de l'avant-bras plus celui de l'objet dans la main constituent la résistance. La force de contraction du biceps brachial qui élève l'avant-bras constitue l'effort.

L'action du levier est un compromis entre, d'une part, l'effort et, d'autre part, la vitesse et l'amplitude du mouvement. Deux situations se présentent. Dans la première, le levier fonctionne avec un *avantage mécanique* – c'est un levier de **puissance** – quand un effort moins grand peut déplacer une résistance plus grande. Dans ce cas, l'effort doit se déplacer sur une plus grande distance (son amplitude doit être plus grande) et avec plus de rapidité que la résistance. Rappelez-vous que l'amplitude de mouvement est la mesure de la mobilité des os compris dans une articulation, exprimée en degrés d'angle dans un cercle. Le levier formé par la mandibule au niveau de l'articulation temporo-mandibulaire (point d'appui) et l'effort produit par la contraction des muscles de la mâchoire créent un puissant avantage mécanique qui permet de broyer les aliments. Dans la seconde situation, le levier fonctionne avec un *désavantage mécanique* lorsqu'un effort plus grand déplace une plus petite résistance. Dans ce cas, l'effort doit parcourir une plus petite distance que la résistance, et ce plus lentement. Le levier formé par l'humérus au niveau de l'articulation de l'épaule (point d'appui) et l'effort produit par les muscles du dos et des épaules créent un désavantage mécanique qui permet à un lanceur de baseball professionnel d'envoyer la balle à près de 160 km à l'heure !

La situation du point d'application de l'effort, de la résistance et du point d'appui sur le levier déterminent si le système fonctionne avec un avantage ou un désavantage mécanique. Quand la résistance est située près du point d'appui et que l'effort s'exerce plus loin, le levier fonctionne avec un avantage mécanique. Au cours de la mastication, la résistance (nourriture) est située près du point d'appui (articulation temporo-mandibulaire) alors que les muscles de la mâchoire produisent un effort qui s'applique à une plus grande distance de l'articulation. À l'inverse, quand l'effort est appliqué près du point d'appui et que la résistance est située plus loin, le levier fonctionne avec un désavantage mécanique. Quand un lanceur de baseball envoie la balle au marbre, les muscles du dos et de l'épaule déploient un énorme effort très près du point d'appui (articulation de l'épaule) alors qu'une résistance légère (balle) est projetée à l'extrémité éloignée du levier (os du bras).

Il existe trois types de leviers selon la situation du point d'appui, de la résistance et du point d'application de l'effort.

1. Dans les **leviers du premier genre,** le point d'appui se situe entre l'effort et la résistance (figure 11.2a). (Pensez EAR.) La bascule en est un exemple. Ce type de levier peut produire un avantage ou un désavantage mécanique selon que c'est l'effort ou la résistance qui se trouve le plus près du point d'appui. Comme nous l'avons constaté dans les exemples précédents, si l'effort est plus éloigné du point d'appui que la résistance, une grande résistance peut être déplacée, mais seulement sur une distance assez courte et à vitesse réduite. Si l'effort est plus proche du point d'appui que la résistance, une résistance plus faible sera déplacée, mais elle peut aller très loin, et ce rapidement.

On trouve peu de leviers du premier genre dans le corps. L'un d'eux est formé par la tête qui repose sur la colonne vertébrale (voir la figure 11.2a). Quand on lève la tête, le poids de la partie antérieure du crâne est la résistance. L'articulation entre l'atlas et l'os occipital (articulation atlanto-occipitale) constitue le point d'appui. La contraction des muscles postérieurs du cou fournit l'effort.

2. Dans les **leviers du deuxième genre,** la résistance est située entre le point d'appui et l'effort (figure 11.2b). (Pensez ARE.) Ces leviers, dont la brouette est un exemple, produisent toujours un avantage mécanique parce que la résistance est toujours plus proche du point d'appui que l'effort. Dans le corps, cette disposition sacrifie la vitesse et l'amplitude du mouvement à la puissance. La plupart des experts estiment qu'il y a très peu d'exemples de leviers du deuxième genre dans le corps. L'avant-pied, les os du tarse et les muscles du mollet en forment un. Quand on se tient sur la pointe des pieds, l'avant-pied est le point d'appui, le poids du corps est la résistance et la contraction des muscles du mollet fournit l'effort qui soulève le talon du sol.

Figure 11.2 Genres de leviers.

On trouve trois genres de leviers selon la situation du point d'appui, de la résistance et de l'effort.

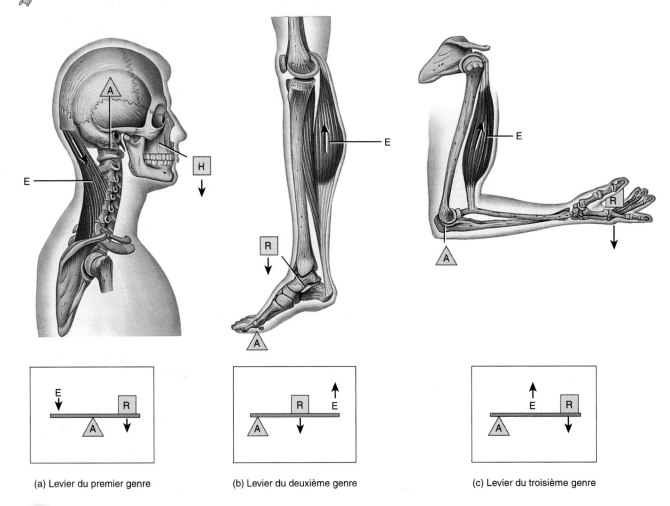

(a) Levier du premier genre

(b) Levier du deuxième genre

(c) Levier du troisième genre

Q Quel type de levier est le plus puissant?

3. Dans les **leviers du troisième genre,** l'effort s'applique entre le point d'appui et la résistance (figure 11.2c). (Pensez AER.) Ce sont les leviers les plus répandus dans le corps. Ils produisent toujours un désavantage mécanique parce que l'effort est toujours plus proche du point d'appui que la résistance. Ils favorisent la vitesse et l'amplitude du mouvement aux dépens de la puissance. L'articulation du coude, les os du bras et de l'avant-bras, et le muscle biceps brachial en sont un exemple (voir la figure 11.2c). Comme nous l'avons constaté, lorsqu'il y a flexion de l'avant-bras au niveau du coude, le poids de la main et de l'avant-bras est la résistance, l'articulation du coude est le point d'appui et la contraction du muscle biceps brachial fournit l'effort. L'adduction de la cuisse est un autre exemple de levier du troisième genre. Dans ce cas, la cuisse est la résistance, l'articulation de la hanche est le point d'appui et la contraction des muscles adducteurs est l'effort.

Effets de l'agencement des faisceaux

OBJECTIF

• *Identifier les différents agencements des fibres musculaires dans un muscle squelettique et mettre ces agencements en rapport avec la force de la contraction et l'amplitude du mouvement.*

Nous avons vu au chapitre 10 que les fibres musculaires, ou myocytes, sont réunies en **faisceaux** dans les muscles. Les fibres musculaires sont parallèles les unes aux autres à l'intérieur de chaque faisceau, mais les faisceaux peuvent être agencés de façons différentes par rapport aux tendons. On reconnaît cinq agencements caractéristiques: parallèle, fusiforme, circulaire, triangulaire et penniforme (tableau 11.1).

Tableau 11.1 Agencement des faisceaux

PARALLÈLE	FUSIFORME
Les faisceaux sont parallèles à l'axe longitudinal du muscle ; ils se terminent à l'une ou l'autre extrémité par des tendons plats.	Les faisceaux sont presque parallèles à l'axe longitudinal du muscle ; ils se terminent aux extrémités par des tendons plats ; le muscle va en s'effilant vers les tendons ; son diamètre est plus grand au niveau du ventre.

Exemple : Muscle stylo-hyoïdien (voir la figure 11.8)

Exemple : Muscle digastrique (voir la figure 11.8)

CIRCULAIRE	TRIANGULAIRE
Les faisceaux sont disposés en cercles concentriques ; ils forment les muscles sphincters qui entourent certains orifices.	Les faisceaux sont étalés sur une grande superficie et convergent vers un gros tendon central ; la forme du muscle rappelle celle d'un triangle.

Exemple : Muscle orbiculaire de l'œil (voir la figure 11.4)

Exemple : Muscle grand pectoral (voir la figure 11.3a)

PENNIFORME

Les faisceaux sont courts par rapport à la longueur totale du muscle ; le tendon s'étend sur presque toute la longueur du muscle.

Unipenné	Bipenné	Multipenné
Les faisceaux sont disposés d'un seul côté du tendon.	Les faisceaux sont disposés de part et d'autre d'un tendon central.	Les faisceaux s'implantent obliquement de maintes directions sur plusieurs tendons.

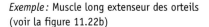

Exemple : Muscle long extenseur des orteils (voir la figure 11.22b)

Exemple : Muscle droit de la cuisse (voir la figure 11.20a)

Exemple : Muscle deltoïde (voir la figure 11.10a)

L'agencement des faisceaux influe sur la puissance et l'amplitude du mouvement d'un muscle. Quand une fibre musculaire se contracte, elle ne mesure que 70 % de sa longueur au repos. Ainsi, plus les fibres sont longues, plus l'amplitude du mouvement qu'elles peuvent produire est grande. Par ailleurs, la force d'un muscle dépend du nombre total de fibres qu'il contient, parce qu'une fibre courte peut se contracter avec autant de vigueur qu'une fibre longue.

Puisqu'un muscle donné peut contenir soit un petit nombre de fibres longues, soit un grand nombre de fibres courtes, l'agencement des faisceaux constitue un compromis entre la puissance et l'amplitude du mouvement. Par exemple, les muscles penniformes possèdent un grand nombre de faisceaux distribués sur la longueur de leurs tendons, ce qui leur confère une plus grande puissance mais diminue l'amplitude de leur mouvement. À l'inverse, les muscles parallèles possèdent un plus petit nombre de faisceaux qui s'étendent sur toute la longueur du muscle, ce qui leur confère une plus grande amplitude mais diminue leur puissance.

Coordination des groupes musculaires

OBJECTIF

• *Expliquer comment l'agoniste, l'antagoniste, le synergiste et le fixateur d'un groupe musculaire se complètent pour produire le mouvement.*

La plupart des mouvements sont produits par plusieurs muscles squelettiques qui exercent leur action en groupes plutôt que seuls. La majorité des muscles squelettiques forment des paires qui s'opposent (sont antagonistes) de part et d'autre d'une articulation – fléchisseur-extenseur, abducteur-adducteur et ainsi de suite. Dans le cas des paires opposées, un des muscles, appelé **agoniste** (*agônistês* = qui lutte), se contracte pour produire l'effet souhaité alors que l'autre muscle, appelé **antagoniste** (*anta* = face à face), s'étire et cède à l'action du premier. Par exemple, lorsqu'on plie l'avant-bras au niveau du coude, le muscle biceps brachial est l'agoniste et le muscle triceps brachial, l'antagoniste (voir la figure 11.1). L'antagoniste et l'agoniste sont habituellement situés de part et d'autre de l'os ou de l'articulation, comme c'est le cas dans notre exemple.

Toutefois, il ne faut pas en conclure que le biceps brachial est toujours l'agoniste et le triceps brachial toujours l'antagoniste. Quand on allonge l'avant-bras, le triceps brachial devient l'agoniste et le biceps brachial, l'antagoniste; leurs rôles sont inversés. Notez que si l'agoniste et l'antagoniste se contractaient en même temps avec autant de force, il n'y aurait pas de mouvement.

On trouve un grand nombre d'exemples d'agonistes qui traversent plusieurs articulations avant d'atteindre celle où a lieu leur principale action. Ainsi, le biceps brachial franchit à la fois l'articulation de l'épaule et celle du coude, alors que son action principale s'exerce sur l'avant-bras. Pour prévenir les mouvements indésirables ou encore pour faciliter l'action de l'agoniste, des muscles appelés **synergistes** (*sun* = ensemble; *ergon* = travail) se contractent et stabilisent les articulations intermédiaires. Ainsi, les muscles fléchisseurs des doigts (agonistes) traversent les articulations intercarpiennes et radio-carpienne (articulations intermédiaires). Si le mouvement était complètement libre au niveau de ces articulations, il serait impossible de plier les doigts sans fléchir le poignet en même temps. La contraction synergique des muscles extenseurs du poignet stabilise ses articulations et les empêche de bouger (mouvement indésirable) pendant que les muscles fléchisseurs des doigts se contractent pour réaliser une flexion efficace des doigts (action principale). En règle générale, les synergistes sont situés très près de l'agoniste.

Parmi les muscles qui font partie d'un groupe, certains jouent le rôle de **fixateurs.** Ils stabilisent l'origine de l'agoniste afin que celui-ci puisse agir avec plus d'efficacité. Les fixateurs assujettissent l'extrémité proximale d'un membre pendant que l'extrémité distale décrit un mouvement. Par exemple, la scapula est un os de la ceinture scapulaire aux mouvements libres qui sert de point d'origine à plusieurs muscles liés aux mouvements du bras. Mais quand les muscles des bras se contractent, la scapula doit être maintenue en place. Cette fonction est assurée par des muscles fixateurs qui immobilisent la scapula en la maintenant contre la partie postérieure du thorax. Au cours de l'abduction du bras, le muscle deltoïde joue le rôle d'agoniste, alors que des fixateurs (muscles petit pectoral, trapèze, subclavier, dentelé antérieur et autres) maintiennent fermement la scapula (voir la figure 11.14). Ces fixateurs stabilisent la scapula, qui sert de point d'attache pour l'origine du muscle deltoïde, pendant que l'insertion du muscle tire sur l'humérus et entraîne l'abduction du bras. Selon le cas, c'est-à-dire selon le mouvement souhaité, plusieurs muscles peuvent fonctionner, à différents moments, comme agoniste, antagoniste, synergiste ou fixateur.

1. Décrivez les trois genres de leviers et donnez un exemple de chacun dans le corps.
2. Décrivez les divers agencements de faisceaux musculaires.
3. Définissez les rôles de l'agoniste, de l'antagoniste, du synergiste et du fixateur dans l'accomplissement des mouvements.

COMMENT LES MUSCLES SQUELETTIQUES SONT NOMMÉS

OBJECTIF

• *Expliquer sept caractéristiques utilisées pour nommer les muscles squelettiques.*

Les noms de la plupart des quelque 700 muscles squelettiques sont fondés sur plusieurs caractéristiques. Apprendre les termes qui se rapportent à ces caractéristiques vous aidera à retenir les noms des muscles. Le nom d'un muscle donné peut être le reflet d'un grand nombre de caractéristiques mais, parmi celles-ci, les plus importantes sont la direction des fibres musculaires, la taille, la forme, l'action, le nombre d'origines et la situation du muscle, ainsi que ses points d'origine et d'insertion (tableau 11.2).

1. Choisissez dix muscles présentés dans la figure 11.3 et relevez les caractéristiques sur lesquelles leur nom est fondé. (INDICE: *Utilisez le préfixe, le suffixe et la racine de chaque nom comme guide.*)

Tableau 11.2 Caractéristiques utilisées pour nommer les muscles

NOM	SIGNIFICATION	EXEMPLE	FIGURE
DIRECTION : Orientation des fibres musculaires par rapport à la ligne médiane du corps.			
Droit	parallèle à la ligne médiane	Droit de l'abdomen	11.10b
Transverse	perpendiculaire à la ligne médiane	Transverse de l'abdomen	11.10b
Oblique	oblique par rapport à la ligne médiane	Oblique externe de l'abdomen	11.10a
TAILLE : Taille relative du muscle.			
Grand	—	Grand fessier	11.20c
Petit	—	Petit fessier	11.20c
Long	—	Long adducteur	11.20a
Court	—	Court fibulaire	11.22b
Longissimus	le plus long	Longissimus de la tête	11.19a
Vaste	très grand	Vaste latéral	11.20a
FORME : Forme approximative du muscle.			
Deltoïde	triangulaire	Deltoïde	11.10a
Trapèze	trapézoïdal	Trapèze	11.3b
Dentelé	en dents de scie	Dentelé antérieur	11.14b
Rhomboïde	en losange	Grand rhomboïde	11.15c
Orbiculaire	circulaire	Orbiculaire de l'œil	11.4a
Pectiné	en forme de peigne	Pectiné	11.20a
Piriforme	en forme de poire	Piriforme	11.20c
Platys	plat	Platysma	11.4a
Carré	carré	Carré fémoral	11.20c
Gracile	mince	Gracile	11.20a
ACTION : Principale action du muscle.			
Fléchisseur	ferme l'angle de l'articulation	Fléchisseur radial du carpe	11.17a
Extenseur	ouvre l'angle de l'articulation	Extenseur ulnaire du carpe	11.17c
Abducteur	éloigne l'os de la ligne médiane	Long abducteur du pouce	11.17c
Adducteur	rapproche l'os de la ligne médiane	Long adducteur	11.20a
Élévateur	produit un mouvement vers le haut	Élévateur de la scapula	11.14a
Abaisseur	produit un mouvement vers le bas	Abaisseur de la lèvre inférieure	11.4b
Supinateur	tourne la paume vers le haut ou le devant	Supinateur	11.17b
Pronateur	tourne la paume vers le bas ou l'arrière	Rond pronateur	11.17a
Sphincter	réduit la taille d'une ouverture	Sphincter externe de l'anus	11.12
Tenseur	donne de la rigidité à une partie du corps	Tenseur du fascia lata	11.20a
Obturateur	tourne l'os autour de son axe longitudinal	Obturateur externe	11.20b
NOMBRE DE CHEFS : Nombre de tendons d'origine.			
Biceps	deux chefs	Biceps brachial	11.16a
Triceps	trois chefs	Triceps brachial	11.16b
Quadriceps	quatre chefs	Quadriceps fémoral	11.20a

SITUATION : Structure près de laquelle le muscle se trouve. *Exemple :* frontal, muscle qui est situé près de l'os frontal (figure 11.4a).

ORIGINE ET INSERTION : Points d'attache des muscles. *Exemple :* sterno-cléido-mastoïdien, muscle dont l'origine est sur le sternum et la clavicule, et l'insertion sur le processus mastoïde de l'os temporal (figure 11.3a).

PRINCIPAUX MUSCLES SQUELETTIQUES

Les exposés 11.1 à 11.20 vous aideront à apprendre les noms des principaux muscles squelettiques des diverses régions du corps. Les muscles présentés dans ces exposés sont répartis en groupes selon la partie du corps sur laquelle ils agissent. En étudiant ces groupes de muscles, consultez la figure 11.3 pour bien voir les rapports qui existent entre chacun d'eux.

Les exposés fournissent les renseignements suivants :

- *Objectif.* Ces énoncés décrivent les principales connaissances que vous êtes invités à acquérir en étudiant les exposés.

- *Survol.* Cette section indique, de manière générale, les muscles qui seront étudiés et souligne comment ils sont organisés dans les différentes régions du corps. Elle attire également votre attention sur certains traits caractéristiques ou particulièrement intéressants des muscles.

- *Nom des muscles.* Les racines indiquent l'origine des noms de muscles. Lorsque vous aurez maîtrisé l'étymologie des muscles, leur action vous paraîtra plus claire.

- *Origine, insertion et action.* Pour chaque muscle, vous trouverez son origine et son insertion (points d'attache aux os ou autres structures) ainsi que son action, c'est-à-dire les principaux mouvements que sa contraction engendre.

- *Innervation.* Cette section indique quels nerfs innervent les muscles présentés. En général, les muscles de la tête sont desservis par les nerfs crâniens, qui prennent naissance dans la partie inférieure de l'encéphale, alors que les muscles du reste du corps sont innervés par les nerfs spinaux, qui prennent naissance dans la moelle épinière à l'intérieur de la colonne vertébrale. Les nerfs crâniens portent un nom et un chiffre romain entre parenthèses – par exemple, le nerf facial (VII). Les nerfs spinaux sont numérotés par groupes selon la partie de la moelle épinière dont ils sont issus : C = cervical (région du cou), T = thoracique (région de la poitrine), L = lombaire (région du bas du dos) et S = sacral (région des fesses). Par exemple, T1 est le premier nerf spinal thoracique.

- *Muscles et mouvements.* Les exercices proposés dans cette section vous permettront d'organiser les muscles d'une région du corps selon l'action commune qu'ils effectuent.

- *Figures.* Les figures présentent des plans superficiels et profonds, des vues antérieures et postérieures ou médiales et latérales, qui mettent en évidence le plus clairement possible la situation de chaque muscle. *Les muscles dont le nom figure en lettres majuscules sont traités dans le tableau qui fait partie de l'exposé.* Un grand nombre de structures de référence (tels les vaisseaux sanguins et les nerfs) seront examinées plus en détail dans des chapitres ultérieurs.

Voici la liste des exposés et des figures correspondantes où sont représentés et décrits les principaux muscles squelettiques :

Exposé 11.1 Muscles de l'expression faciale (figure 11.4), p. 331.

Exposé 11.2 Muscles des mouvements des yeux – muscles extrinsèques (figure 11.5), p. 335.

Exposé 11.3 Muscles des mouvements de la mandibule (mâchoire inférieure) (figure 11.6), p. 337.

Exposé 11.4 Muscles des mouvements de la langue – muscles extrinsèques (figure 11.7), p. 339.

Exposé 11.5 Muscles du plancher de la cavité orale (bouche) (figure 11.8), p. 341.

Exposé 11.6 Muscles des mouvements de la tête (figure 11.9), p. 343.

Exposé 11.7 Muscles qui agissent sur la paroi abdominale (figure 11.10), p. 345.

Exposé 11.8 Muscles de la respiration (figure 11.11), p. 348.

Exposé 11.9 Muscles du plancher pelvien (figure 11.12), p. 350.

Exposé 11.10 Muscles du périnée (figures 11.12 et 11.13), p. 352.

Exposé 11.11 Muscles des mouvements de la ceinture scapulaire (figure 11.14), p. 354.

Exposé 11.12 Muscles des mouvements de l'humérus (bras) (figure 11.15), p. 357.

Exposé 11.13 Muscles des mouvements du radius et de l'ulna (avant-bras) (figure 11.16), p. 361.

Exposé 11.14 Muscles des mouvements du poignet, de la main et des doigts (figure 11.17), p. 365.

Exposé 11.15 Muscles intrinsèques de la main (figure 11.18), p. 370.

Exposé 11.16 Muscles des mouvements de la colonne vertébrale (figure 11.19), p. 373.

Exposé 11.17 Muscles des mouvements du fémur (cuisse) (figure 11.20), p. 378.

Exposé 11.18 Muscles qui agissent sur le fémur (cuisse) et sur le tibia et la fibula (jambe) (figures 11.20 et 11.21), p. 383.

Exposé 11.19 Muscles des mouvements du pied et des orteils (figure 11.22), p. 386.

Exposé 11.20 Muscles intrinsèques du pied (figure 11.23), p. 391.

Figure 11.3 Principaux muscles squelettiques superficiels.

La plupart des mouvements sont effectués par des muscles squelettiques qui fonctionnent en groupes plutôt qu'individuellement.

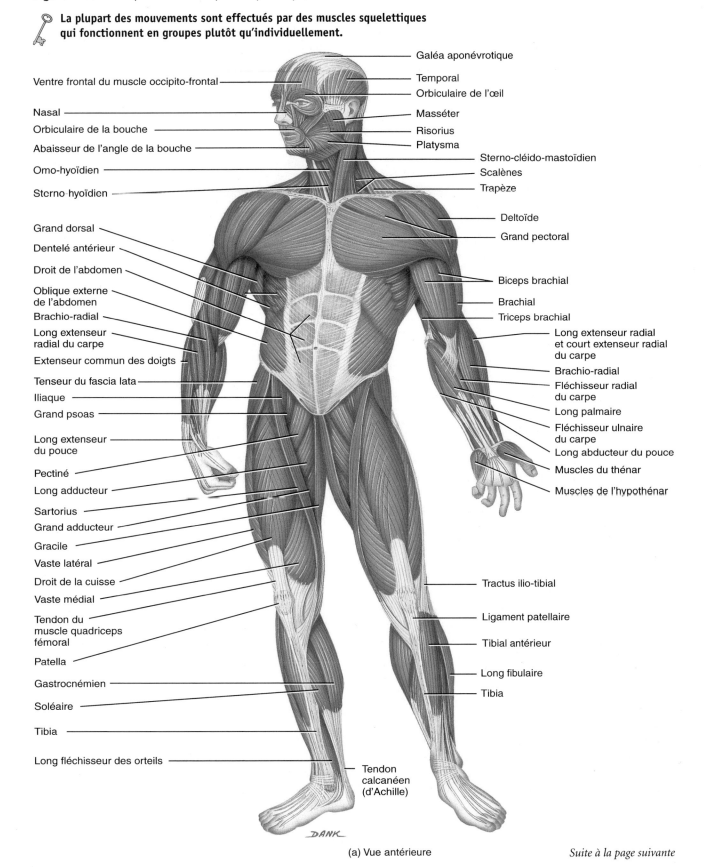

Galéa aponévrotique

Ventre frontal du muscle occipito-frontal

Temporal

Orbiculaire de l'œil

Nasal

Masséter

Orbiculaire de la bouche

Risorius

Abaisseur de l'angle de la bouche

Platysma

Sterno-cléido-mastoïdien

Omo-hyoïdien

Scalènes

Sterno-hyoïdien

Trapèze

Deltoïde

Grand dorsal

Grand pectoral

Dentelé antérieur

Droit de l'abdomen

Biceps brachial

Oblique externe de l'abdomen

Brachial

Triceps brachial

Brachio-radial

Long extenseur radial du carpe

Long extenseur radial et court extenseur radial du carpe

Extenseur commun des doigts

Brachio-radial

Tenseur du fascia lata

Fléchisseur radial du carpe

Iliaque

Grand psoas

Long palmaire

Fléchisseur ulnaire du carpe

Long extenseur du pouce

Long abducteur du pouce

Pectiné

Muscles du thénar

Long adducteur

Muscles de l'hypothénar

Sartorius

Grand adducteur

Gracile

Vaste latéral

Droit de la cuisse

Tractus ilio-tibial

Vaste médial

Ligament patellaire

Tendon du muscle quadriceps fémoral

Tibial antérieur

Patella

Gastrocnémien

Long fibulaire

Soléaire

Tibia

Tibia

Long fléchisseur des orteils

Tendon calcanéen (d'Achille)

DANK

(a) Vue antérieure

Suite à la page suivante

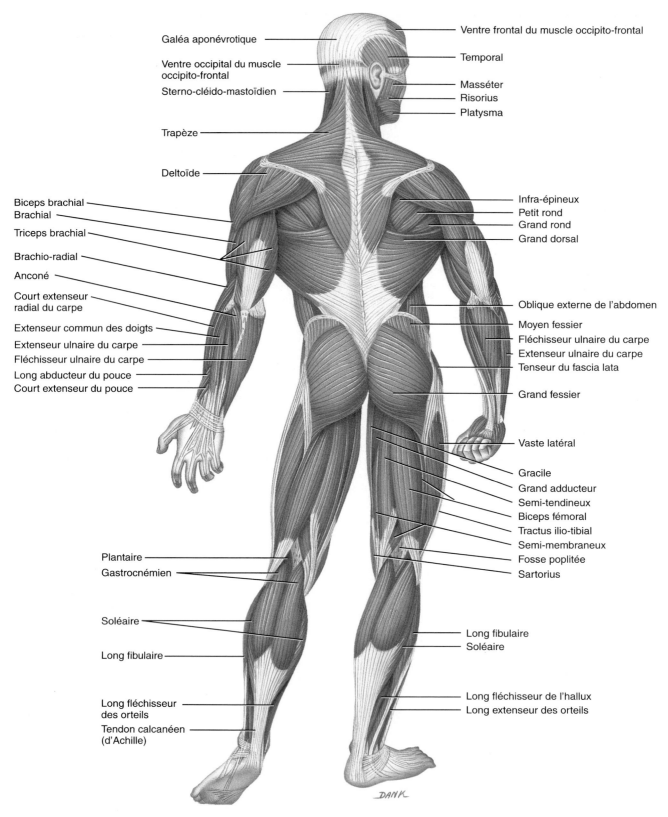

Galéa aponévrotique

Ventre occipital du muscle occipito-frontal

Sterno-cléido-mastoïdien

Trapèze

Deltoïde

Biceps brachial
Brachial
Triceps brachial
Brachio-radial
Anconé
Court extenseur radial du carpe
Extenseur commun des doigts
Extenseur ulnaire du carpe
Fléchisseur ulnaire du carpe
Long abducteur du pouce
Court extenseur du pouce

Plantaire
Gastrocnémien

Soléaire

Long fibulaire

Long fléchisseur des orteils

Tendon calcanéen (d'Achille)

Ventre frontal du muscle occipito-frontal

Temporal

Masséter
Risorius
Platysma

Infra-épineux
Petit rond
Grand rond
Grand dorsal

Oblique externe de l'abdomen

Moyen fessier
Fléchisseur ulnaire du carpe
Extenseur ulnaire du carpe
Tenseur du fascia lata

Grand fessier

Vaste latéral

Gracile
Grand adducteur
Semi-tendineux
Biceps fémoral
Tractus ilio-tibial
Semi-membraneux
Fosse poplitée
Sartorius

Long fibulaire
Soléaire

Long fléchisseur de l'hallux
Long extenseur des orteils

(b) Vue postérieure

 Donnez un exemple de nom de muscle correspondant à chacune des caractéristiques suivantes: direction des fibres, forme, action, taille, origine et insertion, situation et nombre de tendons d'origine (ou chefs).

Exposé 11.1 — *Muscles de l'expression faciale (figure 11.4)*

OBJECTIF

• *Décrire l'origine, l'insertion, l'action et l'innervation des muscles de l'expression faciale.*

Les muscles de ce groupe fournissent aux humains le moyen d'exprimer un grand éventail d'émotions. Les muscles eux-mêmes se situent sous les couches de l'hypoderme. En règle générale, leur point d'origine est l'hypoderme ou les os du crâne et leur point d'insertion est la peau. C'est pourquoi, quand ils se contractent, les muscles de l'expression faciale impriment un mouvement à la peau plutôt qu'à une articulation.

Parmi les muscles les plus remarquables de ce groupe, citons ceux qui entourent les orifices de la tête tels que les yeux, le nez et la bouche. Ces muscles agissent comme des *sphincters,* qui ferment les orifices, et des *dilatateurs,* qui les ouvrent. Par exemple, le muscle **orbiculaire de l'œil** ferme l'œil, alors que le muscle **élévateur de la paupière supérieure** l'ouvre. L'**épicrânien** est un muscle exceptionnel de ce groupe parce qu'il est constitué de deux parties : une partie antérieure, appelée **ventre frontal du muscle occipito-frontal,** qui recouvre l'os frontal, et une partie postérieure, appelée **ventre occipital du muscle occipito-frontal,** qui repose sur l'os occipital. Les deux ventres musculaires sont reliés par une aponévrose (tendon large et aplati) résistante, la **galéa aponévrotique** (*galea* = casque) ou *aponévrose épicrânienne,* qui couvre les faces supérieure et latérales du crâne. Le muscle **buccinateur** forme la principale partie musculaire de la joue. Il permet de siffler, de souffler et d'aspirer. Il joue également un rôle secondaire dans la mastication. Il est percé par le conduit de la glande parotide (glande salivaire) qui se rend à la cavité orale. On l'appelle buccinateur parce qu'il comprime les joues (*bucca* = bouche) quand on souffle – par exemple lorsqu'un musicien joue d'un instrument à vent, comme la trompette.

INNERVATION

Tous les muscles sont innervés par le nerf facial (VII), sauf le muscle élévateur de la paupière supérieure, qui est innervé par le nerf oculo-moteur (III).

APPLICATION CLINIQUE
Paralysie de Bell

La **paralysie de Bell,** aussi appelée **paralysie faciale,** est une paralysie unilatérale des muscles de l'expression faciale consécutive à une lésion ou à une maladie du nerf facial (VII). Bien que la cause de l'affection soit inconnue, certains spécialistes ont avancé qu'elle pouvait résulter d'une inflammation du nerf facial ou être reliée à l'herpèsvirus. Dans les cas graves, la paralysie cause l'affaissement de tout un côté du visage et la personne est incapable de plisser le front, de fermer l'œil ou d'avancer les lèvres de ce côté. Elle éprouve aussi de la difficulté à avaler et peut être portée à baver. Quatre-vingts pour cent des patients se rétablissent complètement en quelques semaines ou quelques mois. Pour les autres, la paralysie est permanente. ■

MUSCLES ET MOUVEMENTS

Classez les muscles du présent exposé en deux groupes : 1) ceux qui agissent sur la bouche et 2) ceux qui agissent sur les yeux.

Quels muscles utiliseriez-vous pour accomplir les actions suivantes : paraître étonné, exprimer de la tristesse, montrer les dents de la mâchoire supérieure, avancer les lèvres, plisser les yeux, gonfler un ballon ?

MUSCLE	ORIGINE	INSERTION	ACTION
Épicrânien (*epi* = sur ; *kranion* = crâne)			
Ventre frontal du muscle occipito-frontal (*occiput* = base du crâne)	Galéa aponévrotique.	Peau au-dessus du bord supra-orbitaire.	Tire le cuir chevelu en avant, relève les sourcils et plisse la peau du front horizontalement.
Ventre occipital du muscle occipito-frontal	Os occipital et processus mastoïde de l'os temporal.	Galéa aponévrotique.	Tire le cuir chevelu en arrière.
Orbiculaire de la bouche (*orbis* = cercle)	Fibres musculaires entourant l'ouverture de la bouche.	Peau du coin de la bouche.	Ferme et avance les lèvres, les comprime contre les dents et les place de manière à permettre la formation des mots.

Exposé 11.1	Muscles de l'expression faciale (suite)

MUSCLE	ORIGINE	INSERTION	ACTION
Grand zygomatique (*dzugoûn* = joindre)	Os zygomatique.	Peau à l'angle de la bouche et orbiculaire de la bouche.	Tire l'angle de la bouche vers le haut et le côté, comme pour sourire ou rire.
Petit zygomatique	Os zygomatique.	Lèvre supérieure.	Relève la lèvre supérieure et expose les dents du maxillaire.
Releveur de la lèvre supérieure	Au-dessus du foramen infra-orbitaire du maxillaire.	Peau à l'angle de la bouche et orbiculaire de la bouche.	Relève la lèvre supérieure.
Abaisseur de la lèvre inférieure	Mandibule.	Peau de la lèvre inférieure.	Abaisse la lèvre inférieure.
Abaisseur de l'angle de la bouche	Mandibule.	Angle de la bouche.	Tire l'angle de la bouche vers le côté et le bas, comme durant l'ouverture de la bouche.
Buccinateur (*bucca* = bouche)	Processus alvéolaires du maxillaire et de la mandibule, et raphé ptérygo-mandibulaire (lame fibreuse tendue du processus ptérygoïde à la mandibule).	Orbiculaire de la bouche.	Presse les joues contre les dents et les lèvres, comme pour siffler, souffler ou aspirer ; tire le coin de la bouche vers le côté ; facilite la mastication en refoulant la nourriture entre les dents (en l'empêchant de se loger entre les dents et les joues).
Mentonnier	Mandibule.	Peau du menton.	Relève et fait avancer la lèvre inférieure, et relève la peau du menton, comme pour faire la moue.
Platysma (*platus* = large)	Fascia au-dessus des muscles deltoïde et grand pectoral.	Mandibule, muscles autour de l'angle de la bouche et peau du bas du visage.	Tire la partie externe de la lèvre inférieure vers le bas et l'arrière comme pour faire la moue ; abaisse la mandibule.
Risorius (= riant)	Fascia au-dessus de la glande parotide (glande salivaire).	Peau à l'angle de la bouche.	Tire l'angle de la bouche vers le côté ; marque la tension.
Orbiculaire de l'œil	Paroi médiale de l'orbite.	Ligne circulaire autour de l'orbite.	Ferme l'œil.
Corrugateur du sourcil (*corrugo* = froncer)	Extrémité médiale de l'arcade sourcilière de l'os frontal.	Peau du sourcil.	Tire le sourcil vers le bas et plisse la peau du front verticalement (comme pour froncer les sourcils).
Élévateur de la paupière supérieure (voir aussi la figure 11.5a)	Paroi supérieure de l'orbite (petite aile du sphénoïde).	Peau de la paupière supérieure.	Relève la paupière supérieure (ouvre l'œil).

Figure 11.4 Muscles de l'expression faciale.

🔑 **Lorsqu'ils se contractent, les muscles de l'expression faciale mettent en mouvement la peau plutôt qu'une articulation.**

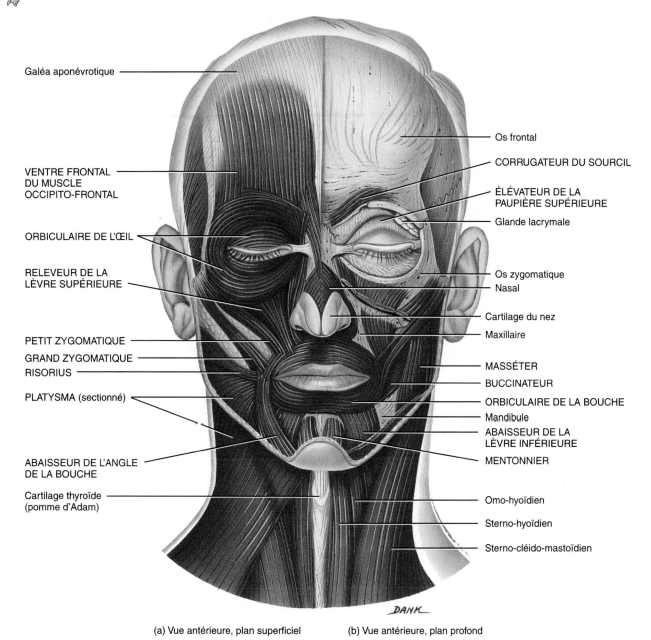

Galéa aponévrotique

Os frontal

VENTRE FRONTAL DU MUSCLE OCCIPITO-FRONTAL

CORRUGATEUR DU SOURCIL

ÉLÉVATEUR DE LA PAUPIÈRE SUPÉRIEURE

ORBICULAIRE DE L'ŒIL

Glande lacrymale

RELEVEUR DE LA LÈVRE SUPÉRIEURE

Os zygomatique

Nasal

Cartilage du nez

Maxillaire

PETIT ZYGOMATIQUE

GRAND ZYGOMATIQUE

RISORIUS

MASSÉTER

BUCCINATEUR

PLATYSMA (sectionné)

ORBICULAIRE DE LA BOUCHE

Mandibule

ABAISSEUR DE LA LÈVRE INFÉRIEURE

MENTONNIER

ABAISSEUR DE L'ANGLE DE LA BOUCHE

Cartilage thyroïde (pomme d'Adam)

Omo-hyoïdien

Sterno-hyoïdien

Sterno-cléido-mastoïdien

DANK

(a) Vue antérieure, plan superficiel   (b) Vue antérieure, plan profond

Suite à la page suivante

Exposé 11.1 *Muscles de l'expression faciale (suite)*

Figure 11.4 (suite)

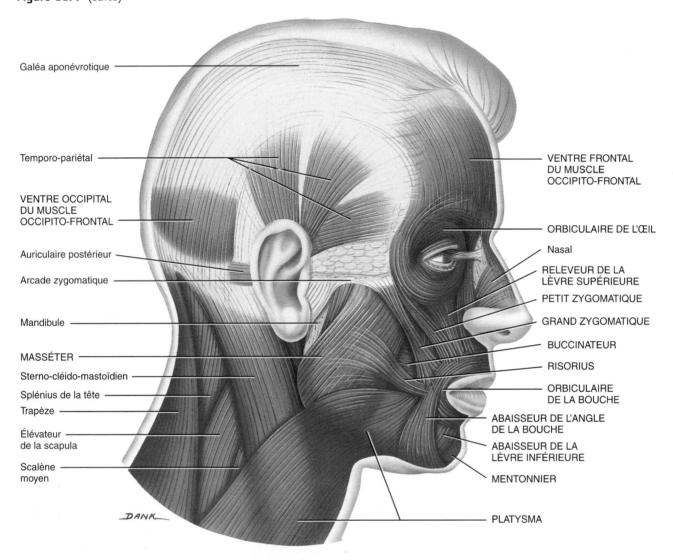

Galéa aponévrotique

Temporo-pariétal

VENTRE OCCIPITAL
DU MUSCLE
OCCIPITO-FRONTAL

Auriculaire postérieur

Arcade zygomatique

Mandibule

MASSÉTER

Sterno-cléido-mastoïdien

Splénius de la tête

Trapèze

Élévateur
de la scapula

Scalène
moyen

DANK

VENTRE FRONTAL
DU MUSCLE
OCCIPITO-FRONTAL

ORBICULAIRE DE L'ŒIL

Nasal

RELEVEUR DE LA
LÈVRE SUPÉRIEURE

PETIT ZYGOMATIQUE

GRAND ZYGOMATIQUE

BUCCINATEUR

RISORIUS

ORBICULAIRE
DE LA BOUCHE

ABAISSEUR DE L'ANGLE
DE LA BOUCHE

ABAISSEUR DE LA
LÈVRE INFÉRIEURE

MENTONNIER

PLATYSMA

(c) Vue latérale droite, plan superficiel

Q   Quels muscles de l'expression faciale sont à l'origine du froncement des sourcils,
du sourire, de la moue et du plissement des yeux ?

Exposé 11.2 — *Muscles des mouvements des yeux – muscles extrinsèques (figure 11.5)*

OBJECTIF

• *Décrire l'origine, l'insertion, l'action et l'innervation des muscles extrinsèques du globe oculaire.*

Les muscles qui permettent le mouvement des yeux sont appelés **muscles extrinsèques** parce qu'ils trouvent leur origine à l'extérieur du globe oculaire (dans l'orbite) et leur insertion, sur la face externe de la sclère («blanc de l'œil»). Ils font partie des muscles squelettiques du corps qui se contractent le plus rapidement et sont commandés avec la plus grande précision.

Les mouvements du globe oculaire relèvent de trois paires de muscles extrinsèques : 1) droit supérieur et droit inférieur, 2) droit latéral et droit médial, et 3) oblique supérieur et oblique inférieur. Les quatre muscles droits (supérieur, inférieur, latéral et médial) prennent naissance sur un anneau tendineux dans l'orbite et s'insèrent sur la sclère de l'œil. Les muscles **droits supérieur** et **inférieur** sont situés dans le même plan vertical, alors que les muscles **droits latéral** et **médial** sont dans le même plan horizontal. L'action des muscles droits découle de leur insertion sur la sclère. Les muscles droits supérieur et inférieur tournent le globe oculaire vers le haut et vers le bas, respectivement ; les muscles droits latéral et médial le tournent vers l'extérieur et l'intérieur, respectivement. Notez que ni le muscle droit supérieur ni le muscle droit inférieur ne tirent suivant une ligne parfaitement parallèle à l'axe long du globe oculaire, si bien que ces deux muscles font également tourner les yeux vers l'intérieur.

En raison des détours qu'ils font dans l'orbite, il n'est pas aussi facile de déduire l'action des muscles obliques (supérieur et inférieur). Par exemple, l'**oblique supérieur** prend son origine à l'arrière près de l'anneau tendineux et se dirige vers l'avant où il se termine par un tendon rond, qui passe dans un deuxième anneau en forme de poulie appelé *trochlée* (*trochlea* = poulie) situé dans la partie antérieure et médiale de la paroi supérieure de l'orbite. Le tendon fait ensuite demi-tour et vient s'insérer sur la face postéro-latérale du globe oculaire. Ainsi, le muscle oblique supérieur tourne l'œil vers le bas et l'extérieur. Le muscle **oblique inférieur** prend son origine sur le maxillaire, sur la face antéromédiale du plancher de l'orbite. Ensuite, il se dirige vers l'arrière et l'extérieur, et s'insère sur la face postéro-latérale du globe oculaire. Par conséquent, il tourne l'œil vers le haut et vers l'extérieur.

INNERVATION

Les muscles droit supérieur, droit inférieur, droit médial et oblique inférieur sont innervés par le nerf oculo-moteur (III) ; le droit latéral est innervé par le nerf abducens (VI) ; l'oblique supérieur est innervé par le nerf trochléaire (IV).

MUSCLES ET MOUVEMENTS

Classez les muscles du présent exposé selon leur action sur le globe oculaire : 1) élévation, 2) abaissement, 3) abduction, 4) adduction, 5) rotation médiale et 6) rotation latérale. Le même muscle peut être mentionné plus d'une fois.

Quels sont les muscles qui se contractent et ceux qui se relâchent dans chaque œil quand on regarde à gauche sans bouger la tête ?

MUSCLE	ORIGINE	INSERTION	ACTION
Droit supérieur	Anneau tendineux commun (fixé à l'orbite autour du canal optique).	Partie supérieure et centrale du globe oculaire.	Tourne le globe oculaire vers le haut (élévation) et l'intérieur (adduction), et lui imprime une rotation médiale.
Droit inférieur	Anneau tendineux commun.	Partie inférieure et centrale du globe oculaire.	Tourne le globe oculaire vers le bas (abaissement) et l'intérieur (adduction), et lui imprime une rotation latérale.
Droit latéral	Anneau tendineux commun.	Face latérale du globe oculaire.	Tourne le globe oculaire vers l'extérieur (abduction).
Droit médial	Anneau tendineux commun.	Face médiale du globe oculaire.	Tourne le globe oculaire vers l'intérieur (adduction).
Oblique supérieur	Os sphénoïde. Le point d'attache est supra-médial par rapport à l'anneau tendineux de l'orbite.	Globe oculaire entre le droit supérieur et le droit latéral. Le muscle s'insère sur les faces supérieure et latérale du globe oculaire par un tendon qui passe dans la trochlée.	Tourne le globe oculaire vers le bas (abaissement) et l'extérieur (abduction), et lui imprime une rotation médiale.
Oblique inférieur	Maxillaire sur le plancher de l'orbite.	Globe oculaire entre le droit inférieur et le droit latéral.	Tourne le globe oculaire vers le haut (élévation) et l'extérieur (abduction), et lui imprime une rotation latérale.

Exposé 11.2 | *Muscles des mouvements des yeux – muscles extrinsèques (suite)*

Figure 11.5 Muscles extrinsèques du globe oculaire.

Les muscles extrinsèques du globe oculaire font partie des muscles squelettiques du corps qui se contractent le plus rapidement et sont commandés avec la plus grande précision.

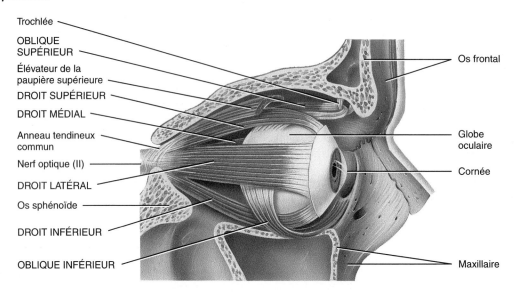

Trochlée
OBLIQUE SUPÉRIEUR
Élévateur de la paupière supérieure
DROIT SUPÉRIEUR
DROIT MÉDIAL
Anneau tendineux commun
Nerf optique (II)
DROIT LATÉRAL
Os sphénoïde
DROIT INFÉRIEUR
OBLIQUE INFÉRIEUR

Os frontal
Globe oculaire
Cornée
Maxillaire

(a) Vue latérale du globe oculaire droit

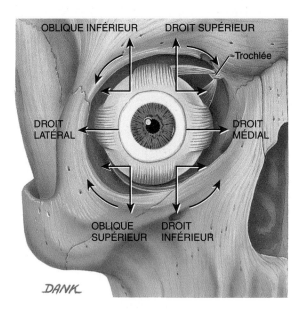

OBLIQUE INFÉRIEUR   DROIT SUPÉRIEUR
Trochlée
DROIT LATÉRAL
DROIT MÉDIAL
OBLIQUE SUPÉRIEUR   DROIT INFÉRIEUR

DANK

(b) Mouvements du globe oculaire droit en réponse à la contraction des muscles extrinsèques

 Pourquoi le muscle oblique inférieur tourne-t-il l'œil vers le haut et l'extérieur ?

| **Exposé 11.3** | *Muscles des mouvements de la mandibule (mâchoire inférieure) (figure 11.6)* |

OBJECTIF

• *Décrire l'origine, l'insertion, l'action et l'innervation des muscles qui font bouger la mandibule.*

Les muscles qui assurent les mouvements de la mandibule (mâchoire inférieure) par rapport à l'articulation temporo-mandibulaire sont appelés muscles masticateurs parce que c'est grâce à eux que nous pouvons mâcher la nourriture. Trois des quatre paires de muscles masticateurs permettent de fermer la mâchoire avec beaucoup de puissance et de mordre avec force : ce sont le **masséter**, le **temporal** et le **ptérygoïdien médial**. Le masséter est le muscle masticateur le plus puissant. Les muscles ptérygoïdien médial et **ptérygoïdien latéral** participent à la mastication en faisant glisser la mandibule latéralement pour broyer la nourriture. De plus, ces muscles effectuent la protrusion de la mandibule.

En 1996, des chercheurs de l'université du Maryland rapportèrent qu'ils avaient identifié un nouveau muscle de la tête, provisoirement nommé *muscle sphéno-mandibulaire*. Ce muscle s'étend de l'os sphénoïde à la mandibule. On pense qu'il s'agit soit d'un cinquième muscle masticateur, soit d'un composant d'un muscle existant (temporal ou ptérygoïdien médial) qui, jusque-là, aurait passé inaperçu.

INNERVATION

Tous les muscles sont innervés par la branche mandibulaire du nerf trijumeau (V), sauf le muscle sphéno-mandibulaire, qui est innervé par la branche maxillaire du nerf trijumeau (V).

MUSCLES ET MOUVEMENTS

Classez les muscles du présent exposé selon leur action sur la mandibule : 1) élévation, 2) abaissement, 3) rétraction, 4) protrusion et 5) va-et-vient latéral. Le même muscle peut être mentionné plus d'une fois.

Que se passerait-il si les muscles masséter et temporal perdaient leur tonus ?

MUSCLE	ORIGINE	INSERTION	ACTION
Masséter (*masêtêr* = masticateur) (voir la figure 11.4c)	Maxillaire et arcade zygomatique.	Angle et branche de la mandibule.	Élève la mandibule, comme durant la fermeture de la bouche, et la rétracte (la tire vers l'arrière).
Temporal (*tempora* = tempes)	Os temporal et frontal.	Processus coronoïde et branche de la mandibule.	Élève et rétracte la mandibule.
Ptérygoïdien médial (*médial* = vers la ligne médiane ; *pterugoeidês* = en forme d'aile)	Face médiale de la partie latérale du processus ptérygoïde de l'os sphénoïde ; maxillaire.	Angle et branche de la mandibule.	Effectue l'élévation, la protrusion et le va-et-vient latéral de la mandibule.
Ptérygoïdien latéral (*latéral* = éloigné de la ligne médiane)	Grande aile et face latérale de la partie latérale du processus ptérygoïde de l'os sphénoïde.	Condyle de la mandibule ; articulation temporo-mandibulaire.	Permet la protrusion de la mandibule, l'abaisse comme durant l'ouverture de la bouche et effectue le va-et-vient latéral de la mâchoire.

Exposé 11.3 *Muscles des mouvements de la mandibule (mâchoire inférieure) (suite)*

Figure 11.6 Muscles des mouvements de la mandibule (mâchoire inférieure).

Les muscles qui font bouger la mandibule sont aussi appelés muscles masticateurs.

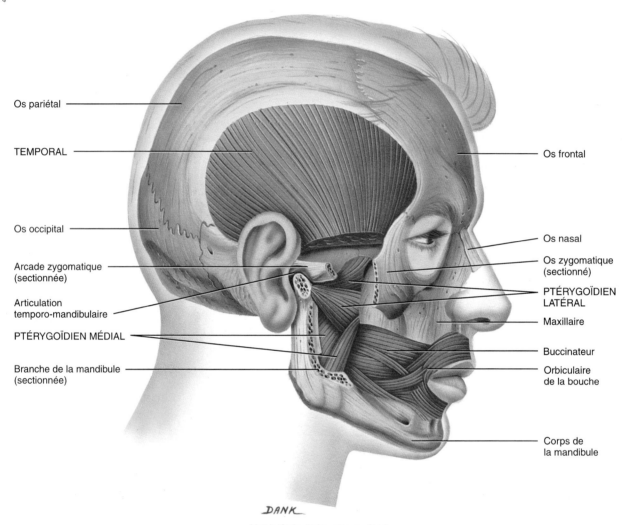

Os pariétal

TEMPORAL

Os occipital

Arcade zygomatique (sectionnée)

Articulation temporo-mandibulaire

PTÉRYGOÏDIEN MÉDIAL

Branche de la mandibule (sectionnée)

Os frontal

Os nasal

Os zygomatique (sectionné)

PTÉRYGOÏDIEN LATÉRAL

Maxillaire

Buccinateur

Orbiculaire de la bouche

Corps de la mandibule

DANK

Vue latérale droite, plan profond

Q Quel est le muscle masticateur le plus puissant?

Exposé 11.4 *Muscles des mouvements de la langue – muscles extrinsèques (figure 11.7)*

OBJECTIF

• *Décrire l'origine, l'insertion, l'action et l'innervation des muscles extrinsèques de la langue.*

La langue est une structure très mobile dont le rôle dans la digestion est primordial. Elle est essentielle à la mastication, à la gustation et à la déglutition. Elle est également importante pour l'élocution. La mobilité de la langue est largement facilitée par sa suspension à la mandibule, au processus styloïde de l'os temporal ainsi qu'à l'os hyoïde.

La langue est divisée en deux moitiés latérales par un septum fibreux médian, qui la traverse sur toute sa longueur. Le septum est attaché par le bas à l'os hyoïde. Les muscles de la langue sont de deux principaux types : extrinsèques et intrinsèques. Les **muscles extrinsèques** trouvent leur origine à l'extérieur de la langue et s'insèrent dans cette dernière. Ils font bouger la langue entière dans plusieurs directions ; par exemple, vers l'avant, vers l'arrière ou de chaque côté. Les **muscles intrinsèques** trouvent leur origine et leur insertion dans la langue elle-même. Ces muscles modifient la forme de la langue, mais ne participent pas à ses mouvements. Les muscles extrinsèques et intrinsèques s'insèrent dans les deux moitiés latérales de la langue.

Vous verrez, en étudiant les muscles extrinsèques, que tous les noms se terminent par *glosse,* ce qui signifie langue. Vous remarquerez également que l'action de ces muscles est évidente, compte tenu de la position de la mandibule, du processus styloïde, de l'os hyoïde et du palais mou qui leur servent de points d'origine. Par exemple, le **génio-glosse** (son origine est sur la mandibule) tire la langue vers le bas et l'avant, le **stylo-glosse** (son origine est sur le processus styloïde) tire la langue vers le haut et l'arrière, l'**hyo-glosse** (son origine est sur l'os hyoïde) tire la langue vers le bas et l'aplatit, et le **palato-glosse** (son origine est sur le palais mou) relève la partie postérieure de la langue.

INNERVATION

Tous les muscles sauf le palato-glosse sont innervés par le nerf hypoglosse (XII). Le palato-glosse est innervé par le plexus pharyngé, qui contient des axones provenant du nerf vague (X) et du nerf accessoire (XI).

APPLICATION CLINIQUE
Intubation pour l'anesthésie

Quand on opère un patient sous anesthésie générale, le muscle génio-glosse se relâche complètement. La langue s'affaisse alors vers l'arrière et risque d'obstruer les voies aériennes qui mènent aux poumons. Pour éviter ce problème, on peut soit tirer la mandibule vers l'avant et l'immobiliser, soit introduire un tube dans la trachée (intubation trachéale) en passant par les lèvres et le laryngopharynx (partie inférieure de la gorge). ■

MUSCLES ET MOUVEMENTS

Classez les muscles du présent exposé selon leur action sur la langue : 1) abaissement, 2) élévation, 3) protrusion et 4) rétraction. Le même muscle peut être mentionné plus d'une fois.

Quand votre médecin vous dit : « Ouvrez la bouche, sortez la langue et faites ah ! », pour qu'il puisse examiner l'intérieur de la bouche et repérer les signes éventuels d'une infection, quels muscles devez-vous contracter ?

MUSCLE	ORIGINE	INSERTION	ACTION
Génio-glosse (*geneion* = menton ; *glôssa* = langue)	Mandibule.	Face inférieure de la langue et os hyoïde.	Abaisse la langue et la pousse vers l'avant (protrusion).
Stylo-glosse (*stulos* = colonne)	Processus styloïde de l'os temporal.	Côté et face inférieure de la langue.	Élève la langue et la tire vers l'arrière (rétraction).
Palato-glosse (*palatum* = palais)	Face antérieure du palais mou.	Côté de la langue.	Élève la partie postérieure de la langue et abaisse le palais mou sur elle.
Hyo-glosse	Grande corne et corps de l'os hyoïde.	Côté de la langue.	Abaisse la langue et en tire les côtés vers le bas.

Exposé 11.4 *Muscles des mouvements de la langue – muscles extrinsèques (suite)*

Figure 11.7 Muscles des mouvements de la langue.

Les muscles extrinsèques et intrinsèques de la langue sont disposés dans les deux moitiés latérales de l'organe.

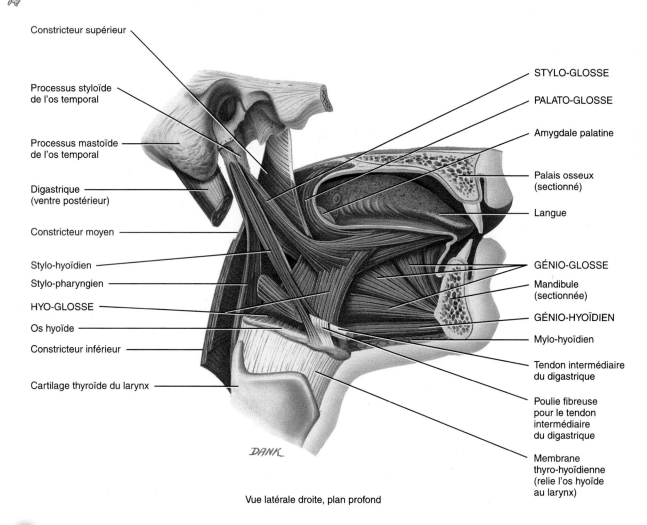

Constricteur supérieur

Processus styloïde de l'os temporal

Processus mastoïde de l'os temporal

Digastrique (ventre postérieur)

Constricteur moyen

Stylo-hyoïdien

Stylo-pharyngien

HYO-GLOSSE

Os hyoïde

Constricteur inférieur

Cartilage thyroïde du larynx

STYLO-GLOSSE

PALATO-GLOSSE

Amygdale palatine

Palais osseux (sectionné)

Langue

GÉNIO-GLOSSE

Mandibule (sectionnée)

GÉNIO-HYOÏDIEN

Mylo-hyoïdien

Tendon intermédiaire du digastrique

Poulie fibreuse pour le tendon intermédiaire du digastrique

Membrane thyro-hyoïdienne (relie l'os hyoïde au larynx)

DANK

Vue latérale droite, plan profond

Q Quelles sont les fonctions de la langue ?

Exposé 11.5 *Muscles du plancher de la cavité orale (bouche) (figure 11.8)*

OBJECTIF

- *Décrire l'origine, l'insertion, l'action et l'innervation des muscles du plancher de la cavité orale.*

Deux groupes de muscles sont associés au côté antérieur du cou : 1) les **muscles suprahyoïdiens,** ainsi appelés parce qu'ils sont situés au-dessus de l'os hyoïde, et 2) les **muscles infrahyoïdiens,** ainsi nommés parce qu'ils sont inférieurs à l'os hyoïde. Agissant de concert, les muscles infrahyoïdiens et les muscles suprahyoïdiens fixent l'os hyoïde et procurent une base solide pour les mouvements de la langue. Dans le présent exposé, nous nous pencherons sur les muscles suprahyoïdiens, qui sont associés au plancher de la cavité orale.

Ensemble, les muscles suprahyoïdiens élèvent l'os hyoïde, le plancher de la cavité orale ainsi que la langue durant la déglutition. Comme son nom l'indique, le muscle **digastrique** a deux ventres, antérieur et postérieur, unis par un tendon intermédiaire qui est maintenu en place par une poulie fibreuse (voir la figure 11.7). Ce muscle élève l'os hyoïde et le larynx durant la déglutition et la phonation. Il abaisse aussi la mandibule. Le muscle **stylo-hyoïdien** élève l'os hyoïde et le tire vers l'arrière, allongeant ainsi le plancher de la cavité orale durant la déglutition. Le muscle **mylo-hyoïdien** élève l'os hyoïde et contribue à presser la langue contre le plafond

de la cavité orale durant la déglutition de façon à pousser la nourriture dans la gorge. Le muscle **génio-hyoïdien** (voir la figure 11.7) élève l'os hyoïde et le tire vers l'avant pour raccourcir le plancher de la cavité orale et élargir la gorge qui s'apprête à recevoir la nourriture durant la déglutition. Il abaisse aussi la mandibule.

INNERVATION

Le ventre antérieur du digastrique et le mylo-hyoïdien sont innervés par la branche mandibulaire du nerf trijumeau (V) ; le ventre postérieur du digastrique et le stylo-hyoïdien sont innervés par le nerf facial (VII) ; le génio-hyoïdien est innervé par le premier nerf cervical.

MUSCLES ET MOUVEMENTS

Classez les muscles du présent exposé selon leur action sur l'os hyoïde : 1) élévation, 2) mouvement vers l'avant, 3) mouvement vers l'arrière. Le même muscle peut être mentionné plus d'une fois.

Quels muscles de la langue, de l'expression faciale et de la mandibule utilisez-vous pendant la mastication ?

MUSCLE	ORIGINE	INSERTION	ACTION
Digastrique (*di* = deux ; *gastêr* = ventre)	Ventre antérieur sur l'intérieur du bord inférieur de la mandibule ; ventre postérieur sur le processus mastoïde de l'os temporal.	Corps de l'os hyoïde par un tendon intermédiaire.	Élève l'os hyoïde et abaisse la mandibule, comme pour ouvrir la bouche.
Stylo-hyoïdien (*stulos* = colonne ; *huoeidês* = en forme d'u, en rapport avec l'os hyoïde)	Processus styloïde de l'os temporal.	Corps de l'os hyoïde.	Élève l'os hyoïde et le tire vers l'arrière.
Mylo-hyoïdien (*mulê* = meule)	Face interne de la mandibule.	Corps de l'os hyoïde.	Élève l'os hyoïde et le plancher de la bouche, et abaisse la mandibule.
Génio-hyoïdien (*geneion* = menton) (voir aussi la figure 11.7)	Face interne de la mandibule.	Corps de l'os hyoïde.	Élève l'os hyoïde, tire l'os hyoïde et la langue vers l'avant, et abaisse la mandibule.

Exposé 11.5 *Muscles du plancher de la cavité orale (bouche) (suite)*

Figure 11.8 Muscles du plancher de la cavité orale et du devant du cou.

🔑 **Les muscles suprahyoïdiens élèvent l'os hyoïde, le plancher de la cavité orale et la langue durant la déglutition.**

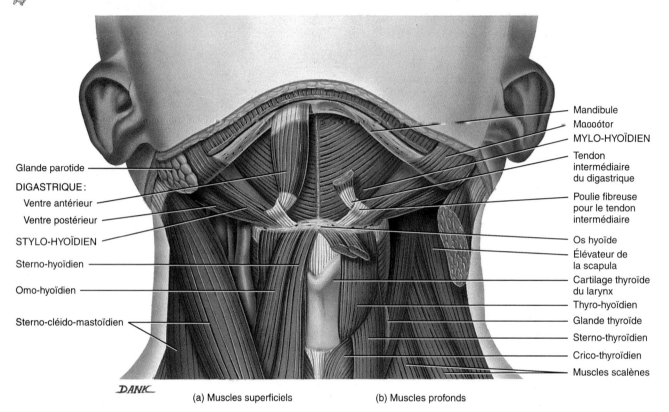

Glande parotide

DIGASTRIQUE :

Ventre antérieur

Ventre postérieur

STYLO-HYOÏDIEN

Sterno-hyoïdien

Omo-hyoïdien

Sterno-cléido-mastoïdien

Mandibule

Maoộótor

MYLO-HYOÏDIEN

Tendon intermédiaire du digastrique

Poulie fibreuse pour le tendon intermédiaire

Os hyoïde

Élévateur de la scapula

Cartilage thyroïde du larynx

Thyro-hyoïdien

Glande thyroïde

Sterno-thyroïdien

Crico-thyroïdien

Muscles scalènes

DANK

(a) Muscles superficiels   (b) Muscles profonds

Q Quelle est l'action combinée des muscles suprahyoïdiens et infrahyoïdiens ?

| **Exposé 11.6** | *Muscles des mouvements de la tête (figure 11.9)* |

OBJECTIF

• *Décrire l'origine, l'insertion, l'action et l'innervation des muscles des mouvements de la tête.*

La tête est attachée à la colonne vertébrale par l'articulation atlanto-occipitale, qui est formée de l'atlas et de l'os occipital. Les mouvements de la tête ainsi que son maintien en équilibre sur la colonne vertébrale mettent en jeu plusieurs muscles du cou. Par exemple, la contraction simultanée (bilatérale) des deux muscles **sterno-cléido-mastoïdiens** entraîne la flexion de la partie cervicale de la colonne vertébrale et l'extension de la tête. La contraction d'un seul sterno-cléido-mastoïdien (unilatérale) amène l'inclinaison latérale et la rotation de la tête. La contraction bilatérale des muscles **semi-épineux de la tête, splénius de la tête** et **longissimus de la tête** provoque l'extension de la tête. Par contre, leur contraction unilatérale produit une action très différente, qui se traduit principalement par la rotation de la tête.

Le muscle sterno-cléido-mastoïdien est un repère important qui divise le cou en deux grands triangles : antérieur et postérieur. Ces triangles sont importants en raison des structures qu'ils circonscrivent.

Le **triangle antérieur** est limité au-dessus par la mandibule, au-dessous par le sternum, à l'intérieur par la ligne médiane cervicale et à l'extérieur par le bord antérieur du muscle sterno-cléido-mastoïdien. Il est divisé en un trigone submental impair et trois trigones pairs : submandibulaire, carotidien et musculaire. Le triangle antérieur contient les nœuds lymphatiques submentaux, submandibulaires et cervicaux profonds, la glande salivaire subman-dibulaire (ou sous-maxillaire) et une partie de la glande parotide, l'artère et la veine faciales, les artères carotides et la veine jugulaire interne, et les nerfs glosso-pharyngien (IX), vague (X), accessoire (XI) et hypoglosse (XII).

Le **triangle postérieur**, ou **grande fosse supraclaviculaire**, est limité au-dessous par la clavicule, à l'avant par le bord postérieur du muscle sterno-cléido-mastoïdien et à l'arrière par le bord antérieur du muscle trapèze. Il est divisé en deux trigones, occipital et supraclaviculaire, par le ventre inférieur du muscle omo-hyoïdien. Le triangle postérieur contient une partie de l'artère subclavière, de la veine jugulaire externe, des nœuds lymphatiques cervicaux, du plexus brachial et du nerf accessoire (XI).

INNERVATION

Le sterno-cléido-mastoïdien est innervé par le nerf accessoire (XI) ; les muscles semi-épineux, splénius et longissimus de la tête sont innervés par des nerfs cervicaux.

MUSCLES ET MOUVEMENTS

Classez les muscles du présent exposé selon leur action sur la tête : 1) flexion, 2) inclinaison latérale, 3) extension, 4) rotation vers le côté opposé au muscle qui se contracte et 5) rotation vers le côté du muscle qui se contracte. Le même muscle peut être mentionné plus d'une fois.

Quels muscles utilisez-vous pour exprimer « oui » et « non » par des mouvements de la tête ?

MUSCLE	ORIGINE	INSERTION	ACTION
Sterno-cléido-mastoïdien (= sternum ; *kleidos* = clavicule ; *mastocidês* = en forme de mamelle, en rapport avec le processus mastoïde de l'os temporal)	Sternum et clavicule.	Processus mastoïde de l'os temporal.	La contraction bilatérale entraîne la flexion de la partie cervicale de la colonne vertébrale et l'extension de la tête ; la contraction d'un seul côté (unilatérale) cause l'incli-naison latérale et la rotation de la tête vers le côté opposé au muscle qui se contracte.
Semi-épineux de la tête (*semi* = moitié ; *spina* = épine, en rapport avec le processus épineux) (voir la figure 11.19a)	Processus transverses des six ou sept premières vertèbres thoraciques et de la septième vertèbre cervicale, et processus articulaires des quatrième, cinquième et sixième vertèbres cervicales.	Os occipital entre la ligne nuchale supérieure et la ligne nuchale inférieure.	Ensemble, ils entraînent l'extension de la tête ; seuls, ils causent la rotation de la tête vers le côté opposé au muscle qui se contracte.
Splénius de la tête (*splénion* = compresse) (voir la figure 11.19a)	Ligament nuchal et processus épineux de la septième vertèbre cervicale et des trois ou quatre premières vertèbres thoraciques.	Os occipital et processus mastoïde de l'os temporal.	Ensemble, ils entraînent l'extension de la tête ; seuls, ils causent l'inclinaison latérale et la rotation de la tête vers le côté du muscle qui se contracte.
Longissimus de la tête (*longissimus* = le plus long) (voir la figure 11.19a)	Processus transverses des quatre premières vertèbres thoraciques et processus articulaires des qua-tre dernières vertèbres cervicales.	Processus mastoïde de l'os temporal.	Ensemble, ils entraînent l'extension de la tête ; seuls, ils causent l'inclinaison latérale et la rotation de la tête vers le côté du muscle qui se contracte.

Exposé 11.6 *Muscles des mouvements de la tête (suite)*

Figure 11.9 Triangles du cou.

Le muscle sterno-cléido-mastoïdien divise le cou en deux grands triangles : antérieur et postérieur.

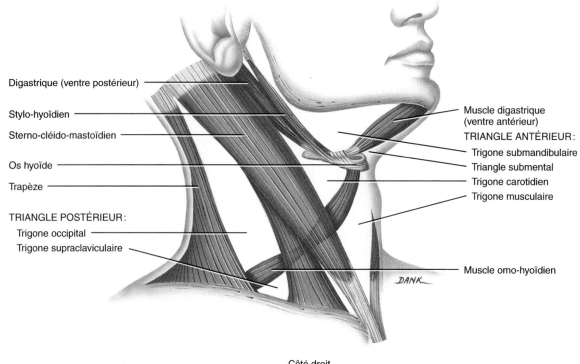

Digastrique (ventre postérieur)

Stylo-hyoïdien

Sterno-cléido-mastoïdien

Os hyoïde

Trapèze

TRIANGLE POSTÉRIEUR :
　Trigone occipital
　Trigone supraclaviculaire

Muscle digastrique (ventre antérieur)

TRIANGLE ANTÉRIEUR :
　Trigone submandibulaire
　Triangle submental
　Trigone carotidien
　Trigone musculaire

Muscle omo-hyoïdien

DANK

Côté droit

Q Pourquoi les triangles sont-ils importants ?

Exposé 11.7 *Muscles qui agissent sur la paroi abdominale (figure 11.10)*

OBJECTIF

• *Décrire l'origine, l'insertion, l'action et l'innervation des muscles qui agissent sur la paroi abdominale.*

La paroi antéro-latérale de l'abdomen se compose de peau, d'un fascia et de quatre paires de muscles : l'oblique externe de l'abdomen, l'oblique interne de l'abdomen, le transverse de l'abdomen et le droit de l'abdomen. Les trois premiers muscles sont des muscles plats ; le dernier est un muscle vertical qui ressemble à une courroie. L'**oblique externe** de l'abdomen est un muscle plat superficiel dont les fibres sont orientées vers le bas et l'intérieur. L'**oblique interne** de l'abdomen est un muscle plat intermédiaire dont les fibres croisent celles de l'oblique externe à angle droit. Le **transverse de l'abdomen** est le plus profond des muscles plats ; la plupart de ses fibres parcourent la paroi abdominale horizontalement. Ensemble, l'oblique externe, l'oblique interne et le transverse de l'abdomen forment trois couches musculaires autour de l'abdomen. La disposition croisée des fibres musculaires de ces couches superposées procure une protection considérable aux viscères de cette région, surtout lorsque le tonus musculaire est bon.

Le muscle **droit de l'abdomen** est un grand muscle plat qui parcourt toute la longueur de la paroi antérieure de l'abdomen, depuis la crête et la symphyse pubiennes jusqu'aux cartilages des cinquième, sixième et septième côtes et au processus xiphoïde du sternum. La face antérieure du muscle est segmentée par trois bandes transversales de tissu fibreux, appelées **intersections tendineuses,** qui seraient les vestiges de septums séparant les myotomes durant le développement embryonnaire.

Ensemble, les muscles de la paroi antéro-latérale de l'abdomen contribuent à contenir et à protéger les viscères de cette région ; ils jouent un rôle dans la flexion, la flexion latérale et la rotation de la colonne vertébrale aux articulations intervertébrales ; ils compriment l'abdomen durant l'expiration forcée et produisent la force nécessaire à la défécation, à la miction et à l'accouchement.

Les aponévroses des muscles oblique externe, oblique interne et transverse de l'abdomen forment la **gaine du muscle droit de l'abdomen,** qui enveloppe les muscles droits. Elles fusionnent sur la ligne médiane et forment la **ligne blanche,** bande fibreuse résistante qui s'étend du processus xiphoïde du sternum jusqu'à la symphyse pubienne. Vers la fin de la grossesse, cette ligne blanche s'étire de façon à augmenter la distance entre les muscles droits de l'abdomen. Le bord inférieur libre de l'aponévrose de l'oblique externe ainsi que des fibres collagènes forment le **ligament inguinal,** qui s'étend de l'épine iliaque antéro-supérieure jusqu'au tubercule pubien (voir la figure 11.20a). Juste au-dessus de l'extrémité médiale du ligament inguinal se trouve une fente triangulaire dans l'aponévrose appelée **anneau inguinal superficiel,** qui constitue l'orifice externe du **canal inguinal** (voir la figure 28.4). Le canal contient le cordon spermatique et le nerf ilio-inguinal chez l'homme, et le ligament rond de l'utérus et le nerf ilio-inguinal chez la femme.

La paroi postérieure de l'abdomen est formée des vertèbres lombaires, d'une partie de l'ilium (os coxal), des muscles grand psoas et iliaque (voir l'exposé 11.17, p. 378), et du muscle carré des lombes. Alors que la paroi antéro-latérale de l'abdomen est capable de contraction et de distension, la paroi postérieure est épaisse et stable par comparaison.

INNERVATION

Le muscle droit de l'abdomen est innervé par des rameaux des nerfs spinaux T7 à T12 ; l'oblique externe est innervé par des rameaux des nerfs spinaux T7 à T12 et par le nerf ilio-hypogastrique ; l'oblique interne et le transverse de l'abdomen sont innervés par des rameaux des nerfs spinaux T8 à T12 et par les nerfs ilio-hypogastrique et ilio-inguinal ; le carré des lombes est innervé par des rameaux du nerf spinal T12 et par les nerfs spinaux L1 à L3 ou L1 à L4.

APPLICATION CLINIQUE
Hernie inguinale

La région inguinale est un point faible de la paroi abdominale. Elle est souvent le siège d'une **hernie inguinale,** c'est-à-dire une rupture ou séparation d'une partie de la paroi de l'abdomen qui entraîne la saillie d'un segment de l'intestin grêle. Les hernies sont beaucoup plus fréquentes chez les hommes que chez les femmes parce que leurs canaux inguinaux sont plus grands et constituent des points particulièrement faibles de la paroi de l'abdomen. ■

MUSCLES ET MOUVEMENTS

Classez les muscles du présent exposé selon leur action sur la colonne vertébrale : 1) flexion, 2) flexion latérale, 3) extension et 4) rotation. Le même muscle peut être mentionné plus d'une fois.

Quels muscles devez-vous contracter quand vous rentrez le ventre, comprimant ainsi la paroi antérieure de l'abdomen ?

Exposé 11.7 *Muscles qui agissent sur la paroi abdominale (suite)*

MUSCLE	ORIGINE	INSERTION	ACTION
Droit de l'abdomen (*droit* = fibres parallèles à la ligne médiane)	Crête pubienne et symphyse pubienne.	Cartilage des cinquième, sixième et septième côtes et processus xiphoïde.	Flexion de la colonne vertébrale, en particulier de la région lombaire, et compression de l'abdomen pour faciliter la défécation, la miction, l'expiration forcée et l'accouchement.
Oblique externe (*externe* = plus près de la surface ; *oblique* = fibres diagonales par rapport à la ligne médiane)	Huit côtes inférieures.	Crête iliaque et ligne blanche.	La contraction des deux muscles (bilatérale) entraîne la compression de l'abdomen et la flexion de la colonne vertébrale ; la contraction d'un côté (unilatérale) amène la rotation de la colonne vertébrale et sa flexion latérale, en particulier dans la région lombaire.
Oblique interne (*interne* = plus loin de la surface)	Crête iliaque, ligament inguinal et fascia thoraco-lombaire.	Cartilage des trois ou quatre dernières côtes et ligne blanche.	La contraction des deux muscles entraîne la compression de l'abdomen et la flexion de la colonne vertébrale ; la contraction d'un côté amène la rotation de la colonne vertébrale et sa flexion latérale, en particulier dans la région lombaire.
Transverse de l'abdomen (*transverse* = fibres perpendiculaires à la ligne médiane)	Crête iliaque, ligament inguinal, fascia lombaire et cartilages des six côtes inférieures.	Processus xiphoïde, ligne blanche et pubis.	Compression de l'abdomen.
Carré des lombes (*lumbes* = reins) (voir la figure 11.11)	Crête iliaque et ligament ilio-lombaire.	Bord inférieur de la douzième côte et processus transverse des quatre premières vertèbres lombaires.	La contraction des deux muscles tire la douzième côte vers le bas durant l'expiration forcée, immobilise la douzième côte pour empêcher son élévation durant l'inspiration profonde et participe à l'extension de la partie lombaire de la colonne vertébrale ; la contraction d'un côté amène la flexion latérale de la colonne vertébrale, en particulier dans la région lombaire.

Figure 11.10 (Voir ci-contre.) Muscles de la paroi antéro-latérale de l'abdomen chez l'homme.

 Les muscles de la paroi antéro-latérale de l'abdomen protègent les viscères de cette région, participent aux mouvements de la colonne vertébrale et facilitent l'expiration forcée, la défécation, la miction et l'accouchement.

 Quel muscle de l'abdomen facilite la miction ?

Exposé 11.7 (suite)

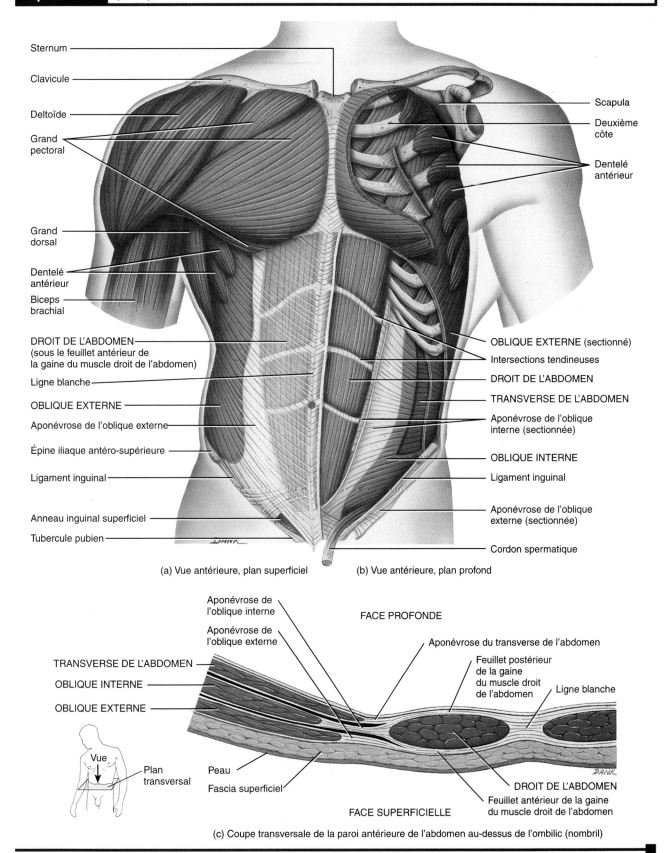

Sternum

Clavicule

Deltoïde

Grand pectoral

Grand dorsal

Dentelé antérieur

Biceps brachial

DROIT DE L'ABDOMEN (sous le feuillet antérieur de la gaine du muscle droit de l'abdomen)

Ligne blanche

OBLIQUE EXTERNE

Aponévrose de l'oblique externe

Épine iliaque antéro-supérieure

Ligament inguinal

Anneau inguinal superficiel

Tubercule pubien

Scapula

Deuxième côte

Dentelé antérieur

OBLIQUE EXTERNE (sectionné)

Intersections tendineuses

DROIT DE L'ABDOMEN

TRANSVERSE DE L'ABDOMEN

Aponévrose de l'oblique interne (sectionnée)

OBLIQUE INTERNE

Ligament inguinal

Aponévrose de l'oblique externe (sectionnée)

Cordon spermatique

(a) Vue antérieure, plan superficiel

(b) Vue antérieure, plan profond

Aponévrose de l'oblique interne

Aponévrose de l'oblique externe

FACE PROFONDE

Aponévrose du transverse de l'abdomen

Feuillet postérieur de la gaine du muscle droit de l'abdomen

Ligne blanche

TRANSVERSE DE L'ABDOMEN

OBLIQUE INTERNE

OBLIQUE EXTERNE

Vue

Plan transversal

Peau

Fascia superficiel

DROIT DE L'ABDOMEN

Feuillet antérieur de la gaine du muscle droit de l'abdomen

FACE SUPERFICIELLE

(c) Coupe transversale de la paroi antérieure de l'abdomen au-dessus de l'ombilic (nombril)

Exposé 11.8 | Muscles de la respiration (figure 11.11)

OBJECTIF

• *Décrire l'origine, l'insertion, l'action et l'innervation des muscles de la respiration.*

Les muscles qui font l'objet du présent exposé modifient la taille de la cavité thoracique pour permettre la respiration. L'inspiration et l'expiration ont lieu respectivement quand le volume de la cavité thoracique augmente et quand il diminue.

Le **diaphragme** est le muscle le plus important de la respiration. Il constitue une cloison musculo-tendineuse en forme de dôme qui sépare les cavités thoracique et abdominale. Il se compose d'une partie musculaire périphérique et d'une partie centrale appelée centre tendineux du diaphragme. Le **centre tendineux du diaphragme** est une aponévrose résistante sur laquelle s'insèrent toutes les fibres musculaires périphériques du diaphragme. Il s'unit à la face inférieure du péricarde fibreux (enveloppe externe du cœur) et au feuillet pariétal de la plèvre (enveloppe externe des poumons).

Par son action, le diaphragme contribue également à faire retourner au cœur le sang veineux qui passe dans l'abdomen. Fonctionnant de concert avec les muscles antéro-latéraux de l'abdomen, il fait augmenter la pression intra-abdominale et facilite l'évacuation du contenu pelvien durant la défécation, la miction et l'accouchement. Ce mécanisme augmente en efficacité lorsqu'on inspire profondément et qu'on ferme la fente de la glotte (espace entre les plis vocaux). L'air emprisonné dans le système respiratoire s'oppose à l'élévation du diaphragme. L'augmentation de la pression intra-abdominale obtenue par ce moyen contribue également à soutenir la colonne vertébrale et à l'empêcher de fléchir quand on soulève un poids. C'est ainsi qu'elle facilite considérablement l'action des muscles du dos quand le poids à soulever est lourd.

Le diaphragme possède trois ouvertures principales entre le thorax et l'abdomen par lesquelles passent diverses structures. Ces dernières comprennent l'aorte, le conduit thoracique et la veine azygos, qui traversent l'**hiatus aortique**; l'œsophage et les nerfs vagues (X), qui passent par l'**hiatus œsophagien**; et la veine cave inférieure, qui emprunte le **foramen de la veine cave**. La hernie hiatale est une affection qui se caractérise par la protrusion de l'estomac vers le haut à travers l'hiatus œsophagien.

Les autres muscles de la respiration sont appelés muscles **intercostaux**. Ils occupent les espaces intercostaux, soit les espaces qui séparent les côtes. Ces muscles sont disposés en trois couches. Les 11 muscles **intercostaux externes** forment la couche superficielle; leurs fibres, qui relient chaque côte à celle qui se trouve au-dessous, sont dirigées en oblique vers le bas et l'avant. Ces muscles élèvent les côtes durant l'inspiration et aident à l'expansion de la cage thoracique. Les 11 muscles **intercostaux internes** forment la couche intermédiaire des espaces intercostaux. Leurs fibres sont dirigées en oblique vers le bas et l'arrière à partir du bord inférieur de chaque côte jusqu'au bord supérieur de la côte située directement au-dessous. Ils rapprochent les côtes adjacentes durant l'expiration forcée et contribuent ainsi à diminuer le volume de la cavité thoracique. Les muscles **transverses du thorax** forment la couche la plus profonde. Ces muscles (que nous nous contentons de mentionner ici) sont peu développés; leurs fibres sont orientées dans la même direction que celles des intercostaux internes et jouent peut-être le même rôle.

INNERVATION

Le diaphragme est innervé par le nerf phrénique, qui contient des axones des nerfs spinaux C3 à C5; les intercostaux externes et internes sont innervés par les nerfs spinaux T2 à T12.

MUSCLES ET MOUVEMENTS

Classez les muscles du présent exposé selon leur action sur la taille du thorax: 1) augmentation de la longueur verticale, 2) augmentation des dimensions latérale et antéro-postérieure et 3) diminution des dimensions latérale et antéro-postérieure.

Quels sont les noms des trois ouvertures du diaphragme et quelles sont les structures qui les traversent?

MUSCLE	ORIGINE	INSERTION	ACTION
Diaphragme (*diaphragma* = séparation, cloison)	Processus xiphoïde du sternum, cartilage des six dernières côtes et vertèbres lombaires.	Centre tendineux du diaphragme.	Constitue le plancher de la cavité thoracique; tire le centre tendineux du diaphragme vers le bas durant l'inspiration et augmente la dimension verticale du thorax en aplatissant le dôme qu'il forme lui-même.
Intercostaux externes (*externe* = plus près de la surface; *inter* = entre; *costa* = côte)	Bord inférieur de la côte située au-dessus.	Bord supérieur de la côte située au-dessous.	Élèvent les côtes durant l'inspiration et augmentent ainsi les dimensions latérale et antéro-postérieure du thorax.
Intercostaux internes (*interne* = plus loin de la surface)	Bord supérieur de la côte située au-dessous.	Bord inférieur de la côte située au-dessus.	Rapprochent les côtes les unes des autres durant l'expiration forcée et réduisent ainsi les dimensions latérale et antéro-postérieure du thorax.

Exposé 11.8 (suite)

Figure 11.11 Muscles de la respiration chez l'homme.

🗝 **Des ouvertures dans le diaphragme permettent le passage de l'aorte, de l'œsophage et de la veine cave inférieure.**

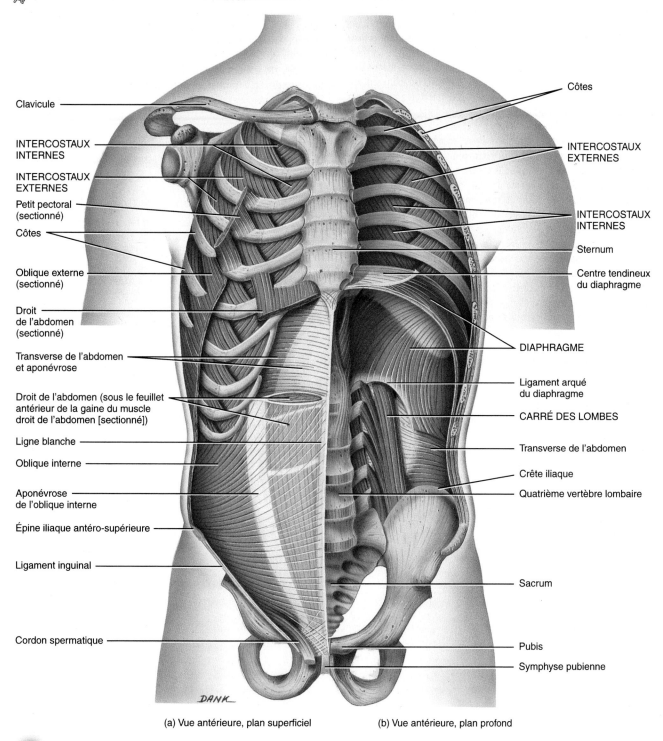

Clavicule

INTERCOSTAUX
INTERNES

INTERCOSTAUX
EXTERNES

Petit pectoral
(sectionné)

Côtes

Oblique externe
(sectionné)

Droit
de l'abdomen
(sectionné)

Transverse de l'abdomen
et aponévrose

Droit de l'abdomen (sous le feuillet
antérieur de la gaine du muscle
droit de l'abdomen [sectionné])

Ligne blanche

Oblique interne

Aponévrose
de l'oblique interne

Épine iliaque antéro-supérieure

Ligament inguinal

Cordon spermatique

Côtes

INTERCOSTAUX
EXTERNES

INTERCOSTAUX
INTERNES

Sternum

Centre tendineux
du diaphragme

DIAPHRAGME

Ligament arqué
du diaphragme

CARRÉ DES LOMBES

Transverse de l'abdomen

Crête iliaque

Quatrième vertèbre lombaire

Sacrum

Pubis

Symphyse pubienne

DANK

(a) Vue antérieure, plan superficiel   (b) Vue antérieure, plan profond

Q   Quel muscle de la respiration est innervé par le nerf phrénique ?

Exposé 11.9 | *Muscles du plancher pelvien (figure 11.12)*

OBJECTIF

• *Décrire l'origine, l'insertion, l'action et l'innervation des muscles du plancher pelvien.*

Les muscles du plancher pelvien sont le muscle élévateur de l'anus et le muscle coccygien. Avec les fascias qui recouvrent leurs faces internes et externes, ces muscles constituent le **diaphragme pelvien,** qui est tendu du pubis, à l'avant, jusqu'au coccyx, à l'arrière, et d'une paroi latérale du bassin (ou pelvis) à l'autre. Cette disposition donne au diaphragme pelvien l'apparence d'un entonnoir suspendu par ses points d'attache. Le diaphragme pelvien est traversé par le canal anal et l'urètre chez les deux sexes, et aussi par le vagin chez la femme.

Le muscle **élévateur de l'anus** est formé de deux muscles appelés **pubo-coccygien** et **ilio-coccygien.** Il est illustré à la figure 11.12 (chez la femme) et à la figure 11.13 (chez l'homme). Le muscle élévateur de l'anus est le plus grand et le plus important muscle du plancher pelvien. Il soutient les viscères pelviens et résiste à la poussée exercée par la pression intra-abdominale qui augmente sous l'action de fonctions telles que l'expiration forcée, la toux, le vomissement, la miction et la défécation. Ce muscle agit comme un sphincter à la hauteur de la jonction ano-rectale, de l'urètre et du vagin. Durant l'accouchement, l'élévateur de l'anus soutient la tête du bébé. Il est exposé aux blessures dans les cas d'accouchements difficiles ou à des traumatismes au cours d'une épisiotomie (incision aux ciseaux chirurgicaux pour prévenir

ou diriger la déchirure du périnée durant l'accouchement). Cela peut entraîner l'incontinence urinaire d'effort, c'est-à-dire une perte d'urine chaque fois que la pression intra-abdominale s'élève – par exemple, sous l'action de la toux. En plus d'aider l'élévateur de l'anus, le muscle **coccygien** ramène le coccyx vers l'avant après qu'il a été poussé vers l'arrière par la défécation ou l'accouchement. Le traitement de l'incontinence urinaire d'effort exige parfois de raffermir et de fortifier les muscles qui soutiennent les viscères pelviens. On a alors recours aux *exercices de Kegel,* c'est-à-dire à une succession alternée de contractions et de relâchements des muscles du plancher pelvien.

INNERVATION

Les muscles pubo-coccygien et ilio-coccygien sont innervés par les nerfs spinaux S2 à S4 ; le coccygien est innervé par les nerfs spinaux S4 et S5.

MUSCLES ET MOUVEMENTS

Classez les muscles du présent exposé selon leur action sur les viscères pelviens : maintien en place et soutien des organes, ainsi que résistance à l'augmentation de la pression intra-abdominale ; et selon leur action sur l'anus, l'urètre et le vagin : constriction. Le même muscle peut être mentionné plus d'une fois.

| Quels sont les muscles renforcis par les exercices de Kegel ?

MUSCLE	ORIGINE	INSERTION	ACTION
Élévateur de l'anus	(Ce muscle est formé de deux parties, le muscle pubo-coccygien et le muscle ilio-coccygien.)		
Pubo-coccygien (= pubis ; *kokkux* = coucou, en rapport avec le coccyx)	Pubis.	Coccyx, urètre, canal anal, centre tendineux du périnée et raphé ano-coccygien (bande fibreuse étroite qui s'étend de l'anus au coccyx).	Soutient et maintient en place les viscères pelviens ; résiste à l'augmentation de la pression intra-abdominale durant l'expiration forcée, la toux, le vomissement, la miction et la défécation ; participe à la constriction de l'anus, de l'urètre et du vagin ; soutient la tête du bébé durant l'accouchement.
Ilio-coccygien (*ilia* = flancs)	Épine ischiatique.	Coccyx.	La même que celle du pubo-coccygien.
Coccygien	Épine ischiatique.	Bas du sacrum et haut du coccyx.	Soutient et maintient en place les viscères pelviens ; résiste à l'augmentation de la pression intra-abdominale durant l'expiration forcée, la toux, le vomissement, la miction et la défécation ; tire le coccyx vers l'avant après la défécation ou l'accouchement.

Exposé 11.9 *(suite)*

Figure 11.12 Muscles du plancher pelvien chez la femme.

🗝 **Le diaphragme pelvien soutient les viscères pelviens.**

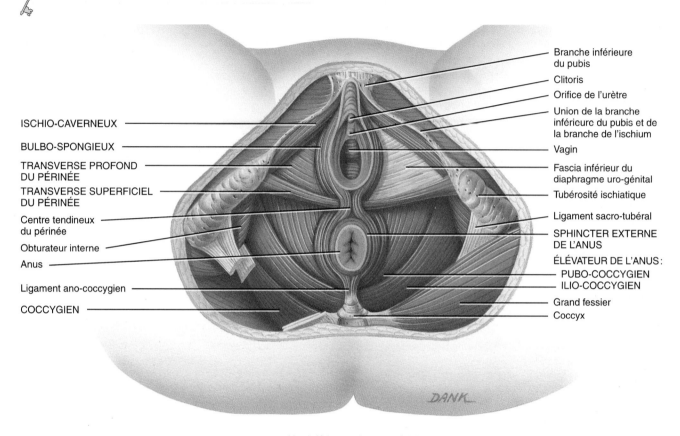

ISCHIO-CAVERNEUX

BULBO-SPONGIEUX

TRANSVERSE PROFOND DU PÉRINÉE

TRANSVERSE SUPERFICIEL DU PÉRINÉE

Centre tendineux du périnée

Obturateur interne

Anus

Ligament ano-coccygien

COCCYGIEN

Branche inférieure du pubis

Clitoris

Orifice de l'urètre

Union de la branche inférieure du pubis et de la branche de l'ischium

Vagin

Fascia inférieur du diaphragme uro-génital

Tubérosité ischiatique

Ligament sacro-tubéral

SPHINCTER EXTERNE DE L'ANUS

ÉLÉVATEUR DE L'ANUS :
PUBO-COCCYGIEN
ILIO-COCCYGIEN

Grand fessier

Coccyx

Vue inférieure, plan superficiel

Q Quels sont les bords du diaphragme pelvien ?

Exposé 11.10 | *Muscles du périnée (figures 11.12 et 11.13)*

OBJECTIF

- *Décrire l'origine, l'insertion, l'action et l'innervation des muscles du périnée.*

Le **périnée** est la région du tronc située sous le diaphragme pelvien. Il a la forme d'un losange qui s'étend de la symphyse pubienne à l'avant jusqu'au coccyx à l'arrière et, latéralement, d'une tubérosité ischiatique à l'autre. Les figures 11.12 et 11.13 permettent de comparer les périnées de la femme et de l'homme. En traçant une ligne transversale entre les tubérosités ischiatiques, on peut diviser le périnée en un **triangle uro-génital** antérieur qui contient les organes génitaux externes et un **triangle anal** postérieur qui circonscrit l'anus (voir la figure 28.23). Au milieu du périnée se trouve une masse de tissu fibreux en forme de coin appelée **centre tendineux du périnée**. Il s'agit d'un tendon résistant sur lequel plusieurs muscles du périnée s'insèrent.

Les muscles du périnée forment deux couches : **superficielle** et **profonde**. Les muscles de la couche superficielle sont le **transverse superficiel du périnée**, le **bulbo-spongieux** et l'**ischio-caverneux**. Les muscles profonds sont le **transverse profond du périnée** et le **sphincter externe de l'urètre** (voir la figure 26.22). Le transverse profond du périnée, le sphincter externe de l'urètre

et leurs fascias constituent le **diaphragme uro-génital**. Les muscles de ce diaphragme participent à la miction et à l'éjaculation chez l'homme et à la miction chez la femme. Le **sphincter externe de l'anus** adhère étroitement à la peau qui entoure l'anus ; il maintient le canal anal et l'anus fermés sauf durant la défécation.

INNERVATION

Les muscles du périnée sont innervés par le nerf honteux du plexus sacral (présenté dans l'exposé 13.4, p. 462). Plus précisément, tous les muscles sont innervés par la branche périnéale du nerf honteux, sauf le sphincter externe de l'anus, qui est innervé par le nerf spinal S4 et la branche rectale supérieure du nerf honteux.

MUSCLES ET MOUVEMENTS

Classez les muscles du présent exposé selon leur action : 1) expulsion de l'urine et du sperme, 2) érection du clitoris et du pénis, 3) fermeture de l'orifice anal et 4) constriction de l'orifice vaginal. Le même muscle peut être mentionné plus d'une fois.

> Décrivez le triangle uro-génital et le triangle anal : donnez leurs limites et les structures qu'ils circonscrivent.

MUSCLE	ORIGINE	INSERTION	ACTION
Muscles superficiels du périnée			
Transverse superficiel du périnée (*transverse* = à direction transversale ; *superficiel* = plus près de la surface)	Tubérosité ischiatique.	Centre tendineux du périnée.	Aide à stabiliser le centre tendineux du périnée.
Bulbo-spongieux (*bulbus* = oignon)	Centre tendineux du périnée.	Fascia inférieur du diaphragme uro-génital, corps spongieux du pénis et fascia profond du dos du pénis chez l'homme ; arcade pubienne, racine et dos du clitoris chez la femme.	Aide à expulser l'urine durant la miction et à propulser le sperme dans l'urètre, favorise l'érection du pénis chez l'homme ; cause la constriction de l'orifice vaginal et favorise l'érection du clitoris chez la femme.
Ischio-caverneux (*iskhion* = hanche)	Tubérosité ischiatique, branche inférieure du pubis et branche de l'ischium.	Corps caverneux du pénis chez l'homme et du clitoris chez la femme.	Maintient l'érection du pénis chez l'homme et du clitoris chez la femme.
Muscles profonds du périnée			
Transverse profond du périnée (*profond* = plus loin de la surface)	Branche de l'ischium.	Centre tendineux du périnée.	Aide à expulser les dernières gouttes d'urine et de sperme chez l'homme et d'urine chez la femme.
Sphincter externe de l'urètre	Branche inférieure du pubis et branche de l'ischium.	Raphé médian chez l'homme et paroi vaginale chez la femme.	Aide à expulser les dernières gouttes d'urine et de sperme chez l'homme et d'urine chez la femme.
Sphincter externe de l'anus	Ligament ano-coccygien.	Centre tendineux du périnée.	Maintient le canal anal et l'anus fermés.

Exposé 11.10   *(suite)*

Figure 11.13 Muscles du périnée chez l'homme.

Le diaphragme uro-génital participe à la miction chez les deux sexes et à l'éjaculation chez l'homme. Il renforce également le plancher pelvien.

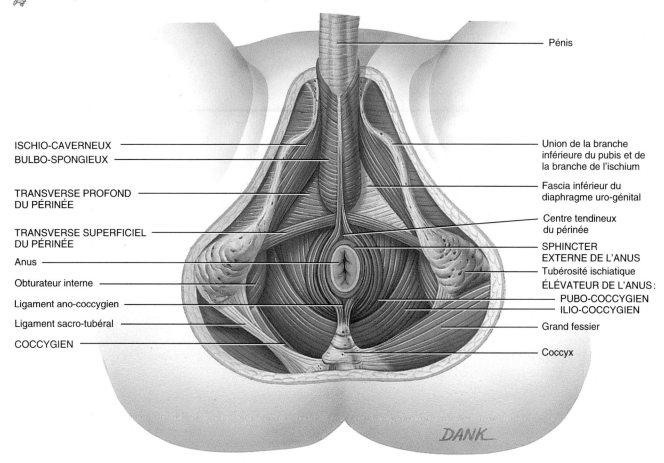

ISCHIO-CAVERNEUX
BULBO-SPONGIEUX

TRANSVERSE PROFOND
DU PÉRINÉE

TRANSVERSE SUPERFICIEL
DU PÉRINÉE

Anus

Obturateur interne

Ligament ano-coccygien

Ligament sacro-tubéral

COCCYGIEN

Pénis

Union de la branche
inférieure du pubis et de
la branche de l'ischium

Fascia inférieur du
diaphragme uro-génital

Centre tendineux
du périnée

SPHINCTER
EXTERNE DE L'ANUS

Tubérosité ischiatique

ÉLÉVATEUR DE L'ANUS:
  PUBO-COCCYGIEN
  ILIO-COCCYGIEN

Grand fessier

Coccyx

DANK

Vue inférieure, plan superficiel

Q   Quelles sont les limites du périnée?

Exposé 11.11 | *Muscles des mouvements de la ceinture scapulaire (figure 11.14)*

OBJECTIF

• *Décrire l'origine, l'insertion, l'action et l'innervation des muscles des mouvements de la ceinture scapulaire.*

Les muscles qui produisent les mouvements de la ceinture scapulaire ont pour principale fonction de stabiliser la scapula de telle sorte qu'elle serve de point d'origine stable à la plupart des muscles qui font bouger l'humérus. Puisque les mouvements de la scapula s'effectuent dans la même direction que ceux de l'humérus, les muscles qui s'attachent à la scapula ont aussi pour fonction de la déplacer de façon à augmenter l'amplitude de la course de l'humérus. Par exemple, l'abduction de l'humérus ne pourrait pas dépasser l'horizontale si la scapula ne se déplaçait pas avec lui. Durant l'abduction, la scapula suit l'humérus par une rotation vers le haut.

On classe les muscles des mouvements de la ceinture scapulaire en deux groupes selon leur situation sur le thorax : on distingue ainsi les **muscles de la face antérieure du thorax** et les **muscles de la face postérieure du thorax.** Les premiers sont les muscles subclavier, petit pectoral et dentelé antérieur. Le muscle **subclavier** est un petit muscle cylindrique situé sous la clavicule et tendu de celle-ci à la première côte. Il stabilise la clavicule durant les mouvements de la ceinture scapulaire. Le **petit pectoral** est un muscle mince, plat, de forme triangulaire, situé sous le grand pectoral. Outre son rôle dans les mouvements de la scapula, le petit pectoral participe à l'inspiration forcée. Le **dentelé antérieur** est un grand muscle plat en forme d'éventail tendu entre les côtes et la scapula. Son nom lui vient de la disposition de ses points d'origine sur les côtes qui rappelle une suite de dents de scie.

Les muscles de la face postérieure du thorax sont le trapèze, l'élévateur de la scapula, le grand rhomboïde et le petit rhomboïde. Le **trapèze** est un grand feuillet musculaire plat de forme triangulaire qui s'étend du crâne et de la colonne vertébrale, médialement, jusqu'à la ceinture scapulaire, latéralement. C'est le muscle du dos le plus superficiel. Il couvre la région postérieure du cou et la partie supérieure du tronc. Les deux muscles trapèzes forment un trapézoïde (quadrilatère rhomboïdal), d'où leur nom. L'**élévateur de la scapula** est un muscle étroit et allongé de l'arrière du cou. Il est situé sous le sterno-cléido-mastoïdien et le trapèze. Comme son nom l'indique, une de ses fonctions consiste à élever la scapula. Le **grand rhomboïde** et le **petit rhomboïde** sont situés sous le trapèze et ne sont pas toujours distincts l'un de l'autre. Ils se présentent comme des bandes parallèles qui s'étendent latéralement et vers le bas à partir des vertèbres jusqu'à la scapula. Ils tirent leur nom de leur forme, c'est-à-dire du rhomboïde (qui est un parallélogramme oblique). Le grand rhomboïde est environ deux fois plus large que le petit rhomboïde. Les deux muscles sont mis à contribution lorsqu'on abaisse avec force les membres supérieurs après les avoir élevés, comme pour enfoncer un pieu avec une masse.

Pour mieux comprendre l'action des muscles qui agissent sur la scapula, il est utile de décrire au préalable les divers mouvements de cet os :

• **Élévation.** Mouvement de la scapula vers le haut, comme lorsqu'on hausse les épaules ou qu'on soulève un poids au-dessus de la tête.

• **Abaissement.** Mouvement de la scapula vers le bas, comme lorsqu'on fait des tractions à la barre horizontale.

• **Abduction (protrusion).** Mouvement latéral et vers l'avant de la scapula, comme lorsqu'on fait des tractions au sol ou qu'on donne un coup de poing.

• **Adduction (rétraction).** Mouvement médial et vers l'arrière de la scapula, comme lorsqu'on tire sur les avirons.

• **Rotation vers le haut.** Mouvement latéral de l'angle inférieur de la scapula qui tourne la cavité glénoïdale vers le haut. Ce mouvement est nécessaire à l'abduction de l'humérus au-dessus de l'horizontale.

• **Rotation vers le bas.** Mouvement médial de l'angle inférieur de la scapula qui tourne la cavité glénoïdale vers le bas. On observe ce mouvement quand le gymnaste aux barres parallèles fait porter la masse du corps sur les mains.

INNERVATION

Les muscles qui font bouger les épaules sont innervés principalement par des nerfs issus des plexus cervical et brachial (présentés dans les exposés 13.1 et 13.2, p. 452-458). Plus précisément, le subclavier est innervé par le nerf subclavier ; le petit pectoral est innervé par le nerf pectoral médial ; le dentelé antérieur est innervé par le nerf thoracique long ; le trapèze est innervé par le nerf accessoire (nerf crânien XI) et les nerfs spinaux C3 à C5 ; l'élévateur de la scapula est innervé par le nerf dorsal de la scapula et les nerfs spinaux C3 à C5 ; le grand rhomboïde et le petit rhomboïde sont innervés par le nerf dorsal de la scapula.

MUSCLES ET MOUVEMENTS

Classez les muscles du présent exposé selon leur action sur la scapula : 1) abaissement, 2) élévation, 3) abduction, 4) adduction, 5) rotation vers le haut et 6) rotation vers le bas. Le même muscle peut être mentionné plus d'une fois.

Quels muscles du présent exposé vous permettent de hausser les épaules, de baisser les épaules, de joindre les mains derrière le dos et de joindre les mains devant la poitrine ?

Exposé 11.11 *(suite)*

MUSCLE	ORIGINE	INSERTION	ACTION
Muscles de la face antérieure du thorax			
Subclavier (*sub* = sous; *clavicula* = petite clé, en rapport avec la clavicule)	Première côte.	Clavicule.	Abaissement et mouvement de la clavicule vers l'avant; contribue à stabiliser la ceinture scapulaire.
Petit pectoral (*pectoris* = poitrine)	De la deuxième à la cinquième, ou de la troisième à la cinquième, ou de la deuxième à la quatrième côte.	Processus coracoïde de la scapula.	Abaissement et abduction de la scapula; rotation de la scapula vers le bas; élévation de la troisième, de la quatrième et de la cinquième côte durant l'inspiration forcée quand la scapula est immobilisée.
Dentelé antérieur	Les huit ou neuf premières côtes.	Bord médial et angle inférieur de la scapula.	Abduction et rotation de la scapula vers le haut; élévation des côtes quand la scapula est immobilisée; appelé «muscle du boxeur».
Muscles de la face postérieure du thorax			
Trapèze (*trapez* = table à quatre pieds)	Ligne nuchale supérieure de l'os occipital, ligament nuchal et processus épineux de la septième vertèbre cervicale et de toutes les vertèbres thoraciques.	Clavicule, acromion de la scapula et épine scapulaire.	Les fibres supérieures élèvent la scapula et peuvent participer à l'extension de la tête; les fibres du milieu effectuent l'adduction de la scapula; les fibres inférieures abaissent la scapula; ensemble, les fibres supérieures et inférieures tournent la scapula vers le haut; stabilisation de la scapula.
Élévateur de la scapula	Les quatre ou cinq premières vertèbres cervicales.	Bord médial supérieur de la scapula.	Élévation et rotation de la scapula vers le bas.
Grand rhomboïde (*rhombos* = losange) (voir la figure 11.15c)	Processus épineux de la deuxième à la cinquième vertèbre thoracique.	Bord médial de la scapula sous l'épine scapulaire.	Élévation, adduction et rotation de la scapula vers le bas; stabilisation de la scapula.
Petit rhomboïde (voir la figure 11.15c)	Processus épineux de la septième vertèbre cervicale et de la première vertèbre thoracique.	Bord médial de la scapula au-dessus de l'épine scapulaire.	Élévation, adduction et rotation de la scapula vers le bas; stabilisation de la scapula.

Exposé 11.11 | *Muscles des mouvements de la ceinture scapulaire (suite)*

Figure 11.14 Muscles des mouvements de la ceinture scapulaire.

🔑 **Les muscles des mouvements de la ceinture scapulaire ont leur origine sur le squelette axial et leur insertion sur la clavicule ou sur la scapula.**

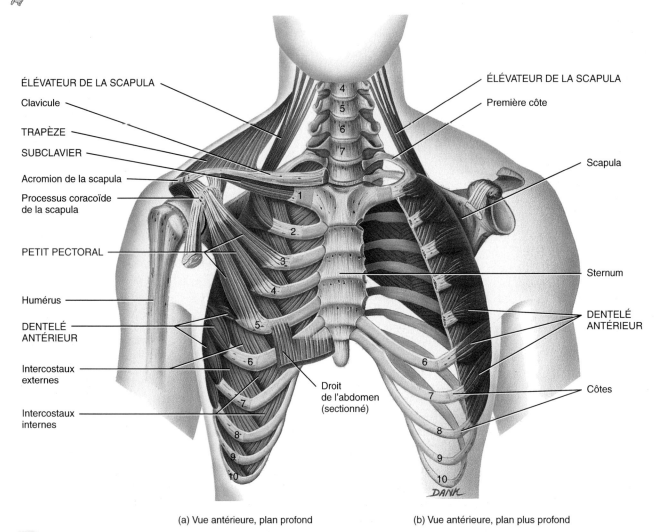

ÉLÉVATEUR DE LA SCAPULA

Clavicule

TRAPÈZE

SUBCLAVIER

Acromion de la scapula

Processus coracoïde de la scapula

PETIT PECTORAL

Humérus

DENTELÉ ANTÉRIEUR

Intercostaux externes

Intercostaux internes

ÉLÉVATEUR DE LA SCAPULA

Première côte

Scapula

Sternum

DENTELÉ ANTÉRIEUR

Côtes

Droit de l'abdomen (sectionné)

(a) Vue antérieure, plan profond   (b) Vue antérieure, plan plus profond

Q Quelle est la principale action des muscles qui font bouger la ceinture scapulaire ?

Exposé 11.12 | *Muscles des mouvements de l'humérus (bras) (figure 11.15)*

OBJECTIF

• *Décrire l'origine, l'insertion, l'action et l'innervation des muscles des mouvements de l'humérus.*

Des neuf muscles qui croisent l'articulation de l'épaule, deux seulement (le grand pectoral et le grand dorsal) n'ont pas leur point d'origine sur la scapula. Ils sont fixés au squelette axial et c'est pourquoi on les appelle **muscles axiaux.** Les sept autres, appelés **muscles scapulaires,** prennent naissance sur la scapula.

Un des deux muscles axiaux qui font bouger l'humérus, le **grand pectoral,** est un muscle large, épais, en éventail, qui couvre la partie supérieure du thorax. Il a deux origines : un petit chef claviculaire et un grand chef sterno-costal. Le **grand dorsal** est un muscle large et triangulaire, situé dans la partie inférieure du dos. On l'appelle communément le «muscle du nageur» parce que ses nombreuses actions sont exploitées au cours de la natation.

Parmi les muscles scapulaires, le **deltoïde** est un muscle épais et puissant qui recouvre l'articulation de l'épaule et confère à cette dernière sa forme arrondie. Il est souvent le lieu des injections intramusculaires. Notez, en examinant ce muscle, que ses fibres sont fixées à trois points d'origine et que chacun des groupes de fibres exerce une action différente sur l'humérus. Le **subscapulaire** est un grand muscle triangulaire qui remplit la fosse subscapulaire de la scapula et forme une partie de la paroi postérieure de l'aisselle. Le **supra-épineux** est un muscle arrondi qui tire son nom de sa situation dans la fosse supra-épineuse de la scapula. Il est situé sous le trapèze. L'**infra-épineux** est un muscle triangulaire qui tire également son nom de sa situation dans la fosse infra-épineuse de la scapula. Le **grand rond** est un muscle épais et aplati localisé sous le petit rond, qui fait aussi partie de la paroi postérieure de l'aisselle. Le **petit rond** est un muscle cylindrique et allongé, souvent inséparable de l'infra-épineux, lequel est situé le long de son bord supérieur. Le **coraco-brachial** est un muscle étroit et allongé du bras.

La force et la stabilité de l'épaule ne tiennent pas à la forme des os qui s'y emboîtent, ni à ses ligaments. Ce sont plutôt quatre muscles profonds – subscapulaire, supra-épineux, infra-épineux et petit rond – qui renforcent et stabilisent cette articulation. Ces muscles relient la scapula à l'humérus. Leurs tendons plats fusionnent pour former un manchon qui circonscrit presque complètement l'articulation de l'épaule. On appelle cette structure **coiffe des rotateurs,** ou **coiffe musculo-tendineuse.** Le muscle supra-épineux est particulièrement exposé à l'usure et aux blessures

en raison de sa situation entre la tête de l'humérus et l'acromion de la scapula, qui compriment son tendon durant les mouvements de l'épaule.

INNERVATION

Les muscles des mouvements du bras sont innervés par des nerfs issus du plexus brachial (présenté dans l'exposé 13.2, p. 454). Plus précisément, le grand pectoral est innervé par les nerfs pectoraux latéral et médial ; le grand dorsal est innervé par le nerf thoraco-dorsal ; le deltoïde et le petit rond sont innervés par le nerf axillaire ; le subscapulaire est innervé par les nerfs subscapulaires supérieur et inférieur ; le supra-épineux et l'infra-épineux sont innervés par le nerf suprascapulaire ; le grand rond est innervé par le nerf subscapulaire inférieur ; le coraco-brachial est innervé par le nerf musculo-cutané.

APPLICATION CLINIQUE
Tendinite de la coiffe des rotateurs

Une des causes les plus répandues de douleurs à l'épaule et de dysfonctionnement de l'articulation chez les sportifs est appelée **tendinite de la coiffe des rotateurs.** L'élévation fréquente du bras au-dessus de l'épaule, qui constitue un des gestes caractéristiques du baseball, de plusieurs sports qui se jouent avec une raquette, du smash au volley-ball ainsi que de la natation, expose les personnes qui pratiquent ces sports à cette forme de tendinite. Le pincement répété du tendon supra-épineux provoque l'inflammation de ce dernier et cause la douleur. Si la situation n'est pas corrigée, le tendon peut dégénérer près du point d'attache à l'humérus et aller jusqu'à se détacher de l'os (blessure de la coiffe des rotateurs). ■

MUSCLES ET MOUVEMENTS

Classez les muscles du présent exposé selon leur action sur l'humérus à l'articulation de l'épaule : 1) flexion, 2) extension, 3) abduction, 4) adduction, 5) rotation médiale et 6) rotation latérale. Le même muscle peut être mentionné plus d'une fois.

Pourquoi deux des muscles qui croisent l'articulation de l'épaule sont-ils appelés muscles axiaux et les sept autres, muscles scapulaires ?

Exposé 11.12 *Muscles des mouvements de l'humérus (bras) (suite)*

MUSCLE	ORIGINE	INSERTION	ACTION
Muscles axiaux qui participent aux mouvements de l'humérus			
Grand pectoral (voir aussi la figure 11.10a)	Clavicule (chef claviculaire), sternum et cartilage costal de la deuxième à la sixième côte (parfois de la première à la septième côte).	Tubercule majeur et sillon intertuberculaire de l'humérus.	Lorsqu'il se contracte en entier, il produit l'adduction et la rotation médiale du bras à l'articulation de l'épaule ; le chef claviculaire seul fléchit le bras, et le chef sterno-costal seul produit l'extension du bras à l'articulation de l'épaule.
Grand dorsal	Processus épineux des six dernières vertèbres thoraciques et des vertèbres lombaires, crêtes du sacrum et de l'ilium, et quatre dernières côtes.	Sillon intertuberculaire de l'humérus.	Extension, adduction et rotation médiale du bras à l'articulation de l'épaule ; tire le bras vers le bas et l'arrière.
Muscles scapulaires qui participent aux mouvements de l'humérus			
Deltoïde (*deltoeidês* = en forme de delta)	Extrémité acromiale de la clavicule (fibres antérieures), acromion de la scapula (fibres latérales) et épine scapulaire (fibres postérieures).	Tubérosité deltoïdienne de l'humérus.	Fibres latérales : abduction du bras à l'articulation de l'épaule ; fibres antérieures : flexion et rotation médiale du bras à l'articulation de l'épaule ; fibres postérieures : extension et rotation latérale du bras à l'articulation de l'épaule.
Subscapulaire (*sub* = sous ; *scapula* = épaule, en rapport avec la scapula)	Fosse subscapulaire de la scapula.	Tubercule mineur de l'humérus.	Rotation médiale du bras à l'articulation de l'épaule.
Supra-épineux (*supra* = au-dessus ; *spina* = épine, en rapport avec l'épine scapulaire)	Fosse supra-épineuse de la scapula.	Tubercule majeur de l'humérus.	Assiste le muscle deltoïde dans l'abduction du bras à l'articulation de l'épaule.
Infra-épineux (*infra* = au-dessous)	Fosse infra-épineuse de la scapula.	Tubercule majeur de l'humérus.	Rotation latérale et adduction du bras à l'articulation de l'épaule.
Grand rond	Angle inférieur de la scapula.	Sillon intertuberculaire de l'humérus.	Extension du bras à l'articulation de l'épaule, participe à l'adduction et à la rotation médiale du bras à l'articulation de l'épaule.
Petit rond	Bord latéral inférieur de la scapula.	Tubercule majeur de l'humérus.	Rotation latérale, extension et adduction du bras à l'articulation de l'épaule.
Coraco-brachial (*korako* = semblable à un corbeau, en rapport avec le processus coracoïde)	Processus coracoïde de la scapula.	Milieu de la face médiale du corps de l'humérus.	Flexion et adduction du bras à l'articulation de l'épaule.

Exposé 11.12 *(suite)*

Figure 11.15 Muscles des mouvements de l'humérus (bras).

🔑 **La force et la stabilité de l'articulation de l'épaule proviennent des tendons qui forment la coiffe des rotateurs.**

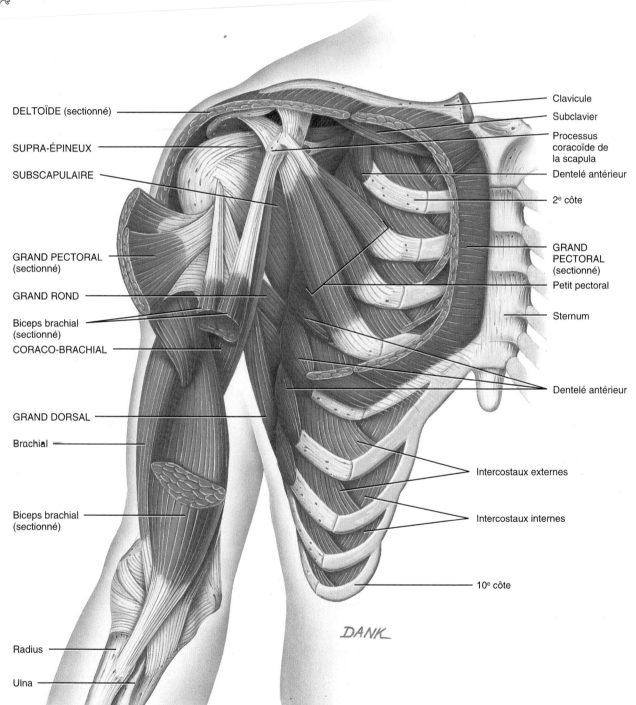

DELTOÏDE (sectionné)

SUPRA-ÉPINEUX

SUBSCAPULAIRE

GRAND PECTORAL (sectionné)

GRAND ROND

Biceps brachial (sectionné)

CORACO-BRACHIAL

GRAND DORSAL

Brachial

Biceps brachial (sectionné)

Radius

Ulna

Clavicule

Subclavier

Processus coracoïde de la scapula

Dentelé antérieur

2e côte

GRAND PECTORAL (sectionné)

Petit pectoral

Sternum

Dentelé antérieur

Intercostaux externes

Intercostaux internes

10e côte

DANK

(a) Vue antérieure, plan profond (le grand pectoral est représenté en entier à la figure 11.10a)

Suite à la page suivante

Exposé 11.12   *Muscles des mouvements de l'humérus (bras) (suite)*

Figure 11.15 (suite)

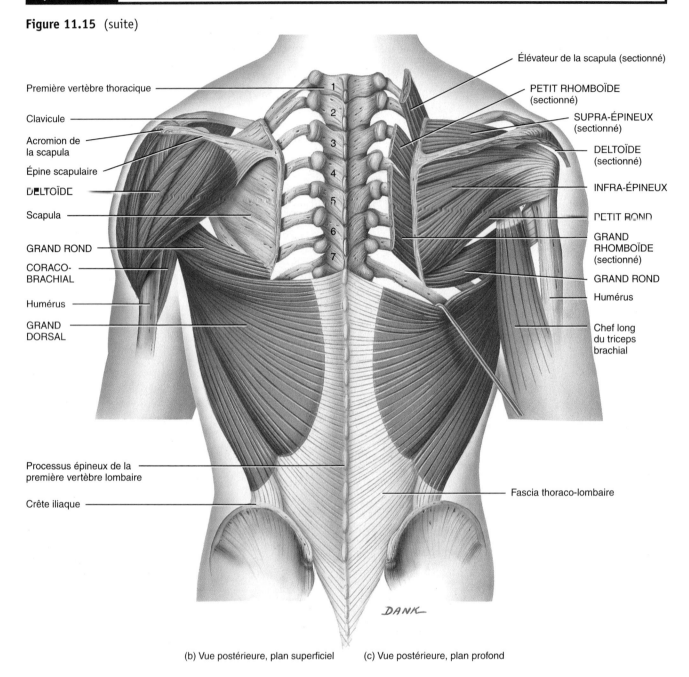

Première vertèbre thoracique

Clavicule

Acromion de
la scapula

Épine scapulaire

DELTOÏDE

Scapula

GRAND ROND

CORACO-
BRACHIAL

Humérus

GRAND
DORSAL

Processus épineux de la
première vertèbre lombaire

Crête iliaque

Élévateur de la scapula (sectionné)

PETIT RHOMBOÏDE
(sectionné)

SUPRA-ÉPINEUX
(sectionné)

DELTOÏDE
(sectionné)

INFRA-ÉPINEUX

PETIT ROND

GRAND
RHOMBOÏDE
(sectionné)

GRAND ROND

Humérus

Chef long
du triceps
brachial

Fascia thoraco-lombaire

DANK

(b) Vue postérieure, plan superficiel   (c) Vue postérieure, plan profond

Q   De quels tendons est formée la coiffe des rotateurs?

Exposé 11.13 | *Muscles des mouvements du radius et de l'ulna (avant-bras) (figure 11.16)*

OBJECTIF

• *Décrire l'origine, l'insertion, l'action et l'innervation des muscles des mouvements du radius et de l'ulna.*

La plupart des muscles qui mettent en mouvement le radius et l'ulna (avant-bras) participent à la flexion et à l'extension à la hauteur du coude, qui est une articulation trochléenne. Les muscles biceps brachial, brachial et brachio-radial sont les fléchisseurs. Le triceps brachial et l'anconé sont les extenseurs.

Le **biceps brachial** est le gros muscle situé sur la face antérieure du bras. Comme son nom l'indique, il possède deux chefs (long et court) dont les points d'attache se trouvent sur la scapula. Il traverse l'articulation de l'épaule et celle du coude. En plus de participer à la flexion de l'avant-bras à l'articulation du coude, il assure la supination de l'avant-bras aux articulations radio-ulnaires. Il fléchit aussi le bras à l'articulation de l'épaule. Le **brachial** est situé sous le biceps brachial. C'est le plus puissant fléchisseur de l'avant-bras au niveau du coude. Le **brachio-radial** fléchit l'avant-bras à l'articulation du coude, en particulier quand le mouvement doit être effectué rapidement ou qu'un poids est soulevé lentement durant la flexion de l'avant-bras.

Le **triceps brachial** est le gros muscle situé sur la face postérieure du bras. C'est le plus puissant des extenseurs de l'avant-bras à l'articulation du coude. Comme son nom l'indique, il possède trois chefs : l'un d'eux a son point d'attache sur la scapula (chef long) et les deux autres, sur l'humérus (chefs latéral et médial). Seul le chef long croise l'articulation de l'épaule. L'**anconé** est un petit muscle situé sur la partie latérale de la face postérieure du coude qui assiste le triceps brachial durant l'extension de l'avant-bras à l'articulation du coude.

Certains muscles des mouvements du radius et de l'ulna assurent la pronation et la supination aux articulations radio-ulnaires. Les pronateurs, comme leur nom l'indique, sont le muscle **rond pro-**nateur et le muscle **carré pronateur**. Le supinateur de l'avant-bras est tout simplement appelé muscle **supinateur**. On a recours à l'action puissante du supinateur quand on enfonce un tire-bouchon ou encore que l'on tourne une vis à l'aide d'un tournevis.

Dans les membres, les muscles squelettiques qui sont liés sur le plan fonctionnel, ainsi que les nerfs et les vaisseaux sanguins qui leur sont associés, sont regroupés par des fascias en régions appelées **loges**. Dans le bras, le biceps brachial, le brachial et le coraco-brachial constituent la *loge antérieure* (des *fléchisseurs*) ; le triceps brachial constitue la *loge postérieure* (des *extenseurs*).

INNERVATION

Les muscles des mouvements du radius et de l'ulna sont innervés par des nerfs dérivés du plexus brachial (présenté dans l'exposé 13.2, p. 454). Plus précisément, le biceps brachial est innervé par le nerf musculo-cutané ; le brachial est innervé par les nerfs musculo-cutané et radial ; le brachio-radial, le triceps brachial et l'anconé sont innervés par le nerf radial ; le rond pronateur et le carré pronateur sont innervés par le nerf médian ; le supinateur est innervé par le nerf radial profond.

MUSCLES ET MOUVEMENTS

Classez les muscles du présent exposé selon leur action sur l'articulation du coude : 1) flexion et 2) extension ; selon leur action sur l'avant-bras aux articulations radio-ulnaires : 1) supination et 2) pronation ; et selon leur action sur l'humérus à l'articulation de l'épaule : 1) flexion et 2) extension. Le même muscle peut être mentionné plus d'une fois.

Quels sont les muscles de la loge antérieure du bras ? de la loge postérieure du bras ?

MUSCLE	ORIGINE	INSERTION	ACTION
Fléchisseurs de l'avant-bras			
Biceps brachial (*biceps* = deux chefs ; *brachium* = bras)	Le *chef long* prend son origine sur le tubercule situé au-dessus de la cavité glénoïdale de la scapula (tubercule supraglénoïdal) ; le *chef court* prend son origine sur le processus coracoïde de la scapula.	Tubérosité du radius et aponévrose bicipitale*.	Flexion de l'avant-bras à l'articulation du coude, supination de l'avant-bras aux articulations radio-ulnaires et flexion du bras à l'articulation de l'épaule.
Brachial	Face antérieure distale de l'humérus.	Tubérosité ulnaire et processus coronoïde de l'ulna.	Flexion de l'avant-bras à l'articulation du coude.
Brachio-radial (= radius) (voir la figure 11.17a)	Bords latéral et médial de l'extrémité distale de l'humérus.	Au-dessus du processus styloïde du radius.	Flexion de l'avant-bras à l'articulation du coude ; supination et pronation de l'avant-bras aux articulations radio-ulnaires vers la position neutre.

* L'aponévrose bicipitale est une aponévrose large du tendon d'insertion du muscle biceps brachial. Elle descend sur la face médiale du bras, croise l'artère brachiale et fusionne avec le fascia profond au-dessus des muscles fléchisseurs de l'avant-bras.

Exposé 11.13 *Muscles des mouvements du radius et de l'ulna (avant-bras) (suite)*

MUSCLE	ORIGINE	INSERTION	ACTION
Extenseurs de l'avant-bras			
Triceps brachial (*triceps* = trois chefs)	Le *chef long* a son origine sur une protubérance située sous la cavité glénoïdale de la scapula (tubercule infraglénoïdal) ; le *chef latéral* a son origine sur la face latérale et postérieure de l'humérus au-dessus du sillon du nerf radial ; l'origine du *chef médial* s'étend sur toute la face postérieure de l'humérus sous le sillon du nerf radial.	Olécrâne de l'ulna.	Extension de l'avant-bras à l'articulation du coude et extension du bras à l'articulation de l'épaule.
Anconé (*ancon* = coude) (voir la figure 11.17c)	Épicondyle latéral de l'humérus.	Olécrâne et partie supérieure du corps de l'ulna.	Extension de l'avant-bras à l'articulation du coude.
Pronateurs de l'avant-bras			
Rond pronateur (*pronation* = rotation de la paume vers le bas ou l'arrière) (voir la figure 11.17a)	Épicondyle médial de l'humérus et processus coronoïde de l'ulna.	Milieu de la face latérale du radius.	Pronation de l'avant-bras aux articulations radio-ulnaires et flexion faible de l'avant-bras à l'articulation du coude.
Carré pronateur (voir la figure 11.17a)	Partie distale du corps de l'ulna.	Partie distale du corps du radius.	Pronation de l'avant-bras aux articulations radio-ulnaires.
Supinateur de l'avant-bras			
Supinateur (*supination* = rotation de la paume vers le haut ou l'avant) (voir la figure 11.17b)	Épicondyle latéral de l'humérus et saillie située près de l'incisure radiale de l'ulna (crête supinatrice).	Face latérale du tiers proximal du radius.	Supination de l'avant-bras aux articulations radio-ulnaires.

Exposé 11.13 *(suite)*

Figure 11.16 Muscles des mouvements du radius et de l'ulna (avant-bras).

Les muscles antérieurs du bras assurent la flexion de l'avant-bras alors que les muscles postérieurs assurent son extension.

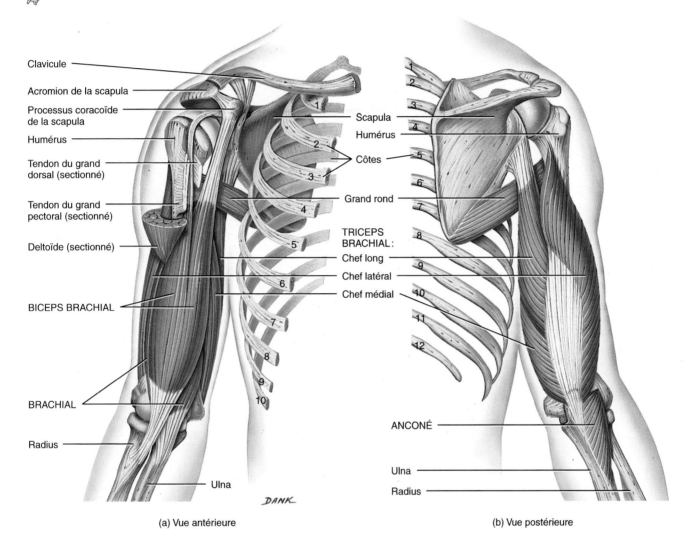

(a) Vue antérieure

(b) Vue postérieure

Suite à la page suivante

Exposé 11.13 *Muscles des mouvements du radius et de l'ulna (avant-bras) (suite)*

Figure 11.16 (suite)

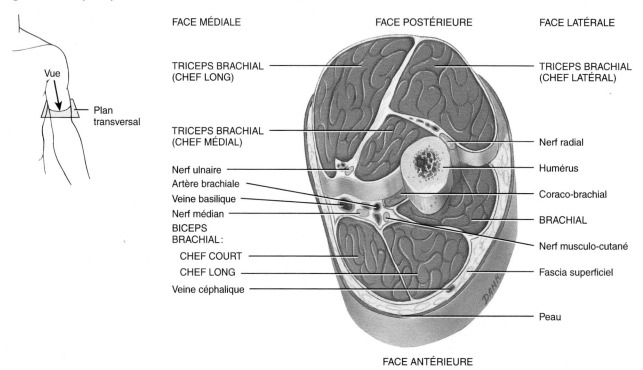

(c) Vue supérieure d'une coupe transversale du bras

Q Quel muscle est le plus puissant fléchisseur de l'avant-bras ?
Lequel en est le plus puissant extenseur ?

Exposé 11.14 | *Muscles des mouvements du poignet, de la main et des doigts (figure 11.17)*

OBJECTIF

- *Décrire l'origine, l'insertion, l'action et l'innervation des muscles des mouvements du poignet, de la main et des doigts.*

Les muscles des mouvements du poignet, de la main et des doigts sont nombreux et diversifiés. Comme vous pourrez le constater, ces muscles portent des noms qui donnent des renseignements sur leur origine, leur insertion ou leur action. Ceux qui agissent sur les doigts sont appelés **muscles extrinsèques** parce que leur origine se trouve *hors de* la main et leur insertion, dans la main. Selon leur situation et leur fonction, les muscles sont répartis en deux groupes: 1) les muscles de la loge antérieure et 2) les muscles de la loge postérieure. Les muscles de la **loge antérieure** ont leur origine sur l'humérus; ils s'insèrent en général sur les os du carpe ainsi que sur les métacarpiens et les phalanges; ce sont des fléchisseurs. Les ventres de ces muscles forment la plus grande partie de l'avant-bras. Les muscles de la **loge postérieure** ont leur origine sur l'humérus; ils s'insèrent sur les métacarpiens et les phalanges et ce sont des extenseurs. À l'intérieur de chaque loge, les muscles sont divisés en muscles superficiels et en muscles profonds.

Les muscles **superficiels de la loge antérieure** sont, dans l'ordre, de l'extérieur vers l'intérieur: le **fléchisseur radial du carpe**, le **long palmaire** (absent chez environ 10 % des individus) et le **fléchisseur ulnaire du carpe** (le nerf et l'artère ulnaires sont situés près du bord latéral du tendon de ce muscle au poignet). Le muscle **fléchisseur superficiel des doigts** est situé sous les trois autres et constitue le plus grand muscle superficiel de l'avant-bras.

Les muscles **profonds de la loge antérieure** sont, dans l'ordre, de l'extérieur vers l'intérieur: le **long fléchisseur du pouce** (le seul fléchisseur de la phalange distale du pouce) et le **fléchisseur profond des doigts** (il se termine par quatre tendons qui s'insèrent sur les phalanges distales des doigts).

Les muscles **superficiels de la loge postérieure** sont, dans l'ordre, de l'extérieur vers l'intérieur: le **long extenseur radial du carpe**, le **court extenseur radial du carpe**, l'**extenseur commun des doigts** (il occupe la majeure partie de la face postérieure de l'avant-bras et se sépare en quatre tendons qui s'insèrent sur les phalanges moyennes et distales des doigts), l'**extenseur du petit doigt** (muscle mince habituellement relié à l'extenseur commun des doigts) et l'**extenseur ulnaire du carpe**.

Les muscles **profonds de la loge postérieure** sont, dans l'ordre, de l'extérieur vers l'intérieur: le **long abducteur du pouce**, le **court extenseur du pouce**, le **long extenseur du pouce** et l'**extenseur de l'index**.

Les tendons des muscles de l'avant-bras qui sont fixés au poignet ou s'étendent jusque dans la main, ainsi que les vaisseaux sanguins et les nerfs, sont maintenus près des os par des structures fasciales résistantes. Les tendons sont aussi enveloppés dans des gaines tendineuses. Au poignet, le fascia profond s'épaissit pour former des lames fibreuses appelées **rétinaculums** (*retinaculum* = lien). Le **rétinaculum des fléchisseurs** est situé sur la face palmaire des os du carpe. Il livre passage aux longs tendons des fléchisseurs des doigts et du poignet ainsi qu'au nerf médian. Le **rétinaculum des extenseurs** est situé sur la face dorsale des os du carpe et il laisse passer les tendons des extenseurs du poignet et des doigts.

INNERVATION

Les muscles qui font bouger le poignet, la main et les doigts sont innervés par des nerfs dérivés du plexus brachial (présenté dans l'exposé 13.2, p. 454). Plus précisément, le fléchisseur radial du carpe, le long palmaire, le fléchisseur superficiel des doigts et le long fléchisseur du pouce sont innervés par le nerf médian; le fléchisseur ulnaire du carpe est innervé par le nerf ulnaire; le fléchisseur profond des doigts est innervé par les nerfs médian et ulnaire; le long extenseur radial du carpe, le court extenseur radial du carpe et l'extenseur commun des doigts sont innervés par le nerf radial; l'extenseur du petit doigt, l'extenseur ulnaire du carpe et tous les muscles profonds de la loge postérieure sont innervés par le nerf radial profond.

MUSCLES ET MOUVEMENTS

Classez les muscles du présent exposé selon leur action sur l'articulation du poignet: 1) flexion, 2) extension, 3) abduction et 4) adduction; selon leur action sur les doigts aux articulations métacarpo-phalangiennes: 1) flexion et 2) extension; selon leur action sur les doigts aux articulations interphalangiennes: 1) flexion et 2) extension; selon leur action sur le pouce aux articulations carpo-métacarpienne, métacarpo-phalangienne et interphalangienne: 1) extension et 2) abduction; et selon leur action sur le pouce à l'articulation interphalangienne: flexion. Le même muscle peut être mentionné plus d'une fois.

Quels sont les muscles du poignet, de la main et des doigts qui servent à écrire et quelle est leur action?

Exposé 11.14 *Muscles des mouvements du poignet, de la main et des doigts (suite)*

MUSCLE	ORIGINE	INSERTION	ACTION
Loge antérieure (fléchisseurs superficiels)			
Fléchisseur radial du carpe (*fléchisseur* = ferme l'angle de l'articulation; = radius; *karpos* = jointure)	Épicondyle médial de l'humérus.	Métacarpiens II et III.	Flexion et abduction de la main (déviation radiale) à l'articulation du poignet.
Long palmaire (*palma* = paume de la main)	Épicondyle médial de l'humérus.	Rétinaculum des fléchisseurs et aponévrose palmaire (fascia profond du milieu de la paume).	Flexion faible de la main à l'articulation du poignet.
Fléchisseur ulnaire du carpe (= ulna)	Épicondyle médial de l'humérus et bord postérieur supérieur de l'ulna.	Os pisiforme, hamatum et base du métacarpien V.	Flexion et adduction de la main (déviation ulnaire) à l'articulation du poignet.
Fléchisseur superficiel des doigts (*superficiel* = plus près de la surface)	Épicondyle médial de l'humérus, processus coronoïde de l'ulna et crête du bord latéral de la face antérieure (ligne oblique antérieure) du radius.	Phalange moyenne de chaque doigt*.	Flexion de la phalange moyenne de chaque doigt à l'articulation interphalangienne proximale, de la phalange proximale de chaque doigt à l'articulation métacarpo-phalangienne et de la main à l'articulation du poignet.
Loge antérieure (fléchisseurs profonds)			
Long fléchisseur du pouce	Face antérieure du radius et membrane interosseuse antébrachiale (lame de tissu fibreux qui maintient ensemble les corps de l'ulna et du radius).	Base de la phalange distale du pouce.	Flexion de la phalange distale du pouce à l'articulation interphalangienne.
Fléchisseur profond des doigts	Face médiale antérieure du corps de l'ulna.	Base de la phalange distale de chacun des doigts.	Flexion des phalanges moyenne et distale de chaque doigt aux articulations interphalangiennes, de la phalange proximale de chaque doigt à l'articulation métacarpo-phalangienne et de la main à l'articulation du poignet.

* Rappel: Le pouce, ou pollex, est le premier doigt; il comprend deux phalanges: proximale et distale. Les autres doigts sont numérotés de II à V; ils comprennent chacun trois phalanges: proximale, moyenne et distale.

Exposé 11.14 *(suite)*

MUSCLE	ORIGINE	INSERTION	ACTION
Loge postérieure (extenseurs superficiels)			
Long extenseur radial du carpe (*extenseur* = ouvre l'angle de l'articulation)	Crête supracondylaire latérale de l'humérus.	Métacarpien II.	Extension et abduction de la main à l'articulation du poignet.
Court extenseur radial du carpe	Épicondyle latéral de l'humérus.	Métacarpien III.	Extension et abduction de la main à l'articulation du poignet.
Extenseur commun des doigts	Épicondyle latéral de l'humérus.	Phalanges moyenne et distale de chaque doigt.	Extension des phalanges moyenne et distale de chaque doigt aux articulations interphalangiennes, de la phalange proximale de chaque doigt à l'articulation métacarpo-phalangienne et de la main à l'articulation du poignet.
Extenseur du petit doigt	Épicondyle latéral de l'humérus.	Tendon de l'extenseur commun des doigts sur la phalange V.	Extension de la phalange proximale du petit doigt à l'articulation métacarpo-phalangienne et de la main à l'articulation du poignet.
Extenseur ulnaire du carpe	Épicondyle latéral de l'humérus et bord postérieur de l'ulna.	Métacarpien V.	Extension et adduction de la main à l'articulation du poignet.
Loge postérieure (extenseurs profonds)			
Long abducteur du pouce (*abducteur* = éloigne le membre de la ligne médiane)	Face postérieure du milieu du radius et de l'ulna et membrane interosseuse antébrachiale.	Métacarpien I.	Abduction et extension du pouce à l'articulation carpo-métacarpienne et abduction de la main à l'articulation du poignet.
Court extenseur du pouce	Face postérieure du milieu du radius et membrane interosseuse antébrachiale.	Base de la phalange proximale du pouce.	Extension de la phalange proximale du pouce à l'articulation métacarpo-phalangienne, du métacarpien I du pouce à l'articulation carpo-métacarpienne et de la main à l'articulation du poignet.
Long extenseur du pouce	Face postérieure du milieu de l'ulna et membrane interosseuse antébrachiale.	Base de la phalange distale du pouce.	Extension de la phalange distale du pouce à l'articulation interphalangienne, du métacarpien I du pouce à l'articulation carpo-métacarpienne et abduction de la main à l'articulation du poignet.
Extenseur de l'index	Face postérieure de l'ulna.	Tendon de l'extenseur commun des doigts sur l'index.	Extension des phalanges distale et moyenne de l'index aux articulations interphalangiennes, de la phalange proximale de l'index à l'articulation métacarpo-phalangienne et de la main à l'articulation du poignet.

Exposé 11.14 *Muscles des mouvements du poignet, de la main et des doigts (suite)*

Figure 11.17 Muscles des mouvements du poignet, de la main et des doigts.

Les muscles de la loge antérieure sont des fléchisseurs et ceux de la loge postérieure, des extenseurs.

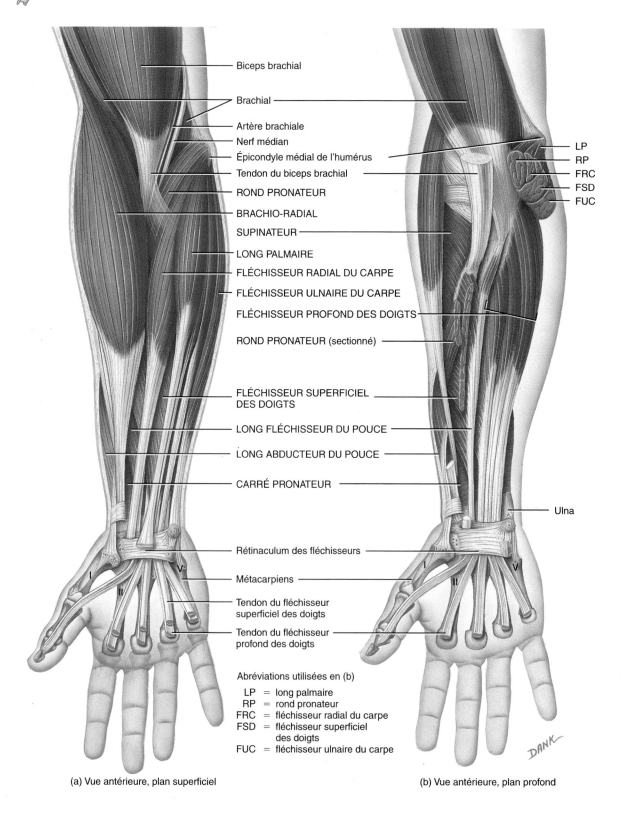

Biceps brachial

Brachial

Artère brachiale

Nerf médian

Épicondyle médial de l'humérus

Tendon du biceps brachial

ROND PRONATEUR

BRACHIO-RADIAL

SUPINATEUR

LONG PALMAIRE

FLÉCHISSEUR RADIAL DU CARPE

FLÉCHISSEUR ULNAIRE DU CARPE

FLÉCHISSEUR PROFOND DES DOIGTS

ROND PRONATEUR (sectionné)

FLÉCHISSEUR SUPERFICIEL DES DOIGTS

LONG FLÉCHISSEUR DU POUCE

LONG ABDUCTEUR DU POUCE

CARRÉ PRONATEUR

Rétinaculum des fléchisseurs

Métacarpiens

Tendon du fléchisseur superficiel des doigts

Tendon du fléchisseur profond des doigts

LP
RP
FRC
FSD
FUC

Ulna

Abréviations utilisées en (b)

LP = long palmaire
RP = rond pronateur
FRC = fléchisseur radial du carpe
FSD = fléchisseur superficiel des doigts
FUC = fléchisseur ulnaire du carpe

(a) Vue antérieure, plan superficiel

(b) Vue antérieure, plan profond

Exposé 11.14 *(suite)*

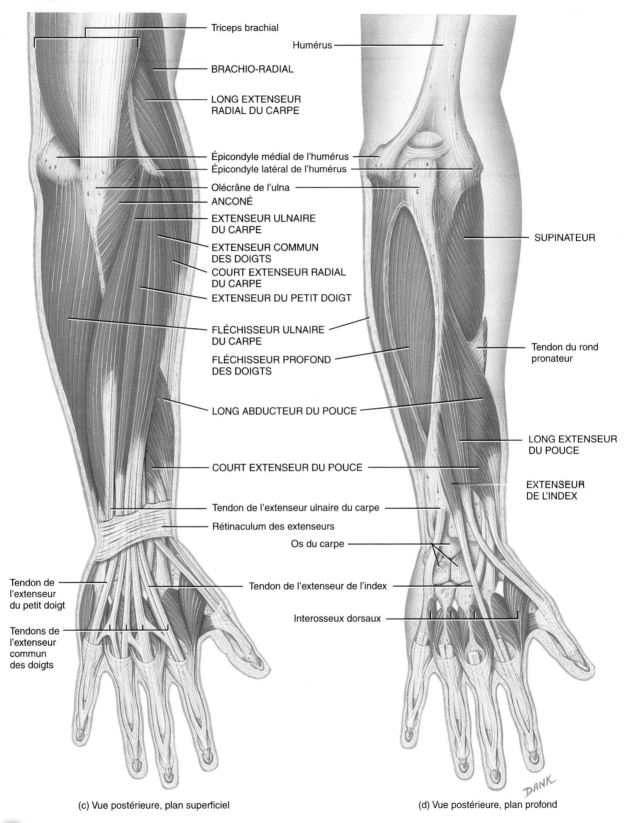

Triceps brachial

Humérus

BRACHIO-RADIAL

LONG EXTENSEUR
RADIAL DU CARPE

Épicondyle médial de l'humérus
Épicondyle latéral de l'humérus

Olécrâne de l'ulna

ANCONÉ

EXTENSEUR ULNAIRE
DU CARPE

EXTENSEUR COMMUN
DES DOIGTS

COURT EXTENSEUR RADIAL
DU CARPE

EXTENSEUR DU PETIT DOIGT

FLÉCHISSEUR ULNAIRE
DU CARPE

FLÉCHISSEUR PROFOND
DES DOIGTS

LONG ABDUCTEUR DU POUCE

COURT EXTENSEUR DU POUCE

Tendon de l'extenseur ulnaire du carpe

Rétinaculum des extenseurs

Os du carpe

Tendon de
l'extenseur
du petit doigt

Tendon de l'extenseur de l'index

Tendons de
l'extenseur
commun
des doigts

Interosseux dorsaux

SUPINATEUR

Tendon du rond
pronateur

LONG EXTENSEUR
DU POUCE

EXTENSEUR
DE L'INDEX

DANK

(c) Vue postérieure, plan superficiel

(d) Vue postérieure, plan profond

Q Quelles structures passent sous le rétinaculum des fléchisseurs?

Exposé 11.15 │ *Muscles intrinsèques de la main (figure 11.18)*

OBJECTIF

• *Décrire l'origine, l'insertion, l'action et l'innervation des muscles intrinsèques de la main.*

Dans l'exposé 11.14, nous avons décrit plusieurs muscles, appelés muscles extrinsèques, qui permettent certains mouvements des doigts. Ces muscles produisent les mouvements puissants mais grossiers des doigts. Les **muscles intrinsèques** de la paume produisent les mouvements faibles mais complexes et précis des doigts qui caractérisent la main humaine. Les muscles de ce groupe sont ainsi appelés parce que leur origine et leur insertion se trouvent *dans* la main.

Les muscles intrinsèques de la main se répartissent en trois groupes : 1) les muscles du **thénar**, ou thénariens, 2) les muscles de l'**hypothénar**, ou hypothénariens, et 3) les muscles **intermédiaires.** Les quatre muscles du thénar agissent sur le pouce et forment l'**éminence thénar**, la saillie arrondie du côté latéral de la paume. Ce sont le **court abducteur du pouce**, l'**opposant du pouce**, le **court fléchisseur du pouce** et l'**adducteur du pouce.**

Les trois muscles de l'hypothénar agissent sur le petit doigt et forment l'**éminence hypothénar**, la saillie arrondie du côté médial de la paume. Ce sont l'**abducteur du petit doigt**, le **court fléchisseur du petit doigt** et l'**opposant du petit doigt.**

Les 12 muscles intermédiaires (du milieu de la paume) agissent sur tous les doigts sauf le pouce. Ce sont les **lombricaux de la main**, les **interosseux palmaires** et les **interosseux dorsaux de la main.** Les deux ensembles de muscles interosseux sont situés entre les métacarpiens et jouent un rôle important dans l'abduction, l'adduction, la flexion et l'extension des doigts, et dans les mouvements propres aux activités qui exigent de la dextérité comme écrire, dactylographier et jouer du piano.

L'importance fonctionnelle de la main est indéniable quand on considère que certaines blessures de cette partie du corps peuvent entraîner une incapacité définitive. La dextérité de la main dépend surtout des mouvements du pouce. Les principales activités de la main sont les mouvements libres, la prise de force (poigne, ou serrement des doigts et du pouce contre la paume), la manipulation de précision (changement de la position d'un objet dans la main exigeant une parfaite maîtrise de l'action des doigts et du pouce, comme pour régler une montre ou enfiler une aiguille), et le pincement (compression entre le pouce et l'index ou entre le pouce et les deux premiers doigts).

Le pouce joue un rôle très important dans les activités de précision de la main. Les mouvements du pouce, bien que semblables à ceux des doigts, s'effectuent dans des plans différents parce que la position du pouce est perpendiculaire à celle des autres doigts. Les cinq principaux mouvements du pouce sont illustrés à la figure 11.18c. Ils comprennent la *flexion* (mouvement médial en travers de la paume), *extension* (mouvement latéral qui éloigne le pouce de la paume), *abduction* (mouvement dans le plan antéro-postérieur qui éloigne le pouce de la paume), *adduction* (mouvement dans le plan antéro-postérieur vers la paume) et *opposition* (mouvement en travers de la paume qui met le bout du pouce en contact avec le bout d'un doigt). L'opposition est un mouvement des doigts qui, plus que tout autre, distingue les humains et les autres primates, en leur permettant de saisir et de manipuler des objets avec précision.

INNERVATION

Les muscles intrinsèques de la main sont innervés par des nerfs dérivés du plexus brachial (présenté dans l'exposé 13.2, p. 454). Plus précisément, le court abducteur du pouce et l'opposant du pouce sont innervés par le nerf médian ; l'adducteur du pouce, l'abducteur du petit doigt, le court fléchisseur du petit doigt, l'opposant du petit doigt, les interosseux dorsaux de la main et les interosseux palmaires sont innervés par le nerf ulnaire ; le court fléchisseur du pouce et les lombricaux sont innervés par les nerfs médian et ulnaire.

APPLICATION CLINIQUE
Syndrome du canal carpien

Le **canal carpien** est un passage étroit formé à l'avant par le rétinaculum des fléchisseurs et à l'arrière par les os du carpe. C'est par ce canal que passent le nerf médian, la structure la plus superficielle, et les longs tendons des fléchisseurs des doigts. Les structures qui se trouvent dans le canal carpien, en particulier le nerf médian, sont parfois comprimées, ce qui provoque le **syndrome du canal carpien.** La compression du nerf médian entraîne des altérations sensorielles dans la partie latérale de la main et une faiblesse musculaire dans l'éminence thénar. Il en résulte de la douleur, des engourdissements et des picotements dans les doigts. L'affection peut être causée par l'inflammation des gaines des tendons des doigts, l'œdème, l'excès d'exercice, l'infection, un traumatisme et des actions répétitives qui nécessitent la flexion du poignet, telles que faire la saisie de données au clavier, couper les cheveux ou jouer du piano. ■

MUSCLES ET MOUVEMENTS

Classez les muscles du présent exposé selon leur action sur le pouce aux articulations carpo-métacarpienne et métacarpophalangienne : 1) abduction, 2) adduction, 3) flexion et 4) opposition ; et selon leur action sur les doigts aux articulations métacarpo-phalangiennes et interphalangiennes : 1) abduction, 2) adduction, 3) flexion et 4) extension. Le même muscle peut être mentionné plus d'une fois.

Comparez l'action des muscles intrinsèques et des muscles extrinsèques de la main.

Exposé 11.15 *(suite)*

MUSCLE	ORIGINE	INSERTION	ACTION
Muscles du thénar (thénariens)			
Court abducteur du pouce (*abducteur* = éloigne le pouce du milieu de la main)	Rétinaculum des fléchisseurs, os scaphoïde et trapèze.	Côté latéral de la phalange proximale du pouce.	Abduction du pouce à l'articulation carpo-métacarpienne.
Opposant du pouce	Rétinaculum des fléchisseurs et trapèze.	Côté latéral du métacarpien I (pouce).	Plie le pouce au-dessus de la paume de façon qu'il touche le petit doigt (opposition) à l'articulation carpo-métacarpienne.
Court fléchisseur du pouce (*fléchisseur* = ferme l'angle de l'articulation)	Rétinaculum des fléchisseurs, trapèze, capitatum et trapézoïde.	Côté latéral de la phalange proximale du pouce.	Flexion du pouce aux articulations carpo-métacarpienne et métacarpo-phalangienne.
Adducteur du pouce (*adducteur* = rapproche le pouce du milieu de la main)	Chef oblique : capitatum et métacarpiens II et III ; chef transverse : métacarpien III.	Côté médial de la phalange proximale du pouce par un tendon contenant un os sésamoïde.	Adduction du pouce aux articulations carpo-métacarpienne et métacarpo-phalangienne.
Muscles de l'hypothénar (hypothénariens)			
Abducteur du petit doigt	Os pisiforme et tendon du fléchisseur ulnaire du carpe.	Côté médial de la phalange proximale du petit doigt.	Abduction et flexion du petit doigt à l'articulation métacarpo-phalangienne.
Court fléchisseur du petit doigt	Rétinaculum des fléchisseurs et hamatum.	Côté médial de la phalange proximale du petit doigt.	Flexion du petit doigt aux articulations carpo-métacarpienne et métacarpo-phalangienne.
Opposant du petit doigt	Rétinaculum des fléchisseurs et hamatum.	Côté médial du métacarpien V (petit doigt)	Plie le petit doigt au-dessus de la paume de façon qu'il touche le pouce (opposition) à l'articulation carpo-métacarpienne.
Muscles intermédiaires (du milieu de la paume)			
Lombricaux (*lumbricus* = lombric) (quatre muscles)	Bords latéraux des tendons du fléchisseur profond de chaque doigt.	Côté latéral du tendon de l'extenseur commun des doigts sur la phalange proximale de chaque doigt.	Flexion de chaque doigt aux articulations métacarpo-phalangiennes et extension de chaque doigt aux articulations interphalangiennes.
Interosseux palmaires (*inter* = entre ; *palma* = paume de la main) (quatre muscles)	Côtés des corps des métacarpiens de tous les doigts (sauf le médius).	Côté de la base de la phalange proximale de chaque doigt (sauf le médius).	Adduction de chaque doigt aux articulations métacarpo-phalangiennes ; flexion de chaque doigt à l'articulation métacarpo-phalangienne.
Interosseux dorsaux de la main (*dorsal* = face tournée vers l'arrière) (quatre muscles)	Côtés adjacents des métacarpiens.	Phalange proximale de chaque doigt.	Abduction des doigts II à IV aux articulations métacarpo-phalangiennes ; flexion des doigts II à IV aux articulations métacarpo-phalangiennes et extension de chaque doigt aux articulations interphalangiennes.

Exposé 11.15 *Muscles intrinsèques de la main (suite)*

Figure 11.18 Muscles intrinsèques de la main.

🔑 **Les muscles intrinsèques de la main produisent les mouvements complexes et précis des doigts qui caractérisent la main humaine.**

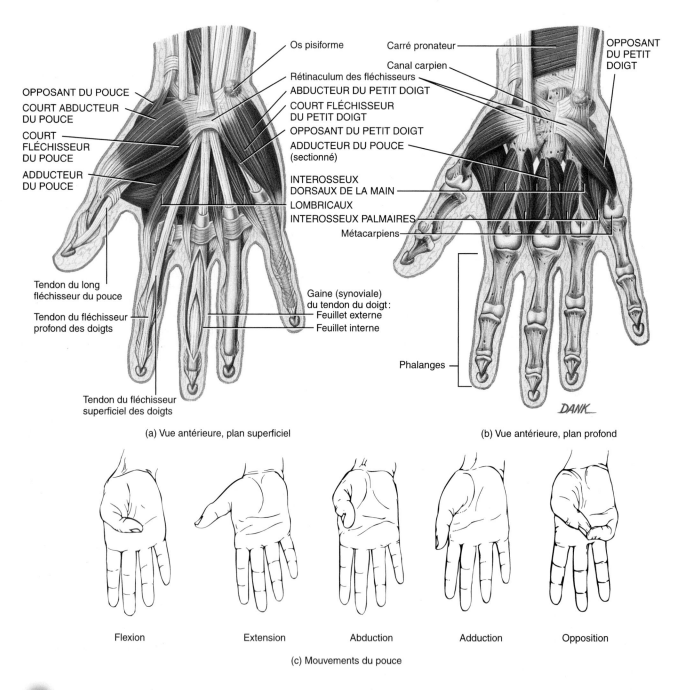

(a) Vue antérieure, plan superficiel

(b) Vue antérieure, plan profond

Flexion Extension Abduction Adduction Opposition

(c) Mouvements du pouce

Q Sur quel doigt les muscles de l'éminence thénar exercent-ils leur action ?

Exposé 11.16 — *Muscles des mouvements de la colonne vertébrale (figure 11.19)*

OBJECTIF

• *Décrire l'origine, l'insertion, l'action et l'innervation des muscles des mouvements de la colonne vertébrale.*

Les muscles qui assurent les mouvements de la colonne vertébrale sont assez complexes parce qu'ils ont des origines et des insertions multiples et qu'ils se chevauchent en maints endroits. On peut utiliser pour critère de regroupement de ces muscles la direction générale des faisceaux musculaires et leur longueur approximative. Par exemple, les muscles splénius prennent leur origine sur la ligne médiane et sont tendus latéralement et vers le haut jusqu'à leur insertion. Le muscle érecteur du rachis prend son origine soit sur la ligne médiane, soit à côté, mais il est généralement tendu vers le haut et dans le sens longitudinal, presque sans déviation latérale ou médiale. L'origine du muscle transversaire épineux est latérale, mais ses faisceaux sont tendus obliquement vers le haut jusqu'à la ligne médiane. Sous ces trois groupes de muscles se trouvent de petits muscles segmentaires tendus entre les processus épineux ou les processus transverses des vertèbres. En raison de leur participation aux mouvements de la colonne vertébrale, les muscles scalènes sont décrits ici. Nous avons indiqué dans l'exposé 11.7 que les muscles droit de l'abdomen, oblique externe, oblique interne et carré des lombes ont un rôle à jouer dans les mouvements de la colonne vertébrale.

Les muscles **splénius**, dont la forme rappelle un bandage, sont attachés aux côtés et à l'arrière du cou. Les deux muscles de ce groupe tirent leur nom de leur point d'attache supérieur (insertion): ce sont le **splénius de la tête** et le **splénius du cou**. Ils permettent l'extension ainsi que la flexion latérale et la rotation de la tête.

L'**érecteur du rachis** est la plus grande masse musculaire du dos. On le reconnaît au renflement qu'il forme de chaque côté de la colonne vertébrale. C'est le principal extenseur de la colonne. Il joue également un rôle important dans la maîtrise de la flexion, de la flexion latérale et de la rotation de la colonne vertébrale ainsi que dans le maintien de la courbure lombaire, puisque la plus grande partie du muscle est située dans la région des lombes. Il est constitué de trois groupes: le muscle ilio-costal (latéral), le muscle longissimus (intermédiaire) et le muscle épineux (médial). Chacun de ces groupes est lui-même formé d'une série de muscles qui se chevauchent et dont les noms rappellent les régions du corps auxquelles ils sont associés. Le **muscle ilio-costal** comprend trois faisceaux: l'**ilio-costal du cou**, l'**ilio-costal du thorax** et l'**ilio-costal des lombes**. Le **muscle longissimus**, qui ressemble à des chevrons, comprend aussi trois faisceaux: le **longissimus de la tête**, le **longissimus du cou** et le **longissimus du thorax**. De même, le **muscle épineux** comprend trois faisceaux: l'**épineux de la tête**, l'**épineux du cou** et l'**épineux du thorax**.

Le muscle **transversaire épineux** est ainsi nommé parce que ses fibres sont tendues du processus transverse au processus épineux des vertèbres. Le muscle semi-épineux, un des faisceaux du transversaire épineux, est lui-même formé de faisceaux qui sont nommés en fonction de la région du corps à laquelle ils sont associés: **semi-épineux de la tête, semi-épineux du cou** et **semi-épineux du thorax**. Ces muscles assurent l'extension de la colonne vertébrale et la rotation de la tête. Les muscles **multifides**, qui font également partie du transversaire épineux, sont constitués de plusieurs faisceaux, comme leur nom l'indique. Ils participent à l'extension et à la flexion latérale de la colonne vertébrale et à la rotation de la tête. Les muscles **rotateurs du rachis**, qui font aussi partie du transversaire épineux, sont courts et se trouvent sur toute la longueur de la colonne vertébrale, dont ils assurent l'extension et la rotation.

Le groupe des muscles **segmentaires** comprend les **interépineux** et les **intertransversaires**, qui réunissent les processus épineux et transverses des vertèbres consécutives. Leur fonction première consiste à stabiliser la colonne vertébrale au cours de ses mouvements.

Dans le groupe des muscles **scalènes**, le **scalène antérieur** est situé devant le **scalène moyen**. Ce dernier occupe la position intermédiaire; c'est le plus long et le plus gros muscle de ce groupe. Le **scalène postérieur** est situé derrière le scalène moyen; c'est le plus petit muscle du groupe. Ces muscles ont pour fonction la flexion, la flexion latérale et la rotation de la tête. Ils participent également à l'inspiration profonde.

INNERVATION

Le splénius de la tête est innervé par les nerfs cervicaux moyens; le splénius du cou est innervé par les nerfs cervicaux inférieurs; l'ilio-costal du cou et le semi-épineux de la tête sont innervés par les nerfs cervicaux et thoraciques; l'ilio-costal du thorax est innervé par des nerfs thoraciques; l'ilio-costal des lombes est innervé par des nerfs lombaires; le longissimus de la tête est innervé par les nerfs cervicaux moyens et inférieurs; le longissimus du cou, le longissimus du thorax, tous les faisceaux du muscle épineux, les multifides, les rotateurs et les interépineux sont innervés par des nerfs cervicaux, thoraciques et lombaires; le semi-épineux du cou et le semi-épineux du thorax sont innervés par des nerfs cervicaux et thoraciques; les intertransversaires sont innervés par des nerfs spinaux; le scalène antérieur est innervé par les nerfs spinaux C5 et C6; le scalène moyen est innervé par les nerfs spinaux C3 à C8; le scalène postérieur est innervé par les nerfs spinaux C6 à C8.

MUSCLES ET MOUVEMENTS

Classez les muscles du présent exposé selon leur action sur la tête aux articulations atlanto-occipitale et intervertébrales: 1) flexion, 2) extension, 3) flexion latérale, 4) rotation du côté du muscle qui se contracte et 5) rotation du côté opposé au muscle qui se contracte; selon leur action sur la colonne vertébrale aux articulations intervertébrales: 1) flexion, 2) extension, 3) flexion latérale, 4) rotation et 5) stabilisation; et selon leur action sur les côtes: élévation au cours de l'inspiration profonde. Le même muscle peut être mentionné plus d'une fois.

Quels sont les quatre grands groupes de muscles qui assurent les mouvements de la colonne vertébrale?

Exposé 11.16 *Muscles des mouvements de la colonne vertébrale (suite)*

MUSCLE	ORIGINE	INSERTION	ACTION
Splénius			
Splénius de la tête (*splênion* = compresse)	Ligament nuchal et processus épineux de la septième vertèbre cervicale et des trois ou quatre premières vertèbres thoraciques.	Os occipital et processus mastoïde de l'os temporal.	La contraction bilatérale entraîne l'extension de la tête ; la contraction d'un seul côté (unilatérale) produit la flexion latérale et la rotation de la tête vers le côté du muscle qui se contracte.
Splénius du cou	Processus épineux de la troisième à la sixième vertèbre thoracique.	Processus transverses des deux ou quatre premières vertèbres cervicales.	La contraction bilatérale entraîne l'extension de la tête ; la contraction unilatérale produit la flexion latérale et la rotation de la tête vers le côté du muscle qui se contracte.

Érecteur du rachis Comprend les muscles ilio-costal, longissimus et épineux.

MUSCLE	ORIGINE	INSERTION	ACTION
Muscle ilio-costal (latéral)			
Ilio-costal du cou (*ilia* = flancs ; *costa* = côte)	Six premières côtes.	Processus transverses de la quatrième à la sixième vertèbre cervicale.	Lorsqu'ils se contractent ensemble, les muscles de chaque région (cervicale, thoracique et lombaire) causent, dans leurs régions respectives, l'extension de la colonne vertébrale et le maintien de la position verticale ; lorsqu'ils se contractent d'un côté, ils produisent la flexion latérale de la colonne vertébrale dans leurs régions respectives.
Ilio-costal du thorax	Six dernières côtes.	Six premières côtes.	
Ilio-costal des lombes	Crête iliaque.	Six dernières côtes.	
Muscle longissimus (intermédiaire)			
Longissimus de la tête (*longissimus* = le plus long)	Processus transverses des quatre premières vertèbres thoraciques et processus articulaires des quatre dernières vertèbres cervicales.	Processus mastoïde de l'os temporal.	La contraction bilatérale des deux muscles longissimus de la tête produit l'extension de la tête ; la contraction unilatérale produit la rotation de la tête vers le côté du muscle qui se contracte. Lorsqu'ils se contractent ensemble, le longissimus du cou et les deux longissimus du thorax produisent l'extension de la colonne vertébrale dans leurs régions respectives ; lorsqu'ils se contractent d'un côté, ils entraînent la flexion latérale de la colonne dans leurs régions respectives.
Longissimus du cou	Processus transverses des quatrième et cinquième vertèbres thoraciques.	Processus transverses de la deuxième à la sixième vertèbre cervicale.	
Longissimus du thorax	Processus transverses des vertèbres lombaires.	Processus transverses de toutes les vertèbres thoraciques et des premières vertèbres lombaires, ainsi que les neuvième et dixième côtes.	
Muscle épineux (médial)			
Épineux de la tête (*spina* = épine, en rapport avec la colonne vertébrale)	Suit le semi-épineux de la tête.	Os occipital.	Lorsqu'ils se contractent ensemble, les muscles de chaque région (cervicale, thoracique et lombaire) entraînent l'extension de la colonne vertébrale dans leurs régions respectives.
Épineux du cou	Ligament nuchal et processus épineux de la septième vertèbre cervicale.	Processus épineux de l'axis.	
Épineux du thorax	Processus épineux des premières vertèbres lombaires et des dernières vertèbres thoraciques.	Processus épineux des premières vertèbres thoraciques.	

Exposé 11.16 *(suite)*

MUSCLE	ORIGINE	INSERTION	ACTION
Transversaire épineux			
Semi-épineux de la tête (*semi* = moitié ou en partie)	Processus transverses des six ou sept premières vertèbres thoraciques et de la septième vertèbre cervicale, ainsi que les processus articulaires de la quatrième, cinquième et sixième vertèbre cervicale.	Os occipital.	La contraction bilatérale entraîne l'extension de la tête; la contraction unilatérale produit la rotation de la tête vers le côté opposé au muscle qui se contracte.
Semi-épineux du cou	Processus transverses des cinq ou six premières vertèbres thoraciques.	Processus épineux de la première à la cinquième vertèbre cervicale.	Lorsqu'ils se contractent ensemble, les deux semi-épineux du cou et les deux semi-épineux du thorax entraînent l'extension de la colonne vertébrale dans leurs régions respectives; lorsqu'ils se contractent d'un côté, ils produisent la rotation de la tête vers le côté opposé au muscle qui se contracte.
Semi-épineux du thorax	Processus transverses de la sixième à la dixième vertèbre thoracique.	Processus épineux des quatre premières vertèbres thoraciques et des deux dernières vertèbres cervicales.	
Multifides (*multi* = beaucoup; *findere* = séparer)	Sacrum, ilium, processus transverses des vertèbres lombaires et thoraciques et des quatre dernières vertèbres cervicales.	Processus épineux de la vertèbre située au-dessus.	Lorsqu'ils se contractent ensemble, ils produisent l'extension de la colonne vertébrale; lorsqu'ils se contractent séparément, ils causent la flexion latérale de la colonne vertébrale et la rotation de la tête vers le côté opposé au muscle qui se contracte.
Rotateurs (*rotare* = tourner)	Processus transverses de toutes les vertèbres.	Processus épineux de la vertèbre au-dessus de celle d'origine.	Lorsqu'ils se contractent ensemble, ils entraînent l'extension de la colonne vertébrale; lorsqu'ils se contractent séparément, ils produisent la rotation de la colonne vertébrale vers le côté opposé au muscle qui se contracte.
Segmentaires			
Interépineux (*inter* = entre)	Face supérieure de tous les processus épineux.	Face inférieure du processus épineux de la vertèbre au-dessus de celle d'origine.	Lorsqu'ils se contractent ensemble, ils produisent l'extension de la colonne vertébrale; lorsqu'ils se contractent séparément, ils stabilisent la colonne au cours des mouvements.
Intertransversaires (*inter* = entre)	Processus transverses de toutes les vertèbres.	Processus transverse de la vertèbre au-dessus de celle d'origine.	Lorsqu'ils se contractent ensemble, ils causent l'extension de la colonne vertébrale; lorsqu'ils se contractent séparément, ils produisent la flexion latérale de la colonne et la stabilisent au cours des mouvements.
Scalènes			
Scalène antérieur (*skalênos* = inégal)	Processus transverses de la troisième à la sixième vertèbre cervicale.	Première côte.	Lorsqu'ils se contractent ensemble, les deux scalènes antérieurs et moyens produisent la flexion de la tête et élèvent les premières côtes durant l'inspiration profonde; lorsqu'ils se contractent séparément, ils entraînent la flexion latérale de la tête et sa rotation vers le côté opposé au muscle qui se contracte.
Scalène moyen	Processus transverses des six dernières vertèbres cervicales.	Première côte.	
Scalène postérieur	Processus transverses de la quatrième à la sixième vertèbre cervicale.	Deuxième côte.	Lorsqu'ils se contractent ensemble, ils entraînent la flexion de la tête et l'élévation des deuxièmes côtes durant l'inspiration profonde; lorsqu'ils se contractent séparément, ils produisent la flexion latérale de la tête et sa rotation vers le côté opposé au muscle qui se contracte.

Exposé 11.16 *Muscles des mouvements de la colonne vertébrale (suite)*

Figure 11.19 Muscles des mouvements de la colonne vertébrale.

L'érecteur du rachis est la plus grande masse musculaire du corps et constitue le principal extenseur de la colonne vertébrale.

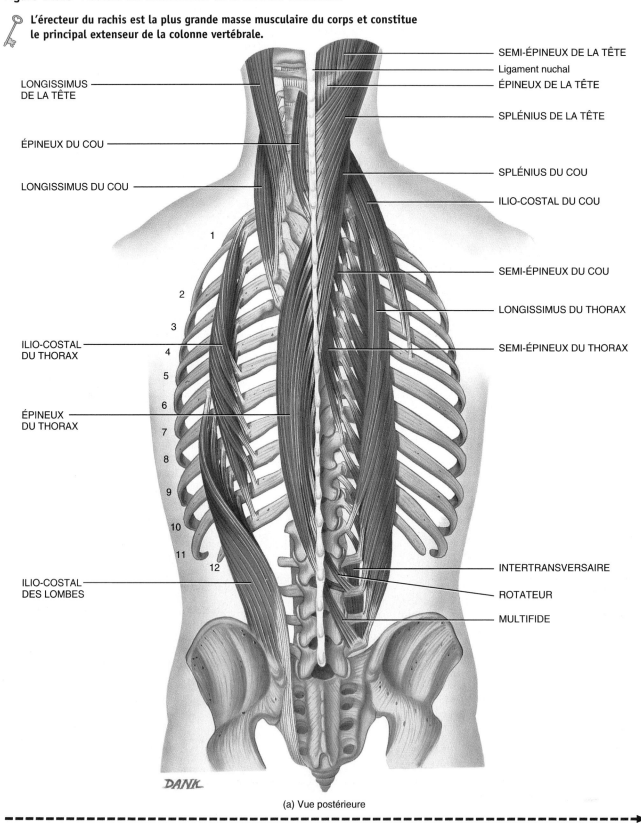

LONGISSIMUS DE LA TÊTE

ÉPINEUX DU COU

LONGISSIMUS DU COU

ILIO-COSTAL DU THORAX

ÉPINEUX DU THORAX

ILIO-COSTAL DES LOMBES

SEMI-ÉPINEUX DE LA TÊTE

Ligament nuchal

ÉPINEUX DE LA TÊTE

SPLÉNIUS DE LA TÊTE

SPLÉNIUS DU COU

ILIO-COSTAL DU COU

SEMI-ÉPINEUX DU COU

LONGISSIMUS DU THORAX

SEMI-ÉPINEUX DU THORAX

INTERTRANSVERSAIRE

ROTATEUR

MULTIFIDE

1 2 3 4 5 6 7 8 9 10 11 12

DANK

(a) Vue postérieure

Exposé 11.16 *(suite)*

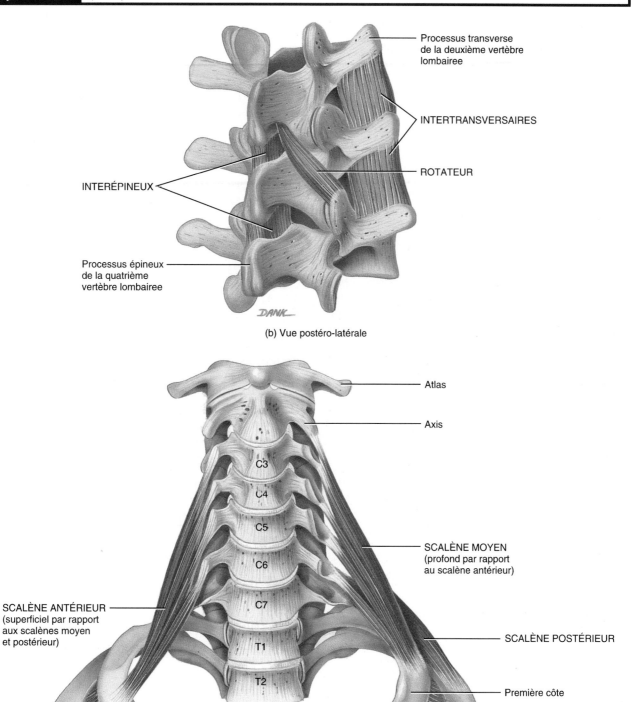

Processus transverse
de la deuxième vertèbre
lombairee

INTERTRANSVERSAIRES

ROTATEUR

INTERÉPINEUX

Processus épineux
de la quatrième
vertèbre lombairee

(b) Vue postéro-latérale

Atlas

Axis

C3

C4

C5

C6

C7

T1

T2

SCALÈNE MOYEN
(profond par rapport
au scalène antérieur)

SCALÈNE ANTÉRIEUR
(superficiel par rapport
aux scalènes moyen
et postérieur)

SCALÈNE POSTÉRIEUR

Première côte

Deuxième côte

(c) Vue antérieure

Q Quels muscles ont leur origine sur la ligne médiane et sont tendus latéralement
et vers le haut jusqu'à leur insertion ?

Exposé 11.17 *Muscles des mouvements du fémur (cuisse) (figure 11.20)*

OBJECTIF

- *Décrire l'origine, l'insertion, l'action et l'innervation des muscles du fémur.*

Comme vous allez le constater, les muscles des membres inférieurs sont plus gros et plus puissants que ceux des membres supérieurs parce qu'ils ont pour fonction d'assurer la stabilité, la locomotion et le maintien de la posture. Les muscles des membres supérieurs se caractérisent par la variété des mouvements qu'ils permettent. Par ailleurs, les muscles des membres inférieurs croisent souvent deux articulations et peuvent mettre les deux en action.

La plupart des muscles des mouvements du fémur ont leur origine sur la ceinture pelvienne et leur insertion sur le fémur. Les muscles **grand psoas** et **iliaque** ont une insertion commune (petit trochanter du fémur) ; ils forment ensemble le muscle **ilio-psoas.** Il y a trois muscles fessiers : le grand fessier, le moyen fessier et le petit fessier. **Le grand fessier** est le plus gros et le plus lourd des trois et constitue un des plus gros muscles du corps ; c'est le principal extenseur du fémur. Le **moyen fessier** est situé presque entièrement sous le grand fessier ; c'est un puissant abducteur du fémur à l'articulation de la hanche. Il est souvent choisi comme point d'injection intramusculaire. Le **petit fessier** est le plus petit de ce groupe de muscles ; il est situé sous le moyen fessier.

Le muscle **tenseur du fascia lata** est situé sur la face latérale de la cuisse. Un fascia profond composé de tissu conjonctif dense entoure toute la cuisse et porte le nom de **fascia lata.** La face latérale de ce fascia est bien développée et forme, avec les tendons du tenseur du fascia lata et du grand fessier, une structure appelée **tractus ilio-tibial**, qui s'insère sur le condyle latéral du tibia.

Les muscles **piriforme, obturateur interne, obturateur externe, jumeau supérieur, jumeau inférieur** et **carré fémoral** sont situés sous le grand fessier et sont des rotateurs latéraux du fémur à l'articulation de la hanche.

Les muscles **long adducteur, court adducteur** et **grand adducteur** sont situés sur la face médiale de la cuisse. Ils ont leur origine sur le pubis et s'insèrent sur le fémur. Les trois produisent l'adduction, la flexion et la rotation médiale du fémur à l'articulation de la hanche. Le muscle **pectiné** participe également à l'adduction et à la flexion du fémur à l'articulation de la hanche.

En réalité, les muscles adducteurs et pectiné font partie de la loge médiale de la cuisse et pourraient aussi bien figurer dans l'exposé 11.18. Toutefois, nous en parlons ici parce qu'ils agissent sur le fémur.

INNERVATION

Les muscles des mouvements du fémur sont innervés par des nerfs dérivés des plexus lombaire et sacral (présentés dans les exposés 13.3 et 13.4, p. 459-463). Plus précisément, le grand psoas est innervé par les nerfs spinaux L2 et L3 ; l'iliaque et le pectiné sont innervés par le nerf fémoral ; le grand fessier est innervé par le nerf gluteal inférieur ; le moyen fessier, le petit fessier et le tenseur du fascia lata sont innervés par le nerf gluteal supérieur ; le piriforme est innervé par les nerfs spinaux S1 ou S2, mais surtout par S1 ; l'obturateur interne et le jumeau supérieur sont innervés par le nerf du muscle obturateur interne ; l'obturateur externe, le long adducteur et le court adducteur sont innervés par le nerf obturateur ; le jumeau inférieur et le carré fémoral sont innervés par le nerf du muscle carré fémoral ; le grand adducteur est innervé par les nerfs obturateur et sciatique.

APPLICATION CLINIQUE
Claquage des muscles de l'aine

Certaines activités, en particulier de nature sportive, peuvent donner lieu à un **claquage des muscles de l'aine,** soit une distension, un étirement ou une déchirure des attaches distales des muscles de la partie médiale de la cuisse, de l'ilio-psoas et/ou des adducteurs. En général, cette blessure résulte d'activités qui nécessitent des sprints soudains, comme le tennis, le football et la course. ■

MUSCLES ET MOUVEMENTS

Classez les muscles du présent exposé selon leur action sur la cuisse à l'articulation de la hanche : 1) flexion, 2) extension, 3) abduction, 4) adduction, 5) rotation médiale et 6) rotation latérale. Le même muscle peut être mentionné plus d'une fois.

| De quoi est formé le tractus ilio-tibial ?

Exposé 11.17 (suite)

MUSCLE	ORIGINE	INSERTION	ACTION
Grand psoas (*psoa* = lombes)	Processus transverses et corps des vertèbres lombaires.	Avec l'iliaque sur le petit trochanter du fémur.	Le grand psoas et l'iliaque produisent ensemble la flexion de la cuisse à l'articulation de la hanche, la rotation latérale de la cuisse et la flexion du tronc sur la hanche, par exemple lorsqu'on passe de la position couchée sur le dos à la position assise.
Iliaque (*ilia* = flancs)	Fosse iliaque.	Avec le grand psoas sur le petit trochanter du fémur.	
Grand fessier	Crête iliaque, sacrum, coccyx et aponévrose des muscles sacro-épineux (ou muscle érecteur du rachis).	Tractus ilio-tibial du fascia lata et partie latérale de la ligne âpre sous le grand trochanter (tubérosité glutéale) du fémur.	Extension de la cuisse à l'articulation de la hanche et rotation latérale de la cuisse.
Moyen fessier	Ilium.	Grand trochanter du fémur.	Abduction de la cuisse à l'articulation de la hanche et rotation médiale de la cuisse.
Petit fessier	Ilium.	Grand trochanter du fémur.	Abduction de la cuisse à l'articulation de la hanche et rotation médiale de la cuisse.
Tenseur du fascia lata (*tendere* = tendre ; *fascia* = bande ; *lata* = large)	Crête iliaque.	Tibia par l'intermédiaire du tractus ilio-tibial.	Flexion et abduction de la cuisse à l'articulation de la hanche.
Piriforme (*pirus* = poire)	Sacrum antérieur.	Bord supérieur du grand trochanter du fémur.	Rotation latérale et abduction de la cuisse à l'articulation de la hanche.
Obturateur interne (*obturateur* = en rapport avec le foramen obturé ; *interne* = en dedans)	Face interne du foramen obturé, pubis et ischium.	Grand trochanter du fémur.	Rotation latérale et abduction de la cuisse à l'articulation de la hanche.
Obturateur externe (*externe* = en dehors)	Face externe de la membrane obturatrice.	Dépression profonde sous le grand trochanter (fosse trochantérique) du fémur.	Rotation latérale et abduction de la cuisse à l'articulation de la hanche.
Jumeau supérieur (*supérieur* = au-dessus)	Épine ischiatique.	Grand trochanter du fémur.	Rotation latérale et abduction de la cuisse à l'articulation de la hanche.
Jumeau inférieur (*inférieur* = au-dessous)	Tubérosité ischiatique.	Grand trochanter du fémur.	Rotation latérale et abduction de la cuisse à l'articulation de la hanche.
Carré fémoral (*carré* = quatre)	Tubérosité ischiatique.	Saillie au-dessus du milieu de la crête intertrochantérique (tubercule du carré) sur la face postérieure du fémur.	Rotation latérale et stabilisation de l'articulation de la hanche.
Long adducteur (*adducteur* = déplace le membre vers la ligne médiane)	Crête pubienne et symphyse pubienne.	Ligne âpre du fémur.	Adduction et flexion de la cuisse à l'articulation de la hanche et rotation médiale de la cuisse.
Court adducteur	Branche inférieure du pubis.	Moitié supérieure de la ligne âpre du fémur.	Adduction et flexion de la cuisse à l'articulation de la hanche et rotation médiale de la cuisse.
Grand adducteur	Branche inférieure du pubis et ischium jusqu'à la tubérosité ischiatique.	Ligne âpre du fémur.	Adduction de la cuisse à l'articulation de la hanche et rotation médiale de la cuisse ; la partie antérieure produit la flexion à l'articulation de la hanche et la partie postérieure, l'extension de la cuisse à l'articulation de la hanche.
Pectiné (*pecten* = peigne)	Branche supérieure du pubis.	Ligne pectinée du fémur, entre le petit trochanter et la ligne âpre.	Flexion et adduction de la cuisse à l'articulation de la hanche.

Exposé 11.17 *Muscles des mouvements du fémur (cuisse) (suite)*

Figure 11.20 Muscles des mouvements du fémur (cuisse).

La plupart des muscles des mouvements du fémur ont leur origine sur la ceinture pelvienne (hanche) et leur insertion sur le fémur.

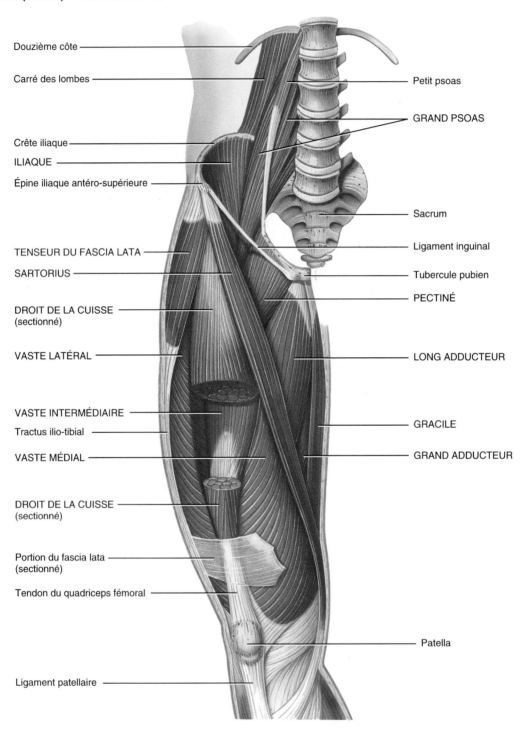

Douzième côte

Carré des lombes

Crête iliaque

ILIAQUE

Épine iliaque antéro-supérieure

TENSEUR DU FASCIA LATA

SARTORIUS

DROIT DE LA CUISSE (sectionné)

VASTE LATÉRAL

VASTE INTERMÉDIAIRE

Tractus ilio-tibial

VASTE MÉDIAL

DROIT DE LA CUISSE (sectionné)

Portion du fascia lata (sectionné)

Tendon du quadriceps fémoral

Ligament patellaire

Petit psoas

GRAND PSOAS

Sacrum

Ligament inguinal

Tubercule pubien

PECTINÉ

LONG ADDUCTEUR

GRACILE

GRAND ADDUCTEUR

Patella

(a) Vue antérieure, plan superficiel

Exposé 11.17 *(suite)*

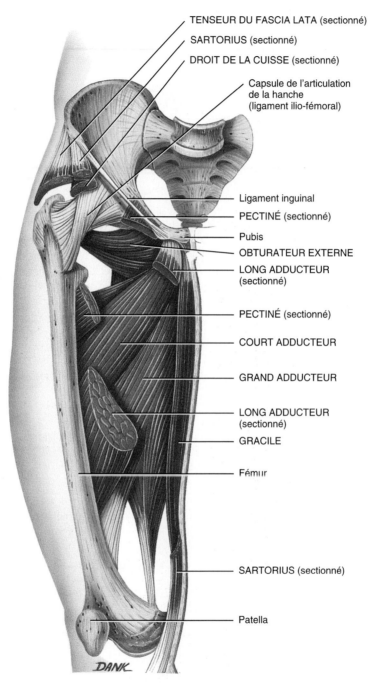

TENSEUR DU FASCIA LATA (sectionné)

SARTORIUS (sectionné)

DROIT DE LA CUISSE (sectionné)

Capsule de l'articulation de la hanche (ligament ilio-fémoral)

Ligament inguinal

PECTINÉ (sectionné)

Pubis

OBTURATEUR EXTERNE

LONG ADDUCTEUR (sectionné)

PECTINÉ (sectionné)

COURT ADDUCTEUR

GRAND ADDUCTEUR

LONG ADDUCTEUR (sectionné)

GRACILE

Fémur

SARTORIUS (sectionné)

Patella

(b) Vue antérieure, plan profond (rotation latérale du fémur)

Suite à la page suivante

Exposé 11.17 *Muscles des mouvements du fémur (cuisse) (suite)*

Figure 11.20 (suite)

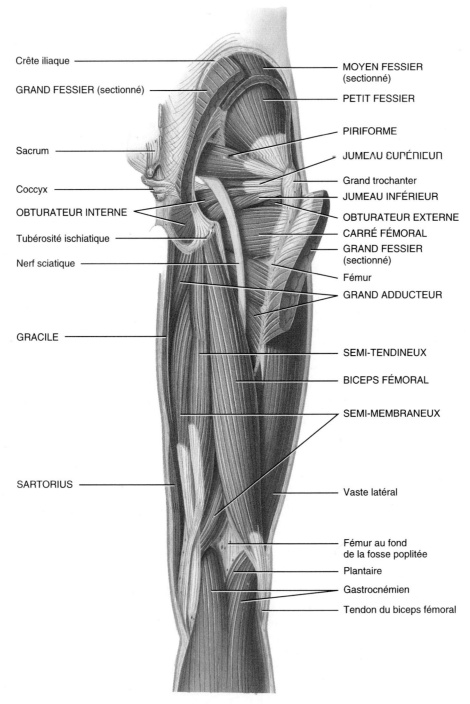

Crête iliaque

GRAND FESSIER (sectionné)

Sacrum

Coccyx

OBTURATEUR INTERNE

Tubérosité ischiatique

Nerf sciatique

GRACILE

SARTORIUS

MOYEN FESSIER (sectionné)

PETIT FESSIER

PIRIFORME

JUMEAU SUPÉRIEUR

Grand trochanter

JUMEAU INFÉRIEUR

OBTURATEUR EXTERNE

CARRÉ FÉMORAL

GRAND FESSIER (sectionné)

Fémur

GRAND ADDUCTEUR

SEMI-TENDINEUX

BICEPS FÉMORAL

SEMI-MEMBRANEUX

Vaste latéral

Fémur au fond de la fosse poplitée

Plantaire

Gastrocnémien

Tendon du biceps fémoral

(c) Vue postérieure, plan superficiel

Q Quelles sont les principales différences entre les muscles des membres supérieurs et ceux des membres inférieurs?

Exposé 11.18 *Muscles qui agissent sur le fémur (cuisse) et sur le tibia et la fibula (jambe) (figure 11.21)*

OBJECTIF

• *Décrire l'origine, l'insertion, l'action et l'innervation des muscles qui agissent sur le fémur et sur le tibia et la fibula.*

Les muscles qui agissent sur le fémur (cuisse) et sur le tibia et la fibula (jambe) sont séparés par des fascias profonds en loges médiale, antérieure et postérieure. La **loge médiale** (des **adducteurs**) est ainsi nommée parce que les muscles qu'elle comprend entraînent l'adduction du fémur à l'articulation de la hanche. (Voir le grand adducteur, le long adducteur, le court adducteur et le pectiné, qui font partie de la loge médiale, dans l'exposé 11.17.) Le **gracile,** dernier muscle de la loge médiale, ne produit pas seulement l'adduction de la cuisse, mais aussi la flexion de la jambe à l'articulation du genou. C'est pourquoi nous en parlons ici. Le gracile est un muscle long ayant l'aspect d'une courroie qui est situé sur la face médiale de la cuisse et du genou.

La **loge antérieure** (des **extenseurs**) est ainsi nommée parce que ses muscles assurent l'extension de la jambe (et participent aussi à la flexion de la cuisse). Elle comprend les muscles quadriceps fémoral et sartorius. Le **quadriceps fémoral** est un des plus gros muscles du corps; il couvre la majeure partie de la face antérieure et des côtés de la cuisse. C'est en fait un muscle composé, qui est habituellement traité comme quatre muscles différents: 1) le **droit de la cuisse,** sur la face antérieure de la cuisse, 2) le **vaste latéral,** sur la face latérale, 3) le **vaste médial,** sur la face médiale, et 4) le **vaste intermédiaire,** qui est situé sous le droit de la cuisse entre le vaste latéral et le vaste médial. Le tendon commun de ces quatre muscles est appelé **tendon du quadriceps** et s'insère sur la patella. Il est prolongé sous la patella par le **ligament patellaire,** qui est attaché à la tubérosité tibiale. Le quadriceps fémoral est le grand extenseur de la jambe. Le **sartorius** est un muscle long et étroit qui forme une bande en travers de la cuisse à partir de l'ilium de l'os coxal jusqu'au côté médial du tibia. Les divers mouvements qu'il produit permettent de croiser la jambe en position assise de façon que le talon d'un des membres repose sur le genou de l'autre. On l'appelle muscle couturier parce que les gens de ce métier s'assoyaient souvent dans cette position. (La principale action du sartorius étant de faire bouger la cuisse plutôt que la jambe, nous aurions pu traiter de ce muscle dans l'exposé 11.17.)

La **loge postérieure** (des **fléchisseurs**) est ainsi nommée parce que ses muscles fléchissent la jambe (et permettent aussi l'extension de la cuisse). Elle comprend trois muscles: 1) le **biceps fémoral,** 2) le **semi-tendineux** et 3) le **semi-membraneux.** Les tendons de ces muscles sont longs et filandreux dans la région poplitée. (Les bouchers suspendent les jambons par ces longs tendons pour les fumer.) Comme les muscles de la loge postérieure de la cuisse croisent deux articulations (hanche et genou), ils sont à la fois extenseurs de la cuisse et fléchisseurs de la jambe. La **fosse poplitée** est un espace en forme de losange sur la face postérieure du genou limitée latéralement par les tendons du biceps fémoral et médialement par ceux des muscles semi-tendineux et semi-membraneux.

INNERVATION

Les muscles qui agissent sur le fémur et sur le tibia et la fibula sont innervés par les nerfs obturateur et fémoral dérivés du plexus lombaire (présenté dans l'exposé 13.3, p. 459) et par le nerf sciatique dérivé du plexus sacral (présenté dans l'exposé 13.4, p. 462). Plus précisément, le gracile est innervé par le nerf obturateur; le quadriceps fémoral et le sartorius sont innervés par le nerf fémoral; le biceps fémoral est innervé par les nerfs tibial et fibulaire commun provenant du nerf sciatique; le semi-membraneux et le semi-tendineux sont innervés par le nerf tibial provenant du nerf sciatique.

APPLICATION CLINIQUE
Claquage des muscles de la cuisse

On appelle **claquage des muscles de la cuisse** l'étirement ou la déchirure partielle des muscles proximaux de la loge postérieure de la cuisse. C'est une blessure courante chez les sportifs qui courent très fort ou qui doivent faire des départs et des arrêts brusques. Il arrive qu'à la suite d'un effort musculaire violent, nécessaire à l'exécution d'une manœuvre à la limite de la forme physique, il se produise une déchirure d'une partie de l'origine tendineuse des muscles de la loge postérieure, en particulier le biceps fémoral, au niveau de la tubérosité ischiatique. Cette déchirure s'accompagne généralement d'une contusion (formation d'une ecchymose), de la déchirure de fibres musculaires et de la rupture de vaisseaux sanguins, entraînant un hématome (accumulation de sang) et de la douleur. Pour prévenir cette blessure, il importe d'adopter un programme d'entraînement approprié, qui favorise un bon équilibre entre le quadriceps fémoral et les muscles de la loge postérieure, et d'effectuer des exercices d'étirement avant la compétition ou la course. ■

MUSCLES ET MOUVEMENTS

Classez les muscles du présent exposé selon leur action sur la cuisse à l'articulation de la hanche: 1) abduction, 2) adduction, 3) rotation latérale, 4) flexion et 5) extension; et selon leur action sur la jambe à l'articulation du genou: 1) flexion et 2) extension. Le même muscle peut être mentionné plus d'une fois.

Répartissez les muscles qui agissent sur le fémur (cuisse) et sur le tibia et la fibula (jambe) en loges médiale, antérieure et postérieure.

Exposé 11.18 | *Muscles qui agissent sur le fémur (cuisse) et sur le tibia et la fibula (jambe) (suite)*

MUSCLE	ORIGINE	INSERTION	ACTION
Loge médiale (des adducteurs)			
Grand adducteur			
Long adducteur	Voir l'exposé 11.17.		
Court adducteur			
Pectiné			
Gracile	Symphyse pubienne et arcade pubienne.	Face médiale du corps du tibia.	Adduction de la cuisse à l'articulation de la hanche, rotation médiale de la cuisse et flexion de la jambe à l'articulation du genou.
Loge antérieure (des extenseurs)			
Quadriceps fémoral (*quadriceps* = quatre chefs)			
Droit de la cuisse (*droit* = fibres parallèles à la ligne médiane)	Épine iliaque antéro-inférieure.		
Vaste latéral	Grand trochanter et ligne âpre du fémur.	Patella par le tendon du quadriceps, puis tubérosité tibiale par le ligament patellaire.	Les quatre chefs produisent l'extension de la jambe à l'articulation du genou; agissant seul, le droit de la cuisse fléchit aussi la cuisse à l'articulation de la hanche.
Vaste médial	Ligne âpre du fémur.		
Vaste intermédiaire	Faces antérieure et latérale du corps du fémur.		
Sartorius (*sartor* = couturier; le muscle le plus long du corps)	Épine iliaque antéro-supérieure.	Face médiale du corps du tibia.	Flexion de la jambe à l'articulation du genou; flexion, abduction et rotation latérale de la cuisse à l'articulation de la hanche.
Loge postérieure (des fléchisseurs)			
Biceps fémoral (*biceps* = deux chefs)	Le chef long prend son origine sur la tubérosité ischiatique; le chef court prend son origine sur la ligne âpre du fémur.	Tête de la fibula et condyle latéral du tibia.	Flexion de la jambe au genou et extension de la cuisse à l'articulation de la hanche.
Semi-tendineux	Tubérosité ischiatique.	Partie proximale de la face médiale du corps du tibia.	Flexion de la jambe au genou et extension de la cuisse à l'articulation de la hanche.
Semi-membraneux	Tubérosité ischiatique.	Condyle médial du tibia.	Flexion de la jambe au genou et extension de la cuisse à l'articulation de la hanche.

Exposé 11.18 *(suite)*

Figure 11.21 Muscles qui agissent sur le fémur (cuisse) et sur le tibia et la fibula (jambe).

🗝 **Les muscles qui agissent sur la jambe ont leur origine sur la hanche et la cuisse. Ils sont répartis en loges séparées les unes des autres par des fascias profonds.**

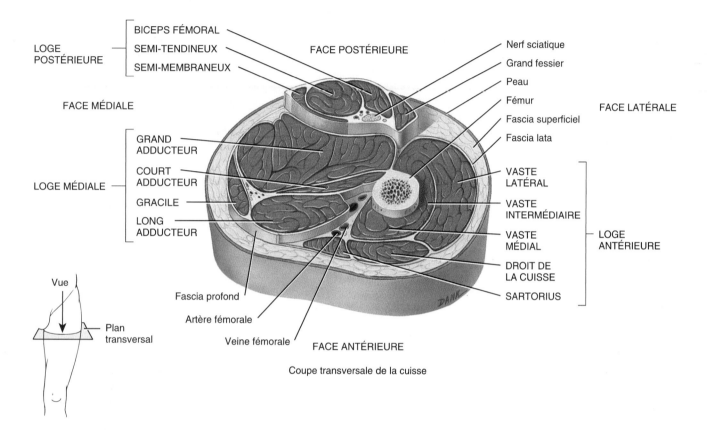

Coupe transversale de la cuisse

Q De quels muscles sont formés le quadriceps fémoral et les muscles de la loge postérieure de la cuisse?

Exposé 11.19   *Muscles des mouvements du pied et des orteils (figure 11.22)*

OBJECTIF

• *Décrire l'origine, l'insertion, l'action et l'innervation
des muscles des mouvements du pied et des orteils.*

Les muscles qui permettent de bouger le pied et les orteils sont situés dans la jambe. La musculature de la jambe, comme celle de la cuisse, est divisée par des fascias profonds en trois loges : antérieure, latérale et postérieure. La **loge antérieure** comprend des muscles qui produisent la dorsiflexion du pied. Les tendons des muscles de la loge antérieure sont fermement maintenus à la cheville par un épaississement du fascia profond, analogue à celui qui se trouve au poignet. Il s'agit du **rétinaculum supérieur des muscles extenseurs** (ou *ligament transverse de la jambe*) et du **rétinaculum inférieur des muscles extenseurs** (ou *ligament annulaire antérieur du tarse*).

Dans la loge antérieure, le **tibial antérieur** est un muscle long et épais de la face latérale du tibia qui est facile à palper. Le **long extenseur de l'hallux** est un muscle mince situé entre le **tibial antérieur** et le **long extenseur des orteils** et en partie au-dessous d'eux. Le long extenseur des orteils est un muscle penniforme situé latéralement par rapport au tibial antérieur ; il est également facile à palper. Le **troisième fibulaire** appartient en fait au long extenseur des orteils avec lequel il a une origine commune.

La **loge latérale** (des **fibulaires**) comprend deux muscles dont la fonction est la flexion plantaire et l'éversion du pied : le **long fibulaire** et le **court fibulaire**.

La **loge postérieure** comprend des muscles qui appartiennent à deux groupes, superficiel et profond. Les muscles superficiels ont le même tendon d'insertion, le **tendon calcanéen** (ou **tendon d'Achille**). C'est le tendon le plus fort du corps ; il s'insère sur le calcanéus de la cheville. Les muscles superficiels et la plupart des muscles profonds produisent la flexion plantaire du pied à l'articulation de la cheville. Les muscles superficiels de la loge postérieure sont le gastrocnémien, le soléaire et le plantaire – ce sont les muscles du mollet. La grande taille de ces muscles est directement liée aux exigences de la station debout, trait caractéristique des humains. Le **gastrocnémien** est le muscle le plus superficiel ; il donne au mollet son relief. Le **soléaire** est large, plat et situé sous le gastrocnémien. Il tire son nom de sa ressemblance avec un poisson plat (la sole). Le **plantaire** est un petit muscle qui est parfois absent ; dans certains cas, il y en a deux dans chaque jambe. Il est situé à l'oblique entre le gastrocnémien et le soléaire.

Les muscles profonds de la loge postérieure sont le poplité, le tibial postérieur, le long fléchisseur des orteils et le long fléchisseur de l'hallux. Le **poplité** est un muscle triangulaire qui forme le plancher de la fosse poplitée. Le **tibial postérieur** est le plus profond des muscles de la loge postérieure. Il est situé entre le long fléchisseur des orteils et le long fléchisseur de l'hallux. Le **long fléchisseur des orteils** est plus petit que le **long fléchisseur de l'hallux**, bien qu'il fléchisse quatre orteils, contrairement au long fléchisseur de l'hallux qui ne fléchit que le gros orteil à l'articulation interphalangienne.

INNERVATION

Les muscles des mouvements du pied et des orteils sont innervés par des nerfs dérivés du plexus sacral (présenté dans l'exposé 13.4, p. 462). Plus précisément, les muscles de la loge antérieure sont innervés par le nerf fibulaire profond ; les muscles de la loge latérale sont innervés par le nerf fibulaire superficiel ; les muscles de la loge postérieure sont innervés par le nerf tibial. Tous ces nerfs sont dérivés du plexus sacral dont vous trouverez la description et l'illustration dans l'exposé 13.4, p. 462.

APPLICATION CLINIQUE
Syndrome de la loge tibiale antérieure

Les personnes atteintes du **syndrome de la loge tibiale antérieure** souffrent de douleurs le long du tibia, en particulier sur ses deux tiers médiaux et distaux. L'affection peut être causée par une tendinite des muscles de la loge antérieure, surtout du tibial antérieur, par une inflammation du périoste (périostite) autour du tibia ou par des fractures de stress du tibia. En général, la tendinite frappe les coureurs en mauvaise condition physique qui pratiquent leur sport sur des surfaces dures ou inclinées avec des chaussures qui soutiennent mal le pied. Elle résulte parfois d'une activité excessive des jambes après une période d'inactivité relative. On peut fortifier les muscles de la loge antérieure (surtout le tibial antérieur) pour faire contrepoids aux muscles plus forts de la loge postérieure. ■

MUSCLES ET MOUVEMENTS

Classez les muscles du présent exposé selon leur action sur le pied à l'articulation de la cheville : 1) dorsiflexion et 2) flexion plantaire ; selon leur action sur le pied aux articulations intertarsiennes : 1) inversion et 2) éversion ; et selon leur action sur les orteils aux articulations métatarso-phalangiennes et intertarsiennes : 1) flexion et 2) extension. Le même muscle peut être mentionné plus d'une fois.

Qu'est-ce que le rétinaculum supérieur des muscles extenseurs ? le rétinaculum inférieur des muscles extenseurs ?

Exposé 11.19 *(suite)*

MUSCLE	ORIGINE	INSERTION	ACTION
Loge antérieure			
Tibial antérieur	Condyle latéral et corps du tibia, et membrane interosseuse de la jambe (lame de tissu fibreux qui maintient ensemble le corps du tibia et celui de la fibula).	Métatarsien I et os cunéiforme médial (I).	Dorsiflexion du pied à la cheville et inversion du pied aux articulations intertarsiennes.
Long extenseur de l'hallux (*extenseur* = ouvre l'angle de l'articulation ; *hallux* = gros orteil)	Face antérieure de la fibula et membrane interosseuse de la jambe.	Phalange distale du gros orteil.	Dorsiflexion du pied à la cheville et extension de la phalange proximale du gros orteil à l'articulation métatarso-phalangienne.
Long extenseur des orteils	Condyle latéral du tibia, face antérieure de la fibula et membrane interosseuse de la jambe.	Phalanges moyenne et distale des orteils II à V*.	Dorsiflexion du pied à la cheville ; extension des phalanges distale et moyenne de chaque orteil aux articulations interphalangiennes et de la phalange proximale de chaque orteil à l'articulation métatarso-phalangienne.
Troisième fibulaire	Tiers distal de la fibula et membrane interosseuse de la jambe.	Base du métatarsien V.	Dorsiflexion du pied à la cheville et éversion du pied aux articulations intertarsiennes.
Loge latérale (fibulaire)			
Long fibulaire	Tête et corps de la fibula et condyle latéral du tibia.	Métatarsien I et os cunéiforme médial (I).	Flexion plantaire du pied à la cheville et éversion du pied aux articulations intertarsiennes.
Court fibulaire	Corps de la fibula.	Base du métatarsien V.	Flexion plantaire du pied à la cheville et éversion du pied aux articulations intertarsiennes.

*Rappel : Le gros orteil, ou hallux, est le premier orteil et comprend deux phalanges : proximale et distale. Les autres orteils sont numérotés de II à V ; ils comprennent chacun trois phalanges : proximale, moyenne et distale.

Exposé 11.19 *Muscles des mouvements du pied et des orteils (suite)*

MUSCLE	ORIGINE	INSERTION	ACTION
Loge postérieure: muscles superficiels			
Gastrocnémien (*gastêr* = ventre; *kneme* = jambe)	Condyles latéral et médial du fémur et capsule de l'articulation du genou.	Calcanéus par l'intermédiaire du tendon calcanéen (tendon d'Achille).	Flexion plantaire du pied à l'articulation de la cheville et flexion de la jambe à l'articulation du genou.
Soléaire (*solea* = plante du pied)	Tête de la fibula et bord médial du tibia.	Calcanéus par l'intermédiaire du tendon calcanéen (tendon d'Achille).	Flexion plantaire du pied à l'articulation de la cheville.
Plantaire (*planta* = plante du pied)	Fémur, au-dessus du condyle latéral.	Calcanéus par l'intermédiaire du tendon calcanéen (tendon d'Achille).	Flexion plantaire du pied à l'articulation de la cheville et flexion de la jambe à l'articulation du genou.
Loge postérieure: muscles profonds			
Poplité (*poples* = jarret)	Condyle latéral du fémur.	Tibia proximal.	Flexion de la jambe à l'articulation du genou et rotation médiale du tibia pour débloquer le genou en extension.
Tibial postérieur	Tibia, fibula et membrane interosseuse.	Métatarsiens II, III et IV; os naviculaire; les trois os cunéiformes et l'os cuboïde.	Flexion plantaire du pied à l'articulation de la cheville et inversion du pied aux articulations intertarsiennes.
Long fléchisseur des orteils	Face postérieure du tibia.	Phalange distale des orteils II à V.	Flexion plantaire du pied à l'articulation de la cheville; flexion des phalanges distale et moyenne de chaque orteil aux articulations interphalangiennes et de la phalange proximale de chaque orteil à l'articulation métatarso-phalangienne.
Long fléchisseur de l'hallux (*fléchisseur* = ferme l'angle de l'articulation)	Deux tiers inférieurs de la fibula.	Phalange distale du gros orteil.	Flexion plantaire du pied à l'articulation de la cheville; flexion de la phalange distale du gros orteil à l'articulation interphalangienne et de la phalange proximale du gros orteil à l'articulation métatarso-phalangienne.

Exposé 11.19 *(suite)*

Figure 11.22 Muscles des mouvements du pied et des orteils.

Les muscles superficiels de la loge postérieure ont le même tendon d'insertion, soit le tendon calcanéen (ou tendon d'Achille), qui s'insère sur le calcanéus de la cheville.

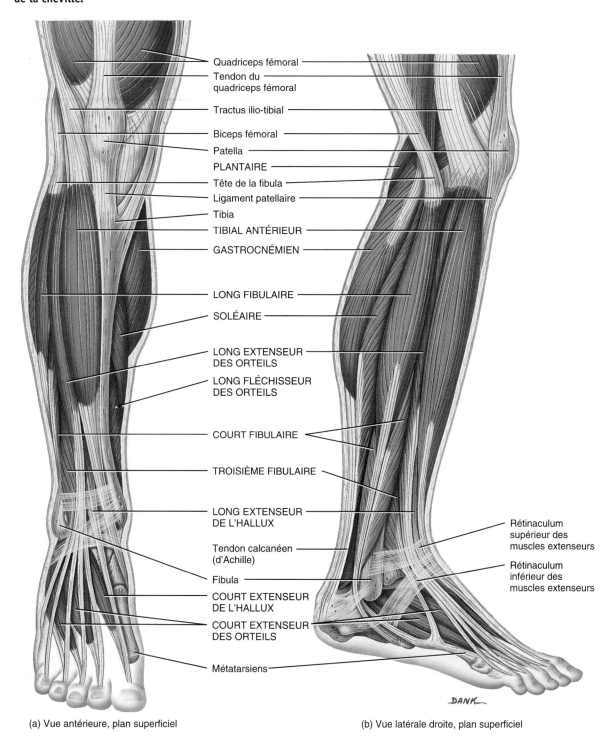

Quadriceps fémoral

Tendon du quadriceps fémoral

Tractus ilio-tibial

Biceps fémoral

Patella

PLANTAIRE

Tête de la fibula

Ligament patellaire

Tibia

TIBIAL ANTÉRIEUR

GASTROCNÉMIEN

LONG FIBULAIRE

SOLÉAIRE

LONG EXTENSEUR DES ORTEILS

LONG FLÉCHISSEUR DES ORTEILS

COURT FIBULAIRE

TROISIÈME FIBULAIRE

LONG EXTENSEUR DE L'HALLUX

Tendon calcanéen (d'Achille)

Fibula

COURT EXTENSEUR DE L'HALLUX

COURT EXTENSEUR DES ORTEILS

Métatarsiens

Rétinaculum supérieur des muscles extenseurs

Rétinaculum inférieur des muscles extenseurs

DANK

(a) Vue antérieure, plan superficiel

(b) Vue latérale droite, plan superficiel

Suite à la page suivante

Exposé 11.19 *Muscles des mouvements du pied et des orteils (suite)*

Figure 11.22 (suite)

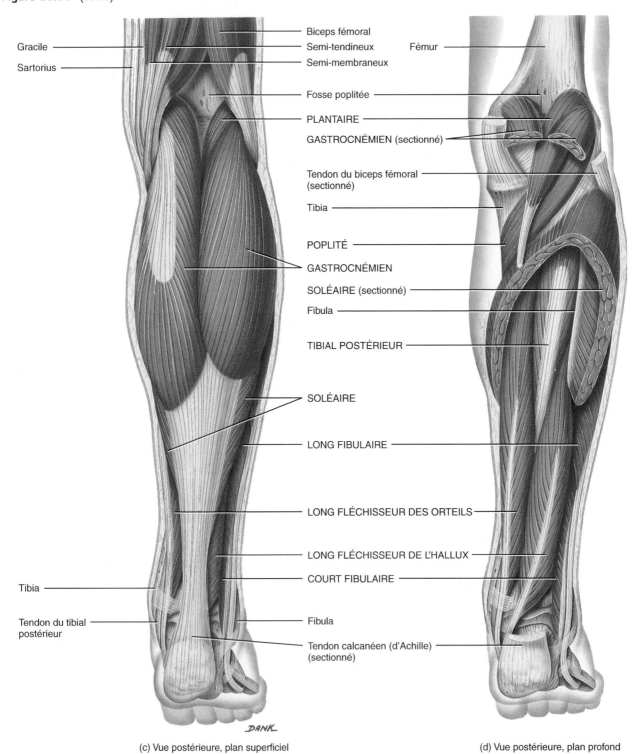

Gracile

Sartorius

Biceps fémoral

Semi-tendineux

Semi-membraneux

Fémur

Fosse poplitée

PLANTAIRE

GASTROCNÉMIEN (sectionné)

Tendon du biceps fémoral (sectionné)

Tibia

POPLITÉ

GASTROCNÉMIEN

SOLÉAIRE (sectionné)

Fibula

TIBIAL POSTÉRIEUR

SOLÉAIRE

LONG FIBULAIRE

LONG FLÉCHISSEUR DES ORTEILS

LONG FLÉCHISSEUR DE L'HALLUX

COURT FIBULAIRE

Tibia

Tendon du tibial postérieur

Fibula

Tendon calcanéen (d'Achille) (sectionné)

DANK

(c) Vue postérieure, plan superficiel

(d) Vue postérieure, plan profond

Q Quelles structures retiennent fermement les tendons des muscles de la loge antérieure à la cheville ?

Exposé 11.20 — *Muscles intrinsèques du pied (figure 11.23)*

OBJECTIF

• *Décrire l'origine, l'insertion, l'action et l'innervation des muscles intrinsèques du pied.*

Dans l'exposé 11.19, nous avons décrit plusieurs muscles, appelés muscles extrinsèques, qui assurent certains mouvements des orteils. Les muscles du présent exposé sont appelés **muscles intrinsèques** parce que leur origine et leur insertion se trouvent *dans* le pied. D'une manière générale, ces muscles du pied sont comparables à ceux de la main. Alors que les muscles de la main sont spécialisés dans les mouvements précis et complexes, les muscles intrinsèques du pied se limitent à un rôle de soutien et de locomotion. Le fascia profond du pied forme l'**aponévrose** (ou **fascia) plantaire**, qui s'étend du calcanéus aux phalanges des orteils. L'aponévrose soutient la voûte plantaire longitudinale et renferme les tendons des fléchisseurs du pied.

On répartit les muscles intrinsèques du pied en deux groupes : **dorsal** et **plantaire**. Il n'y a qu'un seul muscle dorsal, le **court extenseur des orteils.** Il comprend quatre parties situées sous les tendons du long extenseur des orteils et produit l'extension des orteils II à V aux articulations métatarso-phalangiennes.

Les muscles plantaires sont disposés en quatre couches, dont la première est la plus superficielle. Les muscles de la **première couche** sont l'**abducteur de l'hallux**, qui est situé le long du bord médial de la plante du pied, est comparable au court abducteur du pouce et produit l'abduction du gros orteil à l'articulation métatarso-phalangienne ; le **court fléchisseur des orteils**, qui est situé au milieu de la plante du pied et participe à la flexion des orteils II à V aux articulations interphalangiennes et métatarso-phalangiennes ; et l'**abducteur du petit orteil**, qui est situé le long du bord latéral de la plante du pied, est comparable à l'abducteur du petit doigt dans la main et produit l'abduction du petit orteil.

La **deuxième couche** comprend le **carré plantaire**, muscle rectangulaire qui possède deux chefs et entraîne la flexion des orteils II à V aux articulations métatarso-phalangiennes, et les **lombricaux du pied**, quatre petits muscles semblables aux lombricaux de la main. Ils fléchissent les phalanges proximales et produisent l'extension des phalanges distales des orteils II à V.

La **troisième couche** comprend le **court fléchisseur de l'hallux**, qui est adjacent à la face plantaire du métatarsien du gros orteil, est semblable au court fléchisseur du pouce et produit la flexion du gros orteil ; l'**adducteur de l'hallux**, dont le chef est oblique et transversal comme celui de l'adducteur du pouce et qui entraîne l'adduction du gros orteil ; et le **court fléchisseur du petit orteil**, qui est tendu à la surface du métatarsien du petit orteil, est semblable au court fléchisseur du petit doigt et produit la flexion du petit orteil.

La **quatrième couche** est la plus profonde. Elle comprend les **interosseux dorsaux du pied**, quatre muscles qui produisent l'adduction des orteils II à IV, la flexion des phalanges proximales

et l'extension des phalanges distales, ainsi que les trois **interosseux plantaires**, qui entraînent l'adduction des orteils III à V, la flexion des phalanges proximales et l'extension des phalanges distales. Les interosseux du pied sont comparables à ceux de la main, sauf que leur action s'exerce par rapport à la ligne médiane de l'orteil II plutôt que par rapport au doigt III, comme c'est le cas dans la main.

INNERVATION

Les muscles intrinsèques du pied sont innervés par des nerfs dérivés du plexus sacral (présenté dans l'exposé 13.4, p. 462). Plus précisément, le court extenseur des orteils est innervé par le nerf fibulaire profond ; l'abducteur de l'hallux et le court fléchisseur des orteils sont innervés par le nerf plantaire médial ; l'abducteur du petit orteil, le carré plantaire, l'adducteur de l'hallux, le court fléchisseur du petit orteil ainsi que les interosseux dorsaux et plantaires sont innervés par le nerf plantaire latéral ; les lombricaux sont innervés par les nerfs plantaires médial et latéral.

APPLICATION CLINIQUE
Fasciite plantaire

La **fasciite plantaire**, ou **talalgie**, est une réaction inflammatoire causée par l'irritation chronique de l'aponévrose (ou fascia) plantaire à la hauteur de son origine sur le calcanéus (os du talon). Cette aponévrose devient moins élastique avec l'âge. L'affection est aussi causée par certaines activités qui sollicitent les articulations portant le poids du corps (marche, jogging, transport d'objets lourds), par des chaussures mal fabriquées ou mal ajustées, par l'obésité (qui augmente la pression sur les pieds) et par des anomalies biomécaniques (les pieds plats, des voûtes plantaires élevées et des troubles de la démarche peuvent causer une distribution inégale du poids corporel sur les pieds). La fasciite plantaire est la principale cause de douleur au talon chez les coureurs et résulte des chocs répétés qu'impose la course. ■

MUSCLES ET MOUVEMENTS

Classez les muscles du présent exposé selon leur action sur le gros orteil à l'articulation métatarso-phalangienne : 1) flexion, 2) extension, 3) abduction et 4) adduction ; et selon leur action sur les orteils II à V aux articulations métatarso-phalangiennes et interphalangiennes : 1) flexion, 2) extension, 3) abduction et 4) adduction. Le même muscle peut être mentionné plus d'une fois.

Quelles sont les différences fonctionnelles entre les muscles intrinsèques de la main et ceux du pied ?

| Exposé 11.20 | Muscles intrinsèques du pied (suite) | | |

MUSCLE	ORIGINE	INSERTION	ACTION
Dorsal			
Court extenseur des orteils (*extenseur* = ouvre l'angle de l'articulation) (voir la figure 11.22a et b)	Calcanéus et rétinaculum inférieur des muscles extenseurs.	Tendons du long extenseur des orteils sur les orteils II à IV et phalange proximale du gros orteil*.	Le court extenseur de l'hallux produit l'extension du gros orteil à l'articulation métatarso-phalangienne et le court extenseur des orteils produit l'extension des orteils II à IV aux articulations interphalangiennes.
Plantaire			
Première couche (la plus superficielle)			
Abducteur de l'hallux (*abducteur* = éloigne le membre de la ligne médiane ; *hallux* = gros orteil)	Calcanéus, aponévrose plantaire et rétinaculum des muscles fléchisseurs des orteils.	Côté médial de la phalange proximale du gros orteil avec le tendon du court fléchisseur de l'hallux.	Abduction et flexion du qros orteil à l'articulation métatarso-phalangienne.
Court fléchisseur des orteils (*fléchisseur* = ferme l'angle de l'articulation)	Calcanéus et aponévrose plantaire.	Côtés de la phalange moyenne des orteils II à V.	Flexion des orteils II à V aux articulations métatarso-phalangiennes et interphalangiennes proximales.
Abducteur du petit orteil	Calcanéus et aponévrose plantaire.	Côté latéral de la phalange proximale du petit orteil avec le tendon du court fléchisseur du petit orteil.	Abduction et flexion du petit orteil à l'articulation métatarso-phalangienne.
Deuxième couche			
Carré plantaire (*carré* = quatre ; *planta* = plante du pied)	Calcanéus.	Tendon du long fléchisseur des orteils.	Assiste le long fléchisseur des orteils pour la flexion des orteils II à V aux articulations interphalangiennes et métatarso-phalangiennes.
Lombricaux (*lumbricus* = lombric)	Tendons du long fléchisseur des orteils.	Tendons du long extenseur des orteils sur les phalanges proximales des orteils II à V.	Extension des orteils II à V aux articulations interphalangiennes et flexion des orteils II à V aux articulations métatarso-phalangiennes.
Troisième couche			
Court fléchisseur de l'hallux	Os cuboïde et os cunéiforme latéral (III).	Côtés médial et latéral de la phalange proximale du gros orteil par l'intermédiaire d'un tendon qui contient un os sésamoïde.	Flexion du gros orteil à l'articulation métatarso-phalangienne.
Adducteur de l'hallux	Métatarsiens II à IV, ligaments des articulations métatarso-phalangiennes III à V et tendon du long fibulaire.	Côté latéral de la phalange proximale du gros orteil.	Adduction et flexion du gros orteil à l'articulation métatarso-phalangienne.
Court fléchisseur du petit orteil	Métatarsien V et tendon du long fibulaire.	Côté latéral de la phalange proximale du petit orteil.	Flexion du petit orteil à l'articulation métatarso-phalangienne.
Quatrième couche (la plus profonde)			
Interosseux dorsaux du pied (non illustrés)	Côté adjacent des métatarsiens.	Phalanges proximales : des deux côtés de l'orteil II et du côté latéral des orteils III et IV.	Abduction et flexion des orteils II à IV aux articulations métatarso-phalangiennes et extension des orteils aux articulations interphalangiennes.
Interosseux plantaires	Métatarsiens III à V.	Côté médial de la phalange proximale des orteils III à V.	Adduction des orteils III à V, flexion des phalanges proximales aux articulations métatarso-phalangiennes et extension des phalanges distales aux articulations interphalangiennes.

---

* Le tendon qui s'insère sur la phalange proximale du gros orteil, avec le ventre auquel il est attaché, est souvent considéré comme un muscle distinct, le court extenseur de l'hallux.

Exposé 11.20 *(suite)*

Figure 11.23 Muscles intrinsèques du pied.

Alors que les muscles de la main sont spécialisés dans les mouvements précis et complexes, les muscles du pied se limitent à un rôle de soutien et de locomotion.

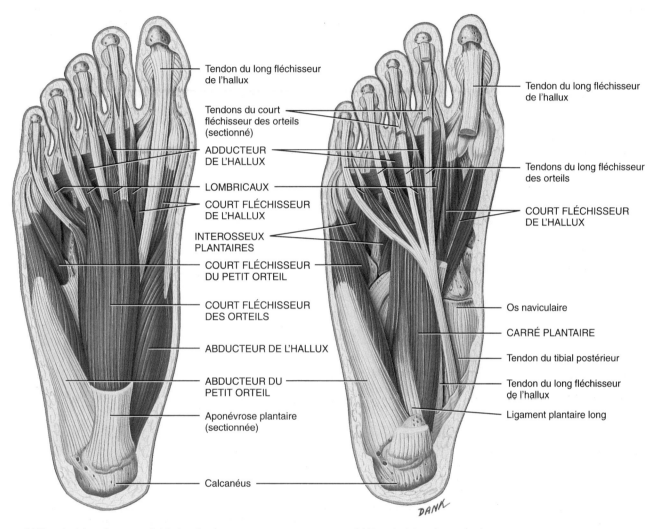

(a) Vue plantaire, plans superficiel et profond   (b) Vue plantaire, plan profond

Q   Quelle structure soutient la voûte longitudinale et renferme les tendons des muscles fléchisseurs du pied ?

DÉSÉQUILIBRES HOMÉOSTATIQUES

BLESSURES DE COURSE

On estime que près de 70 % des personnes qui font du jogging ou de la course à pied seront victimes d'une blessure liée à la pratique de cette forme d'activité. La plupart de ces blessures sont légères, comme l'entorse ou la foulure, mais d'autres sont assez graves. Par ailleurs, les petites lésions qui ne sont pas traitées ou qui sont mal soignées peuvent devenir chroniques. Les coureurs se blessent le plus souvent à la cheville, au genou, au tendon calcanéen (ou tendon d'Achille), à la hanche, à l'aine, au pied ou au dos. De tous ces endroits, c'est souvent le genou qui est le plus gravement atteint.

Les blessures causées par la course sont souvent liées à de mauvaises techniques d'entraînement. Il peut s'agir d'exercices d'échauffement inadéquats (ou d'une absence d'échauffement), de séances de course excessives ou encore de séances reprises trop tôt après une blessure. La blessure peut aussi être due à de longues courses sur une surface dure ou inégale, ou les deux. Des chaussures de course de mauvaise qualité ou usées peuvent également occasionner des blessures. Les défauts biomécaniques (tels les pieds plats) aggravés par la course sont parfois à l'origine de lésions.

Dans la plupart des cas de traumatismes sportifs, les premiers soins à donner comprennent quatre éléments : le repos, le froid, la compression et l'élévation. On doit d'abord appliquer de la glace sur la partie atteinte, puis l'élever et l'immobiliser. Si possible, on pose une bande élastique pour comprimer les tissus blessés. On continue ce traitement pendant 2 ou 3 jours en évitant d'appliquer de la chaleur, ce qui peut aggraver la tuméfaction. Par la suite, on pourra employer en alternance de la chaleur humide et des massages à la glace pour activer la circulation dans la région blessée. Parfois, il faut administrer des anti-inflammatoires non stéroïdiens (AINS) ou faire des injections locales de corticostéroïdes. Pendant la conva-lescence, il est important de rester actif et de suivre un programme d'exercices qui évite l'aggravation de la blessure. La nature de l'activité est à déterminer en consultation avec le médecin. Enfin, des exercices bien dosés sont nécessaires pour remettre en état la région qui a été blessée.

SYNDROME DES LOGES

Nous avons indiqué dans plusieurs exposés du présent chapitre que les muscles squelettiques des membres sont regroupés en loges. Ces regroupements sont à l'origine de problèmes dans certaines circonstances. Dans le **syndrome des loges,** il y a constriction des structures contenues dans une loge par suite d'une pression externe ou interne qui endommage les vaisseaux sanguins et réduit l'apport sanguin (ischémie) dans la région atteinte. Les causes habituelles du syndrome des loges comprennent l'écrasement des muscles, les plaies par pénétration, les contusions (lésions des tissus sous-cutanés sans pénétration de la peau), les foulures (étirement excessif d'un muscle) ou les plâtres mal ajustés. L'augmentation de la pression dans la loge, causée par l'hémorragie, les lésions tissulaires et l'œdème (accumulation de liquide interstitiel), peut avoir des conséquences graves. En effet, les fascias qui entourent les loges sont très résistants et le sang et le liquide interstitiel qui s'accumulent ne peuvent pas s'échapper. L'augmentation de la pression peut littéralement arrêter la circulation sanguine et priver d'oxygène les muscles et les nerfs avoisinants. Un des traitements de cette affection est la fasciotomie, opération chirurgicale qui consiste à inciser le fascia en vue de réduire la pression. En l'absence d'intervention, les nerfs peuvent être endommagés et la formation de tissus cicatriciels dans les muscles peut entraîner leur raccourcissement permanent ; cet état est appelé *contracture.*

RÉSUMÉ

COMMENT LES MUSCLES SQUELETTIQUES PRODUISENT LES MOUVEMENTS (p. 321)

1. Les muscles squelettiques produisent les mouvements en tirant sur les os.
2. Le point d'attache sur l'os stationnaire est l'origine ; le point d'attache sur l'os mobile est l'insertion.
3. Les os fonctionnent comme des leviers et les articulations leur servent de point d'appui. Deux forces agissent sur ces leviers : la résistance et l'effort.
4. Les leviers sont classés en trois catégories – premier genre, deuxième genre et troisième genre (le plus répandu) – selon la position du point d'appui et des points d'application de l'effort et de la résistance.
5. L'agencement des faisceaux peut être parallèle, fusiforme, circulaire, triangulaire et penniforme. Cet agencement influe sur la puissance et l'amplitude du mouvement des muscles.
6. L'agoniste produit l'effet souhaité ; l'antagoniste produit l'action opposée. Le synergiste assiste l'agoniste en réduisant les mouvements indésirables. Le fixateur stabilise l'origine de l'agoniste pour que celui-ci puisse agir avec plus d'efficacité.

COMMENT LES MUSCLES SQUELETTIQUES SONT NOMMÉS (p. 326)

1. Les muscles squelettiques sont nommés selon diverses caractéristiques : direction des fibres musculaires ; taille, forme, action, nombre d'origines et situation du muscle ; points d'origine et d'insertion du muscle.

PRINCIPAUX MUSCLES SQUELETTIQUES (p. 328)

1. Lorsqu'ils se contractent, les muscles de l'expression faciale font bouger la peau plutôt qu'une articulation. Ils nous permettent d'exprimer un grand éventail d'émotions.
2. Les muscles extrinsèques à l'origine des mouvements des yeux font partie des muscles squelettiques du corps qui se contractent le plus rapidement et sont commandés avec la plus grande précision. Ils permettent l'élévation, l'abaissement, l'abduction, l'adduction, la rotation médiale et la rotation latérale du globe oculaire.
3. Les muscles des mouvements de la mandibule (mâchoire inférieure) sont appelés muscles masticateurs parce qu'ils nous permettent de mâcher la nourriture.

4. Les muscles extrinsèques qui font bouger la langue jouent un rôle important dans la mastication, la déglutition et l'élocution.

5. Les muscles du plancher de la cavité orale (bouche) sont appelés muscles suprahyoïdiens parce qu'ils sont situés au-dessus de l'os hyoïde. Ils élèvent l'os hyoïde, la cavité orale et la langue durant la déglutition.

6. Les muscles des mouvements de la tête modifient la position de la tête et contribuent à la maintenir en équilibre sur la colonne vertébrale.

7. Les muscles qui agissent sur la paroi abdominale participent aux mouvements de la colonne vertébrale, aident à contenir et à protéger les viscères de l'abdomen, à comprimer l'abdomen et à produire la force nécessaire à la défécation, à la miction, au vomissement et à l'accouchement.

8. Les muscles de la respiration modifient la taille de la cavité thoracique pour permettre l'inspiration et l'expiration.

9. Les muscles du plancher pelvien soutiennent les viscères pelviens, résistent à la poussée qui accompagne les augmentations de la pression intra-abdominale et agissent comme un sphincter à la jonction ano-rectale, à l'urètre et au vagin.

10. Les muscles du périnée participent à la miction, à l'érection du pénis et du clitoris, à l'éjaculation et à la défécation.

11. Les muscles des mouvements de la ceinture scapulaire (épaules) affermissent la scapula de telle sorte qu'elle constitue un point d'origine stable pour la plupart des muscles qui font bouger l'humérus.

12. La plupart des muscles des mouvements de l'humérus (bras) ont leur origine sur la scapula (muscles scapulaires) ; les autres prennent naissance sur le squelette axial (muscles axiaux).

13. Les muscles des mouvements du radius et de l'ulna (avant-bras) assurent la flexion et l'extension à l'articulation du coude et sont regroupés en loge antérieure et loge postérieure.

14. Les muscles des mouvements du poignet, de la main et des doigts sont nombreux et variés. Ceux qui agissent sur les doigts sont appelés muscles extrinsèques.

15. Les muscles intrinsèques de la main sont importants pour les activités qui exigent de la dextérité ; ils permettent aux humains de saisir les objets avec précision et de les manipuler.

16. Les muscles des mouvements de la colonne vertébrale sont assez complexes parce qu'ils ont des origines et des insertions multiples, et parce qu'ils présentent de nombreux chevauchements.

17. La plupart des muscles des mouvements du fémur (cuisse) ont leur origine sur la ceinture pelvienne et leur insertion sur le fémur. Ces muscles sont plus gros et plus puissants que les muscles équivalents des membres supérieurs.

18. Les muscles qui agissent sur le fémur (cuisse) et sur le tibia et la fibula (jambe) sont séparés en loge médiale (des adducteurs), loge antérieure (des extenseurs) et loge postérieure (des fléchisseurs).

19. Les muscles des mouvements du pied et des orteils sont regroupés en loges antérieure, latérale et postérieure.

20. Contrairement à ceux de la main, les muscles intrinsèques du pied se limitent à un rôle de soutien et de locomotion.

AUTOÉVALUATION

Phrases à compléter

1. L'extrémité la moins mobile du muscle est appelée ___ ; l'extrémité la plus mobile est appelée ___.
2. Le muscle qui forme la majeure partie de la joue est le ___.
3. Le muscle masticateur le plus puissant est le ___.
4. Le muscle de la respiration le plus important est le ___.

Choix multiples

5. Lequel des énoncés suivants est *faux* ? a) Les fixateurs stabilisent l'extrémité proximale des membres, tandis que les mouvements s'effectuent à l'extrémité distale. b) Les synergistes préviennent les mouvements indésirables aux articulations intermédiaires. c) L'agoniste produit l'action souhaitée. d) L'antagoniste soutient et favorise le mouvement de l'agoniste. e) L'agencement des faisceaux influe sur la puissance et l'amplitude du mouvement d'un muscle.

6. Parmi les éléments suivants, lesquels sont des caractéristiques importantes dont on se sert pour nommer les muscles ? 1) Forme du muscle. 2) Taille du muscle. 3) Direction des fibres musculaires. 4) Action du muscle. 5) Situation du muscle. 6) Points d'origine et d'insertion. 7) Nombre d'insertions.
a) 1, 2, 3, 4, 5 et 6. b) 2, 3, 4, 5, 6 et 7. c) 2, 4, 6 et 7. d) 1, 3, 5 et 7. e) 1, 2, 4 et 5.

7. Le muscle innervé par le nerf oculo-moteur (III) est : a) le ventre occipital du muscle occipito-frontal ; b) l'élévateur de la paupière supérieure ; c) le releveur de la lèvre supérieure ; d) l'abaisseur de l'angle de la bouche ; e) le zygomatique.

8. Le muscle qui ferme la bouche est : a) le grand zygomatique ; b) le releveur de la lèvre supérieure ; c) l'abaisseur de la lèvre inférieure ; d) le mentonnier ; e) l'orbiculaire de la bouche.

9. Parmi les éléments suivants, lesquels sont des actions exercées par un ou plusieurs muscles sur la mandibule ? 1) Élévation. 2) Abaissement. 3) Rétraction. 4) Protrusion. 5) Abduction. 6) Adduction. 7) Va-et-vient latéral.
a) 1, 2, 3 et 5. b) 2, 3, 4 et 6. c) 1, 2, 3, 4 et 7. d) 3, 4, 5 et 7. e) 1, 3, 5 et 7.

10. Parmi les fonctions suivantes, lesquelles sont des caractéristiques du groupe musculaire de la paroi antéro-latérale de l'abdomen ? 1) Aide à contenir et à protéger les viscères abdominaux. 2) Aide à contenir et à protéger la région inférieure du cœur et des poumons. 3) Contribue à la flexion, à la flexion latérale et à la rotation de la colonne vertébrale. 4) Dilate l'abdomen durant l'expiration forcée. 5) Produit la force nécessaire à la défécation, à la miction et à l'accouchement.
a) 1, 3 et 5. b) 2, 4 et 5. c) 1, 2 et 4. d) 1 et 5. e) 1, 2 et 5.

11. Associez les éléments suivants :
___ a) genre de levier le plus répandu dans le corps
___ b) levier formé par la tête posée sur la colonne vertébrale
___ c) produit toujours un avantage mécanique
___ d) EAR
___ e) ARE
___ f) AER
___ g) formé par l'avant-pied, les os du tarse et les muscles du mollet quand on se tient sur la pointe des pieds
___ h) adduction de la cuisse
1) levier du premier genre   3) levier du troisième genre
2) levier du deuxième genre

Vrai ou faux

12. En raison de leur insertion, le muscles de l'expression faciale mettent en mouvement la peau plutôt qu'une articulation lorsqu'ils se contractent.

13. L'opposition est un mouvement des doigts qui, plus que tout autre, distingue les humains et les autres primates en leur permettant de saisir et de manipuler des objets avec précision.

14. Associez les éléments suivants :

____ a) droit de la cuisse, vaste latéral, vaste médial, vaste intermédiaire

____ b) biceps fémoral, semi-tendineux, semi-membraneux

____ c) érecteur du rachis, ilio-costal, longissimus, épineux

____ d) thénar, hypothénar, intermédiaires

____ e) biceps brachial, brachial, coraco-brachial

____ f) grand dorsal

____ g) subscapulaire, supra-épineux, infra-épineux, grand rond

____ h) diaphragme, intercostaux externes, intercostaux internes

1) muscles de la respiration
2) forment la loge des fléchisseurs dans le bras
3) loge postérieure de la cuisse
4) muscles intrinsèques de la main
5) muscles qui renforcent et stabilisent l'articulation de l'épaule ; coiffe des rotateurs
6) muscle quadriceps
7) la plus grande masse musculaire du dos
8) muscle du nageur

15. Associez les éléments suivants :

____ a) trapèze
____ b) risorius
____ c) élévateur de l'anus
____ d) droit de l'abdomen
____ e) triceps brachial
____ f) gastrocnémien
____ g) temporal
____ h) sphincter externe de l'anus
____ i) oblique externe de l'abdomen
____ j) splénius de la tête
____ k) digastrique
____ l) stylo-glosse
____ m) ptérygoïdien médial
____ n) diaphragme
____ o) platysma
____ p) grand dorsal
____ q) fléchisseur radial du carpe
____ r) biceps brachial
____ s) sterno-cléido-mastoïdien
____ t) quadriceps fémoral
____ u) mylo-hyoïdien
____ v) tibial antérieur
____ w) sphincter externe de l'urètre
____ x) grand fessier
____ y) droit supérieur

1) muscle de l'expression faciale
2) muscle masticateur
3) muscle des mouvements du globe oculaire
4) muscle extrinsèque de la langue
5) muscle suprahyoïdien
6) muscle du périnée
7) muscle des mouvements de la tête
8) muscle de la paroi abdominale
9) muscle de la respiration
10) muscle du plancher pelvien
11) muscle de la ceinture scapulaire
12) muscle des mouvements de l'humérus
13) muscle des mouvements du radius et de l'ulna
14) muscle des mouvements du poignet, de la main et des doigts
15) muscle des mouvements de la colonne vertébrale
16) muscle des mouvements du fémur
17) muscle qui agit sur le fémur, le tibia et la fibula
18) muscle des mouvements du pied et des orteils

QUESTIONS À COURT DÉVELOPPEMENT

1. Pendant que vous vaquez à vos occupations, vos muscles sont tour à tour agonistes et antagonistes – c'est-à-dire en train de se contracter et de se détendre. Nommez quelques paires de muscles antagonistes dans le bras, la cuisse, le torse et la jambe. (INDICE : *Les paires antagonistes sont souvent situées de part et d'autre d'un membre ou d'une région du corps.*)

2. Mélanie essaie de soulever un colis lourd en adoptant la bonne position pour son dos, telle qu'elle lui a été montrée au travail. Elle s'accroupit, les genoux pliés et le dos droit. Puis elle soulève le colis en se servant des muscles des jambes et en gardant le dos droit. Nommez la résistance, le point d'appui et l'effort qui entrent en jeu dans cette activité. De quel genre de levier s'agit-il ? (INDICE : *Déterminez la séquence appropriée de l'effort, du point d'appui et de la résistance.*)

3. À la lecture de la première question de l'examen, Charles leva un sourcil, siffla, puis ferma les yeux et secoua la tête. Nommez les muscles qui ont servi à exécuter ces mouvements. (INDICE : *Faites comme Charles.*)

RÉPONSES AUX QUESTIONS DES FIGURES

11.1 Le ventre du muscle qui permet l'extension de l'avant-bras, le triceps brachial, est situé derrière l'humérus.

11.2 Les leviers du deuxième genre sont les plus puissants.

11.3 Exemples de bonnes réponses : direction des fibres : oblique externe de l'abdomen ; forme : deltoïde ; action : extenseur commun des doigts ; taille : grand fessier ; origine et insertion : sterno-cléido-mastoïdien ; situation : tibial antérieur ; nombre de tendons d'origine : biceps brachial.

11.4 Froncement des sourcils : frontal ; sourire : grand zygomatique ; moue : platysma ; plissement des yeux : orbiculaire de l'œil.

11.5 Le muscle oblique inférieur tourne l'œil vers le haut et l'extérieur parce que son origine se trouve sur la face antéro-médiale du plancher de l'orbite et son insertion, sur la face postéro-latérale du globe oculaire.

11.6 Le masséter est le plus puissant des muscles masticateurs.

11.7 Les fonctions de la langue comprennent la mastication, la gustation, la déglutition et l'élocution.

11.8 Les muscles suprahyoïdiens et infrahyoïdiens fixent l'os hyoïde de façon à favoriser les mouvements de la langue.

11.9 Les triangles sont importants en raison des structures qu'ils circonscrivent.

11.10 Le muscle droit de l'abdomen facilite la miction.

11.11 Le diaphragme est innervé par le nerf phrénique.

11.12 Les bords du diaphragme pelvien sont la symphyse pubienne à l'avant, le coccyx à l'arrière et les parois du bassin sur les côtés.

11.13 Les limites du périnée sont la symphyse pubienne à l'avant, le coccyx à l'arrière et les tubérosités ischiatiques sur les côtés.

11.14 La principale action des muscles qui font bouger la ceinture scapulaire est de stabiliser la scapula de façon à favoriser les mouvements de l'humérus.

11.15 La coiffe des rotateurs est formée des tendons plats du subscapulaire, du supra-épineux, de l'infra-épineux et du petit rond qui encerclent presque complètement l'articulation de l'épaule.

11.16 Le plus puissant fléchisseur de l'avant-bras : le brachial ; le plus puissant extenseur de l'avant-bras : le triceps brachial.

11.17 Les tendons des fléchisseurs des doigts et du poignet ainsi que le nerf médian passent sous le rétinaculum des fléchisseurs.

11.18 Les muscles de l'éminence thénar exercent leur action sur le pouce.

11.19 Les muscles splénius sont tendus latéralement et vers le haut à partir du ligament nuchal sur la ligne médiane.

11.20 Les muscles des membres supérieurs se caractérisent par la variété des mouvements qu'ils permettent ; les muscles des membres inférieurs ont pour fonction d'assurer la stabilité, la locomotion et le maintien de la posture. De plus, les muscles des membres inférieurs croisent habituellement deux articulations et peuvent mettre les deux en action.

11.21 Quadriceps fémoral : droit de la cuisse, vaste latéral, vaste médial et vaste intermédiaire ; muscles de la loge postérieure de la cuisse : biceps fémoral, semi-tendineux et semi-membraneux.

11.22 Le rétinaculum supérieur des muscles extenseurs et le rétinaculum inférieur des muscles extenseurs retiennent fermement les tendons des muscles de la loge antérieure contre la cheville.

11.23 L'aponévrose plantaire soutient la voûte longitudinale et renferme les tendons des muscles fléchisseurs du pied.

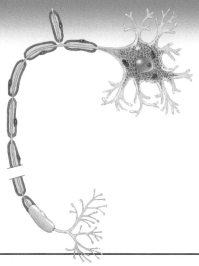

Le système nerveux et le système endocrinien ont un objectif commun : ils sont chargés de veiller au maintien de l'homéostasie, c'est-à-dire de garder dans des limites compatibles avec la vie, les divers processus physiologiques qui se produisent dans l'organisme. Cependant, ils n'atteignent pas cet objectif de la même façon. Alors que le système nerveux réagit rapidement aux stimulus en transmettant des influx nerveux (potentiels d'action) afin d'ajuster les processus physiologiques, le système endocrinien réagit aux stimulus plus lentement, mais non moins efficacement, en libérant des hormones afin de régir ces mêmes processus. Nous comparons les rôles que jouent les systèmes nerveux et endocrinien dans le maintien de l'homéostasie au chapitre 18, p. 596.

Outre qu'il contribue au maintien de l'homéostasie, le système nerveux préside aux perceptions, aux comportements et à la mémoire, et il déclenche tous les mouvements volontaires. Étant donné sa complexité, nous répartirons l'étude de ses différents aspects sur plusieurs chapitres consécutifs. Dans le présent chapitre, nous nous pencherons sur le tissu nerveux. Nous décrirons dans un premier temps l'organisation du système nerveux, puis nous présenterons la structure fondamentale et les fonctions des deux principaux types de cellules qui le composent, soit les neurones (ou cellules nerveuses) et les cellules gliales (ou névroglie). Dans les chapitres suivants, nous examinerons la structure et les fonctions de la moelle épinière et des nerfs spinaux ainsi que celles de l'encéphale et des nerfs crâniens. Nous aborderons ensuite les sensations somatiques (dont le toucher, la pression, la chaleur, le froid et la douleur) de même que les voies sensitives et motrices afin de comprendre comment les influx nerveux parviennent à la moelle épinière et à l'encéphale ou passent de ces deux structures aux muscles et aux glandes. Nous poursuivrons notre exploration en étudiant les sens, soit l'odorat, le goût, la vision, l'ouïe et l'équilibre. Enfin, nous conclurons notre étude du système nerveux en nous penchant sur sa composante involontaire, le système nerveux autonome.

La branche de la médecine qui étudie le fonctionnement normal et les troubles du système nerveux est la **neurologie** (*neuron* = nerf ; *logos* = science).

LE SYSTÈME NERVEUX : VUE D'ENSEMBLE

OBJECTIFS

- *Énumérer les structures du système nerveux et décrire ses principales fonctions.*
- *Décrire l'organisation du système nerveux.*

Structure et fonctions du système nerveux

Le **système nerveux** est composé de milliards de neurones et de cellules gliales qui forment un réseau complexe et rigoureusement organisé. L'encéphale, les nerfs crâniens et leurs ramifications, la moelle épinière, les nerfs spinaux et leurs ramifications, les ganglions, les plexus entériques et les

Figure 12.1 Principales structures du système nerveux.

🔑 **Le système nerveux comprend l'encéphale, les nerfs crâniens, la moelle épinière, les nerfs spinaux, les ganglions, les plexus entériques et les récepteurs sensoriels.**

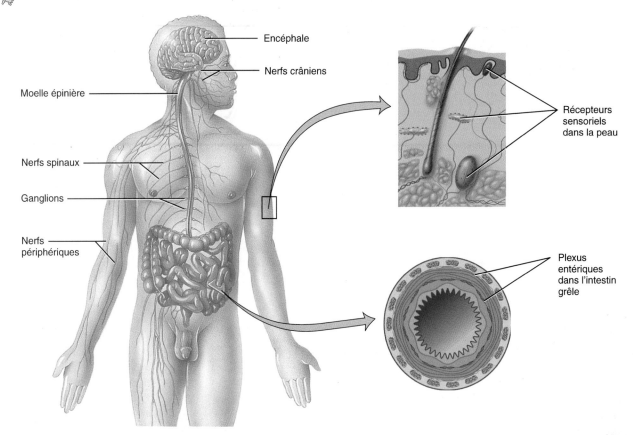

🅠 Quel est le nombre total de nerfs craniens et de nerfs spinaux dans le corps humain?

récepteurs sensoriels comptent parmi les structures qui constituent le système nerveux (figure 12.1). Logé dans le crâne, l'**encéphale** contient environ 100 milliards de neurones. Douze paires (symétriques) de **nerfs crâniens** numérotés de I à XII émergent de la base de l'encéphale. Un **nerf** est un faisceau formé de centaines ou de milliers d'axones associés à du tissu conjonctif et à des vaisseaux sanguins. Chaque nerf suit un trajet défini et innerve une région particulière du corps. Ainsi, le nerf crânien I droit transmet les signaux relatifs à l'odorat du côté droit du nez jusqu'à l'encéphale.

La **moelle épinière** rejoint l'encéphale à travers le foramen magnum du crâne, encerclée par les os de la colonne vertébrale. Elle contient environ 100 millions de neurones. Trente et une paires de **nerfs spinaux,** ou nerfs rachidiens, émergent de la moelle épinière; chacun innerve une région particulière du côté droit ou du côté gauche du corps. Les **ganglions** sont de petites masses de tissu nerveux contenant surtout des corps cellulaires de neurones; ils sont situés à l'extérieur de l'encéphale et de la moelle épinière. Les

ganglions sont étroitement associés aux nerfs crâniens et spinaux. Les parois de certains organes du tube digestif renferment des réseaux étendus de neurones, les **plexus entériques**, qui contribuent à la régulation de l'activité digestive. Les **récepteurs sensoriels** sont soit des dendrites de neurones sensitifs (certains spécialistes considèrent qu'il s'agit plutôt d'axones), soit des cellules spécialisées distinctes qui détectent les changements du milieu intérieur ou du milieu extérieur.

Le système nerveux remplit trois fonctions fondamentales:

• *Fonction sensorielle.* Les récepteurs sensoriels *détectent* les stimulus internes, telle l'augmentation de l'acidité du sang, et les stimulus externes, telle la chute d'une goutte d'eau sur le bras. Les neurones qui transmettent l'information sensorielle à l'encéphale et à la moelle épinière sont appelés **neurones sensitifs,** ou **neurones afférents** (*afferre* = apporter).

Figure 12.2 Organisation du système nerveux. Les subdivisions du SNP sont le système nerveux somatique (SNS), le système nerveux autonome (SNA) et le système nerveux entérique (SNE).

 Les deux principaux sous-systèmes du système nerveux sont: 1) le système nerveux central (SNC), constitué de l'encéphale et de la moelle épinière, et 2) le système nerveux périphérique (SNP), constitué de tous les tissus nerveux situés à l'extérieur du SNC.

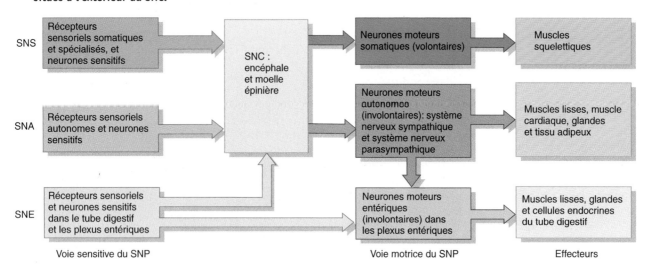

Q Comment appelle-t-on les neurones qui transmettent l'information au SNC?
Comment appelle-t-on ceux qui transmettent l'information hors du SNC?

- *Fonction intégrative.* Le système nerveux *intègre* (traite) l'information sensorielle; pour ce faire, il analyse et emmagasine une partie de cette information et prend des décisions quant aux réponses appropriées. Les neurones qui participent à cette fonction, les **interneurones,** ou neurones d'association, sont de loin les plus nombreux dans l'organisme.

- *Fonction motrice.* La fonction motrice du système nerveux consiste à *répondre,* c'est-à-dire à mettre en œuvre les décisions à caractère intégratif. Les neurones qui accomplissent cette fonction sont les **neurones moteurs**, ou **neurones efférents** (*efferre* = porter hors) ou encore motoneurones; ils transmettent l'information provenant de l'encéphale et de la moelle épinière. Les cellules et les organes innervés par des neurones moteurs sont appelés **effecteurs**; parmi eux figurent les fibres musculaires et les cellules glandulaires.

Organisation du système nerveux

Le système nerveux est constitué de deux sous-systèmes: le **système nerveux central** (**SNC**) et le **système nerveux périphérique** (**SNP**). Le SNC comprend l'encéphale et la moelle épinière, lesquels intègrent et associent toutes sortes de messages sensoriels afférents. Le SNC est en outre le siège des pensées, des émotions et des souvenirs. La plupart des influx nerveux qui provoquent la contraction des muscles et l'activité sécrétrice des glandes naissent dans le SNC. Le SNP comprend tous les tissus nerveux situés à l'extérieur du SNC, c'est-à-dire les nerfs crâniens et leurs ramifications, les nerfs spinaux et leurs ramifications, les ganglions et les récepteurs sensoriels.

On peut encore subdiviser le SNP en trois parties: le **système nerveux somatique** (**SNS**) (*sôma* = corps), le **système nerveux autonome** (**SNA**) (*autonomos* = qui se régit par ses propres lois) et le **système nerveux entérique** (**SNE**) (*enteron* = intestin) (figure 12.2). Le SNS est composé: 1) de neurones sensitifs qui transmettent au SNC l'information venant des récepteurs sensoriels somatiques et des récepteurs sensoriels spécialisés des organes des sens situés principalement dans la tête, la paroi de l'organisme et les membres; 2) de neurones moteurs issus du SNC qui transmettent les influx nerveux aux *muscles squelettiques* seulement. Étant donné que les réponses motrices ainsi produites peuvent être régies consciemment, l'activité de cette partie du SNP est dite *volontaire.*

Le SNA est composé: 1) de neurones sensitifs qui transmettent l'information issue des récepteurs sensoriels autonomes, situés principalement dans les viscères, au SNC; 2) de neurones moteurs issus du SNC qui transmettent les influx nerveux aux *muscles lisses,* au *muscle cardiaque,* aux *glandes* et au *tissu adipeux*. Étant donné que, normalement, les réponses motrices produites par le SNA ne sont pas assujetties à une régulation consciente, l'activité de cette partie du SNP est dite *involontaire*. La partie motrice du SNA comprend deux subdivisions, le **système nerveux sympathique** et le **système nerveux parasympathique**. Ces deux subdivisions innervent la plupart des effecteurs et ont habituellement des effets antagonistes. Ainsi, les neurones sympathiques augmentent la fréquence cardiaque, tandis que les neurones parasympathiques la diminuent.

Le SNE constitue en quelque sorte « le cerveau de l'intestin », et son activité est involontaire. Considéré par certains spécialistes comme une composante du SNA, le SNE comprend environ 100 millions de neurones situés dans les plexus entériques qui parcourent toute la longueur du tube digestif. Un grand nombre des neurones des plexus entériques sont relativement indépendants du SNA et du SNC, encore qu'ils communiquent avec ce dernier par l'intermédiaire de neurones sympathiques et parasympathiques. Les neurones sensitifs du SNE détectent les changements chimiques qui se produisent à l'intérieur du tube digestif ainsi que l'étirement des parois. Les neurones moteurs entériques régissent la contraction des muscles lisses du tube digestif, les sécrétions des organes digestifs, notamment la sécrétion d'acide par l'estomac, et l'activité des cellules endocrines du tube digestif.

1. Exposez les trois fonctions fondamentales du système nerveux.
2. Quelles sont les différences fonctionnelles entre les neurones sensitifs et les neurones moteurs ? Définissez *l'interneurone*.
3. Établissez sous forme de tableau une comparaison entre les composantes et le fonctionnement du SNS, du SNA et du SNE.
4. Associez les termes *volontaire* ou *involontaire* aux différentes subdivisions du système nerveux.

HISTOLOGIE DU TISSU NERVEUX
OBJECTIFS

- *Comparer les caractéristiques histologiques et les fonctions des neurones et des cellules gliales.*
- *Faire la distinction entre la substance grise et la substance blanche.*

Le tissu nerveux est composé de deux types seulement de cellules, soit les neurones et les cellules gliales. Les neurones accomplissent la plupart des fonctions particulières qui sont attribuées au système nerveux : détection des stimulus, pensée, mémoire, régulation de l'activité musculaire et régulation de l'activité sécrétrice des glandes. Les cellules gliales soutiennent, nourrissent et protègent les neurones et maintiennent l'homéostasie dans le liquide interstitiel qui baigne les neurones.

Neurones

Comme les myocytes (ou cellules musculaires), les neurones présentent une **excitabilité électrique,** c'est-à-dire qu'ils ont la capacité de produire des *potentiels d'action*, ou *influx nerveux*, en réponse aux stimulus. Une fois engendrés, les potentiels d'action se propagent d'un point à un autre le long de la membrane plasmique grâce à la présence de types particuliers de canaux ioniques.

Parties du neurone

La plupart des neurones comprennent trois parties : 1) un corps cellulaire, 2) des dendrites et 3) un axone (figure 12.3). Le **corps cellulaire** renferme un noyau entouré d'un cytoplasme contenant les organites habituels, tels des lysosomes, des mitochondries et un complexe (ou appareil) de Golgi. De nombreux neurones contiennent aussi de la *lipofuscine*, pigment qui se présente sous forme d'amas de granules jaune brun dans le cytoplasme. La lipofuscine est probablement un produit des lysosomes qui s'accumule à mesure que le neurone vieillit, mais elle ne semble pas nuire à la cellule pour autant. Le corps cellulaire renferme en outre des amas de réticulum endoplasmique rugueux ; ce sont les *corps de Nissl* que l'on observe en microscopie optique. Les protéines nouvellement synthétisées par le réticulum endoplasmique rugueux du neurone remplacent des composantes cellulaires, fournissent des matériaux pour la croissance des neurones et régénèrent les axones endommagés dans le SNP. Le cytosquelette comprend à la fois des *neurofibrilles,* composées de faisceaux de filaments intermédiaires qui fournissent sa forme à la cellule et lui confèrent un soutien, et des *microtubules,* qui concourent au transport des matières entre le corps cellulaire et l'axone.

Deux types de prolongements émergent du corps cellulaire du neurone : de nombreux dendrites et un seul axone. On désigne tout prolongement d'un neurone, qu'il s'agisse d'un dendrite ou d'un axone, par le terme général de *fibre nerveuse*. Les **dendrites** (*dendron* = arbre) constituent les parties réceptrices du neurone, c'est-à-dire qu'ils reçoivent l'information d'entrée. Ils sont le plus souvent courts, effilés et très ramifiés. Ils prennent dans de nombreux neurones la forme d'une arborisation émergeant du corps cellulaire. La plupart des dendrites ne sont pas myélinisés. Leur cytoplasme contient du réticulum endoplasmique rugueux, des mitochondries et d'autres organites.

Le deuxième type de prolongement, l'**axone** (*axôn* = axe), transmet les influx nerveux à un autre neurone, à une fibre musculaire ou à une cellule glandulaire. Long, mince et cylindrique, l'axone s'unit souvent au corps cellulaire par une éminence conique appelée **cône d'implantation de l'axone,** ou cône d'émergence. La première partie de l'axone est appelée **segment initial.** Dans la plupart des neurones, les influx nerveux naissent dans la **zone gâchette,** à la jonction du cône d'implantation de l'axone et du segment initial, puis

Figure 12.3 Structure d'un neurone typique. Les flèches indiquent la direction de l'information : dendrites → corps cellulaire → axone → terminaisons axonales. L'interruption dans le dessin signifie que l'axone est plus long en réalité.

Les principales parties du neurone sont les dendrites, le corps cellulaire et l'axone.

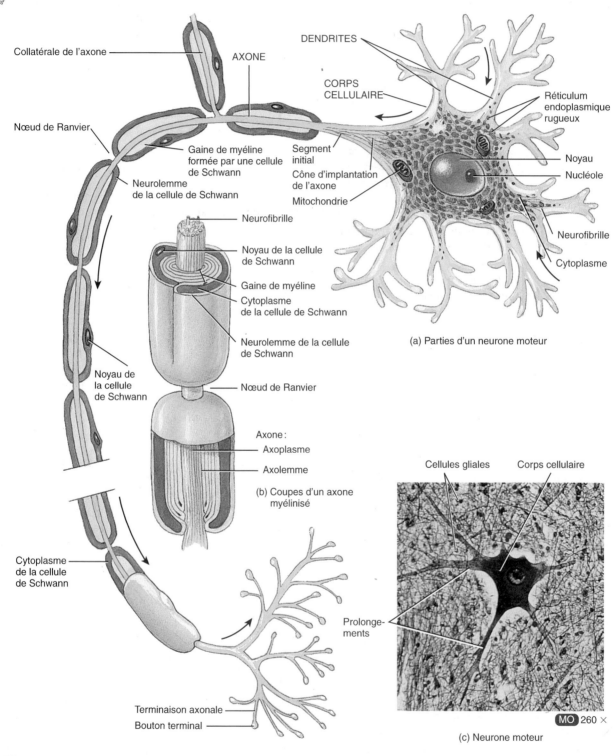

Collatérale de l'axone

AXONE

DENDRITES

CORPS CELLULAIRE

Réticulum endoplasmique rugueux

Nœud de Ranvier

Gaine de myéline formée par une cellule de Schwann

Segment initial

Cône d'implantation de l'axone

Mitochondrie

Noyau

Nucléole

Neurolemme de la cellule de Schwann

Neurofibrille

Noyau de la cellule de Schwann

Gaine de myéline

Cytoplasme de la cellule de Schwann

Neurolemme de la cellule de Schwann

Neurofibrille

Cytoplasme

Noyau de la cellule de Schwann

Nœud de Ranvier

(a) Parties d'un neurone moteur

Axone :

Axoplasme

Axolemme

(b) Coupes d'un axone myélinisé

Cytoplasme de la cellule de Schwann

Cellules gliales

Corps cellulaire

Prolongements

MO 260 ×

Terminaison axonale

Bouton terminal

(c) Neurone moteur

Q Quels rôles les dendrites, le corps cellulaire et l'axone jouent-ils dans la transmission des signaux ?

se propagent le long de l'axone. Un axone contient des mitochondries, des microtubules et des neurofibrilles. Comme il est dépourvu de réticulum endoplasmique rugueux, aucune protéine n'y est synthétisée. Le cytoplasme de l'axone, appelé **axoplasme,** est entouré d'une membrane plasmique, l'**axolemme** (*lemma* = enveloppe, gaine). Des ramifications latérales nommées **collatérales** peuvent émerger de l'axone, le plus souvent à angle droit. La partie distale de l'axone et de ses collatérales se ramifie en de fins prolongements, les **terminaisons axonales,** ou télodendrons.

Le point de communication entre deux neurones ou entre un neurone et une cellule effectrice est nommé **synapse.** Certaines terminaisons axonales se terminent par un renflement appelé **bouton terminal,** ou bulbe terminal, tandis que d'autres présentent une série d'éminences appelées **varicosités.** Les boutons terminaux et les varicosités contiennent un grand nombre de minuscules sacs entourés d'une membrane, les **vésicules synaptiques,** qui emmagasinent une substance chimique nommée **neurotransmetteur.** On a longtemps pensé que les neurones libéraient un seul neurotransmetteur par tous leurs boutons terminaux. On sait à présent que de nombreux neurones contiennent deux ou même trois neurotransmetteurs. Une fois libérées des vésicules synaptiques, les molécules de neurotransmetteur influent sur l'activité d'autres neurones, de fibres musculaires ou de cellules glandulaires.

C'est dans le corps cellulaire que le neurone procède à la synthèse ou au recyclage des produits cellulaires. Mais puisque l'axone ou les terminaisons axonales ont besoin de certaines substances, deux moyens de transport assurent l'aller et retour des matières entre le corps cellulaire et les terminaisons axonales. Le moins rapide des deux, appelé **transport axonal lent,** déplace les matières à la vitesse de 1 à 5 mm par jour. Il véhicule l'axoplasme dans une seule direction, soit du corps cellulaire vers les terminaisons axonales. Il approvisionne les axones en voie de développement ou de régénération en axoplasme neuf et reconstitue l'axoplasme dans les axones en voie de développement et ceux arrivés à maturité.

Le moyen de transport le plus rapide, justement appelé **transport axonal rapide,** peut déplacer les matières à la vitesse de 200 à 400 mm par jour. Il repose sur l'action de protéines qui, à l'instar de moteurs, poussent les matières dans les deux directions (vers le corps cellulaire et en sens inverse) à la surface des microtubules. Le transport axonal rapide prend en charge les divers organites et matières qui forment les membranes de l'axolemme, des boutons terminaux et des vésicules synaptiques. Certaines des matières renvoyées dans le corps cellulaire influent sur sa croissance, tandis que d'autres sont dégradées ou recyclées.

APPLICATION CLINIQUE
Tétanos

Certaines toxines et certains virus pathogènes se servent du transport axonal rapide pour se rendre des terminaisons axonales situées près des coupures de la peau jusqu'aux corps cellulaires de neurones, où ils peuvent causer des dommages. Par exemple, la toxine élaborée par *Clostridium tetani*, une bactérie, est acheminée par transport axonal rapide jusqu'au SNC. Elle y perturbe l'activité des neurones moteurs, provoquant ainsi le **tétanos,** qui se caractérise par des spasmes musculaires prolongés et douloureux. Le délai observé entre la libération de la toxine et l'apparition des premiers symptômes correspond en partie au temps de transport de la toxine jusqu'au corps cellulaire. C'est pourquoi une lacération ou une plaie perforante à la tête ou au cou est plus grave qu'une lésion semblable à la jambe. Plus la lésion est proche de l'encéphale, plus le temps de transport est court. Il est donc impératif d'amorcer le traitement sans délai afin de prévenir les symptômes du tétanos. ■

Diversité structurale des neurones

La taille et la forme des neurones varient considérablement. Ainsi, le diamètre du corps cellulaire se situe entre 5 micromètres (μm) (soit moins que le diamètre d'un globule rouge) et 135 μm (auquel cas la cellule est presque visible à l'œil nu). La forme de l'arborisation dendritique varie également selon les parties du système nerveux. L'axone est absent dans quelques neurones de petite taille et très court dans de nombreux autres ; il peut cependant atteindre une longueur de 1 m ou plus.

La classification des divers neurones de l'organisme repose sur des caractéristiques structurales et fonctionnelles. Au point de vue structural, on classe les neurones selon le nombre de prolongements qui émergent du corps cellulaire (figure 12.4). Les **neurones multipolaires** possèdent habituellement plusieurs dendrites et un axone (voir aussi la figure 12.3). La plupart des neurones de l'encéphale et de la moelle épinière appartiennent à cette catégorie. Les **neurones bipolaires** sont dotés d'un dendrite principal et d'un axone ; on en trouve dans la rétine, dans l'oreille interne et dans l'aire olfactive du cerveau. Les **neurones unipolaires,** ou neurones pseudo-unipolaires, sont des neurones sensitifs qui apparaissent dans l'embryon sous forme de neurones bipolaires. Au cours du développement, l'axone et le dendrite fusionnent en un seul prolongement qui émet deux ramifications non loin du corps cellulaire. Les deux ramifications possèdent la structure et la fonction caractéristiques de l'axone : ce sont des prolongements longs, cylindriques et myélinisés dans certains cas, et ils transmettent des potentiels d'action. Cependant, la ramification axonale qui s'étend en périphérie présente des dendrites amyélinisés à son extrémité distale, tandis que la ramification axonale qui rejoint le SNC se termine par des boutons terminaux. Les dendrites détectent les stimulus sensoriels tels qu'un contact ou un étirement. La zone gâchette est située à la jonction des dendrites et de l'axone (voir la figure 12.4c). Les influx nerveux qui y sont produits se propagent ensuite vers les boutons terminaux.

Figure 12.4 Classification structurale des neurones. Les interruptions indiquent que les axones sont plus longs en réalité.

 Un neurone multipolaire possède plusieurs prolongements qui émergent du corps cellulaire. Un neurone bipolaire en possède deux, et un neurone unipolaire n'en possède qu'un.

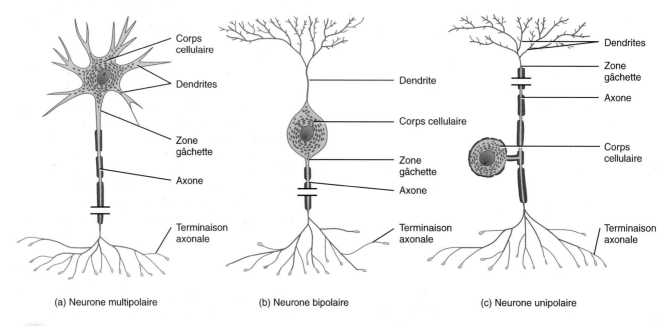

(a) Neurone multipolaire   (b) Neurone bipolaire   (c) Neurone unipolaire

Q Que se passe-t-il dans la zone gâchette ?

Environ 90 % des neurones de l'organisme sont des interneurones, et il en existe des milliers de types. Ils portent souvent le nom de l'histologiste qui les a décrits pour la première fois. On distingue par exemple des **cellules de Purkinje** dans le cervelet (figure 12.5a) et des **cellules de Renshaw** dans la moelle épinière. D'autres interneurones sont nommés selon leur forme ou leur aspect. Ainsi les **cellules pyramidales** de l'encéphale possèdent, comme leur nom l'indique, un corps cellulaire en forme de pyramide (figure 12.5b).

Cellules gliales

Les **cellules gliales** (*gloios* = glu), ou névroglie, ainsi nommées parce que les scientifiques croyaient jadis qu'elles constituaient la « colle » retenant le tissu nerveux, comptent pour environ la moitié du volume du SNC. Nous savons aujourd'hui que, loin de jouer un rôle passif, les cellules gliales participent activement au fonctionnement du tissu nerveux. En règle générale, elles sont plus petites que les neurones et de 5 à 50 fois plus nombreuses. Contrairement aux neurones, elles ne produisent ni ne transmettent de potentiels d'action, et elles peuvent se multiplier et se diviser dans le système nerveux de l'adulte. En cas de lésion ou de maladie, les cellules gliales prolifèrent afin de combler les espaces qui étaient occupés par des neurones. Les **gliomes,** tumeurs du SNC formées à partir de cellules gliales, sont souvent malins et

croissent rapidement. Des six types de cellules gliales, quatre (soit les astrocytes, les oligodendrocytes, les microglies et les épendymocytes) se trouvent dans le SNC seulement. Les deux autres types (les cellules de Schwann et les cellules satellites) sont présents dans le SNP. Le tableau 12.1, p. 407, présente un résumé de la structure et des fonctions des cellules gliales.

Myélinisation

Chez les mammifères, les axones de la plupart des neurones sont entourés d'une enveloppe lipidique et protéinique composée de plusieurs couches et produite par les cellules gliales, la **gaine de myéline.** La gaine isole électriquement l'axone et augmente la vitesse de propagation de l'influx nerveux. Les axones dotés d'une telle gaine sont dits **myélinisés,** tandis que les axones qui en sont dépourvus sont dits **amyélinisés** (figure 12.6). Les micrographies au microscope électronique révèlent que même les axones amyélinisés sont entourés d'un mince revêtement fait de membrane plasmique de cellules gliales.

Deux types de cellules gliales produisent la gaine de myéline : les cellules de Schwann (dans le SNP) et les oligodendrocytes (dans le SNC). Dans le SNP, les **cellules de Schwann,** ou neurolemmocytes, commencent à former des gaines de myéline autour des axones au cours du développement fœtal. Chaque cellule de Schwann enrobe un segment

Figure 12.5 Deux exemples d'interneurones. Les flèches indiquent la direction de la propagation de l'information.

 Les interneurones transmettent les influx nerveux d'un neurone à un autre.

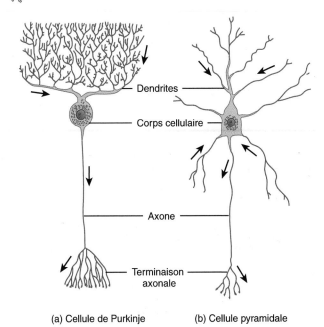

Dendrites

Corps cellulaire

Axone

Terminaison axonale

(a) Cellule de Purkinje   (b) Cellule pyramidale

Q La fonction des dendrites des interneurones est-elle de recevoir l'information d'entrée ou d'émettre l'information de sortie ?

d'axone d'environ 1 mm de long en s'enroulant plusieurs fois autour de lui (figure 12.6b). En bout de ligne, de nombreuses couches de membrane plasmique gliale entourent l'axone ; le cytoplasme et le noyau de la cellule de Schwann forment la couche la plus externe de cet « emballage ». La partie interne, qui peut comprendre jusqu'à 100 couches de membrane plasmique de la cellule de Schwann, constitue la gaine de myéline proprement dite. La couche cytoplasmique externe, nucléée, de la cellule de Schwann est le **neurolemme,** ou **neurilemme.** Seuls les axones du SNP possèdent un neurolemme. Lorsqu'un axone est endommagé, le neurolemme facilite la régénération en formant un tube de régénération qui guide et stimule la repousse de l'axone. Le long de l'axone, la gaine de myéline présente des intervalles appelés **nœuds de Ranvier** (voir la figure 12.3). Chaque cellule de Schwann enveloppe un segment d'axone entre deux nœuds.

Dans le SNC, un **oligodendrocyte** myélinise certaines parties de nombreux axones, un peu comme une cellule de Schwann myélinise une partie d'un seul axone dans le SNP

(voir le tableau 12.1). L'oligodendrocyte déploie en moyenne 15 prolongements larges et plats qui s'enroulent autour d'axones du SNC, formant ainsi une gaine de myéline. L'oligodendrocyte ne forme pas de neurolemme, cependant, car son corps cellulaire et son noyau n'enveloppent pas l'axone. Des nœuds de Ranvier sont présents, mais en moins grand nombre que dans le SNP. Les axones du SNC ont une faible capacité de régénération après une lésion. On attribue cette caractéristique à l'absence de neurolemme d'une part et, d'autre part, à l'influence inhibitrice exercée par les oligodendrocytes sur la repousse.

La quantité de myéline augmente de la naissance à l'âge adulte, et sa présence accroît considérablement la vitesse de propagation de l'influx nerveux. Si les réponses du nourrisson aux stimulus ne sont ni aussi rapides ni aussi coordonnées que celles d'un enfant plus âgé ou d'un adulte, c'est que la myélinisation se poursuit encore durant la petite enfance. Certaines maladies, telles la sclérose en plaques (voir p. 428) et la maladie de Tay-Sachs (voir p. 89), détruisent les gaines de myéline.

Substance grise et substance blanche

Dans une coupe fraîchement pratiquée de l'encéphale ou de la moelle épinière, certaines régions apparaissent blanches et luisantes et d'autres, grises (figure 12.7). La **substance blanche** est composée des prolongements myélinisés d'un grand nombre de neurones. C'est à la teinte blanchâtre de la myéline que la substance blanche doit son nom. La **substance grise** du système nerveux contient des corps cellulaires de neurones, des dendrites, des axones amyélinisés, des terminaisons axonales et des cellules gliales. Elle a une teinte grisâtre car elle renferme peu de myéline ou n'en renferme pas du tout. On trouve des vaisseaux sanguins tant dans la substance blanche que dans la substance grise.

Dans la moelle épinière, la substance blanche entoure une partie centrale de substance grise en forme de H ou de papillon. Par ailleurs, une mince enveloppe de substance grise recouvre la plus grande partie de l'encéphale, soit le cerveau et le cervelet (voir la figure 12.7). On trouve aussi de nombreux noyaux de substance grise à l'intérieur de l'encéphale. Dans le vocabulaire de la neurologie, le terme **noyau** désigne un amas de corps cellulaires de neurones situé dans le SNC. Nous traiterons plus en détail de la disposition de la substance blanche et de la substance grise dans la moelle épinière et dans l'encéphale aux chapitres 13 et 14.

1. Décrivez les parties du neurone et donnez les fonctions de chacune.
2. Donnez quelques exemples de la diversité structurale des neurones.
3. Définissez le *neurolemme.* Quelle est son importance ?
4. Qu'est-ce que le *noyau* dans le vocabulaire de la neurologie ?

Figure 12.6 Axones myélinisés et axones amyélinisés.

Chez les mammifères, les axones de la plupart des neurones sont entourés d'une gaine de myéline produite par les cellules de Schwann dans le SNP et par les oligodendrocytes dans le SNC.

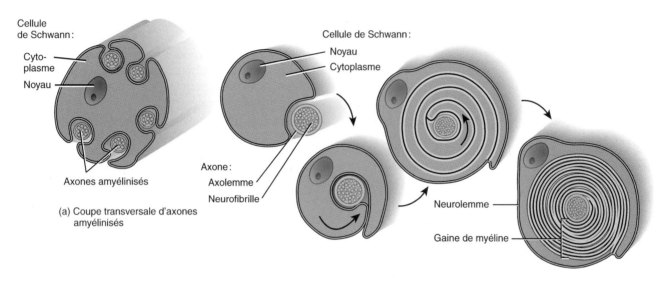

(a) Coupe transversale d'axones amyélinisés

(b) Coupes transversales montrant les étapes de la formation de la gaine de myéline

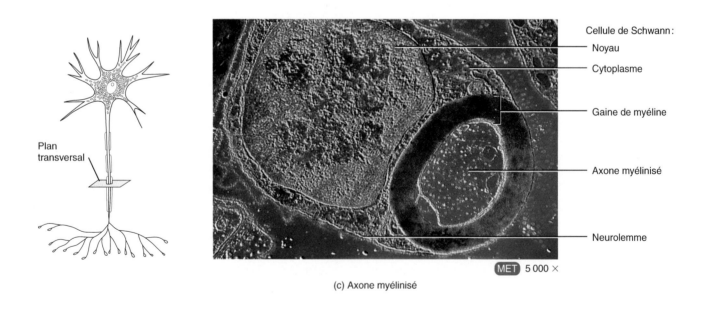

(c) Axone myélinisé

Quel est l'avantage de la myélinisation sur le plan fonctionnel?

Tableau 12.1 Cellules gliales

TYPE	APPARENCE	FONCTIONS
Système nerveux central		
Astrocytes (*astêr* = étoile ; *kutos* = cellule)	Forme étoilée, nombreux prolongements. Astrocyte — Prolongement de l'astrocyte Prolongement du neurone Vaisseau sanguin	Concourent à maintenir un milieu chimique approprié à la production de potentiels d'action par les neurones ; fournissent des nutriments aux neurones ; captent l'excès de neurotransmetteurs ; participent au métabolisme des neurotransmetteurs ; maintiennent un équilibre approprié du Ca²⁺ et du K⁺ ; facilitent la migration des neurones pendant le développement de l'encéphale ; concourent à former la barrière hémato-encéphalique.
Oligodendrocytes (*oligos* = peu nombreux ; *dendron* = arbre)	Plus petits que les astrocytes et dotés d'un moins grand nombre de prolongements ; corps cellulaire rond ou ovale. Oligodendrocyte Neurone	Forment un réseau qui soutient les neurones du SNC ; produisent la gaine de myéline autour de quelques axones adjacents appartenant à des neurones du SNC.
Microglies (*mikros* = petit)	Petites cellules possédant un petit nombre de prolongements ; dérivées de cellules du mésoderme qui donnent aussi naissance aux monocytes et aux macrophages. Microbes et débris cellulaires — Microglie	Protègent les cellules du SNC contre les maladies en phagocytant les microbes ; éliminent les débris de cellules mortes ; migrent vers les lésions du tissu nerveux.

- ➤

Figure 12.7 Distribution de la substance grise et de la substance blanche dans la moelle épinière et le cerveau.

La substance blanche est composée de prolongements myélinisés de nombreux neurones. La substance grise est composée de corps cellulaires de neurones, de dendrites, de terminaisons axonales, de faisceaux d'axones amyélinisés et de cellules gliales.

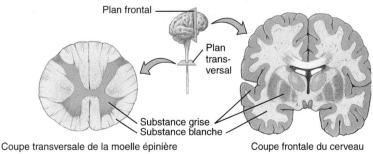

Plan frontal

Plan transversal

Substance grise
Substance blanche

Coupe transversale de la moelle épinière

Coupe frontale du cerveau

Qu'est-ce qui donne sa teinte à la substance blanche ?

Tableau 12.1 Cellules gliales (suite)

TYPE	APPARENCE	FONCTIONS
Système nerveux central (suite)		
Épendymocytes (*epi* = sur ; *enduma* = vêtement)	Cellules épithéliales disposées en une seule couche ; forme cubique ou cylindrique ; un grand nombre sont ciliées.	Tapissent les ventricules cérébraux (espaces remplis de liquide cérébro-spinal) et le canal central de la moelle épinière ; forment le liquide cérébro-spinal et favorisent sa circulation.
	Cil Épendymocyte	
Système nerveux périphérique		
Cellules de Schwann	Cellules aplaties qui entourent les axones dans le SNP.	Chaque cellule produit une partie de la gaine de myéline autour d'un seul axone d'un neurone du SNP ; participent à la régénération des axones dans le SNP.
	Cellule de Schwann Gaine de myéline Axone	
Cellules satellites	Cellules aplaties disposées autour du corps cellulaire des neurones dans les ganglions.	Soutiennent les neurones dans les ganglions du SNP.
	Cellule satellite Corps cellulaire d'un neurone dans un ganglion	

SIGNAUX ÉLECTRIQUES DANS LES NEURONES

OBJECTIF

• *Décrire les propriétés cellulaires qui permettent la communication entre les neurones et les effecteurs.*

Comme les fibres musculaires, les neurones sont électriquement excitables. Ils communiquent les uns avec les autres au moyen de deux types de signaux électriques : les *potentiels d'action,* qui permettent la communication aussi bien sur de courtes distances que sur de longues distances dans l'organisme, et les *potentiels gradués* (ou potentiels électrotoniques), qui servent seulement à la communication sur de courtes distances. La production des deux types de signaux repose sur deux caractéristiques fondamentales de la membrane plasmique des cellules excitables, soit l'existence d'un potentiel de repos et la présence de canaux ioniques spécifiques.

Comme les membranes plasmiques de la plupart des autres cellules dans l'organisme, celle des cellules excitables présente un **potentiel de membrane,** c'est-à-dire une différence de potentiel entre les deux faces de la membrane. Dans les cellules excitables, ce voltage est appelé **potentiel de repos,** et on peut le comparer au voltage d'une pile. Si on relie le pôle positif et le pôle négatif d'une pile à l'aide d'un bout de fil, les électrons se mettent à circuler dans le fil. Ce mouvement de particules chargées est appelé **courant.** Dans les cellules vivantes, le déplacement d'ions (plutôt que d'électrons) constitue le courant.

La production de potentiels gradués et de potentiels d'action est rendue possible par la présence de nombreux types de canaux ioniques dans la membrane plasmique des neurones. Ces canaux s'ouvrent ou se ferment en réponse à des stimulus particuliers. Étant donné que la bicouche

Figure 12.8 Canaux ioniques voltage-dépendants et ligand-dépendants de la membrane plasmique. (a) Une variation du potentiel de membrane entraîne l'ouverture des canaux à Na⁺ voltage-dépendants pendant un potentiel d'action. (b) Un stimulus chimique (le neurotransmetteur appelé acétylcholine dans ce cas-ci) entraîne l'ouverture d'un canal ionique ligand-dépendant.

 Les canaux à fonction passive sont toujours ouverts, tandis que les canaux à fonctionnement commandé s'ouvrent ou se ferment en réponse à un stimulus.

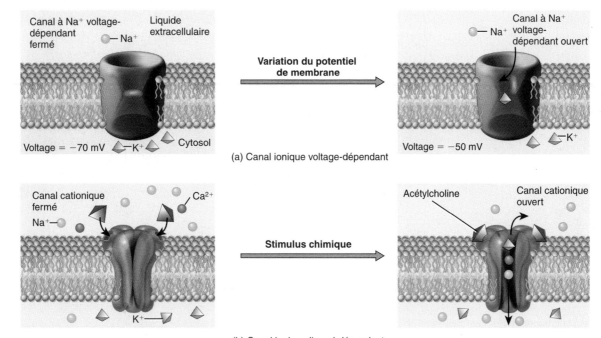

(a) Canal ionique voltage-dépendant

(b) Canal ionique ligand-dépendant

 Quel type de canaux ioniques à fonctionnement commandé (non représenté dans la figure) est activé par un stimulus comme un contact sur le bras?

lipidique de la membrane plasmique est un bon isolant électrique, le courant emprunte surtout les canaux ioniques pour traverser la membrane.

Canaux ioniques

Lorsqu'ils sont ouverts, les canaux ioniques permettent à certains ions de diffuser à travers la membrane plasmique suivant leur gradient électrochimique. Autrement dit, les ions ont tendance à aller d'une région où ils sont fortement concentrés vers une région où ils sont moins concentrés. De même, les cations ont tendance à se déplacer vers une région négativement chargée, et les anions ont tendance à se déplacer vers une région positivement chargée. Dans tous les cas, la diffusion des ions à travers les canaux ioniques d'une membrane plasmique engendre un courant qui peut modifier le potentiel de membrane.

Les canaux ioniques se répartissent en deux grandes catégories: les canaux à fonction passive et les canaux à fonctionnement commandé. Les **canaux à fonction passive,** ou canaux de fuite, sont toujours ouverts, comme les trous percés le long d'un tuyau d'arrosage. Les membranes plasmiques comprennent généralement beaucoup plus de canaux à fonction passive à ions potassium (K^+) que de canaux à fonction passive à ions sodium (Na^+). Par conséquent, les membranes sont beaucoup plus perméables au K^+ qu'au Na^+.

Les **canaux à fonctionnement commandé,** quant à eux, s'ouvrent et se ferment en réponse à un certain stimulus. La présence de canaux ioniques à fonctionnement commandé dans les membranes plasmiques des neurones et des fibres musculaires confère à ces cellules leur excitabilité électrique. On classe en trois catégories les canaux ioniques à fonctionnement commandé des cellules excitables, selon le stimulus auquel ils réagissent: voltage-dépendants, ligand-dépendants et mécanique-dépendants.

1. Un **canal ionique voltage-dépendant** s'ouvre en réponse à une variation du potentiel de membrane (voltage) (figure 12.8a). Il intervient dans la production et la propagation des potentiels d'action.

Figure 12.9 Répartition (a) des charges et (b) des ions qui produisent le potentiel de repos.

 Le potentiel de repos est dû à deux facteurs : d'une part une faible accumulation d'anions, principalement des phosphates organiques (PO_4^{3-}) et des protéines, dans la partie du cytosol adjacente à la membrane plasmique ; d'autre part, une accumulation équivalente de cations, principalement des ions sodium (Na^+), dans le liquide extracellulaire adjacent à la membrane.

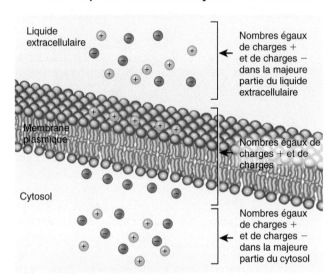

(a) Répartition des charges

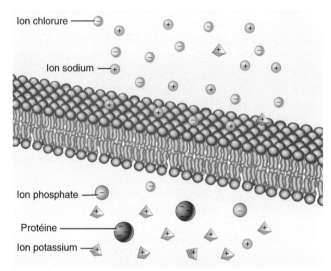

(b) Répartition des ions

Q À combien se chiffre habituellement le potentiel de repos de la membrane d'un neurone ?

2. Un **canal ionique ligand-dépendant** s'ouvre et se ferme en réponse à un stimulus chimique particulier. Une vaste gamme de ligands chimiques (dont les neurotransmetteurs, les hormones et les ions) entraînent l'ouverture ou la fermeture des canaux ioniques ligand-dépendants. L'acétylcholine, par exemple, est un neurotransmetteur qui provoque l'ouverture des canaux cationiques qui permettent au Na^+ et au Ca^{2+} de diffuser vers l'intérieur de la cellule et au K^+ de diffuser vers l'extérieur (figure 12.8b). Les canaux ioniques ligand-dépendants fonctionnent de deux façons. Premièrement, la molécule du ligand peut elle-même entraîner l'ouverture ou la fermeture du canal en se liant à une partie de la protéine qui forme le canal. Tel est le cas de l'acétylcholine. Deuxièmement, le ligand peut agir *indirectement*, par l'intermédiaire d'une protéine membranaire appelée protéine G. Celle-ci active une autre molécule dans le cytosol, un «second messager», qui pour sa part va ouvrir ou fermer les vannes du canal. Les ligands hormonaux exercent souvent leurs effets par l'entremise de seconds messagers (voir la figure 18.4, p. 602) ; il en va de même pour certains neurotransmetteurs.

3. Un **canal ionique mécanique-dépendant** s'ouvre ou se ferme en réponse à une stimulation mécanique prenant la forme d'une vibration (comme des ondes sonores), d'une pression (comme le toucher) ou d'un étirement du tissu. Sous l'effet de la force qu'il subit, le canal se déforme et s'ouvre. On trouve des canaux ioniques mécanique-dépendants dans les récepteurs de l'oreille, dans les récepteurs qui détectent l'étirement de l'estomac et dans les récepteurs cutanés du toucher.

Potentiel de repos

OBJECTIF

• *Décrire les facteurs qui maintiennent le potentiel de repos.*

Le potentiel de repos tient d'une part à une faible accumulation d'ions négatifs dans la partie du cytosol adjacente à la face interne de la membrane et, d'autre part, à une accumulation équivalente d'ions positifs dans le liquide extracellulaire adjacent à la face externe de la membrane (figure 12.9a). Cette séparation des charges électriques positives et négatives constitue une forme d'énergie potentielle que l'on mesure en volts ou en millivolts (1 mV = 0,001 V). Plus la répartition des charges est inégale de part et d'autre de la membrane, plus le potentiel de membrane (voltage) est élevé. La figure 12.9a montre que l'accumulation des charges ne se produit qu'à proximité de la membrane. Ailleurs, le cytosol et le liquide extracellulaire contiennent autant de charges positives que de charges négatives.

Dans les neurones, le potentiel de repos varie entre −40 et −90 mV mais s'établit le plus souvent à −70 mV. Le signe négatif indique que l'intérieur est négatif par rapport à l'extérieur. Une cellule qui présente un potentiel de membrane est dite **polarisée**. La plupart des cellules de l'organisme sont polarisées ; le voltage de la membrane varie entre +5 mV et −100 mV dans les différents types de cellules.

Le potentiel de repos dépend pour se maintenir de deux facteurs principaux :

1. *L'inégalité de la répartition des ions de part et d'autre de la membrane plasmique.* Rappelez-vous que les concentrations des principaux anions et cations ne sont pas les mêmes à l'intérieur et à l'extérieur des cellules (figure 12.9b). Le liquide extracellulaire est riche en Na^+ et en ions chlorure (Cl^-). Dans le cytosol, cependant, le K^+ (ions potassium) constitue le principal cation, et les deux anions prédominants sont les phosphates organiques et les acides aminés des protéines.

2. *La perméabilité relative de la membrane plasmique au Na^+ et au K^+.* Dans un neurone ou une fibre musculaire au repos, la membrane plasmique est de 50 à 100 fois plus perméable au K^+ qu'au Na^+.

Pour comprendre de quelle manière ces facteurs maintiennent le potentiel de repos, pensez d'abord à ce qui se produirait si la membrane n'était perméable qu'au K^+. Ce cation aurait tendance à diffuser vers le liquide extracellulaire selon son gradient de concentration. L'intérieur de la membrane deviendrait alors de plus en plus négatif. La différence de charges qui s'établirait commencerait à attirer vers l'intérieur de la cellule le K^+ positivement chargé. Il se formerait par conséquent un gradient électrochimique (différence de charges plus différence de concentrations) de part et d'autre de la membrane. En bout de ligne, il entrerait autant de K^+ à cause de la différence de charges qu'il en sortirait à cause du gradient de concentration (chimique). Le potentiel de membrane qui assure l'équilibre de la concentration de K^+ s'établit à −90 mV et est appelé *potentiel d'équilibre du potassium*. Le potentiel de repos (−70 mV) s'approche du potentiel d'équilibre du potassium sans l'égaler tout à fait, ce qui signifie que la membrane doit être légèrement perméable à d'autres ions aussi.

En réalité, la membrane est modérément perméable au K^+ et au Cl^- et très faiblement perméable au Na^+. En théorie, l'effet électrique de la sortie du K^+ pourrait être annulé par une entrée de Na^+, ce qui équivaudrait à échanger un ion positif contre un autre. Mais puisque la perméabilité de la membrane au Na^+ est faible, l'entrée de Na^+ est beaucoup

trop lente pour contrebalancer la sortie de K^+. L'effet électrique de la sortie du K^+ pourrait aussi être annulé par la sortie simultanée d'anions. Cependant, la plupart des anions contenus dans la cellule n'ont pas la possibilité d'en sortir ; ils sont en effet liés soit à de grosses protéines, soit à d'autres molécules organiques, tels les phosphates de l'ATP. Enfin, l'entrée de Cl^- selon son gradient de concentration ne peut contrer l'effet électrique de la sortie de K^+. Tout ion chlorure qui entre dans la cellule ne peut que rendre l'intérieur plus négatif. Étant donné que la membrane plasmique est faiblement perméable au Na^+ et aux anions situés à l'intérieur de la cellule, et assez perméable au K^+, le liquide adjacent à sa face interne devient de plus en plus négatif à mesure que le K^+ sort.

Notez que le gradient électrique et le gradient de concentration favorisent tous deux l'entrée de Na^+. En effet, l'intérieur négativement chargé de la membrane plasmique attire des cations, et la concentration de Na^+ est plus élevée à l'extérieur de la cellule qu'à l'intérieur. Même si la membrane plasmique est très peu perméable au Na^+, une diffusion lente hors de la cellule finirait par supprimer le gradient électrochimique. La faible entrée de Na^+ et la faible sortie de K^+ sont contrées par les pompes à sodium ($Na^+ - K^+$ ATPase ; voir la figure 3.11, p. 75) ; celles-ci contribuent à maintenir le potentiel de repos en éjectant le Na^+ à mesure qu'il pénètre dans la cellule. En même temps, elles transportent le potassium à l'intérieur de la cellule. Cependant, les ions potassium se redistribuent aussi selon les gradients électriques et chimiques, comme nous l'avons vu plus haut.

Étant donné que les pompes à sodium transportent trois Na^+ hors de la cellule pour deux K^+ qu'elles font entrer, elles sont *électrogènes*, c'est-à-dire qu'elles contribuent à la négativité du potentiel de repos. Leur apport est cependant très faible : il correspond à environ −3 mV sur le total de −70 mV du potentiel de repos dans un neurone typique.

Potentiels gradués

Lorsqu'un stimulus entraîne l'ouverture ou la fermeture de canaux ioniques ligand-dépendants ou mécanique-dépendants dans la membrane plasmique d'une cellule excitable, la cellule produit un **potentiel gradué,** ou potentiel électrotonique. Il s'agit d'une faible déviation du potentiel de membrane qui a pour effet soit d'augmenter la polarisation de la membrane (rendre la membrane plus négative), soit de la diminuer (rendre la membrane moins négative). Lorsque la réponse est une polarisation plus négative, on parle de **potentiel gradué hyperpolarisant** (figure 12.10a). Lorsque la réponse est une polarisation moins négative, on parle de **potentiel gradué dépolarisant** (figure 12.10b).

La plupart du temps, les canaux ioniques ligand-dépendants et mécanique-dépendants se trouvent dans les dendrites des neurones sensitifs. Les canaux ioniques ligand-dépendants sont surtout abondants dans les dendrites et les

Figure 12.10 Potentiels gradués. La plupart des potentiels gradués se produisent dans les dendrites et dans le corps cellulaire (comme l'indique la ligne bleue dans le dessin en médaillon).

 Dans un potentiel gradué hyperpolarisant, le potentiel de membrane devient plus négatif qu'à l'état de repos. Dans un potentiel gradué dépolarisant, le potentiel de membrane devient moins négatif qu'à l'état de repos.

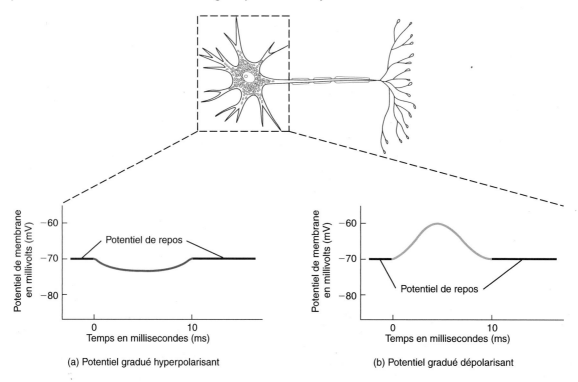

(a) Potentiel gradué hyperpolarisant

(b) Potentiel gradué dépolarisant

Q Quels types de canaux ioniques produisent des potentiels gradués en s'ouvrant ou en se fermant ?

corps cellulaires des interneurones et des neurones moteurs ; il y en a parfois dans les axones. Par conséquent, les potentiels gradués se produisent principalement dans les dendrites et le corps cellulaire du neurone et plus rarement dans l'axone. L'adjectif *gradué* signifie que ces signaux électriques varient en amplitude (taille) selon la force du stimulus. Tout dépend du nombre de canaux ioniques qui se sont ouverts (ou fermés) et de la durée de l'ouverture de chacun. L'ouverture ou la fermeture des canaux ioniques modifie le déplacement de certains ions à travers la membrane plasmique, produisant ainsi un courant *localisé*. Autrement dit, le courant ne se propage le long de la membrane plasmique que sur quelques micromètres avant de s'évanouir. Les potentiels gradués ne servent donc qu'à la communication sur de courtes distances.

Les potentiels gradués prennent des noms différents selon le stimulus qui les cause et l'endroit où ils prennent naissance. Par exemple, lorsqu'un neurotransmetteur se lie à ses récepteurs dans un canal ionique ligand-dépendant, il produit un potentiel gradué appelé *potentiel postsynaptique*

(nous y revenons plus loin). Quant aux récepteurs sensoriels et aux neurones sensitifs, ils produisent des potentiels gradués appelés *potentiels récepteurs* et *potentiels générateurs* (dont nous traiterons au chapitre 15).

Potentiels d'action

OBJECTIF

• *Donner les étapes de la production d'un potentiel d'action.*

Un **potentiel d'action,** ou **influx nerveux,** est une succession rapide d'événements qui abaissent le potentiel de membrane jusqu'à ce qu'il s'inverse, puis qui le ramènent à sa valeur de repos. Deux types de canaux ioniques voltage-dépendants s'ouvrent et se ferment pendant un potentiel d'action. Ces canaux se trouvent surtout dans la membrane plasmique de l'axone et des terminaisons axonales. Les premiers canaux à s'ouvrir permettent un afflux de Na$^+$ dans la cellule, ce qui entraîne une dépolarisation. Ensuite, l'ouverture des canaux à K$^+$ permet la sortie de K$^+$, ce qui

Figure 12.11 Potentiel d'action, ou influx nerveux. Un potentiel d'action est produit lorsqu'un stimulus dépolarise la membrane plasmique jusqu'au seuil d'excitation. Dans le dessin en médaillon, la ligne verte indique la présence de canaux à Na^+ et à K^+ voltage-dépendants dans la membrane plasmique de l'axone et des terminaisons axonales.

🔑 **Un potentiel d'action comprend une phase de dépolarisation et une phase de repolarisation.**

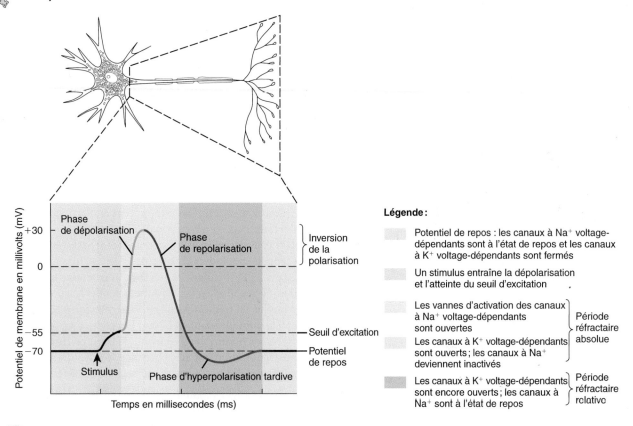

Légende :

Potentiel de repos : les canaux à Na^+ voltage-dépendants sont à l'état de repos et les canaux à K^+ voltage-dépendants sont fermés

Un stimulus entraîne la dépolarisation et l'atteinte du seuil d'excitation

Les vannes d'activation des canaux à Na^+ voltage-dépendants sont ouvertes ⎱ Période réfractaire absolue

Les canaux à K^+ voltage-dépendants sont ouverts ; les canaux à Na^+ deviennent inactivés ⎰

Les canaux à K^+ voltage-dépendants sont encore ouverts ; les canaux à Na^+ sont à l'état de repos ⎱ Période réfractaire relative

Q Quels canaux sont ouverts pendant la phase de dépolarisation ? pendant la phase de repolarisation ?

produit une repolarisation. Les phases de dépolarisation et de repolarisation durent à elles deux environ 1 ms (0,001 s) dans un neurone typique.

Les potentiels d'action répondent à la **loi du tout ou rien.** Si la dépolarisation atteint un certain niveau (environ −55 mV dans de nombreux neurones), les canaux ioniques voltage-dépendants s'ouvrent, et un potentiel d'action d'amplitude constante est engendré. On peut comparer ce phénomène à la chiquenaude donnée au premier domino d'une longue rangée. Si la chiquenaude est suffisamment forte (atteint environ −55 mV), le premier domino tombe sur le deuxième et la rangée *entière* s'effondre (un potentiel d'action est produit). Les chiquenaudes plus fortes données au premier domino produisent un effet identique – l'écroulement de la rangée. La conséquence de la chiquenaude donnée au premier domino obéit donc à la loi du tout ou rien : soit le premier domino et tous les autres tombent, soit le premier

domino et tous les autres restent debout. Comme ils peuvent se propager sur de longues distances avant de se dissiper, les potentiels d'action interviennent à la fois dans la communication sur de courtes distances et dans la communication sur de longues distances.

Phase de dépolarisation

Si un potentiel gradué dépolarisant ou quelque autre stimulus pousse la dépolarisation de la membrane jusqu'à un niveau critique, appelé **seuil d'excitation** (environ −55 mV en règle générale), les canaux à Na^+ voltage-dépendants commencent aussitôt à s'ouvrir. Les gradients électrique et chimique favorisent tous deux l'entrée du Na^+ par les canaux en voie d'ouverture ; l'afflux de Na^+ qui s'ensuit amorce la **phase de dépolarisation** du potentiel d'action (figure 12.11). L'afflux de Na^+ devient si abondant que le potentiel de membrane s'élève : il part de −55 mV, monte jusqu'à 0 mV et atteint enfin +30 mV. À ce moment-là, l'intérieur de la membrane plasmique devient de 30 mV plus positif que l'extérieur.

Tous les canaux à Na$^+$ voltage-dépendants possèdent deux vannes distinctes, une *vanne d'activation* et une *vanne d'inactivation*. Dans une membrane plasmique au repos, la vanne d'inactivation est ouverte, mais la vanne d'activation est fermée (étape 1 dans la figure 12.12). Par conséquent, le Na$^+$ ne peut diffuser dans la cellule à travers les canaux à Na$^+$ voltage-dépendants. Ceux-ci sont alors à l'*état de repos*. Lorsque le seuil d'excitation est atteint, un grand nombre d'entre eux passent soudainement de l'état de repos à l'*état activé*. Les vannes d'activation et d'inactivation sont ouvertes, et le Na$^+$ entre dans la cellule (étape 2 dans la figure 12.12). Plus il s'ouvre de canaux, plus il entre de Na$^+$, plus la membrane plasmique se dépolarise et ainsi de suite. Ce phénomène constitue un mécanisme de rétroactivation. Le seuil de production d'un potentiel d'action peut varier selon les neurones, mais il est généralement constant dans un même neurone.

La dépolarisation qui entraîne l'ouverture des vannes d'activation dans le canal à Na$^+$ provoque aussi la fermeture des vannes d'inactivation (étape 3 dans la figure 12.12). Le canal se trouve alors dans l'*état inactivé*. Or, la *vanne d'inactivation se ferme* quelque dix millièmes de seconde *après l'ouverture de la vanne d'activation*. Par conséquent, le canal à Na$^+$ voltage-dépendant est ouvert pendant quelque dix millièmes de seconde. Au cours de ce bref laps de temps, 20 000 ions sodium environ traversent la membrane plasmique et modifient considérablement son potentiel. Mais comme ce nombre n'équivaut qu'à un millionième de la quantité de Na$^+$ présente dans le liquide extracellulaire adjacent à l'extérieur de la membrane plasmique à cet endroit, la variation de la concentration de Na$^+$ est négligeable. Comme quelques milliers à peine d'ions Na$^+$ entrent pendant un seul potentiel d'action, la pompe à sodium les éjecte facilement et maintient ainsi la faible concentration de Na$^+$ à l'intérieur de la cellule.

Phase de repolarisation

Une dépolarisation liminaire entraîne l'ouverture à la fois des canaux à Na$^+$ voltage-dépendants et des canaux à K$^+$ voltage-dépendants (étapes 3 et 4 dans la figure 12.12). Les canaux à K$^+$ voltage-dépendants s'ouvrent plus lentement, cependant, de sorte que leur ouverture coïncide à peu près avec la fermeture des canaux à Na$^+$ voltage-dépendants. L'ouverture lente des canaux à K$^+$ voltage-dépendants et la fermeture des canaux à Na$^+$ produisent la **phase de repolarisation** du potentiel d'action, au cours de laquelle le potentiel de repos se rétablit. À mesure que les canaux à Na$^+$ deviennent inactivés, l'afflux de Na$^+$ ralentit. Simultanément, les canaux à K$^+$ s'ouvrent et la sortie de K$^+$ s'accélère. Le ralentissement de l'entrée de Na$^+$ et l'accélération de la sortie de K$^+$ font

passer le potentiel de membrane de +30 mV à 0 mV puis à −70 mV. La repolarisation permet en outre aux canaux à Na$^+$ inactivés de revenir à l'état de repos.

Pendant que les canaux à K$^+$ voltage-dépendants sont ouverts, l'écoulement de K$^+$ vers l'extérieur peut être suffisamment prononcé pour entraîner une **phase d'hyperpolarisation tardive** (voir la figure 12.11). Pendant cette phase, la membrane plasmique est encore plus perméable au K$^+$ qu'elle ne l'était à l'état de repos, et le potentiel de membrane tend vers le potentiel d'équilibre du potassium (environ −90 mV). Cependant, à mesure que se ferment les canaux à K$^+$ voltage-dépendants, le potentiel de membrane revient à la valeur de repos de −70 mV. Contrairement aux canaux à Na$^+$ voltage-dépendants, la plupart des canaux à K$^+$ voltage-dépendants ne présentent pas d'état inactivé. Ils oscillent plutôt entre l'état de fermeture (repos) et l'état d'ouverture (activation).

Période réfractaire

Après la production d'un potentiel d'action, il s'écoule un certain laps de temps avant qu'une cellule excitable soit apte à engendrer un autre potentiel d'action. Cet intervalle est appelé **période réfractaire** (voir la légende dans la figure 12.11). Pendant la **période réfractaire absolue**, la cellule ne peut déclencher un autre potentiel d'action, même si le stimulus est très fort. Cette période coïncide avec la période d'inactivation des canaux à Na$^+$. Les canaux à Na$^+$ inactivés ne peuvent se rouvrir ; ils doivent d'abord revenir à l'état de repos. Contrairement aux potentiels d'action, les potentiels gradués ne sont pas suivis d'une période réfractaire.

Les axones de grand diamètre ont une période réfractaire absolue d'environ 0,4 ms ; les influx nerveux peuvent donc se suivre très rapidement et atteindre une fréquence de 1 000 par seconde. Par contre, les axones de petit diamètre ont une période réfractaire absolue qui peut durer jusqu'à 4 ms, de sorte que la fréquence des influx nerveux n'y dépasse pas 250 par seconde. Dans des conditions physiologiques normales, la fréquence maximale des influx nerveux dans les différents axones varie entre 10 et 1 000 par seconde.

La **période réfractaire relative** est le laps de temps pendant lequel un second potentiel d'action peut être déclenché, mais seulement par un stimulus supraliminaire (dépassant le seuil d'excitation). Elle coïncide avec la période pendant laquelle les canaux à K$^+$ voltage-dépendants demeurent ouverts après que les canaux à Na$^+$ inactivés sont revenus à l'état de repos (voir la figure 12.11).

Propagation des influx nerveux

Pour transmettre l'information d'une partie du corps à une autre, les influx nerveux doivent se déplacer de l'endroit où ils se forment, dans une zone gâchette (le plus souvent le cône d'implantation de l'axone), jusqu'aux terminaisons axonales. La **propagation,** ou **conduction,** des potentiels

Figure 12.12 Variations de la circulation d'ions à travers les canaux ioniques voltage-dépendants pendant les phases de dépolarisation et de repolarisation d'un potentiel d'action. (Les canaux à fonction passive et les pompes à sodium ne sont pas représentés.) Adapté de Becker *et al., The World of the Cell,* 3e éd., Menlo Park, CA, Benjamin/Cummings, 1996, F22-18, p. 732. © 1996 The Benjamin/Cummings Publishing Company.

🔑 **L'entrée d'ions sodium (Na⁺) amorce la phase de dépolarisation, tandis que la sortie d'ions potassium (K⁺) amorce la phase de repolarisation.**

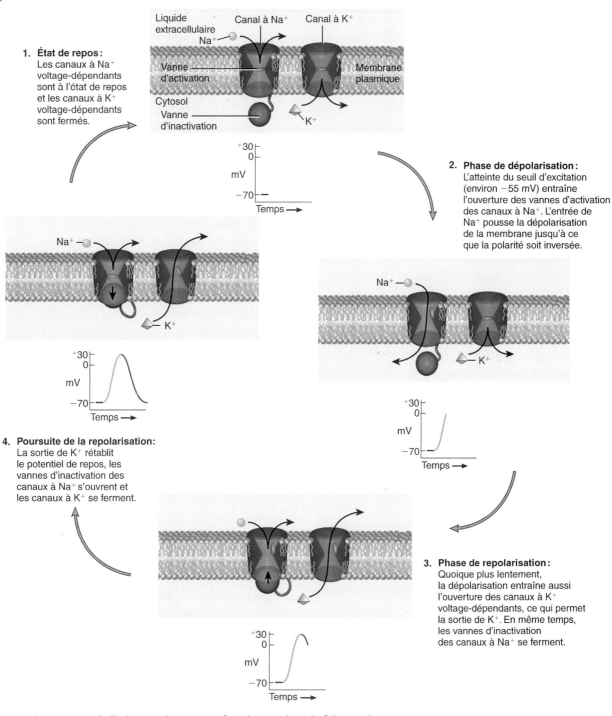

1. **État de repos :** Les canaux à Na⁺ voltage-dépendants sont à l'état de repos et les canaux à K⁺ voltage-dépendants sont fermés.

2. **Phase de dépolarisation :** L'atteinte du seuil d'excitation (environ −55 mV) entraîne l'ouverture des vannes d'activation des canaux à Na⁺. L'entrée de Na⁺ pousse la dépolarisation de la membrane jusqu'à ce que la polarité soit inversée.

3. **Phase de repolarisation :** Quoique plus lentement, la dépolarisation entraîne aussi l'ouverture des canaux à K⁺ voltage-dépendants, ce qui permet la sortie de K⁺. En même temps, les vannes d'inactivation des canaux à Na⁺ se ferment.

4. **Poursuite de la repolarisation :** La sortie de K⁺ rétablit le potentiel de repos, les vannes d'inactivation des canaux à Na⁺ s'ouvrent et les canaux à K⁺ se ferment.

Ⓠ Compte tenu de l'existence de canaux à fonction passive à la fois pour le K⁺ et pour le Na⁺, la membrane plasmique pourrait-elle se repolariser si les canaux à K⁺ voltage-dépendants n'existaient pas ?

d'action repose sur un mécanisme de rétroactivation. À mesure que les ions sodium entrent dans la cellule, la dépolarisation augmente et entraîne l'ouverture des canaux à Na+ voltage-dépendants dans les parties adjacentes de la membrane plasmique. Par conséquent, l'influx nerveux se propage de lui-même le long de la membrane plasmique, un peu comme tombent les dominos d'une longue rangée après la chute du premier. De même, étant donné que la membrane plasmique est réfractaire à l'arrière du front de l'influx nerveux, ce dernier ne se propage normalement que dans une seule direction, c'est-à-dire de son point d'origine, dans la zone gâchette, vers les terminaisons axonales.

APPLICATION CLINIQUE
Anesthésiques locaux

Les **anesthésiques locaux** sont des médicaments qui bloquent la douleur et d'autres sensations somatiques. On administre par exemple de la procaïne (Novocain) et de la lidocaïne pour anesthésier la peau pendant qu'on suture une plaie ouverte, la bouche lors d'un traitement dentaire et la partie inférieure du corps durant l'accouchement. Ces médicaments ont pour effet d'empêcher l'ouverture des canaux à Na+ voltage-dépendants. Les influx nerveux ne peuvent pas traverser la région anesthésiée, si bien que les signaux douloureux n'atteignent pas le SNC. Les axones de petit diamètre, comme ceux qui acheminent les signaux douloureux, sont plus sensibles que les axones de grand diamètre à de faibles doses d'anesthésique. ■

Conduction continue et conduction saltatoire

Le type de conduction de l'influx nerveux dont nous avons traité jusqu'ici se produit dans les fibres musculaires et les axones amyélinisés. Il s'agit d'une dépolarisation séquentielle des parties de la membrane plasmique qui porte le nom de **conduction continue,** ou propagation de proche en proche (figure 12.13a). Les courants ioniques passent successivement d'une partie de la membrane plasmique à la partie voisine, et l'influx nerveux se propage à une vitesse relativement lente.

Les modalités de la conduction sont différentes dans les axones myélinisés. Les canaux ioniques voltage-dépendants sont rares partout où l'axolemme est recouvert d'une gaine de myéline. Celle-ci s'interrompt toutefois aux nœuds de Ranvier et, là, l'axolemme est richement pourvu en canaux ioniques voltage-dépendants. La membrane se dépolarise au niveau des nœuds, et le courant créé par le Na+ et le K+ circule à travers la membrane plasmique. Lorsqu'un influx nerveux se propage le long d'un axone myélinisé, le courant créé par les ions circule à travers le liquide extracellulaire entourant la gaine de myéline et à travers le cytosol, d'un nœud à l'autre (figure 12.13b). L'influx nerveux au premier nœud produit dans le cytosol et le liquide extracellulaire des courants ioniques qui entraînent l'ouverture des canaux à Na+ voltage-dépendants dans le nœud suivant. Là, le courant

ionique déclenche un influx nerveux. Cet influx nerveux produit à son tour un courant ionique qui entraîne l'ouverture des canaux à Na+ voltage-dépendants dans le troisième nœud et ainsi de suite. Chaque nœud se repolarise après s'être dépolarisé. L'influx nerveux se propage beaucoup plus rapidement dans un axone myélinisé que dans un axone amyélinisé. Étant donné que le courant ne passe à travers la membrane qu'au niveau des nœuds, l'influx paraît sauter d'un nœud à l'autre à mesure que les régions nodales se dépolarisent et atteignent le seul d'excitation. Ce type de propagation des influx nerveux, caractéristique des axones myélinisés, est appelé **conduction saltatoire** (*saltare* = sauter).

Vitesse de propagation de l'influx nerveux

La vitesse de propagation d'un influx nerveux n'est pas reliée à la force du stimulus qui a déclenché l'influx. Elle dépend notamment du diamètre de l'axone et de la présence ou de l'absence d'une gaine de myéline. Par ailleurs, étant donné que les axones transmettent les influx plus rapidement lorsqu'ils sont réchauffés et plus lentement lorsqu'ils sont refroidis, le refroidissement localisé d'un nerf peut retarder la conduction de l'influx. C'est ainsi que l'application de glace peut atténuer la douleur causée par une lésion des tissus.

Comme les influx nerveux «sautent» d'un nœud à l'autre par-dessus de longs segments de l'axone myélinisé dans la conduction saltatoire, ils se propagent beaucoup plus rapidement que dans la conduction continue le long d'un axone amyélinisé de même diamètre. La conduction saltatoire nécessite en outre beaucoup moins d'énergie que la conduction continue. En effet, seules de petites régions de la membrane plasmique se dépolarisent, de sorte qu'il entre une quantité minimale de Na+ chaque fois que passe un influx nerveux. Par conséquent, les pompes à sodium consomment moins d'ATP pour maintenir la faible concentration intracellulaire de Na+.

Les axones de grand diamètre acheminent les influx plus rapidement que ne le font les axones de petit diamètre. Les plus gros axones (de 5 à 20 μm de diamètre) sont appelés **fibres A** et sont tous myélinisés. Les fibres A présentent une courte période réfractaire absolue et acheminent les influx nerveux à des vitesses variant entre 12 et 130 m/s. Les axones des neurones sensitifs qui transmettent les influx nerveux associés au toucher, à la pression, à la position des articulations et à certaines sensations thermiques sont des fibres A, de même que les axones des neurones moteurs qui transmettent les influx nerveux aux muscles squelettiques.

Les **fibres B,** myélinisées elles aussi, ont un diamètre de 2 à 3 μm; leur période réfractaire absolue est un peu plus longue que celle des fibres A. La conduction saltatoire peut y atteindre la vitesse de 15 m/s. Les fibres B transmettent les influx sensitifs provenant des viscères jusqu'à l'encéphale et à la moelle épinière. Tous les axones des neurones moteurs

Figure 12.13 Propagation d'un influx nerveux après sa production dans la zone gâchette. Les lignes pointillées représentent un courant ionique. Les médaillons indiquent le sens du courant. (a) Dans la conduction continue le long d'un axone amyélinisé, les courants ioniques parcourent successivement toutes les parties de la membrane. (b) Dans la conduction saltatoire le long d'un axone myélinisé, l'influx nerveux produit au premier nœud de Ranvier engendre dans le cytosol et le liquide extracellulaire des courants ioniques qui entraînent l'ouverture des canaux à Na^+ voltage-dépendants du nœud suivant, et ainsi de suite d'un nœud à l'autre.

🔑 **La conduction continue a lieu dans les axones amyélinisés et la conduction saltatoire, dans les axones myélinisés.**

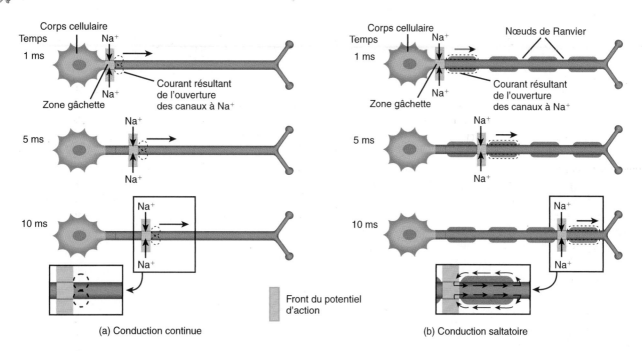

(a) Conduction continue

(b) Conduction saltatoire

Q Quels facteurs déterminent la vitesse de propagation d'un influx nerveux?

autonomes qui s'étendent de l'encéphale et de la moelle épinière jusqu'aux ganglions autonomes (relais du SNA) appartiennent à cette catégorie.

Les axones possédant les plus petits diamètres (de 0,5 à 1,5 µm) et la plus longue période réfractaire absolue sont les **fibres C.** Les influx nerveux s'y propagent à une vitesse variant entre 0,5 et 2 m/s. Ces axones amyélinisés transmettent certains des influx sensitifs associés à la douleur, au toucher, à la pression, à la chaleur et au froid provenant de la peau ainsi que des influx douloureux provenant des viscères. Les fibres motrices autonomes qui émergent des ganglions autonomes et stimulent le cœur, les muscles lisses et les glandes sont des fibres C. Les fibres B et C ont entre autres fonctions motrices celles de provoquer la contraction et la dilatation

des pupilles, l'augmentation et la diminution de la fréquence cardiaque ainsi que la contraction et le relâchement de la vessie – actions relevant du système nerveux autonome.

Codage de l'intensité du stimulus

Si tous les influx nerveux étaient équivalents, comment les systèmes sensoriels pourraient-ils détecter les différences d'intensité entre les stimulus? Comment pourrions-nous distinguer un contact léger d'une pression ferme? Deux facteurs nous permettent de discerner l'intensité des stimulus. Le principal est la *fréquence des influx nerveux,* c'est-à-dire la cadence à laquelle ils sont produits dans la zone gâchette. Par exemple, un contact léger entraîne la production d'influx nerveux espacés dans le temps, tandis qu'une pression ferme entraîne la production d'influx rapprochés. Le second facteur du codage de l'intensité des stimulus est le nombre de neurones sensitifs recrutés. Une pression ferme, par exemple, stimule plus de neurones sensibles à la pression que ne le fait un contact léger.

Comparaison entre les signaux électriques produits par les cellules excitables

Nous avons indiqué que les cellules excitables (les neurones et les fibres musculaires) produisent deux types de signaux électriques, soit les potentiels gradués et les potentiels d'action. La différence majeure entre eux est que les potentiels gradués ne se propagent pas et que, par conséquent, ils ne servent qu'à la communication sur de courtes distances ; les potentiels d'action, en revanche, se propagent et permettent la communication sur de longues distances. Les autres différences entre les potentiels gradués et les potentiels d'action sont résumées dans le tableau 12.2.

Comme nous l'avons vu au chapitre 10, la propagation d'un potentiel d'action musculaire dans le sarcolemme et le système des tubules T déclenche la série d'événements de la contraction musculaire. Bien que les potentiels d'action soient semblables dans les neurones et dans les fibres musculaires, il existe des différences notables. Ainsi, le potentiel de repos de la membrane s'établit habituellement à −70 mV dans les neurones, mais il se rapproche de −90 mV dans les myocytes cardiaques et squelettiques. La durée d'un influx nerveux varie entre 0,5 et 2 ms, mais celle d'un potentiel d'action musculaire est beaucoup plus longue – de 1 à 5 ms environ dans les myocytes squelettiques et de 10 à 300 ms dans les myocytes cardiaques et lisses. Enfin, la vitesse de propagation des potentiels d'action est environ 18 fois plus rapide dans les axones myélinisés de grand diamètre que la vitesse de propagation dans le sarcolemme d'un myocyte squelettique.

1. Comparez les principaux types de canaux ioniques et expliquez le rôle qu'ils jouent dans la production des potentiels d'action et des potentiels gradués.
2. Définissez les termes suivants : *potentiel de repos, dépolarisation, repolarisation, influx nerveux* et *période réfractaire*.
3. Qu'est-ce qui distingue la conduction saltatoire de la conduction continue ?
4. Quels facteurs déterminent la vitesse de propagation des influx nerveux ?
5. Qu'est-ce qui code l'intensité des stimulus dans le système nerveux ?

TRANSMISSION DES SIGNAUX DANS LES SYNAPSES

OBJECTIFS

- *Expliquer la transmission des signaux dans une synapse chimique.*

Tableau 12.2 Comparaison entre les potentiels gradués et les potentiels d'action

CARACTÉRISTIQUES	POTENTIELS GRADUÉS	POTENTIELS D'ACTION
Origine	Naissent principalement dans les dendrites et le corps cellulaire (l'axone dans certains cas).	Naissent dans la zone gâchette et se propagent le long de l'axone.
Types de canaux	Canaux ioniques ligand-dépendants ou mécanique-dépendants.	Canaux ioniques voltage-dépendants.
Propagation	Ne se propagent pas ; leur caractère local permet la communication sur quelques micromètres.	Se propagent et permettent ainsi la communication sur de longues distances.
Amplitude	Selon la force du stimulus, varie de moins de 1 mV à plus de 50 mV.	Loi du tout ou rien ; environ 100 mV le plus souvent.
Durée	En général plus long, de quelques millisecondes à plusieurs minutes.	Plus court, de 0,5 à 2 ms.
Polarité	Peuvent être hyperpolarisants (inhibiteurs pour la production d'un potentiel d'action) ou dépolarisants (excitateurs pour la production d'un potentiel d'action).	Toujours constitués d'une phase de dépolarisation suivie par une phase de repolarisation et un rétablissement du potentiel de repos.
Existence d'une période réfractaire	Non ; présentent donc une sommation spatiale et une sommation temporelle.	Oui ; ne présentent donc aucune sommation.

- *Faire la distinction entre la sommation spatiale et la sommation temporelle.*
- *Donner des exemples de neurotransmetteurs excitateurs et de neurotransmetteurs inhibiteurs et décrire leurs mécanismes d'action.*

Au chapitre 10, nous avons décrit les événements qui ont lieu dans un type de synapse, la jonction neuromusculaire. Nous allons à présent nous pencher sur la communication synaptique entre les milliards de neurones du système nerveux. Les synapses jouent un rôle essentiel au maintien de l'homéostasie, car elles permettent la filtration et l'intégration de l'information. L'apprentissage repose sur des modifications des synapses ; vos résultats aux examens d'anatomie et de physiologie dépendront de l'étendue des modifications subies par certaines de vos synapses ! Les synapses transmettent certains signaux et en bloquent d'autres. Certains troubles psychiatriques et certaines maladies sont causés par des perturbations de la communication synaptique. De nombreux médicaments, substances thérapeutiques ou drogues agissent au niveau des synapses. À la synapse, le neurone qui émet le signal est appelé **neurone présynaptique** et le neurone qui reçoit le message, **neurone postsynaptique.** La plupart des synapses sont de type **axo-dendritique** (entre un axone et un dendrite), **axo-somatique** (entre un axone et un corps cellulaire) ou **axo-axonique** (entre deux axones). Sur les plans structural et fonctionnel, on distingue les synapses électriques et les synapses chimiques.

Synapses électriques

Dans une **synapse électrique,** les courants ioniques se propagent directement entre les cellules adjacentes par des **jonctions communicantes** (voir la figure 4.1, p. 113). Chaque jonction communicante contient une centaine de *connexons,* protéines tubulaires qui forment des tunnels entre le cytosol d'une cellule et celui de sa voisine. Les ions et les molécules peuvent aller et venir par les connexons qui unissent des cellules adjacentes. Dans le cas des ions, les connexons offrent un passage pour le courant. Les jonctions communicantes sont abondantes dans les muscles lisses des viscères, le muscle cardiaque et chez l'embryon. Elles sont aussi présentes dans le SNC.

Les synapses électriques présentent trois avantages évidents :

1. *Rapidité de la communication.* La communication est plus rapide dans les synapses électriques que dans les synapses chimiques, car les potentiels d'action se transmettent directement à travers les jonctions communicantes. Les événements qui se déroulent dans une synapse chimique retardent la communication d'environ 0,5 ms.

2. *Synchronisation.* Les synapses électriques peuvent synchroniser l'activité d'un groupe de neurones ou de fibres musculaires. La synchronisation des potentiels d'action dans le muscle cardiaque ou les muscles lisses des viscères permet la production de contractions coordonnées.

3. *Transmission bidirectionnelle.* Les synapses électriques permettent parfois aux potentiels d'action de se transmettre dans les deux directions. Les synapses chimiques, quant à elles, ne permettent qu'une communication unidirectionnelle.

Synapses chimiques

Les neurones présynaptique et postsynaptique d'une **synapse chimique** sont très rapprochés, mais leurs membranes plasmiques respectives ne se touchent pas. Elles sont séparées par la **fente synaptique,** un espace de 20 à 30 nm rempli de liquide extracellulaire. Comme les influx nerveux ne peuvent traverser la fente synaptique, une forme indirecte de communication s'y établit. Le neurone présynaptique libère un neurotransmetteur qui diffuse dans la fente synaptique et exerce des effets sur les récepteurs situés dans la membrane plasmique du neurone postsynaptique. Il se produit là un type de potentiel gradué appelé **potentiel postsynaptique.** Pour l'essentiel, le signal électrique présynaptique (influx nerveux) est converti en signal chimique (libération du neurotransmetteur). Le neurone postsynaptique reçoit le signal chimique et génère à son tour un signal électrique (potentiel postsynaptique). La durée de ces événements dans une synapse chimique – le **délai d'action synaptique** – s'établit à environ 0,5 ms. Telle est la raison pour laquelle les synapses chimiques transmettent les signaux plus lentement que ne le font les synapses électriques.

Une synapse chimique typique transmet les signaux comme suit (figure 12.14) :

1 Un potentiel d'action arrive dans un bouton terminal (ou dans une varicosité) d'un axone présynaptique.

2 La phase de dépolarisation du potentiel d'action entraîne l'ouverture des **canaux à Ca^{2+} voltage-dépendants** en plus des canaux à Na^+ voltage-dépendants déjà ouverts. Étant donné qu'il est moins concentré dans le cytosol que dans le liquide extracellulaire, le Ca^{2+} pénètre dans la cellule par les canaux ouverts.

3 L'augmentation de la concentration de Ca^{2+} à l'intérieur du neurone présynaptique déclenche l'exocytose de quelques vésicules synaptiques. À mesure que les membranes des vésicules fusionnent avec la membrane plasmique, les molécules de neurotransmetteur contenues dans les vésicules sont libérées dans la fente synaptique. Chaque vésicule synaptique peut contenir plusieurs milliers de molécules de neurotransmetteur.

4 Les molécules de neurotransmetteur diffusent dans la fente synaptique et se lient à des **récepteurs du neurotransmetteur** situés dans la membrane plasmique du neurone postsynaptique. Le récepteur qui apparaît dans la figure 12.14 fait partie d'un canal ligand-dépendant ; le récepteur peut aussi être une protéine distincte dans la membrane plasmique.

5 La liaison des molécules de neurotransmetteur aux récepteurs associés aux canaux ioniques ligand-dépendants entraîne l'ouverture des canaux et permet à certains ions de s'écouler à travers la membrane.

6 Selon le type d'ions que les canaux admettent, le courant ionique entraîne la dépolarisation ou l'hyperpolarisation de la membrane postsynaptique. Par exemple, l'ouverture des canaux à Na^+ permet l'entrée de Na^+, ce qui suscite une dépolarisation. Cependant, l'ouverture des canaux à Cl^- permet l'entrée de Cl^-, ce qui provoque une hyperpolarisation.

Figure 12.14 Transmission du signal dans une synapse chimique. Au moyen de l'exocytose des vésicules synaptiques, le neurone présynaptique libère des molécules de neurotransmetteur. Celles-ci se lient à des récepteurs situés dans la membrane plasmique du neurone postsynaptique et produisent un potentiel postsynaptique. Tiré de Becker *et al.*, *The World of the Cell*, 3e éd., F22.28, p. 741, Menlo Park, CA, Benjamin/Cummings, 1996. © The Benjamin/Cummings Publishing Company.

🔑 **Dans une synapse chimique, un signal électrique présynaptique (influx nerveux) est converti en signal chimique (libération d'un neurotransmetteur). Le signal chimique est ensuite reconverti en signal électrique (potentiel postsynaptique).**

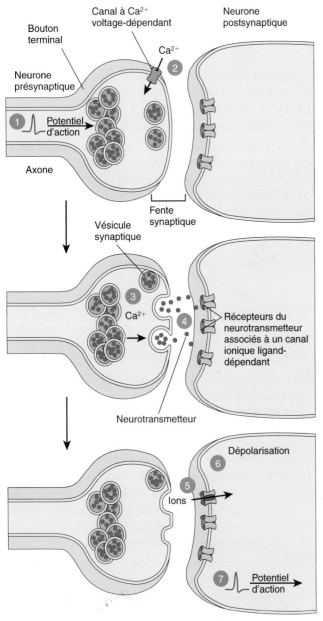

Q Pourquoi la transmission des signaux est-elle seulement unidirectionnelle dans une synapse chimique alors qu'elle peut être bidirectionnelle dans une synapse électrique ?

⑦ Si une dépolarisation atteint le seuil d'excitation, un ou plusieurs potentiels d'action sont générés.

Dans la plupart des synapses chimiques, l'information ne peut se transmettre que dans une seule direction, soit d'un neurone présynaptique à un neurone postsynaptique ou à un effecteur comme une fibre musculaire ou une cellule glandulaire. En effet, seuls les boutons terminaux des neurones présynaptiques peuvent libérer un neurotransmetteur, et seule la membrane plasmique du neurone postsynaptique possède les récepteurs protéiques capables de reconnaître ce neurotransmetteur et de se lier à lui. Aussi les potentiels gradués et les potentiels d'action ne se déplacent-ils que dans une seule direction.

Potentiels postsynaptiques excitateurs et inhibiteurs

Un neurotransmetteur fait naître un potentiel gradué soit excitateur, soit inhibiteur. S'il *dépolarise* la membrane postsynaptique, il est excitateur car il rapproche cette dernière du seuil d'excitation (voir la figure 12.10b). Un potentiel postsynaptique dépolarisant est appelé **potentiel postsynaptique excitateur** (**PPSE**). Les PPSE résultent souvent de l'ouverture des canaux *cationiques* ligand-dépendants. Ces canaux permettent le passage des trois cations les plus abondants (Na^+, K^+ et Ca^{2+}), mais il entre plus de Na^+ qu'il n'entre de Ca^{2+} ou qu'il ne sort de K^+. Bien qu'un seul PPSE ne déclenche normalement pas d'influx nerveux, le neurone postsynaptique devient plus excitable. Partiellement dépolarisé, ce dernier a plus de chances d'atteindre le seuil d'excitation lorsqu'un autre PPSE survient.

Par contre, si un neurotransmetteur *hyperpolarise* la membrane postsynaptique, il est inhibiteur (voir la figure 12.10a). En rendant l'intérieur plus négatif, il augmente le potentiel de membrane ; il entrave ainsi la production d'un influx nerveux, car le potentiel de membrane se retrouve encore plus loin du seuil d'excitation qu'à l'état de repos. Un potentiel postsynaptique hyperpolarisant est inhibiteur et appelé **potentiel postsynaptique inhibiteur** (**PPSI**). Les PPSI résultent souvent de l'ouverture des canaux à Cl^- et à K^+ ligand-dépendants. Lorsque les canaux à Cl^- s'ouvrent, les ions chlorure diffusent à l'intérieur plus rapidement. Lorsque les canaux à K^+ s'ouvrent, la perméabilité de la membrane au potassium augmente, les ions potassium diffusent vers l'extérieur en plus grand nombre, et l'intérieur devient encore plus négatif (hyperpolarisé).

Élimination du neurotransmetteur

L'élimination du neurotransmetteur de la fente synaptique est essentielle au fonctionnement normal de la synapse. Un neurotransmetteur qui demeurerait dans la fente synaptique agirait indéfiniment sur le neurone postsynaptique, la fibre musculaire ou la cellule glandulaire. Pour l'essentiel, trois mécanismes assurent l'élimination du neurotransmetteur de la fente synaptique :

Figure 12.15 Sommation spatiale et sommation temporelle. (a) Si les neurones présynaptiques a et b engendrent séparément des PPSE (flèches) dans le neurone postsynaptique c, celui-ci n'atteint pas le seuil d'excitation. La sommation spatiale n'a lieu que si les neurones a et b agissent simultanément sur le neurone c; leurs PPSE s'additionnent pour atteindre le seuil d'excitation et déclencher un influx nerveux. (b) La sommation temporelle a lieu si les stimulus appliqués à un même axone en succession rapide (flèches) engendrent des PPSE qui se chevauchent et s'additionnent. Lorsque la dépolarisation atteint le seuil d'excitation, un influx nerveux se déclenche.

🔑 **La somme de tous les potentiels postsynaptiques excitateurs et inhibiteurs détermine si un potentiel d'action sera produit ou non.**

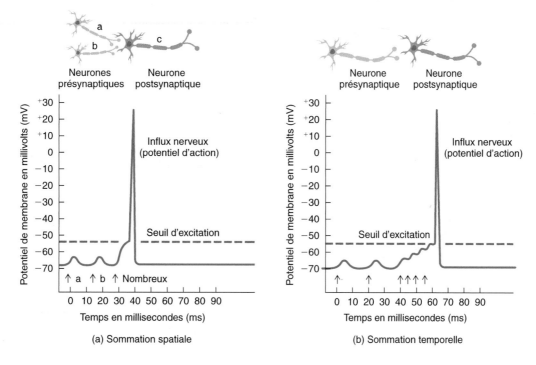

(a) Sommation spatiale

(b) Sommation temporelle

Q Qu'arriverait-il si, en plus des quatre PPSE représentés par des flèches en (b), un PPSI se produisait à 55 ms?

1. *Diffusion.* Certaines molécules de neurotransmetteur diffusent hors de la fente synaptique suivant leur gradient de concentration.

2. *Dégradation enzymatique.* Certains neurotransmetteurs peuvent être inactivés par dégradation enzymatique. L'acétylcholinestérase, par exemple, dégrade l'acétylcholine dans la fente synaptique.

3. *Recapture par les cellules.* De nombreux neurotransmetteurs sont ramenés par transport actif dans le neurone qui les a libérés (recapture) ou transportés dans les cellules gliales avoisinantes. La noradrénaline, par exemple, est rapidement recapturée et recyclée par les neurones mêmes qui la libèrent. Les protéines membranaires qui accomplissent cette recapture sont appelées *transporteurs de neurotransmetteurs.* C'est en agissant sur ces transporteurs que plusieurs médicaments très importants en thérapeutique bloquent sélectivement la recapture de certains neuro-

transmetteurs. Prozac, par exemple, qui sert à traiter certaines formes de dépression, est un *i*nhibiteur *s*électif de la *r*ecapture de la *s*érotonine (ISRS). Il prolonge ainsi l'activité de la sérotonine dans la synapse.

Sommation spatiale et sommation temporelle des potentiels postsynaptiques

Un neurone typique du SNC reçoit des informations d'entrée de 1 000 à 10 000 synapses. L'intégration de ces messages, appelée **sommation,** a lieu dans la zone gâchette. Plus les PPSE s'accumulent, plus la membrane a de chances d'atteindre le seuil d'excitation et de déclencher un influx nerveux.

Lorsque la sommation résulte de l'accumulation d'un neurotransmetteur libéré simultanément par *plusieurs* boutons terminaux présynaptiques, elle est appelée **sommation spatiale** (figure 12.15a). Lorsque la sommation résulte de l'accumulation d'un neurotransmetteur libéré rapidement à deux ou

Tableau 12.3 Résumé des structures et des fonctions des neurones

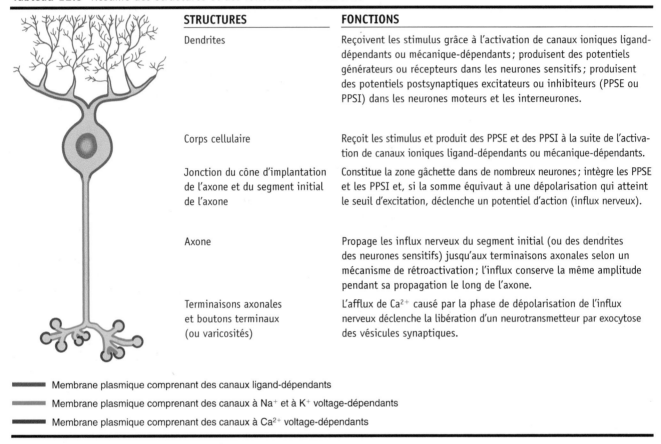

STRUCTURES	FONCTIONS
Dendrites	Reçoivent les stimulus grâce à l'activation de canaux ioniques ligand-dépendants ou mécanique-dépendants ; produisent des potentiels générateurs ou récepteurs dans les neurones sensitifs ; produisent des potentiels postsynaptiques excitateurs ou inhibiteurs (PPSE ou PPSI) dans les neurones moteurs et les interneurones.
Corps cellulaire	Reçoit les stimulus et produit des PPSE et des PPSI à la suite de l'activation de canaux ioniques ligand-dépendants ou mécanique-dépendants.
Jonction du cône d'implantation de l'axone et du segment initial de l'axone	Constitue la zone gâchette dans de nombreux neurones ; intègre les PPSE et les PPSI et, si la somme équivaut à une dépolarisation qui atteint le seuil d'excitation, déclenche un potentiel d'action (influx nerveux).
Axone	Propage les influx nerveux du segment initial (ou des dendrites des neurones sensitifs) jusqu'aux terminaisons axonales selon un mécanisme de rétroactivation ; l'influx conserve la même amplitude pendant sa propagation le long de l'axone.
Terminaisons axonales et boutons terminaux (ou varicosités)	L'afflux de Ca^{2+} causé par la phase de dépolarisation de l'influx nerveux déclenche la libération d'un neurotransmetteur par exocytose des vésicules synaptiques.

▬▬▬ Membrane plasmique comprenant des canaux ligand-dépendants

▬▬▬ Membrane plasmique comprenant des canaux à Na^+ et à K^+ voltage-dépendants

▬▬▬ Membrane plasmique comprenant des canaux à Ca^{2+} voltage-dépendants

---

trois reprises par un *seul* bouton terminal présynaptique, elle est appelée **sommation temporelle** (figure 12.15b). Puisqu'un PPSE dure généralement 15 ms environ, la deuxième libération de neurotransmetteur (et les suivantes) doit survenir peu de temps après la première pour qu'une sommation temporelle se produise.

Un seul neurone postsynaptique reçoit des informations d'entrée de nombreux neurones présynaptiques, dont certains libèrent des neurotransmetteurs excitateurs tandis que d'autres libèrent des neurotransmetteurs inhibiteurs. La somme des effets excitateurs et inhibiteurs produits à un moment donné détermine l'effet que subit le neurone postsynaptique. Ce dernier peut présenter les réactions suivantes :

1. *PPSE.* Si les effets excitateurs totaux sont supérieurs aux effets inhibiteurs totaux mais inférieurs au seuil d'excitation, il s'ensuit un PPSE infraliminaire. Les stimulus subséquents pourront plus facilement produire un influx nerveux par sommation, car le neurone est partiellement dépolarisé.

2. *Influx nerveux.* Si les effets excitateurs totaux sont supérieurs aux effets inhibiteurs totaux et permettent d'atteindre ou de dépasser le seuil d'excitation, le PPSE

s'étend au segment initial de l'axone et déclenche un ou plusieurs influx nerveux. La production d'influx nerveux se poursuit tant que le PPSE demeure au-dessus du seuil d'excitation.

3. *PPSI.* Si les effets inhibiteurs totaux sont supérieurs aux effets excitateurs, la membrane s'hyperpolarise (PPSI). Il s'ensuit une inhibition du neurone postsynaptique et une incapacité de produire un influx nerveux.

Le tableau 12.3 présente un résumé des éléments structuraux et fonctionnels du neurone.

APPLICATION CLINIQUE
Intoxication par la strychnine

Tétanos

On peut mesurer l'importance des neurones inhibiteurs en observant les conséquences d'un blocage de leur activité. Normalement, des neurones inhibiteurs de la moelle épinière appelés *cellules de Renshaw* libèrent de la glycine (un neurotransmetteur dont nous traiterons plus loin) dans les synapses inhibitrices qu'ils forment avec des neurones moteurs. Cette information d'entrée inhibitrice prévient les contractions musculaires excessives. Or, la strychnine se lie aux récepteurs de la glycine et les bloque. Le fragile équilibre normalement établi entre l'excitation et l'inhibition dans le SNC est perturbé, et les neurones moteurs produisent des influx nerveux à répétition, ce qui engendre des contractions tétaniques massives. Tous les muscles squelettiques, y compris le diaphragme, se contractent au maximum et demeurent contractés. Comme le diaphragme ne se relâche pas, la victime ne peut pas respirer. ■

1. Présentez sous forme de tableau les types et les fonctions des canaux ioniques qui participent à la transmission des signaux dans une synapse chimique.
2. Comment s'effectue l'élimination du neurotransmetteur de la fente synaptique ?
3. Faites la distinction entre les potentiels postsynaptiques excitateurs et les potentiels postsynaptiques inhibiteurs.
4. Expliquez pourquoi les potentiels d'action, mais non les PPSE et les PPSI, obéissent à la loi du tout ou rien.

NEUROTRANSMETTEURS

OBJECTIF

- *Décrire la classification et les fonctions des neurotransmetteurs.*

Il n'est pas facile d'établir la fonction de chacune des quelque 100 substances que l'on classe de façon certaine ou hypothétique dans la catégorie des neurotransmetteurs. Les dendrites, les corps cellulaires et les axones sont en effet inextricablement entremêlés dans le tissu nerveux, sans compter que la quantité de neurotransmetteur libérée dans une synapse donnée est infime. Certains neurotransmetteurs agissent rapidement : ils se lient à leurs récepteurs et provoquent aussitôt l'ouverture ou la fermeture de canaux ioniques situés dans la membrane plasmique. D'autres agissent lentement : ils déclenchent des réactions enzymatiques à l'intérieur des cellules par l'intermédiaire de seconds messagers. Dans un cas comme dans l'autre, le résultat peut être une excitation ou une inhibition des neurones postsynaptiques. De nombreux neurotransmetteurs sont aussi des hormones libérées dans la circulation sanguine par des cellules endocrines situées dans des organes un peu partout dans l'organisme. Enfin, certains neurones de l'encéphale, appelés **cellules neurosécrétrices,** sécrètent aussi des hormones.

Les effets des neurotransmetteurs au niveau des synapses chimiques peuvent être modifiés de plusieurs façons : 1) la *synthèse du neurotransmetteur* peut être stimulée ou inhibée ; 2) la *libération du neurotransmetteur* peut être entravée ou augmentée ; 3) l'*élimination du neurotransmetteur* peut être stimulée ou inhibée ; 4) le *récepteur* peut être bloqué ou activé. Une substance qui favorise la transmission synaptique ou imite l'effet d'un neurotransmetteur naturel est un **agoniste** ; une substance qui entrave l'action d'un neurotransmetteur est un **antagoniste.** La cocaïne, par exemple, est un agoniste de la dopamine ; elle produit alors l'euphorie en

inhibant les transporteurs qui interviennent dans la recapture de la dopamine. Ce neurotransmetteur demeure donc plus longtemps dans les fentes synaptiques et produit une simulation excessive de certaines régions de l'encéphale.

La classe chimique d'un neurotransmetteur est déterminée par sa structure moléculaire. Nous présentons ci-dessous les classes de neurotransmetteurs les plus importantes, soit l'acétylcholine (qui constitue une classe à part entière), les acides aminés, les amines biogènes, l'ATP et autres purines, les gaz et, enfin, les neuropeptides.

Acétylcholine

L'**acétylcholine** (**ACh**), le plus étudié des neurotransmetteurs, est libérée par de nombreux neurones du SNP et par certains neurones du SNC. Elle a un effet excitateur dans certaines synapses, notamment les jonctions neuromusculaires, où elle entraîne directement l'ouverture de canaux cationiques ligand-dépendants. L'acétylcholine est inhibitrice dans d'autres synapses, où elle semble exercer indirectement ses effets sur les canaux ioniques par l'intermédiaire de récepteurs qui se lient à une protéine G. C'est ce qui se produit dans les neurones parasympathiques du nerf vague (nerf crânien X) qui innervent le cœur ; l'ACh ralentit la fréquence cardiaque par l'intermédiaire de ces synapses inhibitrices. L'ACh est inactivée par l'acétylcholinestérase (AChE), qui la dégrade en un acétate et une choline.

Acides aminés

Quelques acides aminés sont des neurotransmetteurs dans le SNC. Le **glutamate** (acide glutamique) et l'**aspartate** (acide aspartique) ont de puissants effets excitateurs. Presque tous les neurones excitateurs du SNC ainsi que la moitié peut-être des synapses de l'encéphale communiquent au moyen du glutamate. Le processus d'inactivation du glutamate est différent de celui de l'ACh. Peu de temps après sa libération des vésicules synaptiques, le glutamate est ramené dans les boutons terminaux par transport actif et acheminé dans les cellules gliales avoisinantes par des transporteurs spécifiques.

Deux autres acides aminés, l'**acide gamma-amino-butyrique** (**GABA,** « gamma aminobutyric acid ») et la **glycine,** sont d'importants neurotransmetteurs inhibiteurs. Tous deux engendrent des PPSI en provoquant l'ouverture des canaux à Cl⁻. Bien que le GABA soit un acide aminé, il n'entre pas pour autant dans la composition des protéines ; il ne se trouve que dans l'encéphale, où il est le neurotransmetteur inhibiteur le plus abondant. Il est à l'œuvre dans le tiers des synapses de l'encéphale. Les médicaments anxiolytiques comme le diazépam (Valium) sont des agonistes du GABA, c'est-à-dire qu'ils en renforcent l'action. Le GABA intervient dans la moitié environ des synapses inhibitrices de la moelle épinière, tandis que la glycine intervient dans l'autre moitié.

APPLICATION CLINIQUE
Excitotoxicité

Une forte concentration de glutamate dans le liquide extracellulaire du SNC entraîne l'**excitotoxicité**, c'est-à-dire la destruction des neurones due à une activation prolongée de la transmission synaptique excitatrice. La cause la plus répandue de l'excitotoxicité est l'anoxie cérébrale (privation d'oxygène dans l'encéphale) consécutive à l'ischémie, lors d'un accident vasculaire cérébral par exemple. L'anoxie entrave les transporteurs du glutamate, et celui-ci s'accumule dans les espaces extracellulaires entre les neurones et les cellules gliales. Les neurones sont littéralement stimulés à mort. Des essais cliniques sont en cours afin de déterminer si des agents anti-glutamate peuvent offrir une certaine protection contre l'excitotoxicité après un accident vasculaire cérébral (voir p. 503). ■

Amines biogènes

Certains acides aminés produisent des amines biogènes après avoir subi une modification et une décarboxylation (élimination du groupement carboxyle). La noradrénaline, l'adrénaline, la dopamine et la sérotonine comptent parmi les amines biogènes les plus abondantes dans le système nerveux. Selon le type de récepteurs (il en existe au moins trois types pour chaque amine biogène), les amines biogènes sont excitatrices ou inhibitrices.

La **noradrénaline** (**NA**) intervient dans les mécanismes de réveil (émergence du sommeil profond), le rêve et la régulation de l'humeur. L'**adrénaline** sert de neurotransmetteur pour un petit nombre de neurones du système nerveux. La noradrénaline et l'adrénaline sont aussi considérées comme des hormones. Elles sont libérées par la médullosurrénale, la partie interne (médullaire) de la glande surrénale.

Les neurones du système nerveux qui contiennent de la **dopamine** (**DA**) participent aux réponses émotionnelles, à la régulation du tonus des muscles squelettiques et à celle des mouvements particuliers. Ainsi observe-t-on dans la maladie de Parkinson la dégénérescence des neurones contenant de la dopamine (voir p. 533).

La noradrénaline, la dopamine et l'adrénaline sont des **catécholamines.** Elles comprennent toutes un cycle catéchol composé de six atomes de carbone et de deux groupements hydroxyle (−OH) adjacents; en outre, elles sont toutes synthétisées à partir de la tyrosine, un acide aminé. Les catécholamines sont inactivées par recapture dans les boutons terminaux. Après quoi, elles sont soit recyclées dans les vésicules synaptiques, soit détruites par des enzymes, la **catéchol-*O*-méthyltransférase** (**COMT**) et la **monoamine-oxydase** (**MAO**).

La **sérotonine**, ou **5-hydroxytryptamine** (**5-HT**), est concentrée dans les neurones d'une partie de l'encéphale appelée noyau du raphé; on pense qu'elle intervient dans la perception sensorielle, la thermorégulation, la régulation de l'humeur et le déclenchement du sommeil.

ATP et autres purines

La structure cyclique caractéristique de la composante adénosine de l'ATP (représentée dans la figure 2.26, p. 58) est appelée noyau purique. L'adénosine elle-même, ainsi que ses dérivés triphosphate, diphosphate et monophosphate (l'ATP, l'ADP et l'AMP) sont des neurotransmetteurs excitateurs à la fois dans le SNC et dans le SNP. La plupart des vésicules synaptiques qui contiennent de l'ATP renferment également un autre neurotransmetteur. Dans le SNP, l'ATP et la noradrénaline sont libérés ensemble de certains nerfs sympathiques, tandis que l'ATP et l'acétylcholine sont libérés ensemble de certains nerfs parasympathiques.

Gaz

Le **monoxyde d'azote** (**NO**, « nitric oxide ») vient de faire une entrée remarquée dans les rangs des neurotransmetteurs reconnus. Ce gaz simple a des effets dans tout l'organisme. Il ne faut pas le confondre avec l'oxyde nitreux (ou gaz hilarant, N_2O), que les dentistes utilisent parfois comme anesthésique. Le monoxyde de carbone (CO) peut aussi agir comme neurotransmetteur.

Le monoxyde d'azote est formé à partir de l'arginine, un acide aminé, par l'enzyme appelée **NO synthase** (**NOS**). Le NO se distingue de tous les autres neurotransmetteurs connus en ce qu'il n'est pas synthétisé à l'avance et emballé dans des vésicules synaptiques. Il est plutôt formé à la demande et agit immédiatement. Sa durée d'action est brève car c'est un radical libre très réactif qui subsiste pendant moins de 10 secondes avant de se combiner à l'oxygène et à l'eau pour former des nitrates et des nitrites inactifs. Les fonctions précises du NO libéré par les neurones ne sont pas bien connues. Comme le NO est liposoluble, il diffuse à l'extérieur des cellules qui le produisent et entre dans les cellules avoisinantes. Là, il active une enzyme qui sert à la production d'un second messager appelé GMP cyclique. Certaines recherches laissent supposer que le NO joue un rôle dans la mémoire et l'apprentissage.

C'est en 1987, lorsqu'on a découvert que l'EDRF (« endothelium-derived relaxing factor », facteur de dilatation provenant de l'endothélium artériel) était en réalité du NO, que l'on a reconnu au NO sa fonction de molécule régulatrice. Les cellules endothéliales des parois des vaisseaux sanguins libèrent du NO, qui diffuse dans les myocytes lisses avoisinants et en provoque le relâchement. Il s'ensuit une vasodilatation, c'est-à-dire une augmentation du diamètre du vaisseau sanguin. Les effets de la vasodilatation vont d'une diminution de la pression artérielle à l'érection du pénis chez l'homme. En grande quantité, le NO est extrêmement toxique. Les phagocytes tels que les macrophages et certains globules blancs produisent du NO pour détruire les microbes et les cellules tumorales. En s'appuyant sur la présence de NOS, les scientifiques estiment que plus de 2 % des neurones du système nerveux produisent du NO. On trouve également une forte concentration de NOS dans les neurones autonomes qui entraînent soit le relâchement des muscles lisses de l'intestin, soit la libération d'adrénaline et de noradrénaline par la médullosurrénale.

Neuropeptides

Les neurotransmetteurs composés de 3 à 40 acides aminés réunis par des liaisons peptidiques sont appelés **neuropeptides.** Nombreux et répandus aussi bien dans le SNC que dans le SNP, les neuropeptides ont des effets tant excitateurs qu'inhibiteurs. Ils sont formés dans le corps cellulaire du neurone, emballés dans des vésicules et transportés jusqu'aux terminaisons axonales. Outre qu'ils jouent le rôle de neurotransmetteurs, de nombreux neuropeptides remplissent la fonction d'hormones, en ce sens qu'ils régissent des réponses physiologiques à l'extérieur du système nerveux.

En 1974, des scientifiques constatèrent que la membrane plasmique de certains neurones du système nerveux renferme des récepteurs pour des opiacés comme la morphine et l'héroïne. Ils se mirent alors en quête des substances naturelles qui se lient à ces récepteurs et découvrirent ainsi les premiers neuropeptides. Il s'agissait des **enképhalines,** deux molécules composées d'une chaîne de cinq acides aminés. Les enképhalines ont de puissants effets analgésiques (soulagement de la douleur), 200 fois plus prononcés que ceux de la morphine. Outre les enképhalines, les *peptides opioïdes* comprennent les **endorphines** et les **dynorphines.** Les scientifiques pensent que les peptides opioïdes sont les analgésiques naturels de l'organisme. C'est en augmentant leur libération que l'acupuncture produirait l'analgésie. On les a aussi associés à l'amélioration de la mémoire et de l'apprentissage, aux sensations de plaisir ou d'euphorie, à la thermorégulation, à la régulation des hormones influant sur le déclenchement de la puberté, à la libido, à la reproduction ainsi qu'à des maladies mentales comme la dépression et la schizophrénie.

Un autre neuropeptide, la **substance P,** est libéré par les neurones qui transmettent les influx douloureux des récepteurs périphériques de la douleur jusqu'au système nerveux central. Les enképhalines empêchent la libération de substance P et diminuent ainsi le nombre d'influx douloureux transmis à l'encéphale. Les scientifiques ont aussi montré que la substance P contre les effets de certaines substances neurotoxiques, ce qui laisse supposer qu'elle pourrait se révéler utile dans le traitement de la dégénérescence neuronale.

Le tableau 12.4 présente de brèves descriptions des neuropeptides, ceux dont il a été question ici et quelques autres dont nous traiterons dans des chapitres ultérieurs.

1. Nommez quatre facteurs qui peuvent modifier la transmission synaptique.
2. Énumérez quelques neurotransmetteurs, décrivez leur situation et leurs fonctions dans le système nerveux et indiquez s'ils causent l'excitation ou l'inhibition.
3. Expliquez ce qui distingue le monoxyde d'azote de tous les autres neurotransmetteurs connus.

Tableau 12.4 Neuropeptides

SUBSTANCE	COMMENTAIRES
Substance P	Présente dans les neurones sensitifs, les voies spinales et les parties de l'encéphale associées à la douleur; accentue la perception de la douleur.
Enképhalines	Inhibent les influx douloureux en empêchant la libération de substance P.
Endorphines	Inhibent la douleur en empêchant la libération de substance P; interviendraient dans la mémoire et l'apprentissage, l'activité sexuelle et la thermorégulation.
Dynorphines	Interviendraient dans les émotions et dans le soulagement de la douleur.
Hormones hypothalamiques de libération et d'inhibition	Produites par l'hypothalamus; régissent la libération des hormones de l'adénohypophyse.
Angiotensine II	Stimule la soif; régirait la pression artérielle dans l'encéphale; en qualité d'hormone, cause la vasoconstriction et favorise la libération d'aldostérone, laquelle accélère la réabsorption du sel et de l'eau par les reins.
Cholécystokinine (CCK)	Présente dans l'encéphale et dans l'intestin grêle; interviendrait dans la régulation de l'alimentation en tant que signal de la satiété; en qualité d'hormone, régit la sécrétion d'enzymes pancréatiques durant la digestion de même que la contraction des muscles lisses dans le tube digestif.

RÉSEAUX NEURONAUX DANS LE SYSTÈME NERVEUX
OBJECTIF

• *Nommer les divers types de réseaux neuronaux dans le système nerveux.*

Le SNC contient des milliards de neurones disposés en **réseaux** (ou circuits) **neuronaux** complexes dans lesquels se propagent les influx nerveux. Dans un **réseau en série simple**, un neurone présynaptique ne stimule qu'un seul neurone. Le neurone stimulé en stimule un autre à son tour et ainsi de suite. La plupart des réseaux neuronaux, cependant, sont beaucoup plus complexes.

Un seul neurone présynaptique peut faire synapse avec plusieurs neurones postsynaptiques. Appelée **divergence,** cette disposition permet à un neurone présynaptique d'influer sur plusieurs neurones postsynaptiques (ou plusieurs fibres musculaires ou cellules glandulaires) simultanément. Dans un **réseau divergent,** l'influx nerveux émis par un seul neurone présynaptique stimule un nombre croissant de cellules dans le réseau (figure 12.16a). Par exemple, le petit nombre de neurones du SNC qui gouvernent un mouvement particulier stimulent un plus grand nombre de neurones dans la moelle

Figure 12.16 Exemples de réseaux neuronaux.

 Les réseaux neuronaux sont des groupes de neurones ayant une disposition particulière et à travers lesquels se propagent les influx nerveux.

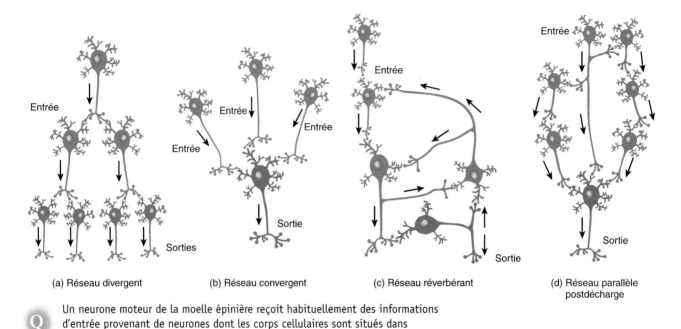

(a) Réseau divergent   (b) Réseau convergent   (c) Réseau réverbérant   (d) Réseau parallèle postdécharge

Q Un neurone moteur de la moelle épinière reçoit habituellement des informations d'entrée provenant de neurones dont les corps cellulaires sont situés dans différentes régions de l'encéphale. S'agit-il là de convergence ou de divergence?

épinière. Les signaux sensitifs empruntent aussi des réseaux divergents et sont souvent retransmis à plusieurs régions de l'encéphale.

Par ailleurs, plusieurs neurones présynaptiques peuvent faire synapse avec un seul neurone postsynaptique. Appelée **convergence,** cette disposition favorise de façon plus efficace la stimulation ou l'inhibition du neurone postsynaptique. Dans un type de **réseau convergent** (figure 12.16b), le neurone postsynaptique reçoit des influx nerveux de plusieurs sources. Par exemple, un seul neurone moteur qui fait synapse avec des myocytes squelettiques dans une jonction neuromusculaire reçoit des informations d'entrée de plusieurs voies qui prennent naissance dans différentes régions cérébrales.

Certains réseaux sont construits de telle façon que le neurone présynaptique, une fois stimulé, entraîne la transmission d'une série d'influx nerveux par la cellule post-synaptique. Les réseaux de ce type sont appelés **réseaux réverbérants** (figure 12.16c). L'influx entrant stimule le premier neurone, qui stimule le deuxième, qui stimule le troisième et ainsi de suite. Or, les ramifications des neurones situés en aval de la série font synapse avec les neurones situés en amont, si bien que les influx nerveux passent et repassent dans le réseau. Le signal de sortie peut durer de quelques secondes à plusieurs heures, selon le nombre de synapses et

la disposition des neurones dans le réseau. Le fonctionnement d'un réseau réverbérant peut être interrompu par des neurones inhibiteurs au bout d'un certain laps de temps. Parmi les réponses physiologiques qui résulteraient de signaux de sortie émis par des réseaux réverbérants, on compte la respiration, les activités musculaires coordonnées, le réveil, le sommeil (arrêt de la réverbération) et la mémoire à court terme.

Dans le quatrième type de réseaux, les **réseaux parallèles postdécharges** (figure 12.16d), un seul neurone présynaptique stimule un groupe de neurones dont chacun fait synapse avec un même neurone postsynaptique. Les délais d'action synaptique varient en raison de la différence du nombre de synapses entre le premier et le dernier neurone, de sorte que le dernier neurone produit de multiples PPSE ou PPSI. Si le signal entrant est excitateur, le neurone postsynaptique peut émettre une volée d'influx nerveux en succession rapide. Les scientifiques pensent que les réseaux parallèles postdécharges interviennent dans les activités précises comme les calculs mathématiques.

1. Qu'est-ce qu'un réseau neuronal?
2. Quelles sont les fonctions des réseaux divergents, des réseaux convergents, des réseaux réverbérants et des réseaux parallèles postdécharges?

RÉGÉNÉRATION ET RÉPARATION DU TISSU NERVEUX

OBJECTIFS

- *Définir la plasticité et la neurogenèse.*
- *Décrire les événements associés à la détérioration et à la réparation des nerfs périphériques.*

Tout au long de la vie, le tissu nerveux conserve sa **plasticité,** soit la capacité de changer sous l'effet de l'expérience. Les changements qui peuvent survenir à l'échelon du neurone comprennent l'émergence de nouveaux dendrites, la synthèse de nouvelles protéines et les modifications des contacts synaptiques avec d'autres neurones. Il ne fait aucun doute que des signaux tant chimiques qu'électriques régissent les changements. En dépit de leur plasticité cependant, les neurones des mammifères ne possèdent qu'une très faible capacité de **régénération,** c'est-à-dire de reconstitution et de réparation. Dans le SNP, les dommages infligés aux dendrites et aux axones myélinisés peuvent être réparés si le corps cellulaire est resté intact et que les cellules de Schwann à l'origine de la myélinisation demeurent actives. Dans le SNC, la réparation des neurones lésés est minime ou inexistante, même si le corps cellulaire est intact.

Neurogenèse dans le SNC

La **neurogenèse,** soit la formation de nouveaux neurones à partir de cellules souches indifférenciées, se produit couramment chez certains animaux. Ainsi, de nouveaux neurones apparaissent et disparaissent chaque année chez certains oiseaux chanteurs. Il n'y a pas si longtemps, la communauté scientifique était fermement convaincue de l'impossibilité de la neurogenèse dans l'encéphale des primates et des êtres humains adultes. Mais en 1992, une équipe de scientifiques canadiens a publié le fruit – étonnant – de leurs recherches: sous l'influence du **facteur de croissance épidermique** (EGF, «epidermal growth factor»), des cellules prélevées dans l'encéphale de souris adultes se transforment et en neurones et en astrocytes. On savait déjà que l'EGF déclenchait la mitose dans diverses cellules autres que les neurones et favorisait la cicatrisation des blessures et la régénération des tissus (voir p. 152). En 1998, d'autres travaux ont montré qu'un nombre considérable de nouveaux neurones apparaissent dans l'hippocampe humain adulte, une région de l'encéphale qui joue un rôle crucial dans l'apprentissage.

Il semble que l'absence complète de neurogenèse dans d'autres régions de l'encéphale et de la moelle épinière soit due à deux facteurs: 1) des influences inhibitrices des cellules gliales, en particulier des oligodendrocytes, et 2) l'absence des signaux stimulant la croissance, qui étaient présents pendant le développement fœtal. Les axones du SNC sont myélinisés par des oligodendrocytes, qui ne forment pas de neurolemme. En outre, la myéline du SNC compte parmi les facteurs qui inhibent la régénération des neurones. Peut-être

s'agit-il également du mécanisme qui arrête la croissance de l'axone une fois qu'il a atteint sa région cible au cours du développement. Par ailleurs, après une lésion de l'axone, les astrocytes avoisinants prolifèrent rapidement, formant un type de tissu cicatriciel et constituant une barrière physique à la régénération. Aussi les lésions de l'encéphale et de la moelle épinière sont-elles pour la plupart permanentes. Malgré tout, les scientifiques continuent de chercher des moyens de stimuler les cellules souches en dormance afin qu'elles remplacent les neurones détruits à la suite d'une lésion ou d'une maladie. Ils espèrent aussi pouvoir un jour transplanter des neurones obtenus par culture tissulaire.

Lésions et réparation dans le SNP

Les axones et les dendrites associés à un neurolemme peuvent se réparer si le corps cellulaire est intact, si les cellules de Schwann demeurent actives et si le tissu cicatriciel ne se forme pas trop rapidement. La plupart des nerfs du SNP sont constitués de prolongements recouverts de neurolemme. C'est ainsi qu'un nerf du membre supérieur dont les axones ont été endommagés a de bonnes chances de guérir et de fonctionner à nouveau.

Lorsqu'un axone subit une lésion, il se produit habituellement des changements à la fois dans le corps cellulaire du neurone et dans la partie de l'axone située en aval du siège de la lésion; dans certains cas, on observe également des changements dans la partie de l'axone située en amont.

Dans les 24 à 48 heures qui suivent la lésion d'un prolongement d'un neurone normal du SNC ou du SNP (figure 12.17a), le réticulum endoplasmique rugueux se disperse et forme de petites masses granulaires. Cette altération est appelée **chromatolyse** (*khrôma* = couleur; *lusis* = dissolution) (figure 12.17b). Elle s'amorce entre le cône d'implantation de l'axone et le noyau, puis s'étend à tout le corps cellulaire. Par suite de la chromatolyse, le corps cellulaire gonfle et atteint sa taille maximale de 10 à 20 jours après la survenue de la lésion.

Entre le troisième et le cinquième jour, la partie du prolongement située en aval de la lésion gonfle légèrement puis se fragmente; la gaine de myéline se détériore également (figure 12.17c). La dégénérescence de la partie distale du prolongement et de la gaine de myéline est appelée **dégénérescence wallérienne.** Après la dégénérescence, des macrophages phagocytent les débris.

Les changements de la partie proximale de l'axone, appelés **dégénérescence rétrograde,** sont semblables à ceux qui surviennent pendant la dégénérescence wallérienne. La dégénérescence rétrograde a toutefois ceci de particulier que les changements ne s'étendent que jusqu'au premier nœud de Ranvier.

Après la chromatolyse, les signes de guérison deviennent évidents dans la cellule. La synthèse de l'ARN et des protéines s'accélère, ce qui favorise la reconstruction, ou **régénération,**

Figure 12.17 Lésion et réparation d'un neurone du SNP.

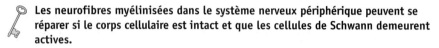

Les neurofibres myélinisées dans le système nerveux périphérique peuvent se réparer si le corps cellulaire est intact et que les cellules de Schwann demeurent actives.

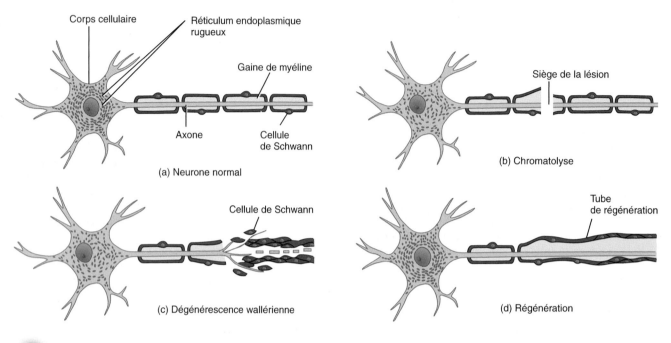

Q Quel rôle le neurolemme joue-t-il dans la régénération ?

de l'axone. La guérison prend souvent plusieurs mois. Même si le prolongement et la gaine de myéline dégénèrent, le neurolemme subsiste. Les cellules de Schwann situées de part et d'autre du siège de la lésion se multiplient par mitose, se rapprochent les unes des autres et peuvent former un **tube de régénération** par-dessus la région abîmée (figure 12.17d). Le tube guide la croissance de nouveaux prolongements à partir de la région située en amont de la lésion jusqu'à la région distale autrefois occupée par l'axone intact. La croissance de nouveaux axones est impossible si le vide créé par la lésion est trop étendu ou s'il se remplit de fibres collagènes.

Au cours des premiers jours suivant la lésion, des bourgeons d'axones commencent à envahir le tube formé par les cellules de Schwann (voir la figure 12.17c). Les axones

provenant de la région proximale croissent d'environ 1,5 mm par jour, s'insinuent dans les tubes de régénération et s'étendent vers les récepteurs et les effecteurs situés en aval. C'est ainsi que quelques connexions sensitives et motrices se rétablissent, et que certaines fonctions réapparaissent. Puis les cellules de Schwann finissent par élaborer une nouvelle gaine de myéline.

1. Quels facteurs contribuent à l'absence de neurogenèse dans la plupart des régions de l'encéphale ?
2. Quelle est la fonction du tube de régénération au cours de la réparation des neurones ?

DÉSÉQUILIBRES HOMÉOSTATIQUES

SCLÉROSE EN PLAQUES

La **sclérose en plaques** est une dégénérescence progressive des gaines de myéline entourant les axones du SNC. La maladie touche environ un demi-million de personnes aux États-Unis et deux millions dans le monde. Elle apparaît habituellement chez des individus de 20 à 40 ans et frappe deux femmes pour un homme. Comme la

polyarthrite rhumatoïde, la sclérose en plaques est une maladie auto-immune – elle est déclenchée par le système immunitaire de la personne atteinte. Le nom de la maladie est descriptif en soi : les gaines de myéline *se sclérosent* et forment des *plaques,* ou cicatrices durcies, dans de nombreuses régions du corps. L'imagerie par résonance magnétique (IRM) révèle la présence d'un grand nombre de ces plaques dans la substance blanche de l'encéphale et de la moelle épinière. La destruction des gaines de myéline ralentit puis court-circuite la propagation des influx nerveux.

La maladie prend le plus souvent une forme récurrente, c'est-à-dire qu'elle évolue par poussées et rémissions. Habituellement, elle commence à se manifester au début de l'âge adulte par une impression de lourdeur ou de faiblesse dans les muscles, des sensations anormales ou une diplopie (vision double). La poussée est suivie par une période de rémission au cours de laquelle les symptômes disparaissent. Plus tard, cependant, une nouvelle série de plaques se forment et la personne atteinte connaît une deuxième poussée. Les poussées se suivent généralement au rythme de une tous les ans ou tous les deux ans. Elles entraînent une disparition progressive des fonctions, interrompue par des périodes de rémission. On ne connaît pas encore la cause de la sclérose en plaques, mais il est possible qu'une prédisposition génétique et une exposition à certains facteurs environnementaux (un herpèsvirus peut-être) aient un rôle à jouer dans son apparition. Depuis 1993, de nombreuses personnes atteintes de la sclérose en plaques récurrente ont reçu des injections d'interféron bêta, un médicament qui allonge les périodes de rémission, atténue la gravité des poussées et ralentit la formation de nouvelles lésions dans certains cas. Malheureusement, certains patients ne tolèrent pas l'interféron bêta, et le traitement perd de son efficacité à mesure que la maladie progresse.

ÉPILEPSIE

L'**épilepsie** est le trouble neurologique le plus répandu après l'accident vasculaire cérébral (rupture ou obstruction d'un vaisseau sanguin de l'encéphale). Elle touche environ 1 % de la population mondiale. Elle se caractérise par des épisodes brefs, récurrents et périodiques de dysfonctionnement moteur, sensoriel ou psychologique. Les *crises d'épilepsie* sont déclenchées par les décharges électriques anormales et synchrones de millions de neurones dans l'encéphale, dues peut-être à des réseaux réverbérants anormaux. Stimulés par les décharges, un grand nombre de neurones émettent des influx nerveux dans les voies auxquelles ils appartiennent. Par conséquent, la personne atteinte peut percevoir des lumières, des bruits ou des odeurs sans que ses yeux, ses oreilles et son nez aient été stimulés. Ses muscles squelettiques peuvent aussi se contracter involontairement. L'*épilepsie partielle* s'amorce dans un petit foyer situé d'un côté de l'encéphale et produit des symptômes modérés, tandis que l'*épilepsie généralisée* touche de grandes régions situées des deux côtés de l'encéphale et entraîne une perte de conscience.

Les causes de l'épilepsie sont nombreuses. Il s'agit notamment de lésions cérébrales subies à la naissance (cause la plus fréquente), de troubles métaboliques (hypoglycémie, hypocalcémie, urémie, hypoxie), d'infections (encéphalite ou méningite), de toxines (alcool, tranquillisants, hallucinogènes), de troubles vasculaires (hémorragie, hypotension), de traumatismes crâniens ainsi que de tumeurs et d'abcès au cerveau. Néanmoins, la plupart des crises d'épilepsie sont idiopathiques, c'est-à-dire qu'elles n'ont pas de cause apparente. L'épilepsie n'affecte presque jamais l'intelligence.

On peut souvent éliminer ou atténuer les crises d'épilepsie au moyen de médicaments antiépileptiques comme la phénytoïne, la carbamazépine et le valproate de sodium. L'implantation d'un dispositif qui stimule le nerf vague (nerf crânien X) permet de réduire les crises chez certains patients dont l'état résiste aux médicaments.

RÉSUMÉ

LE SYSTÈME NERVEUX : VUE D'ENSEMBLE (p. 398)

1. Les structures qui constituent le système nerveux sont l'encéphale, les 12 paires de nerfs crâniens et leurs ramifications, la moelle épinière, les 31 paires de nerfs spinaux et leurs ramifications, les ganglions, les plexus entériques et les récepteurs sensoriels.
2. Le système nerveux concourt au maintien de l'homéostasie et intègre toutes les activités de l'organisme en détectant les stimulus (fonction sensorielle), en les interprétant (fonction intégrative) et en y réagissant (fonction motrice).
3. Sur le plan fonctionnel, on distingue les neurones sensitifs, les interneurones et les neurones moteurs.
4. Le système nerveux central (SNC) est constitué de l'encéphale et de la moelle épinière. Le système nerveux périphérique (SNP) est constitué de tous les tissus nerveux situés à l'extérieur du SNC, soit les nerfs crâniens, les nerfs spinaux, les ganglions et les récepteurs sensoriels.
5. Les neurones sensitifs (ou afférents) transmettent l'information d'entrée au SNC. Les neurones moteurs (ou efférents) acheminent jusqu'aux effecteurs l'information de sortie émise par le SNC.
6. Les subdivisions du SNP sont le système nerveux somatique (SNS), le système nerveux autonome (SNA) et le système nerveux entérique (SNE).
7. Le SNS est constitué : 1) de neurones qui transmettent les influx nerveux des récepteurs somatiques et des organes des sens jusqu'au SNC ; 2) de neurones moteurs qui s'étendent du SNC jusqu'aux muscles squelettiques.
8. Le SNA est composé : 1) de neurones sensitifs qui prennent naissance dans les viscères ; 2) de neurones moteurs qui transmettent les influx nerveux du SNC jusqu'aux muscles lisses, au muscle cardiaque et aux glandes.
9. Le SNE est constitué des neurones situés dans les deux plexus entériques qui parcourent toute la longueur du tube digestif et qui, dans une certaine mesure, fonctionnent indépendamment du SNA et du SNC. Le SNE détecte les stimulus sensoriels et régit l'activité du tube digestif.

HISTOLOGIE DU TISSU NERVEUX (p. 401)

1. Le tissu nerveux est composé pour l'essentiel de deux types de cellules : les neurones (ou cellules nerveuses) et les cellules gliales. Les neurones présentent une excitabilité électrique et accomplissent la plupart des fonctions particulières attribuées au système nerveux : détection des stimulus, pensée, mémoire, régulation de l'activité musculaire et régulation de la sécrétion glandulaire. Les cellules gliales soutiennent, nourrissent et protègent les neurones et, en outre, maintiennent l'homéostasie dans le liquide extracellulaire qui baigne les neurones.

2. La plupart des neurones possèdent de nombreux dendrites qui constituent les principales régions réceptrices ; un corps cellulaire qui renferme les organites habituels ; un seul axone en général qui achemine les influx nerveux vers un autre neurone, une fibre musculaire ou une cellule glandulaire.

3. Une synapse est un point de contact fonctionnel entre deux cellules excitables. Les boutons terminaux contiennent des vésicules synaptiques remplies de molécules de neurotransmetteur.

4. Le transport axonal lent et le transport axonal rapide sont les systèmes qui servent au déplacement des matières entre le corps cellulaire et les terminaisons axonales.

5. Sur le plan structural, on distingue les neurones multipolaires, les neurones bipolaires et les neurones unipolaires.

6. Les cellules gliales comprennent les astrocytes, les oligodendrocytes, les microglies, les épendymocytes, les cellules de Schwann et les cellules satellites (voir le tableau 12.1, p. 407).

7. Deux types de cellules gliales produisent les gaines de myéline : les oligodendrocytes myélinisent les axones du SNC, et les cellules de Schwann myélinisent les axones du SNP.

8. La substance blanche est composée d'amas d'axones myélinisés, tandis que la substance grise est composée des corps cellulaires de neurones, des dendrites et des terminaisons axonales ou des faisceaux d'axones amyélinisés et des cellules gliales.

9. Au centre de la moelle épinière, la substance grise prend la forme d'un H entouré de substance blanche. Dans l'encéphale, une mince enveloppe de substance grise recouvre les hémisphères du cerveau et du cervelet.

SIGNAUX ÉLECTRIQUES DANS LES NEURONES (p. 408)

1. Les deux principaux types de canaux ioniques sont les canaux à fonction passive et les canaux à fonctionnement commandé.

2. Les trois principaux types de canaux ioniques à fonctionnement commandé sont les canaux voltage-dépendants, les canaux ligand-dépendants et les canaux mécanique-dépendants.

3. La membrane plasmique d'un neurone au repos est positive à l'extérieur et négative à l'intérieur, et ce pour deux raisons. Premièrement, les différents ions sont répartis inégalement de part et d'autre de la membrane plasmique ; deuxièmement, la membrane plasmique est plus perméable au K^+ qu'au Na^+.

4. Le potentiel de repos s'établit habituellement à -70 mV. Une cellule qui présente un potentiel de membrane est dite polarisée.

5. Les pompes à sodium éjectent des ions Na^+ pour compenser leur lente diffusion dans la cellule.

6. Un potentiel gradué est une légère déviation du potentiel de repos de la membrane qui se produit à la suite de l'ouverture ou de la fermeture de canaux ioniques ligand-dépendants ou mécanique-dépendants.

7. Par comparaison avec l'état de repos, un potentiel gradué rend le potentiel de membrane plus négatif (plus polarisé), ce qui correspond à une hyperpolarisation, ou moins négatif (moins polarisé), ce qui correspond à une dépolarisation.

8. L'amplitude d'un potentiel gradué varie selon la force du stimulus.

9. Pendant un potentiel gradué, le courant produit par la circulation des ions est localisé ; c'est pourquoi les potentiels gradués servent uniquement à la communication sur de courtes distances.

10. Conformément à la loi du tout ou rien, un stimulus assez fort pour produire un potentiel d'action engendre un influx de taille constante. Un stimulus plus fort ne produit pas d'influx plus important.

11. Pendant un potentiel d'action, les canaux à Na^+ et à K^+ voltage-dépendants s'ouvrent en succession. Il s'ensuit une dépolarisation, c'est-à-dire une diminution puis une inversion de la polarisation de la membrane (de -70 à 0 mV puis à $+30$ mV). La dépolarisation est suivie d'une repolarisation, c'est-à-dire un rétablissement du potentiel de repos de la membrane (de $+30$ à -70 mV).

12. Pendant la première partie de la période réfractaire, la production d'un autre influx nerveux est impossible (période réfractaire absolue). Elle redevient possible un peu plus tard, mais seulement à la suite d'un stimulus supraliminaire (période réfractaire relative).

13. Un potentiel d'action se propage d'un point à l'autre de la membrane plasmique et peut donc servir à la communication sur de longues distances.

14. La conduction saltatoire est la propagation des influx nerveux d'un nœud de Ranvier à un autre.

15. Les axones de grand diamètre transmettent les influx nerveux plus rapidement que ne le font les axones de petit diamètre. Les axones myélinisés transmettent les influx nerveux plus rapidement que ne le font les axones amyélinisés.

16. L'intensité d'un stimulus est codée par la fréquence des potentiels d'action et par le nombre de neurones sensitifs recrutés.

17. Le tableau 12.2, p. 418, présente une comparaison entre les potentiels gradués et les potentiels d'action.

TRANSMISSION DES SIGNAUX DANS LES SYNAPSES (p. 418)

1. Une synapse est une jonction fonctionnelle entre deux neurones ou entre un neurone et un effecteur comme un muscle ou une glande.

2. Il existe deux types de synapses : les synapses électriques et les synapses chimiques.

3. Une synapse chimique transmet les signaux dans une seule direction, soit d'un neurone présynaptique à un neurone postsynaptique.

4. Un neurotransmetteur excitateur est un neurotransmetteur qui peut dépolariser la membrane plasmique du neurone postsynaptique (la rendre moins négative) et rapprocher le potentiel de membrane du seuil d'excitation. Un neurotransmetteur inhibiteur hyperpolarise la membrane plasmique du neurone postsynaptique.

5. Trois mécanismes éliminent les neurotransmetteurs des fentes synaptiques : la diffusion, la dégradation enzymatique et la recapture par les cellules (neurones et cellules gliales).

6. Si plusieurs boutons terminaux présynaptiques libèrent leur neurotransmetteur à peu près simultanément, un influx nerveux peut prendre naissance en raison de la sommation. La sommation peut être spatiale ou temporelle.

7. Le neurone postsynaptique est un intégrateur. Il reçoit les signaux excitateurs et inhibiteurs, les intègre et réagit en conséquence.

8. Le tableau 12.3, p. 422, présente un résumé des structures et des fonctions du neurone.

NEUROTRANSMETTEURS (p. 423)

1. On trouve des neurotransmetteurs excitateurs et des neurotransmetteurs inhibiteurs dans le SNC et le SNP. Un neurotransmetteur donné peut être excitateur à certains endroits et inhibiteur ailleurs.

2. La classe chimique des neurotransmetteurs est déterminée par leur structure moléculaire. Les neurotransmetteurs les plus importants sont l'acétylcholine, les acides aminés, les amines biogènes, l'ATP et autres purines, les gaz et les neuropeptides.

3. On peut modifier la transmission des influx nerveux dans les synapses chimiques en intervenant sur la synthèse du neurotransmetteur, la libération du neurotransmetteur, l'élimination du neurotransmetteur ou les récepteurs du neurotransmetteur.

4. Le tableau 12.4, p. 425, présente une description de quelques neuropeptides importants.

RÉSEAUX NEURONAUX DANS LE SYSTÈME NERVEUX (p. 425)

1. Les neurones du système nerveux central forment des réseaux.

2. Les réseaux neuronaux peuvent être en série simple, divergents, convergents, réverbérants ou parallèles postdécharges.

RÉGÉNÉRATION ET RÉPARATION DU TISSU NERVEUX (p. 427)

1. Le système nerveux possède une plasticité (capacité de changer sous l'effet de l'expérience), mais une très faible capacité de régénération (de reconstitution et de réparation).

2. La neurogenèse (formation de nouveaux neurones à partir de cellules souches indifférenciées) est normalement très limitée. La réparation des axones endommagés est inhibée dans la plupart des régions du SNC.

3. Les axones et les dendrites associés à un neurolemme dans le SNP peuvent se réparer si le corps cellulaire est intact, si les cellules de Schwann demeurent actives et si la formation de tissu cicatriciel n'est pas trop rapide.

AUTOÉVALUATION

Phrases à compléter

1. Les deux principales subdivisions du système nerveux sont le ___, constitué de ___ et de ___, et le ___, constitué des ___, des ___, des ___ et des ___.

2. Les NCf sont de petites masses de tissu nerveux contenant surtout des corps cellulaires de neurones et situées à l'extérieur de l'encéphale et de la moelle épinière.

3. Les subdivisions du SNP sont le ___, le ___ et le ___.

4. Le système nerveux présente une ___, soit la capacité de changer sous l'effet de l'expérience.

Vrai ou faux

5. Il semble que l'absence presque complète de neurogenèse et de régénération dans le SNC intact résulte des influences inhibitrices des cellules gliales et de l'absence des signaux stimulant la croissance qui étaient présents pendant le développement.

6. Les deux principaux facteurs du potentiel de repos sont l'égalité de la répartition des ions de part et d'autre de la membrane plasmique et la relative imperméabilité de la membrane plasmique aux ions sodium et potassium.

Associations

7. Associez les éléments suivants :

___ a) partie du neurone qui contient le noyau

___ b) réticulum endoplasmique rugueux dans les neurones

___ c) emmagasinent un neurotransmetteur

___ d) prolongement qui propage les influx nerveux vers un autre neurone, vers une fibre musculaire ou vers une cellule glandulaire

___ e) parties réceptrices du neurone

___ f) revêtement lipidique et protéinique formé de plusieurs couches, présent autour des axones et produit par les cellules gliales

___ g) couche externe cytoplasmique nucléée des cellules de Schwann

___ h) première partie de l'axone

___ i) point de contact fonctionnel entre deux neurones ou entre un neurone et une cellule effectrice

___ j) forment le cytosquelette du neurone

___ k) intervalles dans la gaine de myéline entourant un axone

___ l) terme général désignant tout prolongement d'un neurone

___ m) point où l'axone s'unit au corps cellulaire

___ n) région d'où naissent les influx nerveux

1) gaine de myéline	9) cône d'implantation
2) neurolemme	de l'axone
3) nœuds de Ranvier	10) segment initial
4) corps cellulaire	11) zone gâchette
5) corps de Nissl	12) fibre nerveuse
6) neurofibrilles	13) synapse
7) dendrites	14) vésicules synaptiques
8) axone	

8. Associez les éléments suivants :

___ a) succession rapide d'événements qui diminuent, puis finissent par inverser le potentiel de membrane et enfin rétablissent l'état de repos ; influx nerveux

___ b) légère déviation du potentiel de repos qui rend la membrane soit plus négative, soit moins négative

___ c) suscité par l'ouverture rapide des canaux ioniques à sodium voltage-dépendants ; polarisation moins négative que l'état de repos

___ d) niveau minimal de dépolarisation nécessaire à la production d'un influx nerveux

___ e) rétablissement du potentiel de repos

___ f) dépolarisation de la membrane plasmique du neurone postsynaptique causée par un neurotransmetteur

___ g) hyperpolarisation de la membrane plasmique du neurone postsynaptique causée par un neurotransmetteur

___ h) hyperpolarisation se produisant après la phase de repolarisation d'un potentiel d'action

1) potentiel gradué	5) seuil d'excitation
2) potentiel d'action	6) repolarisation
3) potentiel postsynaptique excitateur	7) phase d'hyperpolarisation tardive
4) potentiel postsynaptique inhibiteur	8) potentiel gradué dépolarisant

Choix multiples

9. Lesquels des énoncés suivants sont vrais? 1) La fonction senso-rielle du système nerveux fait intervenir des récepteurs sensoriels qui détectent certaines variations des milieux intérieur et exté-rieur. 2) Les neurones sensitifs reçoivent des signaux électriques des récepteurs sensoriels. 3) La fonction intégrative du système nerveux consiste à analyser l'information, à en emmagasiner certains aspects et à prendre des décisions quant aux comporte-ments appropriés. 4) Les interneurones transmettent les influx nerveux jusqu'aux effecteurs. 5) La fonction motrice consiste à réagir aux décisions d'intégration.

a) 1, 2, 3 et 4. b) 2, 4 et 5. c) 1, 2, 3 et 5. d) 1, 2 et 4. e) 2, 3, 4 et 5.

10. Lequel des réseaux suivants n'est *pas* un réseau neuronal dans l'organisme? a) Réseau divergent. b) Réseau parallèle prédé-charge. c) Réseau convergent. d) Réseau réverbérant. e) Réseau parallèle postdécharge.

11. Lesquels des énoncés suivants sont vrais? 1) Deux neurotrans-metteurs ou plus peuvent être présents dans de nombreux neurones. 2) Certains acides aminés, dont le glutamate et l'aspartate, sont des neurotransmetteurs. 3) L'acétylcholine, un neurotransmetteur de la classe des catécholamines, est synthétisée à partir de la tyrosine, un acide aminé. 4) Des gaz simples comme le monoxyde d'azote et le monoxyde de carbone peuvent jouer le rôle de neurotransmetteurs. 5) Un neurotransmetteur excitateur ne peut jamais être inhibiteur, quel que soit le neurone qui le produit.

a) 1, 2 et 4. b) 2, 3 et 5. c) 1, 3 et 5. d) 1, 3 et 4. e) 2, 4 et 5.

12. Lesquels des énoncés suivants sont vrais? 1) Si l'effet excitateur est supérieur à l'effet inhibiteur mais inférieur au seuil d'excita-tion, un PPSE infraliminaire est produit. 2) Si l'effet excitateur est supérieur à l'effet inhibiteur et atteint ou dépasse le seuil d'excitation, un PPSE infraliminaire ou supraliminaire et un influx nerveux sont produits. 3) Si l'effet inhibiteur est supé-rieur à l'effet excitateur, la membrane plasmique s'hyperpolarise et il s'ensuit une inhibition du neurone postsynaptique, qui ne peut produire d'influx nerveux. 4) Plus la sommation des hyperpolarisations est grande, plus les probabilités de production d'un influx nerveux augmentent. 5) Les potentiels postsynap-tiques inhibiteurs résultent souvent de l'ouverture de canaux à Cl⁻ ou à K⁺ ligand-dépendants.

a) 1, 4 et 5. b) 2, 4 et 5. c) 1, 3 et 5. d) 2, 3 et 4. e) 1, 2, 3 et 5.

13. Lesquels des énoncés suivants sont vrais? 1) Les principaux types de canaux ioniques sont les canaux à fonctionnement commandé, les canaux à fonction passive et les canaux électriques. 2) Les canaux ioniques permettent la production de potentiels gradués et de potentiels d'action. 3) Les principaux stimulus qui actionnent les canaux ioniques à fonctionnement commandé sont les variations du voltage, les ligands (substances chimiques) et la pression mécanique. 4) Les cellules excitables dont la membrane plasmique renferme des canaux ioniques ligand-dépendants ou mécanique-dépendants produisent des potentiels d'action lorsqu'un stimulus entraîne l'ouverture ou la fermeture de ces canaux. 5) Un potentiel gradué est une légère déviation du potentiel de repos qui rend la membrane soit plus polarisée, soit moins polarisée.

a) 1, 2 et 3. b) 2, 3 et 4. c) 2, 3 et 5. d) 2, 3, 4 et 5. e) 1, 3 et 5.

14. Lesquels des énoncés suivants sont vrais? 1) Les axones trans-mettent les influx nerveux plus rapidement lorsqu'ils sont refroidis. 2) Les axones de grand diamètre transmettent les influx nerveux plus rapidement que ne le font les axones de petit dia-mètre. 3) La conduction continue est plus rapide que la conduc-tion saltatoire. 4) Le diamètre de l'axone et la présence ou l'absence d'une gaine de myéline sont les principaux facteurs de la vitesse de propagation de l'influx nerveux. 5) Les potentiels d'action sont localisés, tandis que les potentiels gradués se propagent.

a) 1, 3 et 5. b) 3 et 4. c) 2, 4 et 5. d) 2 et 4. e) 1, 2 et 4.

15. Associez les éléments suivants:

____ a) neurones ne possédant qu'un seul prolongement à partir du corps cellulaire; toujours sensitifs

____ b) petites cellules gliales phago-cytaires; jouent le rôle de cellules immunitaires de l'encéphale

____ c) concourent à maintenir un milieu chimique approprié à la pro-duction de potentiels d'action par les neurones

____ d) forment la gaine de myéline autour des axones du SNC

____ e) contient soit des corps cellulaires de neurones, des dendrites et des terminaisons axonales, soit des faisceaux d'axones amyélinisés et des cellules gliales

____ f) masse de corps cellulaires et de dendrites de neurones dans le SNC

____ g) élaborent le liquide cérébro-spinal et favorisent sa circulation

____ h) neurones possédant plusieurs dendrites et un axone; type de neurones le plus abondant

____ i) neurones possédant un dendrite principal et un axone; présents dans la rétine

____ j) forment la gaine de myéline autour des axones du SNP

____ k) amas de prolongements myélinisés issus de nombreux neurones

1) astrocytes
2) oligoden-drocytes
3) microglies
4) épendy-mocytes
5) cellules de Schwann
6) neurones unipolaires
7) neurones bipolaires
8) neurones multipolaires
9) substance grise
10) substance blanche
11) noyau

QUESTIONS À COURT DÉVELOPPEMENT

1. Claudine a manqué son cours d'anatomie et de physiologie (ce sera bien la dernière fois!) et emprunté les notes de son amie. Malheureusement, l'amie en question n'est pas très douée pour le dessin. Dans ses diagrammes, le neurone moteur ressemble à un réseau convergent, et le neurone bipolaire a l'air d'un réseau simple. Que diriez-vous à Claudine pour l'aider à y voir clair dans les notes? (INDICE: *Les réseaux neuronaux comprennent plusieurs neurones.*)

2. À la question «Définissez la substance grise», Henri a répondu qu'il s'agissait de la substance blanche d'une personne très âgée.

Expliquez à Henri ce qu'est la substance grise. (INDICE: *Henri a quand même raison de dire qu'une substance colorée s'accumule dans le neurone au cours du vieillissement.*)

3. La sonnerie du réveille-matin retentit. Carole se réveille, s'étire, bâille et se met à saliver en humant l'arôme du café. Elle sent son estomac qui gargouille. Énumérez les subdivisions du système nerveux qui interviennent dans chacune de ces actions. (INDICE: *Lesquelles de ces actions sont volontaires?*)

RÉPONSES AUX QUESTIONS DES FIGURES

12.1 Le nombre total de nerfs crâniens et de nerfs spinaux dans le corps humain s'établit à $(12 \times 2) + (31 \times 2) = 86$.

12.2 Les neurones qui transmettent l'information au SNC sont les neurones sensitifs, ou neurones afférents. Les neurones qui transmettent l'information hors du SNC sont les neurones moteurs, ou neurones efférents.

12.3 Les dendrites reçoivent les informations d'entrée (dans le cas des neurones moteurs et des interneurones) ou les produisent (dans le cas des neurones sensitifs). Le corps cellulaire reçoit aussi les signaux d'entrée. L'axone propage les influx nerveux (potentiels d'action) et transmet le message à un autre neurone ou à une cellule effectrice en libérant un neurotransmetteur par ses boutons terminaux.

12.4 Les influx nerveux naissent dans la zone gâchette.

12.5 La fonction des dendrites est de recevoir les informations d'entrée.

12.6 La myélinisation accroît la vitesse de propagation des influx nerveux.

12.7 La myéline donne à la substance blanche son aspect luisant et blanc.

12.8 Un contact sur le bras active des canaux ioniques mécanique-dépendants.

12.9 Le potentiel de repos d'un neurone s'établit habituellement à -70 mV.

12.10 Les potentiels gradués sont produits lorsque les canaux ioniques ligands-dépendants ou mécanique-dépendants s'ouvrent ou se ferment.

12.11 Les canaux à Na^+ voltage-dépendants sont ouverts pendant la phase de dépolarisation; les canaux à K^+ voltage-dépendants sont ouverts pendant la phase de repolarisation.

12.12 Oui, parce que les canaux à fonction passive permettraient quand même une sortie de K^+ plus rapide que l'entrée de Na^+ dans l'axone. Chez les mammifères, en fait, certains axones myélinisés ne possèdent que quelques canaux à K^+ voltage-dépendants.

12.13 Le diamètre de l'axone, la présence ou l'absence d'une gaine de myéline ainsi que la température déterminent la vitesse de propagation d'un influx nerveux.

12.14 Dans une synapse chimique, un neurone libère le neurotransmetteur et l'autre possède des récepteurs qui se lient à cette substance chimique. Par conséquent, le signal ne peut se transmettre que dans une seule direction. Dans certaines synapses électriques (jonctions communicantes), les ions circulent aussi bien dans les deux directions, de sorte que n'importe lequel des neurones peut être le neurone présynaptique.

12.15 Si un PPSI se produisait à 55 ms, la dépolarisation liminaire ne serait probablement pas atteinte, et aucun influx nerveux ne serait engendré.

12.16 Un neurone moteur qui reçoit de l'information provenant de plusieurs neurones est un exemple de convergence.

12.17 Le neurolemme constitue un tube de régénération qui guide la repousse de l'axone sectionné.

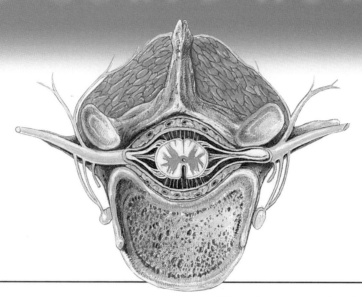

La moelle épinière et les nerfs spinaux contiennent les réseaux de neurones qui gouvernent quelques-unes de nos réactions les plus rapides aux variations du milieu extérieur. Si vous saisissez un objet chaud, par exemple, les muscles de votre main se relâchent et vous laissez tomber l'objet avant même que la sensation de chaleur ou de douleur extrême soit consciemment perçue. Il s'agit là d'un exemple de réflexe spinal – une réponse rapide et automatique à des stimulus qui ne fait intervenir que des neurones des nerfs spinaux et de la moelle épinière. Outre qu'elle préside aux réflexes, la moelle épinière est le siège de l'intégration (sommation) des potentiels postsynaptiques excitateurs (PPSE) et des potentiels postsynaptiques inhibiteurs (PPSI) d'origine locale ou déclenchés par des influx nerveux provenant du système nerveux périphérique et de l'encéphale. De plus, la moelle épinière est l'autoroute qu'empruntent les influx nerveux sensitifs dirigés vers l'encéphale de même que les commandes motrices destinées aux nerfs spinaux. Rappelez-vous que la moelle épinière est unie à l'encéphale et qu'elle forme avec lui le système nerveux central (SNC).

ANATOMIE DE LA MOELLE ÉPINIÈRE

OBJECTIF

• *Décrire les structures protectrices et l'anatomie macroscopique de la moelle épinière.*

Structures protectrices

Deux revêtements de tissu conjonctif, les méninges et les vertèbres, ainsi qu'un coussin de liquide cérébro-spinal (produit dans l'encéphale) entourent et protègent le fragile tissu nerveux dont la moelle épinière est composée, à l'instar de l'encéphale.

Méninges

Les **méninges** sont des membranes de tissu conjonctif qui recouvrent la moelle épinière et l'encéphale. On distingue les **méninges spinales** (figure 13.1a) et les **méninges crâniennes** (voir la figure 14.4a, p. 474). La méninge spinale externe, la **dure-mère,** est composée de tissu conjonctif dense irrégulier. Elle forme un sac fermé qui s'étend entre le foramen magnum percé dans l'os occipital (où elle s'unit à la dure-mère crânienne) et la deuxième vertèbre sacrale. La moelle épinière est aussi protégée par un coussin de tissu adipeux et de tissu conjonctif situé dans l'**espace épidural,** espace entre la dure-mère et la paroi du canal vertébral (figure 13.1b).

La méninge intermédiaire est une enveloppe avasculaire appelée **arachnoïde** (*arakhnê* = araignée ; *eidos* = forme) à cause de la disposition en toile d'araignée de ses délicates fibres collagènes et de ses quelques fibres élastiques. Elle est située en dessous de la dure-mère et est en continuité avec l'arachnoïde crânienne. La dure-mère et l'arachnoïde sont séparées par le mince **espace sous-dural,** qui contient du liquide interstitiel.

Figure 13.1 Anatomie macroscopique de la moelle épinière. Les méninges spinales apparaissent dans les deux images.

 Les méninges sont des membranes de tissu conjonctif qui recouvrent la moelle épinière et l'encéphale.

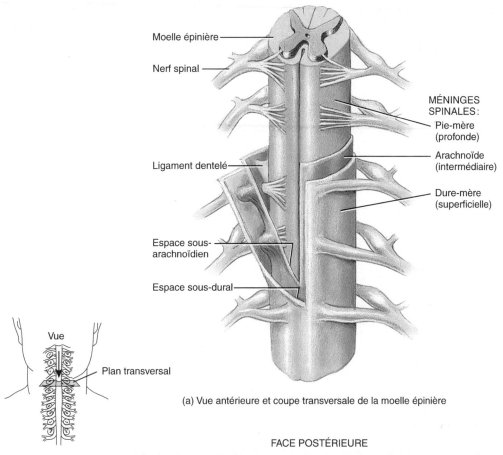

Moelle épinière

Nerf spinal

MÉNINGES
SPINALES :

Pie-mère
(profonde)

Arachnoïde
(intermédiaire)

Ligament dentelé

Dure-mère
(superficielle)

Espace sous-arachnoïdien

Espace sous-dural

Vue

Plan transversal

(a) Vue antérieure et coupe transversale de la moelle épinière

FACE POSTÉRIEURE

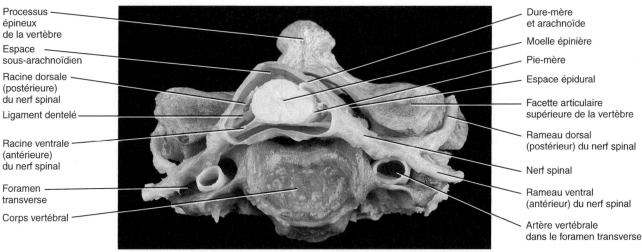

Processus épineux de la vertèbre

Espace sous-arachnoïdien

Racine dorsale (postérieure) du nerf spinal

Ligament dentelé

Racine ventrale (antérieure) du nerf spinal

Foramen transverse

Corps vertébral

Dure-mère et arachnoïde

Moelle épinière

Pie-mère

Espace épidural

Facette articulaire supérieure de la vertèbre

Rameau dorsal (postérieur) du nerf spinal

Nerf spinal

Rameau ventral (antérieur) du nerf spinal

Artère vertébrale dans le foramen transverse

FACE ANTÉRIEURE

(b) Coupe transversale de la moelle épinière à l'intérieur d'une vertèbre cervicale

Q   Quelles sont les limites supérieure et inférieure de la dure-mère spinale ?

La méninge la plus profonde, appelée **pie-mère** (*pia* = délicat), est une couche mince et transparente de tissu conjonctif qui adhère à la surface de la moelle épinière et de l'encéphale. Elle est composée de faisceaux entrelacés de fibres collagènes et de délicates fibres élastiques ; elle contient un grand nombre de vaisseaux sanguins qui fournissent de l'oxygène et des nutriments à la moelle épinière. L'arachnoïde et la pie-mère délimitent l'**espace sous-arachnoïdien**, qui contient du liquide cérébro-spinal. L'inflammation des méninges est appelée *méningite*.

Les trois méninges spinales recouvrent les nerfs spinaux jusqu'au point où ils émergent de la colonne vertébrale par les foramens intervertébraux. La moelle épinière est suspendue au centre de son enveloppe durale par des prolongements membraneux triangulaires de la pie-mère. Appelés **ligaments dentelés,** ces prolongements sont des épaississements de la pie-mère. Ils s'étendent latéralement et fusionnent avec l'arachnoïde et la face interne de la dure-mère, entre les racines ventrale et dorsales des nerfs spinaux. Les ligaments dentelés s'étendent sur toute la longueur de la moelle épinière et la protègent contre les chocs et les déplacements soudains.

Colonne vertébrale

La moelle épinière est située à l'intérieur du canal vertébral de la colonne vertébrale. Ce canal est formé par la superposition de tous les foramens vertébraux. Les vertèbres constituent une armure solide pour la moelle épinière (voir la figure 13.1b). Les ligaments vertébraux, les méninges et le liquide cérébro-spinal lui confèrent une protection supplémentaire.

Anatomie externe de la moelle épinière

La **moelle épinière** est de forme cylindrique mais s'aplatit légèrement à l'avant et à l'arrière. Chez l'adulte, elle s'étend du bulbe rachidien, la partie inférieure de l'encéphale, jusqu'au bord supérieur de la deuxième vertèbre lombaire (figure 13.2) ; chez le nouveau-né, elle s'étend jusqu'à la troisième ou quatrième vertèbre lombaire. La moelle épinière et la colonne vertébrale allongent pendant la petite enfance, comme le reste du corps. L'élongation de la moelle épinière s'arrête vers l'âge de 4 ou 5 ans, mais la colonne vertébrale continue de croître. Telle est la raison pour laquelle la moelle épinière n'atteint pas l'extrémité inférieure de la colonne vertébrale chez l'adulte. La longueur de la moelle épinière adulte varie entre 42 et 45 cm. Son diamètre est d'environ 2 cm au milieu de la région thoracique ; il augmente dans la partie inférieure de la région cervicale et au milieu de la région lombaire, puis diminue à l'extrémité inférieure.

Vue de l'extérieur, la moelle épinière présente deux renflements notables. Le plus haut (extrémité rostrale), le **renflement cervical,** s'étend de la quatrième vertèbre cervicale à la première vertèbre thoracique. C'est de là qu'émergent les

nerfs qui s'étendent jusqu'aux membres supérieurs. Le renflement le plus bas (extrémité caudale), appelé **renflement lombaire,** s'étend de la neuvième à la douzième vertèbre thoracique. C'est de là qu'émergent les nerfs qui desservent les membres inférieurs.

En dessous du renflement lombaire, la moelle épinière se termine par une structure conique, le **cône médullaire,** qui s'étend jusqu'à la hauteur du disque intervertébral situé entre la première et la deuxième vertèbre lombaire chez l'adulte. Rattaché au cône médullaire, le **filum terminale** (= filament terminal) est un prolongement de la pie-mère qui ancre la moelle épinière au coccyx.

Les nerfs issus de la partie inférieure de la moelle épinière sortent de la colonne vertébrale par un foramen intervertébral situé plus bas que leur point d'émergence dans la moelle épinière. Leurs racines (leurs liens avec la moelle épinière) s'infléchissent dans le canal vertébral et prennent l'aspect de mèches de cheveux. L'ensemble de ces racines porte le nom évocateur de **queue de cheval.**

La moelle épinière paraît segmentée parce que les 31 paires de nerfs spinaux en émergent à intervalles réguliers (voir la figure 13.2). On dit que chaque paire de nerfs spinaux émerge d'un *segment médullaire.* Cependant, on ne retrouve pas cette segmentation à l'intérieur de la moelle épinière, dans la substance blanche et la substance grise. Les noms des nerfs spinaux et des segments médullaires dénotent leur situation. On compte 8 paires de *nerfs cervicaux* (C1 à C8), 12 paires de *nerfs thoraciques* (T1 à T12), 5 paires de *nerfs lombaires* (L1 à L5), 5 paires de *nerfs sacraux* (S1 à S5) et 1 paire de nerfs coccygiens.

Les **nerfs spinaux** constituent les voies de communication entre la moelle épinière et les nerfs qui desservent des régions particulières de l'organisme. Deux faisceaux d'axones, les **racines,** relient chaque nerf spinal à un segment de la moelle épinière (voir la figure 13.3a). La **racine dorsale** (ou **postérieure**) contient seulement des fibres sensitives, lesquelles transmettent les influx nerveux de la périphérie du corps au système nerveux central. Chaque racine dorsale présente un renflement, le **ganglion spinal,** qui contient les corps cellulaires des neurones sensitifs. La **racine ventrale** (ou **antérieure**) contient les axones des neurones moteurs, lesquels transmettent les influx nerveux du SNC aux cellules et organes effecteurs.

APPLICATION CLINIQUE
Ponction lombaire

Une **ponction lombaire** consiste à insérer une longue aiguille dans l'espace sous-arachnoïdien sous anesthésie locale. On pratique cette intervention pour prélever du liquide cérébro-spinal (ou liquide céphalo-rachidien) à des fins diagnostiques, administrer un antibiotique, un anesthésique ou un antinéoplasique, injecter un produit de contraste en vue d'une myélographie, mesurer la pression du liquide cérébro-spinal

Figure 13.2 Anatomie externe de la moelle épinière et des nerfs spinaux.

La moelle épinière s'étend du bulbe rachidien jusqu'au bord supérieur de la deuxième vertèbre lombaire.

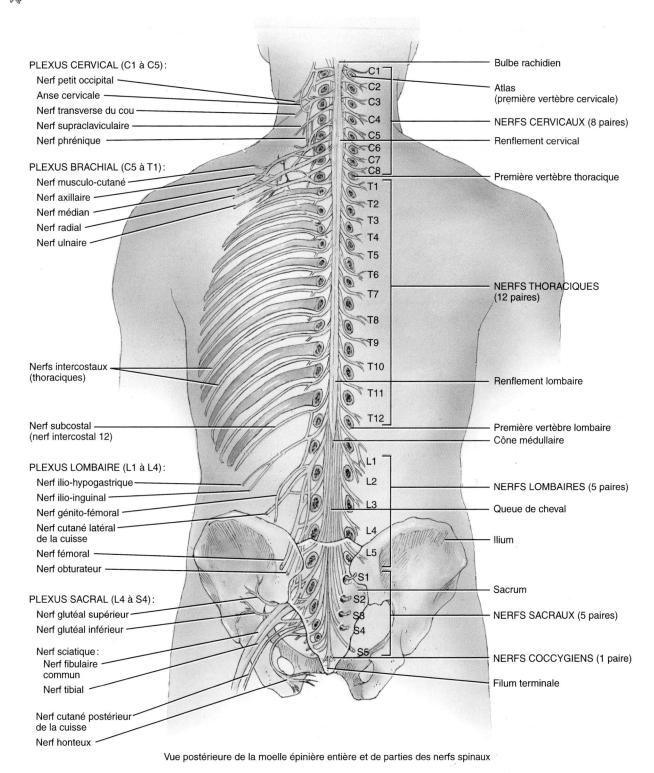

PLEXUS CERVICAL (C1 à C5):
  Nerf petit occipital
  Anse cervicale
  Nerf transverse du cou
  Nerf supraclaviculaire
  Nerf phrénique

PLEXUS BRACHIAL (C5 à T1):
  Nerf musculo-cutané
  Nerf axillaire
  Nerf médian
  Nerf radial
  Nerf ulnaire

Nerfs intercostaux
(thoraciques)

Nerf subcostal
(nerf intercostal 12)

PLEXUS LOMBAIRE (L1 à L4):
  Nerf ilio-hypogastrique
  Nerf ilio-inguinal
  Nerf génito-fémoral
  Nerf cutané latéral
  de la cuisse
  Nerf fémoral
  Nerf obturateur

PLEXUS SACRAL (L4 à S4):
  Nerf glutéal supérieur
  Nerf glutéal inférieur

  Nerf sciatique:
    Nerf fibulaire
    commun
    Nerf tibial

  Nerf cutané postérieur
  de la cuisse
  Nerf honteux

C1
C2
C3
C4
C5
C6
C7
C8
T1
T2
T3
T4
T5
T6
T7
T8
T9
T10
T11
T12
L1
L2
L3
L4
L5
S1
S2
S3
S4
S5

Bulbe rachidien

Atlas
(première vertèbre cervicale)

NERFS CERVICAUX (8 paires)

Renflement cervical

Première vertèbre thoracique

NERFS THORACIQUES
(12 paires)

Renflement lombaire

Première vertèbre lombaire
Cône médullaire

NERFS LOMBAIRES (5 paires)

Queue de cheval

Ilium

Sacrum

NERFS SACRAUX (5 paires)

NERFS COCCYGIENS (1 paire)

Filum terminale

Vue postérieure de la moelle épinière entière et de parties des nerfs spinaux

Q Quelle partie de la moelle épinière est reliée aux nerfs sensitifs et aux nerfs moteurs des membres supérieurs?

Figure 13.3 Anatomie interne de la moelle épinière : disposition de la substance grise et de la substance blanche. Par souci de simplification, nous n'avons pas représenté les dendrites dans cette figure non plus que dans quelques autres dessins de la moelle épinière en coupe transversale. La flèche bleue et la flèche rouge en (a) indiquent la direction de la propagation de l'influx nerveux.

 Dans la moelle épinière, la substance blanche entoure la substance grise.

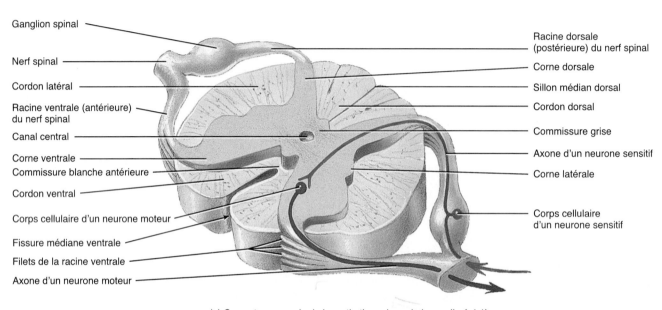

Ganglion spinal

Nerf spinal

Cordon latéral

Racine ventrale (antérieure) du nerf spinal

Canal central

Corne ventrale

Commissure blanche antérieure

Cordon ventral

Corps cellulaire d'un neurone moteur

Fissure médiane ventrale

Filets de la racine ventrale

Axone d'un neurone moteur

Racine dorsale (postérieure) du nerf spinal

Corne dorsale

Sillon médian dorsal

Cordon dorsal

Commissure grise

Axone d'un neurone sensitif

Corne latérale

Corps cellulaire d'un neurone sensitif

(a) Coupe transversale de la partie thoracique de la moelle épinière

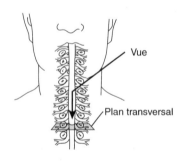

Vue

Plan transversal

FACE POSTÉRIEURE

Sillon médian dorsal

Cordon dorsal

Corne dorsale

Cordon latéral

Commissure grise

Corne ventrale

Cordon ventral

Fissure médiane ventrale

MO 20 ×

FACE ANTÉRIEURE

FONCTIONS

1. Les faisceaux de substance blanche transmettent les influx sensitifs de la périphérie jusqu'à l'encéphale et les commandes motrices de l'encéphale jusqu'à la périphérie.

2. La substance grise reçoit et intègre l'information sensitive et l'information motrice.

(b) Coupe transversale de la partie thoracique de la moelle épinière

 Quelle est la différence entre une corne et un cordon ?

ou évaluer les effets d'un traitement. Chez l'adulte, on insère habituellement l'aiguille entre la troisième et la quatrième ou entre la quatrième et la cinquième vertèbre lombaire. L'intervention est relativement sûre puisque le point d'insertion de l'aiguille est situé en dessous de la terminaison de la moelle épinière. (On se guide au moyen d'une ligne imaginaire tracée entre les sommets des crêtes iliaques, qui passe au-dessus du processus épineux de la quatrième vertèbre lombaire.) ■

Anatomie interne de la moelle épinière

La substance blanche de la moelle épinière est parcourue par deux dépressions linéaires qui la divisent en un côté droit et un côté gauche (figure 13.3). La **fissure médiane ventrale,** située sur la face antérieure (ou ventrale), est large et profonde, tandis que le **sillon médian dorsal,** situé sur la face postérieure (ou dorsale), est étroit et superficiel. La substance grise de la moelle épinière a la forme d'un H ou d'un papillon et est entourée de substance blanche. La substance grise contient principalement des corps cellulaires de neurones, des cellules gliales, des axones amyélinisés et des dendrites d'interneurones et de neurones moteurs. La substance blanche, pour sa part, contient des faisceaux d'axones myélinisés et amyélinisés de neurones sensitifs, d'interneurones et de neurones moteurs. La **commissure grise** forme la barre du H. En son centre se trouve un petit espace, le **canal central,** qui s'étend sur toute la longueur de la moelle épinière. À son extrémité supérieure, le canal central s'unit au quatrième ventricule (une cavité contenant du liquide cérébro-spinal), dans le bulbe rachidien. La **commissure blanche antérieure,** à l'avant de la commissure grise, relie la substance blanche des côtés droit et gauche de la moelle épinière.

Dans la substance grise de la moelle épinière et de l'encéphale, des amas de corps cellulaires de neurones forment des groupes fonctionnels appelés noyaux. Les *noyaux sensitifs* reçoivent les informations d'entrée provenant des récepteurs par l'intermédiaire des neurones sensitifs; les *noyaux moteurs* envoient des informations de sortie aux tissus effecteurs par l'entremise de neurones moteurs. La substance grise située de chaque côté de la moelle épinière se divise en régions appelées **cornes.** Les **cornes ventrales** (ou **antérieures**) contiennent des corps cellulaires de neurones moteurs somatiques et des noyaux moteurs, qui émettent des influx nerveux entraînant la contraction des muscles squelettiques. Les **cornes dorsales** (ou **postérieures**) contiennent des noyaux sensitifs somatiques et autonomes. Dans les segments thoracique, lombaire supérieur et sacral de la moelle épinière, les cornes dorsales et ventrales sont séparées par des **cornes latérales.** Celles-ci abritent les corps cellulaires de neurones moteurs autonomes qui régissent l'activité des muscles lisses, du muscle cardiaque et des glandes.

La substance blanche, comme la substance grise, est divisée en régions. De chaque côté, les cornes ventrale et dorsale divisent la substance blanche en trois grandes régions appelées **cordons:** 1) le **cordon ventral (antérieur),** 2) le **cordon dorsal (postérieur)** et 3) le **cordon latéral.** Chaque cordon contient des groupes d'axones ayant la même origine ou la même destination et transmettant le même genre d'information. Ces groupes d'axones peuvent monter ou descendre sur de grandes distances le long de la moelle épinière et sont appelés **faisceaux, ou tractus.** Les **faisceaux sensitifs (ascendants)** sont composés d'axones qui transmettent les influx nerveux vers l'encéphale. Les **faisceaux moteurs (descendants)** sont composés d'axones qui transmettent les influx nerveux vers la périphérie. Les faisceaux sensitifs et moteurs de la moelle épinière sont reliés à ceux de l'encéphale.

1. Expliquez la situation et la composition des méninges spinales. Indiquez la situation de l'espace épidural, de l'espace sous-dural et de l'espace sous-arachnoïdien.
2. Décrivez la situation de la moelle épinière. Que sont les renflements cervical et lombaire?
3. Définissez le *cône médullaire,* le *filum terminale* et la *queue de cheval.* Qu'est-ce qu'un segment médullaire? Qu'est-ce qui divise la moelle épinière en un côté droit et un côté gauche?
4. Compte tenu de ce que vous connaissez à propos de la structure de la moelle épinière en coupe transversale, définissez les termes suivants: *commissure grise, canal central, corne ventrale, corne latérale, corne dorsale, cordon ventral, cordon latéral, cordon dorsal, faisceau ascendant* et *faisceau descendant.*

PHYSIOLOGIE DE LA MOELLE ÉPINIÈRE
OBJECTIFS

• *Expliquer les fonctions des principaux faisceaux sensitifs et moteurs de la moelle épinière.*

• *Décrire les composantes fonctionnelles d'un arc réflexe et expliquer de quelle manière les réflexes maintiennent l'homéostasie.*

La moelle épinière remplit deux grandes fonctions dans le maintien de l'homéostasie: la propagation des influx nerveux et l'intégration de l'information. Les *faisceaux de substance blanche* constituent en quelque sorte les autoroutes qu'empruntent les influx sensitifs pour aller de la périphérie vers l'encéphale et les commandes motrices pour se rendre de l'encéphale à la périphérie. La *substance grise* de la moelle épinière reçoit et intègre les influx afférents et les influx efférents.

Figure 13.4 Situation de quelques faisceaux sensitifs et moteurs dans une coupe transversale de la moelle épinière. Les faisceaux sensitifs sont représentés du côté droit de la moelle épinière, tandis que les faisceaux moteurs sont représentés du côté gauche. En réalité, cependant, tous les faisceaux sont présents de chaque côté.

 Le nom d'un faisceau indique souvent son origine, sa terminaison et sa situation dans la substance blanche.

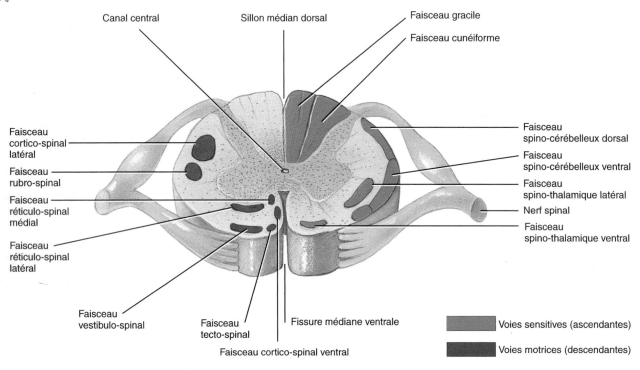

En vous fondant sur son appellation, donnez l'origine, la destination et la situation dans la moelle épinière du faisceau cortico-spinal ventral. S'agit-il d'un faisceau sensitif ou d'un faisceau moteur ?

Faisceaux sensitifs et moteurs

La première des fonctions de la moelle épinière dans le maintien de l'homéostasie est la propagation des influx nerveux dans des faisceaux. Dans bien des cas, le nom d'un faisceau révèle son origine et sa terminaison (et, par le fait même, la direction des influx nerveux) ainsi que sa situation dans la substance blanche. Ainsi, le faisceau spino-thalamique ventral prend naissance dans la *moelle épinière,* se termine dans le *thalamus* (une structure de l'encéphale) et est situé dans le *cordon ventral*. Notez que le nom indique d'abord la situation des corps cellulaires des neurones et celle des dendrites, puis celle des terminaisons axonales. Vous pourrez donc déterminer la direction de l'information dans tous les faisceaux baptisés selon cette convention. Ainsi, puisque le faisceau spino-thalamique ventral achemine les influx nerveux de la moelle épinière vers l'encéphale, il s'agit d'un faisceau sensitif (ou ascendant). La figure 13.4 montre un

schéma des principaux faisceaux sensitifs et moteurs de la moelle épinière. Le chapitre 15 en contient une description détaillée et les tableaux 15.3 et 15.4, p. 523 et 527, présentent un résumé de leurs caractéristiques.

L'information sensorielle provenant des récepteurs parcourt la moelle épinière jusqu'à l'encéphale en empruntant deux voies principales de part et d'autre de la moelle épinière : les faisceaux spino-thalamiques et les faisceaux gracile et cunéiforme. Les deux **faisceaux spino-thalamiques** transmettent les influx nerveux émis par les récepteurs de la douleur, de la température, de la pression intense et du toucher grossier. Le **faisceau gracile** (ou grêle) et le **faisceau cunéiforme** acheminent les influx nerveux provenant : 1) des propriocepteurs, qui permettent de détecter les mouvements des muscles, des tendons et des articulations ; 2) des récepteurs du toucher discriminant, qui permettent de déterminer avec exactitude le siège d'une stimulation tactile et aussi d'éprouver des sensations distinctes lors de la stimulation de deux points très rapprochés sur la peau; 3) des récepteurs de la pression; 4) des récepteurs des vibrations.

Le système sensoriel informe sans relâche le SNC des variations des milieux intérieur et extérieur. Les réponses apportées à cette information sont déclenchées par les systèmes moteurs, grâce auxquels nous pouvons nous déplacer et modifier notre relation physique avec le monde qui nous entoure. En parvenant au SNC, chaque information sensorielle émise par un neurone sensitif activé s'ajoute à une masse d'autres données du même type et y est intégrée.

Assuré par les interneurones, le processus d'intégration se déroule en plusieurs parties du SNC, soit dans la moelle épinière et dans quelques régions de l'encéphale. Par conséquent, les réponses motrices (contraction d'un muscle ou sécrétion d'une glande) peuvent être déclenchées à plusieurs niveaux. La régulation des activités involontaires comme celles des muscles lisses, du muscle cardiaque et des glandes par le système nerveux autonome a lieu pour l'essentiel dans le tronc cérébral (qui est uni à la moelle épinière) et dans une région cérébrale voisine, l'hypothalamus. Nous reviendrons sur le sujet au chapitre 17.

Le cortex cérébral (la partie superficielle du cerveau, composée de substance grise) joue un rôle capital dans la [...] les mouvements musculaires volontaires et précis. [...] ions de l'encéphale accomplissent une importante [...] tégrative dans la régulation des mouvements [...] es, comme le balancement des bras pendant la [...] s commandes motrices destinées aux muscles [...] s parcourent la moelle épinière en empruntant [...] le voies descendantes: des voies directes et des [...] es. Les **voies directes** (les faisceaux cortico-spinal [...] co-spinal ventral et cortico-bulbaire) transmettent [...] veux qui naissent dans le cortex cérébral et sont [...] production des mouvements *volontaires* et précis [...] quelettiques. Les **voies indirectes** (les faisceaux [...], tecto-spinal et vestibulo-spinal) acheminent [...] veux qui sont destinés à la programmation de [...] automatiques, qui concourent à la coordination des mouvements avec les stimulus visuels et qui maintiennent le tonus musculaire et la posture; ces voies régissent le tonus musculaire en réponse aux mouvements de la tête et jouent donc un rôle de premier plan dans le maintien de l'équilibre.

Réflexes

La deuxième fonction que remplit la moelle épinière dans le maintien de l'homéostasie est de servir de centre d'intégration pour les **réflexes spinaux.** L'intégration a lieu dans la substance grise de la moelle épinière. Les **réflexes** sont des réponses rapides, prévisibles et automatiques aux variations du milieu. Les réflexes qui passent non par la moelle épinière mais par le tronc cérébral et qui font intervenir les nerfs crâniens sont appelés **réflexes crâniens.** Les

réflexes somatiques, que vous connaissez sûrement, entraînent une contraction des muscles squelettiques. Les **réflexes autonomes** (ou **viscéraux**), tout aussi importants, échappent en général à la perception consciente. Ils provoquent des réponses des muscles lisses, du muscle cardiaque et des glandes. Comme nous le verrons au chapitre 17, c'est le système nerveux autonome qui, par l'entremise de réflexes autonomes, régit des fonctions comme la fréquence cardiaque, la digestion, la miction et la défécation.

Arcs réflexes

Les influx nerveux qui parviennent au SNC, qui le parcourent et qui en émanent empruntent des trajets particuliers selon le type d'information, son origine et sa destination. Le trajet des influx nerveux qui produisent un réflexe est appelé **arc réflexe.** Un arc réflexe est composé des cinq éléments fonctionnels suivants (figure 13.5):

❶ **Récepteur sensoriel.** L'extrémité distale d'un neurone sensitif (dendrite) ou une structure sensitive associée sert de récepteur sensoriel. Le récepteur réagit à un **stimulus** particulier – une variation du milieu intérieur ou extérieur – en produisant un potentiel gradué appelé potentiel générateur ou potentiel récepteur selon le type de récepteur (décrits p. 511-512). Si un potentiel générateur atteint le seuil d'excitation, il déclenche un ou plusieurs influx nerveux dans le neurone sensitif.

❷ **Neurone sensitif.** L'influx nerveux se propage le long de l'axone du neurone sensitif depuis le récepteur jusqu'aux terminaisons axonales, qui sont situées dans la substance grise de la moelle épinière ou du tronc cérébral.

❸ **Centre d'intégration.** Une ou plusieurs régions de la substance grise, dans le SNC, servent de centre d'intégration. Dans le type de réflexe le plus simple, le centre d'intégration est constitué par une seule synapse entre un neurone sensitif et un neurone moteur. Une voie réflexe qui ne comporte qu'une synapse dans le SNC est un **arc réflexe monosynaptique.** Le plus souvent, le centre d'intégration est constitué d'un ou plusieurs interneurones, qui peuvent relayer l'influx nerveux à d'autres interneurones ou à un neurone moteur. Une voix réflexe qui comprend plus de deux types de neurones et plus d'une synapse dans le SNC est un **arc réflexe polysynaptique.**

❹ **Neurone moteur.** Les influx nerveux déclenchés par le centre d'intégration se propagent le long d'un neurone moteur du SNC jusqu'à la partie du corps qui y réagira.

❺ **Effecteur.** La partie du corps (un muscle ou une glande) qui obéit à la commande motrice est l'effecteur. L'action de l'effecteur est appelée réflexe. Si l'effecteur est un muscle squelettique, il s'agit d'un **réflexe somatique.** Si l'effecteur est un muscle lisse, le muscle cardiaque ou une glande, il s'agit d'un **réflexe autonome** (ou **viscéral**).

Figure 13.5 Modèle général d'un arc réflexe. Les flèches indiquent la direction de la propagation de l'influx nerveux.

🔑 **Les réflexes sont des réponses rapides, prévisibles et automatiques aux variations du milieu.**

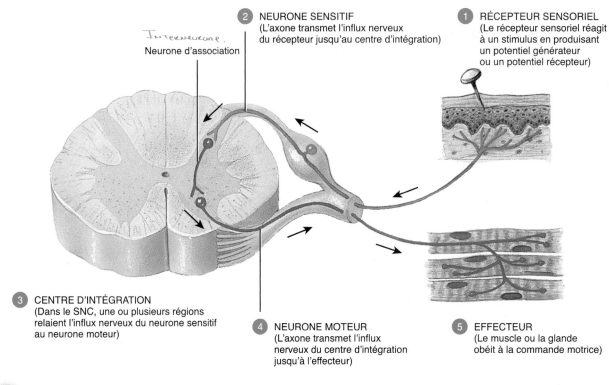

② NEURONE SENSITIF
(L'axone transmet l'influx nerveux du récepteur jusqu'au centre d'intégration)

Interneurone.
Neurone d'association

① RÉCEPTEUR SENSORIEL
(Le récepteur sensoriel réagit à un stimulus en produisant un potentiel générateur ou un potentiel récepteur)

③ CENTRE D'INTÉGRATION
(Dans le SNC, une ou plusieurs régions relaient l'influx nerveux du neurone sensitif au neurone moteur)

④ NEURONE MOTEUR
(L'axone transmet l'influx nerveux du centre d'intégration jusqu'à l'effecteur)

⑤ EFFECTEUR
(Le muscle ou la glande obéit à la commande motrice)

Q Qu'est-ce qui déclenche un influx nerveux dans un neurone sensitif? Quelle partie du système nerveux comprend tous les centres d'intégration des réflexes?

Les réflexes permettent à l'organisme de s'ajuster aux déséquilibres homéostatiques de manière extrêmement rapide. Étant donné leur caractère hautement prévisible, les réflexes fournissent de précieuses indications quant à l'état de santé du système nerveux et facilitent grandement le diagnostic des maladies. L'absence ou l'anomalie d'un réflexe révèle une lésion située dans une voie particulière. Ainsi, la percussion du ligament patellaire provoque normalement l'extension réflexe de l'articulation du genou. Il s'agit là d'un réflexe d'étirement (nous y reviendrons plus loin). L'absence du réflexe patellaire peut signaler une atteinte fonctionnelle des neurones sensitifs, des neurones moteurs ou de la région lombaire de la moelle épinière. En règle générale, on peut vérifier les réflexes somatiques par une percussion ou un effleurement de la surface du corps. La plupart des réflexes autonomes, d'un autre côté, ont peu d'utilité sur le plan diagnostique, car les récepteurs viscéraux sont situés à l'intérieur du corps et, par conséquent, sont difficiles à stimuler. Le réflexe photomoteur (ou pupillaire), qui correspond à une contraction des deux pupilles sous l'effet d'une lumière

intense, fait exception à la règle. En effet, il fait intervenir des synapses situées dans le tronc cérébral et dans le mésencéphale, de sorte que son absence peut indiquer une lésion de ces régions.

Étudions à présent quatre importants réflexes spinaux somatiques: le réflexe d'étirement, le réflexe tendineux, le réflexe de flexion et le réflexe d'extension croisée.

Réflexe d'étirement

Le **réflexe d'étirement,** ou réflexe myotatique, est un arc réflexe monosynaptique. Il sollicite deux types seulement de neurones (un sensitif et un moteur) et ne fait intervenir qu'une synapse dans le SNC. Il entraîne la contraction d'un muscle (effecteur) par suite de son étirement. On peut provoquer le réflexe d'étirement dans les articulations du coude, du poignet, du genou et de la cheville.

Un réflexe d'étirement se déroule comme suit (figure 13.6, p. 444):

① Un léger étirement d'un muscle stimule dans ce muscle des récepteurs sensoriels appelés **fuseaux neuromusculaires** (dont une représentation détaillée apparaît dans la figure 15.4a, p. 518). La fonction des fuseaux neuromusculaires est de détecter les variations de la longueur du muscle.

② Sous l'effet de l'étirement, un fuseau neuromusculaire génère un ou plusieurs influx nerveux qui se propagent dans un neurone sensitif somatique jusqu'à la racine dorsale du nerf spinal et aboutissent dans la moelle épinière.

③ Dans la moelle épinière (centre d'intégration), le neurone sensitif stimule au moyen d'une synapse excitatrice un neurone moteur situé dans la corne ventrale.

④ Si l'excitation est assez intense, un ou plusieurs influx nerveux prennent naissance dans le neurone moteur et se propagent le long de son axone. Ces influx nerveux partent donc de la moelle épinière, traversent une racine ventrale et parcourent des nerfs périphériques avant de stimuler le muscle. Les terminaisons axonales du neurone moteur forment des jonctions neuromusculaires avec les myocytes squelettiques du muscle étiré.

⑤ L'acétylcholine libérée au niveau de la jonction neuromusculaire en réponse aux influx nerveux déclenche un ou plusieurs potentiels d'action musculaires dans le muscle étiré (effecteur), et celui-ci se contracte. De cette façon, par un mécanisme entièrement réflexe, le muscle peut s'opposer à un étirement en se contractant.

Dans l'arc réflexe que nous venons de décrire, l'influx sensitif pénètre dans la moelle épinière du côté où l'influx moteur la quitte. Il s'agit donc d'un **arc réflexe ipsilatéral.** Tous les réflexes monosynaptiques sont ipsilatéraux.

En plus des fibres motrices de grand diamètre qui innervent les myocytes typiques, on trouve des fibres motrices de petit diamètre qui innervent de petits myocytes spécialisés situés à l'intérieur même des fuseaux neuromusculaires. L'encéphale régit la sensibilité des fuseaux par l'entremise de voies menant à ces petites fibres motrices. Cette régulation fait en sorte que les fuseaux neuromusculaires détectent divers degrés d'étirement pendant les contractions volontaires et réflexes. En modulant la vigueur avec laquelle un fuseau neuromusculaire réagit à l'étirement, l'encéphale détermine le **tonus musculaire,** c'est-à-dire l'état de légère contraction présente dans le muscle au repos. Comme le réflexe d'étirement est provoqué par l'étirement du muscle, il sert à prévenir les blessures que pourrait causer un étirement excessif des muscles.

Le réflexe d'étirement est toujours monosynaptique (il ne fait intervenir que deux neurones et une synapse), mais il coïncide avec un arc réflexe polysynaptique destiné aux muscles antagonistes. Cet arc comprend trois neurones et deux synapses. En effet, une collatérale de l'axone du neurone sensitif situé dans le fuseau neuromusculaire fait synapse avec un interneurone inhibiteur situé dans le centre d'intégration ; cet interneurone inhibe un neurone moteur qui excite normalement les muscles antagonistes (voir la figure 13.6). Pendant un réflexe d'étirement, par conséquent, la contraction du muscle étiré s'accompagne du relâchement du muscle antagoniste qui s'oppose à la contraction. Le mécanisme nerveux qui, comme dans ce cas-ci, entraîne simultanément la contraction d'un muscle et le relâchement de ses antagonistes est appelé **innervation réciproque.** Il prévient les conflits entre les muscles opposés et est essentiel à la coordination des mouvements.

Les collatérales de l'axone du neurone sensitif situé dans le fuseau neuromusculaire transmettent aussi des influx nerveux vers l'encéphale par des voies ascendantes particulières. Ainsi informé sur le degré d'étirement ou de contraction des muscles squelettiques, l'encéphale peut coordonner les mouvements musculaires et la posture. Les influx nerveux qui parviennent à l'encéphale permettent en outre la perception consciente du réflexe.

Réflexe tendineux

Le réflexe d'étirement fonctionne comme un mécanisme de rétroaction pour régir la *longueur* d'un muscle en suscitant sa contraction. Le **réflexe tendineux,** au contraire, fonctionne comme un mécanisme de rétroaction pour régir la *tension* musculaire en entraînant le relâchement d'un muscle avant que la force de la contraction provoque une rupture des tendons. À l'instar du réflexe d'étirement, le réflexe tendineux – aussi appelé réflexe myotatique inverse ou réflexe en lame de canif – est ipsilatéral. Les récepteurs sensoriels associés à ce réflexe sont les **organes tendineux de Golgi** (représentés en détail dans la figure 15.4b, p. 518), qui sont situés dans un tendon, près de sa jonction avec un muscle. Tandis que les fuseaux neuromusculaires sont sensibles aux variations de la longueur des muscles, les organes tendineux de Golgi détectent les variations de la tension musculaire causées par l'étirement passif ou la contraction musculaire.

Un réflexe tendineux se déroule comme suit (figure 13.7) :

① L'augmentation de la tension appliquée au tendon stimule l'organe tendineux de Golgi (récepteur sensoriel) et y entraîne une dépolarisation (atteinte du seuil d'excitation).

② Le récepteur sensoriel génère des influx nerveux qui se propagent jusque dans la moelle épinière par l'intermédiaire d'un neurone sensitif.

③ Dans la moelle épinière (centre d'intégration), le neurone sensitif active un interneurone inhibiteur qui fait synapse avec un neurone moteur.

④ Inhibé par le neurotransmetteur inhibiteur (qui cause une hyperpolarisation), le neurone moteur génère de moins en moins d'influx nerveux.

Figure 13.6 Réflexe d'étirement. Cet arc réflexe monosynaptique comprend seulement une synapse dans le SNC (entre un neurone sensitif associé au récepteur et un neurone moteur destiné à l'effecteur). L'illustration montre aussi un arc réflexe polysynaptique destiné aux muscles antagonistes et comprenant deux synapses dans le SNC et un interneurone. Les signes positifs (+) représentent des synapses excitatrices et les signes négatifs (−), des synapses inhibitrices.

🔑 **Le réflexe d'étirement entraîne la contraction d'un muscle étiré.**

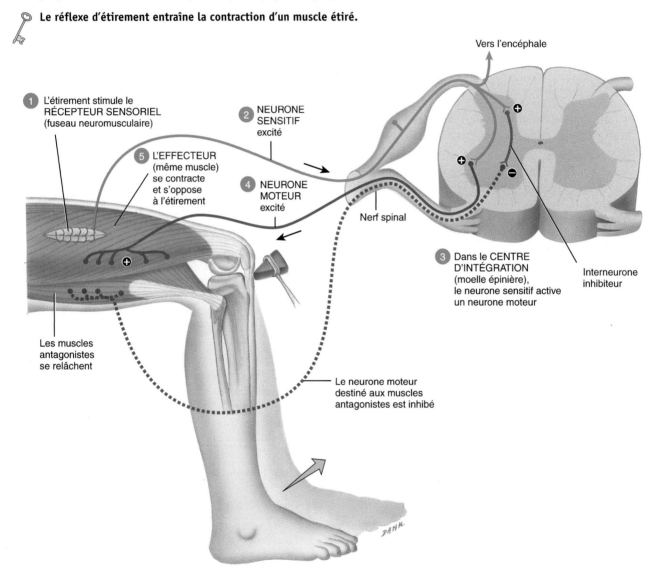

Vers l'encéphale

1️⃣ L'étirement stimule le RÉCEPTEUR SENSORIEL (fuseau neuromusculaire)

2️⃣ NEURONE SENSITIF excité

5️⃣ L'EFFECTEUR (même muscle) se contracte et s'oppose à l'étirement

4️⃣ NEURONE MOTEUR excité

Nerf spinal

3️⃣ Dans le CENTRE D'INTÉGRATION (moelle épinière), le neurone sensitif active un neurone moteur

Interneurone inhibiteur

Les muscles antagonistes se relâchent

Le neurone moteur destiné aux muscles antagonistes est inhibé

Q Pourquoi ce réflexe est-il qualifié d'ipsilatéral ?

5️⃣ Le muscle rattaché au tendon étiré se relâche et réduit la tension.

Ainsi, la fréquence des influx inhibiteurs augmente en fonction de la tension exercée sur l'organe tendineux de Golgi, et l'inhibition des neurones moteurs destinés au muscle responsable de la trop grande tension (effecteur) entraîne le relâchement de ce muscle. De cette façon, le réflexe tendineux protège le tendon et le muscle contre les lésions dues à une tension excessive.

En étudiant la figure 13.7, notez que le neurone sensitif issu de l'organe tendineux de Golgi fait aussi synapse avec un interneurone excitateur situé dans la moelle épinière. Cet

Figure 13.7 Réflexe tendineux. Cet arc réflexe est polysynaptique, c'est-à-dire qu'il fait intervenir plus d'une synapse dans le SNC et plus de deux neurones. Le neurone sensitif fait synapse avec deux interneurones ; un interneurone inhibiteur entraîne le relâchement de l'effecteur, tandis qu'un interneurone excitateur entraîne la contraction du muscle antagoniste. Les signes positifs (+) représentent des synapses excitatrices et les signes négatifs (−), des synapses inhibitrices.

🔑 **Le réflexe tendineux entraîne le relâchement du muscle rattaché à l'organe tendineux de Golgi stimulé.**

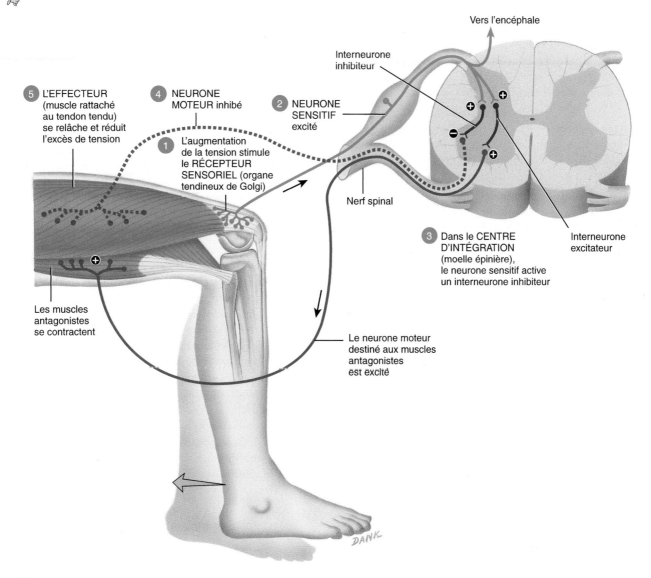

Q Qu'est-ce que l'innervation réciproque ?

interneurone excitateur fait synapse à son tour avec les neurones moteurs qui régissent les muscles antagonistes. Par conséquent, le réflexe tendineux provoque le relâchement du muscle rattaché à l'organe tendineux de Golgi mais aussi la contraction des antagonistes. Il s'agit là d'un autre exemple d'innervation réciproque. Le neurone sensitif transmet également les influx nerveux à l'encéphale par l'intermédiaire des faisceaux ascendants et l'informe ainsi du degré de tension musculaire dans l'organisme.

Réflexe de flexion et réflexe d'extension croisée

Si vous posez le pied sur une punaise, vous soulevez automatiquement la jambe en réponse au stimulus douloureux. Cet autre réflexe polysynaptique, appelé **réflexe de flexion,** ou **réflexe de retrait,** se déroule comme suit (figure 13.8):

1 La pointe de la punaise stimule les dendrites (récepteurs sensoriels) d'un neurone sensible à la douleur.

2 Ce neurone sensitif génère des influx nerveux qui se propagent jusque dans la moelle épinière.

3 Dans la moelle épinière (centre d'intégration), le neurone sensitif active des interneurones qui parcourent plusieurs segments médullaires.

4 Les interneurones activent des neurones moteurs situés dans différents segments médullaires. Ces neurones moteurs génèrent des influx nerveux qui se propagent jusque dans les terminaisons axonales.

5 L'acétylcholine libérée par les neurones moteurs entraîne la contraction des muscles fléchisseurs de la cuisse (effecteurs), produisant ainsi le retrait de la jambe. Il s'agit d'un réflexe de protection, car la contraction des muscles fléchisseurs éloigne le membre de la source du stimulus douloureux.

Le réflexe de flexion, à l'instar du réflexe d'étirement, est ipsilatéral, c'est-à-dire que les influx descendants sortent de la moelle épinière du côté où les influx ascendants y sont entrés. Le réflexe de flexion présente également une autre caractéristique des arcs réflexes polysynaptiques: puisque plusieurs groupes musculaires doivent être stimulés pour éloigner un membre entier d'un stimulus douloureux, plusieurs neurones moteurs doivent acheminer simultanément des influx nerveux vers plusieurs muscles du membre inférieur ou supérieur. Comme les influx nerveux émis par un neurone sensitif montent et descendent dans la moelle épinière et activent des interneurones dans plusieurs segments médullaires, ce type d'arc réflexe est appelé **arc réflexe intersegmentaire.** Dans un tel arc réflexe, un seul neurone sensitif peut activer plusieurs neurones moteurs et, par ricochet, stimuler plus d'un effecteur. Au contraire, le réflexe d'étirement, qui est monosynaptique, fait intervenir des muscles qui ne reçoivent des influx que d'un seul segment médullaire.

Il peut se produire autre chose que le réflexe de flexion si vous marchez sur une punaise. Vous pouvez perdre l'équilibre lorsque vous transférez votre poids sur votre autre pied. Or, les influx douloureux déclenchent aussi un réflexe destiné à maintenir l'équilibre, le **réflexe d'extension croisée,** qui se déroule comme suit (figure 13.9, p. 448):

1 Le contact de la pointe de la punaise avec la peau stimule le récepteur sensoriel d'un neurone sensible à la douleur, dans le pied droit.

2 Ce neurone sensitif génère des influx nerveux qui se propagent jusque dans la moelle épinière.

3 Dans la moelle épinière (centre d'intégration), le neurone sensitif active plusieurs interneurones qui font synapse avec des neurones moteurs situés dans différents segments médullaires, du côté gauche. Par conséquent, les influx douloureux ascendants croisent la ligne médiane dans des interneurones situés au même niveau ainsi qu'à plusieurs niveaux au-dessus et au-dessous du point d'entrée dans la moelle épinière.

4 Les interneurones stimulent les neurones moteurs qui, situés dans plusieurs segments médullaires, innervent les muscles extenseurs. Ces neurones moteurs génèrent des influx nerveux qui se propagent jusque dans les terminaisons axonales.

5 L'acétylcholine libérée par les neurones moteurs entraîne la contraction des muscles extenseurs de la cuisse (effecteurs) dans le membre gauche non stimulé, produisant ainsi l'extension de la jambe gauche. Le poids peut alors être transféré sur cette jambe, qui soutiendra le corps entier. Un réflexe semblable se produit à la suite d'une stimulation douloureuse du membre inférieur gauche ou de l'un des deux membres supérieurs.

Contrairement au réflexe de flexion, qui est ipsilatéral, le réflexe d'extension croisée est **controlatéral,** c'est-à-dire que les influx sensitifs entrent d'un côté de la moelle épinière et que les commande motrices sortent de l'autre. C'est ainsi que le réflexe d'extension croisée synchronise l'extension du membre controlatéral avec le retrait (flexion) du membre stimulé. Le réflexe de flexion et le réflexe d'extension croisée supposent tous deux une innervation réciproque. Dans le réflexe de flexion, les muscles extenseurs du membre inférieur qui subit une stimulation douloureuse se relâchent quelque peu lorsque les muscles fléchisseurs se contractent. Si les deux groupes de muscles se contractaient en même temps, ils tireraient sur les os dans des directions opposées, ce qui immobiliserait le membre. Grâce à l'innervation réciproque, cependant, un groupe de muscles se contracte pendant que l'autre se relâche.

APPLICATION CLINIQUE
Réflexe plantaire et signe de Babinski

Plusieurs réflexes témoignent sur le plan clinique du bon fonctionnement du système nerveux. Le **réflexe plantaire** compte parmi les plus importants de ces réflexes. On le provoque en effleurant la partie latérale de la plante du pied. La réponse normale est une flexion plantaire des orteils. Cependant, les lésions des voies motrices descendantes comme le faisceau cortico-spinal substituent à ce réflexe le **signe de Babinski,** qui consiste en une extension du gros orteil accompagnée ou non d'une abduction des autres orteils. Le signe de Babinski est normal chez les enfants de moins de 18 mois en raison du faible degré de myélinisation des fibres du faisceau cortico-spinal. Il fait place au réflexe plantaire par la suite. ∎

Figure 13.8 Réflexe de flexion (réflexe de retrait). Cet arc réflexe est polysynaptique et ipsilatéral. Les signes positifs (+) représentent des synapses excitatrices.

 Le réflexe de flexion entraîne le retrait d'une partie du corps en réponse à un stimulus douloureux.

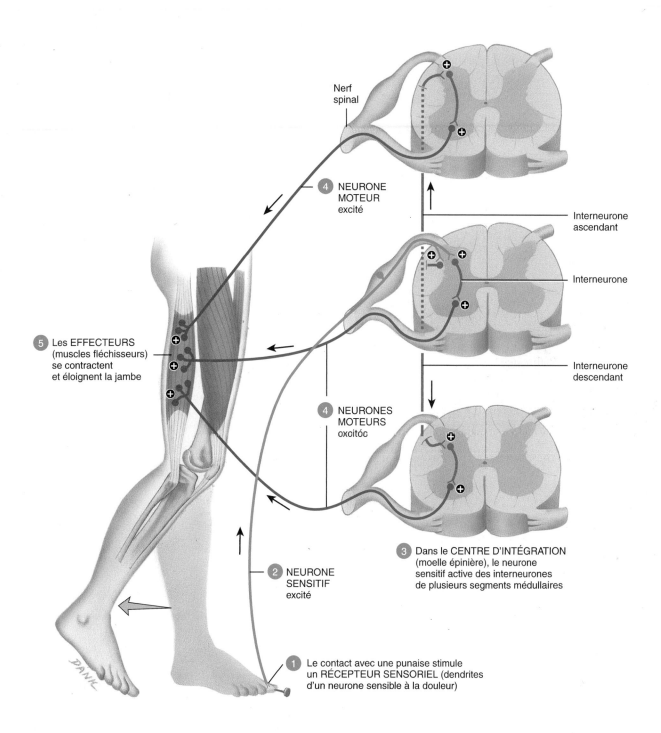

Nerf spinal

4 NEURONE MOTEUR excité

Interneurone ascendant

Interneurone

Interneurone descendant

5 Les EFFECTEURS (muscles fléchisseurs) se contractent et éloignent la jambe

4 NEURONES MOTEURS excités

2 NEURONE SENSITIF excité

3 Dans le CENTRE D'INTÉGRATION (moelle épinière), le neurone sensitif active des interneurones de plusieurs segments médullaires

1 Le contact avec une punaise stimule un RÉCEPTEUR SENSORIEL (dendrites d'un neurone sensible à la douleur)

Q Pourquoi considère-t-on le réflexe de flexion comme un arc réflexe intersegmentaire ?

Figure 13.9 Réflexe d'extension croisée. Le réflexe de flexion est représenté (à gauche) à titre comparatif. Les signes positifs (+) représentent des synapses excitatrices.

🔑 **Le réflexe d'extension croisée entraîne la contraction des muscles qui produisent l'extension des articulations dans le membre non stimulé.**

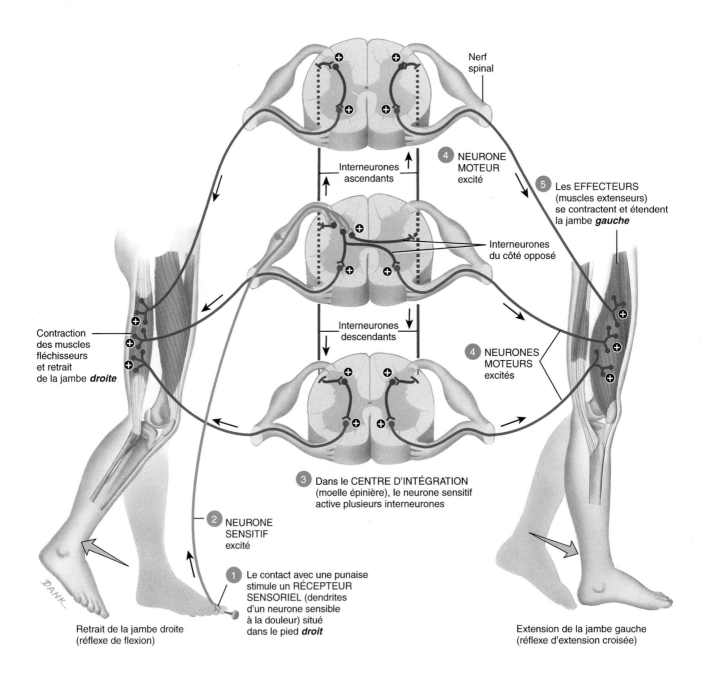

Nerf spinal

Interneurones ascendants

④ NEURONE MOTEUR excité

⑤ Les EFFECTEURS (muscles extenseurs) se contractent et étendent la jambe *gauche*

Interneurones du côté opposé

Contraction des muscles fléchisseurs et retrait de la jambe *droite*

Interneurones descendants

④ NEURONES MOTEURS excités

③ Dans le CENTRE D'INTÉGRATION (moelle épinière), le neurone sensitif active plusieurs interneurones

② NEURONE SENSITIF excité

① Le contact avec une punaise stimule un RÉCEPTEUR SENSORIEL (dendrites d'un neurone sensible à la douleur) situé dans le pied *droit*

Retrait de la jambe droite (réflexe de flexion)

Extension de la jambe gauche (réflexe d'extension croisée)

DANK

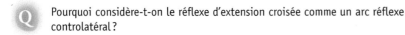

Ⓠ Pourquoi considère-t-on le réflexe d'extension croisée comme un arc réflexe controlatéral ?

1. Décrivez la fonction que remplit la moelle épinière en tant que voie de propagation des influx nerveux.
2. Qu'est-ce qu'un réflexe? Nommez et définissez les éléments d'un arc réflexe. Expliquez aussi le rôle de centre d'intégration que joue la moelle épinière dans les réflexes.
3. Décrivez le déroulement et la fonction du réflexe d'étirement, du réflexe tendineux, du réflexe de flexion (ou réflexe de retrait) et du réflexe d'extension croisée.
4. Définissez les termes suivants dans le contexte des arcs réflexes: *monosynaptique, ipsilatéral, polysynaptique, intersegmentaire, controlatéral* et *innervation réciproque.*

NERFS SPINAUX

OBJECTIFS

• *Décrire les éléments, les enveloppes de tissu conjonctif et les ramifications d'un nerf spinal.*

• *Définir le «plexus» et décrire la distribution des nerfs des plexus cervical, brachial, lombaire et sacral.*

• *Expliquer l'importance des dermatomes sur le plan clinique.*

Les nerfs spinaux et les ramifications qui en émergent pour innerver toutes les parties du corps relient le SNC aux récepteurs sensoriels, aux muscles et aux glandes; ils font partie du système nerveux périphérique (SNP). Les 31 paires de nerfs spinaux sont nommées et numérotées d'après leur point d'émergence de la colonne vertébrale (voir la figure 13.2). La première paire de nerfs cervicaux émerge de l'atlas (première vertèbre cervicale) et de l'os occipital; tous les autres nerfs spinaux sortent de la colonne vertébrale par les foramens intervertébraux situés entre les vertèbres adjacentes.

Les segments médullaires ne sont pas tous alignés avec leurs vertèbres correspondantes. Rappelez-vous que la moelle épinière se termine à la hauteur du bord supérieur de la deuxième vertèbre lombaire et que les racines des nerfs lombaires, sacraux et coccygiens s'infléchissent pour atteindre leurs foramens respectifs puis émerger de la colonne vertébrale. Ces racines forment ainsi la queue de cheval (voir la figure 13.2).

Comme nous l'avons indiqué plus haut, un **nerf spinal** typique est relié à la moelle épinière par une racine dorsale et une racine ventrale (voir la figure 13.3a). Les racines dorsale et ventrale fusionnent au niveau du foramen intervertébral pour former le nerf spinal. Comme la racine dorsale contient des axones sensitifs et la racine ventrale, des axones moteurs, un nerf spinal est un **nerf mixte.** La racine dorsale comprend en outre un ganglion qui renferme les corps cellulaires de neurones sensitifs.

Enveloppes de tissu conjonctif des nerfs spinaux

Tous les nerfs crâniens et spinaux sont protégés par des enveloppes de tissu conjonctif (figure 13.10). Qu'ils soient myélinisés ou non, les axones sont individuellement recouverts d'un **endonèvre** (*endon* = en dedans). Les axones sont groupés en **fascicules** par un **périnèvre** (*peri* = autour). Enfin, le nerf dans son ensemble est recouvert d'un **épinèvre** (*epi* = sur). La dure-mère spinale fusionne avec l'épinèvre au passage du nerf dans le foramen intervertébral. Le périnèvre et l'épinèvre comprennent de nombreux vaisseaux sanguins qui nourrissent les nerfs (figure 13.10b). Au point de vue structural, les enveloppes de tissu conjonctif des nerfs sont semblables à celles des muscles squelettiques – l'endomysium, le périmysium et l'épimysium (voir le chapitre 10).

Distribution des nerfs spinaux

Ramifications

Un nerf spinal se ramifie presque immédiatement après avoir émergé de son foramen intervertébral (figure 13.11). Ses ramifications sont appelées **rameaux.** Le **rameau dorsal** innerve les muscles profonds et la peau de la face dorsale du tronc. Le **rameau ventral** innerve les muscles et les structures des membres supérieur et inférieur ainsi que la peau des faces latérale et ventrale du tronc. En plus des rameaux dorsal et ventral, le nerf spinal émet un **rameau méningé,** qui rentre dans le canal vertébral par le foramen intervertébral et innerve les vertèbres, les ligaments vertébraux, les vaisseaux sanguins de la moelle épinière et les méninges. Un nerf spinal émet enfin des **rameaux communicants,** qui appartiennent au système nerveux autonome et dont nous présenterons la structure et la fonction au chapitre 17.

Plexus

Les rameaux ventraux des nerfs spinaux, sauf ceux des nerfs thoraciques T2 à T12, ne rejoignent pas directement les parties du corps qu'ils innervent. Ils forment plutôt des réseaux sur les côtés gauche et droit du corps en s'unissant avec un nombre variable de fibres provenant des rameaux ventraux des nerfs adjacents. Ces réseaux sont appelés **plexus** (= enlacement). Les principaux sont le **plexus cervical,** le **plexus brachial,** le **plexus lombaire** et le **plexus sacral** (la figure 13.2 présente leurs positions relatives). Les nerfs qui émergent des plexus sont souvent nommés d'après leur trajet ou la région qu'ils innervent. Chacun de ces nerfs peut émettre à son tour plusieurs ramifications nommées d'après les structures qu'elles desservent.

Les exposés 13.1 à 13.4 présentent une description des principaux plexus. Les rameaux ventraux des nerfs spinaux T2 à T12 sont appelés nerfs intercostaux et font l'objet de la section suivante.

Figure 13.10 Agencement et gaines de tissu conjonctif d'un nerf spinal.

Partie b : © Richard G. Kessel et Randy H. Kardon, tiré de *Tissues and Organs : A Text-Atlas of Scanning Electron Microscopy*. W. H. Freeman and Company, 1979. Tous droits réservés.

🔑 **Trois couches de tissu conjonctif protègent les axones. Chaque axone est enveloppé dans un endonèvre ; les fascicules (faisceaux d'axones) sont enveloppés dans un périnèvre ; le nerf entier est enveloppé dans un épinèvre.**

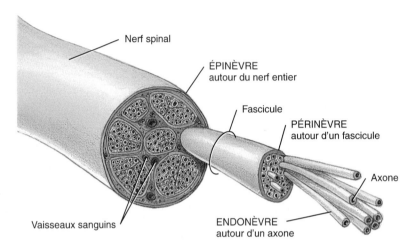

(a) Coupes transversales montrant les enveloppes d'un nerf spinal

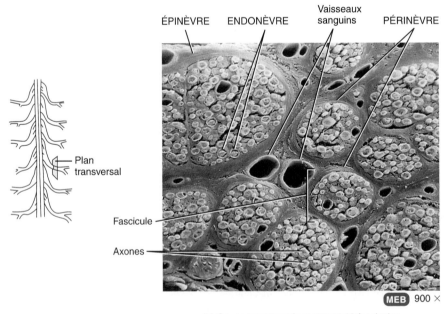

(b) Coupe transversale montrant 12 fascicules

Q Pourquoi tous les nerfs spinaux sont-ils des nerfs mixtes ?

Figure 13.11 Ramifications d'un nerf spinal typique représentées dans une coupe transversale de la région thoracique de la moelle épinière.

🔑 **Les ramifications d'un nerf spinal sont le rameau dorsal, le rameau ventral, le rameau méningé et les rameaux communicants.**

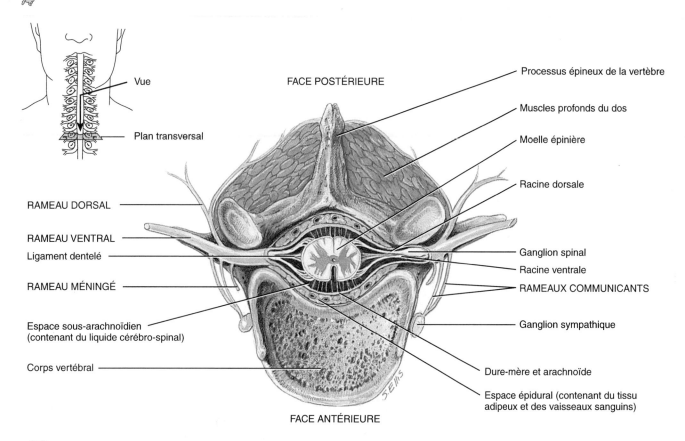

Q Quelle ramification du nerf spinal innerve les membres supérieur et inférieur?

Nerfs intercostaux

Les rameaux ventraux des nerfs spinaux T2 à T12 ne s'intègrent pas à des plexus et sont appelés **nerfs intercostaux,** ou **nerfs thoraciques.** Ces nerfs rejoignent directement les structures qu'ils innervent dans les espaces intercostaux (voir la figure 13.2). Après sa sortie du foramen intervertébral, le rameau ventral du nerf T2 innerve les muscles intercostaux du deuxième espace intercostal ainsi que la peau de l'aisselle et de la face postéro-médiale du bras. Les nerfs T3 à T6 passent dans les sillons des côtes puis rejoignent les muscles intercostaux et la peau des parties antérieure et latérale de la paroi thoracique. Les nerfs T7 à T12 desservent les muscles intercostaux et abdominaux ainsi que la peau susjacente. Les rameaux dorsaux des nerfs intercostaux innervent les muscles profonds du dos et la peau de la face postérieure du thorax.

Suite du texte à la page 464

Exposé 13.1 | *Plexus cervical (figure 13.12)*

OBJECTIF

• *Décrire l'origine et la distribution du plexus cervical et indiquer les effets de ses lésions.*

Le **plexus cervical** est formé par les rameaux ventraux des quatre premiers nerfs cervicaux (C1 à C4) ainsi que de quelques ramifications de C5. On trouve un plexus cervical de chaque côté du cou, le long des quatre premières vertèbres cervicales. Les racines des plexus représentées dans la figure 13.12 sont les rameaux ventraux.

Le plexus cervical innerve la peau et les muscles de la tête, du cou et de la partie supérieure des épaules et de la poitrine. Le nerf phrénique émerge du plexus cervical et fournit des fibres motrices au diaphragme. Le plexus cervical a aussi des ramifications qui s'étendent parallèlement au nerf accessoire (nerf crânien XI) et au nerf hypoglosse (nerf crânien XII).

APPLICATION CLINIQUE
Lésions des nerfs phréniques

Le sectionnement transversal de la moelle épinière au-dessus du point d'origine des nerfs phréniques (C3, C4 et C5) entraîne l'arrêt respiratoire, car le diaphragme cesse de recevoir des influx nerveux. ■

Quels nerfs crâniens ont des ramifications qui s'étendent le long des ramifications du plexus cervical?

NERF	ORIGINE	DISTRIBUTION
BRANCHES SUPERFICIELLES (SENSITIVES)		
Nerf petit occipital	C2	Peau du cuir chevelu à l'arrière et au-dessus de l'oreille.
Nerf grand auriculaire	C2 et C3	Peau située à l'avant, au-dessous et au-dessus de l'oreille, et peau recouvrant la glande parotide.
Nerf transverse du cou	C2 et C3	Peau de la partie antérieure du cou.
Nerf supraclaviculaire	C3 et C4	Peau de la partie supérieure de la poitrine et de l'épaule.
BRANCHES PROFONDES (MOTRICES POUR LA PLUPART)		
Anse cervicale		Nerf divisé en une racine supérieure et une racine inférieure.
Racine supérieure	C1	Muscles thyro-hyoïdien et génio-hyoïdien du cou.
Racine inférieure	C2 et C3	Muscles omo-hyoïdiens du cou.
Nerf phrénique	C3 à C5	Diaphragme (entre le thorax et l'abdomen).
Branches collatérales	C1 à C5	Muscles prévertébraux (profonds) du cou, muscle élévateur de la scapula et muscle scalène moyen.

Exposé 13.1   *(suite)*

Figure 13.12 Vue antérieure du plexus cervical.

Le plexus cervical innerve la peau et les muscles de la tête, du cou, de la partie supérieure des épaules et de la poitrine ainsi que le diaphragme.

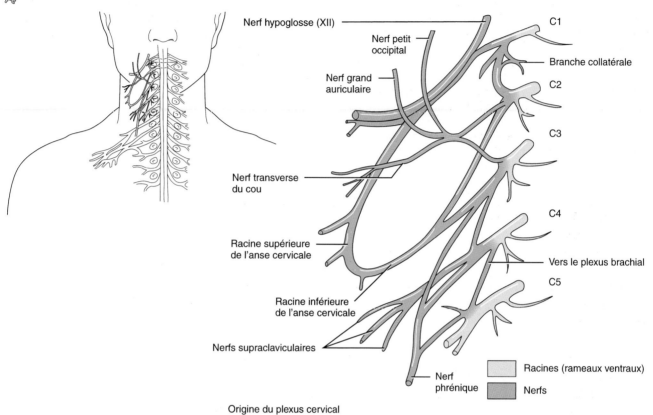

Origine du plexus cervical

Q Pourquoi le sectionnement transversal de la moelle épinière à la hauteur de C2 entraîne-t-il l'arrêt respiratoire?

Exposé 13.2 | *Plexus brachial (figures 13.13 et 13.14)*

OBJECTIF

• *Décrire l'origine et la distribution du plexus brachial et indiquer les effets de ses lésions.*

Le **plexus brachial** est formé par les rameaux ventraux des nerfs spinaux C5 à C8 et T1. Il s'étend latéralement et vers le bas de part et d'autre des quatre dernières vertèbres cervicales et de la première vertèbre thoracique (figure 13.13a). Il passe au-dessus de la première côte, à l'arrière de la clavicule, puis entre dans l'aisselle.

Le plexus brachial fournit toute l'innervation de l'épaule et du membre supérieur (figure 13.13b). Il donne naissance à cinq nerfs importants. 1) Le **nerf axillaire** innerve le muscle deltoïde et le muscle petit rond. 2) Le **nerf musculo-cutané** innerve les muscles fléchisseurs du bras. 3) Le **nerf radial** innerve les muscles de la face postérieure du bras et de l'avant-bras. 4) Le **nerf médian** innerve la majeure partie des muscles de la face antérieure de l'avant-bras et quelques muscles de la main. 5) Le **nerf ulnaire** innerve les muscles de la partie antéro-médiale de l'avant-bras et la plupart des muscles de la main.

APPLICATION CLINIQUE
Lésions des nerfs issus du plexus brachial

Les lésions des racines supérieures du plexus brachial (C5 et C6) peuvent être causées par un mouvement qui écarte violemment la tête de l'épaule, comme il s'en produit par exemple lors d'une chute sur l'épaule ou d'un accouchement pendant lequel la tête de l'enfant subit un étirement excessif. Ces lésions se manifestent par une adduction de l'épaule, une rotation médiale du bras, une extension du coude, une pronation de l'avant-bras et une flexion du poignet (figure 13.14a). Cette déformation est appelée **syndrome de Duchenne-Erb.** Elle entraîne une anesthésie du côté latéral du bras.

Les **lésions du nerf radial** (et du nerf axillaire) peuvent être causées par l'administration inadéquate d'une injection intramusculaire dans le muscle deltoïde. Elles peuvent aussi être dues à la présence d'un plâtre trop serré autour de la partie centrale de l'humérus. Elles se manifestent par la **main tombante,** c'est-à-dire l'incapacité d'étendre le poignet et les doigts (figure 13.14b). L'anesthésie est minimale, grâce au chevauchement de l'innervation sensitive assurée par les nerfs adjacents.

Les **lésions du nerf médian** se manifestent par un engourdissement, des picotements et de la douleur dans la paume et les doigts. Elles empêchent aussi la pronation de l'avant-bras de même que la flexion des articulations interphalangiennes proximales de tous les doigts et des articulations interphalangiennes distales des deuxième et troisième doigts (figure 13.14c). La flexion du poignet est faible et s'accompagne d'une adduction. Les mouvements du pouce sont faibles.

Les **lésions du nerf ulnaire** empêchent l'abduction ou l'adduction des doigts ; elles entraînent l'atrophie des muscles interosseux de la main, l'hyperextension des articulations métacarpo-phalangiennes et la flexion des articulations interphalangiennes. Cette déformation est appelée **main en griffe** (figure 13.14d). Elle s'accompagne d'une anesthésie du petit doigt.

Les **lésions du nerf thoracique long** entraînent la paralysie du muscle dentelé antérieur. Le bord médial de la scapula fait saillie et donne à l'os la forme d'une aile. Lorsque le bras est levé, le bord vertébral et l'angle inférieur de la scapula s'écartent de la paroi thoracique ; cette déformation est appelée **scapula alata,** ou omoplate ailée (figure 13.14e). L'abduction du bras est impossible au-delà de la position horizontale. ■

Quel est le nerf dont les lésions peuvent causer la paralysie du muscle dentelé antérieur ?

Exposé 13.2 *(suite)*

NERF	ORIGINE	DISTRIBUTION
Nerf dorsal de la scapula	C5	Muscles élévateur de la scapula, grand rhomboïde et petit rhomboïde.
Nerf thoracique long	C5 à C7	Muscle dentelé antérieur.
Branche destinée au muscle subclavier	C5 et C6	Muscle subclavier.
Nerf suprascapulaire	C5 et C6	Muscles supra-épineux et infra-épineux.
Nerf musculo-cutané	C5 à C7	Muscles coraco-brachial, biceps brachial et brachial.
Nerf pectoral latéral	C5 à C7	Muscle grand pectoral.
Nerf subscapulaire supérieur	C5 et C6	Muscle subscapulaire.
Nerf thoraco-dorsal	C6 à C8	Muscle grand dorsal.
Nerf subscapulaire inférieur	C5 et C6	Muscles subscapulaire et grand rond.
Nerf axillaire	C5 et C6	Muscles deltoïde et petit rond ; peau surmontant le muscle deltoïde et peau de la partie supéro-postérieure du bras.
Nerf médian	C5 à T1	Muscles fléchisseurs de l'avant-bras, sauf le muscle fléchisseur ulnaire du carpe et certains muscles de la main (partie latérale de la paume) ; peau des deux tiers latéraux de la paume et des doigts.
Nerf radial	C5 à C8, T1	Muscle triceps brachial et autres muscles extenseurs du bras ainsi que les muscles extenseurs de l'avant-bras ; peau de la partie postérieure du bras et de l'avant-bras, des deux tiers latéraux du dos de la main ; peau des phalanges proximales et moyennes.
Nerf pectoral médial	C8 et T1	Muscles grand pectoral et petit pectoral.
Nerf cutané médial du bras	C8 et T1	Peau des parties médiale et postérieure du tiers distal du bras.
Nerf cutané médial de l'avant-bras	C8 et T1	Peau des parties médiale et postérieure de l'avant-bras.
Nerf ulnaire	C8 et T1	Muscle fléchisseur ulnaire du carpe, muscle fléchisseur profond des doigts et la plupart des muscles de la main ; peau du côté médial de la main et du petit doigt ; peau de la moitié médiale de l'annulaire.

Exposé 13.2   *Plexus brachial (suite)*

Figure 13.13   Vue antérieure du plexus brachial.

🔑   **Le plexus brachial innerve l'épaule et le membre supérieur.**

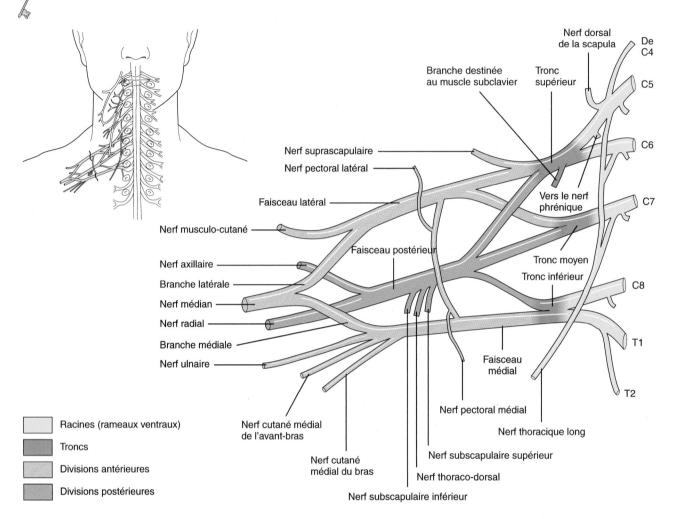

Racines (rameaux ventraux)

Troncs

Divisions antérieures

Divisions postérieures

(a) Origine du plexus brachial

Exposé 13.2 *(suite)*

Figure 13.13 (suite)

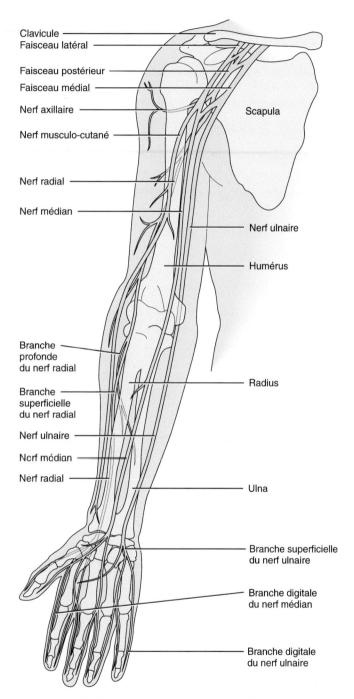

Clavicule
Faisceau latéral
Faisceau postérieur
Faisceau médial
Nerf axillaire
Nerf musculo-cutané
Nerf radial
Nerf médian
Branche profonde du nerf radial
Branche superficielle du nerf radial
Nerf ulnaire
Nerf médian
Nerf radial

Scapula
Nerf ulnaire
Humérus
Radius
Ulna
Branche superficielle du nerf ulnaire
Branche digitale du nerf médian
Branche digitale du nerf ulnaire

(b) Distribution des nerfs du plexus brachial

Q Quels sont les cinq nerfs importants qui émergent du plexus brachial?

Exposé 13.2   *Plexus brachial (suite)*

Figure 13.14 Lésions du plexus brachial.

🗝 **Les lésions du plexus brachial altèrent la sensibilité et la motricité du membre supérieur.**

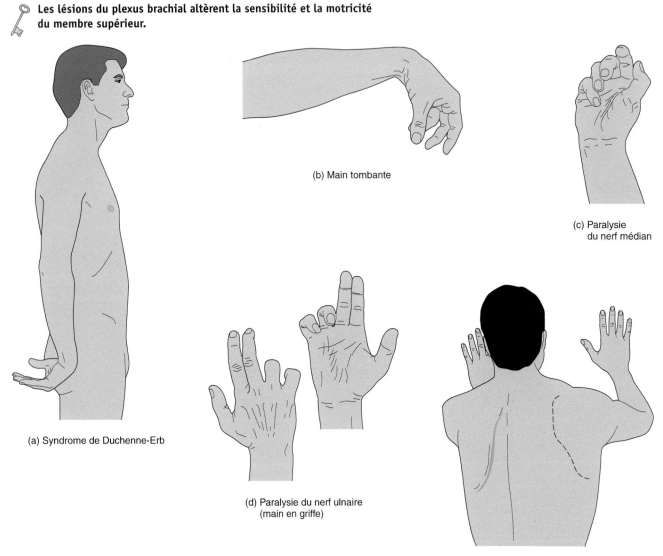

(b) Main tombante

(c) Paralysie
du nerf médian

(a) Syndrome de Duchenne-Erb

(d) Paralysie du nerf ulnaire
(main en griffe)

(e) Scapula alata

Q Quel est le nerf du plexus brachial dont les lésions altèrent la sensibilité
de la paume et des doigts ?

Exposé 13.3 *Plexus lombaire (figure 13.15)*

OBJECTIF

• *Décrire l'origine et la distribution du plexus lombaire et indiquer les effets de ses lésions.*

Le **plexus lombaire** est formé par les rameaux ventraux des nerfs spinaux L1 à L4. Contrairement à celles du plexus brachial, les fibres du plexus lombaire ne s'enchevêtrent pas. Situé à la hauteur des quatre premières vertèbres lombaires, le plexus lombaire chemine obliquement vers la partie latérale du corps, passe à l'arrière du muscle grand psoas et à l'avant du muscle carré des lombes. Il émet ensuite ses nerfs périphériques.

Le plexus lombaire innerve la partie antéro-latérale de la paroi abdominale, les organes génitaux externes et une partie du membre inférieur.

APPLICATION CLINIQUE
Lésions du plexus lombaire

Le nerf fémoral est le plus gros nerf à émerger du plexus lombaire. Les **lésions du nerf fémoral,** causées notamment par les armes blanches et les projectiles d'arme à feu, se traduisent par une incapacité d'étendre la jambe et par une anesthésie de la peau de la partie antéro-médiale de la cuisse.

Les **lésions du nerf obturateur,** qui sont une complication fréquente de l'accouchement, entraînent la paralysie des muscles adducteurs de la jambe et une anesthésie de la peau de la partie médiale de la cuisse. ■

Quel est le nerf dont les lésions peuvent entraîner une anesthésie de la fesse ?

NERF	ORIGINE	DISTRIBUTION
Nerf ilio-hypogastrique	L1	Muscles de la partie antéro-latérale de la paroi abdominale ; peau de la partie inférieure de l'abdomen et peau de la fesse.
Nerf ilio-inguinal	L1	Muscles de la partie antéro-latérale de la paroi abdominale ; peau de la partie supéro-médiale de la cuisse, racine du pénis et scrotum chez l'homme, grandes lèvres et mont du pubis chez la femme.
Nerf génito-fémoral	L1 et L2	Muscle crémaster chez l'homme ; peau du milieu de la partie antérieure de la cuisse, du scrotum chez l'homme et des grandes lèvres chez la femme.
Nerf cutané latéral de la cuisse	L2 et L3	Peau des parties latérale, antérieure et postérieure de la cuisse.
Nerf fémoral	L2 à L4	Muscles fléchisseurs de la cuisse et muscles extenseurs de la jambe ; peau des parties antérieure et médiale de la cuisse ; peau du côté médial de la jambe et du pied.
Nerf obturateur	L2 à L4	Muscles adducteurs de la jambe ; peau de la partie médiale de la cuisse.

Exposé 13.3 *Plexus lombaire (suite)*

Figure 13.15 Vue antérieure du plexus lombaire.

Le plexus lombaire innerve la partie antéro-latérale de la paroi abdominale, les organes génitaux externes et une partie du membre inférieur.

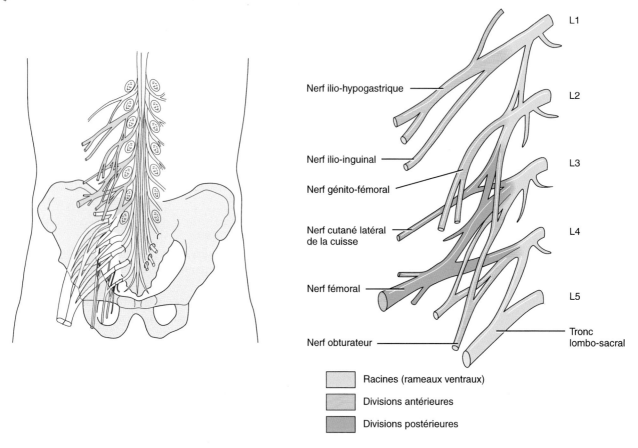

(a) Origine du plexus lombaire

Exposé 13.3 *(suite)*

Figure 13.15 (suite)

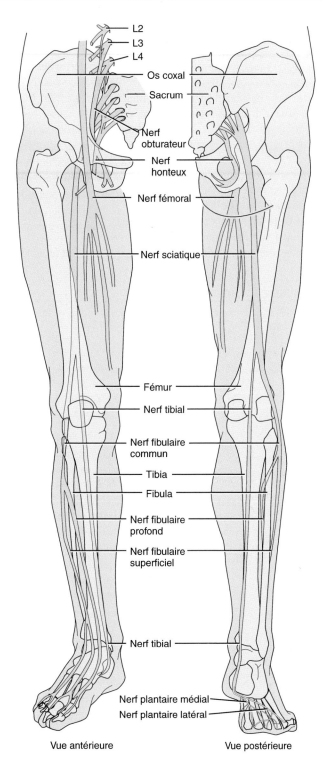

L2
L3
L4

Os coxal

Sacrum

Nerf obturateur

Nerf honteux

Nerf fémoral

Nerf sciatique

Fémur

Nerf tibial

Nerf fibulaire commun

Tibia

Fibula

Nerf fibulaire profond

Nerf fibulaire superficiel

Nerf tibial

Nerf plantaire médial

Nerf plantaire latéral

Vue antérieure

Vue postérieure

(b) Distribution des nerfs issus des plexus lombaire et sacral

Q Quels sont les signes d'une lésion du nerf fémoral ?

Exposé 13.4 | *Plexus sacral (figure 13.16)*

OBJECTIF

• *Décrire l'origine et la distribution du plexus sacral et indiquer les effets de ses lésions.*

Le **plexus sacral** est formé par les rameaux ventraux des nerfs spinaux L4 et L5 et S1 à S4. Il est situé pour l'essentiel à l'avant du sacrum. Il innerve la fesse, le périnée et le membre inférieur. Le plus gros nerf du corps, le nerf sciatique, émerge du plexus sacral.

APPLICATION CLINIQUE
Lésions du nerf sciatique

Les lésions du nerf sciatique et de ses branches causent la **sciatique,** une douleur qui peut s'étendre de la fesse jusqu'aux parties postérieure et latérale de la jambe et jusqu'à la partie latérale du pied. Les lésions du nerf sciatique peuvent être causées par une hernie discale, une luxation de la hanche, l'arthrite rhumatoïde dans la colonne lombo-sacrale, la pression de l'utérus pendant la grossesse ou l'administration inadéquate d'une injection intramusculaire dans la fesse.

Dans la majorité des cas de lésions du nerf sciatique, c'est le nerf fibulaire commun qui est le plus touché. Les fractures de la fibula ou la pression exercée par un plâtre ou une attelle sont souvent en cause. Les lésions du nerf fibulaire commun entraînent une flexion plantaire du pied appelée **pied tombant** et une déformation du pied appelée **pied bot varus équin.** Elles causent également une atteinte fonctionnelle dans la partie antéro-latérale de la jambe ainsi que dans le dos du pied et des orteils. Les lésions du nerf tibial entraînent une dorsiflexion et une éversion du pied – déformation appelée **valgus calcanéen** – ainsi qu'une anesthésie de la plante du pied. ∎

| Quel est le nerf dont les lésions causent le pied tombant?

NERF	ORIGINE	DISTRIBUTION
Nerf glutéal supérieur	L4, L5 et S1	Muscles petit fessier et moyen fessier et muscle tenseur du fascia lata.
Nerf glutéal inférieur	L5 à S2	Muscle grand fessier.
Nerf du muscle piriforme	S1 et S2	Muscle piriforme.
Nerf des muscles carré fémoral et jumeau inférieur	L4, L5 et S1	Muscles carré fémoral et jumeau inférieur.
Nerf des muscles obturateur interne et jumeau supérieur	L5 à S2	Muscles obturateur interne et jumeau supérieur.
Nerf perforant cutané	S2 et S3	Peau des parties inférieure et médiale de la fesse.
Nerf cutané postérieur de la cuisse	S1 à S3	Peau de la région anale, de la partie inféro-latérale de la fesse, de la partie supéro-postérieure de la cuisse, de la partie supérieure du mollet, du scrotum chez l'homme et des grandes lèvres chez la femme.
Nerf sciatique	L4 à S3	Formé de deux nerfs (tibial et fibulaire commun) enveloppés dans une même gaine de tissu conjonctif et divergeant à la hauteur du genou (voir la distribution plus bas). Dans la cuisse, le nerf sciatique émet des branches aux muscles de la loge postérieure et au muscle grand adducteur.
Nerf tibial	L4 à S3	Muscles gastrocnémien, plantaire, soléaire, poplité, tibial postérieur, long fléchisseur des orteils et long fléchisseur de l'hallux. Les branches du nerf tibial dans le pied sont le nerf plantaire médial et le nerf plantaire latéral.
Nerf plantaire médial		Muscles abducteur de l'hallux, court fléchisseur des orteils et court fléchisseur de l'hallux; peau des deux tiers médiaux de la face plantaire du pied.
Nerf plantaire latéral		Muscles du pied non innervés par le nerf plantaire médial; peau du tiers latéral de la face plantaire du pied.
Nerf fibulaire commun	L4 à S2	Se divise en une branche superficielle et une branche profonde.
Nerf fibulaire superficiel		Muscles long fibulaire et court fibulaire; peau du tiers distal de la partie latérale de la jambe et du dos du pied.
Nerf fibulaire profond		Muscles tibial antérieur, long extenseur de l'hallux, troisième fibulaire, long extenseur des orteils et petit extenseur des orteils; peau des côtés adjacents du gros orteil et du deuxième orteil.
Nerf honteux	S2 à S4	Muscles du périnée; peau du pénis et du scrotum chez l'homme; clitoris, grandes lèvres, petites lèvres et vagin chez la femme.

Exposé 13.4 (suite)

Figure 13.16 Vue antérieure du plexus sacral. La distribution des nerfs du plexus sacral est représentée dans la figure 13.15b.

🔑 **Le plexus sacral innerve la fesse, le périnée et le membre inférieur.**

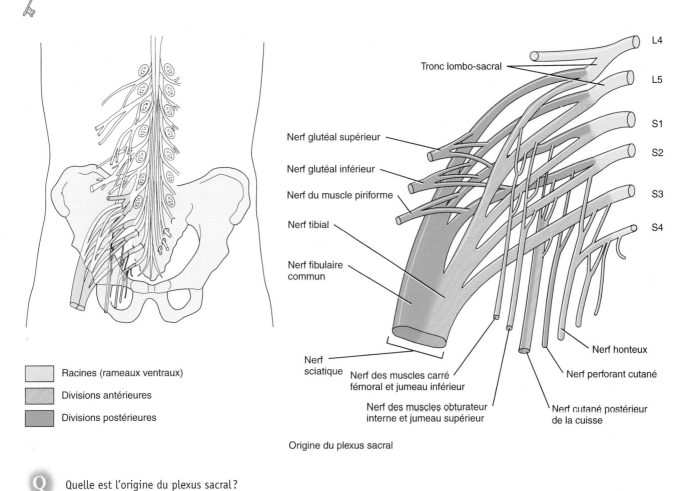

Racines (rameaux ventraux)

Divisions antérieures

Divisions postérieures

Tronc lombo-sacral

L4

L5

S1

S2

S3

S4

Nerf glutéal supérieur

Nerf glutéal inférieur

Nerf du muscle piriforme

Nerf tibial

Nerf fibulaire commun

Nerf sciatique

Nerf des muscles carré fémoral et jumeau inférieur

Nerf des muscles obturateur interne et jumeau supérieur

Nerf honteux

Nerf perforant cutané

Nerf cutané postérieur de la cuisse

Origine du plexus sacral

Q Quelle est l'origine du plexus sacral?

Dermatomes

La peau du corps entier est innervée par des neurones sensitifs somatiques qui transmettent les influx nerveux de la peau jusqu'à la moelle épinière et au tronc cérébral. De même, les muscles squelettiques sous-jacents sont innervés par des neurones moteurs somatiques qui acheminent les influx nerveux provenant de la moelle épinière. Chaque nerf spinal contient des neurones sensitifs qui innervent un segment particulier du corps. Ainsi, la peau du visage et du cuir chevelu est en grande partie innervée par le nerf crânien V (nerf trijumeau). La zone de peau qui transmet des influx sensitifs dans une paire de nerfs spinaux ou dans le nerf crânien V (pour ce qui est du visage) est appelée **dermatome** (*derma* = peau; *tomos* = portion) (figure 13.17). L'innervation des dermatomes adjacents se chevauche plus ou moins. Dans un dermatome où le chevauchement est considérable, par conséquent, l'anesthésie consécutive à une lésion est minime si seul le nerf associé à ce dermatome en particulier est atteint.

En connaissant le segment médullaire qui innerve chaque dermatome, on peut déterminer la hauteur d'une lésion de la moelle épinière. Si la stimulation de la peau d'une région ne provoque aucune sensation, on peut supposer que les nerfs desservant ce dermatome sont endommagés. Au point de vue thérapeutique, il est également utile de connaître les structures innervées par les nerfs spinaux. Le sectionnement des racines et l'injection d'anesthésiques locaux peuvent bloquer la douleur de manière permanente ou temporaire. Étant donné que les dermatomes se chevauchent, la suppression totale des sensations dans une région peut nécessiter le sectionnement ou l'anesthésie d'au moins trois racines sensitives spinales adjacentes.

APPLICATION CLINIQUE
Section médullaire et motricité

Une **section médullaire** est un sectionnement transversal de la moelle épinière. Elle entraîne une anesthésie permanente des dermatomes situés en aval, car les influx nerveux ascendants ne peuvent plus atteindre l'encéphale. Elle empêche également les contractions volontaires des muscles situés en aval, car les influx nerveux provenant de l'encéphale ne peuvent plus atteindre les muscles. L'étendue de la paralysie des muscles squelettiques dépend du niveau de la lésion. La liste suivante indique les parties du corps épargnées par la paralysie après des sections médullaires de niveau décroissant.

- C1 à C3: aucune motricité dans les régions situées au-dessous du cou; la respiration n'est possible qu'avec ventilation mécanique.
- C4 et C5: diaphragme (respiration possible).
- C6 et C7: certains muscles des bras et de la poitrine (alimentation et, dans une certaine mesure, habillement possibles, mais déplacements en fauteuil roulant).

Figure 13.17 Dermatomes.

 Un dermatome est une zone de peau dont l'innervation sensitive est assurée par les racines dorsales d'une paire de nerfs spinaux ou par le nerf crânien V (nerf trijumeau).

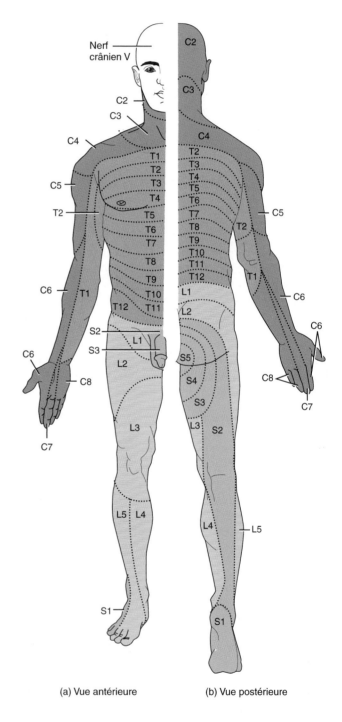

(a) Vue antérieure (b) Vue postérieure

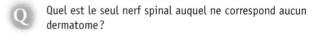 **Q** Quel est le seul nerf spinal auquel ne correspond aucun dermatome?

- T1 à T3 : motricité des bras intacte.
- T4 à T9 : motricité du tronc au-dessus de l'ombilic.
- T10 à L1 : la plupart des muscles des cuisses (marche possible avec de longues orthèses).
- L1 et L2 : la plupart des muscles des jambes (marche possible avec de courtes orthèses). ■

1. Selon quel critère les nerfs spinaux sont-ils nommés et numérotés ? Pourquoi tous les nerfs spinaux sont-ils mixtes ?
2. Décrivez ce qui relie un nerf spinal à la moelle épinière.
3. Décrivez les ramifications et la distribution d'un nerf spinal typique.
4. Décrivez les principaux plexus et indiquez les régions qu'ils innervent.

DÉSÉQUILIBRES HOMÉOSTATIQUES

NÉVRITE

La **névrite** (*neuron* = nerf ; *itis* = inflammation) est l'inflammation d'un ou de plusieurs nerfs. Elle peut être causée par une irritation du nerf due à un coup, à une fracture, à une contusion ou à une plaie par pénétration. Elle peut aussi être causée par une infection, une carence vitaminique (en thiamine le plus souvent) et des poisons tels que le monoxyde de carbone, le tétrachlorure de carbone, les métaux lourds et certaines drogues.

ZONA

Le **zona** est une infection aiguë du système nerveux périphérique due à un virus de la famille des *Herpesviridæ*, à laquelle appartient le virus qui cause la varicelle. Après qu'une personne s'est remise de la varicelle, le virus persiste dans un ganglion spinal. S'il se réactive, le système immunitaire l'empêche habituellement de se propager. De temps à autre, cependant, si le système immunitaire est affaibli, le virus réactivé peut sortir du ganglion et se propager dans les neurones sensitifs de la peau par transport axonal rapide (voir p. 403). Il provoque alors des douleurs, une décoloration de la peau et l'apparition d'un chapelet caractéristique de boutons. Cette éruption marque la distribution (dermatome) du nerf sensitif cutané spécifique issu du ganglion spinal infecté.

POLIOMYÉLITE

La **poliomyélite** est causée par le poliovirus. L'apparition de la maladie est marquée par de la fièvre, des maux de tête intenses, une raideur du cou et du dos, des douleurs musculaires profondes, une faiblesse musculaire et la disparition de certains réflexes somatiques.

Dans la forme la plus grave de la poliomyélite, le virus entraîne la paralysie en détruisant le corps cellulaire des neurones moteurs, en particulier ceux des cornes ventrales de la moelle épinière et ceux des noyaux des nerfs crâniens. Si le virus envahit les cellules des centres médullaires régissant la respiration et la fonction cardiaque, il peut provoquer l'insuffisance respiratoire ou cardiaque et entraîner la mort. Grâce au vaccin antipoliomyélitique, la maladie a été presque complètement éradiquée aux États-Unis, mais des épidémies éclatent encore ailleurs dans le monde. Le virus pourrait fort bien être réintroduit en Amérique du Nord à la faveur des voyages internationaux, faute d'une vaccination adéquate.

Certaines personnes présentent des **séquelles tardives de poliomyélite** quelques décennies après avoir guéri d'un accès grave de poliomyélite. Ce trouble neurologique se caractérise par une faiblesse musculaire progressive, une fatigue extrême, une atteinte fonctionnelle et des douleurs dans les muscles et les articulations. Il semble que les séquelles tardives de poliomyélite mettent en jeu une lente dégénérescence des neurones moteurs qui innervent les myocytes. Elles pourraient être déclenchées par une chute, un accident mineur, une intervention chirurgicale ou un repos prolongé au lit. Ses causes seraient un usage excessif des neurones moteurs laissés intacts, un rapetissement des neurones moteurs consécutif à l'infection virale initiale, la réactivation de particules virales, des réponses immunitaires, des déficiences hormonales et des toxines environnementales. Le traitement comprend des exercices de renforcement des muscles, l'administration de pyridostigmine pour favoriser l'action stimulante de l'acétylcholine dans la contraction musculaire, ainsi que l'administration de facteurs de croissance nerveuse pour stimuler la croissance des nerfs et des muscles.

RÉSUMÉ

ANATOMIE DE LA MOELLE ÉPINIÈRE (p. 434)

1. La moelle épinière est protégée par les méninges, la colonne vertébrale, le liquide cérébro-spinal et les ligaments dentelés.
2. Les méninges (la dure-mère, l'arachnoïde et la pie-mère) sont des membranes qui enveloppent complètement la moelle épinière et l'encéphale.
3. Dans sa partie supérieure, la moelle épinière est unie au bulbe rachidien ; elle se termine à la hauteur de la deuxième vertèbre lombaire chez l'adulte.

4. Les renflements cervical et lombaire, dans la moelle épinière, sont les points d'émergence des nerfs destinés aux membres.
5. Le cône médullaire est la partie inférieure de forme effilée de la moelle épinière ; c'est du cône médullaire qu'émergent le filum terminale et la queue de cheval.
6. Les nerfs spinaux sont reliés à un segment médullaire par deux racines. La racine dorsale contient des fibres sensitives et la racine ventrale, des fibres motrices.

7. Le sillon médian ventral et le sillon médian dorsal divisent partiellement la moelle épinière en un côté droit et un côté gauche.

8. La substance grise de la moelle épinière est divisée en cornes et la substance blanche en cordons. Le centre de la moelle épinière est occupé par le canal central.

9. Les parties de la moelle épinière qui apparaissent en coupe transversale sont la commissure grise, le canal central, les cornes ventrales, dorsales et latérales ainsi que les cordons ventraux, dorsaux et latéraux. Les cordons contiennent des faisceaux ascendants et descendants. Chaque partie de la moelle épinière remplit des fonctions particulières.

10. La moelle épinière achemine l'information sensitive dans des faisceaux ascendants et les commandes motrices dans des faisceaux descendants.

PHYSIOLOGIE DE LA MOELLE ÉPINIÈRE (p. 439)

1. Une des fonctions principales de la moelle épinière est de transmettre les influx nerveux de la périphérie jusqu'à l'encéphale (faisceaux sensitifs) et les commandes motrices de l'encéphale jusqu'à la périphérie (faisceaux moteurs).

2. L'information sensitive emprunte pour l'essentiel deux voies dans la substance blanche de la moelle épinière : les faisceaux gracile et cunéiforme et les faisceaux spino-thalamiques.

3. L'information motrice emprunte pour l'essentiel deux voies dans la substance blanche de la moelle épinière : des voies directes et des voies indirectes.

4. La moelle épinière a aussi pour fonction de servir de centre d'intégration pour les réflexes spinaux. Cette intégration a lieu dans la substance grise.

5. Un réflexe est une réponse rapide, prévisible et automatique aux variations du milieu ; il concourt au maintien de l'homéostasie.

6. On distingue les réflexes spinaux, les réflexes crâniens, les réflexes somatiques et les réflexes autonomes (ou viscéraux).

7. Un arc réflexe est la voie la plus simple qui relie un influx sensitif à une commande motrice.

8. Les éléments d'un arc réflexe sont le récepteur sensoriel, le neurone sensitif, le centre d'intégration, le neurone moteur et l'effecteur.

9. Le réflexe d'étirement, le réflexe tendineux, le réflexe de flexion (ou réflexe de retrait) et le réflexe d'extension croisée sont des réflexes spinaux somatiques. Tous supposent une innervation réciproque.

10. Un arc réflexe monosynaptique fait intervenir un neurone sensitif et un neurone moteur. Le réflexe patellaire est un réflexe d'étirement de ce type.

11. Le réflexe d'étirement est ipsilatéral et contribue à maintenir le tonus musculaire.

12. Un arc réflexe polysynaptique fait intervenir des neurones sensitifs, des interneurones et des neurones moteurs. Le réflexe tendineux, le réflexe de flexion (ou réflexe de retrait) et le réflexe d'extension croisée en sont des exemples.

13. Le réflexe tendineux est ipsilatéral et prévient les lésions des muscles et des tendons dans les cas où la force musculaire devient trop intense. Le réflexe de flexion est ipsilatéral et provoque l'éloignement d'un membre de la source d'un stimulus douloureux. Le réflexe d'extension croisée provoque l'extension du membre opposé à celui qui subit une stimulation douloureuse ; il permet le transfert du poids du corps.

14. Le réflexe de flexion plantaire est remplacé par le signe de Babinski en cas de lésion des voies motrices. Ce réflexe somatique revêt donc beaucoup d'importance sur le plan clinique.

NERFS SPINAUX (p. 449)

1. Les 31 paires de nerfs spinaux sont nommées et numérotées selon la région et le niveau de la moelle épinière desquels elles émergent.

2. Il y a 8 paires de nerfs cervicaux, 12 paires de nerfs thoraciques, 5 paires de nerfs lombaires, 5 paires de nerfs sacrés et 1 paire de nerfs coccygiens.

3. Les nerfs spinaux sont habituellement reliés à la moelle épinière par une racine dorsale et une racine ventrale. Tous les nerfs spinaux contiennent des axones sensitifs et des axones moteurs et sont donc des nerfs mixtes.

4. L'endonèvre, le périnèvre et l'épinèvre sont les enveloppes de tissu conjonctif associées aux nerfs spinaux.

5. Les ramifications d'un nerf spinal sont le rameau dorsal, le rameau ventral, le rameau méningé et les rameaux communicants.

6. Les rameaux ventraux des nerfs spinaux, sauf ceux de T2 à T12, forment des réseaux appelés plexus nerveux.

7. Les nerfs qui émergent des plexus sont nommés d'après les régions qu'ils innervent ou le trajet qu'ils suivent.

8. Les nerfs du plexus cervical innervent la peau et les muscles de la tête, du cou et de la partie supérieure des épaules ; ils sont reliés à certains nerfs crâniens et innervent le diaphragme.

9. Les nerfs du plexus brachial innervent les membres supérieurs et quelques muscles du cou et des épaules.

10. Les nerfs du plexus lombaire innervent la partie antéro-latérale de la paroi abdominale, les organes génitaux externes et une partie des membres inférieurs.

11. Les nerfs du plexus sacral innervent les fesses, le périnée et une partie des membres inférieurs.

12. Les rameaux ventraux des nerfs T2 à T12 ne forment pas de plexus et sont appelés nerfs intercostaux (ou thoraciques). Ils se rendent directement aux structures qu'ils innervent dans les espaces intercostaux.

13. Les neurones sensitifs situés dans les nerfs spinaux et le nerf crânien V (nerf trijumeau) innervent des segments précis de peau appelés dermatomes.

14. La connaissance de la disposition des dermatomes permet à un médecin de déterminer le segment médullaire ou le nerf spinal qui a été endommagé lors d'une lésion.

1. Associez les éléments suivants :
____ a) réunion des rameaux ventraux de nerfs adjacents
____ b) ramification d'un nerf spinal qui innerve les muscles profonds et la peau de la face postérieure du tronc
____ c) ramification d'un nerf spinal qui innerve les muscles et les structures des membres supérieur et inférieur ainsi que les parties latérale et antérieure du tronc
____ d) région de la moelle épinière d'où émergent les nerfs qui desservent les membres supérieurs
____ e) région de la moelle épinière d'où émergent les nerfs qui desservent les membres inférieurs
____ f) structure formée par les racines des nerfs qui naissent de la partie inférieure de la moelle épinière mais qui ne sortent pas de la colonne vertébrale à la même hauteur
____ g) contient des axones de neurones moteurs et transmet les influx nerveux de la moelle épinière vers la périphérie
____ h) contient des fibres sensitives et transmet les influx nerveux de la périphérie vers la moelle épinière
____ i) prolongement de la pie-mère qui ancre la moelle épinière au coccyx
____ j) cavité de la moelle épinière remplie de liquide cérébro-spinal

1) renflement cervical   6) racine dorsale
2) renflement lombaire   7) racine ventrale
3) canal central   8) rameau dorsal
4) filum terminale   9) rameau ventral
5) queue de cheval   10) plexus

2. Associez les éléments suivants :
____ a) innerve les épaules et les membres supérieurs
____ b) innerve la peau et les muscles de la tête, du cou et de la partie supérieure des épaules et de la poitrine
____ c) innerve la partie antéro-latérale de la paroi abdominale, les organes génitaux externes et une partie des membres inférieurs
____ d) innerve les fesses, le périnée et les membres inférieurs
____ e) plexus d'où émerge le nerf phrénique
____ f) plexus d'où émerge le nerf médian
____ g) plexus d'où émerge le nerf sciatique
____ h) plexus d'où émerge le nerf fémoral
____ i) plexus dont les lésions peuvent perturber la respiration

1) plexus cervical   3) plexus lombaire
2) plexus brachial   4) plexus sacral

Vrai ou faux

3. Les réflexes permettent à l'organisme de s'ajuster de manière extrêmement rapide aux déséquilibres de l'homéostasie.

4. Les deux fonctions de la moelle épinière sont de servir de centre d'intégration pour les opérations de la pensée ainsi que de voie de conduction.

Phrases à compléter

5. Les ____ sont des réponses rapides, prévisibles et automatiques aux variations du milieu.

6. Les réflexes ____ sont des réponses des muscles lisses, du muscle cardiaque et des glandes.

7. Les ____ protègent la moelle épinière contre les chocs et les déplacements soudains.

8. Les ____ de la moelle épinière servent de voies de conduction, tandis que la ____ reçoit et intègre l'information ascendante et descendante.

Choix multiples

9. L'enveloppe de tissu conjonctif qui recouvre un nerf entier est : a) l'endonèvre ; b) le fascicule ; c) le périnèvre ; d) l'épinèvre ; e) le neurolemme.

10. Lequel des éléments suivants ne fait *pas* partie d'un arc réflexe ? a) Récepteur sensoriel. b) Effecteur sensitif. c) Neurone sensitif. d) Neurone moteur. e) Centre d'intégration.

11. Parmi les informations suivantes, lesquelles passent par les faisceaux gracile et cunéiforme ? 1) Proprioception. 2) Toucher discriminant. 3) Douleur. 4) Variations de la température. 5) Pression. 6) Vibration.
a) 1, 2, 4 et 5. b) 2, 4, 6 et 7. c) 1, 2, 5 et 6. d) 3, 4, 5, 6 et 7. e) 1, 3, 5, 6 et 7.

12. Lequel des énoncés suivants est *faux* ? a) Les deux principales voies sensitives de la moelle épinière sont les cordons spino-thalamiques et ventraux. b) Les faisceaux spino-thalamiques acheminent les influx provenant des récepteurs de la douleur, de la température, du toucher et de la pression intense. c) Les voies directes acheminent les influx nerveux destinés à provoquer des mouvements volontaires et précis des muscles squelettiques. d) Les voies indirectes acheminent les influx nerveux qui programment les mouvements automatiques, coordonnent les mouvements du corps avec les stimulus visuels, maintiennent le tonus musculaire squelettique et la posture et contribuent à l'équilibre. e) Les voies directes sont des voies motrices.

13. Les nerfs qui ne s'intègrent *pas* à un plexus sont : a) C1 à C5 ; b) T2 à T12 ; c) C4 à T5 ; d) L1 à L3 ; e) T6 à L2.

14. Lequel des énoncés suivants est *faux* ? a) La plus superficielle des méninges spinales est la dure-mère. b) L'espace épidural contient du tissu adipeux et du tissu conjonctif. c) La méninge spinale intermédiaire est l'arachnoïde. d) La méninge spinale la plus profonde est la pie-mère. e) L'espace sous-arachnoïdien contient du liquide interstitiel et des cellules sanguines.

15. Associez les éléments suivants :
____ a) réflexe qui provoque la contraction d'un muscle soumis à un étirement
____ b) réflexe de retrait
____ c) réflexe qui maintient l'équilibre
____ d) réflexe qui, à la manière d'un mécanisme de rétroaction, régit la tension musculaire en causant le relâchement d'un muscle dans les cas où la force de la contraction devient trop intense
____ e) réflexe qui maintient un tonus musculaire approprié
____ f) réflexe qui, à la manière d'un mécanisme de rétroaction, régit la longueur d'un muscle en causant une contraction
____ g) réflexe qui protège les tendons et les muscles contre les lésions dues à une tension excessive

1) réflexe d'étirement   3) réflexe de flexion
2) réflexe tendineux   4) réflexe d'extension croisée

QUESTIONS À COURT DÉVELOPPEMENT

1. Sabine est surveillante de plage et elle pose par inadvertance un de ses pieds nus sur une cigarette allumée. Décrivez les arcs réflexes qui sont activés. Nommez les réflexes dont il s'agit. (INDICE : *Comment Sabine conservera-t-elle son équilibre lorsqu'elle lèvera son pied ?*)

2. Pourquoi votre moelle épinière ne glisse-t-elle pas en direction de votre tête chaque fois que vous vous penchez ? Pourquoi ne se déplace-t-elle pas lorsque vous faites de l'exercice ? (INDICE : *Comment empêcheriez-vous un bateau de s'éloigner du quai ?*)

3. José souffrait de maux de tête graves et d'autres symptômes semblables à ceux de la méningite. Son médecin a donc recommandé qu'il subisse une ponction lombaire. Énumérez les structures que l'aiguille transpercera, de l'extérieur vers l'intérieur. Pourquoi le médecin demande-t-il un examen qui s'effectue au niveau de la moelle épinière alors que José a mal à la tête ? (INDICE : *Le système nerveux est protégé sur toute son étendue.*)

RÉPONSES AUX QUESTIONS DES FIGURES

13.1 La limite supérieure de la dure-mère spinale est le foramen magnum de l'os occipital; sa limite inférieure est la deuxième vertèbre sacrale.

13.2 Le renflement cervical est relié aux nerfs sensitifs et moteurs des membres supérieurs.

13.3 Une corne est formée de substance grise, tandis qu'un cordon est formé de substance blanche.

13.4 Le faisceau cortico-spinal ventral prend naissance dans le cortex cérébral, se termine dans la moelle épinière et est situé sur la face antérieure de la moelle épinière. Il contient des fibres descendantes et est donc un faisceau moteur.

13.5 Un récepteur sensoriel produit un potentiel générateur qui déclenchera un influx nerveux s'il atteint le seuil d'excitation. Les centres d'intégration des réflexes sont situés dans le SNC.

13.6 Dans un réflexe ipsilatéral, le neurone sensitif et le neurone moteur sont situés du même côté de la moelle épinière.

13.7 L'innervation réciproque est un mécanisme qui provoque simultanément la contraction d'un muscle et le relâchement de son antagoniste.

13.8 Le réflexe de flexion est intersegmentaire parce que les influx nerveux sont relayés à des neurones moteurs situés dans plusieurs nerfs spinaux issus de segments médullaires différents.

13.9 Le réflexe d'extension croisée est un réflexe controlatéral parce que les influx sensitifs entrent d'un côté de la moelle épinière et que les commandes motrices sortent de l'autre.

13.10 Tous les nerfs spinaux sont mixtes (à la fois sensitifs et moteurs) parce qu'ils sont formés par l'union d'une racine dorsale (contenant des axones sensitifs) et d'une racine ventrale (contenant des axones moteurs).

13.11 Le rameau ventral innerve les membres supérieur et inférieur.

13.12 Un sectionnement transversal de la moelle épinière à la hauteur de C2 entraîne l'arrêt respiratoire parce qu'il empêche les commandes motrices d'atteindre le nerf phrénique, qui est le nerf provoquant les contractions du diaphragme.

13.13 Les nerfs axillaire, musculo-cutané, radial, médian et ulnaire sont les cinq nerfs importants qui émergent du plexus brachial.

13.14 Les lésions du nerf médian altèrent la sensibilité de la paume et des doigts.

13.15 Une lésion du nerf fémoral peut se manifester par l'incapacité d'étendre la jambe et l'anesthésie de la peau de la partie antéro-latérale de la cuisse.

13.16 Les rameaux ventraux des nerfs spinaux L4 et L5 ainsi que S1 à S4 sont l'origine du plexus sacral.

13.17 Le seul nerf spinal auquel ne correspond aucun dermatome est C1.

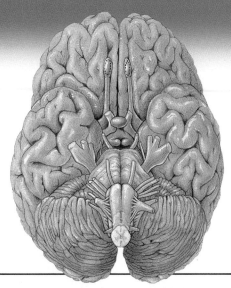

Résoudre une équation, avoir faim, respirer, chacun de ces phénomènes est régi par une région particulière de l'**encéphale,** la partie du système nerveux central comprise à l'intérieur du crâne. L'encéphale de l'adulte est composé d'environ 100 milliards de neurones et 1 000 milliards de cellules gliales; avec un poids d'environ 1 300 g, il compte parmi les plus gros organes du corps humain. C'est dans l'encéphale que les sensations sont enregistrées, corrélées entre elles et avec l'information déjà emmagasinée, que les décisions se prennent et que les actions s'amorcent. C'est dans l'encéphale que siègent l'intellect, les émotions et la mémoire. C'est là aussi que prend forme notre comportement à l'égard des autres. Que ce soit avec des idées pénétrantes, un talent éblouissant ou une éloquence fascinante, une personne peut influencer les autres et changer le cours de leur vie. Comme vous le verrez bientôt, les différentes régions de l'encéphale sont spécialisées et un grand nombre d'entre elles s'associent pour accomplir certaines fonctions. Nous étudierons dans ce chapitre les principales parties de l'encéphale, sa protection ainsi que ses relations anatomiques et physiologiques avec la moelle épinière et les 12 paires de nerfs crâniens.

ORGANISATION ET IRRIGATION DE L'ENCÉPHALE : VUE D'ENSEMBLE

OBJECTIFS

- *Nommer les principales parties de l'encéphale.*
- *Décrire les structures et les mécanismes qui protègent l'encéphale.*

Principales parties de l'encéphale

Les quatre principales parties de l'encéphale sont le tronc cérébral, le cervelet, le diencéphale et le cerveau (figure 14.1). Le **tronc cérébral** est uni à la moelle épinière et comprend le bulbe rachidien, le pont et le mésencéphale. Le **cervelet** (= petit cerveau) est situé à l'arrière du tronc cérébral. Le **diencéphale** (*dia* = à travers ; *egkephalos* = cerveau) surmonte le tronc cérébral ; il est formé pour l'essentiel du thalamus et de l'hypothalamus et comprend l'épithalamus et le subthalamus. Le **cerveau** couvre le diencéphale un peu comme le chapeau d'un champignon en couronne le pied ; il occupe la majeure partie de la cavité crânienne.

Protection de l'encéphale

L'encéphale est protégé par les os du crâne (voir la figure 7.4, p. 202) et par les méninges crâniennes (figure 14.2). Les **méninges crâniennes** sont unies aux méninges spinales, présentent fondamentalement la même structure et portent les mêmes noms. De l'extérieur vers l'intérieur, il s'agit de la **dure-mère,** de l'**arachnoïde** et de la **pie-mère.** Les vaisseaux sanguins qui nourrissent l'encéphale sont lâchement enveloppés dans une couche de pie-mère au point où ils pénètrent dans le tissu cérébral après avoir couru sur sa surface. Trois prolongements de la dure-mère délimitent des parties du cerveau. La **faux du cerveau** sépare les deux hémisphères cérébraux ; la **faux du cervelet** sépare les deux hémisphères du cervelet ; la **tente du cervelet** sépare le cerveau du cervelet.

Figure 14.1 Encéphale. Nous traiterons de l'hypophyse et de l'infundibulum de l'hypothalamus en même temps que du système endocrinien, au chapitre 18.

🔑 Les quatre principales parties de l'encéphale sont le tronc cérébral, le cervelet, le diencéphale et le cerveau.

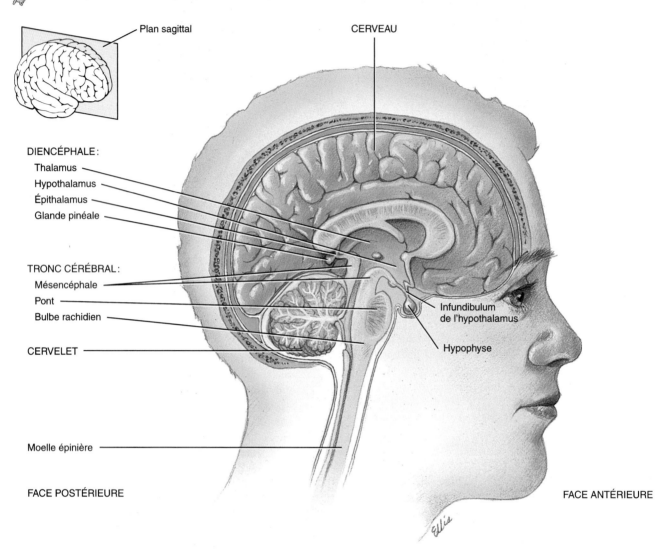

Plan sagittal

CERVEAU

DIENCÉPHALE :
Thalamus
Hypothalamus
Épithalamus
Glande pinéale

TRONC CÉRÉBRAL :
Mésencéphale
Pont
Bulbe rachidien

Infundibulum de l'hypothalamus

Hypophyse

CERVELET

Moelle épinière

FACE POSTÉRIEURE

FACE ANTÉRIEURE

(a) Coupe sagittale médiane de l'encéphale

Irrigation de l'encéphale et barrière hémato-encéphalique

L'irrigation de l'encéphale est assurée pour l'essentiel par des vaisseaux sanguins qui émergent du cercle artériel du cerveau, ou polygone de Willis, situé à la base de l'encéphale (voir la figure 21.20, p. 740). Les veines qui ramènent au cœur le sang provenant de la tête apparaissent dans la figure 21.24 (p. 752).

L'encéphale ne constitue que 2 % du poids corporel de l'adulte, mais il s'accapare environ 20 % de l'oxygène et du glucose consommés au repos. Les neurones synthétisent l'ATP presque exclusivement à partir du glucose, au moyen de réactions d'oxydation (phosphorylation oxydative dans les mitochondries). L'irrigation d'une région de l'encéphale augmente dès que s'y intensifie l'activité des neurones et des cellules gliales. Une diminution, si brève soit-elle, de l'irrigation de l'encéphale peut entraîner un évanouissement. En règle générale, une ischémie (arrêt de l'irrigation) d'une durée de une ou deux minutes perturbe le fonctionnement des neurones, tandis qu'un arrêt d'environ quatre minutes de l'apport d'oxygène cause des dommages permanents. Par ailleurs, l'encéphale a besoin d'un apport continu de glucose car il n'en possède pas de réserves à proprement parler. La

Figure 14.1 (suite)

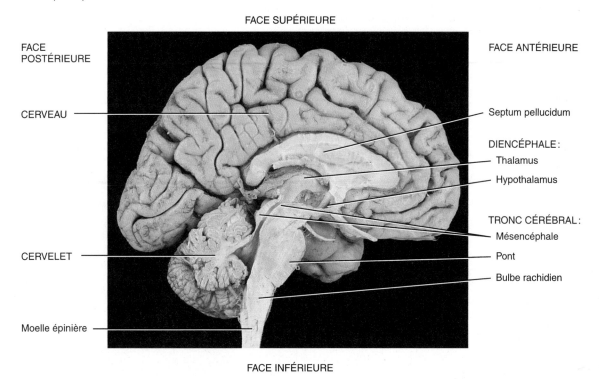

FACE SUPÉRIEURE

FACE POSTÉRIEURE

FACE ANTÉRIEURE

CERVEAU

Septum pellucidum

DIENCÉPHALE :
Thalamus
Hypothalamus

TRONC CÉRÉBRAL :
Mésencéphale

CERVELET

Pont

Bulbe rachidien

Moelle épinière

FACE INFÉRIEURE

(b) Coupe sagittale médiane de l'encéphale

 Quelle partie de l'encéphale est la plus volumineuse ?

diminution de la teneur en glucose du sang qui pénètre dans l'encéphale peut entraîner une désorientation, des étourdissements, des convulsions et un évanouissement.

La **barrière hémato-encéphalique** protège les cellules cérébrales contre les substances nuisibles et les agents pathogènes en empêchant de nombreuses substances de passer du sang au tissu cérébral. Les cellules endothéliales des capillaires cérébraux sont unies par des jonctions serrées et entourées par une membrane basale continue. De plus, les prolongements d'une multitude d'astrocytes (type de cellules gliales) s'accolent aux capillaires ; on pense qu'ils laissent passer certaines substances contenues dans le sang et en refoulent d'autres. Quelques substances hydrosolubles (le glucose par exemple) traversent la barrière hémato-encéphalique par transport actif. D'autres substances, tels la créatinine, l'urée et la plupart des ions, franchissent la barrière hémato-encéphalique très lentement. D'autres encore (les protéines et la plupart des antibiotiques notamment) ne peuvent absolument pas pénétrer dans le tissu cérébral. Par ailleurs, la barrière hémato-encéphalique n'empêche pas le passage des substances liposolubles comme l'oxygène, le gaz carbonique, l'alcool et la plupart des anesthésiques.

 APPLICATION CLINIQUE
Brèches dans la barrière hémato-encéphalique

Nous avons vu que la barrière hémato-encéphalique empêche des substances potentiellement nuisibles de pénétrer dans le tissu cérébral. Aussi efficace soit-elle, la barrière hémato-encéphalique constitue une arme à double tranchant, en ce sens qu'elle interdit l'accès de l'encéphale à des médicaments qui pourraient servir à traiter le cancer et d'autres troubles du SNC. Aussi les chercheurs se sont-ils mis en quête de moyens de surmonter cet obstacle. L'une des méthodes qu'ils ont mises au point consiste à injecter le médicament dans une solution sucrée concentrée. La forte pression osmotique de la solution sucrée fait rétrécir les cellules endothéliales des capillaires, ce qui ouvre des passages entre leurs jonctions serrées. Le médicament peut ainsi pénétrer dans le tissu cérébral. ■

1. Comparez la taille et la situation du cerveau à celles du cervelet.
2. Décrivez la situation des méninges crâniennes.
3. Décrivez l'irrigation de l'encéphale ainsi que la barrière hémato-encéphalique.

Figure 14.2 Protection de l'encéphale.

🔑 **L'encéphale est protégé par les os du crâne et les méninges crâniennes.**

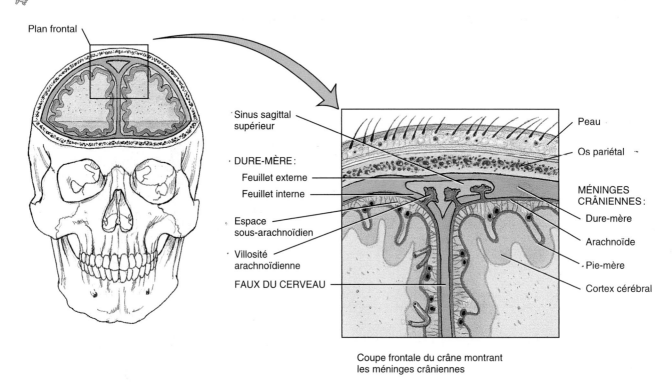

Coupe frontale du crâne montrant
les méninges crâniennes

Ⓠ Quelles sont, de l'extérieur vers l'intérieur, les trois méninges crâniennes ?

PRODUCTION ET CIRCULATION DU LIQUIDE CÉRÉBRO-SPINAL DANS LES VENTRICULES

OBJECTIF

• *Expliquer la formation et la circulation du liquide cérébro-spinal.*

Clair et incolore, le **liquide cérébro-spinal,** ou liquide céphalo-rachidien (LCR), protège l'encéphale et la moelle épinière contre les traumatismes chimiques et physiques ; de plus, il apporte aux neurones et aux cellules gliales de l'oxygène, du glucose et d'autres substances essentielles contenues dans le sang. Le liquide cérébro-spinal circule continuellement autour de l'encéphale et de la moelle épinière, dans l'espace sous-arachnoïdien (entre l'arachnoïde et la pie-mère) ainsi que dans les cavités de l'encéphale et de la moelle épinière.

La figure 14.3 montre les quatre cavités remplies de liquide cérébro-spinal dans l'encéphale, c'est-à-dire les **ventricules** (*ventriculus* = petit ventre). Les **ventricules latéraux** sont situés dans les hémisphères cérébraux. À l'avant, les ventricules latéraux sont séparés par une mince

membrane, le **septum pellucidum** (*pellucidus* = translucide). Le **troisième ventricule** est une étroite cavité qui s'étend le long de la ligne médiane, au-dessus de l'hypothalamus et entre les moitiés gauche et droite du thalamus. Le **quatrième ventricule** se trouve entre le tronc cérébral et le cervelet.

Le volume total de liquide cérébro-spinal varie entre 80 et 150 mL chez l'adulte moyen. Le liquide cérébro-spinal contient du glucose, des protéines, de l'acide lactique, de l'urée, des cations (Na^+, K^+, Ca^{2+} et Mg^{2+}), des anions (Cl^- et HCO_3^-) et quelques globules blancs. Il assure trois fonctions dans le maintien de l'homéostasie :

1. *Protection mécanique.* Le liquide cérébro-spinal constitue un coussin qui protège le fragile tissu de l'encéphale et de la moelle épinière contre les secousses qui pourraient le projeter contre les parois du crâne et des vertèbres. Il permet à l'encéphale de « flotter » dans la cavité crânienne.

2. *Protection chimique.* Le liquide cérébro-spinal constitue un milieu chimique propice à l'émission des influx nerveux. D'infimes variations de sa composition ionique dans l'encéphale suffisent à perturber gravement la production des potentiels d'action et des potentiels postsynaptiques.

Figure 14.3 Situation des ventricules dans l'encéphale représenté en transparence. Chaque ventricule latéral est relié au troisième ventricule par un foramen interventriculaire du cerveau ; le troisième ventricule communique avec le quatrième par l'aqueduc du mésencéphale.

🔑 **Les ventricules sont des cavités de l'encéphale remplies de liquide cérébro-spinal.**

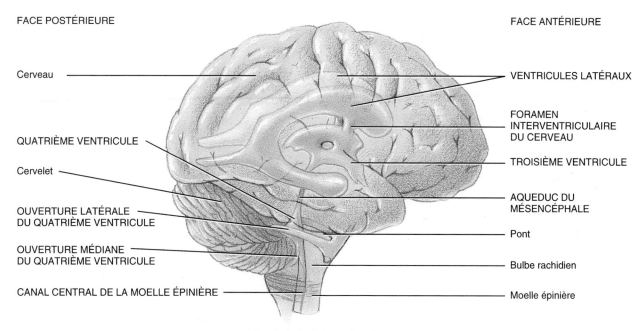

FACE POSTÉRIEURE

FACE ANTÉRIEURE

Cerveau

VENTRICULES LATÉRAUX

QUATRIÈME VENTRICULE

FORAMEN INTERVENTRICULAIRE DU CERVEAU

Cervelet

TROISIÈME VENTRICULE

OUVERTURE LATÉRALE DU QUATRIÈME VENTRICULE

AQUEDUC DU MÉSENCÉPHALE

OUVERTURE MÉDIANE DU QUATRIÈME VENTRICULE

Pont

CANAL CENTRAL DE LA MOELLE ÉPINIÈRE

Bulbe rachidien

Moelle épinière

Vue latérale droite de l'encéphale

Q Quelle région de l'encéphale est située à l'avant du quatrième ventricule ? Laquelle est située à l'arrière ?

3. *Circulation.* Le liquide cérébro-spinal sert de milieu pour l'échange des nutriments et des déchets entre le sang et le tissu nerveux.

Le liquide cérébro-spinal est produit dans les **plexus choroïdes** (*khorion* = membrane), réseaux de capillaires (vaisseaux sanguins microscopiques) situés dans les parois des ventricules. Les capillaires sont recouverts d'épendymocytes qui élaborent ce liquide par filtration et sécrétion à partir du plasma sanguin. Les matières qui passent des capillaires des plexus choroïdes au liquide cérébro-spinal ne peuvent s'infiltrer entre les épendymocytes, car ceux-ci sont réunis par des jonctions serrées (voir la figure 4.1, p. 113) ; elles doivent passer au travers des épendymocytes. Cette **barrière sang-liquide cérébro-spinal** permet à certaines substances d'entrer dans le liquide cérébro-spinal mais en exclut d'autres, ce qui protège l'encéphale et la moelle épinière contre les substances à diffusion hématogène potentiellement nuisibles.

Le liquide cérébro-spinal formé dans les plexus choroïdes des ventricules latéraux s'écoule dans le troisième ventricule à travers une paire d'ouvertures ovales étroites, les

foramens interventriculaires du cerveau, ou trous de Monro (figure 14.4a). À cette quantité de liquide cérébro-spinal s'ajoute celle qu'élabore le plexus choroïde logé dans le toit du troisième ventricule. Le liquide passe ensuite dans l'**aqueduc du mésencéphale,** ou aqueduc de Sylvius, qui, comme son nom l'indique, traverse le mésencéphale avant de s'écouler dans le quatrième ventricule. Le volume de liquide cérébro-spinal s'enrichit alors de la production du plexus choroïde du quatrième ventricule. Le liquide entre dans l'espace sous-arachnoïdien par trois ouvertures pratiquées dans le toit du quatrième ventricule : l'**ouverture médiane du quatrième ventricule,** ou trou de Magendie, et les **ouvertures latérales du quatrième ventricule,** ou trous de Luschka, paires et symétriques. Le liquide cérébro-spinal pénètre ensuite dans le canal central de la moelle épinière et dans l'espace sous-arachnoïdien qui entoure l'encéphale et la moelle épinière. Le liquide cérébro-spinal est graduellement réabsorbé dans la circulation sanguine par les **villosités arachnoïdiennes,** prolongements en forme de doigts de l'arachnoïde qui font saillie dans les sinus de la dure-mère, dans le **sinus sagittal supérieur** en particulier (figure 14.4b ; voir aussi la figure 14.2). (Un sinus est un canal destiné à la

Figure 14.4 Circulation du liquide cérébro-spinal.

Le liquide cérébro-spinal est élaboré par les épendymocytes qui recouvrent les plexus choroïdes des ventricules.

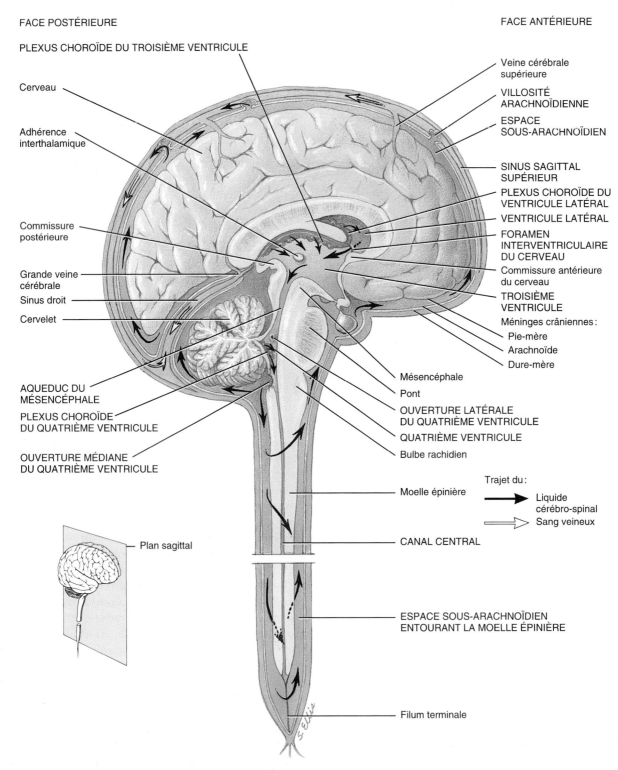

FACE POSTÉRIEURE

FACE ANTÉRIEURE

PLEXUS CHOROÏDE DU TROISIÈME VENTRICULE

Veine cérébrale supérieure

Cerveau

VILLOSITÉ ARACHNOÏDIENNE

Adhérence interthalamique

ESPACE SOUS-ARACHNOÏDIEN

SINUS SAGITTAL SUPÉRIEUR

PLEXUS CHOROÏDE DU VENTRICULE LATÉRAL

VENTRICULE LATÉRAL

Commissure postérieure

FORAMEN INTERVENTRICULAIRE DU CERVEAU

Grande veine cérébrale

Commissure antérieure du cerveau

Sinus droit

TROISIÈME VENTRICULE

Cervelet

Méninges crâniennes :
Pie-mère
Arachnoïde
Dure-mère

Mésencéphale

AQUEDUC DU MÉSENCÉPHALE

Pont

PLEXUS CHOROÏDE DU QUATRIÈME VENTRICULE

OUVERTURE LATÉRALE DU QUATRIÈME VENTRICULE

QUATRIÈME VENTRICULE

OUVERTURE MÉDIANE DU QUATRIÈME VENTRICULE

Bulbe rachidien

Trajet du :

Moelle épinière

Liquide cérébro-spinal

Sang veineux

Plan sagittal

CANAL CENTRAL

ESPACE SOUS-ARACHNOÏDIEN ENTOURANT LA MOELLE ÉPINIÈRE

Filum terminale

(a) Coupe sagittale de l'encéphale et de la moelle épinière

Figure 14.4 (suite)

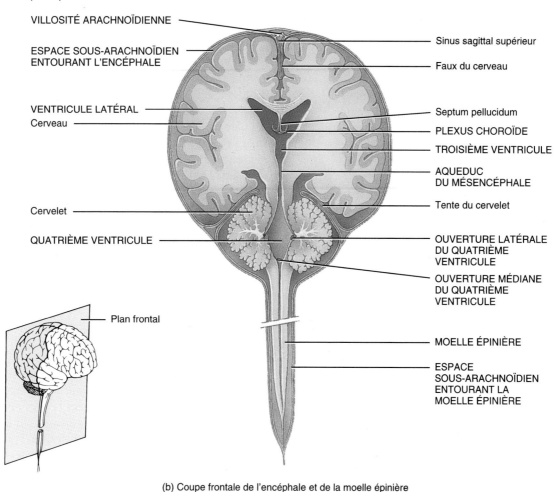

VILLOSITÉ ARACHNOÏDIENNE

ESPACE SOUS-ARACHNOÏDIEN ENTOURANT L'ENCÉPHALE

VENTRICULE LATÉRAL
Cerveau

Cervelet

QUATRIÈME VENTRICULE

Sinus sagittal supérieur

Faux du cerveau

Septum pellucidum

PLEXUS CHOROÏDE

TROISIÈME VENTRICULE

AQUEDUC DU MÉSENCÉPHALE

Tente du cervelet

OUVERTURE LATÉRALE DU QUATRIÈME VENTRICULE

OUVERTURE MÉDIANE DU QUATRIÈME VENTRICULE

MOELLE ÉPINIÈRE

ESPACE SOUS-ARACHNOÏDIEN ENTOURANT LA MOELLE ÉPINIÈRE

Plan frontal

(b) Coupe frontale de l'encéphale et de la moelle épinière

Suite à la page suivante

circulation du sang, mais ses parois sont plus minces que celles d'une veine.) Normalement, le liquide cérébro-spinal est réabsorbé à mesure qu'il est élaboré par les plexus choroïdes, à raison d'environ 20 mL/h. Par conséquent, sa pression est constante. La figure 14.4c présente un résumé de la production et de la circulation du liquide cérébro-spinal.

APPLICATION CLINIQUE
Hydrocéphalie

Les anomalies de l'encéphale (comme les tumeurs, l'inflammation et les malformations) peuvent entraver le passage du liquide cérébro-spinal des ventricules à l'espace sous-arachnoïdien. L'augmentation de la pression du liquide cérébro-spinal due à l'accumulation de ce dernier dans les ventricules cause l'**hydrocéphalie** (*hudôr* = eau ; *kephalê*

= tête). Chez le nouveau-né, dont les fontanelles ne sont pas encore soudées, l'excès de pression provoque une augmentation du volume de la tête. Si l'hydrocéphalie persiste, l'accumulation de liquide comprime et endommage le fragile tissu nerveux. On traite l'hydrocéphalie en drainant l'excès de liquide. Pour ce faire, un neurochirurgien insère une dérivation par valve dans un ventricule latéral afin que le liquide cérébro-spinal s'écoule dans la veine cave supérieure ou dans la cavité abdominale. Chez l'adulte, l'hydrocéphalie peut apparaître par suite d'un traumatisme crânien, d'une méningite ou d'une hémorragie sous-arachnoïdienne. ■

1. Quelles structures élaborent le liquide cérébro-spinal ? Où sont-elles situées ?
2. Quelle est la différence entre la barrière hémato-encéphalique et la barrière sang-liquide cérébro-spinal ?

Figure 14.4 Circulation du liquide cérébro-spinal (suite)

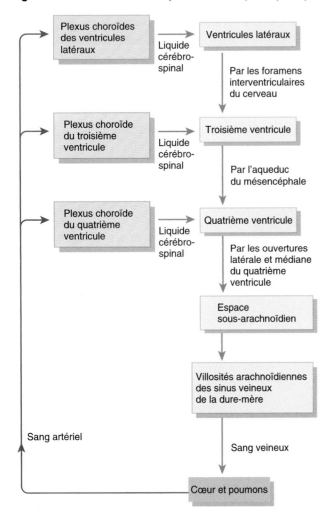

(c) Résumé de la production, de la circulation et de l'absorption du liquide cérébro-spinal

Q Où le liquide cérébro-spinal est-il réabsorbé ?

TRONC CÉRÉBRAL

OBJECTIF

• *Décrire les structures et les fonctions du tronc cérébral.*

Le tronc cérébral est la partie de l'encéphale située entre la moelle épinière et le diencéphale. Il est constitué 1) du bulbe rachidien, 2) du pont et 3) du mésencéphale. Il est parcouru par la formation réticulaire, tissu nerveux en forme de réseau composé d'un mélange de substance grise et de substance blanche.

Bulbe rachidien

Le **bulbe rachidien,** ou moelle allongée, est un prolongement de la partie supérieure de la moelle épinière ; il forme la partie inférieure du tronc cérébral (figure 14.5 ; voir aussi la figure 14.1). Le bulbe rachidien s'étend du foramen magnum jusqu'au bord inférieur du pont, ce qui représente une distance d'environ 3 cm. Il abrite tous les faisceaux ascendants (sensitifs) et descendants (moteurs) qui relient la moelle épinière à l'encéphale, ainsi que de nombreux noyaux (masses de substance grise composées de corps cellulaires de neurones) qui régissent diverses fonctions vitales. Le bulbe rachidien contient en outre des noyaux qui reçoivent les influx sensitifs provenant de 5 des 12 nerfs crâniens ou qui émettent des commandes motrices destinées aux mêmes nerfs (voir le tableau 14.2, p. 499-503).

Le bulbe rachidien se subdivise en plusieurs régions structurales et fonctionnelles importantes. Sur la face antérieure (ou ventrale) du bulbe rachidien se trouvent deux renflements externes bien visibles, les **pyramides bulbaires** (figures 14.5 et 14.6). Les pyramides sont formées par les plus gros des faisceaux moteurs qui vont du cerveau à la moelle épinière. Juste au-dessus de la jonction du bulbe rachidien et de la moelle épinière, en un point appelé **décussation des pyramides** (*decussare* = croiser en X), la plupart des axones de la pyramide gauche traversent du côté droit, et la plupart des axones de la pyramide droite traversent du côté gauche. Telle est la raison pour laquelle les neurones situés du côté gauche du cortex cérébral régissent les muscles squelettiques du côté droit du corps et les neurones situés du côté droit du cortex cérébral régissent les muscles squelettiques du côté gauche du corps.

Chaque pyramide est flanquée, du côté latéral, par un renflement ovale appelé **olive** (voir les figures 14.5 et 14.6). Les olives renferment les **noyaux olivaires caudaux,** dont les neurones relaient vers le cervelet les influx nerveux provenant des propriocepteurs et notamment des fuseaux neuromusculaires. La partie postérieure (ou dorsale) du bulbe rachidien abrite les noyaux associés à certaines sensations somatiques (toucher, vibration et proprioception). Il s'agit des **noyaux graciles,** ou noyaux grêles, droit et gauche et des **noyaux cunéiformes** (*cuneus* = coin). Dans ces noyaux, de nombreux axones ascendants sensitifs font synapse avec des neurones postsynaptiques qui relaient l'information sensorielle vers le thalamus, du côté opposé de l'encéphale (voir la figure 15.4, p. 518).

Le bulbe rachidien contient aussi des noyaux qui gouvernent plusieurs fonctions autonomes. Le **centre cardiovasculaire** régit la fréquence et la force des battements du cœur ainsi que le diamètre des vaisseaux sanguins. Le **centre bulbaire de la rythmicité,** dans le centre respiratoire, établit la fréquence respiratoire de base. D'autres centres du bulbe rachidien gèrent des réflexes comme le vomissement, la toux et l'éternuement.

Figure 14.5 Situation du bulbe rachidien par rapport au reste du tronc cérébral.

 Le tronc cérébral est formé du bulbe rachidien, du pont et du mésencéphale.

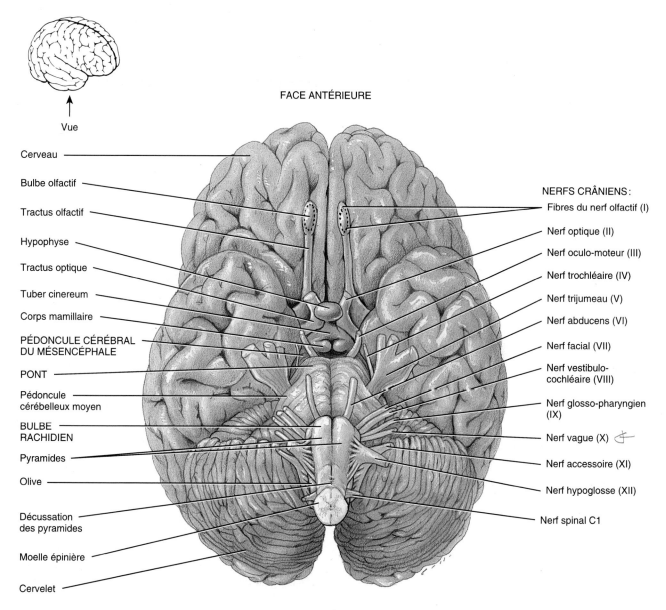

FACE ANTÉRIEURE

Vue

Cerveau

Bulbe olfactif

Tractus olfactif

Hypophyse

Tractus optique

Tuber cinereum

Corps mamillaire

PÉDONCULE CÉRÉBRAL DU MÉSENCÉPHALE

PONT

Pédoncule cérébelleux moyen

BULBE RACHIDIEN

Pyramides

Olive

Décussation des pyramides

Moelle épinière

Cervelet

NERFS CRÂNIENS :

Fibres du nerf olfactif (I)

Nerf optique (II)

Nerf oculo-moteur (III)

Nerf trochléaire (IV)

Nerf trijumeau (V)

Nerf abducens (VI)

Nerf facial (VII)

Nerf vestibulo-cochléaire (VIII)

Nerf glosso-pharyngien (IX)

Nerf vague (X)

Nerf accessoire (XI)

Nerf hypoglosse (XII)

Nerf spinal C1

FACE POSTÉRIEURE

Vue inférieure de l'encéphale

Q Dans quelle partie du tronc cérébral sont situées les pyramides ? Dans quelle partie sont situés les pédoncules cérébraux ?

Figure 14.6 Anatomie interne du bulbe rachidien.

🔑 **Les pyramides du bulbe rachidien contiennent les plus gros faisceaux moteurs qui s'étendent du cerveau à la moelle épinière.**

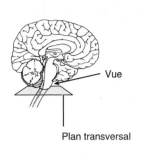

Vue

Plan transversal

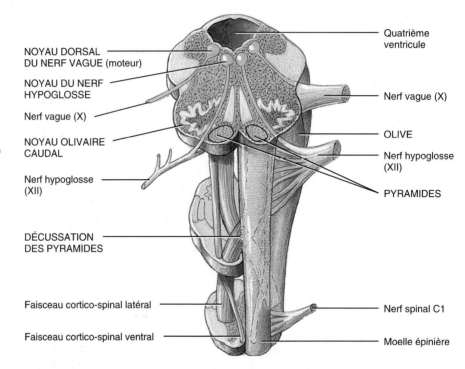

NOYAU DORSAL DU NERF VAGUE (moteur)

NOYAU DU NERF HYPOGLOSSE

Nerf vague (X)

NOYAU OLIVAIRE CAUDAL

Nerf hypoglosse (XII)

DÉCUSSATION DES PYRAMIDES

Faisceau cortico-spinal latéral

Faisceau cortico-spinal ventral

Quatrième ventricule

Nerf vague (X)

OLIVE

Nerf hypoglosse (XII)

PYRAMIDES

Nerf spinal C1

Moelle épinière

Coupe transversale et face antérieure du bulbe rachidien

Q Que signifie le mot *décussation*? Quelle est, sur le plan fonctionnel, la conséquence de la décussation des pyramides?

Le bulbe rachidien contient enfin des noyaux associés aux cinq paires de nerfs crâniens suivantes (voir la figure 14.5):

- *Nerfs vestibulo-cochléaires (VIII).* Le bulbe rachidien contient plusieurs noyaux qui reçoivent les influx sensitifs provenant de la cochlée, dans l'oreille interne, et y envoient des commandes motrices. Ces informations passent par la partie cochléaire des nerfs vestibulo-cochléaires. Ces nerfs transmettent donc les influx associés à l'ouïe.

- *Nerfs glosso-pharyngiens (IX).* Le bulbe rachidien contient des noyaux qui relaient, par l'intermédiaire des nerfs glosso-pharyngiens, les influx sensitifs et les commandes motrices associés à la gustation, à la déglutition et à la salivation.

- *Nerfs vagues (X).* Le bulbe rachidien contient des noyaux qui reçoivent les influx sensitifs provenant de nombreux viscères thoraciques et abdominaux et y envoient des commandes motrices. Ces informations passent par les nerfs vagues.

- *Nerfs accessoires (XI).* Le bulbe rachidien contient des noyaux qui émettent, par l'intermédiaire de la racine crâniale des nerfs accessoires, les influx nerveux associés à la déglutition.

- *Nerfs hypoglosses (XII).* Le bulbe rachidien contient des noyaux qui émettent, par l'intermédiaire des nerfs hypoglosses, les influx nerveux régissant les mouvements de la langue pendant la parole et la déglutition.

APPLICATION CLINIQUE
Lésions du bulbe rachidien

Compte tenu des nombreuses fonctions vitales que régit le bulbe rachidien, il n'est pas étonnant qu'un coup violent porté sur la nuque puisse être fatal. Les lésions du centre respiratoire sont particulièrement graves et peuvent entraîner rapidement la mort. Les symptômes d'une lésion non mortelle sont notamment un dysfonctionnement des nerfs crâniens ipsilatéraux, la paralysie et l'anesthésie du côté opposé du corps ainsi que des irrégularités des rythmes cardiaque et respiratoire. ■

Pont

Les figures 14.1 et 14.5 indiquent la situation du **pont,** ou protubérance annulaire, par rapport aux autres parties de l'encéphale. D'une longueur d'environ 2,5 cm, le pont est localisé au-dessus du bulbe rachidien et à l'avant du cervelet. Il est formé de noyaux et de faisceaux (ou tractus), à l'instar du bulbe rachidien. Comme son nom l'indique, le pont relie des parties de l'encéphale au moyen d'axones orientés dans deux directions principales. Les axones transversaux sont situés dans des faisceaux pairs qui relient l'hémisphère gauche et l'hémisphère droit du cervelet. Les axones longitudinaux sont situés dans des faisceaux ascendants sensitifs et des faisceaux descendants moteurs.

Le pont contient d'importants noyaux, le **centre pneumotaxique** et le **centre apneustique** (voir la figure 23.25, p. 852). Avec le centre bulbaire de la rythmicité, ces centres régissent la respiration. Le pont renferme également des noyaux associés aux quatre paires de nerfs crâniens suivantes (voir la figure 14.5) :

- *Nerfs trijumeaux (V).* Le pont contient des noyaux qui, par l'intermédiaire des nerfs trijumeaux, reçoivent les influx sensitifs de la tête et du visage et émettent les commandes motrices régissant la mastication.
- *Nerfs abducens (VI).* Le pont contient des noyaux qui, par l'intermédiaire des nerfs abducens, émettent les commandes motrices associées aux mouvements du globe oculaire.
- *Nerfs faciaux (VII).* Le pont contient des noyaux qui, par l'intermédiaire des nerfs faciaux, reçoivent les influx sensitifs associés à la gustation et émettent les commandes motrices associées à la régulation de la sécrétion de la salive et des larmes ainsi qu'à la contraction des muscles de l'expression du visage.
- *Nerfs vestibulo-cochléaires (VIII).* Le pont contient des noyaux qui, par l'intermédiaire de la partie vestibulaire des nerfs vestibulo-cochléaires, reçoivent les influx sensitifs provenant de l'appareil vestibulaire et émettent les commandes motrices ayant pour fonction le maintien de l'équilibre et de la position debout, le maintien du point de fixation lors des mouvements des yeux ainsi que la stabilité des mouvements dans l'environnement lors des mouvements des yeux, de la tête et du corps.

Mésencéphale

Le **mésencéphale** mesure environ 2,5 cm de long et s'étend du pont jusqu'au diencéphale (voir les figures 14.1 et 14.5). Il est traversé par l'aqueduc du mésencéphale, qui relie le troisième ventricule au quatrième. À l'instar du bulbe rachidien et du pont, le mésencéphale renferme des faisceaux (substance blanche) et des noyaux (substance grise).

La partie antérieure du mésencéphale contient une paire de faisceaux, les **pédoncules cérébraux** (*pedunculus* = petit pied ; figures 14.5 et 14.7b), formés par les fibres motrices cortico-spinales, cortico-pontiques et cortico-bulbaires. Ces fibres transmettent les influx nerveux du cerveau jusqu'à la moelle épinière, au bulbe rachidien et au pont. Les pédoncules cérébraux renferment également des fibres sensitives qui s'étendent du bulbe rachidien jusqu'au thalamus.

La partie postérieure du mésencéphale, appelée **tectum du mésencéphale** (*tectum* = toit), présente quatre protubérances arrondies, les **colliculus** (= petite colline) (figure 14.7a). Les **colliculus supérieurs** sont des centres réflexes qui régissent les mouvements accomplis par les yeux, la tête et le cou en réponse aux stimulus, aux stimulus visuels en particulier. Les **colliculus inférieurs** sont des centres réflexes qui gouvernent les mouvements accomplis par la tête et le tronc en réponse aux stimulus auditifs.

Le mésencéphale renferme plusieurs noyaux pairs, dont la **substantia nigra** (= substance noire), gros noyau de couleur sombre qui régit les activités musculaires subconscientes (voir la figure 14.7b). Le **noyau rouge** (voir la figure 14.7b), par ailleurs, doit sa couleur à sa riche vascularisation et au pigment ferreux contenu dans le corps cellulaire de ses neurones. Des fibres provenant du cervelet et du cortex cérébral y font synapse. Avec les noyaux gris centraux et le cervelet, les noyaux rouges coordonnent les mouvements musculaires.

Une bande de substance blanche appelée **lemnisque médial** (*lemniscus* = ruban) s'étend à travers le bulbe rachidien, le pont et le mésencéphale. Le lemnisque médial contient des axones qui transmettent, des noyaux graciles et cunéiformes, dans le bulbe rachidien, jusqu'au thalamus, les influx nerveux reliés au toucher, à la proprioception (position des muscles et des articulations), à la pression et à la vibration.

Enfin, les noyaux du mésencéphale sont associés à deux nerfs crâniens (voir la figure 14.5) :

- *Nerfs oculo-moteurs (III).* Le mésencéphale contient des noyaux qui émettent, par l'intermédiaire des nerfs oculomoteurs, les commandes motrices régissant les mouvements du globe oculaire, la contraction de la pupille et les changements de forme du cristallin.
- *Nerfs trochléaires (IV).* Le mésencéphale contient des noyaux qui émettent, par l'intermédiaire des nerfs trochléaires, les commandes motrices régissant les mouvements du globe oculaire.

Formation réticulaire

Le tronc cérébral abrite la **formation réticulaire** (*reticulum* = réseau), tissu nerveux en forme de réseau constitué de petites régions de substance grise disséminées entre des filaments de substance blanche (voir la figure 14.7b). La formation réticulaire parcourt aussi la moelle épinière et le diencéphale et remplit des fonctions sensorielles et motrices. Sa principale fonction sensorielle consiste à avertir

Figure 14.7 Mésencéphale.

🔑 **Le mésencéphale unit le pont au diencéphale.**

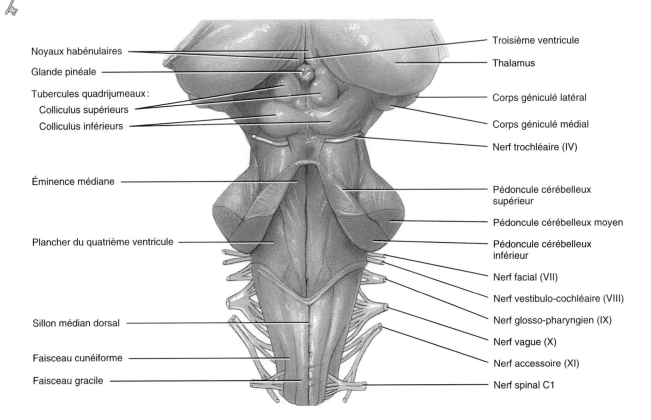

Noyaux habénulaires

Glande pinéale

Tubercules quadrijumeaux :
Colliculus supérieurs
Colliculus inférieurs

Éminence médiane

Plancher du quatrième ventricule

Sillon médian dorsal

Faisceau cunéiforme

Faisceau gracile

Troisième ventricule

Thalamus

Corps géniculé latéral

Corps géniculé médial

Nerf trochléaire (IV)

Pédoncule cérébelleux supérieur

Pédoncule cérébelleux moyen

Pédoncule cérébelleux inférieur

Nerf facial (VII)

Nerf vestibulo-cochléaire (VIII)

Nerf glosso-pharyngien (IX)

Nerf vague (X)

Nerf accessoire (XI)

Nerf spinal C1

(a) Vue postérieure montrant les relations entre le mésencéphale et le tronc cérébral

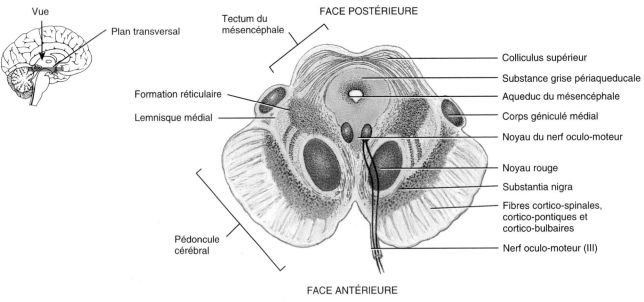

Vue

Plan transversal

Tectum du mésencéphale

FACE POSTÉRIEURE

Formation réticulaire

Lemnisque médial

Pédoncule cérébral

Colliculus supérieur

Substance grise périaqueducale

Aqueduc du mésencéphale

Corps géniculé médial

Noyau du nerf oculo-moteur

Noyau rouge

Substantia nigra

Fibres cortico-spinales, cortico-pontiques et cortico-bulbaires

Nerf oculo-moteur (III)

FACE ANTÉRIEURE

(b) Coupe transversale du mésencéphale

Q Quelle est l'importance des pédoncules cérébraux ?

le cortex cérébral de l'arrivée de signaux. Le **système réticulaire activateur ascendant** (**SRAA**) est une partie de la formation réticulaire constituée de fibres qui s'étendent jusque dans le cortex cérébral (voir la figure 15.9, p. 528). C'est le SRAA qui maintient l'état de veille et provoque le réveil. Il est stimulé par les influx nerveux provenant des oreilles, des yeux et de la peau. Par exemple, le son d'un réveille-matin, des éclats de lumière ou des pincements douloureux nous tirent du sommeil parce que l'activité du SRAA stimule le cortex cérébral. La principale fonction motrice de la formation réticulaire, par ailleurs, est de contribuer à la régulation du tonus musculaire (le faible degré de contraction des muscles à l'état de repos).

Le tableau 14.1 présente un résumé des fonctions du tronc cérébral.

1. Décrivez la situation du bulbe rachidien, du pont et du mésencéphale les uns par rapport aux autres.
2. Qu'est-ce que la décussation des pyramides? Quelle en est l'importance?
3. Énumérez les fonctions physiologiques que régissent les noyaux du tronc cérébral.
4. Nommez deux importantes fonctions de la formation réticulaire.

CERVELET

OBJECTIF

• *Décrire la structure et les fonctions du cervelet.*

Le **cervelet** est la plus grosse partie de l'encéphale après le cerveau. Il est logé au fond et à l'arrière de la cavité crânienne, derrière le bulbe rachidien et le pont et en dessous de la partie postérieure du cerveau (voir la figure 14.1). Le cervelet est séparé du cerveau par la **fissure transverse du cerveau** et par la **tente du cervelet,** laquelle soutient sa partie postérieure (voir la figure 14.4b).

Vu d'en haut ou d'en bas, le cervelet a la forme d'un papillon. Sa partie centrale plissée est appelée **vermis** (= vers) et ses «ailes», **hémisphères du cervelet** (figure 14.8a et b). Chaque hémisphère est constitué de lobes séparés par des fissures nettes et profondes. Le **lobe antérieur du cervelet** et le **lobe postérieur du cervelet** régissent les mouvements subconscients des muscles squelettiques; le **lobe flocculonodulaire** (*flocculus* = petit flocon), situé sur la face inférieure du cervelet, est associé au sens de l'équilibre.

La couche superficielle du cervelet, le **cortex cérébelleux,** est composée de substance grise disposée en étroites crêtes parallèles appelées **lamelles du cervelet.** La substance grise recouvre un ensemble de faisceaux qui forment l'**arbre de vie du cervelet.** Plus profondément encore, à l'intérieur de la substance blanche, on trouve les **noyaux du cervelet**; ceux-ci émettent des fibres qui transmettent les influx nerveux du cervelet jusqu'aux autres centres de l'encéphale et à la moelle épinière.

Tableau 14.1 Résumé des fonctions des principales parties de l'encéphale

PARTIE	FONCTION
Tronc cérébral 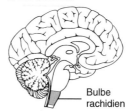 Bulbe rachidien	*Bulbe rachidien:* Relaie les influx sensitifs et les commandes motrices entre les autres parties de l'encéphale et la moelle épinière. La formation réticulaire (qui s'étend aussi dans le pont, le mésencéphale et le diencéphale) remplit des fonctions reliées à la conscience et au réveil. Les centres vitaux régissent les battements du cœur, la respiration (avec l'intervention du pont) et le diamètre des vaisseaux sanguins. D'autres centres coordonnent la déglutition, le vomissement, la toux, l'éternuement et le hoquet. Le bulbe rachidien contient les noyaux d'origine des nerfs crâniens VIII, IX, X, XI et XII.
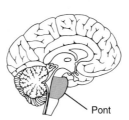 Pont	*Pont:* Relaie les influx nerveux entre les hémisphères du cervelet et entre le bulbe rachidien et le mésencéphale. Contient les noyaux d'origine des nerfs crâniens V, VI, VII et VIII. Avec le bulbe rachidien, le centre pneumotaxique et le centre apneustique concourent à la régulation de la respiration.
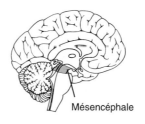 Mésencéphale	*Mésencéphale:* Relaie les commandes motrices entre le cortex cérébral et le pont et les influx sensitifs entre la moelle épinière et le thalamus. Les colliculus supérieurs coordonnent les mouvements accomplis par les globes oculaires en réponse aux stimulus, aux stimulus visuels en particulier; les colliculus inférieurs coordonnent les mouvements accomplis par la tête et le tronc en réponse aux stimulus auditifs. La majeure partie de la substantia nigra et du noyau rouge contribue à la régulation des mouvements. Le mésencéphale contient les noyaux d'origine des nerfs crâniens III et IV.
Cervelet 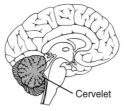 Cervelet	Compare les mouvements planifiés aux mouvements en cours afin de coordonner les mouvements complexes et précis. Régit la posture et l'équilibre.

Suite à la page suivante

Tableau 14.1 Résumé des fonctions des principales parties de l'encéphale (suite)

PARTIE	FONCTION
Diencéphale 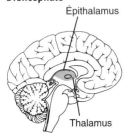	*Épithalamus :* Formé de la glande pinéale, qui synthétise la mélatonine, et des noyaux habénulaires.
	Thalamus : Relaie tous les influx sensitifs au cortex cérébral. Assure une perception grossière du toucher, de la pression, de la douleur et de la température. Comprend des noyaux qui interviennent dans la motricité volontaire et dans la vigilance ; les noyaux antérieurs du thalamus interviennent dans les émotions et la mémoire. A aussi un rôle à jouer dans la cognition et la conscience.
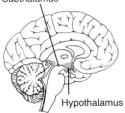	*Subthalamus :* Contient les noyaux subthalamiques ; contient aussi une partie du noyau rouge et de la substantia nigra, qui sont situés à côté de la ligne médiane. Ces régions communiquent avec les noyaux gris centraux pour régir les mouvements.
	Hypothalamus : Régit et intègre les activités du système nerveux autonome et de l'hypophyse. Régit les émotions, les comportements et les rythmes circadiens. Régit la température corporelle ainsi que l'apport d'aliments et de liquides. Contribue à maintenir l'état de veille et établit les habitudes de sommeil.
Cerveau 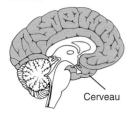	Les aires sensitives interprètent les influx sensitifs, les aires motrices régissent les mouvements des muscles et les aires associatives interviennent dans les émotions et les opérations de l'intellect. Les noyaux gris centraux coordonnent les mouvements musculaires amples et automatiques et régissent le tonus musculaire. Le système limbique intervient dans les aspects émotionnels des comportements reliés à la survie.

Le cervelet est rattaché au tronc cérébral par les trois paires de pédoncules cérébelleux (voir la figure 14.7a). Les **pédoncules cérébelleux inférieurs** relient le cervelet au bulbe rachidien ; ils contiennent des axones qui s'étendent jusqu'au noyau olivaire caudal et à la moelle épinière. Les **pédoncules cérébelleux moyens** relient le cervelet au pont. Les **pédoncules cérébelleux supérieurs** relient le cervelet au mésencéphale.

L'une des principales fonctions du cervelet consiste à évaluer l'exécution des mouvements déclenchés par les aires motrices du cortex cérébral. S'il détecte des erreurs entre les mouvements planifiés et les mouvements accomplis, il envoie des signaux aux aires motrices afin que les corrections nécessaires soient apportées. Cette rétroaction favorise la coordination des enchaînements complexes de contractions des muscles squelettiques. Comme le cervelet régit en outre la posture et l'équilibre, on peut avancer qu'il s'agit de la partie de l'encéphale qui permet toutes les activités musculaires précises, de la danse au lancer d'une balle de baseball.

Le tableau 14.1 présente un résumé des fonctions du cervelet.

1. Décrivez la situation et les principales parties du cervelet.
2. Que sont les pédoncules cérébelleux ? Énumérez et expliquez les fonctions de chacun.

DIENCÉPHALE
OBJECTIF

• *Décrire les composantes et les fonctions du diencéphale.*

Situé entre le tronc cérébral et le cerveau, le **diencéphale** entoure le troisième ventricule. Il comprend le thalamus, l'hypothalamus, l'épithalamus et le subthalamus.

Thalamus

Le **thalamus** (*thalamos* = lit) mesure environ 3 cm de long et constitue 80 % du diencéphale. Il est formé de deux masses jumelles de substance grise organisées en noyaux avec, ici et là, des faisceaux de substance blanche (figure 14.9). Habituellement, un pont de substance grise appelé **adhérence interthalamique,** ou masse intermédiaire, traverse le troisième ventricule pour relier les parties droite et gauche du thalamus (voir la figure 14.10).

Le thalamus est le principal relais pour les influx sensitifs qui vont de la moelle épinière, du tronc cérébral, du cervelet et de différentes parties du cerveau jusqu'au cortex cérébral. Il permet la perception grossière de certaines sensations et notamment de la douleur, de la température et de la pression. La localisation précise de ces sensations dépend du relais des influx nerveux du thalamus vers le cortex cérébral.

Les noyaux situés dans chaque moitié du thalamus remplissent différentes fonctions. Certains relaient les influx nerveux vers les aires sensitives du cortex cérébral (figure 14.9a). Ainsi, le **corps géniculé médial** (*geniculum* = plié comme un genou) relaie les influx auditifs ; le **corps géniculé latéral** relaie les influx visuels ; le **noyau ventral postérieur**

Figure 14.8 Cervelet.

🔑 **Le cervelet coordonne les mouvements précis de même qu'il régit la posture et l'équilibre.**

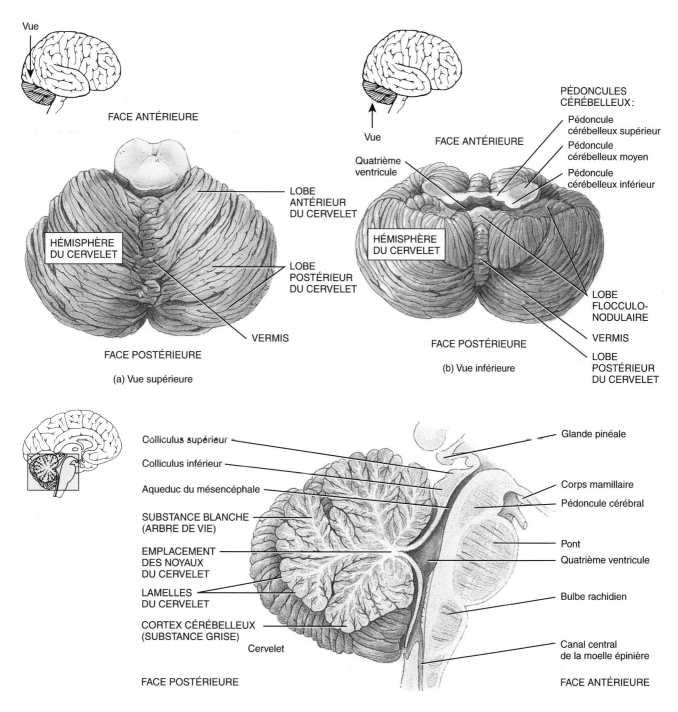

(a) Vue supérieure

(b) Vue inférieure

(c) Coupe sagittale médiane du cervelet et du tronc cérébral

Q Quels faisceaux transmettent l'information émise par le cervelet ou qui lui est destinée?

Figure 14.9 Thalamus. Les flèches rouges en (a) représentent quelques-uns des liens entre le thalamus et le cortex cérébral.

🔑 **Le thalamus constitue le principal relais sur le trajet vers le cortex cérébral des influx sensitifs provenant des autres parties de l'encéphale ainsi que de la moelle épinière.**

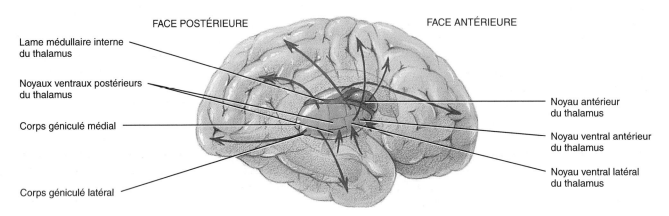

FACE POSTÉRIEURE   FACE ANTÉRIEURE

Lame médullaire interne du thalamus

Noyaux ventraux postérieurs du thalamus

Corps géniculé médial

Corps géniculé latéral

Noyau antérieur du thalamus

Noyau ventral antérieur du thalamus

Noyau ventral latéral du thalamus

(a) Vue latérale droite de l'encéphale montrant les noyaux thalamiques

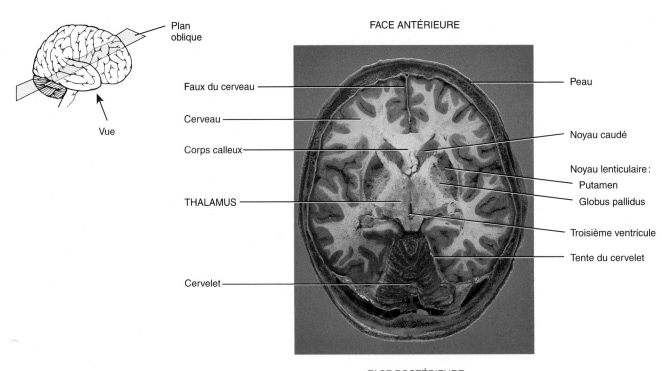

Plan oblique

Vue

FACE ANTÉRIEURE

Faux du cerveau

Cerveau

Corps calleux

THALAMUS

Cervelet

Peau

Noyau caudé

Noyau lenticulaire :
Putamen
Globus pallidus

Troisième ventricule

Tente du cervelet

FACE POSTÉRIEURE

(b) Coupe oblique de l'encéphale

Ⓠ Quelle structure relie les côtés droit et gauche du thalamus?

du thalamus, enfin, relaie les influx associés au goût ainsi qu'à des sensations somatiques comme le toucher, la pression, la vibration, la chaleur, le froid et la douleur. D'autres noyaux du thalamus relaient les influx nerveux vers les aires motrices somatiques du cortex cérébral. Il s'agit du **noyau ventral latéral du thalamus,** qui reçoit les influx nerveux provenant du cervelet, et du **noyau ventral antérieur du thalamus,** qui reçoit les influx nerveux provenant des noyaux gris centraux (décrits plus loin). Les **noyaux antérieurs du thalamus,** situés sur le plancher du ventricule latéral, interviennent dans la mémoire et dans certaines émotions.

On sait depuis peu que le thalamus joue un rôle essentiel dans la conscience et dans l'acquisition de connaissances, c'est-à-dire la **cognition** (*cognoscere* = connaître). Les scientifiques l'ont découvert en procédant à l'autopsie de la dépouille d'une jeune femme morte après avoir passé 10 ans dans un état végétatif par suite d'un accident de voiture. (L'état végétatif se caractérise par la présence de cycles veille-sommeil mais par l'absence de fonctions cognitives, de conscience, de pensée et d'émotions.) L'examen, en effet, a révélé des anomalies bénignes du cerveau et du tronc cérébral mais des lésions graves et étendues du thalamus.

Hypothalamus

L'**hypothalamus** (*hupo* = au-dessous) est une petite partie du diencéphale située en dessous du thalamus. Il est formé d'une douzaine de noyaux répartis dans quatre grandes régions.

- La *région mamillaire,* adjacente au mésencéphale, est la partie postérieure de l'hypothalamus. Elle comprend les corps mamillaires et le noyau hypothalamique postérieur (figure 14.10). Les **corps mamillaires** sont deux petites protubérances arrondies qui servent de relais aux réflexes reliés à l'odorat (voir aussi la figure 14.5).

- La *région tubérale,* la partie la plus large de l'hypothalamus, comprend les noyaux hypothalamiques dorso-médial et ventro-médial, le noyau arqué ainsi que l'**infundibulum,** structure en forme de tige qui relie l'hypophyse à l'hypo-thalamus (voir la figure 14.10). L'**éminence médiane** du tuber cinereum est une région légèrement proéminente qui encercle l'infundibulum.

- La *région supraoptique* (*supra* = au-dessus; *optikos* = relatif à la vue) est située au-dessus du chiasma optique (point de croisement des nerfs optiques); elle contient les noyaux paraventriculaire, supraoptique, hypothalamique antérieur et suprachiasmatique (voir la figure 14.10). Les axones issus des noyaux paraventriculaire et supraoptique forment le faisceau hypothalamo-hypophysaire, qui s'étend jusqu'à la neurohypophyse à travers l'infundibulum.

- La *région préoptique,* à l'avant de la région supraoptique, participe à la régulation de certaines activités autonomes; aussi considère-t-on généralement qu'elle fait partie de l'hypothalamus. Elle contient les noyaux préoptiques médial et latéral (voir la figure 14.10).

L'hypothalamus régit de nombreuses fonctions physiologiques et est *l'un des principaux régulateurs de l'homéostasie.* Les influx sensitifs émis par les récepteurs somatiques et viscéraux parviennent à l'hypothalamus par l'intermédiaire des voies afférentes, tout comme les influx nerveux provenant des récepteurs de l'ouïe, du goût et de l'odorat. À l'intérieur de l'hypothalamus même, d'autres récepteurs enregistrent sans cesse la pression osmotique, certaines concentrations hormonales ainsi que la température du sang. L'hypothalamus possède plusieurs liens très importants avec l'hypophyse et sécrète une série d'hormones (dont nous traiterons en détail au chapitre 18). Certaines des fonctions de l'hypothalamus peuvent être attribuées à des noyaux en particulier, mais d'autres ne sont pas localisées avec précision. Les principales fonctions de l'hypothalamus sont les suivantes:

1. *Régulation du SNA.* L'hypothalamus régit et intègre les activités du système nerveux autonome, lequel régit la contraction des muscles lisses et du muscle cardiaque ainsi que la sécrétion de nombreuses glandes. L'hypothalamus émet des axones vers les noyaux sympathiques et para-sympathiques du tronc cérébral et de la moelle épinière. L'hypothalamus constitue, par l'intermédiaire du SNA, un important régulateur des activités viscérales, dont la fréquence cardiaque, le mouvement des aliments dans le tube digestif et la contraction de la vessie.

2. *Régulation de l'hypophyse.* L'hypothalamus sécrète plusieurs hormones et possède deux types de liens importants avec l'hypophyse, une glande endocrine qu'il surmonte (voir la figure 14.1). Premièrement, l'hypothalamus libère ses hormones de régulation dans des réseaux capillaires situés dans l'éminence médiane. Entraînées par la circulation sanguine, ces hormones parviennent directement à l'adé-nohypophyse, où elles stimulent ou inhibent la sécrétion des hormones hypophysaires. Deuxièmement, les corps cellulaires de neurones situés dans les noyaux paraven-triculaire et supraoptique sécrètent de l'ocytocine ou de l'hormone antidiurétique. Les axones de ces neurones traversent l'infundibulum et transportent ces hormones jusqu'à la neurohypophyse, qui les emmagasine et les libère.

3. *Régulation des émotions et des comportements.* Avec le système limbique (décrit plus loin), l'hypothalamus régit la colère, l'agressivité, la douleur et le plaisir de même que les comportements associés à l'excitation sexuelle.

4. *Régulation de l'apport d'aliments et de liquides.* L'hypo-thalamus régit l'apport d'aliments par le truchement de deux centres. Le **centre de la faim** produit les sensations de faim; lorsque l'apport alimentaire atteint un degré suffisant, le **centre de la satiété** est stimulé et produit des influx nerveux qui inhibent le centre de la faim. L'hypothalamus renferme également le **centre de la soif.** L'augmentation de la pression osmotique du liquide extracellulaire stimule certaines cellules de l'hypothalamus, et celles-ci produisent alors la sensation de soif. L'apport de liquide rétablit l'équilibre osmotique normal, supprime la stimulation et soulage la soif.

Figure 14.10 Hypothalamus. La figure montre quelques parties de l'hypothalamus et, en trois dimensions, les noyaux hypothalamiques (d'après Netter).

 L'hypothalamus régit de nombreuses activités physiologiques et constitue un important régulateur de l'homéostasie.

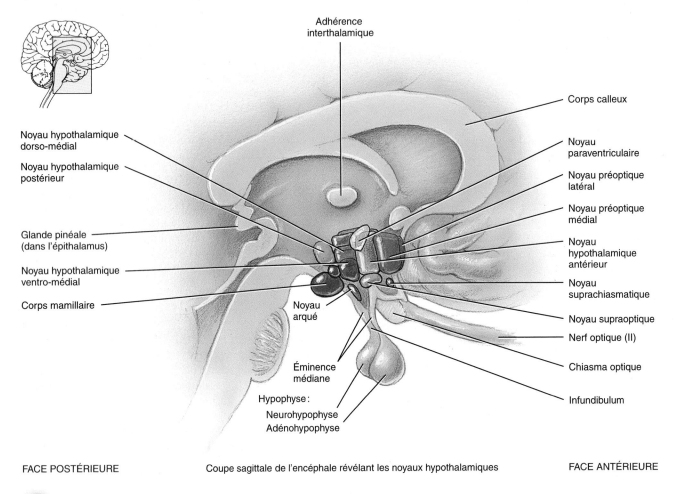

FACE POSTÉRIEURE   Coupe sagittale de l'encéphale révélant les noyaux hypothalamiques   FACE ANTÉRIEURE

Q Quelles sont, de l'arrière vers l'avant, les quatre grandes régions de l'hypothalamus?

5. *Régulation de la température corporelle.* Si le sang qui traverse l'hypothalamus est trop chaud, l'hypothalamus commande au système nerveux autonome de déclencher des activités qui favorisent la déperdition de chaleur. Si, au contraire, la température du sang est trop basse, l'hypothalamus produit des influx nerveux qui favorisent la production et la conservation de chaleur.

6. *Régulation des rythmes circadiens et des états de conscience.* Le noyau suprachiasmatique règle le cycle quotidien du sommeil.

Épithalamus

L'**épithalamus** (*epi* = sur), petite région située au-dessus et à l'arrière du thalamus, est formé de la glande pinéale et des noyaux habénulaires. De la taille d'un petit pois, la **glande pinéale,** ou corps pinéal (*pinea* = pomme de pin), fait saillie sur la partie arrière de la ligne médiane du troisième ventricule (voir la figure 14.1). On ne connaît pas encore toutes les fonctions de la glande pinéale, mais on sait qu'elle sécrète l'hormone appelée **mélatonine** et qu'elle est par conséquent une glande endocrine. Puisque la sécrétion de mélatonine est plus importante dans l'obscurité qu'en pleine lumière, on pense qu'elle entraîne la somnolence. (La figure 18.20, p. 629, représente la régulation de la libération de la mélatonine.) Il semble aussi que la mélatonine contribue à régler l'horloge biologique de l'organisme. Nous traitons de la glande pinéale plus en détail au chapitre 18.

Les **noyaux habénulaires,** représentés dans la figure 14.7a, interviennent dans l'olfaction, et particulièrement dans les réponses émotionnelles aux odeurs.

Subthalamus

Le **subthalamus** est une petite région située au-dessous du thalamus. Il renferme des faisceaux et les deux **noyaux subthalamiques,** qui sont reliés aux aires motrices du cortex cérébral. Le subthalamus comprend aussi une partie de noyaux pairs du mésencéphale, le noyau rouge et la substantia nigra. Les noyaux subthalamiques, les noyaux rouges et la substantia nigra interviennent dans la régulation des mouvements, de concert avec les noyaux gris centraux, le cervelet et le cerveau.

Le tableau 14.1, p. 481-482, présente un résumé des fonctions des quatre parties du diencéphale.

Organes circumventriculaires

Les **organes circumventriculaires,** ainsi appelés parce qu'ils sont situés dans les parois des troisième et quatrième ventricules, sont des parties du diencéphale qui détectent les variations de la composition chimique du sang. Ils sont en effet dépourvus de la barrière hémato-encéphalique. Les organes circumventriculaires comprennent une partie de l'hypothalamus, la glande pinéale, l'hypophyse et quelques autres structures avoisinantes. Sur le plan fonctionnel, ces organes coordonnent les activités homéostatiques des systèmes nerveux et endocrinien, tels la régulation de la pression artérielle, l'équilibre hydrique, la faim et la soif. On pense en outre que les organes circumventriculaires constituent la porte d'entrée de l'encéphale pour le VIH, le virus qui cause le SIDA. Une fois introduit dans l'encéphale, le VIH peut causer la démence (détérioration irréversible des facultés mentales) et d'autres troubles neurologiques.

1. Pourquoi considère-t-on le thalamus comme un relais dans l'encéphale ?
2. Pourquoi considère-t-on que l'hypothalamus fait partie à la fois du système nerveux et du système endocrinien ?

CERVEAU

OBJECTIF

• *Décrire les structures et les fonctions du cerveau.*

Le **cerveau** s'appuie sur le diencéphale et le tronc cérébral et forme la plus grosse partie de l'encéphale (voir la figure 14.1). Le **cortex cérébral** (*cortex* = écorce), sa couche superficielle de substance grise (figure 14.11a), ne mesure que de 2 à 4 mm d'épaisseur mais contient des milliards de neurones. Le cortex cérébral recouvre la substance blanche cérébrale. Le cerveau est le siège de l'intelligence ; c'est lui qui nous permet de lire, d'écrire et de parler, de faire des calculs et de composer de la musique, de nous rappeler le passé et de planifier l'avenir, d'apprendre et d'inventer.

La masse du cerveau augmente rapidement pendant le développement embryonnaire. Or, la substance grise croît beaucoup plus vite que la substance blanche sous-jacente, de sorte que le cortex se plisse. Les replis saillants sont appelés **gyrus** (*gûros* = cercle), ou **circonvolutions** (figure 14.11a et b). Les rainures profondes entre les gyrus sont appelées **fissures,** tandis que les rainures superficielles sont appelées **sillons,** ou scissures. La fissure la plus profonde, la **fissure longitudinale du cerveau,** sépare le cerveau en deux moitiés appelées **hémisphères cérébraux.** À l'intérieur du cerveau, les hémisphères sont reliés par le **corps calleux** (*callosus* = qui présente des cals), large bande de substance blanche formée d'axones (voir la figure 14.9b).

Lobes du cerveau

Chaque hémisphère cérébral est divisé en quatre lobes nommés d'après les os qui les recouvrent. Il s'agit du lobe frontal, du lobe pariétal, du lobe temporal et du lobe occipital (voir la figure 14.11a et b). Le **sillon central de l'hémisphère cérébral,** ou scissure de Rolando, sépare le **lobe frontal** du **lobe pariétal.** Un important gyrus, le **gyrus précentral** (situé juste à l'avant du sillon central), contient l'aire motrice primaire du cortex cérébral. Un autre important gyrus, le **gyrus postcentral** (situé juste à l'arrière du sillon central), contient l'aire somesthésique primaire du cortex cérébral. Le **sillon latéral,** ou scissure de Sylvius, sépare le **lobe frontal** du **lobe temporal.** Le **sillon pariéto-occipital** sépare le **lobe pariétal** du **lobe occipital.** La cinquième subdivision du cerveau, le **lobe insulaire,** est invisible à la surface, car elle est logée à l'intérieur du sillon latéral et recouverte par les lobes pariétal, frontal et temporal (figure 14.11b).

Substance blanche cérébrale

La substance blanche située sous le cortex cérébral est formée d'axones myélinisés et d'axones amyélinisés organisés en faisceaux. Ces faisceaux comprennent trois types de fibres (figure 14.12) :

1. Les **fibres associatives** transmettent les influx nerveux entre les gyrus d'un même hémisphère cérébral.

2. Les **fibres commissurales** transmettent les influx nerveux des gyrus d'un hémisphère cérébral aux gyrus correspondants dans l'autre hémisphère. Elles forment notamment le **corps calleux,** la **commissure antérieure du cerveau** et la **commissure postérieure.**

3. Les **fibres de projection** forment des faisceaux ascendants et des faisceaux descendants qui transmettent les influx nerveux du cerveau et d'autres parties de l'encéphale à la moelle épinière ou encore de la moelle épinière à l'encéphale. La **capsule interne,** par exemple, est une épaisse bande de faisceaux sensitifs et de faisceaux moteurs qui relie le cortex cérébral au tronc cérébral et à la moelle épinière (voir la figure 14.13b).

Figure 14.11 Cerveau. Le lobe insulaire étant invisible de l'extérieur, il apparaît en transparence en (b).

🔑 **Le cerveau est le siège de l'intelligence. Il nous confère la capacité de lire, d'écrire et de parler, de faire des calculs et de composer de la musique, de nous rappeler le passé et de planifier l'avenir, d'apprendre et de créer.**

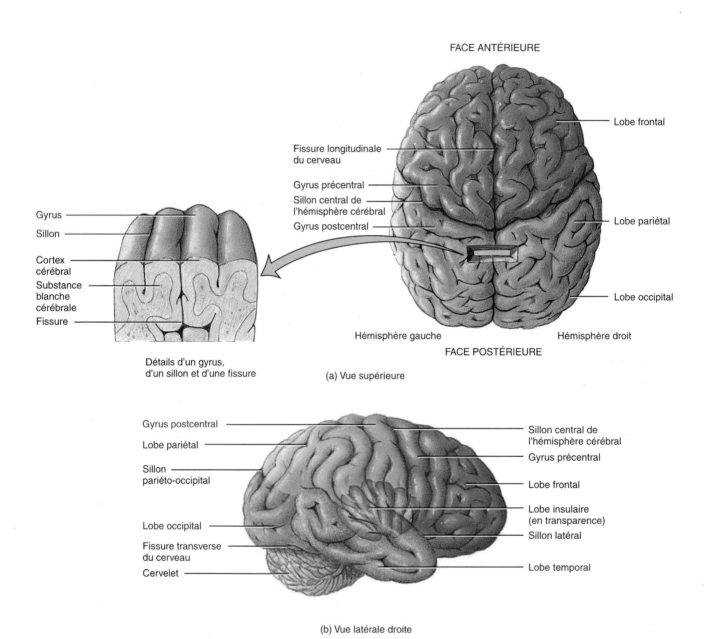

FACE ANTÉRIEURE

Lobe frontal

Fissure longitudinale du cerveau

Gyrus précentral

Sillon central de l'hémisphère cérébral

Gyrus postcentral

Lobe pariétal

Lobe occipital

Gyrus

Sillon

Cortex cérébral

Substance blanche cérébrale

Fissure

Détails d'un gyrus, d'un sillon et d'une fissure

Hémisphère gauche

Hémisphère droit

FACE POSTÉRIEURE

(a) Vue supérieure

Gyrus postcentral

Lobe pariétal

Sillon pariéto-occipital

Sillon central de l'hémisphère cérébral

Gyrus précentral

Lobe frontal

Lobe insulaire (en transparence)

Sillon latéral

Lobe occipital

Fissure transverse du cerveau

Cervelet

Lobe temporal

(b) Vue latérale droite

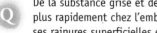 De la substance grise et de la substance blanche, quel tissu se développe le plus rapidement chez l'embryon ? Comment appelle-t-on les replis du cerveau, ses rainures superficielles et ses rainures profondes ?

Figure 14.12 Organisation des fibres en faisceaux de substance blanche dans l'hémisphère cérébral gauche.

🔑 **La substance blanche des hémisphères cérébraux est formée de fibres associatives, de fibres commissurales et de fibres de projection.**

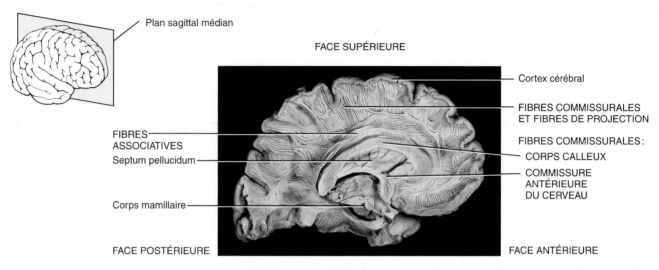

Vue médiale des faisceaux obtenue après résection de la substance grise dans une coupe sagittale médiane

 Quelles fibres transmettent les influx nerveux entre les gyrus d'un même hémisphère? entre les gyrus des hémisphères opposés? entre l'encéphale et la moelle épinière?

Noyaux gris centraux

Les **noyaux gris centraux,** ou noyaux basaux, sont un groupe de noyaux pairs et symétriques situés dans les hémisphères cérébraux (figure 14.13). Le plus gros des noyaux gris centraux, le **corps strié,** est formé du **noyau caudé** (*cauda* = queue) et du **noyau lenticulaire** (*lenticula* = petite lentille). Chaque noyau lenticulaire se subdivise à son tour en une partie latérale appelée **putamen** (= coquille) et une partie médiale appelée **globus pallidus** (= globe pâle). Certains experts considèrent comme partie intégrante du corps strié la partie de la capsule interne qui passe entre le noyau lenticulaire et le noyau caudé d'une part et entre le noyau lenticulaire et le thalamus d'autre part.

La substantia nigra et les noyaux rouges du mésencéphale (voir la figure 14.7b) ainsi que les noyaux subthalamiques du diencéphale (voir la figure 14.13b) sont liés aux noyaux gris centraux sur le plan fonctionnel (certains experts jugent même qu'ils en font partie). Les axones issus de la substantia nigra aboutissent dans le noyau caudé et dans le putamen. Les noyaux subthalamiques sont reliés au globus pallidus.

Les noyaux gris centraux échangent des influx nerveux avec le cortex cérébral, le thalamus et l'hypothalamus. De plus, ils sont reliés entre eux par de nombreuses fibres. Le noyau caudé et le putamen régissent les mouvements automatiques des muscles squelettiques, tels le balancement des bras pendant la marche et le rire que suscite une plaisanterie. Le globus pallidus contribue à la régulation du tonus musculaire nécessaire à des mouvements particuliers.

Système limbique

Le **système limbique** (*limbus* = lisière) est une série de structures disposées en cercle autour de la partie supérieure du tronc cérébral et du corps calleux, sur le bord interne du cerveau et sur le plancher du diencéphale. Le système limbique comprend notamment les structures suivantes (figure 14.14):

1. Le **gyrus parahippocampal** et le **gyrus du cingulum** (*cingula* = ceinture), deux gyrus des hémisphères cérébraux, ainsi que l'**hippocampe,** une partie du gyrus parahippocampal qui s'étend sur le plancher du ventricule latéral, forment le *lobe limbique.*

2. Le **gyrus dentatus** (= dentelé) est situé entre l'hippocampe et le gyrus parahippocampal.

3. Le **corps amygdaloïde** (*amygdala* = amande) est formé de plusieurs groupes de neurones logés dans la queue du noyau caudé.

Figure 14.13 Noyaux gris centraux. En (a), les noyaux gris centraux apparaissent en transparence, en vert foncé ; en (b), ils apparaissent en vert et en bleu.

 Les noyaux gris centraux régissent les mouvements automatiques amples des muscles squelettiques ainsi que le tonus musculaire.

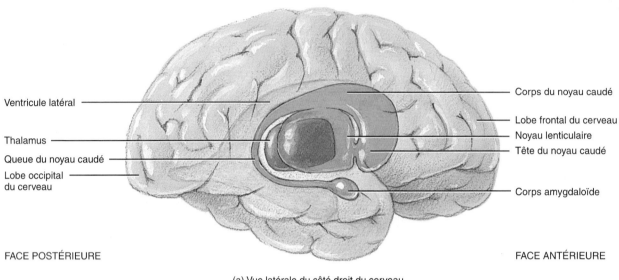

Ventricule latéral

Thalamus

Queue du noyau caudé

Lobe occipital du cerveau

Corps du noyau caudé

Lobe frontal du cerveau

Noyau lenticulaire

Tête du noyau caudé

Corps amygdaloïde

FACE POSTÉRIEURE

FACE ANTÉRIEURE

(a) Vue latérale du côté droit du cerveau

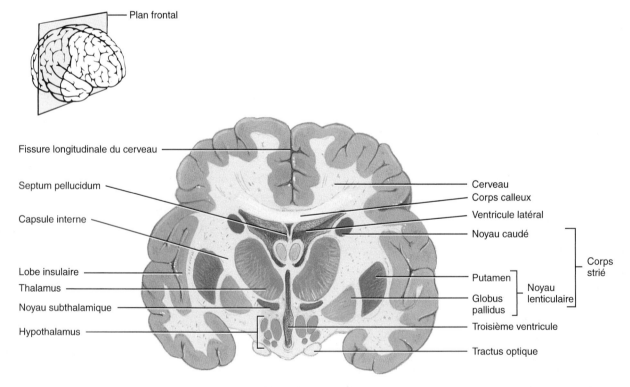

Plan frontal

Fissure longitudinale du cerveau

Septum pellucidum

Capsule interne

Lobe insulaire

Thalamus

Noyau subthalamique

Hypothalamus

Cerveau

Corps calleux

Ventricule latéral

Noyau caudé

Putamen

Globus pallidus

Noyau lenticulaire

Corps strié

Troisième ventricule

Tractus optique

(b) Vue antérieure d'une coupe frontale

Q Où les noyaux gris centraux sont-ils situés par rapport au thalamus ?

Figure 14.14 Composantes du système limbique et structures avoisinantes.

🔑 **Le système limbique régit les aspects émotionnels du comportement.**

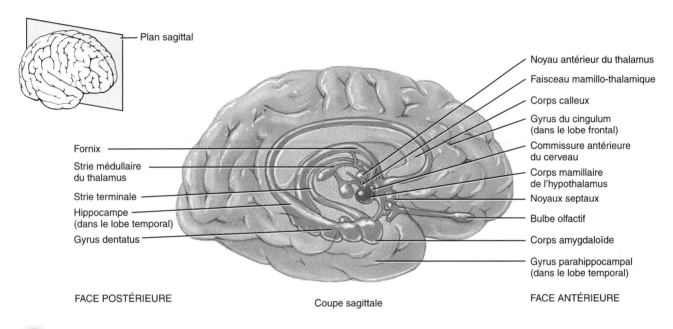

Plan sagittal

Noyau antérieur du thalamus

Faisceau mamillo-thalamique

Corps calleux

Gyrus du cingulum
(dans le lobe frontal)

Commissure antérieure
du cerveau

Corps mamillaire
de l'hypothalamus

Noyaux septaux

Bulbe olfactif

Corps amygdaloïde

Gyrus parahippocampal
(dans le lobe temporal)

Fornix

Strie médullaire
du thalamus

Strie terminale

Hippocampe
(dans le lobe temporal)

Gyrus dentatus

FACE POSTÉRIEURE

Coupe sagittale

FACE ANTÉRIEURE

Q   Quelle partie du système limbique intervient, avec le cerveau, dans la mémoire ?

4. Les **noyaux septaux** sont situés sous le corps calleux et le gyrus paraterminal (un gyrus cérébral).

5. Les **corps mamillaires** de l'hypothalamus sont deux masses arrondies situées près de la ligne médiane et des pédoncules cérébraux.

6. Le **noyau antérieur du thalamus** est situé sur le plancher du quatrième ventricule.

7. Les **bulbes olfactifs** sont des structures aplaties qui font partie intégrante de la voie olfactive et qui reposent sur la lame criblée de l'ethmoïde.

8. Le **fornix,** la **strie terminale,** la **strie médullaire du thalamus,** le **faisceau médial du prosencéphale** et le **faisceau mamillo-thalamique** sont reliés par des faisceaux d'axones myélinisés.

Le système limbique est parfois appelé « cerveau émotionnel » car il joue un rôle important dans toute une série d'émotions, dont la douleur, le plaisir, la docilité, l'affection et la colère. Des expériences ont montré que la stimulation de certaines régions du système limbique chez les animaux entraîne une douleur intense ou un plaisir extrême. La stimulation d'autres régions du système limbique chez les animaux induit la docilité et l'apparition de signes d'affection.

La stimulation des corps amygdaloïdes ou de certains noyaux de l'hypothalamus chez le chat provoque un comportement semblable à la rage : l'animal sort les griffes, lève la queue, écarquille les yeux, siffle et crache.

L'hippocampe intervient dans la mémoire en conjonction avec certaines parties du cerveau. Les personnes qui ont subi une lésion de certaines régions du système limbique ne peuvent rien mémoriser et ne se rappellent pas les événements récents.

Le tableau 14.1, p. 481-482, présente un résumé des fonctions du cerveau.

🩺 APPLICATION CLINIQUE
Lésions cérébrales

Souvent associées aux traumatismes crâniens, les **lésions cérébrales** font suite au déplacement et à la déformation du tissu nerveux au moment d'un impact. Elles peuvent entraîner, entre autres effets, une diminution de la pression artérielle, une augmentation prolongée de la pression intracrânienne, des infections et des complications respiratoires. Le rétablissement de la circulation sanguine après une période d'ischémie cause des dommages supplémentaires, car l'augmentation soudaine de la concentration d'oxygène produit un grand nombre de radicaux libres (molécules d'oxygène possédant un électron célibataire). De même, les cellules cérébrales libèrent des radicaux libres à la suite d'un accident vasculaire cérébral ou d'un arrêt cardiaque. Les radicaux libres altèrent l'ADN et les enzymes cellulaires ainsi que la perméabilité de la membrane plasmique.

On désigne les divers types de lésions cérébrales par des termes spécifiques. Une **commotion cérébrale** est un évanouissement soudain mais temporaire (pouvant durer de quelques secondes à plusieurs heures) consécutif à un coup porté à la tête ou à l'arrêt brusque d'un mouvement de la tête. Il s'agit de la lésion cérébrale la plus fréquente. Une commotion cérébrale n'entraîne pas de contusion visible de l'encéphale. Elle se manifeste par une céphalée, une somnolence, des difficultés de concentration, de la désorientation ou une amnésie (perte de mémoire) post-traumatique.

Une **contusion cérébrale** est une meurtrissure de l'encéphale due à un traumatisme et accompagnée d'une hémorragie par suite de la rupture de petits vaisseaux sanguins. Elle est habituellement associée à une commotion cérébrale. Si elle entraîne une déchirure de la pie-mère, le sang peut pénétrer dans l'espace sous-arachnoïdien. Le lobe frontal est la région la plus fréquemment touchée. Une contusion cérébrale entraîne généralement un évanouissement immédiat (dont la durée ne dépasse pas cinq minutes dans la plupart des cas), une disparition des réflexes, une interruption transitoire de la respiration et une diminution de la pression artérielle. Les signes vitaux se stabilisent le plus souvent dans les secondes qui suivent.

Une **dilacération** est une déchirure de l'encéphale qui se produit habituellement à la suite d'une fracture du crâne ou d'une blessure par balle. Elle entraîne la rupture de gros vaisseaux sanguins et un écoulement de sang dans l'encéphale et l'espace sous-arachnoïdien. Ses conséquences sont notamment la formation d'un hématome cérébral (accumulation localisée de sang, coagulé le plus souvent, qui exerce une pression sur le tissu cérébral), un œdème et une augmentation de la pression intracrânienne. ■

FONCTIONS DU CORTEX CÉRÉBRAL

OBJECTIF

• *Décrire la situation et les fonctions des aires sensitives, associatives et motrices du cortex cérébral.*

Les influx nerveux associés à la sensibilité, à la motricité et à l'intégration sont traités dans différentes régions du cerveau (figure 14.15). De manière générale, les **aires sensitives** reçoivent et interprètent les influx sensitifs, les **aires motrices** déclenchent les mouvements et les **aires associatives** remplissent des fonctions d'intégration plus complexes associées notamment à la mémoire, aux émotions, au raisonnement, à la volonté, au jugement, aux traits de personnalité et à l'intelligence.

Aires sensitives

Les influx sensitifs aboutissent pour la plupart dans la moitié postérieure des deux hémisphères cérébraux, c'est-à-dire à l'arrière des sillons centraux. Dans le cortex cérébral, les aires sensitives primaires sont reliées directement avec les récepteurs sensoriels périphériques. Les aires sensitives secondaires et associatives sont dans bien des cas adjacentes aux aires primaires ; elles reçoivent habituellement des influx nerveux des aires primaires et de diverses autres régions de l'encéphale.

Les aires sensitives secondaires et associatives intègrent les expériences sensorielles afin de permettre la reconnaissance et la cognition. Ainsi, une lésion de l'aire visuelle primaire entraîne la cécité dans une partie au moins du champ visuel, tandis qu'une lésion de l'aire visuelle associative ne nuit pas à la vision mais supprime la capacité de reconnaître les visages.

Les principales aires sensitives sont les suivantes (voir la figure 14.15) :

• **Aire somesthésique primaire** (aires 1, 2 et 3) L'aire somesthésique primaire est située juste à l'arrière du sillon central de chaque hémisphère cérébral, dans le gyrus postcentral du lobe pariétal. Elle s'étend sur la face supérieure du cerveau, de la fissure longitudinale du cerveau jusqu'au sillon latéral.

L'aire somesthésique primaire reçoit les influx nerveux émis par les récepteurs sensoriels somatiques du toucher, de la proprioception (position des muscles et des articulations), de la douleur et de la température. Chaque point de cette aire reçoit les sensations provenant d'une partie précise du corps, de sorte que le corps entier y est représenté. La surface de l'aire somesthésique réservée à la sensibilité d'une partie du corps dépend du nombre de récepteurs que cette partie renferme et non de sa taille. Aussi les lèvres et le bout des doigts accaparent-ils dans l'aire somesthésique primaire une plus grande surface que le thorax ou la hanche (voir la figure 15.5a, p. 521). La principale fonction de l'aire somesthésique primaire est de déterminer précisément l'origine des sensations. Bien que le thalamus détecte les sensations, il le fait de manière grossière, et c'est l'aire somesthésique primaire qui détecte l'emplacement exact d'une stimulation.

• **Aire visuelle primaire** (aire 17) L'aire visuelle primaire est située sur la face médiale du lobe occipital ; elle reçoit l'information visuelle. Les axones des neurones dont le corps cellulaire est situé dans l'œil forment le nerf optique (nerf crânien II), et celui-ci se termine dans le corps géniculé latéral du thalamus. De là, les fibres s'étendent jusque dans l'aire visuelle primaire et transmettent l'information relative à la forme, à la couleur et au mouvement des stimulus visuels.

Figure 14.15 Aires fonctionnelles du cerveau. La figure indique l'emplacement de l'aire de Broca, même si cette aire est située dans l'hémisphère gauche chez la plupart des gens. La numérotation des aires, encore en usage, est tirée de la cartographie publiée par K. Brodmann en 1909.

 Les influx nerveux associés à la sensibilité, à la motricité et à l'intégration sont traités dans différentes aires du cortex cérébral.

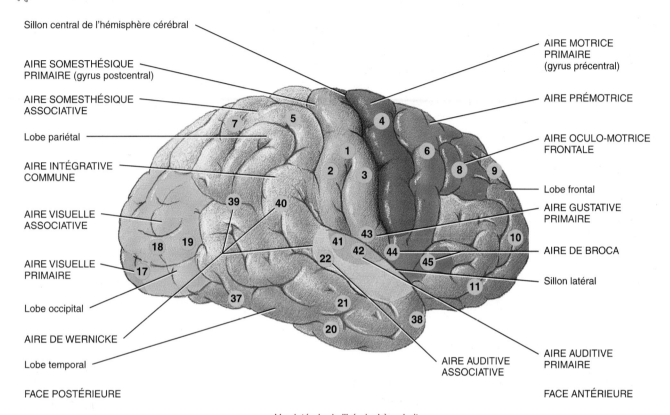

Vue latérale de l'hémisphère droit

 Quelle(s) aire(s) du cerveau interprète(nt) les sensations visuelles, auditives et somatiques ? Laquelle traduit les pensées en paroles ? Laquelle régit les mouvements complexes des muscles ? Laquelle interprète les sensations gustatives ? Laquelle interprète la hauteur et le rythme des sons ? Laquelle interprète la forme, la couleur et les mouvements des objets ? Laquelle régit les mouvements de balayage volontaires des yeux ?

- **Aire auditive primaire** (aires 41 et 42) L'aire auditive primaire est située dans la partie supérieure du lobe temporal, près du sillon latéral. Elle interprète les caractéristiques fondamentales des sons, comme la hauteur et le rythme.

- **Aire gustative primaire** (aire 43) L'aire gustative primaire est située à la base du gyrus postcentral, au-dessus du sillon latéral, dans le lobe pariétal. Elle reçoit les influx nerveux associés à la gustation.

- **Aire olfactive primaire** (aire 28) L'aire olfactive primaire est située au creux du lobe temporal (et, par conséquent, n'apparaît pas dans la figure 14.15). Elle reçoit les influx nerveux associés à l'olfaction.

Aires motrices

Les commandes motrices émises par le cortex cérébral partent pour l'essentiel de la partie antérieure des hémisphères. Les principales aires motrices sont les suivantes (voir la figure 14.15) :

- **Aire motrice primaire** (aire 4) L'aire motrice primaire est située dans le gyrus précentral du lobe frontal. Chacune des régions de cette aire régit les contractions volontaires de muscles ou de groupes de muscles particuliers (voir la figure 15.5b, p. 521). La stimulation électrique de n'importe quel point de l'aire motrice primaire entraîne la contraction de myocytes squelettiques spécifiques du côté opposé du corps. Comme dans l'aire somesthésique primaire, la représentation des parties du corps dans l'aire motrice primaire n'est pas proportionnelle à leur taille. C'est ainsi qu'une grande partie de l'aire motrice primaire est consacrée aux muscles qui produisent les mouvements précis, complexes ou délicats comme la manipulation de petits objets.

- **Aire de Broca,** ou **aire motrice du langage** (aires 44 et 45) La production et la compréhension du langage sont des activités complexes qui font intervenir des aires sensitives, associatives et motrices du cortex cérébral. Ces aires sont situées dans l'hémisphère *gauche* chez 97 % des gens. La production du langage a lieu dans l'aire de Broca, qui est située dans un des lobes frontaux (le *gauche* chez la plupart des gens), juste au-dessus du sillon latéral.

Aires associatives

Les aires associatives du cerveau sont formées de quelques aires motrices et sensitives ainsi que de grandes régions situées sur la face latérale des lobes occipitaux, pariétaux et temporaux de même que sur les lobes frontaux, à l'avant des aires motrices. Les aires associatives sont reliées les unes aux autres par des fibres associatives. Les principales aires associatives sont les suivantes (voir la figure 14.15) :

- **Aire somesthésique associative** (aires 5 et 7) L'aire somesthésique associative est située juste à l'arrière de l'aire somesthésique primaire. Elle reçoit des influx de l'aire somesthésique primaire, du thalamus et d'autres parties inférieures de l'encéphale. Sa fonction consiste à intégrer et à interpréter les sensations. Elle nous permet par exemple de déterminer précisément la forme et la texture d'un objet sans le regarder, d'établir la position relative de deux objets en les palpant et de percevoir la relation entre deux parties du corps. L'aire somesthésique associative a également pour rôle d'emmagasiner les souvenirs des expériences sensorielles; aussi nous permet-elle de comparer les sensations présentes aux sensations passées.

- **Aire visuelle associative** (aires 18 et 19) L'aire visuelle associative est située dans le lobe occipital. Elle reçoit les influx sensitifs provenant de l'aire visuelle primaire et du thalamus. Elle met les expériences visuelles présentes et passées en correspondance et joue un rôle essentiel dans la reconnaissance et l'évaluation des stimulus visuels.

- **Aire auditive associative** (aire 22) L'aire auditive associative est située en dessous et en arrière de l'aire auditive primaire, dans le lobe temporal. Elle détermine si un son constitue une parole, de la musique ou un simple bruit.

- **Aire de Wernicke** (aire 22 et, hypothétiquement, aires 39 et 40) L'aire de Wernicke reconnaît les paroles et interprète le langage; elle traduit les mots en pensées. Les régions de l'hémisphère *droit* qui correspondent à l'aire de Broca et à l'aire de Wernicke dans l'hémisphère gauche

participent elles aussi à la communication verbale en ajoutant des inflexions et des connotations émotionnelles au langage parlé. C'est ainsi que le ton de la voix renseigne sur l'état d'esprit du locuteur.

- **Aire intégrative commune** (aires 5, 7, 39 et 40) L'aire intégrative commune est bordée par les aires somesthésique, visuelle et auditive associatives. Elle en reçoit des influx nerveux, de même que des aires gustative et olfactive primaires, du thalamus et de certaines parties du tronc cérébral. Elle intègre les interprétations sensorielles des aires associatives et les influx nerveux provenant d'autres aires, permettant ainsi l'émergence d'une pensée à partir d'un ensemble de messages sensitifs. Elle peut ensuite transmettre des signaux à d'autres parties du cerveau afin de produire la réponse appropriée.

- **Aire prémotrice** (aire 6) L'aire prémotrice est une aire motrice associative située juste à l'avant de l'aire motrice primaire. Les neurones de cette aire communiquent avec l'aire motrice primaire, les aires sensitives associatives du lobe pariétal, les noyaux gris centraux et le thalamus. L'aire prémotrice régit et mémorise les activités motrices apprises à caractère complexe et séquentiel. Elle produit des influx nerveux qui engendrent un enchaînement précis de contractions dans des groupes musculaires particuliers. Elle s'active par exemple lorsque nous écrivons un mot.

- **Aire oculo-motrice frontale** (aire 8) L'aire oculo-motrice frontale est située dans le lobe frontal; certains experts considèrent qu'elle fait partie de l'aire prémotrice. Elle régit les mouvements de balayage volontaires des yeux, ceux qui vous permettent de lire cette phrase par exemple.

- **Aires du langage** L'aire de Broca envoie des influx nerveux aux régions prémotrices qui régissent les muscles du larynx, du pharynx et de la bouche. Les influx nerveux provoquent des contractions musculaires spécifiques et coordonnées qui nous permettent de parler. Simultanément, l'aire de Broca envoie à l'aire motrice primaire des influx nerveux grâce auxquels les muscles de la respiration peuvent régir la circulation de l'air entre les cordes vocales. Les contractions coordonnées des muscles de la parole et des muscles de la respiration permettent l'expression verbale de la pensée.

Le tableau 14.1, p. 481-482, présente un résumé des fonctions du cerveau.

APPLICATION CLINIQUE
Aphasie

La majeure partie des connaissances que nous possédons à propos des aires du langage nous vient d'études réalisées auprès de patients atteints de troubles de la parole consécutifs à des lésions cérébrales. L'aire de Broca, l'aire auditive associative et d'autres aires associées au langage sont situées dans l'hémisphère gauche chez la plupart des gens, qu'ils soient droitiers ou gauchers. Les lésions des aires motrices ou associatives du langage causent l'**aphasie** (*a* = sans ; *phasis* = parole), soit l'incapacité de prononcer ou de comprendre les mots. Les lésions de l'aire de Broca entraînent une *aphasie non fluente,* c'est-à-dire une incapacité d'articuler ou de former correctement les mots. Les personnes atteintes de cette forme d'aphasie savent ce qu'elles veulent dire mais n'arrivent pas à parler. Les lésions de l'aire intégrative commune ou de l'aire auditive associative (aires 39 et 22) causent une *aphasie fluente,* caractérisée par l'incapacité de comprendre les mots prononcés ou écrits. Les personnes atteintes d'aphasie fluente prononcent des séries de mots sans signification. La cause sous-jacente du déficit peut être la **surdité verbale** – l'incapacité de comprendre les mots à l'oral –, la **cécité verbale** – l'incapacité de comprendre les mots à l'écrit – ou les deux. ◼

Latéralisation hémisphérique

Les hémisphères cérébraux sont en grande partie symétriques, mais il existe entre eux de subtiles différences anatomiques. Chez les deux tiers environ des gens, par exemple, le planum temporal (région du lobe temporal qui comprend l'aire de Wernicke) est de 50 % plus étendu dans l'hémisphère gauche que dans le droit. Cette asymétrie apparaît chez le fœtus humain aux alentours de la 30e semaine de gestation. Les deux hémisphères, par ailleurs, accomplissent de concert un grand nombre de fonctions, mais chacun possède aussi des fonctions spécialisées (figure 14.16). Cette asymétrie fonctionnelle est appelée **latéralisation hémisphérique.**

L'hémisphère gauche régit le côté droit du corps et en reçoit les influx sensitifs ; l'hémisphère droit régit le côté gauche du corps et en reçoit les influx sensitifs. Chez la plupart des gens, cependant, l'hémisphère gauche intervient davantage que le droit dans le langage oral et écrit, les habiletés numériques et scientifiques, la capacité d'utiliser et de comprendre le langage gestuel ainsi que le raisonnement. Aussi les patients qui ont subi une lésion de l'hémisphère gauche sont-ils souvent atteints d'aphasie. L'hémisphère droit, quant à lui, intervient davantage que le gauche dans la sensibilité musicale et artistique, la perception de l'espace et des formes, la reconnaissance des visages, la compréhension du contenu émotionnel du langage ainsi que la production d'images mentales de sensations visuelles, auditives, tactiles, gustatives et olfactives à des fins de comparaison. Les patients qui ont subi une lésion des régions de l'hémisphère droit correspondant à l'aire de Broca et à l'aire de Wernicke dans l'hémisphère gauche parlent d'une voix monocorde, car ils ont perdu la capacité de donner des inflexions émotionnelles à leurs paroles. En règle générale, il semble que la latéralisation soit moins prononcée chez les femmes que chez les hommes pour ce qui est du langage (hémisphère gauche) et des habiletés visuelles et spatiales (hémisphère droit). Ce phénomène est peut-être relié au fait que la

Figure 14.16 Résumé des principales différences fonctionnelles entre les hémisphères cérébraux.

🔑 **La latéralisation hémisphérique correspond à l'asymétrie fonctionnelle des deux hémisphères cérébraux.**

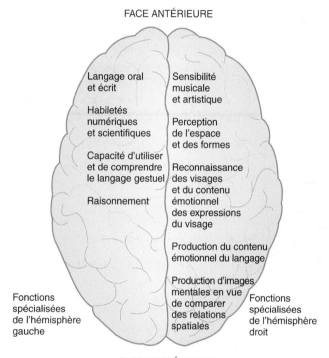

FACE ANTÉRIEURE

Langage oral et écrit

Habiletés numériques et scientifiques

Capacité d'utiliser et de comprendre le langage gestuel

Raisonnement

Sensibilité musicale et artistique

Perception de l'espace et des formes

Reconnaissance des visages et du contenu émotionnel des expressions du visage

Production du contenu émotionnel du langage

Production d'images mentales en vue de comparer des relations spatiales

Fonctions spécialisées de l'hémisphère gauche

Fonctions spécialisées de l'hémisphère droit

FACE POSTÉRIEURE

❓ Quelles sont les deux aires du cerveau qui jouent le rôle le plus important dans le langage ?

commissure antérieure du cerveau et la partie postérieure du corps calleux sont plus volumineuses chez les femmes que chez les hommes. En effet, ces deux faisceaux de substance blanche assurent la communication entre les deux hémisphères.

Ondes cérébrales

Les cellules cérébrales produisent à tout instant des millions d'influx nerveux (potentiels d'action) et de potentiels gradués (potentiels postsynaptiques excitateurs et inhibiteurs). Ces signaux électriques forment collectivement les **ondes cérébrales.** Pour enregistrer les ondes cérébrales engendrées par les neurones proches de la surface du cerveau, ceux du cortex cérébral principalement, on place sur le front et le cuir chevelu des détecteurs appelés électrodes. L'enregistrement ainsi obtenu est un **électroencéphalogramme (EEG).** L'électroencéphalogramme permet d'étudier le fonctionnement normal du cerveau, notamment les phases du sommeil, et de diagnostiquer divers troubles cérébraux, dont l'épilepsie, les tumeurs, les anomalies du métabolisme, les lésions et les maladies dégénératives. On

Figure 14.17 Types d'ondes cérébrales enregistrées par l'électroencéphalogramme (EEG).

 Les ondes cérébrales témoignent de l'activité électrique du cortex cérébral.

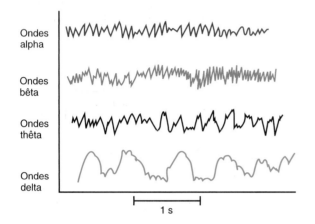

Ondes alpha

Ondes bêta

Ondes thêta

Ondes delta

1 s

 Quelles ondes indiquent la présence d'un stress émotionnel ?

recourt aussi à l'EEG pour établir la mort cérébrale, c'est-à-dire l'absence complète d'ondes cérébrales telle qu'elle est révélée par deux EEG effectués à 24 heures d'intervalle.

Le cerveau d'une personne normale produit quatre types d'ondes (figure 14.17) :

1. **Ondes alpha.** Les ondes alpha sont rythmiques et ont une fréquence de 8 à 13 Hz (hertz, ou cycles par seconde). Elles apparaissent dans l'EEG de presque tous les individus normaux en état de veille ou au repos les yeux fermés. Elles disparaissent complètement pendant le sommeil.

2. **Ondes bêta.** Les ondes bêta ont une fréquence de 14 à 30 Hz. Elles apparaissent généralement lorsque le système nerveux est actif et sont donc associées à la stimulation sensorielle et à l'activité mentale.

3. **Ondes thêta.** Les ondes thêta ont une fréquence de 4 à 7 Hz. Elles apparaissent normalement chez les enfants et les adultes sous le coup d'un stress émotionnel. Elles sont en outre associées à de nombreuses affections du cerveau.

4. **Ondes delta.** Les ondes delta ont une fréquence de 1 à 5 Hz. Elles apparaissent pendant le sommeil chez l'adulte. Normales chez les nourrissons à l'état de veille, elles indiquent la présence d'une lésion cérébrale lorsqu'elles sont produites par un adulte éveillé.

1. Décrivez le cortex cérébral ainsi que les gyrus, les fissures et les sillons du cerveau.
2. Nommez et situez les lobes du cerveau. Qu'est-ce qui les sépare les uns des autres ? Qu'est-ce que le lobe insulaire ?

3. Décrivez l'organisation de la substance blanche cérébrale. Veillez à indiquer la fonction de chacun des principaux groupes de fibres.
4. Nommez les noyaux gris centraux, indiquez la fonction de chacun et décrivez les effets de leurs lésions.
5. Définissez le *système limbique.* Énumérez quelques-unes des fonctions du système limbique.
6. Comparez les fonctions des aires sensitives, motrices et associatives du cortex cérébral.
7. Définissez la *latéralisation hémisphérique.*
8. Quelle est l'importance de l'EEG sur le plan diagnostique ?

NERFS CRÂNIENS

OBJECTIF

• *Nommer les nerfs crâniens, donner leur numéro, indiquer leur type et énumérer leurs fonctions.*

Les **nerfs crâniens,** comme les nerfs spinaux, font partie du système nerveux périphérique (SNP). Sur les 12 paires de nerfs crâniens, 10 émergent du tronc cérébral. On désigne les nerfs crâniens à l'aide de noms et de numéros en chiffres romains (voir la figure 14.5). Les noms dénotent la distribution ou la fonction des nerfs, tandis que les numéros indiquent l'ordre dans lequel ils émergent de l'encéphale, de l'avant vers l'arrière.

Les nerfs crâniens proviennent du nez (I), des yeux (II), du tronc cérébral (III à XII) et de la moelle épinière (une partie de XI). Deux nerfs crâniens (I et II) ne comprennent que des fibres sensitives et sont par conséquent des **nerfs sensitifs.** Les autres comprennent des axones de neurones sensitifs et de neurones moteurs et sont donc des **nerfs mixtes.** Les corps cellulaires des neurones sensitifs sont logés dans des ganglions à l'extérieur de l'encéphale, alors que les corps cellulaires des neurones moteurs sont logés dans des noyaux à l'intérieur de l'encéphale. Certains nerfs crâniens contiennent des fibres motrices somatiques et des fibres parasympathiques du système nerveux autonome.

Le tableau 14.2, p. 499-503, présente une description des nerfs crâniens et un résumé des applications cliniques correspondant à leur dysfonctionnement.

1. Définissez un *nerf crânien.* Qu'indiquent les noms et les numéros des nerfs crâniens ?
2. Faites la distinction entre un nerf crânien mixte et un nerf crânien sensitif.
3. Pour chaque nerf crânien, inventez une épreuve qui pourrait révéler la présence d'une lésion.

 ## DÉVELOPPEMENT EMBRYONNAIRE DU SYSTÈME NERVEUX

OBJECTIF

• *Décrire le développement embryonnaire de l'encéphale.*

Le développement du système nerveux s'amorce au cours de la troisième semaine de gestation, avec l'apparition de la **plaque neurale,** un épaississement de l'**ectoderme** (figure 14.18). Ensuite, la plaque neurale s'invagine et forme un pli longitudinal, la **gouttière neurale.** Les bords surélevés de la plaque neurale sont appelés **bords saillants de la gouttière neurale.** Ils allongent, se rapprochent et fusionnent, constituant ainsi le **tube neural.**

Trois types de cellules se différencient à partir de la paroi interne du tube neural. La couche superficielle, appelée **couche marginale du tube neural,** donne la *substance blanche*; la couche intermédiaire, appelée **zone du manteau du tube neural,** donne la *substance grise*; la couche profonde, appelée **couche épendymaire du tube neural,** donne le *revêtement du canal central de la moelle épinière et des ventricules cérébraux.*

La **crête neurale** est une masse de tissu située entre le tube neural et l'ectoderme (figure 14.18b). Après sa différenciation, elle donne les *ganglions spinaux*, les *nerfs spinaux*, les *ganglions des nerfs crâniens*, les *nerfs crâniens*, les *ganglions du système nerveux autonome*, la *médullosurrénale* et les *méninges.*

Au moment où le tube neural se constitue à partir de la plaque neurale, à la fin de la quatrième semaine du développement embryonnaire, sa partie antérieure forme trois évaginations appelées **vésicules encéphaliques primitives.** Il s'agit du **prosencéphale** (*pro* = en avant), du **mésencéphale** (*mesos* = au milieu) et du **rhombencéphale** (*rhombos* = losange) (figure 14.19a). Au cours de la cinquième semaine du développement embryonnaire, le prosencéphale forme deux vésicules encéphaliques secondaires appelées **télencéphale** (*telos* = fin) et **diencéphale** (*dia* = à travers) (figure 14.19b). Le rhombencéphale forme aussi deux vésicules encéphaliques secondaires, le **métencéphale** (*meta* = après) et le **myélencéphale** (*muelos* = moelle). La partie du tube neural située en dessous du myélencéphale forme la *moelle épinière.*

Avec le mésencéphale, les vésicules encéphaliques secondaires sont au nombre de cinq. Elles continuent de se développer comme suit :

- Le télencéphale forme les *hémisphères cérébraux* et les *noyaux gris centraux* et abrite la paire de *ventricules latéraux.*
- Le diencéphale forme l'*épithalamus*, le *thalamus*, le *subthalamus*, l'*hypothalamus* et *la glande pinéale*, et abrite le *troisième ventricule.*
- Le mésencéphale abrite l'*aqueduc cérébral du mésencéphale.*
- Le métencéphale forme le *pont* et le *cervelet* et abrite une partie du *quatrième ventricule.*
- Le myélencéphale forme le *bulbe rachidien* et abrite une partie du *quatrième ventricule.*

Deux malformations du tube neural, le spina bifida (voir p. 227) et l'anencéphalie (absence de crâne et d'hémisphères cérébraux), sont associées à une carence en

Figure 14.18 Origine du système nerveux. (a) Vue dorsale d'un embryon dont les bords saillants de la gouttière neurale commencent à fusionner pour former le tube neural. (b) Coupe transversale de l'embryon montrant le tube neural en formation.

 Le développement du système nerveux s'amorce au cours de la troisième semaine de gestation, à partir d'un épaississement de l'ectoderme appelé plaque neurale.

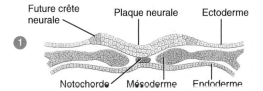

FACE ANTÉRIEURE

- Plaque neurale
- Bords saillants de la gouttière neurale
- Gouttière neurale
- Bord sectionné de l'amnios
- Tube neural
- Paroi du sac vitellin
- Gouttière neurale
- Bords saillants de la gouttière neurale
- Plaque neurale

FACE POSTÉRIEURE

(a) Vue dorsale

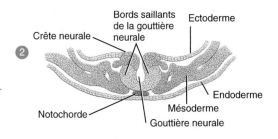

① Future crête neurale — Plaque neurale — Ectoderme — Notochorde — Mésoderme — Endoderme

② Crête neurale — Bords saillants de la gouttière neurale — Ectoderme — Notochorde — Endoderme — Mésoderme — Gouttière neurale

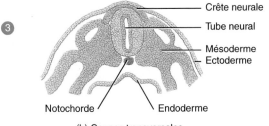

③ Crête neurale — Tube neural — Mésoderme — Ectoderme — Notochorde — Endoderme

(b) Coupes transversales

Q Quelle est l'origine de la substance grise du système nerveux ?

Figure 14.19 Développement embryonnaire de l'encéphale et de la moelle épinière.

Les diverses parties de l'encéphale se forment à partir des vésicules encéphaliques primitives.

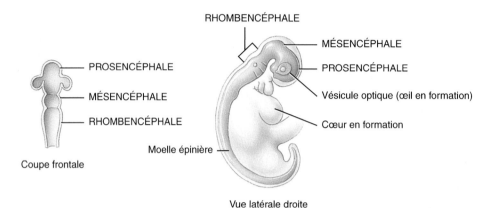

Coupe frontale

Vue latérale droite

(a) Embryon de trois à quatre semaines possédant des vésicules encéphaliques primitives

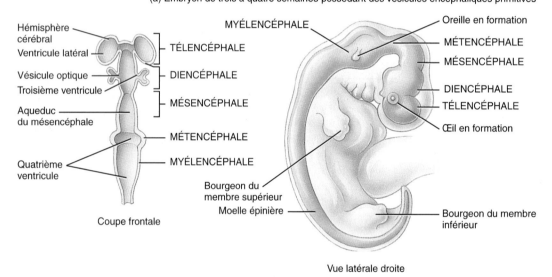

Coupe frontale

Vue latérale droite

(b) Embryon de cinq à six semaines possédant des vésicules encéphaliques secondaires

Q Quelle vésicule encéphalique primitive ne donne naissance à aucune vésicule encéphalique secondaire ?

acide folique, une vitamine du groupe B. La fréquence des deux malformations diminue considérablement chez les femmes qui prennent des suppléments d'acide folique.

VIEILLISSEMENT DU SYSTÈME NERVEUX

OBJECTIF

• *Décrire les effets du vieillissement sur le système nerveux.*

L'encéphale croît rapidement pendant les premières années de la vie. En effet, les neurones déjà présents grossissent, les cellules gliales prolifèrent et grossissent, les ramifications dendritiques et les contacts synaptiques se multiplient et les fibres se myélinisent. Le poids de l'encéphale commence à diminuer à compter du début de l'âge adulte et décroît d'environ 7 % entre ce moment et l'âge de 80 ans. Le nombre de neurones demeure à peu près constant, mais les contacts synaptiques se raréfient. La diminution du poids de l'encéphale est associée à un affaiblissement de la capacité d'émettre et de recevoir des influx nerveux, ce qui entraîne un ralentissement du traitement de l'information. La vitesse de propagation des influx nerveux décroît, les mouvements volontaires ralentissent et le temps de réaction augmente.

1. Quelles parties de l'encéphale se forment à partir de chaque vésicule encéphalique primitive ?
2. Quel est le rapport entre le poids de l'encéphale et l'âge ?

Tableau 14.2 Résumé des nerfs crâniens*

NOM ET NUMÉRO	TYPE ET SITUATION	FONCTIONS ET APPLICATION CLINIQUE
Nerf crânien I : **olfactif** (*olfactus* = odorat) 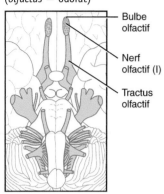 Bulbe olfactif — Nerf olfactif (I) — Tractus olfactif	**Sensitif** Émerge de la région olfactive de la muqueuse du nez, passe dans les foramens de la lame criblée de l'ethmoïde et se termine dans le bulbe olfactif. Les tractus olfactifs s'étendent ensuite jusque dans l'aire olfactive du cortex cérébral.	*Fonction :* Odorat. *Application clinique :* La perte du sens de l'odorat, appelée *anosmie,* peut être causée par un traumatisme crânien associé à une fracture de la plaque criblée de l'ethmoïde et par des lésions de la voie olfactive.
Nerf crânien II : **optique** (*optikos* = relatif à la vue) 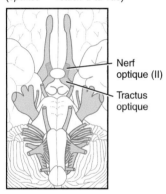 Nerf optique (II) — Tractus optique	**Sensitif** Émerge de la rétine, passe dans le canal optique, forme le chiasma optique puis le tractus optique et se termine dans le corps géniculé latéral du thalamus. De là, les fibres s'étendent jusque dans l'aire visuelle primaire (aire 17) du cortex cérébral.	*Fonction :* Vision. *Application clinique :* Les fractures de l'orbite, les lésions de la voie visuelle et les maladies du système nerveux peuvent entraîner des anomalies du champ visuel et une perte de l'acuité visuelle. La cécité due à une anomalie ou à la perte d'un œil ou des deux yeux est appelée *anopsie.*
Nerf crânien III : **oculo-moteur** (*oculus* = œil ; *movere* = mouvoir) 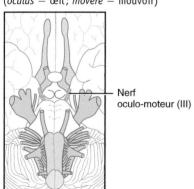 Nerf oculo-moteur (III)	**Mixte (moteur principalement)** *Partie sensitive :* Formée de fibres issues des propriocepteurs des muscles du globe oculaire ; ces fibres passent dans la fissure orbitaire supérieure et se terminent dans le mésencéphale. *Partie motrice :* Émerge du mésencéphale et passe dans la fissure orbitaire supérieure. Les fibres somatiques innervent le muscle élévateur de la paupière supérieure et quatre muscles extrinsèques du globe oculaire (muscles droit supérieur, droit médial, droit inférieur et oblique inférieur). Les fibres parasympathiques innervent le muscle ciliaire et le muscle sphincter de la pupille.	*Fonction sensorielle :* Proprioception. *Fonction motrice :* Mouvement de la paupière et du globe oculaire, accommodation du cristallin pour la vision de près et constriction de la pupille. *Application clinique :* Les lésions nerveuses causent le *strabisme* (défaut de parallélisme des yeux), la *ptose* (abaissement) de la paupière supérieure, la dilatation de la pupille, la rotation vers le bas et vers l'extérieur du globe oculaire du côté atteint, la perte de l'accommodation pour la vision de près et la *diplopie* (vision double).

* La première lettre du nom des différents nerfs crâniens peut être mémorisée à l'aide d'une phrase inspirée d'une fable : « **O**yez ! **o**yez ! **o**bstinée, **T**ortue **T**enace **a** **f**inalement **v**aincu ; **G**rand **V**antard **a** **h**onte. »

Tableau 14.2 Résumé des nerfs crâniens (suite)

NOM ET NUMÉRO	TYPE ET SITUATION	FONCTIONS ET APPLICATION CLINIQUE

Nerf crânien IV: **trochléaire**
(*trochlea* = poulie)

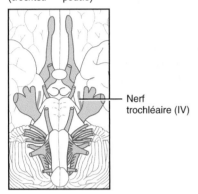

Nerf trochléaire (IV)

Mixte (moteur principalement)

Partie sensitive: Formée de fibres issues des propriocepteurs du muscle oblique supérieur; ces fibres passent dans la fissure orbitaire supérieure et se terminent dans le mésencéphale.

Partie motrice: Émerge du mésencéphale et passe dans la fissure orbitaire supérieure. Innerve le muscle oblique supérieur, un muscle extrinsèque du globe oculaire.

Fonction sensorielle: Proprioception.

Fonction motrice: Mouvements du globe oculaire.

Application clinique: La paralysie du nerf trochléaire entraîne la diplopie et le strabisme.

Nerf crânien V: **trijumeau**
(ainsi appelé à cause de ses trois branches)

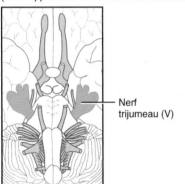

Nerf trijumeau (V)

Mixte

Partie sensitive: Formée de trois branches qui se terminent toutes dans le pont.

1) Le **nerf ophtalmique** (*ophtalmos* = œil) contient des fibres issues de la peau de la paupière supérieure, du globe oculaire, des glandes lacrymales, des cavités nasales, du côté du nez, du front et de la moitié antérieure du cuir chevelu; ces fibres passent dans la fissure orbitaire supérieure.

2) Le **nerf maxillaire** (*maxilla* = mâchoire) contient des fibres issues de la muqueuse nasale, du palais, de parties du pharynx, des dents supérieures, de la lèvre supérieure et de la paupière inférieure; ces fibres passent dans le foramen rond.

3) Le **nerf mandibulaire** (*mandibula* = mâchoire) contient des fibres issues des deux tiers antérieurs de la langue (fibres sensitives somatiques mais non associées au sens du goût), des dents inférieures, de la peau surmontant la mandibule, de la joue et de la muqueuse sous-jacente et du devant de l'oreille; ces fibres passent dans le foramen ovale du sphénoïde.

Partie motrice: Fait partie du nerf mandibulaire, qui émerge du pont, passe dans le foramen ovale du sphénoïde et innerve les muscles de la mastication (muscles masséter, temporal, ptérygoïdien médial et ptérygoïdien latéral, ventre antérieur du muscle digastrique et muscle mylo-hyoïdien).

Fonction sensorielle: Achemine les sensations tactiles, douloureuses, thermiques et proprioceptives.

Fonction motrice: Mastication.

Application clinique: Les lésions du nerf trijumeau entraînent la paralysie des muscles de la mastication et la perte des sensations tactiles, thermiques et proprioceptives. La *névralgie* (douleur) d'une branche ou plus du nerf trijumeau est appelée *névralgie essentielle du trijumeau,* ou *tic douloureux de la face.*

Tableau 14.2 (suite)

NOM ET NUMÉRO	TYPE ET SITUATION	FONCTIONS ET APPLICATION CLINIQUE

Nerf crânien VI : **abducens**
(*abductio* = mouvement vers l'extérieur)

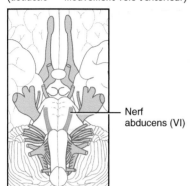

Nerf abducens (VI)

Mixte (moteur principalement)

Partie sensitive : Formée de fibres issues des propriocepteurs du muscle droit latéral ; ces fibres passent dans la fissure orbitaire supérieure et se terminent dans le pont.

Partie motrice : Émerge du pont, passe dans la fissure orbitaire supérieure et innerve le muscle droit latéral, un muscle extrinsèque du globe oculaire.

Fonction sensorielle : Proprioception.

Fonction motrice : Mouvements du globe oculaire.

Application clinique : Les lésions du nerf abducens empêchent les mouvements latéraux du globe oculaire et causent une rotation médiale du globe oculaire.

Nerf crânien VII : **facial**

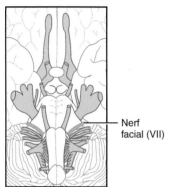

Nerf facial (VII)

Mixte

Partie sensitive : Émerge des calicules gustatifs situés sur les deux tiers antérieurs de la langue, passe dans le foramen stylo-mastoïdien et se termine dans le ganglion géniculé, un noyau du pont. De là, les fibres s'étendent jusque dans le thalamus puis jusque dans l'aire gustative du cortex cérébral. Contient aussi des fibres issues des propriocepteurs des muscles du visage et du cuir chevelu.

Partie motrice : Émerge du pont et passe dans le foramen stylo-mastoïdien. Les fibres somatiques innervent les muscles du visage, du cuir chevelu et du cou. Les fibres parasympathiques innervent les glandes lacrymales, sublinguales, submandibulaires, nasales et palatines.

Fonction sensorielle : Proprioception et goût.

Fonction motrice : Expressions du visage et sécrétion de la salive et des larmes.

Application clinique : Les lésions du nerf facial entraînent la *paralysie de Bell* (paralysie des muscles du visage), une perte du goût, une diminution de la sécrétion de salive et la perte de la capacité de fermer les yeux, même pendant le sommeil.

Nerf crânien VIII : **vestibulo-cochléaire**
(*vestibulum* = vestibule ; *cochlea* = escargot)

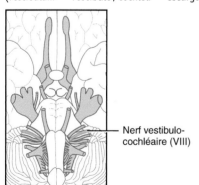

Nerf vestibulo-cochléaire (VIII)

Mixte (sensitif principalement)

Partie vestibulaire du nerf, partie sensitive : Émerge des canaux semi-circulaires, du saccule et de l'utricule et forme le ganglion vestibulaire. Les fibres se terminent dans le pont et le cervelet.

Partie vestibulaire du nerf, partie motrice : Les fibres innervent les cellules ciliées des canaux semi-circulaires, le saccule et l'utricule.

Partie cochléaire du nerf, partie sensitive : Émerge de l'organe spiral, forme le ganglion spiral, passe dans des noyaux du bulbe rachidien et se termine dans le thalamus. Les fibres font synapse avec des neurones qui relaient les influx nerveux vers l'aire auditive primaire (aires 41 et 42) du cortex cérébral.

Partie cochléaire du nerf, partie motrice : Émerge du pont et se termine dans les cellules sensorielles ciliées de l'organe spiral.

Fonction sensorielle de la partie vestibulaire du nerf : Transmet les influx nerveux associés à l'équilibre.

Fonction motrice de la partie vestibulaire du nerf : Règle la sensibilité des cellules ciliées.

Fonction sensorielle de la partie cochléaire du nerf : Transmet les influx nerveux associés à l'audition.

Fonction motrice de la partie cochléaire du nerf : Peut influer sur le fonctionnement des cellules ciliées en modifiant leur transmission et leur réponse mécanique au son.

Application clinique : Les lésions de la partie vestibulaire du nerf peuvent causer le *vertige* (impression subjective de rotation), l'*ataxie* (déficit de coordination musculaire) et le *nystagmus* (mouvements saccadés et involontaires du globe oculaire). Les lésions du nerf cochléaire peuvent causer l'*acouphène* (bourdonnements d'oreille) ou la surdité.

Tableau 14.2 Résumé des nerfs crâniens (suite)

NOM ET NUMÉRO	TYPE ET SITUATION	FONCTIONS ET APPLICATION CLINIQUE

Nerf crânien IX : glosso-pharyngien
(*glôssa* = langue ; *pharugx* = gorge)

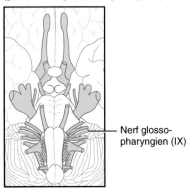

Nerf glosso-pharyngien (IX)

Mixte

Partie sensitive : Formée de fibres issues des caliculs gustatifs et des récepteurs sensoriels somatiques du tiers postérieur de la langue, des propriocepteurs des muscles de la déglutition innervés par la partie motrice, des barorécepteurs du sinus carotidien et des chimiorécepteurs du glomus carotidien, près de l'artère carotide. Les fibres passent dans le foramen jugulaire et se terminent dans le bulbe rachidien.

Partie motrice : Émerge du bulbe rachidien et passe dans le foramen jugulaire. Les fibres somatiques innervent le muscle stylo-pharyngien. Les fibres parasympathiques innervent la glande parotide (salivaire).

Fonction sensorielle : Goût et sensations somatiques (toucher, douleur, température) sur le tiers postérieur de la langue ; proprioception dans les muscles de la déglutition ; surveillance de la pression artérielle ; surveillance de la concentration en O_2 et en CO_2 du sang en vue de la régulation de la fréquence et de l'amplitude respiratoires.

Fonction motrice : Élévation du pharynx pendant la déglutition et la parole ; stimulation de la sécrétion de salive.

Application clinique : Les lésions du nerf glosso-pharyngien causent des difficultés de déglutition, une diminution de la sécrétion de salive, une anesthésie de la gorge et une perte des sensations gustatives.

Nerf crânien X : vague
(*vagus* = vagabond), ou pneumogastrique

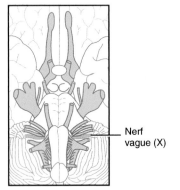

Nerf vague (X)

Mixte

Partie sensitive : Formée de fibres issues des rares caliculs gustatifs de l'épiglotte et du pharynx, des propriocepteurs des muscles du cou et de la gorge, des barorécepteurs et des chimiorécepteurs du sinus carotidien et du glomus carotidien, près de l'aorte, des chimiorécepteurs du corpuscule aortique, près de l'arc aortique, et des récepteurs sensoriels viscéraux de la plupart des organes des cavités thoracique et abdominale. Les fibres passent dans le foramen jugulaire et se terminent dans le bulbe rachidien et le pont.

Partie motrice : Émerge du bulbe rachidien et passe dans le foramen jugulaire. Les fibres somatiques innervent les muscles squelettiques de la gorge et du cou. Les fibres para-sympathiques innervent les muscles lisses des voies respiratoires, de l'œsophage, de l'estomac, de l'intestin grêle, de la majeure partie du gros intestin et de la vésicule biliaire ; elles innervent aussi le muscle cardiaque et les glandes du tube digestif.

Fonction sensorielle : Goût et sensations somatiques (toucher, douleur, température) dans l'épiglotte et le pharynx ; surveillance de la pression sanguine ; surveillance de la concentration en O_2 et en CO_2 du sang en vue de la régulation de la fréquence et de l'amplitude respiratoires ; sensibilité des viscères du thorax et de l'abdomen.

Fonction motrice : Déglutition, toux et phonation ; contraction et relâchement des muscles lisses des organes digestifs ; ralentissement de la fréquence cardiaque ; sécrétion des sucs digestifs.

Application clinique : Les lésions du nerf vague suppriment les sensations provenant de nombreux organes des cavités thoracique et abdominale, nuisent à la déglutition, paralysent les cordes vocales et causent une accélération de la fréquence cardiaque.

Nerf crânien XI : accessoire, ou spinal

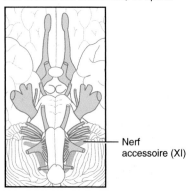

Nerf accessoire (XI)

Mixte (moteur principalement)

Partie sensitive : Formée de fibres issues des propriocepteurs des muscles du pharynx, du larynx et du palais mou ; ces fibres passent dans le foramen jugulaire.

Partie motrice : Formée d'une racine crâniale et d'une racine spinale. La *racine crâniale* émerge du bulbe rachidien, passe dans le foramen jugulaire et innerve les muscles du pharynx, du larynx et du palais mou. La *racine spinale* émerge de la corne ventrale des cinq premiers segments cervicaux de la moelle épinière, passe dans le foramen jugulaire et innerve les muscles sterno-cléido-mastoïdien et trapèze.

Fonction sensorielle : Proprioception.

Fonction motrice : La racine crâniale régit les mouvements de déglutition ; la racine spinale régit les mouvements de la tête et de l'épaule.

Application clinique : Les lésions du nerf accessoire entraînent la paralysie des muscles sterno-cléido-mastoïdien et trapèze ; il s'ensuit une incapacité de hausser les épaules et une difficulté de rotation de la tête.

Tableau 14.2 (suite)

NOM ET NUMÉRO	TYPE ET SITUATION	FONCTIONS ET APPLICATION CLINIQUE
Nerf crânien XII : **hypoglosse** (*hupo* = au-dessous ; *glôssa* = langue) 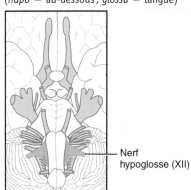 — Nerf hypoglosse (XII)	**Mixte (moteur principalement)** *Partie sensitive :* Formée de fibres issues des propriocepteurs des muscles de la langue ; ces fibres passent dans le canal du nerf hypoglosse et se terminent dans le bulbe rachidien. *Partie motrice :* Émerge du bulbe rachidien, passe dans le canal du nerf hypoglosse et innerve les muscles de la langue.	*Fonction sensorielle :* Proprioception. *Fonction motrice :* Mouvements de la langue pendant la parole et la déglutition. *Application clinique :* Les lésions du nerf hypoglosse entraînent des troubles de la mastication, de la parole et de la déglutition. La langue, lorsque tirée, dévie du côté atteint ; le côté paralysé s'atrophie.

DÉSÉQUILIBRES HOMÉOSTATIQUES

ACCIDENT VASCULAIRE CÉRÉBRAL

L'**accident vasculaire cérébral** (AVC) est le plus répandu des troubles de l'encéphale. Il touche 500 000 personnes par an aux États-Unis et constitue la troisième cause de mortalité, après la crise cardiaque et le cancer. Un AVC se caractérise par l'apparition soudaine de symptômes neurologiques persistants, comme la paralysie ou l'anesthésie, dus à la destruction de tissu cérébral. Les causes les plus fréquentes de l'AVC sont les hémorragies cérébrales (d'un vaisseau de la pie mère ou de l'encéphale), les embolies (oblitération d'un vaisseau sanguin par un caillot) et l'athérosclérose (formation de plaques contenant du cholestérol qui empêchent la circulation du sang) des artères cérébrales.

Les facteurs de risque de l'AVC sont notamment l'hypertension artérielle, l'hypercholestérolémie, la maladie coronarienne, le rétrécissement des artères carotides, les accidents ischémiques transitoires (voir plus loin), le diabète, le tabagisme, l'obésité et l'abus d'alcool.

On utilise à présent un médicament thrombolytique (qui dissout les caillots) appelé activateur tissulaire du plasminogène pour éliminer les obstructions dans les vaisseaux sanguins de l'encéphale. Ce médicament doit être administré dans les trois heures suivant l'AVC pour donner sa pleine efficacité, et il ne sert qu'à traiter les AVC causés par un caillot. L'activateur tissulaire du plasminogène peut réduire de 50 % les atteintes permanentes associées aux AVC.

ACCIDENT ISCHÉMIQUE TRANSITOIRE

Un **accident ischémique transitoire** est un dysfonctionnement cérébral temporaire causé par une diminution de l'irrigation sanguine de l'encéphale. Il se manifeste par des étourdissements ; une faiblesse, un engourdissement ou une paralysie d'un membre ou d'un côté du corps ; un affaissement d'un côté du visage ; une céphalée ; un empâtement de la parole ou une difficulté à comprendre

le langage ; une perte partielle de la vision ou une vision double ; des nausées ou des vomissements dans certains cas. Les symptômes apparaissent soudainement et atteignent presque aussitôt une intensité maximale. Un accident ischémique transitoire dure habituellement de 5 à 10 min et persiste rarement plus de 24 h. Il ne laisse aucun déficit neurologique permanent. L'ischémie à l'origine de l'accident ischémique transitoire est causée par des caillots, l'athérosclérose et certains troubles hématologiques.

Selon les estimations, le tiers environ des patients sont victimes d'un AVC dans les cinq ans qui suivent un accident ischémique transitoire. Pour traiter l'accident ischémique transitoire, on administre des anticoagulants et des médicaments qui, telle l'aspirine, empêchent l'agrégation des plaquettes, on procède à une dérivation de l'artère cérébrale touchée ou on effectue une endartériectomie de la carotide (excision des plaques de cholestérol et du revêtement interne de l'artère).

MALADIE D'ALZHEIMER

La **maladie d'Alzheimer** est une démence sénile débilitante, c'est-à-dire une maladie qui entraîne la perte des facultés mentales et de l'autonomie. Elle frappe environ 11 % des personnes de plus de 65 ans. Aux États-Unis, elle touche 4 millions de personnes et en emporte plus de 100 000 par année, ce qui en fait la quatrième cause de mortalité dans la population âgée, après la maladie coronarienne, le cancer et l'accident vasculaire cérébral.

Dans les premiers stades de la maladie d'Alzheimer, les personnes atteintes ont de la difficulté à se rappeler les événements récents. Elles deviennent ensuite distraites et désorientées : elles répètent les questions qu'on leur pose ou s'égarent dans des lieux familiers. La désorientation s'intensifie et les souvenirs des événements passés disparaissent ; il peut se produire des épisodes de paranoïa, des hallucinations ou de violentes sautes d'humeur. À mesure que les facultés mentales se détériorent, les personnes atteintes perdent la capacité de lire, d'écrire, de parler, de manger et de marcher. Elles sombrent finalement dans la démence puis meurent d'une complication associée à un séjour prolongé au lit, comme la pneumonie.

L'autopsie révèle trois anomalies structurales distinctes dans l'encéphale des victimes de la maladie d'Alzheimer :

1. *Destruction des neurones qui libèrent l'acétylcholine.* Les neurones qui libèrent l'ACh sont particulièrement concentrés dans les noyaux gris centraux, qui sont situés sous le globus pallidus, et leurs axones se disséminent à travers le cortex cérébral et le système limbique. Leur destruction constitue un signe cardinal de la maladie d'Alzheimer.

2. *Formation de plaques séniles.* Une protéine anormale, la protéine bêta-amyloïde, forme des agrégats autour des neurones.

3. *Formation d'enchevêtrements neurofibrillaires.* Des amas anormaux de filaments protéiques se forment dans les neurones des régions atteintes de l'encéphale.

Les causes de la maladie d'Alzheimer sont encore obscures. On connaît cependant divers facteurs qui en favorisent l'apparition. Il semble par exemple que des antécédents de traumatismes crâniens augmentent les risques, puisque les boxeurs sont atteints d'une démence semblable à la maladie d'Alzheimer qui serait causée par des coups répétés à la tête. Il existe en outre des facteurs héréditaires qui prédisposent à la maladie d'Alzheimer. Trois allèles (formes) d'un gène situé sur le chromosome 19 codent pour une molécule, l'apolipoprotéine E (APO-E) qui concourt au transport du cholestérol dans le sang. Les personnes qui possèdent un ou deux exemplaires de l'allèle qui code pour l'**apolipoprotéine E4** (APO-E4) sont beaucoup plus susceptibles de contracter la maladie d'Alzheimer (et de la contracter plus tôt) que les personnes qui possèdent les allèles codant pour l'APO-E2 ou l'APO-E3. Les modalités d'action de l'APO-E sont encore inconnues, mais certains scientifiques avancent que l'APO-E2 et l'APO-E3 ont un effet protecteur dont l'APO-E4 est dépourvue. La maladie d'Alzheimer est associée à des mutations du chromosome 14 ou 21 chez un petit nombre de patients. On ne peut toutefois attribuer tous les cas à des anomalies génétiques. Ainsi, la maladie peut frapper un membre d'un couple de jumeaux identiques et épargner l'autre. L'étude du sang d'un petit nombre de personnes atteintes a révélé des anomalies de certains types de canaux à K^+ dans la membrane plasmique des plaquettes. Il se pourrait donc qu'une anomalie semblable des canaux ioniques des neurones cause le dysfonctionnement cérébral. Les médicaments qui inhibent l'acétylcholinestérase (AChE), l'enzyme qui inactive l'ACh, améliorent la vigilance et le comportement chez environ 5 % des personnes atteintes de la maladie d'Alzheimer. Il semblerait que la vitamine E (un antioxydant), les œstrogènes, l'ibuprofène et l'extrait de ginkgo biloba aient de légers effets thérapeutiques, mais il faudra encore pousser l'étude de ces substances pour en prouver l'efficacité.

TERMES MÉDICAUX

Agnosie (*a* = sans ; *gnôsis* = connaissance) Incapacité d'interpréter les stimulus sensoriels comme les sons, les images, les odeurs, les saveurs et les contacts. Ce trouble de la reconnaissance des objets ne peut être expliqué par un déficit sensoriel.

Anesthésie par blocage nerveux Suppression de la sensibilité obtenue au moyen de l'injection d'un anesthésique local ; pratiquée notamment au cours des traitements dentaires.

Apraxie (*a* = sans ; *praxis* = action) En l'absence de paralysie, incapacité d'accomplir des mouvements coordonnés.

Délire Aussi appelé **état confusionnel aigu.** Trouble transitoire de la cognition et de l'attention accompagné par des perturbations du cycle veille-sommeil et de la psychomotricité (hyperactivité ou hypoactivité des mouvements et de la parole).

Démence (*de* = hors de ; *mens* = esprit) Trouble mental qui entraîne une détérioration progressive ou permanente des facultés intellectuelles, dont la mémoire, le jugement et la pensée abstraite, ainsi que des changements de la personnalité.

Encéphalite Inflammation aiguë de l'encéphale causée par un virus ou par une réaction allergique à l'un des nombreux virus normalement inoffensifs pour le système nerveux central. L'affection est appelée *encéphalomyélite* si le virus atteint aussi la moelle épinière.

Léthargie Ralentissement prononcé des fonctions.

Névralgie (*neuron* = nerf ; *algos* = douleur) Douleur se manifestant sur le trajet d'un nerf sensitif périphérique ou de l'une de ses branches.

Stupeur État d'inertie dont on ne peut tirer le patient que brièvement et au moyen d'une stimulation vigoureuse et répétée.

ORGANISATION ET IRRIGATION DE L'ENCÉPHALE : VUE D'ENSEMBLE (p. 469)

1. Les principales parties de l'encéphale sont le tronc cérébral, le cervelet, le diencéphale et le cerveau.
2. L'encéphale est protégé par les os du crâne et par les méninges crâniennes.
3. Les méninges crâniennes se continuent avec les méninges spinales. Il s'agit, de l'extérieur vers l'intérieur, de la dure-mère, de l'arachnoïde et de la pie-mère.
4. L'irrigation de l'encéphale est assurée pour l'essentiel par des vaisseaux sanguins qui émergent du cercle artériel du cerveau.
5. Toute interruption de l'apport d'oxygène ou de glucose à l'encéphale peut affaiblir les cellules cérébrales ou les endommager de manière permanente.
6. La barrière hémato-encéphalique régit le passage de différentes substances de la circulation sanguine vers l'encéphale.

PRODUCTION ET CIRCULATION DU LIQUIDE CÉRÉBRO-SPINAL DANS LES VENTRICULES (p. 472)

1. Le liquide cérébro-spinal est élaboré dans les plexus choroïdes et circule dans les ventricules latéraux, le troisième ventricule, le quatrième ventricule, l'espace sous-arachnoïdien et le canal central de la moelle épinière. La majeure partie du liquide cérébro-spinal retourne dans la circulation sanguine par les villosités arachnoïdiennes du sinus sagittal supérieur.
2. Le liquide cérébro-spinal fournit une protection mécanique et chimique à l'encéphale et assure la circulation des nutriments.

TRONC CÉRÉBRAL (p. 476)

1. Le bulbe rachidien se continue avec la partie supérieure de la moelle épinière et contient des faisceaux sensitifs et moteurs. Les noyaux qu'il renferme sont des centres réflexes pour la régulation de la fréquence cardiaque, de la fréquence respiratoire, de la vaso-constriction, de la déglutition, de la toux, du vomissement et de l'éternuement. D'autres noyaux du bulbe rachidien sont associés aux nerfs crâniens VIII (parties cochléaire et vestibulaire) à XII.
2. Le pont est situé au-dessus du bulbe rachidien. Il unit la moelle épinière à l'encéphale et relie différentes parties de l'encéphale par l'intermédiaire de faisceaux. Il relaie entre le cortex cérébral et le cervelet les influx nerveux associés aux mouvements volontaires des muscles squelettiques. Le pont contient les centres pneumotaxique et apneustique, qui participent à la régulation de la respiration. Il renferme aussi des noyaux associés aux nerfs crâniens V à VII et à la partie vestibulaire du nerf crânien VIII.
3. Le mésencéphale relie le pont et le diencéphale ; il entoure l'aqueduc du mésencéphale. Il relaie les commandes motrices du cerveau au cervelet et à la moelle épinière, transmet les influx sensitifs de la moelle épinière jusqu'au thalamus et régit les réflexes auditifs et visuels. Il contient des noyaux associés aux nerfs crâniens III et IV.
4. Le tronc cérébral est en grande partie composé de petites régions de substance grise et de substance blanche qui constituent la formation réticulaire. La formation réticulaire concourt au maintien de l'état de veille, provoque le réveil et contribue à la régulation du tonus musculaire.

CERVELET (p. 481)

1. Le cervelet occupe la partie inféro-postérieure de la cavité crânienne. Il est formé de deux hémisphères symétriques réunis par le vermis.
2. Le cervelet est relié au tronc cérébral par trois paires de pédoncules cérébelleux.
3. Le cervelet a pour fonction de coordonner l'activité des muscles squelettiques et de maintenir le tonus musculaire normal, la posture et l'équilibre.

DIENCÉPHALE (p. 482)

1. Le diencéphale entoure le troisième ventricule ; il est formé du thalamus, de l'hypothalamus, de l'épithalamus et du subthalamus.
2. Le thalamus est situé au-dessus du mésencéphale ; il contient des noyaux qui servent de relais à tous les influx sensitifs dirigés vers le cortex cérébral. Il fournit une perception grossière de la douleur, de la température et de la pression.
3. L'hypothalamus est situé sous le thalamus. Il régit le système nerveux autonome, en coordonne les activités, fait le lien entre le système nerveux et le système endocrinien, intervient dans la colère et l'agressivité, régit la température corporelle ainsi que l'apport de nourriture et de liquide et établit le cycle journalier du sommeil.
4. L'épithalamus est formé de la glande pinéale et des noyaux habénulaires. La glande pinéale sécrète la mélatonine, substance qui favoriserait le sommeil et réglerait l'horloge biologique de l'organisme.
5. Le subthalamus est relié aux aires motrices du cortex cérébral.
6. Les organes circumventriculaires détectent les variations de la composition chimique du sang car ils sont dépourvus de la barrière hémato-encéphalique.

CERVEAU (p. 487)

1. Le cerveau est la partie la plus volumineuse de l'encéphale. Le cortex cérébral est parcouru par des gyrus, des fissures et des sillons.
2. Les lobes du cerveau sont le lobe frontal, le lobe pariétal, le lobe temporal et le lobe occipital.
3. La substance blanche, en dessous du cortex cérébral, est composée d'axones myélinisés et d'axones amyélinisés qui mettent différentes régions en communication. On distingue les fibres associatives, les fibres commissurales et les fibres de projection.
4. Les noyaux gris centraux, pairs et symétriques, participent à la régulation du tonus musculaire et des mouvements automatiques amples des muscles squelettiques.
5. Le système limbique encercle la partie supérieure du tronc cérébral et le corps calleux. Il intervient dans les aspects émotionnels du comportement et dans la mémoire.

FONCTIONS DU CORTEX CÉRÉBRAL (p. 492)

1. Les aires sensitives du cortex cérébral accomplissent l'interprétation des influx sensitifs. Les aires motrices gouvernent les mouvements des muscles. Les aires associatives remplissent des fonctions d'intégration complexes.

2. L'aire somesthésique primaire s'étend de la fissure longitudinale du cerveau, sur la face supérieure du cerveau, au sillon latéral. Elle reçoit les influx nerveux des récepteurs sensoriels somatiques du toucher, de la proprioception, de la douleur et de la température. Chacun des points de cette aire reçoit les sensations d'une partie précise du corps.

3. Les aires sensitives comprennent l'aire visuelle primaire (aire 17), qui reçoit les influx nerveux relatifs à l'information visuelle ; l'aire auditive primaire (aires 41 et 42), qui interprète les caractéristiques fondamentales du son, comme la hauteur et le rythme ; l'aire gustative primaire (aire 43), qui reçoit les influx nerveux relatifs à la gustation ; l'aire olfactive primaire (aire 28), qui reçoit les influx relatifs à l'olfaction.

4. Les aires motrices comprennent l'aire motrice primaire (aire 4), qui régit les contractions volontaires de muscles ou de groupes de muscles précis, et l'aire de Broca (aires 44 et 45), qui régit la parole.

5. Les aires associatives du cortex cérébral sont unies les unes aux autres par des faisceaux.

6. L'aire somesthésique associative (aires 5 et 7) nous permet de déterminer exactement la forme et la texture d'un objet sans le regarder, d'établir la position relative de deux objets en les palpant et de percevoir la relation entre deux parties du corps.

7. L'aire visuelle associative (aires 18 et 19) met les expériences visuelles présentes et passées en correspondance et joue un rôle essentiel dans la reconnaissance et l'évaluation des stimulus visuels.

8. L'aire auditive associative (aire 22) détermine si un son constitue une parole, de la musique ou un simple bruit.

9. L'aire de Wernicke (aire 22 et, hypothétiquement, aires 39 et 40) interprète le langage en traduisant les mots en pensées.

10. L'aire intégrative commune (aires 5, 7, 39 et 40) intègre les interprétations sensorielles des aires associatives et les influx nerveux provenant d'autres aires, permettant ainsi l'émergence d'une pensée à partir d'un ensemble de messages sensitifs.

11. L'aire prémotrice (aire 6) produit des influx nerveux qui engendrent un enchaînement précis de contractions dans des groupes musculaires particuliers.

12. L'aire oculo-motrice frontale (aire 8) régit les mouvements de balayage volontaires des yeux.

13. Le tableau 14.1, p. 481-482, présente un résumé des fonctions des différentes parties de l'encéphale.

14. Les hémisphères cérébraux sont en grande partie symétriques, mais il existe entre eux de subtiles différences anatomiques, et chacun assure des fonctions spécialisées.

15. L'hémisphère gauche régit le côté droit du corps et en reçoit les influx sensitifs. Il intervient davantage que le droit dans le langage, les habiletés numériques et scientifiques et le raisonnement.

16. L'hémisphère droit régit le côté gauche du corps et en reçoit les influx sensitifs. Il intervient davantage que le gauche dans la sensibilité musicale et artistique, la perception de l'espace et des formes, la reconnaissance des visages, la compréhension du contenu émotionnel du langage et la production d'images mentales de sensations visuelles, auditives, tactiles, gustatives et olfactives.

17. L'électroencéphalogramme (EEG) est un enregistrement des ondes cérébrales produites par le cortex cérébral.

18. L'EEG sert à diagnostiquer l'épilepsie, les infections et les tumeurs.

NERFS CRÂNIENS (p. 496)

1. Douze paires de nerfs crâniens émergent de l'encéphale.

2. Les noms des nerfs crâniens dénotent leur distribution, et leurs numéros (de I à XII) indiquent l'ordre dans lequel ils émergent de l'encéphale. Le tableau 14.2, p. 499-503, présente une description des nerfs crâniens.

DÉVELOPPEMENT EMBRYONNAIRE DU SYSTÈME NERVEUX (p. 496)

1. Le développement embryonnaire du système nerveux s'amorce avec l'apparition de la plaque neurale, un épaississement de l'ectoderme.

2. Les vésicules encéphaliques primitives qui se forment pendant le développement embryonnaire donnent naissance aux différentes parties de l'encéphale.

3. Le télencéphale forme le cerveau, le diencéphale forme le thalamus et l'hypothalamus, le métencéphale forme le pont et le cervelet et le myélencéphale forme le bulbe rachidien.

VIEILLISSEMENT DU SYSTÈME NERVEUX (p. 498)

1. L'encéphale croît rapidement pendant les premières années de la vie.

2. Le vieillissement entraîne une diminution de la masse de l'encéphale et un affaiblissement de la capacité de production d'influx nerveux.

AUTOÉVALUATION

Phrases à compléter

1. Les quatre principales parties de l'encéphale sont ___, ___, et ___.

2. La ___ est une barrière anatomique et physiologique qui protège les cellules de l'encéphale contre les substances nuisibles et les agents pathogènes.

3. Le liquide cérébro-spinal est élaboré dans ___.

4. La méninge crânienne qui sépare les deux hémisphères cérébraux est ___.

Vrai ou faux

5. L'hypothalamus régit de nombreuses fonctions physiologiques et constitue l'un des principaux régulateurs de l'homéostasie.

6. Dans un EEG, les ondes delta produites par un adulte éveillé indiquent des périodes de stimulation sensorielle et d'activité mentale.

Choix multiples

7. Lequel des énoncés suivants est *faux*? a) L'irrigation de l'encéphale est assurée pour l'essentiel par des vaisseaux sanguins qui forment le cercle artériel du cerveau. b) Les membranes lysosomiales de l'encéphale sont sensibles à la diminution de la concentration d'oxygène. c) Une interruption de 30 s de l'irrigation de l'encéphale peut nuire au fonctionnement cérébral. d) L'encéphale doit recevoir un apport continuel de glucose. e) Une interruption, même brève, de l'irrigation de l'encéphale peut entraîner l'évanouissement.

8. Parmi les fonctions suivantes, lesquelles appartiennent au liquide cérébro-spinal? 1) Protection mécanique. 2) Protection chimique. 3) Protection électrique. 4) Transport des substances chimiques. 5) Osmolarité.

   a) 1, 2 et 3. b) 2, 3 et 4. c) 3, 4 et 5. d) 1, 2 et 4. e) 2, 4 et 5.

9. Parmi les fonctions suivantes, lesquelles appartiennent à l'hypothalamus? 1) Régulation du SNA. 2) Régulation de l'hypophyse. 3) Régulation des émotions et des comportements. 4) Régulation de l'apport de nourriture et de liquide. 5) Régulation de la température corporelle. 6) Régulation des rythmes circadiens et des états de conscience.

   a) 1, 2, 4 et 6. b) 2, 3, 5 et 6. c) 1, 3, 5 et 6. d) 1, 4, 5 et 6. e) 1, 2, 3, 4, 5 et 6.

10. Lequel des énoncés suivants est *faux*? a) Les fibres associatives transmettent les influx nerveux entre les gyrus d'un même hémisphère. b) Les fibres commissurales transmettent les influx nerveux des gyrus d'un hémisphère aux gyrus correspondants de l'autre. c) Les fibres de projection forment des faisceaux descendants et ascendants qui transmettent les influx nerveux entre le cerveau et d'autres parties de l'encéphale et la moelle épinière. d) La capsule interne est formée de fibres commissurales. e) Le corps calleux est formé de fibres commissurales.

11. Lequel des énoncés suivants est vrai? a) Les hémisphères cérébraux sont parfaitement symétriques. b) L'hémisphère gauche régit le côté gauche du corps. c) L'hémisphère droit intervient davantage que le gauche dans le langage oral et écrit. d) L'hémisphère gauche intervient davantage que le droit dans la sensibilité musicale et artistique. e) La latéralisation hémisphérique est plus prononcée chez les hommes que chez les femmes.

12. Laquelle des structures suivantes ne fait pas partie du diencéphale? a) Le pont. b) Le thalamus. c) Les corps mamillaires. d) L'hypothalamus. e) La glande pinéale.

13. Associez les éléments suivants :

    | ___ a) oculo-moteur | 1) nerf crânien I |
    | ___ b) trijumeau | 2) nerf crânien II |
    | ___ c) abducens | 3) nerf crânien III |
    | ___ d) vestibulo-cochléaire | 4) nerf crânien IV |
    | ___ e) accessoire | 5) nerf crânien V |
    | ___ f) vague | 6) nerf crânien VI |
    | ___ g) facial | 7) nerf crânien VII |
    | ___ h) glosso-pharyngien | 8) nerf crânien VIII |
    | ___ i) olfactif | 9) nerf crânien IX |
    | ___ j) trochléaire | 10) nerf crânien X |
    | ___ k) optique | 11) nerf crânien XI |
    | ___ l) hypoglosse | 12) nerf crânien XII |

    ___ m) associé à l'odorat
    ___ n) associé à l'ouïe et à l'équilibre
    ___ o) associé à la mastication
    ___ p) associé aux expressions du visage ainsi qu'à la sécrétion de salive et de larmes
    ___ q) associé aux mouvements de la langue pendant la parole et la déglutition
    ___ r) associé à la sécrétion des sucs digestifs
    ___ s) associé à la sécrétion de salive, au goût, à la régulation de la pression artérielle et à la proprioception

14. Associez les éléments suivants :

    ___ a) cerveau émotionnel
    ___ b) lien entre la moelle épinière et l'encéphale d'une part et entre différentes parties de l'encéphale d'autre part
    ___ c) relais pour les influx sensitifs
    ___ d) avertit le cortex cérébral de l'arrivée de signaux sensitifs et concourt à la régulation du tonus musculaire
    ___ e) centre de commande de la motricité
    ___ f) dépourvus de la barrière hémato-encéphalique; détectent les variations de la composition chimique du sang
    ___ g) siège de la décussation des pyramides
    ___ h) siège des centres pneumotaxique et apneustique
    ___ i) sécrète la mélatonine
    ___ j) contient les aires sensitives, motrices et associatives
    ___ k) maintient l'état de veille et provoque le réveil
    ___ l) régit le SNA
    ___ m) contient les centres réflexes associés aux mouvements accomplis par les yeux, la tête et le cou en réponse aux stimulus visuels et à d'autres stimulus; contient aussi le centre réflexe associé aux mouvements accomplis par la tête et le tronc en réponse aux stimulus auditifs
    ___ n) joue un rôle essentiel dans la conscience, l'acquisition de connaissances et la cognition
    ___ o) groupes de noyaux qui régissent les mouvements automatiques amples des muscles squelettiques ainsi que le tonus musculaire nécessaire à des mouvements particuliers
    ___ p) produit des hormones qui régissent le fonctionnement des glandes endocrines
    ___ q) contient le centre cardiovasculaire et le centre bulbaire de la rythmicité
    ___ r) épaisse bande de faisceaux sensitifs et moteurs qui relie le cortex cérébral au tronc cérébral et à la moelle épinière

    1) bulbe rachidien
    2) pont
    3) mésencéphale
    4) cervelet
    5) glande pinéale
    6) thalamus
    7) hypothalamus
    8) cerveau
    9) système limbique
    10) formation réticulaire
    11) organes circum-ventriculaires
    12) système réticulaire activateur ascendant
    13) noyaux gris centraux
    14) capsule interne

QUESTIONS À COURT DÉVELOPPEMENT

1. Une personne âgée qui a déjà subi un accident vasculaire cérébral a de la difficulté à remuer le bras droit et présente aussi des troubles d'élocution. Quelles parties de son cerveau l'AVC a-t-il touchées? (INDICE: *Quelle est la conséquence de la décussation des pyramides dans le bulbe rachidien?*)

2. «Mon bonnet de bain est si serré, dit Corinne à son entraîneur de natation, que le cerveau va me sortir par les oreilles!» L'entraîneur, qui possède un diplôme en physiothérapie, lui assure que le phénomène est anatomiquement impossible.

Expliquez l'affirmation de l'entraîneur. (INDICE: *Posez les mains contre votre tête et serrez. Que sentez-vous?*)

3. Alain vient de faire sa première visite chez le dentiste en 10 ans. Évidemment, il a subi un long traitement et a reçu plusieurs injections anesthésiantes. Il est maintenant attablé pour le dîner, mais il n'arrive pas à manger proprement car le côté gauche de sa lèvre supérieure, le côté droit de sa lèvre inférieure et le bout de sa langue sont insensibles. Qu'est-il arrivé à Alain? (INDICE: *La dentiste voulait bloquer les sensations douloureuses dans ses dents.*)

RÉPONSES AUX QUESTIONS DES FIGURES

14.1 La partie la plus volumineuse de l'encéphale est le cerveau.

14.2 De l'extérieur vers l'intérieur, les méninges crâniennes sont la dure-mère, l'arachnoïde et la pie-mère.

14.3 Le tronc cérébral est situé à l'avant du quatrième ventricule et le cervelet, à l'arrière.

14.4 Le liquide cérébro-spinal est réabsorbé par les villosités arachnoïdiennes qui font saillie dans les sinus veineux de la dure-mère.

14.5 Les pyramides sont situées dans le bulbe rachidien; les pédoncules cérébraux sont situés dans le mésencéphale.

14.6 Le mot *décussation* signifie «croisement». Les pyramides contiennent des faisceaux moteurs qui s'étendent du cortex cérébral à la moelle épinière et qui transmettent les influx nerveux destinés à la contraction des muscles squelettiques. Par conséquent, chaque côté du cerveau régit les muscles situés du côté opposé du corps.

14.7 Les pédoncules cérébraux constituent les principaux liens pour les faisceaux qui s'étendent entre les parties supérieures de l'encéphale d'une part et les parties inférieures de l'encéphale et la moelle épinière d'autre part.

14.8 Les pédoncules cérébelleux transmettent l'information émise par le cervelet ou qui lui est destinée.

14.9 L'adhérence interthalamique relie le côté droit et le côté gauche du thalamus.

14.10 De l'arrière vers l'avant, les quatre grandes régions de l'hypothalamus sont la région mamillaire, la région tubérale, la région supraoptique et la région préoptique.

14.11 La substance grise se développe plus rapidement que la substance blanche, ce qui produit les gyrus (replis), les sillons (rainures superficielles) et les fissures (rainures profondes).

14.12 Les fibres associatives relient les gyrus d'un même hémisphère; les fibres commissurales relient les gyrus des hémisphères opposés; les fibres de projection relient l'encéphale et la moelle épinière.

14.13 Les noyaux gris centraux sont situés à côté, au-dessus et au-dessous du thalamus.

14.14 L'hippocampe intervient dans la mémoire.

14.15 L'aire intégrative commune; l'aire de Broca; l'aire prémotrice; l'aire gustative; l'aire auditive; l'aire visuelle; l'aire oculo-motrice frontale.

14.16 L'aire de Broca et l'aire de Wernicke.

14.17 Les ondes thêta indiquent la présence d'un stress émotionnel.

14.18 La substance grise provient de la zone du manteau du tube neural.

14.19 Le mésencéphale.

Dans les trois chapitres précédents, nous avons décrit l'organisation du système nerveux. Dans ce chapitre, nous allons étudier les niveaux et les composantes de la sensibilité. Nous nous pencherons aussi sur les voies qui acheminent l'information somesthésique du corps jusqu'à l'encéphale ainsi que sur celles qui transmettent les commandes motrices de l'encéphale jusqu'aux muscles squelettiques. Les influx sensitifs qui atteignent l'encéphale s'ajoutent à une grande quantité d'information sensorielle. Cependant, ils n'entraînent pas tous une réponse. Chaque bribe d'information sensorielle s'intègre en effet à celles qui arrivent et à celles qui ont déjà été emmagasinées. Le processus d'intégration ne se produit pas une fois pour toutes en un seul point mais bien en de nombreux endroits le long des voies du SNC, tant au niveau conscient qu'au niveau subconscient : la moelle épinière, le tronc cérébral, le cervelet, les noyaux gris centraux et le cortex cérébral. La commande motrice dirigée vers un muscle peut être modifiée à plusieurs de ces endroits. Pour clore le chapitre, enfin, nous présenterons deux des fonctions intégratives de l'encéphale : 1) l'état de veille et le sommeil ; 2) l'apprentissage et la mémoire.

Dans sa signification la plus large, le terme **sensation** désigne l'enregistrement conscient ou subconscient d'un stimulus externe ou interne. La nature de la sensation et le type de réaction qu'elle engendre varient selon le point d'arrivée dans le SNC des influx nerveux qui transmettent l'information sensorielle. Dans la moelle épinière, les influx sensitifs constituent l'élément afférent des réflexes spinaux. Les influx sensitifs qui atteignent la partie inférieure du tronc cérébral déclenchent des réflexes plus complexes, comme des variations de la fréquence cardiaque ou respiratoire. Les influx sensitifs qui aboutissent au thalamus ne permettent qu'une appréciation approximative du siège et du *type* d'une stimulation tactile, douloureuse, auditive ou gustative. Les influx sensitifs doivent monter jusqu'au cortex cérébral pour que nous puissions établir avec précision l'origine et le caractère d'une sensation. La **perception** est l'interprétation consciente des sensations. Les souvenirs des sensations passées sont emmagasinés dans le cortex cérébral. Certains influx sensitifs ne se muent jamais en perceptions parce qu'ils n'atteignent ni le thalamus ni le cortex cérébral. La pression artérielle, par exemple, ne donne pas lieu à des sensations la plupart du temps, mais elle n'en est pas moins sans cesse enregistrée ; les influx nerveux correspondants se propagent jusque dans le centre cardiovasculaire, dans le bulbe rachidien.

SENSIBILITÉ

OBJECTIFS

- *Définir la « sensation » et décrire ses composantes.*
- *Expliquer les différentes classifications des récepteurs sensoriels.*

Modalités sensorielles

Chaque type de sensations (tactiles, douloureuses, visuelles ou auditives par exemple) est appelé **modalité sensorielle.** Autrement dit, le caractère distinctif d'une sensation constitue sa modalité. Un neurone sensitif donné véhicule l'information relative à une seule modalité. Ainsi, les neurones qui transmettent les influx tactiles à l'aire somesthésique du cortex cérébral ne transmettent pas d'influx douloureux. De même, les influx nerveux provenant des yeux sont perçus comme des images dans le lobe occipital, tandis que les influx nerveux provenant des oreilles sont perçus comme des sons dans les lobes temporaux.

Les différentes modalités sensorielles relèvent soit de la somesthésie, soit des organes des sens.

1. La **somesthésie** englobe la **sensibilité somatique** (*sôma* = corps) et la **sensibilité viscérale.** La sensibilité somatique comprend les sensations tactiles (toucher, pression et vibration), les sensations thermiques (chaleur et froid), les sensations douloureuses et les sensations proprioceptives (relatives à la position statique des membres et des parties du corps ainsi qu'aux mouvements des membres et de la tête). La sensibilité viscérale fournit de l'information à propos de l'état des organes internes.

2. Les **organes des sens** fournissent les informations relatives à l'odorat, au goût, à la vision, à l'ouïe et à l'équilibre.

Dans ce chapitre, nous traiterons de la somesthésie et de la douleur viscérale. Nous décrirons les organes des sens au chapitre 16. Nous fournirons plus de détails sur la sensibilité viscérale au chapitre 17 ainsi que dans les chapitres consacrés aux divers organes.

Déroulement de la sensation

Une sensation s'amorce dans un **récepteur sensoriel** constitué soit par une cellule spécialisée, soit par les dendrites d'un neurone sensitif dont la fonction est de détecter une condition particulière dans le milieu intérieur ou extérieur. Chaque type de récepteurs sensoriels n'est sensible qu'à une seule modalité sensorielle. Ainsi, un récepteur sensoriel donné réagira vigoureusement à un type particulier de **stimulus,** c'est-à-dire une variation du milieu susceptible d'activer certains récepteurs sensoriels, mais ne réagira que faiblement (pour autant qu'il réagisse) à tous les autres types de stimulus. Cette caractéristique des récepteurs sensoriels est appelée *sélectivité.* Un stimulus peut correspondre à l'une des trois formes d'énergie suivantes: l'énergie électromagnétique, comme la lumière et la chaleur; l'énergie mécanique, comme les ondes sonores et les variations de la pression; l'énergie chimique, comme celle d'une molécule de gaz carbonique dissoute dans les liquides de l'organisme. C'est à cause de la sélectivité, par exemple, que les récepteurs auditifs, dans les oreilles, réagissent aux ondes sonores mais non à la lumière.

En règle générale, l'émergence d'une sensation est conditionnelle aux quatre événements suivants:

1. *Stimulation du récepteur sensoriel.* Le stimulus doit se produire à l'intérieur du *champ récepteur* du récepteur sensoriel, c'est-à-dire la partie du récepteur qui est capable de réagir à la stimulation.

2. *Transduction du stimulus.* Un récepteur sensoriel effectue la *transduction,* ou conversion, d'un stimulus en un potentiel gradué. Rappelez-vous que les potentiels gradués varient en amplitude (taille) selon la force du stimulus qui les engendre et qu'ils ne se propagent pas. (Révisez les différences entre les potentiels d'action et les potentiels gradués aux pages 411-412.) Chaque type de récepteurs sensoriels ne peut effectuer la transduction que d'un seul type de stimulus. Ainsi, les molécules odorantes qui flottent dans l'air stimulent les récepteurs olfactifs du nez, et ceux-ci convertissent l'énergie chimique des molécules en énergie électrique sous forme de potentiels gradués.

3. *Production d'influx nerveux.* Un potentiel gradué qui atteint le seuil d'excitation dans un neurone déclenche un ou plusieurs influx nerveux qui se propagent ensuite vers le SNC. Les neurones sensitifs qui transmettent les influx nerveux du SNP au SNC sont appelés **neurones de premier ordre.**

4. *Intégration de l'information sensorielle.* Les influx sensitifs aboutissent dans une région particulière du SNC et y sont intégrés. Les sensations conscientes, ou perceptions, sont intégrées dans le cortex cérébral. Si vous voyez avec vos yeux, entendez avec vos oreilles et ressentez de la douleur dans les parties blessées de votre corps, c'est parce que les influx sensitifs issus de chaque partie de votre corps parviennent dans une région précise de votre cortex cérébral et que cette région détermine que la sensation provient des récepteurs sensoriels stimulés.

Nature des récepteurs sensoriels

Types de récepteurs sensoriels

Nous pouvons nous appuyer sur plusieurs caractéristiques structurales et fonctionnelles pour classer les récepteurs sensoriels. À l'échelle microscopique, les récepteurs sensoriels peuvent être: 1) des terminaisons nerveuses libres; 2) des terminaisons nerveuses capsulées associées aux dendrites de neurones sensitifs de premier ordre; 3) des cellules distinctes qui font synapse avec des neurones sensitifs de premier ordre (figure 15.1). Les **terminaisons nerveuses libres** sont des dendrites dénudés qui, souvent, ne possèdent aucune spécialisation visible sur le plan structural (figure 15.1a). Les récepteurs de la douleur, de la chaleur, du froid, du chatouillement et de la démangeaison ainsi que certains récepteurs du toucher sont des terminaisons nerveuses libres. Les récepteurs des autres sensations somatiques et viscérales, du toucher, de la pression et de la vibration par exemple, sont **des terminaisons nerveuses capsulées.** Leurs dendrites sont enveloppés dans une capsule de tissu conjonctif dotée d'une structure microscopique distinctive; tel est le cas des corpuscules lamelleux, ou corpuscules de Pacini (figure 15.1b). Les récepteurs sensoriels situés dans les organes de la vision, de l'ouïe, de l'équilibre et du goût sont formés par des **cellules spécialisées** qui font synapse avec des neurones sensitifs de premier ordre (figure 15.1c).

Figure 15.1 Types de récepteurs sensoriels et rapports avec les neurones sensitifs de premier ordre. (a) Terminaisons nerveuses libres (un récepteur sensible au froid dans ce cas-ci). Ces terminaisons sont des dendrites dénudés (sans spécialisation structurale apparente) de neurones sensitifs de premier ordre. (b) Terminaison nerveuse capsulée (récepteur sensible à la pression). Les terminaisons nerveuses capsulées sont des dendrites de neurones de premier ordre. (c) Cellule réceptrice spécialisée (un récepteur gustatif dans ce cas-ci) et sa synapse avec un neurone de premier ordre.

🔑 **Les terminaisons nerveuses libres et les terminaisons nerveuses capsulées produisent des potentiels générateurs qui déclenchent des influx nerveux dans les neurones de premier ordre. Les cellules réceptrices spécialisées produisent des potentiels récepteurs qui entraînent la libération d'un neurotransmetteur; celui-ci stimule ensuite les dendrites d'un neurone de premier ordre et déclenche un influx nerveux.**

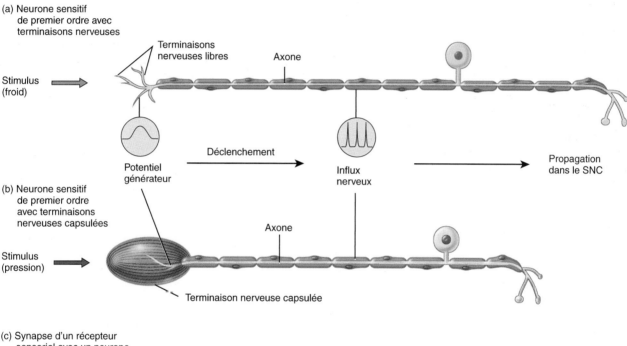

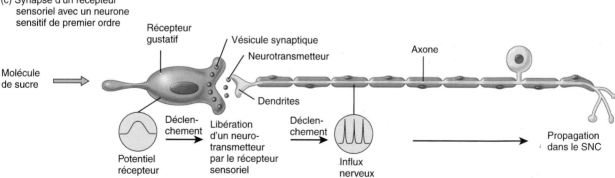

Ⓠ Quels sens ou sensations sont desservis par des récepteurs qui sont des cellules spécialisées?

Les récepteurs sensoriels produisent différents types de potentiels gradués en réponse à un stimulus. Les terminaisons nerveuses libres, les terminaisons nerveuses capsulées et la partie réceptrice des récepteurs olfactifs produisent des **potentiels générateurs** sous l'effet d'une stimulation (voir la figure 15.1a et b). Si le potentiel générateur atteint le seuil d'excitation, il *engendre* un ou plusieurs influx nerveux dans le neurone sensitif de premier ordre. L'influx nerveux se propage ensuite le long de l'axone et atteint le SNC. Par ailleurs, les cellules spécialisées qui servent de récepteurs dans les organes de la vision, de l'ouïe, de l'équilibre et du goût produisent des **potentiels récepteurs** en réponse aux stimulus (voir la figure 15.1c). Un potentiel récepteur entraîne l'exocytose de vésicules synaptiques. Les molécules de neurotransmetteur libérées des vésicules synaptiques diffusent dans la fente synaptique et produisent un potentiel postsynaptique (PPS) dans le neurone de premier ordre. Le PPS peut à son tour déclencher un ou plusieurs influx nerveux qui se propageront le long de l'axone jusque dans le SNC. L'amplitude des potentiels générateurs et des potentiels récepteurs est directement proportionnelle à l'intensité du stimulus. Un stimulus intense produit un potentiel fort, tandis qu'un stimulus léger produit un potentiel faible. De même, la fréquence des influx nerveux produits dans le neurone de premier ordre dépend de la force des potentiels générateurs ou récepteurs.

On peut aussi classer les récepteurs sensoriels selon leur situation et l'origine des stimulus qui les activent. Les **extérocepteurs** sont situés à la surface du corps; ils sont sensibles aux stimulus provenant de l'extérieur de l'organisme et fournissent de l'information sur le milieu extérieur. Ce sont par exemple des extérocepteurs qui transmettent les sensations auditives, visuelles, olfactives, gustatives et tactiles ainsi que les sensations de pression, de vibration, de chaleur, de froid et de douleur. Les **intérocepteurs** sont situés dans les vaisseaux sanguins, les viscères, les muscles et le système nerveux; ils enregistrent les conditions qui règnent dans le milieu *intérieur*. Habituellement, les influx nerveux que produisent les intérocepteurs ne sont pas consciemment perçus; il peut cependant arriver que l'activation des intérocepteurs par des stimulus intenses engendre une sensation de douleur ou de pression. Les **propriocepteurs** (*proprius* = à soi) sont situés dans les muscles, les tendons, les articulations et l'oreille interne; ils détectent la position du corps, la tension musculaire ainsi que la position et le mouvement des articulations.

On peut enfin classer les récepteurs sensoriels selon le type de stimulus qu'ils détectent.

- Les **mécanorécepteurs** détectent la pression mécanique ou l'étirement. Leur activation donne lieu à la perception du toucher, de la pression et de la vibration, à la proprioception, à l'ouïe et à l'équilibre.
- Les **thermorécepteurs** détectent les variations de la température.
- Les **nocicepteurs** réagissent aux stimulus associés aux lésions physiques ou chimiques des tissus et donnent naissance aux sensations douloureuses.
- Les **photorécepteurs** détectent la lumière qui atteint la rétine.
- Les **chimiorécepteurs** détectent les substances chimiques présentes dans la bouche (goût), le nez (odorat) et les liquides de l'organisme.

Le tableau 15.1 présente la classification des récepteurs sensoriels.

Tableau 15.1 Classification des récepteurs sensoriels

CRITÈRES DE CLASSIFICATION	DESCRIPTION
Caractéristiques microscopiques	
Terminaisons nerveuses libres	Dendrites dénudés associés aux sensations de douleur, de chaleur, de froid, de chatouillement, de démangeaison ainsi qu'à certaines sensations tactiles.
Terminaisons nerveuses capsulées	Dendrites enveloppés dans une capsule de tissu conjonctif, tels les corpuscules tactiles capsulés.
Cellules spécialisées	Font synapse avec des neurones de premier ordre; situées dans des structures macroscopiques comme l'œil, l'oreille et la langue.
Situation du récepteur et stimulus activateurs	
Extérocepteurs	Situés à la surface du corps; sensibles aux stimulus provenant de l'extérieur de l'organisme; fournissent de l'information sur le milieu extérieur; produisent les sensations visuelles, olfactives, gustatives et tactiles ainsi que les sensations de pression, de vibration, de chaleur, de froid et de douleur.
Intérocepteurs	Situés dans les vaisseaux sanguins, les viscères et le système nerveux; fournissent de l'information sur le milieu intérieur; habituellement, les influx nerveux qu'ils produisent ne sont pas consciemment perçus, mais ils peuvent parfois engendrer une sensation de douleur ou de pression.
Propriocepteurs	Situés dans les muscles, les tendons, les articulations et l'oreille interne; détectent la position du corps, la longueur et la tension des muscles ainsi que la position et le mouvement des articulations.
Type de stimulus détecté	
Mécanorécepteurs	Détectent la pression mécanique; donnent lieu à la perception du toucher, de la pression et de la vibration, à la proprioception, à l'ouïe et à l'équilibre; détectent aussi le degré d'étirement des vaisseaux sanguins et des organes internes.
Thermorécepteurs	Détectent les variations de la température.
Nocicepteurs	Réagissent aux stimulus associés aux lésions physiques ou chimiques des tissus.
Photorécepteurs	Détectent la lumière qui atteint la rétine.
Chimiorécepteurs	Détectent les substances chimiques présentes dans la bouche (goût), le nez (odorat) et les liquides de l'organisme.

Adaptation des récepteurs sensoriels

La plupart des récepteurs sensoriels ont ceci de caractéristique qu'ils présentent une **adaptation,** c'est-à-dire que l'amplitude du potentiel générateur ou du potentiel récepteur diminue au cours d'une stimulation constante et prolongée.

ordre produit de
ation est en partie
du récepteur. Elle
eption même si le
z sous une douche
ante mais, bientôt,
sation de chaleur,
e de l'eau) n'a pas
lon les récepteurs.

daptation rapide,
lisés pour détecter
cepteurs associés à
ptent rapidement.
s les **récepteurs à**
s, qui continuent
stimulus persiste.

Ces récepteurs détectent les stimulus associés à la douleur, à la position du corps et à la composition chimique du sang. L'adaptation se produit pour l'essentiel dans les récepteurs sensoriels, mais elle peut aussi se poursuivre pendant le traitement de l'information dans le SNC.

1. Expliquez la différence entre sensation et perception.
2. Qu'est-ce qu'une modalité sensorielle?
3. Quels événements sont nécessaires à l'émergence d'une sensation?
4. Expliquez la différence entre les potentiels générateurs et les potentiels récepteurs.
5. Expliquez la différence entre les récepteurs à adaptation rapide et les récepteurs à adaptation lente.

SOMESTHÉSIE

OBJECTIFS

• *Décrire la situation et la fonction des récepteurs tactiles, thermiques et nociceptifs.*

• *Nommer les récepteurs de la proprioception et décrire leurs fonctions.*

Les sensations somatiques résultent de la stimulation de récepteurs sensoriels situés dans la peau ou dans la couche profonde sous-cutanée, dans les muqueuses de la bouche, du vagin et de l'anus, dans les muscles, les tendons et les articulations ainsi que dans l'oreille interne. Ces récepteurs sensoriels ne sont pas uniformément distribués : ils sont denses dans certaines zones de la surface du corps mais clairsemés ailleurs. C'est sur le bout de la langue, les lèvres et le bout des doigts qu'ils sont les plus nombreux. Les sensations somatiques suscitées par la stimulation de la surface de la peau sont appelées **sensations cutanées** (*cutis* = peau).

Les sensations somatiques se répartissent en quatre modalités : tactiles, thermiques, nociceptives et proprioceptives.

Sensations tactiles

Les **sensations tactiles** (*tactus* = toucher) sont le toucher, la pression, la vibration, la démangeaison et le chatouillement. Ces deux dernières sensations sont détectées par des terminaisons nerveuses libres associées à des fibres C amyélinisées et de petit diamètre. Toutes les autres sensations tactiles sont détectées par une variété de mécanorécepteurs capsulés associés à des fibres A myélinisées et de grand diamètre. Rappelez-vous que les fibres myélinisées de grand diamètre transmettent les influx nerveux plus rapidement que les fibres amyélinisées de petit diamètre (voir p. 416). Les récepteurs tactiles de la peau ou de la couche sous-cutanée comprennent les corpuscules tactiles, les plexus de la racine des poils, les mécanorécepteurs cutanés de types I et II, les corpuscules lamelleux et les terminaisons nerveuses libres (figure 15.2).

Toucher

Les sensations tactiles naissent généralement de la stimulation de récepteurs tactiles situés dans la peau ou de la couche sous-cutanée. Le **toucher grossier** est la capacité de percevoir qu'un objet est entré en contact avec la peau ; il ne permet pas de déterminer la situation, la forme, la taille et la texture de l'objet. Le **toucher discriminant,** en revanche, fournit des renseignements précis sur une sensation tactile, comme l'emplacement exact de la stimulation ainsi que la forme, la taille et la texture de la source du stimulus.

Il existe deux types de récepteurs tactiles à adaptation rapide. Les **corpuscules tactiles capsulés,** ou **corpuscules de Meissner,** sont des récepteurs du toucher discriminant situés dans les papilles du derme de la peau glabre, sur le bout des doigts et la paume des mains en particulier. Ils sont formés d'une masse ovale de dendrites enfermée dans une capsule de tissu conjonctif. Comme ils s'adaptent rapidement, ils produisent l'essentiel de leurs influx nerveux au début d'une stimulation tactile. Ils constituent 40 % des récepteurs tactiles des mains et sont abondants également dans les paupières, le bout de la langue, les lèvres, les mamelons, la plante des pieds, le clitoris et le gland du pénis. Le deuxième type de récepteurs tactiles à adaptation rapide, les **plexus de la racine des poils,** ou récepteurs pileux, sont situés dans la peau velue ; ils sont formés de terminaisons nerveuses libres enroulées autour de follicules pileux. Les plexus de la racine des poils détectent les mouvements qui font remuer les poils à la surface de la peau, comme le contact d'un moustique. Le mouvement de la tige du poil stimule les terminaisons nerveuses libres.

Il existe par ailleurs deux types de récepteurs tactiles à adaptation lente. Les **mécanorécepteurs cutanés de type I,** ou **corpuscules tactiles non capsulés,** interviennent dans le

Figure 15.2 Structure et situation des récepteurs sensoriels dans la peau et dans la couche sous-cutanée.

 Les sensations somatiques de toucher, de pression, de vibration, de chaleur, de froid et de douleur proviennent des récepteurs sensoriels situés dans la peau, la couche sous-cutanée et les muqueuses.

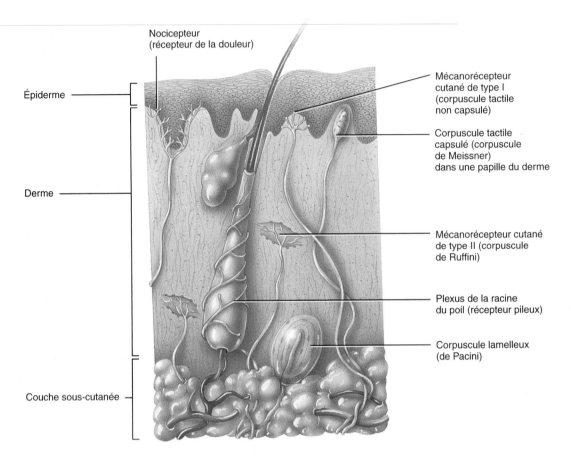

Q Quelles sensations peuvent être provoquées par la stimulation des terminaisons nerveuses libres ?

toucher discriminant. Il s'agit de terminaisons nerveuses libres aplaties en forme de soucoupe qui sont associées à des cellules épidermiques de la couche basale (voir la figure 5.2, p. 150). Ces mécanorécepteurs non capsulés sont abondants dans le bout des doigts, les lèvres et les organes génitaux externes ; ils constituent 25 % des récepteurs tactiles dans les mains. L'autre type de récepteurs tactiles à adaptation lente, les **mécanorécepteurs cutanés de type II,** ou **corpuscules de Ruffini,** sont des récepteurs capsulés allongés situés dans le derme ainsi que dans les ligaments et les tendons. Ils constituent 20 % des récepteurs sensoriels dans les mains, et ils sont abondants dans la plante des pieds. Bien que les corpuscules de Ruffini soient semblables aux autres récepteurs tactiles

au point de vue structural, leur fonction est encore obscure. Ils sont surtout sensibles à l'étirement suscité par les mouvements des doigts et des membres.

Pression et vibration

La **pression** est une sensation prolongée et plus étendue que le toucher. Les récepteurs qui la produisent sont notamment les corpuscules tactiles capsulés, les mécanorécepteurs de type I et les corpuscules lamelleux. Les **corpuscules lamelleux,** ou **corpuscules de Pacini,** sont de grandes structures ovales composées d'une capsule de tissu conjonctif dont les nombreuses couches entourent un dendrite. Présents dans le corps entier, ils sont situés dans la couche sous-cutanée et, parfois, le derme ; dans les tissus sous-jacents aux muqueuses et aux séreuses ; autour des articulations, des tendons et des muscles ; dans le périoste ; dans les glandes mammaires, les organes génitaux externes et certains viscères, le pancréas et la vessie notamment.

L'émission rapide et répétitive de signaux sensoriels par les récepteurs tactiles produit les sensations de **vibration.** Les récepteurs associés à ces sensations sont les corpuscules tactiles capsulés et les corpuscules lamelleux. Les premiers détectent les vibrations de faible fréquence et les seconds, les vibrations de haute fréquence.

Démangeaison et chatouillement

La **démangeaison** résulte de la stimulation de terminaisons nerveuses libres par certaines substances chimiques, la bradykinine par exemple, à la suite souvent d'une réaction inflammatoire locale. Le **chatouillement,** par ailleurs, serait produit par des terminaisons nerveuses libres et des corpuscules lamelleux. Nul ne sait encore pourquoi le chatouillement est la seule sensation qu'on ne peut provoquer chez soi-même.

Sensations thermiques

Les **thermorécepteurs** sont des terminaisons nerveuses libres qui possèdent un champ récepteur d'environ 1 mm de diamètre à la surface de la peau. Nous percevons deux **sensations thermiques** distinctes : le froid et la chaleur. Les **récepteurs du froid** sont situés dans la couche basale de l'épiderme ; la plupart sont associés à des fibres A myélinisées de diamètre moyen, mais quelques-uns sont rattachés à des fibres C amyélinisées de petit diamètre. Les récepteurs du froid sont activés par les températures de 10 à 40 °C. On appelle *froid paradoxal* la sensation de fraîcheur produite par le contact d'une petite sonde de température supérieure à 34 °C (la température de la peau) avec le champ récepteur d'un récepteur du froid. Les **récepteurs de la chaleur** sont situés dans le derme et associés à des fibres C amyélinisées de petit diamètre ; ils sont activés par les températures de 32 à 48 °C. Les récepteurs du froid et de la chaleur s'adaptent rapidement au début d'une stimulation, mais ils continuent de produire des influx nerveux à faible fréquence si le stimulus se prolonge. Les températures inférieures à 10 °C et supérieures à 48 °C stimulent les nocicepteurs plus que les thermorécepteurs et provoquent des sensations douloureuses.

Sensations douloureuses

La douleur est indispensable à la survie. Elle remplit une fonction de protection en signalant la présence de conditions nocives. Au point de vue médical, la localisation et la description subjectives de la douleur peuvent faciliter l'établissement de la cause sous-jacente de la maladie.

Les **nocicepteurs** (*nocivus* = nocif), les récepteurs de la douleur, sont des terminaisons nerveuses libres présentes dans tous les tissus de l'organisme sauf l'encéphale (voir la figure 15.2). Ils peuvent être activés par des stimulus thermiques, mécaniques et chimiques intenses. L'irritation ou la lésion d'un tissu libèrent des substances chimiques qui, tels les prostaglandines, les kinines et même les ions potassium (K^+), stimulent les nocicepteurs. La douleur peut persister même après la suppression d'un stimulus douloureux, parce que ces substances chimiques demeurent dans les tissus et que les nocicepteurs s'adaptent très lentement ou pas du tout. Parmi les facteurs qui provoquent la douleur, on compte la distension ou la dilatation excessive d'une structure, les contractions musculaires prolongées, les spasmes musculaires et l'ischémie (irrigation insuffisante d'un organe).

Types de douleur

La douleur peut être rapide ou lente. La perception de la **douleur rapide** apparaît habituellement 0,1 s après l'application du stimulus, car les influx nerveux se propagent dans des axones myélinisés de diamètre moyen appelés fibres A-delta. C'est ce type de douleur que l'on qualifie d'aiguë ou de vive et que l'on éprouve en se piquant avec une aiguille ou en se coupant avec un couteau. La douleur rapide ne provient jamais des tissus profonds. La perception de la **douleur lente,** en revanche, commence 1 s ou plus après l'application du stimulus puis augmente graduellement au cours des secondes ou des minutes qui suivent. Les influx nerveux associés à la douleur lente se propagent dans des fibres C amyélinisées de petit diamètre. Ce type de douleur peut être atroce et est parfois décrit comme chronique, brûlante, lancinante ou pulsatile. La douleur lente peut provenir de la peau, des tissus profonds et des organes internes. Le mal de dent en est un exemple. On peut mesurer la différence entre les délais d'apparition de la douleur rapide et de la douleur lente lorsqu'on se blesse une partie du corps située loin de l'encéphale, car les influx doivent alors se propager sur une longue distance. Lorsque vous vous heurtez un orteil contre un objet, par exemple, vous éprouvez dans un premier temps la sensation vive de la douleur rapide, puis la sensation sourde de la douleur lente.

La stimulation des récepteurs cutanés produit la **douleur somatique superficielle,** tandis que la stimulation des récepteurs des muscles squelettiques, des articulations, des tendons et des fascias (ou aponévroses) produit la **douleur somatique profonde.** La stimulation des nocicepteurs des viscères produit la **douleur viscérale.** Certains des stimulus qui engendrent la douleur somatique ne suscitent pas de douleur viscérale. Ainsi, les lésions très *localisées* de certains viscères, comme le sectionnement de l'intestin chez un patient conscient, ne causent pas de douleur ou en causent très peu. Par contre, une stimulation *diffuse* (appliquée sur une région étendue) peut entraîner une douleur viscérale intense. La stimulation diffuse des nocicepteurs viscéraux peut résulter de la distension des organes, de spasmes ou d'une ischémie. Un calcul logé dans un rein ou dans la vésicule biliaire, par exemple, peut obstruer et distendre un uretère ou le conduit cholédoque et causer une douleur intense.

Figure 15.3 Douleur projetée. Les parties colorées des schémas indiquent les régions cutanées où la douleur viscérale se projette.

🔑 **Presque tous les tissus de l'organisme contiennent des nocicepteurs.**

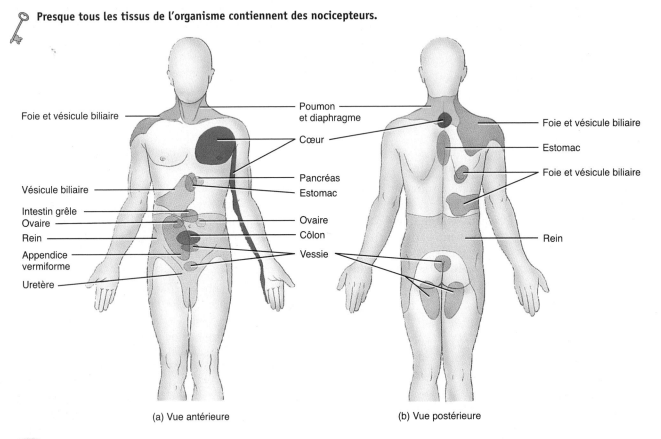

Foie et vésicule biliaire

Vésicule biliaire

Intestin grêle
Ovaire
Rein
Appendice vermiforme
Uretère

Poumon et diaphragme
Cœur
Pancréas
Estomac
Ovaire
Côlon
Vessie

Foie et vésicule biliaire
Estomac
Foie et vésicule biliaire
Rein

(a) Vue antérieure

(b) Vue postérieure

Q Quel viscère est associé à la région de douleur projetée la plus étendue?

Localisation de la douleur

La douleur rapide est très précisément circonscrite à la région stimulée. Si quelqu'un vous pique avec une aiguille, par exemple, vous déterminez exactement la partie de votre corps qui est stimulée. La douleur somatique lente est localisée également, mais plus diffuse; elle semble généralement provenir d'une zone étendue de la peau.

Il peut arriver que la douleur viscérale lente soit perçue dans la région stimulée. L'inflammation de la plèvre, par exemple, produit une douleur thoracique. Dans un grand nombre de cas, cependant, la douleur viscérale est perçue dans la peau qui recouvre l'organe stimulé. Le phénomène est appelé **douleur projetée.** La douleur projetée peut aussi se faire sentir dans une zone de la peau éloignée de l'organe stimulé. En règle générale, le viscère en cause et la région où la douleur est projetée sont innervés par le même segment médullaire. Ainsi, les fibres sensitives issues du cœur, de la peau qui le surmonte et de la peau de la face médiale du bras

gauche entrent dans la moelle épinière du côté gauche, au niveau de T1 à T5; c'est pourquoi la douleur causée par une crise cardiaque se manifeste généralement dans la peau au-dessus du cœur et dans le bras gauche. La figure 15.3 indique les régions cutanées où se projette la douleur viscérale.

Parmi les patients qui ont subi une amputation, certains éprouvent encore des sensations comme la démangeaison, la pression, le picotement et la douleur dans leur membre absent. Ce phénomène est appelé **algohallucinose,** ou illusion des amputés. Ses causes sont encore obscures, mais certains experts pensent que le cortex cérébral situe dans le membre absent l'origine des influx nerveux provenant de la partie proximale des neurones sensitifs coupés. D'autres spécialistes avancent que l'encéphale lui-même contient des réseaux de neurones qui engendrent les sensations proprioceptives. Les neurones cérébraux qui recevaient les influx sensitifs du membre avant l'amputation seraient toujours actifs et donneraient naissance à des perceptions illusoires.

APPLICATION CLINIQUE
Analgésie

Certaines sensations douloureuses sont indésirables en ce sens qu'elles proviennent de blessures mineures ou persistent sans raison apparente au lieu de simplement signaler la présence ou l'imminence d'une lésion. Il faut donc les supprimer au moyen de l'**analgésie** (*a* = sans; *algos* = douleur). Les médicaments analgésiques tels que l'aspirine et l'ibuprofène (Advil par exemple) entravent la formation des prostaglandines, substances qui stimulent les nocicepteurs. Les anesthésiques locaux comme Novocain apportent un soulagement temporaire de la douleur en empêchant la propagation des influx nerveux dans les fibres nociceptives de premier ordre. La morphine et les autres opiacés ne suppriment pas la douleur mais modifient le caractère de sa perception dans l'encéphale, si bien qu'elle ne paraît plus nocive. ■

Sensations proprioceptives

Les sensations proprioceptives ont trait au degré de contraction des muscles, au degré de tension des tendons, à la position des articulations et à l'orientation de la tête par rapport au sol et pendant les mouvements. Elles renseignent également sur la vitesse du mouvement d'une partie du corps par rapport aux autres, de sorte que nous pouvons marcher, dactylographier ou nous vêtir sans regarder ce que nous faisons. La **kinesthésie** (*kinêsis* = mouvement; *aisthêsis* = sensation) est la perception des mouvements du corps. Les sensations proprioceptives nous permettent d'estimer le poids des objets et de déterminer l'effort musculaire nécessaire à l'accomplissement d'une tâche. Lorsque vous soupesez un sac, par exemple, vous établissez rapidement s'ils contient de la plume ou des livres, puis vous ne déployez pour le soulever que la force nécessaire.

Les récepteurs de la proprioception sont appelés **propriocepteurs**; ils s'adaptent lentement et faiblement. Aussi l'encéphale reçoit-il sans cesse des influx nerveux relatifs à la position des différentes parties du corps et accomplit-il les ajustements nécessaires à la coordination. Les cellules ciliées de l'oreille interne sont des propriocepteurs qui interviennent dans le maintien de l'équilibre (décrit au chapitre 16). Nous présenterons ici trois types de propriocepteurs: les fuseaux neuromusculaires, dans les muscles squelettiques, les organes tendineux de Golgi, dans les tendons, et les récepteurs kinesthésiques des articulations, dans les capsules articulaires des articulations synoviales.

Fuseaux neuromusculaires

Les **fuseaux neuromusculaires** sont des groupes spécialisés de myocytes disséminés parmi les myocytes squelettiques ordinaires et disposés parallèlement à eux (figure 15.4a). Les extrémités des fuseaux sont ancrées à l'endomysium et au périmysium. Un fuseau neuromusculaire est composé de 3 à 10 myocytes spécialisés, les **myocytes intrafusoriaux,** enveloppés dans une capsule fusiforme de tissu conjonctif. La région centrale de chaque myocyte intrafusorial contient plusieurs noyaux mais très peu de filaments d'actine et de myosine, si tant est qu'elle en renferme. Les myocytes intrafusoriaux se contractent lorsqu'ils sont stimulés par des fibres A de diamètre moyen appelées **neurones moteurs gamma.** Le fuseau neuromusculaire est entouré par des myocytes squelettiques ordinaires appelés **myocytes extrafusoriaux,** qui sont innervés par des fibres A de grand diamètre appelées **neurones moteurs alpha.** Les corps cellulaires des neurones moteurs gamma et alpha sont situés dans la corne ventrale de la moelle épinière. L'encéphale régit la sensibilité des fuseaux neuromusculaires par l'intermédiaire de voies menant aux neurones moteurs gamma. En réglant la vigueur avec laquelle un fuseau neuromusculaire réagit à l'étirement, l'encéphale établit le tonus musculaire général, c'est-à-dire le faible degré de contraction d'un muscle au repos.

Les fibres sensitives associées aux muscles squelettiques sont classées en quatre groupes selon le diamètre de leur axone: les types I (le plus grand diamètre), II, III et IV (le plus petit diamètre); on ajoute des lettres à ces chiffres pour désigner les sous-groupes. La région centrale d'un myocyte intrafusorial contient des fibres sensitives à adaptation lente de deux types. La première est une **fibre sensitive de type Ia,** c'est-à-dire un axone de grand diamètre qui transmet rapidement les influx nerveux. Les dendrites d'une telle fibre s'enroulent autour de la région centrale du myocyte intrafusorial. On trouve aussi une **fibre sensitive de type II** dans la région réceptrice centrale de certains fuseaux neuromusculaires; les dendrites de cette fibre sont situés de part et d'autre des dendrites de la fibre de type Ia. Un étirement soudain ou prolongé de la région centrale des myocytes intrafusoriaux stimule les dendrites de type Ia et de type II. Les influx nerveux alors produits se propagent dans le SNC. Ainsi les fuseaux neuromusculaires détectent-ils les variations de la longueur des muscles squelettiques. L'information qu'ils émettent parvient au cervelet, où elle favorise la coordination des contractions musculaires, et au cortex cérébral, où elle permet la perception de la position des membres. Les influx nerveux provenant des fuseaux neuromusculaires constituent par ailleurs l'élément afférent des réflexes d'étirement (voir la figure 13.6, p. 444). Comme ces réflexes sont déclenchés par suite de l'étirement d'un muscle, ils contribuent à prévenir les blessures en empêchant l'étirement excessif des muscles.

Organes tendineux de Golgi

Un **organe tendineux de Golgi** est un propriocepteur situé à la jonction d'un tendon et d'un muscle. Il est formé d'une mince capsule de tissu conjonctif entourant quelques fibres collagènes (figure 15.4b). Une ou plusieurs **fibres sensitives de type Ib** pénètrent dans la capsule, et leurs dendrites s'enroulent autour des fibres collagènes. Lorsque le tendon subit une tension, les organes tendineux de Golgi produisent

Figure 15.4 Deux types de propriocepteurs : un fuseau neuromusculaire et un organe tendineux de Golgi. (a) Dans un fuseau neuromusculaire, qui détecte les variations de la longueur d'un muscle squelettique, des fibres sensitives de type Ia et de type II s'enroulent autour de la partie centrale de myocytes intrafusoriaux. (b) Dans un organe tendineux de Golgi, qui détecte la force des contractions musculaires, une fibre sensitive de type Ib est activée par une augmentation de la tension exercée sur le tendon.

 Les propriocepteurs fournissent de l'information sur les mouvements et la position du corps.

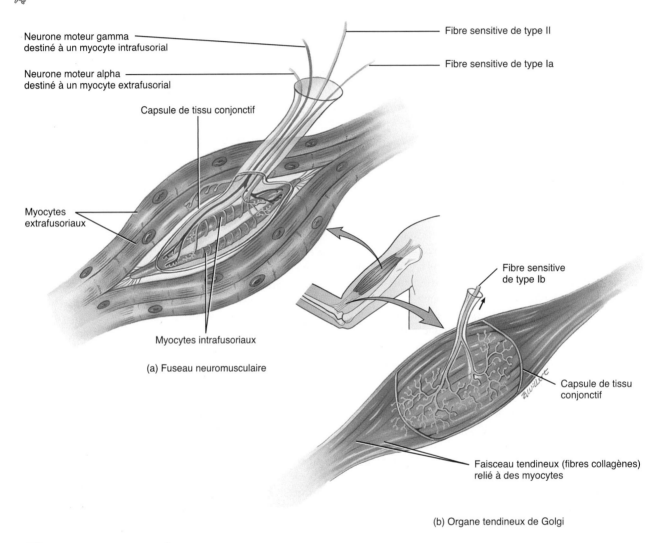

Neurone moteur gamma destiné à un myocyte intrafusorial

Neurone moteur alpha destiné à un myocyte extrafusorial

Capsule de tissu conjonctif

Myocytes extrafusoriaux

Myocytes intrafusoriaux

Fibre sensitive de type II

Fibre sensitive de type Ia

(a) Fuseau neuromusculaire

Fibre sensitive de type Ib

Capsule de tissu conjonctif

Faisceau tendineux (fibres collagènes) relié à des myocytes

(b) Organe tendineux de Golgi

 Comment un fuseau neuromusculaire est-il activé ?

des influx nerveux qui se propagent jusque dans le SNC, lui fournissant de l'information sur les variations de la tension musculaire. En déclenchant les réflexes tendineux (voir la figure 13.7, p. 445), les organes tendineux de Golgi protègent les tendons et les muscles contre les lésions dues à une tension excessive. Les réflexes tendineux entraînent un relâchement des muscles et une diminution de la tension lorsque la force exercée par les muscles devient excessive.

Récepteurs kinesthésiques des articulations

On trouve plusieurs types de **récepteurs kinesthésiques des articulations** à l'intérieur et autour des capsules articulaires des articulations synoviales. Les terminaisons nerveuses libres et les mécanorécepteurs cutanés de type II (ou corpuscules de Ruffini) situés dans les capsules articulaires réagissent à la pression. De petits corpuscules lamelleux (ou corpuscules

Tableau 15.2 Récepteurs des sensations somatiques

TYPE DE RÉCEPTEURS	STRUCTURE ET SITUATION	SENSATIONS	ADAPTATION
Récepteurs tactiles			
Corpuscules tactiles capsulés (corpuscules de Meissner)	Masse de dendrites enfermée dans une capsule, dans les papilles du derme de la peau glabre.	Toucher, pression et vibrations lentes.	Rapide.
Plexus de la racine des poils (récepteurs pileux)	Terminaisons nerveuses libres enroulées autour des follicules pileux, dans la peau.	Toucher.	Rapide.
Mécanorécepteurs cutanés de type I (corpuscules tactiles non capsulés)	Terminaisons nerveuses libres en forme de soucoupe associées à des cellules de l'épiderme.	Toucher et pression.	Lente.
Mécanorécepteurs cutanés de type II (corpuscules de Ruffini)	Dendrites entourés d'une capsule allongée, dans le derme, les ligaments et les tendons.	Étirement de la peau.	Lente.
Corpuscules lamelleux (corpuscules de Pacini)	Dendrites entourés d'une capsule ovale formée de plusieurs couches, dans la couche sous-cutanée (et le derme dans certains cas), les tissus sous-muqueux, les articulations, le périoste et certains viscères.	Pression, vibrations rapides et chatouillement.	Rapide.
Récepteurs de la démangeaison et du chatouillement	Terminaisons nerveuses libres et corpuscules lamelleux, dans la peau et les muqueuses.	Démangeaison et chatouillement.	Lente et rapide.
Thermorécepteurs			
Récepteurs de la chaleur et récepteurs du froid	Terminaisons nerveuses libres, dans la peau et dans les muqueuses de la bouche, du vagin et de l'anus.	Chaleur ou froid.	Rapide initialement, puis lente.
Récepteurs de la douleur			
Nocicepteurs	Terminaisons nerveuses libres, dans la peau et dans les muqueuses de la bouche, du vagin et de l'anus.	Douleur.	Lente.
Propriocepteurs			
Fuseaux neuromusculaires	Dendrites de fibres de types Ia et II enroulés autour de la partie centrale de myocytes intrafusoriaux, dans la plupart des muscles squelettiques.	Longueur des muscles.	Lente.
Organes tendineux de Golgi	Fibres collagènes et dendrites de fibres de type Ib entourés d'une capsule, à la jonction des tendons et des muscles.	Tension des muscles.	Lente.
Récepteurs kinesthésiques des articulations	Corpuscules lamelleux, corpuscules de Ruffini, organes tendineux de Golgi et terminaisons nerveuses libres.	Position et mouvement des articulations.	Rapide.

de Pacini) situés dans le tissu conjonctif adjacent aux capsules articulaires réagissent à l'accélération et à la décélération des articulations pendant les mouvements. Les ligaments articulaires contiennent des récepteurs qui, semblables aux organes tendineux de Golgi, règlent l'inhibition réflexe des muscles adjacents lorsque l'articulation subit une contrainte excessive.

Le tableau 15.2 présente un résumé des récepteurs somatiques et des sensations qu'ils produisent.

1. Comparez les sensations cutanées et les sensations proprioceptives.
2. Quels récepteurs somatiques sont capsulés et lesquels ne le sont pas?
3. Comparez la douleur somatique, la douleur viscérale et l'algohallucinose.
4. Qu'est-ce que la douleur projetée? Pourquoi facilite-t-elle le diagnostic des troubles internes?
5. Quels récepteurs somatiques sont phasiques et lesquels sont toniques?

VOIES ASCENDANTES

OBJECTIF

• *Décrire les éléments nerveux et les fonctions de la voie lemniscale, de la voie antéro-latérale et de la voie spino-cérébelleuse.*

Les **voies ascendantes** transmettent au cervelet et à l'aire somesthésique primaire du cortex cérébral l'information sensorielle provenant des récepteurs somatiques. Les voies qui mènent au cortex cérébral sont formées de milliers d'ensembles de trois neurones, soit un neurone de premier ordre, un neurone de deuxième ordre et un neurone de troisième ordre.

1. Les **neurones de premier ordre** acheminent les influx nerveux des récepteurs somatiques jusque dans le tronc cérébral ou la moelle épinière. Les influx sensitifs provenant du visage, de la bouche, des dents et des yeux parviennent au tronc cérébral en empruntant les *nerfs crâniens*; les influx sensitifs provenant du cou, du corps et de la partie postérieure de la tête se rendent jusqu'à la moelle épinière en empruntant les *nerfs spinaux*.

2. Les **neurones de deuxième ordre** transmettent les influx nerveux de la moelle épinière et du tronc cérébral jusqu'au thalamus. Leurs axones traversent la ligne médiane dans la moelle épinière ou le tronc cérébral avant d'atteindre le thalamus. Par conséquent, toute l'information somesthésique issue d'un côté du corps parvient au thalamus du côté opposé.

3. Les **neurones de troisième ordre** transportent les influx nerveux du thalamus jusqu'à l'aire somesthésique primaire du cortex cérébral (située dans le gyrus postcentral; voir la figure 14.15, p. 493), où a lieu la perception consciente des sensations.

Les influx sensitifs qui entrent dans la moelle épinière montent jusqu'au cortex cérébral en empruntant deux voies: la voie lemniscale et la voie antéro-latérale (ou spino-thalamique).

Voie lemniscale

Les influx nerveux relatifs à la proprioception consciente et à la plupart des sensations tactiles montent jusqu'au cortex cérébral le long d'une voie commune formée par des séries de trois neurones (figure 15.5a). Les neurones de premier ordre s'étendent des récepteurs sensoriels jusque dans la moelle épinière et le bulbe rachidien, du même côté du corps. Les corps cellulaires de ces neurones sont situés dans les ganglions spinaux. Dans la moelle épinière, leurs axones forment les **cordons dorsaux,** lesquels sont constitués du **faisceau gracile** et du **faisceau cunéiforme.** Les boutons terminaux des axones font synapse avec des neurones de deuxième ordre dont les corps cellulaires sont situés dans le noyau gracile ou le noyau cunéiforme, dans le bulbe rachidien. Les influx nerveux provenant du cou, des membres supérieurs et de la partie supérieure de la poitrine se propagent dans les axones du faisceau cunéiforme et parviennent au noyau

cunéiforme, tandis que les influx nerveux provenant du tronc et des membres inférieurs se propagent dans les axones du faisceau gracile et parviennent au noyau gracile. Les axones des neurones de deuxième ordre traversent la ligne médiane dans le bulbe rachidien et pénètrent dans le **lemnisque médial.** Ce faisceau de projection s'étend du bulbe rachidien jusqu'au thalamus. Dans le thalamus, les axones des neurones de deuxième ordre font synapse avec des neurones de troisième ordre, dont les axones atteignent l'aire somesthésique primaire du cortex cérébral.

Les influx nerveux qui se propagent dans la voie ascendante lemniscale sont à l'origine de sensations très évoluées:

• Le **toucher discriminant,** c'est-à-dire la capacité de discerner certains attributs d'une sensation tactile, dont son point d'origine sur le corps ainsi que la forme, la taille et la texture de la source de la stimulation, et la capacité de percevoir comme distinctes deux stimulations appliquées à des points rapprochés du corps.

• La **stéréognosie,** c'est-à-dire la capacité de discerner la taille, la forme et la texture d'un objet en le palpant. C'est grâce à la stéréognosie, par exemple, que nous pouvons reconnaître un trombone en le touchant du bout des doigts et que les aveugles peuvent lire le braille.

• La **proprioception,** c'est-à-dire la perception de la position des parties du corps, et la **kinesthésie,** c'est-à-dire la perception de la direction des mouvements du corps.

• La **discrimination du poids,** c'est-à-dire la capacité d'évaluer le poids d'un objet.

• La **sensibilité vibratoire,** c'est-à-dire la capacité de percevoir les vibrations.

Voie antéro-latérale

La **voie antéro-latérale,** ou **voie spino-thalamique,** transporte principalement les influx nerveux relatifs à la douleur et à la température. Elle achemine aussi les influx nerveux relatifs au chatouillement et à la démangeaison de même que certains influx qui engendrent des sensations très diffuses de toucher ou de pression. Comme la voie lemniscale, la voie antéro-latérale est formée de séries de trois neurones (figure 15.5b). Le neurone de premier ordre relie un récepteur du cou, du tronc ou d'un membre avec la moelle épinière. Son corps cellulaire est situé dans le ganglion spinal. Son axone fait synapse avec le neurone de deuxième ordre, dont le corps cellulaire est situé dans la corne dorsale de la moelle épinière. L'axone du neurone de deuxième ordre traverse la ligne médiane dans la moelle épinière et monte jusqu'au tronc cérébral dans le **faisceau spino-thalamique latéral** ou dans le **faisceau spino-thalamique ventral.** Cet axone aboutit dans le thalamus, où il fait synapse avec le neurone de troisième ordre. L'axone du neurone de troisième ordre s'étend jusque dans l'aire somesthésique primaire du cortex cérébral. Le faisceau spino-thalamique latéral achemine les influx sensitifs associés à la douleur et à la température,

Figure 15.5 Voies ascendantes.

 Les influx nerveux se propagent dans des séries de trois neurones (neurone de premier ordre, de deuxième ordre et de troisième ordre) jusqu'à l'aire somesthésique primaire (gyrus postcentral) du cortex cérébral.

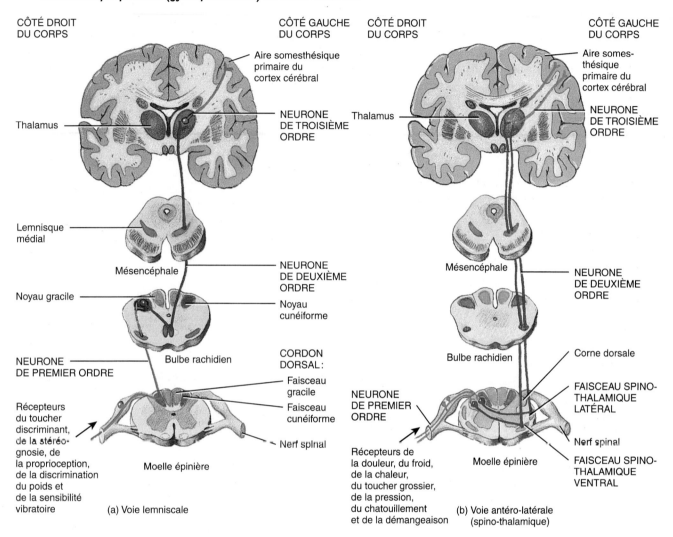

(a) Voie lemniscale

(b) Voie antéro-latérale (spino-thalamique)

Q Quels types de déficits sensoriels peuvent découler d'une lésion du faisceau spino-thalamique latéral droit?

tandis que le faisceau spino-thalamique ventral transporte les influx associés au chatouillement, à la démangeaison, au toucher grossier et à la pression.

Représentation du corps dans l'aire somesthésique primaire

Les chercheurs ont délimité les zones de l'aire somesthésique primaire (dans le gyrus postcentral) qui reçoivent l'information sensorielle provenant des différentes parties du corps. La «carte» de l'aire somesthésique primaire de l'hémisphère cérébral droit apparaît dans la figure 15.6a (celle de l'hémisphère gauche est analogue).

Notez que les représentations de certaines parties du corps, tels les lèvres, le visage, la langue et le pouce, occupent de grandes étendues de l'aire somesthésique primaire, tandis que celles d'autres parties, comme le tronc et les membres inférieurs, occupent des zones moins importantes. En effet, la surface de l'aire somesthésique consacrée aux sensations d'une partie du corps est proportionnelle au nombre de récepteurs sensoriels spécialisés que cette partie contient. Or, les récepteurs sont nombreux dans la peau des lèvres mais clairsemés dans la peau du tronc. La surface de l'aire somesthésique associée à une partie du corps peut s'étendre ou s'amenuiser quelque peu selon la quantité d'influx sensitifs qu'elle reçoit de cette partie. Ainsi, la repré-

Figure 15.6 (a) Aire somesthésique primaire (gyrus postcentral) et (b) aire motrice primaire (gyrus précentral) de l'hémisphère cérébral droit. On trouve des représentations semblables dans l'hémisphère gauche. (D'après Penfield et Rasmussen.)

🔑 **Chaque point de la surface du corps est représenté en un endroit précis de l'aire somesthésique primaire et de l'aire motrice primaire.**

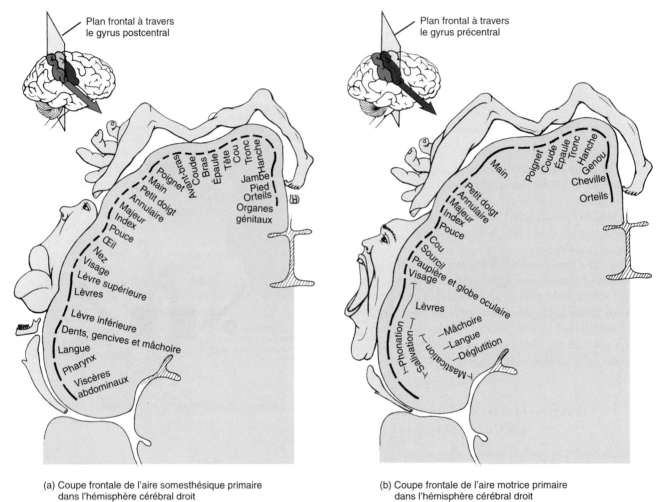

(a) Coupe frontale de l'aire somesthésique primaire dans l'hémisphère cérébral droit

(b) Coupe frontale de l'aire motrice primaire dans l'hémisphère cérébral droit

Q Comparez les représentations de la main dans l'aire somesthésique primaire et dans l'aire motrice primaire. Que suppose cette différence ?

sentation du bout des doigts dans l'aire somesthésique est plus étendue chez les personnes qui lisent en braille que chez les autres individus.

Voies ascendantes destinées au cervelet

Deux faisceaux de la moelle épinière, le **faisceau spino-cérébelleux dorsal** et le **faisceau spino-cérébelleux ventral,** constituent les principales voies de la proprioception vers le cervelet. Les influx sensitifs qui cheminent jusqu'au cervelet dans ces voies ne sont pas consciemment perçus, mais ils n'en sont pas moins primordiaux pour la posture, l'équilibre et la coordination des mouvements précis. Deux autres faisceaux, le **faisceau cunéo-cérébelleux** et le **faisceau spino-cérébelleux rostral,** acheminent au cervelet les influx nerveux provenant des propriocepteurs du tronc et des membres supérieurs.

Le tableau 15.3 présente une description des principaux faisceaux ascendants de la moelle épinière.

Tableau 15.3 Voies ascendantes

FAISCEAUX ET SITUATION	FONCTIONS ET TRAJET

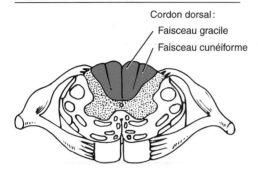

Cordon dorsal:
Faisceau gracile
Faisceau cunéiforme

Cordon dorsal : Achemine les influx nerveux associés au toucher discriminant, à la stéréognosie, à la proprioception consciente, à la kinesthésie, à la discrimination du poids et à la sensibilité vibratoire. Les axones des neurones de premier ordre d'un côté du corps forment le cordon dorsal du même côté et se terminent dans le bulbe rachidien, où ils font synapse avec les dendrites et les corps cellulaires de neurones de deuxième ordre. Les axones des neurones de deuxième ordre traversent la ligne médiane, entrent dans le lemnisque médial et s'étendent jusqu'au thalamus. Les neurones de troisième ordre transmettent les influx nerveux du thalamus à l'aire somesthésique primaire du cortex cérébral, du côté opposé à celui de la stimulation.

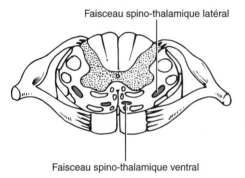

Faisceau spino-thalamique latéral

Faisceau spino-thalamique ventral

Faisceau spino-thalamique latéral : Achemine les influx nerveux associés aux sensations douloureuses et thermiques. Les axones des neurones de premier ordre d'un côté du corps font synapse avec les dendrites et les corps cellulaires des neurones de deuxième ordre dans la corne dorsale du même côté. Les axones des neurones de deuxième ordre traversent la ligne médiane, entrent dans le faisceau spino-thalamique latéral et s'étendent jusqu'au thalamus. Les neurones de troisième ordre transmettent les influx nerveux du thalamus à l'aire somesthésique primaire du cortex cérébral, du côté opposé à celui de la stimulation.

Faisceau spino-thalamique ventral : Achemine les influx nerveux associés à la démangeaison, au chatouillement, à la pression et au toucher grossier. Les axones des neurones de premier ordre d'un côté du corps font synapse avec les dendrites et les corps cellulaires des neurones de deuxième ordre dans la corne dorsale du même côté. Les axones des neurones de deuxième ordre traversent la ligne médiane, entrent dans le faisceau spino-thalamique ventral et s'étendent jusqu'au thalamus. Les neurones de troisième ordre transmettent les influx nerveux du thalamus à l'aire somesthésique primaire du cortex cérébral, du côté opposé à celui de la stimulation.

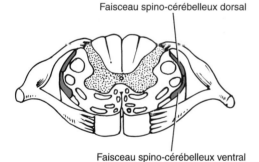

Faisceau spino-cérébelleux dorsal

Faisceau spino-cérébelleux ventral

Faisceaux spino-cérébelleux ventral et dorsal : Acheminent les influx nerveux provenant des propriocepteurs du tronc et du membre inférieur d'un côté du corps jusqu'au même côté du cervelet. Les influx proprioceptifs renseignent le cervelet sur les mouvements accomplis, lui permettant ainsi de produire des mouvements coordonnés et précis et de maintenir la posture et l'équilibre.

APPLICATION CLINIQUE
Syphilis tertiaire

La syphilis est une maladie sexuellement transmissible causée par une bactérie, *Treponema pallidum*. Faute de traitement, l'infection évolue en trois stades cliniques, dont le troisième, la *syphilis tertiaire*, se manifeste habituellement par des symptômes neurologiques débilitants. L'un des plus fréquents est la dégénérescence progressive de la partie postérieure de la colonne vertébrale, y compris les cordons dorsaux, les faisceaux spino-cérébelleux dorsaux et les racines dorsales. La personne atteinte perd sa sensibilité somatique et présente une démarche hésitante, en raison de la destruction des voies qui acheminent les influx proprioceptifs au cervelet. Elle doit regarder ses pieds en marchant pour conserver son équilibre. La vision, cependant, ne peut compenser pleinement la disparition des influx proprioceptifs, de sorte que les mouvements deviennent erratiques et saccadés. ■

1. Donnez trois différences entre la voie lemniscale et la voie antéro-latérale.
2. Comment les différentes parties du corps sont-elles représentées dans l'aire somesthésique primaire du cortex cérébral ? Quelles parties du corps y ont la représentation la plus étendue ?
3. Quel type d'information sensorielle est acheminée par les faisceaux spino-cérébelleux ? Quelle est l'importance de cette information ?

VOIES MOTRICES

OBJECTIFS

- *Comparer les situations et les fonctions de la voie motrice principale et de la voie motrice secondaire.*
- *Expliquer le rôle que jouent les noyaux gris centraux et le cervelet dans les commandes motrices.*

Plusieurs régions de l'encéphale interviennent dans la régulation des mouvements. Les parties motrices du cortex cérébral déclenchent et régissent les mouvements précis et isolés. Les noyaux gris centraux concourent à établir un tonus musculaire normal et à intégrer les mouvements semi-volontaires ou automatiques. Le cervelet, enfin, seconde les aires motrices et les noyaux gris centraux en coordonnant les mouvements et en participant au maintien de la posture et de l'équilibre. Deux grandes voies motrices vont du cerveau aux muscles squelettiques. La voie motrice principale s'étend du cortex cérébral à la moelle épinière et aux muscles squelettiques ; la voie motrice secondaire comprend des synapses situées dans les noyaux gris centraux, le thalamus, la formation réticulaire et le cervelet.

Avant de décrire ces voies, examinons le rôle que jouent les aires motrices du cortex cérébral dans le mouvement volontaire.

Représentation du corps dans les aires motrices

L'**aire motrice primaire,** ou **gyrus précentral,** du cortex cérébral est le principal centre de commande des mouvements volontaires. L'**aire prémotrice** adjacente et même l'**aire somesthésique primaire** dans le gyrus postcentral fournissent aussi des fibres aux voies descendantes. De même que le corps entier est représenté dans l'aire somesthésique primaire pour ce qui est de la sensibilité, il est représenté dans l'aire motrice primaire pour ce qui est de la motricité (voir la figure 15.6b). La surface consacrée à chaque muscle est proportionnelle au nombre d'unités motrices qu'il contient. Ainsi, la représentation des muscles du pouce, des doigts, des lèvres, de la langue et des cordes vocales est étendue, tandis que celle des muscles du tronc est beaucoup moins importante. Si vous comparez les figures 15.6a et 15.6b, vous pourrez constater que les représentations sensitives et motrices de chaque partie du corps sont ressemblantes mais non identiques.

Voie motrice principale

Les commandes motrices volontaires se propagent des aires motrices du cortex cérébral jusqu'aux neurones moteurs somatiques qui innervent les muscles squelettiques en empruntant la **voie motrice principale** (figure 15.7). Dans sa forme la plus simple, cette voie est formée d'une série de deux neurones : un neurone moteur supérieur et un neurone moteur inférieur. Parmi les **neurones moteurs supérieurs** de

Figure 15.7 Voie motrice principale par laquelle les influx nerveux provenant de l'aire motrice primaire de l'hémisphère droit régissent les muscles squelettiques du côté gauche du corps. Les faisceaux qui acheminent les influx nerveux de la voie motrice principale dans la moelle épinière sont le faisceau cortico-spinal latéral et le faisceau cortico-spinal ventral.

 La voie motrice principale achemine les influx nerveux à l'origine des mouvements volontaires précis.

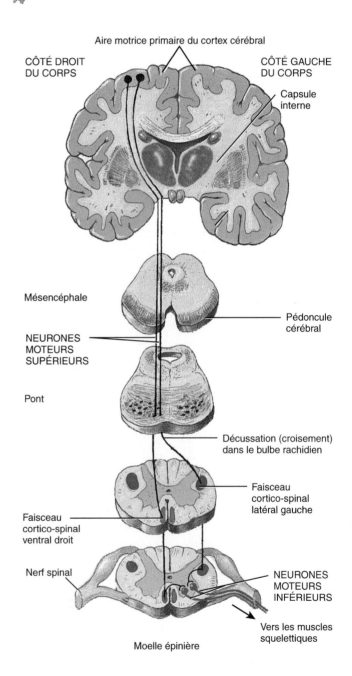

 Quels autres faisceaux (non représentés ici) acheminent les influx nerveux à l'origine des mouvements volontaires précis ?

la voie principale, environ 1 million ont leur corps cellulaire dans le cortex cérébral : 60 % l'ont dans le gyrus précentral et 40 % dans le gyrus postcentral. Leurs axones passent dans la capsule interne du cerveau et forment les proéminences appelées pyramides sur la face ventrale du bulbe rachidien. Là, environ 90 % des axones traversent la ligne médiane. Les 10 % restants la croisent à des niveaux inférieurs. Par conséquent, les aires motrices de l'hémisphère droit régissent les muscles du côté gauche du corps, et les aires motrices de l'hémisphère gauche régissent les muscles du côté droit du corps. Les axones des neurones moteurs supérieurs se terminent dans les noyaux des nerfs crâniens, dans le tronc cérébral, ou dans la corne ventrale de la moelle épinière.

Les **neurones moteurs inférieurs** s'étendent des noyaux moteurs des nerfs crâniens jusqu'aux muscles squelettiques du visage et de la tête, ou de la corne ventrale de chaque segment médullaire jusqu'aux myocytes squelettiques du tronc et des membres. La plupart des neurones moteurs supérieurs font synapse avec un interneurone près de leur point d'arrivée, et cet interneurone fait synapse à son tour avec un neurone moteur inférieur. Ainsi les influx nerveux provenant du cerveau passent-ils pour la plupart par des interneurones avant de parvenir aux neurones moteurs inférieurs. (Quelques neurones moteurs supérieurs font synapse directement avec des neurones moteurs inférieurs.) Les neurones moteurs inférieurs sont les seuls neurones à acheminer l'information du SNC aux myocytes squelettiques. Dans l'accomplissement de cette fonction, chacun d'eux reçoit et intègre une énorme quantité de messages excitateurs et inhibiteurs de nombreux neurones présynaptiques, qu'il s'agisse de neurones moteurs supérieurs ou d'interneurones. Telle est la raison pour laquelle on dit que les neurones moteurs inférieurs forment la **voie commune finale.**

La voie principale achemine hors du cortex cérébral les influx nerveux qui engendrent les mouvements volontaires précis. Les axones des neurones moteurs supérieurs sont regroupés en trois paires de faisceaux :

1. *Faisceaux cortico-spinaux latéraux.* Les axones des neurones moteurs supérieurs qui traversent la ligne médiane dans le bulbe rachidien forment les **faisceaux cortico-spinaux latéraux** dans les cordons latéraux de la moelle épinière (voir la figure 15.7). Les axones des neurones inférieurs émergent de tous les niveaux de la moelle épinière dans les racines ventrales des nerfs spinaux et se terminent dans les muscles squelettiques. Ces neurones moteurs régissent les mouvements précis des membres, des mains et des pieds.

2. *Faisceaux cortico-spinaux ventraux.* Les axones des neurones moteurs supérieurs qui ne traversent pas la ligne médiane dans le bulbe rachidien forment les **faisceaux cortico-spinaux ventraux** dans les cordons ventraux de la moelle épinière (voir la figure 15.7). À chacun des niveaux de la moelle épinière où ils se terminent, quelques-uns traversent la ligne médiane puis font synapse avec des interneurones

ou des neurones moteurs inférieurs dans la corne ventrale. Les axones de ces neurones moteurs inférieurs sortent des segments cervical et thoracique supérieur de la moelle épinière, dans la racine ventrale des nerfs spinaux. Ils aboutissent dans les muscles squelettiques qui produisent les mouvements du cou et d'une partie du tronc et, par conséquent, coordonnent les mouvements du squelette axial.

3. *Faisceaux cortico-bulbaires.* Les axones des neurones moteurs supérieurs qui transmettent les influx nerveux destinés aux muscles squelettiques de la tête passent dans la capsule interne et atteignent le mésencéphale, où ils forment les **faisceaux cortico-bulbaires,** dans les pédoncules cérébraux (voir le tableau 15.4). Quelques-uns des axones compris dans les faisceaux cortico-bulbaires ont déjà traversé la ligne médiane. Les axones se terminent dans les noyaux de neuf paires de nerfs crâniens, dans le pont et le bulbe rachidien : les nerfs oculo-moteurs (III), trochléaires (IV), trijumeaux (V), abducens (VI), faciaux (VII), glosso-pharyngiens (IX), vagues (X), accessoires (XI) et hypoglosses (XII). Les neurones moteurs inférieurs des nerfs crâniens transmettent les influx nerveux qui régissent les mouvements volontaires précis des yeux, de la langue et du cou de même que la mastication, l'expression du visage et la parole.

Le tableau 15.4 présente les fonctions et les trajets des faisceaux qui forment la voie motrice principale.

APPLICATION CLINIQUE
Paralysie

Au cours d'un examen neurologique, l'évaluation du tonus musculaire, des réflexes et de la capacité d'accomplir des mouvements volontaires facilite le diagnostic de certains dysfonctionnements moteurs. Les lésions ou les affections des neurones moteurs *inférieurs,* qu'elles touchent les corps cellulaires dans la corne ventrale ou les axones dans la racine ventrale ou dans un nerf spinal, entraînent la **paralysie flasque** des muscles ipsilatéraux. Les myocytes innervés ne présentent aucune activité volontaire ou réflexe, le tonus musculaire est faible ou absent, et le muscle demeure flasque. Les lésions ou les affections des neurones moteurs *supérieurs* causent la **paralysie spastique** des muscles controlatéraux. Cet état se caractérise par des degrés variables de spasticité (augmentation du tonus musculaire), une exagération des réflexes et la présence de réflexes pathologiques comme le signe de Babinski. ■

Voie motrice secondaire

La **voie motrice secondaire**, ou **voie extrapyramidale,** est formée de tous les faisceaux moteurs somatiques autres que les faisceaux cortico-spinaux et cortico-bulbaires. Les influx nerveux transmis dans cette voie empruntent des trajets polysynaptiques complexes qui passent par les aires

Figure 15.8 Voie motrice secondaire pour la coordination et la régulation des mouvements. Les flèches rouges représentent des neurones de la voie motrice secondaire qui font le lien entre les parties de l'encéphale ; les flèches vertes représentent les faisceaux de la voie motrice secondaire dans la moelle épinière. Les liens établis par les neurones moteurs supérieurs de la voie principale sont représentés à droite de la figure à des fins de comparaison.

🔑 **Les neurones moteurs inférieurs reçoivent des messages des voies principale et secondaire ainsi que des interneurones de la moelle épinière. C'est pourquoi on dit qu'ils forment la voie commune finale.**

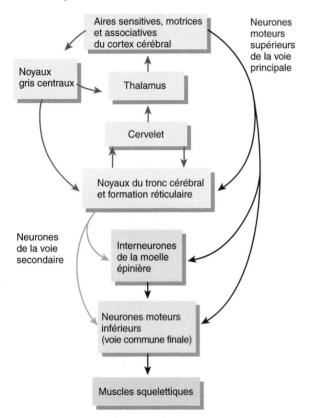

Q Pour ce qui est des messages émis par le cortex cérébral, quelles régions de l'encéphale font partie des deux boucles de rétroaction passant par le thalamus ?

motrices du cortex cérébral, les noyaux gris centraux, le système limbique, le thalamus, le cervelet, la formation réticulaire et les noyaux du tronc cérébral (figure 15.8). Les axones descendent de divers noyaux du tronc cérébral, passent dans cinq importants faisceaux de la moelle épinière et se terminent à des interneurones ou à des neurones moteurs inférieurs. Les cinq faisceaux en question sont les **faisceaux rubro-spinal, tecto-spinal, vestibulo-spinal, réticulo-spinal latéral et réticulo-spinal médial.**

Le tableau 15.4 présente les fonctions et les trajets des faisceaux qui forment la voie motrice secondaire.

Rôles des noyaux gris centraux

Les noyaux gris centraux sont unis à d'autres parties de l'encéphale par de nombreux liens. C'est ainsi qu'ils contribuent à établir un tonus musculaire approprié et à programmer les enchaînements de mouvements machinaux ou automatiques tels que le balancement des bras pendant la marche et le rire que suscite une plaisanterie. En outre, les noyaux gris centraux inhibent sélectivement d'autres réseaux de neurones moteurs qui sont en eux-mêmes actifs ou excitateurs. Cette fonction est mise en évidence par certains types de lésions des noyaux gris centraux qui, en empêchant l'émission de signaux inhibiteurs, causent des tremblements ou des mouvements incoercibles.

Le noyau caudé et le putamen reçoivent des influx nerveux des aires sensitives, motrices et associatives du cortex cérébral et de la substantia nigra. Les messages émis par les noyaux gris centraux proviennent surtout du globus pallidus (voir la figure 14.13b, p. 490). Celui-ci renvoie des signaux au cortex cérébral par l'intermédiaire du thalamus. Il semble que cette boucle de rétroaction participe à la planification et à la programmation des mouvements. Le globus pallidus envoie aussi à la formation réticulaire des influx nerveux qui réduisent le tonus musculaire. Les lésions ou la destruction de certaines connexions des noyaux gris centraux entraînent une augmentation généralisée du tonus musculaire et, par le fait même, une rigidité musculaire anormale, comme celle que produit la maladie de Parkinson (voir p. 533).

Rôles du cervelet

Le cervelet intervient dans l'apprentissage et la production d'actions rapides, coordonnées et très précises comme frapper sur une balle de golf, parler et nager. Il participe aussi au maintien de la posture et de l'équilibre. Il accomplit pour ce faire les quatre fonctions suivantes (figure 15.9) :

1 Le cervelet *supervise les intentions de mouvements* grâce aux influx nerveux qu'il reçoit des aires motrices du cortex cérébral et des noyaux gris centraux par l'intermédiaire des noyaux du pont (traits rouges).

2 Le cervelet *supervise les mouvements accomplis* grâce aux messages qu'il reçoit des propriocepteurs des articulations et des muscles (traits bleus). Ces influx nerveux se propagent dans les faisceaux spino-cérébelleux ventraux et dorsaux. Le cervelet reçoit également des influx nerveux des yeux et de l'appareil vestibulaire, dans l'oreille interne.

3 Le cervelet *compare les commandes motrices* (mouvements projetés) *avec l'information sensorielle* (mouvements accomplis).

4 Le cervelet *envoie des signaux correcteurs* aux noyaux du tronc cérébral et aux aires motrices du cortex cérébral par l'intermédiaire du thalamus (traits verts).

Tableau 15.4 Voies motrices

FAISCEAUX ET SITUATION	FONCTIONS ET TRAJET
Voie motrice principale Faisceau cortico-spinal latéral 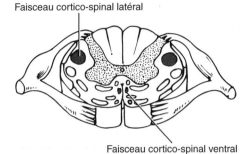 Faisceau cortico-spinal ventral Moelle épinière  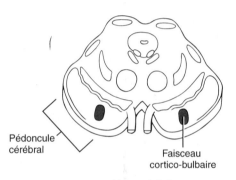 Pédoncule cérébral — Faisceau cortico-bulbaire Mésencéphale	**Faisceau cortico-spinal latéral :** Achemine les influx nerveux des aires motrices du cortex cérébral aux muscles squelettiques controlatéraux pour produire les mouvements volontaires précis des membres, des mains et des pieds. Les axones des neurones moteurs supérieurs partent des gyrus précentral et postcentral du cortex cérébral et passent dans le bulbe rachidien. Là, 90 % d'entre eux traversent la ligne médiane et entrent dans la moelle épinière pour former le faisceau cortico-spinal latéral. Arrivés à destination, ces axones se terminent dans la corne ventrale. Ils fournissent des influx nerveux aux neurones moteurs inférieurs, qui innervent les muscles squelettiques. **Faisceau cortico-spinal ventral :** Achemine les influx nerveux des aires motrices du cortex cérébral aux muscles squelettiques controlatéraux pour produire les mouvements du squelette axial. Les axones des neurones moteurs supérieurs s'étendent du cortex cérébral au bulbe rachidien. Là, les 10 % d'entre eux qui ne traversent pas la ligne médiane entrent dans la moelle épinière et forment le faisceau cortico-spinal ventral. Arrivés à destination, ces axones traversent la ligne médiane et se terminent dans la corne ventrale. Ils fournissent des influx nerveux aux neurones moteurs inférieurs, qui innervent les muscles squelettiques. **Faisceau cortico-bulbaire :** Achemine les influx nerveux des aires motrices du cortex cérébral aux muscles squelettiques de la tête et du cou pour coordonner les mouvements volontaires précis. Les axones des neurones moteurs supérieurs s'étendent du cortex cérébral au tronc cérébral, où certains d'entre eux traversent la ligne médiane. Ils fournissent des influx nerveux aux neurones moteurs inférieurs dans les noyaux des nerfs crâniens III, IV, V, VI, VII, IX, X, XI et XII, qui régissent les mouvements volontaires des yeux, de la langue et du cou, de même que la mastication, l'expression du visage et la parole.
Voie motrice secondaire (extrapyramidale) Faisceau rubro-spinal Faisceau réticulo-spinal médial 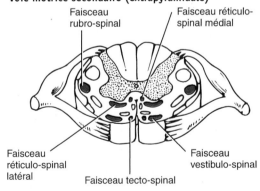 Faisceau réticulo-spinal latéral Faisceau vestibulo-spinal Faisceau tecto-spinal	**Faisceau rubro-spinal :** Achemine les influx nerveux du noyau rouge (qui reçoit des influx nerveux du cortex cérébral et du cervelet) aux muscles squelettiques controlatéraux qui produisent les mouvements précis des membres, des mains et des pieds. **Faisceau tecto-spinal :** Achemine les influx nerveux du colliculus supérieur aux muscles squelettiques controlatéraux qui produisent les mouvements accomplis par la tête et les yeux en réponse aux stimulus visuels. **Faisceau vestibulo-spinal :** Achemine les influx nerveux émis par le noyau vestibulaire (qui reçoit du vestibule, dans l'oreille interne, des influx nerveux relatifs aux mouvements de la tête) pour régir le tonus des muscles ipsilatéraux et maintenir ainsi l'équilibre en réponse aux mouvements de la tête. **Faisceau réticulo-spinal latéral :** Achemine les influx nerveux émis par la formation réticulaire pour faciliter les réflexes de flexion, inhiber les réflexes d'extension et diminuer le tonus des muscles du squelette axial et des parties proximales des membres. **Faisceau réticulo-spinal médial :** Achemine les influx nerveux émis par la formation réticulaire pour inhiber les réflexes de flexion, faciliter les réflexes d'extension et augmenter le tonus des muscles du squelette axial et des parties proximales des membres.

Figure 15.9 Information dirigée vers le cervelet et information émise par le cervelet.

 Le cervelet coordonne les contractions des muscles squelettiques pendant l'exécution des mouvements précis et concourt au maintien de la posture et de l'équilibre.

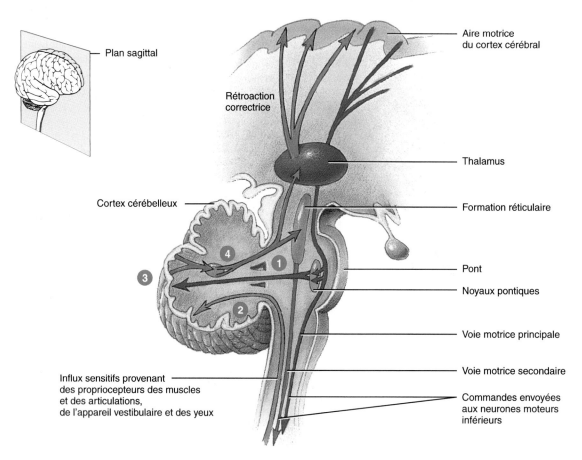

Plan sagittal

Rétroaction correctrice

Aire motrice du cortex cérébral

Thalamus

Cortex cérébelleux

Formation réticulaire

Pont

Noyaux pontiques

Voie motrice principale

Voie motrice secondaire

Influx sensitifs provenant des propriocepteurs des muscles et des articulations, de l'appareil vestibulaire et des yeux

Commandes envoyées aux neurones moteurs inférieurs

Coupe sagittale de l'encéphale et de la moelle épinière

 Quels faisceaux transmettent au cervelet l'information provenant des propriocepteurs des muscles et des articulations ?

En résumé, le cervelet reçoit des centres cérébraux supérieurs l'information relative à ce que les muscles devraient accomplir, et du système nerveux périphérique l'information relative à ce que les muscles accomplissent en réalité. S'il détecte une discordance, il envoie dans le thalamus des signaux destinés au cerveau, qui émettra de nouvelles commandes pour corriger le mouvement.

Les activités qui, comme le tennis et le volley-ball, demandent de l'adresse, constituent de bons exemples du rôle que joue le cervelet dans la motricité. Pour exécuter une bonne volée amortie au tennis, le joueur avance le bras afin que sa raquette entre solidement en contact avec la balle. Comment se fait-il que son mouvement s'arrête juste au bon endroit ? Avant même que le joueur frappe la balle, son

cervelet envoie des influx nerveux à son cortex cérébral et à ses noyaux gris centraux pour leur indiquer l'endroit où l'élan doit s'arrêter. Le cortex cérébral et les noyaux gris centraux envoient alors des commandes motrices aux muscles du côté opposé afin d'arrêter le mouvement.

1. Quelles parties du corps ont la représentation la plus étendue et la moins étendue dans les aires motrices du cortex cérébral ?
2. Pourquoi qualifie-t-on les deux grandes voies motrices de «principale» et de «secondaire» ?
3. Compte tenu des fonctions normales des noyaux gris centraux et du cervelet, quelles sont les différences entre les conséquences des maladies des noyaux gris centraux et celles des lésions du cervelet ?

Figure 15.10 Système réticulaire activateur ascendant (SRAA), formé de fibres qui s'étendent de la formation réticulaire au cortex cérébral en passant par le thalamus.

🔑 **Le réveil fait suite à une augmentation de l'activité du SRAA.**

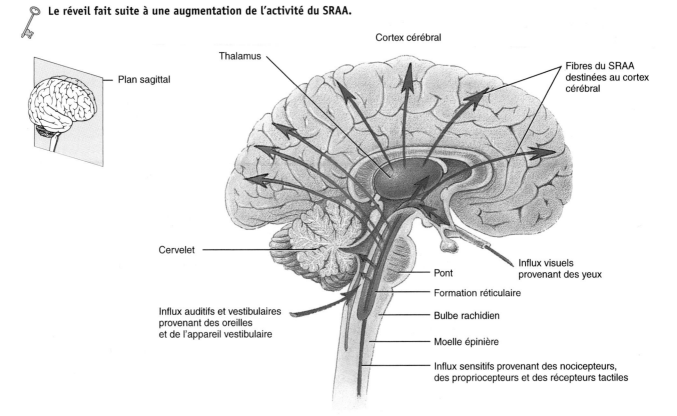

Coupe sagittale de l'encéphale et de la moelle épinière

Q Pourquoi faut-il installer un détecteur de fumée à proximité de toutes les chambres à coucher ?

FONCTIONS INTÉGRATIVES DU CERVEAU

OBJECTIF

• *Comparer des fonctions intégratives du cerveau : l'état de veille et le sommeil ainsi que l'apprentissage et la mémoire.*

Nous allons à présent étudier une fonction encore obscure mais combien fascinante du cerveau : l'intégration. Les **fonctions intégratives** comprennent notamment l'état de veille et le sommeil, l'apprentissage et la mémoire ainsi que les réponses émotionnelles. (Nous avons traité du rôle du système limbique dans le comportement émotionnel au chapitre 14.)

État de veille et sommeil

Chez l'être humain, les périodes de veille et de sommeil suivent un cycle relativement constant de 24 h appelé **rythme circadien** (*circa* = environ ; *dies* = jour) et établi par le noyau suprachiasmatique de l'hypothalamus (voir la figure 14.10, p. 486). Une personne en état de veille est vigilante et capable de réagir consciemment à divers stimulus. L'électroencéphalogramme indique que le cortex cérébral est très actif pendant l'état de veille et qu'il produit beaucoup moins d'influx nerveux au cours de la plupart des stades du sommeil.

Rôle du système réticulaire activateur ascendant dans le réveil

La stimulation de certaines zones de la formation réticulaire entraîne une augmentation de l'activité corticale. Telle est la raison pour laquelle une partie de la formation réticulaire est appelée **système réticulaire activateur ascendant** (**SRAA**) (figure 15.10). Lorsque cette partie est active, un grand nombre d'influx nerveux montent vers des régions étendues du cortex cérébral, directement et par l'intermédiaire du thalamus. Il s'ensuit une augmentation généralisée de l'activité corticale.

Le **réveil,** de même, fait suite à une augmentation de l'activité du SRAA. Le SRAA doit être stimulé pour que le réveil ait lieu. De nombreux stimulus sensoriels peuvent l'activer : des stimulus douloureux détectés par les nocicepteurs, un contact ou une pression sur la peau, un mouvement des membres, une lumière vive ou la sonnerie d'un réveille-matin. L'activation du SRAA entraîne l'activation du cortex cérébral et le réveil se produit. Il marque l'apparition d'un état de vigilance appelé **conscience.** Vous remarquerez en étudiant la figure 15.10 que le SRAA reçoit des influx nerveux des récepteurs somatiques et de certains organes des sens, mais qu'il en reçoit très peu des récepteurs olfactifs ou pas du tout. Par conséquent, les odeurs, même fortes, n'entraînent pas nécessairement le réveil. Les personnes qui meurent brûlées dans l'incendie de leur maison succombent habituellement à l'inhalation de fumée sans se réveiller. Aussi faut-il installer à proximité de toutes les chambres à coucher un détecteur de fumée qui émet une alarme stridente ou un signal lumineux.

APPLICATION CLINIQUE
Coma

Les lésions du SRAA ou d'autres parties de l'encéphale peuvent entraîner le **coma,** un état de profonde inconscience dont on ne peut émerger sous l'effet d'une stimulation. Une personne dans le coma a les yeux fermés et paraît dormir. Les réflexes régis par le tronc cérébral et la moelle épinière subsistent dans les stades légers du coma, mais ils sont absents dans les stades avancés. L'atteinte des centres de régulation respiratoire et cardiovasculaire entraîne la mort. ■

Sommeil

Le **sommeil** est un état de conscience altéré ou d'inconscience partielle dont on peut émerger sous l'effet de divers stimulus. Un état de veille prolongée ou une privation de sommeil cause la fatigue, augmente le besoin de dormir et est suivi par un sommeil profond. Les chercheurs n'ont pas encore déterminé avec certitude les déclencheurs du sommeil, mais plusieurs indices donnent à penser qu'il s'agit de substances chimiques produites par l'encéphale. L'adénosine, qui s'accumule pendant les périodes où le système nerveux consomme beaucoup d'ATP (adénosine triphosphate), serait du nombre. L'adénosine se lie à des récepteurs spécifiques, appelés récepteurs A1, et inhibe certains neurones cholinergiques (qui libèrent de l'acétylcholine) du SRAA qui interviennent dans le réveil. Le faible degré d'activité du SRAA pendant le sommeil serait donc dû à l'effet inhibiteur de l'adénosine. La caféine contenue dans le café et la théophylline contenue dans le thé – substances connues pour leur effet stimulant – se lient aux récepteurs A1, ce qui bloque la liaison de l'adénosine et l'empêche d'induire le sommeil.

Tout comme il existe différents degrés de vigilance pendant l'état de veille, il existe différentes phases du sommeil. Le sommeil normal est constitué du sommeil lent et du sommeil

Figure 15.11 Stades du sommeil. (a) Ondes EEG associées aux différentes phases du sommeil. Les ondes alpha prédominent chez une personne éveillée qui a les yeux fermés ; les ondes delta, de grande amplitude et de faible fréquence, caractérisent le stade 4 du sommeil lent. (b) Alternance du sommeil lent et du sommeil paradoxal pendant une nuit typique.

 À mesure que le dormeur passe du stade 1 au stade 4 du sommeil lent, ses ondes cérébrales diminuent en fréquence mais augmentent en amplitude.

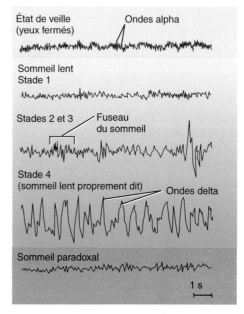

(a) Ondes EEG associées aux différents stades du sommeil

(b) Répartition du sommeil lent (SL) et du sommeil paradoxal (SP) au cours d'une nuit de sommeil

 Au cours de quelle phase du sommeil le rêve et la paralysie des muscles squelettiques se produisent-ils ?

paradoxal. Le **sommeil lent** comprend quatre stades successifs, caractérisés par des tracés électroencéphalographiques distincts (figure 15.11a) :

1. Le *stade 1* est une période de transition entre l'état de veille et le sommeil ; il dure normalement de 1 à 7 min. Le dormeur est détendu, ses yeux sont fermés et ses pensées vont et viennent. Les sujets qu'on réveille pendant ce stade affirment souvent qu'ils ne dormaient pas. Les ondes

alpha, présentes chez les individus éveillés mais les yeux fermés, s'atténuent et sont remplacées par des ondes de fréquence inférieure et d'amplitude légèrement supérieure.

2. Le *stade 2*, celui du *sommeil léger*, est la première phase du sommeil proprement dit. Le dormeur est un peu plus difficile à réveiller que dans le stade 1. Il peut rêver par bribes et ses yeux peuvent remuer lentement d'un côté à l'autre. Les *fuseaux du sommeil* apparaissent dans l'EEG ; il s'agit de bouffées d'ondes très pointues d'une fréquence de 12 à 14 Hz et d'une durée de 1 à 2 s.

3. Le *stade 3* correspond à un sommeil relativement profond. La température corporelle et la pression artérielle diminuent. Le dormeur est difficile à réveiller ; on voit apparaître sur l'EEG un mélange de fuseaux du sommeil et d'ondes de grande amplitude et de faible fréquence. Ce stade est généralement atteint 20 min environ après l'endormissement.

4. Le *stade 4* est la phase de *sommeil lent*, le sommeil le plus profond. Le dormeur qu'on réveille pendant ce stade réagit lentement ; l'EEG est caractérisé par des ondes delta de grande amplitude et de faible fréquence. Le métabolisme de l'encéphale ralentit considérablement et la température corporelle s'abaisse un peu ; cependant, la plupart des réflexes demeurent intacts et le tonus musculaire diminue à peine. C'est pendant ce stade que se produit le somnambulisme.

En règle générale, le dormeur passe du stade 1 au stade 4 du sommeil lent en moins d'une heure (figure 15.11b). Une nuit de sommeil typique de 7 ou 8 h comprend de trois à cinq épisodes de **sommeil paradoxal.** Les yeux remuent rapidement sous les paupières fermées pendant ces épisodes, d'où le terme *sommeil MOR* (pour mouvements oculaires rapides) aussi employé pour désigner le sommeil paradoxal. Le dormeur peut repasser rapidement par les stades 3 et 2 du sommeil lent avant d'entrer en sommeil paradoxal. Le premier épisode de sommeil paradoxal dure de 10 à 20 min et est suivi par un nouvel intervalle de sommeil lent.

Les rêves se produisent habituellement pendant le sommeil paradoxal ; l'EEG du dormeur est alors analogue à celui d'un sujet réveillé. Exception faite des neurones moteurs qui gouvernent la respiration et les mouvements oculaires, les neurones moteurs somatiques sont inhibés pendant le sommeil paradoxal. On observe donc une diminution du tonus musculaire, voire une paralysie des muscles squelettiques. Un grand nombre de gens éprouvent du reste une sensation momentanée de paralysie lorsqu'on les tire du sommeil paradoxal. Le système nerveux autonome s'active pendant le sommeil paradoxal, de sorte que la fréquence cardiaque et la pression artérielle augmentent. Chez les hommes, l'activation autonome entraîne une érection du pénis pendant la plupart des périodes de sommeil paradoxal, même en l'absence de rêves à caractère sexuel. La présence d'érections pendant le sommeil paradoxal chez un homme atteint d'une dysfonction érectile (absence d'érection en état de veille) révèle que le trouble est d'origine psychologique et non physique.

Le sommeil lent et le sommeil paradoxal alternent tout au long de la nuit. Les périodes de sommeil paradoxal, qui surviennent toutes les 90 min environ, s'allongent graduellement ; la dernière dure environ 50 min. Un adulte passe au total de 90 à 120 min en sommeil paradoxal au cours d'une nuit de sommeil typique. Le temps moyen de sommeil total diminue au fil des ans, de même que le pourcentage de sommeil paradoxal. Ce pourcentage peut atteindre 50 % chez le nourrisson, tandis qu'il s'établit à 35 % chez l'enfant de 2 ans et à 25 % chez l'adulte. Les scientifiques n'ont pas encore élucidé la fonction du sommeil paradoxal mais, vu sa forte proportion chez le nourrisson et le jeune enfant, ils pensent qu'il favorise la maturation de l'encéphale. Le sommeil paradoxal s'accompagne d'une intense activité neuronale : l'encéphale consomme plus d'oxygène pendant le sommeil paradoxal que pendant une activité mentale ou physique intense accomplie en état de veille.

Apprentissage et mémoire

Sans la mémoire, nous répéterions sans fin nos erreurs et nous serions incapables d'apprendre. De même, nous ne pourrions pas réitérer nos exploits, sauf par hasard. L'apprentissage et la mémoire ont fait l'objet d'innombrables études, mais ils n'ont pas pour autant révélé tous leurs mystères. Les scientifiques ont tout de même rassemblé quelques données sur l'acquisition et le stockage de l'information et montré que la mémoire comporte différentes catégories.

L'**apprentissage** est l'acquisition de connaissances ou d'habiletés au moyen de l'étude ou de l'exercice. La **mémoire** est la faculté de conserver les connaissances. Pour qu'une expérience soit mémorisée, elle doit produire dans l'encéphale des changements fonctionnels persistants qui la représentent. La capacité de changement associée à l'apprentissage est appelée **plasticité.** La plasticité du système nerveux est à l'origine de notre aptitude à modifier notre comportement en réponse à des stimulus provenant du milieu intérieur ou extérieur. Elle suppose des changements dans les neurones eux-mêmes (comme la synthèse de différentes protéines et l'apparition de nouveaux dendrites) ainsi que dans la force des connexions synaptiques. Les parties de l'encéphale qui interviennent dans la mémoire sont les aires associatives des lobes frontal, pariétal, occipital et temporal, certaines structures du système limbique, l'hippocampe et le corps amygdaloïde en particulier, et le diencéphale. Les aires somesthésique primaire et motrice primaire présentent aussi une certaine plasticité. Si une partie du corps est sollicitée plus fréquemment que les autres ou sert à l'accomplissement d'une activité nouvellement apprise, la lecture en braille par exemple, les aires corticales consacrées à cette partie s'étendent graduellement.

La mémorisation est un processus graduel. La **mémoire à court terme** est la capacité d'emmagasiner temporairement quelques éléments d'information. C'est elle qui intervient entre le moment où vous trouvez un numéro de téléphone dans l'annuaire et celui où vous le composez. Si le numéro ne revêt pas d'importance particulière pour vous, vous l'oubliez en quelques secondes. L'information contenue dans la mémoire à court terme peut passer dans la **mémoire à long terme** et y demeurer pendant des jours ou des années. Un numéro de téléphone que vous composez fréquemment entre dans votre mémoire à long terme. On peut habituellement récupérer l'information chaque fois qu'on en a besoin dans la mémoire à long terme. Le renforcement qui résulte de la récupération répétée d'un élément d'information est appelé **consolidation mnésique.**

Notre encéphale capte une myriade de stimulus, mais nous ne prêtons attention qu'à quelques-uns d'entre eux en même temps. Les experts estiment à 1 % environ la proportion des informations que nous emmagasinons dans notre mémoire à long terme après les avoir reçues. Qui plus est, nous finissons par oublier une grande partie de ce 1 %. La mémoire n'enregistre pas tous les détails comme le ferait un ruban magnétique. Même sans les détails, nous pouvons souvent expliquer une idée ou un concept en faisant appel à notre propre vocabulaire et à nos propres points de vue.

Il semble que la mémoire à court terme repose davantage sur des phénomènes électriques et chimiques que sur des changements structuraux de l'encéphale, telle la formation de nouvelles synapses. En effet, plusieurs conditions qui inhibent l'activité électrique de l'encéphale, et notamment l'anesthésie, le coma, les électrochocs et l'ischémie cérébrale, perturbent la rétention de l'information nouvellement acquise mais ne nuisent pas aux souvenirs de longue date. Nombre de patients atteints d'amnésie rétrograde (disparition des souvenirs) ont perdu tout souvenir des événements qui ont eu lieu au cours des quelque 30 min précédant l'apparition de l'amnésie. Les souvenirs les plus récents sont les derniers à revenir chez les amnésiques qui se rétablissent.

Selon une théorie sur la mémoire à court terme, les souvenirs sont produits par des réseaux réverbérants: un influx nerveux stimule un premier neurone, qui en stimule un deuxième, qui en stimule un troisième et ainsi de suite. Les ramifications des deuxième et troisième neurones font synapse avec le premier, de sorte que l'influx nerveux circule à répétition dans le réseau. Une fois émis, le signal de sortie peut durer de quelques secondes à plusieurs heures, selon la disposition des neurones dans le réseau. C'est ainsi qu'une pensée (un numéro de téléphone pour en revenir à notre exemple) pourrait persister dans l'encéphale même après la disparition du stimulus initial (chercher le numéro dans l'annuaire). Autrement dit, la durée de rétention d'une pensée équivaut à la durée de la réverbération.

La majeure partie des recherches réalisées sur la mémoire à long terme porte sur les changements anatomiques ou biochimiques qui sont propices à la facilitation dans les synapses. N'importe lequel des événements de la transmission synaptique pourrait être à l'origine de l'amélioration de la communication entre les neurones. Il pourrait s'agir par exemple d'une augmentation du nombre de molécules réceptrices dans la membrane plasmique postsynaptique ou encore d'un ralentissement de l'élimination d'un neurotransmetteur. Les maladies, d'un autre côté, peuvent nuire à la mémoire en perturbant la synthèse de certains neurotransmetteurs. Dans la maladie d'Alzheimer, par exemple, qui finit par anéantir la mémoire, une enzyme essentielle à la synthèse de l'ACh est absente de certaines régions de l'encéphale.

Les neurones subissent des changements anatomiques par suite d'une stimulation. Les photomicrographies électroniques de neurones qui présentent une activité intense et prolongée révèlent une prolifération et un grossissement des boutons terminaux dans les neurones présynaptiques ainsi qu'une augmentation du nombre de ramifications dendritiques dans les neurones postsynaptiques. Par ailleurs, les boutons terminaux se multiplient au fil du temps. On peut supposer que leur augmentation est due à l'utilisation répétée des neurones puisque l'inactivité entraîne des changements contraires. Chez les animaux qui ont perdu la vue, par exemple, la partie du cortex cérébral qui correspond à l'aire visuelle s'amincit.

Les experts pensent que certains aspects de la mémoire reposent sur un phénomène appelé **potentialisation à long terme:** dans certaines synapses de l'hippocampe, la transmission s'améliore pendant des heures ou des semaines après une brève période de stimulation à haute fréquence. Le neurotransmetteur libéré dans ces synapses est le glutamate, lequel agit sur les récepteurs du NMDA[*] dans les neurones postsynaptiques. Dans certains cas, l'induction de la potentialisation à long terme dépend de la libération de monoxyde d'azote (NO) par les neurones postsynaptiques déjà activés par le glutamate. Le NO diffuse à son tour dans les neurones présynaptiques et y entraîne la potentialisation à long terme.

1. Expliquez les rapports qui existent entre le sommeil et l'état de veille d'une part et le système réticulaire activateur ascendant d'autre part.
2. Quels sont les quatre stades du sommeil lent? Qu'est-ce qui distingue le sommeil lent du sommeil paradoxal?
3. Qu'est-ce que la mémoire? Quels sont les deux types de mémoire? Qu'est-ce que la consolidation mnésique?

---

[*] Ces récepteurs du glutamate sont nommés d'après la substance dont on se sert pour les détecter, le *N*-méthyle D-aspartate.

DÉSÉQUILIBRES HOMÉOSTATIQUES

LÉSIONS DE LA MOELLE ÉPINIÈRE

Toutes sortes de facteurs peuvent entraîner une lésion de la moelle épinière : une tumeur, la hernie d'un disque intervertébral, un caillot, une blessure pénétrante causée par les éclats d'un projectile, etc. Dans de nombreux cas de lésion traumatique de la moelle épinière, les chances de guérison s'améliorent si le patient reçoit un médicament corticostéroïde anti-inflammatoire appelé méthylprednisolone dans les huit heures suivant l'accident.

L'apparition de la paralysie dépend du siège et de l'étendue de la lésion médullaire. La **monoplégie** (*monos* = un ; *plessein* = frapper) est la paralysie d'un seul membre. La **diplégie** (*di* = deux) est la paralysie des deux membres supérieurs ou des deux membres inférieurs. La **paraplégie** (*para* = à côté de) est la paralysie des deux membres inférieurs. L'**hémiplégie** (*hêmi* = à moitié) est la paralysie du membre supérieur, du tronc et du membre inférieur d'un côté du corps. La **quadriplégie** (*quadri* = quatre), enfin, est la paralysie des quatre membres.

Un **sectionnement transversal** de la moelle épinière entraîne une perte de la sensibilité et de la motricité volontaire dans les régions situées *au-dessous* de la lésion, en raison du sectionnement des faisceaux sensitifs et moteurs. Une **hémisection** est un sectionnement partiel de la moelle épinière, du côté gauche ou du côté droit. Au-dessous de la lésion, il y a une perte de la proprioception et du toucher discriminant du même côté si le cordon dorsal est sectionné, une paralysie du même côté si le faisceau cortico-spinal latéral est sectionné ou une perte des sensations douloureuses, thermiques et tactiles grossières du côté opposé si les faisceaux spino-thalamiques sont sectionnés.

Un sectionnement transversal de la moelle épinière et, à divers degrés, une hémisection sont suivis d'un choc spinal. Un **choc spinal** est une réaction immédiate à une lésion de la moelle épinière caractérisée par l'**aréflexie**, une disparition temporaire des réflexes, au-dessous de la blessure. Le choc spinal aigu se manifeste par un ralentissement de la fréquence cardiaque, une diminution de la pression artérielle, une paralysie flasque des muscles squelettiques, une perte des sensations somatiques et un dysfonctionnement urinaire. Le choc spinal peut survenir dans l'heure qui suit le traumatisme et peut durer de quelques minutes à plusieurs mois. Il est suivi par un rétablissement graduel de l'activité réflexe.

INFIRMITÉ MOTRICE CÉRÉBRALE

L'**infirmité motrice cérébrale,** ou paralysie cérébrale, est un ensemble de troubles moteurs qui entraînent une perte de la coordination musculaire. Consécutive à une lésion des aires motrices survenant pendant le développement fœtal, la naissance ou la petite enfance, elle touche environ 2 enfants sur 1 000. Elle peut apparaître chez l'enfant si la mère contracte le virus de la rubéole pendant le premier trimestre de la grossesse. Elle peut aussi être causée par l'exposition du fœtus à des rayonnements, une privation temporaire d'oxygène au cours de la naissance et l'hydrocéphalie pendant les premiers mois de la vie. L'infirmité motrice cérébrale n'est pas une maladie évolutive. Elle ne s'aggrave pas avec le temps, mais ses conséquences sont irréversibles.

MALADIE DE PARKINSON

La **maladie de Parkinson** est une maladie dégénérative du SNC qui apparaît le plus souvent vers l'âge de 60 ans. Les experts en ignorent la cause, mais soupçonnent que des toxines environnementales entrent en jeu puisque 5 % seulement des personnes atteintes ont des antécédents familiaux de l'affection. La maladie de Parkinson se caractérise par une dégénérescence des neurones qui s'étendent de la substantia nigra aux noyaux gris centraux et qui y libèrent de la dopamine. Or, un des noyaux gris centraux, le noyau caudé, contient aussi des neurones qui libèrent de l'acétylcholine (ACh). La diminution de la concentration de dopamine ne change rien à la concentration d'ACh, mais on croit que c'est le déséquilibre entre ces deux neurotransmetteurs (l'insuffisance de dopamine et l'excès d'ACh) qui provoque la plupart des symptômes.

Les contractions involontaires des muscles squelettiques nuisent aux mouvements volontaires chez les personnes atteintes de la maladie de Parkinson. Ainsi, les muscles du membre supérieur se contractent et se relâchent en alternance, ce qui entraîne le symptôme le plus fréquent de la maladie, soit un **tremblement** de la main. La maladie de Parkinson provoque en outre une augmentation marquée du tonus musculaire et, par conséquent, une rigidité de certaines parties du corps. Celle des muscles faciaux, notamment, retire toute expression au visage : les yeux sont écarquillés, le regard est fixe, et de la bouche entrouverte peut s'écouler un filet de salive.

La maladie de Parkinson se manifeste également par un ralentissement de la motricité appelé **bradykinésie** (*bradus* = lent) ; les personnes atteintes ont de plus en plus de difficulté à accomplir des activités courantes comme se raser, couper leurs aliments et boutonner leurs vêtements. La bradykinésie s'accompagne d'**hypokinésie** (*hupo* = au-dessous), c'est-à-dire une diminution de l'amplitude des mouvements. L'écriture, par exemple, s'amenuise, se brouille puis devient illisible. La marche est pénible : le pas raccourcit et devient traînant, et le balancement des bras s'atténue. Même la parole peut devenir difficile.

Le traitement de la maladie de Parkinson vise à augmenter la concentration de dopamine et à diminuer la concentration d'ACh. La prise orale de dopamine, cependant, est inutile, puisque ce neurotransmetteur ne traverse pas la barrière hémato-encéphalique. Utilisé depuis les années 1960, le médicament appelé lévodopa (L-dopa), un précurseur de la dopamine, soulage partiellement les symptômes mais ne ralentit pas l'évolution de la maladie de Parkinson. La lévodopa devient en effet impuissante à mesure que progresse la dégénérescence des neurones cérébraux. On fonde beaucoup d'espoir sur la sélégiline, un médicament qui inhibe la monoamine oxydase (l'une des enzymes qui dégrade les catécholamines, la dopamine y compris). La sélégiline ralentit la progression de la maladie de Parkinson et peut être administrée en association avec la lévodopa.

Les chirurgiens tentent depuis plus d'une décennie de traiter les cas les plus graves en implantant du tissu nerveux fœtal riche en dopamine dans les noyaux gris centraux (dans le putamen le plus souvent). L'intervention a peu d'effets sur la rigidité musculaire et la lenteur des mouvements et n'a soulagé que de rares patients. Une technique chirurgicale récente, la *pallidectomie,* est plus prometteuse ; elle consiste à détruire une partie du globus pallidus qui engendre les tremblements et la rigidité musculaire.

TERMES MÉDICAUX

Apnée du sommeil (*a* = sans; *pneuma* = souffle) Trouble caractérisé par des interruptions répétées de la respiration d'une durée d'au moins 10 s pendant le sommeil. Les épisodes d'apnée surviennent généralement à la suite d'un affaissement des voies respiratoires dû à une diminution du tonus des muscles du pharynx.

Ataxie (*a* = sans; *taxis* = ordre) Absence de coordination musculaire; signe fréquent d'une lésion ou d'une maladie du cervelet. Les yeux bandés, les personnes ataxiques ne peuvent se toucher le bout du nez avec un doigt, car leur motricité et leur proprioception sont dissociées. L'incoordination des muscles de la parole entraîne souvent des troubles de l'élocution.

Chorée de Huntington (*khoreia* = danse) Affection héréditaire touchant les noyaux gris centraux, caractérisée dans un premier temps par des contractions involontaires et saccadées des muscles squelettiques, puis par une détérioration progressive des facultés mentales. Les symptômes n'apparaissent souvent qu'après l'âge de 30 ou 40 ans.

Insomnie (*in* = sans; *somnus* = sommeil) Difficulté à s'endormir et à rester endormi.

Narcolepsie (*narkê* = assoupissement; *lêpsis* = attaque) Trouble caractérisé par la non-inhibition du sommeil paradoxal pendant les périodes de veille et se manifestant par des accès irrésistibles de sommeil d'une durée d'environ 15 min.

RÉSUMÉ

SENSIBILITÉ (p. 509)

1. La sensation est l'enregistrement conscient ou subconscient d'un stimulus externe ou interne.
2. La nature d'une sensation et le type de réaction produit varient selon la destination des influx sensitifs dans le SNC.
3. Chaque type de sensations est une modalité sensorielle; en règle générale, un neurone sensitif donné véhicule l'information relative à une seule modalité.
4. La somesthésie englobe la sensibilité somatique (toucher, pression, vibration, chaleur, froid, douleur, démangeaison, chatouillement et proprioception) et la sensibilité viscérale. Les organes des sens fournissent les informations relatives à l'odorat, au goût, à la vision, à l'ouïe et à l'équilibre.
5. L'émergence d'une sensation est habituellement conditionnelle à quatre événements: la stimulation, la transduction, la production d'influx nerveux et l'intégration.
6. Les récepteurs de la somesthésie sont des terminaisons nerveuses libres ou capsulées; les récepteurs sensoriels situés dans les organes de la vision, de l'ouïe, de l'équilibre et du goût sont formés par des cellules spécialisées.
7. Les récepteurs sensoriels réagissent aux stimulus en produisant des potentiels récepteurs ou des potentiels générateurs.
8. Le tableau 15.1, p. 512, présente un résumé de la classification des récepteurs sensoriels.
9. L'adaptation est la diminution de la sensibilité consécutive à une stimulation prolongée. On distingue les récepteurs à adaptation rapide (phasiques) et les récepteurs à adaptation lente (toniques).

SOMESTHÉSIE (p. 513)

1. Les sensations somatiques sont les sensations tactiles (toucher, pression, vibration, démangeaison et chatouillement), les sensations thermiques (chaleur et froid), la douleur et la proprioception.
2. Les récepteurs du toucher, de la température et de la douleur sont situés dans la peau, dans la couche sous-cutanée ainsi que dans les muqueuses de la bouche, du vagin et de l'anus.
3. Les récepteurs de la proprioception (position et mouvements des parties du corps) sont situés dans les muscles, les tendons, les articulations et l'oreille interne.

4. Les récepteurs du toucher sont: a) les plexus de la racine des poils (ou récepteurs pileux) et les corpuscules tactiles capsulés (ou corpuscules de Meissner), qui s'adaptent rapidement; b) les mécanorécepteurs cutanés de type I (ou corpuscules tactiles non capsulés), qui s'adaptent lentement. Les mécanorécepteurs cutanés de type II (ou corpuscules de Ruffini) sont sensibles à l'étirement et s'adaptent lentement. Les récepteurs de la pression sont les corpuscules tactiles capsulés, les mécanorécepteurs cutanés de type I et les corpuscules lamelleux (ou corpuscules de Pacini). Les récepteurs de la vibration sont les corpuscules tactiles capsulés et les corpuscules lamelleux. Les récepteurs de la démangeaison sont les terminaisons nerveuses libres. Les récepteurs du chatouillement sont les terminaisons nerveuses libres et les corpuscules lamelleux.
5. Les thermorécepteurs sont des terminaisons nerveuses libres. Les récepteurs du froid sont situés dans la couche basale de l'épiderme; les récepteurs de la chaleur sont situés dans le derme.
6. Les nocicepteurs (récepteurs de la douleur) sont des terminaisons nerveuses libres présentes dans presque tous les tissus de l'organisme.
7. Les influx nerveux relatifs à la douleur rapide se propagent dans des fibres myélinisées A-delta de diamètre moyen. Les influx nerveux relatifs à la douleur lente se propagent dans des fibres amyélinisées C de petit diamètre.
8. Les propriocepteurs sont les fuseaux neuromusculaires, les organes tendineux de Golgi, les récepteurs kinesthésiques des articulations et les cellules ciliées de l'oreille interne.
9. Le tableau 15.2, p. 519, présente un résumé des récepteurs somatiques et des sensations qu'ils servent à produire.

VOIES ASCENDANTES (p. 520)

1. Les voies ascendantes qui relient les récepteurs sensoriels somatiques au cortex cérébral sont formées d'un neurone de premier ordre, d'un neurone de deuxième ordre et d'un neurone de troisième ordre.
2. Les collatérales (ramifications) des axones des neurones sensitifs acheminent les signaux simultanément au cervelet et à la formation réticulaire, dans le tronc cérébral.

3. La voie lemniscale achemine les influx nerveux relatifs au toucher discriminant, à la stéréognosie, à la proprioception, à la discrimination du poids et aux sensations vibratoires.

4. Le faisceau spino-thalamique latéral achemine les influx nerveux relatifs aux sensations thermiques et douloureuses.

5. Le faisceau spino-thalamique ventral achemine les influx nerveux relatifs au chatouillement, à la démangeaison, au toucher grossier et à la pression.

6. L'information sensorielle provenant des différentes parties du corps parvient à des régions précises de l'aire somesthésique primaire (gyrus postcentral).

7. Les voies menant au cervelet sont les faisceaux spino-cérébelleux ventral et dorsal; ces tractus transmettent les influx nerveux relatifs à la détection subconsciente de la position des muscles et des articulations du tronc et des membres inférieurs.

8. Le tableau 15.3, p. 523, présente un résumé des voies ascendantes.

VOIES MOTRICES (p. 524)

1. L'aire motrice primaire (gyrus précentral) du cortex cérébral est le principal centre de commande des mouvements volontaires.

2. Les influx nerveux relatifs aux mouvements volontaires empruntent la voie principale pour se propager du cortex cérébral jusqu'aux neurones moteurs somatiques qui innervent les muscles squelettiques. Dans sa forme la plus simple, la voie motrice principale est formée d'un neurone moteur supérieur et d'un neurone moteur inférieur.

3. La voie principale est formée des faisceaux cortico-spinaux latéral et ventral ainsi que des faisceaux cortico-bulbaires.

4. La voie secondaire (extrapyramidale) comprend les aires motrices du cortex cérébral, les noyaux gris centraux, le système limbique, le thalamus, le cervelet, la formation réticulaire et les noyaux du tronc cérébral.

5. Les noyaux gris centraux programment les mouvements automatiques, régissent le tonus musculaire et inhibent certains réseaux de neurones moteurs.

6. Le cervelet intervient dans l'apprentissage et l'exécution des mouvements précis, rapides et coordonnés. Il participe également au maintien de la posture et de l'équilibre.

7. Le tableau 15.4, p. 527, présente un résumé des voies motrices.

FONCTIONS INTÉGRATIVES DU CERVEAU (p. 529)

1. Le sommeil et l'état de veille sont des fonctions intégratives régies par le noyau suprachiasmatique et le système réticulaire activateur ascendant (SRAA).

2. Le sommeil lent comprend quatre stades associées à des tracés électroencéphalographiques caractéristiques.

3. Les rêves se produisent généralement pendant le sommeil paradoxal.

4. La mémoire est la faculté d'emmagasiner et de récupérer de l'information; elle repose sur la plasticité de l'encéphale, c'est-à-dire la capacité de changer.

5. La mémoire comprend la mémoire à court terme et de la mémoire à long terme.

6. Les experts pensent que la mémoire à court terme repose sur des phénomènes électriques et chimiques, et la mémoire à long terme sur des modifications anatomiques et biochimiques des synapses.

AUTOÉVALUATION

Phrases à compléter

1. La ___ est l'enregistrement conscient ou subconscient de stimulus internes ou externes.

2. La diminution de la sensibilité consécutive à une stimulation constante et prolongée est appelée ___.

3. Le toucher, la pression et la vibration sont des exemples de sensations ___.

Choix multiples

4. Laquelle des modalités sensorielles suivantes fait partie de la somesthésie? a) L'odorat. b) Le goût. c) Le toucher. d) L'ouïe. e) La vision.

5. Parmi les événements suivants, lesquels sont conditionnels à l'émergence d'une sensation? 1) La stimulation du récepteur sensoriel. 2) La production d'un influx nerveux. 3) La transduction du stimulus. 4) L'intégration de l'information sensorielle. 5) La réponse de l'effecteur au stimulus.
a) 1, 2, 3 et 4. b) 2, 3, 4 et 5. c) 1, 3, 4 et 5. d) 1, 4 et 5. e) 2, 4 et 5.

6. Lequel des énoncés suivants est *faux*? a) Les neurones sensitifs de premier ordre acheminent les influx nerveux des récepteurs somatiques au tronc cérébral ou à la moelle épinière. b) Les neurones de deuxième ordre acheminent les influx nerveux de la moelle épinière et du tronc cérébral au thalamus. c) Les neurones de troisième ordre s'étendent jusque dans l'aire somes-thésique primaire du cortex cérébral, où a lieu la perception consciente des sensations. d) Les voies ascendantes qui mènent au cervelet sont la voie lemniscale et la voie antéro-latérale. e) Les axones des neurones de deuxième ordre traversent la ligne médiane dans la moelle épinière ou dans le tronc cérébral avant d'atteindre le thalamus.

7. Laquelle des fonctions suivantes n'appartient *pas* au cervelet? a) Détection des mouvements projetés. b) Supervision des mouvements accomplis. c) Comparaison des mouvements projetés et des mouvements accomplis. d) Émission de signaux correcteurs. (e) Aiguillage des influx sensitifs vers les effecteurs.

8. Le système nerveux autonome s'active pendant: a) le stade 1 du sommeil lent; b) le sommeil paradoxal; c) le stade 4 du sommeil lent; d) le stade 2 du sommeil lent; e) le stade 3 du sommeil lent.

9. Lequel des énoncés suivants est *faux*? a) L'apprentissage est l'acquisition de connaissances ou d'habiletés au moyen de l'étude ou de l'exercice. b) La mémoire est la rétention de l'information. c) Pour qu'une expérience soit mémorisée, elle doit produire dans l'encéphale des changements fonctionnels persistants qui la représentent. d) La mémoire de l'être humain enregistre tous les détails comme le ferait un ruban magnétique. e) La capacité de changement associée à l'apprentissage est appelée *plasticité*.

10. Lequel des énoncés suivants est *faux* ? a) Les potentiels gradués produits par les récepteurs du toucher, de la pression, de l'étirement, de la vibration, de la douleur, de la proprioception et de l'odorat sont des potentiels générateurs. b) Les potentiels gradués produits par les récepteurs de la vision, de l'ouïe, de l'équilibre et du goût sont des potentiels récepteurs. c) Un potentiel générateur suffisamment intense pour atteindre le seuil d'excitation produit un ou plusieurs influx nerveux dans le neurone sensitif de premier ordre. d) Un potentiel récepteur produit un influx nerveux dans le neurone de deuxième ordre. e) L'amplitude des potentiels générateurs et des potentiels récepteurs varie selon l'intensité du stimulus.

Vrai ou faux

11. L'encéphale filtre l'information sensorielle afin qu'il n'en parvienne qu'une petite partie à la fois au niveau de la perception consciente.

12. Le somnambulisme peut survenir pendant le stade 4 du sommeil lent.

13. Associez les éléments suivants :

_____ a) récepteurs situés dans les muscles, les tendons, les articulations et l'oreille interne

_____ b) récepteurs situés dans les vaisseaux sanguins, les viscères, les muscles et le système nerveux

_____ c) récepteurs qui détectent les variations de la température

_____ d) récepteurs qui détectent la lumière qui atteint la rétine

_____ e) récepteurs situés à la surface du corps

_____ f) récepteurs qui fournissent de l'information sur la position du corps, la tension musculaire ainsi que la position et l'activité des articulations

_____ g) récepteurs qui détectent les substances chimiques présentes dans la bouche, le nez et les liquides de l'organisme

_____ h) récepteurs qui détectent la pression mécanique et l'étirement

_____ i) récepteurs qui réagissent aux stimulus produits par les lésions physiques ou chimiques des tissus

1) extérocepteurs   5) thermorécepteurs
2) intérocepteurs   6) nocicepteurs
3) propriocepteurs   7) photorécepteurs
4) mécanorécepteurs   8) chimiorécepteurs

14. Associez les éléments suivants :

_____ a) région du cortex cérébral qui constitue le principal centre de commande des mouvements volontaires

_____ b) voie qui achemine du cortex cérébral à la moelle épinière les influx nerveux à l'origine des mouvements volontaires précis

_____ c) contient des neurones moteurs qui régissent les mouvements précis des mains et des pieds

_____ d) comprend les faisceaux rubro-spinal, tecto-spinal, vestibulo-spinal, réticulo-spinal latéral et réticulo-spinal médial

_____ e) contiennent des neurones qui contribuent à programmer les enchaînements de mouvements machinaux ou automatiques, tel le balancement des bras pendant la marche

_____ f) achemine principalement les influx nerveux relatifs à la douleur et à la température

_____ g) trajet qu'emprunte l'information proprioceptive pour se rendre au cervelet

_____ h) comprend le faisceau gracile et le faisceau cunéiforme

_____ i) contiennent des neurones moteurs qui coordonnent les mouvements du squelette axial

_____ j) contient des axones qui transmettent les influx nerveux à l'origine des mouvements volontaires précis des yeux, de la langue et du cou ainsi que les influx nerveux destinés aux muscles de la mastication, de l'expression du visage et de la parole

_____ k) transmet au cortex cérébral les influx nerveux relatifs au toucher discriminant, à la stéréognosie, à la proprioception et à la discrimination du poids

1) cordon dorsal   6) faisceau cortico-bulbaire
2) voie ascendante   7) voie extrapyramidale
   antéro-latérale   8) voie principale
3) voie spino-cérébelleuse   9) gyrus précentral
4) faisceau cortico-spinal   10) noyaux gris centraux
   latéral   11) voie lemniscale
5) faisceau cortico-spinal
   ventral

15. Associez les éléments suivants :

_____ a) groupes spécialisés de myocytes disséminés parmi les myocytes squelettiques ordinaires et disposés parallèlement à eux ; détectent les variations de la longueur des muscles squelettiques

_____ b) informent le SNC des variations de la tension musculaire

_____ c) terminaisons nerveuses libres servant de récepteurs de la douleur

_____ d) récepteurs tactiles capsulés situés dans les papilles du derme ; présents dans la peau glabre, sur le bout de la langue ainsi que dans la peau des paupières et des lèvres

_____ e) corpuscules qui détectent la pression

_____ f) mécanorécepteurs cutanés de type II ; sensibles surtout à l'étirement produit par les mouvements des doigts et des membres

_____ g) situés dans la couche basale et activés par le froid

_____ h) situés dans le derme et activés par la chaleur

_____ i) situés à l'intérieur et autour des capsules articulaires des articulations synoviales ; sensibles à la pression ainsi qu'à l'accélération et à la décélération des articulations

_____ j) mécanorécepteurs cutanés de type I associés au toucher discriminant

1) corpuscules   6) récepteurs de la chaleur
   tactiles capsulés   7) nocicepteurs
2) corpuscules tactiles   8) organes tendineux
   non capsulés   de Golgi
3) corpuscules de Ruffini   9) récepteurs kinesthésiques
4) corpuscules de Pacini   des articulations
5) récepteurs du froid   10) fuseaux neuromusculaires

QUESTIONS À COURT DÉVELOPPEMENT

1. En embarquant sur le voilier, Johanne a senti l'odeur caractéristique de la marée et perçu le mouvement de l'eau sous ses pieds. Elle est vite devenue indifférente aux odeurs marines, mais pas au roulis, malheureusement. Quels types de récepteurs sont associés à l'odorat et à la détection du mouvement? Pourquoi les sensations olfactives de Johanne se sont-elles atténuées, tandis que les sensations de roulis ont persisté? (INDICE: *On peut classer les récepteurs selon le type de stimulus qu'ils détectent.*)

2. Danielle rit de manière incoercible car son frère lui tient la jambe et lui chatouille la plante du pied. Comment l'encéphale de Danielle reconnaît-il la sensation? (INDICE: *On n'éliminerait pas les sensations douloureuses en bloquant la voie qui transmet les sensations de chatouillement.*)

3. Yoshio était capable de prévoir le temps qu'il ferait d'après la sensibilité de son oignon au pied gauche (enflure anormale de l'articulation du gros orteil). L'année dernière, Yoshio a dû subir une amputation du pied gauche rendue nécessaire par des complications du diabète. Comment se fait-il, alors, qu'il lui arrive encore de penser que son oignon le fait souffrir? (INDICE: *Comment se faisait la communication entre l'orteil et l'encéphale avant l'amputation?*)

RÉPONSES AUX QUESTIONS DES FIGURES

15.1 La vision, l'ouïe, le goût et l'équilibre sont desservis par des cellules réceptrices spécialisées.

15.2 La douleur, les sensations thermiques, le chatouillement et la démangeaison peuvent être provoqués par la stimulation des terminaisons nerveuses libres.

15.3 Le rein est associé à la région de douleur projetée la plus étendue.

15.4 Un fuseau neuromusculaire est activé par l'étirement de la partie centrale de ses myocytes intrafusoriaux.

15.5 Une lésion du tractus spino-thalamique latéral droit peut entraîner une perte des sensations douloureuses et thermiques du côté gauche du corps.

15.6 La représentation de la main est plus étendue dans l'aire motrice que dans l'aire somesthésique primaire, ce qui suppose que la motricité de la main est plus développée que sa sensibilité.

15.7 Les faisceaux cortico-bulbaire et rubro-spinal (voir le tableau 15.4, p. 527) acheminent les influx nerveux à l'origine des mouvements volontaires précis.

15.8 La première boucle de rétroaction part du cortex cérébral puis passe par les noyaux gris centraux et le thalamus avant de retourner au cortex. La deuxième boucle part du cortex cérébral puis passe par les noyaux du tronc cérébral, le cervelet et le thalamus avant de retourner au cortex.

15.9 Les faisceaux spino-cérébelleux ventral et dorsal transmettent au cervelet l'information provenant des propriocepteurs des muscles et des articulations.

15.10 Un détecteur de fumée signale la présence de fumée en émettant un bruit intense; les influx auditifs stimulent le SRAA et réveillent les dormeurs.

15.11 Le rêve et la paralysie des muscles squelettiques se produisent pendant le sommeil paradoxal.

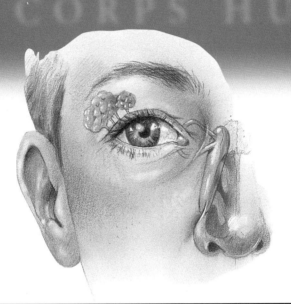

Les récepteurs sensoriels spécifiques de l'odorat, du goût, de la vision, de l'ouïe et de l'équilibre sont logés dans des organes complexes comme les yeux et les oreilles. Il s'agit de cellules réceptrices spécialisées qui, en règle générale, sont enchâssées dans du tissu épithélial à l'intérieur des organes des sens. Dans ce chapitre, nous allons étudier la structure et les fonctions des organes des sens ainsi que les voies qui les relient au système nerveux central. La branche de la médecine qui étudie les yeux et les troubles oculaires est l'**ophtalmologie** (*ophtalmos* = œil; *logos* = science). Les autres organes des sens sont pour la plupart la spécialité de l'**oto-rhino-laryngologie** (*ôtos* = oreille; *rhinos* = nez; *larugx* = gosier).

ODORAT

OBJECTIF

• *Décrire les récepteurs olfactifs et la voie olfactive.*

L'odorat et le goût sont des sens chimiques. En effet, les sensations olfactives et gustatives naissent de l'interaction de molécules avec les récepteurs de l'odorat et du goût. Les influx olfactifs et gustatifs atteignent le système limbique en plus des régions corticales supérieures, de sorte que les odeurs et les saveurs peuvent susciter des réactions émotionnelles intenses ou faire surgir une kyrielle de souvenirs.

Anatomie des récepteurs olfactifs

Le nez contient de 10 à 100 millions de récepteurs consacrés à l'**odorat,** ou **olfaction** (*olfactus* = odorat). L'épithélium de la région olfactive a une surface totale de 5 cm².

Situé dans la partie supérieure des cavités nasales, il recouvre la face inférieure de la lame criblée de l'ethmoïde et s'étend le long du cornet nasal supérieur et de la partie supérieure du cornet nasal moyen (figure 16.1a). L'épithélium de la région olfactive est formé de trois types de cellules : des cellules olfactives, des cellules de soutien et des cellules basales (figure 16.1b).

Les **cellules olfactives,** les neurones de premier ordre de la voie olfactive, sont des neurones bipolaires dont l'extrémité dénudée est un dendrite en forme d'ampoule. La transduction des stimulus olfactifs a lieu dans les **cils olfactifs** que porte le dendrite. Les cellules olfactives réagissent à la stimulation chimique d'une molécule odorante en produisant un potentiel générateur. Leurs axones passent à travers la lame criblée de l'ethmoïde et rejoignent le bulbe olfactif.

Les **cellules de soutien** sont des cellules épithéliales prismatiques de la muqueuse nasale. Elles assurent le soutien physique des cellules olfactives, leur fournissent des nutriments et leur confèrent une isolation électrique; de plus, elles concourent à la détoxication des substances chimiques qui entrent en contact avec l'épithélium de la région olfactive. Situées entre les bases des cellules de soutien, les **cellules basales** se divisent continuellement pour remplacer les cellules olfactives, qui vivent seulement un mois. Il s'agit là d'un phénomène remarquable, car les cellules olfactives sont des neurones et, en général, les neurones matures ne se renouvellent pas.

Figure 16.1 Épithélium de la région olfactive et cellules olfactives. (a) Situation de l'épithélium de la région olfactive dans la cavité nasale. (b) Anatomie des cellules olfactives, neurones de premier ordre dont les axones passent à travers la lame criblée de l'ethmoïde et se terminent dans le bulbe olfactif.

🔑 **L'épithélium de la région olfactive est formé de cellules olfactives, de cellules de soutien et de cellules basales.**

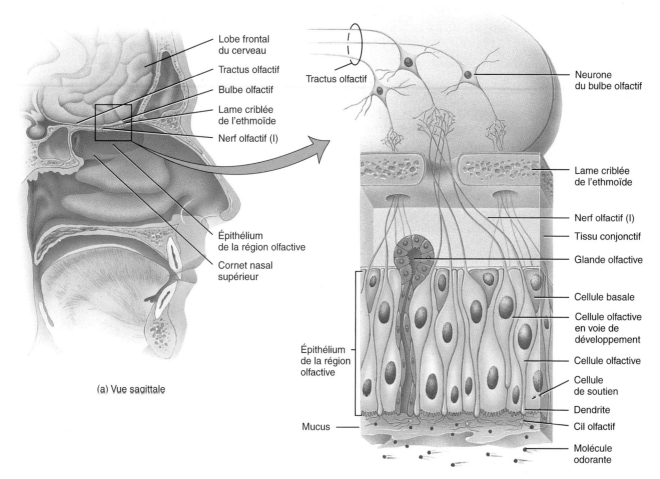

(a) Vue sagittale

(b) Agrandissement montrant la structure de l'épithélium de la région olfactive

Q Quelle partie de la cellule olfactive détecte les molécules odorantes ?

Le tissu conjonctif qui soutient l'épithélium de la région olfactive renferme des **glandes olfactives** ; elles sécrètent un mucus que des conduits déversent sur la surface de l'épithélium. Ce mucus humidifie la surface de l'épithélium et constitue un solvant pour les substances odorantes. Les cellules de soutien et les glandes olfactives sont innervées par des branches du nerf facial (VII), qui peuvent être stimulées par certaines substances chimiques. Les influx nerveux qui se propagent dans le nerf facial stimulent les glandes lacrymales et les glandes de la muqueuse nasale. Telle est la raison pour laquelle nous avons les yeux qui larmoient et le nez qui coule après avoir inhalé des substances comme du poivre et des vapeurs d'ammoniac.

Physiologie de l'odorat

Les experts ont maintes fois tenté de déceler et de classer les odeurs « primaires ». La génétique nous apprend aujourd'hui qu'il en existe vraisemblablement des centaines. Si nous sommes capables de discerner quelque 10 000 odeurs, c'est probablement grâce à l'activité cérébrale amorcée par la stimulation de différentes combinaisons de cellules olfactives.

Les cellules olfactives réagissent aux molécules odorantes de la même manière que la plupart des récepteurs sensoriels réagissent à leurs stimulus spécifiques. Un potentiel générateur (dépolarisation) naît et déclenche un ou plusieurs influx nerveux. On connaît les modalités de la production du potentiel générateur dans quelques cas. Certaines molécules odorantes se lient à des cellules olfactives dont la membrane plasmique comprend des protéines G, puis elles activent l'adénylate cyclase (voir p. 601). L'enchaînement d'événements suivant se produit alors : ouverture des canaux à sodium (Na^+) → entrée de Na^+ → potentiel générateur dépolarisant → influx nerveux.

Seuil d'excitation et adaptation des cellules olfactives

Comme les autres récepteurs sensoriels, les cellules olfactives présentent un seuil d'excitation bas : elles détectent dans l'air la présence d'un très petit nombre de molécules de certaines substances. Par exemple, elles peuvent reconnaître le méthylmercaptan, un gaz qui sent le chou pourri, dans une concentration aussi faible que 1/25 000 000 000 mg/mL d'air. (Le gaz naturel étant inodore mais mortel et explosif, on y ajoute une petite quantité de méthylmercaptan pour faciliter la détection des fuites.)

Les cellules olfactives s'adaptent rapidement aux odeurs, c'est-à-dire qu'elles y deviennent vite insensibles. L'adaptation atteint environ 50 % dans la première seconde de la stimulation, puis elle ralentit considérablement. Tout de même, l'insensibilité à certaines odeurs très prononcées est complète au bout d'une minute environ. Il semble que cette diminution de la sensibilité repose aussi sur un processus d'adaptation dans le système nerveux central.

Voie olfactive

Les fins axones amyélinisés des cellules olfactives forment de chaque côté du nez des faisceaux qui passent au travers d'une vingtaine de foramens de la lame criblée de l'ethmoïde (voir la figure 16.1b). Ces quelque 40 faisceaux d'axones constituent les **nerfs olfactifs** (**I**), qui cheminent jusqu'à l'encéphale dans des masses de substance grise. Appelées **bulbes olfactifs,** ces masses sont situées en dessous des lobes frontaux du cerveau et à côté de la crista galli (processus osseux de l'ethmoïde). À l'intérieur des bulbes olfactifs, les axones des cellules olfactives (neurones de premier ordre) font synapse avec les dendrites et les corps cellulaires des neurones de deuxième ordre de la voie olfactive.

Les axones des neurones du bulbe olfactif s'étendent vers l'arrière et forment le **tractus olfactif,** ou bandelette olfactive (voir la figure 16.1b). Ils atteignent l'aire olfactive latérale, située sur la face inférieure et médiale du lobe temporal. Cette région corticale fait partie du système limbique et englobe une portion du corps amygdaloïde (voir la figure 14.14, p. 491). Puisqu'elle contient la terminaison de nombreux axones du tractus olfactif, elle est considérée comme l'aire olfactive primaire, le siège de la perception consciente des odeurs. Les odeurs ont la propriété de susciter des réponses émotionnelles et de raviver des souvenirs. Ainsi, l'odeur d'un parfum peut allumer votre libido, le

fumet d'un aliment qui vous a déjà rendu malade peut vous donner la nausée et l'arôme d'un petit gâteau peut vous rappeler des souvenirs d'enfance. Le phénomène est probablement attribuable aux connexions qui unissent la voie olfactive au système limbique et à l'hypothalamus. De l'aire olfactive latérale, la voie olfactive se prolonge jusqu'au lobe frontal, directement et indirectement en passant par le thalamus. L'aire orbito-frontale, qui correspond à l'aire 11 de Brodmann (voir la figure 14.15, p. 493), joue un rôle important dans la détermination des odeurs. Les patients qui ont subi une lésion de cette aire ont de la difficulté à reconnaître les odeurs. La tomographie par émission de positrons (TEP) donne à penser qu'il existe un certain degré de latéralisation hémisphérique pour l'odorat. En effet, l'aire orbito-frontale de l'hémisphère *droit* est plus active que celle de l'hémisphère gauche durant le traitement olfactif.

1. Quel est le rôle des cellules basales dans l'olfaction ?
2. Décrivez la série d'événements qui se déroule à compter de la liaison d'une molécule odorante à un cil olfactif jusqu'à l'arrivée d'un influx nerveux dans un bulbe olfactif.

GOÛT

OBJECTIF

• *Décrire les récepteurs gustatifs et la voie gustative.*

Comme l'odorat, le goût est un sens chimique ; il ne détecte que des molécules en solution. Le **goût,** ou **gustation** (*gustare* = goûter), est cependant beaucoup plus simple que l'odorat dans la mesure où les récepteurs gustatifs ne sont sensibles qu'à quatre saveurs : l'acide, le sucré, l'amer et le salé. Toutes les « saveurs » que nous connaissons, celles du chocolat, du poivre et du café par exemple, sont des combinaisons des quatre saveurs fondamentales accompagnées de sensations olfactives. Les odeurs des aliments peuvent en effet passer de la bouche aux cavités nasales et y stimuler les cellules olfactives. L'odorat étant beaucoup plus sensible que le goût, une concentration donnée d'une substance peut le stimuler infiniment plus fortement que le goût. Une personne enrhumée qui se plaint de ne rien goûter présente non pas une perturbation du goût mais une perturbation de l'odorat.

Anatomie des récepteurs du goût

Les récepteurs du goût sont situés dans les calicules gustatifs (figure 16.2). Les quelque 10 000 calicules gustatifs que possède un jeune adulte se trouvent sur la langue et, dans une moindre mesure, sur le palais mou (la partie postérieure du toit de la bouche), le pharynx et le larynx. Le nombre de calicules gustatifs diminue avec le temps. Un **calicule gustatif,** ou bourgeon du goût, est une structure ovale formée de trois types de cellules épithéliales : des

Figure 16.2 Relation entre les cellules gustatives, dans les calicules gustatifs, et les papilles, sur la langue.

🔑 **Les récepteurs gustatifs sont situés dans les calicules gustatifs.**

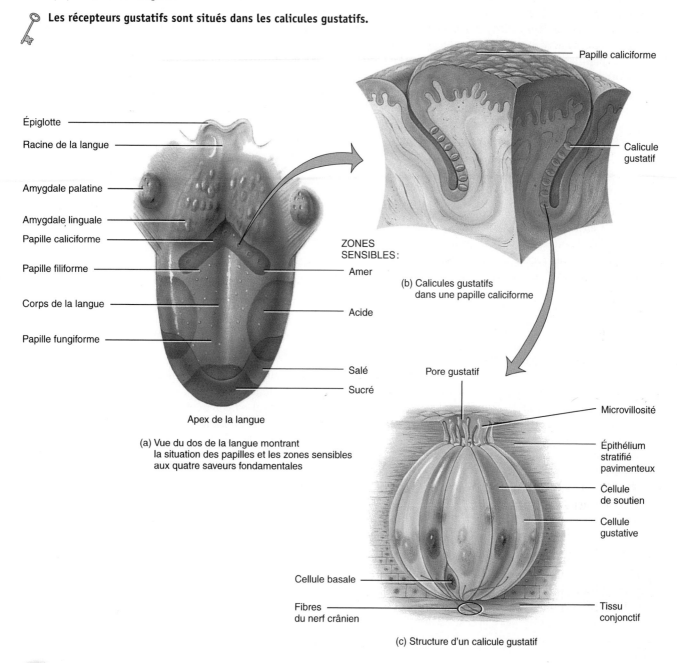

(a) Vue du dos de la langue montrant la situation des papilles et les zones sensibles aux quatre saveurs fondamentales

(b) Calicules gustatifs dans une papille caliciforme

(c) Structure d'un calicule gustatif

Q À partir des récepteurs, quelles structures forment la voie gustative ?

cellules de soutien, des cellules gustatives et des cellules basales (voir la figure 16.2c). Les **cellules de soutien** entourent une cinquantaine de **cellules gustatives.** Une longue microvillosité émerge de chaque cellule gustative, passe par une ouverture appelée **pore gustatif** et atteint la surface de l'épithélium. Les **cellules basales,** situées à la périphérie du calicule gustatif, près de la couche de tissu conjonctif, se transforment en cellules de soutien, et celles-ci se muent en cellules gustatives ayant une durée de vie d'environ 10 jours. La base des cellules gustatives fait synapse avec les dendrites des neurones de premier ordre qui forment le premier segment de la voie gustative. Ces dendrites se ramifient abondamment et entrent en contact avec un grand nombre de récepteurs dans plusieurs calicules gustatifs.

Les calicules gustatifs siègent dans des éminences de la langue, les **papilles,** qui donnent à la face supérieure de la langue sa texture rugueuse (voir la figure 16.2a et b). Les plus grandes, les **papilles caliciformes,** sont circulaires et disposées en forme de V inversé sur la partie postérieure de la langue. Les **papilles fungiformes,** comme leur nom l'indique, ont la forme de champignons; elles sont disséminées sur toute la surface de la langue. Toutes les papilles caliciformes et la plupart des papilles fungiformes renferment des calicules gustatifs. Enfin, la surface entière de la langue porte des **papilles filiformes,** longues structures pointues qui contiennent rarement des calicules gustatifs.

Physiologie du goût

Une fois dissoute dans la salive, une substance chimique peut entrer en contact avec la membrane plasmique des microvillosités, là où s'effectue la transduction des stimulus gustatifs. Le potentiel récepteur alors produit entraîne dans les cellules gustatives l'exocytose d'un neurotransmetteur contenu dans des vésicules synaptiques. Des influx nerveux peuvent ensuite se déclencher dans les neurones sensitifs de premier ordre qui font synapse avec les cellules gustatives.

Une cellule gustative peut être sensible à plus d'une saveur fondamentale, mais les cellules gustatives de certaines régions de la langue sont particulièrement sensibles à l'une des saveurs (voir la figure 16.2a). Ainsi, les récepteurs situés sur le bout de la langue sont très sensibles au sucré et au salé, les récepteurs situés sur la partie postérieure de la langue sont très sensibles à l'amer et les récepteurs situés sur les côtés de la langue sont surtout sensibles à l'acide.

Seuil d'excitation et adaptation des cellules gustatives

Le seuil d'excitation des cellules gustatives varie selon les saveurs fondamentales; le seuil d'excitation pour l'amer, que l'on mesure au moyen de la quinine, est le plus bas de tous. De nombreuses substances toxiques ayant un goût amer, cette sensibilité a probablement une fonction protectrice. Le seuil d'excitation pour l'acide, mesuré à l'aide de l'acide chlorhydrique, est un peu plus élevé. Les seuils d'excitation pour le salé et le sucré, respectivement mesurés à l'aide de chlorure de sodium et de sucrose, sont à peu près équivalents et plus élevés que les seuils d'excitation pour l'amer et l'acide.

L'adaptation complète à une saveur peut survenir au bout de une à cinq minutes de stimulation continuelle. L'adaptation gustative repose sur des changements qui se produisent dans les cellules gustatives, les cellules olfactives et les neurones de la voie gustative dans le SNC.

Voie gustative

Trois nerfs crâniens contiennent les fibres gustatives de premier ordre. Le nerf facial (VII) innerve les deux tiers antérieurs de la langue, le nerf glosso-pharyngien (IX), le tiers postérieur de la langue et le nerf vague (X), la gorge et l'épiglotte (lame de cartilage qui ferme le larynx). À partir des calicules gustatifs, les influx nerveux se propagent dans ces nerfs crâniens jusqu'au bulbe rachidien. De là, quelques fibres de la voie gustative s'étendent jusque dans le système limbique et l'hypothalamus, tandis que d'autres se rendent jusqu'au thalamus. Les fibres vont ensuite du thalamus jusqu'à l'aire gustative primaire, dans le lobe pariétal du cortex cérébral (aire 43 dans la figure 14.15, p. 493), où a lieu la perception consciente des sensations gustatives.

1. Quelles sont les différences structurales et fonctionnelles entre les cellules olfactives et les cellules gustatives?
2. Comparez la voie olfactive et la voie gustative.

VISION

OBJECTIFS

• *Énumérer et décrire les structures annexes de l'œil et les éléments structuraux du globe oculaire.*

• *Expliquer la formation des images en décrivant la réfraction, l'accommodation et la contraction de la pupille.*

Les yeux contiennent plus de la moitié des récepteurs sensoriels du corps humain. En outre, une grande partie du cortex cérébral est consacrée au traitement de l'information visuelle. Dans cette section, nous allons étudier les structures annexes de l'œil, du globe oculaire, de la formation des images, de la physiologie de la vision et de la voie visuelle.

Structures annexes de l'œil

Les **structures annexes** de l'œil sont les paupières, les cils, le sourcil, l'appareil lacrymal et les muscles extrinsèques du globe oculaire.

Paupières

Les **paupières** supérieure et inférieure recouvrent l'œil pendant le sommeil, le protègent contre la lumière excessive et les corps étrangers et répandent des sécrétions lubrifiantes sur le globe oculaire (figure 16.3). La paupière supérieure est plus mobile que la paupière inférieure et, dans sa partie supérieure, renferme le **muscle élévateur de la paupière supérieure.** L'espace qui sépare la paupière supérieure et la paupière inférieure et qui laisse apparaître le globe oculaire est appelé **fente palpébrale.** La fente palpébrale forme deux angles: l'**angle latéral de l'œil,** près de l'os temporal, et l'**angle médial de l'œil,** plus ouvert, près de l'os du nez. L'angle médial de l'œil porte une petite éminence rougeâtre, la **caroncule lacrymale,** qui contient des glandes sébacées et sudoripares. La substance blanche qui s'accumule parfois dans l'angle médial de l'œil provient de ces glandes.

Figure 16.3 Anatomie de surface de l'œil droit.

 La fente palpébrale est l'espace qui sépare la paupière supérieure et la paupière inférieure et qui laisse apparaître le globe oculaire.

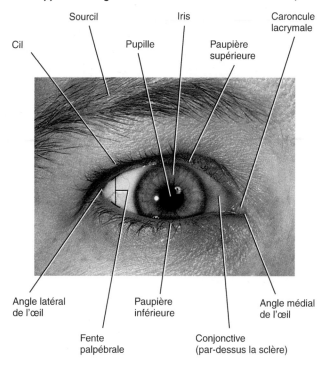

Sourcil
Iris
Caroncule lacrymale
Cil
Pupille
Paupière supérieure
Angle latéral de l'œil
Paupière inférieure
Angle médial de l'œil
Fente palpébrale
Conjonctive (par-dessus la sclère)

 Laquelle des structures photographiées ici est unie au revêtement intérieur des paupières ?

De l'extérieur vers l'intérieur, chaque paupière comprend l'épiderme, le derme, le tissu sous cutané, les fibres du muscle orbiculaire de l'œil, le tarse, les glandes tarsales et la conjonctive (figure 16.4a). Le **tarse** est un épais feuillet de tissu conjonctif qui soutient la paupière et lui donne sa forme. Il contient une rangée de longues glandes sébacées modifiées, les **glandes tarsales,** ou **glandes de Meibomius.** Ces glandes sécrètent un liquide qui empêche les paupières d'adhérer l'une à l'autre. L'infection des glandes tarsales cause l'apparition sur les paupières d'un kyste appelé **chalazion.** La **conjonctive** est une mince muqueuse protectrice ; elle est composée d'un épithélium stratifié prismatique contenant de nombreuses cellules caliciformes et soutenu par un tissu conjonctif aréolaire. Elle tapisse la face interne des paupières (**conjonctive palpébrale**) et se replie sur la face antérieure du globe oculaire (**conjonctive bulbaire**) sauf sur la cornée. L'irritation ou l'infection locales entraînent la dilatation et la congestion des vaisseaux sanguins de la conjonctive bulbaire ; les yeux paraissent alors injectés de sang.

Cils et sourcil

Les **cils,** qui bordent les deux paupières, et le **sourcil,** qui décrit un arc au-dessus de la paupière supérieure, protègent le globe oculaire contre les corps étrangers, les gouttes de sueur et les rayons directs du soleil. Des glandes sébacées situées à la base des follicules des cils, les **glandes ciliaires,** ou glandes de Zeis, y libèrent une substance lubrifiante. L'infection de ces glandes entraîne la formation d'un **orgelet.**

Appareil lacrymal

L'**appareil lacrymal** (*lacrima* = larme) est un groupe de structures qui produisent et drainent la **sécrétion lacrymale,** ou **larmes.** Les larmes sont sécrétées par la **glande lacrymale,** qui a la taille et la forme d'une amande. Elles s'écoulent dans 6 à 12 **ductules excréteurs de la glande lacrymale,** qui s'ouvrent sur la partie supérieure de la conjonctive (figure 16.4b). De là, les larmes traversent en diagonale la face antérieure du globe oculaire et pénètrent dans deux petits orifices appelés **points lacrymaux.** Les larmes passent ensuite dans les **canalicules lacrymaux,** qui débouchent dans le **sac lacrymal,** et elles entrent dans le **conduit lacrymo-nasal.** Ce conduit déverse les larmes dans la cavité nasale, juste au-dessous du cornet nasal inférieur.

La sécrétion lacrymale est une solution aqueuse contenant des sels, un peu de mucus et du **lysozyme,** une enzyme bactéricide. Elle protège, nettoie, lubrifie et humidifie le globe oculaire. Après avoir été libérée, la sécrétion lacrymale se répand sur la surface du globe oculaire en direction du nez grâce au clignement des paupières. Chaque glande lacrymale sécrète environ 1 mL de larmes par jour.

En temps normal, les larmes sont éliminées au fur et à mesure qu'elles sont produites : soit elles s'évaporent, soit elles passent dans les canalicules lacrymaux puis dans la cavité nasale. Cependant, les substances irritantes qui entrent en contact avec la conjonctive stimulent les glandes lacrymales ; celles-ci produisent alors un excès de sécrétion et les larmes s'accumulent. Le larmoiement est un mécanisme protecteur, car les larmes diluent et entraînent la substance irritante. Le larmoiement peut aussi accompagner une inflammation de la muqueuse nasale (causée par un rhume par exemple) qui obstrue les conduits lacrymo-nasaux et entrave le drainage des larmes. L'être humain est le seul animal à **pleurer** sous le coup d'une émotion. Stimulées par la partie parasympathique du système nerveux autonome, les glandes lacrymales sécrètent un excès de larmes qui peuvent déborder des paupières et même remplir la cavité nasale.

Muscles extrinsèques du globe oculaire

Les muscles extrinsèques du globe oculaire, au nombre de six, rendent possibles les mouvements du globe oculaire. Ils sont innervés par les nerfs crâniens III, IV et VI. Il s'agit des **muscles droit supérieur, droit inférieur, droit latéral, droit médial, oblique supérieur** et **oblique inférieur** (voir les figures 16.4 et 16.5). En règle générale, les unités motrices de ces muscles sont de petite taille. Certains neurones moteurs n'innervent que deux ou trois myocytes (proportion qui n'est égalée que dans le larynx), ce qui donne lieu à des mouvements souples, précis et rapides. Comme l'indique

Figure 16.4 Structures annexes de l'œil.

Les structures annexes de l'œil sont les paupières, les cils, le sourcil, l'appareil lacrymal et les muscles extrinsèques du globe oculaire.

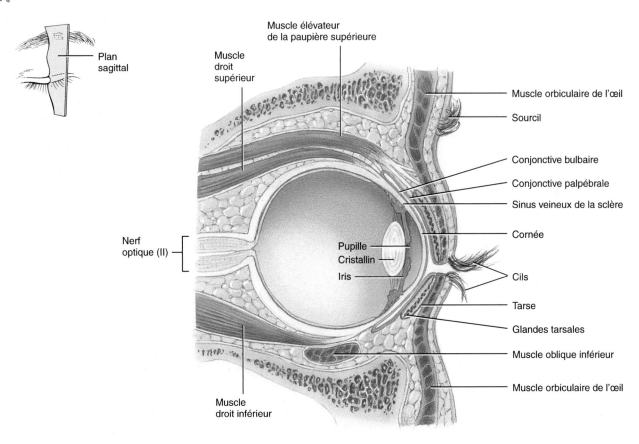

(a) Coupe sagittale de l'œil et de ses structures annexes

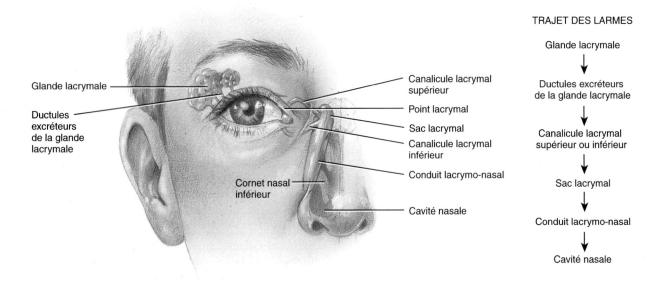

(b) Vue antérieure de l'appareil lacrymal

TRAJET DES LARMES

Glande lacrymale
↓
Ductules excréteurs de la glande lacrymale
↓
Canalicule lacrymal supérieur ou inférieur
↓
Sac lacrymal
↓
Conduit lacrymo-nasal
↓
Cavité nasale

Q Qu'est-ce que la sécrétion lacrymale et quelles sont ses fonctions ?

l'exposé 11.2, p. 336, les muscles extrinsèques du globe oculaire permettent à l'œil de se déplacer vers l'extérieur, l'intérieur, le haut et le bas. Pour que nous puissions regarder vers la droite, par exemple, il faut que se produisent simultanément une contraction du muscle droit latéral de l'œil droit et du muscle droit médial de l'œil gauche ainsi qu'un relâchement du muscle droit latéral de l'œil gauche et du muscle droit médial de l'œil droit. Les muscles obliques assurent la stabilité du globe oculaire. Les mouvements des yeux sont coordonnés et synchronisés par des réseaux situés dans le tronc cérébral et dans le cervelet.

Anatomie du globe oculaire

Le **globe oculaire** mesure environ 2,5 cm de diamètre chez l'adulte. Seul le sixième antérieur de sa surface est apparent ; le reste est enchâssé et caché dans l'orbite. Sur le plan anatomique, la paroi du globe oculaire comprend trois épaisseurs : la tunique fibreuse, la tunique vasculaire et la rétine.

Tunique fibreuse

La **tunique fibreuse** est l'enveloppe superficielle avasculaire du globe oculaire ; elle est constituée de la cornée, à l'avant, et de la sclère, à l'arrière (figure 16.5). La **cornée** est transparente et recouvre l'iris. Grâce à sa forme incurvée, elle contribue à focaliser la lumière sur la rétine. Son feuillet externe est composé d'un épithélium stratifié pavimenteux non kératinisé, son feuillet intermédiaire, de fibres collagènes et de fibroblastes, et son feuillet interne, d'un épithélium simple pavimenteux. La **sclère** (*sklêros* = dur), le « blanc » de l'œil, est une couche de tissu conjonctif dense composée principalement de fibres collagènes et de fibroblastes. S'étendant sur tout le globe oculaire, sauf sur la cornée, la sclère lui donne forme et rigidité et en protège les structures internes. À la jonction de la sclère et de la cornée se trouve une ouverture appelée **sinus veineux de la sclère,** ou canal de Schlemm (voir la figure 16.4a).

APPLICATION CLINIQUE
Greffes de cornée

Les **greffes de cornée** sont les transplantations les plus courantes et aussi les plus fréquemment réussies. Comme la cornée est avasculaire, les anticorps contenus dans le sang ne peuvent pas pénétrer dans le tissu greffé ; les risques de rejet sont donc très faibles. L'intervention consiste à retirer la cornée défectueuse et à suturer à la place une cornée de même diamètre provenant d'un donneur. Il existe à présent des cornées artificielles en plastique qui ont en partie résolu le problème de la pénurie de donneurs. ■

Tunique vasculaire

Le **tunique vasculaire** est l'enveloppe moyenne du globe oculaire ; elle comprend trois parties, la choroïde, le corps ciliaire et l'iris (voir la figure 16.5). La **choroïde** constitue la partie postérieure de la tunique vasculaire ; fortement vascularisée, elle tapisse la majeure partie de la face interne de la sclère. Elle fournit des nutriments à la face postérieure de la rétine.

Dans la partie antérieure de la tunique vasculaire, la choroïde forme le **corps ciliaire,** qui s'étend de l'**ora serrata,** le bord antérieur denté de la rétine, jusqu'à un point situé à l'arrière de la jonction entre la sclère et la cornée. Le corps ciliaire comprend les procès ciliaires et le muscle ciliaire. Les **procès ciliaires** sont des saillies de la face interne du muscle ciliaire ; ils contiennent des capillaires qui sécrètent l'humeur aqueuse. Les procès ciliaires sont rattachés au ligament suspenseur du cristallin. Le **muscle ciliaire** est un anneau de muscle lisse qui modifie la forme du cristallin selon que le regard se pose sur un objet rapproché ou sur un objet éloigné. En se contractant, le muscle ciliaire tire sur le corps ciliaire, qui tire à son tour sur le ligament suspenseur du cristallin, ce qui modifie la forme du cristallin.

L'**iris,** la partie colorée du globe oculaire, a la forme d'un beignet aplati. Il est situé entre la cornée et le cristallin et rattaché au bord extérieur des procès ciliaires. Il est composé de myocytes lisses disposés en cercle ou en rayons. La principale fonction de l'iris est de moduler la quantité de lumière qui entre dans la chambre vitrée par la **pupille,** ouverture centrale de l'iris. Le diamètre de la pupille est régi par des réflexes autonomes et dépend de l'intensité de la lumière (figure 16.6). Lorsque la lumière est abondante, des neurones parasympathiques provoquent la contraction du **muscle sphincter de la pupille** (circulaire), et la pupille se resserre. Lorsque la lumière est faible, à l'inverse, des neurones sympathiques entraînent la contraction du **muscle dilatateur de la pupille** (radial), et la pupille se dilate.

Rétine

L'enveloppe interne du globe oculaire, la **rétine,** tapisse les trois quarts postérieurs du globe oculaire et constitue l'amorce de la voie visuelle (voir la figure 16.5). L'instrument appelé ophtalmoscope permet de regarder à travers la pupille et d'obtenir une image agrandie de la rétine et des vaisseaux sanguins qui en parcourent la face antérieure (figure 16.7). La surface de la rétine est le seul endroit du corps humain où l'on peut observer les vaisseaux sanguins directement et y rechercher des changements pathologiques, ceux qui sont associés à l'hypertension ou au diabète sucré par exemple. Plusieurs points de repère anatomiques sont visibles sur la rétine. Le **disque du nerf optique,** ou papille optique, est le point où le nerf optique sort du globe oculaire. L'**artère centrale de la rétine,** une branche de l'artère ophtalmique, et la **veine centrale de la rétine** passent ensemble dans le nerf optique. L'artère centrale de la rétine émet des ramifications qui nourrissent la face antérieure de la rétine ; la veine centrale de la rétine draine le sang de la rétine à travers le disque du nerf optique.

Figure 16.5 Structure macroscopique du globe oculaire.

La paroi du globe oculaire comprend trois enveloppes: la tunique fibreuse, la tunique vasculaire et la rétine.

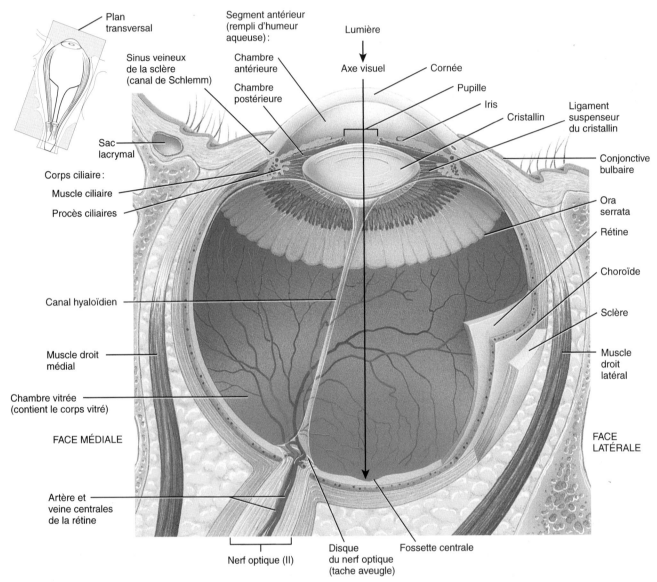

Vue supérieure du globe oculaire droit en coupe transversale

Q Quels sont les éléments constitutifs de la tunique fibreuse et de la tunique vasculaire?

La rétine est formée d'une partie pigmentaire (partie non visuelle) et d'une partie nerveuse (partie visuelle). La **partie pigmentaire de la rétine** est un feuillet de cellules épithéliales situé entre la choroïde et la partie nerveuse de la rétine. (Certains histologistes considèrent qu'elle fait partie de la choroïde et non de la rétine.) La mélanine présente dans la choroïde et dans la partie pigmentaire de la rétine absorbe la lumière, ce qui en prévient la réflexion et la diffusion à l'intérieur du globe oculaire. L'image que la cornée et le cristallin projettent sur la rétine est par conséquent claire et nette. L'albinisme est une absence de sécrétion de mélanine dans l'organisme entier, y compris les yeux. Nombre de personnes qui en sont atteintes doivent porter des lunettes de soleil en tout temps, car même la lumière d'intensité modérée les éblouit en raison de la diffusion des rayons.

Figure 16.6 Réactions de la pupille à différentes intensités lumineuses.

 La contraction du muscle circulaire entraîne la contraction de la pupille; la contraction du muscle radial entraîne la dilatation de la pupille.

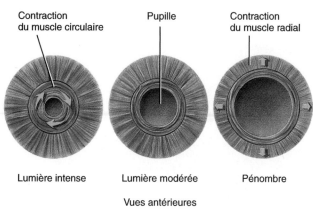

Contraction du muscle circulaire

Pupille

Contraction du muscle radial

Lumière intense

Lumière modérée

Pénombre

Vues antérieures

Q Quelle partie du système nerveux autonome entraîne la contraction de la pupille? Laquelle en entraîne la dilatation?

Figure 16.7 Rétine normale vue à travers l'ophtalmoscope.

 On peut examiner directement les vaisseaux sanguins de la rétine et y rechercher des changements pathologiques.

CÔTÉ TEMPORAL

CÔTÉ NASAL

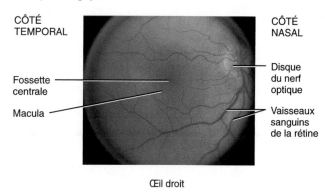

Fossette centrale

Macula

Disque du nerf optique

Vaisseaux sanguins de la rétine

Œil droit

Q Quelles sont les maladies dont on peut déceler les signes à l'aide d'un ophtalmoscope?

La **partie nerveuse de la rétine** est une émergence du cerveau qui traite les données visuelles avant de transmettre des influx nerveux au thalamus. Ses trois couches de neurones (les **photorécepteurs,** les **neurones bipolaires** et les **cellules ganglionnaires**) sont séparées par les stratums plexiformes externe et interne de la rétine, où s'établissent les synapses (figure 16.8). Notez que la lumière traverse la couche de cellules ganglionnaires et la couche de neurones bipolaires avant d'atteindre la couche de photorécepteurs. La rétine comprend en outre deux autres types de cellules, les **cellules horizontales** et les **cellules amacrines.** Ces cellules forment des voies latérales qui modifient les signaux transmis des photorécepteurs aux neurones bipolaires puis aux cellules ganglionnaires.

Deux types de photorécepteurs rétiniens sont spécialisés dans la transduction de l'énergie lumineuse en potentiels récepteurs: les bâtonnets, au nombre de 120 millions environ, et les cônes, au nombre de 6 millions environ, dans chaque rétine. Les **bâtonnets** sont très sensibles à la lumière et nous permettent de voir dans la pénombre, au clair de lune par exemple. Ils ne détectent pas la couleur, de sorte que nous ne distinguons que des nuances de gris lorsque l'illumination est faible. Les **cônes,** en revanche, ont un seuil d'excitation plus élevé et sont à l'origine de la vision des couleurs. Ils produisent la plupart de nos expériences visuelles, et leur destruction cause la cécité pratique. La destruction des bâtonnets, par ailleurs, n'entraîne qu'une difficulté à voir dans la pénombre; ainsi les personnes qui en sont victimes devraient s'abstenir de conduire la nuit.

La **macula,** aussi appelée macula lutea ou tache jaune (*macula* = tache; *lutea* = jaune) est située au centre de la partie postérieure de la rétine, dans l'axe visuel. La **fossette centrale,** ou fovea centralis (voir la figure 16.5), une petite dépression creusée au centre de la macula, contient seulement des cônes. Ces cônes ne sont pas recouverts par les couches de neurones bipolaires et de cellules ganglionnaires qui diffusent quelque peu la lumière. Par conséquent, la fossette centrale est le point où l'**acuité visuelle,** ou **résolution,** atteint son maximum. Si vous remuez la tête et les yeux quand vous regardez un objet (ou pour lire chacun des mots de cette phrase), c'est principalement pour en diriger l'image sur votre fossette centrale. Les bâtonnets sont absents de la fossette centrale mais très abondants en périphérie de la rétine. Comme ils sont plus sensibles que les cônes, on voit mieux les objets peu lumineux (les étoiles lointaines par exemple) si on les regarde de côté et non pas directement.

À partir des photorécepteurs, l'information traverse la couche plexiforme externe, la couche de neurones bipolaires et la couche plexiforme interne puis atteint les cellules ganglionnaires. Les axones de ces cellules cheminent vers l'arrière en direction du disque du nerf optique et forment le nerf optique à leur sortie du globe oculaire. Le disque du nerf optique est aussi appelé **tache aveugle,** car il ne contient ni bâtonnets ni cônes et ne peut capter les images qui l'atteignent. Cette lacune de notre vision passe inaperçue en temps ordinaire, mais il est facile d'en démontrer l'existence. Couvrez votre œil gauche et fixez la croix qui apparaît ci-dessous. Approchez ou éloignez le livre de votre œil. Le carré disparaîtra lorsque son image atteindra votre tache aveugle.

Figure 16.8 Structure microscopique de la rétine. La flèche bleue dirigée vers le bas, à gauche, indique la direction des signaux qui traversent la partie nerveuse de la rétine. Les influx nerveux naissent dans les cellules ganglionnaires et se propagent dans le nerf optique (II) formé par leurs axones.

🔑 **Dans la rétine, les signaux visuels passent des photorécepteurs aux neurones bipolaires puis aux cellules ganglionnaires.**

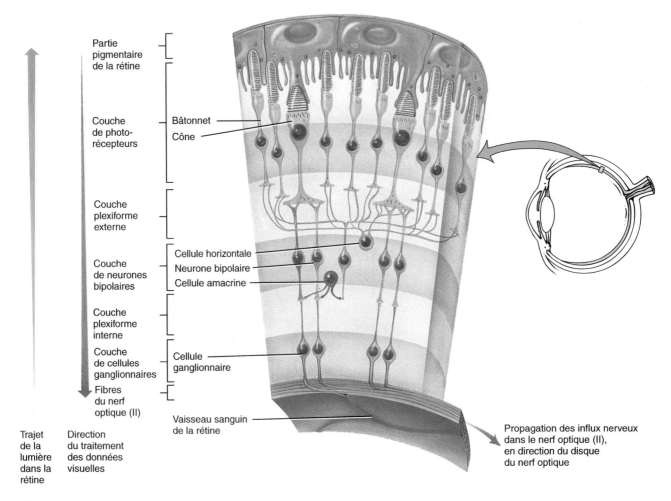

Partie pigmentaire de la rétine

Couche de photo-récepteurs

Bâtonnet
Cône

Couche plexiforme externe

Couche de neurones bipolaires

Cellule horizontale
Neurone bipolaire
Cellule amacrine

Couche plexiforme interne

Couche de cellules ganglionnaires

Cellule ganglionnaire

Fibres du nerf optique (II)

Vaisseau sanguin de la rétine

Trajet de la lumière dans la rétine

Direction du traitement des données visuelles

Propagation des influx nerveux dans le nerf optique (II), en direction du disque du nerf optique

Q Quels sont les deux types de photorécepteurs et quelles sont leurs fonctions respectives ?

Cristallin

Le **cristallin** est situé à l'arrière de la pupille et de l'iris, dans la cavité du globe oculaire (voir la figure 16.5). Avasculaire et parfaitement transparent en temps normal, il est composé de protéines appelées **cristallines** disposées comme les couches d'un oignon. Il est enveloppé dans une capsule de tissu conjonctif transparente et maintenu en place par le **ligament suspenseur du cristallin,** lequel est rattaché aux procès ciliaires. Le cristallin focalise la lumière sur la rétine de manière à produire des images claires.

Intérieur du globe oculaire

Le cristallin divise le globe oculaire en un segment antérieur et un segment postérieur. Le **segment antérieur** (l'espace situé à l'avant du cristallin) comprend la **chambre antérieure,** entre la cornée et l'iris, et la **chambre postérieure,** entre l'iris et le cristallin et le ligament suspenseur du cristallin (figure 16.9). Le segment antérieur est rempli d'**humeur aqueuse** (*aqua* = eau), liquide aqueux qui exsude continuellement des capillaires des procès ciliaires et qui nourrit le cristallin et la cornée. L'humeur aqueuse s'écoule

Figure 16.9 Chambres antérieure et postérieure de l'œil révélées par une coupe sagittale à travers la partie antérieure de l'œil, à la jonction de la cornée et de la sclère.

  Le cristallin sépare la chambre postérieure, dans le segment antérieur, de la chambre vitrée, dans le segment postérieur.

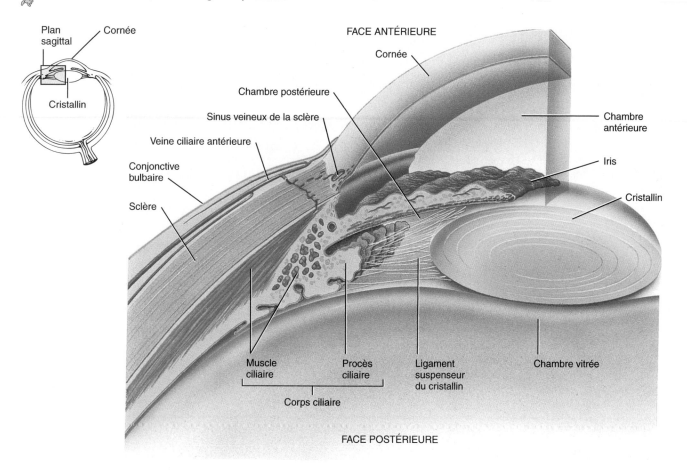

Q Où l'humeur aqueuse est-elle produite ? Quel trajet suit-elle ? Par où sort-elle du globe oculaire ?

dans la chambre postérieure, passe entre l'iris et le cristallin, traverse la pupille et entre dans la chambre antérieure. De là, elle se draine dans le sinus veineux de la sclère puis dans le sang. Normalement, l'humeur aqueuse se renouvelle complètement toutes les 90 min environ.

La pression qui existe dans l'œil, appelée **pression intra-oculaire,** provient de l'humeur aqueuse et, dans une moindre mesure, du corps vitré (que nous décrirons plus loin) ; elle s'établit normalement à 16 mm Hg environ. La pression intra-oculaire maintient la forme du globe oculaire et l'empêche de s'effondrer sur lui-même.

Le **segment postérieur** du globe oculaire, plus grand que le segment antérieur, est aussi appelé **chambre vitrée** ; il s'étend entre le cristallin et la rétine. La chambre vitrée contient le **corps vitré,** substance gélatineuse qui engendre une partie de la pression intra-oculaire et retient la rétine

contre la choroïde ; la rétine constitue ainsi une surface lisse propice à la clarté des images. Contrairement à l'humeur aqueuse, le corps vitré ne se renouvelle pas ; il se forme une fois pour toutes pendant le développement embryonnaire. Le corps vitré contient des phagocytes qui éliminent les débris afin que rien n'obstrue la vision. Il peut arriver que des accumulations de débris projettent une ombre sur la rétine et fassent apparaître des taches qui vont et viennent dans le champ visuel. Le phénomène s'observe le plus souvent chez des personnes âgées ; il est généralement sans conséquence et ne nécessite pas de traitement. Le **canal hyaloïdien** est un étroit passage qui parcourt le corps vitré du disque du nerf optique à la face postérieure du cristallin. Il est occupé par l'artère hyaloïdienne chez le fœtus.

Le tableau 16.1 présente un résumé des structures associées au globe oculaire.

Tableau 16.1 Résumé des structures associées au globe oculaire

STRUCTURE	FONCTION	STRUCTURE	FONCTION
Tunique fibreuse	*Cornée :* Admet la lumière et la réfracte. *Sclère :* Donne sa forme au globe oculaire et en protège les parties internes.	**Cristallin**	Réfracte la lumière.
Tunique vasculaire	*Iris :* Régit la quantité de lumière qui pénètre dans le globe oculaire. *Corps ciliaire :* Sécrète l'humeur aqueuse et modifie la forme du cristallin pour la vision rapprochée ou la vision éloignée (accommodation). *Choroïde :* Contient des vaisseaux sanguins et absorbe la lumière diffusée.	**Segment antérieur**	Contient l'humeur aqueuse, liquide qui contribue à maintenir la forme du globe oculaire et qui fournit de l'oxygène et des nutriments au cristallin et à la cornée.
Rétine	Reçoit la lumière et convertit l'énergie lumineuse en potentiels récepteurs puis en influx nerveux. L'information parvient à l'encéphale par l'intermédiaire des axones des cellules ganglionnaires, qui forment le nerf optique (II).	**Chambre vitrée**	Contient le corps vitré, une substance qui contribue à maintenir la forme du globe oculaire et qui garde la rétine accolée à la choroïde.

Formation des images

À certains égards, l'œil est semblable à un appareil photo. Ses éléments optiques focalisent l'image d'un objet sur une « pellicule » photosensible (la rétine) tout en assurant une « exposition » appropriée (en ne laissant pénétrer que la juste quantité de lumière). Pour comprendre la manière dont l'œil forme des images claires sur la rétine, il faut étudier trois processus : 1) la réfraction, ou déviation, de la lumière par le cristallin et la cornée, 2) l'accommodation, c'est-à-dire le changement de forme du cristallin, et 3) la contraction de la pupille.

Réfraction des rayons lumineux

Les rayons lumineux qui passent d'un milieu transparent (comme l'air) à un autre milieu transparent de densité différente (comme l'eau) dévient à la surface de séparation des deux. Cette déviation est appelée **réfraction** (figure 16.10a). Les rayons lumineux qui pénètrent dans l'œil dévient sur les deux faces de la cornée puis les deux faces du cristallin de sorte qu'ils se focalisent précisément sur la rétine.

Les images qui se forment sur la rétine sont inversées de haut en bas et de gauche à droite (figure 16.10b et c) ; autrement dit, la lumière provenant du côté droit d'un objet atteint le côté gauche de la rétine et vice versa. Si nous ne voyons pas le monde sens dessus dessous, c'est parce que notre cerveau « apprend » dès les premiers mois de la vie à faire la conversion. Quand nous commençons à tendre les mains vers les objets pour les saisir, il enregistre les images captées et les associe à la véritable orientation des objets.

La cornée assure environ 75 % de la réfraction dans l'œil. Le cristallin s'occupe du reste et ajuste le foyer à la vision rapprochée ou éloignée. Les rayons réfléchis par un objet situé à plus de 6 m de l'observateur sont presque parallèles (voir la figure 16.10b). Ils doivent dévier un peu pour se focaliser précisément sur la fossette centrale, là où la vision est la plus nette. Par ailleurs, les rayons lumineux réfléchis par les objets situés à moins de 6 m de l'observateur sont divergents (voir la figure 16.10c). Ils doivent donc dévier considérablement pour se focaliser sur la rétine. C'est le processus appelé accommodation qui assure cette réfraction supplémentaire.

Figure 16.10 Réfraction des rayons lumineux. Dans l'accommodation (c), le cristallin change de forme pour augmenter la réfraction.

 La réfraction est la déviation que subissent les rayons lumineux à la surface de séparation de deux milieux transparents de densités différentes.

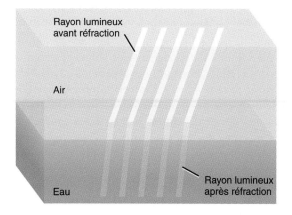

Rayon lumineux avant réfraction

Air

Eau

Rayon lumineux après réfraction

(a) Réfraction des rayons lumineux

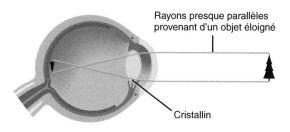

Rayons presque parallèles provenant d'un objet éloigné

Cristallin

(b) Vision éloignée

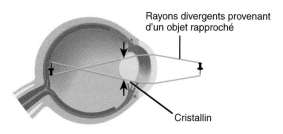

Rayons divergents provenant d'un objet rapproché

Cristallin

(c) Accommodation

 Quels événements se succèdent pendant l'accommodation ?

Accommodation et punctum proximum

Une surface qui, comme celle d'une balle, est arrondie vers l'extérieur est qualifiée de *convexe*. Une lentille convexe fait dévier les rayons lumineux qui l'atteignent les uns vers les autres, de sorte qu'ils finissent par se croiser. À l'inverse, une surface qui est arrondie vers l'intérieur, comme le dedans d'une balle creuse, est dite *concave*. Une lentille concave fait diverger les rayons lumineux. Le cristallin

possède deux faces convexes (faces antérieure et postérieure), et son pouvoir de réfraction augmente proportionnellement à sa courbure. Lorsque l'œil fixe un objet rapproché, le cristallin bombe et son pouvoir de réfraction augmente. L'augmentation de la courbure du cristallin associée à la vision rapprochée est appelée **accommodation** (voir la figure 16.10c).

Comment se déroule l'accommodation ? Lorsque vous regardez un objet éloigné, le muscle ciliaire est relâché et le cristallin est relativement plat parce qu'il est étiré dans tous les sens par le ligament suspenseur tendu. Lorsque vous regardez un objet rapproché, au contraire, le muscle ciliaire se contracte, ce qui tire les procès ciliaires et la choroïde en direction du cristallin. Ce mouvement relâche la tension exercée sur le cristallin et le ligament suspenseur. Le cristallin s'arrondit (devient plus convexe) puisqu'il est élastique ; son pouvoir de réfraction augmente et les rayons lumineux convergent davantage.

Le **punctum proximum** est le point le plus rapproché que l'œil peut distinguer nettement au prix d'un effort maximal. Il est situé à environ 10 cm de l'œil chez le jeune adulte. Avec le temps, le cristallin perd de son élasticité et, par le fait même, sa capacité d'accommodation. Cette anomalie est appelée **presbytie** (*presbitês* = vieillard) et oblige à éloigner les textes des yeux pour lire. Le punctum proximum peut passer à 20 cm à l'âge de 40 ans, puis à 80 cm à l'âge de 60 ans. La presbytie s'installe généralement au milieu de la quarantaine. C'est à cet âge que les gens commencent à avoir besoin de lunettes pour lire et que ceux qui en portent déjà doivent se munir de lentilles à double foyer.

Défauts de réfraction oculaire

Dans l'**œil emmétrope**, c'est-à-dire dans l'œil normal, la réfraction est suffisante pour que les rayons lumineux provenant d'un objet situé à 6 m de distance forment une image claire sur la rétine. Nombre de gens, cependant, présentent des défauts de la réfraction oculaire comme la **myopie** et l'**hypermétropie.** Ces anomalies et les moyens de les corriger sont présentés à la figure 16.11. L'**astigmatisme,** par ailleurs, correspond à une courbure irrégulière de la cornée ou du cristallin. Il se traduit par une vision brouillée ou déformée. On peut corriger la plupart des défauts de la vision au moyen de lunettes ou de lentilles cornéennes. Une lentille cornéenne flotte sur la mince couche de larmes qui recouvre la cornée ; la face antérieure de la lentille corrige le défaut de la vision, tandis que la face postérieure épouse la courbure de la cornée.

Contraction de la pupille

Le muscle circulaire de l'iris a aussi un rôle à jouer dans la formation d'images claires sur la rétine. Le mécanisme d'accommodation consiste pour une part en une **contraction de la pupille,** c'est-à-dire en une diminution du diamètre de l'orifice à travers lequel la lumière entre dans l'œil. Il s'agit

Figure 16.11 Défauts de réfraction et corrections. (a) Œil emmétrope (normal). (b) Dans un œil myope, l'image se forme à l'avant de la rétine. La myopie peut être due à une élongation du globe oculaire ou à un épaississement du cristallin. (c) On corrige la myopie au moyen d'une lentille concave qui fait diverger les rayons lumineux avant leur entrée dans l'œil, sur la rétine. (d) Dans un œil hypermétrope, l'image se forme à l'arrière de la rétine. L'hypermétropie est causée par une diminution de la longueur du globe oculaire ou un amincissement du cristallin. (e) On corrige l'hypermétropie à l'aide d'une lentille convexe qui fait converger les rayons lumineux avant leur entrée dans l'œil.

 Les personnes myopes distinguent mal les objets éloignés ; les personnes hypermétropes distinguent mal les objets rapprochés.

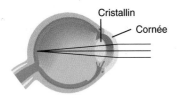

(a) Œil emmétrope (normal)

(b) Œil myope sans correction

(c) Œil myope avec correction

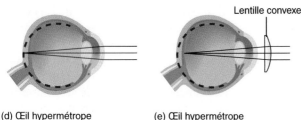

(d) Œil hypermétrope sans correction

(e) Œil hypermétrope avec correction

 Qu'est-ce que la presbytie ?

d'un réflexe autonome qui empêche les rayons lumineux de pénétrer dans l'œil par la périphérie du cristallin. Sans ce réflexe, les rayons ne se focaliseraient pas sur la rétine et produiraient des images floues. Rappelez-vous que la pupille se contracte aussi quand la lumière est vive.

Convergence

De nombreux animaux ont les yeux sur les côtés de la tête et, par conséquent, voient un ensemble d'objets avec leur œil gauche et un ensemble tout à fait différent avec leur œil droit. Chez l'être humain, en revanche, les deux yeux sont dirigés vers un seul ensemble d'objets, caractéristique appelée **vision binoculaire.** Cet attribut de notre système visuel permet la vision du relief, ou vision stéréoscopique.

Dans la vision binoculaire, les rayons lumineux provenant d'un objet atteignent des points correspondants sur les deux rétines. Lorsque nous regardons un objet éloigné situé droit devant nous, les rayons lumineux parviennent directement aux deux pupilles et dévient vers des points équivalents des deux rétines. Si nous nous approchons de l'objet, nos yeux doivent se tourner vers l'intérieur pour que les rayons lumineux atteignent des points correspondants sur les deux rétines. Le mouvement vers l'intérieur qui permet aux deux globes oculaires de se fixer sur l'objet regardé est appelé **convergence** et il est produit par les muscles extrinsèques du globe oculaire. Plus l'objet est proche, plus le degré de convergence doit augmenter pour maintenir la vision binoculaire.

Physiologie de la vision

OBJECTIF

• *Décrire le rôle des photorécepteurs et des photopigments dans la vision.*

Photorécepteurs et photopigments

Les photorécepteurs ont reçu les appellations de « bâtonnets » et de « cônes » à cause de l'apparence de leur *segment externe* respectif, c'est-à-dire leur extrémité distale voisine de la partie pigmentaire de la rétine (figure 16.12). C'est dans la membrane plasmique du segment externe que se produit la transduction de l'énergie lumineuse en potentiel récepteur. La membrane plasmique des cônes est plissée, tandis que celle des bâtonnets forme des disques superposés dont le nombre varie autour de 1 000.

Le segment externe des photorécepteurs se renouvelle à un rythme extrêmement rapide. De un à trois nouveaux disques s'ajoutent toutes les heures à la base du segment externe des bâtonnets, tandis que les disques usés se détachent du sommet et sont phagocytés par les cellules de la partie pigmentaire. Le *segment interne* contient le noyau de la cellule, le complexe de Golgi et de nombreuses mitochondries. L'extrémité proximale des photorécepteurs forme des boutons terminaux remplis de vésicules synaptiques.

Les **photopigments** sont des protéines intrinsèques colorées situées dans la membrane plasmique du segment externe. Tous les photopigments associés à la vision comprennent deux parties : un dérivé de la vitamine A appelé rétinal et une glycoprotéine appelée opsine. Le **rétinal** est la partie qui absorbe la lumière dans tous les photopigments.

Figure 16.12 Structure des photorécepteurs. Le segment interne contient la machinerie métabolique nécessaire à la synthèse des photopigments et à la production d'ATP. Les photopigments sont enchâssés dans les disques ou les plis que forme la membrane plasmique du segment externe. Les nouveaux disques (dans les bâtonnets) et les nouveaux plis (dans les cônes) se forment à la jonction des segments interne et externe. Les cellules de la partie pigmentaire de la rétine phagocytent les plis et les disques usés qui se détachent de l'extrémité distale du segment externe.

🔑 **La transduction de l'énergie lumineuse en potentiels récepteurs se produit dans le segment externe des bâtonnets et des cônes.**

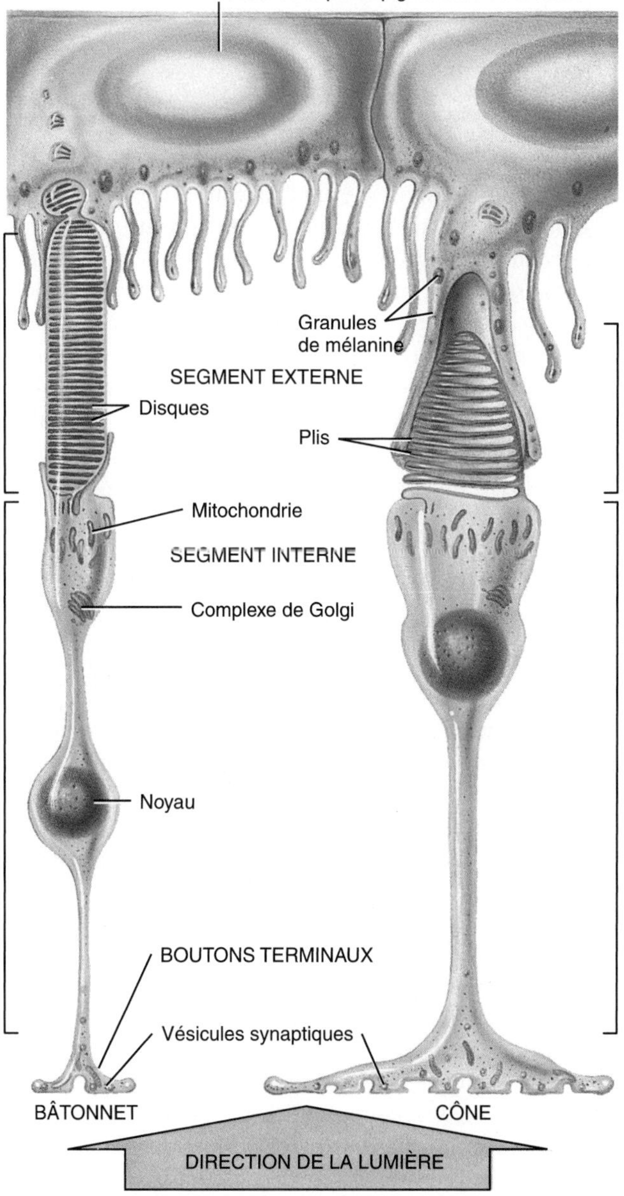

Cellule de la partie pigmentaire de la rétine

Granules de mélanine

SEGMENT EXTERNE

Disques

Plis

Mitochondrie

SEGMENT INTERNE

Complexe de Golgi

Noyau

BOUTONS TERMINAUX

Vésicules synaptiques

BÂTONNET   CÔNE

DIRECTION DE LA LUMIÈRE

Q Sur le plan fonctionnel, quelles sont les ressemblances entre les bâtonnets et les cônes?

Comme les autres dérivés de la vitamine A, il se forme à partir des caroténoïdes, les pigments végétaux qui donnent aux carottes leur couleur orangée. Telle est la raison pour laquelle un apport adéquat de légumes riches en caroténoïdes, comme les carottes, les épinards, le brocoli et les courges jaunes, ou encore d'aliments riches en vitamine A, comme le foie, est essentiel à une bonne vision. Une carence prolongée en vitamine A empêche la synthèse d'une quantité suffisante de photopigment dans les bâtonnets et peut entraîner la **cécité nocturne,** soit l'incapacité de voir dans la pénombre.

Il existe quatre types d'**opsines** dans la rétine humaine. L'opsine présente dans les bâtonnets est appelée **rhodopsine** (*rhodeon* = rose; *opsis* = vision). Les trois autres sont présentes dans les cônes et en déterminent le type. De légères variations dans la séquence des acides aminés des diverses opsines permettent aux bâtonnets et aux cônes d'absorber différentes couleurs (longueurs d'onde) de la lumière. La rhodopsine absorbe surtout les couleurs allant du bleu au vert, tandis que les opsines des cônes absorbent le bleu, le vert ou les couleurs allant du jaune au rouge.

La vision des couleurs résulte de l'activation sélective des photopigments des cônes par les différentes couleurs de la lumière. La plupart des formes d'**achromatopsie,** soit l'incapacité de distinguer certaines couleurs, sont dues à l'absence ou à l'insuffisance d'un des trois photopigments des cônes. La forme la plus répandue d'achromatopsie se caractérise par l'absence d'un photopigment sensible à la lumière rouge orangé ou verte et se manifeste par l'incapacité de distinguer le rouge et le vert (daltonisme).

La phototransduction commence lorsqu'un photopigment absorbe la lumière. Le photopigment subit alors des changements structuraux, ce qui déclenche la série d'événements suivante et aboutit à la production d'un potentiel récepteur (figure 16.13):

1 Dans l'obscurité, le rétinal a une forme pliée appelée *cis*-rétinal qui s'imbrique dans l'opsine du photopigment. Quand le *cis*-rétinal absorbe un photon, il se déplie et devient du *trans*-rétinal. Appelée **isomérisation,** cette conversion est la première étape de la phototransduction. Ensuite, plusieurs intermédiaires chimiques instables se forment et disparaissent. Ces changements chimiques aboutissent à la production d'un potentiel récepteur (que nous décrirons plus loin).

2 Le *trans*-rétinal se sépare complètement de l'opsine en 1 min environ. Le produit final étant incolore, cette partie du cycle est appelée **décoloration** du photopigment.

3 Une enzyme appelée **rétinal isomérase** reconvertit le *trans*-rétinal en *cis*-rétinal.

4 Le *cis*-rétinal peut alors se lier à l'opsine pour reformer un photopigment. La nouvelle synthèse du photopigment est appelée **régénération.**

Figure 16.13 Cycle de décoloration et de régénération du photopigment. Les flèches bleues indiquent les étapes de la décoloration et les noires, celles de la régénération.

🔑 **Le rétinal, un dérivé de la vitamine A, est la partie qui absorbe la lumière dans tous les photopigments.**

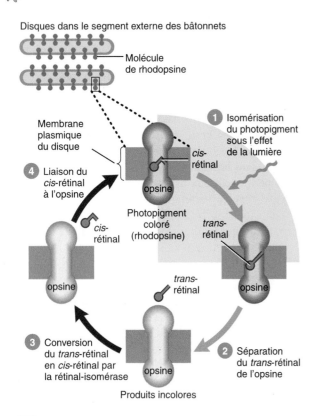

Disques dans le segment externe des bâtonnets

Molécule de rhodopsine

Membrane plasmique du disque

1 Isomérisation du photopigment sous l'effet de la lumière

cis-rétinal

opsine

4 Liaison du *cis*-rétinal à l'opsine

cis-rétinal

Photopigment coloré (rhodopsine)

trans-rétinal

opsine

opsine

trans-rétinal

3 Conversion du *trans*-rétinal en *cis*-rétinal par la rétinal-isomérase

opsine

2 Séparation du *trans*-rétinal de l'opsine

Produits incolores

Q Comment appelle-t-on la conversion du *cis*-rétinal en *trans*-rétinal?

La partie pigmentaire de la rétine adjacente aux photorécepteurs garde en réserve une grande quantité de vitamine A et contribue à la régénération dans les bâtonnets. La régénération de la rhodopsine ralentit radicalement si la partie pigmentaire se détache de la rétine. Les photopigments des cônes se régénèrent beaucoup plus rapidement que la rhodopsine et dépendent moins de la partie pigmentaire. Après une décoloration complète, il faut 5 min pour que se régénère la moitié de la rhodopsine mais 90 s seulement pour que se régénère la moitié des photopigments des cônes. La régénération complète de la rhodopsine décolorée dure de 30 à 40 min.

Adaptation à la lumière et à l'obscurité

L'**adaptation à la lumière** se produit lorsque nous passons de l'obscurité à la clarté, quand nous sortons d'un tunnel par exemple. En quelques secondes, notre système visuel s'adapte à la clarté en réduisant sa sensibilité. L'**adaptation à l'obscurité,** d'un autre côté, se produit lorsque nous

passons d'un milieu bien éclairé à un milieu sombre, quand nous entrons dans un cinéma par exemple. La sensibilité de notre système visuel augmente alors lentement. Les variations de la sensibilité pendant l'adaptation à la lumière et à l'obscurité dépendent en grande partie (mais pas seulement) de la décoloration et de la régénération des photopigments.

La décoloration du photopigment augmente à mesure que la lumière s'intensifie. Notez que des molécules de photopigments se régénèrent pendant que d'autres se décolorent. En pleine lumière, cependant, la régénération de la rhodopsine ne parvient pas à compenser la décoloration, de sorte que les bâtonnets ne contribuent pas beaucoup à la vision diurne. Les pigments des cônes, en revanche, se régénèrent assez rapidement pour qu'il subsiste toujours un peu de leur forme *cis*, même sous un éclairage très intense.

Si l'intensité lumineuse diminue tout d'un coup, la sensibilité s'atténue rapidement au début, puis de plus en plus lentement. Dans l'obscurité totale, la régénération complète des photopigments des cônes se produit au cours des huit premières minutes de l'adaptation. Pendant ce laps de temps, un éclat de lumière liminaire (à peine perceptible) nous paraît coloré. La rhodopsine se régénère plus lentement, et notre sensibilité visuelle augmente jusqu'à ce que nous puissions détecter un unique photon (l'unité fondamentale de la lumière). Nous pouvons alors apercevoir une lumière très faible, mais les éclats liminaires nous paraissent blanc gris, quelle que soit leur couleur réelle. Sous de très faibles intensités lumineuses, sous un ciel étoilé par exemple, nous ne voyons que des teintes de gris parce que seuls les bâtonnets sont actifs.

Libération du neurotransmetteur par les photorécepteurs

L'absorption de la lumière et l'isomérisation du rétinal déclenchent dans le segment externe des photorécepteurs des changements chimiques qui mènent à la production d'un potentiel récepteur. Pour comprendre la manière dont naît le potentiel récepteur, il faut étudier le fonctionnement des récepteurs en l'absence de lumière. Dans l'obscurité, les ions sodium (Na^+) pénètrent dans le segment externe des photorécepteurs par des canaux à Na^+ ligand-dépendants (figure 16.14a). Le ligand qui maintient ces canaux ouverts est le **guanosine monophosphate cyclique** (**GMPc**). L'afflux de Na^+, appelé courant d'obscurité, dépolarise partiellement le photorécepteur. Le potentiel de membrane du photorécepteur s'établit alors à −30 mV, soit beaucoup plus près de zéro que le potentiel de membrane typique du neurone (−70 mV). Cette dépolarisation partielle déclenche une libération continuelle de neurotransmetteur des boutons terminaux. Le neurotransmetteur présent dans les bâtonnets (et peut-être aussi dans les cônes) est le glutamate, un acide aminé. Le glutamate est inhibiteur dans les synapses entre les bâtonnets et certains neurones bipolaires; il y déclenche des

Figure 16.14 Fonctionnement des bâtonnets.

🔑 **La lumière engendre dans les photorécepteurs un potentiel récepteur hyperpolarisant qui diminue la libération d'un neurotransmetteur inhibiteur (le glutamate).**

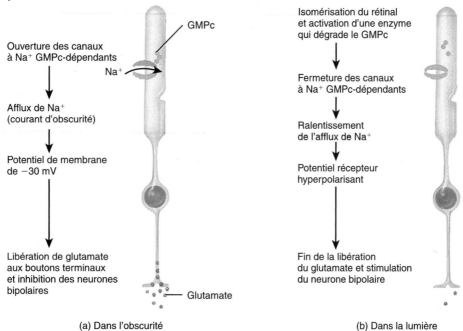

Ouverture des canaux
à Na⁺ GMPc-dépendants

GMPc

Na⁺

Afflux de Na⁺
(courant d'obscurité)

Potentiel de membrane
de −30 mV

Libération de glutamate
aux boutons terminaux
et inhibition des neurones
bipolaires

Glutamate

(a) Dans l'obscurité

Isomérisation du rétinal
et activation d'une enzyme
qui dégrade le GMPc

Fermeture des canaux
à Na⁺ GMPc-dépendants

Ralentissement
de l'afflux de Na⁺

Potentiel récepteur
hyperpolarisant

Fin de la libération
du glutamate et stimulation
du neurone bipolaire

(b) Dans la lumière

Q Quelle est la fonction du GMPc dans les photorécepteurs?

potentiels postsynaptiques inhibiteurs (PPSI) qui hyperpolarisent les neurones bipolaires et les empêchent d'envoyer des signaux aux cellules ganglionnaires.

Lorsque la lumière atteint la rétine et que le *cis*-rétinal subit une isomérisation, des enzymes s'activent et se mettent à dégrader le GMPc. Par conséquent, certains canaux à Na⁺ GMPc-dépendants se ferment, l'entrée de Na⁺ diminue et le potentiel de membrane devient plus négatif, approchant les −70 mV (figure 16.14b). Cette série d'événements produit un potentiel récepteur hyperpolarisant qui freine la libération de glutamate. La lumière faible engendre des potentiels récepteurs faibles et brefs qui diminuent la libération de glutamate; la lumière intense, au contraire, produit des potentiels récepteurs forts et prolongés qui mettent fin à la libération de glutamate. Le résultat, surprenant, est le suivant: la lumière stimule les neurones bipolaires qui font synapse avec les bâtonnets en stoppant la libération d'un neurotransmetteur inhibiteur!

Voie visuelle
OBJECTIF

• *Décrire le traitement des signaux visuels dans la rétine et dans la voie visuelle.*

Après avoir subi un traitement poussé dans la rétine, dans les synapses entre les divers types de neurones plus précisément (voir la figure 16.8), l'information visuelle emprunte les axones des cellules ganglionnaires pour parvenir à l'encéphale. Ces axones sortent du globe oculaire par l'intermédiaire du **nerf optique** (**II**).

Traitement de l'information visuelle dans la rétine

Dans la rétine, certains attributs de l'information visuelle sont rehaussés tandis que d'autres sont éliminés. L'information provenant de quelques cellules peut soit converger vers des neurones postsynaptiques moins nombreux, soit diverger vers des neurones postsynaptiques plus nombreux. Dans l'ensemble, la convergence prédomine puisque 1 million de cellules ganglionnaires seulement reçoivent l'information émise par environ 126 millions de photorécepteurs.

Une fois engendrés dans les bâtonnets et les cônes, les potentiels récepteurs se propagent dans les segments internes jusqu'aux boutons terminaux. Les molécules de neurotransmetteur libérées par les bâtonnets et les cônes produisent des potentiels gradués locaux dans les neurones bipolaires et dans les cellules horizontales. Dans le stratum plexiforme externe, de 6 à 600 bâtonnets font synapse avec un même neurone bipolaire, tandis que, la plupart du temps, un seul cône fait synapse avec un neurone bipolaire. La convergence des bâtonnets en accroît la photosensibilité mais brouille légèrement l'image perçue. D'un autre côté, la correspondance exacte entre les cônes et les neurones bipolaires réduit la sensibilité mais favorise la clarté des images. Les neurones bipolaires associés aux bâtonnets sont stimulés par l'effet excitateur de la lumière sur les bâtonnets, tandis que les neurones bipolaires associés aux cônes peuvent être soit excités, soit inhibés par l'apparition d'une lumière.

Les cellules horizontales transmettent des signaux inhibiteurs aux neurones bipolaires situés dans la région adjacente aux bâtonnets et aux cônes excités. Cette inhibition latérale accentue les contrastes entre les régions de la rétine qui sont fortement stimulées et les régions voisines plus faiblement stimulées. En outre, les cellules horizontales facilitent la différenciation des couleurs. Les cellules amacrines, qui sont excitées par les neurones bipolaires, font synapse avec les cellules ganglionnaires et leur signalent les variations de l'illumination de la rétine. Lorsque les cellules ganglionnaires reçoivent des signaux excitateurs des neurones bipolaires ou des cellules amacrines, elles se dépolarisent et produisent des influx nerveux.

Voie visuelle dans l'encéphale et champs visuels

Au **chiasma optique** (*khiasma* = croisement), certains des axones qui forment le nerf optique (II) traversent la ligne médiane, tandis que d'autres demeurent du même côté (figure 16.15a et b). Les fibres, qui font désormais partie du **tractus optique,** entrent dans l'encéphale et se terminent dans le corps géniculé latéral du thalamus. Elles y font synapse avec des neurones dont les axones constituent la **radiation optique**; celle-ci s'étend jusque dans l'aire visuelle primaire, dans le lobe occipital du cortex cérébral (aire 17 dans la figure 14.15, p. 493).

L'étendue de l'espace que capte un œil correspond à son **champ visuel.** Les champs visuels se chevauchent considérablement chez l'être humain, puisque les yeux sont situés à l'avant de la tête (voir la figure 16.15b). C'est la zone de superposition des champs visuels, appelée **champ visuel binoculaire,** qui permet la vision binoculaire. Le champ visuel de chaque œil est divisé en deux régions: la **moitié nasale,** ou **moitié centrale,** et la **moitié temporale,** ou **moitié périphérique** (figure 16.15c et d). Les rayons lumineux provenant d'un objet situé dans la moitié nasale du champ visuel d'un œil atteignent la moitié temporale de la rétine; les rayons lumineux provenant d'un objet situé dans la moitié temporale du champ visuel d'un œil atteignent la moitié nasale de la rétine. En outre, l'information visuelle provenant de la moitié *droite* de chaque champ visuel est acheminée au côté *gauche* de l'encéphale, tandis que l'information visuelle provenant de la moitié *gauche*

de chaque champ visuel est transmise au côté *droit* de l'encéphale. Le processus se déroule comme suit (voir la figure 16.15c et d):

1 Les axones de toutes les cellules ganglionnaires d'un œil sortent du globe oculaire par le disque du nerf optique et forment le nerf optique de ce côté.

2 Au chiasma optique, les fibres issues de la moitié temporale de chaque rétine ne traversent pas la ligne médiane mais se rendent au corps géniculé latéral du thalamus sans changer de côté.

3 Par contre, les fibres issues de la moitié nasale de chaque rétine traversent la ligne médiane et se rendent au côté opposé du thalamus.

4 Chaque tractus optique (formé d'axones croisés et non croisés) s'étend du chiasma optique au thalamus sans changer de côté.

5 Les axones des cellules ganglionnaires émettent des collatérales qui s'étendent jusqu'au mésencéphale, où elles s'intègrent à des réseaux qui régissent la contraction des pupilles sous l'effet de la lumière ainsi que la coordination des mouvements de la tête et des yeux; ces collatérales se rendent aussi au noyau suprachiasmatique de l'hypothalamus, qui établit les habitudes de sommeil et les autres rythmes circadiens associés à l'alternance des périodes de clarté et des périodes d'obscurité.

6 Les axones des neurones thalamiques forment les radiations optiques qui s'étendent jusqu'à l'aire visuelle primaire du cortex cérébral sans changer de côté.

Nous venons de décrire la voie visuelle comme s'il s'agissait d'un unique système de traitement. Or, les experts pensent qu'au moins trois systèmes distincts ayant chacun une fonction propre traitent les signaux visuels dans le cortex cérébral. L'un traite l'information relative à la forme des objets, un autre l'information relative à leur couleur et le troisième l'information relative aux mouvements, aux positions et à l'organisation spatiale.

1. Décrivez la structure des paupières, des cils et du sourcil et expliquez-en l'importance.
2. Quelle est la fonction de l'appareil lacrymal?
3. Décrivez la partie nerveuse de la rétine au point de vue histologique.
4. Expliquez le rôle que jouent les mécanismes suivants dans la physiologie de la vision: a) la réfraction, b) l'accommodation et c) la contraction de la pupille.
5. Quelle est la structure des bâtonnets et des cônes? Comment les photopigments réagissent-ils à la lumière? Comment se régénèrent-ils dans l'obscurité?
6. Comment les potentiels récepteurs prennent-ils naissance dans les photorécepteurs?
7. Décrivez le trajet de l'information visuelle pour ce qui est d'un objet situé dans la moitié nasale du champ visuel de l'œil gauche.

Figure 16.15 Voie visuelle. (a) La dissection partielle de l'encéphale révèle les radiations optiques (axones s'étendant du thalamus au lobe occipital). (b) Les deux yeux peuvent voir un objet situé dans le champ de vision binoculaire. En (c) et en (d), notez que l'information provenant du côté droit du champ visuel de chaque œil parvient au côté gauche de l'encéphale, tandis que l'information provenant du côté gauche du champ visuel de chaque œil parvient au côté droit de l'encéphale. Adapté de Seeley *et al.*, *Anatomy and Physiology*, 4ᵉ édition, New York, WCB McGraw-Hill, 1998, F15.22, p. 480. © The McGraw-Hill Companies.

🔑 **Les axones des cellules ganglionnaires de la moitié temporale de la rétine s'étendent jusqu'au thalamus sans changer de côté ; les axones des cellules ganglionnaires de la moitié nasale de la rétine traversent la ligne médiane avant d'atteindre le thalamus.**

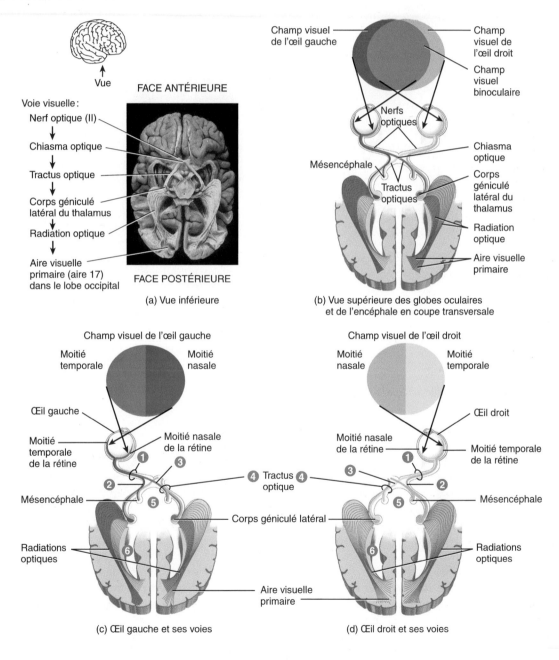

Q Sur quelle moitié de la rétine parviennent les rayons lumineux provenant d'un objet situé dans la moitié temporale du champ visuel ?

Figure 16.16 Structure de l'oreille révélée par une coupe frontale à travers l'oreille droite et le crâne.

🔑 **L'oreille se divise en trois régions principales : l'oreille externe, l'oreille moyenne et l'oreille interne.**

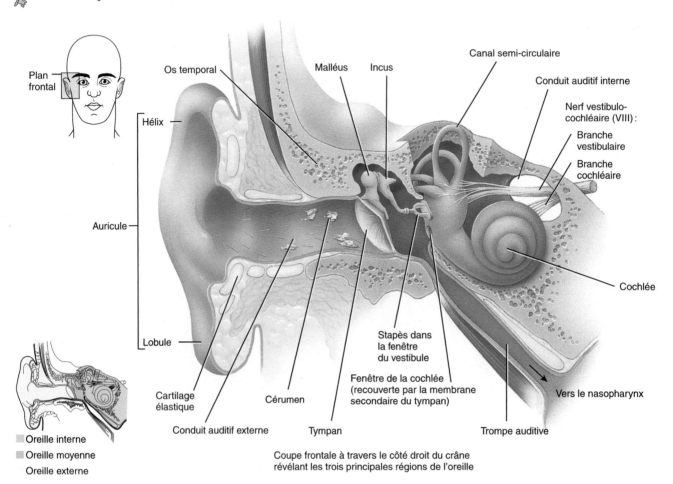

Plan frontal

Os temporal
Malléus
Incus
Canal semi-circulaire
Conduit auditif interne
Nerf vestibulo-cochléaire (VIII) :
Branche vestibulaire
Branche cochléaire

Hélix

Auricule

Cochlée

Lobule

Stapès dans la fenêtre du vestibule

Fenêtre de la cochlée (recouverte par la membrane secondaire du tympan)

Vers le nasopharynx

Cartilage élastique
Cérumen
Conduit auditif externe
Tympan
Trompe auditive

■ Oreille interne
■ Oreille moyenne
　Oreille externe

Coupe frontale à travers le côté droit du crâne révélant les trois principales régions de l'oreille

Q À quelle structure de l'oreille externe le malléus est-il rattaché ?

OUÏE ET ÉQUILIBRE

OBJECTIFS

• *Décrire l'anatomie des structures des trois principales régions de l'oreille.*

• *Énumérer les principaux phénomènes qui caractérisent la physiologie de l'ouïe.*

• *Nommer les récepteurs de l'équilibre et décrire leur fonctionnement.*

L'oreille est une merveille d'ingénierie. En effet, ses récepteurs sensoriels peuvent convertir en signaux électriques des vibrations dont l'amplitude est aussi faible que le diamètre d'un atome d'or (soit 0,3 nm) ; ils réagissent 1 000 fois plus rapidement au son que les photorécepteurs à la lumière. Outre les récepteurs des ondes sonores, l'oreille renferme les récepteurs de l'équilibre.

Anatomie de l'oreille

L'oreille se divise en trois grandes régions : l'oreille externe, qui capte les ondes sonores et les dirige vers l'intérieur, l'oreille moyenne, qui achemine les vibrations à la fenêtre du vestibule, et l'oreille interne, qui abrite les récepteurs de l'ouïe et de l'équilibre.

Oreille externe

L'**oreille externe** comprend le pavillon de l'oreille, le conduit auditif externe et le tympan (figure 16.16). Le **pavillon de l'oreille,** ou **auricule,** est la partie saillante en forme de coquille ; il est formé de cartilage élastique et recouvert de peau. Son bord est appelé **hélix** et sa partie inférieure, **lobule.** Le pavillon est rattaché à la tête par des ligaments et des muscles. Le **conduit auditif externe,** ou méat acoustique externe, est un tube courbé d'environ 2,5 cm de

Figure 16.17 Oreille moyenne droite contenant les osselets de l'ouïe.

Les noms courants du malléus, de l'incus et du stapès sont respectivement le marteau, l'enclume et l'étrier.

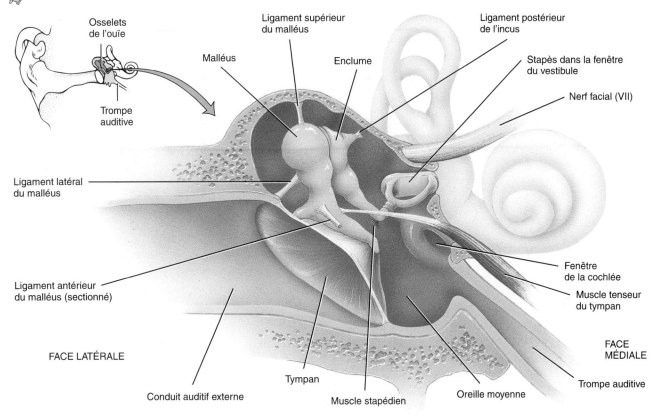

Coupe frontale révélant la situation des osselets de l'ouïe

Q Quelles structures séparent l'oreille moyenne de l'oreille externe et de l'oreille interne ?

long ; creusé dans l'os temporal, il s'étend du pavillon au tympan. Le **tympan,** ou **membrane du tympan** (*tympanum* = tambourin) est une mince cloison semi-transparente qui sépare le conduit auditif externe et l'oreille moyenne. Il est recouvert d'épiderme et tapissé d'un épithélium simple cuboïde. Entre les couches de l'épithélium se trouve un tissu conjonctif composé de fibres collagènes, de fibres élastiques et de fibroblastes.

Près de son ouverture, le conduit auditif externe contient quelques poils et des glandes sébacées spécialisées appelées **glandes cérumineuses** qui sécrètent le **cérumen.** Les poils et le cérumen empêchent la poussière et les corps étrangers de pénétrer dans l'oreille. Normalement, le cérumen sèche et tombe hors du conduit auditif externe. S'il est produit en grande quantité, cependant, le cérumen peut former un bouchon qui nuit à l'audition.

Oreille moyenne

L'**oreille moyenne** est une petite cavité remplie d'air ; tapissée d'un épithélium, elle est creusée dans l'os temporal (figure 16.17). Elle est séparée de l'oreille externe par le tympan et de l'oreille interne par une mince cloison osseuse percée de deux petites ouvertures recouvertes d'une membrane, soit la fenêtre du vestibule et la fenêtre de la cochlée. L'oreille moyenne contient les trois plus petits os du corps humain, les **osselets de l'ouïe,** qui sont rattachés à sa paroi par des ligaments et entre eux par des articulations synoviales. Ces os, dont le nom dénote la forme, sont le malléus, l'incus et le stapès, communément appelés marteau, enclume et étrier. Le « manche » du **malléus** est attaché à la face interne du tympan et sa tête s'articule avec le corps de l'incus. L'**incus,** l'osselet du milieu, s'articule avec la tête du stapès. La base du **stapès** s'ajuste dans la **fenêtre du vestibule,**

Figure 16.18 Oreille interne droite. La structure externe représentée en beige fait partie du labyrinthe osseux ; la structure interne représentée en rose est le labyrinthe membraneux.

🔑 **Le labyrinthe osseux est rempli de périlymphe et le labyrinthe membraneux, d'endolymphe.**

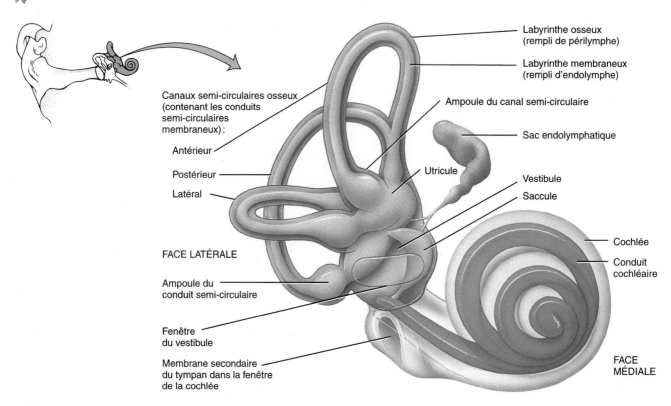

Canaux semi-circulaires osseux
(contenant les conduits
semi-circulaires
membraneux) :

Antérieur

Postérieur

Latéral

FACE LATÉRALE

Ampoule du
conduit semi-circulaire

Fenêtre
du vestibule

Membrane secondaire
du tympan dans la fenêtre
de la cochlée

Labyrinthe osseux
(rempli de périlymphe)

Labyrinthe membraneux
(rempli d'endolymphe)

Ampoule du canal semi-circulaire

Sac endolymphatique

Utricule

Vestibule

Saccule

Cochlée

Conduit
cochléaire

FACE
MÉDIALE

Q Comment appelle-t-on les deux vésicules situées dans le vestibule ?

ou fenêtre ovale. Juste au-dessous de la fenêtre du vestibule se trouve une autre ouverture, la **fenêtre de la cochlée,** ou fenêtre ronde, qui est entourée par une membrane appelée **membrane secondaire du tympan.**

En plus des ligaments, deux minuscules muscles squelettiques sont attachés aux osselets (voir la figure 16.17). Le **muscle tenseur du tympan,** innervé par le nerf mandibulaire (une branche du nerf crânien V, le nerf trijumeau), tend le tympan et en limite les mouvements afin de prévenir les lésions de l'oreille interne dues aux bruits forts. Le **muscle stapédien,** innervé par le nerf facial (VII), est le plus petit de tous les muscles squelettiques. Il atténue les fortes vibrations du stapès dues aux bruits forts et, de ce fait, protège la fenêtre du vestibule mais diminue la sensibilité auditive. Telle est la raison pour laquelle la paralysie du muscle stapédien entraîne l'**hyperacousie,** c'est-à-dire une exagération de la sensibilité auditive. Le muscle tenseur du tympan et le muscle stapédien se contractent en une fraction de seconde, si bien qu'ils protègent l'oreille interne contre les bruits forts prolongés mais non contre les bruits secs comme les détonations des armes à feu.

La paroi antérieure de l'oreille moyenne comporte une ouverture qui mène directement dans la **trompe auditive,** ou **trompe d'Eustache.** Constituée d'os et de cartilage hyalin, la trompe auditive relie l'oreille moyenne au nasopharynx (partie supérieure de la gorge). L'extrémité médiale (pharyngienne) de la trompe auditive est normalement fermée ; elle s'ouvre pendant la déglutition et le bâillement afin de laisser l'air entrer dans l'oreille moyenne ou en sortir jusqu'à ce que la pression y soit égale à la pression atmosphérique. Si les pressions s'équilibrent, le tympan vibre librement sous l'effet des ondes sonores. La situation contraire peut provoquer une douleur intense, une diminution de la sensibilité auditive, des bourdonnements d'oreille et des vertiges. La trompe auditive est malheureusement un passage par lequel les agents pathogènes en provenance du nez et de la gorge peuvent atteindre l'oreille moyenne.

Oreille interne

L'**oreille interne** est aussi appelée **labyrinthe** à cause de ses canaux tortueux (figure 16.18). Sur le plan structural, l'oreille interne comprend deux parties : un labyrinthe osseux et, à l'intérieur de celui-ci, un labyrinthe membraneux. Le **labyrinthe osseux** est une série de cavités creusées dans l'os temporal et réparties en trois régions : 1) les canaux semi-circulaires et 2) le vestibule, qui abritent les récepteurs de l'équilibre, et 3) la cochlée, qui abrite les récepteurs de l'ouïe. Le labyrinthe osseux est tapissé de périoste et rempli de **périlymphe.** Semblable au liquide cérébro-spinal au point de vue chimique, la périlymphe entoure le **labyrinthe membraneux,** série de sacs et de tubes qui épouse la forme du labyrinthe osseux dans lequel elle est contenue. Le labyrinthe membraneux est tapissé d'un épithélium et rempli d'**endolymphe.** Ce liquide présente une concentration de K$^+$ exceptionnellement élevée pour un liquide interstitiel ; les ions potassium interviennent dans la production des signaux auditifs (que nous décrirons plus loin).

Le **vestibule** est la partie centrale de forme ovale du labyrinthe osseux. Là, le labyrinthe membraneux contient deux sacs, l'**utricule** (*utriculus* = outre) et le **saccule** (*sacculus* = petit sac), reliés par un petit conduit. Au-dessus et à l'arrière du vestibule s'étendent les trois **canaux semi-circulaires** osseux (antérieur, postérieur et latéral), qui sont disposés à angle droit les uns par rapport aux autres. Les canaux semi-circulaires antérieur et postérieur sont orientés verticalement, tandis que le canal semi-circulaire latéral est orienté horizontalement. À l'extrémité de chaque canal semi-circulaire se trouve un renflement appelé **ampoule** (*ampulla* = fiole). Les parties du labyrinthe membraneux qui sont situées à l'intérieur des canaux semi-circulaires osseux sont appelées **conduits semi-circulaires membraneux.** Ces structures communiquent avec l'utricule du vestibule.

La branche vestibulaire du nerf crânien VIII (nerf vestibulo-cochléaire) comprend le *nerf ampullaire,* le *nerf utriculaire* et le *nerf sacculaire.* Ces nerfs comportent à la fois des neurones sensitifs de premier ordre et des neurones moteurs qui font synapse avec les récepteurs de l'équilibre. Les neurones sensitifs de premier ordre acheminent l'information sensorielle émise par les récepteurs, et les neurones moteurs transmettent des signaux de rétroaction aux récepteurs afin, semble-t-il, de moduler leur sensibilité. Les corps cellulaires des neurones sensitifs sont situés dans les **ganglions vestibulaires** (voir la figure 16.19b).

La **cochlée** (*cochlea* = escargot) est un canal osseux en forme de spirale (figure 16.19a) situé à l'avant du vestibule. Semblable à une coquille d'escargot, elle décrit presque trois tours autour d'un axe osseux appelé **modiolus** (figure 16.19b). Les coupes réalisées à travers la cochlée (voir la figure 16.19a à c) révèlent qu'elle est divisée en trois cavités. Les cloisons qui séparent ces cavités ont collectivement la forme d'un Y. La hampe du Y est une lame osseuse en saillie ; les bras du Y sont formés principalement par le labyrinthe membraneux. La cavité qui surmonte la lame osseuse est appelée **rampe vestibulaire** et se termine à la fenêtre du vestibule ; la cavité du dessous est appelée **rampe tympanique** et se termine à la fenêtre de la cochlée.

La rampe vestibulaire et la rampe tympanique contiennent de la périlymphe et sont complètement séparées, sauf en une ouverture située au sommet de la cochlée et appelée **hélicotrème** (voir la figure 16.20). La cochlée jouxte la paroi du vestibule, dans laquelle s'ouvre la rampe vestibulaire. La périlymphe du vestibule s'unit à celle de la rampe vestibulaire. La troisième cavité (entre les bras du Y) est le **conduit cochléaire.** Le conduit cochléaire est séparé de la rampe vestibulaire par la **paroi vestibulaire du conduit cochléaire,** et de la rampe tympanique par la **lame basilaire de la cochlée.**

La lame basilaire de la cochlée porte l'**organe spiral,** ou organe de Corti (voir la figure 16.19c et d). L'organe spiral est un feuillet enroulé de cellules épithéliales qui comprend des cellules de soutien et environ 16 000 **cellules sensorielles ciliées** qui constituent les récepteurs de l'ouïe. Les cellules sensorielles ciliées se divisent en deux groupes : les *cellules sensorielles ciliées internes,* qui sont disposées en un seul rang et s'étendent sur toute la longueur de la cochlée, et les *cellules sensorielles ciliées externes,* qui sont disposées en trois rangs. L'extrémité apicale de chaque cellule sensorielle ciliée porte de 30 à 100 *stéréocils* qui s'étendent jusque dans l'endolymphe du conduit cochléaire. Les stéréocils sont en réalité de longues et fines microvillosités de hauteur croissante disposées en plusieurs rangées.

À leur extrémité basale, les cellules sensorielles ciliées internes et externes font synapse avec des neurones sensitifs de premier ordre et avec des neurones moteurs de la branche cochléaire du nerf crânien VIII (nerf vestibulo-cochléaire). Les corps cellulaires des neurones sensitifs sont situés dans le **ganglion spiral** (voir la figure 16.19b et c). Bien que trois fois moins nombreuses que les cellules sensorielles ciliées externes, les cellules sensorielles ciliées internes font synapse avec la plupart (de 90 à 95 %) des neurones sensitifs de premier ordre de la branche cochléaire qui transmettent l'information auditive à l'encéphale. Quant aux cellules sensorielles ciliées externes, elles font synapse avec 90 % des neurones moteurs de la branche cochléaire. La **membrana tectoria du conduit cochléaire** (*tectum* = toit) est une membrane gélatineuse flexible qui recouvre l'organe spiral et entre en contact avec les cellules sensorielles ciliées.

Nature des ondes sonores

Les **ondes sonores** sont composées d'une alternance de zones de haute pression et de zones de basse pression qui se propagent dans la même direction à travers un milieu (l'air par exemple). Les ondes sonores partent d'un objet vibrant comme les ronds dans l'eau partent d'un caillou qu'on a lancé dans un étang. L'oreille humaine entend les sons émis par les sources qui vibrent à des fréquences de 20 à 20 000 Hz (1 Hz = 1 cycle par seconde) ; à l'intérieur de ce spectre, elle est surtout sensible aux fréquences de 500 à 5 000 Hz. La fréquence des sons de la parole s'établit entre 100 et 3 000 Hz,

Figure 16.19 Canaux semi-circulaires, vestibule et cochlée de l'oreille droite.
Notez que la cochlée décrit presque trois tours complets.

Les trois cavités de la cochlée sont la rampe vestibulaire, la rampe tympanique
et le conduit cochléaire.

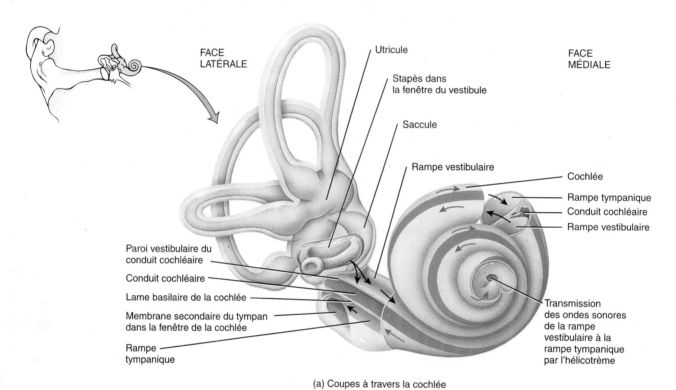

(a) Coupes à travers la cochlée

(b) Nerf vestibulo-cochléaire (VIII)

Figure 16.19 (suite)

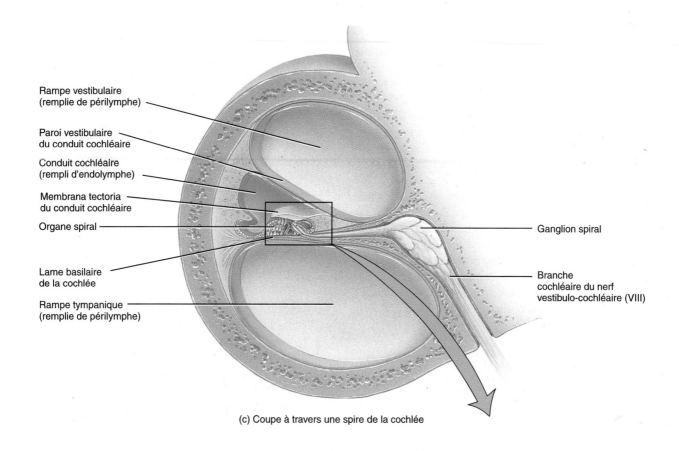

Rampe vestibulaire
(remplie de périlymphe)

Paroi vestibulaire
du conduit cochléaire

Conduit cochléaire
(rempli d'endolymphe)

Membrana tectoria
du conduit cochléaire

Organe spiral

Lame basilaire
de la cochlée

Rampe tympanique
(remplie de périlymphe)

Ganglion spiral

Branche
cochléaire du nerf
vestibulo-cochléaire (VIII)

(c) Coupe à travers une spire de la cochlée

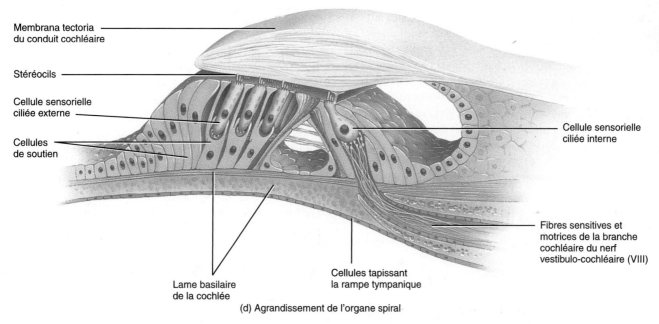

Membrana tectoria
du conduit cochléaire

Stéréocils

Cellule sensorielle
ciliée externe

Cellules
de soutien

Cellule sensorielle
ciliée interne

Fibres sensitives et
motrices de la branche
cochléaire du nerf
vestibulo-cochléaire (VIII)

Lame basilaire
de la cochlée

Cellules tapissant
la rampe tympanique

(d) Agrandissement de l'organe spiral

Q Quelles sont les trois subdivisions du labyrinthe osseux ?

celle du contre-ut d'une soprano, à 1 048 Hz et celle du bruit d'un avion à réaction qui vole à quelques kilomètres de distance, entre 20 et 100 Hz.

La *fréquence* d'une onde sonore détermine la *hauteur* du son ; plus la fréquence est élevée, plus le son est aigu. Par ailleurs, l'*amplitude* (taille) d'une onde sonore détermine l'*intensité* du son ; plus l'amplitude est grande, plus le son est fort. L'intensité sonore se mesure en **décibels** (**dB**). Chaque augmentation de 10 dB représente un décuplement de l'intensité sonore. Le seuil auditif (l'intensité sonore minimale qu'un jeune adulte moyen peut distinguer) est fixé à 0 dB pour un son de 1 000 Hz. Le bruissement des feuilles atteint 15 dB, le murmure 30 dB, la conversation normale 60 dB, le bruit d'un aspirateur 75 dB, le cri 80 dB et le son d'une motocyclette ou d'un marteau-piqueur, 90 dB. Pour une oreille normale, le bruit devient gênant à environ 120 dB et douloureux à 140 dB. Comme l'exposition prolongée au bruit entraîne des pertes auditives, les travailleurs doivent porter des protecteurs auditifs s'ils évoluent dans un milieu où le niveau de bruit dépasse les 90 dB. La musique rock amplifiée et même les casques d'écoute bon marché peuvent facilement engendrer des intensités sonores supérieures à 110 dB.

APPLICATION CLINIQUE
Lésions des cellules sensorielles ciliées dues aux bruits forts

L'exposition à de la musique forte ou au bruit de différents moteurs (avion à réaction, motocyclette, tondeuse à gazon, aspirateur, etc.) endommage les cellules sensorielles ciliées de la cochlée et, à la longue, entraîne la **surdité** partielle ou totale. Plus les bruits sont intenses, plus la perte auditive est rapide. La surdité commence le plus souvent par une perte de sensibilité aux sons aigus. Si les gens assis à côté de vous dans l'autobus peuvent entendre la musique que vous écoutez à travers un casque d'écoute, l'intensité sonore atteint un niveau nocif pour vous. Les pertes auditives sont progressives et passent généralement inaperçues jusqu'au moment où les personnes atteintes commencent à avoir du mal à comprendre les conversations. Si vous évoluez dans un milieu bruyant, portez des bouchons protecteurs qui réduisent l'intensité sonore de 30 dB afin de conserver votre sensibilité auditive. ■

Physiologie de l'audition

L'audition constitue l'aboutissement des événements suivants (figure 16.20) :

1 Le pavillon de l'oreille dirige les ondes sonores dans le conduit auditif externe.

2 Les ondes sonores font vibrer le tympan. L'amplitude de ses mouvements, très faible, dépend de l'intensité et de la fréquence des ondes sonores. Il vibre lentement sous l'effet de sons de basse fréquence (graves) et rapidement sous l'effet de sons de haute fréquence (aigus).

3 La partie centrale du tympan transmet ses vibrations au malléus. Celui-ci les transmet ensuite à l'incus, qui les transmet au stapès.

4 Le stapès transmet ses vibrations à la fenêtre du vestibule. Celle-ci vibre environ 20 fois plus vigoureusement que le tympan car sa surface est beaucoup plus petite.

5 Les vibrations de la fenêtre du vestibule déclenchent des mouvements ondulatoires dans la périlymphe de la cochlée. En effet, la fenêtre du vestibule pousse sur la périlymphe de la rampe vestibulaire en bombant vers l'intérieur.

6 Les mouvements ondulatoires de la périlymphe se transmettent de la rampe vestibulaire à la rampe tympanique puis à la fenêtre de la cochlée, qui bombe alors dans l'oreille moyenne (voir **9**).

7 En déformant les parois de la rampe vestibulaire et de la rampe tympanique, les mouvements ondulatoires de la périlymphe font vibrer la paroi vestibulaire du conduit cochléaire ; elles se transmettent ainsi à l'endolymphe contenue dans le conduit cochléaire.

8 Les mouvements ondulatoires de l'endolymphe font vibrer la lame basilaire de la cochlée, ce qui déplace les cellules sensorielles ciliées de l'organe spiral contre la membrana tectoria. Le fléchissement des stéréocils produit des potentiels récepteurs qui engendrent en bout de ligne des influx nerveux dans les fibres de la branche cochléaire du nerf vestibulo-cochléaire.

Selon leur fréquence, les ondes sonores font vibrer certaines régions de la lame basilaire de la cochlée plus fortement que les autres. Autrement dit, chaque section de la lame basilaire est « accordée » avec une fréquence particulière. La partie de la lame basilaire située à la base de la cochlée (partie la plus proche de la fenêtre du vestibule) est étroite et rigide ; elle présente des vibrations maximales sous l'effet de sons de haute fréquence (aigus) voisins des 20 000 Hz. La partie de la lame basilaire située vers le sommet de la cochlée, près de l'hélicotrème, est large et flexible ; ses vibrations atteignent un point culminant sous l'effet de sons de basse fréquence (graves) voisins des 20 Hz. L'intensité des sons est déterminée par l'amplitude des ondes sonores. Les ondes sonores de grande amplitude font vibrer la lame basilaire davantage, de sorte que la fréquence des influx nerveux augmente. Il semble en outre que les sons intenses stimulent un plus grand nombre de cellules sensorielles ciliées.

Les cellules sensorielles ciliées convertissent les vibrations mécaniques en signaux électriques. Lorsque la lame basilaire vibre, les stéréocils situés au sommet des cellules sensorielles ciliées remuent d'avant en arrière et les uns contre les autres. Une protéine relie l'extrémité de chaque stéréocil à un canal ionique mécanique-dépendant, appelé **canal de transduction,** dans le stéréocil voisin de taille supérieure. Lorsque les stéréocils plient en direction du plus grand d'entre eux, les *liens apicaux* formés par la protéine

Figure 16.20 Déroulement de la stimulation des récepteurs de l'ouïe dans l'oreille droite. Les chiffres correspondent aux événements décrits dans le corps du texte. La cochlée a été déroulée afin de mieux représenter la transmission des ondes sonores ainsi que les déformations qu'elles impriment à la paroi vestibulaire du conduit cochléaire et à la lame basilaire de la cochlée.

🔑 **La fonction des cellules sensorielles ciliées de l'organe spiral est de convertir les vibrations mécaniques (stimulus) en signaux électriques (potentiels récepteurs).**

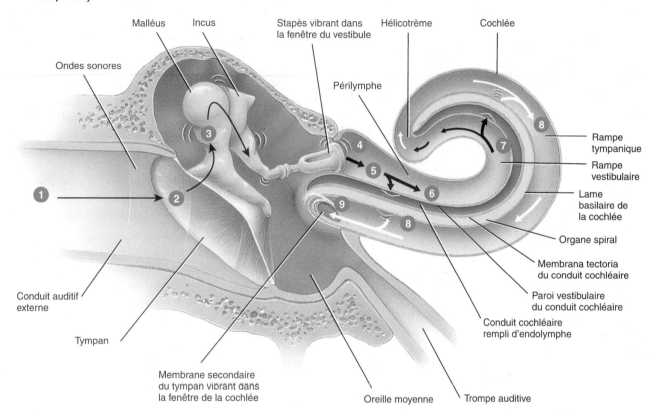

Ⓠ Quelle partie de la lame basilaire de la cochlée vibre le plus vigoureusement sous l'effet des sons de haute fréquence (aigus)?

tirent sur les canaux de transduction et les ouvrent. Les cations présents dans l'endolymphe, le K^+ en particulier, pénètrent alors dans le cytosol de la cellule sensorielle ciliée. Ils produisent un potentiel récepteur dépolarisant. La dépolarisation se propage rapidement le long de la membrane plasmique et entraîne l'ouverture de canaux à Ca^{2+} voltage-dépendants situés dans la base des cellules sensorielles ciliées. L'entrée de Ca^{2+} déclenche l'exocytose de vésicules synaptiques contenant un neurotransmetteur, du glutamate probablement. À mesure que le neurotransmetteur est libéré, la fréquence des influx nerveux augmente dans les fibres sensitives de premier ordre qui font synapse avec la base des cellules sensorielles ciliées. Le fléchissement des stéréocils dans la direction opposée entraîne la fermeture des canaux de transduction, suscite une repolarisation, voire

une hyperpolarisation, et ralentit la libération de neuro-transmetteur. Par conséquent, la fréquence des influx nerveux diminue dans les fibres sensitives.

Non seulement la cochlée détecte-t-elle les sons, mais elle a aussi l'étonnante capacité d'en produire. On peut capter ces sons habituellement inaudibles, appelés **oto-émissions,** au moyen d'un microphone sensible placé près du tympan. Les oto-émissions sont causées par les contractions des cellules sensorielles ciliées externes que produisent les ondes sonores et les signaux des neurones moteurs. Les cellules sensorielles ciliées externes, en effet, raccourcissent et allongent rapidement au fil de leurs dépolarisations et repolarisations. Il semble que ces contractions modifient la rigidité de la membrana tectoria et accentuent le déplacement de la lame basilaire, ce qui amplifierait les réponses des cellules sensorielles ciliées internes. Or, les contractions des cellules sensorielles ciliées externes déclenchent une onde qui retourne vers le stapès et sort de l'oreille sous forme de son. La détection des oto-émissions constitue un moyen rapide, peu coûteux et non effractif de dépister les anomalies de l'ouïe chez les nouveau-nés.

Voie auditive

Les neurones sensitifs de premier ordre de la branche cochléaire du nerf vestibulo-cochléaire (VIII) aboutissent dans les noyaux cochléaires du bulbe rachidien sans avoir traversé la ligne médiane. De là, les fibres qui transmettent les signaux auditifs s'étendent jusqu'aux noyaux olivaires supérieurs, également dans le bulbe rachidien, des deux côtés. Les influx nerveux provenant des deux oreilles n'atteignent pas les noyaux olivaires tout à fait simultanément, et ce léger délai nous permet de localiser la source des sons. À partir des noyaux cochléaires et des noyaux olivaires, les fibres montent jusqu'au colliculus inférieur, dans le mésencéphale, puis jusqu'au corps géniculé médial du thalamus. Elles parviennent enfin à l'aire auditive primaire située dans le gyrus temporal supérieur du cortex cérébral (aires 41 et 42 dans la figure 14.15, p. 493). Comme un certain nombre de fibres traversent la ligne médiane dans le bulbe rachidien tandis que d'autres demeurent du même côté, chaque aire auditive reçoit des influx nerveux des deux oreilles.

APPLICATION CLINIQUE
Implants cochléaires

Les **implants cochléaires** sont des dispositifs qui convertissent les sons en signaux électroniques que l'encéphale peut interpréter. Ils sont utiles dans les cas de surdité causée par la destruction des cellules sensorielles ciliées consécutive à une maladie ou à une lésion. Un implant cochléaire est constitué d'un minuscule microphone qui capte les ondes sonores et d'un microprocesseur qui les convertit en signaux électriques. Transmis dans des électrodes, les signaux atteignent la cochlée et déclenchent des influx nerveux dans les fibres de la branche cochléaire du nerf vestibulo-cochléaire. Ces influx nerveux artificiellement produits se propagent ensuite vers l'encéphale par les voies normales. Les porteurs d'implants cochléaires n'entendent pas aussi bien que les sujets dotés d'une ouïe normale, mais ils perçoivent le rythme et l'intensité des sons, le caractère de certains bruits, tels ceux des téléphones et des voitures, ainsi que la hauteur de la voix et la cadence des paroles. Certains entendent même si bien qu'ils sont capables de se servir du téléphone. ■

Physiologie de l'équilibre

L'**équilibre** est un sens double. Il comprend d'une part l'**équilibre statique**, c'est-à-dire la capacité de maintenir la position du corps (de la tête principalement) relativement à la force gravitationnelle. L'équilibre comprend d'autre part l'**équilibre dynamique**, c'est-à-dire la capacité de maintenir la position du corps (de la tête principalement) en dépit de mouvements soudains de rotation, d'accélération et de décélération. L'**appareil vestibulaire,** l'ensemble des organes récepteurs de l'équilibre, est formé du saccule, de l'utricule et des conduits semi-circulaires membraneux.

Saccule et utricule

Les parois du saccule et de l'utricule présentent un épaississement appelé **macule** (figure 16.21). Perpendiculaires l'une à l'autre, les deux macules sont les récepteurs de l'équilibre statique; elles contribuent également à certains aspects de l'équilibre dynamique. Pour ce qui est de l'équilibre statique, les macules fournissent l'information sensorielle relative à la position de la tête dans l'espace; elles sont essentielles au maintien de la posture et de l'équilibre. Pour ce qui est de l'équilibre dynamique, les macules détectent l'accélération et la décélération linéaires (et produisent par exemple les sensations que l'on éprouve dans un ascenseur ou dans une voiture qui accélère ou ralentit subitement).

Les deux macules comprennent deux types de cellules: des **cellules ciliées,** qui constituent les récepteurs sensoriels, et des **cellules de soutien.** Les cellules ciliées sont dotées d'au moins 70 *stéréocils* (qui sont en réalité des microvillosités) et d'un *kinocil*, véritable cil fermement ancré qui dépasse les plus longs stéréocils. Comme dans la cochlée, les stéréocils sont reliés par des liens apicaux. Ça et là entre les cellules ciliées, on trouve des cellules de soutien prismatiques qui sécrètent probablement l'épaisse couche glycoprotéique de consistance gélatineuse, appelée **membrane des statoconies,** qui repose sur les cellules ciliées. La membrane des statoconies porte une couche de cristaux denses de carbonate de calcium, les **statoconies** (*statos* = stable; *konis* = poussière), ou otolithes.

Quand vous penchez la tête vers l'avant, la membrane des statoconies (de même que les statoconies) glisse vers l'avant à cause de la force gravitationnelle et entraîne les cils des cellules ciliées dans la même direction. Mais quand vous êtes assis tête droite dans une voiture qui fait un déplacement brusque vers l'avant, l'inertie fait glisser la membrane des statoconies vers l'arrière; la membrane tire sur les cils et les courbe dans la direction opposée à celle du mouvement. Les liens apicaux s'étirent et ouvrent les canaux de transduction, ce qui produit des potentiels récepteurs dépolarisants. Un fléchissement des cils en sens inverse ferme les canaux de transduction et entraîne une repolarisation.

La libération du neurotransmetteur varie au fil des dépolarisations et des repolarisations. Les cellules ciliées font synapse avec des neurones sensitifs de premier ordre dans la branche vestibulaire du nerf vestibulo-cochléaire (VIII) (voir la figure 16.21a). La fréquence des influx nerveux engendrés par ces neurones dépend de la quantité de neurotransmetteur

Figure 16.21 Situation et structure des récepteurs situés dans les macules de l'oreille droite. Les cellules ciliées font synapse avec des neurones sensitifs de premier ordre (représentés en bleu) et des neurones moteurs (représentés en rouge).

🔑 **Le mouvement des stéréocils déclenche des potentiels récepteurs dépolarisants.**

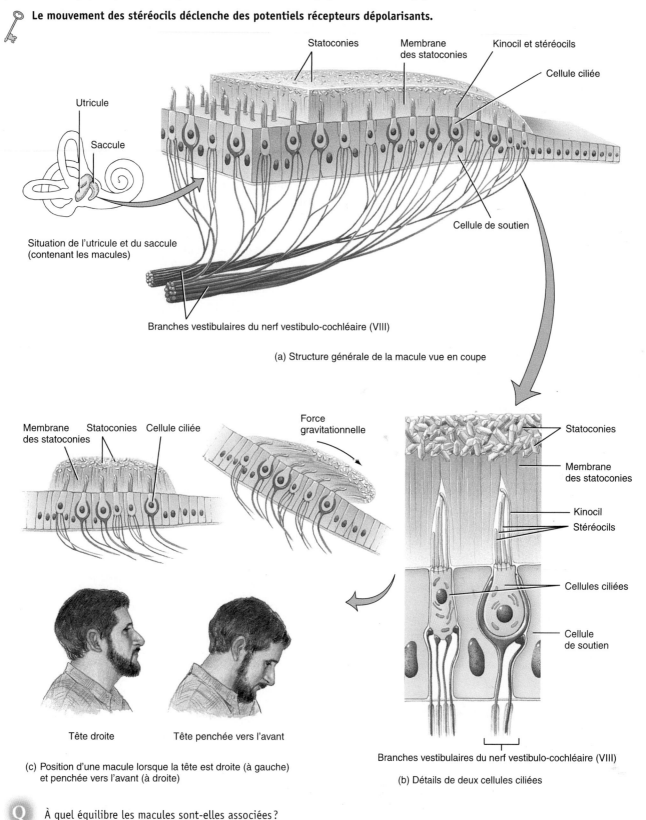

Statoconies

Membrane des statoconies

Kinocil et stéréocils

Cellule ciliée

Utricule

Saccule

Cellule de soutien

Situation de l'utricule et du saccule (contenant les macules)

Branches vestibulaires du nerf vestibulo-cochléaire (VIII)

(a) Structure générale de la macule vue en coupe

Membrane des statoconies   Statoconies   Cellule ciliée

Force gravitationnelle

Statoconies

Membrane des statoconies

Kinocil

Stéréocils

Cellules ciliées

Cellule de soutien

Tête droite

Tête penchée vers l'avant

Branches vestibulaires du nerf vestibulo-cochléaire (VIII)

(c) Position d'une macule lorsque la tête est droite (à gauche) et penchée vers l'avant (à droite)

(b) Détails de deux cellules ciliées

Q À quel équilibre les macules sont-elles associées?

libérée. Les cellules ciliées et les neurones sensitifs font aussi synapse avec des neurones moteurs qui régiraient leur sensibilité.

Conduits semi-circulaires membraneux

Les principaux organes de l'équilibre dynamique, les trois conduits semi-circulaires, sont orientés dans les trois plans de l'espace, à angle droit les uns par rapport aux autres (figure 16.22). Les conduits semi-circulaires antérieur et postérieur sont verticaux, tandis que le conduit semi-circulaire latéral est horizontal (voir aussi la figure 16.18). Leur disposition permet la détection des mouvements rotatoires d'accélération et de décélération. L'ampoule (la partie dilatée de chaque conduit) renferme une petite éminence, la **crête ampullaire,** formée d'un groupe de **cellules ciliées** et de **cellules de soutien** recouvertes d'une masse gélatineuse appelée **cupule.** Les conduits semi-circulaires membraneux et les cellules ciliées se déplacent en même temps que la tête car ils sont fixés. L'endolymphe, cependant, reste un moment immobile à cause de l'inertie. Le mouvement des cellules ciliées entraîne l'endolymphe et les cils se courbent. Le fléchissement des cils produit des potentiels récepteurs puis des influx nerveux qui se propagent dans la branche vestibulaire du nerf vestibulo-cochléaire (VIII).

Voies de l'équilibre

La plupart des fibres de la branche vestibulaire du nerf vestibulo-cochléaire (VIII) entrent dans le tronc cérébral et aboutissent aux noyaux vestibulaires, dans le bulbe rachidien et le pont. Les autres pénètrent dans le cervelet par le pédoncule cérébelleux inférieur (voir la figure 14.7a). Les noyaux vestibulaires et le cervelet sont unis par des voies sensitives et motrices. Des fibres issues de tous les noyaux vestibulaires s'étendent jusqu'aux noyaux des nerfs oculo-moteur (III), trochléaire (IV) et abducens (VI) – les nerfs crâniens qui régissent les mouvements des yeux – et jusqu'au noyau du nerf accessoire (XI), qui concourt à la régulation des mouvements de la tête et du cou. En outre, les fibres issues du noyau vestibulaire latéral forment le faisceau vestibulo-spinal; celui-ci achemine les influx nerveux vers les muscles squelettiques qui régissent le tonus musculaire en réponse aux mouvements de la tête. Diverses voies entre les noyaux vestibulaires, le cervelet et le cerveau donnent au cervelet un rôle prépondérant dans le maintien de l'équilibre statique et dynamique. Le cervelet reçoit sans cesse de l'information sensorielle de l'utricule, du saccule et des conduits semi-circulaires membraneux. Il analyse cette information et envoie aux aires motrices du cerveau des influx nerveux destinés à corriger les commandes motrices qu'elles émettent. Cette rétroaction permet d'ajuster les signaux envoyés à certains muscles squelettiques et favorise ainsi le maintien de l'équilibre.

Le tableau 16.2 présente un résumé des structures associées à l'ouïe et à l'équilibre.

1. Expliquez le déroulement de la transmission du son du pavillon de l'oreille à l'organe spiral.
2. Comment fonctionnent les cellules ciliées de la cochlée et de l'appareil vestibulaire?
3. Quel est le trajet des influx auditifs de la cochlée jusqu'au cortex cérébral?
4. Comparez la fonction des macules dans l'équilibre statique avec celle des crêtes ampullaires dans l'équilibre dynamique.
5. À quoi sert l'information vestibulaire envoyée au cervelet?

Figure 16.22 (Voir la figure ci-contre.) Situation et structure des conduits semi-circulaires membraneux de l'oreille droite. Les cellules ciliées font synapse avec des neurones sensitifs de premier ordre (représentés en bleu) et des neurones moteurs (représentés en rouge). Le nerf ampullaire est une ramification de la branche vestibulaire du nerf vestibulo-cochléaire (VIII).

 La position des conduits semi-circulaires membraneux permet la détection des mouvements rotatoires.

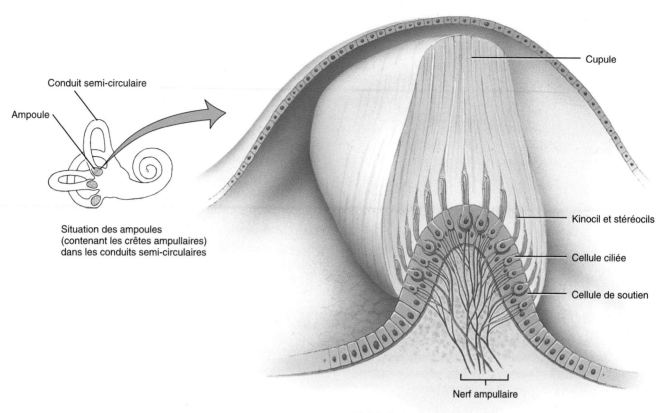

Conduit semi-circulaire

Ampoule

Situation des ampoules
(contenant les crêtes ampullaires)
dans les conduits semi-circulaires

Cupule

Kinocil et stéréocils

Cellule ciliée

Cellule de soutien

Nerf ampullaire

(a) Détails d'une crête ampullaire

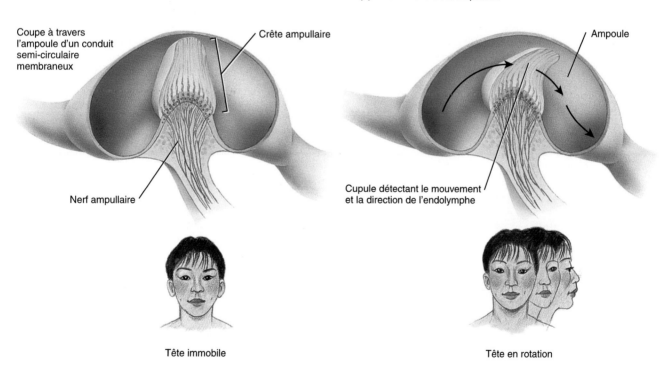

Coupe à travers
l'ampoule d'un conduit
semi-circulaire
membraneux

Crête ampullaire

Ampoule

Nerf ampullaire

Cupule détectant le mouvement
et la direction de l'endolymphe

Tête immobile

Tête en rotation

(b) Position d'une crête ampullaire lorsque la tête
est immobile (à gauche) et en rotation (à droite)

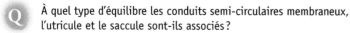

Q À quel type d'équilibre les conduits semi-circulaires membraneux,
l'utricule et le saccule sont-ils associés?

Tableau 16.2 Résumé des structures de l'oreille associées à l'ouïe et à l'équilibre

RÉGIONS DE L'OREILLE ET PRINCIPALES STRUCTURES	FONCTIONS
Oreille externe 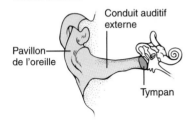	*Pavillon de l'oreille :* Capte les ondes sonores. *Conduit auditif externe :* Dirige les ondes sonores vers le tympan. *Tympan :* Vibre sous l'effet des ondes sonores et transmet ses vibrations au malléus.
Oreille moyenne 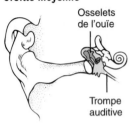	*Osselets de l'ouïe :* Amplifient les vibrations du tympan et les transmettent à la fenêtre du vestibule. *Trompe auditive :* Équilibre la pression de l'air de part et d'autre du tympan.
Oreille interne 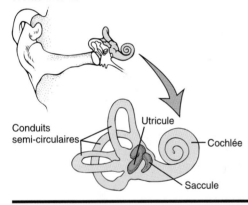	*Cochlée :* Contient des liquides, des conduits et des membranes qui transmettent les vibrations à l'organe spiral, l'organe de l'ouïe ; les cellules sensorielles ciliées de l'organe spiral produisent des potentiels récepteurs qui engendrent des influx nerveux dans la branche cochléaire du nerf vestibulo-cochléaire (VIII). *Conduits semi-circulaires :* Contiennent les crêtes ampullaires, qui renferment les cellules ciliées associées à l'équilibre dynamique. *Utricule :* Contient une macule, qui renferme les cellules ciliées associées à l'équilibre statique et dynamique. *Saccule :* Contient une macule, qui renferme les cellules ciliées associées à l'équilibre statique et dynamique.

DÉSÉQUILIBRES HOMÉOSTATIQUES

CATARACTE

Une **cataracte** est une opacification du cristallin consécutive à des modifications structurales de ses protéines constituantes. La cataracte est souvent associée au vieillissement, mais elle peut aussi résulter d'un traumatisme, d'une exposition excessive aux rayonnements ultraviolets, de la prise de certains médicaments (de l'usage prolongé de stéroïdes notamment), de complications d'autres maladies (comme le diabète). Le tabagisme, en outre, prédispose à la cataracte. La cataracte peut causer la cécité, mais il est possible de la traiter au moyen de l'excision chirurgicale du cristallin atteint et de l'implantation d'un cristallin artificiel.

GLAUCOME

Le **glaucome** est la cause la plus fréquente de la cécité aux États-Unis ; il touche environ 2 % des personnes de plus de 40 ans. Cette affection consiste en une augmentation anormale de la pression intra-oculaire due à l'accumulation d'humeur aqueuse dans la chambre antérieure. Le liquide pousse le cristallin dans le corps vitré et exerce une pression sur les neurones de la rétine. La pression persistante entraîne une légère atteinte visuelle qui évolue jusqu'à une destruction irréversible des neurones de la rétine, des lésions du nerf optique (II) et la cécité. L'affection peut provoquer des dommages étendus avant d'être diagnostiquée, car le glaucome est indolore et l'œil intact compense largement la faiblesse de l'autre. Comme le glaucome est associé au vieillissement, on recommande aux personnes d'âge mûr de se prêter régulièrement à une mesure de la pression intra-oculaire. Outre l'âge, les facteurs de risque du glaucome sont la race (les Noirs y sont particulièrement prédisposés), les antécédents familiaux ainsi que les antécédents de lésions ou de troubles oculaires.

DÉGÉNÉRESCENCE MACULAIRE

La **dégénérescence maculaire** est la principale cause de cécité chez les personnes de plus de 75 ans. Elle se caractérise par une détérioration de la région de la macula, la partie de la rétine qui fournit normalement la vision la plus claire. Le trouble se manifeste initialement par la vision d'images floues ou déformées au centre du champ visuel. La forme «sèche» de la maladie, incurable, consiste en une atrophie et une dégénérescence de la partie pigmentaire de la rétine qui entraînent une diminution graduelle de la vision centrale. La forme «humide», par ailleurs, est due à la croissance sous la rétine de nouveaux vaisseaux sanguins qui exsudent du plasma ou du sang. Les risques de dégénérescence maculaire sont trois plus élevés chez les fumeurs que chez les non-fumeurs. Il est possible de ralentir la progression de la maladie en détruisant les vaisseaux sanguins anormaux au moyen du laser.

SURDITÉ

La **surdité** se définit comme une perte auditive importante ou totale. La **surdité de perception** est causée soit par une atteinte des cellules sensorielles ciliées de la cochlée, soit par une lésion de la branche cochléaire du nerf vestibulo-cochléaire (VIII). Cette forme de surdité peut être consécutive à l'athérosclérose, qui réduit l'apport de sang aux oreilles, à une exposition prolongée à des bruits forts, qui détruit les cellules sensorielles ciliées de l'organe spiral, ou à des médicaments comme l'aspirine et la streptomycine. La **surdité de transmission** est causée par une entrave des mécanismes de l'oreille externe ou moyenne qui transmettent les sons à la cochlée. Elle peut faire suite à l'otospongiose (accumulation de tissu osseux autour de la fenêtre du vestibule), à la formation d'un bouchon de cérumen ou à une blessure du tympan. La surdité de transmission est aussi associée à l'épaississement du tympan et au raidissement des articulations des osselets de l'ouïe, deux conséquences du vieillissement.

SYNDROME DE MÉNIÈRE

Le **syndrome de Ménière** est causé par une déformation du labyrinthe membraneux due à une accumulation excessive d'endolymphe. Il se manifeste principalement par des vertiges mais aussi par des pertes auditives intermittentes (dues à la déformation de la lame basilaire de la cochlée) et par d'importants acouphènes. Il peut entraîner une surdité presque totale en quelques années.

OTITE MOYENNE

L'**otite moyenne** est une infection aiguë de l'oreille moyenne causée généralement par des bactéries et associée à une infection du nez et de la gorge. Elle se manifeste par des douleurs, des malaises, de la fièvre ainsi qu'un rougissement et une saillie du tympan. Celui-ci risque d'ailleurs de se rompre faute d'un traitement rapide (qui peut consister en un drainage du pus qui s'est accumulé dans l'oreille moyenne). La plupart des cas d'otite moyenne sont causés par des bactéries qui passent du nasopharynx à la trompe auditive. Les enfants sont plus prédisposés que les adultes à l'otite moyenne, car leurs trompes auditives sont plus courtes, plus larges et presque horizontales, ce qui entrave le drainage.

TERMES MÉDICAUX

Acouphène (*akouein* = entendre; *phainein* = sembler) Tintement ou bourdonnement d'oreille.

Amblyopie (*amblus* = affaibli; *ôps* = vue)) Diminution de l'acuité visuelle dans un œil sain; due à un déséquilibre musculaire, elle entrave la coordination des deux yeux.

Conjonctivite Inflammation de la conjonctive. Elle peut être due à des bactéries comme des pneumocoques, des staphylocoques ou *Hæmophilus influenzæ*; le cas échéant, elle est très contagieuse et atteint surtout des enfants. Elle peut aussi être causée par des substances irritantes telles que la poussière, la fumée et les polluants atmosphériques, auquel cas elle n'est pas contagieuse.

Kératite (*keras* = cornée) Inflammation ou infection de la cornée.

Mydriase Dilatation de la pupille.

Nystagmus (*nustazein* = baisser la tête) Mouvements rapides involontaires des globes oculaires, peut-être causés par une maladie du système nerveux central. Le nystagmus est associé aux états qui causent le vertige.

Otalgie (*ôtos* = oreille; *algos* = douleur) Mal d'oreille.

Scotome (*skotos* = obscurité) Diminution ou disparition de la vision dans une région du champ visuel.

Strabisme Défaut de parallélisme des yeux dû à un déséquilibre des muscles du globe oculaire.

Trachome Forme grave de conjonctivite. Causé par une bactérie, *Chlamydia trachomatis*, le trachome est le principal facteur de cécité dans le monde. Il se caractérise par une prolifération du tissu sous-conjonctival et une pénétration des vaisseaux sanguins dans la cornée; l'opacification de la cornée finit par entraîner la cécité.

Vertige Impression de tourner sur soi-même ou de voir les objets environnants tourner autour de soi.

RÉSUMÉ

ODORAT (p. 538)

1. Les récepteurs de l'odorat, les cellules olfactives, sont des neurones bipolaires situés dans l'épithélium de la région olfactive.

2. Les stimulus olfactifs déclenchent des potentiels générateurs qui produisent un ou plusieurs influx nerveux.

3. Le seuil d'excitation des cellules olfactives est très bas et leur adaptation, rapide.

4. Les axones des cellules olfactives forment les nerfs olfactifs (I). Outre les nerfs olfactifs, la voie olfactive comprend les bulbes olfactifs, les tractus olfactifs, le système limbique et les lobes temporaux et frontaux du cortex cérébral.

GOÛT (p. 540)

1. Les récepteurs du goût, les cellules gustatives, sont situés dans les calicules gustatifs.

2. Une substance ne peut être goûtée qu'à condition d'être dissoute.

3. Les potentiels récepteurs produits dans les cellules gustatives entraînent la libération d'un neurotransmetteur qui peut engendrer des influx nerveux dans des neurones sensitifs de premier ordre.

4. Le seuil d'excitation des cellules gustatives varie selon les saveurs et leur adaptation est rapide.

5. Les cellules gustatives engendrent des influx nerveux dans les nerfs crâniens VII, IX et X. Ces signaux passent ensuite dans le bulbe rachidien et le thalamus avant de parvenir au lobe pariétal du cortex cérébral.

VISION (p. 542)

1. Les structures annexes de l'œil sont le sourcil, les paupières, les cils, l'appareil lacrymal et les muscles extrinsèques du globe oculaire.

2. L'appareil lacrymal est formé des structures qui produisent et drainent les larmes.

3. La paroi du globe oculaire est composée de trois enveloppes : a) la tunique fibreuse (formée de la sclère et de la cornée), b) la tunique vasculaire (formée de la choroïde, du corps ciliaire et de l'iris) et c) la rétine.

4. La rétine est constituée d'une partie pigmentaire et d'une partie nerveuse (formée de la couche des photorécepteurs, de la couche des neurones bipolaires, de la couche des cellules ganglionnaires, des cellules horizontales et des cellules amacrines).

5. Le segment antérieur de l'œil contient l'humeur aqueuse ; le segment postérieur, ou chambre vitrée, contient le corps vitré.

6. La cornée et le cristallin réfractent les rayons lumineux qui entrent dans l'œil et forment une image inversée sur la fossette centrale de la rétine.

7. Pour la vision rapprochée, le cristallin bombe (accommodation) et la pupille se contracte afin d'empêcher les rayons lumineux d'entrer dans l'œil par la périphérie du cristallin.

8. Le punctum proximum est le point le plus rapproché que l'œil peut distinguer nettement au prix d'un effort maximal.

9. La convergence est un mouvement vers l'intérieur des globes oculaires destiné à les fixer tous deux sur l'objet considéré.

10. La première étape de la vision est l'absorption de la lumière par les photopigments des bâtonnets et des cônes (photorécepteurs) et l'isomérisation du *cis*-rétinal.

11. Les potentiels récepteurs produits par les bâtonnets et les cônes diminuent la libération d'un neurotransmetteur inhibiteur, ce qui engendre des potentiels gradués dans les neurones bipolaires et les cellules horizontales.

12. Les cellules horizontales transmettent des signaux inhibiteurs aux neurones bipolaires ; les neurones bipolaires ou les cellules amacrines transmettent des signaux excitateurs aux cellules ganglionnaires, qui se dépolarisent et produisent des influx nerveux.

13. À partir des cellules ganglionnaires, les influx nerveux passent par le nerf optique (II), le chiasma optique, le tractus optique et le thalamus. De là, ils parviennent au lobe occipital du cortex cérébral. Les axones des cellules ganglionnaires émettent des collatérales qui s'étendent jusque dans le mésencéphale et l'hypothalamus.

OUÏE ET ÉQUILIBRE (p. 558)

1. L'oreille externe comprend le pavillon de l'oreille, le conduit auditif externe et le tympan.

2. L'oreille moyenne comprend la trompe auditive, les osselets de l'ouïe, la fenêtre du vestibule et la fenêtre de la cochlée.

3. L'oreille interne comprend le labyrinthe osseux et le labyrinthe membraneux. Elle renferme l'organe de l'ouïe, appelé organe spiral.

4. Après être entrées dans le conduit auditif externe, les ondes sonores se transmettent successivement au tympan, aux osselets de l'ouïe, à la fenêtre du vestibule, à la périlymphe, à la paroi vestibulaire du conduit cochléaire et à la rampe tympanique. Ensuite, elles augmentent la pression dans l'endolymphe, font vibrer la lame basilaire de la cochlée et stimulent les cils des cellules sensorielles de l'organe spiral.

5. Les cellules sensorielles ciliées convertissent les vibrations mécaniques en potentiels récepteurs. Ceux-ci entraînent la libération d'un neurotransmetteur qui déclenche des influx nerveux dans des neurones sensitifs de premier ordre.

6. Les fibres de la branche cochléaire du nerf vestibulo-cochléaire (VIII) se terminent dans le bulbe rachidien. Les signaux auditifs passent ensuite dans le colliculus inférieur et le thalamus avant d'atteindre le lobe temporal du cortex cérébral.

7. L'équilibre statique est la capacité de maintenir la position du corps relativement à la force gravitationnelle. Les macules de l'utricule et du saccule en sont les récepteurs.

8. L'équilibre dynamique est la capacité de maintenir la position du corps en dépit des mouvements. Les crêtes ampullaires situées dans les conduits semi-circulaires membraneux en sont les principaux récepteurs.

9. La plupart des fibres de la branche vestibulaire du nerf vestibulo-cochléaire (VIII) entrent dans le tronc cérébral et se terminent dans le bulbe rachidien et le pont ; les autres entrent dans le cervelet.

AUTOÉVALUATION

Vrai ou faux

1. Parmi toutes les fibres sensitives, celles qui acheminent les influx olfactifs et gustatifs sont les seules à atteindre à la fois le cortex et le système limbique.

2. Les bâtonnets interviennent surtout dans la vision des couleurs, tandis que les cônes détectent des nuances de gris dans la pénombre.

Phrases à compléter

3. Les quatre saveurs fondamentales sont ___, ___, ___ et ___.

4. La petite dépression située au centre de la macula, qui contient seulement des cônes et où l'acuité visuelle est la plus grande, est appelée ___.

5. Le tube où les pressions s'équilibrent entre l'oreille moyenne et le nasopharynx est appelé ___.

6. L'équilibre ___ est la capacité de maintenir la position du corps relativement à la force gravitationnelle; l'équilibre ___ est la capacité de maintenir la position du corps en dépit des mouvements soudains de rotation, d'accélération et de décélération.

Choix multiples

7. Lequel des énoncés suivants est *faux*? a) Les cellules olfactives produisent un potentiel récepteur en réponse à la stimulation chimique d'une molécule odorante. b) Les cellules souches produisent continuellement de nouvelles cellules olfactives. c) L'adaptation aux odeurs s'accomplit rapidement et se déroule à la fois dans les récepteurs olfactifs et dans le SNC. d) Le seuil d'excitation des cellules olfactives est bas. e) L'aire olfactive latérale est considérée comme l'aire olfactive primaire, l'endroit où commence la perception consciente des odeurs.

8. Lequel des énoncés suivants est *faux*? a) Le goût est un sens chimique. b) Les récepteurs des sensations gustatives sont situés dans les calicules gustatifs répartis sur la langue, le palais mou, le pharynx et le larynx. c) Les cellules gustatives produisent des potentiels récepteurs. d) Les cellules gustatives sont surtout sensibles à l'amer. e) Les cellules gustatives s'adaptent rapidement.

9. Parmi les fonctions suivantes, lesquelles appartiennent aux systèmes de traitement visuel du cortex cérébral? 1) Traitement de l'information relative à la forme des objets. 2) Traitement de l'information relative au poids des objets. 3) Traitement de l'information relative aux couleurs des objets. 4) Traitement de l'information relative à l'âge des objets. 5) Traitement de l'information relative au mouvement, à la situation des objets et à l'organisation spatiale.
a) 1, 2 et 3. b) 2, 3 et 4. c) 1, 3 et 5. d) 1, 3 et 4. e) 2, 4 et 5.

10. Lequel des énoncés suivants est *faux*? a) Le rétinal est la partie des photopigments qui absorbe la lumière. b) Les bâtonnets contiennent de la rhodopsine, tandis que les cônes contiennent trois types d'opsine. c) Le rétinal est un dérivé de la vitamine C. d) La rhodopsine absorbe surtout la lumière bleue et la lumière verte, tandis que les opsines absorbent la lumière bleue, verte ou orangée. e) La décoloration et la régénération des photopigments est à l'origine de la majeure partie des variations de la sensibilité pendant l'adaptation à la lumière et l'adaptation à l'obscurité.

11. Laquelle des énumérations suivantes correspond véritablement à la voie visuelle? a) Cornée, pupille, iris, photorécepteurs, cellules ganglionnaires, neurones bipolaires, thalamus, aire visuelle du cortex cérébral. b) Cornée, pupille, photorécepteurs, neurones bipolaires, cellules ganglionnaires, thalamus, aire visuelle du cortex cérébral. c) Sclère, iris, photorécepteurs, neurones bipolaires, cellules ganglionnaires, thalamus, aire visuelle du cortex cérébral. d) Cornée, corps vitré, humeur aqueuse, corps ciliaire, photorécepteurs, thalamus, aire visuelle du cortex cérébral. e) Cornée, humeur aqueuse, pupille, corps vitré, photorécepteurs, neurones bipolaires, cellules ganglionnaires, thalamus, aire visuelle du cortex cérébral.

12. Laquelle des énumérations suivantes correspond véritablement au trajet des ondes sonores dans l'oreille? a) Conduit auditif externe, tympan, osselets de l'ouïe, fenêtre du vestibule, cochlée et organe spiral. b) Tympan, conduit auditif externe, osselets de l'ouïe, cochlée et organe spiral, fenêtre de la cochlée. c) Osselets de l'ouïe, tympan, cochlée et organe spiral, fenêtre de la cochlée, fenêtre du vestibule, conduit auditif externe. d) Pavillon de l'oreille, tympan, fenêtre de la cochlée, cochlée et organe spiral, fenêtre du vestibule. e) Conduit auditif externe, tympan, osselets de l'ouïe, conduit auditif interne, organe spiral, fenêtre du vestibule.

13. Associez les éléments suivants:

___ a) produit et draine les larmes

___ b) décrit un arc au-dessus du globe oculaire et le protège contre les corps étrangers, les gouttes de sueur et les rayons directs du soleil

___ c) déplacent le globe oculaire vers l'intérieur, l'extérieur, le haut et le bas

___ d) couvrent les yeux pendant le sommeil et répandent des sécrétions lubrifiantes sur les globes oculaires

___ e) épais repli de tissu conjonctif qui donne sa forme à la paupière et la soutient

___ f) glandes sébacées modifiées dont les sécrétions empêchent les paupières d'adhérer l'une à l'autre

___ g) bordent les paupières et protègent le globe oculaire contre les corps étrangers, les gouttes de sueur et les rayons directs du soleil

___ h) mince muqueuse protectrice qui tapisse la face interne des paupières et se prolonge sur la face antérieure du globe oculaire

1) paupières
2) glandes tarsales
3) conjonctive
4) cils
5) appareil lacrymal
6) muscles extrinsèques du globe oculaire
7) sourcil
8) tarse

14. Associez les éléments suivants :

___ a) partie postérieure de la tunique vasculaire qui fournit des nutriments à la face postérieure de la rétine

___ b) partie colorée du globe oculaire qui régit la quantité de lumière qui y entre

___ c) premier élément de la voie visuelle ; contient les bâtonnets et les cônes

___ d) focalise les rayons lumineux pour fournir des images claires

___ e) partie transparente de la tunique fibreuse qui contribue à focaliser la lumière

___ f) anneau de muscle lisse qui modifie la forme du cristallin pour la vision rapprochée et la vision éloignée.

___ g) point où le nerf optique sort du globe oculaire ; tache aveugle

___ h) liquide contenu dans le segment antérieur du globe oculaire ; nourrit le cristallin et la cornée et donne sa forme au globe oculaire

___ i) trou situé au centre de l'iris

___ j) substance gélatineuse contenue dans la chambre vitrée ; empêche le globe oculaire de s'affaisser sur lui-même et maintient la rétine contre les parties internes du globe oculaire

___ k) blanc de l'œil ; donne sa forme au globe oculaire, lui confère de la rigidité et en protège les parties internes ; fait partie de la tunique fibreuse

___ l) contiennent des capillaires qui sécrètent l'humeur aqueuse ; rattachés au ligament suspenseur du cristallin

1) cornée	7) pupille
2) sclère	8) rétine
3) choroïde	9) disque du nerf optique
4) procès ciliaires	10) cristallin
5) muscle ciliaire	11) humeur aqueuse
6) iris	12) corps vitré

15. Associez les éléments suivants :

___ a) sépare l'oreille externe de l'oreille moyenne

___ b) partie centrale de forme ovale du labyrinthe osseux

___ c) récepteur de l'équilibre statique ; intervient aussi dans certains aspects de l'équilibre dynamique ; composée de cellules ciliées et de cellules de soutien

___ d) organe de l'ouïe

___ e) malléus, incus et stapès

___ f) ouverture située dans l'oreille moyenne et entourée par la membrane secondaire du tympan

___ g) contient l'organe spiral

___ h) partie saillante formée de cartilage élastique recouvert de peau ; capte les ondes sonores

___ i) composé du saccule, de l'utricule et des conduits semi-circulaires

___ j) ouverture située entre l'oreille moyenne et l'oreille interne ; reçoit la base du stapès

1) pavillon de l'oreille	6) cochlée
2) tympan	7) organe spiral
3) osselets de l'ouïe	8) fenêtre du vestibule
4) appareil vestibulaire	9) fenêtre de la cochlée
5) vestibule	10) macule

QUESTIONS À COURT DÉVELOPPEMENT

1. Maman tient un plat fumant sous le nez de la petite Claire. « Comment peux-tu dire que c'est mauvais ? Tu n'y as même pas goûté ! » Rien n'y fait, les lèvres de Claire demeurent obstinément closes. Comment la fillette peut-elle être si certaine qu'elle n'aime pas le plat ? Énumérez les éléments de la voie olfactive qui mènent à l'encéphale. (INDICE : *Comment Claire peut-elle savoir si elle a déjà goûté au plat ?*)

2. Fernand aura bientôt 81 ans. Il est pêcheur depuis l'âge de 15 ans mais, ces derniers temps, sa vue s'embrouille et il doit laisser la barre du bateau à son petit-fils. Bien que fumeur, il jouit d'une bonne santé ; il fait vérifier sa pression artérielle et sa pression intra-oculaire tous les ans. Qu'est-ce qui ne va pas avec ses yeux ? (INDICE : *Les pêcheurs sont sans cesse exposés à la clarté du soleil et à ses reflets sur l'eau.*)

3. « Tout ce que je te dis t'entre par une oreille et te sort par l'autre ! » Voilà ce que Marie entend (ou croit entendre) tous les jours de la bouche de sa mère. Décrivez le trajet du son de l'oreille externe à l'organe de l'ouïe. (INDICE : *L'oreille interne du côté droit ne communique aucunement avec l'oreille interne du côté gauche.*)

RÉPONSES AUX QUESTIONS DES FIGURES

16.1 Les cils olfactifs détectent les molécules odorantes.

16.2 Récepteurs gustatifs → nerfs crâniens VII, IX ou X → bulbe rachidien → système limbique et hypothalamus, ou thalamus → aire gustative primaire dans le lobe pariétal du cortex cérébral.

16.3 La conjonctive est unie au revêtement interne des paupières.

16.4 La sécrétion lacrymale, ou larmes, est une solution aqueuse contenant des sels, un peu de mucus et du lysozyme, enzyme qui protège, nettoie, lubrifie et hydrate le globe oculaire.

16.5 La tunique fibreuse comprend la cornée et la sclère ; la tunique vasculaire comprend la choroïde, le corps ciliaire et l'iris.

16.6 La partie parasympathique du SNA provoque la contraction de la pupille, tandis que la partie sympathique en entraîne la dilatation.

16.7 L'ophtalmoscope peut révéler des signes de l'hypertension, du diabète sucré, de la cataracte et de la dégénérescence maculaire.

16.8 Les deux types de photorécepteurs sont les bâtonnets et les cônes. Les bâtonnets sont à l'origine de la vision en noir et blanc dans la pénombre, tandis que les cônes sont à l'origine de l'acuité visuelle et de la vision des couleurs dans la clarté.

16.9 Après avoir été sécrétée par les procès ciliaires, l'humeur aqueuse s'écoule dans la chambre postérieure, autour de l'iris et dans la chambre antérieure, puis elle sort du globe oculaire par le sinus veineux de la sclère.

16.10 Pendant l'accommodation, le muscle ciliaire se contracte, ce qui entraîne le relâchement du ligament suspenseur du cristallin. Le cristallin devient alors plus convexe et son pouvoir de réfraction augmente.

16.11 La presbytie est la perte d'élasticité du cristallin associée au vieillissement.

16.12 Les bâtonnets et les cônes convertissent l'énergie lumineuse en potentiels récepteurs, portent un photopigment dans la membrane des plis ou des disques de leur segment externe et libèrent un neurotransmetteur dans leurs synapses avec les neurones bipolaires et les cellules horizontales.

16.13 La conversion du *cis*-rétinal en *trans*-rétinal est appelée isomérisation.

16.14 Le GMPc est le ligand qui ouvre les canaux à Na^+ dans les photorécepteurs.

16.15 Les rayons lumineux provenant d'un objet situé dans la moitié temporale du champ visuel atteignent la moitié nasale de la rétine.

16.16 Le malléus est rattaché au tympan.

16.17 Le tympan sépare l'oreille moyenne de l'oreille externe ; la fenêtre du vestibule et la fenêtre de la cochlée séparent l'oreille moyenne de l'oreille interne.

16.18 Les deux vésicules situées dans le vestibule sont le saccule et l'utricule.

16.19 Les trois subdivisions du labyrinthe osseux sont les canaux semi-circulaires, le vestibule et la cochlée.

16.20 La partie de la lame basilaire située près de la fenêtre du vestibule et de la fenêtre de la cochlée est celle qui vibre le plus vigoureusement sous l'effet des sons de haute fréquence.

16.21 Les macules sont associées principalement à l'équilibre statique.

16.22 Les conduits semi-circulaires membraneux, l'utricule et le saccule sont associés principalement à l'équilibre dynamique.

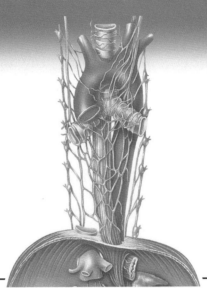

Le **système nerveux autonome** (**SNA**) régit l'activité des muscles lisses, du muscle cardiaque et de certaines glandes. On dit souvent qu'il constitue la *composante motrice* du système nerveux périphérique. Néanmoins, le SNA ne pourrait pas fonctionner si les viscères et les vaisseaux sanguins ne transmettaient sans cesse de l'*information sensorielle* aux *centres d'intégration* du système nerveux central (SNC). Sur le plan structural, par conséquent, le SNA comprend des neurones sensitifs autonomes, des centres d'intégration situés dans le SNC et des neurones moteurs autonomes.

L'activité du SNA est habituellement involontaire. D'ailleurs, les scientifiques ont jadis attribué le qualificatif *autonome* à cette partie du système nerveux parce qu'ils la croyaient totalement indépendante du SNC. On sait aujourd'hui que le SNA est régi par des centres situés dans l'encéphale, principalement dans l'hypothalamus et le tronc cérébral, qui reçoivent de l'information du système limbique et d'autres régions du cerveau.

Dans ce chapitre, nous allons comparer les caractéristiques structurales et fonctionnelles du système nerveux somatique et du système nerveux autonome. Nous décrirons ensuite l'anatomie de la partie motrice du SNA. Enfin, nous mettrons en parallèle l'organisation et l'activité de ses deux grandes subdivisions, le système nerveux sympathique et le système nerveux parasympathique.

COMPARAISON ENTRE LE SYSTÈME NERVEUX SOMATIQUE ET LE SYSTÈME NERVEUX AUTONOME

OBJECTIF

• *Comparer le système nerveux somatique et le système nerveux autonome du point de vue structural et fonctionnel.*

Le système nerveux somatique comprend à la fois des neurones sensitifs et des neurones moteurs. Les neurones sensitifs transmettent l'information sensorielle provenant des organes des sens (vision, ouïe, goût, odorat et équilibre) et des récepteurs somatiques (douleur, température, toucher et proprioception). Toutes ces sensations sont consciemment perçues en temps normal. Les neurones moteurs, pour leur part, innervent les muscles squelettiques (les effecteurs du système nerveux somatique) et produisent les mouvements conscients et volontaires. Un neurone moteur a toujours un effet excitateur dans le système nerveux somatique: lorsqu'il stimule un muscle squelettique, celui-ci se contracte. Si la stimulation cesse, le muscle se paralyse, devient flasque et perd tout tonus. Précisons que ce sont des neurones moteurs somatiques qui régissent les muscles squelettiques à l'origine des mouvements respiratoires, même si la respiration échappe en général à la conscience. Si ces neurones deviennent

Figure 17.1 Voies motrices dans le SNA (a) et le système nerveux somatique (b). Notez que les neurones moteurs autonomes libèrent soit de l'acétylcholine (ACh), soit de la noradrénaline (NA) ; les neurones moteurs somatiques libèrent seulement de l'ACh.

 La stimulation autonome a un effet soit excitateur, soit inhibiteur sur les effecteurs viscéraux ; la stimulation somatique a toujours un effet excitateur.

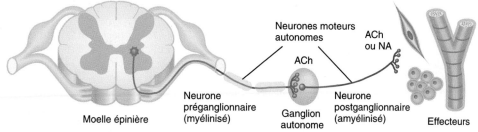

(a) Système nerveux autonome

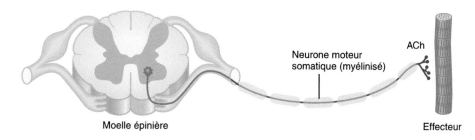

(b) Système nerveux somatique

 Que signifie le terme « double innervation » ?

inactifs, la respiration s'arrête. Il existe par ailleurs quelques muscles squelettiques, dans l'oreille moyenne notamment, qui échappent à la maîtrise volontaire.

L'information transmise au SNA provient en majeure partie de **neurones sensitifs autonomes.** Ces neurones sont pour la plupart associés à des intérocepteurs tels que les chimiorécepteurs qui enregistrent la concentration sanguine de CO_2 et les mécanorécepteurs qui détectent le degré d'étirement des parois des organes ou des vaisseaux sanguins. Les signaux qu'émettent ces intérocepteurs n'atteignent pas le seuil de la conscience en temps ordinaire, encore que leur activation intense puisse donner naissance à des sensations conscientes. Ainsi, les lésions des viscères engendrent des douleurs ou des nausées, tandis qu'une irrigation insuffisante du myocarde cause l'angine de poitrine. Le SNA subit également l'influence de sensations produites par les neurones sensitifs somatiques et les cellules réceptrices des organes des sens. Par exemple, la douleur peut perturber considérablement certaines activités autonomes.

Les **neurones moteurs autonomes** régissent les fonctions viscérales en augmentant (excitation) ou en diminuant (inhibition) l'activité de leurs effecteurs, soit le muscle cardiaque, les muscles lisses et les glandes. Contrairement aux muscles squelettiques, ces tissus restent actifs même si leur

innervation est coupée. Un cœur que l'on s'apprête à greffer, par exemple, continue de battre hors de la cage thoracique du donneur. Parmi les effets du SNA, on compte les variations du diamètre de la pupille, la dilatation et la contraction des vaisseaux sanguins ainsi que les modulations de la fréquence et de la force des battements du cœur.

Nous ne pouvons ni modifier ni supprimer la plupart des effets autonomes. Selon toute probabilité, vous êtes incapable de diminuer de moitié votre fréquence cardiaque. Aussi la technique du polygraphe (« détecteur de mensonges ») repose-t-elle sur la mesure de certains effets autonomes. Il n'en reste pas moins que les adeptes du yoga et de la méditation peuvent parvenir après des années d'entraînement à maîtriser quelques-unes de leurs activités autonomes. Les sensations, par ailleurs, influent sur les neurones moteurs autonomes par l'entremise du système limbique. La vue d'une bicyclette sur le point de vous heurter, l'audition du crissement des pneus d'une voiture ou le contact sur votre bras de la poigne d'un agresseur sont autant de sensations qui augmenteraient la fréquence et la force de vos battements cardiaques.

Toutes les voies motrices autonomes sont composées d'une chaîne de deux neurones moteurs (figure 17.1a). Le corps cellulaire du premier neurone est situé dans le SNC ;

Tableau 17.1 Résumé des caractéristiques du système nerveux autonome et du système nerveux somatique

	SYSTÈME NERVEUX AUTONOME	SYSTÈME NERVEUX SOMATIQUE
Source de l'information sensorielle	Intérocepteurs et, dans une moindre mesure, organes des sens et récepteurs somatiques.	Organes des sens et récepteurs somatiques.
Régulation des commandes motrices	Régulation involontaire par le système limbique, l'hypothalamus, le tronc cérébral et la moelle épinière ; faible régulation par le cortex cérébral.	Régulation volontaire par le cortex cérébral ainsi que, dans une moindre mesure, les noyaux gris centraux, le cervelet, le tronc cérébral et la moelle épinière.
Voie motrice	Chaîne de deux neurones : le corps cellulaire du neurone préganglionnaire est situé dans le SNC, et son axone fait synapse avec le neurone postganglionnaire dans un ganglion autonome ; le corps cellulaire du neurone postganglionnaire est situé dans le ganglion et son axone fait synapse avec un effecteur viscéral. Certains neurones préganglionnaires font synapse avec des cellules de la médullosurrénale.	Chaîne d'un neurone dont le corps cellulaire est situé dans le SNC et dont l'axone fait synapse directement avec l'effecteur.
Neurotransmetteurs et hormones	Les axones préganglionnaires libèrent de l'acétylcholine (ACh) ; les axones postganglionnaires libèrent de l'ACh (fibres parasympathiques et fibres sympathiques destinées aux glandes sudoripares) ou de la noradrénaline (NA ; reste des fibres sympathiques) ; la médullosurrénale libère de l'adrénaline et de la noradrénaline.	Tous les neurones moteurs somatiques libèrent de l'ACh.
Effecteurs	Muscles lisses, muscle cardiaque et glandes.	Muscles squelettiques.
Effets	Contraction ou relâchement des muscles lisses ; augmentation ou diminution de la fréquence et de la force des contractions du muscle cardiaque ; augmentation ou diminution de la sécrétion glandulaire.	Contraction des muscles squelettiques.

son axone myélinisé s'étend du SNC jusqu'à un **ganglion autonome.** (Rappelez-vous qu'un ganglion est un groupe de corps cellulaires situé à l'extérieur du SNC.) Le corps cellulaire du second neurone se trouve dans le ganglion autonome ; son axone amyélinisé court du ganglion à l'effecteur (muscle lisse, muscle cardiaque ou glande). Les neurones moteurs somatiques, quant à eux, sont myélinisés et s'étendent directement du SNC à un effecteur (figure 17.1b), c'est-à-dire un myocyte squelettique dont ils provoquent la contraction. Tous les neurones moteurs somatiques libèrent seulement de l'acétylcholine (ACh), tandis que les neurones moteurs autonomes libèrent soit de l'ACh, soit de la noradrénaline (NA).

La composante motrice du SNA comprend deux subdivisions : le **système nerveux sympathique** et le **système nerveux parasympathique.** La plupart des organes possèdent une **double innervation,** c'est-à-dire qu'ils reçoivent des influx du système nerveux sympathique et du système nerveux parasympathique. En règle générale, un organe est stimulé par les influx de l'un et inhibé par ceux de l'autre. Ainsi, la fréquence cardiaque augmente si la fréquence des influx sympathiques augmente, et elle ralentit si la fréquence des influx parasympathiques augmente. Le tableau 17.1 présente un parallèle entre le système nerveux somatique et le système nerveux autonome.

1. Expliquez le choix de l'adjectif « autonome » dans le terme « système nerveux autonome ».
2. Quels sont les principaux éléments sensitifs et moteurs du système nerveux autonome ?

ANATOMIE DES VOIES MOTRICES AUTONOMES
OBJECTIFS

- *Décrire les neurones préganglionnaires et postganglionnaires du SNA.*

- *Comparer la structure anatomique du système nerveux sympathique et celle du système nerveux parasympathique du SNA.*

Éléments anatomiques

Le premier des deux neurones d'une voie motrice autonome est appelé **neurone préganglionnaire** (voir la figure 17.1a). Son corps cellulaire est situé dans l'encéphale ou dans la moelle épinière, et son axone sort du SNC dans un nerf crânien ou dans un nerf spinal. L'axone d'un neurone préganglionnaire est une fibre myélinisée de faible diamètre (type B) ; il s'étend jusqu'à un ganglion autonome, où il fait synapse avec le deuxième neurone de la voie motrice autonome, le **neurone postganglionnaire.** Notez que le neurone postganglionnaire se trouve entièrement à l'extérieur du SNC; son corps cellulaire et ses dendrites sont situés dans un ganglion autonome, où il fait synapse avec une ou plusieurs fibres préganglionnaires. L'axone d'un neurone postganglionnaire est une fibre amyélinisée de faible diamètre (type C) qui se termine dans un effecteur viscéral. En résumé, les neurones préganglionnaires transmettent les commandes motrices du SNC aux ganglions autonomes, tandis que les neurones postganglionnaires acheminent les commandes motrices des ganglions autonomes aux effecteurs viscéraux.

Neurones préganglionnaires

Dans le système nerveux sympathique, les corps cellulaires des neurones préganglionnaires sont situés dans les cornes latérales des 12 segments thoraciques et des 2 premiers segments lombaires de la moelle épinière (figure 17.2). Telle est la raison pour laquelle le système nerveux sympathique est aussi appelé **système thoraco-lombaire** et que les axones des neurones préganglionnaires sympathiques sont aussi appelés **efférents thoraco-lombaires.**

Les corps cellulaires des neurones préganglionnaires du système nerveux parasympathique sont situés dans les noyaux des quatre nerfs crâniens logés dans le tronc cérébral, ainsi que dans les cornes latérales des deuxième, troisième et quatrième segments sacraux de la moelle épinière. C'est pour cette raison que le système nerveux parasympathique est aussi appelé **système cranio-sacral** et que les axones des neurones préganglionnaires parasympathiques sont aussi appelés **efférents cranio-sacraux.**

Ganglions autonomes

On peut diviser les ganglions autonomes en trois groupes. Deux de ces groupes appartiennent au système nerveux sympathique et le troisième fait partie du système nerveux parasympathique.

Ganglions sympathiques Les ganglions sympathiques renferment les synapses entre les neurones sympathiques préganglionnaires et les neurones sympathiques postganglionnaires. Les ganglions sympathiques se divisent en deux groupes : les ganglions du tronc sympathique et les ganglions prévertébraux. Les **ganglions du tronc sympathique** (tels les **ganglions cervicaux supérieur, moyen** et **inférieur**) forment une rangée verticale de part et d'autre de la colonne vertébrale, de la base du crâne jusqu'au coccyx (voir la figure 17.2). Comme ces ganglions s'alignent près de la moelle épinière, la plupart des axones préganglionnaires sympathiques sont courts. Les axones postganglionnaires issus des ganglions du tronc sympathique innervent en général des organes situés au-dessus du diaphragme.

Le deuxième groupe de ganglions sympathiques, les **ganglions prévertébraux,** sont situés à l'avant de la colonne vertébrale, près des grosses artères abdominales. En règle générale, les fibres postganglionnaires issues des ganglions prévertébraux innervent les organes situés sous le diaphragme. Parmi les ganglions prévertébraux, on trouve le **ganglion cœliaque,** situé de part et d'autre de l'artère cœliaque, juste en dessous du diaphragme, le **ganglion mésentérique supérieur,** situé à proximité de l'amorce de l'artère mésentérique supérieure, dans la partie supérieure de l'abdomen, et le **ganglion mésentérique inférieur,** situé près de l'amorce de l'artère mésentérique inférieure, au milieu de l'abdomen (voir les figures 17.2 et 17.3).

Ganglions parasympathiques Les fibres préganglionnaires du système nerveux parasympathique font synapse avec des fibres postganglionnaires dans les **ganglions terminaux.** Ces ganglions sont situés à proximité ou à l'intérieur de la paroi de viscères. Comme les axones des neurones préganglionnaires parasympathiques proviennent du SNC, ils sont plus longs en général que ceux des neurones préganglionnaires sympathiques. Les ganglions terminaux comprennent le ganglion ciliaire, le ganglion ptérygo-palatin, le ganglion submandibulaire et le ganglion otique (voir la figure 17.2).

Plexus autonomes

Dans le thorax, l'abdomen et le pelvis, les axones des neurones sympathiques et parasympathiques forment des réseaux enchevêtrés appelés **plexus autonomes** et situés pour la plupart le long des principales artères. Les plexus autonomes peuvent aussi contenir des ganglions sympathiques et des axones de neurones sensitifs autonomes. Plusieurs plexus sont nommés d'après l'artère qu'ils jouxtent. Les principaux plexus du thorax sont le **plexus cardiaque,** qui est situé à la base du cœur, autour des gros vaisseaux sanguins qui en émergent, et le **plexus pulmonaire,** situé en majeure partie à l'arrière des poumons (figure 17.3).

Le **plexus cœliaque** est situé à la hauteur de la dernière vertèbre thoracique et de la première vertèbre lombaire. C'est le plus étendu des plexus autonomes et il entoure les artères cœliaque et mésentérique supérieure. Il contient les deux gros ganglions cœliaques et un réseau dense de fibres autonomes. Les plexus secondaires qui émergent du plexus cœliaque ou qui lui sont reliés se répartissent dans le diaphragme, le foie, la vésicule biliaire, l'estomac, le pancréas, la rate, les reins, les médullosurrénales, les testicules et les ovaires. L'un d'eux, le **plexus mésentérique supérieur,** contient le ganglion mésentérique supérieur et innerve l'intestin grêle et le gros intestin. Un autre, le **plexus mésentérique inférieur,** renferme le ganglion mésentérique inférieur et innerve le gros intestin. Le **plexus hypogastrique** est situé à l'avant de la cinquième vertèbre lombaire et innerve les viscères du pelvis.

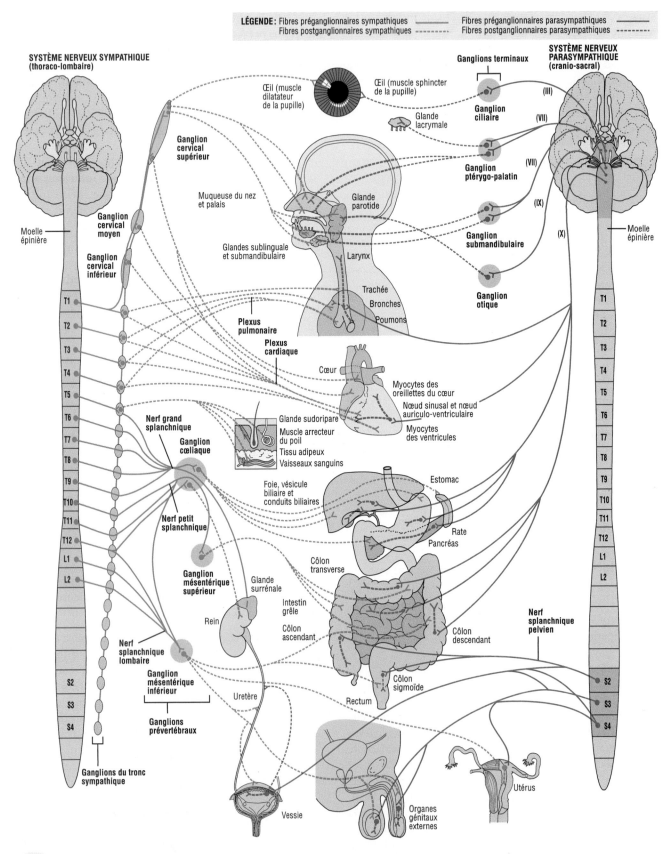

LÉGENDE : Fibres préganglionnaires sympathiques ——— Fibres préganglionnaires parasympathiques ———
Fibres postganglionnaires sympathiques ‑‑‑‑‑ Fibres postganglionnaires parasympathiques ‑‑‑‑‑

SYSTÈME NERVEUX SYMPATHIQUE
(thoraco-lombaire)

Moelle épinière

Ganglion cervical supérieur

Ganglion cervical moyen

Ganglion cervical inférieur

T1
T2
T3
T4
T5
T6
T7
T8
T9
T10
T11
T12
L1
L2
S2
S3
S4

Nerf grand splanchnique

Ganglion cœliaque

Nerf petit splanchnique

Ganglion mésentérique supérieur

Nerf splanchnique lombaire

Ganglion mésentérique inférieur

Ganglions prévertébraux

Ganglions du tronc sympathique

Œil (muscle dilatateur de la pupille)

Œil (muscle sphincter de la pupille)

Muqueuse du nez et palais

Glandes sublinguale et submandibulaire

Glande parotide

Larynx

Trachée
Bronches
Poumons

Plexus pulmonaire

Plexus cardiaque

Cœur

Myocytes des oreillettes du cœur

Nœud sinusal et nœud auriculo-ventriculaire

Myocytes des ventricules

Glande sudoripare
Muscle arrecteur du poil
Tissu adipeux
Vaisseaux sanguins

Foie, vésicule biliaire et conduits biliaires

Estomac

Rate
Pancréas

Côlon transverse

Glande surrénale

Intestin grêle

Côlon ascendant

Rein

Côlon descendant

Urétère

Côlon sigmoïde

Rectum

Vessie

Organes génitaux externes

Utérus

SYSTÈME NERVEUX PARASYMPATHIQUE
(cranio-sacral)

Ganglions terminaux

Ganglion ciliaire (III)

(VII)

Glande lacrymale

Ganglion ptérygo-palatin (VII)

Ganglion submandibulaire (IX)

(X)

Ganglion otique

Moelle épinière

T1
T2
T3
T4
T5
T6
T7
T8
T9
T10
T11
T12
L1
L2
S2
S3
S4

Nerf splanchnique pelvien

Q Du système nerveux sympathique et du système nerveux parasympathique, lequel comprend les plus longues fibres préganglionnaires ? Pourquoi en est-il ainsi ?

Figure 17.2 (Voir la figure ci-contre.) Structure du système nerveux sympathique et du système nerveux parasympathique. Nous présentons seulement un côté de chacun afin de simplifier le diagramme, mais rappelez-vous que les deux systèmes innervent les tissus et les organes des deux côtés du corps.

 La stimulation sympathique et la stimulation parasympathique ont des effets opposés sur les organes qui possèdent une double innervation.

Figure 17.3 Plexus autonomes du thorax, de l'abdomen et du pelvis.

 Un plexus autonome est un réseau d'axones sympathiques et parasympathiques qui peut aussi comprendre des axones sensitifs autonomes et des ganglions sympathiques.

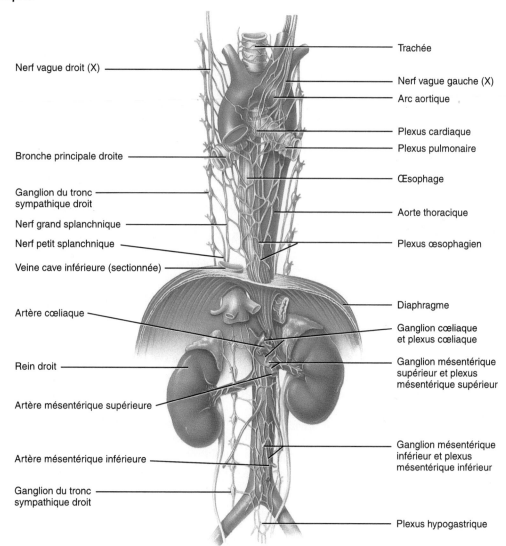

Q Quel est le plus étendu des plexus autonomes?

Neurones postganglionnaires

Une fois entré dans les ganglions du tronc sympathique, l'axone d'un neurone préganglionnaire sympathique peut s'unir d'une des trois façons suivantes à un neurone postganglionnaire (figure 17.4) :

1. L'axone peut faire synapse avec des neurones postganglionnaires dans le premier ganglion qu'il atteint.

2. L'axone peut rejoindre un ganglion situé au-dessus ou au-dessous avant de faire synapse avec des neurones postganglionnaires.

3. L'axone peut traverser un ganglion du tronc sympathique sans faire synapse puis rejoindre un ganglion prévertébral et y faire synapse avec des neurones postganglionnaires.

Une fibre préganglionnaire sympathique émet de nombreuses collatérales (ramifications) et peut faire synapse avec 20 fibres postganglionnaires ou plus. Cette divergence est au nombre des raisons pour lesquelles la stimulation sympathique a souvent des effets généralisés. Après leur sortie des ganglions, les fibres postganglionnaires vont habituellement innerver plusieurs effecteurs viscéraux (voir la figure 17.2).

Les axones des neurones préganglionnaires du système nerveux parasympathique pénètrent dans les ganglions terminaux à proximité ou à l'intérieur des effecteurs viscéraux (voir la figure 17.2). Dans le ganglion, le neurone présynaptique fait généralement synapse avec quatre ou cinq neurones postsynaptiques seulement, lesquels innervent tous un seul effecteur viscéral. C'est ainsi que les effets parasympathiques sont souvent limités à un seul effecteur. À présent que nous avons décrit l'anatomie générale des voies motrices autonomes, nous pouvons étudier quelques caractéristiques particulières des systèmes nerveux sympathique et parasympathique.

Structure du système nerveux sympathique

Les corps cellulaires des neurones préganglionnaires sympathiques sont situés dans les cornes latérales de tous les segments thoraciques et des deux premiers segments lombaires de la moelle épinière (voir la figure 17.2). Les axones préganglionnaires sortent de la moelle épinière par la racine ventrale d'un nerf spinal, à la même hauteur, en compagnie des fibres motrices somatiques. Après être passés à travers le foramen intervertébral, les axones préganglionnaires sympathiques myélinisés s'intègrent à une courte voie appelée **rameau communicant blanc** (l'adjectif « blanc » signifie que ce rameau communicant contient des fibres myélinisées). Ils entrent ensuite dans le ganglion du tronc sympathique le plus près, du même côté (voir la figure 17.4).

Seuls les nerfs thoraciques et les deux ou trois premiers nerfs lombaires sont associés à des rameaux communicants blancs. Ceux-ci relient le rameau ventral du nerf spinal et les ganglions du tronc sympathique. Pairs et symétriques, les ganglions du tronc sympathiques sont disposés de part et d'autre de la colonne vertébrale. On compte habituellement 3 ganglions cervicaux, 11 ou 12 ganglions thoraciques, 4 ou 5 ganglions lombaires et 4 ou 5 ganglions sacraux dans le tronc sympathique. Bien qu'ils s'étendent du cou au coccyx en passant par le thorax et l'abdomen, ils ne reçoivent de fibres préganglionnaires que des segments thoraciques et lombaires de la moelle épinière (voir la figure 17.2).

La partie cervicale de chaque tronc sympathique est située dans le cou et comprend un ganglion supérieur, un ganglion moyen et un ganglion inférieur (voir la figure 17.2). Le **ganglion cervical supérieur** est situé à l'avant du processus transverse de la deuxième vertèbre cervicale. Les fibres postganglionnaires qui en émergent innervent la tête. Elles se répartissent entre les glandes sudoripares, le muscle lisse de l'œil, les vaisseaux sanguins du visage, la muqueuse du nez ainsi que les glandes submandibulaire, sublinguale et parotide. Des rameaux communicants gris (que nous décrirons plus loin) émergent des ganglions et s'unissent aux deuxième, troisième et quatrième nerfs cervicaux. Le **ganglion cervical moyen** est situé près de la sixième vertèbre cervicale et le **ganglion cervical inférieur,** près de la première côte, à l'avant du processus transverse de la septième vertèbre cervicale. Les fibres postganglionnaires issues des ganglions cervicaux moyen et inférieur innervent le cœur.

La partie thoracique de chaque tronc sympathique est située à l'avant du col des côtes correspondantes. Elle reçoit la majeure partie des fibres préganglionnaires sympathiques. Les fibres postganglionnaires issues de la partie thoracique du tronc sympathique innervent le cœur, les poumons, les bronches et d'autres viscères thoraciques. Dans la peau, elles innervent aussi les glandes sudoripares, les vaisseaux sanguins et les muscles arrecteurs des poils.

La partie lombaire de chaque tronc sympathique est située à côté des vertèbres lombaires. La partie sacrale du tronc sympathique, enfin, s'étend dans la cavité pelvienne, du côté médial des foramens sacraux. Les fibres postganglionnaires amyélinisées issues des ganglions des parties lombaire et sacrale du tronc sympathique s'intègrent à une courte voie appelée **rameau communicant gris,** puis fusionnent avec un nerf spinal ou rejoignent le plexus hypogastrique par l'intermédiaire des ramifications viscérales directes. Les rameaux communicants gris sont les structures formées par les fibres postganglionnaires amyélinisées qui relient les ganglions du tronc sympathique aux nerfs spinaux (voir la figure 17.4). Ils sont plus nombreux que les rameaux communicants blancs, car il en existe un pour chacun des 31 nerfs spinaux.

Le long de leur trajet entre un rameau communicant blanc et le tronc sympathique, les fibres préganglionnaires émettent quelques collatérales. Certaines de ces collatérales font synapse dans le premier ganglion, à la hauteur où elles sont entrées. D'autres parcourent une distance variable vers le haut ou le bas du tronc sympathique (voir la figure 17.4). De nombreuses fibres postganglionnaires rejoignent les nerfs

Figure 17.4 Liens entre les ganglions et les neurones postganglionnaires dans le système nerveux sympathique. Les numéros correspondent aux descriptions dans le corps du texte. Les rameaux communicants blancs et gris sont aussi représentés.

 Les ganglions sympathiques sont répartis en deux groupes : les ganglions du tronc sympathique, de part et d'autre de la colonne vertébrale, et les ganglions pré-vertébraux, à proximité des grosses artères abdominales, à l'avant de la colonne vertébrale.

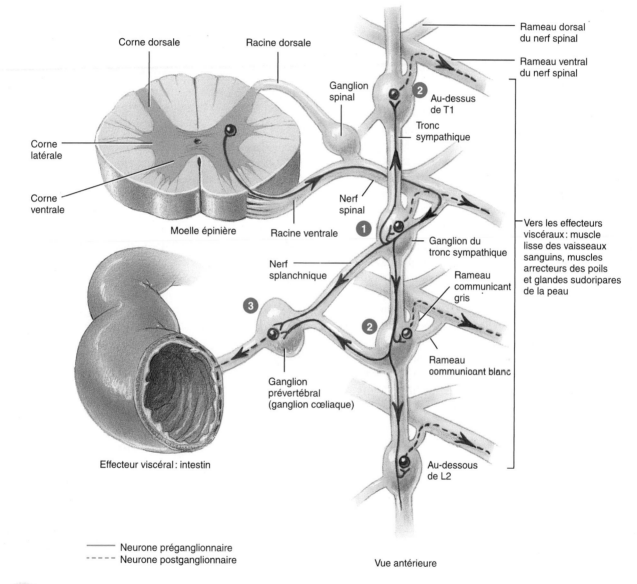

Corne dorsale
Racine dorsale
Rameau dorsal du nerf spinal
Ganglion spinal
Rameau ventral du nerf spinal
Au-dessus de T1
Tronc sympathique
Corne latérale
Corne ventrale
Moelle épinière
Racine ventrale
Nerf spinal
Ganglion du tronc sympathique
Nerf splanchnique
Rameau communicant gris
Vers les effecteurs viscéraux : muscle lisse des vaisseaux sanguins, muscles arrecteurs des poils et glandes sudoripares de la peau
Rameau communicant blanc
Ganglion prévertébral (ganglion cœliaque)
Au-dessous de L2
Effecteur viscéral : intestin

—— Neurone préganglionnaire
----- Neurone postganglionnaire

Vue antérieure

 Q Quelle substance donne aux rameaux communicants blancs leur couleur blanche ?

spinaux par les rameaux communicants gris et innervent des effecteurs viscéraux périphériques tels que les glandes sudo-ripares, le muscle lisse des vaisseaux sanguins et les muscles arrecteurs des poils.

Certaines fibres préganglionnaires traversent le tronc sympathique et vont former les **nerfs splanchniques** (voir la figure 17.4), lesquels aboutissent dans un ganglion pré-vertébral. Le nerf splanchnique issu du tronc sympathique thoracique se termine dans le **ganglion cœliaque,** où les fibres préganglionnaires font synapse avec les corps cellulaires des neurones postganglionnaires. *Le nerf grand splanchnique* entre dans le ganglion cœliaque du plexus cœliaque. De là, les fibres postganglionnaires s'étendent jusqu'à l'estomac, la rate, le foie, le rein et l'intestin grêle (voir la figure 17.2). Le *nerf petit splanchnique* traverse le plexus cœliaque et entre dans le ganglion mésentérique supérieur du plexus mésentérique supérieur. Les fibres postganglionnaires qui émergent de ce ganglion innervent l'intestin grêle et le côlon. Le *nerf splanchnique imus,* qui n'est pas toujours présent, entre dans le plexus rénal, près du rein. Les fibres postganglionnaires innervent les artérioles du rein et l'uretère.

Les fibres préganglionnaires qui forment le *nerf splanchnique lombaire* entrent dans le plexus mésentérique inférieur et se terminent dans le ganglion mésentérique inférieur, en faisant synapse avec des neurones postganglionnaires. Les axones des neurones postganglionnaires parcourent le plexus hypogastrique et innervent la partie distale du côlon, le rectum, la vessie et les organes génitaux. Les fibres postganglionnaires qui émergent des ganglions prévertébraux suivent le trajet de diverses artères pour se rendre aux effecteurs viscéraux de l'abdomen et du pelvis.

Des *fibres préganglionnaires* sympathiques s'étendent jusqu'à la médullosurrénale. Au point de vue du développement, la médullosurrénale est un ganglion sympathique modifié, et ses cellules ressemblent à des neurones postganglionnaires sympathiques. Au lieu de rejoindre un autre organe, cependant, ces cellules libèrent des hormones dans la circulation sanguine. Lorsqu'elle est stimulée par des neurones préganglionnaires sympathiques, la médullosurrénale sécrète un mélange de catécholamines, soit environ 80 % d'**adrénaline,** 20 % de **noradrénaline** et une quantité infime de **dopamine.**

APPLICATION CLINIQUE
Syndrome de Claude Bernard-Horner

Le **syndrome de Claude Bernard-Horner** est une suppression de l'innervation sympathique d'un côté du visage. Il peut être causé par des facteurs génétiques, un traumatisme ou une maladie qui touche les efférents sympathiques dans le ganglion cervical supérieur. Les symptômes se manifestent du côté atteint et comprennent le ptosis (chute de la paupière supérieure), le myosis (rétrécissement de la pupille) et l'anhidrose (absence de transpiration). ■

Structure du système nerveux parasympathique

Les corps cellulaires des neurones préganglionnaires parasympathiques sont situés dans des noyaux du tronc cérébral ainsi que dans les cornes latérales des deuxième, troisième et quatrième segments sacraux de la moelle épinière (voir la figure 17.2). Les axones de ces neurones s'intègrent à un nerf crânien ou à la racine ventrale d'un nerf spinal pour émerger. Les **efférents parasympathiques craniaux** sont formés d'axones préganglionnaires qui sortent du tronc cérébral dans quatre nerfs crâniens. Les **efférents parasympathiques sacraux,** par ailleurs, sont formés d'axones préganglionnaires situés dans les racines ventrales des deuxième, troisième et quatrième nerfs sacraux. Les efférents craniaux et sacraux aboutissent dans les ganglions terminaux, où ils font synapse avec des neurones postganglionnaires.

Les efférents craniaux comprennent cinq éléments : quatre paires de ganglions et les plexus associés au nerf vague (X). Les quatre paires de ganglions parasympathiques craniaux innervent des structures de la tête et sont situées à proximité (voir la figure 17.2). Les **ganglions ciliaires** se trouvent à côté de chaque nerf optique (II), près de la partie postérieure de l'orbite. Les axones préganglionnaires suivent les nerfs oculo-moteurs (III) jusqu'aux ganglions ciliaires. Les axones postganglionnaires issus de ces ganglions innervent les myocytes lisses du globe oculaire. Les **ganglions ptérygopalatins** sont situés à côté du foramen sphéno-palatin, entre l'os sphénoïde et l'os palatin ; ils reçoivent des axones préganglionnaires du nerf facial (VII) et émettent des axones postganglionnaires vers la muqueuse du nez, le palais, le pharynx et les glandes lacrymales. Les **ganglions submandibulaires** sont situés près des conduits des glandes submandibulaires ; ils reçoivent des axones préganglionnaires des nerfs faciaux (VII) et envoient des axones postganglionnaires aux glandes submandibulaires et sublinguales. Les **ganglions otiques** sont situés juste au-dessous du foramen ovale ; ils reçoivent des axones préganglionnaires des nerfs glossopharyngiens (IX) et émettent des axones postganglionnaires en direction des glandes parotides.

Les axones préganglionnaires qui sortent de l'encéphale dans les nerfs vagues (X) contiennent près de 80 % des efférents cranio-sacraux. Les fibres des nerfs vagues rejoignent de nombreux ganglions terminaux dans le thorax et l'abdomen. Comme les ganglions terminaux sont situés à proximité ou à l'intérieur des effecteurs viscéraux, les axones postganglionnaires parasympathiques sont très courts. En passant dans le thorax, le nerf vague (X) émet des axones vers le cœur et les bronches. Dans l'abdomen, il innerve le foie, la vésicule biliaire, l'estomac, le pancréas, l'intestin grêle et une partie du gros intestin.

Les efférents parasympathiques sacraux sont constitués des axones préganglionnaires issus des racines ventrales des deuxième, troisième et quatrième nerfs sacraux. Leur ensemble forme les **nerfs splanchniques pelviens** (voir la figure 17.2). Ces nerfs font synapse avec des neurones postganglionnaires parasympathiques situés dans les ganglions terminaux, dans les parois des viscères innervés. À partir des ganglions, les axones postganglionnaires parasympathiques innervent le muscle lisse et les glandes des parois du côlon, des uretères, de la vessie et des organes génitaux.

Tableau 17.2 Anatomie comparée du système nerveux sympathique et du système nerveux parasympathique

	SYSTÈME NERVEUX SYMPATHIQUE	SYSTÈME NERVEUX PARASYMPATHIQUE
Distribution	Corps entier : peau, glandes sudoripares, muscles arrecteurs des poils, tissu adipeux, muscle lisse des vaisseaux sanguins.	Tête et viscères du thorax, de l'abdomen et du pelvis ; quelques vaisseaux sanguins.
Émergence	T1 à L2.	Nerfs crâniens III, VII, IX et X ; S2 à S4.
Ganglions associés	Deux groupes : ganglions du tronc sympathique et ganglions prévertébraux.	Un groupe : ganglions terminaux.
Situation des ganglions	Près du SNC et loin des effecteurs viscéraux.	En général, à proximité ou à l'intérieur de la paroi des effecteurs viscéraux.
Longueur des fibres et divergence	De courtes fibres préganglionnaires font synapse avec un grand nombre de longs neurones postganglionnaires qui atteignent plusieurs effecteurs viscéraux.	En général, de longues fibres préganglionnaires font synapse avec quatre ou cinq courts neurones postganglionnaires qui atteignent un seul effecteur viscéral.
Rameaux communicants	Rameaux communicants blancs et gris ; les rameaux communicants blancs contiennent des fibres préganglionnaires myélinisées, et les rameaux communicants gris contiennent des fibres postganglionnaires amyélinisées.	Aucun.

Le tableau 17.2 présente une comparaison entre les caractéristiques anatomiques des systèmes nerveux sympathique et parasympathique.

1. Pourquoi le système nerveux sympathique est-il aussi appelé système thoraco-lombaire, même si ses ganglions s'étendent de la région cervicale à la région sacrale ?
2. Énumérez les organes innervés par chaque ganglion sympathique et parasympathique.
3. Décrivez la situation des ganglions du tronc sympathique, des ganglions prévertébraux et des ganglions terminaux. Quels types de fibres autonomes font synapse avec chaque type de ganglions ?
4. Expliquez du point de vue anatomique la raison pour laquelle le système nerveux sympathique a des effets généralisés et le système nerveux parasympathique, des effets localisés.

NEUROTRANSMETTEURS ET RÉCEPTEURS DU SYSTÈME NERVEUX AUTONOME

OBJECTIF

• *Décrire les neurotransmetteurs et les récepteurs qui interviennent dans les effets autonomes.*

On divise les neurones autonomes en deux types selon le neurotransmetteur qu'ils synthétisent et libèrent : les neurones cholinergiques et les neurones adrénergiques. Les récepteurs des neurotransmetteurs sont des protéines intrinsèques situées dans la membrane plasmique des neurones postsynaptiques ou des cellules effectrices.

Neurones et récepteurs cholinergiques

Les **neurones cholinergiques** libèrent de l'**acétylcholine (ACh)**. Dans le SNA, les neurones cholinergiques sont 1) tous les neurones préganglionnaires sympathiques et parasympathiques, 2) les neurones postganglionnaires sympathiques qui innervent la majorité des glandes sudoripares et 3) tous les neurones postganglionnaires parasympathiques (figure 17.5).

L'ACh est emmagasinée dans des vésicules synaptiques et libérée par exocytose. Ensuite, elle diffuse dans la fente synaptique et se lie à des **récepteurs cholinergiques** spécifiques, c'est-à-dire des protéines intrinsèques dans la membrane plasmique *postsynaptique*. Il existe deux types de récepteurs cholinergiques : les récepteurs nicotiniques et les récepteurs muscariniques. Les **récepteurs nicotiniques** se trouvent dans la membrane plasmique des dendrites et des corps cellulaires des neurones postganglionnaires tant sympathiques que parasympathiques (voir la figure 17.5) ainsi que dans la plaque motrice de la jonction neuromusculaire. Ces récepteurs doivent leur nom au fait que la nicotine imite l'action de l'ACh en se liant à eux. (La nicotine est présente à l'état naturel dans les feuilles de tabac, mais absente en général de l'organisme des non-fumeurs.) Les **récepteurs muscariniques** se trouvent dans la membrane plasmique de tous les effecteurs (muscles lisses, muscle cardiaque et glandes) innervés par des axones postganglionnaires parasympathiques. En outre, la plupart des glandes sudoripares reçoivent leur innervation de fibres postganglionnaires sympathiques *cholinergiques* et possèdent des récepteurs muscariniques (voir la figure 17.5b). Ces récepteurs sont dits muscariniques parce que la muscarine, un poison extrait d'un champignon, imite l'action de l'ACh en se liant à eux. La nicotine n'active pas les récepteurs muscariniques et la muscarine n'active pas les récepteurs nicotiniques, mais l'ACh active les deux types de récepteurs cholinergiques.

Figure 17.5 Neurones cholinergiques (représentés en bleu-vert) et neurones adrénergiques (représentés en orangé) dans les systèmes nerveux sympathique et parasympathique. Les neurones cholinergiques libèrent de l'acétylcholine et les neurones adrénergiques, de la noradrénaline. Les récepteurs cholinergiques et adrénergiques sont des protéines intrinsèques situées dans la membrane plasmique d'un neurone postsynaptique ou d'une cellule effectrice.

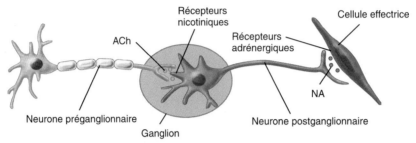

🔑 **La plupart des neurones postganglionnaires sympathiques sont adrénergiques ; les autres neurones autonomes sont cholinergiques.**

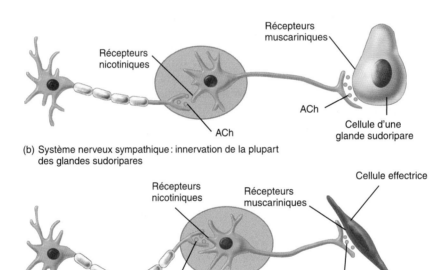

(a) Système nerveux sympathique : innervation de la plupart des tissus effecteurs

(b) Système nerveux sympathique : innervation de la plupart des glandes sudoripares

(c) Système nerveux parasympathique

Q Quels neurones cholinergiques possèdent des récepteurs cholinergiques nicotiniques ? Quel type de récepteurs cholinergiques se trouvent dans les tissus effecteurs innervés par ces neurones ?

L'activation des récepteurs nicotiniques par l'ACh entraîne une dépolarisation et, par conséquent, une excitation de la cellule postsynaptique, soit un neurone postganglionnaire, un effecteur autonome ou un myocyte squelettique. L'activation des récepteurs muscariniques par l'ACh entraîne une dépolarisation (excitation) ou une hyperpolarisation (inhibition), selon la cellule qui les porte. Par exemple, la liaison de l'ACh aux récepteurs muscariniques inhibe les muscles sphincters lisses du tube digestif (en provoque le relâchement), mais excite les myocytes lisses du muscle sphincter de la pupille (en provoque la contraction). L'acé-tylcholine est rapidement inactivée par l'enzyme appelée **acétylcholinestérase** (**AChE**), de sorte que les effets produits par les fibres cholinergiques sont brefs.

Neurones et récepteurs adrénergiques

Dans le SNA, les **neurones adrénergiques** libèrent de la **noradrénaline** (**NA**) (voir la figure 17.5a). La plupart des neurones postganglionnaires sympathiques sont adré-nergiques. Comme l'ACh, la NA est synthétisée et emmaga-sinée dans des vésicules synaptiques et libérée par exocytose. Les molécules diffusent dans la fente synaptique et se lient à des récepteurs adrénergiques spécifiques sur la membrane plasmique postsynaptique, ce qui entraîne l'excitation ou l'inhibition de la cellule effectrice.

Les **récepteurs adrénergiques** se lient à la noradrénaline et à l'adrénaline. La noradrénaline libérée comme un neurotransmetteur par les neurones postganglionnaires sympathiques les active, de même que l'adrénaline et la noradrénaline libérées comme des hormones dans la circulation sanguine par la médullosurrénale. Les récepteurs adrénergiques se divisent en deux grandes classes, les **récepteurs alpha** (α) et les **récepteurs bêta** (β); ils se trouvent dans les effecteurs viscéraux innervés par la plupart des axones postganglionnaires sympathiques. Les récepteurs adrénergiques alpha et bêta se subdivisent en sous-classes (α_1, α_2, β_1, β_2 et β_3) selon les effets qu'ils produisent et les substances qui les activent ou les inhibent en se liant sélectivement à eux. À quelques exceptions près, l'activation des récepteurs α_1 et β_1 engendre une excitation, tandis que l'activation des récepteurs α_2 et β_2 engendre une inhibition. Les récepteurs β_3 ne se trouvent que dans les cellules de la graisse brune, et leur activation entraîne la thermogenèse (production de chaleur). Les cellules de la plupart des effecteurs possèdent soit des récepteurs alpha, soit des récepteurs bêta; les cellules de certains effecteurs viscéraux contiennent les deux. La noradrénaline stimule les récepteurs alpha plus fortement que les récepteurs bêta, alors que l'adrénaline stimule vigoureusement les deux classes de récepteurs.

Deux mécanismes peuvent mettre fin à l'activité de la noradrénaline dans une synapse: son recaptage par l'axone qui l'a libérée et son inactivation par deux enzymes, la **catéchol-*O*-méthyl-transférase** (**COMT**) ou la **monoamine oxydase** (**MAO**). La noradrénaline demeure plus longtemps que l'ACh dans la fente synaptique. Par conséquent, les effets déclenchés par les neurones adrénergiques sont plus durables que les effets déclenchés par les neurones cholinergiques.

Le tableau 17.3 présente la situation des récepteurs cholinergiques et adrénergiques ainsi que les effets de leur activation.

Agonistes et antagonistes des récepteurs

Une kyrielle de médicaments et de produits naturels ont la propriété d'activer ou d'inhiber sélectivement les récepteurs cholinergiques ou adrénergiques. Un **agoniste** est une substance qui se lie à un récepteur et l'active, imitant de la sorte l'effet d'un neurotransmetteur ou d'une hormone naturels. La phényléphrine, par exemple, qui entre dans la composition de nombreux médicaments contre le rhume et la sinusite, active les récepteurs α_1. Elle entraîne la constriction des vaisseaux sanguins de la muqueuse du nez et, par le fait même, réduit la sécrétion de mucus et soulage la congestion nasale. Un **antagoniste,** par ailleurs, est une substance qui se lie à un récepteur et le bloque, empêchant ainsi un neurotransmetteur ou une hormone naturels d'exercer son effet. Par exemple, l'atropine bloque les récepteurs

muscariniques et, par conséquent, dilate les pupilles, réduit les sécrétions glandulaires et relâche le muscle lisse du tube digestif. On l'utilise donc pour dilater les pupilles pendant les examens des yeux, pour traiter les troubles du muscle lisse comme l'iritis et l'hypermotilité intestinale et pour contrer les effets des armes chimiques qui inactivent l'acétylcholinestérase.

Le propranolol est un médicament que les médecins prescrivent souvent aux patients atteints d'hypertension artérielle. Il s'agit d'un inhibiteur β-adrénergique non sélectif, c'est-à-dire qu'il se lie à tous les types de récepteurs bêta et empêche l'adrénaline et la noradrénaline de les activer. Les effets thérapeutiques du propranolol sont attribuables à l'inhibition des récepteurs β_1 et consistent en une diminution de la force et de la fréquence des contractions du cœur, d'où une diminution de la pression artérielle. L'inhibition des récepteurs β_2 peut cependant avoir des effets indésirables; elle peut par exemple entraîner une hypoglycémie (diminution de la concentration sanguine de glucose) due à une diminution de la glycolyse (dégradation du glucose) et de la néoglucogenèse (formation de glucose dans le foie à partir de molécules non glucidiques) ainsi qu'une légère bronchoconstriction (resserrement des bronches). Si ces effets risquent d'aggraver l'état du patient, on peut prescrire un inhibiteur sélectif des récepteurs β_1 comme le métoprolol au lieu du propranolol.

EFFETS PHYSIOLOGIQUES DU SYSTÈME NERVEUX AUTONOME

Ainsi que nous l'avons déjà indiqué, la plupart des organes sont innervés à la fois par le système nerveux sympathique et le système nerveux parasympathique. Or, ces systèmes ont habituellement des effets opposés. C'est l'hypothalamus qui assure l'équilibre entre l'activité (ou tonus) sympathique et l'activité parasympathique. En règle générale, l'hypothalamus augmente le tonus sympathique en même temps qu'il inhibe le tonus parasympathique et vice versa. L'opposition entre les deux systèmes tient à deux raisons: leurs neurones postganglionnaires libèrent des neurotransmetteurs différents et les organes effecteurs possèdent différents récepteurs adrénergiques et cholinergiques. Quelques structures ne possèdent qu'une innervation sympathique; ce sont les glandes sudoripares, les muscles arrecteurs des poils, les reins, la plupart des vaisseaux sanguins et la médullosurrénale (voir la figure 17.2). Le système nerveux parasympathique ne s'oppose pas au système nerveux sympathique dans leurs cas. Il n'en reste pas moins qu'une diminution du tonus sympathique a l'effet opposé à celui d'une augmentation du tonus sympathique.

Effets du système nerveux sympathique

En période de stress physique ou psychologique, le système nerveux sympathique prend le pas sur le système nerveux parasympathique. Une forte activité sympathique favorise les fonctions physiologiques associées à l'effort

Tableau 17.3 Situation des récepteurs adrénergiques et cholinergiques et effets de leur activation

TYPE DE RÉCEPTEURS	SITUATION	EFFETS DE L'ACTIVATION DES RÉCEPTEURS
Cholinergiques	Protéines intrinsèques dans la membrane plasmique des neurones postsynaptiques ; activés par l'acétylcholine, un neurotransmetteur.	
Nicotiniques	Membrane plasmique des neurones postganglionnaires sympathiques et parasympathiques.	Excitation → influx nerveux dans les neurones postganglionnaires.
	Cellules de la médullosurrénale.	Sécrétion d'adrénaline et de noradrénaline.
	Sarcolemme des myocytes squelettiques (plaque motrice).	Excitation → contraction.
Muscariniques	Effecteurs innervés par des neurones postganglionnaires parasympathiques.	Excitation ou inhibition, selon les récepteurs.
	Glandes sudoripares innervées par des neurones postganglionnaires sympathiques cholinergiques.	Augmentation de la transpiration.
Adrénergiques	Protéines intrinsèques dans la membrane plasmique des neurones postsynaptiques ; activés par la noradrénaline, un neurotransmetteur, ainsi que par la noradrénaline et l'adrénaline, des hormones.	
α_1	Myocytes lisses dans la paroi des vaisseaux sanguins qui irriguent les glandes salivaires, la peau, les muqueuses, les reins et les viscères abdominaux ; muscle dilatateur de la pupille ; muscles sphincters de l'estomac et de la vessie.	Excitation → contraction et, par conséquent, vasoconstriction, dilatation de la pupille et fermeture des sphincters.
	Cellules des glandes salivaires.	Sécrétion de K^+ et d'eau.
	Glandes sudoripares de la paume des mains et de la plante des pieds.	Augmentation de la transpiration.
α_2	Myocytes lisses dans la paroi de certains vaisseaux sanguins.	Inhibition → relâchement → vasodilatation.
	Cellules des îlots pancréatiques qui sécrètent l'insuline (cellules bêta).	Diminution de la sécrétion d'insuline.
	Plaquettes sanguines.	Formation du clou plaquettaire.
β_1	Myocytes cardiaques.	Excitation → augmentation de la force et de la fréquence des contractions.
	Cellules de l'appareil juxtaglomérulaire, dans les reins.	Sécrétion de rénine.
	Neurohypophyse.	Sécrétion d'hormone antidiurétique.
	Adipocytes.	Dégradation des triglycérides → libération d'acides gras dans la circulation sanguine.
β_2	Muscle lisse dans la paroi des voies respiratoires, dans la paroi des vaisseaux sanguins qui irriguent le cœur, les muscles squelettiques, le tissu adipeux et le foie et dans la paroi des viscères.	Inhibition → relâchement et, par conséquent, dilatation des voies respiratoires, vasodilatation et relâchement de la paroi des organes.
	Muscle ciliaire de l'œil.	Inhibition → relâchement.
	Hépatocytes.	Glycogénolyse (dégradation du glycogène en glucose).
β_3	Graisse brune.	Thermogenèse (production de chaleur).

physique et à la production rapide d'ATP et, simultanément, met en veilleuse les fonctions qui favorisent le stockage de l'énergie. En plus de l'effort physique, diverses émotions – telles la peur, la gêne et la colère – stimulent le système nerveux sympathique. Pour mémoriser facilement l'essentiel des effets sympathiques, visualisez les changements physiologiques associés aux « situations E », c'est-à-dire l'**e**xercice, l'**e**xcitation et l'**e**mbarras. L'activation du système nerveux sympathique et la libération d'hormones par la médullosurrénale déclenchent une série de réponses physiologiques désignées par le terme **réaction de lutte ou de fuite :**

1. Les pupilles se dilatent.

2. La fréquence cardiaque, la force des contractions cardiaques et la pression artérielle augmentent.

3. Les voies respiratoires se dilatent, ce qui favorise la ventilation.

4. Les vaisseaux sanguins qui irriguent les organes non essentiels, comme les reins et le tube digestif, se contractent.

5. Les vaisseaux sanguins qui desservent les organes sollicités par l'exercice ou la résistance au danger (les muscles squelettiques, le muscle cardiaque, le foie et le tissu adipeux) se dilatent, ce qui favorise l'irrigation de ces tissus.

6. Les hépatocytes accomplissent la glycogénolyse (dégradation du glycogène en glucose), et les adipocytes accomplissent la lipolyse (dégradation des triglycérides en acides gras et en glycérol).

7. La libération de glucose par le foie entraîne une augmentation de la glycémie.

8. Les activités non essentielles dans la situation présente sont inhibées. Par exemple, le péristaltisme et la sécrétion des sucs digestifs ralentissent ou s'arrêtent.

Les effets de la stimulation sympathique sont plus durables et plus généralisés que ceux de la stimulation parasympathique, et ce pour trois raisons :

• Les fibres postganglionnaires sympathiques divergent davantage que les fibres postganglionnaires parasympathiques ; elles activent donc un grand nombre de tissus simultanément.

• L'acétylcholine est rapidement inactivée par l'acétylcholinestérase, tandis que la noradrénaline demeure longtemps dans la fente synaptique.

• L'adrénaline et la noradrénaline sécrétées dans la circulation sanguine par la médullosurrénale intensifient et prolongent les effets de la noradrénaline libérée par les axones postganglionnaires sympathiques. Ces hormones circulent dans l'organisme entier et touchent tous les tissus dotés de récepteurs alpha et bêta. Elles sont lentement dégradées par des enzymes hépatiques.

APPLICATION CLINIQUE
Maladie de Raynaud

La maladie de Raynaud, de cause inconnue, est due à une stimulation sympathique excessive des artérioles des doigts et des orteils. La vasoconstriction qui s'ensuit entraîne une diminution considérable de l'irrigation. L'ischémie peut durer plusieurs minutes, voire quelques heures, et, dans les pires cas, causer la nécrose. La maladie atteint surtout des jeunes femmes et s'aggrave sous l'effet du froid. ■

Effets du système nerveux parasympathique

Tandis que le système nerveux sympathique s'active lorsque l'heure est à la lutte ou à la fuite, le système nerveux parasympathique entre en jeu en période de calme et de digestion. Les effets parasympathiques favorisent les fonctions qui économisent et restaurent l'énergie en situation de repos et de récupération. Dans les intervalles entre les périodes d'exercice, les influx parasympathiques envoyés aux glandes digestives et au muscle lisse du tube digestif priment les influx sympathiques. D'une part, ils favorisent la digestion et l'absorption des aliments qui fournissent l'énergie à l'organisme et, d'autre part, ils ralentissent les fonctions physiologiques associées à l'activité physique.

Pour vous rappeler les principaux effets de l'activation parasympathique, associez-les à la lettre D : **d**iurèse, **d**igestion et **d**éfécation. Ajoutez le mot **d**iminution à cette liste, car l'activation parasympathique entraîne une diminution de la fréquence cardiaque, du diamètre des voies respiratoires (bronchoconstriction) et du diamètre des pupilles (contraction).

La peur déclenche en général des effets sympathiques, mais la peur paroxystique provoque une activation massive du système nerveux parasympathique. Ce type de peur se manifeste lorsqu'on est pris au piège sans possibilité de fuir ou de vaincre. Elle peut apparaître chez les soldats en déroute, les étudiants mal préparés en situation d'évaluation et les athlètes en compétition. L'extrême tonus parasympathique peut alors entraîner une perte de maîtrise de la miction ou de la défécation.

Le tableau 17.4 présente un résumé des effets de la stimulation sympathique et parasympathique sur les glandes, le muscle cardiaque et les muscles lisses.

1. Définissez les *neurones* et les *récepteurs cholinergiques* et *adrénergiques*.

2. Donnez des exemples des effets antagonistes des systèmes nerveux sympathique et parasympathique.

3. Décrivez la réaction de lutte ou de fuite.

4. Pourquoi associe-t-on le système nerveux parasympathique à la conservation et à la restauration de l'énergie ?

5. Décrivez l'effet de la stimulation sympathique associée à la peur sur chacune des parties du corps suivantes : follicules pileux, pupilles, poumons, rate, médullosurrénale, vessie, estomac, intestins, vésicule biliaire, foie, cœur, artérioles des viscères abdominaux et artérioles des muscles squelettiques.

INTÉGRATION ET RÉGULATION DES FONCTIONS AUTONOMES
OBJECTIFS

• *Décrire les éléments d'un arc réflexe autonome.*

• *Expliquer la relation entre l'hypothalamus et le SNA.*

Réflexes autonomes

Les **réflexes autonomes** sont des réponses produites par le passage d'influx nerveux dans un arc réflexe autonome. Ces réflexes jouent un rôle prépondérant dans la régulation des facteurs contrôlés dans l'organisme. Par exemple, ils ajustent la fréquence cardiaque, la force des contractions ventriculaires et le diamètre des vaisseaux sanguins pour régir la *pression artérielle* ; ils règlent le diamètre des bronches pour régir la *respiration* ; ils déterminent la motilité et le tonus musculaire du tube digestif pour régir la *digestion* ; ils gouvernent l'ouverture et la fermeture des sphincters pour régir la *défécation* et la *miction*.

Tableau 17.4 Activité du système nerveux sympathique et du système nerveux parasympathique

EFFECTEUR VISCÉRAL	EFFET DE LA STIMULATION SYMPATHIQUE (RÉCEPTEURS ADRÉNERGIQUES α OU β, SAUF EXCEPTIONS INDIQUÉES)*	EFFET DE LA STIMULATION PARASYMPATHIQUE (RÉCEPTEURS CHOLINERGIQUES MUSCARINIQUES)
Glandes		
Médullosurrénale	Sécrétion d'adrénaline et de noradrénaline (récepteurs cholinergiques nicotiniques).	Aucun effet connu.
Glandes lacrymales	Légère sécrétion de larmes (α).	Sécrétion de larmes.
Pancréas	Inhibition de la sécrétion d'enzymes digestives et d'insuline (α_2), une hormone; augmentation de la sécrétion de glucagon (β_2), une hormone.	Sécrétion d'enzymes digestives et d'insuline.
Neurohypophyse	Sécrétion d'hormone antidiurétique (ADH) (β_1).	Aucun effet connu.
Glandes sudoripares	Augmentation de la transpiration dans la plupart des parties du corps (récepteurs cholinergiques muscariniques); transpiration sur la paume des mains et la plante des pieds (α_1).	Aucun effet connu.
Tissu adipeux†	Lipolyse (dégradation des triglycérides en acides gras et en glycérol) (β_1); libération d'acides gras dans la circulation sanguine (β_1 et β_2).	Aucun effet connu.
Foie†	Glycogénolyse (conversion du glycogène en glucose); néoglucogenèse (production de glucose à partir de molécules non glucidiques); diminution de la sécrétion de bile (α et β_2).	Synthèse de glycogène; augmentation de la sécrétion de bile.
Reins, cellules de l'appareil juxtaglomérulaire†	Sécrétion de rénine (β_1).	Aucun effet connu.
Muscle cardiaque	Augmentation de la force et de la fréquence des contractions des oreillettes et des ventricules (β_1).	Diminution de la fréquence cardiaque; diminution de la force des contractions des oreillettes.
Muscle lisse		
Muscle dilatateur de la pupille	Contraction → dilatation de la pupille (α_1).	Aucun effet connu.
Muscle sphincter de la pupille	Aucun effet connu.	Contraction → contraction de la pupille.
Muscle ciliaire de l'œil	Relâchement pour la vision éloignée (β_2).	Contraction pour la vision rapprochée.
Muscles des bronches	Relâchement → dilatation des bronches (β_2).	Contraction → constriction des bronches.
Vésicule biliaire et conduits	Relâchement (β_2).	Contraction → augmentation de la libération de bile dans l'intestin grêle.
Estomac et intestins	Diminution de la motilité et du tonus (α_1, α_2, β_2); contraction des sphincters (α_1).	Augmentation de la motilité et du tonus; relâchement des sphincters.
Rate	Contraction et déversement dans la circulation générale du sang emmagasiné (α_1).	Aucun effet connu.
Uretère	Augmentation de la motilité (α_1).	Augmentation de la motilité (?).
Vessie	Relâchement de la paroi musculaire (β_2); contraction du sphincter (α_1).	Contraction de la paroi musculaire; relâchement du sphincter.
Utérus	Inhibition de la contraction chez les femmes non enceintes (β_2); déclenchement de la contraction chez les femmes enceintes (α_1).	Effet minime.
Organes génitaux	Chez l'homme, contraction du muscle lisse du conduit déférent, de la vésicule séminale et de la prostate → éjaculation (α_1).	Vasodilatation; érection du clitoris chez la femme et du pénis chez l'homme.

* Les sous-classes des récepteurs α et β sont indiquées si elles sont connues.
† Classés parmi les glandes parce qu'ils sécrètent des substances dans la circulation sanguine.

Tableau 17.4 (suite)

EFFECTEUR VISCÉRAL	EFFET DE LA STIMULATION SYMPATHIQUE (RÉCEPTEURS ADRÉNERGIQUES α OU β, SAUF EXCEPTIONS INDIQUÉES)	EFFET DE LA STIMULATION PARASYMPATHIQUE (RÉCEPTEURS CHOLINERGIQUES MUSCARINIQUES)
Muscle lisse (suite)		
Follicules pileux, muscles arrecteurs des poils	Contraction → érection des poils (α_1).	Aucun effet connu.
Muscle lisse vasculaire		
Artérioles des glandes salivaires	Vasoconstriction et, par conséquent, diminution de la sécrétion (β_2).	Vasodilatation et, par conséquent, augmentation de la sécrétion de K^+ et d'eau.
Artérioles des glandes gastriques	Vasoconstriction et, par conséquent, inhibition de la sécrétion (α_1).	Sécrétion de sucs gastriques.
Artérioles des glandes intestinales	Vasoconstriction et, par conséquent, inhibition de la sécrétion (α_1).	Sécrétion de sucs intestinaux.
Artérioles du cœur	Relâchement → vasodilatation (β_2).	Contraction → vasoconstriction.
Artérioles de la peau et des muqueuses	Contraction → vasoconstriction (α_1).	Vasodilatation, ce qui n'entraîne pas nécessairement d'effets physiologiques importants.
Artérioles des muscles squelettiques	Contraction → vasoconstriction (α_1); relâchement → vasodilatation (β_2).	Aucun effet connu.
Artérioles des viscères abdominaux	Contraction → vasoconstriction (α_1, β_2).	Aucun effet connu.
Artérioles de l'encéphale	Légère contraction → vasoconstriction (α_1).	Aucun effet connu.
Artérioles des reins	Vasoconstriction → diminution du volume d'urine (α_1).	Aucun effet connu.
Veines systémiques	Contraction → vasoconstriction (α_1); relâchement → vasodilatation (β_2).	Aucun effet connu.

Un arc réflexe autonome est formé des éléments suivants :

1. *Récepteur.* Comme le récepteur d'un arc réflexe somatique (voir la figure 13.5, p. 442), le récepteur d'un arc réflexe autonome est constitué par l'extrémité distale d'un neurone sensitif, laquelle réagit à un stimulus et produit un changement qui déclenche en bout de ligne des influx nerveux. Les récepteurs sensoriels autonomes sont pour la plupart associés à des intérocepteurs.

2. *Neurone sensitif.* Le neurone sensitif achemine les influx nerveux du récepteur au SNC.

3. *Centre d'intégration.* Les interneurones du SNC transmettent les signaux des neurones sensitifs aux neurones moteurs. Les principaux centres d'intégration de la plupart des réflexes autonomes sont situés dans l'hypothalamus et le tronc cérébral. Certains, tels ceux qui interviennent dans la miction et la défécation, sont logés dans la moelle épinière.

4. *Neurones moteurs.* Les influx nerveux émis par le centre d'intégration se propagent à l'extérieur du SNC dans des neurones moteurs destinés à un effecteur. Dans un arc réflexe autonome, deux neurones moteurs relient le SNC à l'effecteur. Le neurone préganglionnaire transmet les commandes motrices du SNC à un ganglion autonome, et le neurone postganglionnaire les transmet du ganglion autonome à l'effecteur (voir la figure 17.1).

5. *Effecteur.* Dans un arc réflexe autonome, l'effecteur est un muscle lisse, le muscle cardiaque ou une glande, et le réflexe est qualifié d'autonome.

Régulation du SNA par les centres supérieurs

En temps normal, nous ne sommes pas conscient des contractions musculaires de notre tube digestif, ni des battements de notre cœur, ni des variations du diamètre de nos vaisseaux sanguins et de nos pupilles. En effet, les centres d'intégration de ces effets autonomes sont situés dans la moelle épinière ou dans les centres cérébraux inférieurs. Ces centres reçoivent l'information des neurones sensitifs somatiques ou autonomes et émettent dans des neurones moteurs autonomes des commandes motrices qui gouvernent des effecteurs viscéraux. Toute cette activité échappe habituellement à notre perception consciente.

L'hypothalamus constitue le principal centre de régulation et d'intégration du SNA. Il reçoit 1) l'information sensorielle relative aux fonctions viscérales, à l'olfaction et à la gustation, 2) l'information relative aux variations de la température, de l'osmolarité et de la composition chimique du sang et 3) l'information relative aux émotions en provenance du système limbique. Les influx que l'hypothalamus émet atteignent des centres autonomes situés dans le tronc cérébral (comme le centre cardiovasculaire, le centre de la salivation, le centre de la déglutition et le centre du vomissement) et dans la moelle épinière (comme les centres réflexes pour la miction et la défécation, dans la région sacrale).

Les noyaux de l'hypothalamus renferment des dendrites et des corps cellulaires de neurones dont les axones sont reliés aux systèmes nerveux sympathique et parasympathique. Ces axones forment des faisceaux qui rejoignent des noyaux sympathiques et parasympathiques du tronc cérébral et de la moelle épinière en passant par des relais situés dans la formation réticulaire. Les parties postérieure et latérale de l'hypothalamus régissent le système nerveux sympathique. La stimulation de ces régions entraîne une augmentation de la force et de la fréquence des contractions cardiaques, une élévation de la pression artérielle due à la vasoconstriction, une augmentation de la température corporelle, une dilatation des pupilles et une inhibition de l'activité digestive. Les parties antérieure et médiale de l'hypothalamus régissent le système nerveux parasympathique. Leur stimulation produit un ralentissement de la fréquence cardiaque, une diminution de la pression artérielle, une contraction des pupilles et une augmentation de la sécrétion et de la motilité dans le tube digestif.

APPLICATION CLINIQUE
Hyperréflectivité autonome

L'**hyperréflectivité autonome** est une exagération de l'activité sympathique qui se produit dans environ 85% des cas de lésions médullaires situées au niveau de T6 ou au-dessus. Le trouble se manifeste après un choc spinal (voir p. 533) et est dû à un arrêt de la régulation du SNA par les centres supérieurs. Certains influx sensitifs, notamment ceux qui sont produits par l'étirement de la vessie, ne peuvent monter dans la moelle épinière et entraînent une stimulation massive des nerfs sympathiques situés en dessous de la lésion. L'hyperréflectivité autonome peut aussi être déclenchée par la stimulation des nocicepteurs et par les contractions viscérales. Elle entraîne une vasoconstriction grave et, par conséquent, une augmentation de la pression artérielle. Le centre cardiovasculaire, dans le bulbe rachidien, émet alors dans le nerf vague (X) des signaux parasympathiques qui ralentissent la fréquence cardiaque et dilatent les vaisseaux sanguins au-dessus du siège de la lésion.

L'hyperréflectivité autonome se manifeste par la présence d'une céphalée pulsatile, l'hypertension, le réchauffement de la peau et la diaphorèse au-dessus du niveau de la lésion ainsi que l'anxiété. Il s'agit d'un état critique qui nécessite une intervention immédiate. Faute de traitement, l'hyperréflectivité autonome peut entraîner des convulsions, un accident vasculaire cérébral ou une crise cardiaque. ■

1. Donnez trois exemples de facteurs contrôlés qui sont régis par des réflexes autonomes.
2. Quelles sont les différences entre un arc réflexe autonome et un arc réflexe somatique?

RÉSUMÉ

COMPARAISON ENTRE LE SYSTÈME NERVEUX SOMATIQUE ET LE SYSTÈME NERVEUX AUTONOME (p. 576)

1. Tandis que le système nerveux somatique obéit à la volonté, l'activité du SNA ne parvient généralement pas au seuil de la conscience.
2. Dans le système nerveux somatique, l'information sensorielle provient principalement des organes des sens et des récepteurs somatiques; dans le SNA, elle provient des mêmes sources ainsi que des intérocepteurs.
3. Les axones des neurones moteurs somatiques proviennent du SNC et font synapse directement avec un effecteur. Dans le SNA, les voies motrices sont formées de chaînes de deux neurones moteurs. L'axone du premier provient du SNC et fait synapse avec le second dans un ganglion; le second neurone moteur fait synapse avec un effecteur.
4. La composante motrice du SNA comprend deux subdivisions: le système nerveux sympathique et le système nerveux parasympathique. La plupart des organes possèdent une double innervation.

En règle générale, le système nerveux sympathique et le système nerveux parasympathique ont des effets opposés, c'est-à-dire que l'un entraîne une excitation et l'autre, une inhibition.

5. Les effecteurs du système nerveux somatique sont les muscles squelettiques; ceux du SNA sont le muscle cardiaque, les muscles lisses et les glandes.
6. Le tableau 17.1, p. 578, présente un parallèle entre le système nerveux somatique et le système nerveux autonome.

ANATOMIE DES VOIES MOTRICES AUTONOMES (p. 578)

1. Les neurones préganglionnaires sont myélinisés et les neurones postganglionnaires sont amyélinisés.
2. Les corps cellulaires des neurones préganglionnaires sympathiques sont situés dans les cornes latérales des 12 segments thoraciques et des 2 ou 3 premiers segments lombaires de la moelle épinière. Les corps cellulaires des neurones préganglionnaires parasympathiques sont situés dans les noyaux de quatre nerfs crâniens

(III, VII, IX et X), dans le tronc cérébral, ainsi que dans les cornes latérales des deuxième, troisième et quatrième segments sacraux de la moelle épinière.

3. Les ganglions autonomes se divisent en trois groupes : les ganglions du tronc sympathique (de part et d'autre de la colonne vertébrale), les ganglions prévertébraux (à l'avant de la colonne vertébrale) et les ganglions terminaux (à proximité ou à l'intérieur des effecteurs viscéraux).

4. Les neurones préganglionnaires sympathiques font synapse avec les neurones postganglionnaires dans les ganglions du tronc sympathique ou dans les ganglions prévertébraux. Les neurones préganglionnaires parasympathiques font synapse avec les neurones postganglionnaires dans les ganglions terminaux.

5. Le tableau 17.2 (p. 585) présente un parallèle entre les caractéristiques anatomiques du système nerveux sympathique et celles du système nerveux parasympathique.

NEUROTRANSMETTEURS ET RÉCEPTEURS DU SYSTÈME NERVEUX AUTONOME (p. 585)

1. Les neurones cholinergiques libèrent de l'acétylcholine, laquelle se lie aux récepteurs cholinergiques nicotiniques ou muscariniques.

2. Dans le SNA, les neurones cholinergiques sont tous les neurones préganglionnaires sympathiques et parasympathiques, tous les neurones postganglionnaires parasympathiques ainsi que les neurones postganglionnaires sympathiques qui innervent la plupart des glandes sudoripares.

3. Dans le SNA, les neurones adrénergiques libèrent de la noradrénaline. L'adrénaline et la noradrénaline se lient aux récepteurs adrénergiques alpha et bêta.

4. La plupart des neurones postganglionnaires sympathiques sont adrénergiques.

5. Le tableau 17.3 (p. 588) présente un résumé des caractéristiques des récepteurs cholinergiques et adrénergiques.

6. Un agoniste est une substance qui se lie à un récepteur et l'active, imitant ainsi l'effet d'un neurotransmetteur ou d'une hormone naturels. Un antagoniste est une substance qui se lie à un récepteur et le bloque, empêchant ainsi un neurotransmetteur ou une hormone naturels d'exercer ses effets.

EFFETS PHYSIOLOGIQUES DU SYSTÈME NERVEUX AUTONOME (p. 587)

1. Le système nerveux sympathique favorise les fonctions physiologiques propices à l'activité physique vigoureuse et à la production rapide d'ATP (réaction de lutte ou de fuite). Le système nerveux parasympathique régit les activités qui économisent et restaurent l'énergie.

2. Les effets de la stimulation sympathique sont plus durables et plus généralisés que ceux de la stimulation parasympathique.

3. Le tableau 17.4 (p. 590-591) présente un résumé des effets sympathiques et parasympathiques.

INTÉGRATION ET RÉGULATION DES FONCTIONS AUTONOMES (p. 589)

1. Un réflexe autonome ajuste l'activité d'un muscle lisse, du muscle cardiaque ou d'une glande.

2. Un arc réflexe autonome est formé d'un récepteur, d'un neurone sensitif, d'un centre d'intégration, de deux neurones moteurs autonomes et d'un effecteur viscéral.

3. L'hypothalamus est le principal centre de régulation et d'intégration du SNA. Il est relié tant au système nerveux sympathique qu'au système nerveux parasympathique.

AUTOÉVALUATION

1. Associez les éléments suivants :
   ___ a) plexus situé en majeure partie à l'arrière des poumons
   ___ b) plexus contenant le ganglion mésentérique inférieur et innervant le gros intestin
   ___ c) plexus situé à l'avant de la cinquième vertèbre lombaire et de la partie supérieure du sternum ; innerve les viscères du pelvis
   ___ d) plexus situé à la base du cœur et autour des gros vaisseaux sanguins qui en émergent
   ___ e) le plus étendu des plexus autonomes ; situé à la hauteur de la dernière vertèbre thoracique et de la première vertèbre lombaire
   ___ f) plexus contenant le ganglion mésentérique supérieur et innervant l'intestin grêle et le gros intestin
   1) plexus cardiaque   4) plexus mésentérique supérieur
   2) plexus pulmonaire   5) plexus mésentérique inférieur
   3) plexus cœliaque   6) plexus hypogastrique

Phrases à compléter

2. La partie du système nerveux qui régit l'activité des muscles lisses, du muscle cardiaque et de certaines glandes est le système nerveux ___.

3. Le système nerveux sympathique est aussi appelé système ___ ; le système nerveux parasympathique est aussi appelé système ___.

4. Les neurones adrénergiques du SNA libèrent de ___ comme neurotransmetteur.

5. Associez les éléments suivants :
   ___ a) comprennent les ganglions cœliaque, mésentérique supérieur et mésentérique inférieur
   ___ b) disposés en une chaîne verticale de part et d'autre de la colonne vertébrale
   ___ c) ganglions dont les fibres postganglionnaires innervent pour la plupart des organes situés en dessous du diaphragme
   ___ d) ganglions situés à l'extrémité d'une voie motrice autonome, à proximité ou à l'intérieur de la paroi d'un viscère
   ___ e) comprennent les ganglions ciliaire, ptérygo-palatin, submandibulaire et otique
   1) ganglions du tronc   2) ganglions prévertébraux
       sympathique   3) ganglions terminaux

Vrai ou faux

6. Au point de vue structural, le SNA est constitué de neurones sensitifs autonomes et de neurones moteurs autonomes.

7. Au point de vue fonctionnel, le SNA échappe à la maîtrise volontaire la plupart du temps mais peut lui obéir dans les périodes de vigilance et d'activité mentale.

8. Associez les éléments suivants:

___ a) stimule la miction et la défécation

___ b) prépare l'organisme aux situations d'urgence

___ c) réaction de lutte ou de fuite

___ d) favorise la digestion et l'absorption des aliments

___ e) favorise les fonctions qui demandent une dépense d'énergie

___ f) régi par les parties postérieure et latérale de l'hypothalamus

___ g) régi par les parties antérieure et médiale de l'hypothalamus

___ h) entraîne une diminution de la fréquence cardiaque

1) augmentation de l'activité du système nerveux sympathique   2) augmentation de l'activité du système nerveux parasympathique

Choix multiples

9. Lesquels des énoncés suivants sont vrais? 1) Le système nerveux somatique et le SNA comprennent tous deux des neurones sensitifs et des neurones moteurs. 2) Les récepteurs sensoriels somatiques sont des intérocepteurs. 3) Un neurone moteur autonome a un effet excitateur ou inhibiteur, tandis qu'un neurone moteur somatique a toujours un effet excitateur. 4) Les neurones sensitifs autonomes sont pour la plupart associés à des intérocepteurs. 5) Les voies motrices autonomes sont toujours formées d'une chaîne de deux neurones moteurs. 6) Les voies motrices somatiques sont parfois formées d'une chaîne de deux neurones moteurs.

a) 1, 2, 3, 4 et 5. b) 1, 3, 4 et 5. c) 2, 3, 5 et 6. d) 1, 3, 5 et 6. e) 2, 4, 5 et 6.

10. Lequel des énoncés suivants est *faux*? a) Le premier neurone d'une voie autonome est le neurone préganglionnaire. b) Le corps cellulaire du neurone préganglionnaire est situé dans le SNC. c) Le corps cellulaire du neurone postganglionnaire est situé dans le SNC. d) Les neurones postganglionnaires transmettent les influx nerveux des ganglions autonomes aux effecteurs viscéraux. e) Contrairement aux ganglions spinaux, les ganglions autonomes contiennent des synapses.

11. Lequel des énoncés suivants est *faux*? a) Une fibre préganglionnaire sympathique peut faire synapse avec 20 fibres postganglionnaires ou plus; c'est l'une des raisons pour lesquelles les effets sympathiques sont généralisés. b) Les effets parasympathiques sont localisés, car les neurones parasympathiques font habituellement synapse dans les ganglions terminaux avec seulement quatre ou cinq neurones postsynaptiques (qui innervent tous un seul effecteur). c) Seuls les nerfs thoraciques et le premier nerf lombaire possèdent des rameaux communicants blancs. d) Un rameau communicant blanc relie le rameau dorsal d'un nerf spinal à un ganglion du tronc sympathique. e) Les rameaux communicants blancs contiennent des fibres myélinisées.

12. Parmi les neurones suivants, lesquels sont cholinergiques? 1) Tous les neurones préganglionnaires sympathiques. 2) Tous les neurones préganglionnaires parasympathiques. 3) Tous les neurones postganglionnaires parasympathiques. 4) Tous les neurones postganglionnaires sympathiques. 5) Certains neurones postganglionnaires sympathiques.

a) 1, 2, 3 et 5. b) 1, 2, 3 et 4. c) 2, 3, 5. d) 2 et 5. e) 1, 3 et 5.

13. Lesquels des énoncés suivants sont vrais? 1) La plupart des neurones postganglionnaires sympathiques sont adrénergiques. 2) Les récepteurs cholinergiques comprennent les récepteurs nicotiniques et les récepteurs muscariniques. 3) Les récepteurs adrénergiques comprennent les récepteurs alpha et les récepteurs bêta. 4) On trouve des récepteurs muscariniques sur tous les effecteurs innervés par des axones postganglionnaires parasympathiques. 5) En règle générale, la noradrénaline stimule les récepteurs alpha plus vigoureusement que les récepteurs bêta, tandis que l'adrénaline stimule fortement tant les récepteurs alpha que les récepteurs bêta.

(a) 1, 2, 3, 4 et 5. (b) 2, 3, 4 et 5. (c) 1, 3, 4 et 5. (d) 3, 4 et 5. (e) 1, 2, 3 et 4.

14. Parmi les faits suivants, lesquels expliquent que les effets de la stimulation sympathique soient plus durables et plus généralisés que ceux de la stimulation parasympathique? 1) La divergence est plus considérable dans les fibres postganglionnaires sympathiques. 2) La divergence est moins considérable dans les fibres postganglionnaires sympathiques. 3) L'ACh est rapidement inactivée par l'AChE, tandis que la noradrénaline demeure longtemps dans la fente synaptique. 4) La noradrénaline et l'adrénaline sécrétées dans la circulation sanguine par la médullosurrénale intensifient les effets sympathiques. 5) L'ACh demeure dans la fente synaptique jusqu'à ce que la noradrénaline soit produite.

a) 1, 2 et 3. b) 1, 3 et 5. c) 1, 3 et 4. d) 2, 3 et 4. e) 2, 3 et 5.

15. Parmi les structures suivantes, lesquelles sont des éléments d'un arc réflexe autonome? 1) Récepteur. 2) Neurone sensitif. 3) Centre d'intégration. 4) Deux neurones moteurs. 5) Effecteur.

a) 3, 4 et 5. b) 1, 3 et 4. c) 2, 4 et 5. d) 1, 4 et 5. e) 1, 2, 3, 4 et 5.

QUESTIONS À COURT DÉVELOPPEMENT

1. C'est samedi soir et vous venez de manger une généreuse tranche de bifteck avec la garniture habituelle. Vous allez maintenant passer au salon pour regarder la partie de football à la télévision. Quelle partie de votre système nerveux régira vos activités physiologiques? Nommez quelques-unes des organes sollicités et énumérez les effets du système nerveux sur leur fonctionne-ment. (INDICE: *L'activité la plus épuisante de la soirée consistera à tendre le bras pour prendre la télécommande.*)

2. Après son déjeuner, le petit Sébastien semble mal à l'aise et se tortille sur sa chaise haute. Il se calme tout d'un coup, juste au moment où une odeur nauséabonde commence à s'échapper de sa couche. Décrivez l'arc réflexe à l'origine de l'état actuel de

Sébastien. (INDICE : *L'organisme de Sébastien réagit automatiquement aux stimulus.*)

3. À en croire la publicité, fumer est «cool» et relaxant. Christophe a donc décidé de goûter aux cigarettes. Après avoir fumé un demi-paquet, il se sentait nerveux et irritable; il avait les muscles contractés et les mains tremblantes. Que lui arrivait-il? (INDICE : *Comment le système nerveux provoque-t-il les contractions musculaires?*)

RÉPONSES AUX QUESTIONS DES FIGURES

17.1 Le terme « double innervation » signifie qu'un organe innervé par le SNA reçoit tant des fibres sympathiques que des fibres parasympathiques.

17.2 Les fibres préganglionnaires parasympathiques sont en général plus longues que les fibres préganglionnaires sympathiques, parce que la plupart des ganglions parasympathiques sont situés dans les parois de viscères, tandis que la plupart des ganglions sympathiques sont situés près de la moelle épinière, dans le tronc sympathique.

17.3 Le plexus autonome le plus étendu est le plexus cœliaque.

17.4 La myéline donne aux rameaux communicants blancs leur couleur blanche.

17.5 Les neurones cholinergiques qui possèdent des récepteurs cholinergiques nicotiniques sont les neurones postganglionnaires sympathiques qui innervent les glandes sudoripares et tous les neurones postganglionnaires parasympathiques. Les effecteurs innervés par ces neurones cholinergiques possèdent des récepteurs muscariniques.

18 LE SYSTÈME ENDOCRINIEN

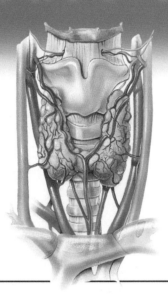

Les systèmes nerveux et endocrinien assurent ensemble la coordination des fonctions de tous les systèmes du corps. Le système nerveux dirige les activités de l'organisme au moyen d'influx nerveux qui sont transmis le long des axones des neurones. Arrivés aux synapses, ces influx déclenchent la libération de molécules de médiateurs appelés neurotransmetteurs. De leur côté, les glandes du système endocrinien sécrètent dans la circulation sanguine des molécules de médiateurs appelés **hormones** (*hormân* = exciter). Le sang fait parvenir les hormones à presque toutes les cellules du corps. L'**endocrinologie** (*endon* = en dedans ; *krinein* = sécréter ; *logos* = science) est la science des structures et des fonctions des glandes endocrines. C'est aussi la branche de la médecine qui se spécialise dans le diagnostic et le traitement des troubles du système endocrinien.

Les systèmes nerveux et endocrinien sont coordonnés de telle sorte qu'ils forment un supersystème intégré appelé **système neuro-endocrinien.** Certaines parties du système nerveux stimulent ou inhibent la libération d'hormones qui, à leur tour, peuvent favoriser ou contrer la production d'influx nerveux. Le système nerveux régit les contractions musculaires et les sécrétions des glandes. Le système endocrinien non seulement contribue à régler l'activité des muscles lisses, du muscle cardiaque et de certaines glandes, mais il influe aussi sur presque tous les autres tissus. Les hormones modifient le métabolisme, régulent la croissance et le développement, et influent sur la reproduction.

Les systèmes nerveux et endocrinien réagissent aux stimulus à des vitesses différentes. En général, les influx nerveux produisent leur effet en quelques millisecondes ; l'action de certaines hormones se fait sentir en quelques secondes, mais d'autres peuvent mettre des heures à susciter une réaction. De plus, les effets de l'activation du système nerveux sont généralement de plus courte durée que ceux du système endocrinien. Le tableau 18.1 présente en parallèle les caractéristiques de ces deux systèmes.

Tableau 18.1 Comparaison des systèmes nerveux et endocrinien

CARACTÉRISTIQUE	SYSTÈME NERVEUX	SYSTÈME ENDOCRINIEN
Molécules de médiateurs	Neurotransmetteurs libérés en réponse aux influx nerveux.	Hormones transportées dans le sang vers les tissus du corps.
Cellules touchées	Cellules musculaires, cellules des glandes, autres neurones.	Presque toutes les cellules du corps.
Délai de réaction	En général, quelques millisecondes.	De quelques secondes à plusieurs heures, voire des jours.
Durée de l'effet	En général, plutôt brève.	En général, plus longue.

Figure 18.1 Situation de la majorité des glandes endocrines. Certains organes qui contiennent du tissu endocrinien ainsi que des structures associées sont aussi représentés.

 Les glandes endocrines sécrètent des hormones qui sont transportées dans le sang vers les tissus cibles.

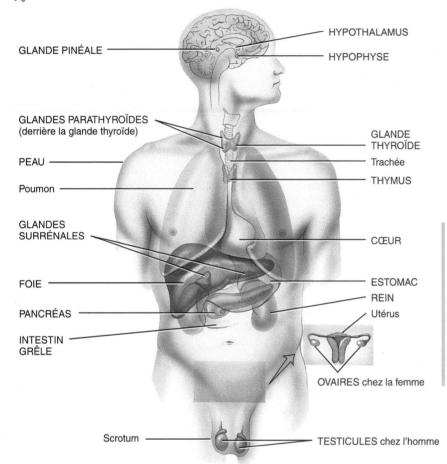

GLANDE PINÉALE

HYPOTHALAMUS

HYPOPHYSE

GLANDES PARATHYROÏDES
(derrière la glande thyroïde)

GLANDE THYROÏDE

PEAU

Trachée

Poumon

THYMUS

GLANDES SURRÉNALES

CŒUR

FOIE

ESTOMAC

REIN

PANCRÉAS

Utérus

INTESTIN GRÊLE

OVAIRES chez la femme

Scrotum

TESTICULES chez l'homme

FONCTIONS DES HORMONES
1. Contribuent à réguler :
   • la composition chimique et le volume du milieu intérieur (liquide extracellulaire) ;
   • le métabolisme et l'équilibre énergétique ;
   • l'horloge biologique (rythme circadien) ;
   • la contraction des fibres musculaires lisses et des fibres cardiaques ;
   • les sécrétions des glandes ;
   • certaines activités du système immunitaire.
2. Régissent la croissance et le développement.
3. Régulent le fonctionnement du système reproducteur.

 Quelle est la principale différence entre les glandes endocrines et les glandes exocrines ?

Le présent chapitre se penche sur le système endocrinien. Nous examinerons les principales glandes endocrines et les tissus qui produisent les hormones, ainsi que leurs rôles dans la coordination de l'activité du corps.

GLANDES ENDOCRINES : DÉFINITION

OBJECTIF

• *Distinguer les glandes exocrines des glandes endocrines.*

Il y a dans le corps deux sortes de glandes : les glandes exocrines et les glandes endocrines. Les **glandes exocrines** (*exo* = au-dehors) sécrètent leurs produits dans des conduits qui les déversent dans des cavités de l'organisme, dans la lumière de certains organes ou à la surface externe du corps. Elles comprennent les glandes sudoripares (sueur), sébacées (sébum), muqueuses et celles du système digestif. À l'opposé, les **glandes endocrines** sécrètent leurs produits (hormones) dans le liquide interstitiel autour des cellules sécrétrices plutôt que dans des conduits. Les sécrétions diffusent ensuite dans des vaisseaux capillaires et sont emportées par le sang. Les glandes endocrines du corps, qui constituent le **système endocrinien,** sont l'hypophyse, la glande thyroïde, les glandes parathyroïdes, les glandes surrénales et la glande pinéale (figure 18.1). De plus, plusieurs organes et tissus de l'organisme contiennent des cellules qui sécrètent des hormones, mais ils ne sont pas exclusivement des glandes endocrines. Ils comprennent l'hypothalamus, le thymus, le pancréas, les ovaires, les testicules, les reins, l'estomac, le foie, l'intestin grêle, la peau, le cœur, le tissu adipeux et le placenta.

ACTIVITÉ HORMONALE

OBJECTIFS

- *Décrire l'interaction des hormones avec les récepteurs des cellules cibles.*
- *Comparer et classer les hormones en deux groupes chimiques selon leur solubilité.*

Les hormones sont des agents puissants même quand leur concentration est très faible. En général, la plupart des hormones (il y en a environ 50) exercent leur action sur quelques types de cellules seulement. C'est en raison de leurs récepteurs que certaines cellules réagissent à une hormone donnée alors que d'autres y restent insensibles.

Rôle des récepteurs hormonaux

Bien qu'elles soient transportées dans le sang vers toutes les parties du corps, les hormones ne produisent leur effet que sur des **cellules cibles** particulières. Comme les neurotransmetteurs, les hormones influent sur leurs cibles en se liant chimiquement à des **récepteurs** spécifiques qui sont des protéines ou des glycoprotéines. Seules les cellules cibles d'une hormone donnée possèdent les récepteurs qui peuvent la reconnaître et s'y lier. Par exemple, la thyrotrophine (TSH) se lie à des récepteurs des cellules de la glande thyroïde, mais elle ne se lie pas aux cellules des ovaires parce que ces dernières n'ont pas de récepteurs de la thyrotrophine.

Comme les autres protéines de la cellule, les récepteurs sont synthétisés et dégradés continuellement. En général, une cellule cible a de 2 000 à 100 000 récepteurs pour l'hormone dont elle est la cible. S'il y a un excès d'hormones, le nombre de récepteurs peut diminuer sur la cellule cible – cette réaction est appelée **régulation négative.** Par exemple, quand certaines cellules des testicules sont exposées à une forte concentration d'hormone lutéinisante (LH), le nombre de récepteurs de LH décroît. Les récepteurs quittent la membrane par endocytose dans des vésicules tapissées de clathrine et sont dégradés par des lysosomes. La régulation négative réduit ainsi la sensibilité des cellules cibles à l'hormone concernée. À l'opposé, si la quantité d'une hormone (ou d'un neurotransmetteur) est insuffisante, le nombre de récepteurs peut augmenter. Ce phénomène, appelé **régulation positive,** rend un tissu cible plus sensible à une hormone.

APPLICATION CLINIQUE
Blocage des récepteurs hormonaux

Certains produits pharmaceutiques sont des hormones synthétiques qui bloquent les récepteurs d'hormones naturelles. Par exemple, le RU486 (mifépristone), qu'on utilise pour provoquer un avortement, se lie aux récepteurs de la progestérone (une hormone sexuelle femelle) et empêche cette dernière d'exercer son action. Quand on administre le RU486 à une femme enceinte, les conditions utérines nécessaires à la nutrition de l'embryon ne sont pas maintenues ; l'embryon cesse de se développer et est expulsé en même temps que le revêtement utérin. Cet exemple illustre un principe important du système endocrinien : si une hormone ne peut pas se lier à son récepteur, elle ne peut pas accomplir ses fonctions normales. ■

Hormones circulantes et hormones locales

On peut classer les hormones en deux groupes selon que leur action s'exerce près ou loin de l'endroit où elles sont libérées. Celles qui passent dans le sang et accomplissent leur effet sur des cellules cibles éloignées sont appelées **hormones circulantes,** ou **endocrines** ; celles qui accomplissent leur effet à proximité sans entrer dans la circulation sanguine sont appelées **hormones locales.** On compte parmi ces dernières les hormones qui influent sur les cellules voisines, nommées **hormones paracrines** (*para* = à côté de) et celles qui ont pour cible la cellule même qui les a sécrétées, nommées **hormones autocrines** (*autos* = soi-même). La figure 18.2 met en parallèle les cibles des hormones circulantes et locales. Les hormones locales sont habituellement inactivées rapidement ; les hormones circulantes peuvent se maintenir un certain temps dans le sang et exercer leur effet pendant quelques minutes ou, à l'occasion, quelques heures. Les hormones circulantes finissent par être inactivées dans le foie et excrétées par les reins dans l'urine. Dans les cas d'insuffisance rénale ou hépatique, les concentrations d'hormones dans le sang peuvent devenir trop élevées. Un exemple d'hormone locale est le monoxyde d'azote (NO), un gaz libéré par les cellules endothéliales qui tapissent les vaisseaux sanguins. Le NO cause le relâchement des fibres musculaires lisses des vaisseaux avoisinants. Il en résulte une vasodilatation et une augmentation du débit sanguin dans la région.

Classification chimique des hormones

Du point de vue chimique, on peut regrouper les hormones en deux grandes classes : celles qui sont solubles dans les lipides et celles qui sont solubles dans l'eau.

Hormones liposolubles

1. Les **hormones stéroïdes** sont dérivées du cholestérol et sont synthétisées dans le réticulum endoplasmique lisse. Chacune de ces hormones doit son caractère unique à la présence de groupements fonctionnels particuliers qui sont fixés à différents endroits sur les quatre anneaux formant le noyau de la molécule. Ces petites différences donnent lieu à une grande diversité de fonctions. Les tissus endocriniens qui sécrètent les hormones stéroïdes sont tous dérivés du mésoderme.

2. Deux **hormones thyroïdiennes** (T_3 et T_4) sont synthétisées par iodation et couplage de deux molécules de tyrosine, un acide aminé. Le noyau benzénique de la tyrosine ainsi que les atomes d'iode rendent la T_3 et la T_4 très liposolubles.

Figure 18.2 Comparaison des hormones circulantes (endocrines) et des hormones locales (autocrines et paracrines).

 Les hormones circulantes agissent sur des cellules cibles éloignées; les hormones paracrines agissent sur des cellules voisines et les hormones autocrines, sur les cellules mêmes qui les produisent.

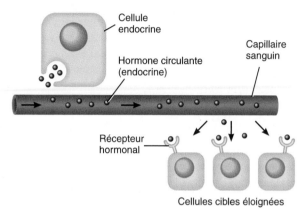

(a) Hormones circulantes (endocrines)

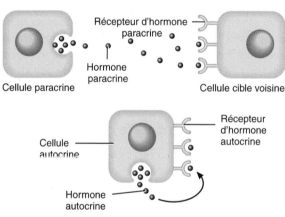

(b) Hormones locales (paracrines et autocrines)

 Dans l'estomac, la sécrétion d'acide chlorhydrique par les cellules pariétales est stimulée par la libération d'histamine par les mastocytes avoisinants. Dans ce cas, l'histamine est-elle une hormone endocrine, autocrine ou paracrine?

3. Le **monoxyde d'azote** (**NO**) est un gaz qui est à la fois une hormone et un neurotransmetteur. Sa synthèse est catalysée par une enzyme, la NO synthase.

Hormones hydrosolubles

1. Les **hormones aminées** sont synthétisées par décarboxylation et modification de certains acides aminés. On les appelle aminées parce qu'elles conservent un groupement amine ($-NH_3^+$). Les catécholamines – adrénaline, noradrénaline et dopamine – sont synthétisées par modification de

la tyrosine. L'histamine est synthétisée à partir de l'histidine par les mastocytes et les plaquettes. La sérotonine et la mélatonine sont dérivées du tryptophane.

2. Les **hormones peptidiques** et les **hormones protéiques** sont synthétisées dans le réticulum endoplasmique rugueux. Ce sont des chaînes comprenant de 3 à 200 acides aminés. Plusieurs hormones protéiques – par exemple, la thyrotrophine (TSH) – sont liées à des glucides et sont donc des **hormones glycoprotéiques.**

3. Les **eicosanoïdes** (*eikos* = vingt; *oïde* = semblable à) sont un groupe de médiateurs chimiques dont la découverte est assez récente. Ces hormones sont dérivées de l'acide arachidonique, un acide gras de 20 carbones. Les deux principaux types d'eicosanoïdes sont les **prostaglandines** et les **leucotriènes.** Les eicosanoïdes sont d'importantes hormones locales qui peuvent aussi devenir des hormones circulantes.

Le tableau 18.2 présente quelques hormones liposolubles et hydrosolubles ainsi que les cellules, tissus ou glandes qui les produisent.

Transport des hormones dans le sang

Le plasma sanguin est un milieu aqueux et la plupart des molécules d'hormones hydrosolubles y circulent librement (sans être liées à des protéines plasmatiques), alors que la plupart des molécules d'hormones liposolubles se lient à des **protéines de transport.** Ces protéines, qui sont synthétisées par des cellules du foie, remplissent trois fonctions:

- Elles facilitent le transport des hormones liposolubles en les rendant temporairement solubles dans l'eau.

- Elles retardent l'entrée des petites molécules hormonales dans l'appareil de filtration du rein, ralentissant ainsi l'excrétion des hormones dans l'urine.

- Elles procurent une réserve d'hormones toutes prêtes dans la circulation sanguine.

En général, de 0,1 à 10 % des molécules d'hormones liposolubles ne sont pas liées à des protéines de transport. C'est cette **fraction libre** qui diffuse à travers la paroi des capillaires sanguins, se lie aux récepteurs et déclenche des réactions. À mesure que les molécules libres quittent le sang et se lient à leurs récepteurs, les protéines de transport en libèrent de nouvelles qui reconstituent la fraction libre.

1. Comparez la régulation de l'homéostasie effectuée par le système nerveux avec celle accomplie par le système endocrinien.
2. Quelle est la différence entre la régulation positive et la régulation négative?
3. Nommez les classes chimiques d'hormones et donnez-en des exemples.
4. Comment les hormones sont-elles transportées dans le sang?

Tableau 18.2 Classification chimique des hormones

EXEMPLES	ORIGINE	HORMONES
Hormones liposolubles		
Stéroïdes Aldostérone	Cortex surrénal.	Aldostérone, cortisol et androgènes.
	Reins.	Calcitriol.
	Testicules.	Testostérone.
	Ovaires.	Œstrogènes et progestérone.
Hormones thyroïdiennes Triiodothyronine (T$_3$)	Glande thyroïde (cellules folliculaires).	T$_3$ (triiodothyronine) et T$_4$ (thyroxine).
Gaz (NO) N = O	Cellules endothéliales tapissant les vaisseaux sanguins.	Monoxyde d'azote (NO).
Hormones hydrosolubles		
Amines Noradrénaline	Médullosurrénale.	Adrénaline et noradrénaline (catécholamines).
	Glande pinéale.	Mélatonine.
	Mastocytes du tissu conjonctif.	Histamine.
	Plaquettes sanguines.	Sérotonine.
Peptides et protéines	Cellules neurosécrétrices de l'hypothalamus.	Toutes les hormones de libération et d'inhibition de l'hypothalamus, ocytocine, hormone antidiurétique.
	Adénohypophyse.	Hormone de croissance, thyrotrophine, corticotrophine, hormone folliculostimulante, hormone lutéinisante, prolactine, hormone mélanotrope.
	Pancréas.	Insuline, glucagon, somatostatine, polypeptide pancréatique.
	Glandes parathyroïdes.	Parathormone.
	Glande thyroïde (cellules parafolliculaires).	Calcitonine.
	Estomac et intestin grêle (cellules endocrines du tube digestif).	Gastrine, sécrétine, cholécystokinine, peptide insulinotropique gluco-dépendant.
	Reins.	Érythropoïétine.
	Tissu adipeux.	Leptine.
Eicosanoïdes Une leucotriène (LTB$_4$)	Toutes les cellules sauf les globules rouges.	Prostaglandines, leucotriènes.

MÉCANISMES DE L'ACTION HORMONALE

OBJECTIF

- *Décrire les deux principaux mécanismes de l'action hormonale.*

La réponse hormonale dépend à la fois de l'hormone et de la cellule cible. Selon leur origine, les cellules cibles peuvent réagir de différentes façons à une même hormone. Par exemple, l'insuline stimule la synthèse de glycogène dans les cellules du foie mais pousse les adipocytes à produire des triglycérides.

La réponse à une hormone n'est pas toujours la synthèse de nouvelles molécules, comme dans le cas de l'insuline. Ce peut être un changement de la perméabilité de la membrane plasmique, le transport d'une substance à travers la membrane de la cellule cible dans un sens ou dans l'autre, la modification

Figure 18.3 Mode d'action des hormones liposolubles comme les hormones stéroïdes et thyroïdiennes.

🔑 **Les hormones liposolubles se lient à des récepteurs à l'intérieur des cellules cibles.**

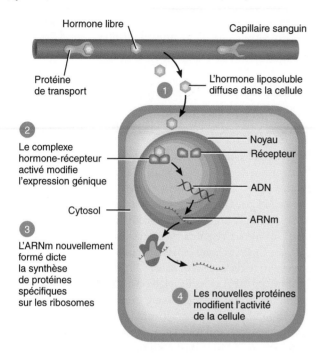

Q Combien de temps faut-il, environ, pour qu'une hormone stéroïde commence à produire son effet?

3 La transcription de l'ADN mène à la formation d'un ARN messager (ARNm) qui quitte le noyau pour entrer dans le cytosol où il dicte la synthèse de nouvelles protéines, en général une enzyme, sur les ribosomes.

4 Les nouvelles protéines modifient l'activité de la cellule et produisent la réponse physiologique propre à l'hormone.

Action des hormones hydrosolubles

Les catécholamines, les hormones peptidiques et protéiques ainsi que les eicosanoïdes ne sont pas liposolubles, si bien qu'ils ne diffusent pas à travers la bicouche lipidique de la membrane plasmique pour se lier à des récepteurs intracellulaires. Les récepteurs de ces hormones hydrosolubles sont plutôt des protéines intrinsèques dans la membrane plasmique qui font saillie dans le liquide interstitiel. Comme les hormones hydrosolubles ne se lient à leurs récepteurs qu'à la surface extracellulaire de la membrane plasmique, elles jouent le rôle de **premier messager.** Un **second messager** est alors libéré à l'intérieur de la cellule où la réponse hormonale peut se produire. Les neurotransmetteurs, les neuropeptides et plusieurs mécanismes de transduction sensorielle (par exemple, celui de la vision; voir la figure 16.14, p. 555) agissent aussi par l'intermédiaire de seconds messagers.

L'**AMP cyclique** (**AMPc**), qui est dérivé de l'ATP, est un second messager fréquemment utilisé. L'enzyme qui catalyse sa formation à partir de l'ATP est l'**adénylate cyclase,** qui est fixée à la face intérieure de la membrane plasmique. L'AMP cyclique et les autres seconds messagers modifient le fonctionnement de la cellule de façon spécifique. Par exemple, une augmentation de l'AMP cyclique dans les adipocytes entraîne la dégradation de triglycérides et la libération accélérée d'acides gras alors que, dans les cellules thyroïdiennes, elle stimule la sécrétion d'hormones thyroïdiennes.

En général, les hormones hydrosolubles agissent de la façon suivante (figure 18.4):

1 L'hormone hydrosoluble diffuse du sang, à travers le liquide interstitiel, et se lie à son récepteur sur la membrane plasmique de la cellule cible. La liaison active une autre protéine membranaire appelée protéine G (voir ci-dessous) qui active à son tour l'adénylate cyclase.

2 L'adénylate cyclase convertit l'ATP en AMP cyclique dans le cytosol de la cellule.

3 L'AMP cyclique (second messager) active une ou plusieurs **protéines-kinases,** qui peuvent être libres dans le cytosol ou liées à la membrane plasmique. Les protéines-kinases sont des enzymes qui effectuent la phosphorylation de protéines cellulaires (c'est-à-dire qu'elles leur ajoutent un groupement phosphate). L'ATP fournit ce groupement phosphate en se transformant en ADP.

4 Les protéines-kinases activées catalysent la phosphorylation d'une ou de plusieurs autres enzymes. Dans notre exemple, elles s'appellent Enzyme 1 et Enzyme 2.

de la vitesse de réactions métaboliques spécifiques ou la contraction d'un muscle lisse ou du muscle cardiaque. Ces divers effets sont possibles, en partie, parce qu'une hormone peut susciter plusieurs réponses cellulaires différentes. Toutefois, l'hormone doit tout d'abord «annoncer sa présence» à la cellule cible en se liant à un récepteur. Selon qu'il s'agit d'une hormone liposoluble ou hydrosoluble, le récepteur est situé à l'intérieur de la cellule ou dans la membrane plasmique.

Action des hormones liposolubles

Les hormones liposolubles, comme les hormones stéroïdes et thyroïdiennes, se lient à des récepteurs à l'intérieur des cellules cibles. Leur mécanisme d'action est le suivant (figure 18.3):

1 L'hormone liposoluble diffuse du sang, à travers le liquide interstitiel et la bicouche lipidique de la membrane plasmique, jusque dans la cellule.

2 S'il s'agit d'une cellule cible, l'hormone se lie à un récepteur situé dans le cytosol ou le noyau, et l'active. Le récepteur activé modifie alors l'expression génique: il stimule ou inhibe des gènes spécifiques de l'ADN du noyau.

Figure 18.4 Mode d'action des hormones hydrosolubles (catécholamines, peptides et protéines).

🔑 **Les hormones hydrosolubles se lient à des récepteurs intégrés à la membrane plasmique des cellules cibles.**

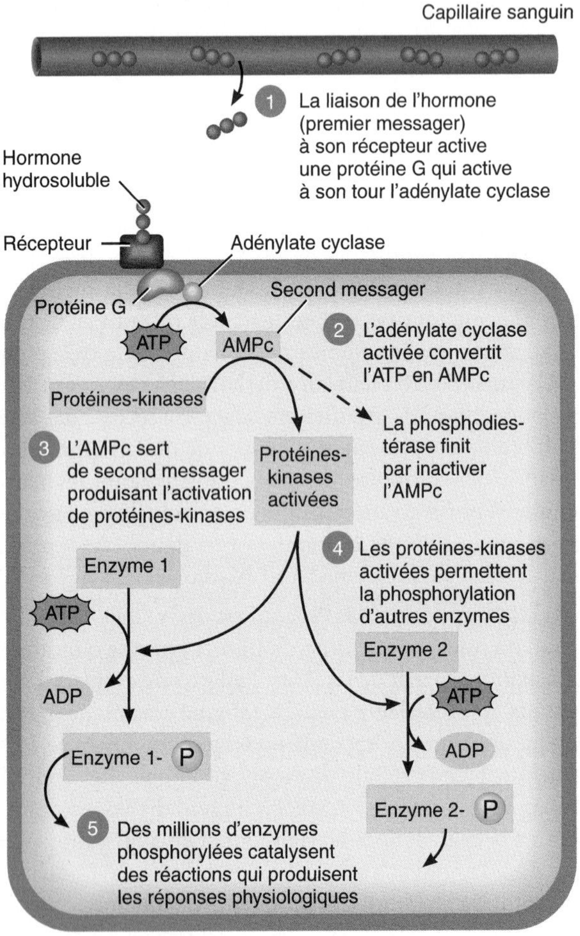

Q Pourquoi dit-on de l'AMP cyclique qu'il est le « second messager » ?

La phosphorylation fonctionne un peu comme un commutateur, activant certaines enzymes et en inactivant d'autres. La phosphorylation d'une enzyme particulière entraîne soit la régulation d'autres enzymes, soit la sécrétion de produits cellulaires, soit la synthèse de protéines ou encore un changement de la perméabilité de la membrane plasmique.

5 Les enzymes activées par phosphorylation catalysent à leur tour des réactions qui produisent des réponses physiologiques. Les protéines-kinases diffèrent selon les cellules cibles et selon les organites d'une cellule cible donnée. C'est ainsi qu'une protéine-kinase peut déclencher la synthèse de glycogène, une autre la dégradation de triglycérides, une troisième la synthèse de protéines et ainsi de suite. Par ailleurs, la phosphorylation par une

protéine-kinase peut inhiber certaines enzymes. Par exemple, certaines des kinases qui sont relâchées quand l'adrénaline se lie aux cellules du foie inactivent une enzyme nécessaire à la synthèse du glycogène.

Après un court laps de temps, une enzyme appelée **phosphodiestérase** inactive l'AMP cyclique. Ainsi, la réponse cellulaire cesse, sauf si de nouvelles molécules d'hormone continuent de se lier à leurs récepteurs dans la membrane plasmique.

Beaucoup d'hormones exercent au moins une partie de leurs effets physiologiques grâce à l'*augmentation* de la synthèse d'AMP cyclique. C'est le cas de l'hormone antidiurétique (ADH), de la thyrotrophine (TSH), de la corticotrophine (ACTH), du glucagon, de l'adrénaline et des hormones de libération de l'hypothalamus. Dans d'autres cas, telle la somatostatine (GHIH), le taux d'AMP cyclique *diminue* à la suite de la liaison de l'hormone à son récepteur. En plus de l'AMP cyclique, on connaît plusieurs autres substances qui jouent le rôle de seconds messagers, dont les ions calcium (Ca^{2+}), le GMP cyclique (guanosine monophosphate cyclique, un nucléotide cyclique semblable à l'AMP cyclique), l'inositol triphosphate (IP_3) et le diacylglycérol (DAG). Bien qu'il soit liposoluble, le monoxyde d'azote exerce son action dans les fibres musculaires lisses en activant la guanylyl cyclase. Cette enzyme catalyse à son tour la conversion de la guanosine triphosphate (GTP) en GMP cyclique, qui fait entrer les ions calcium dans les zones de stockage de la fibre musculaire lisse. La diminution de la concentration de Ca^{2+} dans le cytosol entraîne le relâchement du muscle. Une hormone donnée (ou un neurotransmetteur) peut faire appel à différents seconds messagers selon la cellule cible.

Dans ce mécanisme de l'AMP cyclique comme second messager, les récepteurs hormonaux ne sont pas branchés *directement* sur l'adénylate cyclase. Ce sont plutôt des molécules appelées **protéines G** qui joignent les récepteurs situés sur la face externe de la membrane plasmique aux molécules d'adénylate cyclase sur la face interne (voir la figure 18.4). La liaison d'une hormone à son récepteur active un grand nombre de molécules de protéine G, qui activent à leur tour des molécules d'adénylate cyclase. Si elles ne sont pas stimulées de nouveau par la liaison d'autres molécules d'hormones aux récepteurs, les protéines G se désactivent petit à petit et contribuent ainsi à mettre fin à la réponse hormonale. Ces protéines se trouvent dans la plupart des systèmes d'activation par seconds messagers.

Les hormones qui se lient à des récepteurs de la membrane plasmique peuvent exercer leurs effets à très faible concentration parce qu'elles déclenchent une cascade, ou réaction en chaîne, qui, d'étape en étape, multiplie ou amplifie l'effet initial. Par exemple, la liaison d'une seule molécule d'adrénaline à son récepteur sur une cellule hépatique peut activer une centaine de protéines G qui activent chacune une molécule d'adénylate cyclase. Si chacune de ces dernières produit seulement 1 000 AMP cycliques, 100 000 seconds messagers sont libérés dans la cellule. Chaque AMP cyclique active une protéine-kinase qui peut à son tour agir sur des centaines ou des milliers de molécules de son substrat spécifique. Certaines kinases stimulent par phosphorylation une enzyme essentielle à la dégradation du glycogène. C'est ainsi que la liaison de l'adrénaline à son récepteur aboutit à la dégradation de millions de molécules de glycogène en glucose (glycogénolyse).

APPLICATION CLINIQUE
La toxine du choléra et les protéines G

La toxine produite par la bactérie du choléra est mortelle. Elle cause des diarrhées si abondantes qu'une personne infectée peut mourir rapidement par déshydratation. Cette toxine modifie les protéines G des cellules épithéliales de l'intestin de telle sorte que celles-ci deviennent fixées dans un état d'activation permanent et font monter en flèche la concentration d'AMP cyclique intracellulaire. L'AMP cyclique a plusieurs effets dans ces cellules, dont celui de stimuler une pompe qui expulse par transport actif les ions chlorure (Cl^-) de la cellule vers la lumière intestinale ; l'eau suit les ions chlorure par osmose et les ions sodium, qui sont chargés positivement, accompagnent les ions chlorure chargés négativement. C'est ainsi que la toxine du choléra provoque la perte d'une énorme quantité de Na^+, de Cl^- et d'eau dans les matières fécales. Le traitement consiste à combler les pertes liquidiennes, par voie intraveineuse ou par voie orale (réhydratation orale), et à administrer des antibiotiques (tétracycline). ■

Interactions hormonales

La capacité de réponse d'une cellule cible à une hormone dépend 1) de la concentration de l'hormone, 2) de l'abondance des récepteurs spécifiques de la cellule et 3) de l'influence exercée par les autres hormones. La cellule cible réagit plus vigoureusement si la quantité d'hormone est plus élevée ou si elle a plus de récepteurs (régulation positive). De plus, l'action de certaines hormones sur la cellule cible nécessite l'exposition simultanée ou récente à une autre hormone. On dit alors que cette dernière a un **effet permissif.** Par exemple, l'adrénaline à elle seule cause une faible augmentation de la lipolyse (dégradation des triglycérides), mais en présence de petites quantités d'hormones thyroïdiennes (T_3 et T_4), elle stimule la lipolyse avec beaucoup plus d'efficacité. Dans certains cas, l'hormone permissive accroît le nombre de récepteurs de l'autre hormone par régulation positive. Dans d'autres cas, elle suscite la synthèse d'une enzyme dont l'autre hormone a besoin pour exercer son effet.

Quand l'effet de deux hormones qui agissent ensemble est plus grand ou plus étendu que la somme de leurs effets individuels, on dit que ces hormones ont un **effet synergique.** Par exemple, ni la sécrétion d'œstrogènes par les ovaires, ni celle de l'hormone folliculostimulante (FSH) par l'adénohy-pophyse ne suffisent séparément à assurer la production normale d'ovocytes par les ovaires. Toutefois, quand elles agissent ensemble, les ovaires produisent normalement des ovocytes.

Quand deux hormones s'opposent l'une à autre, on dit qu'elles ont des **effets antagonistes.** L'insuline et le glucagon, qui stimulent respectivement la synthèse et la dégradation du glycogène par les cellules du foie, sont des hormones antagonistes.

RÉGULATION DE LA SÉCRÉTION HORMONALE
OBJECTIF

• *Décrire les trois types de signaux qui régissent la sécrétion des hormones.*

La plupart des hormones sont libérées par brèves décharges entre lesquelles il n'y a pas ou presque pas de sécrétion. Si une glande endocrine est de plus en plus stimulée, les décharges deviennent plus fréquentes et la concentration sanguine des hormones qu'elle produit augmente. À défaut de stimulation, les décharges sont minimes ou inhibées et la quantité d'hormone dans le sang diminue. La régulation de la sécrétion entretient normalement l'homéostasie et fait en sorte que la production de chaque hormone ne soit ni trop grande ni trop faible.

La sécrétion hormonale est régie par 1) des signaux du système nerveux, 2) des fluctuations des composants chimiques du sang et 3) d'autres hormones. C'est ainsi que des influx nerveux aboutissant dans la médullosurrénale régulent la libération d'adrénaline, la concentration sanguine de Ca^{2+} régule la sécrétion de la parathormone et une hormone de l'adénohypophyse (la corticotrophine) stimule la libération de cortisol du cortex surrénal. Nous constaterons en examinant d'autres exemples dans le présent chapitre que la plupart des mécanismes de régulation hormonale fonctionnent par rétro-inhibition.

Les troubles du système endocrinien sont souvent liés soit à l'**hyposécrétion** (*hypo* = au-dessous), c'est-à-dire à une libération insuffisante d'hormone, soit à l'**hypersécrétion** (*hyper* = au-dessus), c'est-à-dire à une libération excessive d'hormone. Dans la plupart des cas, il s'agit d'une mauvaise régulation de la sécrétion, mais dans certains cas, les récepteurs hormonaux sont défectueux ou en trop petit nombre. Quelques troubles endocriniens seront décrits plus en détail à la fin du chapitre (voir p. 636).

À l'occasion, un mécanisme de rétroactivation contribue à la régulation de la sécrétion hormonale. C'est ce qui a lieu au cours de l'accouchement. L'ocytocine est une hormone qui stimule les contractions utérines. Ces contractions stimulent à leur tour la libération d'ocytocine supplémentaire (voir la figure 1.4, p. 10). La rétroactivation est également à l'origine de la poussée d'hormone lutéinisante (LH) qui aboutit à l'ovulation (voir p. 608). Dans les deux cas, la réponse amplifie le stimulus de départ. Nous reviendrons plus loin sur la régulation des sécrétions hormonales quand nous examinerons différentes hormones et leurs effets.

1. Quelle est la différence entre les effets permissifs, les effets synergiques et les effets antagonistes ?
2. Quelle est la différence entre les mécanismes de rétro-inhibition et les mécanismes de rétroactivation ?

Avec cet aperçu du rôle des hormones dans le système endocrinien, nous nous penchons maintenant sur les glandes endocrines et les hormones qu'elles sécrètent.

HYPOTHALAMUS ET HYPOPHYSE

OBJECTIFS

- *Expliquer pourquoi l'hypothalamus est une glande endocrine.*
- *Décrire la situation anatomique, l'histologie, les hormones et les fonctions de l'adénohypophyse et de la neurohypophyse.*

L'**hypophyse** a longtemps été considérée comme la glande endocrine « maîtresse » parce qu'elle sécrète plusieurs hormones qui régissent l'activité d'autres glandes endocrines. Nous savons maintenant que l'hypophyse obéit elle-même à un maître – l'**hypothalamus.** C'est dans cette petite région de l'encéphale, située sous le thalamus, que s'effectue la plus importante jonction entre le système nerveux et le système endocrinien. L'hypothalamus reçoit des messages de plusieurs autres régions de l'encéphale telles que le système limbique, le cortex cérébral, le thalamus et le système réticulaire activateur ascendant. Il reçoit également des signaux sensoriels des viscères et de la rétine.

Les émotions, la douleur ou le stress causent des fluctuations de l'activité de l'hypothalamus. Ce dernier régit à son tour le système nerveux autonome et régule la température du corps, la faim, la soif, le comportement sexuel et les réactions de défense telles que la peur et la colère. L'hypothalamus n'est pas seulement un centre de régulation important du système nerveux, mais aussi une glande endocrine essentielle. Au moins neuf hormones différentes y sont synthétisées. L'hypophyse en sécrète sept autres. Ensemble, ces hormones jouent des rôles importants dans la régulation de presque tous les aspects de la croissance, du développement, du métabolisme et de l'homéostasie.

L'hypophyse est une structure de la forme d'un pois qui mesure de 1 à 1,5 cm de diamètre. Elle est située dans la selle turcique de l'os sphénoïde et elle est reliée à l'hypothalamus par une tige, l'**infundibulum** (= entonnoir ; figure 18.5). Elle se divise en deux parties anatomiquement et fonctionnellement distinctes. L'**adénohypophyse, ou lobe antérieur,** constitue environ 75 % de la masse totale de la glande. Elle se développe à partir d'une excroissance de l'ectoderme du palais appelée poche hypophysaire (voir la figure 18.22b). La **neurohypophyse, ou lobe postérieur,** se forme aussi à partir

d'une excroissance ectodermique appelée bourgeon neurohypophysaire (voir la figure 18.22b). Elle contient les axones et les terminaisons axonales de plus de 10 000 neurones dont les corps cellulaires sont situés dans les noyaux supraoptique et paraventriculaire de l'hypothalamus (voir la figure 18.8). Les terminaisons axonales dans la neurohypophyse sont associées à des cellules gliales spécialisées appelées **pituicytes.**

Une troisième région appelée **lobe intermédiaire,** ou **pars intermedia,** s'atrophie durant le développement fœtal, si bien qu'elle ne forme plus un lobe distinct chez l'adulte (voir la figure 18.22b). Toutefois, certaines de ses cellules migrent vers les parties adjacentes de l'adénohypophyse où elles persistent.

Adénohypophyse

L'**adénohypophyse** (*adên* = glande ; *hupophusis* = croissance en dessous) sécrète des hormones qui régulent toute une gamme d'activités de l'organisme, de la croissance à la reproduction. Leur libération est stimulée par les **hormones de libération** et freinée par les **hormones d'inhibition** de l'hypothalamus. Ces hormones constituent un lien important entre le système nerveux et le système endocrinien.

Les hormones hypothalamiques atteignent l'adénohypophyse par un système porte. Ce type de système transporte le sang entre deux réseaux capillaires sans passer par le cœur. La plupart du temps, le sang quitte le cœur par une artère, passe par un capillaire et revient au cœur par une veine. Dans le **système porte hypothalamo-hypophysaire,** le sang, en provenance surtout des **artères hypophysaires supérieures,** circule de l'éminence médiane de l'hypothalamus vers l'infundibulum et l'adénohypophyse (voir la figure 18.5). Ces artères sont des branches de la carotide interne et des artères communicantes postérieures. Elles donnent naissance au **plexus primaire du système porte hypothalamo-hypophysaire,** un réseau de capillaires à la base de l'hypothalamus. Près de l'éminence médiane et au-dessus du chiasma optique se trouvent deux groupes de cellules nerveuses spécialisées, appelées **cellules neurosécrétrices,** qui déversent dans le plexus primaire les hormones de libération et d'inhibition produites par l'hypothalamus. Ces hormones sont synthétisées dans le corps cellulaire des neurones et emmagasinées dans des vésicules qui se rendent aux terminaisons des axones par transport axonal. Sous l'action des influx nerveux qui atteignent les terminaisons axonales, les vésicules libèrent leur contenu par exocytose. Les hormones pénètrent alors par diffusion dans le plexus primaire du système porte hypothalamo-hypophysaire.

À partir du plexus primaire, le sang passe dans les **veines portes hypophysaires** qui longent la face externe de l'infundibulum. Dans l'adénohypophyse, les veines portes hypophysaires se subdivisent à nouveau pour former un autre réseau de capillaires, le **plexus secondaire du système porte hypothalamo-hypophysaire.** Cette voie directe permet aux

Figure 18.5 L'hypothalamus, l'hypophyse et leur vascularisation. La petite figure à droite indique que les hormones de libération et d'inhibition synthétisées par les neurones hypothalamiques sont transportées dans les axones et libérées par les terminaisons axonales. Les hormones diffusent dans les capillaires du plexus primaire du système porte hypothalamo-hypophysaire et sont transportées par les veines portes hypophysaires jusqu'au plexus secondaire pour être distribuées aux cellules cibles de l'adénohypophyse.

 Les hormones hypothalamiques constituent un lien important entre le système nerveux et le système endocrinien.

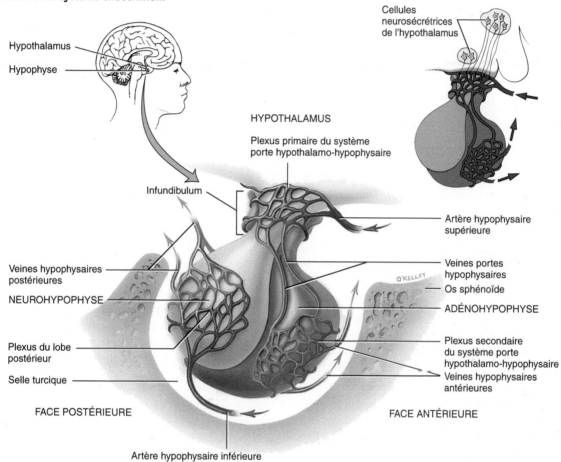

Q Quelle est l'importance des veines portes hypophysaires du point de vue fonctionnel ?

hormones hypothalamiques d'agir rapidement sur les cellules de l'adénohypophyse, avant que ces hormones soient diluées ou détruites dans la circulation systémique. Les hormones sécrétées par les cellules de l'adénohypophyse entrent dans le plexus secondaire du système porte hypothalamo-hypophysaire, puis dans les **veines hypophysaires antérieures,** pour être acheminées vers les tissus cibles de l'organisme.

La liste suivante contient les sept hormones majeures sécrétées par cinq types de cellules de l'adénohypophyse :

- L'**hormone de croissance** (**hGH,** « human growth hormone »), aussi appelée **somatotrophine** (*sôma* = corps ; *trophê* = nourriture), est sécrétée par les **cellules somato-**

tropes. Elle provoque la sécrétion des **somatomédines** par certains tissus. Ces dernières sont des hormones qui stimulent la croissance générale du corps et régulent certains aspects du métabolisme.

- La **thyrotrophine** (**TSH,** « thyroid-stimulating hormone ») (*thyr* = bouclier), qui régit les sécrétions et les autres activités de la glande thyroïde, est produite par les **cellules thyrotropes.**

- L'**hormone folliculostimulante** (**FSH,** « follicle-stimulating hormone ») et l'**hormone lutéinisante** (**LH,** « luteinizing hormone ») sont sécrétées par les **cellules gonadotropes** (*gonê* = semence). La FSH et la LH agissent sur les gonades.

Tableau 18.3 Hormones de l'adénohypophyse

HORMONE	SÉCRÉTÉE PAR	HORMONES DE LIBÉRATION (STIMULATION DE LA SÉCRÉTION)	HORMONES D'INHIBITION (SUPPRESSION DE LA SÉCRÉTION)
Hormone de croissance (hGH), ou somatotrophine	Cellules somatotropes.	Somatocrinine (GHRH).	Somatostatine (GHIH).
Thyrotrophine (TSH)	Cellules thyrotropes.	Thyréolibérine (TRH).	Somatostatine (GHIH).
Hormone folliculostimulante (FSH)	Cellules gonadotropes.	Gonadolibérine (GnRH).	—
Hormone lutéinisante (LH)	Cellules gonadotropes.	Gonadolibérine (GnRH).	—
Prolactine (PRL)	Cellules lactotropes.	Hormone de libération de la prolactine (PRH) ; TRH.	Facteur inhibiteur de la prolactine (PIH), qui est la dopamine.
Corticotrophine (ACTH)	Cellules corticotropes.	Corticolibérine (CRH).	—
Hormone mélanotrope (MSH)	Cellules corticotropes.	Corticolibérine (CRH).	Dopamine.

Elles stimulent la sécrétion des œstrogènes et de la progestérone, et la maturation des ovocytes dans les ovaires. Elles activent également la sécrétion de la testostérone et la production de spermatozoïdes dans les testicules.

- La **prolactine** (**PRL**), qui est à l'origine de la production du lait dans les glandes mammaires, est libérée par les **cellules lactotropes** (*lac* = lait).

- La **corticotrophine** (**ACTH**, «adrenocorticotropic hormone») (*cortex* = écorce), qui stimule la sécrétion des glucocorticoïdes par le cortex surrénal, est synthétisée par les **cellules corticotropes.** Certaines de ces cellules, vestiges du lobe intermédiaire, sécrètent également l'**hormone mélanotrope** (**MSH**, «melanocyte-stimulating hormone»).

Les hormones qui influent sur une autre glande endocrine sont appelées **stimulines,** ou **trophines.** Plusieurs hormones de l'adénohypophyse sont des stimulines. Les deux **gonadotrophines,** la FSH et la LH, régulent les fonctions des gonades (ovaires et testicules). La thyrotrophine stimule la glande thyroïde et la corticotrophine agit sur le cortex surrénal. Les hormones de l'adénohypophyse sont présentées dans le tableau 18.3.

La sécrétion des hormones de l'adénohypophyse est soumise à deux types de régulation. Premièrement, les cellules neurosécrétrices de l'hypothalamus sécrètent cinq hormones de libération, qui stimulent la sécrétion des hormones de l'adénohypophyse, et deux hormones d'inhibition qui ont l'action contraire (voir le tableau 18.3). Deuxièmement, les hormones qui sont libérées par les glandes cibles exercent une rétro-inhibition sur les cellules de l'adénohypophyse (figure 18.6). Grâce à cette rétro-inhibition, les sécrétions des cellules thyrotropes, gonadotropes et corticotropes diminuent quand la concentration sanguine des hormones de leurs glandes cibles augmente. Par exemple, la corticotrophine (ACTH) stimule la sécrétion de glucocorticoïdes, surtout du

cortisol, par le cortex surrénal. En retour, une concentration sanguine élevée de cortisol fait diminuer la sécrétion de corticotrophine et de corticolibérine (CRH) par rétro-inhibition des cellules corticotropes de l'adénohypophyse et des cellules neurosécrétrices de l'hypothalamus.

Hormone de croissance et somatomédines

Les cellules somatotropes sont les cellules les plus nombreuses de l'adénohypophyse et l'hormone de croissance (hGH), l'hormone la plus abondante. En général, la hGH agit indirectement sur les tissus en favorisant la synthèse et la sécrétion de petites hormones protéiques appelées **somatomédines** (**IGF,** «insulinlike growth factors») ou facteurs de croissance analogues à l'insuline. En réponse à l'hormone de croissance, certaines cellules du foie, des muscles squelettiques, des cartilages, des os et d'autres tissus sécrètent des IGF, qui peuvent soit passer dans la circulation sanguine à partir du foie, soit agir localement dans les autres tissus de façon autocrine ou paracrine. Les IGF stimulent la croissance et la prolifération des cellules en accélérant chez ces dernières le taux d'absorption des acides aminés et de synthèse des protéines. Les IGF ralentissent également la dégradation des protéines et l'utilisation des acides aminés pour la production d'ATP. Par le truchement de ces effets des IGF, l'hormone de croissance augmente le rythme de croissance du squelette et des muscles squelettiques pendant l'enfance et l'adolescence. Chez l'adulte, l'hormone de croissance et les IGF contribuent au maintien des masses musculaire et osseuse, et favorisent la cicatrisation et la réparation des tissus.

Les IGF augmentent également la lipolyse dans le tissu adipeux. Il en résulte une utilisation accrue des acides gras ainsi libérés pour la production d'ATP par les cellules. En plus d'agir sur le métabolisme des protéines et des lipides, l'hormone de croissance et les IGF influent sur le métabolisme des glucides en faisant diminuer la captation cellulaire

Figure 18.6 Régulation par rétro-inhibition des cellules neurosécrétrices de l'hypothalamus et des cellules corticotropes de l'adénohypophyse.

🔑 **Le cortisol sécrété par le cortex surrénal inhibe la sécrétion de la CRH et de l'ACTH.**

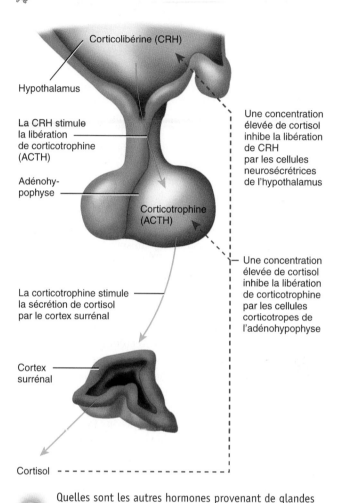

Corticolibérine (CRH)

Hypothalamus

La CRH stimule la libération de corticotrophine (ACTH)

Adénohy-pophyse

Corticotrophine (ACTH)

Une concentration élevée de cortisol inhibe la libération de CRH par les cellules neurosécrétrices de l'hypothalamus

La corticotrophine stimule la sécrétion de cortisol par le cortex surrénal

Une concentration élevée de cortisol inhibe la libération de corticotrophine par les cellules corticotropes de l'adénohypophyse

Cortex surrénal

Cortisol

Ⓠ Quelles sont les autres hormones provenant de glandes cibles capables de réprimer par rétro-inhibition la sécrétion des hormones hypothalamiques et adénohypophysaires ?

Figure 18.7 Effets de l'hormone de croissance (hGH) et des somatomédines (IGF).

🔑 **La sécrétion de l'hormone de croissance (hGH) est stimulée par la somatocrinine (GHRH) et inhibée par la somatostatine (GHIH).**

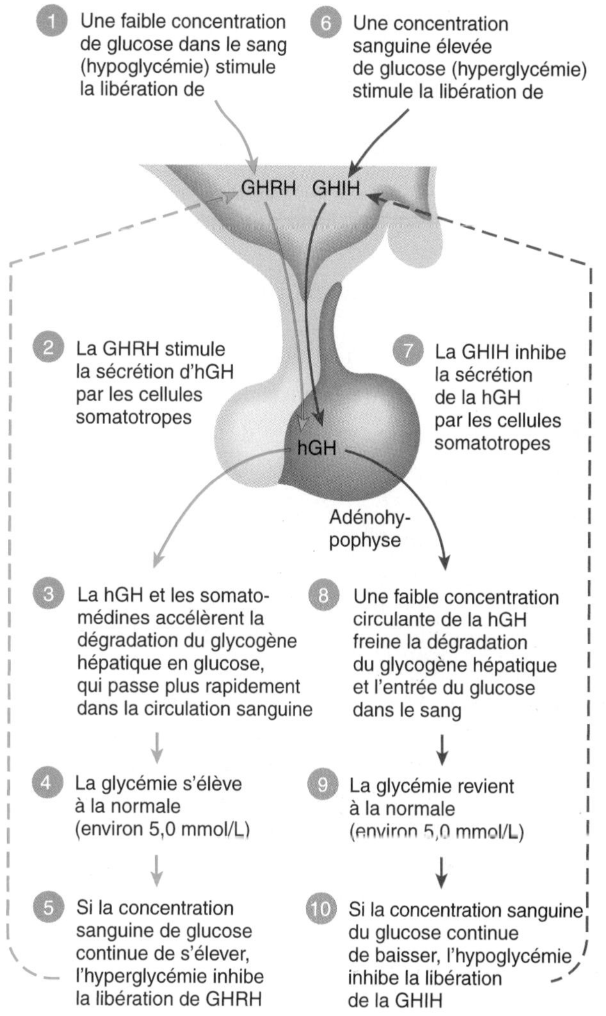

① Une faible concentration de glucose dans le sang (hypoglycémie) stimule la libération de

⑥ Une concentration sanguine élevée de glucose (hyperglycémie) stimule la libération de

GHRH   GHIH

② La GHRH stimule la sécrétion d'hGH par les cellules somatotropes

⑦ La GHIH inhibe la sécrétion de la hGH par les cellules somatotropes

hGH

Adénohy-pophyse

③ La hGH et les somato-médines accélèrent la dégradation du glycogène hépatique en glucose, qui passe plus rapidement dans la circulation sanguine

⑧ Une faible concentration circulante de la hGH freine la dégradation du glycogène hépatique et l'entrée du glucose dans le sang

④ La glycémie s'élève à la normale (environ 5,0 mmol/L)

⑨ La glycémie revient à la normale (environ 5,0 mmol/L)

⑤ Si la concentration sanguine de glucose continue de s'élever, l'hyperglycémie inhibe la libération de GHRH

⑩ Si la concentration sanguine du glucose continue de baisser, l'hypoglycémie inhibe la libération de la GHIH

Ⓠ Si une personne a une tumeur de l'hypophyse qui sécrète beaucoup de hGH et qu'elle ne répond pas à la régulation de la GHRH ou de la GHIH, sera-t-elle plus susceptible de présenter une hyperglycémie ou une hypoglycémie ?

du glucose et, par voie de conséquence, son utilisation pour la production d'ATP. Cette action conserve le glucose quand il est rare afin que les neurones puissent continuer de l'utiliser pour produire de l'ATP. Les IGF et l'hormone de croissance stimuleraient également la libération par les cellules hépatiques de glucose dans le sang.

De façon répétée, à quelques heures d'intervalle et en particulier durant le sommeil, des décharges d'hormone de croissance provenant des cellules somatotropes de l'adénohypophyse entrent dans la circulation sanguine. Cette activité sécrétoire est régie surtout par la somatocrinine (GHRH, « growth hormone releasing hormone ») et la somatostatine (GHIH, « growth hormone inhibiting hormone »). La GHRH stimule la sécrétion de l'hormone, alors que la

GHIH l'inhibe. La glycémie est un des plus importants régulateurs de la sécrétion de GHRH et de GHIH et, par conséquent, des effets de l'hormone de croissance (figure 18.7) :

❶ Une baisse de la glycémie (hypoglycémie) stimule l'hypothalamus à sécréter de la GHRH, qui se rend à l'adénohypophyse par les veines portes.

❷ À son arrivée dans l'adénohypophyse, la GHRH stimule la libération d'hormone de croissance par les cellules somatotropes.

3 Ensemble, l'hormone de croissance et les somatomédines accélèrent dans le foie la transformation du glycogène en glucose et son passage dans la circulation sanguine.

4 En conséquence, la glycémie s'élève à la normale (environ 5,0 mmol/L).

5 Si la glycémie augmente au-delà de la normale, la libération de GHRH est inhibée.

6 Une forte élévation de la concentration sanguine de glucose (hyperglycémie) stimule la sécrétion de GHIH par l'hypothalamus (et diminue la sécrétion de GHRH).

7 La GHIH gagne l'adénohypophyse par le système porte et inhibe la sécrétion de l'hormone de croissance par les cellules somatotropes.

8 Une faible concentration circulante de l'hormone de croissance freine la dégradation du glycogène dans le foie et la libération de glucose dans le sang.

9 La glycémie revient à la normale.

10 Si la concentration sanguine du glucose devient anormalement basse (hypoglycémie), la libération de la GHIH est inhibée.

Parmi les autres stimulus qui favorisent la sécrétion de l'hormone de croissance, on compte la diminution des acides gras et l'augmentation des acides aminés dans le sang, le sommeil profond (stades 3 et 4 du sommeil lent), l'activité accrue de la partie sympathique du système nerveux autonome comme dans le cas d'un stress ou d'un exercice physique vigoureux, enfin, d'autres hormones telles que le glucagon, les œstrogènes, le cortisol et l'insuline. Les facteurs qui inhibent la sécrétion de l'hormone de croissance sont l'augmentation des acides gras et la diminution des acides aminés dans le sang, le sommeil paradoxal, la carence affective, l'obésité, un taux insuffisant d'hormones thyroïdiennes, enfin l'hormone de croissance elle-même (par rétro-inhibition).

APPLICATION CLINIQUE
Effet diabétogène de l'hormone de croissance

L'**hyperglycémie**, soit une concentration élevée de glucose dans le sang, est un des symptômes par lesquels on reconnaît un excès d'hormone de croissance. L'hyperglycémie persistante stimule la sécrétion continuelle d'insuline par le pancréas. Quand elle dure des semaines ou des mois, cette stimulation exagérée peut entraîner l'épuisement des cellules bêta, c'est-à-dire compromettre sérieusement leur capacité de synthétiser et de sécréter l'insuline. À la longue, la sécrétion excessive d'hormone de croissance peut avoir un **effet diabétogène**, c'est-à-dire qu'elle cause le diabète (insuffisance d'insuline). ■

Thyrotrophine

La thyrotrophine (TSH), ou hormone thyréotrope, stimule la synthèse et la sécrétion des deux hormones produites par la glande thyroïde, la triiodothyronine (T_3) et la thyroxine (T_4). La sécrétion de la TSH est régie par la thyréo-libérine (TRH, « thyrotropin releasing hormone ») de l'hypothalamus. La libération de cette dernière dépend, entre autres facteurs, des concentrations sanguines de TSH, de T_3 et de glucose ainsi que de l'activité métabolique de l'organisme. Elle obéit à un mécanisme de rétro-inhibition qui sera expliqué plus loin dans le présent chapitre et qui est illustré dans la figure 18.12.

Hormone folliculostimulante

Chez la femme, l'hormone folliculostimulante (FSH) est transportée dans le sang à partir de l'adénohypophyse jusqu'aux ovaires, où elle déclenche tous les mois le développement de follicules – structures en forme de sac constituées de cellules sécrétrices disposées autour d'un ovocyte en développement. La FSH stimule aussi la sécrétion des œstrogènes (hormones sexuelles femelles) par les cellules folliculaires. Chez l'homme, la FSH stimule la production de spermatozoïdes dans les testicules. La gonadolibérine (GnRH, « gonadotropin releasing hormone ») de l'hypothalamus est à l'origine de la libération de la FSH. La libération de la GnRH et de la FSH est réprimée par un mécanisme de rétro-inhibition qui met en jeu les œstrogènes chez la femme et la testostérone (principale hormone sexuelle mâle) chez l'homme.

Hormone lutéinisante

Chez la femme, l'hormone lutéinisante (LH) et l'hormone folliculostimulante provoquent la sécrétion des œstrogènes par les cellules ovariennes. Cette action mène à la libération par l'ovaire d'un ovocyte secondaire (futur ovule), processus qui porte le nom d'ovulation. La LH stimule aussi la formation du corps jaune (structure créée à la suite de l'ovulation) dans l'ovaire et la sécrétion de progestérone (autre hormone sexuelle femelle) par ce même corps jaune. Les œstrogènes et la progestérone préparent l'utérus pour l'implantation d'un ovule fécondé et contribuent aussi à préparer les glandes mammaires pour la sécrétion du lait. Chez l'homme, la LH stimule la sécrétion de testostérone par les cellules interstitielles dans les testicules. La sécrétion de la LH, comme celle de la FSH, est régie par la gonadolibérine.

Prolactine

La prolactine (PRL), avec le concours d'autres hormones, déclenche et entretient la sécrétion du lait par les glandes mammaires. À elle seule, elle produit peu d'effet. Les glandes mammaires doivent d'abord être sensibilisées par les œstrogènes, la progestérone, les glucocorticoïdes, l'hormone de croissance, la thyroxine et l'insuline, qui ont des effets « permissifs », pour que la PRL suscite la sécrétion du lait. L'éjection du lait des glandes mammaires dépend de l'ocytocine, une hormone libérée par la neurohypophyse. Ensemble, la sécrétion et l'éjection du lait constituent la *lactation*.

L'hypothalamus sécrète des hormones de libération et des hormones d'inhibition qui agissent sur la sécrétion de la prolactine. Le facteur inhibiteur de la prolactine (PIH,

Tableau 18.4 Principaux effets des hormones de l'adénohypophyse

HORMONE ET TISSUS CIBLES	PRINCIPAUX EFFETS	HORMONE ET TISSUS CIBLES	PRINCIPAUX EFFETS
Hormone de croissance (hGH) ou **somatotrophine** Foie	Stimule la synthèse et la sécrétion de somatomédines (IGF) par le foie, les muscles, les cartilages, les os et d'autres tissus ; les IGF favorisent la croissance des cellules du corps, la synthèse des protéines, la réparation des tissus, la lipolyse et l'élévation de la glycémie.	**Hormone lutéinisante (LH)** Ovaires Testicules	Chez la femme, stimule la sécrétion d'œstrogènes et de progestérone, l'ovulation et la formation du corps jaune. Chez l'homme, stimule le développement des cellules interstitielles dans les testicules et la production de testostérone par ces cellules.
Thyrotrophine (TSH) ou **hormone thyréotrope** Glande thyroïde	Stimule la synthèse et la sécrétion des hormones thyroïdiennes par la glande thyroïde.	**Prolactine (PRL)** Glandes mammaires	Agissant avec d'autres hormones, rend possible la sécrétion du lait par les glandes mammaires.
Hormone folliculo-stimulante (FSH) Ovaires Testicules	Chez la femme, déclenche le développement d'ovocytes et la sécrétion d'œstrogènes par les ovaires. Chez l'homme, stimule la production de spermatozoïdes dans les testicules.	**Corticotrophine (ACTH)** ou **hormone corticotrope** Cortex surrénal	Stimule la sécrétion des glucocorticoïdes (surtout le cortisol) par le cortex surrénal.
		Hormone mélanotrope (MSH) Peau	Rôle exact inconnu chez l'humain mais peut faire foncer la peau.

« prolactin inhibiting hormone »), qui n'est nulle autre que la dopamine, inhibe la libération de cette hormone de l'adénohypophyse. Quand les taux circulants d'œstrogènes et de progestérone tombent, juste avant les menstruations, la sécrétion de la PIH diminue et la concentration sanguine de la prolactine augmente. La sensibilité des seins éprouvée peu avant les menstruations peut être causée par cette élévation du taux de prolactine. Comme cette poussée de prolactine ne dure pas longtemps et que les cellules glandulaires n'ont pas fini de se développer, il n'y a pas de production de lait. Quand le nouveau cycle menstruel s'amorce et que la concentration d'œstrogènes augmente, la sécrétion de la PIH reprend et celle de la prolactine s'estompe. La concentration de la prolactine augmente durant la grossesse sous l'influence de l'hormone de libération de la prolactine (PRH, « prolactin releasing hormone ») produite par l'hypothalamus. La succion du nourrisson lors de l'allaitement fait diminuer la sécrétion de PIH par l'hypothalamus.

Le rôle de la prolactine chez l'homme n'est pas connu, mais son hypersécrétion entraîne des difficultés d'érection ou l'impuissance (incapacité d'avoir une érection du pénis). Chez la femme, l'hypersécrétion de la prolactine cause la galactorrhée (lactation intempestive) et l'aménorrhée (absence de cycles menstruels).

Corticotrophine

Les cellules corticotropes sécrètent surtout de la corticotrophine (ACTH), ou hormone corticotrope. L'ACTH régit la production et la sécrétion d'hormones appelées glucocorticoïdes par le cortex (couche externe) des glandes surrénales. La corticolibérine (CRH) de l'hypothalamus stimule la sécrétion d'ACTH par les cellules corticotropes. Les stimulus liés au stress, tels l'hypoglycémie ou un traumatisme physique, ainsi que l'interleukine 1 (IL-1), une substance produite par les macrophages, stimulent également la libération d'ACTH. Les glucocorticoïdes répriment par rétro-inhibition la libération de la CRH et de l'ACTH.

Hormone mélanotrope

L'hormone mélanotrope (MSH) fait augmenter la pigmentation de la peau chez les amphibiens en stimulant la dispersion des granules de mélanine dans les mélanocytes. Son rôle exact chez l'humain est inconnu. Toutefois, l'administration continue de MSH pendant plusieurs jours fait foncer la peau et, en son absence, il arrive que la peau pâlisse. La corticolibérine (CRH) stimule la sécrétion de la MSH, alors que la dopamine l'inhibe.

Le tableau 18.4 présente un résumé des principaux effets des hormones de l'adénohypophyse.

Figure 18.8 Les axones des cellules neurosécrétrices de l'hypothalamus forment le faisceau hypothalamo-hypophysaire, qui s'étend des noyaux paraventriculaire et supraoptique jusqu'à la neurohypophyse. Les molécules d'hormones synthétisées dans le corps cellulaire de ces cellules sont enveloppées dans des vésicules de sécrétion qui se rendent dans les terminaisons axonales. Les influx nerveux déclenchent la libération des hormones par exocytose.

🔑 **L'ocytocine et l'hormone antidiurétique sont synthétisées dans l'hypothalamus et libérées dans les capillaires sanguins de la neurohypophyse.**

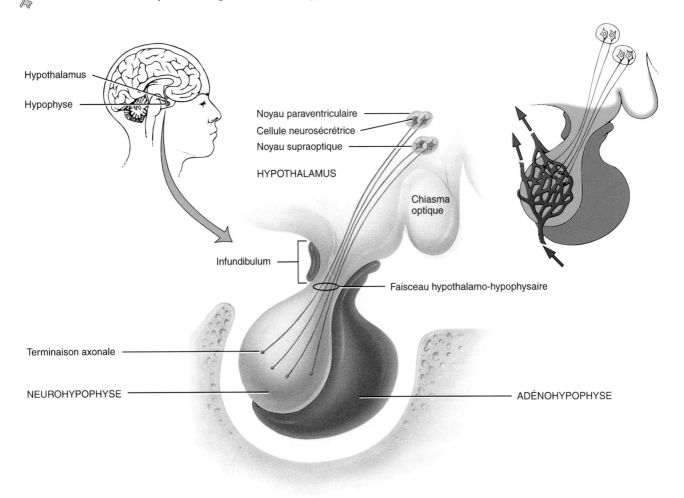

Hypothalamus

Hypophyse

Noyau paraventriculaire

Cellule neurosécrétrice

Noyau supraoptique

HYPOTHALAMUS

Chiasma optique

Infundibulum

Faisceau hypothalamo-hypophysaire

Terminaison axonale

NEUROHYPOPHYSE

ADÉNOHYPOPHYSE

Q En quoi les veines portes hypophysaires et le faisceau hypothalamo-hypophysaire se ressemblent-ils sur le plan fonctionnel ? En quoi diffèrent-ils sur le plan structural ?

Neurohypophyse

La **neurohypophyse** ne *synthétise* pas d'hormone, mais elle en *emmagasine* et en *libère* deux. Nous avons mentionné plus haut qu'elle est composée de pituicytes et des terminaisons axonales de cellules neurosécrétrices de l'hypothalamus. Les corps cellulaires de ces cellules sont situés dans les noyaux supraoptique et paraventriculaire de l'hypothalamus ; leurs axones forment le **faisceau hypothalamo-hypophysaire,** qui a son origine dans l'hypothalamus et se termine à proximité de capillaires sanguins dans la neurohypophyse (figure 18.8). Deux types de cellules neurosécrétrices produisent chacun

une hormone : l'**ocytocine** (*ôkutokos* = qui procure un accouchement rapide) et l'**hormone antidiurétique** (**ADH,** « antidiuretic hormone »), aussi appelée **vasopressine.**

Après leur production dans le corps cellulaire des cellules neurosécrétrices, l'ocytocine et l'hormone antidiurétique sont enveloppées dans des vésicules qui sont acheminées par transport axonal rapide (voir p. 403) vers les terminaisons axonales dans la neurohypophyse. Les influx nerveux qui se propagent le long des axones jusqu'aux terminaisons déclenchent la libération des hormones par exocytose de ces vésicules de sécrétion.

L'irrigation sanguine de la neurohypophyse est assurée par les **artères hypophysaires inférieures** (voir la figure 18.5) qui sont des ramifications des artères carotides internes. Les artères hypophysaires inférieures se jettent dans le **réseau capillaire du lobe postérieur,** où sont déversées l'ocytocine et l'hormone antidiurétique (voir la figure 18.5). De là, les hormones passent dans les **veines hypophysaires postérieures** pour être envoyées aux cellules cibles dans d'autres tissus.

Ocytocine

Pendant et après l'accouchement, l'ocytocine a deux tissus cibles : l'utérus et les glandes mammaires. Durant l'accouchement, l'ocytocine renforce la contraction des cellules des muscles lisses de la paroi utérine ; après l'accouchement, elle stimule l'éjection du lait des glandes mammaires en réponse au stimulus mécanique que fournit la succion du nourrisson. Le rôle de l'ocytocine chez l'homme et chez la femme qui n'est pas enceinte n'est pas bien connue. Des expériences réalisées sur des animaux suggèrent que son action se situe au niveau du cerveau et qu'elle prédispose les parents à s'occuper de leurs petits. On croit qu'elle est également à l'origine, en partie, du plaisir éprouvé durant et après les relations sexuelles.

Hormone antidiurétique

Un **antidiurétique** est une substance qui fait diminuer la production d'urine. Sous l'action de l'hormone antidiurétique (ADH), les reins retournent plus d'eau dans la circulation sanguine, ce qui diminue le volume d'urine. À défaut d'ADH, le volume urinaire est plus que décuplé, de la valeur normale de 1 ou 2 L à environ 20 L par jour. L'ADH réduit aussi la perte d'eau par transpiration et cause la constriction des artérioles, ce qui entraîne une élévation de la pression sanguine. L'autre nom de cette hormone, la vasopressine, témoigne de cet effet sur la pression sanguine. Des récepteurs d'ADH défectueux ou une hyposécrétion d'ADH causent le diabète insipide (voir p. 636).

La quantité d'ADH sécrétée varie selon le volume et la pression osmotique du sang. La régulation de la sécrétion et de l'action de l'ADH s'effectue de la façon suivante (figure 18.9) :

1 Une pression osmotique sanguine élevée – causée par la déshydratation ou une perte de volume sanguin due à une hémorragie, à la diarrhée ou à une transpiration excessive – stimule les **osmorécepteurs.** Ces derniers sont des neurones de l'hypothalamus qui réagissent directement aux variations de la pression osmotique. Ils sont aussi excités par des signaux provenant d'autres régions de l'encéphale quand le volume sanguin diminue.

2 Les osmorécepteurs activent les cellules neurosécrétrices de l'hypothalamus qui synthétisent et libèrent l'ADH.

3 Quand celles-ci sont excitées par les osmorécepteurs, elles produisent des influx nerveux qui causent la libération par exocytose de l'ADH contenue dans les vésicules des terminaisons axonales. L'ADH diffuse alors dans les capillaires sanguins de la neurohypophyse.

Figure 18.9 Régulation de la sécrétion et effets de l'hormone antidiurétique (ADH).

🔑 **L'ADH a pour fonction de retenir l'eau dans l'organisme et d'augmenter la pression artérielle.**

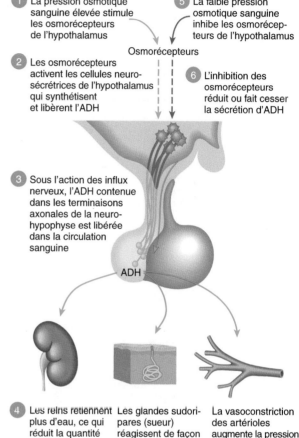

1 La pression osmotique sanguine élevée stimule les osmorécepteurs de l'hypothalamus

5 La faible pression osmotique sanguine inhibe les osmorécepteurs de l'hypothalamus

2 Les osmorécepteurs activent les cellules neuro-sécrétrices de l'hypothalamus qui synthétisent et libèrent l'ADH

6 L'inhibition des osmorécepteurs réduit ou fait cesser la sécrétion d'ADH

Osmorécepteurs

3 Sous l'action des influx nerveux, l'ADH contenue dans les terminaisons axonales de la neuro-hypophyse est libérée dans la circulation sanguine

ADH

4 Les reins retiennent plus d'eau, ce qui réduit la quantité d'urine produite

Les glandes sudori-pares (sueur) réagissent de façon à freiner la perte d'eau par la transpi-ration cutanée

La vasoconstriction des artérioles augmente la pression artérielle

Q Quel serait l'effet de boire un litre d'eau sur la pression osmotique du sang et comment la concentration sanguine d'ADH changerait-elle ?

4 L'ADH est transportée dans le sang vers trois tissus cibles : les reins, les glandes sudoripares (sueur) et les muscles lisses dans les parois des vaisseaux sanguins. Les reins réagissent en retenant plus d'eau, ce qui diminue la production d'urine. L'activité sécrétoire des glandes sudoripares diminue, ce qui réduit la perte d'eau par la transpiration cutanée. Les muscles lisses dans les parois des artérioles (petites artères) se contractent en réponse à une concentration élevée d'ADH, ce qui entraîne la constriction de ces vaisseaux sanguins (rétrécissement de leur lumière) et une élévation de la pression artérielle.

5 Une faible pression osmotique du sang ou un accroissement du volume sanguin inhibe les osmorécepteurs.

Tableau 18.5 Hormones de la neurohypophyse

HORMONE ET TISSUS CIBLES	PRINCIPAUX EFFETS	RÉGULATION DE LA SÉCRÉTION
Ocytocine  Utérus Glandes mammaires	Stimule la contraction des fibres musculaires lisses de l'utérus durant l'accouchement; stimule la contraction des cellules myoépithéliales des glandes mammaires qui causent l'éjection du lait.	Les cellules neurosécrétrices de l'hypothalamus sécrètent l'ocytocine en réponse à la distension de l'utérus et à la stimulation des mamelons.
Hormone antidiurétique (ADH), ou **vasopressine** Reins Glandes sudoripares (sueur) Artérioles	Conserve l'eau du corps en diminuant le volume d'urine; réduit la perte d'eau par transpiration; élève la pression artérielle par vasoconstriction des artérioles.	Les cellules neurosécrétrices de l'hypothalamus libèrent l'ADH en réponse à l'élévation de la pression osmotique sanguine, à la déshydratation, à la perte de volume sanguin, à la douleur ou au stress; une faible pression osmotique sanguine, un volume sanguin élevé et l'alcool inhibent la sécrétion d'ADH.

6 L'inhibition des osmorécepteurs réduit ou fait cesser la sécrétion d'ADH. Les reins retiennent alors moins d'eau et le volume d'urine augmente, l'activité sécrétoire des glandes sudoripares s'intensifie et les artérioles se dilatent. Le volume sanguin et la pression osmotique des liquides de l'organisme reviennent à la normale.

La sécrétion d'ADH peut aussi varier en réaction à d'autres facteurs. C'est ainsi que la douleur, le stress, les traumatismes, l'anxiété, l'acétylcholine, la nicotine et les médicaments tels que la morphine, les tranquillisants et certains anesthésiques stimulent la sécrétion d'ADH. L'alcool inhibe la sécrétion de cette hormone et fait augmenter la production d'urine. La déshydratation qui en résulte peut causer la soif et les maux de tête caractéristiques de la « gueule de bois ».

Le tableau 18.5 présente les hormones de la neurohypophyse et résume leurs principaux effets et la régulation de leur sécrétion.

1. De quelle façon l'hypophyse est-elle en réalité deux glandes?
2. Comment les hormones de libération et d'inhibition de l'hypothalamus influent-elles sur les sécrétions de l'adénohypophyse?
3. Décrivez la structure et l'importance du faisceau hypothalamo-hypophysaire.
4. Expliquez quels changements on observera dans la concentration sanguine de T_3/T_4, TSH et TRH d'un animal de laboratoire qui a subi une thyroïdectomie (ablation totale de la glande thyroïde).

GLANDE THYROÏDE
OBJECTIF
- *Décrire la situation, l'histologie, les hormones et les fonctions de la glande thyroïde.*

La **glande thyroïde** est un organe en forme de papillon situé juste au-dessous du larynx (organe vocal). Les **lobes latéraux** gauche et droit reposent de part et d'autre de la trachée (figure 18.10a) et sont reliés par une masse de tissu appelée **isthme** qui repose devant la face antérieure de la trachée. Un petit lobe pyramidal prolonge parfois l'isthme vers le haut. En règle générale, la glande pèse environ 30 g. Richement vascularisée, elle reçoit entre 80 et 120 mL de sang par minute.

La glande thyroïde est constituée principalement de **follicules thyroïdiens,** qui sont des structures microscopiques en forme de sphères creuses (figure 18.10b; voir aussi la figure 18.13c). La paroi de ces structures est surtout composée de **cellules folliculaires** qui donnent sur la lumière (cavité interne) du follicule. Quand elles sont inactives, ces cellules sont plutôt cuboïdes ou pavimenteuses; sous l'influence de la TSH, elles deviennent cuboïdes, parfois presque prismatiques, et se mettent à sécréter activement. Elles produisent deux hormones: la **thyroxine,** aussi appelée **tétraiodothyronine,** ou **T_4,** parce qu'elle contient quatre atomes d'iode, et la **triiodothyronine,** ou **T_3,** qui porte trois atomes d'iode. La T_3 et la T_4 sont aussi appelées **hormones thyroïdiennes.** Un petit nombre de cellules, les **cellules parafolliculaires** ou **cellules C,** sont parfois enchâssées dans les follicules ou se trouvent dans l'espace environnant. Elles produisent la **calcitonine,** une hormone qui participe à la régulation de l'homéostasie du calcium.

Figure 18.10 Situation, vascularisation et histologie de la glande thyroïde.

Les hormones thyroïdiennes régulent 1) l'utilisation de l'oxygène et l'activité du métabolisme basal, 2) le métabolisme cellulaire et 3) la croissance et le développement.

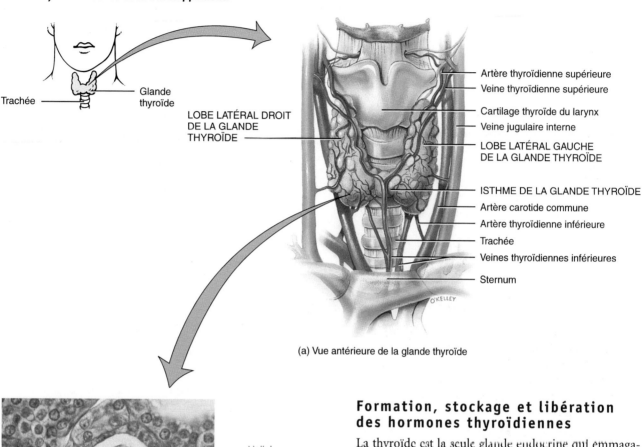

Trachée

Glande thyroïde

LOBE LATÉRAL DROIT DE LA GLANDE THYROÏDE

Artère thyroïdienne supérieure
Veine thyroïdienne supérieure
Cartilage thyroïde du larynx
Veine jugulaire interne
LOBE LATÉRAL GAUCHE DE LA GLANDE THYROÏDE
ISTHME DE LA GLANDE THYROÏDE
Artère carotide commune
Artère thyroïdienne inférieure
Trachée
Veines thyroïdiennes inférieures
Sternum

O'KELLEY

(a) Vue antérieure de la glande thyroïde

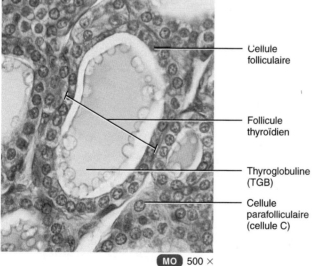

Cellule folliculaire

Follicule thyroïdien

Thyroglobuline (TGB)

Cellule parafolliculaire (cellule C)

MO 500 ×

(b) Quelques follicules thyroïdiens

Q Quelles cellules sécrètent la T_3 et la T_4? Quelles cellules sécrètent la calcitonine? Lesquelles de ces hormones sont aussi appelées hormones thyroïdiennes?

Formation, stockage et libération des hormones thyroïdiennes

La thyroïde est la seule glande endocrine qui emmagasine en grande quantité les produits qu'elle sécrète – elle en a normalement une réserve d'environ 100 jours. En bref, sous l'action de la TSH, la T_3 et la T_4 sont synthétisées par la fixation d'atomes d'iode à la tyrosine, un acide aminé, puis elles sont stockées pour quelque temps avant d'être sécrétées dans la circulation. La séquence d'événements est la suivante (figure 18.11) :

① *Capture d'iodures.* Les cellules folliculaires de la thyroïde captent les ions iodure (I^-) dans le sang et les font passer dans le cytosol par transport actif. La concentration de I^- à l'intérieur de ces cellules est de 20 à 40 fois plus élevée que celle du plasma sanguin. En conséquence, la glande thyroïde contient normalement la plupart des ions iodure de l'organisme.

② *Synthèse de la thyroglobuline.* Tout en captant les ions I^-, les cellules folliculaires synthétisent la **thyroglobuline** (**TGB**), une glycoprotéine de masse moléculaire élevée qui contient environ 5 000 résidus d'acides aminés, dont plus de 100 sont des tyrosines. Quelques-unes de ces dernières seront iodées (voir l'étape **④**). La TGB est produite dans le réticulum endoplasmique rugueux, modifiée dans le complexe de Golgi et emmagasinée

Figure 18.11 Synthèse et sécrétion des hormones thyroïdiennes.

 Les hormones thyroïdiennes sont synthétisées à partir de la tyrosine, un acide aminé auquel sont fixés des atomes d'iode.

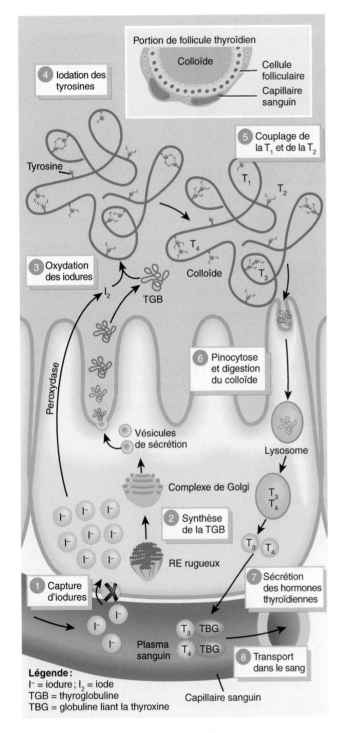

Légende :
I⁻ = iodure ; I₂ = iode
TGB = thyroglobuline
TBG = globuline liant la thyroxine

Q Sous quelle forme les hormones thyroïdiennes sont-elles emmagasinées ?

dans des vésicules de sécrétion. Elle est ensuite libérée par exocytose dans la lumière des follicules. La matière qui s'accumule ainsi dans la lumière porte le nom de **colloïde.**

3 *Oxydation des ions iodure.* Avant de se lier à la tyrosine, les ions iodure, qui possèdent une charge négative, doivent être oxydés (perte d'électrons) pour former de l'iode : $2I^- \rightarrow I_2$. L'enzyme qui catalyse cette réaction est la peroxydase. Dans les cellules folliculaires de la thyroïde, la peroxydase est surtout concentrée du côté du colloïde, aux abords de la membrane ou dans celle-ci. Au fur et à mesure de leur oxydation, les molécules d'iode passent à travers la membrane dans le colloïde. On croit que la peroxydase catalyse aussi les étapes **4** et **5**.

4 *Iodation des tyrosines.* L'iode moléculaire (I_2) réagit avec les tyrosines qui font partie des molécules de thyroglobuline dans le colloïde. La liaison d'un atome d'iode donne la monoiodotyrosine (T_1). Une seconde iodation donne la diiodotyrosine (T_2).

5 *Couplage de la T_1 et de la T_2.* Lors de la dernière étape de la synthèse des hormones thyroïdiennnes, deux molécules de T_2 se joignent pour former la T_4, ou une T_1 s'unit à une T_2 pour donner une molécule de T_3. À la fin, chaque TGB contient environ six T_1, cinq T_2 et de une à cinq T_4. On trouve une seule T_3 dans une molécule sur quatre de thyroglobuline. Les hormones thyroïdiennes restent liées à la thyroglobuline et c'est ainsi qu'elles sont emmagasinées dans le colloïde.

6 *Pinocytose et digestion du colloïde.* Des gouttelettes de colloïde reviennent dans les cellules folliculaires par pinocytose et fusionnent avec des lysosomes. Là, les enzymes digestives dégradent la TGB et relâchent les molécules de T_3 et T_4. Des molécules de T_1 et T_2 sont aussi libérées, mais leurs atomes d'iode sont détachés et réutilisés pour la synthèse de nouvelles molécules de T_3 et T_4.

7 *Sécrétion des hormones thyroïdiennes.* Étant liposolubles, la T_3 et la T_4 diffusent à travers la membrane plasmique et entrent dans la circulation sanguine.

8 *Transport dans le sang.* Plus de 99 % des molécules de T_3 et de T_4 s'unissent à des protéines de transport dans le sang, surtout à la **globuline liant la thyroxine** ou **TBG** (« thyroxin-binding globulin »).

Normalement, la T_4 est sécrétée en plus grande quantité que la T_3, mais cette dernière est de beaucoup plus puissante. De plus, au fur et à mesure qu'elles circulent dans le sang et pénètrent dans les cellules de l'organisme, la plupart des molécules de T_4 sont transformées en T_3 par perte d'un atome d'iode.

Effets des hormones thyroïdiennes

Les hormones thyroïdiennes régulent 1) l'utilisation d'oxygène et l'activité du métabolisme basal, 2) le métabolisme cellulaire et 3) la croissance et le développement.

Les hormones thyroïdiennes accélèrent le métabolisme basal (taux de consommation d'oxygène au repos et à jeun) en stimulant l'utilisation de l'oxygène cellulaire pour la production d'ATP. Les pompes qui expulsent continuellement par transport actif les ions sodium (Na^+) du cytosol vers le liquide extracellulaire consomment une grande part de l'ATP produit dans la plupart des cellules. Un des principaux effets des hormones thyroïdiennes est de stimuler la synthèse de l'enzyme qui fait fonctionner la pompe, soit la Na^+-K^+ ATPase. À mesure que les cellules utilisent plus d'oxygène pour produire de l'ATP, elles dégagent plus de chaleur et la température corporelle s'élève. Ce phénomène est appelé **effet calorigène** des hormones thyroïdiennes. C'est ainsi que ces dernières jouent un rôle important dans le maintien de la température normale du corps. Les mammifères normaux peuvent vivre à des températures sous le point de congélation, mais ceux dont la thyroïde a été enlevée ne le peuvent pas.

Les hormones thyroïdiennes régulent le métabolisme en stimulant la synthèse des protéines et l'utilisation du glucose pour la production d'ATP. Elles font aussi augmenter la lipolyse et l'excrétion de cholestérol dans la bile (substance élaborée dans le foie qui facilite la digestion des lipides), diminuant ainsi le taux de cholestérol dans le sang.

Les hormones thyroïdiennes renforcent certains effets des catécholamines (noradrénaline et adrénaline) parce qu'elles exercent une régulation positive sur le nombre de récepteurs bêta (β). C'est pourquoi on compte parmi les symptômes de l'hyperthyroïdie l'accélération de la fréquence cardiaque, l'augmentation de la force de contraction du cœur et l'élévation de la pression artérielle.

Avec le concours de l'hormone de croissance et de l'insuline, les hormones thyroïdiennes accélèrent la croissance, en particulier celle du tissu nerveux. Un déficit en hormones thyroïdiennes durant le développement fœtal ou l'enfance mène au *crétinisme,* qui se caractérise par une petite taille et une arriération mentale.

Régulation de la sécrétion des hormones thyroïdiennes

La taille et l'activité sécrétoire (qui influe sur la taille) de la glande thyroïde sont soumises à deux formes principales de régulation. Premièrement, bien que l'iode soit nécessaire à la synthèse des hormones thyroïdiennes, il peut réprimer leur libération si sa concentration sanguine est anormalement élevée. Deuxièmement, des mécanismes de rétro-inhibition qui mettent en jeu la thyréolibérine (TRH, « thyrotropin releasing hormone ») de l'hypothalamus et la TSH de l'adénohypophyse stimulent la synthèse et la libération des hormones thyroïdiennes de la façon suivante (figure 18.12) :

1 Une faible concentration sanguine de T_3 et de T_4 ou un ralentissement du métabolisme énergétique stimulent la sécrétion de thyréolibérine par l'hypothalamus.

Figure 18.12 Régulation par rétro-inhibition de la sécrétion des hormones thyroïdiennes.

🔑 **La thyrotrophine (TSH) stimule la libération des hormones thyroïdiennes (T_3 et T_4) par la glande thyroïde.**

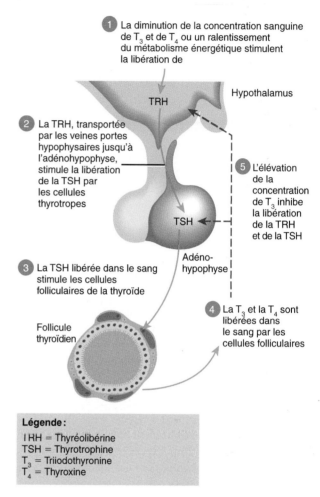

1 La diminution de la concentration sanguine de T_3 et de T_4 ou un ralentissement du métabolisme énergétique stimulent la libération de

Hypothalamus

TRH

2 La TRH, transportée par les veines portes hypophysaires jusqu'à l'adénohypophyse, stimule la libération de la TSH par les cellules thyrotropes

5 L'élévation de la concentration de T_3 inhibe la libération de la TRH et de la TSH

TSH

Adéno-hypophyse

3 La TSH libérée dans le sang stimule les cellules folliculaires de la thyroïde

Follicule thyroïdien

4 La T_3 et la T_4 sont libérées dans le sang par les cellules folliculaires

Légende :
TRH = Thyréolibérine
TSH = Thyrotrophine
T_3 = Triiodothyronine
T_4 = Thyroxine

❓ Comment une carence alimentaire en iode mène-t-elle au goitre, c'est-à-dire à une hypertrophie de la glande thyroïde ?

2 La TRH passe dans les veines portes hypophysaires et est transportée à l'adénohypophyse, où elle stimule la sécrétion de la thyrotrophine (TSH) par les cellules thyrotropes.

3 La TSH exerce une action stimulante sur presque tous les aspects de l'activité des cellules folliculaires, y compris leur croissance, la capture d'iodures ainsi que la synthèse et la sécrétion des hormones.

4 Les cellules folliculaires de la thyroïde libèrent des molécules de T_3 et de T_4 dans la circulation sanguine jusqu'à ce que l'activité normale du métabolisme soit rétablie.

5 Une concentration élevée de T_3 inhibe la libération de la TRH et de la TSH.

Tableau 18.6 Hormones de la glande thyroïde

HORMONE	PRINCIPAUX EFFETS	RÉGULATION DE LA SÉCRÉTION
T_3 (triiodothyronine) et T_4 (thyroxine), ou **hormones thyroïdiennes** des cellules folliculaires 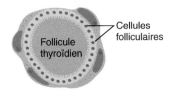	Accélèrent l'activité du métabolisme basal, stimulent la synthèse des protéines, augmentent l'utilisation du glucose pour la production d'ATP, augmentent la lipolyse et l'excrétion du cholestérol dans la bile, accélèrent la croissance de l'organisme et contribuent au développement du système nerveux.	La sécrétion augmente sous l'action de la thyréolibérine (TRH) qui stimule la libération de la thyrotrophine (TSH) en réponse à la diminution de la concentration d'hormones thyroïdiennes, au ralentissement du métabolisme énergétique, au froid, à la grossesse et à la haute altitude. La sécrétion de la TRH et de la TSH est inhibée par une concentration élevée d'hormones thyroïdiennes ; celle de T_3/T_4 est réprimée par une forte concentration d'iode.
Calcitonine des cellules parafolliculaires 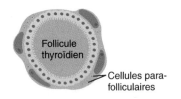	Abaisse la concentration sanguine en ions calcium et phosphate en inhibant la résorption osseuse et en accélérant leur incorporation dans la matrice osseuse.	Une concentration élevée de Ca^{2+} dans le sang stimule la sécrétion de calcitonine ; une faible concentration de Ca^{2+} inhibe sa sécrétion.

Quand les conditions exigent une augmentation de la consommation d'ATP – un environnement froid, l'hypoglycémie, la haute altitude et la grossesse –, ce mécanisme de rétro-inhibition réagit en conséquence et la sécrétion des hormones thyroïdiennes augmente.

Calcitonine

L'hormone produite par les cellules parafolliculaires de la glande thyroïde est la **calcitonine.** Bien que son action soit rapide dans des conditions expérimentales, l'importance physiologique de la calcitonine dans des conditions normales reste obscure parce que ni l'excès ni l'absence totale de cette hormone ne produisent de symptômes. Quand elle est administrée sous forme de médicament, la calcitonine fait diminuer la quantité de calcium et de phosphates dans le sang en inhibant la résorption osseuse (dégradation de la matrice osseuse) et en accélérant l'incorporation de ces ions dans la matrice osseuse. La calcitonine exerce son action en inhibant l'activité des ostéoclastes (cellules qui détruisent les os). La miacalcine, un extrait de calcitonine provenant du saumon, est employée comme médicament pour traiter l'ostéoporose.

Le tableau 18.6 présente en résumé les hormones produites par la glande thyroïde, leurs principaux effets et la régulation de leur sécrétion.

1. Comment les hormones thyroïdiennes sont-elles élaborées, stockées et sécrétées ?
2. Quels sont les effets physiologiques des hormones thyroïdiennes ?
3. Comment s'effectue la régulation de la sécrétion de T_3 et de T_4 ?

GLANDES PARATHYROÏDES

OBJECTIF

• *Décrire la situation, l'histologie, l'hormone et les fonctions des glandes parathyroïdes.*

Les **glandes parathyroïdes** sont de petites masses de tissu arrondies fixées à la face postérieure des lobes latéraux de la glande thyroïde. Habituellement, on trouve deux glandes parathyroïdes sur chaque lobe latéral, une supérieure et une inférieure (figure 18.13a).

Au microscope, on distingue deux types de cellules épithéliales dans les glandes parathyroïdes (figure 18.13b et c). Les plus nombreuses, appelées **cellules principales,** sont probablement la source la plus importante de **parathormone** (**PTH**, « parathyroid hormone »), ou **hormone parathyroïdienne.** La fonction de l'autre type de cellules, appelées *cellules oxyphiles,* n'est pas connue.

Parathormone

La PTH fait augmenter le nombre d'ostéoclastes et stimule leur activité. Il en résulte un accroissement de la résorption osseuse, ce qui libère des ions calcium (Ca^{2+}) et phosphate (HPO_4^{2-}) dans le sang. La PTH exerce également deux actions sur les reins : 1) elle augmente le taux de rétention du Ca^{2+} et du magnésium (Mg^{2+}) présents dans l'urine en formation pour les retourner à la circulation sanguine, et 2) elle inhibe la réabsorption des ions HPO_4^{2-} qui sont filtrés par les reins, augmentant ainsi leur excrétion dans l'urine. La quantité de HPO_4^{2-} perdue dans l'urine est plus grande que celle obtenue aux dépens des os. Au total, la PTH fait diminuer la concentration sanguine de HPO_4^{2-} et monter celle de Ca^{2+}

Figure 18.13 Situation, vascularisation et histologie des glandes parathyroïdes.

🔑 **Les glandes parathyroïdes – on en compte normalement quatre – sont fixées à la face postérieure de la glande thyroïde.**

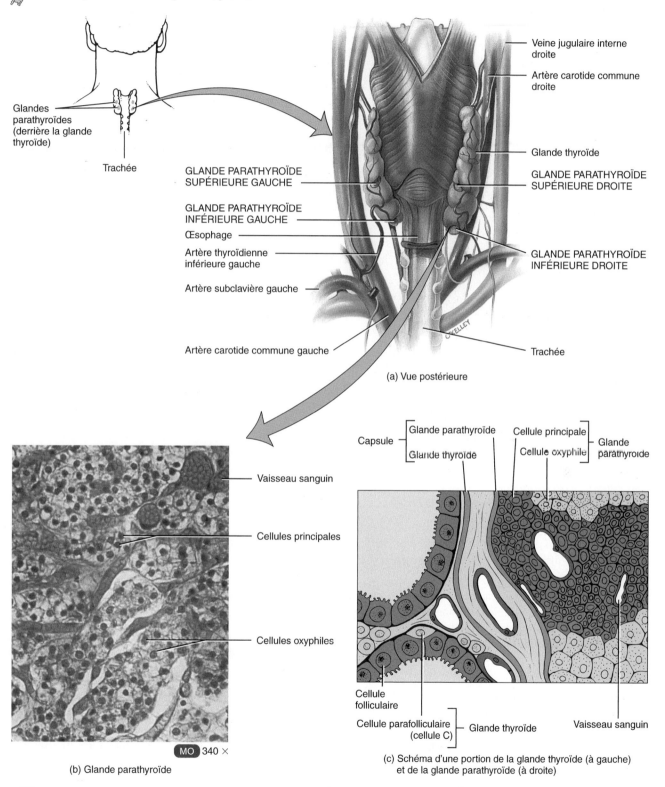

Glandes parathyroïdes (derrière la glande thyroïde)

Trachée

GLANDE PARATHYROÏDE SUPÉRIEURE GAUCHE

GLANDE PARATHYROÏDE INFÉRIEURE GAUCHE

Œsophage

Artère thyroïdienne inférieure gauche

Artère subclavière gauche

Artère carotide commune gauche

Veine jugulaire interne droite

Artère carotide commune droite

Glande thyroïde

GLANDE PARATHYROÏDE SUPÉRIEURE DROITE

GLANDE PARATHYROÏDE INFÉRIEURE DROITE

Trachée

(a) Vue postérieure

Vaisseau sanguin

Cellules principales

Cellules oxyphiles

MO 340 ×

(b) Glande parathyroïde

Capsule

Glande parathyroïde

Glande thyroïde

Cellule principale

Cellule oxyphile

Glande parathyroïde

Cellule folliculaire

Cellule parafolliculaire (cellule C)

Glande thyroïde

Vaisseau sanguin

(c) Schéma d'une portion de la glande thyroïde (à gauche) et de la glande parathyroïde (à droite)

Q Quelles sont les sécrétions 1) des cellules parafolliculaires de la glande thyroïde et 2) des cellules principales des glandes parathyroïdes ?

Figure 18.14 Rôles de la calcitonine (flèches vertes), de la parathormone
(flèches violettes) et du calcitriol (flèches orangées) dans l'homéostasie du calcium.

🔑 **En ce qui concerne la régulation de la calcémie, la calcitonine
et la PTH sont des antagonistes.**

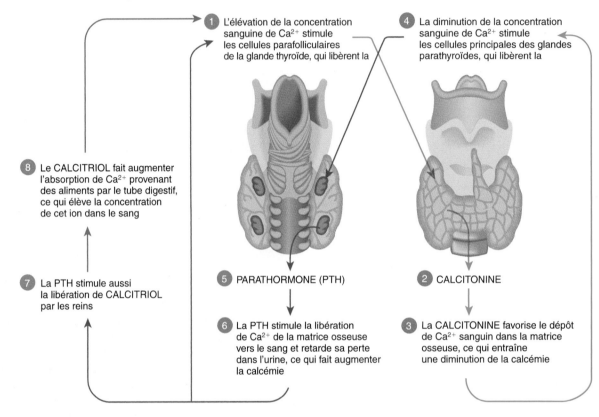

1 L'élévation de la concentration
sanguine de Ca²⁺ stimule
les cellules parafolliculaires
de la glande thyroïde, qui libèrent la

4 La diminution de la concentration
sanguine de Ca²⁺ stimule
les cellules principales des glandes
parathyroïdes, qui libèrent la

8 Le CALCITRIOL fait augmenter
l'absorption de Ca²⁺ provenant
des aliments par le tube digestif,
ce qui élève la concentration
de cet ion dans le sang

7 La PTH stimule aussi
la libération de CALCITRIOL
par les reins

5 PARATHORMONE (PTH)

2 CALCITONINE

6 La PTH stimule la libération
de Ca²⁺ de la matrice osseuse
vers le sang et retarde sa perte
dans l'urine, ce qui fait augmenter
la calcémie

3 La CALCITONINE favorise le dépôt
de Ca²⁺ sanguin dans la matrice
osseuse, ce qui entraîne
une diminution de la calcémie

Q Quels sont les principaux tissus cibles de la PTH, de la calcitonine
et du calcitriol?

et de Mg²⁺. En ce qui concerne la concentration sanguine
de Ca²⁺(calcémie), la PTH et la calcitonine sont des antagonistes, c'est-à-dire que leurs effets s'opposent (voir la
figure 18.14).

La PTH a également une troisième action sur les reins:
elle stimule la formation d'une hormone, le **calcitriol,** qui
est la forme active de la vitamine D. Le calcitriol, aussi appelé
1,25-dihydroxycholécalciférol ou encore *vitamine D₃*, augmente la vitesse d'absorption des ions Ca²⁺, HPO₄²⁻ et Mg²⁺
par le tube digestif et leur passage dans le sang.

La calcémie agit directement par rétro-inhibition sur la
sécrétion de la calcitonine et de la parathormone sans passer
par l'hypophyse (figure 18.14):

1 Une concentration sanguine d'ions calcium (Ca²⁺) plus
élevée que la normale stimule les cellules parafolliculaires
de la glande thyroïde.

2 Les cellules parafolliculaires libèrent plus de calcitonine
en réponse à l'élévation de la calcémie.

3 La calcitonine favorise le dépôt de Ca²⁺ du sang dans
la matrice osseuse et entraîne ainsi une diminution de
la calcémie

4 Une concentration sanguine de Ca²⁺ plus faible que la
normale stimule les cellules principales des glandes
parathyroïdes.

5 Les cellules principales libèrent une plus grande quantité
de parathormone (PTH) en réponse à la diminution de
la calcémie.

6 La PTH favorise la libération de Ca²⁺ de la matrice
osseuse vers le sang et retarde sa perte dans l'urine.
Ainsi, la calcémie augmente.

7 La PTH stimule également la libération de calcitriol
par les reins.

8 Le calcitriol fait augmenter l'absorption de Ca²⁺ venant
des aliments par le tube digestif, ce qui contribue à
élever la concentration de cet ion dans le sang.

Tableau 18.7 Hormone de la glande parathyroïde

HORMONE	PRINCIPAUX EFFETS	RÉGULATION DE LA SÉCRÉTION
Parathormone (**PTH**) provenant des cellules principales Cellule principale 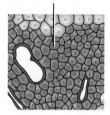	Fait augmenter la concentration sanguine de Ca^{2+} et de Mg^{2+} et diminuer celle des ions phosphate ; accélère l'absorption de Ca^{2+} et de Mg^{2+} provenant des aliments ; stimule la résorption osseuse par les ostéoclastes ; fait augmenter la réabsorption de Ca^{2+} et l'excrétion de phosphate par les reins ; stimule la formation de calcitriol (forme active de la vitamine D).	La diminution de la calcémie stimule sa sécrétion. L'augmentation de la calcémie inhibe sa sécrétion.

Le tableau 18.7 résume les principaux effets de la parathormone et la régulation de sa sécrétion.

1. Comment s'effectue la régulation de la sécrétion de la parathormone ?

GLANDES SURRÉNALES

OBJECTIF

• *Décrire la situation, l'histologie, les hormones et les fonctions des glandes surrénales.*

Les deux **glandes surrénales,** dont chacune coiffe un rein (figure 18.15a), ont une forme pyramidale aplatie. Chez l'adulte, chaque glande surrénale mesure de 3 à 5 cm de hauteur et de 2 à 3 cm de largeur et a un peu moins de 1 cm d'épaisseur. Elle pèse de 3,5 à 5 g, ce qui représente la moitié seulement de son poids à la naissance. Durant le développement embryonnaire, les glandes surrénales se différencient en deux régions distinctes sur les plans structural et fonctionnel : un grand **cortex surrénal** situé en périphérie, qui constitue de 80 à 90 % de la masse de la glande et se développe à partir du mésoderme ; une petite **médullosurrénale** située au centre qui se développe à partir de l'ectoderme (figure 18.15b). Le cortex surrénal produit des hormones stéroïdes qui sont essentielles à la vie. La perte totale des hormones corticosurrénales mène à la mort par déshydratation et déséquilibre électrolytique, et ce en quelques jours, au plus une semaine, sauf si on commence sans tarder un traitement hormonal substitutif. La médullosurrénale produit deux hormones : la noradrénaline et l'adrénaline, qui sont des catécholamines. La glande est recouverte d'une capsule de tissu conjonctif. Les glandes surrénales, comme la glande thyroïde, sont richement vascularisées.

Cortex surrénal

Le cortex surrénal est divisé en trois couches, ou zones, qui sécrètent des hormones distinctes (figure 18.15b). La couche externe, située immédiatement sous la capsule de tissu conjonctif, est appelée **zone glomérulée** (*glomerulus* = petite boule). Ses cellules, serrées les unes contre les autres en amas sphériques et en colonnes arquées, sécrètent des hormones nommées **minéralocorticoïdes** parce qu'elles influent sur l'homéostasie de certains minéraux, tels le sodium et le potassium. La couche du milieu, appelée **zone fasciculée** (*fasciculus* = petit paquet), est la plus large des trois couches. Elle est constituée de cellules qui forment de longs cordons droits. Ces cellules sécrètent surtout des **glucocorticoïdes,** ainsi nommés parce qu'ils influent sur l'homéostasie du glucose. Les cellules de la couche interne, appelée **zone réticulée** (*reticulum* = petit filet), forment des cordons ramifiés. Elles synthétisent de petites quantités d'**androgènes** (*andros* = homme) faibles, hormones stéroïdes à effets « masculinisants ».

Minéralocorticoïdes

Les minéralocorticoïdes participent au maintien de l'équilibre hydrique et électrolytique. Ils agissent en particulier sur la concentration des ions sodium (Na^+) et potassium (K^+). Le cortex surrénal sécrète au moins trois hormones qui appartiennent à la classe des minéralocorticoïdes, mais environ 95 % de l'activité de ce groupe est due à l'**aldostérone.** Cette hormone exerce son action sur certaines cellules des tubules rénaux qui réagissent en augmentant la réabsorption de Na^+. En stimulant le retour de Na^+ dans le sang, l'aldostérone prévient la déplétion de cet ion dans l'organisme. La réabsorption de Na^+ entraîne aussi celle de Cl^- (ions chlorure), de HCO_3^- (ions bicarbonate) et de molécules d'eau. En

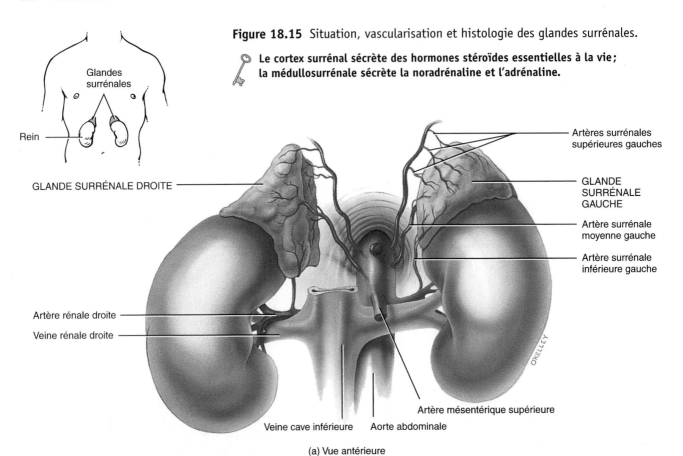

Figure 18.15 Situation, vascularisation et histologie des glandes surrénales.

🔑 Le cortex surrénal sécrète des hormones stéroïdes essentielles à la vie; la médullosurrénale sécrète la noradrénaline et l'adrénaline.

Glandes surrénales

Rein

GLANDE SURRÉNALE DROITE

Artère rénale droite

Veine rénale droite

Artères surrénales supérieures gauches

GLANDE SURRÉNALE GAUCHE

Artère surrénale moyenne gauche

Artère surrénale inférieure gauche

Artère mésentérique supérieure

Veine cave inférieure

Aorte abdominale

(a) Vue antérieure

Capsule

Cortex surrénal

Médullo-surrénale

Coupe de la glande surrénale gauche

Capsule

Cortex surrénal:

Zone glomérulée qui sécrète les minéralocorticoïdes, surtout de l'aldostérone

Zone fasciculée qui sécrète les glucocorticoïdes, surtout du cortisol

Zone réticulée qui sécrète des androgènes

Cellules chromaffines de la médullosurrénale qui sécrètent l'adrénaline et la noradrénaline

MO 45 ×

Q Quelle est la situation des glandes surrénales par rapport aux reins?

(b) Subdivisions de la glande surrénale

Figure 18.16 Régulation de la sécrétion d'aldostérone par le système rénine-angiotensine.

🔑 **L'aldostérone participe à la régulation du volume sanguin, de la pression artérielle et de la concentration de Na⁺, K⁺ et H⁺ dans le sang.**

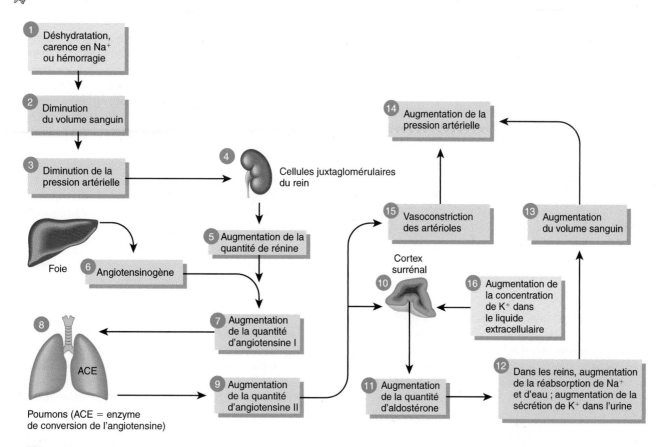

Q L'angiotensine II fait augmenter la pression artérielle de deux façons. Quelles sont-elles et quels sont les tissus cibles dans chaque cas ?

même temps, l'aldostérone favorise la sécrétion de K⁺ et augmente son excrétion dans l'urine. Elle favorise aussi la sécrétion de H⁺ dans l'urine ; cette évacuation des acides du corps contribue à prévenir l'acidose (pH sanguin inférieur à 7,35).

Le principal mécanisme de régulation de la sécrétion d'aldostérone est le **système rénine-angiotensine** (figure 18.16) :

1 Les stimulus qui déclenchent le système rénine-angiotensine sont, entre autres, la déshydratation, la carence en Na⁺ et l'hémorragie.

2 Ces conditions causent une diminution du volume sanguin.

3 La diminution du volume sanguin entraîne une baisse de la pression artérielle.

4 La diminution de la pression artérielle stimule certaines cellules des reins, appelées cellules juxtaglomérulaires, à sécréter une enzyme, la **rénine.**

5 La concentration de rénine dans le sang augmente.

6 La rénine convertit l'**angiotensinogène,** une protéine plasmatique produite par le foie, en **angiotensine I.**

7 Le sang, dont la concentration d'angiotensine I a augmenté, se rend aux poumons.

8 Le sang qui circule dans les capillaires, en particulier dans ceux des poumons, permet à une enzyme appelée **enzyme de conversion de l'angiotensine** (**ACE**) de transformer l'angiotensine I en une hormone, l'**angiotensine II.**

9 La concentration sanguine d'angiotensine II augmente.

10 L'angiotensine II a deux principaux tissus cibles. L'un d'eux est le cortex surrénal, qu'elle stimule à sécréter l'aldostérone.

11 Le sang, dont la concentration d'aldostérone a augmenté, passe dans les reins.

⑫ Dans les reins, l'aldostérone augmente la réabsorption de Na⁺; l'eau suit par osmose. L'aldostérone stimule aussi l'excrétion de K⁺ dans l'urine.

⑬ La réabsorption accrue d'eau dans les reins fait augmenter le volume sanguin.

⑭ Avec l'augmentation du volume sanguin, la pression artérielle revient à la normale.

⑮ L'angiotensine II a un second tissu cible. Il s'agit des muscles lisses des parois des artérioles qui, par leurs contractions, produisent une vasoconstriction. La vaso-constriction des artérioles fait aussi augmenter la pression artérielle et contribue à la faire revenir à la normale.

⑯ La régulation de la sécrétion d'aldostérone s'effectue par un second mécanisme qui concerne la concentration de K⁺ dans le sang. L'augmentation de cette dernière (qui s'élève en même temps dans le liquide interstitiel) stimule directement la sécrétion d'aldostérone par le cortex surrénal et entraîne l'élimination de l'excès de K⁺ par les reins. La diminution de la concentration sanguine de K⁺ a l'effet contraire.

Glucocorticoïdes

Les glucocorticoïdes, dont le rôle est la régulation du métabolisme et de la résistance au stress, comprennent le **cortisol** (ou **hydrocortisone**), la **corticostérone** et la **corti-sone.** De ces trois hormones, le cortisol est le plus abondant et on lui attribue environ 95 % de l'activité des glucocorti-coïdes. Ces hormones ont les effets suivants:

1. *Dégradation des protéines.* Les glucocorticoïdes accélèrent la dégradation des protéines, surtout dans les fibres mus-culaires, et, par conséquent, font augmenter la libération des acides aminés dans la circulation sanguine. Les acides aminés peuvent être utilisés par les cellules du foie pour la synthèse de nouvelles protéines plasmatiques (y compris les enzymes nécessaires aux réactions métaboliques) ou encore, ils peuvent être utilisés par d'autres cellules pour la production d'ATP.

2. *Formation de glucose.* Les cellules du foie peuvent aussi convertir certains acides aminés ou le lactate (acide lactique) en glucose. Cette conversion en glucose d'une substance qui n'est ni du glycogène, ni un autre monosac-charide, est appelée **néoglucogenèse.**

3. *Lipolyse.* Les glucocorticoïdes stimulent la **lipolyse,** c'est-à-dire la dégradation des triglycérides et la libération d'acides gras par le tissu adipeux.

4. *Résistance au stress.* Les glucocorticoïdes favorisent la résistance au stress de plusieurs façons. L'augmentation du glucose fournit aux tissus une source accessible d'ATP qui permet de combattre une gamme d'agents stressants tels que l'exercice, le jeûne, la peur, les températures extrêmes, la haute altitude, les hémorragies, les infections, les interventions chirurgicales, les traumatismes et les

maladies. Ils rendent aussi les vaisseaux sanguins plus sensibles aux autres médiateurs qui causent la vasocons-triction et font ainsi monter la pression artérielle. Cet effet est avantageux si le stress est causé par une perte de sang importante qui fait tomber la pression artérielle.

5. *Effets anti-inflammatoires.* Les glucocorticoïdes sont des composés qui inhibent les cellules engagées dans des réponses inflammatoires. Ils ont pour effet a) d'abaisser le nombre de mastocytes et, par conséquent, de réduire la libération d'histamine, b) de stabiliser la membrane des lysosomes et ainsi de ralentir la libération d'enzymes destructrices, c) de réduire la perméabilité des capillaires sanguins et d) de réprimer la phagocytose. Malheureu-sement, ils retardent aussi la réparation des tissus con-jonctifs et ralentissent du même coup la cicatrisation. Bien qu'à des doses élevées ils puissent causer de graves perturbations mentales, les glucocorticoïdes sont très utiles pour le traitement des maladies inflammatoires chroniques telles que la polyarthrite rhumatoïde.

6. *Affaiblissement de la réponse immunitaire.* À fortes doses, les glucocorticoïdes répriment la réponse immunitaire. C'est ainsi qu'on les administre aux personnes qui ont reçu une transplantation d'organe afin de retarder le rejet des tissus par le système immunitaire.

La sécrétion des glucocorticoïdes est régulée par un mécanisme de rétro-inhibition classique (figure 18.17). Quand la concentration sanguine de glucocorticoïdes, principalement celle du cortisol, est faible, les cellules neurosécrétrices de l'hypothalamus réagissent et sécrètent de la **corticolibérine** (**CRH**, «corticotropin releasing hormone»). L'action de la CRH et la faible concentration de cortisol sont à l'origine de la libération d'ACTH par l'adénohypophyse. L'ACTH est transportée dans le sang jusqu'au cortex surrénal où elle stimule la sécrétion des glucocorticoïdes. Nous examinerons à la fin du chapitre comment l'hypothalamus fait aussi aug-menter la libération de corticolibérine en réponse à divers stress physiques et émotionnels.

Androgènes

Chez l'homme et chez la femme, le cortex surrénal sécrète de petites quantités d'androgènes. Ces derniers sont produits en quantités beaucoup plus importantes par les testicules chez l'homme. Le principal androgène sécrété par la glande surré-nale est la **déhydro-épiandrostérone** (**DHEA**). Chez l'homme adulte, la quantité d'androgènes libérée par les glandes surré-nales est généralement si faible que ses effets sont négligeables. En revanche, chez la femme, les androgènes des glandes surré-nales jouent des rôles importants: ils contribuent au maintien de la libido (pulsions sexuelles) et sont convertis en œstro-gènes (stéroïdes sexuels féminisants) par d'autres tissus de l'organisme. Après la ménopause, quand la sécrétion d'œstro-gènes par les ovaires cesse, la petite quantité d'œstrogènes qui persiste provient de la conversion d'androgènes surré-naliens. Ces androgènes stimulent aussi la croissance des

Figure 18.17 Régulation de la sécrétion des glucocorticoïdes par rétro-inhibition.

 L'élévation de la concentration de corticolibérine et la diminution de celle des glucocorticoïdes favorisent la libération d'ACTH qui stimule la sécrétion de glucocorticoïdes par le cortex surrénal.

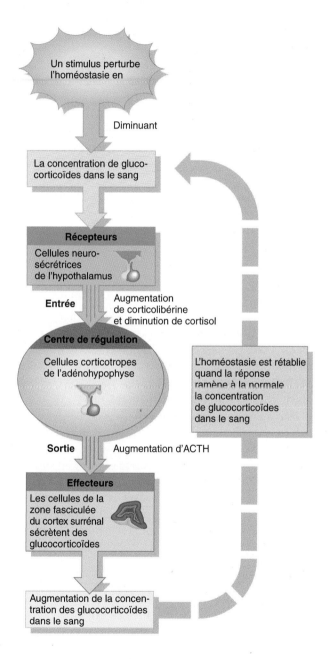

poils axillaires et pubiens chez les garçons et les filles et contribuent à l'accélération de la croissance qui précède la puberté. La régulation de la sécrétion des androgènes surrénaliens n'est pas complètement élucidée. Toutefois, on sait que la principale hormone qui stimule leur sécrétion est l'ACTH.

Médullosurrénale

La médullosurrénale est composée de cellules endocrines appelées **cellules chromaffines** (voir la figure 18.15b), blotties autour de grands vaisseaux sanguins. Ces cellules sont innervées directement par des neurones préganglionnaires de la partie sympathique du système nerveux autonome (SNA) et proviennent du même tissu embryonnaire que tous les autres neurones sympathiques postganglionnaires. Par conséquent, ce sont des cellules sympathiques postganglionnaires spécialisées qui sécrètent des hormones plutôt qu'un neurotransmetteur. Comme le SNA agit directement sur les cellules médullaires, la libération d'hormones s'effectue très rapidement.

Les deux principales hormones synthétisées par la médullosurrénale sont l'**adrénaline** et la **noradrénaline.** L'adrénaline constitue environ 80 % de la sécrétion totale de la glande. Les deux hormones sont **sympathomimétiques** – leurs effets imitent ceux de la partie sympathique du SNA. Pour une bonne part, elles sont à l'origine de la réaction de lutte ou de fuite, qui survient en situation de danger. Comme les glucocorticoïdes du cortex surrénal, elles jouent un rôle dans la résistance au stress. Toutefois, contrairement aux hormones du cortex, les hormones de la médulla ne sont pas essentielles à la vie. L'adrénaline et la noradrénaline augmentent la fréquence cardiaque et la force de contraction du cœur, ce qui augmente le débit cardiaque et la pression artérielle. Ces hormones accroissent aussi le débit sanguin destiné au cœur, au foie, aux muscles squelettiques et au tissu adipeux ; elles dilatent les voies aériennes des poumons et font monter la concentration sanguine de glucose et d'acides gras.

Dans les situations stressantes et lors d'exercices physiques, les influx reçus par l'hypothalamus sont transmis aux neurones sympathiques préganglionnaires qui libèrent un neurotransmetteur, l'acétylcholine. Sous l'action de cette dernière, les cellules endocrines médullaires sécrètent plus d'adrénaline et de noradrénaline. L'hypoglycémie stimule aussi la libération de ces hormones.

Le tableau 18.8 présente les hormones produites par les glandes surrénales et résume leurs principaux effets et la régulation de leur sécrétion.

1. Comparez le cortex surrénal et la médullosurrénale en ce qui concerne leur situation et leur histologie.
2. Comment s'effectue la régulation de la sécrétion des hormones du cortex surrénal ?
3. Décrivez la relation qui existe entre la médullosurrénale et le système nerveux autonome.

 Chez un patient qui a subi une greffe du cœur et qui prend de la prednisone (un glucocorticoïde) pour combattre le rejet de l'organe transplanté, les concentrations sanguines d'ACTH et de corticolibérine seront-elles élevées ou basses ? Expliquez votre réponse.

Tableau 18.8 Hormones des glandes surrénales

HORMONES	PRINCIPAUX EFFETS	RÉGULATION DE LA SÉCRÉTION
Hormones du cortex surrénal		
Minéralocorticoïdes (surtout l'**aldostérone**) des cellules de la zone glomérulée	Augmentent la concentration sanguine de Na⁺ et d'eau et diminuent celle de K⁺.	L'augmentation des concentrations sanguines de K⁺ et d'angiotensine II stimule leur sécrétion.
Glucocorticoïdes (surtout le **cortisol**) des cellules de la zone fasciculée	Augmentent la dégradation des protéines (sauf dans le foie); stimulent la néoglucogenèse et la lipolyse; permettent la résistance au stress; diminuent l'inflammation et répriment la réponse immunitaire.	L'ACTH stimule leur libération; la corticolibérine (CRH) favorise la sécrétion d'ACTH en réponse au stress et à la diminution de la concentration sanguine de glucocorticoïdes.
Androgènes (surtout la **déhydro-épiandrostérone, ou DHEA**) des cellules de la zone réticulée	Contribuent à l'apparition des poils axillaires et pubiens chez les deux sexes; chez la femme, sont associés à la libido et constituent une source d'œstrogènes après la ménopause.	L'ACTH stimule leur sécrétion.
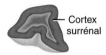 — Cortex surrénal		
Hormones de la médullosurrénale		
Adrénaline et **noradrénaline** des cellules endocrines médullaires	Amplifient les effets de la partie sympathique du système nerveux autonome (SNA) durant le stress.	Les neurones sympathiques préganglionnaires libèrent de l'acétylcholine, qui stimule leur sécrétion.
 — Médulla de la surrénale		

PANCRÉAS

OBJECTIF

• *Décrire la situation, l'histologie, les hormones et les fonctions du pancréas.*

Le **pancréas** (*pan* = tout; *kreas* = chair) est une glande à la fois endocrine et exocrine. Nous examinons la fonction endocrine dans le présent chapitre et nous étudierons la fonction exocrine au chapitre 24, qui traite du système digestif. Le pancréas est un organe plat qui mesure de 12,5 à 15 cm de long. Il est situé à l'arrière et légèrement au-dessous de l'estomac. Il comprend une tête, un corps et une queue (figure 18.18a). Environ 99 % des cellules pancréatiques forment des amas appelés **acinus**; ces cellules acineuses produisent les enzymes digestives qui sont acheminées par un réseau de conduits vers l'intestin grêle. Disséminés parmi les acinus exocrines se trouvent de 1 à 2 millions de petits amas de cellules endocrines appelés **îlots pancréatiques** ou îlots de Langerhans (figure 18.18b et c). De nombreux capillaires sanguins irriguent les parties exocrine et endocrine du pancréas.

Cellules des îlots pancréatiques

Chaque îlot pancréatique comprend quatre types de cellules endocrines: 1) les **cellules alpha,** qui constituent environ 20 % des cellules des îlots et sécrètent le **glucagon,** 2) les **cellules bêta,** qui constituent environ 70 % des cellules des îlots et sécrètent l'**insuline,** 3) les **cellules delta,** qui constituent environ 5 % des cellules des îlots et sécrètent la **somatostatine** (hormone identique à celle de l'hypothalamus) et 4) les **cellules PP,** qui constituent le reste des cellules des îlots et sécrètent le **polypeptide pancréatique.**

Les interactions des quatre hormones pancréatiques sont complexes et on ne les a pas entièrement élucidées. Le glucagon fait augmenter la glycémie, alors que l'insuline la fait diminuer. La somatostatine exerce une action paracrine qui inhibe la libération de l'insuline et du glucagon des cellules alpha et bêta avoisinantes. On croit aussi qu'elle ralentit l'absorption des aliments par le tube digestif. Le polypeptide pancréatique inhibe la sécrétion de la somatostatine, les contractions de la vésicule biliaire et la sécrétion des enzymes digestives du pancréas.

Régulation de la sécrétion du glucagon et de l'insuline

La principale action du glucagon est d'augmenter la glycémie quand elle descend sous la normale. À l'inverse, l'insuline fait diminuer la glycémie quand elle est trop élevée. La concentration de glucose dans le sang régule la sécrétion du glucagon et de l'insuline par rétro-inhibition (figure 18.19):

❶ Une faible concentration sanguine de glucose (hypoglycémie) stimule la libération de glucagon par les cellules alpha des îlots pancréatiques.

Figure 18.18 Situation, vascularisation et histologie du pancréas.

🔑 **Les hormones pancréatiques ont pour fonction la régulation de la glycémie.**

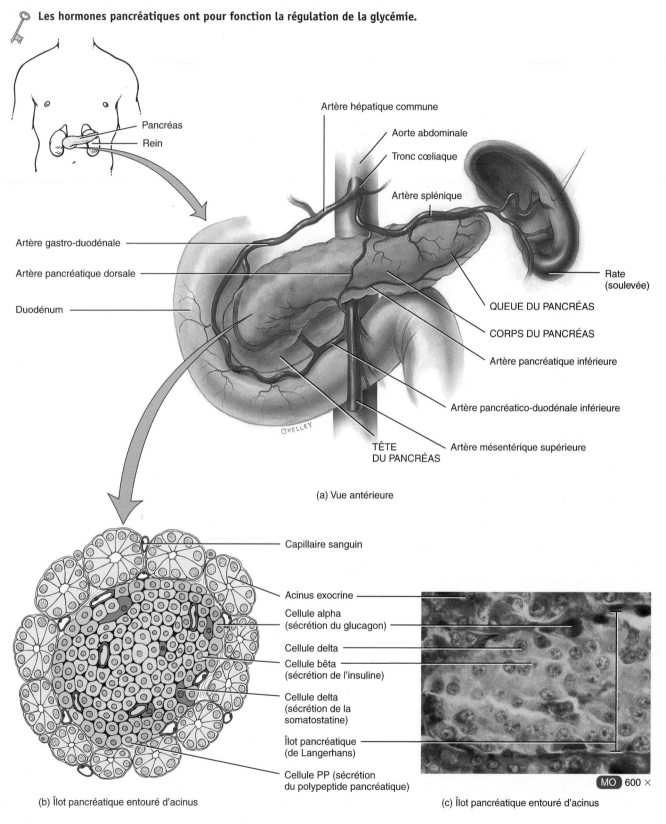

Pancréas
Rein

Artère hépatique commune
Aorte abdominale
Tronc cœliaque
Artère splénique

Artère gastro-duodénale
Artère pancréatique dorsale
Duodénum

Rate (soulevée)
QUEUE DU PANCRÉAS
CORPS DU PANCRÉAS
Artère pancréatique inférieure
Artère pancréatico-duodénale inférieure
TÊTE DU PANCRÉAS
Artère mésentérique supérieure

OKELLEY

(a) Vue antérieure

Capillaire sanguin

Acinus exocrine
Cellule alpha (sécrétion du glucagon)
Cellule delta
Cellule bêta (sécrétion de l'insuline)
Cellule delta (sécrétion de la somatostatine)
Îlot pancréatique (de Langerhans)
Cellule PP (sécrétion du polypeptide pancréatique)

MO 600 ×

(b) Îlot pancréatique entouré d'acinus

(c) Îlot pancréatique entouré d'acinus

Q   Le pancréas est-il une glande exocrine ou une glande endocrine?

Figure 18.19 Régulation par rétro-inhibition de la sécrétion du glucagon (flèches violettes) et de l'insuline (flèches orangées).

🔑 **La diminution de la glycémie stimule la libération de glucagon, alors que son élévation stimule la sécrétion d'insuline.**

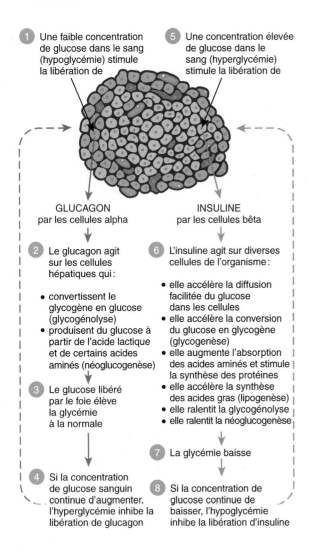

① Une faible concentration de glucose dans le sang (hypoglycémie) stimule la libération de

⑤ Une concentration élevée de glucose dans le sang (hyperglycémie) stimule la libération de

GLUCAGON
par les cellules alpha

INSULINE
par les cellules bêta

② Le glucagon agit sur les cellules hépatiques qui :

- convertissent le glycogène en glucose (glycogénolyse)
- produisent du glucose à partir de l'acide lactique et de certains acides aminés (néoglucogenèse)

③ Le glucose libéré par le foie élève la glycémie à la normale

④ Si la concentration de glucose sanguin continue d'augmenter, l'hyperglycémie inhibe la libération de glucagon

⑥ L'insuline agit sur diverses cellules de l'organisme :

- elle accélère la diffusion facilitée du glucose dans les cellules
- elle accélère la conversion du glucose en glycogène (glycogenèse)
- elle augmente l'absorption des acides aminés et stimule la synthèse des protéines
- elle accélère la synthèse des acides gras (lipogenèse)
- elle ralentit la glycogénolyse
- elle ralentit la néoglucogenèse

⑦ La glycémie baisse

⑧ Si la concentration de glucose continue de baisser, l'hypoglycémie inhibe la libération d'insuline

Q Pourquoi dit-on parfois que le glucagon est une hormone « anti-insuline » ?

② Le glucagon agit sur les cellules hépatiques (du foie) qui accélèrent alors la conversion du glycogène en glucose (glycogénolyse) et favorisent la formation du glucose à partir de l'acide lactique (lactate) et de certains acides aminés (néoglucogenèse).

③ En conséquence, les cellules hépatiques libèrent le glucose dans le sang à un rythme accéléré. La glycémie augmente.

④ Si la concentration de glucose dans le sang devient trop élevée (hyperglycémie), elle inhibe la libération du glucagon (rétro-inhibition).

⑤ En même temps, l'hyperglycémie stimule la libération d'insuline par les cellules bêta des îlots pancréatiques.

⑥ L'insuline agit sur diverses cellules de l'organisme : elle accélère le mécanisme de diffusion facilitée qui fait entrer le glucose dans les cellules, en particulier dans les fibres musculaires squelettiques ; elle accélère la conversion du glucose en glycogène (glycogenèse) ; elle augmente l'absorption des acides aminés par les cellules et stimule la synthèse des protéines ; elle accélère la synthèse des acides gras (lipogenèse) ; elle ralentit la glycogénolyse et la néoglucogenèse.

⑦ Il en résulte une diminution de la glycémie.

⑧ Si la concentration de glucose dans le sang devient trop faible, la libération d'insuline cesse (rétro-inhibition).

Bien que l'augmentation de la glycémie soit le plus important déclencheur de la libération d'insuline, plusieurs hormones et neurotransmetteurs participent également à la libération de cette hormone et à celle du glucagon. La sécrétion de l'insuline est stimulée par 1) l'acétylcholine, un neurotransmetteur libéré par les terminaisons axonales des fibres parasympathiques du nerf vague qui innervent les îlots pancréatiques, 2) l'arginine et la leucine, des acides aminés, 3) le glucagon et 4) le peptide insulinotrophique gluco-dépendant (GIP, « glucose-dependent insulinotropic peptide »), une hormone des cellules endocrines de l'intestin grêle libérée en réponse à la présence de glucose dans le tube digestif. Ainsi, la digestion et l'absorption d'aliments contenant des glucides et des protéines stimulent vigoureusement la libération d'insuline.

Quand l'activité de la partie sympathique du SNA s'accroît, par exemple lors d'un exercice physique, la libération du glucagon augmente. De même, une élévation de la quantité d'acides aminés dans le sang stimule la sécrétion de glucagon si la glycémie est basse. C'est parfois le cas après un repas surtout composé de protéines. Alors que le glucagon stimule la libération d'insuline, l'insuline réprime la sécrétion du glucagon. Ainsi, au fur et à mesure que la glycémie diminue et que la sécrétion d'insuline s'atténue, les cellules alpha se dégagent de l'effet inhibiteur de l'insuline et sécrètent plus de glucagon. Indirectement, l'hormone de croissance (hGH) et la corticotrophine (ACTH) stimulent la sécrétion d'insuline parce qu'elles font monter la glycémie.

Le tableau 18.9 présente les hormones produites par le pancréas et résume leurs principaux effets et la régulation de leur sécrétion.

1. Comment s'effectue la régulation des concentrations sanguines de glucagon et d'insuline ?
2. Comparez les effets de l'exercice physique et d'un repas riche en glucides et en protéines sur la sécrétion de l'insuline et du glucagon.

Tableau 18.9 Hormones produites par le pancréas

HORMONE	PRINCIPAUX EFFETS	RÉGULATION DE LA SÉCRÉTION
Glucagon des cellules alpha des îlots pancréatiques 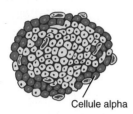 Cellule alpha	Augmente la glycémie en accélérant la dégradation du glycogène en glucose dans le foie (glycogénolyse), en transformant d'autres nutriments en glucose dans le foie (néoglucogenèse) et en libérant du glucose dans le sang.	L'hypoglycémie, l'exercice physique et des repas surtout composés de protéines stimulent sa sécrétion; la somatostatine et l'insuline l'inhibent.
Insuline des cellules bêta des îlots pancréatiques 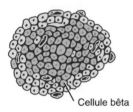 Cellule bêta	Abaisse la glycémie en accélérant le transport membranaire du glucose dans les cellules, en transformant le glucose en glycogène (glycogenèse) et en faisant diminuer la glycogénolyse et la néoglucogenèse; augmente aussi la lipogenèse et stimule la synthèse des protéines.	L'hyperglycémie, l'acétylcholine (libérée par les fibres parasympathiques du nerf vague), l'arginine et la leucine (deux acides aminés), le glucagon, le GIP, l'hGH et l'ACTH stimulent sa sécrétion; la somatostatine l'inhibe.
Somatostatine des cellules delta des îlots pancréatiques 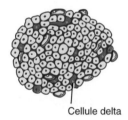 Cellule delta	Inhibe la sécrétion de l'insuline et du glucagon; ralentit l'absorption des nutriments dans le tube digestif.	Le polypeptide pancréatique inhibe sa sécrétion.
Polypeptide pancréatique des cellules PP des îlots pancréatiques 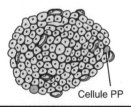 Cellule PP	Inhibe la sécrétion de la somatostatine, les contractions de la vésicule biliaire et la sécrétion des enzymes digestives du pancréas.	Les repas contenant des protéines, le jeûne, l'exercice physique et l'hypoglycémie aiguë stimulent sa sécrétion; la somatostatine et l'hyperglycémie l'inhibent.

OVAIRES ET TESTICULES

OBJECTIF

• *Décrire la situation, les hormones et les fonctions des gonades chez l'homme et chez la femme.*

Les gonades femelles, appelées **ovaires,** sont deux organes de forme ovale situés dans la cavité pelvienne. Elles produisent les hormones sexuelles femelles appelées **œstrogènes** et **progestérone.** Avec les gonadotrophines de l'adénohypophyse, ces hormones assurent la régulation des cycles du système reproducteur de la femme, maintiennent la grossesse et préparent les glandes mammaires pour la lactation. Elles ont aussi pour fonction le développement et l'entretien des caractères sexuels secondaires chez la femme. Les ovaires produisent également l'**inhibine,** une hormone protéique qui s'oppose à la sécrétion de l'hormone folliculostimulante (FSH). Pendant la grossesse, les ovaires et le placenta produisent une hormone peptidique appelée **relaxine,** qui augmente la flexibilité de la symphyse pubienne durant cette période et favorise la dilatation du col de l'utérus durant le travail et l'accouchement. Ces effets facilitent le passage du bébé en agrandissant le canal génital.

L'homme possède deux gonades de forme ovale, appelées **testicules,** qui produisent la **testostérone,** le principal androgène. La testostérone régit la production des spermatozoïdes.

Tableau 18.10 Hormones des ovaires et des testicules

HORMONES	PRINCIPAUX EFFETS
Hormones ovariennes	
Œstrogènes et **progestérone**	Avec les gonadotrophines de l'adénohypophyse, assurent la régulation des cycles du système reproducteur de la femme, maintiennent la grossesse, préparent les glandes mammaires pour la lactation, régulent l'ovogenèse, stimulent le développement et le maintien des caractères sexuels secondaires chez la femme.
Relaxine	Augmente la flexibilité de la symphyse pubienne durant la grossesse et favorise la dilatation du col de l'utérus durant le travail et l'accouchement.
Inhibine	Inhibe la sécrétion de la FSH de l'adénohypophyse.

Ovaire

Hormones testiculaires	
Testostérone	Stimule la descente des testicules avant la naissance, régit la spermatogenèse, stimule le développement et le maintien des caractères sexuels secondaires masculins.
Inhibine	Inhibe la sécrétion de la FSH de l'adénohypophyse.

Testicule

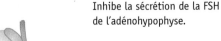

Elle stimule également le développement et le maintien des caractères sexuels secondaires masculins tels que la barbe. Les testicules produisent aussi de l'inhibine qui s'oppose à la sécrétion de la FSH. Les rôles spécifiques des gonadotrophines et des hormones sexuelles sont examinés au chapitre 28.

Le tableau 18.10 présente les hormones produites par les ovaires et les testicules et résume leurs principaux effets.

1. Expliquez pourquoi les ovaires et les testicules sont des glandes endocrines.

GLANDE PINÉALE

OBJECTIF

• *Décrire la situation, l'histologie, l'hormone et les fonctions de la glande pinéale.*

La **glande pinéale** (*pinea* = pomme de pin), ou épiphyse, est une petite glande endocrine suspendue au toit du troisième ventricule dans le plan médian de l'encéphale (voir la figure 18.1). Elle fait partie de l'épithalamus et est située entre les deux colliculus supérieurs. Elle pèse de 0,1 à 0,2 g. Cette glande, que recouvre une capsule formée par la piemère, est constituée de masses de cellules gliales et de cellules sécrétrices appelées **pinéalocytes.** Des fibres nerveuses postganglionnaires sympathiques issues du ganglion cervical supérieur aboutissent dans la glande pinéale.

Bien que l'on connaisse depuis des années de nombreux détails de l'anatomie de cette glande, son rôle physiologique reste obscur. La **mélatonine,** hormone aminée dérivée de la sérotonine, est sécrétée par la glande pinéale. Elle est libérée en plus grande quantité dans l'obscurité, mais sa libération est inhibée quand l'organisme est exposé à un soleil intense. Les étapes de ce processus sont les suivantes (figure 18.20) :

1 La lumière pénètre dans l'œil, frappe la rétine et y stimule les photorécepteurs.

2 Les neurones rétiniens activés par les photorécepteurs envoient des influx nerveux au noyau suprachiasmatique de l'hypothalamus.

3 À partir du noyau suprachiasmatique, les influx nerveux sont envoyés au ganglion cervical supérieur.

4 Des fibres nerveuses postganglionnaires sympathiques issues du ganglion cervical supérieur se rendent à la glande pinéale et font synapse avec ses cellules.

5 Dans l'obscurité, les neurones rétiniens transmettent moins d'influx à la glande pinéale par l'intermédiaire du noyau suprachiasmatique et du ganglion cervical supérieur.

6 L'insuffisance de noradrénaline stimule la sécrétion de mélatonine par les pinéalocytes et induit la somnolence.

7 La lumière intense entraîne la libération, par les fibres nerveuses sympathiques, de la noradrénaline qui inhibe la sécrétion de la mélatonine par les pinéalocytes.

8 L'inhibition de la sécrétion de mélatonine entraîne l'absence de somnolence. C'est ainsi que la libération de mélatonine est régie par l'alternance de clarté et d'obscurité qui accompagne le cycle circadien (quotidien).

La mélatonine contribue à régler l'horloge biologique du corps qui est régie par le noyau suprachiasmatique. Durant le sommeil, la concentration plasmatique de mélatonine devient dix fois plus élevée que pendant le jour, puis retombe à un niveau inférieur avant le réveil. De petites doses de mélatonine administrées par voie orale peuvent

Figure 18.20 Voie par laquelle la lumière ralentit la libération de mélatonine par la glande pinéale.

🔑 **Dans l'obscurité, la sécrétion de mélatonine par la glande pinéale cause la somnolence.**

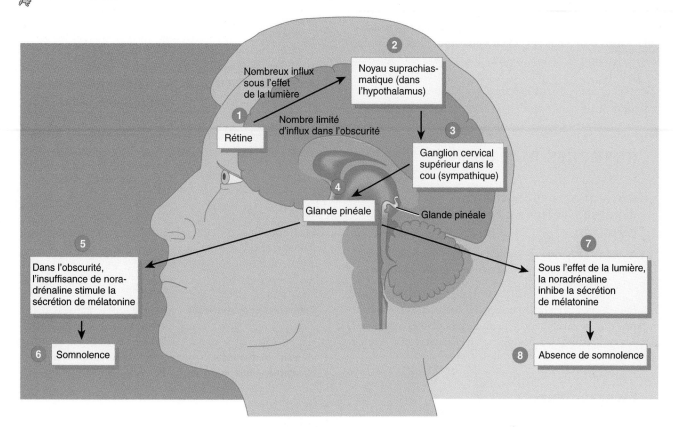

Ⓠ Pour réduire les effets du décalage horaire et remettre son horloge biologique à l'heure, une Montréalaise qui arrive à Paris à 9 h (3 h, heure de Montréal) devrait-elle s'exposer à trois heures de lumière intense avant le départ ou à l'arrivée ?

induire le sommeil et rétablir le rythme circadien. Il est possible que ce genre de traitement profite à ceux qui doivent travailler en rotation, tantôt le jour, tantôt la nuit. La mélatonine est aussi un antioxydant efficace qui pourrait offrir une certaine protection contre les effets dommageables des radicaux libres de l'oxygène. Chez certains animaux, la mélatonine inhibe les fonctions reproductrices, sauf durant le rut. On ne sait pas si elle influe sur les fonctions reproductrices des humains. Le taux de mélatonine est plus élevé chez les enfants et baisse avec les années jusqu'à l'âge adulte, mais on n'a pas établi de corrélation entre la diminution de la sécrétion de mélatonine et le début de la puberté et de la maturation sexuelle. Néanmoins, puisque cette hormone cause l'atrophie des gonades chez plusieurs espèces animales, la possibilité qu'elle ait des effets indésirables sur la reproduction humaine doit être examinée avant qu'on recommande son utilisation pour rétablir le rythme circadien.

APPLICATION CLINIQUE
Troubles affectifs saisonniers et décalage horaire

Les **troubles affectifs saisonniers** affectent certaines personnes durant les mois d'hiver, lorsque les journées sont courtes. On croit que ces troubles sont en partie causés par une surproduction de mélatonine. Dans certains cas, on a recours avec succès à un traitement à la lumière intense – qui consiste à exposer le sujet à une source de lumière artificielle semblable en intensité à celle du soleil pendant des séances répétées de plusieurs heures chacune. Une exposition à la lumière vive d'une durée de trois à six heures semble aussi accélérer le rétablissement des voyageurs incommodés par le décalage horaire. ■

1. Quels sont les rapports entre l'exposition à la lumière, la sécrétion de mélatonine et le sommeil ?

THYMUS

Nous examinerons en détail la structure et les fonctions du **thymus** au chapitre 22, où nous traiterons du système lymphatique et de l'immunité. Les hormones produites par le thymus sont la **thymosine,** le **facteur humoral thymique** (**THF,** «thymic humoral factor»), le **facteur thymique** (**TF,** «thymic factor») et la **thymopoïétine.** Elles favorisent la prolifération et la maturation des lymphocytes T (type de globules blancs) qui participent à la destruction des microbes et des substances étrangères, et retardent peut-être le vieillissement.

HORMONES DIVERSES

Hormones produites par diverses cellules endocrines

OBJECTIF

• *Nommer les hormones sécrétées par certaines cellules et organes qui n'appartiennent pas aux glandes endocrines, et décrire leurs fonctions.*

On trouve des cellules endocrines dans certains tissus et organes qui ne sont habituellement pas classés parmi les glandes endocrines. Les hormones qu'elles sécrètent et leurs effets sont présentés dans le tableau 18.11.

Eicosanoïdes

OBJECTIF

• *Expliquer les effets des eicosanoïdes.*

Deux familles d'eicosanoïdes – les **prostaglandines** et les **leucotriènes** – exercent des actions hormonales locales dans la plupart des tissus de l'organisme. Ces molécules sont synthétisées à partir d'un acide gras de 20 carbones appelé **acide arachidonique** qui est prélevé à même les phospholipides membranaires. Des réactions enzymatiques produisent ensuite les prostaglandines et les leucotriènes. Le **thromboxane** est une prostaglandine modifiée qui cause la constriction des vaisseaux sanguins et favorise l'activation des plaquettes. En réaction à des stimulus chimiques et mécaniques, presque toutes les cellules du corps sauf les globules rouges libèrent ces hormones locales aux effets puissants, qui agissent surtout de façon paracrine ou de façon autocrine et ne se trouvent dans le sang qu'en quantité infime. Leur présence est de courte durée parce qu'elles sont inactivées rapidement.

Pour produire leurs effets, les eicosanoïdes se lient à des récepteurs sur la membrane plasmique des cellules cibles et stimulent ou inhibent la synthèse de seconds messagers tels que l'AMP cyclique. Les leucotriènes stimulent le chimiotactisme des globules blancs. Ce sont aussi des médiateurs de l'inflammation. Les prostaglandines ont une grande importance, tant sur le plan physiologique que sur le plan

Tableau 18.11 Hormones produites par les organes et tissus qui contiennent des cellules endocrines

HORMONES	PRINCIPAUX EFFETS
Voies gastro-intestinales	
Gastrine	Stimule la sécrétion du suc gastrique et augmente la motilité de l'estomac.
Peptide insulinotrophique gluco-dépendant (GIP)	Stimule la libération d'insuline par les cellules bêta du pancréas.
Sécrétine	Stimule la sécrétion du suc pancréatique et de la bile.
Cholécystokinine (CCK)	Stimule la sécrétion du suc pancréatique, régule la libération de la bile par la vésicule biliaire et fait naître la sensation de satiété après les repas.
Placenta	
Gonadotrophine chorionique (hCG)	Stimule le corps jaune dans l'ovaire pour qu'il continue à produire les œstrogènes et la progestérone nécessaires au maintien de la grossesse.
Œstrogènes et progestérone	Maintiennent la grossesse et préparent les glandes mammaires à la sécrétion du lait.
Hormone chorionique somatomammotrope (hCS)	Stimule le développement des glandes mammaires pour la lactation.
Reins	
Érythropoïétine	Accélère la production de globules rouges.
Calcitriol* (forme active de la vitamine D)	Facilite l'absorption du calcium et du phosphore provenant des aliments.
Cœur	
Peptide natriurétique auriculaire (ANP)	Diminue la pression artérielle.
Tissu adipeux	
Leptine	Supprime l'appétit et a peut-être un effet «permissif» sur l'action de la GnRH et des gonadotrophines.

* La synthèse commence dans la peau, continue dans le foie et s'achève dans les reins.

pathologique, comme en témoignent leurs multiples effets biologiques. Ces hormones modifient la contraction des muscles lisses, la sécrétion des glandes, la circulation sanguine, les processus de la reproduction, les fonctions des plaquettes, la respiration, la transmission des influx nerveux, le métabolisme des lipides et la réponse immunitaire. Elles jouent également un rôle dans l'inflammation, favorisent la fièvre et intensifient la douleur. Mais l'intérêt qu'elles suscitent chez les chercheurs vient non seulement de leur rôle physiologique, mais plus encore de leur potentiel comme agents thérapeutiques pour, entre autres effets, abaisser ou élever la pression artérielle, réduire les sécrétions gastriques, dilater ou resserrer les voies aériennes, stimuler ou inhiber l'agrégation plaquettaire, favoriser la contraction ou le relâchement des muscles lisses intestinaux ou utérins, provoquer l'accouchement et favoriser la diurèse.

APPLICATION CLINIQUE
Anti-inflammatoires non stéroïdiens

En 1971, les scientifiques ont fait la lumière sur une question dont la réponse leur échappait depuis longtemps: celle du mode d'action de l'aspirine. Cette substance ainsi que certains **anti-inflammatoires non stéroïdiens (AINS)**, tel l'ibuprofène (Motrin), inhibent une enzyme clé de la synthèse des prostaglandines sans influer sur la synthèse des leucotriènes. On utilise ces médicaments pour traiter un large éventail de troubles inflammatoires, de la polyarthrite rhumatoïde à l'épicondylite des joueurs de tennis. L'efficacité avec laquelle les anti-inflammatoires non stéroïdiens réduisent la fièvre, la douleur et l'inflammation indique que les prostaglandines ont un rôle à jouer dans ces malaises. ■

Facteurs de croissance
OBJECTIF

• *Nommer six facteurs de croissance importants.*

Nous avons décrit plusieurs hormones – somatomédine, thymosine, insuline, hormones thyroïdiennes, hormone de croissance, prolactine et érythropoïétine – qui stimulent la croissance et la division des cellules. Il faut ajouter à cette liste plusieurs hormones découvertes plus récemment qui jouent un rôle important dans le développement, la croissance et la réparation des tissus. Elles portent le nom de **facteurs de croissance.** Ce sont des substances *mitogènes*, c'est-à-dire qu'elles donnent lieu à la croissance en stimulant la division cellulaire. Nombre de ces facteurs sont des hormones locales soit autocrines ou paracrines. Le tableau 18.12 présente six facteurs de croissance importants avec leurs sources et leurs effets.

1. Nommez les hormones sécrétées par les voies gastro-intestinales, le placenta, les reins, la peau, le tissu adipeux et le cœur.
2. Nommez quelques-unes des fonctions des prostaglandines et des leucotriènes.
3. Qu'est-ce qu'un facteur de croissance? Nommez-en quelques-uns et expliquez leurs effets.

Tableau 18.12 Quelques facteurs de croissance

FACTEUR DE CROISSANCE	REMARQUES
Facteur de croissance épidermique (EGF)	Produit dans les glandes submandibulaires (salivaires); stimule la prolifération des cellules épithéliales, des fibroblastes, des neurones et des astrocytes; inhibe certaines cellules cancéreuses ainsi que la sécrétion du suc gastrique dans l'estomac.
Facteur de croissance dérivé des plaquettes (PDGF)	Produit dans les plaquettes sanguines; stimule la prolifération de la névroglie, des fibres musculaires lisses et des fibroblastes; semble jouer un rôle dans la cicatrisation; contribue peut-être au développement de l'athérosclérose.
Facteur de croissance des fibroblastes (FGF)	Présent dans l'encéphale et dans l'hypophyse; stimule la prolifération d'un grand nombre de cellules dérivées du mésoderme embryonnaire (fibroblastes, cellules du cortex surrénal, fibres musculaires lisses, chondrocytes et cellules endothéliales); stimule aussi la formation de nouveaux vaisseaux sanguins (angiogenèse).
Facteur neurotrophique (NGF)	Produit dans les glandes submandibulaires (salivaires) et l'hippocampe dans le cerveau; stimule la croissance des ganglions durant la vie embryonnaire, maintient le système nerveux sympathique; stimule l'hypertrophie et la différentiation des neurones.
Facteurs d'angiogenèse tumorale (TAF)	Produits par les cellules normales et les cellules tumorales; stimulent la croissance de nouveaux capillaires sanguins, la régénération des organes et la cicatrisation.
Facteurs de croissance transformants (TGF)	Produits par diverses cellules sous deux formes, le TGF-α et le TGF-β. Les effets du TGF-α sont semblables à ceux du facteur de croissance épidermique. Le TGF-β inhibe la prolifération de nombreux types de cellules.

STRESS ET SYNDROME GÉNÉRAL D'ADAPTATION

OBJECTIF

• *Décrire le syndrome général d'adaptation.*

Les mécanismes d'homéostasie *tentent* de neutraliser les stress quotidiens. Lorsqu'ils fonctionnent adéquatement, le milieu intérieur se maintient dans les limites physiologiques normales quant à sa composition chimique, sa température et sa pression. Toutefois, si le stress est extrême, inhabituel ou de longue durée, les mécanismes normaux peuvent s'avérer insuffisants. En 1936, Hans Selye, un pionnier de la recherche sur le stress, a démontré que diverses conditions stressantes ou des agents nocifs déclenchent la même séquence de changements physiques. Cet ensemble de changements qui se répercutent dans tout l'organisme porte maintenant le nom de **réponse au stress,** ou **syndrome général d'adaptation.** À l'inverse des mécanismes d'homéostasie, le syndrome général d'adaptation ne maintient pas le milieu intérieur normal. Il modifie le réglage de certains facteurs contrôlés de façon à préparer l'organisme à réagir à une urgence. Par exemple, la pression artérielle et la glycémie s'élèvent au-dessus de la normale.

Il est impossible d'éliminer tout stress de notre vie quotidienne. Certains stress, appelés **eustress,** ou stress normaux, nous préparent à affronter des situations précises et, par conséquent, sont utiles. D'autres stress, qui sont des formes de **détresse,** sont nocifs: par exemple, ils peuvent diminuer la résistance à l'infection en inhibant certaines fonctions du système immunitaire.

Tout stimulus qui produit une réponse au stress est appelé **facteur de stress.** Ce peut être presque n'importe quelle perturbation – chaleur ou froid, poisons dans l'environnement, toxines libérées par des bactéries au cours d'une infection massive, hémorragie abondante causée par une blessure ou une intervention chirurgicale, ou encore un choc émotionnel. Les facteurs de stress peuvent être agréables ou non. Ils varient d'une personne à l'autre et, chez un même individu, d'un moment à l'autre.

Stades du syndrome général d'adaptation

Dans le cas d'une exposition prolongée à un facteur de stress, la réponse peut avoir lieu en trois stades : 1) la *réaction d'alarme,* 2) la *période de résistance,* qui dure un certain temps, et 3) l'*épuisement.*

Réaction d'alarme

La **réaction d'alarme,** ou **réaction de lutte ou de fuite,** est un ensemble de réactions déclenchées par l'hypothalamus qui stimule la partie sympathique du SNA et la médullo-surrénale (figure 18.21a). Par exemple, si une personne est attaquée par un chien, la réponse est rapide et mobilise les ressources de l'organisme pour une activité physique immédiate. La réaction d'alarme engendre essentiellement un afflux de glucose et d'oxygène vers les organes qui contribuent le plus à éloigner le danger : l'encéphale, pour mettre l'organisme sur un pied d'alerte, les muscles squelettiques, pour que la personne soit prête à repousser l'attaquant ou à fuir, et le cœur, qui doit pomper vigoureusement pour envoyer assez de sang à l'encéphale et aux muscles. En somme, la réaction d'alarme active la circulation sanguine et stimule la synthèse d'ATP. Pendant ce temps, les fonctions non essentielles de l'organisme telles que les activités digestive, urinaire ou reproductrice sont inhibées. Si le stress est trop intense, il peut submerger les mécanismes du corps et entraîner la mort.

Période de résistance

Le deuxième stade de la réponse au stress est la **période de résistance** (figure 18.21b). Contrairement à la réaction d'alarme qui est de courte durée et qui est produite par des influx nerveux de l'hypothalamus, la période de résistance est déclenchée pour une large part par des hormones de libération de l'hypothalamus et elle dure plus longtemps. Les hormones en jeu sont la corticolibérine (CRH), la somatocrinine (GHRH) et la thyréolibérine (TRH).

La CRH agit sur l'adénohypophyse, qui sécrète alors plus d'ACTH, laquelle stimule la sécrétion de minéralocorticoïdes (aldostérone) par le cortex surrénal. L'action de l'aldostérone entraîne la conservation de Na^+ et l'élimination de H^+, ce qui empêche l'abaissement du pH de l'organisme en période de stress. La rétention de Na^+ favorise aussi la rétention d'eau par les reins, permettant à la pression artérielle qui s'est élevée durant la réaction d'alarme de se maintenir. De plus, l'eau retenue contribue à préserver le volume des liquides de l'organisme s'il y a une perte importante par suite d'une hémorragie. L'ACTH fait également augmenter la sécrétion de glucocorticoïdes (cortisol) par le cortex surrénal. Le cortisol stimule à son tour la conversion de substances non glucidiques en glucose (néoglucogenèse) et active le catabolisme (dégradation) des protéines. Il rend aussi les vaisseaux sanguins plus sensibles aux stimulus qui engendrent leur constriction. Cette réponse compense toute chute de pression artérielle causée par une hémorragie. De plus, le cortisol réduit l'inflammation et s'oppose à ce qu'elle devienne nocive plutôt que bénéfique. Puisque le cortisol entrave la formation de nouveaux tissus conjonctifs, la cicatrisation se fait lentement durant une période de résistance prolongée.

L'action de la GHRH sur l'adénohypophyse entraîne la sécrétion par celle-ci de l'hormone de croissance (hGH). Cette dernière stimule le catabolisme des triglycérides et la conversion de glycogène en glucose (glycogénolyse).

La TRH agit sur l'adénohypophyse, qui est amenée à sécréter la thyrotrophine (TSH). Cette dernière stimule la libération par la glande thyroïde des hormones T_3 et T_4, qui font augmenter le catabolisme du glucose pour la production

Figure 18.21 Réponses aux facteurs de stress dans le syndrome général d'adaptation. Les flèches rouges (réponses hormonales) et les flèches vertes (réponses nerveuses) en (a) indiquent les effets immédiats de la réaction d'alarme (lutte ou fuite); les flèches noires en (b) indiquent les effets prolongés de la période de résistance.

Les facteurs de stress stimulent l'hypothalamus qui déclenche le syndrome général d'adaptation en produisant la réaction d'alarme et la période de résistance.

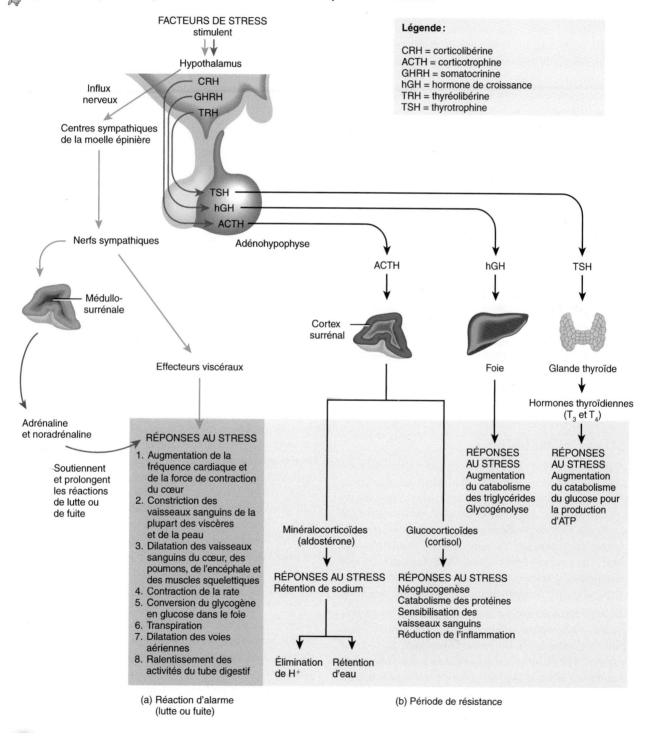

(a) Réaction d'alarme
(lutte ou fuite)

(b) Période de résistance

Q Quelle est la différence fondamentale entre le syndrome général d'adaptation et l'homéostasie?

d'ATP. C'est ainsi que l'action combinée de la hGH et de la TSH fournit un supplément d'ATP aux cellules dont le métabolisme est actif.

Dans la réponse au stress, le stade de résistance permet à l'organisme de continuer sa lutte contre les facteurs de stress longtemps après la fin de la réaction d'alarme. Il procure aussi l'ATP, les enzymes et les modifications circulatoires qui sont nécessaires pour affronter les chocs émotionnels, accomplir des tâches difficiles ou résister à la menace d'une hémorragie fatale. Durant la période de résistance, la composition chimique du sang revient presque à la normale. Les cellules consomment le glucose au fur et à mesure qu'il entre dans la circulation sanguine, si bien que la glycémie redevient aussi normale.

En général, grâce à la période de résistance, nous parvenons à traverser les moments stressants et notre corps revient par la suite à l'état normal. Cependant, la résistance s'effondre parfois devant le facteur de stress, et l'organisme passe alors au troisième stade du syndrome général d'adaptation, celui de l'épuisement.

Épuisement

Il arrive que les ressources de l'organisme ne suffisent pas à soutenir la période de résistance. L'organisme entre alors dans un état d'**épuisement.** Une exposition prolongée à des concentrations élevées de cortisol ou d'autres hormones lors du stade de résistance amène l'atrophie musculaire, la suppression du système immunitaire, l'ulcération des voies gastro-intestinales et la défaillance des cellules bêta du pancréas. De plus, des altérations pathologiques peuvent survenir lorsque la période de résistance persiste après que les facteurs de stress ont disparu.

Stress et maladie

Bien que son rôle exact dans la maladie chez l'humain soit inconnu, il est clair que le stress peut occasionner certaines affections en inhibant temporairement des éléments du système immunitaire. Les troubles liés au stress comprennent la gastrite, la rectocolite hémorragique, le côlon irritable, l'hypertension, l'asthme, la polyarthrite rhumatoïde, la migraine, l'anxiété et la dépression. On a aussi montré que les personnes stressées courent un risque accru d'être atteintes d'une maladie chronique ou de mourir prématurément.

L'interleukine 1, une cytokine sécrétée par les macrophages du système immunitaire (voir p. 802), est un intermédiaire important entre le stress et l'immunité. En réponse à l'infection, à l'inflammation et à d'autres facteurs de stress, l'interleukine 1 stimule la production de substances immunitaires par le foie et d'autres tissus, elle augmente le nombre de granulocytes neutrophiles (globules blancs phagocytaires) dans la circulation sanguine, elle active d'autres cellules qui participent à l'immunité et elle déclenche la fièvre. Tous ces effets se conjuguent pour créer une puissante réponse immu-

nitaire. Toutefois, l'interleukine 1 stimule aussi la sécrétion de corticotrophine (ACTH). Celle-ci stimule à son tour la production de cortisol qui non seulement s'oppose au stress et à l'inflammation, mais inhibe aussi la production d'interleukine 1. En somme, le système immunitaire engendre la réponse au stress. Cette rétro-inhibition freine la réponse immunitaire une fois sa tâche accomplie. En raison de leur action inhibitrice sur certaines fonctions de la réponse immunitaire, on utilise les glucocorticoïdes, tel le cortisol, comme immunosuppresseurs après des transplantations d'organes.

1. Quelle est la différence entre l'homéostasie et la réponse au stress ?
2. Quel est le rôle central joué par l'hypothalamus durant le stress ?
3. Décrivez brièvement les réponses du corps durant la réaction d'alarme, la période de résistance et l'épuisement.
4. Expliquez le rapport entre le stress et l'immunité.

DÉVELOPPEMENT EMBRYONNAIRE DU SYSTÈME ENDOCRINIEN
OBJECTIF
• *Décrire le développement des glandes endocrines.*

Le développement du système endocrinien n'est pas aussi localisé que celui d'autres systèmes parce que les glandes endocrines se forment dans différentes parties de l'embryon.

L'*hypophyse* est issue de deux régions différentes de l'ectoderme. La *neurohypophyse,* ou *lobe postérieur* de l'hypophyse, est dérivée d'une excroissance de l'ectoderme appelée **bourgeon neurohypophysaire** qui est située sur le plancher de l'hypothalamus (figure 18.22a). L'*infundibulum,* qui est aussi une excroissance du bourgeon neurohypophysaire, relie la neurohypophyse à l'hypothalamus. L'*adénohypophyse,* ou *lobe antérieur* de l'hypophyse, est dérivée d'une excroissance de l'ectoderme du palais appelée **poche hypophysaire,** ou **poche de Rathke.** En se développant, cette poche se dirige vers le bourgeon neurohypophysaire et perd ses connexions avec la cavité buccale.

La *glande thyroïde* prend naissance sous la forme d'une excroissance médio-ventrale de l'endoderme, appelée **diverticule thyroïdien,** qui se développe à partir du plancher du pharynx au niveau de la deuxième paire de poches branchiales. L'excroissance s'agrandit vers le bas et se différencie pour donner les lobes latéraux gauche et droit ainsi que l'isthme de la glande.

Les *glandes parathyroïdes* sont issues de l'endoderme. Elles se développent à partir d'excroissances des troisième et quatrième **poches branchiales.**

Figure 18.22 Développement du système endocrinien.

Les trois feuillets embryonnaires primitifs donnent naissance aux glandes endocrines.

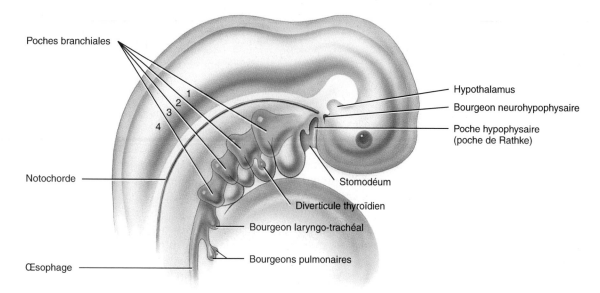

Poches branchiales

1
2
3
4

Notochorde

Œsophage

Hypothalamus

Bourgeon neurohypophysaire

Poche hypophysaire (poche de Rathke)

Stomodéum

Diverticule thyroïdien

Bourgeon laryngo-trachéal

Bourgeons pulmonaires

(a) Situation du bourgeon neurohypophysaire, de la poche hypophysaire et du diverticule thyroïdien chez un embryon de 28 jours

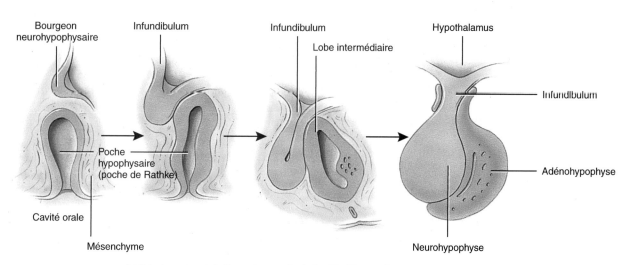

Bourgeon neurohypophysaire

Infundibulum

Infundibulum

Lobe intermédiaire

Hypothalamus

Infundibulum

Poche hypophysaire (poche de Rathke)

Cavité orale

Mésenchyme

Neurohypophyse

Adénohypophyse

(b) Développement de l'hypophyse entre la 5ᵉ et la 16ᵉ semaine

 Q Quelles sont les deux glandes endocrines qui se forment par la fusion de deux tissus ayant des origines embryonnaires différentes ?

Le cortex et la médulla des glandes surrénales ont des origines embryonnaires totalement différentes. Le *cortex surrénal* est dérivé d'une partie du mésoderme intermédiaire qui donne aussi naissance aux gonades. La *médullosurrénale* est d'origine ectodermique et dérive de la **crête neurale,** laquelle donne aussi naissance aux ganglions sympathiques et à d'autres structures du système nerveux (voir la figure 14.18b, p. 497).

Le *pancréas* provient de deux excroissances de l'endoderme dérivées de l'endoblaste du duodénum : les bourgeons pancréatiques dorsal et ventral (voir la figure 24.28d, p. 915). Ces deux excroissances finissent par fusionner pour créer le pancréas. Nous examinons l'origine des ovaires et des testicules dans le chapitre portant sur le système reproducteur.

La *glande pinéale* (dérivée de l'ectoderme) se forme à partir d'une excroissance située entre le thalamus et les commissures au niveau du **diencéphale** (voir la figure 14.19b, p. 498).

Le *thymus* dérive de l'endoderme de la troisième **poche branchiale.**

VIEILLISSEMENT DU SYSTÈME ENDOCRINIEN

OBJECTIF

• *Décrire les effets du vieillissement sur le système endocrinien.*

Certaines glandes endocrines rétrécissent avec l'âge, mais leur fonctionnement n'est pas toujours compromis pour autant. En ce qui concerne l'hypophyse, la production de l'hormone de croissance diminue, ce qui cause en partie l'atrophie musculaire qui accompagne le vieillissement. En revanche, la production de gonadotrophines et de thyrotrophine augmente. La libération de corticotrophine par l'hypophyse ne semble pas touchée. La glande thyroïde produit moins de thyroxine, d'où un ralentissement du métabolisme énergétique, une accumulation de graisses et parfois l'hypothyroïdisme, qui s'observe plus fréquemment chez les personnes âgées.

Le thymus atteint sa taille maximale au cours de la petite enfance. Après la puberté, il diminue de volume et le tissu thymique est remplacé par du tissu adipeux et du tissu conjonctif lâche. Chez les adultes âgés, il est passablement atrophié.

Les glandes surrénales contiennent de plus en plus de tissu fibreux et produisent moins de cortisol et d'aldostérone. La synthèse d'adrénaline et de noradrénaline demeure cependant normale. Le pancréas libère l'insuline plus lentement avec l'âge et la sensibilité des récepteurs au glucose diminue. C'est pourquoi la glycémie chez les personnes âgées augmente plus rapidement et revient à la normale plus lentement que chez les jeunes.

Les ovaires connaissent une diminution de volume radicale avec le temps et cessent de réagir aux gonadotrophines. Il en résulte une diminution de la libération d'œstrogènes qui amène certains troubles tels que l'ostéoporose et l'athérosclérose. Bien que la production de testostérone par les testicules diminue au cours des années, les effets de ce déclin ne se manifestent pas avant un âge très avancé et beaucoup d'hommes produisent tard dans leur vie des spermatozoïdes actifs en quantité normale.

DÉSÉQUILIBRES HOMÉOSTATIQUES

La plupart des troubles du système endocrinien sont dus à la sécrétion excessive ou insuffisante d'une hormone donnée. Toutefois, comme les hormones ne peuvent pas fonctionner sans d'abord se lier à leurs récepteurs, certaines affections endocriniennes sont causées par des défectuosités des récepteurs ou des anomalies des systèmes de seconds messagers. Étant donné que les hormones sont acheminées dans la circulation sanguine vers des tissus cibles partout dans l'organisme, les problèmes liés à un dérèglement endocrinien peuvent avoir des ramifications étendues.

TROUBLES DE L'HYPOPHYSE

Nanisme hypophysaire, gigantisme et acromégalie

L'hyposécrétion de l'hormone de croissance (hGH) durant les années de croissance ralentit le développement des os, si bien que le cartilage de conjugaison se soude avant que la taille normale soit atteinte. Cette anomalie est appelée **nanisme hypophysaire.** La croissance d'autres organes du corps est aussi compromise et la personne touchée a l'apparence d'un enfant à bien des égards sur le plan physique. Le traitement consiste à administrer de l'hormone de croissance durant l'enfance avant la soudure des cartilages de conjugaison.

L'hypersécrétion de hGH durant l'enfance mène au **gigantisme,** qui se caractérise par un allongement anormal des os longs. Les personnes atteintes sont plus grandes que la moyenne, mais leurs proportions corporelles sont à peu près normales. À l'âge adulte, l'hypersécrétion de hGH cause l'**acromégalie.** Les os longs ne peuvent

pas s'allonger davantage parce que les cartilages de conjugaison sont soudés. Ce sont les os des mains, des pieds, et de la mâchoire qui s'épaississent à la place. Les paupières, les lèvres, la langue et le nez s'élargissent. De plus, la peau s'épaissit et forme des rides profondes, en particulier sur le front et la plante des pieds.

Diabète insipide

Parmi les anomalies liées à un dérèglement de la neurohypophyse, celle qu'on observe le plus souvent est le **diabète insipide** (*diabêtês* = qui traverse). L'incapacité soit de sécréter l'hormone antidiurétique (ADH), soit d'y réagir peut provoquer cette maladie. Le diabète insipide neurogène (d'origine nerveuse) résulte d'une hyposécrétion d'ADH, habituellement causée par une tumeur au cerveau, un traumatisme crânien ou une intervention chirurgicale qui endommage la neurohypophyse ainsi que les noyaux supraoptique et paraventriculaire de l'hypothalamus. Dans le diabète insipide néphrogène (d'origine rénale), les reins ne réagissent pas à l'ADH. Les récepteurs hormonaux ne fonctionnent pas ou bien les reins sont endommagés. Un des symptômes communs aux deux formes de la maladie est l'excrétion d'importants volumes d'urine, ayant pour conséquence la déshydratation et la soif. L'incontinence urinaire nocturne est fréquente chez les enfants atteints. En raison de la grande quantité d'eau perdue dans l'urine, une personne qui souffre de diabète insipide grave et qui est privée d'eau peut mourir déshydratée en seulement un jour. On traite le diabète insipide neurogène par hormonothérapie substitutive, et ce traitement doit en général se poursuivre tout au long de la vie. L'administration d'analogues d'ADH, soit par injection sous-cutanée, soit par vaporisation nasale, s'avère efficace. Le traitement du diabète insipide néphrogène est plus complexe et dépend de la nature du dysfonctionnement rénal. Une réduction de la consommation de sel et, paradoxalement, l'utilisation de certains diurétiques sont bénéfiques.

TROUBLES DE LA GLANDE THYROÏDE

Les troubles de la glande thyroïde touchent tous les grands systèmes de l'organisme et font partie des affections endocriniennes les plus courantes. L'hyposécrétion d'hormones thyroïdiennes durant la vie fœtale ou la petite enfance entraîne le **crétinisme.** Les enfants atteints présentent un nanisme parce que la croissance et la maturation du squelette ne se déroulent pas normalement. Ils souffrent par ailleurs d'une arriération mentale grave parce que le cerveau ne se développe pas complètement. Étant liposolubles, les hormones thyroïdiennes maternelles traversent le placenta et permettent que le développement du fœtus se poursuive, si bien qu'à la naissance les bébés semblent normaux en général, même s'ils ne produisent pas leurs propres hormones thyroïdiennes. La plupart des ministères de la Santé exigent une analyse de la fonction thyroïdienne chez tous les nouveau-nés. Si l'hypothyroïdie est décelée assez tôt, on peut prévenir le crétinisme en administrant des hormones thyroïdiennes par voie orale.

Chez l'adulte, l'hypothyroïdie se traduit par le myxœdème. Un des signes distinctifs de ce trouble est l'œdème (accumulation de liquide interstitiel) qui fait enfler les tissus faciaux et donne au visage une apparence bouffie. Les personnes atteintes de myxœdème ont le pouls lent et une température corporelle basse; elles sont plus sensibles au froid, ont la peau et les cheveux secs, souffrent de faiblesse musculaire et de léthargie, et ont tendance à l'embonpoint. Le cerveau ayant déjà atteint sa maturité, il n'y a pas d'arriération mentale, mais il peut y avoir une diminution des aptitudes mentales si bien que l'esprit est moins alerte. Le myxœdème est environ cinq fois plus fréquent chez les femmes que chez les hommes. L'administration orale d'hormones thyroïdiennes atténue les symptômes.

La forme la plus courante d'hyperthyroïdie est la **maladie de Basedow,** qui est une affection de nature auto-immune. Elle se manifeste de sept à dix fois plus souvent chez les femmes que chez les hommes, habituellement avant l'âge de 40 ans. Comme la personne atteinte produit des anticorps qui imitent l'action de la thyrotrophine (TSH), la glande thyroïde est stimulée continuellement; elle croît et produit les hormones thyroïdiennes sans arrêt. Un des principaux signes est une thyroïde hypertrophiée qui peut atteindre deux ou trois fois sa taille normale. Les personnes qui souffrent de la maladie de Basedow ont souvent une forme particulière d'œdème derrière les yeux qui occasionne une **exophtalmie,** c'est-à-dire une saillie des globes oculaires. Les traitements comprennent l'ablation totale ou partielle de la glande thyroïde (thyroïdectomie), l'administration d'iode radioactif (^{131}I) pour effectuer la destruction sélective du tissu thyroïdien et l'utilisation de médicaments antithyroïdiens pour bloquer la synthèse des hormones thyroïdiennes.

Le **goitre** (*guttur* = gorge) est simplement une augmentation du volume de la glande thyroïde. Il peut aussi bien être associé à l'hyperthyroïdie qu'à l'hypothyroïdie, ou encore à l'euthyroïdie (*eu* = bien), c'est-à-dire la sécrétion normale d'hormones thyroïdiennes. Dans certaines régions du monde, l'apport d'iode dans l'alimentation est insuffisant; par conséquent, le taux d'hormones thyroïdiennes dans le sang reste faible et stimule la sécrétion de TSH, ce qui fait augmenter le volume de la thyroïde.

TROUBLES DES GLANDES PARATHYROÏDES

L'hypoparathyroïdie, soit l'insuffisance de parathormone, amène une déficience en Ca^{2+}. Il en résulte une dépolarisation des neurones et des fibres musculaires qui se mettent à produire des potentiels d'action spontanés. Ce dysfonctionnement entraîne des tics, des spasmes et une **tétanie** des muscles squelettiques. La principale cause de l'hypoparathyroïdie est une lésion accidentelle des glandes parathyroïdes ou de leurs vaisseaux sanguins lors d'une thyroïdectomie.

L'hyperparathyroïdie est habituellement causée par une tumeur d'une glande parathyroïde. Elle entraîne l'**ostéite fibro-kystique** et, par conséquent, la déminéralisation des os. Ces derniers deviennent alors fragiles et se fracturent facilement en raison de la perte excessive de Ca^{2+}.

TROUBLES DES GLANDES SURRÉNALES

Les troubles du cortex surrénal comprennent l'hyperfonction et l'hypofonction. Ils donnent lieu à des changements physiques, psychologiques et métaboliques complexes qui peuvent mettre en danger la vie du sujet. Les troubles de la médullosurrénale relèvent d'une hyperfonction et ne menacent pas la vie.

Maladie de Cushing

L'hypersécrétion de cortisol par le cortex surrénal provoque la **maladie de Cushing.** Les causes peuvent être une tumeur de la glande surrénale qui sécrète du cortisol ou bien une tumeur située ailleurs qui sécrète de la corticotrophine (ACTH) et stimule ainsi une libération excessive de cortisol. L'affection se caractérise par la dégradation des protéines musculaires et la redistribution des graisses dans le corps. Les bras et les jambes sont grêles et contrastent avec le faciès lunaire, la formation de la «bosse de bison» à la nuque et un abdomen tombant. La peau du visage est rouge et celle de l'abdomen présente des vergetures. La personne atteinte est aussi sujette aux ecchymoses et les plaies cicatrisent mal. Le taux élevé de cortisol cause l'hyperglycémie, l'ostéoporose, la faiblesse, l'hypertension, une susceptibilité accrue aux infections, une diminution de la résistance au stress et des sautes d'humeur. Les sujets qui suivent des traitements prolongés aux glucocorticoïdes – pour prévenir le rejet d'un organe transplanté par exemple – peuvent finir par présenter une apparence cushingoïde.

Maladie d'Addison

La destruction progressive du cortex surrénal mène à l'hyposécrétion de glucocorticoïdes et d'aldostérone, et provoque la **maladie d'Addison.** On estime qu'il s'agit la plupart du temps d'une affection auto-immune dans laquelle des anticorps causent la destruction du cortex surrénal ou bloquent la liaison de l'ACTH à ses récepteurs. Il est possible que certains agents pathogènes, telle la bactérie à l'origine de la tuberculose, déclenchent aussi la destruction du cortex surrénal. Les symptômes, qui en général ne se manifestent pas avant que 90% du cortex soit détruit, comprennent la léthargie mentale, l'anorexie, la nausée et des vomissements, la perte pondérale, l'hypoglycémie et la faiblesse musculaire. La perte d'aldostérone se traduit par une élévation du taux de potassium et une diminution du taux de sodium dans le sang, un abaissement de la pression artérielle, la déshydratation, une réduction du débit cardiaque, des arythmies et des risques d'arrêt cardiaque. On constate également une pigmentation excessive des muqueuses et de la peau, en particulier là où cette dernière est exposée au soleil. Le traitement consiste à remplacer les glucocorticoïdes et les minéralocorticoïdes et à augmenter l'apport alimentaire de sodium.

Phéochromocytomes

Les **phéochromocytomes** (*phaios* = brun ; *khrôma* = couleur ; *kutos* = cellule) sont des tumeurs, habituellement bénignes, des cellules chromaffines de la médullosurrénale ; ils causent l'hypersécrétion des hormones médullaires. L'hypersécrétion d'adrénaline et de noradrénaline entraîne une forme de réaction de lutte ou de fuite qui se prolonge : fréquence cardiaque élevée, maux de tête, pression artérielle élevée, concentration élevée de glucose dans le sang et l'urine, accélération du métabolisme basal, rougeur au visage, nervosité, transpiration et ralentissement de la motilité gastrointestinale. Le traitement consiste à procéder à l'ablation chirurgicale de la tumeur.

TROUBLES DU PANCRÉAS

Le trouble endocrinien le plus courant relève du pancréas. C'est le **diabète,** une maladie chronique qui touche environ 12 millions d'Américains et qui est la quatrième cause de décès par maladie aux États-Unis, principalement en raison de l'étendue de ses effets cardiovasculaires. Le diabète est en réalité un groupe d'affections dues à l'impossibilité de produire ou d'utiliser l'insuline. Il en résulte une hyperglycémie et une perte de glucose dans l'urine (glycosurie). Les signes distinctifs du diabète sont les trois «poly» : la *polyurie,* une production excessive d'urine due à l'incapacité des reins à réabsorber l'eau, la *polydipsie,* une soif intense, et la *polyphagie,* une consommation excessive d'aliments.

Il y a deux formes principales de diabète. Le **diabète de type I** est causé par une déficience totale en insuline. Il est aussi appelé **diabète insulinodépendant** parce qu'il faut avoir recours à des injections régulières d'insuline pour prévenir la mort. En général, le diabète insulinodépendant se manifeste chez des personnes de moins de 20 ans, mais celles-ci sont atteintes pour la vie. Il s'agit d'une maladie auto-immune qui mène à la destruction des cellules bêta du pancréas par le système immunitaire. La cyclosporine, un médicament qui exerce une action suppressive sur le système immunitaire, semble pouvoir interrompre la destruction des cellules bêta.

Le métabolisme cellulaire d'une personne atteinte du diabète de type I et qui n'est pas soignée est semblable à celui de quelqu'un qui meurt de faim. Comme il n'y a pas d'insuline pour faciliter l'entrée du glucose dans les cellules, la plupart de ces dernières utilisent les acides gras pour produire de l'ATP. L'accumulation des sous-produits de la dégradation des acides gras – acides organiques appelés cétones, ou corps cétoniques – donne une forme d'acidose appelée **acidocétose,** qui fait baisser le pH sanguin et peut entraîner la mort. La dégradation des réserves de triglycérides et des protéines cause aussi une perte pondérale. Le transport des lipides dans le sang, à partir des lieux de stockage vers les cellules, occasionne le dépôt de particules lipidiques sur les parois des vaisseaux sanguins qui mène à l'athérosclérose et à une multitude de troubles cardiovasculaires, y compris l'insuffisance circulatoire cérébrale, la cardiopathie ischémique, les maladies vasculaires périphériques et la gangrène. Une des principales complications du diabète est la cécité causée soit par des cataractes (excès de glucose fixé aux protéines du cristallin, qui s'opacifie), soit par des lésions aux vaisseaux sanguins de la rétine. Des lésions semblables aux vaisseaux sanguins des reins peuvent sérieusement compromettre la fonction rénale.

Le **diabète de type II,** aussi appelé **diabète non insulinodépendant,** est beaucoup plus répandu que le diabète de type I. Il constitue plus de 90 % des cas de diabète. Il atteint le plus souvent des personnes qui ont plus de 35 ans et qui font de l'embonpoint. Les symptômes sont bénins et l'hyperglycémie peut souvent être traitée par un régime approprié, de l'exercice et une perte pondérale. Parfois, un médicament antidiabétique comme le *glibenclamide* (Diaβeta) est administré pour stimuler la sécrétion d'insuline par les cellules bêta du pancréas. Bien que certains diabétiques de type II aient besoin d'insuline, beaucoup en ont une quantité suffisante (voire un surplus) dans le sang. Dans ce cas, la maladie apparaît non pas à cause d'une insuffisance d'insuline, mais parce que les cellules cibles cessent de répondre par suite de la régulation négative de leurs récepteurs hormonaux.

L'**hyperinsulinisme** est le plus souvent la conséquence de l'injection de doses excessives d'insuline par un diabétique. Le symptôme principal est l'**hypoglycémie,** c'est-à-dire une faible concentration de glucose dans le sang, qui survient parce que l'excès d'insuline stimule une trop forte absorption de glucose par de nombreuses cellules du corps. L'hypoglycémie stimule la sécrétion d'adrénaline, de glucagon et d'hormone de croissance, qui entraînent l'anxiété, la transpiration, des tremblements, une accélération de la fréquence cardiaque, la faim et la faiblesse. Quand la glycémie baisse, les cellules du cerveau sont privées de l'apport constant de glucose dont elles ont besoin pour bien fonctionner. Cette situation mène à la désorientation mentale, aux convulsions, à l'inconscience et à l'état de choc. Elle porte le nom de **coma hypoglycémique** et peut entraîner une mort rapide si la glycémie normale n'est pas rétablie.

RÉSUMÉ

INTRODUCTION (p. 596)

1. Le système nerveux régit l'homéostasie au moyen d'influx nerveux ; le système endocrinien le fait au moyen d'hormones.
2. Le système nerveux régit les contractions musculaires et les sécrétions des glandes ; le système endocrinien agit sur presque tous les tissus de l'organisme.

GLANDES ENDOCRINES : DÉFINITION (p. 597)

1. Les glandes exocrines (sudoripares, sébacées et celles du système digestif) sécrètent leurs produits dans des conduits qui les déversent dans des cavités de l'organisme ou à la surface externe du corps.
2. Les glandes endocrines sécrètent des hormones dans le sang.

3. Le système endocrinien comprend des glandes endocrines et plusieurs organes qui contiennent des tissus endocriniens (voir la figure 18.1).

4. Les hormones assurent la régulation du milieu intérieur, du métabolisme et de l'équilibre énergétique.

5. Elles participent également à la régulation des contractions musculaires, des sécrétions glandulaires et de certaines réponses immunitaires.

6. Les hormones influent sur la croissance, le développement et la reproduction.

ACTIVITÉ HORMONALE (p. 598)

1. Les hormones exercent leur action seulement sur les cellules cibles spécifiques possédant les récepteurs qui les reconnaissent (s'y lient).

2. Le nombre de récepteurs hormonaux peut diminuer (régulation négative) ou augmenter (régulation positive).

3. Du point de vue chimique, les hormones sont soit liposolubles (stéroïdes, hormones thyroïdiennes et monoxyde d'azote), soit hydrosolubles (amines; peptides, protéines et glycoprotéines; eicosanoïdes).

4. Les hormones hydrosolubles circulent «librement» dans le sang; les hormones stéroïdes et thyroïdiennes, qui sont liposolubles, se fixent à des protéines de transport spécifiques synthétisées par le foie.

MÉCANISMES DE L'ACTION HORMONALE (p. 600)

1. Les hormones liposolubles (stéroïdes et thyroïdiennes) agissent sur le fonctionnement des cellules en modifiant l'expression génique.

2. Les hormones hydrosolubles modifient le fonctionnement des cellules en activant des récepteurs de la membrane plasmique qui déclenchent une cascade de réactions à l'intérieur de la cellule.

3. Le monoxyde d'azote active la guanylyl cyclase dans les fibres musculaires lisses.

4. Il y a trois types d'interactions hormonales: l'effet permissif, l'effet synergique et l'effet antagoniste.

RÉGULATION DE LA SÉCRÉTION HORMONALE (p. 603)

1. La régulation de la sécrétion a pour fonction de prévenir l'hypersécrétion et l'hyposécrétion.

2. La sécrétion hormonale est régie par des signaux provenant du système nerveux, par des changements dans la composition chimique du sang et par l'interaction d'autres hormones.

3. Dans la plupart des cas, la régulation des sécrétions hormonales est assurée par des mécanismes de rétro-inhibition.

HYPOTHALAMUS ET HYPOPHYSE (p. 604)

1. L'hypothalamus constitue le lien d'intégration le plus important entre le système nerveux et le système endocrinien.

2. L'hypothalamus et l'hypophyse régulent presque tous les aspects de la croissance, du développement, du métabolisme et de l'homéostasie.

3. L'hypophyse est située dans la selle turcique de l'os sphénoïde. Elle comprend deux parties, l'adénohypophyse et la neurohypophyse.

4. La sécrétion des hormones de l'adénohypophyse est stimulée par les hormones de libération et freinée par les hormones d'inhibition de l'hypothalamus.

5. L'irrigation sanguine de l'adénohypophyse est assurée par les artères hypophysaires supérieures. Les hormones de libération et d'inhibition de l'hypothalamus entrent dans le plexus primaire et sont acheminées vers l'adénohypophyse par les veines portes hypophysaires.

6. L'adénohypophyse est composée de cellules endocrines somatotropes qui produisent l'hormone de croissance (hGH), de cellules lactotropes qui produisent la prolactine (PRL), de cellules corticotropes qui sécrètent la corticotrophine (ACTH) et l'hormone mélanotrope (MSH), de cellules thyrotropes qui sécrètent la thyrotrophine (TSH) ainsi que de cellules gonadotropes qui synthétisent l'hormone folliculostimulante (FSH) et l'hormone lutéinisante (LH).

7. L'hormone de croissance (hGH) stimule l'accroissement de la taille du corps par l'intermédiaire des somatomédines (IGF). La sécrétion de la hGH est inhibée par la somatostatine (GHIH) et stimulée par la somatocrinine (GHRH).

8. La TSH régule l'activité de la glande thyroïde. Sa sécrétion est stimulée par la thyréolibérine (TRH) et freinée par la somatostatine (GHIH).

9. La FSH et la LH régulent l'activité des gonades – ovaires et testicules – et leur sécrétion est régie par la gonadolibérine (GnRH).

10. La prolactine (PRL) contribue à déclencher la sécrétion du lait. Le facteur inhibiteur de la prolactine réprime la sécrétion de cette hormone, alors que l'hormone de libération de la prolactine et la TRH la stimulent.

11. L'ACTH régule l'activité du cortex surrénal. Sa sécrétion est régie par la corticolibérine (CRH).

12. La sécrétion de la MSH est stimulée par la corticolibérine (CRH) et inhibée par la dopamine.

13. L'hypothalamus et la neurohypophyse sont reliées par des neurones qui forment le faisceau hypothalamo-hypophysaire.

14. Les hormones produites par l'hypothalamus et emmagasinées dans la neurohypophyse sont l'ocytocine et l'hormone antidiurétique (ADH). La première stimule les contractions utérines et l'éjection du lait des glandes mammaires. La seconde stimule la réabsorption de l'eau par les reins et la constriction des artérioles. L'ADH est aussi appelée vasopressine.

15. La sécrétion de l'ocytocine est stimulée par la distension de l'utérus et la succion du nourrisson durant l'allaitement; la sécrétion de l'ADH est régie par la pression osmotique du sang et le volume sanguin.

GLANDE THYROÏDE (p. 612)

1. La glande thyroïde est située sous le larynx.

2. Elle est formée de follicules thyroïdiens composés de cellules folliculaires, qui sécrètent les hormones thyroïdiennes, soit la thyroxine (T_4) et la triiodothyronine (T_3). Elle comprend aussi des cellules parafolliculaires qui sécrètent la calcitonine.

3. Les hormones thyroïdiennes sont synthétisées à partir d'iode et de tyrosine contenue dans la thyroglobuline (TGB).

4. Elles sont transportées dans le sang par des protéines plasmatiques, surtout la globuline liant la thyroxine (TBG), auxquelles elles sont liées.

5. Les hormones thyroïdiennes régulent l'activité du métabolisme, la croissance et le développement. Leur sécrétion est régie par la concentration d'iode dans le sang et par la TSH.

6. La calcitonine peut abaisser la concentration sanguine des ions calcium (Ca^{2+}) et favoriser leur incorporation dans la matrice osseuse. La sécrétion de la calcitonine est régie par le taux sanguin de Ca^{2+}.

GLANDES PARATHYROÏDES (p. 616)

1. Les glandes parathyroïdes sont fixées à la face postérieure des lobes latéraux de la glande thyroïde.
2. Les glandes parathyroïdes sont composées de cellules principales et de cellules oxyphiles.
3. La parathormone (PTH) régit l'homéostasie des ions calcium et phosphate en augmentant la concentration sanguine de calcium et en diminuant celle du phosphate. Sa sécrétion est régulée par le taux sanguin de Ca^{2+}.

GLANDES SURRÉNALES (p. 619)

1. Les glandes surrénales sont situées au-dessus des reins. Elles sont formées d'une partie externe, le cortex surrénal, et d'une partie interne, la médullosurrénale.
2. Le cortex surrénal est constitué d'une zone glomérulée, d'une zone fasciculée et d'une zone réticulée ; la médullosurrénale comprend des cellules endocrines médullaires (cellules chromaffines) et de gros vaisseaux sanguins.
3. Les sécrétions du cortex surrénal sont les minéralocorticoïdes, les glucocorticoïdes et les androgènes.
4. Les minéralocorticoïdes (principalement l'aldostérone) augmentent la réabsorption du sodium et de l'eau et diminuent celle du potassium. Leur sécrétion est régie par le système rénine-angiotensine et la concentration sanguine de K^+.
5. Les glucocorticoïdes (principalement le cortisol) favorisent la dégradation des protéines, la néoglucogenèse et la lipolyse ; ils aident à résister au stress et exercent une action anti-inflammatoire. Leur sécrétion est régie par l'ACTH.
6. Les androgènes sécrétés par le cortex surrénal stimulent la croissance des poils axillaires et pubiens, contribuent à l'accélération de la croissance qui précède la puberté et favorisent la libido.
7. Les sécrétions de la médullosurrénale sont l'adrénaline et la noradrénaline, dont les effets sont semblables à ceux des réponses sympathiques. Elles sont libérées en réponse au stress.

PANCRÉAS (p. 624)

1. Le pancréas est situé à l'arrière et légèrement au-dessous de l'estomac.
2. Il est formé d'îlots pancréatiques (ou îlots de Langerhans) et d'amas de cellules acineuses productrices d'enzymes. La partie endocrine comprend quatre types de cellules : les cellules alpha, bêta, delta et PP.
3. Les cellules alpha sécrètent le glucagon, les cellules bêta l'insuline, les cellules delta la somatostatine, et les cellules PP le polypeptide pancréatique.
4. Le glucagon fait augmenter la glycémie et sa sécrétion est stimulée par l'hypoglycémie.
5. L'insuline fait baisser la glycémie et sa sécrétion est stimulée par l'hyperglycémie.

OVAIRES ET TESTICULES (p. 627)

1. Les ovaires sont situés dans la cavité pelvienne et produisent les œstrogènes, la progestérone et l'inhibine. Ces hormones sexuelles régissent le développement et le maintien des caractères sexuels secondaires féminins, des cycles ovariens, de la grossesse, de la lactation et des fonctions reproductrices normales.
2. Les testicules reposent dans le scrotum et produisent la testostérone et l'inhibine. Ces hormones sexuelles régissent le développement et le maintien des caractères sexuels secondaires masculins et des fonctions reproductrices normales.

GLANDE PINÉALE (p. 628)

1. La glande pinéale est suspendue au toit du troisième ventricule.
2. Elle est composée de cellules sécrétrices appelées pinéalocytes, de cellules gliales et de fibres nerveuses postganglionnaires sympathiques dispersées.
3. La glande pinéale sécrète la mélatonine, qui contribue à régler l'horloge biologique (régie par le noyau suprachiasmatique). Durant le sommeil, la concentration plasmatique de la mélatonine devient dix fois plus élevée, puis retombe à son niveau inférieur avant le réveil.

THYMUS (p. 630)

1. Le thymus sécrète plusieurs hormones liées à l'immunité.
2. La thymosine, le facteur humoral thymique (THF), le facteur thymique (TF) et la thymopoïétine participent à la maturation des lymphocytes T.

HORMONES DIVERSES (p. 630)

1. Les voies gastro-intestinales synthétisent plusieurs hormones, dont la gastrine, le peptide insulinotrophique gluco-dépendant (GIP), la sécrétine et la cholécystokinine (CCK).
2. Le placenta produit la gonadotrophine chorionique humaine (hCG), des œstrogènes, de la progestérone, la relaxine et la somatomammotrophine chorionique humaine.
3. Les reins libèrent l'érythropoïétine et le calcitriol, forme active de la vitamine D.
4. Les oreillettes du cœur produisent le peptide natriurétique auriculaire (ANP).
5. Le tissu adipeux produit la leptine.
6. Les prostaglandines et les leucotriènes sont des eicosanoïdes qui ont une action paracrine ou une action autocrine dans la plupart des tissus du corps. Elles influent sur la production des seconds messagers tels que l'AMP cyclique.
7. Les prostaglandines ont de multiples effets biologiques sur les processus physiologiques et pathologiques.
8. Les facteurs de croissance sont des hormones locales qui stimulent la croissance et la division cellulaires. Ils comprennent le facteur de croissance épidermique (EGF), le facteur de croissance dérivé des plaquettes (PDGF), le facteur de croissance des fibroblastes (FGF), le facteur neurotrophique (NGF), les facteurs d'angiogenèse tumorale (TAF) et les facteurs de croissance transformants (TGF).

STRESS ET SYNDROME GÉNÉRAL D'ADAPTATION (p. 632)

1. S'il est extrême ou inhabituel, le stress déclenche un ensemble de changements physiologiques qui se répercutent dans tout l'organisme et qu'on appelle le syndrome général d'adaptation. Les stimulus qui produisent le syndrome général d'adaptation portent le nom de facteurs de stress.
2. Parmi les facteurs de stress, on compte les opérations chirurgicales, les poisons, les infections, la fièvre et les chocs émotionnels.
3. Certains stress, appelés eustress, sont utiles. D'autres, qui sont des formes de détresse, sont nocifs.

4. La réaction d'alarme est déclenchée par des influx nerveux de l'hypothalamus qui ont pour cible la partie sympathique du système nerveux autonome et la médullosurrénale.

5. La réaction d'alarme, ou réaction de lutte ou de fuite, est immédiate et brève. Elle se traduit par un ensemble de réponses qui activent la circulation sanguine et la production d'ATP, et freinent les activités non essentielles.

6. La période de résistance est déclenchée par des hormones sécrétées par l'hypothalamus. Les plus importantes de ces hormones sont la CRH, la TRH et la GHRH.

7. La période de résistance dure longtemps. Elle accélère les réactions de dégradation qui fournissent de l'ATP pour contrecarrer le stress.

8. L'épuisement résulte de la déplétion des ressources de l'organisme durant le stade de la résistance.

9. Le stress semble déclencher certaines maladies en inhibant le système immunitaire.

10. L'interleukine 1, produite par les macrophages, constitue un lien important entre le stress et l'immunité. Elle stimule la sécrétion d'ACTH.

DÉVELOPPEMENT EMBRYONNAIRE DU SYSTÈME ENDOCRINIEN (p. 634)

1. Le développement du système endocrinien n'est pas aussi localisé que celui d'autres systèmes parce que les glandes endocrines se forment dans différentes parties de l'embryon.

2. L'hypophyse, la médullosurrénale et la glande pinéale se forment à partir de l'ectoderme. Le cortex surrénal se forme à partir du mésoderme. La glande thyroïde, les glandes parathyroïdes, le pancréas et le thymus se forment à partir de l'endoderme.

VIEILLISSEMENT DU SYSTÈME ENDOCRINIEN (p. 636)

1. Bien que les glandes endocrines rétrécissent avec l'âge, leur fonctionnement n'est pas nécessairement compromis pour autant.

2. Avec l'âge, l'hypophyse produit une moins grande quantité d'hormone de croissance, mais une plus grande quantité de gonadotrophines et de thyrotrophine.

AUTOÉVALUATION

Choix multiples

1. Parmi les comparaisons suivantes, lesquelles sont vraies? 1) Les influx nerveux produisent leur effet rapidement, alors que les hormones peuvent agir soit rapidement, soit lentement. 2) Les effets du système nerveux sont brefs, alors que ceux du système endocrinien durent plus longtemps. 3) Le système nerveux régit l'homéostasie au moyen d'influx nerveux ; le système endocrinien le fait au moyen d'hormones. 4) Le système nerveux déclenche les contractions musculaires ; le système endocrinien influe sur presque tous les tissus de l'organisme. 5) Le système nerveux comprend des organes disséminés dans tout le corps ; le système endocrinien est formé exclusivement de l'hypophyse, de la glande thyroïde, des glandes surrénales et du pancréas.
a) 1, 2, 3, 4 et 5. b) 1, 2, 3 et 4. c) 2, 3, 4 et 5. d) 2, 4 et 5. e) 1, 4 et 5.

2. Laquelle des catégories suivantes n'est *pas* une classe d'hormones? a) Stéroïdes. b) Amines. c) Alcools. d) Peptides et protéines. e) Eicosanoïdes.

3. Lesquels des facteurs suivants influent sur la sensibilité des cellules cibles aux hormones? 1) La concentration hormonale. 2) Le type de cellule cible. 3) L'abondance de récepteurs hormonaux. 4) L'influence d'autres hormones. 5) L'âge de la cellule cible.
a) 1, 2, 3 et 4. b) 2, 3, 4 et 5. c) 1, 2 et 3. d) 1, 3 et 4. e) 2, 4 et 5.

4. La classe d'hormone produite par les glandes surrénales qui favorise la résistance au stress, a des effets anti-inflammatoires et facilite le métabolisme normal pour assurer une quantité suffisante d'ATP est appelée : a) glucocorticoïdes ; b) minéralocorticoïdes ; c) androgènes ; d) catécholamines ; e) sympathomimétiques.

5. Lesquels des facteurs suivants participent à la régulation de la sécrétion des hormones? 1) Signaux provenant de l'environnement. 2) Signaux provenant du système nerveux. 3) Changements de la composition chimique du sang. 4) Autres hormones. 5) Modifications chimiques dans les cellules cibles.
a) 1, 2 et 3. b) 2, 3 et 4. c) 2, 4 et 5. d) 1, 3 et 5. e) 2, 3 et 5.

6. Le système de l'organisme qui déclenche la réponse au stress est : a) le système cardiovasculaire ; b) le système nerveux ; c) le système immunitaire ; d) le système lymphatique ; e) le système respiratoire.

Phrases à compléter

7. Une molécule d'hormone hydrosoluble se lie à un récepteur membranaire de la cellule cible, qui active une autre protéine membranaire appelée ___, laquelle stimule une enzyme appelée ___. Cette dernière convertit l'ATP en AMP cyclique, le second messager. L'AMP cyclique active ___, qui ___ des protéines cellulaires. Ces protéines cellulaires catalysent des réactions qui produisent les réponses physiologiques attribuées à l'hormone.

8. Les trois stades de la réponse au stress, ou syndrome général d'adaptation, sont, dans l'ordre où ils se manifestent, ___, ___ et ___.

9. C'est ___, lui-même une glande endocrine, qui constitue le lien d'intégration le plus important entre le système nerveux et le système endocrinien.

10. Les glandes ___ sécrètent leurs produits dans des conduits qui les acheminent à leur destination. Les glandes ___ sécrètent leurs produits dans le liquide interstitiel, d'où ils pénètrent dans les capillaires sanguins par diffusion.

Vrai ou faux

11. La neurohypophyse synthétise l'ocytocine et l'ADH.

12. Selon le mécanisme d'action hormonale qui fonctionne par l'activation directe d'un gène, l'hormone pénètre dans la cellule cible et se lie à un récepteur intracellulaire. Le récepteur ainsi activé modifie l'expression génique de façon à produire la protéine qui entraîne les réponses physiologiques caractéristiques de l'hormone.

13. Associez les éléments suivants :

___ a) augmente la concentration sanguine de Ca^{2+}
___ b) augmente seulement la glycémie
___ c) diminue la concentration sanguine de Ca^{2+}
___ d) abaisse la glycémie
___ e) déclenche et entretient la sécrétion du lait par les glandes mammaires
___ f) stimule la formation des gamètes
___ g) stimule la production des hormones sexuelles
___ h) stimule l'éjection du lait
___ i) régule le métabolisme et la résistance au stress
___ j) participe au maintien de l'équilibre hydrique et électrolytique
___ k) inhibe la libération de la FSH
___ l) inhibe la perte d'eau par les reins
___ m) détermine le fonctionnement de l'adénohypophyse
___ n) régule l'utilisation de l'oxygène et l'activité du métabolisme basal, le métabolisme cellulaire ainsi que la croissance et le développement
___ o) stimule la synthèse des protéines, inhibe le catabolisme des protéines, stimule la lipolyse et retarde l'utilisation du glucose pour la production d'ATP
___ p) augmente la pigmentation de la peau

1) insuline
2) glucagon
3) inhibine
4) FSH
5) LH
6) thyroxine et triiodothyronine
7) calcitonine
8) parathormone
9) hormone mélanotrope
10) ocytocine
11) ADH
12) prolactine
13) hGH
14) hormones de régulation de l'hypothalamus
15) aldostérone
16) cortisol

14. Associez les éléments suivants :

___ a) ACTH
___ b) TSH
___ c) glucagon
___ d) calcitonine
___ e) insuline
___ f) progestérone
___ g) FSH et LH
___ h) hGH
___ i) testostérone
___ j) thyroxine et triiodothyronine

1) cellules bêta des îlots pancréatiques
2) cellules alpha des îlots pancréatiques
3) cellules folliculaires de la glande thyroïde
4) cellules parafolliculaires de la glande thyroïde
5) cellules interstitielles des testicules
6) corps jaune des ovaires
7) cellules somatotropes
8) cellules thyrotropes
9) cellules gonadotropes
10) cellules corticotropes

15. Associez les éléments suivants :

___ a) hyposécrétion d'insuline ou insuffisance des récepteurs d'insuline
___ b) hypersécrétion de hGH avant la soudure des cartilages de conjugaison
___ c) hyposécrétion d'hormone thyroïdienne
___ d) hypersécrétion de glucocorticoïdes
___ e) hyposécrétion de hGH avant la soudure des cartilages de conjugaison
___ f) hyperparathyroïdie
___ g) hypersécrétion de hGH après la soudure des cartilages de conjugaison
___ h) hyposécrétion de glucocorticoïdes et d'aldostérone
___ i) hyposécrétion d'ADH
___ j) hyperthyroïdie d'origine auto-immune

1) gigantisme
2) acromégalie
3) nanisme hypophysaire
4) diabète insipide
5) crétinisme
6) maladie de Basedow
7) syndrome de Cushing
8) ostéite fibro-kystique
9) maladie d'Addison
10) diabète

QUESTIONS À COURT DÉVELOPPEMENT

1. Un des traitements du diabète de type I qui fait actuellement l'objet de recherches consiste à transplanter un seul type de cellule chez le patient, plutôt que l'organe entier. De quel type de cellule s'agit-il et de quel organe provient-il ? Comment peut-on guérir le diabète avec un type seulement de cellule ? (INDICE : *L'organe a des fonctions à la fois endocrines et exocrines.*)

2. Anne-Marie déteste la photo de sa nouvelle carte d'étudiante. Ses cheveux paraissent secs, on voit qu'elle a pris du poids et son cou semble s'être épaissi. On dirait même qu'il y a un renflement en forme de papillon étalé sur sa gorge, sous le menton. Anne-marie se sent aussi très fatiguée et intellectuellement

moins « vive » que d'habitude, mais elle se dit que ce doit être la même chose pour les étudiants d'anatomie et de physiologie de première année. Devrait-elle consulter un médecin ou se contenter de porter des cols roulés ? (INDICE : *Elle a également toujours froid.*)

3. Bruno est un surdoué de l'informatique qui s'intéresse aussi à la médecine. Il a quinze ans. Il aime procéder à des opérations chirurgicales virtuelles à l'aide du logiciel qu'il a lui-même écrit. Aujourd'hui, il est en train de greffer une glande surrénale. Décrivez la situation anatomique et la structure des glandes surrénales. (INDICE : *En fait, chaque glande surrénale est formée de deux glandes.*)

RÉPONSES AUX QUESTIONS DES FIGURES

18.1 Les sécrétions des glandes endocrines diffusent dans le sang; celles des glandes exocrines se déversent dans des conduits qui mènent à des cavités de l'organisme ou à la surface du corps.

18.2 Dans l'estomac, l'histamine est une hormone paracrine parce qu'elle agit sur les cellules pariétales avoisinantes, sans entrer dans la circulation sanguine.

18.3 Il faut de quelques minutes à une demi-heure pour que s'effectue la synthèse de nouvelles protéines. C'est le temps requis pour l'activation de la transcription de l'ADN et la traduction du code de nucléotides de l'ARNm en une chaîne d'acides aminés. En conséquence, les effets des hormones stéroïdes et thyroïdiennes se manifestent lentement.

18.4 L'AMP cyclique est appelé second messager parce qu'il traduit le signal de l'hormone hydrosoluble, ou premier messager, en une réponse cellulaire.

18.5 Les veines portes hypophysaires transportent le sang de l'éminence médiane de l'hypothalamus, où les hormones de libération et d'inhibition hypothalamiques sont sécrétées, vers l'adénohypophyse où elles exercent leur action.

18.6 Les hormones thyroïdiennes inhibent la sécrétion de la TSH par les cellules thyrotropes et celle de la TRH par les cellules neurosécrétrices de l'hypothalamus. Les hormones gonadiques inhibent la sécrétion de la FSH et de la LH par les cellules gonadotropes et celle de la GnRH par les cellules neurosécrétrices de l'hypothalamus.

18.7 L'excès de hGH cause l'hyperglycémie.

18.8 Sur le plan fonctionnel, le faisceau hypothalamo-hypophysaire et les veines portes hypophysaires transportent les hormones hypothalamiques à l'hypophyse. Sur le plan structural, le faisceau est composé d'axones qui s'étendent de l'hypothalamus à la neurohypophyse, alors que les veines portes sont des vaisseaux sanguins qui aboutissent dans l'adénohypophyse.

18.9 L'absorption d'un litre d'eau dans les intestins ferait baisser la pression osmotique du plasma sanguin, ce qui inhiberait la sécrétion d'ADH et ferait diminuer sa concentration sanguine.

18.10 Les cellules folliculaires sécrètent la T_3 et la T_4, aussi appelées hormones thyroïdiennes. Les cellules parafolliculaires sécrètent la calcitonine.

18.11 Les hormones thyroïdiennes sont stockées sous forme de thyroglobuline.

18.12 Carence alimentaire en iode → diminution de la production de T_3 et de T_4 → augmentation de la libération de TSH → croissance (hypertrophie) de la glande thyroïde → goitre.

18.13 Les cellules parafolliculaires de la glande thyroïde sécrètent la calcitonine; les cellules principales des glandes parathyroïdes sécrètent la parathormone.

18.14 Les tissus cibles de la parathormone sont les os et les reins, ceux de la calcitonine sont les os et ceux du calcitriol sont le tube digestif.

18.15 Les glandes surrénales sont situées au-dessus des reins dans l'espace rétropéritonéal.

18.16 L'angiotensine II cause la constriction des vaisseaux sanguins en stimulant la contraction des muscles lisses. Elle stimule aussi la sécrétion de l'aldostérone (par les cellules de la zone glomérulée du cortex surrénal), qui, par son action sur les reins, favorise la conservation d'eau et augmente le volume sanguin.

18.17 Le receveur de greffe qui prend de la prednisone aura de faibles concentrations sanguines d'ACTH et de CRH en raison de la rétro-inhibition de l'adénohypophyse et de l'hypothalamus par la prednisone.

18.18 Le pancréas est à la fois une glande endocrine et une glande exocrine.

18.19 Le glucagon est considéré comme une hormone anti-insuline parce qu'il exerce plusieurs effets qui s'opposent à ceux de l'insuline.

18.20 L'exposition à la lumière intense après l'arrivée peut contribuer à avancer l'horloge biologique de façon que le sommeil, ainsi que le réveil, viennent plus tôt

18.21 L'homéostasie maintient les facteurs contrôlés dans l'état d'équilibre typique d'un milieu intérieur normal; le syndrome général d'adaptation modifie le réglage des facteurs contrôlés pour permettre à l'organisme de répondre aux facteurs de stress.

18.22 L'hypophyse et les glandes surrénales comprennent des tissus ayant deux origines embryonnaires différentes.

SYSTÈME CARDIOVASCULAIRE: LE SANG

Le **système cardiovasculaire** (*kardia* = cœur; *vasculum* = vaisseau) se divise en trois composantes reliées entre elles: le sang, le cœur et les vaisseaux sanguins. Dans le présent chapitre, nous étudions le sang, et dans les deux suivants, le cœur et les vaisseaux sanguins.

Dans un organisme multicellulaire, la plupart des cellules ne peuvent pas se déplacer pour s'approvisionner en oxygène et en nutriments et se débarrasser de leur gaz carbonique et de leurs déchets. Deux liquides assurent cette fonction à leur place: le sang et le liquide interstitiel. Le **sang** est un tissu conjonctif composé d'une portion liquide, appelée plasma, et d'une portion cellulaire comprenant des cellules et des fragments de cellules. Les cellules de l'organisme baignent dans le **liquide interstitiel.** L'oxygène inspiré dans les poumons et les nutriments absorbés dans le tube digestif sont acheminés par le sang jusqu'aux tissus de l'organisme. L'oxygène et les nutriments diffusent du sang et empruntent le liquide interstitiel pour aller vers les cellules de l'organisme. Le gaz carbonique et les autres déchets circulent en direction inverse, c'est-à-dire des cellules au sang, en passant par le liquide interstitiel. Le sang transporte ensuite ces déchets vers divers organes – poumons, reins, peau et système digestif – qui se chargent de les éliminer. Nous verrons bientôt que le sang ne sert pas seulement à transporter des substances; il contribue aussi à la régulation de divers processus biologiques et à la protection contre la maladie. Bien qu'il ait toujours la même origine, la même composition et les mêmes fonctions, le sang est une caractéristique aussi individuelle que la peau, les os et les cheveux.

Les professionnels de la santé étudient et analysent régulièrement ses particularités en procédant à diverses épreuves sanguines permettant de déterminer la cause des maladies. La discipline scientifique consacrée à l'étude du sang, des tissus hématopoïétiques et des maladies du sang est appelée **hématologie** (*haima* = sang; *logos* = science).

FONCTIONS DU SANG

OBJECTIF

• *Énumérer et décrire les fonctions du sang.*

Seul tissu conjonctif liquide de l'organisme, le **sang** assure trois fonctions de base:

1. *Transport.* Le sang transporte l'oxygène des poumons jusqu'aux cellules de l'organisme et le gaz carbonique des cellules jusqu'aux poumons. Il achemine également les nutriments absorbés du tube digestif jusqu'aux cellules de l'organisme, se charge de la chaleur et des déchets venant des cellules et transporte les hormones des glandes endocrines vers d'autres cellules.

2. *Régulation.* Le sang contribue au maintien du pH au moyen de tampons. Il participe également à la régulation de la température corporelle par l'intermédiaire du plasma, dont la portion aqueuse absorbe la chaleur et exerce un effet rafraîchissant, et en variant son débit à travers la peau, par laquelle il peut dégager l'excédent de chaleur. La pression osmotique du sang modifie également la teneur en eau des cellules en faisant interagir les ions et les protéines en solution.

3. *Protection.* La coagulation protège le système cardiovasculaire contre les pertes excessives de sang accompagnant une blessure. De plus, les leucocytes, ou globules blancs, protègent des maladies en effectuant la phagocytose et en produisant des protéines appelées anticorps. Le sang contient aussi d'autres protéines, appelées interférons et compléments, qui contribuent à la protection de l'organisme contre les maladies.

CARACTÉRISTIQUES PHYSIQUES DU SANG
OBJECTIF

• *Énumérer les principales caractéristiques physiques du sang.*

Le sang est plus dense et plus visqueux que l'eau, ce qui explique son écoulement plus lent. La température du sang est d'environ 38 °C, ce qui est à peine plus élevé que la température normale du corps. Le sang est légèrement alcalin puisque son pH varie entre 7,35 et 7,45. Il constitue environ 8 % du poids total du corps. Le volume sanguin est de 5 à 6 L chez un homme adulte de taille moyenne, et de 4 à 5 L chez une femme adulte de taille moyenne. Divers mécanismes de rétro-inhibition hormonaux garantissent que le volume sanguin et la pression osmotique demeureront relativement constants, en particulier les mécanismes dans lesquels interviennent l'aldostérone, l'hormone antidiurétique et le peptide natriurétique auriculaire, trois substances qui régissent la quantité d'eau excrétée dans l'urine (voir p. 995-997).

APPLICATION CLINIQUE
Prélèvements sanguins

Il existe diverses méthodes pour effectuer des **prélèvements sanguins** à des fins d'analyse. La plus courante est la **ponction veineuse**, qui consiste à prélever le sang d'une veine en y insérant une aiguille hypodermique munie d'une seringue. On applique d'abord un garrot sur le bras, au-dessus du point de ponction, pour que le sang s'accumule dans la veine. Cette augmentation du volume sanguin fait gonfler la veine. On demande également au patient d'ouvrir et de fermer le poing, ce qui fait davantage ressortir la veine et facilite la ponction veineuse. La **piqûre du doigt** ou **du talon** est une méthode de prélèvement sanguin couramment utilisée par les diabétiques qui doivent mesurer quotidiennement leur glycémie ou pour prélever du sang chez les nourrissons et les enfants. La veine médiane du coude, située sur la face antérieure du coude, est souvent utilisée pour les ponctions veineuses (voir la figure 21.26b, p. 758). ■

COMPOSANTS DU SANG
OBJECTIF

• *Décrire les principaux composants du sang.*

Le sang total est constitué de deux composants : 1) le plasma, liquide aqueux contenant des substances dissoutes, et 2) les éléments figurés, comprenant des cellules et des fragments de cellules. Si on centrifuge un échantillon de sang dans une éprouvette de verre, les cellules se déposent au fond de l'éprouvette tandis que le plasma, qui est plus léger, forme une couche à la surface (figure 19.1a). Le sang est formé à environ 45 % d'éléments figurés et 55 % de plasma. Normalement, plus de 99 % des éléments figurés sont des érythrocytes, ou globules rouges. Les leucocytes, qui sont pâles ou incolores, et les plaquettes occupent moins de 1 % du volume sanguin total. Dans l'éprouvette de sang centrifugé, ils forment une couche très mince, appelée *couche leucocytaire*, entre les érythrocytes et le plasma. La figure 19.1b décrit la composition du plasma et donne la proportion des différents types d'éléments figurés dans le sang.

Plasma

Si on enlève les éléments figurés du sang, il reste un liquide de couleur jaunâtre appelé **plasma sanguin,** ou simplement **plasma.** Le plasma est composé à environ 91,5 % d'eau et 8,5 % de solutés, dont la plupart (7 % en poids) sont des protéines. Certaines protéines du plasma sont également présentes ailleurs dans l'organisme, mais celles qui sont confinées dans le sang sont appelées **protéines plasmatiques.** Elles participent, entre autres fonctions, au maintien d'une pression osmotique sanguine adéquate pour l'échange de liquides à travers les parois des capillaires (voir le chapitre 21).

Les hépatocytes (cellules du foie) synthétisent la majorité des protéines plasmatiques, qui comprennent les **albumines** (54 % des protéines plasmatiques), les **globulines** (38 %) et le **fibrinogène** (7 %). Certaines cellules sanguines deviennent des cellules qui produisent des gammaglobulines, une variété importante de globuline. Ces protéines plasmatiques sont appelées **anticorps,** ou **immunoglobulines,** car elles sont produites à l'occasion de certaines réponses immunitaires. Divers corps étrangers, comme des bactéries et des virus, stimulent la production de millions d'anticorps différents. Chaque anticorps forme une liaison spécifique avec un seul corps étranger, appelé **antigène,** qui est responsable de sa production. Cette liaison forme un **complexe antigène-anticorps** qui inactive l'antigène (voir la figure 22.18, p. 809).

Les autres solutés présents dans le plasma sont des électrolytes, des nutriments, des substances régulatrices telles que les enzymes et les hormones, des gaz et des déchets tels que l'urée, l'acide urique, la créatinine, l'ammoniaque et la bilirubine.

Le tableau 19.1 décrit la composition chimique du plasma.

Éléments figurés

Les **éléments figurés** du sang se divisent en trois principaux groupes : les **érythrocytes,** ou **globules rouges,** les **leucocytes,** ou **globules blancs,** et les **plaquettes** (figure 19.2). Les érythrocytes et les leucocytes sont des cellules vivantes, tandis que les plaquettes sont des fragments de cellules.

Figure 19.1 Composants du sang chez un adulte normal.

🔑 **Le sang est un tissu conjonctif composé de plasma (portion liquide) et d'éléments figurés (érythrocytes, leucocytes et plaquettes).**

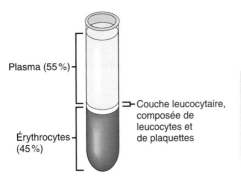

Plasma (55%)

Couche leucocytaire, composée de leucocytes et de plaquettes

Érythrocytes (45%)

FONCTIONS DU SANG
1. Transport de l'oxygène, du gaz carbonique, des nutriments, des hormones, de la chaleur et des déchets.
2. Régulation du pH, de la température corporelle et de la teneur en eau des cellules.
3. Protection contre les pertes de sang grâce à la coagulation, et contre les maladies grâce aux leucocytes phagocytaires et aux anticorps.

(a) Aspect du sang centrifugé

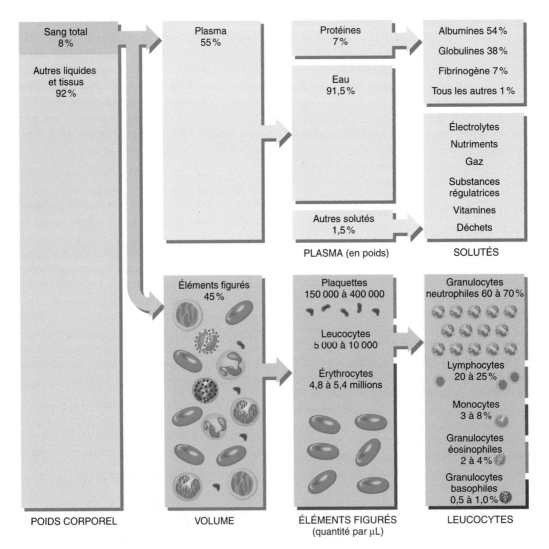

Sang total 8%

Autres liquides et tissus 92%

Plasma 55%

Protéines 7%

Eau 91,5%

Autres solutés 1,5%

Albumines 54%
Globulines 38%
Fibrinogène 7%
Tous les autres 1%

Électrolytes
Nutriments
Gaz
Substances régulatrices
Vitamines
Déchets

PLASMA (en poids)

SOLUTÉS

Éléments figurés 45%

Plaquettes 150 000 à 400 000

Leucocytes 5 000 à 10 000

Érythrocytes 4,8 à 5,4 millions

Granulocytes neutrophiles 60 à 70%

Lymphocytes 20 à 25%

Monocytes 3 à 8%

Granulocytes éosinophiles 2 à 4%

Granulocytes basophiles 0,5 à 1,0%

POIDS CORPOREL

VOLUME

ÉLÉMENTS FIGURÉS (quantité par μL)

LEUCOCYTES

(b) Composants du sang

Q Quel est le volume approximatif du sang dans votre corps?

Tableau 19.1 Composition du plasma

CONSTITUANT	DESCRIPTION
Eau	Portion liquide du sang; constitue environ 91,5% du plasma. Milieu de dissolution et de suspension des composants du sang; absorbe, transporte et libère de la chaleur.
Protéines	Constituent environ 7,0% (en poids) du plasma. Exercent la pression oncotique, qui contribue au maintien de l'équilibre hydrique entre le sang et les tissus. Régissent le volume sanguin.
Albumines	Protéines plasmatiques les plus petites et les plus nombreuses; produites par le foie. Assurent le transport de plusieurs hormones stéroïdes et des acides gras.
Globulines	Groupe de protéines comprenant les anticorps (immunoglobulines). Produites par le foie et les cellules plasmatiques, qui sont issues des lymphocytes B. Les anticorps combattent les virus et les bactéries. Les immunoglobulines alpha et bêta transportent le fer, les lipides et les vitamines liposolubles.
Fibrinogène	Produit par le foie. Joue un rôle essentiel dans la coagulation du sang.
Autres solutés	Constituent environ 1,5% (en poids) du plasma.
Électrolytes	Sels inorganiques. Comprennent les ions à charge positive (cations) Na^+, K^+, Ca^{2+} et Mg^{2+}; les ions à charge négative (anions) Cl^-, HPO_4^{2-}, SO_4^{2-} et HCO_3^-. Les électrolytes contribuent au maintien de la pression osmotique et jouent un rôle déterminant dans le fonctionnement des cellules.
Nutriments	Produits de la digestion qui passent dans le sang puis sont distribués à toutes les cellules de l'organisme. Comprennent les acides aminés (dérivés des protéines), le glucose (dérivé des glucides), les acides gras et le glycérol (dérivés des triglycérides), les vitamines et les minéraux.
Gaz	Comprennent l'oxygène (O_2), le gaz carbonique (CO_2) et l'azote (N_2). Alors qu'une plus grande quantité d'oxygène est associée à l'hémoglobine dans les érythrocytes, une plus grande quantité de gaz carbonique est dissoute dans le plasma. L'azote n'a aucune fonction connue dans l'organisme.
Substances régulatrices	Les enzymes, produites par les cellules de l'organisme, catalysent les réactions chimiques. Les hormones, produites par les glandes endocrines, assurent la régulation de la croissance et du développement du corps, entre autres fonctions.
Déchets	La plupart sont des produits de dégradation du métabolisme des protéines et sont transportés par le sang vers les organes chargés de leur excrétion. Comprennent l'urée, l'acide urique, la créatine, la créatinine, la bilirubine et l'ammoniaque.

Contrairement aux érythrocytes et aux plaquettes, dont les fonctions sont limitées, les leucocytes assurent diverses tâches spécialisées. C'est pourquoi ils existent sous diverses formes cellulaires – granulocytes neutrophiles, granulocytes éosinophiles, granulocytes basophiles, lymphocytes et monocytes – que l'on peut distinguer au microscope. Les rôles de chaque type de leucocytes sont abordés plus loin dans ce chapitre.

Le pourcentage du volume sanguin total occupé par les érythrocytes est appelé **hématocrite.** Par exemple, un hématocrite de 40 signifie que 40% du volume sanguin est composé d'érythrocytes. L'hématocrite normal d'une femme adulte varie entre 38 et 46% (moyenne de 42%) et celui d'un homme adulte, entre 40 et 54% (moyenne de 47%). La testostérone, hormone présente en concentration beaucoup plus élevée chez l'homme, stimule la synthèse par les reins de l'érythropoïétine (hormone qui déclenche la production des érythrocytes), ce qui contribue à élever l'hématocrite chez l'homme. Chez la femme en âge de procréer, une valeur d'hématocrite plus basse peut être causée par une perte excessive de sang pendant la menstruation. Une baisse importante de l'hématocrite est un signe d'anémie – nombre anormalement bas d'érythrocytes. Dans la *polycythémie,* le

Figure 19.2 Micrographie des éléments figurés du sang prise au microscope électronique à balayage.

 Les éléments figurés du sang sont les érythrocytes, les leucocytes et les plaquettes.

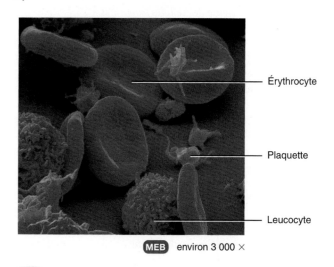

Érythrocyte

Plaquette

Leucocyte

MEB environ 3 000 ×

Q Lesquels des éléments figurés du sang sont des fragments de cellules?

pourcentage d'érythrocytes est anormalement élevé et l'hématocrite peut atteindre 65 % ou plus. La polycythémie est parfois causée par une augmentation démesurée de la production d'érythrocytes, une hypoxie des tissus, une déshydratation et le dopage sanguin pratiqué par les athlètes.

APPLICATION CLINIQUE
Dopage sanguin

Depuis quelques années, certains athlètes s'adonnent au **dopage sanguin** afin d'améliorer leur performance. Cette technique consiste à prélever chez l'athlète des cellules sanguines, à les conserver pendant environ un mois, puis à les réinjecter quelques jours avant une épreuve. Puisque l'oxygénation des muscles est un facteur limitant de la performance physique et que les érythrocytes transportent de l'oxygène, le fait d'augmenter la capacité du sang à transporter de l'oxygène peut accroître la performance musculaire et, par le fait même, les chances de réussite de l'athlète qui participe à des épreuves d'endurance. Cette pratique est cependant dangereuse car elle augmente la charge de travail du cœur. L'augmentation du nombre d'érythrocytes rend le sang plus visqueux et le cœur a plus de difficulté à le pomper. Le dopage sanguin est interdit par le Comité international olympique. ∎

1. Quelle est la différence entre le plasma et les éléments figurés ?
2. Quels sont les principaux constituants du plasma ? Quel est le rôle de chacun ?

FORMATION DES CELLULES SANGUINES
OBJECTIF

• *Expliquer l'origine des cellules sanguines.*

Bien que certains lymphocytes vivent pendant plusieurs années, la plupart des éléments figurés du sang meurent et sont remplacés en l'espace de quelques heures, quelques jours ou quelques semaines. Des mécanismes de rétro-inhibition régissent le nombre total d'érythrocytes et de plaquettes dans la circulation sanguine afin que ces quantités demeurent stables. Cependant, l'abondance des divers types de leucocytes varie en fonction des agents pathogènes et des antigènes étrangers qui stimulent leur production.

Le processus de formation des éléments figurés du sang porte le nom d'**hématopoïèse** (*poïein* = faire). Entre 0,05 et 0,1 % des cellules de la moelle osseuse rouge sont des **cellules souches hématopoïétiques pluripotentes** dérivées du mésenchyme (figure 19.3). Ces cellules se régénèrent, prolifèrent et se différencient pour former les cellules qui donnent naissance à *tous* les éléments figurés du sang.

Les cellules souches hématopoïétiques pluripotentes donnent naissance à deux autres types de cellules souches, les *cellules souches myéloïdes* et les *cellules souches lymphoïdes,* qui ont aussi la capacité de se renouveler et peuvent se différencier en éléments figurés spécifiques du sang. Les cellules souches myéloïdes se forment d'abord dans la moelle osseuse rouge et produisent les érythrocytes, les plaquettes, les monocytes, les granulocytes neutrophiles, les granulocytes éosinophiles et les granulocytes basophiles. Les cellules souches lymphoïdes naissent dans la moelle osseuse rouge puis poursuivent leur développement dans les tissus lymphatiques ; elles produisent ensuite les lymphocytes. Bien que chaque cellule souche possède un marqueur de cellule distinctif dans sa membrane plasmique, toutes sont histologiquement identiques et ressemblent aux lymphocytes.

Durant l'hématopoïèse, les cellules souches myéloïdes se différencient en **cellules progénitrices,** c'est-à-dire des cellules qui ne peuvent plus se renouveler et sont destinées dès lors à produire des éléments spécifiques du sang. Parmi les cellules progénitrices, on trouve les *cellules souches formant les colonies* (ou *cellules CFU,* «colony-forming units »). Le nom de chaque cellule CFU est suivi d'une abréviation désignant l'élément mature qu'elle produira dans le sang. Les cellules CFU-E produisent des érythrocytes, les cellules CFU-Meg, des plaquettes et les cellules CFU-GM, des granulocytes neutrophiles et des monocytes. Comme les cellules souches, les cellules progénitrices ressemblent aux lymphocytes et ne peuvent être distinguées les unes des autres uniquement par leur aspect microscopique. Certaines cellules souches myéloïdes se transforment directement en cellules précurseurs (décrites ci-après). Les cellules souches lymphoïdes se différencient en cellules pré-B et en prothymocytes, qui deviennent plus tard des lymphocytes B et des lymphocytes T, respectivement.

La génération ou lignée de cellules suivante est composée des **cellules précurseurs,** aussi appelées cellules blastiques. Elles se développent au gré de plusieurs divisions cellulaires pour former les éléments figurés du sang. Par exemple, les monoblastes se différencient en monocytes et les myéloblastes éosinophiles, en granulocytes éosinophiles. Les cellules précurseurs présentent des caractéristiques histologiques distinctives.

Aux stades embryonnaire et fœtal, le sac vitellin, le foie, la rate, le thymus, les nœuds lymphatiques et la moelle osseuse rouge participent tous à différents moments à la production des éléments figurés. Après la naissance cependant, l'hématopoïèse se poursuit *uniquement dans la moelle osseuse rouge,* bien qu'un petit nombre de cellules souches circulent dans le sang. La moelle osseuse rouge se trouve dans les épiphyses (extrémités) des os longs comme l'humérus et le fémur, dans les os plats comme le sternum, les côtes et les os du crâne, ainsi que dans les vertèbres et dans le bassin. Mis à part les lymphocytes, les éléments figurés ne se divisent plus une fois qu'ils ont quitté la moelle osseuse rouge.

Figure 19.3 Origine, développement et structure des cellules sanguines. Certaines générations de lignées cellulaires ne sont pas représentées.

🔑 **La production des cellules sanguines, appelée hématopoïèse, se déroule uniquement dans la moelle osseuse rouge après la naissance.**

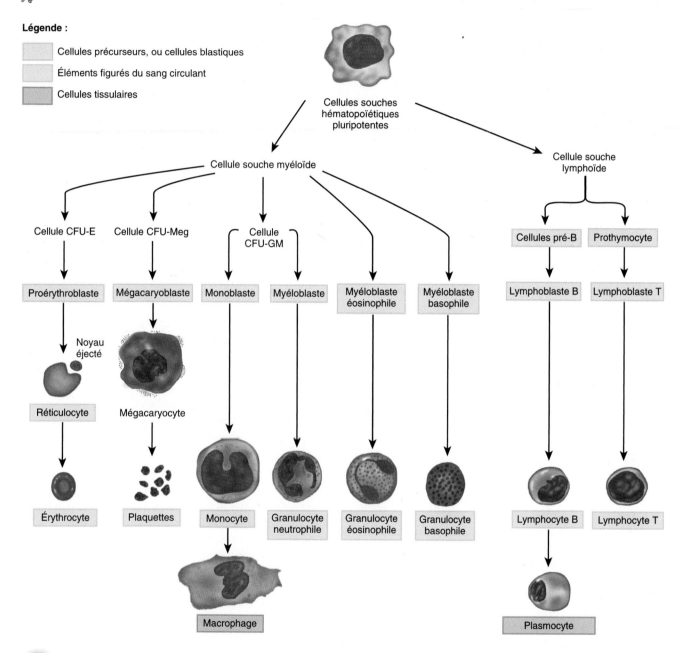

Légende :

☐ Cellules précurseurs, ou cellules blastiques

☐ Éléments figurés du sang circulant

▨ Cellules tissulaires

Q Quels sont la température et le pH du sang ?

Plusieurs **facteurs de croissance hématopoïétiques** stimulent la différenciation et la prolifération de certaines cellules progénitrices. L'**érythropoïétine,** une hormone produite principalement par les reins, augmente la quantité de cellules précurseurs des érythrocytes. La **thrombopoïétine,** une hormone produite par le foie, stimule la formation des plaquettes (ou thrombocytes). Plusieurs cytokines différentes régissent le développement des diverses cellules sanguines. Les **cytokines** sont de petites glycoprotéines produites par les cellules de la moelle osseuse rouge, les leucocytes, les macrophages, les fibroblastes et les cellules endothéliales ; elles jouent habituellement le rôle d'hormones locales (autocrines

Figure 19.4 Forme d'un érythrocyte et d'une molécule d'hémoglobine, et structure d'un groupement hème. Dans (b), chacune des quatre chaînes polypeptidiques d'une molécule d'hémoglobine contient un groupement hème, qui renferme un atome de fer (Fe^{2+}).

🔑 **Le fer du groupement hème fixe une molécule d'oxygène pour la transporter dans l'hémoglobine.**

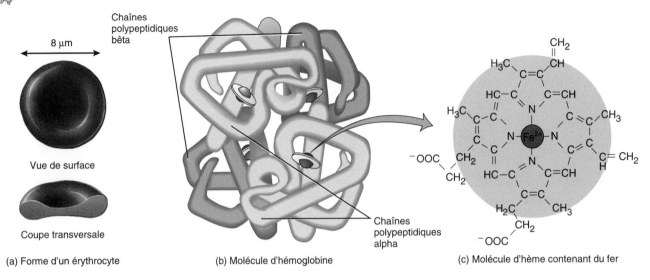

(a) Forme d'un érythrocyte   (b) Molécule d'hémoglobine   (c) Molécule d'hème contenant du fer

Q Combien de molécules d'O_2 une molécule d'hémoglobine peut-elle transporter?

ou paracrines) qui maintiennent les fonctions normales des cellules et stimulent leur prolifération. Deux grandes familles de cytokines stimulent la formation des leucocytes: les **facteurs stimulateurs de colonies** et les **interleukines.**

APPLICATION CLINIQUE
Usage des facteurs de croissance hématopoïétiques à des fins médicales

Les facteurs de croissance hématopoïétiques, que l'on peut reproduire grâce à la technologie de recombinaison de l'ADN, offrent des possibilités de traitement aux personnes dont la capacité naturelle à former des érythrocytes est affaiblie ou perturbée. L'érythropoïétine recombinée combat très efficacement la diminution de l'érythropoïèse qui accompagne les maladies rénales en phase terminale. Des facteurs stimulateurs des colonies de granulocytes et de macrophages sont administrés pour stimuler la production de leucocytes chez les personnes cancéreuses qui suivent une chimiothérapie, car ce traitement détruit les cellules de la moelle osseuse rouge en même temps que les cellules cancéreuses. La thrombopoïétine est également une substance d'avenir puisqu'elle peut prévenir la diminution des plaquettes durant la chimiothérapie. Les facteurs stimulateurs de colonies et la thrombopoïétine améliorent également le sort des greffés de la moelle osseuse. ■

1. Décrivez les facteurs de croissance hématopoïétiques qui régissent la différenciation et la prolifération de certaines cellules progénitrices.

ÉRYTHROCYTES

OBJECTIF
- *Décrire la structure, les fonctions, le cycle de vie et la formation des érythrocytes.*

Les **érythrocytes** (*eruthros* = rouge; *kutos* = cellule), ou **globules rouges,** contiennent l'**hémoglobine,** protéine responsable du transport de l'oxygène et pigment qui donne au sang total sa couleur rouge. Un homme adulte en bonne santé possède environ 5,4 millions d'érythrocytes par microlitre (μL) de sang* et une femme adulte en bonne santé, 4,8 millions. (Une goutte de sang correspond à environ 50 μL.) Pour que le nombre d'érythrocytes reste normal, de nouvelles cellules matures doivent entrer dans la circulation sanguine au rythme stupéfiant d'au moins 2 millions par seconde. Ce rythme est nécessaire pour compenser le taux élevé de destruction des érythrocytes.

Anatomie des érythrocytes

Les érythrocytes sont des disques biconcaves d'un diamètre de 7 à 8 μm (figure 19.4a). La structure des érythrocytes matures est simple. Leur membrane plasmique est à la fois résistante et flexible, ce qui leur permet de se comprimer sans se rompre pour traverser les étroits capillaires. Comme nous le verrons, certains glycolipides de la membrane

---

* 1 μL = 1 mm^3 = 10^{-6} litre

plasmique des érythrocytes sont des antigènes qui déterminent les divers groupes sanguins, comme ceux des systèmes ABO et Rh. Les érythrocytes sont dépourvus de noyau et d'autres organites et ne peuvent ni se reproduire, ni entreprendre des activités métaboliques complexes. Les molécules d'hémoglobine, qui ont été synthétisées avant la perte du noyau pendant la production des érythrocytes et qui constituent environ 33 % du poids de la cellule, sont dissoutes dans le cytosol.

Physiologie des érythrocytes

Les érythrocytes sont des cellules particulièrement bien adaptées pour le transport de l'oxygène. Chacun contient environ 280 millions de molécules d'hémoglobine. Puisqu'ils n'ont pas de noyau, tout leur espace interne est disponible pour le transport de l'oxygène. De plus, les érythrocytes n'ont pas de mitochondries et produisent de l'ATP par des mécanismes anaérobies (sans oxygène), ce qui leur permet de ne pas consommer l'oxygène qu'ils transportent. Leur forme même facilite leur fonction. Un disque biconcave présente une surface beaucoup plus grande par rapport à son volume qu'une sphère ou un cube, par exemple. La surface offerte pour la diffusion des molécules de gaz, à l'intérieur et à l'extérieur de l'érythrocyte, est donc plus grande.

La molécule d'hémoglobine est formée d'une protéine appelée **globine,** composée de quatre chaînes polypeptidiques (deux alpha et deux bêta), et de quatre pigments non protéiques appelés **hèmes** (figure 19.4b). Chaque hème est associé à une chaîne polypeptidique et contient un atome de fer (Fe^{2+}) qui peut se combiner de façon réversible à une molécule d'oxygène (figure 19.4c). L'oxygène capté dans les poumons est acheminé ainsi vers les autres tissus de l'organisme. Dans les tissus, la réaction fer-oxygène s'inverse. L'hémoglobine libère l'oxygène, qui diffuse d'abord dans le liquide interstitiel puis dans les cellules.

L'hémoglobine transporte également environ 23 % du gaz carbonique total, déchet produit par le métabolisme. Le sang circulant dans les capillaires des tissus capte le gaz carbonique, dont une partie se combine à des acides aminés contenus dans la globine de l'hémoglobine. Lorsque le sang pénètre dans les poumons, le gaz carbonique est relâché de l'hémoglobine et expiré.

On a récemment découvert avec étonnement que, à part le rôle essentiel qu'elle joue dans le transport de l'oxygène et du gaz carbonique, l'hémoglobine participe également à la régulation de la pression artérielle. Les atomes de fer dans l'hème de l'hémoglobine ont une forte affinité avec le *monoxyde d'azote (NO)*, un gaz produit par les cellules endothéliales qui tapissent les vaisseaux sanguins. L'hémoglobine qui a circulé dans l'ensemble de l'organisme et cédé son oxygène aux tissus pénètre dans les poumons, où elle libère à la fois du gaz carbonique et du monoxyde d'azote. Elle capte ensuite une provision d'oxygène frais et une forme différente

de monoxyde d'azote, appelée *supermonoxyde d'azote (SNO)*, qui est probablement produite par les cellules des poumons. Parvenue dans les tissus de l'organisme, l'hémoglobine libère l'oxygène et le supermonoxyde d'azote et se charge du gaz carbonique. Le supermonoxyde d'azote libéré provoque une *vasodilatation,* c'est-à-dire une augmentation du diamètre des vaisseaux sanguins consécutive à la détente des muscles lisses de leurs parois. Dans les tissus, l'hémoglobine capte également l'excédent de monoxyde d'azote, qui cause plutôt une *vasoconstriction,* c'est-à-dire une diminution du diamètre des vaisseaux sanguins consécutive à la contraction des muscles lisses de leurs parois. La vasodilatation réduit la pression artérielle, tandis que la vasoconstriction l'augmente. En faisant circuler le monoxyde d'azote et le supermonoxyde d'azote dans l'organisme, l'hémoglobine contribue à la régulation de la pression artérielle puisqu'elle ajuste la quantité de NO ou de SNO à laquelle seront exposés les vaisseaux sanguins. Cette découverte récente pourrait permettre de fabriquer de nouveaux médicaments pour combattre l'hypertension artérielle.

Cycle de vie des érythrocytes

Les érythrocytes ne vivent que 120 jours environ. Leur membrane plasmique s'use à force de traverser les capillaires. Dépourvus de noyau et d'autres organites, les érythrocytes ne peuvent pas synthétiser de nouveaux composants pour remplacer ceux qui sont endommagés. Leur membrane plasmique se fragilise avec le temps et les cellules peuvent éclater, surtout lorsqu'elles empruntent les étroits canaux de la rate. Les érythrocytes usés sont retirés de la circulation sanguine et détruits par des macrophages fixes de la rate et du foie. Leurs produits de dégradation sont recyclés de la manière suivante (figure 19.5):

1 Les macrophages de la rate, du foie ou de la moelle osseuse rouge phagocytent les érythrocytes usés.

2 La globine se sépare de l'hème dans l'hémoglobine.

3 La globine est dégradée en acides aminés, qui peuvent servir à la synthèse d'autres protéines.

4 Le fer libéré par l'hème se présente sous la forme de Fe^{3+} qui s'associe à une protéine plasmatique, la **transferrine** (*trans* = au-delà de), un transporteur du Fe^{3+} dans la circulation sanguine.

5 Dans les fibres musculaires, les hépatocytes et les macrophages de la rate et du foie, le Fe^{3+} se détache de la transferrine et se fixe à des protéines de stockage du fer, la **ferritine** et l'**hémosidérine.**

6 Lorsqu'il est libéré d'un site de stockage ou absorbé à partir du tube digestif, le Fe^{3+} se lie de nouveau à la transferrine.

7 Le complexe Fe^{3+}-transferrine est ensuite acheminé vers la moelle osseuse, où des cellules précurseurs des érythrocytes l'absorbent par endocytose par récepteurs interposés (voir la figure 3.13, p. 78) pour l'utiliser dans

Figure 19.5 Formation et destruction des érythrocytes, et recyclage des composants de l'hémoglobine.

🔑 **La vitesse de formation des érythrocytes par la moelle osseuse rouge équivaut sensiblement à la vitesse de destruction des érythrocytes par les macrophages.**

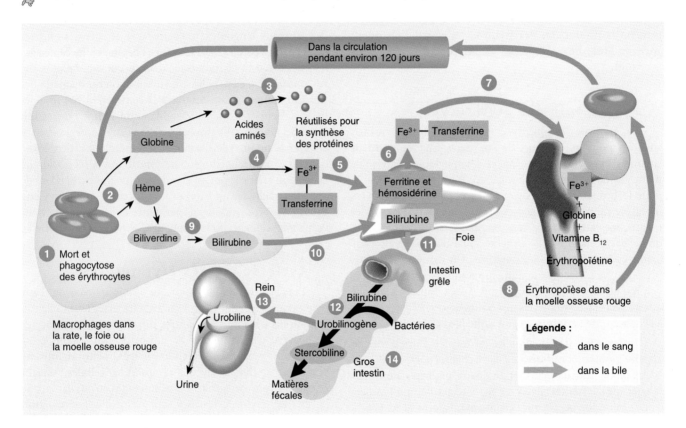

Q Quelle est la fonction de la transferrine ?

la synthèse de l'hémoglobine. Le fer entre dans la composition de l'hème d'une molécule d'hémoglobine, tandis que les acides aminés entrent dans la composition de la globine. La vitamine B_{12} est également nécessaire à la synthèse de l'hémoglobine.

8 L'érythropoïèse dans la moelle osseuse rouge amène la production d'érythrocytes, qui entrent ensuite dans la circulation sanguine.

9 Lorsque l'hème est débarrassé de son fer, la portion restante est convertie en **biliverdine,** un pigment vert, puis en **bilirubine,** un pigment jaune-orange.

10 La bilirubine entre dans le sang, qui l'achemine jusqu'au foie.

11 Dans le foie, la bilirubine est sécrétée par les hépatocytes dans la bile, qui passe alors dans l'intestin grêle, puis dans le gros intestin.

12 Dans le gros intestin, des bactéries convertissent la bilirubine en **urobilinogène.**

13 Une partie de l'urobilinogène est réabsorbée dans le sang, convertie en un pigment jaune appelé **urobiline,** et excrétée dans l'urine.

14 La majeure partie de l'urobilinogène est excrétée dans les matières fécales sous la forme d'un pigment brun appelé **stercobiline,** qui donne aux matières fécales leur couleur caractéristique.

Érythropoïèse: production des érythrocytes

La formation des érythrocytes est appelée **érythropoïèse.** Elle commence dans la moelle osseuse rouge où une cellule précurseur appelée proérythroblaste (voir la figure 19.3) engendre plusieurs cellules qui se mettent à synthétiser de l'hémoglobine. À la fin du processus, une cellule presque entièrement développée expulse son noyau et devient un **réticulocyte.** L'absence de noyau cause l'affaissement de la cellule, ce qui lui donne sa forme biconcave caractéristique.

Les réticulocytes, qui contiennent environ 34 % d'hémoglobine et conservent des mitochondries, des ribosomes et du réticulum endoplasmique, passent de la moelle osseuse rouge à la circulation sanguine en se faufilant entre les cellules endothéliales des capillaires sanguins. Ils se convertissent habituellement en **érythrocytes,** ou globules rouges matures, un ou deux jours après avoir quitté la moelle osseuse rouge.

Normalement, les vitesses de formation et de destruction des érythrocytes sont à peu près les mêmes. Si la capacité du sang à transporter l'oxygène diminue parce que l'érythropoïèse est plus lente que la destruction des érythrocytes, un mécanisme de rétro-inhibition se déclenche pour accélérer l'érythropoïèse (figure 19.6). Le facteur contrôlé de ce mécanisme est la quantité d'oxygène libérée vers les tissus de l'organisme. L'**hypoxie,** c'est-à-dire une carence en oxygène dans les cellules, survient lorsque l'oxygène n'entre pas en quantité suffisante dans le sang. En haute altitude par exemple, l'air contient moins d'oxygène, ce qui a pour effet de réduire la teneur en oxygène du sang. L'apport d'oxygène peut également être perturbé par l'anémie, dont les causes sont multiples et qui comprennent une carence en fer, une carence en certains acides aminés et une carence en vitamine B_{12} (voir p. 666). Les troubles circulatoires qui réduisent le débit sanguin vers les tissus peuvent également diminuer l'apport d'oxygène. Quelle qu'en soit la cause, l'hypoxie stimule les reins à libérer plus d'érythropoïétine. Cette hormone circule dans le sang vers la moelle osseuse rouge, où elle accélère la conversion des proérythroblastes en réticulocytes. L'anémie fréquente chez les bébés prématurés s'explique en partie par une production inadéquate d'érythropoïétine. Durant les premières semaines de vie, le foie, et non les reins, produit la majeure partie de l'érythropoïétine. Puisque le foie est moins sensible que les reins à l'hypoxie, la stimulation de la production d'érythropoïétine est moins efficace chez les nourrissons que chez les adultes.

APPLICATION CLINIQUE
Numération des réticulocytes

La vitesse de l'érythropoïèse se mesure par une épreuve appelée **numération des réticulocytes.** Normalement, un peu moins de 1 % des érythrocytes les plus anciens sont remplacés par de nouveaux réticulocytes chaque jour. Il faut ensuite de 1 à 2 jours aux nouveaux venus pour se débarrasser complètement de leur réticulum endoplasmique et devenir des érythrocytes matures. Les réticulocytes constituent donc de 0,5 à 1,5 % environ de tous les érythrocytes dans un échantillon de sang normal. Un compte de réticulocytes bas chez une personne anémique reflète parfois l'incapacité de la moelle osseuse rouge à réagir à l'érythropoïétine en raison d'une carence nutritionnelle ou d'une leucémie. Par ailleurs, un compte élevé peut indiquer que la moelle osseuse rouge réagit bien à une perte de sang antérieure ou à une supplémentation en fer visant à corriger une carence en ce nutriment. ■

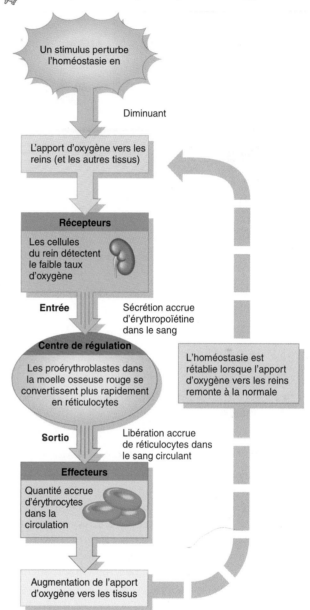

Figure 19.6 Régulation par rétro-inhibition de l'érythropoïèse (production des érythrocytes).

🔑 **Le principal stimulus de l'érythropoïèse est une diminution de la capacité du sang à transporter de l'oxygène.**

Un stimulus perturbe l'homéostasie en

Diminuant

L'apport d'oxygène vers les reins (et les autres tissus)

Récepteurs
Les cellules du rein détectent le faible taux d'oxygène

Entrée Sécrétion accrue d'érythropoïétine dans le sang

Centre de régulation
Les proérythroblastes dans la moelle osseuse rouge se convertissent plus rapidement en réticulocytes

L'homéostasie est rétablie lorsque l'apport d'oxygène vers les reins remonte à la normale

Sortie Libération accrue de réticulocytes dans le sang circulant

Effecteurs
Quantité accrue d'érythrocytes dans la circulation

Augmentation de l'apport d'oxygène vers les tissus

Q Quel changement subirait votre hématocrite si vous déménagiez d'une ville au bord de la mer dans un village en haute altitude ?

1. Décrivez la taille et l'aspect microscopique des érythrocytes.
2. Expliquez comment l'hémoglobine est recyclée.
3. Définissez l'*érythropoïèse* et établissez le lien entre ce processus et l'hématocrite. Quels sont les facteurs qui accélèrent et ralentissent l'érythropoïèse ?

Figure 19.7 Structure des leucocytes.

 Les leucocytes se distinguent les uns des autres par la forme de leur noyau et les propriétés de coloration de leurs granulations cytoplasmiques.

(a) Granulocyte éosinophile

(b) Granulocyte basophile

(c) Granulocyte neutrophile

(d) Petit lymphocyte

(e) Monocyte

MO 1 500 ×

Q Quels leucocytes sont des granulocytes ? Pourquoi sont-ils appelés granulocytes ?

LEUCOCYTES

OBJECTIF

• *Décrire la structure, les fonctions et la formation des leucocytes.*

Anatomie et typologie des leucocytes

Les **leucocytes** (*leukos* = blanc), ou **globules blancs,** possèdent un noyau mais ne contiennent pas d'hémoglobine, ce qui les différencie des érythrocytes (figure 19.7). Parmi les leucocytes, on distingue les granulocytes et les agranulocytes. Les premiers contiennent des vésicules cytoplasmiques remplies de substances chimiques, appelées granulations, visibles à la coloration. Les *granulocytes* comprennent les granulocytes neutrophiles, les granulocytes éosinophiles et les granulocytes basophiles. Les *agranulocytes* comprennent les lymphocytes et les monocytes. Comme le montre la figure 19.3, les monocytes et les granulocytes sont issus d'une cellule souche myéloïde, tandis que les lymphocytes sont issus d'une cellule souche lymphoïde.

Granulocytes

À la coloration, chacun des trois types de granulocytes prend une teinte caractéristique et présente des granulations visibles au microscope optique. Les granulations volumineuses de taille uniforme des **granulocytes éosinophiles** prennent une couleur rouge orangé au contact de colorants acides (figure 19.7a). Habituellement, les granulations ne recouvrent pas complètement le noyau, qui se divise la plupart du temps en deux ou trois lobes unis par une bande plus ou moins large de matériau. Les **granulocytes basophiles** présentent des granulations rondes de taille variable qui prennent une couleur violet sombre au contact de colorants basiques (figure 19.7b). Ces granulations dissimulent le noyau à deux lobes. Les granulations des **granulocytes neutrophiles** sont plus petites, réparties uniformément et de couleur lilas pâle (figure 19.7c). Le noyau peut contenir de deux à cinq lobes unis par des bandes très minces de chromatine. À mesure que les cellules vieillissent, le nombre de lobes nucléaires augmente. Étant donné que les granulocytes neutrophiles âgés ont ainsi plusieurs lobes de forme différente, ils sont souvent appelés *leucocytes polynucléaires.* Les granulocytes neutrophiles plus jeunes sont appelés *granulocytes neutrophiles à noyau non segmenté.* Leur noyau présente alors l'aspect d'un bâtonnet.

Agranulocytes

Bien que les agranulocytes possèdent des granulations cytoplasmiques, celles-ci ne sont pas visibles au microscope optique à cause de leur petite taille et de leur faible réaction à la coloration.

Le noyau d'un **lymphocyte** est rond ou légèrement dentelé et s'assombrit à la coloration. Le cytoplasme prend une teinte bleu ciel et forme un anneau autour du noyau. Plus la cellule est grande, plus le cytoplasme est visible. La taille des lymphocytes varie selon leur diamètre cellulaire. Les petits lymphocytes ont un diamètre de 6 à 9 μm et les gros lymphocytes, un diamètre de 10 à 14 μm (figure 19.7d). (Bien que la taille des lymphocytes ne semble pas changer leurs caractéristiques fonctionnelles, cette distinction demeure cliniquement utile car un nombre élevé de gros lymphocytes permet d'établir un diagnostic d'infection virale aiguë ou de maladie auto-immune.)

Les **monocytes** ont un diamètre de 12 à 20 μm (figure 19.7e). Leur noyau a habituellement la forme d'un haricot ou d'un fer à cheval, et leur cytoplasme, de couleur bleu-gris, ressemble à de l'écume. Les monocytes voyagent peu dans la circulation sanguine. Ils migrent dans les tissus, grossissent et se différencient en **macrophages** (= « gros mangeurs »). Les **macrophages fixes** résident dans un tissu en particulier. Les macrophages alvéolaires des poumons, les macrophages de la rate ou les cellules de Kupffer du foie en sont des exemples. Les **macrophages libres** circulent dans les différents tissus et se rassemblent aux sièges d'infection ou d'inflammation.

Les leucocytes et les autres cellules nucléées de l'organisme possèdent des protéines appelées *antigènes majeurs d'histocompatibilité* qui, issues de leur membrane plasmique, font saillie dans le liquide extracellulaire. Ces « marqueurs cellulaires » sont uniques à chaque personne (sauf chez les jumeaux homozygotes). Bien que les érythrocytes possèdent des antigènes du groupe sanguin, ils sont dépourvus d'antigènes majeurs d'histocompatibilité.

Physiologie des leucocytes

Dans un corps sain, certains leucocytes, en particulier les lymphocytes, ont une durée de vie de plusieurs mois, voire plusieurs années, mais la plupart ne vivent que quelques jours. Au cours d'une période d'infection, les leucocytes phagocytaires ne vivent parfois que quelques heures. Les leucocytes sont 700 fois moins nombreux que les érythrocytes (de 5 000 à 10 000 cellules environ par µL de sang). La **leucocytose,** c'est-à-dire une augmentation du nombre des leucocytes, est une réaction de défense normale contre certains stimulus tels que des microbes, un exercice physique intense, une anesthésie et une chirurgie. Un taux anormalement bas de leucocytes (au-dessous de 5 000/µL) est appelé **leucopénie.** Cette situation n'est jamais un indice favorable et peut avoir été causée par une exposition à des rayonnements, un choc et certains agents chimiothérapeutiques.

La peau et les muqueuses de l'organisme sont constamment exposées à des microbes et à leurs toxines. Certains de ces microbes peuvent pénétrer dans les tissus profonds et causer une maladie. Une fois que les agents pathogènes ont envahi l'organisme, la fonction générale des leucocytes est de les combattre par phagocytose ou par diverses réactions immunitaires. Pour mener ce combat, les leucocytes quittent en grand nombre la circulation sanguine et se rassemblent aux sièges de l'invasion pathogène ou de l'inflammation. Les granulocytes et les monocytes qui sortent de la circulation sanguine pour combattre une lésion ou une infection n'y retournent jamais. Pour leur part, les lymphocytes reviennent toujours dans la circulation : ils passent du sang au liquide lymphatique en empruntant les espaces interstitiels des tissus, puis retournent dans le sang. Seulement 2 % de la population totale de lymphocytes circulent dans le sang à tout moment ; le reste se trouve dans le liquide lymphatique et dans divers organes comme la peau, les poumons, les nœuds lymphatiques et la rate.

Les leucocytes quittent la circulation sanguine par un processus appelé **diapédèse** (*dia* = à travers ; *pêdân* = jaillir) : ils roulent le long de l'endothélium et y adhèrent pour s'insinuer ensuite entre les cellules endothéliales (figure 19.8). Les signaux qui stimulent la diapédèse varient selon le type de leucocytes. Des **molécules d'adhérence cellulaire** aident les leucocytes à se fixer à l'endothélium. Par exemple, les cellules endothéliales possèdent des molécules d'adhérence, appelées *sélectines,* qui réagissent aux lésions ou à l'inflammation dans leur voisinage immédiat. Les sélectines adhèrent aux glucides à la surface des granulocytes neutrophiles, ce qui ralentit la progression de ces derniers et les fait rouler le long de l'endothélium. À la surface des granulocytes neutrophiles, d'autres molécules d'adhérence, les *intégrines,* lient les granulocytes à l'endothélium et les aident à traverser la paroi des vaisseaux sanguins pour se rendre au liquide interstitiel entourant le tissu atteint.

Les granulocytes neutrophiles et les macrophages interviennent dans la **phagocytose** en ingérant des bactéries et en évacuant la matière détruite (voir la figure 3.14, p. 79).

Figure 19.8 Diapédèse des leucocytes.

🔑 **Des molécules d'adhérence cellulaire (sélectines et intégrines) participent à la diapédèse des leucocytes de la circulation sanguine jusqu'au liquide interstitiel.**

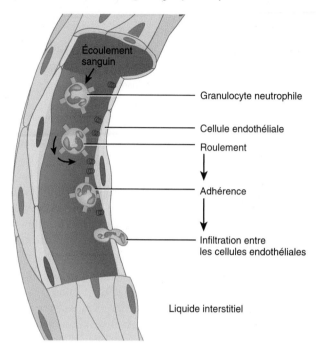

Écoulement sanguin

Granulocyte neutrophile

Cellule endothéliale

Roulement

Adhérence

Infiltration entre les cellules endothéliales

Liquide interstitiel

Légende :

🔘 Sélectines sur des cellules endothéliales

▪ Intégrines sur des granulocytes neutrophiles

Q Qu'est-ce qui distingue le déplacement des lymphocytes dans l'organisme de celui des autres leucocytes ?

Plusieurs substances chimiques libérées par les microbes et les tissus enflammés attirent les phagocytes par un phénomène appelé **chimiotactisme positif.** Les substances qui déclenchent le chimiotactisme positif comprennent les toxines produites par des microbes, les kinines, qui sont des produits spécialisés des tissus endommagés, et certains facteurs stimulateurs de colonies. Ces facteurs accroissent également l'activité phagocytaire des granulocytes neutrophiles et des macrophages.

De tous les leucocytes, les granulocytes neutrophiles sont ceux qui réagissent le plus rapidement à la destruction des tissus par des bactéries. Une fois qu'il a englobé l'agent pathogène par phagocytose, le granulocyte neutrophile relâche plusieurs substances chimiques destructrices, dont une enzyme appelée **lysozyme,** qui détruit certaines bactéries, et de **puissants oxydants** tels que l'anion de superoxyde (O_2^-), le peroxyde d'hydrogène (H_2O_2) et l'anion hypochlorite (OCl^-), qui s'apparente à l'eau de Javel. Les granulocytes neutrophiles contiennent également des **défensines,**

Tableau 19.2 Signification d'une numération élevée et faible de leucocytes

TYPE DE LEUCOCYTES	UN NOMBRE ÉLEVÉ PEUT SIGNIFIER	UN NOMBRE FAIBLE PEUT SIGNIFIER
Granulocytes neutrophiles	Infection bactérienne, brûlures, stress, inflammation.	Exposition à des rayonnements, intoxication médicamenteuse, carence en vitamine B_{12}, lupus érythémateux disséminé.
Lymphocytes	Infections virales, certaines leucémies.	Maladie prolongée, immunosuppression, corticothérapie.
Monocytes	Infections virales ou fongiques, tuberculose, certaines leucémies, autres maladies chroniques.	Insuffisance de la moelle osseuse, corticothérapie.
Granulocytes éosinophiles	Réactions allergiques, infections parasitaires, maladies auto-immunes.	Intoxication médicamenteuse, stress.
Granulocytes basophiles	Réactions allergiques, leucémies, cancers, hypothyroïdie.	Grossesse, ovulation, stress, hyperthyroïdie.

protéines qui opposent leurs diverses propriétés antibiotiques aux bactéries et aux champignons. Les défensines forment des «lances» de peptide qui criblent de trous les membranes des microbes pour les vider de leur contenu cellulaire et les détruire.

Les monocytes mettent plus de temps que les granulocytes neutrophiles à atteindre le siège d'infection, mais ils arrivent en plus grand nombre et détruisent plus de microbes. Une fois sur place, ils grossissent et se différencient en macrophages libres qui nettoient les débris cellulaires et les microbes résiduels d'une infection.

Les granulocytes éosinophiles quittent les capillaires et entrent dans le liquide des tissus. On pense qu'ils libèrent des enzymes, telle l'histaminase, pour combattre les effets de l'histamine et d'autres médiateurs de l'inflammation lors de réactions allergiques. Les granulocytes éosinophiles phagocytent aussi les complexes antigène-anticorps et combattent efficacement certains vers parasites. Un nombre élevé de granulocytes éosinophiles indique souvent une réaction allergique ou une infection parasitaire.

Les granulocytes basophiles interviennent eux aussi dans les réactions inflammatoires et allergiques. Lorsqu'ils sortent des capillaires, ils pénètrent dans les tissus et se transforment en mastocytes qui libèrent de l'héparine, de l'histamine et de la sérotonine. Ces substances intensifient la réponse inflammatoire et participent aux réactions d'hypersensibilité, ou réactions allergiques (voir le chapitre 22).

Les principaux types de lymphocytes sont les lymphocytes B, les lymphocytes T et les cellules tueuses naturelles, qui jouent tous un rôle majeur dans les réactions immunitaires (décrites en détail au chapitre 22). Les lymphocytes B sont particulièrement efficaces quand il s'agit de détruire des bactéries et de désactiver leurs toxines. Les lymphocytes T luttent contre les virus, les champignons, les cellules greffées, les cellules cancéreuses et certaines bactéries. Les réactions immunitaires qui font intervenir les lymphocytes B et T contribuent à combattre l'infection et à protéger l'organisme contre certaines maladies. Les lymphocytes T sont également

responsables des réactions transfusionnelles, des allergies et du rejet des organes greffés. Les cellules tueuses naturelles s'attaquent à une grande variété de microbes infectieux et à certaines cellules tumorales qui se développent spontanément.

L'augmentation du nombre de leucocytes circulants est habituellement le signe d'une inflammation ou d'une infection. Le médecin peut demander une **formule leucocytaire** pour détecter une infection ou une inflammation, déterminer les effets d'une possible intoxication chimique ou médicamenteuse, surveiller des troubles sanguins (une leucémie, par exemple) et les effets d'une chimiothérapie, ou détecter des réactions allergiques et des infections parasitaires. Puisque chaque type de leucocyte joue un rôle différent, le fait de connaître le *pourcentage* de chacun dans le sang aide à porter un diagnostic. Le tableau 19.2 décrit les effets d'un nombre élevé et faible de leucocytes.

APPLICATION CLINIQUE
Greffe de moelle osseuse

La **greffe de moelle osseuse** consiste à injecter par voie intraveineuse la moelle osseuse rouge d'un donneur sain chez un receveur dans le but de rétablir chez ce dernier une hématopoïèse normale et, par conséquent, un nombre normal de cellules sanguines. Dans le cas d'un cancer ou de certaines maladies héréditaires, il importe de détruire d'abord la moelle osseuse rouge par une chimiothérapie intensive et une exposition du corps entier à des rayonnements. La compatibilité entre la moelle du donneur et celle du receveur doit être la plus élevée possible afin d'éviter le rejet. Lorsque la greffe réussit, les cellules souches de la moelle greffée germent de nouveau et croissent dans les cavités médullaires du receveur. Les greffes de moelle osseuse sont indiquées pour traiter l'anémie aplasique, certaines leucémies, le syndrome d'immunodéficience combinée grave, la maladie de Hodgkin, le lymphome non hodgkinien, le myélome multiple, la thalassémie, la drépanocytose, le cancer du sein, le cancer des ovaires, le cancer des testicules et l'anémie hémolytique. ■

Tableau 19.3 Résumé des éléments figurés du sang

NOM ET ASPECT	CONCENTRATION	CARACTÉRISTIQUES*	FONCTIONS
Érythrocytes, ou globules rouges	4,8 millions/µL chez la femme ; 5,4 millions/µL chez l'homme.	Diamètre de 7 à 8 µm ; disques biconcaves anucléés ; durée de vie d'environ 120 jours.	L'hémoglobine des érythrocytes transporte la majeure partie de l'oxygène et une partie du gaz carbonique dans le sang. Elle transporte également le monoxyde d'azote et le supermonoxyde d'azote, qui semblent participer à la régulation de la pression artérielle.
Leucocytes, ou globules blancs	5 000 à 10 000/µL	La plupart ne vivent que de quelques heures à quelques jours†.	Lutte contre les agents pathogènes et autres substances étrangères qui envahissent l'organisme.
Granulocytes			
Granulocytes neutrophiles	60 à 70 % de tous les leucocytes.	Diamètre de 10 à 12 µm ; noyau de 2 à 5 lobes unis par de minces bandes de chromatine ; cytoplasme contenant des granulations lilas pâle très fines.	Phagocytose. Destruction des bactéries par les lysozymes, les défensines et de puissants oxydants comme l'anion de superoxyde, le peroxyde d'hydrogène et l'anion hypochlorite.
Granulocytes éosinophiles	2 à 4 % de tous les leucocytes.	Diamètre de 10 à 12 µm ; noyau de 2 ou 3 lobes ; grandes granulations rouge orangé remplissant le cytoplasme.	Lutte contre les effets de l'histamine lors des réactions allergiques, phagocytose des complexes antigène-anticorps et destruction de certains vers parasitaires.
Granulocytes basophiles	0,5 à 1 % de tous les leucocytes.	Diamètre de 8 à 10 µm ; noyau à 2 lobes ; grosses granulations cytoplasmiques violet sombre.	Libération d'héparine, d'histamine et de sérotonine lors des réactions allergiques, ce qui intensifie la réaction inflammatoire globale.

* Couleur obtenue à la coloration de Wright.
† Certains lymphocytes, comme les cellules mémoires T et B, peuvent vivre plusieurs années une fois qu'ils sont formés.

1. Expliquez l'importance de la diapédèse, du chimiotactisme positif et de la phagocytose dans la lutte contre les invasions bactériennes.
2. Quelle est la différence entre la leucocytose et la leucopénie ?
3. Qu'est-ce qu'une formule leucocytaire ?
4. Quelles sont les fonctions des lymphocytes B et T ?

PLAQUETTES

OBJECTIF

• *Décrire la structure, la fonction et l'origine des plaquettes.*

Les cellules souches hématopoïétiques pluripotentes engendrent non seulement les cellules immatures qui deviennent les érythrocytes et les leucocytes, elles se différencient également en cellules qui produisent des plaquettes. Sous l'effet d'une hormone, la **thrombopoïétine,** les cellules souches myéloïdes se transforment en cellules progénitrices formant les colonies de mégacaryocytes (CFU-Meg) qui, à leur tour, deviennent des cellules précurseurs appelés mégacaryoblastes (voir la figure 19.3). Les mégacaryoblastes se transforment en mégacaryocytes, énormes cellules qui éclatent en

2 000 à 3 000 fragments. Chaque fragment recouvert d'une portion de membrane cellulaire constitue une **plaquette,** ou **thrombocyte.** Les plaquettes se détachent des mégacaryocytes dans la moelle osseuse rouge et entrent dans la circulation sanguine. Chaque microlitre (µL) de sang contient entre 150 000 et 400 000 plaquettes. De forme discoïde, les plaquettes ont un diamètre de 2 à 4 µm et possèdent de nombreuses granulations, mais aucun noyau. Les plaquettes arrêtent l'écoulement du sang hors des vaisseaux sanguins endommagés en formant le clou plaquettaire. Leurs granulations contiennent également des substances chimiques qui, une fois libérées, favorisent la coagulation. Les plaquettes ne vivent normalement que de 5 à 9 jours. Des macrophages fixes de la rate et du foie se chargent ensuite de les éliminer.

Le tableau 19.3 présente un résumé des éléments figurés du sang.

APPLICATION CLINIQUE
Formule sanguine

La **formule sanguine,** ou **hémogramme complet,** est une épreuve fiable qui permet de dépister l'anémie et diverses infections. Elle comprend habituellement une

Tableau 19.3 Résumé des éléments figurés du sang (suite)

NOM ET ASPECT	CONCENTRATION	CARACTÉRISTIQUES*	FONCTIONS
Agranulocytes			
Lymphocytes (lymphocytes T et B et cellules tueuses naturelles)	20 à 25 % de tous les leucocytes.	Petits lymphocytes : diamètre de 6 à 9 μm ; gros lymphocytes : diamètre de 10 à 14 μm ; noyau rond ou légèrement dentelé ; cytoplasme formant un anneau d'apparence bleu ciel autour du noyau ; plus la cellule est grosse, plus le cytoplasme est visible.	Médiation des réponses immunitaires, y compris des réactions antigène-anticorps. Les lymphocytes B se transforment en cellules plasmatiques qui sécrètent des anticorps. Les lymphocytes T attaquent les virus, les cellules cancéreuses et les cellules des tissus greffés. Les cellules tueuses naturelles attaquent une grande variété de microbes infectieux et certaines cellules tumorales spontanées.
Monocytes	3 à 8 % de tous les leucocytes.	Diamètre de 12 à 20 μm ; noyau en forme de haricot ou de fer à cheval ; cytoplasme gris-bleu d'aspect écumeux.	Phagocytose (après leur conversion en macrophages fixes ou libres).
Plaquettes, ou thrombocytes	150 000 à 400 000/μL	Fragments cellulaires d'un diamètre de 2 à 4 μm ; ne vivent que de 5 à 9 jours ; contiennent de nombreuses granulations mais aucun noyau.	Formation du clou plaquettaire lors de l'hémostase ; libération de substances chimiques qui favorisent le spasme vasculaire et la coagulation.

* Couleur obtenue à la coloration de Wright.

numération des érythrocytes, des leucocytes et des plaquettes par microlitre de sang total, un hématocrite et une formule leucocytaire. La quantité d'hémoglobine en millimoles par litre de sang est également déterminée. Les concentrations normales d'hémoglobine sont de 8,7 à 12,4 mmol/L de sang chez l'enfant, de 7,5 à 10,0 mmol/L de sang chez la femme adulte, et de 8,4 à 11,2 mmol/L de sang chez l'homme adulte. ■

1. Comparez les érythrocytes, les leucocytes et les plaquettes en fonction de leur taille, de leur concentration par μL de sang et de leur durée de vie.

HÉMOSTASE

OBJECTIFS

• *Décrire les mécanismes qui interviennent dans l'hémostase.*

• *Énumérer les étapes de la coagulation et expliquer les facteurs qui favorisent et inhibent ce processus.*

L'**hémostase** est une séquence de réactions qui arrêtent le saignement. Lorsque des vaisseaux sanguins sont endommagés ou rompus, la réponse hémostatique doit être rapide, localisée à la région lésée et soigneusement contrôlée. Trois mécanismes entrent en jeu pour réduire la perte de sang : 1) le spasme vasculaire, 2) la formation du clou plaquettaire et 3) la coagulation, ou formation d'un caillot. Lorsqu'elle se

déroule bien, l'hémostase prévient l'**hémorragie** (*rhagê* = rupture), perte importante de sang hors des vaisseaux. Les mécanismes hémostatiques peuvent prévenir l'hémorragie dans les petits vaisseaux sanguins, mais une hémorragie massive dans les gros vaisseaux sanguins nécessite habituellement une intervention médicale.

Spasme vasculaire

Lorsque les artères ou les artérioles sont endommagées, les muscles lisses disposés en cercle dans leurs parois se contractent immédiatement. Ce phénomène, appelé **spasme vasculaire,** réduit le saignement pendant plusieurs minutes, parfois plusieurs heures, ce qui donne le temps aux autres mécanismes hémostatiques d'entrer en action. On croit que des lésions aux muscles lisses et les réflexes déclenchés par les récepteurs de la douleur favorisent ce spasme.

Formation du clou plaquettaire

Au repos, les plaquettes ont la forme d'un disque. Elles sont petites, mais contiennent une quantité impressionnante de substances chimiques. Deux types de granulations sont présentes dans leur cytoplasme : 1) les **granulations alpha** contiennent des facteurs de coagulation et le **facteur de croissance dérivé des plaquettes** (PDGF, « platelet-derived growth factor »), qui peut stimuler la prolifération de cellules endothéliales vasculaires, de fibres musculaires lisses vasculaires et de fibroblastes qui participent à la réparation des parois vasculaires endommagées; 2) les **granulations denses** contiennent de l'ADP, de l'ATP, du Ca^{2+} et de la sérotonine. Le cytoplasme comprend également divers éléments: des enzymes qui produisent du thromboxane A_2, une prostaglandine; le *facteur stabilisant de la fibrine,* qui rend le caillot plus résistant; des lysosomes; quelques mitochondries; des mécanismes membranaires qui captent et emmagasinent le calcium et ouvrent des canaux pour la libération du contenu des granulations; et du glycogène.

La formation du clou plaquettaire inclut les étapes suivantes (figure 19.9):

1 Les plaquettes entrent en contact avec certaines parties du vaisseau sanguin atteint, par exemple avec les fibres collagènes du tissu conjonctif situé au-dessous des cellules endothéliales endommagées, et y adhèrent. Cette première étape est appelée **adhésion plaquettaire.**

2 Après l'adhésion, les plaquettes s'activent et leurs caractéristiques changent considérablement. Elles émettent de nombreux prolongements pour pouvoir se toucher et interagir les unes avec les autres, puis elles commencent à libérer le contenu de leurs granulations. Cette phase est appelée **réaction de libération plaquettaire.** L'ADP (adénosine diphosphate) et le thromboxane A_2 libérés jouent un rôle crucial dans l'activation des plaquettes avoisinantes. La sérotonine et le thromboxane A_2 agissent comme vasoconstricteurs qui provoquent et maintiennent la contraction des muscles lisses vasculaires en vue d'empêcher le sang de s'échapper du vaisseau endommagé.

3 La libération d'ADP rend les autres plaquettes dans la région collantes. Les plaquettes nouvellement recrutées et activées adhèrent donc mieux aux plaquettes déjà activées. Ce rassemblement de plaquettes est appelé **agrégation plaquettaire.** L'accumulation et l'union d'un grand nombre de plaquettes forment bientôt une masse, le **clou plaquettaire.**

Le clou plaquettaire agit très efficacement pour empêcher la perte de sang hors des petits vaisseaux. Au début, il est tissé de façon lâche, mais il se resserre grâce aux filaments de fibrine qui seront formés pendant la coagulation (voir la figure 19.10). Le clou plaquettaire peut arrêter complètement le saignement si la lésion vasculaire est assez petite.

Coagulation

Normalement, le sang reste liquide tant qu'il demeure dans les vaisseaux. Cependant, dès qu'il se trouve en dehors de l'organisme, il épaissit et forme une masse gélatineuse qui se sépare ensuite du liquide. Ce liquide jaunâtre, appelé **sérum,** est en fait du plasma sans les protéines de coagulation. La masse gélinateuse, appelée **caillot,** est constituée d'un réseau de fibres fait d'une protéine insoluble, la fibrine, dans lequel les éléments figurés du sang sont emprisonnés (figure 19.10).

Figure 19.9 Formation du clou plaquettaire.

🔑 Un clou plaquettaire peut arrêter complètement le saignement d'un vaisseau sanguin si la lésion est assez petite.

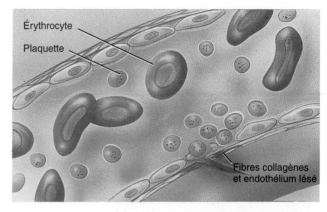

1 Adhésion plaquettaire

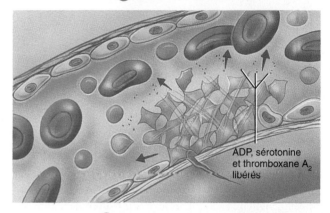

2 Réaction de libération plaquettaire

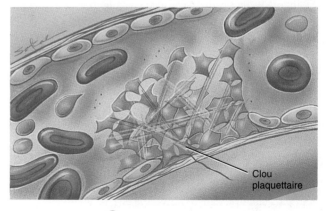

3 Agrégation plaquettaire

Q Outre la formation du clou plaquettaire, quels sont les deux mécanismes qui contribuent à l'hémostase?

Figure 19.10 Micrographie au microscope électronique à balayage d'une portion d'un caillot montrant une plaquette et des érythrocytes emprisonnés dans des filaments de fibrine.

 Un caillot est une masse gélatineuse qui contient les éléments figurés du sang emprisonnés dans des filaments de fibrine.

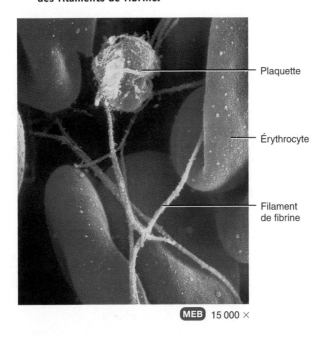

Plaquette

Érythrocyte

Filament de fibrine

MEB 15 000 ×

Q Qu'est-ce que le sérum?

Le processus de formation de la masse gélatineuse, appelé **coagulation** ou encore **formation du caillot,** comporte une série de réactions chimiques qui aboutissent à la formation de filaments de fibrine. Si le sang coagule trop facilement, il y a risque de **thrombose,** c'est-à-dire formation d'un caillot dans un vaisseau sanguin intact. S'il coagule trop lentement, une hémorragie peut survenir.

La coagulation fait intervenir plusieurs substances appelées **facteurs de coagulation.** Ces facteurs comprennent des ions calcium (Ca^{2+}), plusieurs enzymes inactives qui sont synthétisées par les hépatocytes et libérées dans la circulation sanguine, et diverses molécules associées aux plaquettes ou libérées par les tissus endommagés. De nombreux facteurs de coagulation sont désignés par des chiffres romains qui indiquent l'ordre de leur découverte et non la séquence de leur participation dans le processus de coagulation.

La coagulation constitue une séquence complexe mais définie de réactions en cascade dans lesquelles chaque facteur de coagulation active de nombreuses molécules du facteur suivant. Le processus se poursuit jusqu'à ce qu'une grande quantité de fibrine soit formée. Les trois principales étapes de la coagulation sont les suivantes (figure 19.11):

Étape **1** La formation de la prothrombinase (activateur de la prothrombine) est déclenchée par l'une de deux voies (ou les deux) appelées voie intrinsèque et voie extrinsèque. Une fois la prothrombinase formée, la séquence de réactions pour les deux étapes suivantes est la même pour la voie intrinsèque et pour la voie extrinsèque. C'est pourquoi dans ces deux étapes, on parle de voie commune.

Étape **2** La prothrombinase et le Ca^{2+} convertissent la prothrombine (protéine plasmatique formée par le foie) en une enzyme, la thrombine.

Étape **3** Le fibrinogène soluble (autre protéine plasmatique formée par le foie) est converti en fibrine insoluble par la thrombine. La fibrine forme les filaments du caillot.

Étape **1**: Formation de la prothrombinase

Nous savons déjà que la formation de la prothrombinase est déclenchée soit par la voie intrinsèque, soit par la voie extrinsèque, soit encore par les deux voies de la coagulation.

Voie extrinsèque La **voie extrinsèque** du processus de coagulation comporte moins d'étapes que la voie intrinsèque et se déroule rapidement; elle s'active en quelques secondes seulement en cas de traumatisme grave. Elle est dite *extrinsèque* parce qu'une protéine tissulaire, appelée **facteur tissulaire,** ou **thromboplastine tissulaire,** passe dans le sang à partir de cellules situées *à l'extérieur* des vaisseaux sanguins et déclenche la formation de la prothrombinase. Le facteur tissulaire est un mélange complexe de lipoprotéines et de phospholipides libérés de la surface des cellules endommagées. En présence de Ca^{2+}, le facteur tissulaire amorce une séquence de réactions qui active le facteur de coagulation X (voir la figure 19.11a). Lorsque le facteur X est activé, il se combine au facteur V en présence de Ca^{2+} pour former une enzyme active, la prothrombinase, ce qui met un terme à la voie extrinsèque.

Voie intrinsèque La **voie intrinsèque** du processus de coagulation est plus complexe que la voie extrinsèque et se déroule plus lentement, habituellement en plusieurs minutes. Elle est ainsi nommée parce que ses activateurs sont soit en contact direct avec le sang, soit présents *à l'intérieur* du sang, et agissent sans qu'il y ait de tissu endommagé à l'extérieur. Si les cellules endothéliales deviennent rugueuses ou endommagées, le sang peut entrer en contact avec les fibres collagènes dans le tissu conjonctif sous-endothélial du vaisseau sanguin. De plus, les lésions des cellules endothéliales endommagent les plaquettes, qui libèrent alors des phospholipides. Le contact avec des fibres collagènes (ou avec les parois de verre glissantes d'une éprouvette) active le facteur de coagulation XII (voir la figure 19.11b), qui amorce une cascade de réactions pour activer le facteur de coagulation X. Les phospholipides des plaquettes et le Ca^{2+} peuvent également participer à l'activation du facteur X. Lorsqu'il est activé, le

Figure 19.11 Cascade des réactions lors de la coagulation.

Pendant la coagulation, chaque facteur de coagulation active en cascade le facteur suivant. Cette chaîne de réactions fait intervenir des mécanismes de rétroactivation.

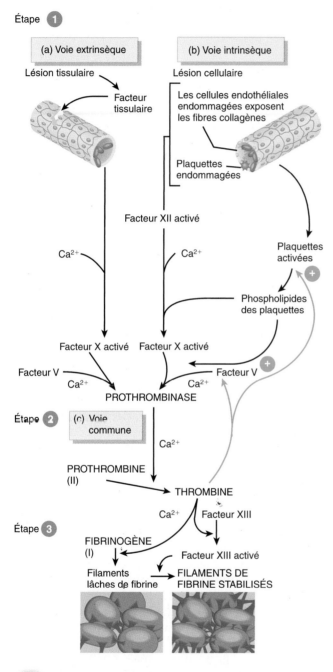

Étape ❶

(a) Voie extrinsèque

Lésion tissulaire

Facteur tissulaire

(b) Voie intrinsèque

Lésion cellulaire

Les cellules endothéliales endommagées exposent les fibres collagènes

Plaquettes endommagées

Facteur XII activé

Ca²⁺   Ca²⁺   Plaquettes activées

Phospholipides des plaquettes

Facteur X activé   Facteur X activé

Facteur V   Facteur V +
Ca²⁺   Ca²⁺

PROTHROMBINASE

Étape ❷   (c) Voie commune

Ca²⁺

PROTHROMBINE (II)

THROMBINE

Ca²⁺   Facteur XIII

Étape ❸

FIBRINOGÈNE (I)

Facteur XIII activé

Filaments lâches de fibrine   FILAMENTS DE FIBRINE STABILISÉS

Q Quel est le résultat de la première étape du processus de coagulation ?

facteur X se lie au facteur V pour former, exactement comme dans la voie extrinsèque, une enzyme active, la prothrombinase, ce qui met un terme à la voie intrinsèque.

Étapes ❷ et ❸ : Voie commune

Lorsque la prothrombinase est formée, la voie commune s'amorce. Dans la deuxième étape du processus de coagulation (voir la figure 19.11c), la prothrombinase et le Ca²⁺ catalysent la conversion de la prothrombine en thrombine. Dans la troisième étape, la thrombine, en présence de Ca²⁺, convertit le fibrinogène, qui est soluble, en filaments lâches de fibrine, qui sont insolubles. La thrombine active également le facteur XIII (facteur stabilisant de la fibrine), qui renforce et stabilise les filaments de fibrine pour former un caillot robuste. Le plasma contient du facteur XIII, qui est aussi libéré par les plaquettes emprisonnées dans le caillot.

La thrombine intervient dans deux mécanismes de rétroactivation. Dans le premier, auquel participe également le facteur V, la thrombine accélère la formation de la prothrombinase. La prothrombinase accélère à son tour la production d'une plus grande quantité de thrombine, et ainsi de suite. Dans le deuxième mécanisme, la thrombine active les plaquettes, ce qui renforce leur agrégation et stimule la libération de phospholipides.

Rétraction du caillot et réparation du vaisseau sanguin

Le caillot formé obture la lésion du vaisseau sanguin et arrête le saignement. La **rétraction du caillot** correspond à la consolidation, ou resserrement, du caillot de fibrine. Les filaments de fibrine fixés aux surfaces endommagées du vaisseau sanguin se contractent graduellement sous l'effet de la traction exercée par les plaquettes. À mesure que le caillot se rétracte, il rapproche les lèvres de la lésion vasculaire, ce qui prévient toute aggravation de la situation. Durant la rétraction, une petite quantité de sérum peut s'échapper entre les filaments de fibrine, mais les éléments figurés du sang restent en place. Pour que la rétraction se produise normalement, le caillot doit comprendre un nombre suffisant de plaquettes pour libérer le facteur XIII et d'autres facteurs de coagulation qui renforcent et stabilisent le caillot. La réparation permanente du vaisseau sanguin peut alors débuter. Les fibroblastes vont former du tissu conjonctif sur le siège de la lésion et de nouvelles cellules endothéliales vont réparer l'endothélium du vaisseau.

Rôle de la vitamine K dans la coagulation

Un apport adéquat de vitamine K est nécessaire à la coagulation normale. Bien que la vitamine K ne participe pas directement à la formation du caillot, elle intervient dans la synthèse de quatre facteurs de coagulation par des hépatocytes : les facteurs II (prothrombine), VII, IX et X. La vitamine K, normalement produite par les bactéries présentes dans le gros intestin, est liposoluble. Elle peut traverser l'endothélium de l'intestin et passer dans le sang à condition que l'absorption des lipides soit normale. Les personnes atteintes de troubles qui ralentissent l'absorption des lipides (une libération inadéquate de bile dans l'intestin grêle, par exemple) ont souvent des saignements non contrôlés découlant d'une carence en vitamine K.

Tableau 19.4 Facteurs de coagulation

NUMÉRO*	NOM(S)	ORIGINE	VOIE(S) D'ACTIVATION
I	Fibrinogène.	Foie.	Commune.
II	Prothrombine.	Foie.	Commune.
III	Facteur tissulaire (thromboplastine).	Tissus endommagés et plaquettes activées.	Extrinsèque.
IV	Ions calcium (Ca^{2+}).	Alimentation, os et plaquettes.	Toutes.
V	Proaccélérine, ou facteur labile.	Foie et plaquettes.	Extrinsèque et intrinsèque.
VII	Proconvertine, ou facteur stable.	Foie.	Extrinsèque.
VIII	Facteur antihémophilique A, ou thromboplastinogène.	Plaquettes et cellules endothéliales.	Intrinsèque.
IX	Facteur antihémophilique B, ou facteur Christmas.	Foie.	Intrinsèque.
X	Facteur Stuart, ou facteur Prower, ou thrombokinase.	Foie.	Extrinsèque et intrinsèque.
XI	Facteur prothromboplastique plasmatique, ou facteur antihémophilique C.	Foie.	Intrinsèque.
XII	Facteur Hageman, ou facteur antihémophilique D.	Foie.	Intrinsèque.
XIII	Facteur de stabilisation de la fibrine (FSF).	Foie et plaquettes.	Commune.

* Il n'y a pas de facteur VI. La prothrombinase (activateur de la prothrombine) est un complexe composé des facteurs V et X activés.

Le tableau 19.4 présente les facteurs de coagulation et décrit leur origine et leurs voies d'activation.

Mécanismes de régulation de l'hémostase

Plusieurs fois par jour, de petits caillots se forment dans des régions légèrement rugueuses ou sur une plaque d'athérosclérose en développement à l'intérieur d'un vaisseau sanguin. Comme la coagulation fait appel à des mécanismes d'amplification et de rétroactivation, les caillots ont tendance à grossir, ce qui peut perturber l'écoulement sanguin dans les vaisseaux sains. Le **système fibrinolytique** dissout les petits caillots indésirables de même que les caillots qui subsistent après la réparation d'une lésion. On appelle **fibrinolyse** ce processus de dissolution des caillots. Lorsqu'un caillot se forme, une enzyme plasmatique inactive, appelée **plasminogène,** s'introduit à l'intérieur du caillot. Les tissus de l'organisme et le sang contiennent des substances capables d'activer le plasminogène en **plasmine, ou fibrinolysine,** une enzyme plasmatique active. On compte parmi ces substances la thrombine, le facteur XII activé et l'activateur tissulaire du plasminogène (t-PA), qui est synthétisé dans les cellules endothéliales de la plupart des tissus et libéré dans le sang. La plasmine peut dissoudre le caillot en digérant des filaments de fibrine et en inactivant diverses substances, comme le fibrinogène, la prothrombine et les facteurs V, VIII et XII.

Bien que la thrombine ait un effet de rétroactivation sur la coagulation, la formation des caillots demeure normalement localisée autour de la lésion. Un caillot ne s'étend jamais au-delà du siège d'une lésion jusque dans la circulation systémique, en partie parce que la fibrine absorbe la thrombine dans le caillot. De plus, en se dispersant dans le sang, certains facteurs de coagulation ne présentent plus une concentration assez élevée pour disséminer les caillots.

Plusieurs autres mécanismes régissent la coagulation. Par exemple, les cellules endothéliales et les leucocytes produisent une prostaglandine appelée **prostacycline** qui s'oppose à l'activité du thromboxane A_2. La prostacycline est un puissant inhibiteur de l'adhésion et de la libération des plaquettes.

Par ailleurs, des substances qui inhibent la coagulation, appelées **anticoagulants,** sont présentes dans le sang. Elles comprennent l'**antithrombine III (AT-III),** qui bloque l'action des facteurs XII, XI, X, IX et II (thrombine); la **protéine C,** qui inactive les facteurs V et VIII, c'est-à-dire les deux principaux facteurs de coagulation non bloqués par l'AT-III, et stimule les activateurs du plasminogène; l'**alpha-2-macroglobuline,** qui inactive la thrombine et la plasmine; et l'**alpha-1-antitrypsine,** qui inhibe le facteur XI. L'**héparine,** un autre anticoagulant produit par les mastocytes et les granulocytes basophiles, se combine à l'AT-III et la rend plus apte à bloquer la thrombine. Extraite du tissu pulmonaire et de la muqueuse intestinale d'animaux, l'héparine est également utilisée en pharmacologie.

Coagulation intravasculaire

Malgré la vigilance des mécanismes anticoagulants et fibrinolytiques, il arrive que certains caillots se forment à l'intérieur du système cardiovasculaire. Ces caillots proviennent parfois de la surface endothéliale d'un vaisseau sanguin devenue rugueuse par suite de l'athérosclérose, d'un traumatisme ou d'une infection. Ces troubles induisent l'adhésion des plaquettes. Des caillots intravasculaires se forment aussi lorsque l'écoulement sanguin est trop lent (stase), ce qui donne aux facteurs de coagulation le temps de s'accumuler localement en concentrations assez élevées pour amorcer le processus de coagulation. La coagulation dans un vaisseau sanguin intact (habituellement une veine) est appelée **thrombose** (*thrombôsis* = coagulation). Le caillot, appelé **thrombus,** peut se dissoudre spontanément. Si toutefois il demeure intact, il peut se déloger et être entraîné dans la circulation sanguine. Les caillots sanguins, les bulles d'air, les graisses venant d'os fracturés et les débris emportés par la circulation sont des **emboles** (*embolê* = action de jeter dans). Un embole qui se détache de la paroi d'une artère peut se loger dans une artère de diamètre plus petit située en aval et bloquer l'écoulement sanguin vers un organe vital. Lorsqu'un embole atteint les poumons, il cause une **embolie pulmonaire.**

À faibles doses, l'aspirine inhibe la vasoconstriction et l'agrégation plaquettaire en bloquant la synthèse du thromboxane A_2; elle réduit aussi les risques de formation inappropriée de caillots. Chez les patients atteints de troubles cardiaques et vasculaires, l'hémostase peut s'enclencher même si aucun vaisseau sanguin n'est endommagé. L'aspirine diminue les risques d'accident ischémique transitoire (AIT) et d'accident vasculaire cérébral (voir p. 503), d'infarctus du myocarde (voir p. 703) et de blocage des artères périphériques.

APPLICATION CLINIQUE
Anticoagulants et agents thrombolytiques

Les patients qui présentent des risques élevés de formation de caillots sanguins peuvent prendre un **médicament anticoagulant,** substance qui retarde, supprime ou prévient la formation de caillots. L'héparine et la warfarine sont des anticoagulants. L'**héparine** est souvent administrée durant l'hémodialyse et les chirurgies à cœur ouvert. La **warfarine** (Coumadin) est un antagoniste de la vitamine K qui bloque la synthèse de quatre facteurs de coagulation (II, VII, IX et X). La warfarine agit plus lentement que l'héparine. Pour prévenir la coagulation du sang des donneurs, les banques de sang et les laboratoires ajoutent souvent une substance qui élimine les ions Ca^{2+}, notamment du citrate-phosphate-dextrose (CPD).

Les **agents thrombolytiques** sont des substances chimiques qui sont injectées pour dissoudre les caillots de sang et rétablir la circulation. Ils activent de manière directe ou indirecte le plasminogène. Le premier agent thrombolytique, qui a été approuvé en 1982 pour la dissolution de caillots dans les artères coronaires du cœur, est la **streptokinase,** une substance produite par des bactéries streptocoques. Une version

transgénique de l'**activateur tissulaire du plasminogène** (t-PA) humain est également utilisée pour traiter les crises cardiaques et les accidents vasculaires cérébraux causés par des caillots. ■

1. Définissez l'*hémostase*. Expliquez le mécanisme intervenant dans le spasme vasculaire et la formation du clou plaquettaire.
2. Qu'est-ce que la fibrinolyse? Pourquoi le sang forme-t-il rarement un caillot à l'intérieur des vaisseaux sanguins?
3. Qu'est-ce qui distingue la voie extrinsèque et la voie intrinsèque de la coagulation?
4. Définissez les termes suivants: *thrombus, embole, anticoagulant* et *agent thrombolytique*.

SYSTÈMES ET GROUPES SANGUINS
OBJECTIF
• *Expliquer les systèmes sanguins ABO et Rh.*

La surface des érythrocytes contient une variété génétiquement déterminée de glycoprotéines et de glycolipides qui peuvent jouer le rôle d'antigènes. Appelés **isoantigènes,** ou **agglutinogènes,** ces antigènes forment des combinaisons caractéristiques. La présence ou l'absence des divers isoantigènes permet de classer le sang en différents **systèmes sanguins.** Chaque système sanguin comprend au moins deux **groupes sanguins.** On dénombre au moins 24 systèmes sanguins et plus de 100 isoantigènes détectables sur la surface des érythrocytes. Nous décrivons ici les deux principaux systèmes sanguins, les systèmes ABO et Rh, mais il en existe d'autres, comme les systèmes Lewis, Kell, Kidd et Duffy.

Système ABO

Le **système ABO** est fondé sur l'existence de deux isoantigènes glycolipidiques appelés A et B (figure 19.12). Chez les individus du **groupe A,** les érythrocytes possèdent *uniquement l'antigène A* et chez les individus du **groupe B,** ils possèdent *uniquement l'antigène B.* Le groupe **AB** est caractérisé par la présence *à la fois des antigènes A et des antigènes B,* et le **groupe O,** par *l'absence d'antigène A et d'antigène B.* L'incidence des groupes du système ABO varie selon les populations, comme l'indique le tableau 19.5.

Outre les isoantigènes présents sur les érythrocytes, le plasma sanguin contient habituellement des **isoanticorps,** ou **agglutinines,** qui réagissent avec les antigènes A ou les antigènes B lorsqu'ils sont mélangés. Les **anticorps anti-A** réagissent avec l'antigène A et les **anticorps anti-B,** avec l'antigène B. Les anticorps présents dans chacun des quatre groupes sanguins sont illustrés à la figure 19.12. Aucun anticorps ne réagit avec les antigènes de vos érythrocytes, mais vous avez probablement des anticorps pour tous les antigènes que vos érythrocytes ne possèdent pas. Bien que les isoanticorps apparaissent dans le sang quelques mois après la

Figure 19.12 Antigènes et anticorps des groupes sanguins du système ABO.

 Les anticorps dans votre plasma ne réagissent pas avec les antigènes situés sur vos érythrocytes.

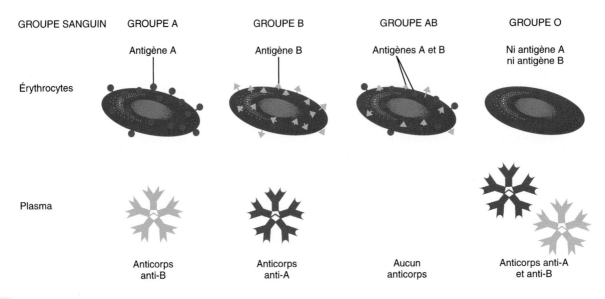

Q Quels anticorps retrouve-t-on habituellement dans le sang du groupe O ?

Tableau 19.5 Incidence des groupes sanguins aux États-Unis

| POPULATION | GROUPE SANGUIN (POURCENTAGE) | | | | |
	O	A	B	AB	Rh⁺
Blancs	45	40	11	4	85
Noirs	49	27	20	4	95
Coréens	32	28	30	10	100
Japonais	31	38	21	10	100
Chinois	42	27	25	6	100
Autochtones	79	16	4	1	100

naissance, on s'explique encore mal leur présence. Ils se forment peut-être en présence de bactéries qui résident normalement dans le tube digestif. Puisque les isoanticorps sont de grands anticorps de type IgM (voir le tableau 22.3, p. 807) qui ne traversent pas le placenta, l'incompatibilité ABO entre une mère et son fœtus cause rarement des problèmes.

Système Rh

L'antigène du **système Rh** a été découvert dans le sang d'un singe *Rhesus,* d'où le sigle du système. Les allèles de trois gènes peuvent coder pour l'antigène Rh. Dans le groupe sanguin Rh⁺ (Rh positif), les érythrocytes contiennent des antigènes Rh tandis que dans le groupe sanguin Rh⁻ (Rh négatif), ils n'en contiennent pas. L'incidence des groupes

Rh⁺ et Rh⁻ dans diverses populations est donnée au tableau 19.5. Normalement, le plasma ne contient pas d'anticorps anti-Rh. Cependant, si une personne du groupe sanguin Rh⁻ reçoit une transfusion de sang Rh⁺, son système immunitaire fabriquera des anticorps anti-Rh qui demeureront dans le sang. Si une autre transfusion de sang du groupe Rh⁺ est administrée plus tard, les anticorps anti-Rh formés provoqueront une **hémolyse** (rupture) des érythrocytes dans le sang transfusé, et une réaction grave pourra s'ensuivre.

Maladie hémolytique du nouveau-né

La **maladie hémolytique du nouveau-né,** qui survient pendant la grossesse, est le trouble d'incompatibilité Rh le plus courant (figure 19.13). Normalement, le sang de la mère et celui du fœtus n'entrent pas en contact direct pendant la grossesse. Cependant, si une petite quantité de sang Rh⁺ du fœtus traverse le placenta et entre dans la circulation de la mère Rh⁻, la mère fabriquera des anticorps anti-Rh. Puisque ce passage de sang fœtal survient le plus souvent au moment de l'accouchement, les premiers-nés ne sont jamais affectés. Lors d'une deuxième grossesse toutefois, les anticorps anti-Rh de la mère pourront traverser le placenta et entrer dans la circulation du fœtus. Si le sang du fœtus est du groupe Rh⁻, il n'y a pas de problème, car le sang Rh⁻ ne possède pas d'antigène Rh. Cependant, s'il est du groupe Rh⁺, l'incompatibilité entre les deux sangs peut provoquer une hémolyse dans le sang fœtal. On peut prévenir la maladie hémolytique

Figure 19.13 Développement de la maladie hémolytique du nouveau-né. (a) À la naissance, une petite quantité de sang fœtal traverse habituellement le placenta et entre dans la circulation de la mère. (b) Un problème se pose si le groupe sanguin de la mère est Rh⁻ et celui du bébé, Rh⁺ (le bébé ayant hérité de son père un allèle codant pour un des antigènes Rh). Lorsqu'il est exposé à l'antigène Rh, le système immunitaire de la mère réagit en produisant des anticorps anti-Rh. (c) Lors d'une grossesse subséquente, les anticorps maternels traversent le placenta et entrent dans la circulation fœtale. Si le groupe sanguin du fœtus est Rh⁺, une réaction antigène-anticorps survient qui provoque l'hémolyse de ses érythrocytes. C'est ainsi que se déclenche la maladie hémolytique du nouveau-né.

🔑 **La maladie hémolytique du nouveau-né survient lorsque les anticorps anti-Rh de la mère traversent le placenta et provoquent l'hémolyse des érythrocytes du fœtus.**

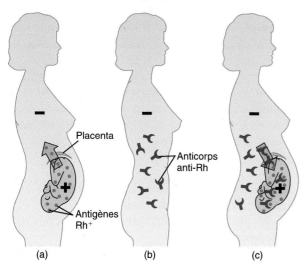

Placenta

Anticorps anti-Rh

Antigènes Rh⁺

(a) (b) (c)

Q Pourquoi est-il peu probable qu'un premier-né soit atteint de la maladie hémolytique du nouveau-né?

du nouveau-né en administrant à toutes les femmes du groupe sanguin Rh⁻ une injection d'anticorps anti-Rh appelés gammaglobulines anti-Rh (RhoGAM) peu après chaque accouchement, fausse couche ou avortement. Ces anticorps se lient aux antigènes Rh qu'un fœtus peut posséder et les inactivent, et le système immunitaire de la mère ne produit pas d'anticorps.

Transfusions

Malgré les différences entre antigènes qui déterminent les divers systèmes sanguins, le sang est le tissu humain qui peut être le plus facilement partagé. La **transfusion,** qui permet de sauver des milliers de vies chaque année, consiste à injecter du sang total ou bien certains composants sanguins (érythrocytes seulement ou plasma seulement) dans la circulation sanguine. Cette procédure sert habituellement à

combattre l'anémie ou à augmenter le volume sanguin, par exemple après une hémorragie importante. Cependant, les composants naturels de la membrane plasmique des érythrocytes d'une personne peuvent déclencher des réactions antigène-anticorps dangereuses chez le receveur d'une transfusion. Lors d'une transfusion incompatible, les isoanticorps dans le plasma du receveur se lient aux isoantigènes des érythrocytes du donneur. Ces complexes antigène-anticorps activent alors des protéines plasmatiques du système du complément (décrites à la page 808). Ces molécules provoquent pour ainsi dire des fuites dans la membrane plasmique des érythrocytes transfusés, ce qui entraîne l'hémolyse (éclatement) des érythrocytes et la libération d'hémoglobine dans le plasma. Cette hémoglobine peut alors causer des dommages aux reins.

Prenons l'exemple d'une personne du groupe sanguin A qui reçoit une transfusion de sang du groupe B. Le sang du receveur (groupe A) contient des antigènes A sur ses érythrocytes et des anticorps anti-B dans son plasma. Le sang du donneur (groupe B) contient des antigènes B et des anticorps anti-A. Lors de la transfusion, deux scénarios sont possibles. Premièrement, les anticorps anti-B dans le plasma du receveur peuvent se lier aux antigènes B des érythrocytes du donneur, ce qui provoque leur hémolyse. Deuxièmement, les anticorps anti-A dans le plasma du donneur peuvent se lier aux antigènes A des érythrocytes du receveur. Cette deuxième réaction n'est cependant pas grave puisque les anticorps anti-A du donneur sont si dilués dans le plasma du receveur qu'ils ne provoquent aucune hémolyse significative des érythrocytes du receveur. Les interactions des quatre groupes sanguins du système ABO sont résumées au tableau 19.6.

Les personnes du groupe sanguin AB n'ont pas d'anticorps anti-A ou anti-B dans leur plasma. On les appelle parfois «receveurs universels» car théoriquement elles peuvent recevoir le sang de donneurs de tous les groupes sanguins. Elles n'ont pas d'anticorps pouvant attaquer les antigènes des érythrocytes transfusés (voir le tableau 19.6). Les personnes du groupe sanguin O n'ont pas antigènes A ni d'antigènes B sur leurs érythrocytes et sont parfois appelées «donneurs universels» car théoriquement elles peuvent donner du sang à des personnes de tous les groupes sanguins du système ABO. Cependant, les personnes du groupe sanguin O ne peuvent recevoir de sang que du groupe O (voir le tableau 19.6). Dans les faits, les désignations *receveur universel* et *donneur universel* sont trompeuses et peuvent être dangereuses. Le sang contient des antigènes et des anticorps autres que ceux du système ABO qui peuvent entraîner des problèmes de transfusion. C'est pourquoi il importe d'effectuer une épreuve de compatibilité croisée ou un dépistage des anticorps avant chaque transfusion. Chez près de 80 % de la population, les antigènes solubles du système ABO sont présents dans la salive et d'autres liquides de l'organisme, ce qui permet de déterminer le groupe sanguin dans un échantillon de salive.

Tableau 19.6 Résumé des interactions entre les groupes sanguins du système ABO

GROUPE SANGUIN	A	B	AB	O
Antigène sur les érythrocytes	A	B	A et B	Ni A ni B
Anticorps dans le plasma	Anti-B	Anti-A	Ni anti-A ni anti-B	Anti-A et anti-B
Groupes sanguins compatibles (aucune hémolyse)	A, O	B, O	A, B, AB, O	O
Groupes sanguins incompatibles (hémolyse)	B, AB	A, AB	—	A, B, AB

Détermination du groupe sanguin et épreuve de compatibilité croisée

Pour éviter les incompatibilités lors de transfusions, les techniciens de laboratoire déterminent le groupe sanguin du receveur puis le comparent avec celui du donneur potentiel, ou bien ils procèdent à un test de dépistage des anticorps. *In vitro* (à l'extérieur du corps) et à température ambiante, le mélange de sang, s'il est incompatible, produira une **agglutination** visible à l'œil nu plutôt qu'une hémolyse. L'agglutination est une réaction antigène-anticorps pendant laquelle les cellules s'entremêlent et forment une masse visible. (Notez que l'agglutination est un phénomène distinct de la coagulation.)

Lors de la détermination des groupes sanguins du système ABO, on mélange des gouttes de sang à divers antisérums, c'est-à-dire des solutions qui contiennent des anticorps. Une goutte de sang est mélangée à un sérum anti-A dont les anti-corps anti-A agglutineront les érythrocytes possédant des antigènes A. Une autre goutte est mélangée à un sérum anti-B dont les anticorps anti-B agglutineront les érythrocytes possédant des antigènes B. Si les érythrocytes s'agglutinent seulement lorsqu'ils sont mélangés à du sérum anti-A, le groupe sanguin est A. S'ils s'agglutinent uniquement en présence du sérum anti-B, le groupe sanguin est B. Si les deux gouttes s'agglutinent, le sang est du groupe AB, et si aucune ne s'agglutine, le sang est du groupe O.

Pour déterminer le facteur Rh, on mélange une goutte de sang à un antisérum dont les anticorps agglutineront les érythrocytes possédant des antigènes Rh. Si le sang s'agglutine, il est du groupe Rh$^+$; s'il ne s'agglutine pas, il est du groupe Rh$^-$.

Après avoir déterminé le groupe sanguin du receveur, on choisit du sang du même groupe sanguin et du même facteur Rh pour la transfusion. Dans l'**épreuve de compatibilité croisée,** les érythrocytes du donneur éventuel sont mélangés au sérum du receveur. Si aucune agglutination ne se produit, cela signifie que le receveur ne possède aucun anticorps susceptible d'attaquer les érythrocytes du donneur. Dans le **test de dépistage des anticorps,** le sérum du receveur est mélangé à une collection d'échantillons témoins d'érythrocytes, dont on sait qu'ils possèdent des antigènes qui causent des réactions hémolytiques, afin de détecter la présence d'anticorps.

1. Expliquez le fondement du système sanguin ABO.
2. Expliquez le fondement du système Rh.
3. Quelles précautions faut-il prendre avant de procéder à une transfusion sanguine ?

DÉSÉQUILIBRES HOMÉOSTATIQUES

ANÉMIE

L'**anémie** est due à une réduction de la capacité du sang à transporter l'oxygène en quantité suffisante. Il existe plusieurs types d'anémies, mais toutes se caractérisent par une diminution du nombre d'érythrocytes ou de la teneur en hémoglobine du sang. La personne atteinte est fatiguée et tolère mal le froid parce que son sang n'a pas assez d'oxygène pour la production d'ATP et de chaleur. Sa peau est pâle car l'hémoglobine, qui colore en rouge le sang circulant dans les vaisseaux sanguins de la peau, est présente en moins grande quantité. Les types d'anémies les plus importants sont les suivants :

- L'*anémie ferriprive* est la forme la plus courante d'anémie. Elle est causée par un défaut de l'absorption du fer, une déperdition excessive de fer, une augmentation des besoins en fer ou un apport insuffisant en fer. Les femmes y sont plus exposées parce qu'elles perdent du fer dans le sang menstruel et ont besoin d'un apport supplémentaire pour le fœtus pendant la grossesse. Les pertes de fer par le tube digestif, caractéristiques dans les cas de tumeur maligne ou d'ulcère, favorisent également ce type d'anémie.

- L'*anémie pernicieuse* résulte d'une hématopoïèse déficiente due à une incapacité de l'estomac à produire le facteur intrinsèque, qui est nécessaire à l'absorption de la vitamine B$_{12}$ dans l'intestin grêle.

- L'*anémie hémorragique* est causée par une perte excessive d'érythrocytes à la suite de saignements provoqués par de grandes blessures, des ulcères d'estomac ou des menstruations particulièrement abondantes.

- Dans l'*anémie hémolytique*, les membranes plasmiques des érythrocytes se rompent prématurément, et leur hémoglobine se répand dans le plasma. Ce trouble peut être dû à une anomalie congénitale telle qu'une anomalie des enzymes des érythrocytes, ou à une invasion d'agents externes tels que des parasites, des toxines ou des anticorps provenant de sang transfusé incompatible.

- La *thalassémie* regroupe les anémies hémolytiques congénitales associées à une synthèse anormale de l'hémoglobine. Les érythrocytes sont petits (microcytiques), pâles (hypochromiques) et de courte vie. La thalassémie touche surtout les populations habitant le littoral de la Méditerranée.

Figure 19.14 Érythrocytes d'une personne atteinte de drépanocytose.

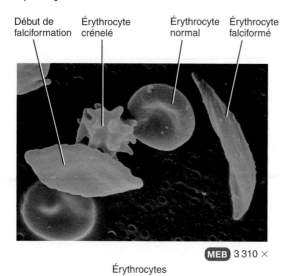

Début de falciformation — Érythrocyte crénelé — Érythrocyte normal — Érythrocyte falciformé

MEB 3 310 ×

Érythrocytes

- *L'anémie aplasique* résulte de la destruction de la moelle osseuse rouge. Elle est causée par des toxines, les rayonnements gamma et certains médicaments qui inhibent les enzymes nécessaires à l'hématopoïèse.

DRÉPANOCYTOSE

Dans la **drépanocytose, ou anémie à hématies falciformes,** les érythrocytes (ou hématies) contiennent une forme anormale d'hémoglobine appelée hémoglobine S (HbS). Lorsque l'hémoglobine S cède de l'oxygène au liquide interstitiel, elle forme des tiges longues et rigides qui donnent aux érythrocytes la forme d'une faucille, d'où le nom de la maladie (figure 19.14). Ces cellules anormales se rompent facilement. Bien que l'érythropoïèse soit stimulée par la perte de cellules, elle n'est pas aussi rapide que l'hémolyse, ce qui provoque l'anémie hémolytique. Un manque d'oxygène prolongé dans l'hémoglobine peut endommager gravement les tissus.

La drépanocytose est une maladie héréditaire. Les porteurs de deux gènes provoquant la falciformation sont atteints d'une anémie grave, tandis que ceux qui ne possèdent qu'un gène défectueux peuvent être atteints de troubles mineurs. Les gènes responsables de la falciformation se retrouvent majoritairement dans les populations des régions où le paludisme est répandu ou chez leurs descendants. Ces régions comprennent certains pays européens bordant la Méditerranée, l'Afrique subsaharienne et l'Asie tropicale. Entre 1 et 2 % des Afro-Américains sont atteints de drépanocytose. Le gène responsable de la falciformation des érythrocytes perturbe également la perméabilité des membranes plasmiques des cellules difformes, ce qui provoque la fuite d'ions potassium. Cette baisse du taux de potassium tue les parasites du paludisme qui infectent les hématies falciformes. C'est pourquoi une personne possédant un gène normal et un gène de l'hématie falciforme résiste mieux au paludisme, et que les porteurs d'un seul gène de l'hématie falciforme ont de meilleures chances de survie.

Le traitement de la drépanocytose consiste à administrer des analgésiques pour soulager la douleur, des liquides pour maintenir l'hydratation, de l'oxygène pour réduire le stimulus provoquant la crise, des antibiotiques pour combattre les infections, et des transfusions sanguines. Les personnes atteintes de drépanocytose possèdent une hémoglobine fœtale (HbF) normale ; cette forme d'hémoglobine légèrement différente est prédominante à la naissance et peut subsister en petites quantités par la suite. Chez certains patients, une substance médicamenteuse appelée hydroxyurée favorise la transcription du gène HbF normal, augmente le taux d'HbF et diminue les risques de falciformation des érythrocytes. Malheureusement, ce médicament a des effets toxiques pour la moelle osseuse et son utilisation à long terme est controversée.

HÉMOPHILIE

L'**hémophilie** (*philos* = ami) est une anomalie héréditaire de la coagulation qui se caractérise par des saignements se déclenchant spontanément ou à la suite d'une blessure légère. Chaque type d'hémophilie est associé au déficit d'un facteur de coagulation précis et peut entraîner des saignements de gravité variée allant de légers à abondants. L'hémophilie A, caractérisée par l'absence de facteur VIII, est la forme la plus courante. L'hémophilie B est due à un déficit en facteur IX. Ces deux formes d'hémophilie sont des troubles récessifs liés au sexe et touchent surtout les hommes, tandis que l'hémophilie C affecte les deux sexes. L'hémophilie C est causée par un déficit en facteur XI (qui active le facteur IX) mais elle est beaucoup moins grave que l'hémophilie A ou B puisqu'un autre activateur du facteur IX, soit le facteur VII, est présent. Les symptômes de l'hémophilie sont des hémorragies sous-cutanées et intramusculaires spontanées ou post-traumatiques, des saignements de nez, du sang dans l'urine et des hémorragies dans les articulations qui provoquent de la douleur et endommagent les tissus. Le traitement consiste à administrer des transfusions de plasma frais ou de concentrés du facteur déficitaire en vue de diminuer les saignements.

COAGULATION INTRAVASCULAIRE DISSÉMINÉE

La **coagulation intravasculaire disséminée** est un trouble de l'hémostase caractérisé par l'apparition simultanée et non contrôlée de caillots et d'hémorragies partout dans le corps. Elle est principalement liée à des lésions endothéliales, à des lésions tissulaires et à l'activation directe du facteur X, trois événements qui déclenchent le processus de la coagulation. Elle est fréquemment causée par des infections, une hypoxie, un faible débit sanguin, un traumatisme, des tumeurs, l'hypotension et l'hémolyse. La coagulation intravasculaire disséminée est une affection grave qui peut entraîner la mort. Les caillots diminuent le débit sanguin et causent progressivement une ischémie, un infarctus et une nécrose, qui se traduisent par le dérèglement de plusieurs organes. Fait étrange, des saignements peuvent apparaître malgré la formation de caillots, car la coagulation disséminée élimine un si grand nombre de facteurs de coagulation que ceux qui restent ne suffisent plus à maintenir la coagulation normale. La coagulation intravasculaire disséminée se distingue donc par l'apparition simultanée et paradoxale de caillots et de saignements.

LEUCÉMIE

La **leucémie aiguë** est un cancer des tissus hématopoïétiques caractérisé par la production anarchique et l'accumulation de leucocytes immatures. Dans la **leucémie chronique,** les leucocytes matures s'accumulent dans le sang au lieu de mourir à la fin de leur cycle de vie normal. Le *virus humain T-lymphotrope de type 1* (*HTLV-1*, « human T cell leukemia-lymphoma virus-1 ») est étroitement lié à certains types de leucémie. L'accumulation anormale de leucocytes immatures peut être réduite par une thérapie aux rayons X et des médicaments antileucémiques. Certains cas de leucémie peuvent être guéris par une greffe de moelle osseuse.

TERMES MÉDICAUX

Autotransfusion préopératoire Prélèvement de sang qui sera destiné au donneur lui-même ; le prélèvement peut se faire jusqu'à six semaines avant une intervention chirurgicale.

Banque de sang Centre où l'on prélève et entrepose du sang qui sera ensuite transfusé au donneur ou à un receveur.

Cyanose (*kuanos* = bleu sombre) Décoloration de la peau qui prend une teinte légèrement bleutée ou violet sombre, visible surtout sur le lit des ongles et les muqueuses. La cyanose est causée par une augmentation de la teneur en hémoglobine réduite (hémoglobine non oxygénée) du sang circulant.

Hémochromatose (*khrôma* = couleur) Trouble du métabolisme du fer, caractérisé par une surcharge en fer dans les tissus (surtout ceux du foie, du cœur, de l'hypophyse, des gonades et du pancréas), qui donne à la peau une couleur bronzée et provoque une cirrhose, le diabète et des anomalies osseuses et articulaires.

Hémodilution normovolémique aiguë Procédure consistant à prélever du sang avant une intervention chirurgicale et à le remplacer par une solution dépourvue de cellules afin de maintenir le volume sanguin nécessaire à une circulation adéquate. À la fin de l'intervention, lorsque les saignements ont cessé, le sang prélevé est réinjecté dans l'organisme.

Ictère Jaunissement anormal de la sclère des yeux, de la peau et des muqueuses causé par un excès de bilirubine (pigment jaune-orange) dans le sang. Les trois principaux types d'ictères sont l'*ictère préhépatique*, causé par une production excessive de bilirubine ; l'*ictère hépatique*, dû à un traitement anormal de la bilirubine par le foie, secondaire à une maladie hépatique congénitale, une cirrhose (formation de tissu cicatriciel) du foie ou une hépatite (inflammation du foie) ; et l'*ictère extrahépatique*, dans lequel l'évacuation de la bile est bloquée par des calculs biliaires ou un cancer des intestins ou du pancréas. Couramment appelé jaunisse.

Sang total Sang contenant tous les éléments figurés, du plasma et des solutés de plasma en concentrations naturelles.

Septicémie (*sêpein* = pourrir) Invasion du sang par des toxines ou des bactéries pathogènes ; également appelée « empoisonnement du sang ».

Thrombocytopénie (*penia* = pauvreté) Diminution importante du nombre des plaquettes se traduisant par des saignements des capillaires.

Veinotomie Ouverture d'une veine dans le but de prélever du sang. Le terme **phlébotomie** est synonyme, mais les cliniciens l'utilisent plutôt pour désigner les saignées thérapeutiques pratiquées, par exemple, pour abaisser la viscosité du sang chez un patient atteint de polycythémie.

RÉSUMÉ

INTRODUCTION (p. 644)
1. Le système cardiovasculaire comprend le sang, le cœur et les vaisseaux sanguins.
2. Le sang est un tissu conjonctif composé d'une portion liquide, le plasma, et d'une portion cellulaire comprenant des cellules et des fragments de cellules.

FONCTIONS DU SANG (p. 644)
1. Le sang transporte de l'oxygène, du gaz carbonique, des nutriments, des déchets et des hormones.
2. Il contribue au maintien du pH, de la température corporelle et de la teneur en eau des cellules.
3. La coagulation protège le système cardiovasculaire. Certains leucocytes phagocytaires et des protéines plasmatiques spécialisées combattent les toxines et les microbes.

CARACTÉRISTIQUES PHYSIQUES DU SANG (p. 645)
1. Le sang est plus visqueux que l'eau ; sa température est de 38 °C et son pH varie entre 7,35 et 7,45.
2. Le sang constitue environ 8 % du poids total du corps, et son volume est de 4 à 6 L chez l'adulte.

COMPOSANTS DU SANG (p. 645)
1. Le sang est formé à 55 % de plasma et à 45 % d'éléments figurés.
2. L'hématocrite est le pourcentage du volume sanguin total occupé par les érythrocytes.
3. Le plasma est composé à 91,5 % d'eau et à 8,5 % de solutés.
4. Les principaux solutés sont les protéines (albumines, globulines, fibrinogène), les nutriments, les vitamines, les hormones, les gaz respiratoires, les électrolytes et les déchets.

5. Les éléments figurés du sang sont les érythrocytes (ou globules rouges), les leucocytes (ou globules blancs) et les plaquettes.

FORMATION DES CELLULES SANGUINES (p. 648)

1. L'hématopoïèse est le processus de formation des cellules sanguines débutant avec les cellules souches hématopoïétiques pluripotentes dans la moelle osseuse rouge.
2. Les cellules souches myéloïdes forment les érythrocytes, les plaquettes, les granulocytes et les monocytes. Les cellules souches lymphoïdes engendrent les lymphocytes.
3. Plusieurs facteurs de croissance hématopoïétiques stimulent la différenciation et la prolifération des diverses cellules sanguines.

ÉRYTHROCYTES (p. 650)

1. Les érythrocytes matures sont des disques biconcaves dépourvus de noyau qui contiennent l'hémoglobine.
2. La fonction de l'hémoglobine des érythrocytes est de transporter l'oxygène et un peu de gaz carbonique.
3. Les érythrocytes ne vivent que 120 jours environ. Un homme adulte sain en possède environ 5,4 millions par μL de sang et une femme adulte saine, environ 4,8 millions par μL de sang.
4. Après la phagocytose des érythrocytes âgés par des macrophages, l'hémoglobine est recyclée.
5. La formation des érythrocytes, appelée érythropoïèse, s'effectue dans la moelle osseuse rouge adulte de certains os. L'hypoxie stimule la libération d'érythropoïétine par les reins.
6. La numération des réticulocytes est une épreuve diagnostique qui indique la vitesse de l'érythropoïèse.

LEUCOCYTES (p. 654)

1. Les leucocytes sont des cellules nucléées. Ils se divisent en deux groupes : les granulocytes (granulocytes neutrophiles, granulocytes éosinophiles et granulocytes basophiles) et les agranulocytes (lymphocytes et monocytes).
2. La fonction générale des leucocytes est de combattre l'inflammation et l'infection. Les granulocytes neutrophiles et les macrophages (issus des monocytes) mènent ce combat par la phagocytose.
3. Les granulocytes éosinophiles combattent les effets de l'histamine dans les réactions allergiques, phagocytent les complexes antigène-anticorps et s'attaquent aux vers parasitaires ; les granulocytes basophiles se transforment en mastocytes qui libèrent de l'héparine, de l'histamine et de la sérotonine lors des réactions allergiques, ce qui intensifie la réaction inflammatoire.
4. En présence de substances étrangères appelées antigènes, les lymphocytes B se différencient en cellules plasmatiques qui produisent des anticorps. Les anticorps se fixent aux antigènes et les neutralisent. Cette réaction combat l'infection et confère l'immunité à l'organisme. Les lymphocytes T détruisent directement les agents étrangers.
5. À l'exception des lymphocytes, dont la durée de vie peut atteindre plusieurs années, les leucocytes ne vivent habituellement que quelques heures ou quelques jours. Le sang normal contient entre 5 000 et 10 000 leucocytes par μL.

PLAQUETTES (p. 657)

1. Les plaquettes (ou thrombocytes) ont la forme d'un disque et sont dépourvues de noyau.
2. Les plaquettes sont des fragments de cellules dérivées des mégacaryocytes ; elles participent à la coagulation.
3. Le sang normal contient entre 150 000 et 400 000 plaquettes par μL.

HÉMOSTASE (p. 658)

1. L'hémostase est une séquence de réactions qui arrêtent le saignement.
2. Elle comporte le spasme vasculaire, la formation du clou plaquettaire et la coagulation.
3. Dans le spasme vasculaire, le muscle lisse de la paroi d'un vaisseau sanguin se contracte, ce qui ralentit la perte de sang.
4. Dans la formation du clou plaquettaire, l'agrégation des plaquettes arrête le saignement.
5. Un caillot est un réseau de fibres fait d'une protéine insoluble (fibrine) dans lequel les éléments figurés du sang sont emprisonnés.
6. Les substances chimiques qui participent à la coagulation sont appelées facteurs de coagulation.
7. La coagulation comporte une cascade de réactions que l'on peut diviser en trois étapes : formation de la prothrombinase, conversion de la prothrombine en thrombine et conversion du fibrinogène soluble en fibrine insoluble.
8. La coagulation est déclenchée par l'interaction des voies extrinsèque et intrinsèque.
9. La vitamine K est nécessaire à la coagulation normale. L'étape qui suit la coagulation est la rétraction (resserrement) du caillot, suivie par sa fibrinolyse (dissolution).
10. La coagulation dans un vaisseau sanguin intact est appelée thrombose. Un thrombus qui quitte son siège d'origine est un embole.
11. Les anticoagulants (l'héparine, par exemple) préviennent la coagulation.

SYSTÈMES ET GROUPES SANGUINS (p. 663)

1. Les systèmes sanguins ABO et Rh sont génétiquement déterminés et reposent sur les réactions entre antigènes et anticorps.
2. Dans le système ABO, la présence ou l'absence d'antigènes A et d'antigènes B sur la surface des érythrocytes détermine le groupe sanguin.
3. Dans le système Rh, la présence d'antigènes Rh sur les érythrocytes détermine le groupe sanguin Rh$^+$; l'absence de ces antigènes détermine le groupe Rh$^-$.
4. La maladie hémolytique du nouveau-né peut survenir lorsqu'une mère du groupe sanguin Rh$^-$ est enceinte d'un bébé du groupe sanguin Rh$^+$.
5. Avant une transfusion de sang, on détermine le groupe sanguin du receveur puis on effectue une épreuve de compatibilité croisée avec le sang du donneur potentiel, ou bien on procède à un dépistage des anticorps.

Choix multiples

1. Lesquelles des fonctions suivantes appartiennent au sang?
   1) Transport. 2) Excrétion. 3) Régulation. 4) Protection.
   5) Sécrétion.
   a) 1, 2, 3 et 4. b) 1, 2, 4 et 5. c) 1, 2 et 4. d) 2, 4 et 5. e) 1, 3 et 4.

2. Les protéines plasmatiques appelées anticorps sont: a) les globulines; b) les albumines; c) le fibrinogène; d) la thrombine; e) la fibrine.

3. Lesquels des événements suivants font partie de l'hémostase?
   1) Spasme vasculaire. 2) Agrandissement du point de rupture.
   3) Hémorragie. 4) Formation du clou plaquettaire. 5) Coagulation.
   a) 1, 2 et 3. b) 2, 3 et 4. c) 2, 4 et 5. d) 1, 4 et 5. e) 1, 3 et 4.

4. Lesquels des énoncés suivants expliquent pourquoi les érythrocytes sont particulièrement bien adaptés au transport de l'oxygène? 1) Les érythrocytes contiennent de l'hémoglobine. 2) Les érythrocytes sont dépourvus de noyau. 3) Les érythrocytes possèdent de nombreuses mitochondries et produisent donc de l'ATP par des mécanismes aérobies. 4) La forme biconcave des érythrocytes offre une plus grande surface pour la diffusion des molécules de gaz. 5) Les érythrocytes peuvent transporter jusqu'à quatre molécules d'oxygène par molécule d'hémoglobine.
   a) 1, 2, 3 et 5. b) 1, 2, 4 et 5. c) 2, 3, 4 et 5. d) 1, 3 et 5. e) 2, 4 et 5.

5. Lesquels des énoncés suivants sont vrais? 1) Les leucocytes sortent de la circulation sanguine par diapédèse. 2) Des molécules d'adhérence cellulaire aident les leucocytes à se fixer à l'endothélium, ce qui favorise la diapédèse. 3) Les granulocytes neutrophiles et les macrophages participent à la phagocytose. 4) Le terme chimiotactisme positif désigne l'attraction de phagocytes pour les microbes et le tissu enflammé. 5) Les leucocytes sont les éléments figurés présents en plus grand nombre lors des processus pathologiques.
   a) 1, 2, 4 et 5. b) 2, 3, 4 et 5. c) 1, 2, 3 et 4. d) 1, 3 et 5. e) 1, 2 et 4.

6. Duquel (desquels) des groupes sanguins suivants une personne du groupe A Rh négatif peut-elle recevoir une transfusion de sang? 1) A positif. 2) B négatif. 3) AB négatif. 4) O négatif. 5) A négatif.
   a) 1 seulement. b) 3 seulement. c) 4 seulement. d) 4 et 5. e) 1 et 5.

Phrases à compléter

7. Les composants du sang sont ___ et ___, qui comprend ___, ___, et ___.

8. Le plasma sans protéines de coagulation est appelé ___.

9. Les étapes de la coagulation sont les suivantes: 1) formation du ___ par le déclenchement de la voie ___ ou de la voie ___, ou des deux; 2) conversion de ___ en ___ sous l'effet des substances chimiques formées à l'étape 1; et 3) conversion de ___ en ___ sous l'effet des substances chimiques formées à l'étape 2.

10. Les fragments de cellules entourés d'une portion de la membrane cellulaire des mégacaryocytes et contenant des facteurs de coagulation sont appelés ___, ou ___.

Vrai ou faux

11. L'hémoglobine joue un rôle dans le transport de l'oxygène et du gaz carbonique et dans la régulation de la pression artérielle.

12. Les systèmes sanguins comprennent entre autres les systèmes ABO, Rh, Lewis, Kell, Kidd et Duffy.

13. Associez les éléments suivants:
    ___ a) protéine tissulaire issue de cellules situées à l'extérieur des vaisseaux sanguins qui pénètre dans le sang et déclenche la formation de l'activateur de la prothrombine
    ___ b) anticoagulant
    ___ c) nécessaire à la coagulation normale
    ___ d) sa formation est déclenchée soit par la voie extrinsèque, soit par la voie intrinsèque, soit par les deux; catalyseur de la conversion de la prothrombine en thrombine
    ___ e) glycoprotéines et glycolipides à la surface des érythrocytes qui peuvent jouer le rôle d'antigènes
    ___ f) forme les filaments d'un caillot; produit à partir du fibrinogène
    ___ g) peut dissoudre un caillot en digérant des filaments de fibrine
    ___ h) sert de catalyseur pour la formation de la fibrine; formé à partir de la prothrombine
    1) prothrombinase   5) plasmine
    2) thrombine   6) héparine
    3) fibrine   7) agglutinogènes
    4) thromboplastine   8) vitamine K

14. Associez les éléments suivants:
    ___ a) contiennent l'hémoglobine et participent au transport des gaz
    ___ b) jeunes granulocytes neutrophiles au noyau en forme de tige
    ___ c) leucocytes au noyau en forme de haricot
    ___ d) monocytes qui circulent dans les tissus et se rassemblent aux sièges d'infection ou d'inflammation
    ___ e) existent sous forme de cellules B, de cellules T et de cellules tueuses naturelles
    ___ f) combattent les effets de l'histamine et d'autres médiateurs de l'inflammation lors d'une réaction allergique; phagocytent également les complexes antigène-anticorps
    ___ g) réagissent à la destruction des tissus par des bactéries; libèrent du lysozyme, de puissants oxydants et des défensines
    ___ h) granulocytes neutrophiles âgés possédant plusieurs lobes nucléaires de formes différentes
    ___ i) monocytes qui quittent le sang pour se loger dans un tissu en particulier, comme les cellules de Kupffer du foie
    ___ j) interviennent dans les réactions inflammatoires et allergiques, ainsi que dans les réactions d'hypersensibilité
    1) granulocytes neutrophiles   7) leucocytes polynucléaires
    2) lymphocytes   8) granulocytes neutrophiles
    3) monocytes   à noyau non segmenté
    4) granulocytes éosinophiles   9) macrophages fixes
    5) granulocytes basophiles   10) macrophages libres
    6) érythrocytes

15. Associez les éléments suivants :

___ a) formes individuelles des cellules progénitrices ; nommées en fonction des éléments matures du sang qu'elles produisent

___ b) cellules qui engendrent tous les éléments figurés du sang ; dérivées du mésenchyme

___ c) donnent naissance aux érythrocytes

___ d) donnent naissance aux lymphocytes

___ e) hormone qui augmente le nombre de cellules précurseurs des érythrocytes

___ f) cellules qui ne peuvent plus se renouveler ; ne peuvent donner naissance qu'à des éléments figurés précis du sang

___ g) stimulent la formation des leucocytes

___ h) hormone qui stimule la formation des plaquettes

1) cellules souches hématopoïétiques pluripotentes
2) cellules souches myéloïdes
3) cellules souches lymphoïdes
4) cellules progénitrices
5) cellules souches formant les colonies
6) érythropoïétine
7) thrombopoïétine
8) cytokines

QUESTIONS À COURT DÉVELOPPEMENT

1. Pendant un cours d'anatomie, Joseph tient un cœur dans sa main tandis que le professeur s'apprête à expliquer la procédure de dissection. « Placez le cœur dans le plateau avant de faire la première incision. » Trop tard… Joseph a déjà fait une incision dans le cœur, et dans sa main. Décrivez la composition du liquide rouge qui coule sur sa main. (INDICE : *Il s'agit d'un tissu conjonctif liquide.*)

2. « Profitons-en pour vérifier votre groupe sanguin, puisque vous saignez déjà », dit le professeur à Joseph. Le groupe sanguin de

l'étudiant est B négatif. Expliquez comment la classe a déterminé ce groupe sanguin. (INDICE : *Les termes « B » et « négatif » renvoient à deux antigènes différents.*)

3. Plus tard, lorsque Joseph retire son pansement, le saignement a cessé. Expliquez comment cela est arrivé. (INDICE : *Un fragment de cellule joue un rôle important dans ce processus.*)

RÉPONSES AUX QUESTIONS DES FIGURES

19.1 Le volume sanguin est d'environ 5 à 6 L chez l'homme et de 4 à 5 L chez la femme. Il constitue environ 8 % du poids du corps.

19.2 Les plaquettes sont des fragments de cellules.

19.3 La température du sang est d'environ 38 °C, et son pH se situe entre 7,35 et 7,45.

19.4 Une molécule d'hémoglobine peut transporter quatre molécules d'O_2, une liée à chaque groupement hème.

19.5 La transferrine est une protéine plasmatique qui transporte le fer.

19.6 Votre hématocrite augmenterait en haute altitude car votre organisme sécréterait une plus grande quantité d'érythropoïétine.

19.7 Granulocytes neutrophiles, éosinophiles et basophiles. Ils sont appelés granulocytes parce qu'ils possèdent tous des

granulations cytoplasmiques qui sont visibles à la coloration au microscope optique.

19.8 Les lymphocytes recirculent entre le sang et les tissus, tandis qu'après avoir quitté le sang, les autres leucocytes demeurent dans les tissus jusqu'à leur mort.

19.9 Outre la formation du clou plaquettaire, le spasme vasculaire et la coagulation contribuent à l'hémostase.

19.10 Le sérum est du plasma sanguin sans protéines de coagulation.

19.11 Le résultat de la première étape de la coagulation est la formation de la prothrombinase.

19.12 Le sang du groupe O contient habituellement des anticorps anti-A et des anticorps anti-B.

19.13 Lorsque la mère produit des anticorps anti-Rh, cela se fait habituellement après la naissance du bébé, si bien que le premier-né n'en est nullement affecté.

SYSTÈME CARDIOVASCULAIRE: LE CŒUR

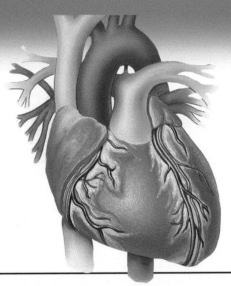

Le système cardiovasculaire comprend le sang, le cœur et les vaisseaux sanguins. Au chapitre précédent, nous avons étudié la composition et les fonctions du sang. Pour atteindre les cellules de l'organisme et échanger des substances avec elles, le sang doit être constamment propulsé dans les vaisseaux sanguins. Le cœur est la pompe qui fait circuler le sang dans le réseau des vaisseaux sanguins, long de quelque 100 000 km. Même pendant que nous dormons, notre cœur pompe chaque minute un volume de sang équivalant à 30 fois son poids ; les poumons en reçoivent environ 5 L et le reste de l'organisme, un volume égal. En une journée, le cœur pompe plus de 14 000 L de sang et en un an, 10 millions de litres. Cependant, nous ne faisons pas que dormir, et notre cœur travaille plus vigoureusement lorsque nous sommes actifs. Par conséquent, le volume de sang réel que le cœur pompe chaque jour est bien plus élevé. L'étude du cœur normal et des maladies associées à cet organe est la **cardiologie** (*kardia* = cœur ; *logos* = science). Le présent chapitre explore la structure du cœur et les propriétés uniques qui lui permettent de fonctionner sans relâche pendant toute une vie.

SITUATION ET POSITION EN SURFACE DU CŒUR

OBJECTIF

• *Situer le cœur et tracer son contour à la surface du thorax.*

Le cœur est petit, mais extrêmement fort. Pas plus gros qu'un poing fermé, cet organe de forme conique mesure environ 12 cm de longueur, 9 cm de largeur à son point le plus large et 6 cm d'épaisseur. Son poids moyen est de 250 g chez la femme adulte et de 300 g chez l'homme adulte. Le cœur repose sur le diaphragme, près du centre de la cavité thoracique, dans une masse de tissu, le **médiastin,** qui s'étend du sternum jusqu'à la colonne vertébrale et s'insinue entre les enveloppes (plèvres) des poumons (figure 20.1a). Les deux tiers environ de la masse du cœur se trouvent à gauche du plan médian du corps. Il est plus facile de situer le cœur dans le médiastin en examinant ses extrémités, ses faces et ses bords (figure 20.1b). Imaginez que le cœur est un cône couché sur le côté. Son extrémité pointue, appelée **apex du cœur,** est orientée vers l'avant, le bas et la gauche. À l'opposé de l'apex se trouve une portion élargie, la **base du cœur,** qui pointe vers l'arrière, le haut et la droite. Le cœur possède également des faces et des bords qui sont utiles pour déterminer sa position en surface (décrite ci-après). La **face sterno-costale du cœur,** ou face antérieure du cœur, se situe derrière le sternum et les côtes. La **face diaphragmatique du cœur,** ou face inférieure du cœur, s'appuie surtout sur le diaphragme et couvre la région entre l'apex et le bord droit (voir la figure 20.1b). Le **bord droit du cœur** fait face au poumon droit et s'étend de la face diaphragmatique à la base. Le **bord gauche du cœur** fait face au poumon gauche et s'étend de la base à l'apex.

Définir la position en surface d'un organe consiste à tracer le profil de ses dimensions en prenant divers repères sur la surface du corps. Cette méthode est utile dans certaines épreuves diagnostiques (une ponction lombaire, par exemple), dans l'auscultation (afin d'entendre les bruits du cœur et des

Figure 20.1 Situation du cœur et de ses structures associées dans le médiastin (tracé en pointillé) et des points du cœur qui correspondent à sa position en surface.

 Le cœur est situé dans le médiastin; les deux tiers de sa masse se trouvent à gauche du plan médian du corps.

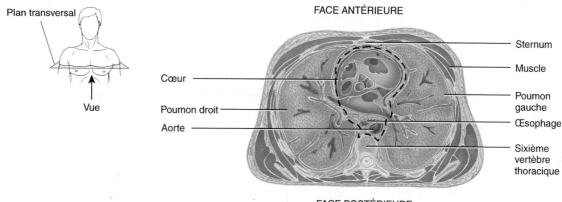

Plan transversal

Vue

FACE ANTÉRIEURE

Cœur

Poumon droit

Aorte

Sternum

Muscle

Poumon gauche

Œsophage

Sixième vertèbre thoracique

FACE POSTÉRIEURE

(a) Vue inférieure de la coupe transversale de la cavité thoracique montrant le cœur dans le médiastin

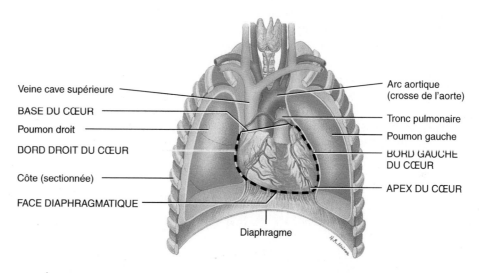

Veine cave supérieure

BASE DU CŒUR

Poumon droit

DORD DROIT DU CŒUR

Côte (sectionnée)

FACE DIAPHRAGMATIQUE

Arc aortique (crosse de l'aorte)

Tronc pulmonaire

Poumon gauche

BORD GAUCHE DU CŒUR

APEX DU CŒUR

Diaphragme

(b) Vue antérieure du cœur dans le médiastin

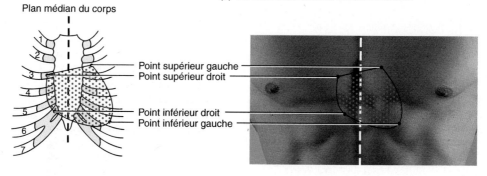

Plan médian du corps

Point supérieur gauche
Point supérieur droit

Point inférieur droit
Point inférieur gauche

(c) Position en surface du cœur

Q Qu'est-ce que le médiastin?

poumons, par exemple) et dans les études anatomiques. Pour déterminer la position du cœur sur la face antérieure du thorax, il faut situer les repères suivants (figure 20.1c). Le **point supérieur droit** est situé au bord supérieur du troisième cartilage costal droit, à 3 cm environ à droite du plan médian. Le **point supérieur gauche** est situé au bord inférieur du deuxième cartilage costal gauche, à 3 cm environ à gauche du plan médian. La ligne reliant ces deux points correspond à la base du cœur. Le **point inférieur gauche** est situé à l'apex du cœur, dans le cinquième espace intercostal gauche, à 9 cm environ à gauche du plan médian. La ligne reliant les points gauches supérieur et inférieur correspond au bord gauche du cœur. Le **point inférieur droit** est situé au bord supérieur du sixième cartilage costal droit, à 3 cm environ à droite du plan médian. La ligne reliant les points inférieurs gauche et droit correspond à la face diaphragmatique du cœur, et celle qui relie les points droits inférieur et supérieur correspond au bord droit du cœur. Lorsqu'on unit ces quatre points par une ligne, on obtient une image assez juste de la taille et de la forme du cœur.

APPLICATION CLINIQUE
Réanimation cardiorespiratoire

Comme le cœur se trouve entre deux structures rigides, la colonne vertébrale et le sternum (voir la figure 20.1a), toute pression externe (compression) exercée sur le thorax peut forcer le sang à sortir du cœur pour entrer dans la circulation systémique. Dans les cas où le cœur cesse soudainement de battre, la **réanimation cardiorespiratoire,** technique qui consiste à appliquer de la manière appropriée des compressions cardiaques, peut sauver des vies. Combinée à une ventilation artificielle des poumons, elle permet de maintenir la circulation du sang oxygéné jusqu'à ce que le cœur recommence à battre. ■

1. Décrivez la situation du cœur dans le médiastin en définissant son apex, sa base, ses faces sterno-costale et diaphragmatique et ses bords droit et gauche.
2. Situez le point supérieur droit, le point supérieur gauche, le point inférieur gauche et le point inférieur droit. Pourquoi ces points sont-ils importants?

STRUCTURE ET FONCTION DU CŒUR
OBJECTIFS
• *Décrire la structure du péricarde et de la paroi du cœur.*
• *Examiner l'anatomie externe et interne des cavités du cœur.*
• *Décrire la structure et la fonction des valves cardiaques.*

Péricarde

La membrane qui entoure et protège le cœur est appelée **péricarde** (*peri* = autour). Elle maintient le cœur en place dans le médiastin tout en lui accordant une liberté de mou-

vement suffisante pour réaliser de rapides et vigoureuses contractions. Le péricarde se divise en deux couches : le péricarde fibreux et le péricarde séreux (figure 20.2a). Le **péricarde fibreux** est une enveloppe externe constituée de tissu conjonctif dense irrégulier, robuste et inélastique. Il ressemble à un sac qui s'appuie sur le diaphragme et y adhère. Son extrémité ouverte fusionne avec le tissu conjonctif des vaisseaux sanguins qui entrent dans le cœur et en sortent. Le péricarde fibreux prévient l'étirement excessif du cœur, protège cet organe et l'amarre au médiastin.

En dessous du péricarde fibreux se trouve le **péricarde séreux**, une membrane plus mince et délicate formée de deux feuillets qui recouvrent le cœur (voir la figure 20.2a). Son enveloppe externe, appelée **feuillet pariétal du péricarde séreux,** fusionne avec le péricarde fibreux, tandis que son enveloppe interne, appelée **feuillet viscéral du péricarde séreux** ou encore **épicarde** (*epi* = sur), adhère fermement à la surface du cœur. Les feuillets pariétal et viscéral sont séparés par une mince pellicule de sérosité appelée **liquide péricardique.** Sécrété par les cellules du péricarde, ce liquide réduit la friction entre les membranes lorsque le cœur est en mouvement. On appelle **cavité du péricarde** l'espace qui contient ces quelques millilitres de liquide.

APPLICATION CLINIQUE
Péricardite et tamponnade cardiaque

La **péricardite,** c'est-à-dire l'inflammation du péricarde, survient lorsque la sécrétion de liquide péricardique diminue, ce qui entraîne un frottement douloureux des feuillets pariétal et viscéral du péricarde séreux. L'accumulation de liquide péricardique (qui peut également accompagner une péricardite) ou l'épanchement de sang dans le péricarde sont des situations potentiellement mortelles. Puisque le péricarde est inélastique, l'excédent de liquide ou de sang comprime le cœur. Cette compression, appelée **tamponnade cardiaque,** peut provoquer un arrêt cardiaque. ■

Tuniques de la paroi du cœur

La paroi du cœur comprend trois tuniques (voir la figure 20.2a), soit, de l'extérieur vers l'intérieur, l'épicarde, le myocarde et l'endocarde. L'**épicarde,** également appelé *feuillet viscéral du péricarde séreux,* est la tunique externe, mince et transparente de la paroi. Il est composé de mésothélium et d'un tissu conjonctif délicat qui rend la texture de la face externe du cœur lisse et glissante. Le **myocarde** (*mus* = muscle) est le tissu musculaire cardiaque; il constitue l'essentiel de la masse du cœur et est responsable de l'action de pompage de celui-ci. Bien qu'il soit strié comme les muscles squelettiques, le muscle cardiaque est involontaire comme les muscles lisses. Ses fibres sont disposées en faisceaux entrelacés qui décrivent une spirale en diagonale autour du cœur (figure 20.2b). L'**endocarde** (*endon* = en dedans) est un endothélium fin recouvrant une mince couche de

Figure 20.2 Péricarde et paroi du cœur.

 Le péricarde est un sac à trois feuillets qui entoure et protège le cœur.

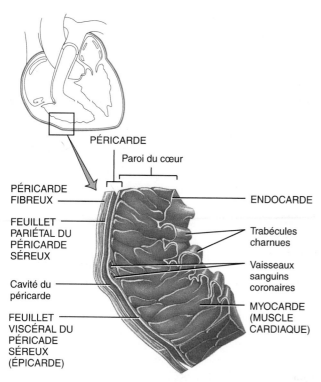

PÉRICARDE

Paroi du cœur

PÉRICARDE FIBREUX

FEUILLET PARIÉTAL DU PÉRICARDE SÉREUX

Cavité du péricarde

FEUILLET VISCÉRAL DU PÉRICADE SÉREUX (ÉPICARDE)

ENDOCARDE

Trabécules charnues

Vaisseaux sanguins coronaires

MYOCARDE (MUSCLE CARDIAQUE)

(a) Partie du péricarde et de la paroi du ventricule droit montrant les divisions du péricarde et les tuniques de la paroi du cœur

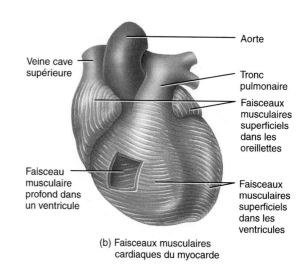

Veine cave supérieure

Faisceau musculaire profond dans un ventricule

Aorte

Tronc pulmonaire

Faisceaux musculaires superficiels dans les oreillettes

Faisceaux musculaires superficiels dans les ventricules

(b) Faisceaux musculaires cardiaques du myocarde

Q Quelle tunique fait partie à la fois du péricarde et de la paroi du cœur?

tissu conjonctif. Il constitue un revêtement lisse pour les cavités du cœur et recouvre les valves cardiaques. L'endocarde est en continuité avec l'endothélium des gros vaisseaux sanguins rattachés au cœur.

Cavités cardiaques

Le cœur renferme quatre cavités: deux **oreillettes,** ou **atriums du cœur** (= cour intérieure), dans sa partie supérieure et deux **ventricules** (*ventriculus* = petit ventre) dans sa partie inférieure. Sur la face antérieure de chaque oreillette se trouve un appendice ridé en forme de poche appelé **auricule** (*auricula* = oreille) parce qu'il ressemble à l'oreille d'un chien (figure 20.3). L'auricule augmente légèrement la capacité de l'oreillette pour lui permettre de contenir un plus grand volume de sang. La surface du cœur comporte également une série de rainures, appelées **sillons,** qui accueillent les vaisseaux sanguins coronaires et contiennent une quantité plus ou moins grande de graisse. Chaque sillon marque la limite externe entre deux cavités du cœur. Le profond **sillon coronaire** (*corona* = objet courbe) encercle la plus grande partie du cœur et marque la frontière entre les oreillettes et les ventricules. Le **sillon interventriculaire antérieur** est une rainure peu profonde longeant la face sterno-costale du cœur; il marque la frontière entre les ventricules droit et gauche. Ce

sillon se continue sur la face diaphragmatique du cœur, où il devient le **sillon interventriculaire postérieur,** qui sépare les ventricules sur la face postérieure du cœur (voir la figure 20.3c).

Oreillette droite

L'**oreillette droite** forme le bord droit du cœur (voir la figure 20.1b). Elle reçoit le sang de trois veines: la *veine cave supérieure,* la *veine cave inférieure* et le *sinus coronaire* (figure 20.4a). Ses parois antérieure et postérieure sont très différentes. La paroi postérieure est lisse, tandis que la paroi antérieure est rugueuse car elle contient des saillies musculaires, les **muscles pectinés** (*pecten* = peigne), qui s'étendent jusqu'à l'auricule (figure 20.4b). Une cloison mince, appelée **septum interauriculaire** (*septum* = cloison) sépare les oreillettes droite et gauche. Ce septum se distingue par une dépression, appelée **fosse ovale,** qui constitue un vestige du foramen ovale, orifice situé dans le septum interauriculaire du cœur fœtal qui se ferme normalement peu après la naissance (voir la figure 21.31, p. 771). Le sang passe de l'oreillette droite au ventricule droit en traversant la **valve auriculo-ventriculaire droite,** aussi appelée **valve tricuspide** (*tri* = trois; *cuspis* = pointe) parce qu'elle comprend trois cuspides (voir la figure 20.4a). Les valves du cœur sont composées de tissu conjonctif dense recouvert d'endocarde.

Figure 20.3 Structure du cœur : anatomie de surface.

Les sillons sont des rainures qui accueillent les vaisseaux sanguins et contiennent de la graisse ; ils marquent les limites entre les diverses cavités cardiaques.

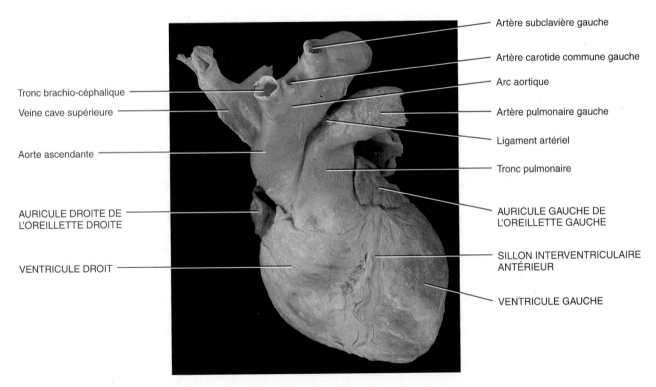

Artère carotide commune gauche
Artère subclavière gauche
Arc aortique
Aorte ascendante
Ligament artériel
Artère pulmonaire gauche
Tronc pulmonaire
Veines pulmonaires gauches
AURICULE GAUCHE DE L'OREILLETTE GAUCHE
Artère coronaire gauche (rameau interventriculaire antérieur)
SILLON INTERVENTRICULAIRE ANTÉRIEUR
Grande veine du cœur
VENTRICULE GAUCHE
Aorte descendante

Tronc brachio-céphalique
Veine cave supérieure
Artère pulmonaire droite
Veines pulmonaires droites
AURICULE DROITE DE L'OREILLETTE DROITE
Artère coronaire droite
OREILLETTE DROITE
SILLON CORONAIRE
Veine cardiaque antérieure
VENTRICULE DROIT
Veine cave inférieure

(a) Vue antérieure externe montrant l'anatomie de surface du cœur

Artère subclavière gauche
Artère carotide commune gauche
Arc aortique
Artère pulmonaire gauche
Ligament artériel
Tronc pulmonaire
AURICULE GAUCHE DE L'OREILLETTE GAUCHE
SILLON INTERVENTRICULAIRE ANTÉRIEUR
VENTRICULE GAUCHE

Tronc brachio-céphalique
Veine cave supérieure
Aorte ascendante
AURICULE DROITE DE L'OREILLETTE DROITE
VENTRICULE DROIT

(b) Vue antérieure externe montrant l'anatomie de surface du cœur

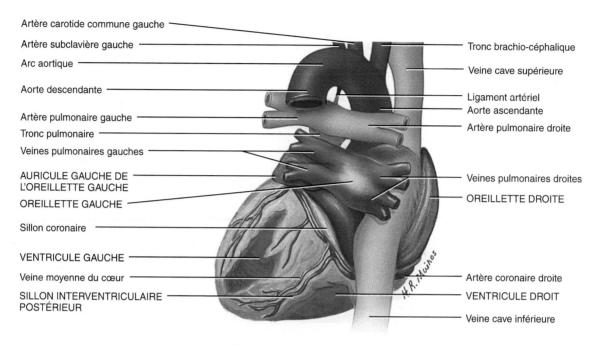

(c) Vue postérieure externe montrant l'anatomie de surface du cœur

 Quelles sont les cavités cardiaques délimitées par le sillon coronaire ?

Ventricule droit

Le **ventricule droit** forme la majeure partie de la face sterno-costale du cœur. Des saillies constituées de faisceaux soulevés de fibres musculaires cardiaques, appelées **trabécules charnues** (*trabecula* = petite poutre), se trouvent sur ses parois internes. Une partie de ces trabécules jouent un rôle dans le système de conduction du cœur (décrit à la page 684). Les cuspides de la valve auriculo-ventriculaire droite sont reliées aux **cordages tendineux,** cordes semblables à des tendons reliées à leur tour à des trabécules charnues de forme conique appelées **muscles papillaires** (*papilla* = bout du sein). Le ventricule droit est séparé du ventricule gauche par une cloison appelée **septum interventriculaire.** Le sang sort du ventricule droit et passe par la **valve pulmonaire** pour atteindre une grosse artère, le *tronc pulmonaire,* qui se divise en *artères pulmonaires* droite et gauche.

Oreillette gauche

L'**oreillette gauche** forme la plus grande partie de la base du cœur (voir la figure 20.1b). Elle recueille des poumons le sang acheminé par les quatre *veines pulmonaires.* À l'instar de l'oreillette droite, sa partie interne postérieure est tapissée d'une paroi lisse. Puisque les muscles pectinés ne sont présents que dans l'auricule de l'oreillette gauche, la paroi antérieure de l'oreillette gauche est également lisse. Le sang passe de l'oreillette gauche au ventricule gauche en empruntant la **valve auriculo-ventriculaire gauche,** ou **valve mitrale** ou **bicuspide,** qui comprend deux cuspides.

Ventricule gauche

Le **ventricule gauche** forme l'apex du cœur (voir la figure 20.1b). À l'instar du ventricule droit, il contient des trabécules charnues et des cordages tendineux qui relient les cuspides de la valve auriculo-ventriculaire gauche aux muscles papillaires. Le sang éjecté du ventricule gauche passe par la **valve aortique** pour atteindre la plus grosse artère du corps, l'*aorte ascendante* (*aortê,* de *aerein* = porter vers le haut, parce qu'on a longtemps pensé que l'aorte soulevait le cœur). De là, une partie du sang s'écoule dans les *artères coronaires,* qui émergent de l'aorte ascendante et transportent le sang jusqu'à la paroi du cœur ; le reste du sang passe par l'*arc aortique* (ou crosse de l'aorte) et l'*aorte descendante* (*aorte thoracique* et *aorte abdominale*). Les ramifications de l'arc aortique et de l'aorte descendante distribuent le sang dans le reste de l'organisme.

Durant la vie intra-utérine, un vaisseau sanguin temporaire appelé *conduit artériel* dévie le sang du tronc pulmonaire jusque dans l'aorte pour qu'une petite quantité de sang seulement pénètre dans les poumons non fonctionnels du fœtus (voir la figure 21.31, p. 771). Le conduit artériel se

Figure 20.4 Structure du cœur : anatomie interne.

🔑 **L'épaisseur des quatre cavités dépend des fonctions que chacune d'elles assure.**

Plan frontal

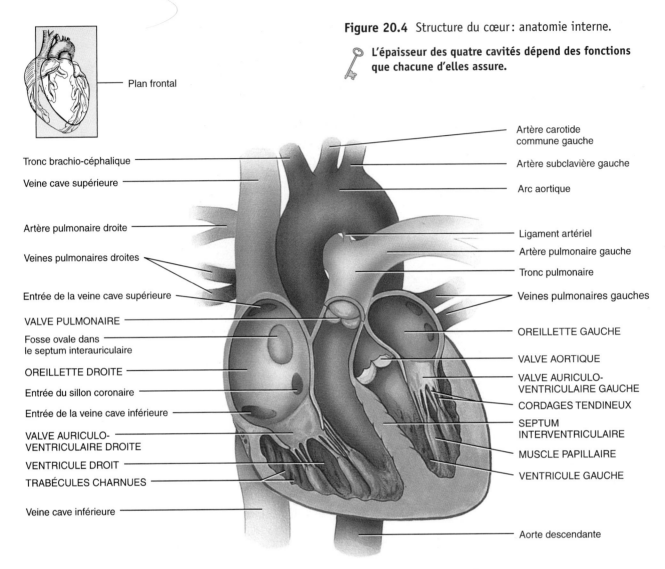

Tronc brachio-céphalique

Veine cave supérieure

Artère pulmonaire droite

Veines pulmonaires droites

Entrée de la veine cave supérieure

VALVE PULMONAIRE

Fosse ovale dans le septum interauriculaire

OREILLETTE DROITE

Entrée du sillon coronaire

Entrée de la veine cave inférieure

VALVE AURICULO-VENTRICULAIRE DROITE

VENTRICULE DROIT

TRABÉCULES CHARNUES

Veine cave inférieure

Artère carotide commune gauche

Artère subclavière gauche

Arc aortique

Ligament artériel

Artère pulmonaire gauche

Tronc pulmonaire

Veines pulmonaires gauches

OREILLETTE GAUCHE

VALVE AORTIQUE

VALVE AURICULO-VENTRICULAIRE GAUCHE

CORDAGES TENDINEUX

SEPTUM INTERVENTRICULAIRE

MUSCLE PAPILLAIRE

VENTRICULE GAUCHE

Aorte descendante

(a) Vue antérieure d'une coupe frontale montrant l'anatomie interne du cœur

ferme normalement peu de temps après la naissance et laisse un vestige, le **ligament artériel,** qui relie l'arc aortique au tronc pulmonaire (voir la figure 20.4a).

Épaisseur et fonction du myocarde

L'épaisseur du myocarde des cavités cardiaques varie selon la fonction de chaque cavité. Les oreillettes ont des parois minces car elles acheminent le sang vers les ventricules adjacents ; les ventricules ont des parois plus épaisses car ils pompent le sang sur de plus grandes distances (voir la figure 20.4a). Bien que les ventricules droit et gauche agissent comme deux pompes autonomes qui éjectent simultanément des volumes équivalents de sang, le ventricule droit fournit beaucoup moins d'effort car il pompe le sang vers les poumons, qui sont situés à proximité et n'opposent qu'une faible résistance. Le ventricule gauche approvisionne quant à lui toutes les autres régions du corps, qui opposent une résistance plus élevée à l'écoulement sanguin. Le ventricule

gauche travaille donc plus fort que le ventricule droit pour maintenir le même débit sanguin. L'anatomie des deux ventricules confirme cette différence fonctionnelle : la paroi musculaire du ventricule gauche est considérablement plus épaisse que celle du ventricule droit (voir la figure 20.4c). Remarquez également que le périmètre de la lumière (espace intérieur) du ventricule gauche est circulaire, tandis que celui du ventricule droit épouse la forme d'un croissant.

Squelette fibreux du cœur

La paroi du cœur ne se compose pas uniquement de tissu musculaire cardiaque ; elle contient également du tissu conjonctif dense qui forme le **squelette fibreux du cœur** (figure 20.5). Le squelette fibreux est surtout constitué d'anneaux fusionnés de tissu conjonctif dense qui entourent les valves du cœur et se joignent au septum interventriculaire. Quatre anneaux fibreux fusionnés soutiennent les

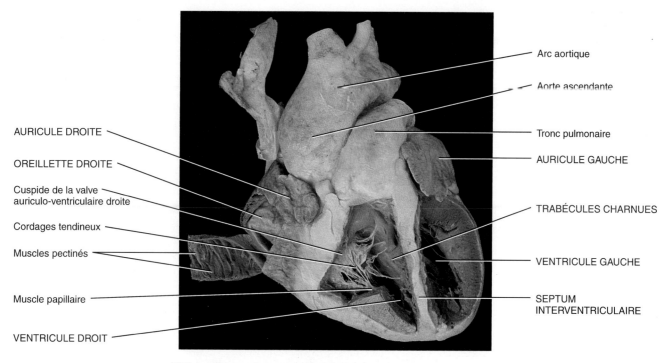

AURICULE DROITE

OREILLETTE DROITE

Cuspide de la valve auriculo-ventriculaire droite

Cordages tendineux

Muscles pectinés

Muscle papillaire

VENTRICULE DROIT

Arc aortique

Aorte ascendante

Tronc pulmonaire

AURICULE GAUCHE

TRABÉCULES CHARNUES

VENTRICULE GAUCHE

SEPTUM INTERVENTRICULAIRE

(b) Vue antérieure d'une coupe partielle montrant l'anatomie interne du cœur

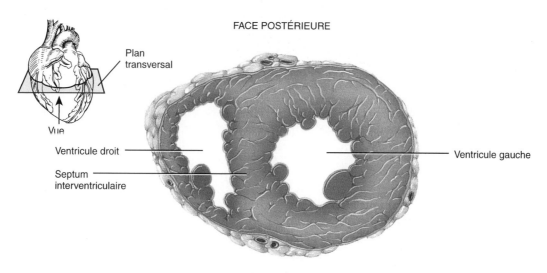

FACE POSTÉRIEURE

Plan transversal

Vue

Ventricule droit

Septum interventriculaire

Ventricule gauche

FACE ANTÉRIEURE

(c) Vue inférieure d'une coupe transversale du cœur montrant les différentes épaisseurs des parois ventriculaires

 Q Quelle cavité du cœur possède la paroi la plus épaisse?

quatre valves du cœur. Le squelette fibreux forme les assises auxquelles sont fixées les valves, sert de point d'insertion aux faisceaux musculaires cardiaques, prévient l'étirement des valves par le sang qui les traverse et sert d'isolant électrique en empêchant les potentiels d'action de se propager directement des oreillettes aux ventricules.

Fonctionnement des valves cardiaques

Chaque cavité du cœur qui se contracte éjecte un certain volume de sang dans un ventricule ou dans une artère émergeant du cœur. Les valves s'ouvrent et se ferment au gré des

Figure 20.5 Squelette fibreux du cœur (représenté en bleu).

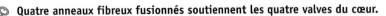

Quatre anneaux fibreux fusionnés soutiennent les quatre valves du cœur.

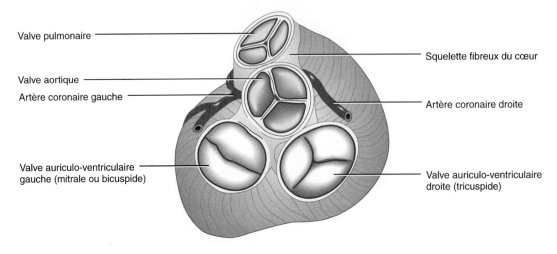

Valve pulmonaire

Valve aortique

Artère coronaire gauche

Valve auriculo-ventriculaire
gauche (mitrale ou bicuspide)

Squelette fibreux du cœur

Artère coronaire droite

Valve auriculo-ventriculaire
droite (tricuspide)

Vue supérieure (oreillettes retirées)

 Q Quels sont les deux rôles que joue le squelette fibreux dans le fonctionnement des valves cardiaques ?

changements de pression produits par la contraction et la relaxation du cœur. Chacune des quatre valves cardiaques permet la circulation du sang dans une seule direction, puisqu'elle s'ouvre pour le laisser passer et se ferme ensuite pour l'empêcher de refluer.

Valves auriculo-ventriculaires

La **valve auriculo-ventriculaire droite** (ou valve tricuspide) et la **valve auriculo-ventriculaire gauche** (ou valve mitrale ou bicuspide) sont situées à la jonction d'une oreillette et d'un ventricule, d'où leur nom. Lorsqu'une valve auriculo-ventriculaire est ouverte, les extrémités pointues de ses cuspides font saillie dans le ventricule. Le sang passe des oreillettes aux ventricules en empruntant ces valves, qui s'ouvrent lorsque la pression ventriculaire est plus faible que la pression auriculaire (figure 20.6a et c). Au même moment, les muscles papillaires et les cordages tendineux se relâchent. Lorsque les ventricules se contractent, la pression du sang pousse les cuspides vers le haut jusqu'à ce que leurs bords se rencontrent et en ferment l'ouverture (figure 20.6b et d). Au même moment, les muscles papillaires se contractent et tirent sur les cordages tendineux, qui se tendent et empêchent l'éversion des cuspides (ouverture forcée dans l'oreillette causée par la pression ventriculaire élevée). Si les valves auriculo-ventriculaires ou les cordages tendineux subissent des lésions, le sang peut refluer dans l'oreillette lorsque les ventricules se contractent.

Valve aortique et valve pulmonaire

La **valve aortique** et la **valve pulmonaire** permettent l'éjection du sang hors du cœur vers les artères mais empêchent son retour dans les ventricules. Chaque valve comprend trois valvules semi-lunaires (voir la figure 20.6c), dont chacune est reliée à la paroi de l'artère par son bord externe convexe. Les bords libres des valvules s'incurvent vers l'extérieur et pénètrent dans la lumière de l'artère. Lorsque les ventricules se contractent, la pression intraventriculaire augmente. Les valves aortique et pulmonaire s'ouvrent lorsque la pression dans les ventricules dépasse la pression dans les artères, ce qui permet l'éjection du sang hors des ventricules jusque dans le tronc pulmonaire et l'aorte (voir la figure 20.6d). Lorsque les ventricules se relâchent, le sang amorce son retour vers le cœur et s'accumule dans les valvules des valves aortique et pulmonaire, qui se ferment alors complètement (voir la figure 20.6c).

APPLICATION CLINIQUE
Rhumatisme articulaire aigu

Certaines maladies infectieuses peuvent endommager ou détruire les valves du cœur. Par exemple, le **rhumatisme articulaire aigu**, inflammation systémique aiguë déclenchée habituellement par une angine streptococcique, peut affecter de nombreux tissus conjonctifs de l'organisme. La présence de la bactérie amorce une réaction immunitaire dans

Figure 20.6 Réactions des valves à l'action de pompage du cœur.

🔑 **Les valves du cœur empêchent le reflux du sang.**

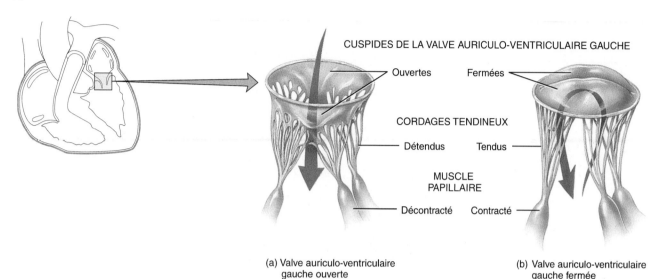

CUSPIDES DE LA VALVE AURICULO-VENTRICULAIRE GAUCHE

Ouvertes   Fermées

CORDAGES TENDINEUX

Détendus   Tendus

MUSCLE PAPILLAIRE

Décontracté   Contracté

(a) Valve auriculo-ventriculaire gauche ouverte

(b) Valve auriculo-ventriculaire gauche fermée

FACE ANTÉRIEURE   FACE ANTÉRIEURE

Valve pulmonaire (fermée)
Artère coronaire gauche
Valve auriculo-ventriculaire gauche (ouverte)

Valve aortique (fermée)
Artère coronaire droite
Valve auriculo-ventriculaire droite (ouverte)

Valve aortique (ouverte)
Valve auriculo-ventriculaire gauche (fermée)

Valve pulmonaire (ouverte)
Valve auriculo-ventriculaire droite (fermée)

FACE POSTÉRIEURE   FACE POSTÉRIEURE

(c) Vue supérieure (oreillettes retirées)

(d) Vue supérieure (oreillettes retirées)

Q De quelle façon les muscles papillaires empêchent-ils l'éversion des cuspides des valves auriculo-ventriculaires dans les oreillettes ?

laquelle les anticorps produits pour la détruire s'attaquent aux tissus conjonctifs des articulations, des valves du cœur et d'autres organes et provoquent leur inflammation. Bien que toute la paroi du cœur puisse être affaiblie, le rhumatisme articulaire aigu touche le plus souvent la valve auriculo-ventriculaire gauche (ou mitrale) ainsi que les valves aortique et pulmonaire, qui ont ensuite de la difficulté à s'ouvrir et se fermer ou présentent des fuites. Les lésions valvulaires causées par le rhumatisme articulaire aigu sont permanentes. ■

1. Définissez chacune des particularités externes suivantes du cœur : *auricule, sillon coronaire, sillon interventriculaire antérieur* et *sillon interventriculaire postérieur*.

2. Décrivez les caractéristiques internes de chaque cavité du cœur.

3. Pour chaque cavité du cœur, énumérez les vaisseaux sanguins qui lui fournissent du sang ou reçoivent le sang qu'elle éjecte, et nommez les valves que le sang traverse pour atteindre la cavité suivante ou un vaisseau sanguin.

4. Établissez le lien entre l'épaisseur de la paroi de chaque cavité du cœur et ses fonctions.

5. Quel rôle le squelette fibreux du cœur joue-t-il dans le fonctionnement des valves du cœur ?

6. Qu'est-ce qui permet aux valves du cœur de s'ouvrir et de se fermer ?

Figure 20.7 Circulations systémique et pulmonaire. Dans le présent ouvrage, les vaisseaux sanguins qui transportent le sang riche en oxygène sont représentés en rouge, et ceux qui transportent le sang désoxygéné sont représentés en bleu.

Le côté gauche du cœur pompe le sang fraîchement oxygéné dans la circulation systémique, qui l'achemine vers tous les tissus de l'organisme, sauf les alvéoles pulmonaires. Le côté droit du cœur pompe le sang désoxygéné dans la circulation pulmonaire, qui le transporte vers les alvéoles pulmonaires.

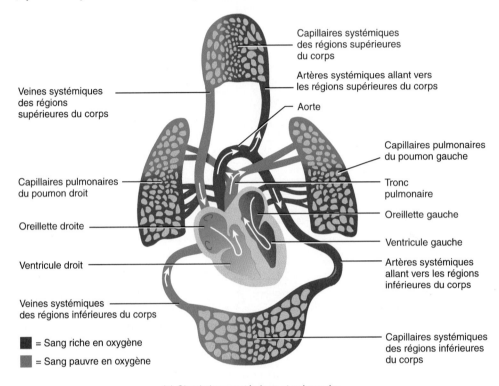

(a) Circulations systémique et pulmonaire

CIRCULATION SANGUINE

OBJECTIFS

- *Décrire le chemin parcouru par le sang dans les cavités du cœur et dans les circulations systémique et pulmonaire.*

- *Expliquer la circulation coronarienne.*

Circulations systémique et pulmonaire

À chaque battement, le cœur pompe le sang vers deux circuits fermés : la **circulation systémique** et la **circulation pulmonaire.** Le côté gauche du cœur est la pompe de la circulation systémique ; il reçoit le sang fraîchement oxygéné qui sort des poumons. Le ventricule gauche éjecte le sang dans l'*aorte* (figure 20.7a). De cette artère, le sang est réparti dans des *artères systémiques* de plus en plus petites, qui l'acheminent vers tous les organes du corps, sauf les alvéoles pulmonaires, qui sont irriguées par la circulation pulmonaire. Dans les tissus, les artères systémiques se subdivisent en *artérioles* de diamètre plus petit qui se jettent enfin dans les nombreux lits des *capillaires systémiques*. L'échange de nutriments et de gaz,

par lequel le sang se débarrasse de son oxygène (O_2) et absorbe du gaz carbonique (CO_2), se fait à travers les minces parois des capillaires. Dans la plupart des cas, le sang circule dans un seul capillaire avant d'entrer dans une *veinule systémique*. Les veinules transportent le sang délesté de son oxygène vers les tissus et fusionnent pour former les *veines systémiques*, vaisseaux plus gros qui ramènent le sang dans l'oreillette droite.

Le côté droit du cœur est la pompe de la circulation pulmonaire. Il reçoit le sang désoxygéné de la circulation systémique. En sortant du ventricule droit, le sang passe dans le *tronc pulmonaire*, puis dans les deux *artères pulmonaires* issues de ce dernier, pour enfin atteindre les poumons droit et gauche. Dans les capillaires pulmonaires, le sang se débarrasse du gaz carbonique, qui sera expiré, et absorbe de l'oxygène. Le sang fraîchement oxygéné emprunte ensuite les veines pulmonaires et revient dans l'oreillette gauche. La figure 20.7b décrit le chemin parcouru par le sang dans les cavités et les valves du cœur ainsi que dans les circulations pulmonaire et systémique.

Figure 20.7 (suite)

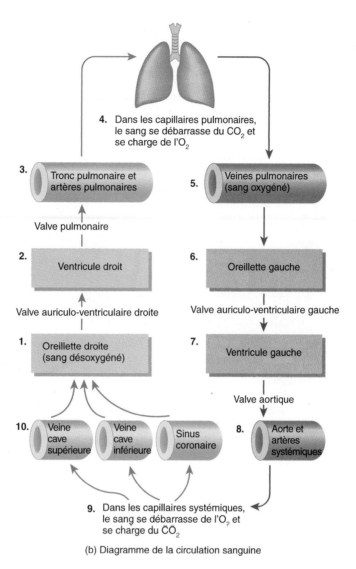

4. Dans les capillaires pulmonaires, le sang se débarrasse du CO_2 et se charge de l'O_2

3. Tronc pulmonaire et artères pulmonaires

5. Veines pulmonaires (sang oxygéné)

Valve pulmonaire

2. Ventricule droit

6. Oreillette gauche

Valve auriculo-ventriculaire droite

Valve auriculo-ventriculaire gauche

1. Oreillette droite (sang désoxygéné)

7. Ventricule gauche

Valve aortique

10. Veine cave supérieure

Veine cave inférieure

Sinus coronaire

8. Aorte et artères systémiques

9. Dans les capillaires systémiques, le sang se débarrasse de l'O_2 et se charge du CO_2

(b) Diagramme de la circulation sanguine

Q Dans (b), à quels chiffres correspond la circulation pulmonaire ? Auxquels correspond la circulation systémique ?

Circulation coronarienne

Les nutriments ne peuvent diffuser des cavités du cœur à travers toutes les couches de cellules qui forment le tissu cardiaque. C'est pourquoi la paroi du cœur possède ses propres vaisseaux sanguins. L'écoulement du sang dans les nombreux vaisseaux qui irriguent le myocarde est appelée **circulation coronarienne.** Les artères qui la composent encerclent le cœur telle une couronne posée sur la tête. Lorsqu'il se contracte, le cœur reçoit peu de sang oxygéné par les **artères coronaires,** qui naissent de l'aorte ascendante (figure 20.8a). Cependant, lorsqu'il se relâche, la pression sanguine élevée dans l'aorte propulse le sang dans les artères coronaires, puis dans les capillaires et enfin dans les **veines du cœur** (figure 20.8b).

Artères coronaires

Les artères coronaires droite et gauche émergent de l'aorte ascendante et fournissent au myocarde du sang oxygéné (voir la figure 20.8a). L'**artère coronaire gauche** passe en dessous de l'auricule gauche et se divise en deux rameaux: Le **rameau interventriculaire antérieur** suit le sillon interventriculaire antérieur et procure du sang oxygéné aux parois des deux ventricules. Le **rameau circonflexe de l'artère coronaire gauche** suit le sillon coronaire et dessert les parois du ventricule et de l'oreillette gauches.

L'**artère coronaire droite** alimente les rameaux auriculaires vers l'oreillette droite. Elle se prolonge en dessous de l'auricule droite et se divise en deux rameaux. Le **rameau interventriculaire postérieur** suit le sillon interventriculaire

Figure 20.8 Circulation coronarienne. Cette vue antérieure présente le cœur en transparence pour permettre de mieux visualiser les vaisseaux sanguins sur sa face postérieure.

🔑 **Les artères coronaires droite et gauche alimentent le muscle cardiaque ; les veines du cœur recueillent le sang du cœur et l'acheminent vers le sinus coronaire.**

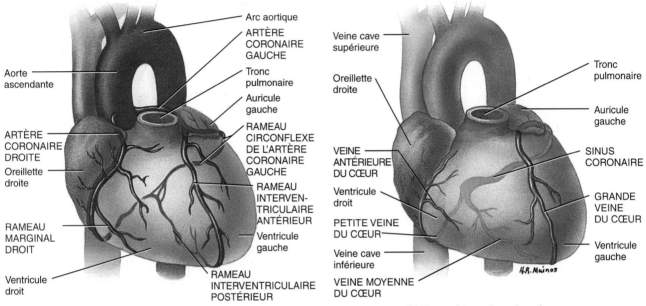

(a) Vue antérieure des artères coronaires

(b) Vue antérieure des veines du cœur

 Q Quel vaisseau sanguin fournit du sang oxygéné à l'oreillette et au ventricule gauches ?

postérieur et irrigue de sang oxygéné les parois des ventricules. Le **rameau marginal droit** suit le sillon coronaire et transporte du sang oxygéné vers le myocarde du ventricule droit.

La plupart des parties du corps sont irriguées par les rameaux de plusieurs artères, et lorsque plusieurs artères irriguent une même région, elles sont habituellement reliées. Ces liaisons, appelées **anastomoses,** offrent au sang des voies de circulation secondaires qui lui permettent d'atteindre un organe ou un tissu en particulier. Dans le myocarde, de nombreuses anastomoses unissent les rameaux d'une même artère coronaire ou des rameaux issus de chacune des deux artères coronaires. Le sang artériel peut circuler dans les anastomoses lorsque l'une des voies principales est obstruée. Le muscle cardiaque peut donc rester suffisamment oxygéné même si l'une des artères coronaires est partiellement bloquée.

Veines du cœur

Après avoir traversé les artères de la circulation coronarienne et fourni au muscle cardiaque de l'oxygène et des nutriments, le sang passe dans les veines, où il se charge de gaz carbonique et de déchets. Ce sang désoxygéné s'écoule ensuite dans un vaste sinus vasculaire sur la face postérieure du cœur, appelé **sinus coronaire** (voir la figure 20.8b), qui se

jette dans l'oreillette droite. Un sinus est une veine à paroi mince qui n'a pas de muscle lisse pour changer son diamètre. Les principaux tributaires du sinus coronaire sont la **grande veine du cœur,** qui draine la face antérieure du cœur, et la **veine moyenne du cœur,** qui draine sa face postérieure.

1. Énumérez, dans l'ordre, les cavités du cœur, les valves cardiaques et les vaisseaux sanguins qu'une goutte de sang traverse à partir de l'oreillette droite jusqu'à l'aorte.
2. Quelles artères alimentent de sang oxygéné le myocarde des ventricules gauche et droit ?

MUSCLE CARDIAQUE ET SYSTÈME DE CONDUCTION DU CŒUR

OBJECTIFS

- *Décrire les caractéristiques structurales et fonctionnelles du tissu musculaire cardiaque.*
- *Expliquer les caractéristiques structurales et fonctionnelles du système de conduction du cœur.*
- *Décrire le déclenchement d'un potentiel d'action dans les fibres contractiles du cœur.*

Histologie du muscle cardiaque

Comparativement aux fibres musculaires squelettiques, les fibres musculaires cardiaques sont plus courtes, leur diamètre est plus grand et elles sont moins circulaires en coupe transversale (figure 20.9). Par ailleurs, chaque fibre, ou myocyte, émet des ramifications qui lui donnent la forme d'un « Y » (voir le tableau 4.4, p. 139). Une fibre musculaire cardiaque typique mesure entre 50 et 100 μm de long et possède un diamètre d'environ 14 μm. Habituellement, elle ne compte qu'un seul noyau central, bien que certaines cellules en possèdent parfois deux. Le sarcolemme des fibres musculaires cardiaques est semblable à celui des fibres musculaires squelettiques, mais leur sarcoplasme est plus développé et leurs mitochondries, plus grosses et plus nombreuses. Les deux types de fibres musculaires présentent des bandes, des zones et des disques Z similaires, et leurs filaments d'actine et de myosine sont disposés de la même façon. Les tubules transverses du muscle cardiaque sont plus larges mais moins abondants que ceux du muscle squelettique ; il n'y a qu'un tubule transverse par sarcomère, dans le disque Z. Le réticulum sarcoplasmique des fibres musculaires cardiaques est moins développé que celui des fibres musculaires squelettiques, et leur réserve intracellulaire de Ca^{2+} est donc limitée. Durant la contraction du cœur, une quantité importante de Ca^{2+} sort du liquide extracellulaire pour pénétrer dans les fibres musculaires cardiaques.

Bien que les fibres musculaires cardiaques soient ramifiées et reliées les unes aux autres, elles forment deux réseaux fonctionnels distincts. Les parois musculaires et la cloison des oreillettes constituent un réseau, tandis que les parois musculaires et la cloison des ventricules en constituent un autre. Les extrémités de chaque fibre d'un réseau sont unies à celles des fibres voisines par des digitations transverses irrégulières appelées **disques intercalaires.** Ces disques contiennent des **desmosomes,** qui maintiennent les fibres ensemble, et des **jonctions communicantes,** qui permettent aux potentiels d'action musculaires de se propager d'une fibre à une autre. Ainsi, chaque fois qu'une fibre de l'un ou l'autre des réseaux est stimulée, toutes les autres fibres de ce réseau le sont également. Chaque réseau se contracte de façon autonome. Lorsque les fibres des oreillettes se contractent simultanément, le sang entre dans les ventricules ; lorsque les fibres des ventricules se contractent à l'unisson, elles éjectent le sang du cœur jusqu'aux artères.

Cellules cardionectrices : système de conduction du cœur

L'activité électrique propre et rythmique du cœur lui permet de battre sans interruption. Elle est stimulée par un réseau de fibres musculaires cardiaques spécialisées et auto-excitatrices, les **cellules cardionectrices.** Ces cellules génèrent une suite de potentiels d'action spontanés qui déclenchent les contractions du cœur. Grâce aux cellules cardionectrices, un cœur prélevé (aux fins de greffe, par exemple) peut con-

tinuer de battre même si tous ses nerfs ont été sectionnés. Les influx du système nerveux autonome et des hormones véhiculées par le sang (telle l'adrénaline) modifient la fréquence cardiaque, *sans pour autant établir le rythme fondamental du cœur.*

Chez l'embryon, environ 1 % des fibres musculaires cardiaques deviennent des cellules cardionectrices qui produisent de façon répétitive et rythmique des potentiels d'action. Les cellules cardionectrices assurent deux fonctions importantes : elles jouent le rôle d'un **pacemaker,** ou **centre d'automatisme,** qui établit le rythme global du cœur, et elles forment le **système de conduction du cœur,** qui propage les potentiels d'action dans l'ensemble du muscle cardiaque. Le système de conduction du cœur stimule les cavités cardiaques à se contracter de façon coordonnée et confère à la pompe cardiaque son efficacité. Les potentiels d'action cardiaques se propagent dans les éléments suivants du système de conduction (figure 20.10) :

1. Normalement, l'excitation cardiaque commence dans le **nœud sinusal,** qui est situé dans la paroi de l'oreillette droite, juste en dessous de l'entrée de la veine cave supérieure. Chaque potentiel d'action du nœud sinusal se propage dans les deux oreillettes par les jonctions communicantes des disques intercalaires de leurs fibres musculaires. Lors d'un potentiel d'action, les oreillettes se contractent.

2. Se propageant le long des fibres musculaires dans les oreillettes, le potentiel d'action atteint le **nœud auriculo-ventriculaire,** situé dans le septum interauriculaire, juste devant l'entrée du sinus coronaire.

3. Du nœud auriculo-ventriculaire, le potentiel d'action rejoint le **faisceau auriculo-ventriculaire,** ou faisceau de His, qui constitue le seul lien électrique entre les oreillettes et les ventricules. (Le squelette fibreux du cœur isole électriquement les oreillettes et les ventricules les uns des autres.)

4. Après avoir traversé le faisceau auriculo-ventriculaire, le potentiel d'action pénètre dans les **branches droite** et **gauche du faisceau auriculo-ventriculaire,** qui parcourent le septum interventriculaire jusqu'à l'apex du cœur.

5. Enfin, les **fibres de conduction cardiaque,** ou fibres de Purkinje, de grand diamètre, transmettent rapidement le potentiel d'action, d'abord dans l'apex du myocarde ventriculaire, puis vers le haut et le reste de cette région. Environ 0,20 s (200 ms) après la contraction des oreillettes, les ventricules se contractent.

À elles seules, les fibres cardionectrices du nœud sinusal produisent des potentiels d'action de 90 à 100 fois par minute, ce qui est plus rapide que partout ailleurs dans l'organisme. Les potentiels d'action du nœud sinusal se propagent donc à d'autres régions du système de conduction et les stimulent avant qu'elles puissent générer elles-mêmes un potentiel d'action à leur propre rythme, qui est plus lent.

Figure 20.9 Histologie du muscle cardiaque.

Les fibres musculaires des oreillettes forment un réseau fonctionnel, et les fibres musculaires des ventricules en forment un autre.

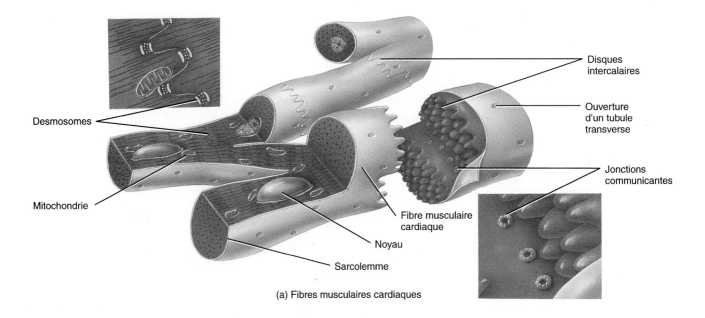

(a) Fibres musculaires cardiaques

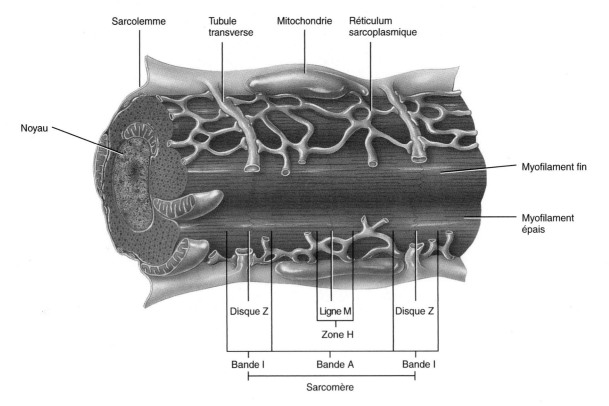

(b) Myofibrilles cardiaques dessinées à partir d'une micrographie électronique

Q Quelles sont les fonctions des disques intercalaires dans les fibres musculaires cardiaques?

Figure 20.10 Système de conduction du cœur. Les fibres cardionectrices dans le nœud sinusal, qui est situé dans la paroi de l'oreillette droite, jouent le rôle de pacemaker car elles génèrent des potentiels d'action qui provoquent la contraction des cavités cardiaques. La propagation des potentiels d'action dans les éléments du système de conduction numérotés ci-dessous est décrite dans le texte.

 Le système de conduction fait en sorte que les cavités cardiaques se contractent de façon coordonnée.

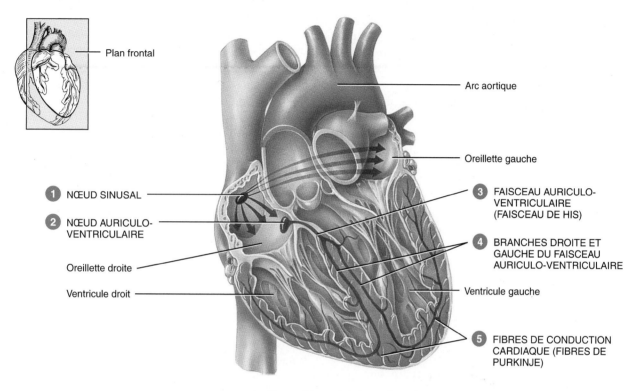

Plan frontal

Arc aortique

Oreillette gauche

1 NŒUD SINUSAL

2 NŒUD AURICULO-VENTRICULAIRE

Oreillette droite

Ventricule droit

3 FAISCEAU AURICULO-VENTRICULAIRE (FAISCEAU DE HIS)

4 BRANCHES DROITE ET GAUCHE DU FAISCEAU AURICULO-VENTRICULAIRE

Ventricule gauche

5 FIBRES DE CONDUCTION CARDIAQUE (FIBRES DE PURKINJE)

Vue antérieure de la coupe frontale

 Q Quel élément du système de conduction fournit le seul lien électrique entre les oreillettes et les ventricules ?

C'est pourquoi on considère le nœud sinusal comme étant le *pacemaker* naturel du cœur. Plusieurs hormones et neurotransmetteurs peuvent cependant accélérer ou ralentir la stimulation cardiaque par l'intermédiaire des fibres du nœud sinusal. Par exemple, chez une personne au repos, l'acétylcholine libérée par la partie parasympathique du système nerveux autonome ralentit la stimulation du nœud sinusal à environ 75 potentiels d'action par minute.

Il arrive parfois qu'un centre, autre que le nœud sinusal, devienne anormalement auto-excitable et se comporte comme le pacemaker. Appelé **foyer ectopique** (*ektopos* = éloigné de sa place), ce nouveau pacemaker peut produire à l'occasion des battements additionnels (extrasystoles), ou s'imposer au cœur pendant une certaine période seulement. L'activité ectopique peut être déclenchée par des stimulus comme la caféine et la nicotine, des déséquilibres électrolytiques, une hypoxie ou encore une intoxication causée par des médicaments comme la digitaline.

Synchronisation de l'excitation auriculaire et ventriculaire

Du nœud sinusal, chaque potentiel d'action cardiaque se propage dans l'ensemble du muscle auriculaire, puis dans le nœud auriculo-ventriculaire, en 50 ms environ. Dans le nœud auriculo-ventriculaire, le potentiel d'action est considérablement ralenti car les fibres de cette région ont un diamètre beaucoup plus petit. (Pensez à la circulation automobile qui ralentit lorsqu'une route à quatre voies passe à deux voies.) Le potentiel d'action accuse un retard de 100 ms qui a l'avantage de donner aux oreillettes le temps de se contracter complètement, ce qui augmente le volume de sang dans les ventricules avant le début de leur contraction. Le potentiel d'action reprend sa vitesse de propagation dès qu'il atteint le faisceau auriculo-ventriculaire. Environ 200 ms après son avènement dans le nœud sinusal, il s'est propagé dans l'ensemble du myocarde.

En cas de maladie ou de lésion du nœud sinusal, les fibres moins rapides du nœud auriculo-ventriculaire peuvent prendre le relais en tant que pacemaker. Le rythme cardiaque est alors régi par le nœud auriculo-ventriculaire, et la fréquence cardiaque descend à 40 ou 50 battements/min. Lorsque les deux nœuds cessent de fonctionner, la fréquence cardiaque peut être maintenue par les fibres cardionectrices des ventricules, le faisceau auriculo-ventriculaire, une branche de ce faisceau ou les fibres de conduction cardiaque. Ces fibres produisent des potentiels d'action très lentement, à raison de 20 à 40 par minute. Lorsque la fréquence cardiaque est aussi faible, le cerveau n'est pas suffisamment irrigué. Il faut alors rétablir le rythme cardiaque et le stabiliser en implantant, par voie chirurgicale, un **stimulateur cardiaque,** ou **pacemaker artificiel.** Ce dispositif émet de petits courants électriques qui stimulent le cœur pour maintenir un débit cardiaque suffisant. Les nouveaux modèles de stimulateurs cardiaques s'adaptent au niveau d'activité de la personne et augmentent automatiquement la fréquence cardiaque durant un effort.

Physiologie de la contraction du muscle cardiaque

Le potentiel d'action produit par le nœud sinusal circule dans le système de conduction et se propage pour stimuler les fibres musculaires « actives » des oreillettes et des ventricules, appelées **fibres contractiles.** Dans une fibre contractile, le potentiel d'action survient de la façon suivante (figure 20.11a) :

1 *Dépolarisation.* Les fibres contractiles ont un potentiel de membrane au repos d'environ −90 mV. Lorsque la stimulation des fibres avoisinantes les amène à leur seuil d'excitation, les **canaux rapides à sodium (Na⁺) voltage-dépendants** s'ouvrent très rapidement, ce qui accroît la perméabilité du sarcolemme (membrane plasmique) aux ions sodium (P_{Na^+}) (figure 20.11b). Comme le cytosol porte une charge électrique plus négative que le liquide extracellulaire, et que la concentration de Na^+ est plus grande dans le liquide extracellulaire, l'entrée de Na^+ suit un gradient électrochimique qui produit une **dépolarisation rapide.** En quelques millisecondes seulement, les canaux à sodium rapides sont neutralisés et la P_{Na^+} diminue.

2 *Plateau.* Dans la phase suivante, appelée **plateau,** les **canaux lents à calcium (Ca^{2+}) voltage-dépendants** s'ouvrent dans le sarcolemme et la membrane du réticulum sarcoplasmique. La perméabilité aux ions calcium ($P_{Ca^{2+}}$) augmente, ce qui élève la concentration de Ca^{2+} dans le cytosol (voir la figure 20.11b). Certains ions calcium passent du liquide extracellulaire (où la concentration de Ca^{2+} est plus élevée) au sarcolemme, tandis que d'autres sortent du réticulum sarcoplasmique à l'intérieur de la fibre. Au même moment, la perméabilité de la membrane aux ions potassium (P_{K^+}) diminue lorsque les canaux à potassium se ferment. Pendant environ 250 ms, le potentiel de membrane se rapproche de 0 mV car la perte infime d'ions potassium vient compenser de justesse le gain d'ions calcium. (Comparativement, la dépolarisation dans un neurone ou une fibre musculaire squelettique dure environ 1 ms.)

2 *Repolarisation.* Le rétablissement du potentiel de membrane au repos durant la phase de **repolarisation** d'un potentiel d'action cardiaque est similaire à celui qui se produit dans les autres tissus excitables. Après un certain temps (qui est particulièrement long dans le muscle cardiaque), les **canaux à potassium (K⁺) voltage-dépendants** s'ouvrent, la perméabilité de la membrane aux ions potassium augmente, et les ions potassium diffusent plus rapidement à l'extérieur du fait de la différence de concentration. Simultanément, les canaux à calcium se ferment. À mesure que le nombre d'ions potassium sortant de la fibre augmente et que le nombre d'ions Ca^{2+} qui entrent diminue, le potentiel de membrane au repos reprend sa valeur négative (−90 mV).

La contraction se déroule de la même façon dans les muscles cardiaques et squelettiques. L'activité électrique (potentiel d'action) provoque une réponse mécanique (contraction) après un court décalage. Lorsque la concentration de Ca^{2+} augmente à l'intérieur de la fibre contractile, des ions calcium se lient à une protéine régulatrice, la troponine, ce qui permet aux filaments d'actine et de myosine de glisser les uns contre les autres et fait monter la tension. Les substances qui affectent le mouvement des ions calcium dans les canaux lents à calcium déterminent la force des contractions cardiaques. L'adrénaline, par exemple, augmente la force contractile en stimulant l'entrée de Ca^{2+}.

Dans les muscles, la **période réfractaire** est l'intervalle pendant lequel une deuxième contraction ne peut être déclenchée. La période réfractaire d'une fibre cardiaque est plus longue que la contraction elle-même (voir la figure 20.11). Par conséquent, une autre contraction ne peut commencer tant que la relaxation n'est pas bien engagée. C'est pourquoi le tétanos (contraction permanente) ne peut se produire dans le muscle cardiaque. Cela représente un avantage évident puisqu'on sait que la fonction de pompage des ventricules dépend de l'alternance de la contraction (pendant laquelle ils éjectent le sang) et de la relaxation (pendant laquelle ils se remplissent de nouveau). Si le tétanos pouvait survenir dans le muscle cardiaque, l'écoulement du sang cesserait.

Figure 20.11 Potentiel d'action dans une fibre contractile ventriculaire. Le potentiel de membrane au repos est d'environ –90 mV.

🔑 **Les fibres musculaires « actives » des oreillettes et des ventricules sont appelées fibres contractiles.**

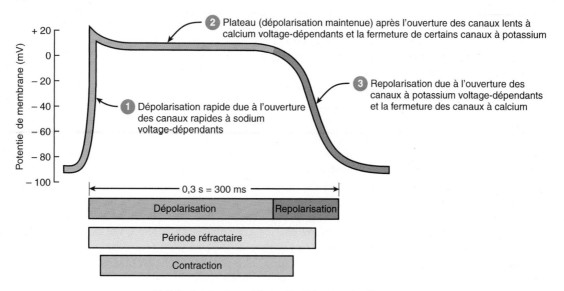

② Plateau (dépolarisation maintenue) après l'ouverture des canaux lents à calcium voltage-dépendants et la fermeture de certains canaux à potassium

③ Repolarisation due à l'ouverture des canaux à potassium voltage-dépendants et la fermeture des canaux à calcium

① Dépolarisation rapide due à l'ouverture des canaux rapides à sodium voltage-dépendants

0,3 s = 300 ms

Dépolarisation | Repolarisation

Période réfractaire

Contraction

(a) Potentiel d'action, période réfractaire et contraction

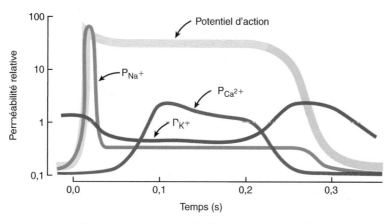

Potentiel d'action

P_{Na^+}

$P_{Ca^{2+}}$

Γ_{K^+}

(b) Changements de perméabilité de la membrane (P)

Q Les durées de la dépolarisation et de la repolarisation dans une fibre contractile ventriculaire et dans une fibre musculaire squelettique sont-elles les mêmes ?

🩺 APPLICATION CLINIQUE
Traitement des cœurs défaillants

Les médecins utilisent ou étudient toute une gamme de procédés chirurgicaux et de dispositifs médicaux pour traiter l'insuffisance cardiaque. Chez certains patients, une augmentation d'à peine 10 % du volume de sang éjecté des ventricules peut leur éviter d'être alités et leur permettre de s'adonner à des activités modérées. Les **greffes du cœur** sont courantes de nos jours et donnent de bons résultats, mais il y a peu de donneurs. Aux États-Unis, on compte environ 50 candidats à la greffe pour chaque don d'organe. On peut par ailleurs

recourir à des **dispositifs mécaniques d'assistance cardiaque** et à divers procédés chirurgicaux pour améliorer la fonction cardiaque sans qu'un remplacement d'organe soit nécessaire. Le tableau 20.1 présente certains de ces traitements. ■

1. Comparez la structure et les fonctions des fibres musculaires cardiaques et des fibres musculaires squelettiques.
2. Quelles sont les différences et les ressemblances entre les fibres cardionectrices et les fibres contractiles ?
3. Décrivez les phases d'un potentiel d'action dans les fibres contractiles ventriculaires.

Tableau 20.1 Dispositifs d'assistance cardiaque et procédés chirurgicaux

DISPOSITIF OU PROCÉDÉ	DESCRIPTION
Sonde à ballonnet intra-aortique	Un ballonnet en polyuréthanne de 40 mL fixé à un cathéter est inséré dans une artère de l'aine et glissé jusqu'à l'aorte thoracique. Une pompe externe emplit le ballonnet de gaz au début de la diastole ventriculaire. À mesure que le ballonnet se gonfle, il pousse le sang vers l'arrière, en direction du cœur, pour améliorer le débit sanguin coronarien, ainsi que vers l'avant, en direction des tissus périphériques. On dégonfle ensuite rapidement le ballonnet juste avant la systole ventriculaire suivante, ce qui aide le ventricule gauche à éjecter le sang. Puisque le ballonnet est gonflé entre chaque battement cardiaque, cette technique est également appelée contrepulsion intra-aortique.
Hémopompe	Semblable à une pompe à hélice, l'hémopompe est insérée dans une artère de l'aine et acheminée jusqu'au ventricule gauche. Là, les lames de la pompe tournent à environ 25 000 révolutions par minute pour faire sortir le sang du ventricule et le pousser dans l'aorte.
Dispositif d'assistance ventriculaire gauche	Implanté dans l'abdomen, ce dispositif entièrement portatif est alimenté par un bloc-piles placé dans un étui porté sur l'épaule. Relié au ventricule gauche affaibli du patient, il l'aide à pomper le sang vers l'aorte. La vitesse de pompage s'ajuste automatiquement durant un effort physique.
Cardiomyoplastie	On prélève sur le patient une grande portion de tissu musculaire squelettique (muscle grand dorsal gauche) en la détachant partiellement du tissu conjonctif auquel elle est rattachée et on l'enroule autour du cœur, en laissant intacts les vaisseaux et les nerfs. Un stimulateur cardiaque est implanté pour stimuler les neurones moteurs du muscle squelettique, qui produisent une contraction synchrone avec certains battements cardiaques de 10 à 20 fois par minute.
Dispositif d'assistance musculo-squelettique	Une portion de muscle squelettique prélevée sur le patient sert à fabriquer un sac qui, inséré entre le cœur et l'aorte, assistera le cœur. Un stimulateur cardiaque stimule les neurones moteurs du muscle, qui déclenchent les contractions.

ÉLECTROCARDIOGRAMME

OBJECTIF

• *Expliquer l'électrocardiogramme (ECG) et son importance pour poser un diagnostic.*

La propagation du potentiel d'action dans le cœur génère des courants électriques que l'on peut détecter à la surface du corps. On appelle **électrocardiogramme** (ECG ; *gramma* = dessin) le tracé des changements électriques enregistrés, qui rend compte de tous les potentiels d'action produits par les fibres musculaires cardiaques à chaque battement. L'instrument qui sert à enregistrer ces changements est un **électrocardiographe.** La procédure clinique consiste à placer des électrodes sur les bras et les jambes (électrodes périphériques) et à six endroits sur la poitrine (électrodes précordiales). L'électrocardiographe amplifie l'activité électrique du cœur et donne 12 tracés différents correspondant aux diverses combinaisons d'électrodes placées sur les membres et la poitrine. Chaque électrode enregistre une activité électrique légèrement différente des autres en raison de sa position relative par rapport au cœur. En comparant les tracés obtenus entre eux et avec des tracés normaux, il est possible de déterminer 1) si le trajet de conduction est anormal, 2) si le cœur est hypertrophié et 3) si certaines régions sont endommagées.

Sur un tracé de dérivation II typique (du bras droit à la jambe gauche), trois ondes faciles à reconnaître accompagnent chaque battement du cœur. La première est l'**onde P,** une légère dérivation ascendante sur l'ECG (figure 20.12). Elle correspond à la phase de **dépolarisation auriculaire,**

Figure 20.12 Électrocardiogramme, ou ECG (dérivation II). Onde P = dépolarisation auriculaire ; complexe QRS = début de la dépolarisation ventriculaire ; onde T = repolarisation ventriculaire.

 L'électrocardiogramme est un tracé de l'activité électrique déclenchée par chaque battement cardiaque.

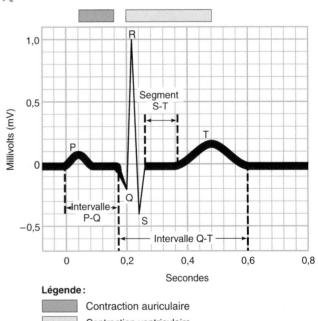

Légende :
■ Contraction auriculaire
□ Contraction ventriculaire

Q Que signifie une onde Q élargie ?

qui commence dans le nœud sinusal et se termine dans les oreillettes. Environ 100 ms après le début de l'onde P, les oreillettes se contractent. La deuxième onde, appelée **complexe QRS,** commence par former une dérivation descendante, puis remonte pour former un grand triangle pointu et enfin redescend encore. Le complexe QRS correspond au début de la **dépolarisation ventriculaire,** pendant laquelle l'onde d'excitation électrique se propage dans les ventricules. Peu après le début du complexe QRS, les ventricules commencent à se contracter. La troisième onde est une dérivation ascendante en forme de dôme appelée **onde T.** Elle correspond à la **repolarisation ventriculaire,** qui survient juste avant la relaxation ventriculaire. L'onde T est plus petite et plus large que le complexe QRS car la repolarisation se déroule plus lentement que la dépolarisation. Habituellement, la repolarisation des oreillettes n'est pas visible sur un électrocardiogramme car elle est masquée par le grand complexe QRS.

À la lecture d'un électrocardiogramme, la taille des ondes peut indiquer la présence d'anomalies. Par exemple, une onde P plus grande témoigne de l'hypertrophie d'une oreillette, une onde Q élargie, d'un possible infarctus du myocarde (ou crise cardiaque), et une onde R élargie, de ventricules hypertrophiés. L'onde T est aplatie lorsque le muscle cardiaque n'est pas suffisamment oxygéné, comme c'est le cas dans une coronaropathie. Une onde T plus élevée peut être un signe d'hyperkaliémie (augmentation de la concentration sanguine de potassium).

Lorsqu'on analyse un électrocardiogramme, on examine également le temps qui s'écoule entre les ondes, appelé **intervalle,** ou **segment.** Par exemple, l'**intervalle P-Q** va du début de l'onde P au début du complexe QRS ; il représente le temps de conduction entre le début de l'excitation auriculaire et le début de l'excitation ventriculaire. Autrement dit, l'intervalle P-Q est le temps qu'il faut à un influx pour traverser les oreillettes, le nœud auriculo-ventriculaire et le reste des fibres du système de conduction. En cas de coronaropathie et de rhumatisme articulaire aigu, du tissu cicatriciel peut se former dans le cœur. Lorsque l'influx contourne ce tissu, l'intervalle P-Q s'allonge.

Le **segment S-T** va de la fin de l'onde S au début de l'onde T ; il représente la phase de dépolarisation complète des fibres contractiles ventriculaires durant le plateau du potentiel d'action. Le segment S-T s'élève (au-dessus de la valeur initiale de base) lors d'un infarctus aigu du myocarde, et il s'abaisse (en deçà de la valeur initiale de base) lorsque le muscle cardiaque manque d'oxygène. L'**intervalle Q-T** s'étend du début du complexe QRS à la fin de l'onde T ; il correspond au temps écoulé entre le début de la dépolarisation ventriculaire et la fin de la repolarisation ventriculaire. Un intervalle Q-T allongé peut indiquer des lésions du myocarde, une ischémie coronarienne ou des anomalies du système de conduction.

Lorsqu'il est nécessaire d'évaluer la réponse du cœur au stress de l'activité physique, on a recours à un **électrocardiogramme d'effort.** Bien que des artères coronariennes rétrécies puissent transporter suffisamment de sang oxygéné chez une personne au repos, elles seront incapables de combler les besoins accrus en oxygène du cœur lors d'un effort intense. Cette incapacité sera visible sur un électrocardiogramme.

APPLICATION CLINIQUE
Arythmies

On appelle **arythmie,** ou *dysrythmie,* toute irrégularité du rythme cardiaque découlant d'une anomalie du système de conduction du cœur. Les arythmies sont causées par des facteurs comme la caféine, la nicotine, l'alcool et certains médicaments, l'anxiété, l'hyperthyroïdie, une carence en potassium et certaines cardiopathies. Le *bloc cardiaque* est une arythmie grave dans laquelle les potentiels d'action se propagent trop lentement dans le système de conduction ou bien se trouvent bloqués. Le blocage se produit habituellement dans le nœud auriculo-ventriculaire ; il cause alors le *bloc auriculo-ventriculaire.* Dans le *flutter auriculaire,* les oreillettes se contractent trop rapidement, à raison de 300 fois par minute. La *fibrillation auriculaire* est une désynchronisation de la contraction des fibres des oreillettes (de 400 à 600 fois par minute environ), tandis que la *fibrillation ventriculaire* est une désynchronisation de la contraction des fibres contractiles des ventricules. Dans les deux cas, les cavités du cœur en fibrillation cessent leur action de pompage, car certaines fibres musculaires se contractent tandis que d'autres se relâchent. Dans un cœur robuste, la fibrillation auriculaire réduit l'efficacité de la pompe de 20 à 30 % seulement, ce qui assure la survie du patient. La fibrillation ventriculaire provoque toutefois une mort rapide car le sang n'est plus éjecté des ventricules. ■

1. Dessinez, identifiez et définissez les ondes d'un électrocardiogramme normal.

2. Décrivez l'importance de l'intervalle P-Q et du segment S-T.

CYCLE CARDIAQUE
OBJECTIF

• *Décrire les phases, le synchronisme et les bruits du cœur associés au cycle cardiaque.*

Le **cycle cardiaque** inclut tous les événements associés à un battement cardiaque. À chaque cycle, les oreillettes et les ventricules se contractent et se relâchent en alternance, de sorte que le sang est propulsé des régions où la pression est élevée à celles où elle est basse. Chaque fois qu'une cavité du cœur se contracte, la pression du sang à l'intérieur de cette cavité augmente.

La figure 20.13 montre la relation entre les signaux électriques du cœur (ECG) et divers événements mécaniques (contraction et relaxation), par exemple les changements de pression auriculaire, de pression ventriculaire, de pression aortique et de volume ventriculaire qui se produisent pendant le cycle cardiaque. Les pressions données

Figure 20.13 Cycle cardiaque. (a) Électrocardiogramme. (b) Changements de la pression auriculaire gauche (ligne verte continue), de la pression ventriculaire gauche (ligne verte pointillée) et de la pression aortique (ligne rouge) coïncidant avec l'ouverture et la fermeture des valves. (c) Changements du volume ventriculaire gauche. (d) Bruits du cœur. (e) Phases du cycle cardiaque; les étapes 1 à 3 sont décrites dans le texte.

🔑 **Le cycle cardiaque inclut tous les événements associés à un battement cardiaque.**

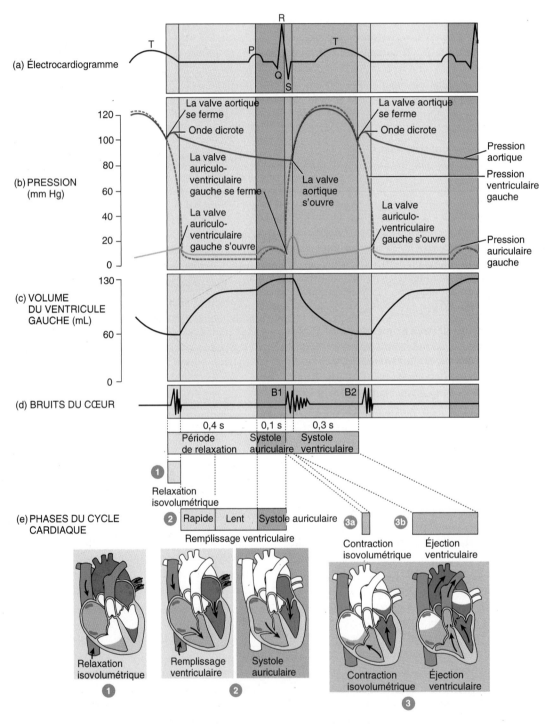

Q Chez une personne au repos, quelle quantité de sang se trouve dans chaque ventricule à la fin de la diastole ventriculaire? Comment appelle-t-on ce volume?

dans cette figure correspondent au côté gauche du cœur ; du côté droit, les pressions sont beaucoup plus faibles. Cependant, chaque ventricule, de même que chaque cavité du cœur, expulse le même volume de sang au cours d'un battement cardiaque.

Pendant le cycle cardiaque normal, les deux oreillettes se contractent tandis que les deux ventricules se relâchent, puis les deux ventricules se contractent et les deux oreillettes se détendent. Le terme **systole** (*sustolê* = contraction) désigne la phase de contraction et le terme **diastole** (*diastolê* = séparation), la phase de relaxation. Chaque cycle cardiaque comprend la systole et la diastole des deux oreillettes, suivies de la systole et de la diastole des deux ventricules.

Phases du cycle cardiaque

Au repos, la fréquence cardiaque est de 75 battements/min et chaque cycle cardiaque dure environ 0,8 s (800 ms). Pour bien illustrer notre propos, nous avons divisé le cycle cardiaque chez un adulte au repos en trois phases (voir la figure 20.13) :

1 *Relaxation isovolumétrique.* La repolarisation des fibres musculaires des ventricules (onde T de l'électrocardiogramme) déclenche la relaxation. Lorsque les ventricules se relâchent, la pression à l'intérieur des cavités chute et le sang quitte le tronc pulmonaire et l'aorte pour entrer dans les ventricules. Le sang qui reflue est emprisonné dans les valvules semi-lunaires, ce qui provoque la fermeture des valves. Le rebond du sang contre les valvules fermées produit l'*onde dicrote* sur la courbe de la pression aortique.

La fermeture des valves aortique et pulmonaire est suivie d'une brève pause pendant laquelle le volume sanguin ventriculaire ne change pas puisque toutes les valves sont fermées. Cette période est appelée **relaxation isovolumétrique.** L'espace intérieur des ventricules relâchés prend de l'expansion et la pression baisse rapidement. Lorsque la pression ventriculaire devient plus faible que la pression auriculaire, les valves auriculo-ventriculaires s'ouvrent et le remplissage ventriculaire commence.

2 *Remplissage ventriculaire.* La majeure partie du remplissage ventriculaire survient juste après l'ouverture des valves auriculo-ventriculaires. Le sang qui s'est accumulé dans les oreillettes pendant la contraction ventriculaire afflue maintenant vers les ventricules. C'est pourquoi on appelle le premier tiers de la période de remplissage ventriculaire **remplissage ventriculaire rapide.** Pendant le deuxième tiers, appelé **phase de remplissage ventriculaire lent,** un volume beaucoup moins grand de sang entre dans les ventricules. Durant la relaxation isovolumétrique, le remplissage ventriculaire rapide et le remplissage ventriculaire lent, les quatre cavités du cœur sont en **diastole.** Cette **période de relaxation** dure environ 400 ms.

La dépolarisation du nœud sinusal provoque la dépolarisation des oreillettes, représentée par l'onde P sur l'électrocardiogramme. La **systole auriculaire** suit l'onde P et dure environ 100 ms. Elle coïncide avec le dernier tiers du remplissage ventriculaire et force l'entrée de 20 à 25 mL de sang dans les ventricules. À la fin de la diastole ventriculaire, chaque ventricule contient environ 130 mL de sang ; c'est le **volume télédiastolique** (**VTD**). Comme la systole auriculaire fournit entre 20 et 30 % seulement du volume sanguin total des ventricules, la contraction auriculaire n'est pas absolument nécessaire au maintien d'une circulation sanguine adéquate. Pendant toute la phase de remplissage ventriculaire, les valves auriculo-ventriculaires sont ouvertes et les valves aortique et pulmonaire sont fermées.

3 *Systole ventriculaire.* Durant 0,3 s (300 ms) après le remplissage ventriculaire, les oreillettes sont relâchées et les ventricules se contractent. Lorsque la systole auriculaire tire à sa fin, le potentiel d'action produit par le nœud sinusal passe par le nœud auriculo-ventriculaire et atteint les ventricules, ce qui cause leur dépolarisation. Le début de la dépolarisation ventriculaire est représenté par le complexe QRS sur l'électrocardiogramme. La **systole ventriculaire** commence alors : le sang est poussé contre les valves auriculo-ventriculaires, ce qui force leur fermeture. Pendant environ 0,05 s (50 ms), toutes les valves sont fermées ; cette période est appelée **phase de contraction isovolumétrique 3a**. Durant cet intervalle, les fibres musculaires cardiaques se contractent et exercent une force mais n'ont pas commencé à raccourcir. La contraction musculaire est donc isométrique (de même longueur). De plus, puisque les quatre valves sont fermées, le volume ventriculaire reste le même (isovolumétrique).

Pendant que la contraction ventriculaire continue, la pression à l'intérieur des cavités augmente brusquement. Lorsque la pression ventriculaire gauche dépasse la pression aortique, qui est d'environ 80 millimètres de mercure (mm Hg), et que la pression ventriculaire droite dépasse la pression dans le tronc pulmonaire, qui est d'environ 20 mm Hg, les valves aortique et pulmonaire s'ouvrent et le sang commence à être éjecté du cœur. La pression dans le ventricule gauche monte jusqu'à environ 120 mm Hg, tandis que la pression dans le ventricule droit atteint environ 30 mm Hg. La période pendant laquelle les valves aortique et pulmonaire sont ouvertes est appelée **phase d'éjection ventriculaire 3b** et dure environ 0,25 s (250 ms). Lorsque les ventricules commencent à se relâcher, la pression ventriculaire chute, les valves aortique et pulmonaire se ferment et une autre phase de quiescence commence. Plus le cœur bat vite, plus la phase de quiescence est courte, mais la durée de la systole auriculaire et de la systole ventriculaire diminue très peu.

Figure 20.14 Situation des valves (en violet) et points d'auscultation (en rouge) des bruits du cœur.

 L'auscultation est l'action d'écouter les bruits qui se produisent à l'intérieur du corps, habituellement au moyen d'un stéthoscope.

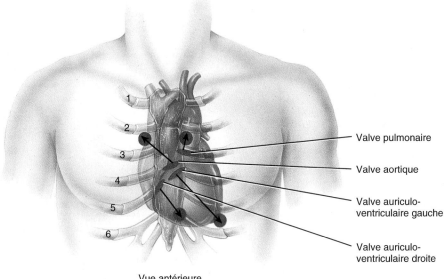

Valve pulmonaire

Valve aortique

Valve auriculo-ventriculaire gauche

Valve auriculo-ventriculaire droite

Vue antérieure

 Quel bruit du cœur est causé par la turbulence du sang pendant la fermeture des valves auriculo-ventriculaires?

Le volume de sang qui reste dans un ventricule à la fin de la systole est appelé **volume télésystolique** (**VTS**). Au repos, le volume télésystolique est d'environ 60 mL. Le **volume systolique** (**VS**), qui est le volume de sang éjecté de chaque ventricule pendant un battement cardiaque, équivaut au volume télédiastolique moins le volume télésystolique: VS = VTD – VTS. Au repos, le volume systolique est d'environ 130 mL – 60 mL = 70 mL.

Bruits du cœur

L'**auscultation** (*auscultare* = écouter) est l'action d'écouter les bruits qui se produisent à l'intérieur de l'organisme, habituellement au moyen d'un stéthoscope. Les bruits des battements cardiaques sont principalement causés par la turbulence du sang au moment de la fermeture des valves. Durant chaque cycle cardiaque, quatre **bruits du cœur** sont émis. Toutefois, dans un cœur normal, seuls les premier et deuxième bruits (B1 et B2) sont audibles au stéthoscope. La figure 20.13d montre à quels événements du cycle cardiaque correspondent les deux premiers bruits du cœur.

Le premier bruit du cœur (B1) est un bruit résonant, plus fort et légèrement plus long que le deuxième bruit. Il est créé par la turbulence du sang pendant la fermeture des valves auriculo-ventriculaires, peu après le début de la systole ventriculaire. Le deuxième bruit (B2) est sec, plus court et moins fort que le premier. Il est causé par la turbulence du sang lors de la fermeture des valves aortique et pulmonaire,

au début de la diastole ventriculaire. Bien que ces bruits soient associés à la fermeture de valves, il est plus facile de les entendre à la surface du thorax, en des endroits légèrement décalés du site réel des valves sous-jacentes (figure 20.14). Ainsi, on entend mieux le bruit associé à la fermeture de la valve aortique (première partie de B2) près du point supérieur droit, celui associé à la fermeture de la valve pulmonaire (deuxième partie de B2), près du point supérieur gauche, celui associé à la fermeture de la valve auriculo-ventriculaire gauche (première partie de B1), près du point inférieur gauche, et celui associé à la fermeture de la valve auriculo-ventriculaire droite (deuxième partie de B1), près du point inférieur droit. Bien qu'ils soient généralement inaudibles, le troisième bruit du cœur (B3) correspond à la turbulence du sang pendant la phase de remplissage ventriculaire rapide et le quatrième bruit (B4) correspond à la phase de contraction auriculaire.

APPLICATION CLINIQUE
Souffles cardiaques

Les bruits du cœur fournissent de précieux renseignements sur le fonctionnement mécanique du cœur. Un **souffle cardiaque** est un bruit anormal (un bruit strident ou un gargouillis) entendu avant, pendant ou après les bruits normaux du cœur, ou masquant ces derniers. Bien que certains souffles soient «innocents» et ne traduisent aucun trouble cardiaque important, ils indiquent la plupart du temps une atteinte valvulaire.

Les anomalies des valves qui produisent des souffles comprennent la **sténose mitrale** (rétrécissement de la valve auriculo-ventriculaire gauche causé par la formation de tissu cicatriciel ou par une anomalie congénitale), l'**insuffisance mitrale** (reflux sanguin du ventricule gauche dans l'oreillette gauche causé par une valve auriculo-ventriculaire gauche endommagée ou des cordages tendineux rompus), la **sténose aortique** (rétrécissement de la valve aortique) et l'**insuffisance aortique** (reflux sanguin de l'aorte dans le ventricule gauche). Le **prolapsus valvulaire mitral,** une maladie héréditaire, produit également un souffle: une des cuspides de la valve auriculo-ventriculaire gauche, ou les deux, font saillie dans l'oreillette gauche pendant la contraction ventriculaire. Bien qu'une petite quantité de sang puisse refluer dans l'oreillette gauche durant la contraction ventriculaire et causer un souffle cardiaque, le prolapsus valvulaire mitral n'est pas toujours grave. Il atteint de 10 à 15 % de la population, en majorité des femmes (65 %). ■

1. Placez dans l'ordre et décrivez les étapes du cycle cardiaque: systole auriculaire, systole ventriculaire, relaxation isovolumétrique, contraction isovolumétrique, période de relaxation, remplissage ventriculaire lent, éjection ventriculaire et remplissage ventriculaire rapide.
2. Illustrez par un diagramme les étapes du cycle cardiaque en fonction du temps.
3. Expliquez la provenance des quatre bruits normaux du cœur. Lesquels sont habituellement audibles au stéthoscope?

DÉBIT CARDIAQUE
OBJECTIF

• *Définir le « débit cardiaque » et décrire les facteurs qui le déterminent.*

Bien que le cœur soit doté de fibres cardionectrices qui lui permettent de battre de façon autonome, son fonctionnement est régi par divers événements se produisant dans le reste de l'organisme. Toutes les cellules de l'organisme ont besoin de recevoir une certaine quantité de sang oxygéné chaque minute pour demeurer vivantes et saines. Lorsqu'elles sont métaboliquement actives, durant un effort par exemple, le sang doit leur fournir plus d'oxygène. Au repos, les besoins métaboliques des cellules diminuent, de même que la charge de travail du cœur.

Le **débit cardiaque** (**DC**) est le volume de sang éjecté du ventricule gauche (ou du ventricule droit) dans l'aorte (ou le tronc pulmonaire) en une minute. Il équivaut au **volume systolique** (**VS**), qui est le volume de sang éjecté des ventricules à chaque contraction, multiplié par la **fréquence cardiaque** (**FC**), c'est-à-dire le nombre de battements cardiaques par minute:

$$DC = VS \times FC$$
$$\text{(mL/min)} \quad \text{(mL/battement)} \quad \text{(battements/min)}$$

Chez un homme adulte au repos, le volume systolique est en moyenne de 70 mL/battement et la fréquence cardiaque, d'environ 75 battements/min. Le débit cardiaque moyen est donc le suivant:

$$DC = 70 \text{ mL/battement} \times 75 \text{ battements/min}$$
$$= 5\,250 \text{ mL/min}$$
$$= 5,25 \text{ L/min}$$

Ce volume se rapproche du volume sanguin total, qui est d'environ 5 L chez un homme adulte en bonne santé. Cela signifie que chaque minute ou presque, la totalité du sang passe dans les circulations pulmonaire et systémique. Lorsque les tissus de l'organisme utilisent des quantités variables d'oxygène selon leurs besoins, le débit cardiaque s'adapte en conséquence. Les facteurs qui augmentent le volume systolique ou la fréquence cardiaque augmentent normalement le débit cardiaque. Ainsi, pendant une activité physique modérée, le volume systolique peut atteindre 100 mL/battement et la fréquence cardiaque, 100 battements/min. Le débit cardiaque est alors de 10 L/min. Pendant un effort physique intense (mais non maximal), la fréquence cardiaque peut atteindre 150 battements/min et le volume systolique, 130 mL/battement, ce qui donne un débit cardiaque de 19,5 L/min.

La différence entre le débit cardiaque maximal et le débit cardiaque au repos est appelée **réserve cardiaque.** En moyenne, la réserve cardiaque est de quatre à cinq fois plus élevée que le débit cardiaque au repos; chez les meilleurs athlètes d'endurance, elle peut être jusqu'à sept ou huit fois plus élevée que le débit cardiaque au repos. Les personnes atteintes d'une cardiopathie grave ont une réserve cardiaque petite ou même nulle, ce qui les empêche d'accomplir les tâches les plus simples de la vie quotidienne.

Régulation du volume systolique

Un cœur sain expulse la totalité du sang qui a pénétré dans ses cavités durant la diastole. Plus la quantité de sang qui revient dans le cœur pendant la diastole est grande, plus la quantité de sang éjecté pendant la systole suivante sera grande. Au repos, le volume systolique équivaut à environ 50 ou 60 % du volume télédiastolique, car de 40 à 50 % du sang reste dans les ventricules après chaque contraction (volume télésystolique). Trois facteurs importants régissent le volume systolique et assurent l'expulsion d'un volume de sang égal des ventricules gauche et droit: 1) la **précharge,** qui est le degré d'étirement du cœur avant qu'il se contracte, 2) la **contractilité,** qui est la force de contraction de chaque fibre musculaire ventriculaire, et 3) la **postcharge,** qui est la pression qui doit être dépassée pour que le sang soit éjecté des ventricules.

Précharge: effet de l'étirement

Une plus grande précharge (étirement) sur les fibres musculaires cardiaques avant une contraction augmente la force de cette contraction. À l'intérieur des limites physiologiques, plus le cœur se remplit pendant la diastole, plus la force de contraction sera grande pendant la systole ; ce rapport est connu sous le nom de **loi de Starling.** Dans l'organisme, la précharge est le volume de sang qui entre dans les ventricules à la fin de la diastole, ou volume télédiastolique (VTD). Normalement, plus le VTD (ou la précharge) est élevé, plus la contraction qui s'ensuit est forte.

La durée de la diastole ventriculaire et la pression veineuse sont les deux principaux facteurs qui déterminent le VTD. Lorsque la fréquence cardiaque augmente, la durée de la diastole est plus courte. Plus le temps de remplissage est court, plus le VTD est petit ; les ventricules peuvent parfois se contracter avant d'être adéquatement remplis. Réciproquement, lorsque la pression veineuse augmente, le volume de sang qui entre dans les ventricules et, par le fait même, le VTD augmentent.

Lorsque la fréquence cardiaque dépasse 160 battements/min, le volume systolique diminue car le temps de remplissage est court. À une fréquence cardiaque aussi rapide, le VDT est moins élevé, de même que la précharge. Par contre, chez les personnes qui présentent une fréquence cardiaque lente au repos, le volume systolique au repos est élevé car le temps de remplissage est plus long et la précharge, plus grande.

Selon la loi de Starling, le débit sanguin des ventricules droit et gauche est toujours égal, si bien qu'un volume sanguin égal passe dans les circulations systémique et pulmonaire. Si, par exemple, le côté gauche du cœur expulse un peu plus de sang que le côté droit, le volume de sang qui revient dans le ventricule droit (retour veineux) augmente. Et lorsque le VDT augmente, le ventricule droit se contracte plus vigoureusement pendant le battement suivant, ce qui rétablit l'équilibre entre les deux côtés.

Contractilité

Le deuxième facteur qui agit sur le volume systolique est la **contractilité** du myocarde, c'est-à-dire sa force de contraction après n'importe quelle précharge. Les substances qui font augmenter la contractilité sont des **agents inotropes positifs** et celles qui la font diminuer, des **agents inotropes négatifs.** Donc, lorsque la précharge est constante, le volume systolique augmente en présence d'un agent inotrope positif. Les agents inotropes positifs favorisent souvent l'influx de Ca^{2+} durant les potentiels d'action cardiaques, ce qui augmente la force de la contraction subséquente des fibres musculaires. La stimulation de la partie sympathique du système nerveux autonome (SNA), des hormones comme l'adrénaline et la noradrénaline, une augmentation de la concentration de Ca^{2+} dans le liquide extracellulaire et la digitaline, un médicament, produisent des effets inotropes positifs. Par contre, l'inhibition de la partie sympathique du SNA, l'anoxie, l'acidose, certains anesthésiques (l'halothane, par exemple) et une augmentation du taux de K^+ dans le liquide extracellulaire ont des effets inotropes négatifs. Certains médicaments appelés inhibiteurs des canaux calciques ont également un effet inotrope négatif car ils réduisent l'entrée de Ca^{2+}, ce qui diminue la force des battements cardiaques.

Postcharge

Le cœur commence à éjecter du sang lorsque la pression dans le ventricule droit dépasse la pression dans le tronc pulmonaire (qui est d'environ 20 mm Hg), et lorsque la pression dans le ventricule gauche dépasse la pression dans l'aorte (qui est d'environ 80 mm Hg). À ce moment, la pression plus élevée dans les ventricules pousse le sang contre les valves aortique et pulmonaire, qui s'ouvrent. La pression qui s'oppose alors à l'ouverture d'une de ces deux valves est appelée **postcharge.** À n'importe quelle précharge, l'augmentation de la postcharge diminue le volume systolique et augmente la quantité de sang qui reste dans les ventricules à la fin de la systole. Les facteurs qui peuvent augmenter la postcharge comprennent l'hypertension (pression artérielle élevée) et le rétrécissement des artères par l'athérosclérose (voir p. 702).

APPLICATION CLINIQUE
Insuffisance cardiaque

L'**insuffisance cardiaque** est une défaillance de la pompe cardiaque. Elle peut être causée par une coronaropathie (voir p. 701), certaines anomalies congénitales, une hypertension prolongée (qui augmente la postcharge), des infarctus du myocarde (zones de tissu cardiaque nécrosé lors d'une précédente crise cardiaque) et des troubles valvulaires. À mesure que la pompe cardiaque devient moins efficace, une plus grande quantité de sang demeure dans les ventricules à la fin de chaque cycle cardiaque et le volume télédiastolique (précharge) augmente graduellement. Au début, l'augmentation de la précharge peut accroître la force de la contraction (loi de Starling), mais à la longue le cœur s'étire et ses contractions s'affaiblissent. Il en résulte une boucle de rétroactivation où l'efficacité amoindrie de la pompe cardiaque conduit à une diminution de sa capacité de pompage.

Souvent, un côté du cœur faiblit avant l'autre. Si le ventricule gauche est atteint en premier, il ne peut plus éjecter tout le sang qu'il reçoit, et le volume résiduel reflue dans les poumons ; ce phénomène est appelé *œdème pulmonaire*. Sans traitement, l'accumulation de liquide dans les poumons peut conduire à la suffocation. Si le ventricule droit est atteint en premier, le sang reflue dans les vaisseaux de la circulation systémique, créant ainsi un *œdème des membres inférieurs* qui est plus apparent dans les pieds et les chevilles. ■

Régulation de la fréquence cardiaque

Nous avons vu que le débit cardiaque est fonction de la fréquence cardiaque et du volume systolique. La fréquence cardiaque doit constamment s'adapter pour permettre la régulation à court terme du débit cardiaque et de la pression

Figure 20.15 Régulation cardiaque par le système nerveux autonome.

 Le centre cardiovasculaire du bulbe rachidien régit à la fois les nerfs sympathiques et les nerfs parasympathiques qui innervent le cœur.

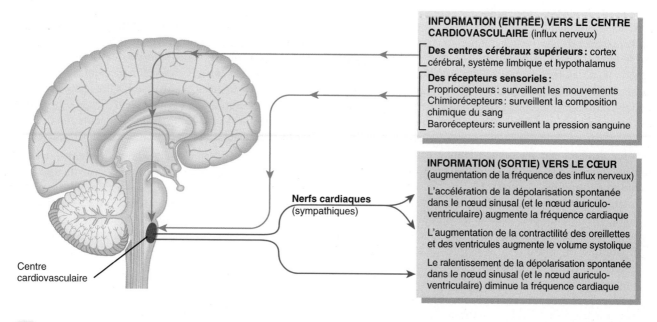

INFORMATION (ENTRÉE) VERS LE CENTRE CARDIOVASCULAIRE (influx nerveux)

Des centres cérébraux supérieurs : cortex cérébral, système limbique et hypothalamus

Des récepteurs sensoriels :
Propriocepteurs : surveillent les mouvements
Chimiorécepteurs : surveillent la composition chimique du sang
Barorécepteurs : surveillent la pression sanguine

INFORMATION (SORTIE) VERS LE CŒUR (augmentation de la fréquence des influx nerveux)

L'accélération de la dépolarisation spontanée dans le nœud sinusal (et le nœud auriculoventriculaire) augmente la fréquence cardiaque

L'augmentation de la contractilité des oreillettes et des ventricules augmente le volume systolique

Le ralentissement de la dépolarisation spontanée dans le nœud sinusal (et le nœud auriculoventriculaire) diminue la fréquence cardiaque

Nerfs cardiaques (sympathiques)

Centre cardiovasculaire

Q Quelle région du cœur est innervée par la partie sympathique du système nerveux autonome, mais non par sa partie parasympathique ?

artérielle. Le nœud sinusal déclenche la contraction et, laissé à lui-même, établirait une fréquence cardiaque constante de 90 à 100 battements/min. Cependant, les tissus ont besoin d'un apport sanguin adapté à chaque situation dans laquelle ils se trouvent. Pendant l'exercice physique, par exemple, le débit cardiaque augmente pour que les tissus sollicités reçoivent des quantités accrues d'oxygène et de nutriments. Le volume systolique peut diminuer en présence d'une lésion du myocarde ventriculaire ou d'une hémorragie qui réduit le volume sanguin. Des mécanismes homéostatiques interviennent alors pour maintenir un débit cardiaque suffisant en augmentant la fréquence cardiaque et la contractilité du cœur. Parmi les nombreux facteurs qui contribuent à la régulation de la fréquence cardiaque, les plus importants sont le système nerveux autonome et les hormones libérées par la médullosurrénale (adrénaline et noradrénaline).

Régulation de la fréquence cardiaque par le système nerveux autonome

La régulation de la fréquence cardiaque par le système nerveux commence dans le **centre cardiovasculaire** du bulbe rachidien. Cette région de l'encéphale reçoit les influx de divers récepteurs sensoriels et de centres nerveux supérieurs comme le système limbique et le cortex cérébral. La réponse du centre cardiovasculaire consiste à augmenter ou à dimi-

nuer la fréquence des influx nerveux en faisant intervenir les parties sympathique et parasympathique du système nerveux autonome (figure 20.15).

Avant même le début de l'activité physique, particulièrement s'il s'agit d'une compétition, la fréquence cardiaque peut augmenter. Cette hausse anticipée provient du système limbique, qui transmet des influx nerveux au centre cardiovasculaire du bulbe rachidien. Lorsque l'activité physique débute, les **propriocepteurs** qui surveillent la position des membres et des muscles envoient plus fréquemment des influx nerveux au centre cardiovasculaire. Les propriocepteurs participent dans une large mesure à l'augmentation rapide de la fréquence cardiaque au début d'une activité physique. D'autres récepteurs sensoriels stimulent le centre cardiovasculaire, notamment les **chimiorécepteurs,** qui se tiennent à l'affût des modifications chimiques dans le sang, et les **barorécepteurs,** qui surveillent la pression sanguine dans les principales artères et veines du corps. Les importants barorécepteurs de l'arc aortique et des artères carotides (voir la figure 21.13, p. 724) détectent les changements de pression artérielle et relaient cette information au centre cardiovasculaire. Les réflexes des barorécepteurs, qui participent aussi à la régulation de la pression sanguine, sont décrits au chapitre 21. Nous nous attarderons ici à l'innervation du cœur par les parties sympathique et parasympathique du système nerveux autonome.

Les fibres nerveuses sympathiques s'étendent du bulbe rachidien jusqu'à la moelle épinière. Issus de la région thoracique de la moelle épinière, les **nerfs cardiaques** innervent le nœud sinusal, le nœud auriculo-ventriculaire et la majeure partie du myocarde. Les influx acheminés par les nerfs cardiaques stimulent la libération de noradrénaline, qui se lie aux récepteurs bêta$_1$-adrénergiques des fibres musculaires cardiaques. Cette interaction exerce deux effets séparés : 1) dans les fibres des nœuds sinusal et auriculo-ventriculaire, la noradrénaline accélère la dépolarisation spontanée pour que les influx soient déchargés plus rapidement et que la fréquence cardiaque augmente ; 2) dans les fibres contractiles des oreillettes et des ventricules, la noradrénaline augmente l'entrée de Ca^{2+} par les canaux lents à calcium voltage-dépendants, ce qui accroît la contractilité du cœur et la quantité de sang éjecté pendant la systole. Lorsque l'augmentation de la fréquence cardiaque est modérée, le volume systolique ne diminue pas, car la contractilité accrue compense la baisse de la précharge. Cependant, lorsque la stimulation sympathique est maximale, la fréquence cardiaque peut atteindre 200 battements/min chez une personne de 20 ans. À une telle fréquence, le volume systolique est plus faible qu'au repos car le temps de remplissage est très court. La fréquence cardiaque maximale diminue avec l'âge ; pour la calculer, il suffit de soustraire l'âge d'une personne du chiffre 220.

Les influx nerveux parasympathiques atteignent le cœur en empruntant les **nerfs vagues** (**X**) droit et gauche, dont les fibres nerveuses innervent le nœud sinusal, le nœud auriculo-ventriculaire et le myocarde auriculaire. Ces fibres nerveuses libèrent de l'acétylcholine, qui réduit la fréquence cardiaque en provoquant une hyperpolarisation et en ralentissant la dépolarisation spontanée dans les cellules cardionectrices. Comme un petit nombre seulement de fibres nerveuses vagales innervent le muscle ventriculaire, les changements touchant l'activité parasympathique ont peu d'effet, voire aucun, sur la contractilité des ventricules.

L'équilibre entre la stimulation sympathique et la stimulation parasympathique du cœur varie constamment. Au repos, la stimulation parasympathique domine. La fréquence cardiaque au repos, qui est d'environ 75 battements/min, est habituellement plus faible que le rythme du nœud sinusal (90 à 100 battements/min). En présence d'une stimulation maximale de la partie parasympathique, la fréquence cardiaque peut ralentir jusqu'à 20 ou 30 battements/min, et le cœur peut même cesser de battre momentanément.

Régulation chimique de la fréquence cardiaque

Certaines substances chimiques influent à la fois sur la physiologie du muscle cardiaque et sur la fréquence cardiaque. Par exemple, l'hypoxie (baisse du taux d'oxygène), l'acidose (pH faible) et l'alcalose (pH élevé) diminuent l'activité cardiaque. Les substances chimiques qui exercent les effets les plus marqués sur le cœur se divisent en deux groupes :

1. *Hormones.* L'adrénaline et la noradrénaline (libérées par la médullosurrénale) augmentent l'efficacité de la pompe cardiaque. Ces hormones agissent en effet sur les fibres musculaires cardiaques de la même façon que la noradrénaline libérée par les nerfs cardiaques : elles augmentent à la fois la fréquence cardiaque et la contractilité. L'exercice, le stress et l'excitation amènent la médullosurrénale à libérer une plus grande quantité d'hormones. Les hormones thyroïdiennes accroissent également la contractilité du cœur et la fréquence cardiaque. Un des signes de l'hyperthyroïdie (sécrétion anormalement élevée d'hormones thyroïdiennes) est la tachycardie (augmentation de la fréquence cardiaque au repos).

2. *Ions.* Puisque les différences entre les concentrations intracellulaires et extracellulaires de plusieurs ions (Na^+ et K^+, par exemple) sont essentielles à la production de potentiels d'action dans toutes les fibres musculaires et nerveuses, les déséquilibres ioniques nuisent rapidement à l'efficacité de la pompe cardiaque. Les concentrations relatives de trois ions en particulier, soit K^+, Ca^{2+} et Na^+, influent considérablement sur la fonction cardiaque. Les concentrations sanguines élevées de K^+ ou de Na^+ diminuent la fréquence cardiaque et la contractilité. L'excès de Na^+ bloque l'entrée de Ca^{2+} pendant les potentiels d'action cardiaques, ce qui diminue la force des contractions, tandis que l'excès de K^+ bloque la production des potentiels d'action. Une augmentation modérée des concentrations extracellulaires (et donc intracellulaires) de Ca^{2+} augmente la fréquence cardiaque et renforce les battements cardiaques.

Autres facteurs de la régulation de la fréquence cardiaque

L'âge, le sexe, la forme physique et la température corporelle ont aussi une influence sur la fréquence cardiaque au repos. Un nouveau-né présente normalement une fréquence cardiaque au repos de plus de 120 battements/min, mais cette valeur diminue durant l'enfance. Les personnes âgées cependant ont parfois une fréquence cardiaque plus rapide. Chez les femmes adultes, la fréquence cardiaque au repos est légèrement plus élevée que chez les hommes, bien que l'exercice physique pratiqué régulièrement contribue à diminuer cette valeur chez les deux sexes. Une personne en bonne forme physique peut même présenter une bradycardie, c'est-à-dire une fréquence cardiaque au repos inférieure à 60 battements/min. La bradycardie est un effet bénéfique de l'entraînement axé sur l'endurance, car un cœur qui bat lentement est plus efficace qu'un cœur qui bat rapidement.

L'élévation de la température corporelle, qui peut accompagner une fièvre ou un effort physique intense par exemple, accélère la décharge d'influx nerveux par le nœud sinusal, ce qui augmente la fréquence cardiaque. La diminution de la température corporelle réduit la fréquence cardiaque et la force des contractions. Durant la réfection

Figure 20.16 Facteurs qui augmentent le débit cardiaque.

Le débit cardiaque équivaut au volume systolique multiplié par la fréquence cardiaque.

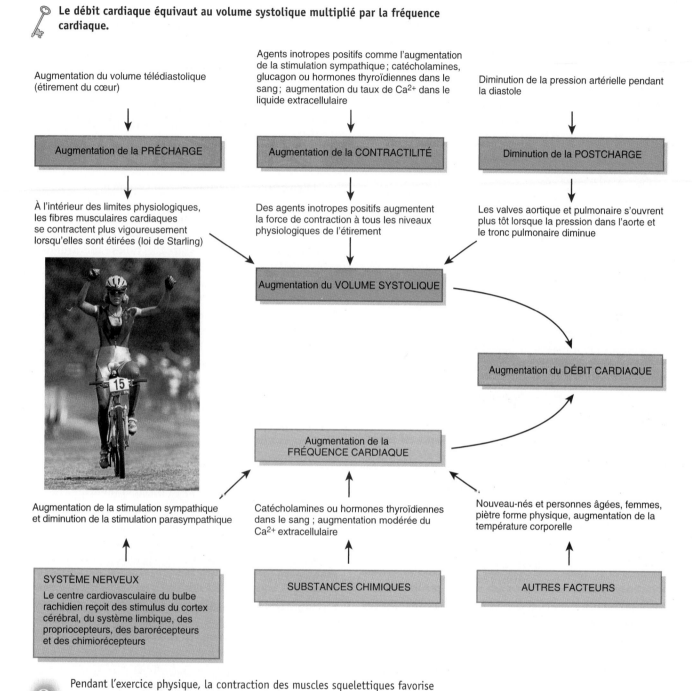

Pendant l'exercice physique, la contraction des muscles squelettiques favorise un retour veineux plus rapide vers le cœur. Cela a-t-il pour effet d'augmenter ou de diminuer le volume systolique ?

chirurgicale de certaines anomalies cardiaques, on ralentit la fréquence cardiaque en induisant une **hypothermie,** c'est-à-dire une baisse délibérée de la température corporelle centrale. L'hypothermie ralentit également le métabolisme, ce qui réduit les besoins en oxygène des tissus et permet au cœur et au cerveau de survivre aux courtes interruptions ou diminutions du débit sanguin qui peuvent survenir pendant l'intervention.

La figure 20.16 résume les facteurs qui peuvent augmenter le volume systolique et la fréquence cardiaque et, par conséquent, le débit cardiaque.

1. Comment calcule-t-on le débit cardiaque ?
2. Définissez le *volume systolique* et expliquez les facteurs qui le régissent.

3. Qu'est-ce que la loi de Starling? En quoi est-elle importante?

4. Définissez la *réserve cardiaque*. Comment l'entraînement physique la modifie-t-elle?

5. Expliquez comment les parties sympathique et parasympathique du système nerveux autonome ajustent la fréquence cardiaque.

EFFETS DE L'EXERCICE SUR LE CŒUR

OBJECTIF

• *Expliquer le lien entre l'exercice physique et le cœur.*

Quelle que soit notre forme physique, il n'y a pas d'âge pour chercher à l'améliorer en faisant de l'exercice. Divers types d'exercices s'offrent à nous, mais certains favorisent plus que d'autres le bon fonctionnement du système cardiovasculaire. Les **exercices d'aérobie,** comprenant toutes les activités qui sollicitent les grands muscles du corps pendant au moins 20 minutes, augmentent le débit cardiaque et accélèrent le métabolisme. Pour améliorer de façon notable le fonctionnement du système cardiovasculaire, on recommande une fréquence de trois à cinq séances d'exercice par semaine. La marche rapide, la course, la bicyclette, le ski de fond et la natation sont des exemples d'activités d'aérobie.

Tout effort soutenu augmente les besoins en oxygène des muscles. Ces besoins sont comblés dans la mesure où le débit cardiaque est adéquat et que le système respiratoire fonctionne bien. Chez une personne en bonne santé, le débit cardiaque maximal augmente au bout de plusieurs semaines d'entraînement, ce qui accroît la vitesse maximale de distribution de l'oxygène aux tissus. L'apport d'oxygène est également plus grand, car le taux d'hémoglobine augmente et de nouveaux réseaux capillaires apparaissent dans les muscles squelettiques en réponse à cet entraînement continu.

Durant un effort intense, un athlète bien entraîné peut atteindre un débit cardiaque deux fois plus élevé que celui d'une personne sédentaire, en partie parce que l'entraînement provoque une hypertrophie du cœur. Bien que le cœur de cet athlète soit plus grand, son débit cardiaque *au repos* reste sensiblement le même que chez une personne en bonne santé qui ne s'entraîne pas, car le volume systolique est plus élevé alors que la fréquence cardiaque est plus faible. La fréquence cardiaque au repos d'un athlète bien entraîné n'est souvent que de 40 à 60 battements/min (bradycardie au repos). La pratique régulière d'un exercice physique favorise également la diminution de la pression artérielle, soulage

l'anxiété et la dépression, contribue au contrôle du poids corporel et augmente la capacité de l'organisme à dissoudre les caillots en stimulant l'activité fibrinolytique.

1. Nommez quelques bienfaits de l'exercice physique régulier sur le système cardiovasculaire.

DÉVELOPPEMENT EMBRYONNAIRE DU CŒUR

OBJECTIF

• *Décrire le développement du cœur.*

Dérivé du **mésoderme,** le *cœur* commence à s'élaborer avant la fin de la troisième semaine de gestation dans la région ventrale de l'embryon, en dessous du proentéron (voir la figure 24.28b). La première étape de son développement est la formation de deux tubes, les **tubes endocardiques,** issus de cellules mésodermiques (figure 20.17). Ces ébauches fusionnent ensuite pour former le **tube cardiaque primitif.** Puis celui-ci se divise en cinq régions: 1) le **tronc artériel,** 2) le **bulbe primitif du cœur,** 3) le **ventricule primitif,** 4) l'**oreillette primitive** et 5) le **sinus veineux.** Comme le bulbe primitif du cœur et le ventricule primitif sont les plus rapides à croître et que le cœur grossit plus vite que ses appendices supérieurs et inférieurs, le cœur se présente d'abord en forme de U, puis en forme de S. Les courbures du cœur réorientent les cinq régions pour que l'oreillette primitive et le sinus veineux soient placés au-dessus du bulbe primitif, du ventricule primitif et du tronc artériel. Les contractions du tube cardiaque primitif commencent vers le vingt-deuxième jour de gestation; elles proviennent du sinus veineux et forcent le sang à sortir du cœur tubulaire.

Vers la septième semaine de gestation, le **septum interauriculaire** se forme dans la région auriculaire. Cette cloison divise la région auriculaire en une *oreillette droite* et une *oreillette gauche.* Elle est percée par une ouverture, le **foramen ovale du cœur,** qui se ferme normalement après la naissance et laisse une dépression appelée *fosse ovale.* Une autre cloison, le **septum interventriculaire,** divise la région ventriculaire en un *ventricule droit* et un *ventricule gauche.* Le bulbe primitif du cœur et le tronc artériel se divisent pour constituer deux vaisseaux: l'*aorte* (qui est issue du ventricule gauche) et le *tronc pulmonaire* (qui est issu du ventricule droit). Les grandes veines du cœur, soit la *veine cave supérieure* et la *veine cave inférieure,* se développent à partir de l'extrémité veineuse du tube cardiaque primitif.

1. Quelles sont les structures issues du bulbe primitif du cœur et du tronc artériel?

Figure 20.17 Développement du cœur. Les flèches à l'intérieur des illustrations indiquent dans quelle direction le sang circule.

 Le cœur commence à s'élaborer à partir du mésoderme avant la fin de la troisième semaine de gestation.

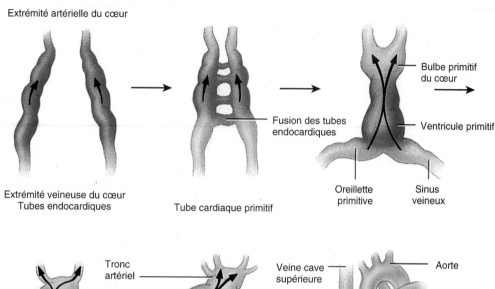

Extrémité artérielle du cœur

Bulbe primitif du cœur

Ventricule primitif

Fusion des tubes endocardiques

Extrémité veineuse du cœur
Tubes endocardiques

Tube cardiaque primitif

Oreillette primitive

Sinus veineux

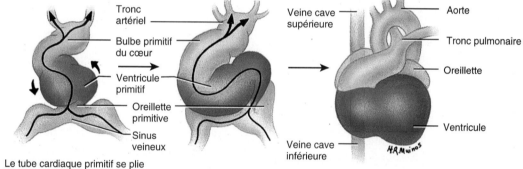

Tronc artériel

Bulbe primitif du cœur

Ventricule primitif

Oreillette primitive

Sinus veineux

Le tube cardiaque primitif se plie

Veine cave supérieure

Veine cave inférieure

Aorte

Tronc pulmonaire

Oreillette

Ventricule

Q À quel stade de la gestation le tube cardiaque primitif commence-t-il à se contracter ?

DÉSÉQUILIBRES HOMÉOSTATIQUES

CORONAROPATHIE

La **coronaropathie** est une maladie grave qui touche chaque année près de 7 millions de personnes et fait environ un demi-million de morts aux États-Unis. Sous l'effet de l'accumulation de plaques d'athérosclérose (décrites ci-dessous) dans les artères coronaires, le débit sanguin vers le myocarde diminue. Certaines personnes ne présentent aucun signe ou symptôme, d'autres souffrent d'une angine de poitrine, d'autres encore sont victimes d'un infarctus du myocarde.

Facteurs de risque de la coronaropathie

La combinaison de certains facteurs de risque rend certaines personnes plus vulnérables que d'autres à la coronaropathie. Les *facteurs de risque* sont des caractéristiques, des symptômes ou des signes que présente une personne en bonne santé et qui augmentent statistique-

ment le risque qu'elle court d'être atteinte d'une maladie. Certains des facteurs de risque de la coronaropathie peuvent être modifiés par un changement de régime alimentaire et l'adoption de nouvelles habitudes de vie ou encore peuvent être atténués par la prise de médicaments. Les facteurs de risque de la coronaropathie comprennent l'hypercholestérolémie, l'hypertension artérielle, le tabagisme, l'obésité, le diabète, la personnalité de « type A » et la sédentarité. Des recherches ont montré que l'exercice physique modéré et un régime alimentaire faible en gras peuvent non seulement freiner la progression de la maladie, mais aussi en inverser le processus. Par ailleurs, d'autres facteurs de risque ne peuvent pas être modifiés, par exemple l'hérédité (antécédents familiaux de coronaropathie à un jeune âge), l'âge et le sexe. (Ainsi, bien que la coronaropathie atteigne plus souvent les hommes adultes que les femmes adultes, les risques sont égaux pour les deux sexes après l'âge de 70 ans.)

Figure 20.18 Photomicrographie d'une artère partiellement obstruée par une plaque d'athérosclérose.

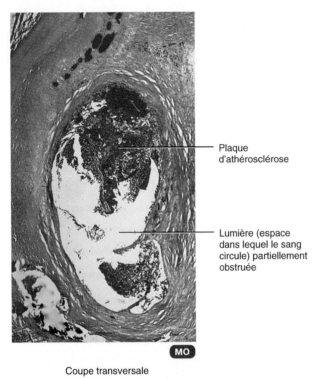

Plaque d'athérosclérose

Lumière (espace dans lequel le sang circule) partiellement obstruée

MO

Coupe transversale

Développement des plaques d'athérosclérose

La description suivante de l'athérosclérose porte sur les artères coronaires, mais elle pourrait tout aussi bien convenir aux autres artères de l'organisme. L'épaississement de la paroi des artères et leur perte d'élasticité sont les deux principales caractéristiques des maladies regroupées sous le nom d'**artériosclérose** (*sklêros* = dur). L'**athérosclérose** est une maladie évolutive caractérisée par la formation, sur la paroi interne des artères de grande et moyenne dimension, de lésions appelées **plaques d'athérosclérose** (figure 20.18). La maladie est déclenchée par un facteur ou un ensemble de facteurs inconnus qui endommagent l'endothélium des parois artérielles. Les facteurs susceptibles d'amorcer le processus comprennent une concentration élevée de lipoprotéines de basse densité (LDL) circulantes, le cytomégalovirus (un virus courant de la famille des *Herpesviridæ*), l'hypertension artérielle prolongée, le monoxyde de carbone dans la fumée de cigarette et le diabète. L'athérosclérose s'installe lorsque l'un de ces facteurs endommage l'endothélium d'une artère, ce qui favorise l'agrégation des plaquettes et attire des phagocytes.

Près de la lésion, le cholestérol et les triglycérides s'accumulent dans la couche interne de la paroi de l'artère. Le processus inflammatoire attire également des macrophages à cet endroit. Mises en contact avec des plaquettes, des lipides et d'autres composants du sang, les cellules musculaires lisses et les fibres collagènes de la paroi prolifèrent anormalement. En réponse à cette prolifération et à l'accumulation de lipides, une plaque d'athérosclérose se forme et bloque progressivement le passage du sang à mesure qu'elle croît. Cette plaque peut aussi créer une surface rugueuse qui attire les plaquettes, ce qui provoque la formation d'un caillot qui obstrue

encore davantage l'artère. Par ailleurs, un thrombus ou un fragment de thrombus peut se déloger et se transformer en embole qui ira obstruer l'écoulement du sang dans d'autres vaisseaux.

Diagnostic de la coronaropathie

Le **cathétérisme cardiaque** est une méthode effractive servant à visualiser les artères coronaires ainsi que les cavités, les valves et les gros vaisseaux du cœur. On l'utilise également pour procéder à diverses épreuves: mesurer la pression dans le cœur et les vaisseaux sanguins; évaluer le fonctionnement, le débit cardiaque et les propriétés diastoliques du ventricule gauche; mesurer l'écoulement du sang dans le cœur et les vaisseaux sanguins, la concentration sanguine d'oxygène et l'état des valves du cœur et du système de conduction; localiser avec précision les anomalies septales et valvulaires. La procédure consiste à insérer un **cathéter,** c'est-à-dire un tube de plastique, long, souple et opaque aux rayons X, dans une veine périphérique (pour visualiser le cœur droit) ou dans une artère périphérique (pour visualiser le cœur gauche) et à le déplacer en se guidant au fluoroscope (observation aux rayons X).

Dans l'**angiographie cardiaque,** une autre méthode effractive, on utilise un cathéter pour injecter un produit de contraste opaque aux rayons X dans les vaisseaux sanguins ou les cavités du cœur. On peut ainsi visualiser les artères coronaires, l'aorte, les vaisseaux sanguins des poumons et les ventricules dans le but d'évaluer les anomalies structurales dans les vaisseaux sanguins (des plaques d'athérosclérose et des emboles, par exemple), le volume ventriculaire, l'épaisseur des parois et leur mouvement. L'angiographie cardiaque sert également à injecter des médicaments thrombolytiques comme la streptokinase ou l'activateur tissulaire du plasminogène (t-PA) dans une artère coronaire afin de dissoudre le caillot qui l'obstrue.

Traitement de la coronaropathie

Les options de traitement de la coronaropathie comprennent les médicaments (nitroglycérine, agents bêtabloquants, hypocholestérolémiants et agents thrombolytiques) et diverses interventions chirurgicales et non chirurgicales visant à augmenter l'apport sanguin vers le cœur.

Le **pontage aorto-coronarien** est une intervention chirurgicale dans laquelle on greffe sur une artère coronaire un vaisseau sanguin prélevé sur une autre partie du corps pour que le sang contourne une région bloquée. Un morceau du vaisseau greffé est suturé entre l'aorte et la portion non bloquée de l'artère coronaire atteinte (figure 20.19a).

L'**angioplastie percutanée transluminale** (*aggeion* = vaisseau; *plassein* = façonner; *per* = à travers; *cutis* = peau; *trans* = par-delà; *lumen* = lumière) est une intervention non chirurgicale. On insère une sonde à ballonnet dans l'artère d'un bras ou d'une jambe et on la glisse lentement vers une artère coronaire (figure 20.19b). Puis, on injecte un produit de contraste et on prend des angiogrammes (radiographies des vaisseaux sanguins) pour localiser les plaques d'athérosclérose. La sonde est ensuite déplacée jusqu'au siège de l'obstruction et gonflée d'air pour qu'elle puisse écraser la plaque contre la paroi du vaisseau sanguin. Étant donné que de 30 à 50 % environ des artères traitées de cette façon rétrécissent de nouveau (resténose) dans les six mois suivant l'intervention, on installe parfois un dispositif spécial appelé *tuteur,* ou *extenseur,* au moyen d'un cathéter. Le tuteur est une pièce en acier inoxydable semblable à un ressort qui maintient en permanence l'ouverture de l'artère et permet au sang d'y circuler (figure 20.19c). La resténose est parfois due à des lésions causées pendant l'intervention, car l'angioplastie percutanée transluminale peut endommager la paroi d'une artère coronaire, ce qui active l'aggrégation plaquettaire, la prolifération de fibres musculaires lisses et la formation de plaques.

ISCHÉMIE ET INFARCTUS DU MYOCARDE

L'obstruction partielle de l'écoulement sanguin dans les artères coronaires peut causer une **ischémie myocardique** (*iskhaimos* = qui arrête le sang). Elle entraîne généralement une **hypoxie** (réduction de l'apport d'oxygène) qui affaiblit les cellules sans les détruire. L'**angine de poitrine** (*angina* = angoisse) est une douleur aiguë et intense qui accompagne souvent l'ischémie myocardique. La personne atteinte éprouve la sensation d'avoir la poitrine serrée ou écrasée comme si elle était coincée dans un étau. L'angine de poitrine survient souvent au cours d'un effort, car le cœur a alors besoin de plus d'oxygène, et elle disparaît au repos. La douleur est souvent ressentie dans le cou, le menton ou le long du bras gauche, jusqu'au coude. Chez certaines personnes, en particulier les diabétiques atteints d'une neuropathie (maladie du système nerveux périphérique ou autonome), les crises d'ischémie ne produisent aucune douleur. Ce phénomène, appelé **ischémie myocardique silencieuse,** est particulièrement dangereux car la douleur est un avertissement qu'une crise cardiaque est imminente.

L'obstruction complète de l'écoulement sanguin peut provoquer un **infarctus du myocarde** (couramment appelé crise cardiaque). Le mot *infarctus* signifie la nécrose, ou destruction, d'un tissu causée par un apport sanguin interrompu. Le tissu cardiaque distal par rapport à l'obstruction est détruit et remplacé par du tissu cicatriciel non contractile, et le muscle cardiaque perd une partie de sa force. Les conséquences de cet affaiblissement dépendent en partie de l'étendue de l'obstruction et de la région atteinte. En plus de détruire le tissu cardiaque normal, l'infarctus peut perturber le système de conduction du cœur et causer la mort en déclenchant une fibrillation ventriculaire. Les traitements de l'infarctus du myocarde incluent l'injection d'un agent thrombolytique (pour dissoudre les caillots) comme la streptokinase ou le t-PA, la prise d'héparine (un anticoagulant), une angioplastie percutanée transluminale ou un pontage aorto-coronarien. Fort heureusement, le muscle cardiaque peut encore fonctionner chez une personne au repos même s'il ne reçoit que de 10 à 15 % de l'apport sanguin normal, mais cette personne ne pourra vraisemblablement s'adonner à aucune activité physique. Par ailleurs, les nombreuses anastomoses des vaisseaux sanguins coronaires permettent à certains patients de survivre à un infarctus du myocarde.

CARDIOPATHIES CONGÉNITALES

On regroupe sous le terme de **cardiopathies congénitales** les anomalies du cœur présentes à la naissance et qui se sont souvent développées pendant la vie fœtale. Nombre de ces anomalies ne sont pas graves et ne sont jamais décelées, d'autres guérissent d'elles-mêmes, mais certaines menacent la survie et doivent être traitées par des interventions chirurgicales allant de la simple suture au remplacement des parties déficientes par des dispositifs synthétiques. Les cardiopathies congénitales comprennent :

- **Coarctation de l'aorte.** Le rétrécissement d'un segment de l'aorte réduit l'apport de sang oxygéné dans l'organisme, ce qui oblige le ventricule gauche à pomper le sang plus vigoureusement et provoque l'hypertension artérielle.

Figure 20.19 Trois méthodes visant à rétablir la circulation du sang dans des artères coronaires obstruées.

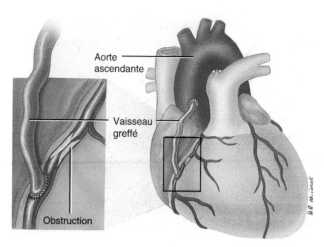

(a) Pontage aorto-coronarien

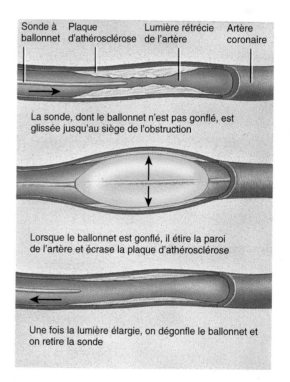

(b) Angioplastie percutanée transluminale

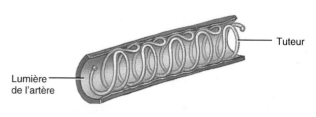

(c) Tuteur dans une artère

- **Persistance du conduit artériel.** Chez certains bébés, le conduit artériel, un vaisseau sanguin temporaire unissant l'aorte au tronc pulmonaire, ne se ferme pas comme il le devrait après la naissance. Par conséquent, le sang aortique s'écoule dans le tronc pulmonaire, où la pression est faible, ce qui augmente la pression sanguine dans ce vaisseau et surcharge les deux ventricules.

- **Malformation septale.** Il s'agit d'une ouverture du septum qui sépare l'intérieur du cœur en côtés gauche et droit. Dans la **communication interauriculaire,** le foramen ovale qui unissait les deux oreillettes du fœtus ne se ferme pas après la naissance. La **communication interventriculaire** est causée par une fermeture incomplète du septum interventriculaire, ce qui permet au sang oxygéné de passer directement du ventricule gauche au ventricule droit, où il se mélange à du sang non oxygéné.

- **Tétralogie de Fallot.** Cette affection regroupe quatre malformations : une communication interventriculaire, l'émergence de l'aorte des deux ventricules plutôt que du ventricule gauche seulement, une sténose de la valve pulmonaire et un ventricule droit hypertrophié. Le sang désoxygéné du ventricule droit passe dans le ventricule gauche par le septum interventriculaire, se mélange au sang oxygéné et est éjecté dans la circulation systémique. Puisque l'aorte émerge du ventricule droit et que le tronc pulmonaire est sténosé, une très petite quantité de sang seulement atteint la circulation pulmonaire. Il en résulte une cyanose, c'est-à-dire le bleuissement de la peau, visible surtout sur le lit des ongles et les muqueuses, qui est occasionné par un taux élevé d'hémoglobine désoxygénée. La tétralogie de Fallot est l'un des troubles responsables de la maladie bleue des nouveau-nés.

TERMES MÉDICAUX

Arrêt cardiaque Terme clinique indiquant que les battements cardiaques cessent d'être efficaces. Le cœur peut être complètement arrêté ou se trouver en fibrillation ventriculaire.

Cardiomégalie Augmentation du volume du cœur.

Cœur pulmonaire Terme désignant l'hypertrophie du ventricule droit causée par des affections qui élèvent la pression artérielle dans la circulation pulmonaire.

Insuffisance valvulaire Toute anomalie d'une valve qui ne se ferme pas correctement, ce qui permet au sang de refluer.

Mort cardiaque subite Arrêt soudain de la circulation sanguine et de la respiration causé par une cardiopathie sous-jacente (ischémie, infarctus du myocarde ou arythmie).

Palpitation Tressaillement du cœur, ou anomalie du rythme cardiaque ressentie par une personne.

Réanimation cardiorespiratoire Rétablissement par des moyens artificiels d'une respiration et d'une circulation normales ou quasi normales. Cette technique consiste à dégager les voies aériennes, à fournir une ventilation artificielle si la respiration a cessé et à rétablir la circulation si la fonction cardiaque n'est plus adéquate. L'ordre d'exécution de ces trois manœuvres doit être rigoureusement respecté.

Tachycardie paroxystique Brève période pendant laquelle la fréquence cardiaque est anormalement élevée. Survient et disparaît soudainement.

RÉSUMÉ

SITUATION ET POSITION EN SURFACE DU CŒUR (p. 672)

1. Le cœur est situé dans le médiastin ; deux tiers environ de sa masse se trouvent à gauche du plan médian du corps.

2. Le cœur est semblable à un cône couché sur le côté ; il est formé d'un apex, d'une base, de faces sterno-costale et diaphragmatique et de bords droit et gauche.

3. Quatre points servent à situer le cœur sur la surface du thorax.

STRUCTURE ET FONCTION DU CŒUR (p. 674)

1. Le péricarde est la membrane qui entoure et protège le cœur ; il se divise en une enveloppe externe, le péricarde fibreux, et une enveloppe interne, le péricarde séreux, composé de feuillets pariétal et viscéral.

2. Située entre les feuillets pariétal et viscéral du péricarde séreux, la cavité du péricarde est un espace contenant les quelques millilitres de liquide péricardique qui réduit la friction entre les deux membranes.

3. La paroi du cœur comprend trois tuniques : l'épicarde (ou feuillet viscéral du péricarde séreux), le myocarde et l'endocarde.

4. L'épicarde est constitué de mésothélium et de tissu conjonctif, le myocarde, de tissu musculaire cardiaque, et l'endocarde, d'endothélium et de tissu conjonctif.

5. Les cavités cardiaques comportent deux cavités supérieures, les oreillettes droite et gauche, et deux cavités inférieures, les ventricules droit et gauche.

6. Les particularités externes du cœur comprennent les auricules (appendices qui, fixés à chaque oreillette, en augmentent le volume), le sillon coronaire, situé entre les oreillettes et les ventricules, et les sillons interventriculaires antérieur et postérieur, situés entre les ventricules sur les faces antérieure et postérieure du cœur, respectivement.

7. L'oreillette droite reçoit le sang de la veine cave supérieure, de la veine cave inférieure et du sinus coronaire. Elle est séparée de l'oreillette gauche par le septum interauriculaire, qui contient la fosse ovale. Le sang sort de l'oreillette droite en traversant la valve auriculo-ventriculaire droite.

8. Le ventricule droit reçoit le sang de l'oreillette droite. Il est séparé du ventricule gauche par le septum interventriculaire et éjecte le sang vers les poumons par le biais de la valve pulmonaire et du tronc pulmonaire.

9. Le sang oxygéné entre dans l'oreillette gauche en empruntant les veines pulmonaires et il en sort par la valve auriculo-ventriculaire gauche.

10. Le ventricule gauche éjecte le sang oxygéné dans la circulation systémique par le biais de la valve aortique et de l'aorte.

11. L'épaisseur du myocarde des quatre cavités cardiaques varie selon la fonction de chacune d'elles. Le ventricule gauche possède la paroi la plus épaisse puisque sa charge de travail est plus grande.

12. Le squelette fibreux du cœur est un tissu conjonctif dense qui entoure et soutient les valves du cœur.

13. Les valves cardiaques empêchent le sang de refluer dans le cœur.

14. Les valves auriculo-ventriculaires sont situées entre les oreillettes et les ventricules ; il s'agit de la valve auriculo-ventriculaire droite (ou tricuspide) et de la valve auriculo-ventriculaire gauche (ou mitrale ou encore bicuspide). Les cordages tendineux et les muscles papillaires stabilisent les cuspides des valves et empêchent le sang de refluer dans les oreillettes.

15. Chacune des deux artères qui émergent du cœur possède une valve (valve aortique et valve pulmonaire).

CIRCULATION SANGUINE (p. 682)

1. Le côté gauche du cœur est la pompe de la circulation systémique, qui achemine le sang vers tous les organes du corps, sauf les alvéoles pulmonaires. Le ventricule gauche éjecte le sang dans l'aorte, et le sang atteint successivement les artères systémiques, les artérioles, les capillaires, les veinules et les veines, qui le renvoient dans l'oreillette droite.

2. Le côté droit du cœur est la pompe de la circulation pulmonaire, qui achemine le sang dans les poumons. Le ventricule droit éjecte le sang dans le tronc pulmonaire, et le sang atteint successivement les artères pulmonaires, les capillaires pulmonaires et les veines pulmonaires, qui le renvoient dans l'oreillette gauche.

3. La circulation coronarienne fait circuler le sang dans les vaisseaux du cœur.

4. Les principales artères du cœur sont les artères coronaires gauche et droite ; les principales veines sont les veines du cœur et le sinus coronaire.

MUSCLE CARDIAQUE ET SYSTÈME DE CONDUCTION DU CŒUR (p. 684)

1. Les fibres musculaires cardiaques contiennent habituellement un seul noyau central. Comparativement aux fibres musculaires squelettiques, les fibres musculaires cardiaques ont un sarcoplasme plus développé, leurs mitochondries sont plus nombreuses, leur réticulum sarcoplasmique est moins développé et leurs tubules transverses, qui sont situés dans les disques Z plutôt qu'aux jonctions des bandes A et I, sont plus larges.

2. Les ramifications des fibres musculaires cardiaques sont rattachées les unes aux autres par des disques intercalaires, qui les renforcent et favorisent la conduction des potentiels d'action musculaires grâce aux jonctions communicantes qu'ils contiennent.

3. Les cellules cardionectrices forment le système de conduction du cœur ; ce sont des fibres musculaires cardiaques qui produisent spontanément des potentiels d'action.

4. Les composants du système de conduction sont le nœud sinusal (pacemaker), le nœud auriculo-ventriculaire, le faisceau auriculo-ventriculaire (ou faisceau de His), les branches du faisceau auriculo-ventriculaire et les fibres de conduction cardiaque (ou fibres de Purkinje).

5. Dans une fibre contractile ventriculaire, chaque potentiel d'action comprend une dépolarisation rapide, un long plateau et une repolarisation.

6. Le tissu musculaire cardiaque présente une longue période réfractaire, qui empêche toute possibilité de tétanos.

ÉLECTROCARDIOGRAMME (p. 690)

1. Le tracé des changements électriques enregistrés durant chaque cycle cardiaque est appelé électrocardiogramme (ECG).

2. L'électrocardiogramme normal comprend une onde P (dépolarisation auriculaire), un complexe QRS (début de la dépolarisation ventriculaire) et une onde T (repolarisation ventriculaire).

3. L'intervalle P-Q représente le temps de conduction entre le début de l'excitation auriculaire et le début de l'excitation ventriculaire. Le segment S-T représente la phase de dépolarisation complète des fibres contractiles ventriculaires.

CYCLE CARDIAQUE (p. 691)

1. Chaque cycle cardiaque comprend la systole (contraction) et la diastole (relaxation) des deux oreillettes, suivies par la systole et la diastole des deux ventricules.

2. Les phases du cycle cardiaque sont : a) la relaxation isovolumétrique, b) le remplissage ventriculaire et c) la systole ventriculaire.

3. Lorsque la fréquence cardiaque est de 75 battements/min, un cycle cardiaque complet dure 0,8 s (800 ms).

4. Le premier bruit du cœur, B1 (un bruit résonant), est créé par la turbulence du sang pendant la fermeture des valves auriculo-ventriculaires. Le deuxième bruit du cœur, B2 (un bruit sec), est causé par la turbulence du sang pendant la fermeture des valves aortique et pulmonaire.

DÉBIT CARDIAQUE (p. 695)

1. Le débit cardiaque est le volume de sang que le ventricule gauche (ou le ventricule droit) éjecte dans l'aorte (ou le tronc pulmonaire) chaque minute. On le calcule par la formule suivante : DC (mL/min) = volume systolique (VS) en mL/battement × fréquence cardiaque (FC) en battements/min.

2. Le volume systolique est le volume de sang éjecté des ventricules pendant chaque systole.

3. La réserve cardiaque est la différence entre le débit cardiaque maximal d'une personne et son débit cardiaque au repos.

4. Le volume systolique est associé à la précharge (degré d'étirement du cœur avant qu'il se contracte), à la contractilité (force de la contraction) et à la postcharge (pression qui doit être dépassée pour que le sang sorte des ventricules).

5. Selon la loi de Starling, une plus grande précharge (étirement) sur les fibres musculaires cardiaques juste avant une contraction augmente la force de cette contraction jusqu'à ce que l'étirement devienne excessif.

6. La régulation nerveuse du système cardiovasculaire commence dans le centre cardiovasculaire du bulbe rachidien.

7. Les influx des nerfs sympathiques augmentent la fréquence cardiaque et la force de contraction ; les influx des nerfs parasympathiques diminuent la fréquence cardiaque.

8. La fréquence cardiaque est modifiée par certaines hormones (adrénaline, noradrénaline, hormones thyroïdiennes), des ions (Na^+, K^+ et Ca^{2+}), l'âge, le sexe, la forme physique et la température corporelle.

EFFETS DE L'EXERCICE SUR LE CŒUR (p. 700)

1. Tout exercice physique soutenu augmente les besoins en oxygène des muscles.

2. Les avantages des activités d'aérobie sont l'augmentation du débit cardiaque, la diminution de la pression artérielle, le contrôle du poids corporel et l'augmentation de l'activité thrombolytique.

DÉVELOPPEMENT EMBRYONNAIRE DU CŒUR (p. 700)

1. Le cœur est dérivé du mésoderme.

2. Les tubes endocardiques vont former le cœur, qui se divise en quatre cavités, et les gros vaisseaux du cœur.

AUTOÉVALUATION

1. Associez les éléments suivants :
   ___ a) reçoit le sang oxygéné de la circulation pulmonaire
   ___ b) éjecte le sang désoxygéné vers les poumons pour qu'il se charge de l'oxygène
   ___ c) leur contraction tire sur les cordages tendineux, qui se tendent, et empêche l'éversion des cuspides
   ___ d) prévient le reflux de sang du ventricule droit dans l'oreillette droite
   ___ e) cordages similaires à des tendons reliés aux cuspides des valves auriculo-ventriculaires le long des muscles papillaires ; préviennent l'éversion des valves
   ___ f) pompe le sang oxygéné vers toutes les cellules de l'organisme, sauf les alvéoles pulmonaires
   ___ g) reçoit le sang désoxygéné de la circulation systémique
   ___ h) valve auriculo-ventriculaire gauche

1) oreillette droite	6) valve bicuspide, ou mitrale
2) ventricule droit	7) cordages tendineux
3) oreillette gauche	8) muscles papillaires
4) ventricule gauche	
5) valve auriculo-ventriculaire droite	

Choix multiples

2. Parmi les trajets suivants, lequel fait passer le sang dans le cœur de la circulation systémique à la circulation pulmonaire, puis de nouveau dans la circulation systémique ? a) Oreillette droite, valve auriculo-ventriculaire droite, ventricule droit, valve pulmonaire, oreillette gauche, valve auriculo-ventriculaire gauche, ventricule gauche et valve aortique. b) Oreillette gauche, valve auriculo-ventriculaire droite, ventricule gauche, valve pulmonaire, oreillette droite, valve auriculo-ventriculaire gauche, ventricule droit et valve aortique. c) Oreillette gauche, valve pulmonaire, oreillette droite, valve auriculo-ventriculaire droite, ventricule gauche, valve aortique, ventricule droit et valve auriculo-ventriculaire gauche. d) Ventricule gauche, valve auriculo-ventriculaire gauche, oreillette gauche, valve pulmonaire, ventricule droit, valve auriculo-ventriculaire droite, oreillette droite et valve aortique. e) Oreillette droite, valve auriculo-ventriculaire gauche, ventricule droit, valve pulmonaire, oreillette gauche, valve auriculo-ventriculaire droite, ventricule gauche et valve aortique.

3. Parmi les trajets suivants, lequel correspond à la conduction des influx nerveux dans le cœur ? a) Nœud auriculo-ventriculaire, nœud sinusal, fibres de conduction cardiaque et faisceaux auriculo-ventriculaires. b) Nœud auriculo-ventriculaire, faisceaux auriculo-ventriculaires, nœud sinusal et fibres de conduction cardiaque. c) Nœud sinusal, nœud auriculo-ventriculaire, faisceaux auriculo-ventriculaires et fibres de conduction cardiaque.

d) Nœud sinusal, faisceaux auriculo-ventriculaires, nœud auriculo-ventriculaire et fibres de conduction cardiaque. e) Nœud sinusal, nœud auriculo-ventriculaire, fibres de conduction cardiaque et faisceaux auriculo-ventriculaires.

4. Lesquels des facteurs suivants régissent le volume systolique ? 1) Précharge. 2) Contractilité. 3) Extensibilité. 4) Postcharge. 5) Relaxation.
a) 1, 2 et 3. b) 2, 4 et 5. c) 1, 3 et 5. d) 1, 2 et 4. e) 2, 3 et 5.

5. Lequel des énoncés suivants est *faux* ? a) Le débit cardiaque est la quantité de sang éjectée du ventricule gauche dans l'aorte chaque minute. b) Le débit cardiaque équivaut au volume systolique divisé par la fréquence cardiaque. c) L'étirement des fibres musculaires cardiaques juste avant le début de leur contraction augmente la force de cette contraction. d) La pression qui s'oppose avant que les valves aortique et pulmonaire puissent s'ouvrir est appelée postcharge. e) La contractilité du myocarde est sa force de contraction à n'importe quelle charge.

6. Lequel des facteurs suivants ne contribue *pas* à la régulation de la fréquence cardiaque ? a) Le système nerveux autonome. b) Les hormones. c) Les ions. d) L'âge. e) Le volume sanguin.

7. Lesquels des facteurs suivants découlant de l'exercice régulier ont un effet bénéfique sur l'activité cardiaque ? 1) Augmentation du débit cardiaque maximal. 2) Augmentation du taux d'hémoglobine. 3) Augmentation de l'activité fibrinolytique. 4) Réduction de la pression artérielle. 5) Diminution de la concentration d'endorphines.
a) 1, 2 et 3. b) 2, 3 et 4. c) 1, 3, 4 et 5. d) 1, 2, 3 et 4. e) 1, 2, 4 et 5.

8. Associez les éléments suivants :
   ___ a) tissu musculaire cardiaque
   ___ b) vaisseaux sanguins qui traversent le muscle cardiaque et irriguent les cellules musculaires cardiaques
   ___ c) séparent les cavités cardiaques inférieures et supérieures et empêchent le sang de refluer des cavités inférieures dans les cavités supérieures
   ___ d) cellules endothéliales tapissant l'intérieur du cœur ; sont en continuité avec l'endothélium des vaisseaux sanguins
   ___ e) enveloppe viscérale interne du péricarde séreux ; adhère fermement à la surface du cœur
   ___ f) vestige du foramen ovale ; ouverture dans le septum interauriculaire du cœur fœtal
   ___ g) enveloppe externe du péricarde séreux ; fusionné avec le péricarde fibreux
   ___ h) contiennent les jonctions communicantes et les desmosomes reliant entre elles les cellules musculaires cardiaques
   ___ i) tissu conjonctif dense irrégulier, superficiel, recouvrant le cœur

___ j) préviennent le reflux de sang des artères dans les cavités inférieures du cœur

1) péricarde fibreux
2) feuillet pariétal du péricarde séreux
3) épicarde
4) myocarde
5) endocarde
6) valves auriculo-ventriculaires
7) valves aortique et pulmonaire
8) disques intercalaires
9) fosse ovale
10) vaisseaux coronaires

Phrases à compléter

9. La phase du cycle cardiaque pendant laquelle le volume sanguin ventriculaire ne change pas puisque les valves auriculo-ventriculaires et les valves aortique et pulmonaire sont fermées est appelée ___.

10. La phase de contraction du cœur est appelée ___ ; la phase de relaxation du cœur est appelée ___.

11. Le ___ bruit du cœur survient lorsque les valves auriculo-ventriculaires ___. Le ___ bruit du cœur survient lorsque les valves aortique et pulmonaire ___.

12. Le débit cardiaque équivaut au ___ multiplié par la fréquence cardiaque.

Vrai ou faux

13. Les agents inotropes positifs diminuent la contractilité du myocarde.

14. Selon la loi de Starling, le débit des ventricules droit et gauche est toujours égal et le volume sanguin qui passe dans les circulations systémique et pulmonaire est aussi égal.

15. Associez les éléments suivants :

___ a) indique la repolarisation ventriculaire

___ b) représente la période allant du début de la dépolarisation ventriculaire à la fin de la repolarisation ventriculaire

___ c) représente la dépolarisation auriculaire

___ d) représente la période pendant laquelle les fibres contractiles des ventricules sont complètement dépolarisées ; coïncide avec le plateau du potentiel d'action

___ e) représente le début de la dépolarisation ventriculaire

___ f) représente le temps de conduction allant du début de l'excitation auriculaire au début de l'excitation ventriculaire

1) onde P
2) complexe QRS
3) onde T
4) intervalle P-Q
5) segment S-T
6) intervalle Q-T

QUESTIONS À COURT DÉVELOPPEMENT

1. Adrien fait partie de l'équipe d'athlétisme de l'université. Il s'est porté volontaire pour une étude sur le système cardiovasculaire effectuée par les étudiants d'un cours de physiologie de l'exercice. Sa fréquence cardiaque au repos est de 55 battements/min et son débit cardiaque est normal. Après un effort vigoureux, sa réserve cardiaque correspond à six fois sa fréquence cardiaque au repos, ce qui témoigne de son excellente forme physique. Calculez maintenant le débit cardiaque et le volume systolique au repos d'Adrien. Quel serait son débit cardiaque pendant un effort vigoureux ? (INDICE : *Au repos, chaque ventricule pompe chaque minute un volume de sang sensiblement égal au volume sanguin total de l'organisme.*)

2. Dans les réunions de famille, tante Marie se plaît à raconter comment sa mère avait autrefois soigné son rhumatisme articulaire aigu avec des remèdes maison. Aujourd'hui, tante Marie se plaint qu'elle a le « cœur faible ». Sa maladie d'enfance peut-elle être à l'origine de son affection cardiaque actuelle ? (INDICE : *Le système immunitaire peut attaquer des tissus sains de l'organisme en même temps qu'il combat des bactéries.*)

3. Monsieur Paquin est un homme de 62 ans à la stature imposante qui a un faible pour les sucreries et les aliments frits. Le seul fait de se lever pour changer de chaîne pendant qu'il regarde des émissions sportives à la télévision constitue pour lui un exercice suffisant. Depuis quelque temps, il éprouve des douleurs au thorax lorsqu'il monte un escalier. Son médecin lui conseille de cesser de fumer et demande qu'il passe une angiographie cardiaque dans une semaine. En quoi consiste cet examen ? Pourquoi le médecin l'a-t-il prescrit ? (INDICE : *Sur l'électrocardiogramme d'effort de Monsieur Paquin, certains changements évoquent une ischémie du myocarde.*)

RÉPONSES AUX QUESTIONS DES FIGURES

20.1 Le médiastin est la masse de tissu qui s'étend du sternum à la colonne vertébrale, entre les plèvres des poumons.

20.2 Le feuillet viscéral du péricarde séreux (ou épicarde) fait partie à la fois du péricarde et de la paroi du cœur.

20.3 Le sillon coronaire sépare les oreillettes des ventricules.

20.4 Le ventricule gauche possède la paroi la plus épaisse.

20.5 Le squelette fibreux est fixé aux valves du cœur et prévient leur étirement excessif quand le sang les traverse.

20.6 En se contractant, les muscles papillaires tirent sur les cordages tendineux et empêchent ainsi l'éversion des cuspides.

20.7 Les numéros 2 (ventricule droit) à 6 correspondent à la circulation pulmonaire, tandis que les numéros 7 (ventricule gauche) à 10 et le numéro 1 (oreillette droite) correspondent à la circulation systémique.

20.8 Le rameau circonflexe de l'artère coronaire gauche achemine le sang oxygéné vers l'oreillette et le ventricule gauches.

20.9 Les disques intercalaires maintiennent les fibres musculaires cardiaques ensemble et permettent aux potentiels d'action de se propager d'une fibre musculaire à l'autre.

20.10 Le seul lien électrique entre les oreillettes et les ventricules est le faisceau auriculo-ventriculaire.

20.11 Un potentiel d'action dure beaucoup plus longtemps dans les fibres contractiles d'un ventricule (300 ms) que dans les fibres musculaires squelettiques (de 1 à 2 ms).

20.12 Une onde Q élargie peut indiquer un infarctus du myocarde (ou crise cardiaque).

20.13 Chez une personne au repos, la quantité de sang qui se trouve dans chaque ventricule à la fin de la diastole ventriculaire (volume télédiastolique) est d'environ 130 mL.

20.14 Le premier bruit du cœur (B1) est associé à la fermeture des valves auriculo-ventriculaires.

20.15 Le myocarde ventriculaire est innervé par la partie sympathique seulement du système nerveux autonome.

20.16 L'action de pompage des muscles squelettiques augmente le volume systolique en élevant la précharge (volume télédiastolique).

20.17 Le cœur commence à se contracter vers le 22e jour de gestation.

SYSTÈME CARDIOVASCULAIRE: LES VAISSEAUX SANGUINS ET L'HÉMODYNAMIQUE

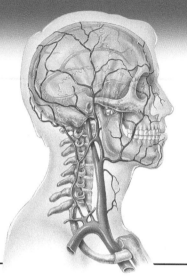

Dans le présent chapitre, nous examinons dans un premier temps la structure et les fonctions des divers types de vaisseaux sanguins. Puis nous étudions l'**hémodynamique** (*haima* = sang; *dunamis* = force), c'est-à-dire les forces qui agissent sur la circulation du sang dans l'organisme. Enfin, nous nous penchons sur les vaisseaux sanguins qui constituent les principales voies de la circulation sanguine.

ANATOMIE DES VAISSEAUX SANGUINS

OBJECTIF

- *Comparer la structure et la fonction des artères, des artérioles, des capillaires, des veinules et des veines.*

Les vaisseaux sanguins forment un réseau fermé de conduits qui acheminent le sang du cœur jusqu'aux tissus de l'organisme, puis le ramènent au cœur. Les **artères** sont les vaisseaux qui transportent le sang du cœur jusqu'aux tissus. Les grosses artères élastiques qui émergent du cœur se divisent en artères musculaires de taille moyenne qui se ramifient vers les diverses régions de l'organisme. Ces artères moyennes se divisent en petites artères qui, à leur tour, se divisent en vaisseaux encore plus petits appelés **artérioles**. Lorsqu'elles entrent dans un tissu, les artérioles se subdivisent pour former d'innombrables vaisseaux microscopiques, les **capillaires**. Le sang et les tissus de l'organisme échangent des substances à travers les minces parois des capillaires. Avant de sortir d'un tissu, les capillaires se regroupent pour former de petites veines, appelées **veinules**, qui fusionnent pour constituer des vaisseaux de plus en plus gros, les **veines**. Les veines ramènent le sang des tissus jusqu'au cœur. Puisque les vaisseaux sanguins, comme tous les autres tissus de l'organisme, ont besoin d'oxygène (O_2) et de nutriments, les gros vaisseaux sanguins ont leur propre système vasculaire, appelé **vasa vasorum** (littéralement, «vascularisation des vaisseaux»), intégré à leurs parois.

Artères

Les Anciens croyaient que les **artères** (*aêr* = air; *têrein* = conserver) ne renfermaient que de l'air car elles étaient toujours vides quand ils examinaient un cadavre. La paroi d'une artère comprend trois enveloppes qui sont, de la plus profonde à la plus superficielle: 1) la tunique interne, 2) la tunique moyenne et 3) la tunique externe (figure 21.1). La **tunique interne**, ou **intima**, est composée d'un épithélium simple pavimenteux appelé *endothélium*, d'une *membrane basale* et d'une couche de tissu élastique appelée *limitante élastique interne*. L'endothélium est la couche de cellules continue qui tapisse la face interne de l'ensemble du système cardiovasculaire (cœur et vaisseaux sanguins). Normalement, l'endothélium est le seul tissu avec lequel le sang entre en contact. La tunique interne est celle qui se trouve le plus près de la **lumière**, c'est-à-dire l'espace creux par lequel le sang circule. L'enveloppe du centre, appelée **tunique moyenne**, est habituellement la plus épaisse; elle est composée de fibres élastiques et de fibres (ou cellules ou encore myocytes)

Figure 21.1 Structure comparée des vaisseaux sanguins. Dans (c), la taille relative du capillaire a été augmentée.

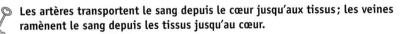

Les artères transportent le sang depuis le cœur jusqu'aux tissus ; les veines ramènent le sang depuis les tissus jusqu'au cœur.

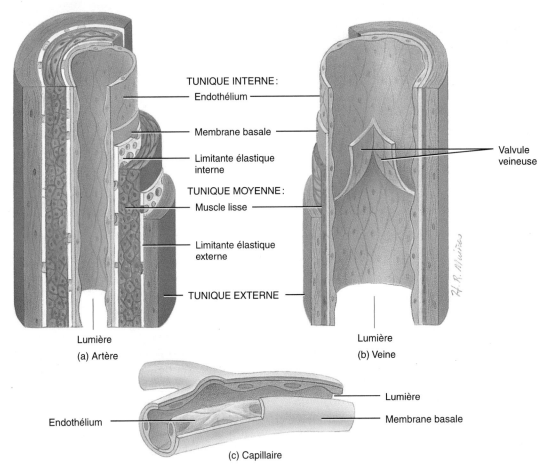

Q Si l'on compare l'artère fémorale et la veine fémorale, lequel de ces vaisseaux possède la paroi la plus épaisse ? Lequel possède la plus grande lumière ?

musculaires lisses disposées en anneaux autour de la lumière. La haute teneur en fibres élastiques des artères leur confère une grande *compliance,* selon laquelle leurs parois s'étirent ou se dilatent sans se déchirer quand la pression augmente un peu. L'enveloppe externe de l'artère, la **tunique externe,** est composée principalement de fibres élastiques et de fibres collagènes. Dans les artères musculaires (décrites ci-après), une *limitante élastique externe* composée de tissu élastique sépare la tunique externe de la tunique moyenne.

Les fibres sympathiques du système nerveux autonome innervent le muscle lisse des vaisseaux. Habituellement, lorsque la stimulation sympathique augmente, le muscle lisse se contracte, ce qui a pour effet de comprimer la paroi du vaisseau et de rétrécir sa lumière. On appelle **vasoconstriction** la diminution du diamètre d'un vaisseau sanguin. Par ailleurs, lorsque la stimulation sympathique diminue, ou encore en présence de certaines substances chimiques (monoxyde

d'azote, K^+, H^+ ou acide lactique, par exemple), les fibres musculaires lisses se relâchent. Il s'ensuit une augmentation du diamètre des vaisseaux appelée **vasodilatation.** De plus, lorsqu'une artère ou une artériole est endommagée, son muscle lisse se contracte, ce qui provoque un spasme vasculaire qui limite l'écoulement sanguin dans le vaisseau atteint et contribue à réduire la perte de sang si le vaisseau est petit.

Artères élastiques

Les artères qui possèdent le plus grand diamètre sont appelées **artères élastiques** car leur tunique moyenne contient une forte proportion de fibres élastiques ; leur paroi est relativement mince par rapport à leur diamètre total. Les artères élastiques assurent l'importante fonction de favoriser la propulsion du sang au moment où les ventricules se relâchent. Lorsque le sang est éjecté du cœur et entre dans les artères élastiques, leur paroi très souple s'étire sous l'effet de l'arrivée

Figure 21.2 Fonction de réservoir de pression des artères élastiques.

Lorsqu'elles reprennent leur degré d'étirement initial, les artères élastiques permettent au sang de continuer à s'écouler pendant la relaxation ventriculaire (diastole).

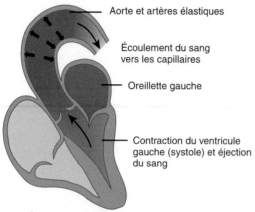

(a) Étirement de l'aorte et des autres artères élastiques pendant la contraction ventriculaire

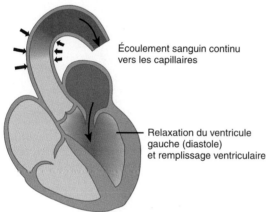

(b) Retour à l'étirement initial de l'aorte et des autres artères élastiques pendant la relaxation ventriculaire

Dans l'athérosclérose, la paroi des artères élastiques perd une partie de sa compliance (elle durcit). Quel est l'effet de ce durcissement sur la fonction de réservoir de pression des artères?

du sang sous pression. En s'étirant, les fibres élastiques emmagasinent temporairement de l'énergie mécanique et deviennent un **réservoir de pression** (figure 21.2a). Elles reprennent ensuite leur degré d'étirement initial et convertissent l'énergie emmagasinée (potentielle) dans l'artère en énergie cinétique du sang, lequel continue à s'écouler dans les artères même si les ventricules sont relâchés (figure 21.2b). Puisqu'elles servent de conduits pour le sang qui va du cœur aux artères musculaires de taille moyenne, on les appelle aussi *artères conductrices*. L'aorte, le tronc brachio-céphalique et les artères carotides communes, subclavières, vertébrales, pulmonaires et iliaques communes sont des artères élastiques (voir la figure 21.18).

Artères musculaires

Les artères de taille moyenne sont appelées **artères musculaires** car leur tunique moyenne contient plus de muscle lisse et moins de fibres élastiques que les artères élastiques. Leur plus grande capacité de vasoconstriction et de vasodilatation leur permet de régler la vitesse de l'écoulement sanguin. De plus, l'abondance de muscle lisse donne à la paroi des artères musculaires une certaine épaisseur. Les artères musculaires sont aussi appelées *artères distributrices* car elles distribuent le sang aux diverses régions de l'organisme. L'artère brachiale, située dans le bras, et l'artère radiale, située dans l'avant-bras, en sont des exemples.

Artérioles

Une **artériole** est une très petite artère, presque microscopique, qui apporte le sang aux capillaires (figure 21.3). Les artérioles situées près des artères possèdent une tunique interne comme celle des artères, une tunique moyenne composée de muscle lisse et de quelques fibres élastiques, et une tunique externe composée principalement de fibres élastiques et de fibres collagènes. Dans les plus petites artérioles, situées à proximité des capillaires, les tuniques se limitent à un anneau de cellules endothéliales entourées de quelques fibres musculaires lisses éparses.

Les artérioles jouent un rôle essentiel dans la régulation de l'écoulement sanguin des artères jusqu'aux capillaires. La contraction de leur muscle lisse produit une vasoconstriction qui réduit le débit sanguin dans les capillaires, tandis que la relaxation du muscle lisse entraîne une vasodilatation qui fait augmenter le débit sanguin dans les capillaires. Tout changement du diamètre des artérioles peut également avoir un effet notable sur la pression artérielle.

Capillaires

Les capillaires (*capillus* = cheveu) sont des vaisseaux microscopiques qui relient les artérioles aux veinules (voir la figure 21.3). L'écoulement du sang des artérioles aux veinules par l'intermédiaire des capillaires est appelé **microcirculation.** Les capillaires sont présents à proximité de presque toutes les cellules de l'organisme, mais leur distribution varie selon l'activité métabolique du tissu qu'ils desservent. Les tissus au métabolisme élevé, comme les muscles, le foie, les reins et le système nerveux, ont besoin d'un apport accru en oxygène et en nutriments, ce qui explique l'étendue de leurs réseaux de capillaires. Les tissus au métabolisme plus lent, comme les tendons et les ligaments, contiennent moins de capillaires. Certains tissus sont dépourvus de capillaires; ce sont les épithéliums de revêtement, la cornée et le cristallin de l'œil ainsi que le cartilage.

La principale fonction des capillaires est de permettre au sang et aux cellules des tissus d'échanger nutriments et déchets dans le liquide interstitiel. La structure des capillaires sert admirablement bien cette fonction. En effet, leurs parois

Figure 21.3 Artériole, capillaires et veinule.

🔑 **Les artérioles régissent l'écoulement sanguin dans les capillaires, où le sang et le liquide interstitiel échangent des nutriments, des gaz et des déchets.**

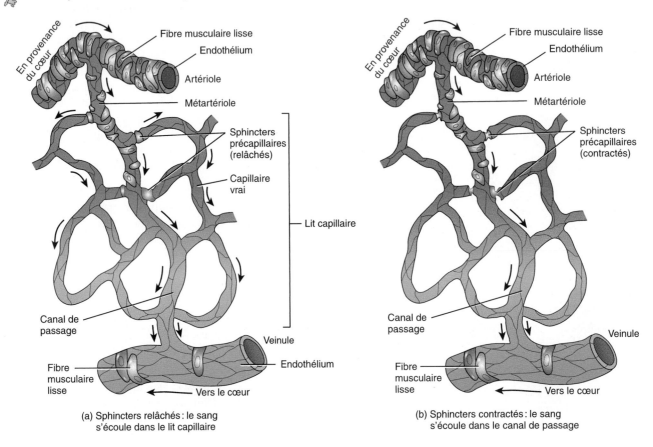

(a) Sphincters relâchés : le sang s'écoule dans le lit capillaire

(b) Sphincters contractés : le sang s'écoule dans le canal de passage

Q Pourquoi les tissus qui sont métaboliquement actifs ont-ils de vastes réseaux de capillaires ?

se composent d'une seule couche de cellules épithéliales (endothélium) et d'une membrane basale, sans tunique moyenne ni externe (voir la figure 21.1c), de sorte que les substances véhiculées par le sang n'ont qu'une seule couche de cellules à franchir avant d'atteindre le liquide interstitiel et les cellules des tissus. L'échange de substances s'effectue uniquement par les parois des capillaires et la première partie des veinules ; les épaisses parois des artères, des artérioles, de la plupart des veinules ainsi que des veines forment une barrière infranchissable. Les capillaires forment de vastes réseaux de ramifications qui augmentent la surface disponible pour l'échange rapide de nutriments. Dans la plupart des tissus, le sang n'emprunte qu'une petite partie du réseau de capillaires lorsque les besoins métaboliques sont faibles. Dès qu'un tissu s'active, par exemple lorsqu'un muscle se contracte, tout le réseau de capillaires se remplit de sang.

La **métartériole** (*meta* = au-delà de) est un vaisseau issu d'une artériole qui approvisionne un ensemble de 10 à 100 capillaires appelé **lit capillaire** (voir la figure 21.3).

L'extrémité proximale de la métartériole est entourée d'une enveloppe lâche de fibres musculaires lisses qui se contractent et se relâchent pour contribuer à la régulation du débit sanguin dans le lit capillaire. Son extrémité distale, qui se vide dans une veinule, est dépourvue de fibres musculaires lisses et porte le nom de **canal de passage.** Le sang qui s'écoule dans un canal de passage contourne le lit capillaire.

Les **capillaires vrais** émergent des artérioles ou des métartérioles. À leur point d'origine, un manchon de fibres musculaires lisses appelé **sphincter précapillaire** régit l'écoulement du sang dans un capillaire vrai. Lorsque les sphincters précapillaires sont relâchés (ouverts), le sang s'écoule dans le lit capillaire (voir la figure 21.3a) ; lorsqu'ils sont contractés (fermés complètement ou partiellement), l'écoulement sanguin dans le lit capillaire cesse ou diminue (voir la figure 21.3b). Le sang circule donc par intermittence dans un lit capillaire puisqu'il est soumis aux contractions et aux relâchements successifs du muscle lisse des métartérioles et des sphincters précapillaires. Ces contractions et relâchements, qui se produisent entre 5 et 10 fois par minute, sont des phénomènes vasomoteurs régis en partie par des substances chimiques que les cellules endothéliales libèrent, par exemple le monoxyde d'azote. À tout moment, le sang ne circule en moyenne que dans 25 % d'un lit capillaire.

L'organisme contient divers types de capillaires (figure 21.4). Nombre d'entre eux sont des **capillaires continus,** dans lesquels la membrane plasmique des cellules endothéliales forme un conduit qui n'est interrompu que par les **fentes intercellulaires,** espaces disjoints entre les cellules endothéliales adjacentes (figure 21.4a). On trouve des capillaires continus dans les muscles squelettiques et les muscles lisses, les tissus conjonctifs et les poumons. Les **capillaires fenestrés** se distinguent des capillaires continus par la membrane plasmique de leurs cellules endothéliales, qui comporte de nombreuses **fenestrations,** petits orifices dont le diamètre varie entre 70 et 100 nm (figure 21.4b). Les capillaires fenestrés sont présents dans les reins, les villosités de l'intestin grêle, les plexus choroïdes des ventricules cérébraux, les procès ciliaires des yeux et les glandes endocrines.

Les **sinusoïdes** sont plus larges et plus sinueux que les autres capillaires. Leurs cellules endothéliales possèdent des fenestrations particulièrement grandes et leur membrane basale est incomplète ou absente (figure 21.4c). De plus, leurs très larges fentes intercellulaires permettent aux protéines et, dans certains cas, aux cellules sanguines, de sortir d'un tissu pour entrer dans la circulation. Par exemple, les cellules sanguines nouvellement formées rejoignent la circulation par les sinusoïdes de la moelle osseuse rouge. Les sinusoïdes sont également tapissés de cellules spécialisées qui sont adaptées à la fonction des tissus. Ainsi, les sinusoïdes du foie contiennent des macrophages qui débarrassent le sang de ses bactéries et d'autres déchets. On trouve également des sinusoïdes dans la rate, l'adénohypophyse et les glandes parathyroïdes.

Les substances que le sang et le liquide interstitiel s'échangent peuvent traverser les parois des capillaires de quatre façons: par les fentes intercellulaires, par les fenestrations, dans les vésicules pinocytaires qui subissent une transcytose et par les membranes plasmiques des cellules endothéliales.

Veinules

Les **veinules** sont de petites veines formées par l'union de plusieurs capillaires. Elles recueillent le sang des capillaires et se vident dans les veines. Les veinules qui sont situées le plus près des capillaires sont les plus petites. Elles se composent d'une tunique interne d'endothélium et d'une tunique moyenne comportant quelques fibres musculaires lisses éparses et des fibroblastes (voir la figure 21.3). Les parois des plus petites veinules sont, comme celles des capillaires, très poreuses et elles attirent de nombreux globules blancs dotés de propriétés phagocytaires qui migrent de la circulation sanguine pour aller combattre une inflammation ou une

Figure 21.4 Types de capillaires (représentés en coupe transversale).

 Les capillaires sont des vaisseaux sanguins microscopiques qui relient les artérioles aux veinules.

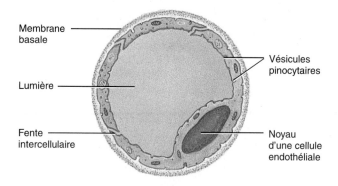

(a) Capillaire continu composé de cellules endothéliales

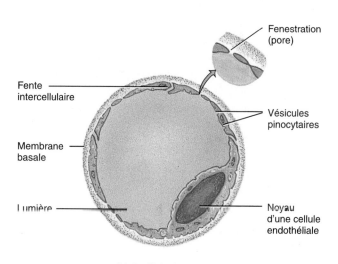

(b) Capillaire fenestré

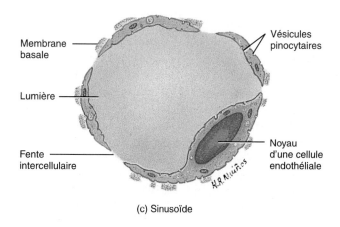

(c) Sinusoïde

Q De quelles façons les substances peuvent-elles traverser les parois des capillaires?

infection dans un tissu. Lorsque les veinules s'élargissent et convergent pour former les veines, elles possèdent une tunique externe semblable à celle des veines.

Veines

Bien que les **veines** soient essentiellement constituées des trois mêmes tuniques que les artères, l'épaisseur relative de chaque enveloppe est différente. La tunique interne des veines est plus mince que celle des artères, tandis que leur tunique moyenne est beaucoup plus mince et contient peu de fibres musculaires lisses et élastiques. Leur tunique externe est cependant plus épaisse et contient des fibres collagènes et élastiques ; la tunique externe de la veine cave inférieure présente également des fibres longitudinales de muscle lisse. Les veines n'ont pas de lame élastique externe ou interne comme les artères (voir la figure 21.1b). Ces différences n'empêchent pas les veines de se dilater en fonction des variations de volume et de pression du sang qu'elles transportent, mais elles ne sont pas faites pour supporter des pressions élevées. Par ailleurs, la lumière des veines est plus grande que celle d'artères comparables, et les veines semblent souvent collabées (affaissées) quand on les observe en coupe.

De nombreuses veines, en particulier celles des membres, comprennent un grand nombre de **valvules veineuses.** Ces minces replis de la tunique interne forment des cuspides qui font saillie dans la lumière des veines et en direction du cœur (figure 21.5). La faible pression dans les veines cause un ralentissement du retour veineux, parfois même un reflux, mais les valvules veineuses sont là pour favoriser le retour du sang en l'empêchant de refluer.

Le **sinus veineux** est une veine comportant une mince paroi d'endothélium, dépourvue de muscle lisse qui pourrait changer son diamètre. Le tissu conjonctif dense qui l'entoure lui procure le soutien qu'offrent habituellement les tuniques moyenne et externe. Par exemple, les sinus veineux de la dure-mère, qui sont renforcés par la dure-mère, acheminent le sang désoxygéné de l'encéphale jusqu'au cœur. Le sinus coronaire du cœur est aussi un sinus veineux.

APPLICATION CLINIQUE
Varices

Lorsque les valvules veineuses ne sont pas étanches, les veines deviennent dilatées et tortueuses et sont alors appelées **varices** (*varix* = veine gonflée). Presque toutes les régions du corps peuvent présenter des varices, mais on les retrouve le plus souvent dans l'œsophage et les veines superficielles des membres inférieurs. L'anomalie des valvules peut être héréditaire, secondaire à une tension mécanique (position debout prolongée ou grossesse) ou encore liée au vieillissement. Les fuites au niveau des valvules laissent le sang refluer et s'accumuler, ce qui exerce une pression qui dilate la veine et permet l'infiltration des liquides dans les tissus environnants. Par conséquent, la veine atteinte et le tissu qui l'entoure peu-

Figure 21.5 Valvules veineuses.

 Les valvules veineuses font en sorte que le sang ne circule que dans une seule direction : vers le cœur.

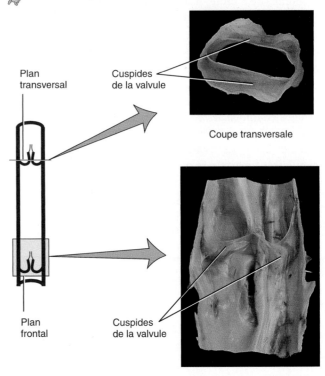

Plan transversal

Cuspides de la valvule

Coupe transversale

Plan frontal

Cuspides de la valvule

Coupe longitudinale

Q Pourquoi la présence des valvules veineuses est-elle plus importante dans les veines des bras et des jambes que dans celles du cou ?

vent devenir enflammés et sensibles au toucher. Les veines qui sont près de la surface des jambes, plus particulièrement la veine saphène, sont les plus fragiles, alors que les veines profondes sont moins vulnérables car le muscle squelettique qui les entoure empêche l'étirement excessif de leur paroi. ■

Anastomoses

La plupart des tissus de l'organisme sont irrigués par plus d'une artère. L'union des branches de deux ou plusieurs artères desservant une même région est appelée **anastomose** (*anastomôsis* = embouchure). Les anastomoses artérielles fournissent au sang des voies supplémentaires pour se rendre vers un tissu ou un organe. Si l'écoulement du sang est momentanément interrompu lorsque les mouvements normaux compriment un vaisseau, ou si un vaisseau est obstrué en raison d'une maladie, d'une lésion ou d'une intervention chirurgicale, la circulation vers cette région du corps ne cesse pas forcément. Le chemin que le sang se fraie à travers une anastomose pour atteindre une région en particulier est appelé **circulation collatérale.** Il existe également des anastomoses entre les veines ainsi qu'entre les artérioles

Figure 21.6 Distribution du sang dans le système cardiovasculaire au repos.

 Les veines et veinules systémiques constituent des réservoirs sanguins car elles contiennent plus de la moitié du volume sanguin total.

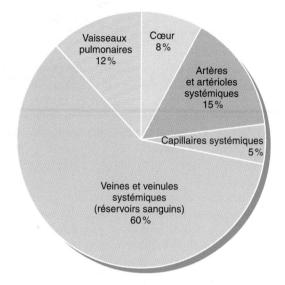

Q Si votre volume sanguin total est de 5 L, quel volume de sang contiennent vos veinules, vos veines et vos capillaires à ce moment précis?

et les veinules. Les artères qui ne s'anastomosent pas sont appelées **artères terminales.** L'obstruction d'une artère terminale interrompt l'irrigation de tout un segment d'organe et provoque la nécrose (mort) de ce segment. Le sang peut également emprunter des vaisseaux qui ne s'anastomosent pas mais qui desservent la même région du corps.

Distribution du sang

Au repos, environ 60% du volume sanguin se trouve dans les veines et les veinules systémiques (figure 21.6). Les capillaires systémiques ne contiennent que 5% environ du volume sanguin et les artères et artérioles, environ 15%. Puisque les veines et les veinules systémiques contiennent une grande partie du volume sanguin, elles constituent des **réservoirs sanguins** qui peuvent être mis à contribution rapidement en cas de besoin. Par exemple, lorsque l'activité musculaire augmente, le centre cardiovasculaire du tronc cérébral transmet une plus grande quantité d'influx sympathiques aux veines. Il s'ensuit une *veinoconstriction* qui fait dériver une partie du volume sanguin des réservoirs vers les muscles squelettiques, qui ont besoin d'un apport supplémentaire de sang. Un mécanisme similaire intervient au cours d'hémorragies, lorsque l'on observe une baisse du volume et de la pression du sang; la veinoconstriction permet alors de com-

penser la diminution de la pression artérielle. Les veines des organes abdominaux (surtout du foie et de la rate) et de la peau font partie des principaux réservoirs sanguins.

1. Expliquez l'importance des fibres élastiques et du muscle lisse dans la tunique moyenne des artères.
2. Comparez la situation, l'histologie et la fonction des artères élastiques et musculaires.
3. Décrivez les particularités structurales des capillaires qui permettent l'échange de substances entre le sang et les cellules de l'organisme.
4. Faites la distinction entre un réservoir de pression et un réservoir sanguin. Expliquez pourquoi chacun est important.
5. Décrivez la relation entre les anastomoses et la circulation collatérale.

ÉCHANGES CAPILLAIRES

OBJECTIF

• *Décrire les pressions qui agissent dans le mouvement des liquides entre les capillaires et les espaces interstitiels.*

Le système cardiovasculaire est chargé de maintenir l'écoulement sanguin dans les capillaires afin de permettre les **échanges capillaires,** soit les mouvements de substances entre l'intérieur et l'extérieur des capillaires. Bien que 5% seulement du volume sanguin se trouve dans les capillaires systémiques, c'est surtout ce sang qui permet les échanges avec le liquide interstitiel. Les substances entrent dans les capillaires et en sortent suivant trois mécanismes de base: la diffusion, la transcytose et l'écoulement de masse.

Diffusion

La diffusion simple est le principal mécanisme qui permet les échanges capillaires. Des substances comme l'oxygène (O_2), le gaz carbonique (CO_2), le glucose, les acides aminés et les hormones diffusent à travers les parois des capillaires en suivant leur gradient de concentration. Tous les solutés plasmatiques, sauf les grosses protéines, traversent librement la plupart des parois capillaires. Les substances liposolubles, comme l'oxygène, le gaz carbonique et les hormones stéroïdes, peuvent franchir directement la bicouche lipidique de la membrane plasmique des cellules endothéliales. Les substances hydrosolubles, comme le glucose et les acides aminés, empruntent soit les fenestrations, soit les fentes intercellulaires (voir la figure 21.4). Les fentes intercellulaires entre les cellules endothéliales qui tapissent les sinusoïdes du foie sont si grandes que même des protéines comme le fibrinogène et l'albumine peuvent entrer dans la circulation sanguine. Cependant, il n'y a pas de diffusion des substances hydrosolubles à travers les parois capillaires dans l'encéphale, où les cellules endothéliales sont le plus souvent dépourvues de fenestrations et sont scellées par des jonctions serrées. (Voir la description de la barrière hémato-encéphalique, p. 471.)

Transcytose

Une petite quantité de substances traversent les membranes capillaires par **transcytose** (*trans* = par-delà). Au cours de ce processus, des substances du plasma sanguin sont emprisonnées dans de minuscules vésicules qui pénètrent dans les cellules endothéliales par endocytose et en sortent de l'autre côté par exocytose. Ce moyen de transport est surtout important pour les grosses molécules liposolubles qui ne peuvent traverser autrement les parois des capillaires. L'insuline, une hormone, entre dans la circulation sanguine par transcytose, et certains anticorps passent aussi de la circulation maternelle à la circulation fœtale de cette manière.

Écoulement de masse : filtration et réabsorption

L'**écoulement de masse** est un processus passif par lequel de *grandes* quantités d'ions, de molécules ou de particules, dissous ou en suspension dans un liquide, se déplacent ensemble dans la même direction. Sous l'effet de la pression, ces substances progressent à des vitesses beaucoup plus grandes que si elles étaient transportées par diffusion ou par osmose. L'écoulement de masse s'effectue toujours d'une région où la pression est plus élevée à une autre où la pression est plus faible, et ce mouvement se maintient tant que la différence de pression subsiste.

Les substances échangées entre le sang et le liquide interstitiel utilisent l'écoulement de masse pour traverser les parois des capillaires. Tandis que la diffusion sert surtout aux *échanges de solutés* entre le plasma et le liquide interstitiel, l'écoulement de masse joue surtout un rôle important dans la régulation des *volumes relatifs de sang et de liquide interstitiel*. La **filtration** est le mouvement qui, sous l'effet de la pression, force les liquides et les solutés à sortir des capillaires pour *entrer* dans le liquide interstitiel, et la **réabsorption** est le mouvement qui, sous l'effet de la pression, les fait *sortir* du liquide interstitiel pour entrer dans les capillaires. Deux pressions stimulent la filtration : la **pression hydrostatique du sang (PH$_s$)**, produite par l'action de pompage du cœur, et la **pression osmotique du liquide interstitiel (PO$_{li}$)**. La **pression colloïdo-osmotique du sang (PCO$_s$)** est la pression qui stimule le plus la réabsorption de liquide. La différence entre ces pressions, appelée **pression nette de filtration (PNF)**, détermine si le volume sanguin demeurera stable ou fluctuera. En général, le volume de liquides et de solutés réabsorbé est presque égal au volume filtré ; cet état de quasi-équilibre est appelé **phénomène de Starling.** Nous allons voir maintenant comment les pressions hydrostatiques et les pressions osmotiques s'équilibrent.

À l'intérieur des vaisseaux, la pression hydrostatique est la pression que l'eau du plasma exerce contre les parois des vaisseaux sanguins. La pression hydrostatique du sang (PH$_s$) est d'environ 35 millimètres de mercure (mm Hg) à l'extrémité artérielle d'un capillaire, et d'environ 16 mm Hg à son extrémité veineuse (figure 21.7). La pression du liquide interstitiel, appelée **pression hydrostatique du liquide interstitiel (PH$_{li}$)**, est presque nulle. (Cette pression est difficile à mesurer ; sa valeur, tantôt positive, tantôt négative, oscille toujours autour de 0. Pour notre exposé, nous fixons la PH$_{li}$ à 0 mm Hg tout le long des capillaires.) La différence entre la PH$_s$ et la PH$_{li}$ force les liquides à sortir des capillaires pour entrer dans le liquide interstitiel.

Les variations de la pression osmotique de part et d'autre des parois des capillaires sont principalement attribuables à la présence dans le sang de protéines plasmatiques trop volumineuses pour traverser les fenestrations ou les espaces entre les cellules endothéliales. La pression colloïdo-osmotique du sang (PCO$_s$) est la pression produite par la suspension colloïdale de ces grosses protéines. Elle a pour effet d'attirer le liquide des espaces interstitiels dans les capillaires. Dans la plupart des capillaires, la PCO$_s$ moyenne se situe autour de 26 mm Hg. La pression osmotique du liquide interstitiel (PO$_{li}$), qui s'oppose à la PCO$_s$, pousse le liquide hors des capillaires vers le liquide interstitiel. Normalement, la PO$_{li}$ est très faible (entre 0,1 et 5 mm Hg), car le liquide interstitiel ne contient que très peu de protéines. La petite quantité de protéines qui réussit à passer du plasma au liquide interstitiel ne s'y accumule pas car elle gagne ensuite la lymphe et est renvoyée dans le sang. Pour notre exposé, nous fixons la PO$_{li}$ à 1 mm Hg.

Pour déterminer s'il y a entrée ou sortie de liquides dans les capillaires, il faut calculer la différence nette entre les pressions. Si les pressions qui poussent les liquides hors des capillaires dépassent celles qui les attirent à l'intérieur, les liquides se déplaceront des capillaires vers les espaces interstitiels (filtration). Si, au contraire, les pressions qui poussent les liquides hors des espaces interstitiels dans les capillaires dépassent celles qui les attirent vers l'extérieur, les liquides se déplaceront des espaces interstitiels dans les capillaires (réabsorption).

La pression nette de filtration (PNF) indique la direction de l'écoulement des liquides ; elle se calcule de la façon suivante :

$$\text{PNF} = \underbrace{(\text{PH}_s + \text{PO}_{li})}_{\substack{\text{Pressions qui favorisent} \\ \text{la filtration}}} - \underbrace{(\text{PCO}_s + \text{PH}_{li})}_{\substack{\text{Pressions qui favorisent} \\ \text{la réabsorption}}}$$

À l'extrémité artérielle d'un capillaire :

$$\text{PNF} = (35 + 1) - (26 + 0) = 36 - 26 = 10 \text{ mm Hg}$$

Ainsi, à l'extrémité artérielle d'un capillaire, il y a une *pression nette de sortie* de 10 mm Hg qui force les liquides à sortir du capillaire pour entrer dans les espaces interstitiels (filtration).

À l'extrémité veineuse d'un capillaire :

$$\text{PNF} = (16 + 1) - (26 + 0) = 17 - 26 = -9 \text{ mm Hg}$$

Figure 21.7 Dynamique des échanges capillaires (phénomène de Starling).

 La pression hydrostatique du sang force les liquides à sortir des capillaires (filtration), tandis que la pression colloïdo-osmotique du sang les attire dans les capillaires (réabsorption).

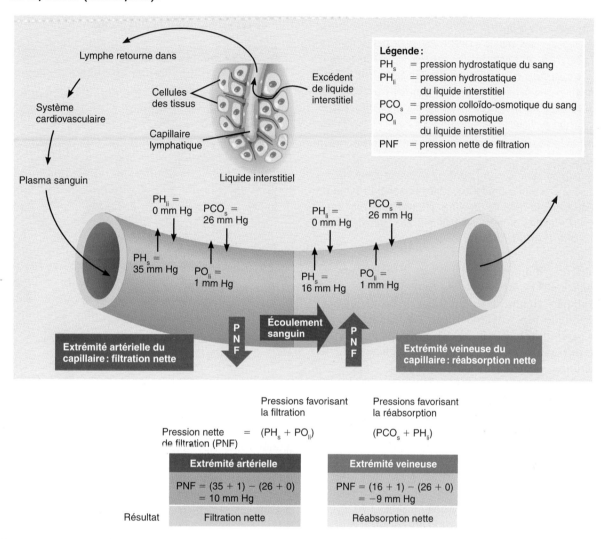

 Une personne atteinte d'insuffisance hépatique est incapable de synthétiser une quantité normale de protéines plasmatiques. En quoi cela affecte-t-il la pression colloïdo-osmotique du sang et, par conséquent, la filtration et la réabsorption capillaires ?

À l'extrémité veineuse d'un capillaire, la *pression nette d'entrée* de valeur négative (−9 mm Hg) force les liquides à sortir des tissus pour entrer dans le capillaire (réabsorption).

En moyenne, environ 85 % du liquide filtré des capillaires est réabsorbé. Une partie de ce liquide et toutes les protéines qui s'échappent du sang pour entrer dans le liquide interstitiel s'écoulent dans les capillaires lymphatiques et retournent dans la circulation sanguine en empruntant le système lymphatique. Chaque jour, environ 20 L de liquide sont filtrés hors des capillaires, 17 L sont réabsorbés et 3 L entrent dans les

capillaires lymphatiques. (Ces chiffres n'incluent pas les 180 L de liquide filtrés des capillaires rénaux et les 178 L qui sont réabsorbés durant la formation de l'urine, quotidiennement.)

 APPLICATION CLINIQUE
Œdème

Lorsque la filtration dépasse considérablement la réabsorption de liquide, le volume interstitiel augmente de façon anormale et cause un **œdème.** En général, l'œdème ne peut être détecté dans les tissus tant que le volume de liquide interstitiel n'a pas dépassé de 30 % sa valeur normale. L'œdème est causé soit par une filtration excessive, soit par une réabsorption inadéquate.

Deux situations peuvent entraîner une filtration excessive :
- *L'augmentation de la pression artérielle (hypertension)* amène la filtration d'une plus grande quantité de liquide des capillaires.
- *L'augmentation de la perméabilité des capillaires* augmente la pression osmotique du liquide interstitiel en permettant la fuite de protéines plasmatiques. La perte d'étanchéité peut survenir par suite des effets nocifs de divers agents chimiques, bactériens, thermiques ou mécaniques sur les parois des capillaires.

Une seule situation cause habituellement une réabsorption inadéquate :
- La *diminution de la concentration de protéines plasmatiques* diminue la pression colloïdo-osmotique du sang. La synthèse inadéquate ou la fuite de protéines plasmatiques sont associées aux maladies du foie, aux brûlures, à la malnutrition et aux maladies rénales. ■

1. Décrivez comment les substances entrent dans les capillaires et en sortent.
2. Expliquez comment les pressions hydrostatiques et osmotiques régissent l'écoulement des liquides à travers les parois des capillaires.
3. Écrivez une équation pour décrire le phénomène de Starling.

HÉMODYNAMIQUE : FACTEURS INFLUANT SUR LA CIRCULATION

OBJECTIFS

- *Expliquer les facteurs qui régissent la vitesse et le volume du débit sanguin.*
- *Expliquer les variations de pression sanguine dans l'ensemble du système cardiovasculaire et décrire les facteurs qui déterminent la pression artérielle moyenne.*
- *Décrire les facteurs qui déterminent la résistance périphérique.*

Nous avons vu au chapitre 20 que le débit cardiaque total dépend de la fréquence cardiaque et du volume systolique. Cependant, la distribution du débit cardiaque dans les tissus dépend de l'interaction entre 1) le *gradient de pression* qui dirige l'écoulement sanguin et 2) la *résistance* à l'écoulement sanguin, c'est-à-dire la force qui s'oppose à la circulation du sang dans certains vaisseaux.

Vitesse du débit sanguin

Le *volume* de sang qui circule dans un tissu au cours d'une période donnée (exprimé en mL/min) est appelé **débit sanguin.** La *vitesse* du débit sanguin (exprimée en cm/s) est inversement proportionnelle à l'aire de la section transversale

Figure 21.8 Relation entre la vitesse du débit sanguin et l'aire de la section transversale totale dans divers types de vaisseaux sanguins.

 La vitesse du débit sanguin est la plus lente dans les capillaires car l'aire de la section transversale totale de ces vaisseaux est la plus grande.

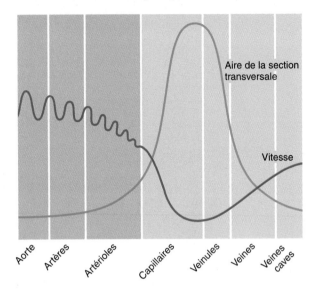

 Dans quels vaisseaux la vitesse du débit sanguin est-elle maximale ?

du vaisseau, ce qui signifie que la vitesse est la plus lente aux endroits où l'aire de la section transversale totale est la plus grande (figure 21.8). Chaque fois qu'une artère se ramifie, l'aire de la section transversale totale de toutes ses branches est plus grande que celle du vaisseau d'origine et le débit sanguin est donc plus lent dans les branches. À l'inverse, lorsque des branches s'unissent (les veinules qui fusionnent pour former les veines, par exemple), l'aire de la section transversale totale diminue et le débit sanguin accélère. Chez un adulte, l'aire de la section transversale de l'aorte n'est que de 3 à 5 cm^2, et la vitesse moyenne du débit sanguin est de 40 cm/s ; dans les capillaires, l'aire de la section transversale totale varie entre 4 500 et 6 000 cm^2 et la vitesse du débit sanguin est inférieure à 0,1 cm/s. Dans les deux veines caves combinées, l'aire de la section transversale est d'environ 14 cm^2, et la vitesse du débit sanguin se situe entre 5 et 20 cm/s. La vitesse du débit sanguin diminue donc à mesure que le sang s'écoule de l'aorte vers les artères, puis vers les artérioles et les capillaires, et elle augmente lorsque le sang quitte les capillaires pour revenir au cœur. L'écoulement relativement lent du sang dans les capillaires facilite l'échange de substances entre le sang et le liquide interstitiel adjacent.

Le **temps de circulation** est le temps que prend une goutte de sang pour compléter le trajet allant de l'oreillette droite à la circulation pulmonaire, puis de l'oreillette gauche à la circulation systémique jusqu'au pied, et enfin de nouveau dans l'oreillette droite. Le temps de circulation normal au repos est d'environ 1 min.

Volume du débit sanguin

Nous avons vu au chapitre 20 que le débit cardiaque (DC), soit le volume de sang qui circule chaque minute dans les vaisseaux sanguins de la circulation systémique (ou pulmonaire), équivaut au volume systolique (VS) multiplié par la fréquence cardiaque (FC) :

$$DC = VS \times FC$$

Deux autres facteurs déterminent le débit cardiaque : 1) la pression sanguine et 2) la résistance, qui résulte principalement de la friction du sang sur les parois des vaisseaux. Le sang circule des régions où la pression est plus élevée vers celles où la pression est plus basse ; ainsi, plus la différence de pression est grande, plus le débit sanguin sera élevé. Par ailleurs, plus la résistance est élevée, plus le débit sanguin sera faible.

Pression sanguine

La **pression sanguine** (**PS**) est la pression hydrostatique que le sang exerce sur les parois d'un vaisseau sanguin. Produite par la contraction des ventricules, la pression sanguine atteint son point le plus élevé dans l'aorte et les grosses artères systémiques ; chez un jeune adulte au repos, elle atteint environ 120 mm Hg durant la systole (contraction) et chute à environ 80 mm Hg durant la diastole (relaxation). La **pression artérielle moyenne** (**PAM**) se calcule de la façon suivante :

$$PAM = PS \text{ diastolique} + \tfrac{1}{3} (PS \text{ systolique} - PS \text{ diastolique})$$

Ainsi, lorsque la pression sanguine est de 120/80 mm Hg, la pression artérielle moyenne est d'environ 93 mm Hg.

Le débit cardiaque équivaut à la pression artérielle moyenne divisée par la résistance (R) :

$$DC = PAM \div R$$

Si le débit cardiaque augmente après une augmentation du volume systolique ou de la fréquence cardiaque, la pression artérielle moyenne augmente aussi tant que la résistance demeure stable. De même, une diminution du débit cardiaque amène une diminution de la pression sanguine tant que la résistance ne change pas.

Lorsque le sang quitte l'aorte pour entrer dans la circulation systémique, sa pression diminue progressivement à mesure qu'il s'éloigne du ventricule gauche (figure 21.9). La pression artérielle moyenne passe de 93 mm Hg à environ 35 mm Hg lorsque le sang circule des artères aux artérioles puis aux capillaires, où la pression se stabilise. À l'extrémité veineuse des capillaires, la pression sanguine n'est que de 16 mm Hg environ. Elle diminue encore lorsque le sang entre dans les veinules et les veines, car ce sont les vaisseaux les plus éloignés du ventricule gauche. Enfin, la pression

Figure 21.9 Pressions sanguines dans diverses parties du système cardiovasculaire. La ligne pointillée indique la pression artérielle moyenne.

 La pression sanguine augmente et diminue à chaque battement cardiaque dans les vaisseaux sanguins conduisant aux capillaires.

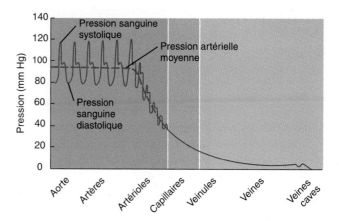

Q Quelle est la pression artérielle moyenne dans l'aorte ?

sanguine devient nulle (0 mm Hg) lorsque le sang pénètre dans le ventricule droit. Le sang s'écoule toujours dans les vaisseaux selon un gradient de pression (différence) ; en l'absence de gradient de pression, il n'y a pas de circulation.

La pression sanguine dépend également du volume sanguin total dans le système cardiovasculaire. Chez un adulte, le volume sanguin normal est d'environ 5 L. Lorsque ce volume diminue, pendant une hémorragie par exemple, la quantité de sang qui circule dans les artères chaque minute diminue aussi. Une diminution modérée du volume sanguin peut être compensée par les mécanismes homéostatiques qui interviennent dans le maintien de la pression sanguine (voir p. 727-728), mais toute diminution de plus de 10 % du volume sanguin total fait chuter la pression sanguine. À l'inverse, tous les phénomènes qui font augmenter le volume sanguin, comme la rétention d'eau dans l'organisme, provoquent une augmentation de la pression sanguine.

Résistance

Nous avons vu plus haut que la **résistance** est la force qui s'oppose au débit sanguin et qu'elle résulte principalement de la friction du sang contre les parois des vaisseaux sanguins. La friction, et donc la résistance, sont fonction 1) du rayon moyen des vaisseaux sanguins, 2) de la viscosité du sang et 3) de la longueur totale des vaisseaux sanguins.

1. *Rayon moyen des vaisseaux sanguins.* La résistance est inversement proportionnelle à la quatrième puissance du rayon des vaisseaux sanguins ($R \propto 1/r^4$). Plus le rayon

d'un vaisseau est petit, plus la résistance qu'il oppose au débit sanguin sera grande. Si, par exemple, le rayon d'un vaisseau diminue de moitié, sa résistance au débit sanguin sera 16 fois plus grande:

$$R = 1/(\tfrac{1}{2})^4 = 2^4 = 2 \times 2 \times 2 \times 2 = 16$$

Normalement, les fluctuations ponctuelles de la pression artérielle sont causées par les changements de rayon des vaisseaux sanguins.

2. *Viscosité du sang.* La viscosité («épaisseur») du sang dépend principalement du rapport entre le nombre de globules rouges et le volume plasmatique et, dans une moindre mesure, de la concentration de protéines dans le plasma. La résistance au débit sanguin est directement proportionnelle à la viscosité du sang; toute situation qui accroît cette viscosité, comme la déshydratation ou la polycythémie (nombre anormalement élevé de globules rouges), augmente la résistance et donc la pression artérielle. La baisse du nombre de protéines plasmatiques ou de globules rouges consécutive à l'anémie ou à une hémorragie diminue la résistance et donc la pression artérielle.

3. *Longueur totale des vaisseaux sanguins.* La résistance au passage du sang dans un vaisseau est directement proportionnelle à la longueur de ce vaisseau. Plus le vaisseau est long, plus la résistance au débit sanguin sera grande. Les personnes obèses souffrent parfois d'hypertension (pression artérielle élevée) parce que la longueur totale de leurs vaisseaux sanguins a été augmentée par l'ajout de vaisseaux sanguins dans les tissus adipeux. Environ 300 km de vaisseaux sanguins s'ajoutent pour chaque demi-kilogramme d'embonpoint.

On appelle **résistance périphérique** (**RP**) toutes les résistances que les vaisseaux sanguins systémiques opposent à l'écoulement du sang. Les plus petits vaisseaux (artérioles, capillaires et veinules) sont ceux qui offrent le plus de résistance. Les plus gros vaisseaux (artères et veines) ont un plus grand diamètre, si bien que leur résistance est très faible car la plus grande partie du sang n'entre jamais en contact avec leurs parois. Les artérioles jouent un rôle important dans la régulation de la résistance périphérique, et donc de la pression artérielle et du débit sanguin dans certains tissus, en changeant de diamètre. La plus légère dilatation ou constriction des artérioles modifie considérablement la résistance périphérique. Le principal centre de régulation de la régulation périphérique est le centre vasomoteur du bulbe rachidien (décrit plus loin).

Retour veineux

Le **retour veineux** est le volume de sang qui revient au cœur à partir des veines systémiques. Il dépend du gradient de pression entre les veinules (environ 16 mm Hg en moyenne) et le ventricule droit (0 mm Hg). Bien que ce gradient de pression soit faible, le retour veineux dans l'oreillette droite se fait au même rythme que le débit du ventricule gauche car la résistance des veines est minime. Cependant, si la pression

Figure 21.10 Fonction de la pompe musculaire dans le retour veineux. Les étapes ❶ à ❸ sont décrites ci-dessous.

 Les contractions des muscles squelettiques produisent un *effet d'étranglement* qui pousse le sang veineux en direction du cœur.

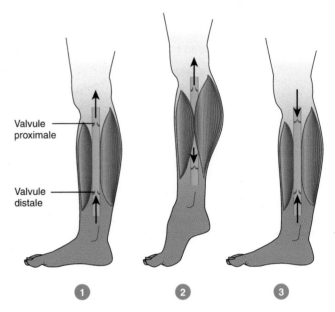

Valvule proximale

Valvule distale

❶ ❷ ❸

 Mis à part les contractions du cœur, quels sont les mécanismes qui stimulent le retour veineux par leur action de pompage?

augmente dans l'oreillette droite, le retour veineux diminuera. Cette augmentation de pression peut être causée par une défectuosité de la valve auriculo-ventriculaire droite qui laisse le sang refluer lorsque les ventricules se contractent. Il s'ensuit une accumulation de sang du côté veineux de la circulation systémique.

Outre le cœur, deux autres mécanismes stimulent le retour veineux par leur action de pompage; il s'agit de la contraction des muscles squelettiques dans les membres inférieurs et des changements de pression dans le thorax et l'abdomen durant la respiration. Les valvules des veines permettent à ces deux mécanismes de faciliter le retour veineux.

La **pompe musculaire** fonctionne de la manière suivante (figure 21.10):

❶ En position debout au repos, les deux valvules des veines de ce segment de la jambe sont ouvertes, et le sang circule vers le haut, en direction du cœur.

❷ La contraction des muscles de la jambe comprime la veine, ce qui pousse le sang à travers la valvule proximale (c'est l'effet d'étranglement) et ferme la valvule distale, située juste en dessous dans le segment non comprimé de la veine. Les personnes qui se retrouvent immobilisées pendant longtemps à cause d'une blessure ou d'une maladie ne présentent pas ces contractions et leur retour veineux est plus lent.

Figure 21.11 Résumé des facteurs qui augmentent la pression artérielle. Les changements indiqués dans les cases vertes augmentent le débit cardiaque, tandis que les changements indiqués dans les cases bleues augmentent la résistance périphérique.

🔑 **L'augmentation du débit cardiaque et celle de la résistance périphérique font augmenter la pression artérielle moyenne.**

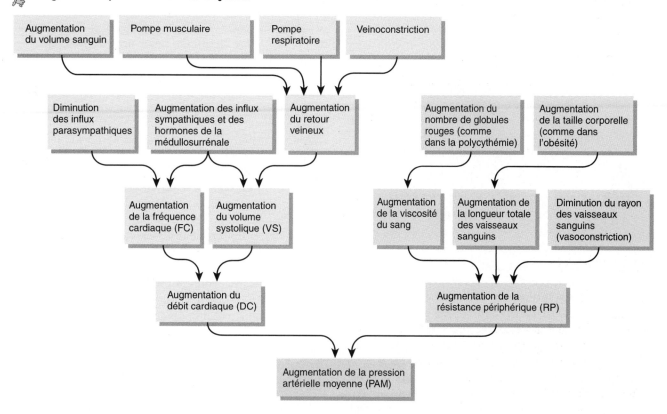

Q Quel type de vaisseau sanguin joue le rôle le plus important dans la régulation ponctuelle de la résistance périphérique, et comment agit-il ?

③ Immédiatement après la relaxation musculaire, la pression diminue dans la section de la veine qui était comprimée, ce qui cause la fermeture de la valvule proximale. La valvule distale s'ouvre alors parce que la pression sanguine dans le pied est plus élevée que dans la jambe, et le sang du pied entre dans la veine.

La **pompe respiratoire** fonctionne également selon les compressions et les décompressions alternées des veines. À l'inspiration, le diaphragme descend, ce qui diminue la pression dans la cavité thoracique et augmente la pression dans la cavité abdominale. Par conséquent, les veines abdominales sont comprimées, et un plus grand volume de sang se déplace des veines abdominales comprimées vers les veines thoraciques non comprimées, puis vers l'oreillette droite. Pendant l'expiration, ces pressions sont inversées et les valvules des veines empêchent le reflux du sang.

La figure 21.11 résume les facteurs qui augmentent la pression artérielle en augmentant le débit cardiaque ou la résistance périphérique.

🩺 APPLICATION CLINIQUE
Syncope

La syncope, ou évanouissement, est une perte de conscience brusque et temporaire qui n'est pas provoquée par un traumatisme crânien et est suivie d'une récupération spontanée. Elle est habituellement causée par une ischémie cérébrale, c'est-à-dire un débit sanguin insuffisant dans l'encéphale. La syncope peut survenir dans diverses circonstances :

• La *syncope vasovagale* est causée par un choc émotionnel ou une blessure (réelle, anticipée ou imaginaire).

- La *syncope circonstancielle* est due à une pression provoquée par l'effort de la miction, de la défécation ou d'une toux grave.
- La *syncope médicamenteuse* peut être causée par des substances comme les antihypertenseurs, les diurétiques, les vasodilatateurs et les tranquillisants.
- L'*hypotension orthostatique* est une diminution très marquée de la pression artérielle lorsqu'une personne se lève ; elle peut causer un évanouissement. ■

1. Pourquoi la vitesse du débit sanguin est-elle plus élevée dans les artères et les veines que dans les capillaires ?
2. Expliquez comment la pression artérielle et la résistance déterminent le volume du débit sanguin.
3. Définissez la *résistance* et décrivez les facteurs qui la favorisent.
4. Expliquez comment le sang veineux retourne vers le cœur.

RÉGULATION DE LA PRESSION ARTÉRIELLE ET DU DÉBIT SANGUIN

OBJECTIF

- *Décrire les mécanismes de régulation de la pression artérielle.*

Plusieurs mécanismes de rétro-inhibition interreliés régissent la pression artérielle en réglant constamment la fréquence cardiaque, le volume systolique, la résistance périphérique et le volume sanguin. Certains mécanismes ajustent rapidement la pression artérielle en fonction de changements soudains, par exemple lorsque la pression artérielle cérébrale baisse au sortir du lit, tandis que d'autres, plus lents, assurent la régulation à long terme. Même si la pression artérielle reste constante, la distribution du débit sanguin doit parfois être ajustée, le plus souvent par un changement de diamètre des artérioles. Pendant l'exercice, par exemple, une proportion plus élevée du débit sanguin est dérivée vers les muscles squelettiques.

Rôle du centre cardiovasculaire

Au chapitre 20, nous avons décrit comment le **centre cardiovasculaire** du bulbe rachidien participe à la régulation de la fréquence cardiaque et du volume systolique. Nous allons voir maintenant comment les mécanismes de rétro-inhibition nerveux, hormonaux et locaux régissent la pression sanguine et le débit sanguin dans les tissus. Des groupes de neurones disséminés dans le centre cardiovasculaire régissent la fréquence cardiaque, la contractilité (ou force de contraction) des ventricules et le diamètre des vaisseaux sanguins. Certains de ces neurones stimulent le cœur (centre cardioaccélérateur), d'autres inhibent le cœur (centre cardio-inhibiteur), d'autres encore régulent le diamètre des vaisseaux sanguins (centre vasomoteur) en causant soit une vasoconstriction (centre vasoconstricteur), soit une dilatation (centre vasodilatateur). Puisque ces amas de neurones communiquent les uns avec les autres, agissent ensemble et ne sont pas distincts sur le plan anatomique, nous les décrirons comme s'ils formaient un ensemble homogène.

Informations d'entrée transmises au centre cardiovasculaire

Le centre cardiovasculaire reçoit des informations d'entrée des centres cérébraux supérieurs et des récepteurs sensoriels (figure 21.12). Des influx nerveux descendent des centres cérébraux supérieurs, y compris le cortex cérébral, le système limbique et l'hypothalamus, pour agir sur le centre cardiovasculaire. Par exemple, avant même le début d'une course, notre fréquence cardiaque peut augmenter sous l'effet des influx nerveux que le système limbique transmet au centre cardiovasculaire. Si notre température corporelle augmente pendant la course, le centre thermorégulateur de l'hypothalamus transmettra des influx nerveux au centre cardiovasculaire ; il en résultera la dilatation des vaisseaux sanguins cutanés, ce qui permet la dissipation plus rapide de la chaleur à la surface de la peau. Les trois principaux types de récepteurs sensoriels qui transmettent des influx au centre cardiovasculaire sont les propriocepteurs, les barorécepteurs et les chimiorécepteurs. Les *propriocepteurs,* qui surveillent les mouvements articulaires et musculaires, transmettent des informations au centre cardiovasculaire durant l'activité physique et sont responsables de l'augmentation rapide de la fréquence cardiaque au début de l'exercice. Les *barorécepteurs* surveillent les changements de pression et l'étirement des parois des vaisseaux sanguins. Les *chimiorécepteurs* surveillent la concentration de diverses substances chimiques dans le sang.

Informations de sortie émises par le centre cardiovasculaire

Les informations de sortie émises par le centre cardiovasculaire sont acheminées par les fibres sympathiques et parasympathiques du système nerveux autonome (voir la figure 21.12). Les influx sympathiques empruntent les **nerfs cardiaques** pour se rendre au cœur. Lorsque la stimulation sympathique augmente, la fréquence cardiaque et la contractilité augmentent, et lorsque la stimulation sympathique diminue, la fréquence cardiaque et la contractilité diminuent. La stimulation parasympathique, qui est acheminée par les **nerfs vagues** (**X**), diminue la fréquence cardiaque. La régulation autonome du cœur résulte donc de l'opposition des influences sympathiques (stimulation) et des influences parasympathiques (inhibition).

Le centre cardiovasculaire transmet continuellement des influx au muscle lisse de la paroi des vaisseaux sanguins par l'intermédiaire de fibres nerveuses sympathiques appelées **nerfs vasomoteurs.** La régulation autonome du diamètre des vaisseaux sanguins est donc assurée principalement par la partie sympathique du SNA. Les fibres nerveuses vasomotrices sympathiques sortent de la moelle épinière par les nerfs thoraciques et le premier nerf lombaire (peut-être aussi le

Figure 21.12 Situation et fonction du centre cardiovasculaire du bulbe rachidien. Le centre cardiovasculaire reçoit des informations d'entrée des centres cérébraux supérieurs, des propriocepteurs, des barorécepteurs et des chimiorécepteurs, et transmet des informations de sortie aux parties et sympathique et parasympathique du système nerveux autonome.

🔑 **Le centre cardiovasculaire est le principal siège de la régulation nerveuse du cœur et des vaisseaux sanguins.**

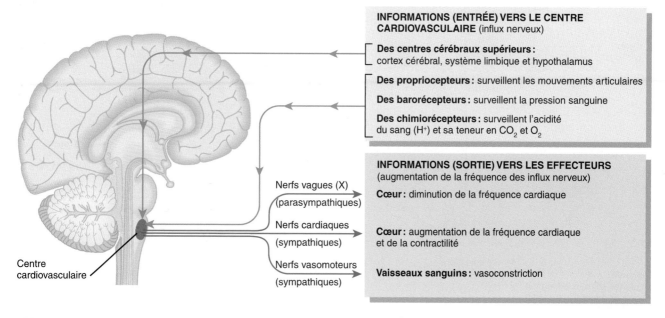

INFORMATIONS (ENTRÉE) VERS LE CENTRE CARDIOVASCULAIRE (influx nerveux)

Des centres cérébraux supérieurs : cortex cérébral, système limbique et hypothalamus

Des propriocepteurs : surveillent les mouvements articulaires

Des barorécepteurs : surveillent la pression sanguine

Des chimiorécepteurs : surveillent l'acidité du sang (H^+) et sa teneur en CO_2 et O_2

INFORMATIONS (SORTIE) VERS LES EFFECTEURS (augmentation de la fréquence des influx nerveux)

Cœur : diminution de la fréquence cardiaque

Cœur : augmentation de la fréquence cardiaque et de la contractilité

Vaisseaux sanguins : vasoconstriction

Nerfs vagues (X) (parasympathiques)

Nerfs cardiaques (sympathiques)

Nerfs vasomoteurs (sympathiques)

Centre cardiovasculaire

Q Quels types de tissus effecteurs sont régis par le centre cardiovasculaire ?

---

deuxième), puis entrent dans les ganglions du tronc sympathique (voir la figure 17.2, p. 580). De là, les influx se propagent le long des nerfs sympathiques qui innervent les vaisseaux sanguins des viscères et des régions périphériques. Le centre vasomoteur du centre cardiovasculaire émet sans relâche des influx sur ces trajectoires destinées à toutes les artérioles de l'organisme, mais surtout à celles de la peau et des viscères abdominaux. Par conséquent, les artérioles sont presque toujours en état de contraction ou de vasoconstriction ; cet état, appelé **tonus vasomoteur,** établit la résistance périphérique au repos. La stimulation sympathique de la plupart des veines provoque une constriction qui fait sortir le sang des réservoirs veineux et augmente la pression artérielle.

Régulation nerveuse de la pression artérielle

Le système nerveux régit la pression artérielle par des boucles de rétro-inhibition dans lesquelles interviennent deux types de réflexes : les réflexes des barorécepteurs et les réflexes des chimiorécepteurs.

Réflexes des barorécepteurs

Les barorécepteurs dans les parois de certaines artères et veines surveillent la pression sanguine. Les deux principaux mécanismes de rétro-inhibition qui mettent à contribution les barorécepteurs sont le réflexe sinu-carotidien et le réflexe aortique.

Le **réflexe sinu-carotidien,** qui contribue au maintien d'une pression artérielle normale dans l'encéphale, est déclenché par les barorécepteurs de la paroi des sinus carotidiens. Les **sinus carotidiens** sont de petites dilatations des artères carotides internes droite et gauche situées juste au-dessus du point de rencontre de ces dernières avec l'artère carotide commune (figure 21.13). Lorsque la pression artérielle augmente, la paroi des sinus carotidiens s'étire, ce qui stimule les barorécepteurs. Ceux-ci émettent des influx nerveux qui se propagent le long des fibres sensitives des nerfs glosso-pharyngiens (IX) jusqu'au centre cardiovasculaire du bulbe rachidien. Le **réflexe aortique,** qui régit la pression artérielle systémique, est déclenché par les barorécepteurs dans la paroi de l'aorte ascendante et de l'arc aortique. Les influx

Figure 21.13 Innervation du système nerveux autonome du cœur et réflexes des barorécepteurs qui contribuent à la régulation de la pression artérielle.

 Les barorécepteurs sont des neurones sensibles aux changements de pression causés par l'étirement.

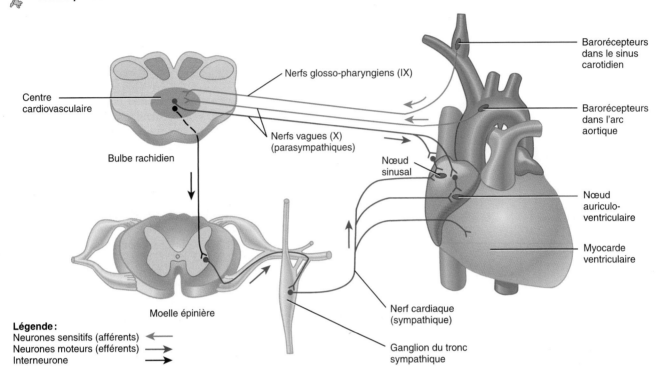

Q Quelles trajectoires les influx nerveux émis par les barorécepteurs des sinus carotidiens et de l'arc aortique suivent-ils pour atteindre le centre cardiovasculaire ?

nerveux des barorécepteurs aortiques passent par les fibres sensitives des nerfs vagues (X) pour atteindre le centre cardiovasculaire.

Quand la pression artérielle baisse, cependant, les barorécepteurs s'étirent moins et émettent leurs influx nerveux plus lentement vers le centre cardiovasculaire (figure 21.14). Ce dernier réagit en diminuant la stimulation parasympathique du cœur grâce aux fibres motrices des nerfs vagues (X) et en augmentant la stimulation sympathique du cœur par les nerfs cardiaques. L'augmentation de la stimulation sympathique a également pour effet de stimuler la sécrétion d'adrénaline et de noradrénaline par la médullosurrénale. Il s'ensuit une accélération de la fréquence cardiaque, une augmentation de la force de contraction du cœur, et la vaso-constriction est favorisée. À mesure que le cœur bat plus vite et avec plus de force, et que la résistance périphérique augmente, la pression artérielle s'élève, ce qui favorise le rétablissement de l'homéostasie car la pression artérielle redevient normale.

À l'inverse, lorsque les barorécepteurs détectent une augmentation de la pression dans l'aorte et les artères carotides, le centre cardiovasculaire réagit en augmentant la stimulation parasympathique et en diminuant la stimulation sympathique. Il s'ensuit une baisse de la fréquence cardiaque et de la force de contraction du cœur qui diminue le débit cardiaque. De plus, le centre cardiovasculaire ralentit la vitesse des influx sympathiques qu'il émet dans les fibres vasomotrices qui stimulent normalement la vasoconstriction. Il s'ensuit une vasodilatation qui réduit la résistance périphérique. La diminution du débit cardiaque et celle de la résistance périphérique diminuent toutes deux la pression artérielle systémique.

La capacité des réflexes aortique et sinu-carotidien à corriger les baisses de pression artérielle est très importante lors du passage de la position couchée à la position assise ou debout. Lorsqu'une personne se lève, la pression artérielle et le débit sanguin dans la tête et le haut du corps diminuent. Cette chute de pression est toutefois rapidement compensée par les réflexes aortique et sinu-carotidien. Ceux-ci agissent

Figure 21.14 Régulation, par un mécanisme de rétro-inhibition, de la pression artérielle par l'intermédiaire des réflexes des barorécepteurs.

🔑 **Selon la loi de Marey, quand la pression artérielle baisse, la fréquence cardiaque s'accélère et vice-versa.**

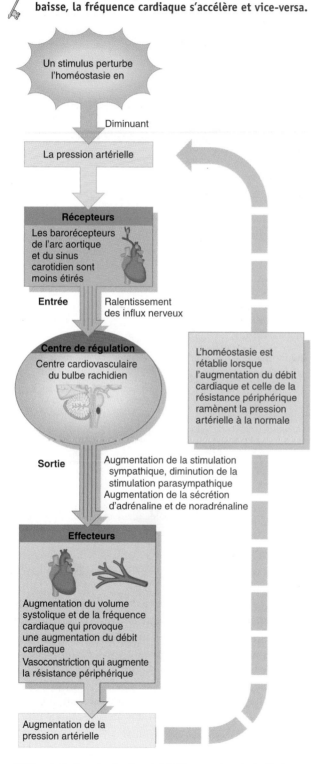

Un stimulus perturbe l'homéostasie en

Diminuant

La pression artérielle

Récepteurs

Les barorécepteurs de l'arc aortique et du sinus carotidien sont moins étirés

Entrée — Ralentissement des influx nerveux

Centre de régulation

Centre cardiovasculaire du bulbe rachidien

L'homéostasie est rétablie lorsque l'augmentation du débit cardiaque et celle de la résistance périphérique ramènent la pression artérielle à la normale

Sortie — Augmentation de la stimulation sympathique, diminution de la stimulation parasympathique
Augmentation de la sécrétion d'adrénaline et de noradrénaline

Effecteurs

Augmentation du volume systolique et de la fréquence cardiaque qui provoque une augmentation du débit cardiaque
Vasoconstriction qui augmente la résistance périphérique

Augmentation de la pression artérielle

Q Cette boucle de rétro-inhibition représente-t-elle les changements qui surviennent lorsqu'on s'étend ou qu'on se met debout ?

parfois plus lentement que la normale, surtout chez les personnes âgées, si bien qu'une personne peut s'évanouir lorsqu'elle se lève trop vite car son cerveau ne reçoit pas un apport sanguin adéquat.

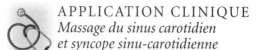

APPLICATION CLINIQUE
Massage du sinus carotidien et syncope sinu-carotidienne

Le sinus carotidien étant situé à proximité de la face antérieure du cou, il est possible de stimuler ses barorécepteurs en exerçant une pression sur la région cervicale. Le **massage du sinus carotidien** est un geste médical qui consiste à masser délicatement le cou au-dessus du sinus carotidien afin de ralentir la fréquence cardiaque chez une personne atteinte de tachycardie supraventriculaire paroxystique, trouble qui prend naissance dans les oreillettes. L'étirement ou la compression du sinus carotidien par divers facteurs (hyperextension de la tête, cols trop serrés ou port de charges lourdes sur les épaules) peut également ralentir la fréquence cardiaque et provoquer une **syncope sinu-carotidienne**, c'est-à-dire un évanouissement causé par une stimulation inadéquate des barorécepteurs du sinus carotidien. ■

Réflexes des chimiorécepteurs

Les chimiorécepteurs qui surveillent la composition chimique du sang sont situés près des barorécepteurs du sinus carotidien et de l'arc aortique, dans de petites structures appelées **glomus carotidiens** et **corpuscules aortiques,** respectivement. Ces chimiorécepteurs détectent les variations de la concentration sanguine d'O_2, de CO_2 et d'ions H^+. L'*hypoxie* (baisse de la disponibilité de l'O_2), l'*acidose* (augmentation de la concentration d'ions H^+) ou l'*hypercapnie* (excès de CO_2) stimulent les chimiorécepteurs pour qu'ils transmettent des influx au centre cardiovasculaire. Ce dernier réagit en augmentant la stimulation sympathique vers les artérioles et les veines, en produisant une vasoconstriction et en augmentant la pression artérielle. Comme nous le verrons au chapitre 23, ces chimiorécepteurs transmettent également des influx au centre respiratoire du tronc cérébral quand il est nécessaire de régler la fréquence respiratoire.

Régulation hormonale de la pression artérielle

Les hormones et les mécanismes hormonaux décrits ci-dessous contribuent à la régulation de la pression artérielle et du débit sanguin en modifiant le débit cardiaque, la résistance périphérique ou le volume sanguin total.

1. *Système rénine-angiotensine-aldostérone.* Lorsque le volume sanguin baisse ou que le débit sanguin vers les reins diminue, les cellules juxtaglomérulaires des reins libèrent une plus grande quantité de *rénine*, une enzyme, dans la circulation sanguine. Tour à tour, la rénine et l'enzyme de conversion de l'angiotensine (ACE) agissent sur leurs substrats pour produire une hormone active, l'**angiotensine II**, qui élève la pression artérielle de deux façons. D'une part, l'angiotensine II est un puissant vasoconstricteur qui élève la résistance périphérique; d'autre part, elle stimule la sécrétion d'*aldostérone*, hormone qui favorise la réabsorption rénale d'ions sodium (Na^+) et d'eau. Cette série de réactions fait augmenter le volume sanguin total, qui élève à son tour la pression artérielle.

2. *Adrénaline et noradrénaline.* Ces deux hormones de la médullosurrénale accroissent le débit cardiaque en augmentant la fréquence et la force des contractions cardiaques; elles stimulent également la vasoconstriction des artérioles et des veines dans la peau et les viscères abdominaux. De plus, l'adrénaline cause la vasodilatation des artérioles dans le muscle cardiaque et les muscles squelettiques.

3. *Hormone antidiurétique (ADH).* Produite par l'hypothalamus et libérée par la neuro-hypophyse, l'hormone antidiurétique cause notamment une vasoconstriction; c'est pourquoi elles est aussi appelée **vasopressine.**

4. *Peptide natriurétique auriculaire (ANP).* Libéré par des cellules dans les oreillettes du cœur, le peptide natriurétique auriculaire abaisse la pression artérielle en causant une vasodilatation et en favorisant l'excrétion de sodium et d'eau dans l'urine, ce qui réduit le volume sanguin.

Le tableau 21.1 présente un résumé de la régulation hormonale de la pression artérielle.

Régulation locale de la pression artérielle

Dans chaque lit capillaire, des changements locaux peuvent régir la vasomotricité en causant une vasodilatation ou une vasoconstriction qui modifient la résistance périphérique et, par conséquent, la pression artérielle. Les vasodilatateurs provoquent la dilatation locale des artérioles et le relâchement des sphincters précapillaires; il s'ensuit une augmentation du débit sanguin dans les lits capillaires qui rétablit la concentration normale d'O_2. Les vasoconstricteurs produisent l'effet inverse. La capacité d'un tissu à ajuster automatiquement le débit sanguin local pour combler ses besoins métaboliques d'O_2 et de nutriments et se débarrasser de ses déchets est appelée **autorégulation.** Dans certains tissus, comme le muscle cardiaque et les muscles squelettiques, où les besoins peuvent être multipliés par dix pendant une activité physique, l'autorégulation contribue dans une large mesure à l'augmentation du débit sanguin dans les tissus sollicités. Elle régit en outre le débit sanguin régional dans l'encéphale. Bien que le débit sanguin total dans l'encéphale demeure presque constant quelle que soit l'intensité de l'activité physique ou mentale, la distribution du sang dans les diverses régions de l'encéphale varie beaucoup selon le type d'activité. Durant une conversation, par exemple, le

Tableau 21.1 Régulation hormonale de la pression artérielle

FACTEUR INFLUANT SUR LA PRESSION ARTÉRIELLE	HORMONE	EFFET SUR LA PRESSION ARTÉRIELLE
Débit cardiaque		
Augmentation de la fréquence cardiaque et de la contractilité du cœur	Noradrénaline Adrénaline	Augmentation
Résistance périphérique		
Vasoconstriction	Angiotensine II	Augmentation
	Hormone antidiurétique (vasopressine)	
	Noradrénaline*	
	Adrénaline*	
Vasodilatation	Peptide natriurétique auriculaire	Diminution
	Adrénaline†	
	Monoxyde d'azote	
Volume sanguin		
Augmentation du volume sanguin	Aldostérone	Augmentation
	Hormone antidiurétique	
Diminution du volume sanguin	Peptide natriurétique auriculaire	Diminution

* Agit sur les récepteurs α_1 dans les artérioles de l'abdomen et de la peau.

† Agit sur les récepteurs β_2 dans les artérioles du muscle cardiaque et des muscles squelettiques; l'effet vasodilatateur de la noradrénaline est nettement moins élevé.

débit sanguin augmente dans les aires motrices du langage chez la personne qui parle et dans les aires auditives chez la personne qui écoute.

Deux types de stimulus causent habituellement l'autorégulation du débit sanguin:

1. *Changements physiques.* La chaleur favorise la vasodilatation, tandis que le froid cause une vasoconstriction. Par ailleurs, le muscle lisse des parois des artérioles présente une **réponse myogène**, c'est-à-dire qu'il se contracte plus vigoureusement lorsqu'il est étiré et se relâche lorsque l'étirement diminue. Dans une artériole, le degré d'étirement du muscle lisse dépend du débit sanguin: si le débit sanguin diminue, l'étirement diminue, le muscle lisse se relâche et la vasodilatation qui se produit augmente le débit sanguin.

2. *Médiateurs chimiques.* Plusieurs types de cellules, y compris les globules blancs, les plaquettes, les fibres musculaires lisses, les macrophages et les cellules endothéliales,

libèrent une grande variété de **facteurs vasoactifs**, substances chimiques qui modifient le diamètre des vaisseaux sanguins. Les vasodilatateurs libérés par les cellules métaboliquement actives des tissus comprennent les ions K^+ et H^+, l'acide lactique (ou lactate) et l'adénosine (de l'ATP). Le monoxyde d'azote est un autre vasodilatateur important libéré par les cellules endothéliales ; il a porté le nom de facteur endothélial de relaxation avant que l'on ait déterminé son identité chimique. Les lésions et l'inflammation des tissus stimulent la libération de kinines et d'histamine aux propriétés vasodilatatrices. Les vasoconstricteurs comprennent certains eicosanoïdes comme la thromboxane A_2 et la prostaglandine $F_{2\alpha}$, les radicaux superoxydes, la sérotonine (dérivée des plaquettes) et les endothélines (des cellules endothéliales).

Les circulations pulmonaire et systémique se distinguent par leur réaction autorégulatrice aux changements de concentration d'O_2. Dans la circulation systémique, les vaisseaux sanguins *se dilatent* quand la concentration d'O_2 est faible, tandis que dans la circulation pulmonaire, ils *se contractent*. Ce mécanisme est très important car il permet la distribution du sang vers les régions des poumons où il peut absorber le plus d'O_2. Lorsque certaines alvéoles pulmonaires ne sont pas bien ventilées par de l'air frais, les vaisseaux sanguins de ces régions se contractent pour dériver le sang vers des régions mieux ventilées des poumons.

1. Quelles sont les principales informations d'entrée et de sortie que le centre cardiovasculaire reçoit et émet ?
2. Décrivez le fonctionnement du réflexe sinu-carotidien et du réflexe aortique.
3. Expliquez le rôle des chimiorécepteurs dans la régulation de la pression artérielle.
4. Décrivez la régulation hormonale de la pression artérielle.
5. Qu'est-ce que l'autorégulation ? Décrivez les changements physiques et chimiques qui causent la vasodilatation et la vasoconstriction.

CHOC ET HOMÉOSTASIE

OBJECTIF

• *Définir le « choc » et décrire les quatre types de choc.*

Le **choc** est une défaillance du système cardiovasculaire, qui ne fournit pas suffisamment d'oxygène et de nutriments aux cellules pour combler leurs besoins métaboliques. Les causes du choc sont nombreuses et variées, mais toutes se caractérisent par une perfusion (c'est-à-dire un débit sanguin) inadéquate des tissus de l'organisme. Lorsque l'oxygène manque, les cellules produisent l'ATP de manière anaérobie plutôt que de manière aérobie, et l'acide lactique s'accumule dans les liquides de l'organisme. Si le choc persiste, il endommage les cellules et les organes et peut causer la mort cellulaire à moins qu'un traitement adéquat ne soit mis en œuvre rapidement.

Types de choc

On distingue quatre types de choc : 1) le **choc hypovolémique** (*hupo* = au-dessous ; *volémie* = volume sanguin total), causé par une diminution du volume sanguin, 2) le **choc cardiogénique,** causé par une défaillance cardiaque, 3) le **choc d'origine vasculaire,** causé par une vasodilatation inappropriée, et 4) le **choc par obstruction,** causé par l'obstruction de l'écoulement sanguin.

Le choc hypovolémique est souvent dû à une hémorragie aiguë (soudaine) qui peut être externe, comme dans le cas d'un traumatisme, ou interne, par exemple lors de la rupture d'un anévrisme de l'aorte. La perte liquidienne résultant d'une sudation excessive, de diarrhées ou de vomissements peut également provoquer un choc hypovolémique. Certaines maladies comme le diabète peuvent induire des pertes excessives de liquide dans l'urine. Le choc hypovolémique résulte parfois d'un apport liquidien insuffisant. Quelle qu'en soit la cause, la diminution du volume des liquides de l'organisme entraîne une telle baisse du retour veineux au cœur que le remplissage du cœur s'en trouve diminué, tout comme le volume systolique et le débit cardiaque.

Dans le choc cardiogénique, la pompe cardiaque ne fonctionne plus de façon efficace, habituellement à la suite d'un infarctus du myocarde (ou crise cardiaque). Les autres causes possibles du choc cardiogénique sont la perfusion insuffisante du cœur (ischémie), une anomalie des valves cardiaques, une précharge ou une postcharge excessives, une contractilité inadéquate des fibres musculaires cardiaques et les arythmies.

Même en présence d'un volume sanguin et d'un débit cardiaque normaux, un choc peut survenir si la pression artérielle diminue par suite d'une baisse de la résistance périphérique. Divers troubles peuvent entraîner une dilatation inappropriée des artérioles ou des veinules. Dans le *choc anaphylactique,* une réaction allergique grave (due à une piqûre d'abeille, par exemple) libère de l'histamine et d'autres médiateurs qui induisent la vasodilatation. Dans le *choc neurogénique,* la vasodilatation suit un traumatisme crânien qui entrave le fonctionnement du centre cardiovasculaire du bulbe rachidien. Le choc causé par certaines toxines bactériennes qui ont un effet vasodilatateur est appelé *choc septique.* Aux États-Unis, le choc septique est responsable de plus de 100 000 morts chaque année et constitue la principale cause de décès dans les unités de soins intensifs des centres hospitaliers.

Le **choc par obstruction** survient à la suite d'une obstruction à l'écoulement sanguin dans une partie de la circulation. Sa cause la plus fréquente est l'*embolie pulmonaire,* lorsqu'un caillot de sang bloque un vaisseau sanguin des poumons.

Réponses homéostatiques au choc

Les principaux mécanismes de compensation qui interviennent en cas de choc sont des *mécanismes de rétro-inhibition* qui visent à ramener le débit cardiaque et la pression artérielle à la normale. Si le choc est modéré, la compensation par des mécanismes homéostatiques empêche une aggravation de la situation. Ainsi, chez une personne par ailleurs en bonne santé, les mécanismes compensatoires suivants peuvent maintenir le débit sanguin et la pression artérielle à des niveaux adéquats même si une hémorragie aiguë fait perdre à l'organisme jusqu'à 10 % de son volume sanguin total :

1. *Activation du système rénine-angiotensine-aldostérone.* La diminution du débit sanguin rénal stimule la sécrétion de rénine par les reins, ce qui déclenche le système rénine-angiotensine-aldostérone (voir la figure 18.16, p. 621). Rappelez-vous que l'angiotensine II est un puissant vasoconstricteur qui stimule également le cortex surrénal à sécréter de l'aldostérone, hormone qui augmente la réabsorption de Na^+ et d'eau par les reins. L'augmentation de la résistance périphérique et du volume sanguin favorise l'élévation de la pression artérielle.

2. *Sécrétion de l'hormone antidiurétique.* Lorsque la pression artérielle diminue, la neurohypophyse libère une quantité accrue d'hormone antidiurétique (ADH). L'ADH provoque une vasoconstriction, qui augmente la résistance périphérique et favorise la réabsorption d'eau par les reins, ce qui permet de maintenir le volume sanguin résiduel.

3. *Activation de la partie sympathique du système nerveux autonome.* À mesure que la pression artérielle diminue, les barorécepteurs de l'aorte et des artères carotides stimulent l'activité sympathique dans la plus grande partie de l'organisme. Il s'ensuit une vasoconstriction marquée des artérioles et des veines de la peau, des reins et d'autres viscères abdominaux. (La vasoconstriction ne se produit pas dans l'encéphale ou le cœur.) La vasoconstriction augmente la résistance périphérique, ce qui favorise le maintien d'un retour veineux adéquat. La stimulation sympathique augmente également la fréquence cardiaque et la force de contraction du cœur ainsi que la sécrétion d'adrénaline et de noradrénaline par la médullosurrénale. Ces hormones intensifient la vasoconstriction et augmentent la fréquence et la contractilité cardiaques, ce qui aboutit à l'augmentation de la pression artérielle.

4. *Libération de vasodilatateurs locaux.* En réponse à l'*hypoxie*, les cellules libèrent des vasodilatateurs (y compris des ions K^+ et H^+, de l'acide lactique, de l'adénosine et du monoxyde d'azote) pour dilater les artérioles et relâcher les sphincters précapillaires. Une telle vasodilatation augmente le débit sanguin local et peut rétablir une concentration d'oxygène normale dans une région mal perfusée de l'organisme. Cependant, la vasodilatation a aussi un effet potentiellement néfaste car elle peut diminuer la résistance périphérique et, par conséquent, la pression artérielle.

Les mécanismes de rétro-inhibition qui interviennent dans la réponse à un choc hypovolémique sont présentés sous forme de schéma à la figure 21.15.

Quand le volume sanguin baisse de plus de 10 à 20 %, ou que le cœur ne parvient pas à élever suffisamment la pression artérielle, les mécanismes de compensation peuvent échouer dans leur tentative de rétablir une perfusion adéquate des tissus. Le choc devient alors extrêmement grave et peut menacer la survie car les cellules endommagées commencent à mourir.

Signes et symptômes du choc

Bien que les signes et les symptômes du choc varient selon la gravité de la situation, on peut généralement les prévoir à la lumière des réponses que les mécanismes de rétro-inhibition génèrent pour les contrer. Parmi ces signes et symptômes, citons les suivants :

- Une *fréquence cardiaque rapide au repos* causée par la stimulation sympathique et l'augmentation des concentrations sanguines d'adrénaline et de noradrénaline, hormones produites par la médullosurrénale.

- Un *pouls faible et rapide* secondaire à la réduction du débit cardiaque et à l'accélération de la fréquence cardiaque.

- Une *peau moite, froide et pâle* par suite de la vasoconstriction sympathique des vaisseaux sanguins cutanés.

- La *transpiration* causée par la stimulation sympathique.

- Une *altération de l'état mental* due à l'ischémie cérébrale.

- Une *baisse de la formation d'urine* causée par la vasoconstriction sympathique des vaisseaux sanguins rénaux et l'augmentation des concentrations d'aldostérone et d'hormone antidiurétique (ADH).

- La *soif* causée par la perte de liquide extracellulaire.

- Une *acidose* causée par l'accumulation d'acide lactique.

- Des *nausées* provoquées par une mauvaise circulation dans le système digestif, secondaire à la vasoconstriction sympathique.

1. Expliquez quels symptômes du choc hypovolémique sont liés à la perte de liquide subie par l'organisme, et lesquels sont attribuables aux mécanismes de rétro-inhibition qui tentent de maintenir la pression artérielle et le débit sanguin.

ÉVALUATION DE LA CIRCULATION

OBJECTIF

- *Définir le « pouls » ainsi que les « pressions systolique, diastolique et différentielle ».*

Pouls

La dilatation et la rétraction successives des artères élastiques après chaque systole du ventricule gauche créent une onde de pression transmise à toutes les artères : le **pouls.** Le

Figure 21.15 Mécanismes de rétro-inhibition pouvant ramener la pression artérielle à la normale durant un choc hypovolémique.

🔑 **Les mécanismes homéostatiques peuvent compenser une hémorragie aiguë jusqu'à 10 % du volume sanguin total.**

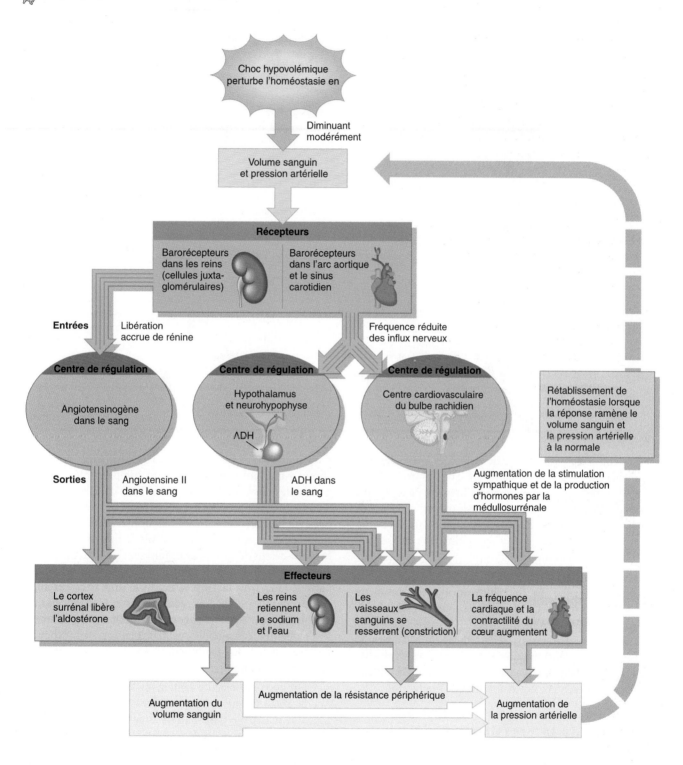

Ⓠ Chez une personne qui a perdu du sang, une pression artérielle presque normale indique-t-elle une perfusion adéquate des tissus ?

Tableau 21.2 Points de compression pour palper le pouls

VAISSEAU		SITUATION	VAISSEAU		SITUATION
Artère temporale superficielle		Latérale par rapport à l'orbite de l'œil.	Artère fémorale		Inférieure au ligament inguinal.
Artère faciale		Mandibule (mâchoire inférieure), au même niveau que les coins de la bouche.	Artère poplitée		Postérieure au genou.
Artère carotide commune		Latérale par rapport au larynx.	Artère radiale		Moitié distale du poignet.
Artère brachiale		Face médiale du muscle biceps brachial.	Artère dorsale du pied		Supérieure au cou-de-pied.

pouls atteint son niveau le plus élevé dans les artères les plus rapprochées du cœur, puis s'affaiblit dans les artérioles et disparaît complètement dans les capillaires. On peut le sentir en palpant n'importe quelle artère située près de la surface de la peau et qui se trouve en contact avec un os ou une structure rigide. Le tableau 21.2 décrit les points de compression les plus couramment utilisés.

Normalement, la fréquence du pouls est semblable à la fréquence cardiaque. La fréquence normale du pouls au repos se situe entre 70 et 80 battements/min. La **tachycardie** (*takhus* = rapide) désigne une fréquence cardiaque ou un pouls au repos supérieur à 100 battements/min. La **bradycardie** (*bradus* = lent) indique une fréquence cardiaque ou un pouls au repos inférieur à 60 battements/min. Les athlètes d'endurance présentent normalement une bradycardie.

Mesure de la pression artérielle

Habituellement, on mesure la pression artérielle dans l'artère brachiale au moyen d'un **sphygmomanomètre** (*sphugmos* = pulsation ; *manomètre* = appareil servant à mesurer la pression). Le sphygmomanomètre est composé

d'un brassard en caoutchouc relié par un tube en caoutchouc à une pompe ou une poire compressible servant à gonfler le brassard. Un autre tube relie le brassard à une colonne de mercure ou à un dispositif de détection de la pression qui affiche les valeurs sur un cadran gradué en millimètres de mercure. On enroule le brassard autour du bras, au-dessus de l'artère brachiale, puis on le gonfle jusqu'à ce que la pression dans le manchon dépasse la pression dans l'artère. Les parois de l'artère brachiale sont alors fortement comprimées les unes contre les autres et le sang cesse d'y circuler. Deux signes confirment l'occlusion de l'artère : 1) aucun bruit n'est audible lorsqu'on place un stéthoscope sur l'artère, en dessous du brassard, et 2) aucun pouls n'est ressenti lorsqu'on palpe des doigts l'artère radiale du poignet.

On dégonfle ensuite lentement le brassard jusqu'à ce que la pression qui y règne soit légèrement inférieure à la pression maximale dans l'artère brachiale. L'artère s'ouvre alors et laisse passer un jet de sang dont la turbulence provoque un bruit audible au stéthoscope. Lorsque ce premier bruit se fait entendre, la valeur sur la colonne de mercure ou le cadran correspond à la **pression systolique,** c'est-à-dire la pression maximale que le sang atteint après la contraction

Figure 21.16 Relation entre les variations de la pression artérielle et la pression dans le brassard.

 À mesure que le brassard est dégonflé, les premiers bruits entendus sont produits par la pression systolique; les bruits s'affaiblissent soudainement à la pression diastolique.

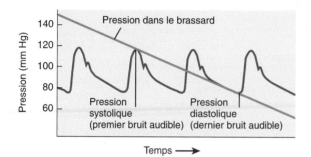

Q Lorsque la pression artérielle d'une personne est de « 142 sur 95 », quelles sont les pressions diastolique, systolique et différentielle correspondantes? Cette personne souffre-t-elle d'hypertension artérielle selon la définition qui en est donnée à la page 773?

ventriculaire (figure 21.16). Lorsque la pression dans le brassard diminue davantage, les sons s'affaiblissent soudainement car la turbulence du sang est considérablement réduite. La valeur mesurée lorsque les bruits s'affaiblissent soudainement correspond à la **pression diastolique,** c'est-à-dire la pression artérielle minimale pendant la relaxation ventriculaire. Tandis que la pression systolique traduit la force de contraction du ventricule gauche, la pression diastolique fournit de l'information sur la résistance périphérique. Lorsque les pressions descendent en deçà de la pression diastolique, aucun bruit n'est audible. Les divers bruits que l'on peut entendre pendant la mesure de la pression artérielle sont appelés **bruits de Korotkoff.**

Bien que la pression artérielle puisse varier d'une personne à une autre, la pression systolique normale chez un jeune homme adulte est d'environ 120 mm Hg et la pression diastolique, d'environ 80 mm Hg; on dit alors que la pression artérielle est de « 120 sur 80 » et on écrit « 120/80 ». Chez la jeune femme adulte, ces pressions sont inférieures de 8 à 10 mm Hg. Les personnes qui font de l'exercice régulièrement et sont en bonne forme physique présentent souvent des pressions artérielles plus basses. Une pression artérielle légèrement inférieure à 120/80 peut donc être un signe de bonne santé et de bonne forme physique.

La différence entre la pression systolique et la pression diastolique est appelée **pression différentielle.** La pression différentielle se situe en moyenne à 40 mm Hg et traduit l'état du système cardiovasculaire. Par exemple, l'athérosclérose et la persistance du conduit artériel sont deux facteurs qui augmentent considérablement la pression différentielle. Le rapport normal entre la pression systolique, la pression diastolique et la pression différentielle est d'environ 3:2:1.

1. À quels endroits peut-on palper le pouls?
2. Définissez la *tachycardie* et la *bradycardie.*
3. Expliquez comment les pressions systolique et diastolique sont mesurées avec un sphygmomanomètre.

VOIES DE LA CIRCULATION
OBJECTIF

• *Décrire les deux principales voies de la circulation chez l'adulte.*

Les artères, les artérioles, les capillaires, les veinules et les veines forment un véritable « réseau routier » qui permet au sang d'être distribué dans l'organisme. La figure 21.17 montre les **voies de la circulation** du sang. Ces voies sont parallèles – dans la plupart des cas, une partie du débit cardiaque est acheminée séparément vers chaque tissu de l'organisme. Chaque organe reçoit son propre approvisionnement en sang fraîchement oxygéné. Les deux principales voies de la circulation sont les circulations systémique et pulmonaire. La **circulation systémique** comprend toutes les artères et les artérioles qui transportent le sang oxygéné du ventricule gauche aux capillaires systémiques, ainsi que les veines et les veinules qui ramènent le sang désoxygéné dans l'oreillette droite. Les artères bronchiques de l'aorte thoracique, qui apportent les nutriments aux poumons, appartiennent également à la circulation systémique. Le sang qui sort de l'aorte et circule dans les artères systémiques est rouge vif. Lorsqu'il atteint les capillaires, il perd une partie de son oxygène et absorbe du gaz carbonique, ce qui lui donne une teinte rouge plus foncée.

Lorsque le sang de la circulation systémique revient au cœur, il est éjecté du ventricule droit vers la **circulation pulmonaire,** qui le transporte dans les poumons (voir la figure 21.30). Dans les capillaires entourant les alvéoles pulmonaires, le sang perd une partie de son gaz carbonique et absorbe de l'oxygène. Il redevient alors rouge vif et retourne vers l'oreillette gauche du cœur, puis dans le ventricule gauche, qui l'éjecte de nouveau dans la circulation systémique.

La **circulation fœtale** est une autre voie importante qui n'existe que chez le fœtus. Elle contient des structures spécifiques qui permettent au fœtus en développement d'échanger des substances avec sa mère (voir la figure 21.31).

Circulation systémique

Toutes les artères systémiques sont issues de l'**aorte.** Toutes les veines qui font partie de la circulation systémique se drainent dans la **veine cave supérieure,** la **veine cave inférieure** ou le **sinus coronaire,** qui se drainent à leur tour dans l'oreillette droite.

Les principales artères et veines de la circulation systémique sont décrites et illustrées dans les exposés 21.1 à 21.12 et les figures 21.18 à 21.28. Dans les exposés, les

Figure 21.17 Voies de la circulation. Les flèches noires épaisses indiquent la circulation systémique (décrite dans les exposés 21.3 à 21.12), les flèches noires fines indiquent la circulation pulmonaire (décrite à la figure 21.30) et les flèches rouges indiquent le système porte hépatique (décrit à la figure 21.29). La figure 20.8, p. 684, décrit la circulation coronarienne, et la figure 21.31 présente en détail la circulation fœtale.

 Les vaisseaux sanguins sont organisés en réseaux routiers qui acheminent le sang aux tissus de l'organisme.

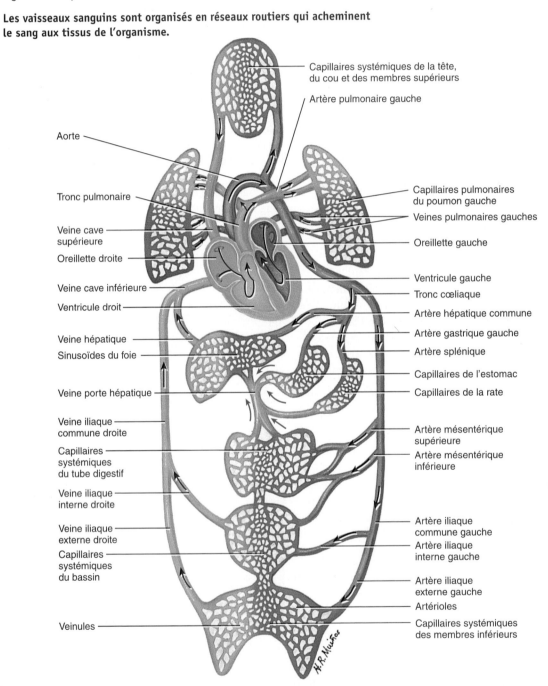

Q Quelles sont les deux principales voies de la circulation?

vaisseaux sanguins sont regroupés selon les régions du corps qu'ils desservent. La figure 21.18a donne une vue d'ensemble des principales artères et la figure 21.24, une vue d'ensemble des principales veines. À mesure que vous étudierez les vaisseaux sanguins dans les exposés, revenez à ces deux figures pour les situer par rapport aux autres régions du corps.

| **Exposé 21.1** | *Aorte et ses ramifications (figure 21.18)* |

OBJECTIF

• *Identifier les quatre principales divisions de l'aorte et situer les principales ramifications issues de chaque division.*

Avec un diamètre de 2 à 3 cm, l'**aorte** (*aortê*, de *aerein* = porter vers le haut) est la plus grosse artère du corps. Ses quatre divisions principales sont l'aorte ascendante, l'arc aortique, l'aorte thoracique et l'aorte abdominale. La portion de l'aorte qui émerge du ventricule gauche, derrière le tronc pulmonaire, est l'**aorte ascendante.** À l'origine de l'aorte se trouve la valve aortique (voir la figure 20.4a, page 678). L'aorte ascendante émet deux artères coronaires qui irriguent le myocarde. Elle s'incurve ensuite vers la gauche pour former l'**arc aortique,** qui descend et se termine à la hauteur du disque intervertébral séparant les quatrième et cinquième vertèbres thoraciques. Un peu plus bas, l'aorte se rapproche des corps vertébraux puis traverse le diaphragme et se divise, à la hauteur de la quatrième vertèbre lombaire, en deux **artères iliaques communes** qui acheminent le sang vers les membres inférieurs. La portion de l'aorte située entre l'arc aortique et le diaphragme est appelée **aorte thoracique;** la portion entre le diaphragme et les artères iliaques communes est appelée **aorte abdominale.** Chaque division de l'aorte émet des artères qui se divisent en rameaux distributeurs conduisant aux organes. À l'intérieur des organes, les artères se divisent en artérioles, puis en capillaires qui irriguent les tissus systémiques (tous les tissus de l'organisme, à l'exception des alvéoles pulmonaires).

Quelles sont les régions desservies par chacune des quatre principales divisions de l'aorte?

DIVISION ET RAMIFICATIONS	RÉGION DESSERVIE
Aorte ascendante	
Artères coronaires droite et gauche	Cœur.
Arc aortique	
Tronc brachio-céphalique	
Artère carotide commune droite	Côté droit de la tête et du cou.
Artère subclavière droite	Membre supérieur droit.
Artère carotide commune gauche	Côté gauche de la tête et du cou.
Artère subclavière gauche	Membre supérieur gauche.
Aorte thoracique	
Artères intercostales	Muscles intercostaux et thoraciques et plèvres.
Artères phréniques supérieures	Faces postérieure et supérieure du diaphragme.
Artères bronchiques	Bronches.
Branches œsophagiennes de l'aorte thoracique	Œsophage.
Aorte abdominale	
Artères phréniques inférieures	Face inférieure du diaphragme.
Tronc cœliaque	
Artère hépatique commune	Foie.
Artère gastrique gauche	Estomac et œsophage.
Artère splénique	Rate, pancréas et estomac.
Artère mésentérique supérieure	Intestin grêle, cæcum, côlons ascendant et transverse et pancréas.
Artères surrénales	Glandes surrénales.
Artères rénales	Reins.
Artères testiculaires ou **ovariques**	
Artères testiculaires	Testicules (chez l'homme).
Artères ovariques	Ovaires (chez la femme).
Artère mésentérique inférieure	Côlons transverse, descendant et sigmoïde ; rectum.
Artères iliaques communes	
Artères iliaques externes	Membres inférieurs.
Artères iliaques internes	Utérus (chez la femme), prostate (chez l'homme), muscles fessiers et vessie.

Exposé 21.1 *Aorte et ses ramifications (suite)*

Figure 21.18 Aorte et ses principales ramifications.

🔑 **Toutes les artères systémiques sont issues de l'aorte.**

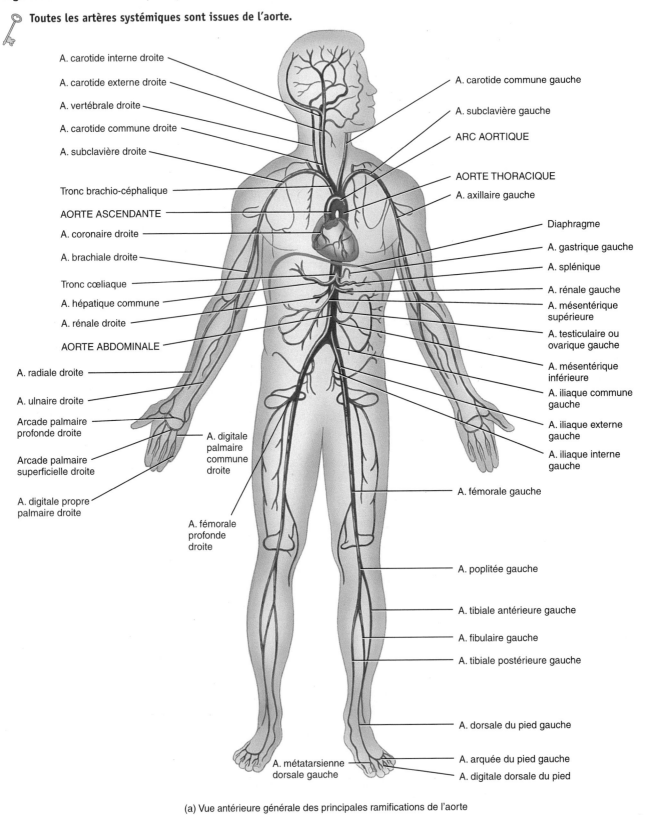

A. carotide interne droite

A. carotide externe droite

A. vertébrale droite

A. carotide commune droite

A. subclavière droite

Tronc brachio-céphalique

AORTE ASCENDANTE

A. coronaire droite

A. brachiale droite

Tronc cœliaque

A. hépatique commune

A. rénale droite

AORTE ABDOMINALE

A. radiale droite

A. ulnaire droite

Arcade palmaire profonde droite

Arcade palmaire superficielle droite

A. digitale propre palmaire droite

A. digitale palmaire commune droite

A. fémorale profonde droite

A. métatarsienne dorsale gauche

A. carotide commune gauche

A. subclavière gauche

ARC AORTIQUE

AORTE THORACIQUE

A. axillaire gauche

Diaphragme

A. gastrique gauche

A. splénique

A. rénale gauche

A. mésentérique supérieure

A. testiculaire ou ovarique gauche

A. mésentérique inférieure

A. iliaque commune gauche

A. iliaque externe gauche

A. iliaque interne gauche

A. fémorale gauche

A. poplitée gauche

A. tibiale antérieure gauche

A. fibulaire gauche

A. tibiale postérieure gauche

A. dorsale du pied gauche

A. arquée du pied gauche

A. digitale dorsale du pied

(a) Vue antérieure générale des principales ramifications de l'aorte

Exposé 21.1 *(suite)*

Figure 21.18 (suite)

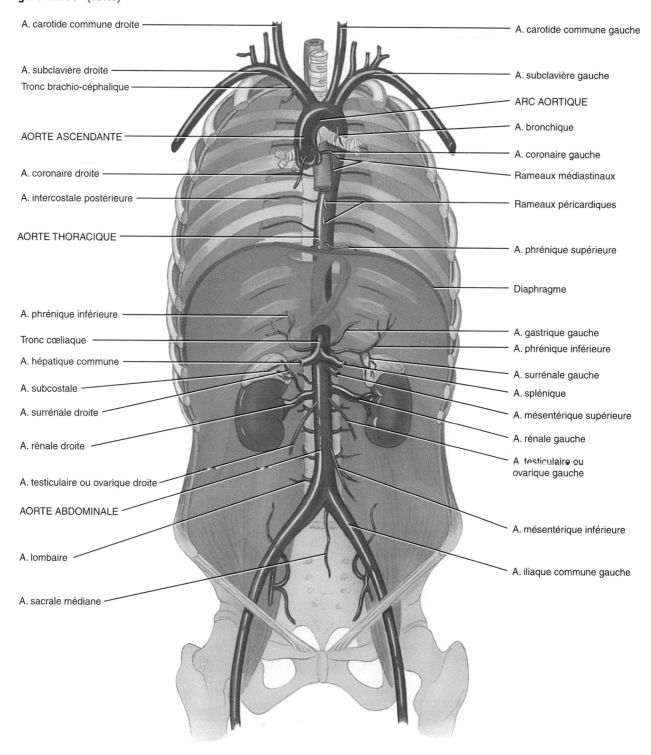

A. carotide commune droite

A. subclavière droite
Tronc brachio-céphalique

AORTE ASCENDANTE

A. coronaire droite

A. intercostale postérieure

AORTE THORACIQUE

A. phrénique inférieure

Tronc cœliaque

A. hépatique commune

A. subcostale

A. surrénale droite

A. rénale droite

A. testiculaire ou ovarique droite

AORTE ABDOMINALE

A. lombaire

A. sacrale médiane

A. carotide commune gauche

A. subclavière gauche

ARC AORTIQUE

A. bronchique

A. coronaire gauche

Rameaux médiastinaux

Rameaux péricardiques

A. phrénique supérieure

Diaphragme

A. gastrique gauche
A. phrénique inférieure

A. surrénale gauche

A. splénique

A. mésentérique supérieure

A. rénale gauche

A. testiculaire ou
ovarique gauche

A. mésentérique inférieure

A. iliaque commune gauche

(b) Vue antérieure détaillée des principales ramifications de l'aorte

Q Quelles sont les quatre principales divisions de l'aorte?

Exposé 21.2   *Aorte ascendante (figure 21.19)*

OBJECTIF

• *Identifier les deux principales ramifications de l'aorte ascendante.*

L'**aorte ascendante** commence au niveau de la valve aortique et s'étend sur environ 5 cm. Elle court vers le haut, légèrement vers l'avant et la droite, puis se termine à la hauteur de l'angle sternal, où elle devient l'arc aortique. L'aorte ascendante commence derrière le tronc pulmonaire et l'auricule droite, et devant l'artère pulmonaire droite. À son origine, elle présente trois dilatations appelées sinus de l'aorte. Deux d'entre eux, le sinus droit et le sinus gauche, donnent respectivement l'artère coronaire droite et l'artère coronaire gauche.

Les **artères coronaires** (*corona* = couronne) droite et gauche naissent de l'aorte ascendante, juste au-dessus de la valve aortique. Elles forment un anneau autour du cœur et leurs ramifications irriguent le myocarde auriculaire et ventriculaire. Le **rameau interventriculaire postérieur** (*inter* = entre) de l'artère coronaire droite irrigue les deux ventricules, et le **rameau marginal droit** dessert le ventricule droit. Le **rameau interventriculaire antérieur** de l'artère coronaire gauche irrigue les deux ventricules, et le **rameau circonflexe de l'artère coronaire gauche** (*circum* = autour; *flexus* = courbé) dessert l'oreillette et le ventricule gauches.

> Quelles ramifications des artères coronaires irriguent le ventricule gauche? Pourquoi le ventricule gauche est-il si richement irrigué?

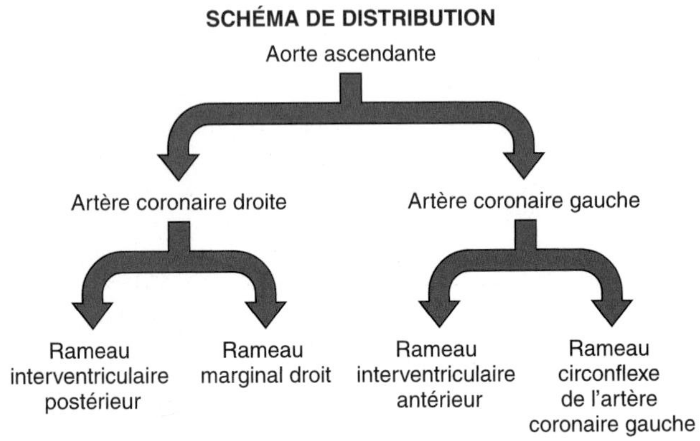

SCHÉMA DE DISTRIBUTION

Aorte ascendante

→ Artère coronaire droite
- Rameau interventriculaire postérieur
- Rameau marginal droit

→ Artère coronaire gauche
- Rameau interventriculaire antérieur
- Rameau circonflexe de l'artère coronaire gauche

Figure 21.19 Aorte ascendante et ses ramifications.

🔑 **L'aorte ascendante est la première division de l'aorte.**

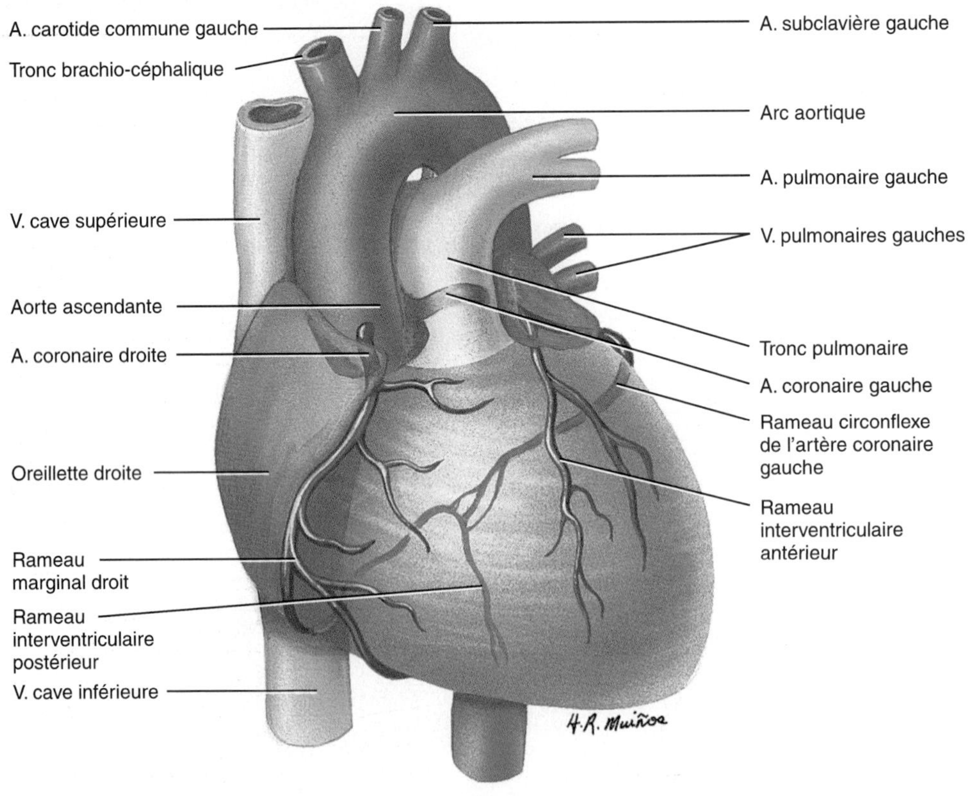

- A. carotide commune gauche
- Tronc brachio-céphalique
- V. cave supérieure
- Aorte ascendante
- A. coronaire droite
- Oreillette droite
- Rameau marginal droit
- Rameau interventriculaire postérieur
- V. cave inférieure

- A. subclavière gauche
- Arc aortique
- A. pulmonaire gauche
- V. pulmonaires gauches
- Tronc pulmonaire
- A. coronaire gauche
- Rameau circonflexe de l'artère coronaire gauche
- Rameau interventriculaire antérieur

H. R. Muiñoe

Vue antérieure de l'aorte ascendante et de ses ramifications

Q Quelles artères proviennent de l'aorte ascendante?

Exposé 21.3 | Arc aortique (figure 21.20)

OBJECTIF

• *Identifier les trois principales artères issues de l'arc aortique.*

L'arc aortique mesure de 4 à 5 cm et constitue le prolongement de l'aorte ascendante. Il émerge du péricarde, derrière le sternum, à la hauteur de l'angle sternal. L'arc est d'abord orienté vers le haut, l'arrière et la gauche, puis il descend et se termine au niveau du disque intervertébral séparant les quatrième et cinquième vertèbres thoraciques, où il devient l'aorte thoracique. Trois principales artères naissent de la face supérieure de l'arc aortique : le tronc brachio-céphalique, l'artère carotide commune gauche et l'artère subclavière gauche. Le **tronc brachio-céphalique** (*brachium* = bras ; *kephalê* = tête) est la première et la plus grosse ramification de l'arc aortique. Il s'étend vers le haut, puis fléchit légèrement vers la droite avant de se diviser, à l'articulation sterno-claviculaire droite, pour former l'artère subclavière droite et l'artère carotide commune droite. La deuxième ramification de l'arc aortique est l'**artère carotide commune gauche,** qui se divise elle-même en rameaux portant le même nom que ceux de l'artère carotide commune droite. La troisième et dernière ramification de l'arc aortique, l'**artère subclavière gauche,** achemine le sang vers l'artère vertébrale gauche et les vaisseaux du membre supérieur gauche. Les artères issues de l'artère subclavière gauche ont la même distribution et portent le même nom que celles qui émergent de l'artère subclavière droite. Le tableau ci-dessous présente les principales artères qui naissent du tronc brachio-céphalique.

Quelles sont les grandes régions irriguées par les artères issues de l'arc aortique ?

RAMIFICATION	DESCRIPTION ET RÉGION DESSERVIE
Tronc brachio-céphalique	Le **tronc brachio-céphalique** se divise pour former l'artère subclavière droite et l'artère carotide commune droite (figure 21.20a).
Artère subclavière droite	L'**artère subclavière droite** s'étend du tronc brachio-céphalique à la première côte, puis elle pénètre dans l'aisselle. Elle dessert l'encéphale et la moelle épinière, le cou, l'épaule, la paroi et les viscères thoraciques et les muscles de la scapula.
Artère axillaire (*axilla* = aisselle)	Dans l'aisselle, le prolongement de l'artère subclavière droite porte le nom d'**artère axillaire.** (Remarquez que l'artère subclavière droite, qui passe sous la clavicule, est un bon exemple de la convention selon laquelle on donne à un même vaisseau différents noms selon les régions qu'il traverse.) L'artère axillaire dessert l'épaule, les muscles du thorax et de la scapula ainsi que l'humérus.
Artère brachiale (*brachium* = bras)	L'**artère brachiale** est le prolongement de l'artère axillaire dans le bras. Elle est le principal vaisseau irriguant le bras et sa situation superficielle la rend facile à palper sur toute sa longueur. Elle commence au niveau du tendon du muscle grand rond et se termine juste sous le pli du coude. L'artère brachiale court d'abord le long de la face interne de l'humérus, mais à mesure qu'elle descend, elle s'incurve graduellement vers l'extérieur et traverse la fosse cubitale, dépression triangulaire située en avant du coude où l'on peut aisément palper le pouls brachial et entendre les divers bruits liés à la mesure de la pression artérielle. Arrivée en dessous du pli du coude, l'artère brachiale se divise pour former l'artère radiale et l'artère ulnaire.
Artère radiale (*radius* = os du bras)	L'**artère radiale** est la plus petite ramification de l'artère brachiale et elle en est le prolongement direct. Elle court le long de la face externe (radiale) de l'avant-bras, puis traverse le poignet et la main, qu'elle irrigue. Dans le poignet, l'artère radiale entre en contact avec l'extrémité distale du radius, à l'endroit où il n'est couvert que de fascia et de peau. Étant donné la situation superficielle de l'artère radiale à cet endroit, c'est souvent là qu'on mesure le pouls radial.
Artère ulnaire (*ulna* = avant-bras)	L'**artère ulnaire**, la plus grosse ramification de l'artère brachiale, court le long de la face interne (ulnaire) de l'avant-bras puis traverse le poignet et la main, qu'elle irrigue. Dans la paume, les rameaux des artères radiale et ulnaire s'anastomosent pour former l'arcade palmaire superficielle et l'arcade palmaire profonde.
Arcade palmaire superficielle (*palma* = paume)	L'**arcade palmaire superficielle** est formée principalement par l'artère ulnaire, ainsi que par un rameau de l'artère radiale. Elle est superficielle par rapport aux tendons longs fléchisseurs des doigts et traverse la paume à la base des métacarpiens. Elle émet les **artères digitales palmaires communes,** qui irriguent la paume. Chacune se divise en une paire d'**artères digitales propres palmaires,** qui irriguent les doigts.
Arcade palmaire profonde	L'**arcade palmaire profonde** est formée principalement par l'artère radiale, ainsi que par un rameau de l'artère ulnaire. Elle est profonde par rapport aux tendons longs fléchisseurs des doigts et traverse la paume juste en dessous de la base des métacarpiens. L'arcade palmaire profonde donne naissance aux **artères métacarpiennes palmaires,** qui irriguent la paume et s'anastomosent avec les artères digitales palmaires communes de l'arcade palmaire superficielle.

Exposé 21.3	*Arc aortique (suite)*

RAMIFICATION	DESCRIPTION ET RÉGION DESSERVIE
Artère vertébrale	Avant de pénétrer dans l'aisselle, l'artère subclavière droite émet vers l'encéphale une grosse branche appelée **artère vertébrale droite** (figure 21.20b). L'artère vertébrale droite traverse les foramens des processus transverses de la sixième à la première vertèbre cervicale, puis entre dans le crâne par le foramen magnum avant d'atteindre la face inférieure de l'encéphale. Elle s'unit alors à l'artère vertébrale gauche pour former l'**artère basilaire.** L'artère vertébrale irrigue la portion postérieure de l'encéphale. L'artère basilaire court le long de la ligne médiane de la face antérieure du tronc cérébral et irrigue le cervelet, le pont et l'oreille interne.
Artère carotide commune droite	L'**artère carotide commune droite** commence à la bifurcation du tronc brachio-céphalique, derrière l'articulation sterno-claviculaire droite, puis monte dans le cou pour irriguer les structures de la tête (figure 21.20b). Au bord supérieur du larynx, elle se divise en artère carotide interne droite et artère carotide externe droite.
Artère carotide externe	L'**artère carotide externe** commence au bord supérieur du larynx et se termine près de l'articulation temporo-mandibulaire dans la substance de la glande parotide, où elle émet deux branches : l'artère temporale superficielle et l'artère maxillaire. On peut palper le pouls carotidien dans l'artère carotide externe, juste en avant du muscle sterno-cléido-mastoïdien, au bord supérieur du larynx. L'artère carotide externe irrigue surtout des structures situées *à l'extérieur* du crâne.
Artère carotide interne	L'**artère carotide interne** n'émet aucune ramification dans le cou et irrigue des structures situées *à l'intérieur* du crâne. Elle pénètre dans la cavité crânienne par le foramen carotidien de l'os temporal. L'artère carotide interne irrigue le globe oculaire et les autres structures des orbites, l'oreille, la majeure partie des hémisphères cérébraux, l'hypophyse et la partie externe du nez. Ses branches terminales sont l'**artère cérébrale antérieure,** qui irrigue la plus grande partie de la face interne des hémisphères cérébraux, et l'**artère cérébrale moyenne,** qui irrigue la face externe de ces hémisphères (figure 21.20c).
	À l'intérieur du crâne, les anastomoses des artères carotides internes gauche et droite avec l'artère basilaire forment, à la base de l'encéphale près de la selle turcique, un réseau de vaisseaux sanguins appelé **cercle artériel du cerveau,** ou **polygone de Willis.** De ce cercle (figure 21.20c) émergent les artères irriguant la quasi-totalité de l'encéphale. Le cercle artériel du cerveau est essentiellement formé par l'union des **artères cérébrales antérieures** (branches des artères carotides internes) et des **artères cérébrales postérieures** (rameaux de l'artère basilaire). Les artères cérébrales postérieures sont unies aux artères carotides internes par les **artères communicantes postérieures.** Les artères cérébrales antérieures sont reliées entre elles par les **artères communicantes antérieures.** Les **artères carotides internes** font également partie du cercle artériel du cerveau. Les fonctions de ce dernier consistent à équilibrer la pression artérielle dans l'encéphale et à offrir au sang un accès supplémentaire à l'encéphale en cas de lésion d'une ou de plusieurs artères.
Artère carotide commune gauche	Voir la description ci-dessus, p. 737.
Artère subclavière gauche	Voir la description ci-dessus, p. 737.

Exposé 21.3 *(suite)*

SCHÉMA DE DISTRIBUTION

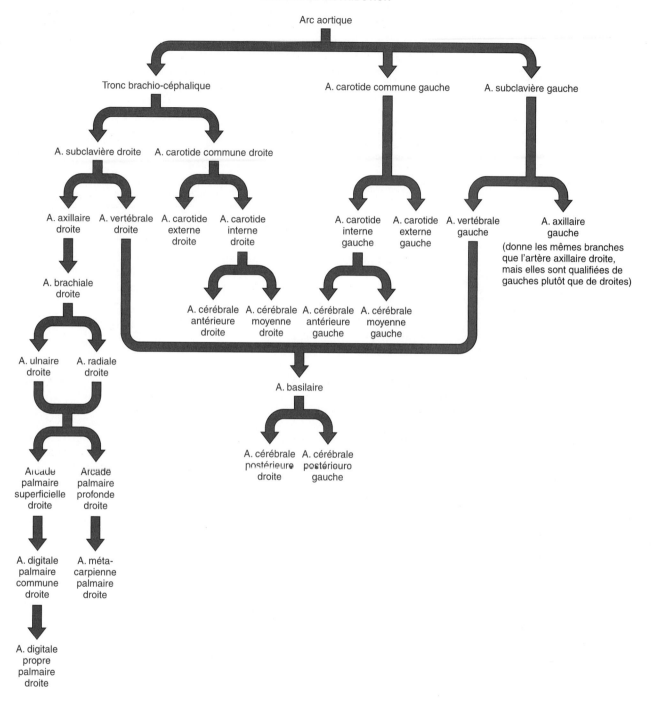

Exposé 21.3 *Arc aortique (suite)*

Figure 21.20 Arc aortique et ses ramifications. Les artères qui constituent le cercle artériel du cerveau sont représentées dans (c).

🔑 L'arc aortique se termine à la hauteur du disque intervertébral entre les quatrième et cinquième vertèbres thoraciques.

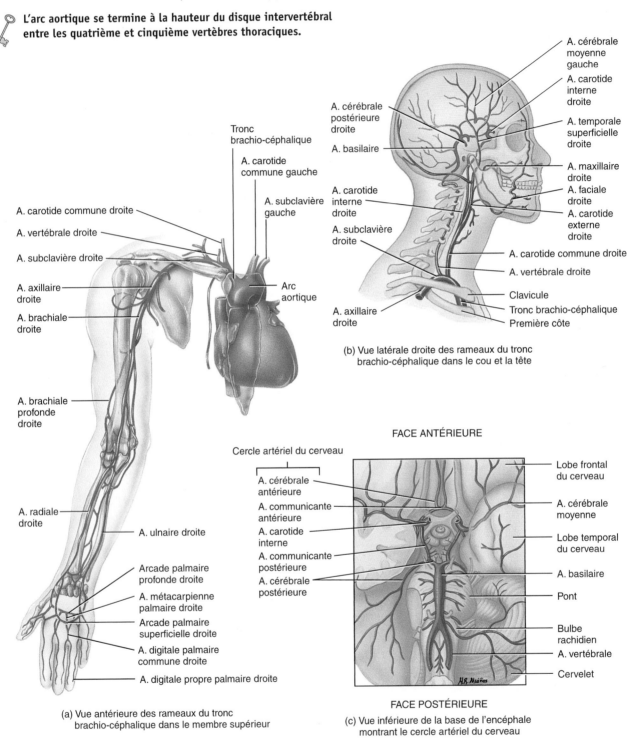

(a) Vue antérieure des rameaux du tronc brachio-céphalique dans le membre supérieur

(b) Vue latérale droite des rameaux du tronc brachio-céphalique dans le cou et la tête

(c) Vue inférieure de la base de l'encéphale montrant le cercle artériel du cerveau

Q Quelles sont les trois principales ramifications de l'arc aortique, classées selon leur ordre d'origine?

Exposé 21.4 | *Aorte thoracique (figure 21.21)*

OBJECTIF

• *Identifier les branches viscérales et pariétales de l'aorte thoracique.*

L'**aorte thoracique** mesure environ 20 cm de long et constitue un prolongement de l'arc aortique. Elle naît à la hauteur du disque intervertébral entre les quatrième et cinquième vertèbres thoraciques, à gauche de la colonne vertébrale. À mesure qu'elle descend, elle se rapproche du plan médian du corps. Elle se termine dans un orifice du diaphragme (l'hiatus aortique) situé en avant de la colonne vertébrale, à la hauteur du disque intervertébral entre la douzième vertèbre thoracique et la première vertèbre lombaire.

Sur son chemin, l'aorte thoracique émet de nombreuses branches : les **branches viscérales** irriguent les viscères et les **branches pariétales** desservent les structures des parois du corps.

| Quelles sont les grandes régions irriguées par les branches viscérales et pariétales de l'aorte thoracique ?

RAMIFICATION

Branches viscérales

  Rameaux péricardiques
  (*peri* = autour ; *kardia* = cœur)

  Artères bronchiques

  Branches œsophagiennes
  (*oisô* = qui porte ;
  phagein = ce qu'on mange)

  Rameaux médiastinaux

Branches pariétales

  Artères intercostales postérieures
  (*inter* = entre ; *costa* = côte)

  Artères subcostales

  Artères phréniques supérieures
  (*phrên* = diaphragme)

DESCRIPTION ET RÉGION DESSERVIE

Deux à trois minuscules **rameaux péricardiques** irriguent le péricarde.

Trois **artères bronchiques,** une à droite et deux à gauche, desservent les bronches, les plèvres, les nœuds lymphatiques bronchiques et l'œsophage. (L'artère bronchique droite naît du troisième rameau intercostal postérieur droit, et les deux artères bronchiques gauches naissent de l'aorte thoracique.)

Quatre à cinq **branches œsophagiennes** irriguent l'œsophage.

De nombreux petits **rameaux médiastinaux** desservent les structures du médiastin.

Neuf paires d'**artères intercostales postérieures** irriguent les muscles intercostaux, grand pectoral et petit pectoral, et dentelé antérieur ; la couche sous-cutanée et la peau sus-jacentes ; les glandes mammaires ; les vertèbres, les méninges et la moelle épinière.

Les **artères subcostales** gauche et droite ont la même distribution que les artères intercostales postérieures.

Les petites **artères phréniques supérieures** irriguent les faces supérieure et postérieure du diaphragme.

SCHEMA DE DISTRIBUTION

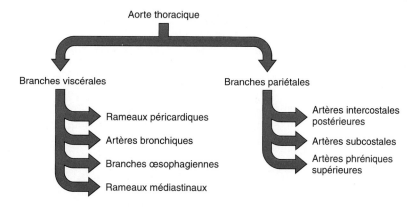

Exposé 21.4 *Aorte thoracique (suite)*

Figure 21.21 Aorte thoracique et aorte abdominale et leurs principales ramifications.

🔑 **L'aorte thoracique constitue le prolongement de l'aorte ascendante.**

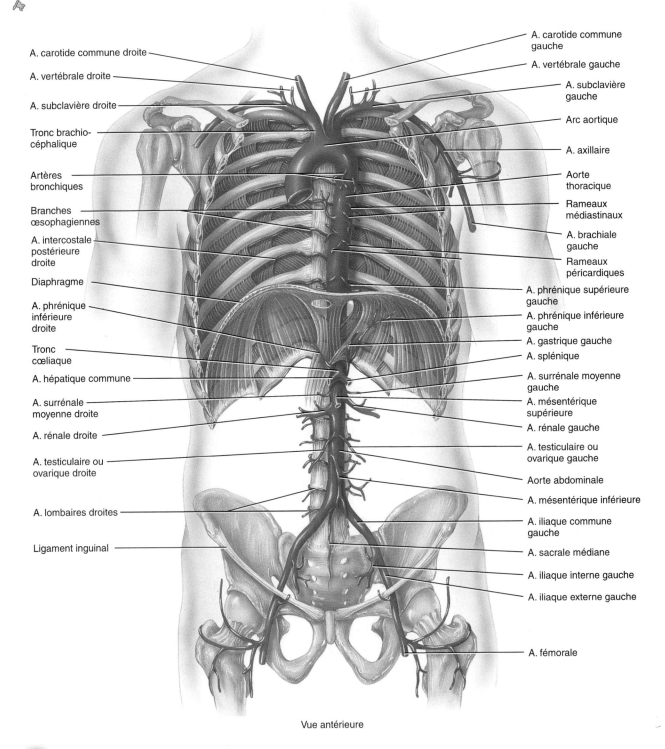

A. carotide commune droite

A. vertébrale droite

A. subclavière droite

Tronc brachio-céphalique

Artères bronchiques

Branches œsophagiennes

A. intercostale postérieure droite

Diaphragme

A. phrénique inférieure droite

Tronc cœliaque

A. hépatique commune

A. surrénale moyenne droite

A. rénale droite

A. testiculaire ou ovarique droite

A. lombaires droites

Ligament inguinal

A. carotide commune gauche

A. vertébrale gauche

A. subclavière gauche

Arc aortique

A. axillaire

Aorte thoracique

Rameaux médiastinaux

A. brachiale gauche

Rameaux péricardiques

A. phrénique supérieure gauche

A. phrénique inférieure gauche

A. gastrique gauche

A. splénique

A. surrénale moyenne gauche

A. mésentérique supérieure

A. rénale gauche

A. testiculaire ou ovarique gauche

Aorte abdominale

A. mésentérique inférieure

A. iliaque commune gauche

A. sacrale médiane

A. iliaque interne gauche

A. iliaque externe gauche

A. fémorale

Vue antérieure

Q Où commence l'aorte thoracique?

Exposé 21.5 | *Aorte abdominale (figure 21.22)*

OBJECTIF

• *Identifier les branches viscérales et pariétales de l'aorte abdominale.*

L'aorte abdominale est le prolongement de l'aorte thoracique. Elle commence au niveau de l'hiatus aortique du diaphragme et se termine approximativement à la hauteur de la quatrième vertèbre lombaire, où elle se divise en deux branches, les artères iliaques communes droite et gauche. L'aorte abdominale se trouve en avant de la colonne vertébrale.

Comme l'aorte thoracique, l'aorte abdominale émet des branches viscérales et pariétales. Les branches viscérales impaires, qui naissent de la face antérieure de l'aorte, comprennent le **tronc cœliaque** et les **artères mésentériques supérieure** et **inférieure** (voir la figure 21.21). Les branches viscérales paires, issues des faces latérales de l'aorte, incluent les **artères surrénales, rénales** et **testiculaires** ou **ovariques**. La seule branche viscérale impaire est l'**artère sacrale médiane**. Les branches pariétales paires émergent des faces postéro-latérales de l'aorte ; ce sont les **artères phréniques inférieures** et **lombaires**.

Nommez les branches viscérales et pariétales paires et impaires de l'aorte abdominale, et indiquez les régions qu'elles irriguent.

RAMIFICATION	**DESCRIPTION ET RÉGION DESSERVIE**
Branches viscérales impaires	
Tronc cœliaque	Le **tronc cœliaque** est la première branche viscérale que l'aorte émet en dessous du diaphragme, à la hauteur de la douzième vertèbre thoracique (figure 21.22a). Il se divise presque immédiatement en trois branches : les artères gastrique gauche, splénique et hépatique commune (figure 21.22a).
	1. L'**artère gastrique gauche** (*gastêr* = estomac) est la plus petite de ces trois branches. Elle monte vers la gauche en direction de l'œsophage puis bifurque pour suivre la petite courbure de l'estomac. Elle irrigue l'estomac et l'œsophage.
	2. L'**artère splénique** (*splên* = rate) est la plus grosse branche du tronc cœliaque. Elle naît du côté gauche du tronc cœliaque en aval de l'artère gastrique gauche, passe à l'horizontale vers la gauche le long du pancréas jusqu'à la rate, et donne trois artères :
	• L'**artère grande pancréatique**, qui irrigue le pancréas.
	• L'**artère gastro-omentale gauche** (*omentum* = épiploon), qui irrigue l'estomac et le grand omentum.
	• L'**artère gastrique courte**, qui irrigue l'estomac.
	3. L'**artère hépatique commune** (*hêpar* = foie), dont la taille est à mi-chemin entre celles de l'artère gastrique gauche et des artères spléniques, émerge du côté droit, contrairement aux deux autres branches du tronc cœliaque. Elle émet trois branches :
	• L'**artère hépatique propre**, qui irrigue le foie, la vésicule biliaire et l'estomac.
	• L'**artère gastrique droite**, qui irrigue l'estomac.
	• L'**artère gastro-duodénale**, qui irrigue l'estomac, le duodénum de l'intestin grêle, le pancréas et le grand omentum.
Artère mésentérique supérieure (*mesos* = au milieu ; *enteron* = intestin)	L'**artère mésentérique supérieure** (figure 21.22b) naît de la face antérieure de l'aorte abdominale, environ 1 cm en dessous du tronc cœliaque, à la hauteur de la première vertèbre lombaire. Elle descend vers l'avant, entre les feuillets du mésentère, partie du péritoine qui fixe l'intestin grêle à la paroi abdominale postérieure. Elle s'anastomose abondamment et émet cinq branches :
	1. L'**artère pancréatico-duodénale inférieure** irrigue le pancréas et le duodénum.
	2. Les **artères jéjunales** et les **artères iléales** irriguent le jéjunum et l'iléum de l'intestin grêle, respectivement.
	3. L'**artère iléo-colique** irrigue l'iléum et le côlon ascendant du gros intestin.
	4. L'**artère colique droite** irrigue le côlon ascendant.
	5. L'**artère colique moyenne** irrigue le côlon transverse du gros intestin.

Exposé 21.5 *Aorte abdominale (suite)*

RAMIFICATION	DESCRIPTION ET RÉGION DESSERVIE
Artère mésentérique inférieure	L'**artère mésentérique inférieure** (figure 21.22c) naît de la face antérieure de l'aorte abdominale, à la hauteur de la troisième vertèbre lombaire, puis elle descend à gauche de l'aorte. Elle s'anastomose abondamment et donne trois branches:

1. L'**artère colique gauche** irrigue le côlon transverse et le côlon descendant du gros intestin.

2. Les **artères sigmoïdiennes** irriguent le côlon descendant et le côlon sigmoïde du gros intestin.

3. L'**artère rectale supérieure** irrigue le rectum du gros intestin.

Branches viscérales paires **Artères surrénales**	Bien que trois paires d'**artères surrénales** (supérieures, moyennes et inférieures) irriguent les glandes surrénales, seules les artères surrénales moyennes ont leur origine directement dans l'aorte abdominale (voir la figure 21.21). Les artères surrénales moyennes naissent à la hauteur de la première vertèbre lombaire, au même niveau que les artères rénales ou au-dessus. Les artères surrénales supérieures naissent de l'artère phrénique inférieure, et les artères surrénales inférieures naissent des artères rénales.
Artères rénales	Les **artères rénales** droite et gauche naissent habituellement des faces latérales de l'aorte abdominale au bord supérieur de la deuxième vertèbre lombaire, à environ 1 cm en dessous de l'artère mésentérique supérieure (voir la figure 21.21). La veine rénale droite, qui est plus longue que la gauche, naît un peu plus bas que sa jumelle et passe derrière la veine rénale droite et la veine cave inférieure. L'artère rénale gauche est située derrière la veine rénale gauche, et la veine mésentérique inférieure la croise. Les artères rénales acheminent le sang dans les reins, les glandes surrénales et les uretères. Leur distribution dans les reins est décrite au chapitre 26.
Artères testiculaires ou **ovariques**	Ces artères naissent de l'aorte abdominale à la hauteur de la deuxième vertèbre lombaire, juste en dessous des artères rénales (voir la figure 21.21). Chez l'homme, les **artères testiculaires** traversent les canaux inguinaux et irriguent les testicules, les épididymes et les uretères. Chez la femme, les **artères ovariques,** bien plus courtes que les artères testiculaires, irriguent les ovaires, les trompes utérines et les uretères.
Branche pariétale impaire **Artère sacrale médiane** (= sacrum)	L'**artère sacrale médiane** émerge de la face postérieure de l'aorte abdominale, à 1 cm environ au-dessus de la bifurcation de l'aorte en artères iliaques communes droite et gauche (voir la figure 21.21). L'artère sacrale médiane irrigue le sacrum et le coccyx.
Branches pariétales paires **Artères phréniques inférieures** (*phrên* = diaphragme)	Les **artères phréniques inférieures** sont les deux premières branches de l'aorte abdominale. Elles passent juste au-dessus de l'origine du tronc cœliaque (voir la figure 21.21). (Elles peuvent également naître des artères rénales.) Les artères phréniques inférieures alimentent la face inférieure du diaphragme et les glandes surrénales.
Artères lombaires (*lumbes* = reins)	Les quatre paires d'**artères lombaires** naissent de la face postéro-latérale de l'aorte abdominale (voir la figure 21.21). Elles irriguent les vertèbres lombaires, la moelle épinière et ses méninges, ainsi que les muscles et la peau de la région lombaire du dos.

Exposé 21.5 *(suite)*

SCHÉMA DE DISTRIBUTION

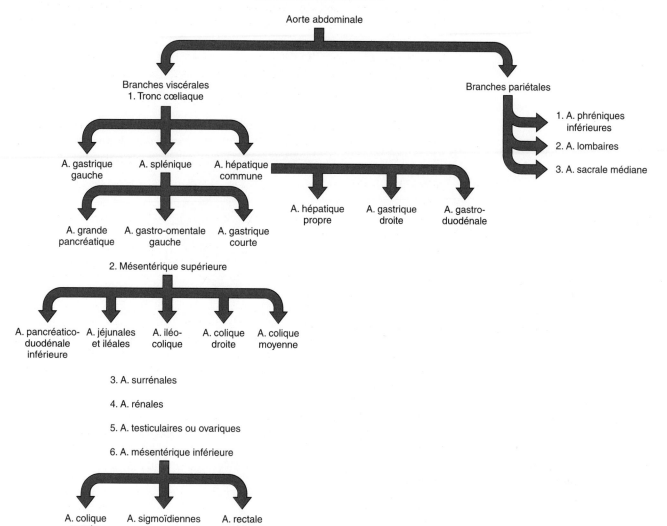

Exposé 21.5 *Aorte abdominale (suite)*

Figure 21.22 Aorte abdominale et ses principales ramifications.

🔑 **L'aorte abdominale est le prolongement de l'aorte thoracique.**

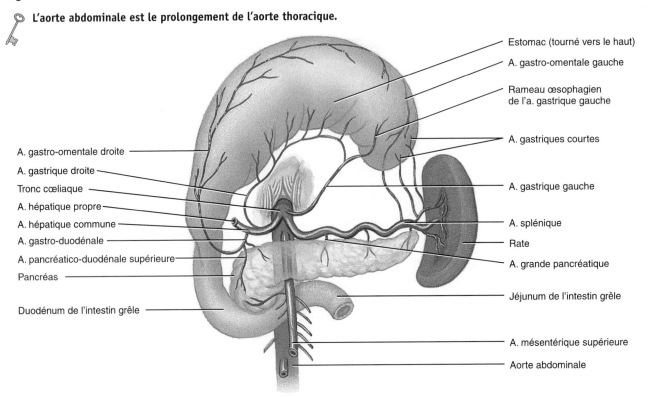

(a) Vue antérieure du tronc cœliaque et de ses ramifications

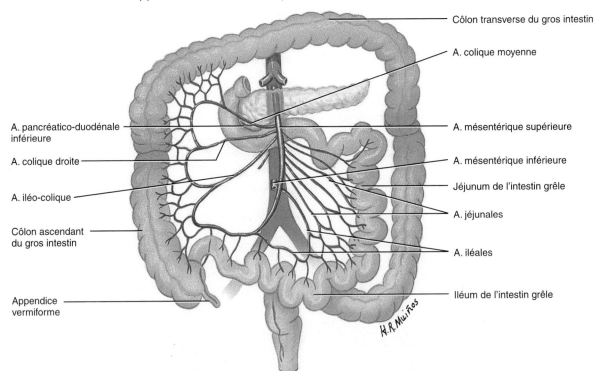

(b) Vue antérieure de l'artère mésentérique supérieure et de ses ramifications

Exposé 21.5 *(suite)*

Figure 21.22 (suite)

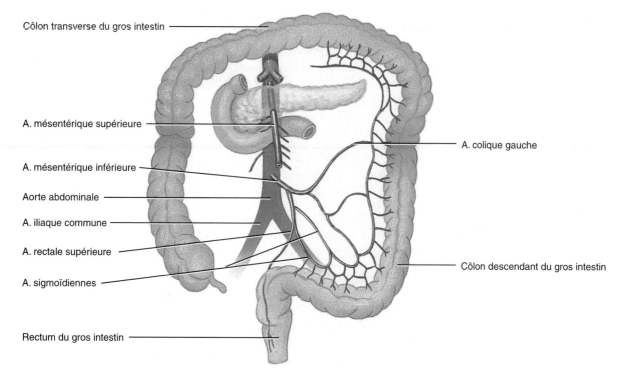

Côlon transverse du gros intestin

A. mésentérique supérieure

A. mésentérique inférieure

Aorte abdominale

A. iliaque commune

A. rectale supérieure

A. sigmoïdiennes

Rectum du gros intestin

A. colique gauche

Côlon descendant du gros intestin

(c) Vue antérieure de l'artère mésentérique inférieure et de ses ramifications

Q Où commence l'aorte abdominale?

Exposé 21.6 *Artères du bassin et des membres inférieurs (figure 21.23)*

OBJECTIF

• *Identifier les deux principales branches des artères iliaques communes.*

L'aorte abdominale se termine en se divisant pour former les **artères iliaques communes** droite et gauche. Ces dernières se divisent à leur tour en **artères iliaques internes** et **externes.** Les artères iliaques externes deviennent les **artères fémorales** dans les cuisses, les **artères poplitées** derrière le genou et les **artères tibiales antérieure** et **postérieure** dans les jambes.

Quelles régions sont desservies par les artères iliaques internes et externes ?

RAMIFICATION	DESCRIPTION ET RÉGION DESSERVIE
Artères iliaques communes (*ilia* = flancs)	À la hauteur à peu près de la quatrième vertèbre lombaire, l'aorte abdominale se divise en **artères iliaques communes** droite et gauche, qui constituent ses branches terminales. Chacune descend sur 5 cm environ et donne naissance à deux branches : les artères iliaques internes et externes. Les artères iliaques communes irriguent le bassin, les organes génitaux externes et les membres inférieurs.
Artères iliaques internes	Les **artères iliaques internes** sont les principales artères du bassin. Elles naissent à la bifurcation des artères iliaques communes en avant de l'articulation sacro-iliaque, à la hauteur du disque intervertébral lombo-sacral. Elles descendent ensuite dans un plan postéro-médial vers le bassin, où elles se divisent en rameaux antérieur et postérieur. Les artères iliaques internes irriguent le bassin, les fesses, les organes génitaux externes et les cuisses.
Artères iliaques externes	Les **artères iliaques externes** sont plus grosses que les artères iliaques internes. Comme ces dernières, elles naissent à la bifurcation des artères iliaques communes, puis descendent le long du bord interne des muscles grands psoas ceinturant l'ouverture supérieure du bassin, passent derrière la portion centrale des ligaments inguinaux et deviennent les artères fémorales. Les artères iliaques externes desservent les membres inférieurs. Plus précisément, leurs branches irriguent les muscles de la paroi abdominale antérieure, le muscle crémaster chez l'homme et le ligament rond de l'utérus chez la femme, ainsi que les membres inférieurs.
Artères fémorales (*femur* = cuisse)	Les **artères fémorales** descendent le long des faces antéro-médiales des cuisses jusqu'à la jonction des tiers moyen et inférieur des cuisses. Elles traversent ensuite un orifice dans le tendon du muscle grand adducteur, puis deviennent, à leur sortie derrière les fémurs, les artères poplitées. On peut percevoir un pouls à la palpation de l'artère fémorale, juste en dessous du ligament inguinal. Les artères fémorales desservent la paroi inférieure de l'abdomen, l'aine, les organes génitaux externes et les muscles de la cuisse.
Artères poplitées (*poples* = jarret)	Les **artères poplitées** sont le prolongement des artères fémorales dans la fosse poplitée (dépression de la face postérieure du genou). Elles descendent vers le bord inférieur des muscles poplités, où elles se divisent en artères tibiales antérieure et postérieure. Un pouls est perceptible dans les artères poplitées. En plus d'irriguer le muscle grand adducteur, les muscles de la loge postérieure de la cuisse et la peau recouvrant la face postérieure des jambes, les rameaux des artères poplitées desservent les muscles gastrocnémien, soléaire et plantaire du mollet, l'articulation du genou, le fémur, la patella et la fibula.
Artères tibiales antérieures (= tibia)	Les **artères tibiales antérieures** descendent à partir de la bifurcation des artères poplitées. Plus petites que les artères tibiales postérieures, elles traversent les muscles de la loge antérieure de la jambe, puis la membrane interosseuse qui relie le tibia et la fibula, du côté externe du tibia. Les artères tibiales antérieures irriguent les articulations du genou, les muscles de la loge antérieure de la jambe, la peau qui recouvre la face antérieure de la jambe et les articulations de la cheville. Dans les chevilles, elles deviennent les **artères dorsales du pied,** où l'on peut également percevoir un pouls. Les artères dorsales du pied desservent les muscles, la peau et les articulations de la face dorsale du pied. Sur le dos du pied, elles donnent à la hauteur de l'os cunéiforme médial des rameaux transverses, appelés **artères arquées du pied,** qui courent latéralement au-dessus de la base des métatarsiens. Les artères arquées du pied donnent les **artères métatarsiennes dorsales,** qui irriguent le pied. Les artères métatarsiennes dorsales se terminent en donnant les **artères digitales dorsales du pied,** qui irriguent les orteils.
Artères tibiales postérieures	Les **artères tibiales postérieures** sont le prolongement direct des artères poplitées et descendent à partir de la bifurcation de ces dernières. Elles descendent le long des muscles de la loge postérieure de la jambe, en arrière de la malléole médiale du tibia. Elles se terminent ensuite en se divisant en artères plantaires médiale et latérale. Les artères tibiales postérieures desservent les muscles, les os et les articulations de la jambe et du pied. Les **artères fibulaires** sont d'importantes ramifications des artères tibiales postérieures. Elles irriguent les muscles fibulaire, soléaire, tibial postérieur et fléchisseur de l'hallux, la fibula, le tarse et la face externe du talon. La division des artères tibiales postérieures en artères plantaires médiale et latérale a lieu en arrière du rétinaculum des fléchisseurs, sur la face interne du pied. Les **artères plantaires médiales** irriguent les muscles abducteur de l'hallux et court fléchisseur des orteils ainsi que les orteils. Les **artères plantaires latérales** s'unissent à un rameau des artères dorsales du pied pour former l'**arcade plantaire,** qui naît à la base du cinquième métatarsien et traverse médialement les métacarpiens. Lorsqu'elle croise le pied, l'arcade plantaire émet les **artères métatarsiennes plantaires,** qui irriguent les pieds. Les artères métatarsiennes plantaires se terminent en se divisant en **artères digitales communes plantaires,** qui irriguent les orteils.

Exposé 21.6 *(suite)*

SCHÉMA DE DISTRIBUTION

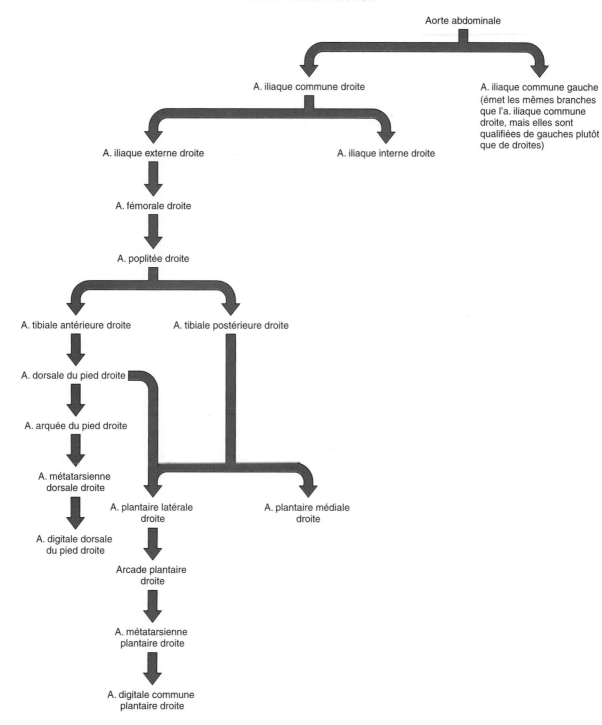

Exposé 21.6 *Artères du bassin et des membres inférieurs (suite)*

Figure 21.23 Artères du bassin et du membre inférieur droit.

Les artères iliaques internes acheminent la majeure partie du sang destiné aux viscères et à la paroi du bassin.

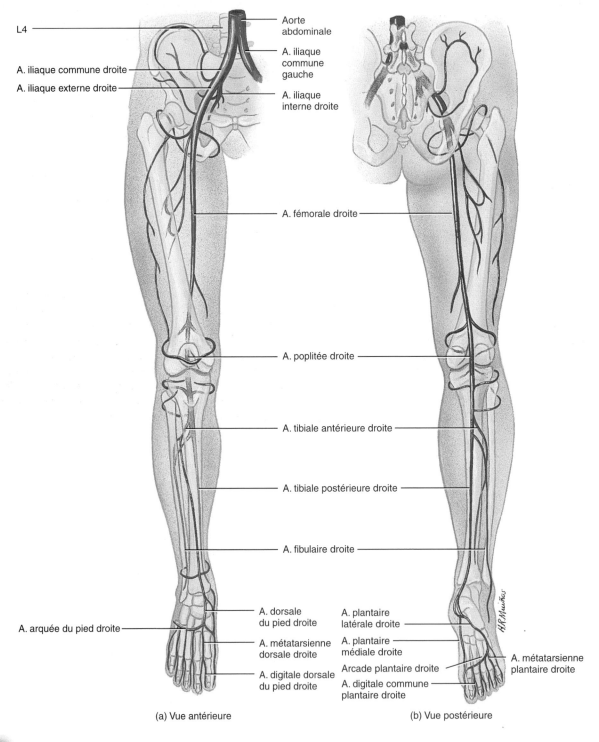

L4

A. iliaque commune droite

A. iliaque externe droite

Aorte abdominale

A. iliaque commune gauche

A. iliaque interne droite

A. fémorale droite

A. poplitée droite

A. tibiale antérieure droite

A. tibiale postérieure droite

A. fibulaire droite

A. dorsale du pied droite

A. métatarsienne dorsale droite

A. digitale dorsale du pied droite

A. arquée du pied droite

A. plantaire latérale droite

A. plantaire médiale droite

Arcade plantaire droite

A. digitale commune plantaire droite

A. métatarsienne plantaire droite

(a) Vue antérieure

(b) Vue postérieure

Q À quel endroit l'aorte abdominale se divise-t-elle en artères iliaques communes?

Exposé 21.7 | *Veines de la circulation systémique (figure 21.24)*

OBJECTIF

• *Identifier les trois veines systémiques qui ramènent le sang désoxygéné au cœur.*

Tandis que les artères acheminent le sang dans les diverses régions de l'organisme, les veines drainent ces régions pour ramener le sang au cœur. La plupart des artères sont profondes, mais les veines peuvent être superficielles ou profondes. Les veines superficielles sont visibles car elles sont situées juste en dessous de la peau. Puisque les veines superficielles sont toutes de petit calibre, leur nom ne correspond pas à celui des artères. En milieu clinique, les veines superficielles servent aux prélèvements d'échantillons de sang ou aux injections. Habituellement, les veines profondes cheminent parallèlement aux artères et portent souvent le même nom qu'elles. Les artères suivent souvent un chemin défini, tandis que les veines sont plus difficiles à suivre puisqu'elles forment des réseaux irréguliers dont les nombreux tributaires fusionnent pour former une grosse veine. Bien que le sang oxygéné quitte le cœur (ventricule gauche) par une seule artère systémique, l'aorte, le sang désoxygéné retourne au cœur (oreillette droite) par trois veines systémiques, le **sinus coronaire**, la **veine cave supérieure** et la **veine cave inférieure.** Le sinus coronaire reçoit le sang des veines cardiaques, la veine cave supérieure reçoit le sang des autres veines situées au-dessus du diaphragme, sauf celles des alvéoles pulmonaires, et la veine cave inférieure reçoit le sang des veines situées en dessous du diaphragme.

| Quels sont les trois tributaires du sinus coronaire ?

VEINE	DESCRIPTION ET RÉGION DESSERVIE
Sinus coronaire (*corona* = couronne)	Le **sinus coronaire** est la principale veine du cœur ; il reçoit presque tout le sang veineux du myocarde. Situé dans le sillon coronaire (voir la figure 20.3c), il s'ouvre dans l'oreillette droite, entre l'entrée de la veine cave inférieure et la valve auriculo-ventriculaire droite. Il forme un tronc volumineux dans lequel trois veines se drainent. À son extrémité gauche, il reçoit la **grande veine du cœur** (dans le sillon interventriculaire antérieur) et à son extrémité droite, la **veine moyenne du cœur** (dans le sillon interventriculaire postérieur) ainsi que la **petite veine du cœur.** Plusieurs **veines antérieures du cœur** se drainent directement dans l'oreillette droite.
Veine cave supérieure	La **veine cave supérieure,** qui mesure environ 7,5 cm de long, avec un diamètre de 2 cm, se déverse dans la partie supérieure de l'oreillette droite. Elle naît derrière le premier cartilage costal droit, au point de rencontre des veines brachio-céphaliques droite et gauche, et se termine à la hauteur du troisième cartilage costal droit en pénétrant dans l'oreillette droite. La veine cave supérieure draine la tête, le cou, le thorax et les membres supérieurs.
Veine cave inférieure	La **veine cave inférieure,** dont le diamètre atteint 3,5 cm environ, est la plus grosse veine de l'organisme. Elle naît en avant de la cinquième vertèbre lombaire, au point d'union des veines iliaques communes, monte derrière le péritoine à droite du plan médian du corps, perce le centre tendineux du diaphragme à la hauteur de la huitième vertèbre thoracique, puis entre dans la partie inférieure de l'oreillette droite. La veine cave inférieure draine l'abdomen, le bassin et les membres inférieurs. Aux derniers stades d'une grossesse, elle est souvent comprimée par l'utérus qui s'agrandit, ce qui cause un œdème dans les chevilles et les pieds de même que des varices temporaires.

Exposé 21.7 *Veines de la circulation systémique (suite)*

Figure 21.24 Principales veines.

 Le sang désoxygéné revient au cœur en empruntant les veines caves supérieure et inférieure et le sinus coronaire.

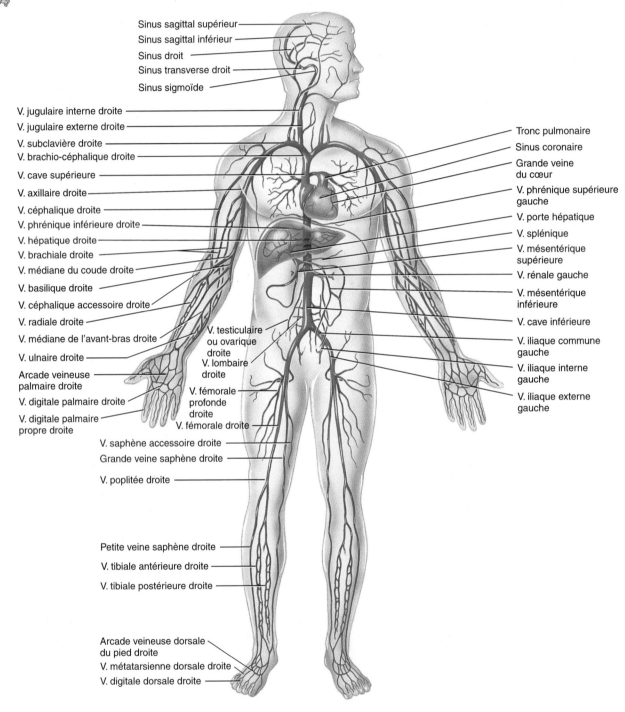

Vue antérieure générale

Q Quelles sont les régions du corps drainées par les veines caves supérieure et inférieure ?

| **Exposé 21.8** | *Veines de la tête et du cou (figure 21.25)* |

OBJECTIF

• *Identifier les trois principales veines qui drainent la tête.*

Trois paires de veines recueillent la majeure partie du sang venant de la tête: les **veines jugulaires internes, jugulaires externes** et **vertébrales.** Dans l'encéphale, toutes les veines se jettent dans les sinus de la dure-mère, puis dans les veines jugulaires internes. Les **sinus de la dure-mère** sont des canaux veineux tapissés d'endothélium situés entre les feuillets de la dure-mère.

Quelles sont les grandes régions du corps drainées par les veines jugulaires internes, jugulaires externes et vertébrales?

VEINE	DESCRIPTION ET RÉGION DRAINÉE
Veines jugulaires internes (*jugulum* = gorge)	Le sang qui s'écoule des sinus de la dure-mère dans les veines jugulaires internes réalise le trajet suivant (figure 21.25). Le **sinus sagittal supérieur** (*sagitta* = flèche) naît à l'os frontal, où il reçoit une veine de chaque cavité nasale, et passe en arrière de l'os occipital. Sur son trajet, il recueille le sang des faces supérieure, interne et externe des hémisphères cérébraux, des méninges et des os du crâne. Ensuite, il s'incurve habituellement vers la droite et se draine dans le sinus transverse droit.
	Le **sinus sagittal inférieur** est beaucoup plus petit que le sinus sagittal supérieur; il naît derrière l'attache de la faux du cerveau et reçoit la grande veine cérébrale pour former le sinus droit. La grande veine cérébrale draine les parties les plus profondes de l'encéphale. Sur son trajet, le sinus sagittal inférieur reçoit également les tributaires des faces supérieure et interne des hémisphères cérébraux.
	Le **sinus droit** chemine dans la tente du cervelet; il est formé par l'union du sinus sagittal inférieur et de la grande veine cérébrale. Le sinus droit reçoit également le sang du cervelet et se draine habituellement dans le sinus transverse gauche.
	Les **sinus transverses** naissent près de l'os occipital, continuent vers l'extérieur et l'avant puis deviennent les sinus sigmoïdes près de l'os temporal. Les sinus transverses drainent les hémisphères cérébraux, le cervelet et les os du crâne.
	Les **sinus sigmoïdes** (*sigma* = S; *eidês* = en forme de) sont situés le long de l'os temporal. Ils traversent le foramen jugulaire et se terminent dans les veines jugulaires internes. Les sinus sigmoïdes drainent les sinus transverses.
	Les **sinus caverneux** sont situés de part et d'autre de l'os sphénoïde. Ils reçoivent le sang issu des veines ophtalmiques des orbites ainsi que des veines cérébrales des hémisphères cérébraux. Ils se vident dans les sinus transverses et les veines jugulaires internes. Les sinus caverneux ont un caractère singulier car ils offrent un passage à des nerfs et à un gros vaisseau sanguin qui se rendent aux orbites et à la face. Les nerfs oculo-moteur (III) et trochléaire (IV), deux branches du nerf trijumeau (V), soit les nerfs ophtalmique et maxillaire, ainsi que les artères carotides internes les empruntent.
	Les **veines jugulaires internes** droite et gauche descendent de part et d'autre du cou, le long du bord externe des artères carotides internes et communes. Derrière les clavicules, elles s'unissent aux veines subclavières, à la hauteur des articulations sterno-claviculaires, pour former les **veines brachio-céphaliques** (*brachium* = bras; *kephalê* = tête) droite et gauche. De là, le sang s'écoule dans la veine cave supérieure. Les veines jugulaires internes drainent les structures de l'encéphale (par les sinus de la dure-mère), la face et le cou.
Veines jugulaires externes	Les **veines jugulaires externes** droite et gauche naissent dans les glandes parotides, près de l'angle de la mandibule. Ce sont des veines superficielles qui descendent dans le cou en traversant les muscles sterno-cléido-mastoïdiens. Elles se terminent en face du centre de la clavicule en se jetant dans les veines subclavières. Les veines jugulaires externes drainent des structures à l'extérieur du crâne, comme le cuir chevelu et les régions superficielle et profonde de la face.
Veines vertébrales	Les **veines vertébrales** droite et gauche naissent en dessous des condyles occipitaux. Elles descendent par les foramens transverses des six premières vertèbres cervicales et émergent du foramen de la sixième vertèbre cervicale pour entrer dans les veines brachio-céphaliques à la base du cou. Les veines vertébrales drainent des structures profondes du cou comme les vertèbres cervicales, la moelle épinière cervicale et certains muscles du cou.

Exposé 21.8   *Veines de la tête et du cou (suite)*

SCHÉMA DE DRAINAGE

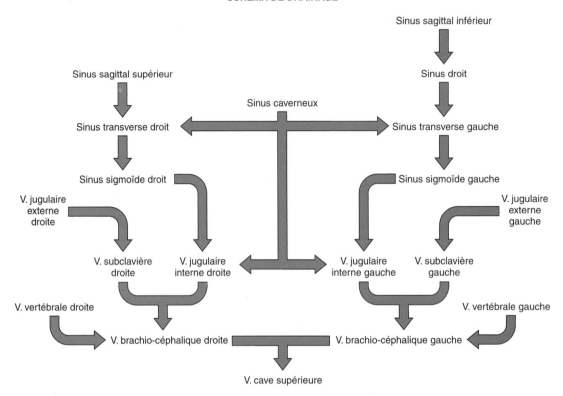

Exposé 21.8 *(suite)*

Figure 21.25 Principales veines de la tête et du cou.

Le sang venant de la tête se draine dans les veines jugulaires internes, jugulaires externes et vertébrales.

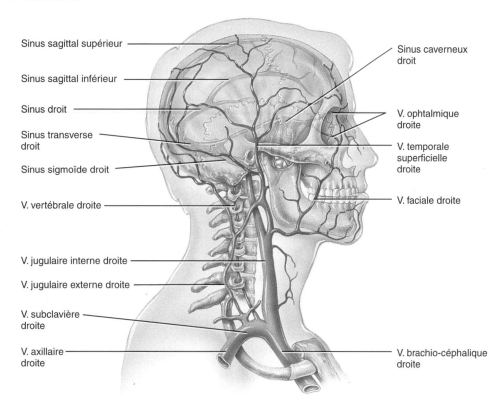

Sinus sagittal supérieur

Sinus sagittal inférieur

Sinus droit

Sinus transverse droit

Sinus sigmoïde droit

V. vertébrale droite

V. jugulaire interne droite

V. jugulaire externe droite

V. subclavière droite

V. axillaire droite

Sinus caverneux droit

V. ophtalmique droite

V. temporale superficielle droite

V. faciale droite

V. brachio-céphalique droite

Vue latérale droite

Q Quelles veines du cou reçoivent tout le drainage veineux de l'encéphale?

Exposé 21.9 *Veines des membres supérieurs (figure 21.26)*

OBJECTIF

• *Identifier les principales veines superficielles qui drainent les membres supérieurs.*

Le sang des membres supérieurs retourne au cœur par des veines superficielles et profondes. Bien que ces veines possèdent toutes des valvules, les veines profondes en contiennent davantage. Les **veines superficielles** sont souvent visibles puisqu'elles cheminent juste en dessous de la peau. Elles s'anastomosent abondamment les unes avec les autres ainsi qu'avec les veines profondes, et ne cheminent pas en parallèle avec les artères. Les veines superficielles, plus grosses que les veines profondes, acheminent vers le cœur la majeure partie du sang des membres supérieurs. Les **veines profondes** sont situées dans les parties profondes du corps. Elles accompagnent souvent les artères et portent le même nom qu'elles.

Où naissent les veines céphaliques, basiliques, médianes de l'avant-bras, radiales et ulnaires?

VEINE	DESCRIPTION ET RÉGION DRAINÉE
Veines superficielles	
Veines céphaliques (*kephalê* = tête)	Les principales veines superficielles qui drainent les membres supérieurs sont les veines céphaliques et basiliques. Elles naissent dans la main et acheminent le sang à partir des plus petites veines superficielles jusqu'aux veines axillaires. Les **veines céphaliques** naissent sur la face latérale des **arcades veineuses dorsales**, réseaux de veines sur le dos de la main formés par les **veines métacarpiennes dorsales** (figure 21.26a). Ces veines drainent à leur tour les **veines digitales dorsales,** qui courent de part et d'autre des doigts. Par suite de leur formation à partir des arcades veineuses dorsales, les veines céphaliques décrivent un arc autour du côté radial de l'avant-bras jusqu'à sa face antérieure, puis montent dans le bras le long de sa face antéro-latérale. Les veines céphaliques se terminent à leur point d'union avec les veines axillaires, juste en dessous des clavicules. Les **veines céphaliques accessoires** naissent soit d'un plexus veineux sur le dos des avant-bras, soit des faces internes des arcades veineuses dorsales, et s'unissent aux veines céphaliques juste en dessous du coude. Les veines céphaliques drainent la face externe des membres supérieurs.
Veines basiliques (*basilikê* = royale)	Les **veines basiliques** naissent sur la face interne des arcades veineuses dorsales et montent le long de la face postéro-médiale de l'avant-bras et de la face antéro-médiale du bras (figure 21.26b). Elles drainent les faces internes des membres supérieurs. Sur la face antérieure du coude, les veines basiliques communiquent avec les veines céphaliques par les **veines médianes du coude,** qui drainent l'avant-bras. C'est dans la veine médiane du coude que l'on administre habituellement les injections et les transfusions et que l'on prélève les échantillons de sang. Après leur union avec les veines médianes du coude, les veines basiliques montent jusqu'au milieu du bras. Elles pénètrent alors profondément dans les tissus et poursuivent leur route le long des artères brachiales pour enfin se lier aux veines brachiales. Lorsque les veines basiliques et brachiales fusionnent dans les aisselles, elles forment les veines axillaires.
Veines médianes de l'avant-bras	Les **veines médianes de l'avant-bras** naissent dans les **plexus veineux palmaires,** qui constituent des réseaux veineux sur la paume de la main. Les arcades drainent les **veines digitales palmaires** des doigts. Les veines médianes de l'avant-bras montent sur la face antérieure de l'avant-bras puis s'unissent aux veines basiliques ou médianes du coude, parfois aux deux. Elles drainent la paume de la main et l'avant-bras.
Veines profondes	
Veines radiales (*radius* = os du bras)	Les **veines radiales** paires naissent dans les **arcades veineuses palmaires profondes** (figure 21.26c), lesquelles drainent les **veines métacarpiennes palmaires** de la paume. Les veines radiales drainent la face externe des avant-bras et sont parallèles aux artères radiales. Juste en dessous de l'articulation du coude, elles s'unissent aux veines ulnaires pour former les veines brachiales.
Veines ulnaires (*ulna* = avant-bras)	Plus grosses que les veines radiales, les **veines ulnaires** paires naissent dans les **arcades veineuses palmaires superficielles,** qui drainent les **veines digitales palmaires communes** et les **veines digitales palmaires propres** des doigts. Les veines ulnaires drainent la face interne des avant-bras, courent parallèlement aux artères ulnaires et s'unissent aux veines radiales pour former les veines brachiales.
Veines brachiales (*brachium* = bras)	Les **veines brachiales** paires accompagnent les artères brachiales. Elles drainent les avant-bras, les articulations du coude, les bras et les humérus. Elles passent au-dessus des veines basiliques, auxquelles elles s'unissent pour former les veines axillaires.
Veines axillaires (*axilla* = aisselle)	Les **veines axillaires** montent vers le bord externe des premières côtes, où elles deviennent les veines subclavières. Elles reçoivent des tributaires qui correspondent aux branches des artères axillaires. Les veines axillaires drainent les bras, les aisselles et la paroi supéro-latérale du thorax.
Veines subclavières (*sub* = sous; *clavicula* = petite clé)	Les **veines subclavières** sont des prolongements des veines axillaires qui se terminent à l'extrémité sternale de la clavicule, où elles s'unissent aux veines jugulaires internes pour former les veines brachio-céphaliques. Les veines subclavières drainent les bras, le cou et la paroi thoracique. Le conduit thoracique du système lymphatique déverse la lymphe dans la veine subclavière gauche à son point de rencontre avec la veine jugulaire interne. Le conduit lymphatique droit déverse la lymphe dans la veine subclavière droite à la jonction correspondante (voir la figure 22.3a).

Exposé 21.9 *(suite)*

SCHÉMA DE DRAINAGE

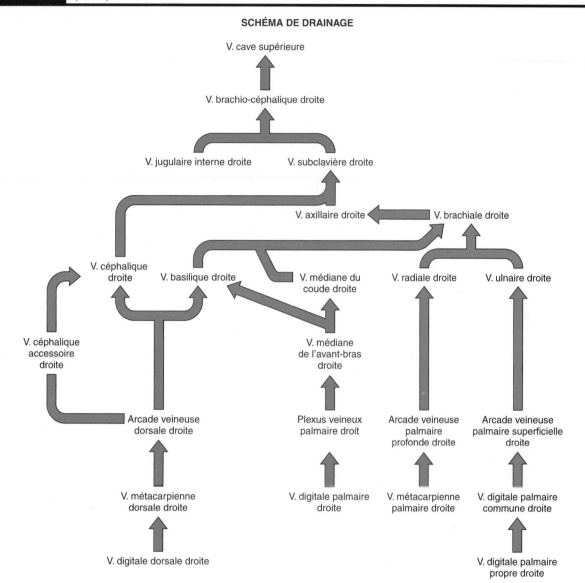

Exposé 21.9 *Veines des membres supérieurs (suite)*

Figure 21.26 Principales veines du membre supérieur droit.

🔑 **Les veines profondes accompagnent les artères qui portent le même nom qu'elles.**

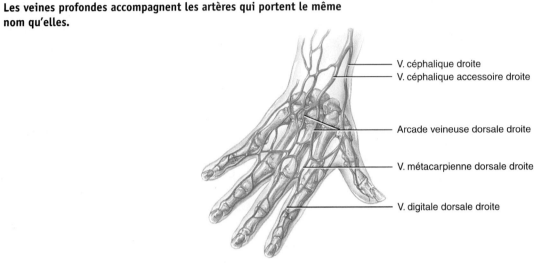

V. céphalique droite
V. céphalique accessoire droite
Arcade veineuse dorsale droite
V. métacarpienne dorsale droite
V. digitale dorsale droite

(a) Vue postérieure des veines superficielles de la main

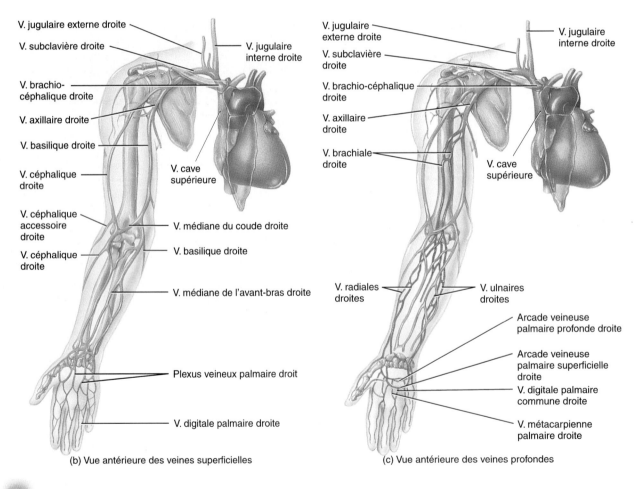

V. jugulaire externe droite
V. subclavière droite
V. jugulaire interne droite
V. brachio-céphalique droite
V. axillaire droite
V. basilique droite
V. cave supérieure
V. céphalique droite
V. céphalique accessoire droite
V. médiane du coude droite
V. céphalique droite
V. basilique droite
V. médiane de l'avant-bras droite
Plexus veineux palmaire droit
V. digitale palmaire droite

(b) Vue antérieure des veines superficielles

V. jugulaire externe droite
V. subclavière droite
V. jugulaire interne droite
V. brachio-céphalique droite
V. axillaire droite
V. brachiale droite
V. cave supérieure
V. radiales droites
V. ulnaires droites
Arcade veineuse palmaire profonde droite
Arcade veineuse palmaire superficielle droite
V. digitale palmaire commune droite
V. métacarpienne palmaire droite

(c) Vue antérieure des veines profondes

Q Dans quelle veine du membre supérieur prélève-t-on souvent les échantillons de sang ?

Exposé 21.10 | Veines du thorax (figure 21.27)

OBJECTIF

• *Identifier les composantes du réseau azygos de veines.*

Bien que les veines brachio-céphaliques drainent certaines parties du thorax, la plupart des structures de cette région se déverse dans un réseau de veines, le **réseau azygos,** situé de part et d'autre de la colonne vertébrale. Ce système se compose de

trois veines : les **veines azygos, hémi-azygos** et **hémi-azygos accessoire,** toutes très différentes quant à leur origine, leur trajectoire, leurs tributaires, leurs anastomoses et leur terminaison. Toutes ces veines se drainent dans la veine cave supérieure.

Quelle est l'importance du réseau azygos par rapport à la veine cave inférieure ?

VEINE	DESCRIPTION ET RÉGION DRAINÉE
Veine brachio-céphalique (*brachium* = bras ; *kephalê* = tête)	Formées par l'union des veines subclavières et jugulaires internes, les **veines brachio-céphaliques** droite et gauche drainent la tête, le cou, les membres supérieurs, les glandes mammaires et la partie supérieure du thorax. Elles s'unissent pour former la veine cave supérieure. Puisque la veine cave supérieure est située à droite, la veine brachio-céphalique gauche est plus longue que la droite. La veine brachio-céphalique droite est située en avant et à droite du tronc brachio-céphalique. La veine brachio-céphalique gauche est située devant le tronc brachio-céphalique, l'artère carotide commune gauche et l'artère subclavière gauche, la trachée et les nerfs vague (X) et phrénique gauches.
Réseau azygos (*azugos* = non accouplé)	En plus de recueillir le sang venant du thorax et de la paroi abdominale, le **réseau azygos** peut constituer une voie de contournement pour la veine cave inférieure qui draine le sang du bas du corps. Plusieurs petites veines relient directement le réseau azygos à la veine cave inférieure. Les grosses veines qui drainent les membres inférieurs et l'abdomen débouchent sur le réseau azygos. En cas d'obstruction de la veine cave inférieure ou de la veine porte hépatique, le réseau azygos peut acheminer le sang venant du bas du corps jusqu'à la veine cave supérieure.
Veine azygos	La **veine azygos** est située en avant de la colonne vertébrale, légèrement à droite du plan médian du corps. Elle commence habituellement à la jonction des veines lombaire ascendante et subcostale droites, près du diaphragme. À la hauteur de la quatrième vertèbre thoracique, elle s'incurve au-dessus de la racine du poumon droit et se termine dans la veine cave supérieure. En général, la veine azygos draine le côté droit de la paroi thoracique, des viscères thoraciques et de la paroi abdominale. Elle reçoit le sang de la majeure partie des **veines intercostales postérieures, hémi-azygos, hémi-azygos accessoire, œsophagienne, médiastinale, péricardique** et **bronchique** (toutes situées du côté droit).
Veine hémi-azygos (*hêmi* = à moitié)	La **veine hémi-azygos** est située en avant de la colonne vertébrale, légèrement à gauche du plan médian du corps. Elle commence souvent à la jonction des veines lombaire ascendante et subcostale gauches, et se termine en s'unissant à la veine azygos à la hauteur de la neuvième vertèbre thoracique à peu près. En général, la veine hémi-azygos draine le côté gauche de la paroi thoracique, des viscères thoraciques et de la paroi abdominale. Elle recueille le sang des neuvième à onzième **veines intercostales postérieures,** des **veines œsophagiennes** et **médiastinales** et parfois de la **veine hémi-azygos accessoire** (toutes situées du côté gauche).
Veine hémi-azygos accessoire	La **veine hémi-azygos accessoire** est également située en avant de la colonne vertébrale et à gauche du plan médian du corps. Elle naît à la hauteur du quatrième ou cinquième espace intercostal et descend de la cinquième à la huitième vertèbre thoracique, ou se termine dans la veine hémi-azygos. Elle s'unit ensuite à la veine azygos à la hauteur de la huitième vertèbre thoracique à peu près. La veine hémi-azygos accessoire draine le côté gauche de la paroi thoracique. Elle reçoit le sang des quatrième à huitième **veines intercostales postérieures** (les première, deuxième et troisième se jettent dans la veine brachio-céphalique gauche), ainsi que des **veines bronchique** et **médiastinales** (toutes situées du côté gauche).

Exposé 21.10 | *Veines du thorax (suite)*

SCHÉMA DE DRAINAGE

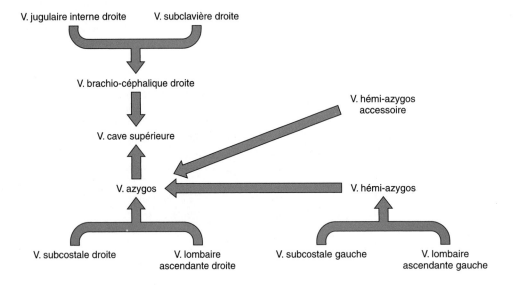

Exposé 21.10 *(suite)*

Figure 21.27 Principales veines du thorax, de l'abdomen et du bassin.

 Le réseau azygos de veines draine la majeure partie du thorax.

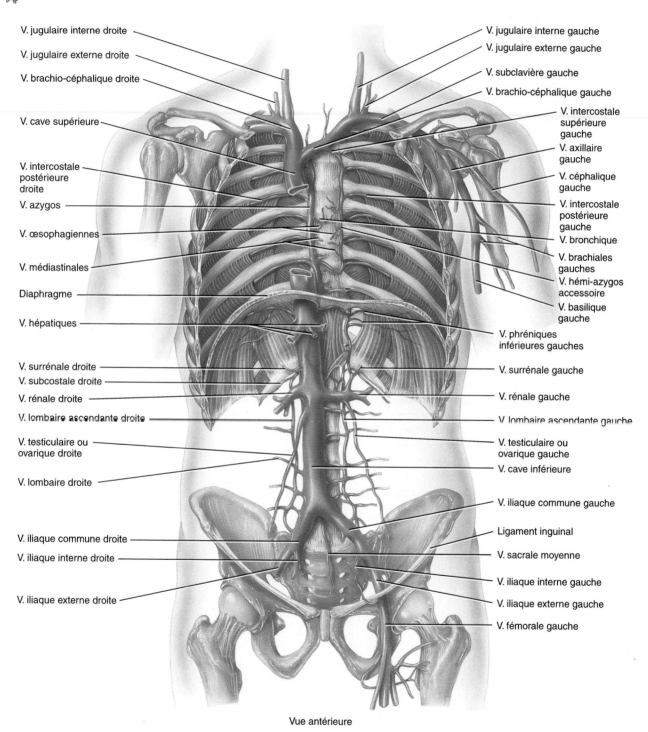

V. jugulaire interne droite

V. jugulaire externe droite

V. brachio-céphalique droite

V. cave supérieure

V. intercostale postérieure droite

V. azygos

V. œsophagiennes

V. médiastinales

Diaphragme

V. hépatiques

V. surrénale droite

V. subcostale droite

V. rénale droite

V. lombaire ascendante droite

V. testiculaire ou ovarique droite

V. lombaire droite

V. iliaque commune droite

V. iliaque interne droite

V. iliaque externe droite

V. jugulaire interne gauche

V. jugulaire externe gauche

V. subclavière gauche

V. brachio-céphalique gauche

V. intercostale supérieure gauche

V. axillaire gauche

V. céphalique gauche

V. intercostale postérieure gauche

V. bronchique

V. brachiales gauches

V. hémi-azygos accessoire

V. basilique gauche

V. phréniques inférieures gauches

V. surrénale gauche

V. rénale gauche

V. lombaire ascendante gauche

V. testiculaire ou ovarique gauche

V. cave inférieure

V. iliaque commune gauche

Ligament inguinal

V. sacrale moyenne

V. iliaque interne gauche

V. iliaque externe gauche

V. fémorale gauche

Vue antérieure

Q Quelle veine ramène le sang des viscères abdomino-pelviens au cœur ?

Exposé 21.11 *Veines de l'abdomen et du bassin (figure 21.27)*

OBJECTIF

• *Identifier les principales veines qui drainent l'abdomen et le bassin.*

Le sang des viscères abdomino-pelviens et de la paroi abdominale retourne au cœur par la **veine cave inférieure.** De nombreuses petites veines entrent dans ce vaisseau, et la plupart drainent le sang des branches pariétales de l'aorte abdominale ; ces veines et ces artères portent le même nom.

La veine cave inférieure ne reçoit pas de sang veineux directement du tube digestif, de la rate, du pancréas et de la vésicule biliaire. Ces organes déversent leur sang dans une veine commune,

la **veine porte hépatique,** qui le transporte jusqu'au foie. La veine porte hépatique est formée par l'union des veines mésentérique et splénique supérieures (voir la figure 21.29). Cette voie spéciale d'écoulement du sang veineux, appelée **système porte hépatique,** est décrite un peu plus loin. Après avoir été traité dans le foie, le sang s'écoule dans les veines hépatiques, qui se jettent dans la veine cave inférieure.

Quelles sont les structures drainées par les veines lombaires, testiculaires ou ovariques, rénales, surrénales, phréniques inférieures et hépatiques ?

VEINE	DESCRIPTION ET RÉGION DRAINÉE
Veine cave inférieure	La **veine cave inférieure** est formée par l'union des deux veines iliaques communes qui drainent les membres inférieurs, le bassin et l'abdomen (voir la figure 21.27). Elle monte dans l'abdomen et le thorax jusqu'à l'oreillette droite.
Veines iliaques communes (*ilia* = flancs)	Les **veines iliaques communes** sont formées par l'union des veines iliaques internes et externes en avant de l'articulation sacro-iliaque et constituent le prolongement distal de la veine cave inférieure à leur bifurcation. La veine iliaque commune droite est bien plus courte et également plus verticale que la gauche. En général, les veines iliaques communes drainent le bassin, les organes génitaux externes et les membres inférieurs.
Veines iliaques internes	Les **veines iliaques internes** naissent près de la partie supérieure de la grande incisure ischiatique et longent la face interne des artères auxquelles elles correspondent (voir la figure 21.27). En général, elles drainent les cuisses, les fesses, les organes génitaux externes et le bassin.
Veines iliaques externes	Les **veines iliaques externes** accompagnent les artères iliaque internes et naissent au niveau des ligaments inguinaux, où elles prolongent les veines fémorales. Elles se terminent devant l'articulation sacro-iliaque, où elles s'unissent aux veines iliaques internes pour former les veines iliaques communes. Les veines iliaques externes drainent les membres inférieurs, le muscle crémaster (chez l'homme) et la paroi abdominale.
Veines lombaires (*lumbes* = reins)	Une série de **veines lombaires** parallèles (habituellement quatre de chaque côté) draine les deux côtés de la paroi abdominale postérieure, du canal vertébral, de la moelle épinière et des méninges (voir la figure 21.27). Comme les artères lombaires, les veines lombaires cheminent à l'horizontale. Elles forment des angles droits avec les **veines lombaires ascendantes** droite et gauche, et cette union est le point d'origine de la veine azygos ou hémi-azygos correspondante. Les veines lombaires se déversent dans les veines lombaires ascendantes puis dans la veine cave inférieure, où elles finissent de se drainer.
Veines testiculaires ou **ovariques**	Les **veines testiculaires** ou **ovariques** montent avec leurs artères correspondantes le long de la paroi abdominale postérieure (voir la figure 21.27). Chez l'homme, les **veines testiculaires** drainent les testicules (la veine testiculaire gauche se jette dans la veine rénale gauche, et la veine testiculaire droite, dans la veine cave inférieure). Chez la femme, les **veines ovariques** drainent les ovaires (la veine ovarique gauche se jette dans la veine rénale gauche, et la veine ovarique droite, dans la veine cave inférieure).
Veines rénales (*rên* = rein)	Les grosses **veines rénales** sont situées en avant des artères rénales (voir la figure 21.27). La veine rénale gauche est plus longue que la droite et elle passe devant l'aorte abdominale. Elle reçoit le sang de la veine testiculaire (ou de la veine ovarique) gauche, de la veine phrénique inférieure gauche et, la plupart du temps, de la veine surrénale gauche. La veine rénale droite se déverse dans la veine cave inférieure, derrière le duodénum. Les veines rénales drainent les reins.
Veines surrénales	Les **veines surrénales** drainent les glandes surrénales (la veine surrénale gauche se jette dans la veine rénale gauche, et la veine surrénale droite, dans la veine cave inférieure). (Voir la figure 21.27.)
Veines phréniques inférieures (*phrên* = diaphragme)	Les **veines phréniques inférieures** drainent le diaphragme (la veine phrénique inférieure gauche émet habituellement un tributaire vers la veine surrénale gauche, qui se jette dans la veine rénale gauche, et un autre tributaire qui se jette dans la veine cave inférieure ; la veine phrénique inférieure droite se jette dans la veine cave inférieure). (Voir la figure 21.27.)
Veines hépatiques (*hêpar* = foie)	Les **veines hépatiques** drainent le foie. (Voir la figure 21.27.)

Exposé 21.11 *(suite)*

SCHÉMA DE DRAINAGE

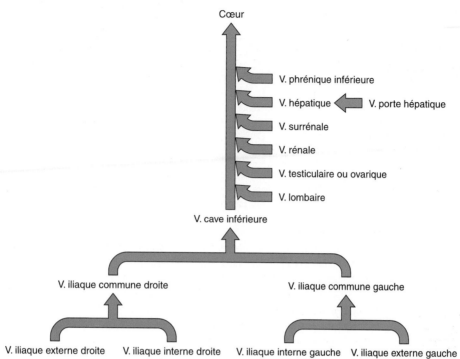

Cœur

V. phrénique inférieure

V. hépatique ← V. porte hépatique

V. surrénale

V. rénale

V. testiculaire ou ovarique

V. lombaire

V. cave inférieure

V. iliaque commune droite

V. iliaque commune gauche

V. iliaque externe droite | V. iliaque interne droite | V. iliaque interne gauche | V. iliaque externe gauche

Exposé 21.12 *Veines des membres inférieurs (figure 21.28)*

OBJECTIF

• *Identifier les principales veines superficielles et profondes qui drainent les membres inférieurs.*

Comme pour les membres supérieurs, les membres inférieurs sont drainés par des **veines superficielles** et **profondes.** Les veines superficielles s'anastomosent souvent les unes avec les autres et avec des veines profondes le long de leur parcours. La plupart des veines profondes portent le même nom que les artères qu'elles accompagnent. Toutes les veines des membres inférieurs possèdent des valvules, plus nombreuses que dans les veines des membres supérieurs.

| Pourquoi les grandes veines saphènes sont-elles importantes d'un point de vue clinique ?

VEINE	DESCRIPTION ET RÉGION DRAINÉE
Veines superficielles	
Grandes veines saphènes (*saphènes* = apparent)	Les **grandes veines saphènes** sont les plus longues veines du corps. Elles montent du pied jusqu'à l'aine, dans la couche sous-cutanée. Elles naissent à l'extrémité interne des arcades veineuses dorsales du pied. Les **arcades veineuses dorsales du pied** sont des réseaux veineux courant sur le dos du pied ; elles sont formées par les **veines digitales dorsales,** qui reçoivent le sang des orteils, puis s'unissent par paires pour former les **veines métatarsiennes dorsales,** qui sont parallèles aux métatarsiens. Près du pied, les veines métatarsiennes dorsales s'unissent pour former les arcades veineuses dorsales du pied. Les grandes veines saphènes passent devant la malléole médiale du tibia, puis montent le long de la face interne de la jambe et de la cuisse, juste en dessous de la peau. Elles reçoivent des tributaires des tissus superficiels et communiquent également avec des veines profondes. Les grandes veines saphènes se jettent dans les veines fémorales à l'aine. Elles drainent principalement la face interne de la jambe et de la cuisse, l'aine, les organes génitaux externes et la paroi abdominale.
	Les grandes veines saphènes possèdent entre 10 et 20 valvules, réparties sur toute leur longueur et qui sont en plus grand nombre dans la jambe que dans la cuisse. Elles sont plus sujettes aux varices que les autres veines des membres inférieurs car elles supportent une longue colonne de sang sans profiter d'un soutien suffisant de muscles squelettiques.
	Les grandes veines saphènes servent fréquemment à l'administration prolongée de liquides par voie intraveineuse, plus particulièrement chez les très jeunes enfants et les personnes en état de choc dont les veines sont collabées. Elles sont aussi utilisées comme greffons, surtout pour les pontages coronariens. La veine est alors extraite et retournée afin que ses valvules n'obstruent pas l'écoulement du sang.
Petites veines saphènes	Les **petites veines saphènes** naissent sur la face externe des arcades veineuses dorsales du pied. Elles passent derrière la malléole latérale de la fibula et montent plus profondément sous la peau le long de la face postérieure de la jambe. Elles se jettent dans les veines poplitées de la fosse poplitée, située en arrière du genou. Les petites veines saphènes possèdent chacune entre 9 et 12 valvules. Elles drainent le pied et la face postérieure de la jambe. Elles communiquent parfois avec les grandes veines saphènes à l'extrémité proximale de la cuisse.
Veines profondes	
Veines tibiales postérieures	Les **veines digitales plantaires** de la face plantaire des orteils s'unissent pour former les **veines métatarsiennes plantaires,** qui sont parallèles aux métatarsiens. Elles s'unissent pour former les **arcades veineuses plantaires profondes.** Chacune de ces arcades émet les **veines plantaires médiale** et **latérale.**
	Les **veines tibiales postérieures** paires, qui sont parfois réunies en un seul vaisseau, sont formées par les veines plantaires médiale et latérale, derrière la malléole médiale du tibia. Elles accompagnent l'artère tibiale postérieure dans la jambe. Elles montent en dessous des muscles de la face postérieure de la jambe et drainent le pied et les muscles de la loge postérieure. Lorsqu'elles atteignent les deux tiers de leur parcours sur la jambe, les veines tibiales postérieures reçoivent le sang des **veines fibulaires,** qui drainent les muscles externes et postérieurs de la jambe. Les veines tibiales postérieures rejoignent les veines tibiales antérieures juste en dessous de la fosse poplitée pour former les veines poplitées.
Veines tibiales antérieures	Les **veines tibiales antérieures** paires naissent dans l'arcade veineuse dorsale du pied et accompagnent l'artère tibiale antérieure. Elles montent dans la membrane interosseuse entre le tibia et la fibula, puis s'unissent aux veines tibiales postérieures pour former la veine poplitée. Les veines tibiales antérieures drainent l'articulation de la cheville, l'articulation du genou et l'articulation tibio-fibulaire ainsi que la partie antérieure de la jambe.

Exposé 21.12 *(suite)*

VEINE	DESCRIPTION ET RÉGION DRAINÉE
Veines profondes (suite)	
Veines poplitées (*poples* = jarret)	Les **veines poplitées** sont formées par l'union des veines tibiales antérieures et postérieures. Elles reçoivent également le sang des petites veines saphènes et des tributaires qui correspondent aux branches de l'artère poplitée. Les veines poplitées drainent l'articulation du genou, de même que la peau, les muscles et les os de certaines parties du mollet et de la cuisse entourant l'articulation du genou.
Veines fémorales	Les **veines fémorales** accompagnent les artères fémorales et constituent le prolongement des veines poplitées juste au-dessus du genou. Elles montent jusqu'à la face postérieure des cuisses et drainent les muscles des cuisses, des fémurs, des organes génitaux externes et des nœuds lymphatiques superficiels. Les plus importants tributaires des veines fémorales sont les **veines fémorales profondes.** Juste avant leur entrée dans la paroi abdominale, les veines fémorales reçoivent les veines fémorales profondes et les grandes veines saphènes. Les veines issues de cette union pénètrent la paroi du corps et entrent dans la cavité pelvienne, où elles deviennent les **veines iliaques externes.**

SCHÉMA DE DRAINAGE

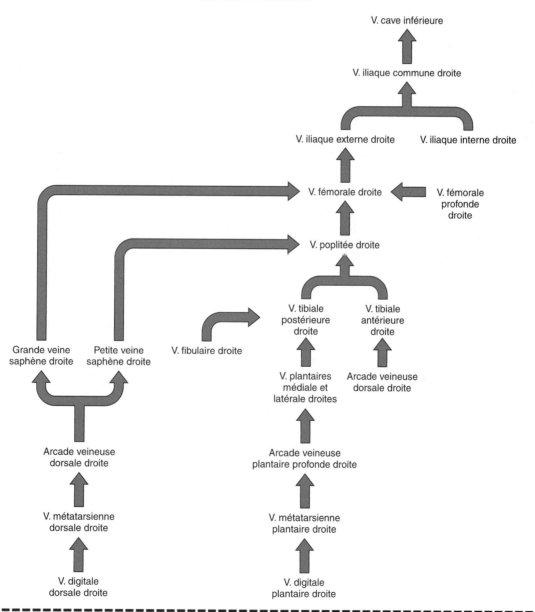

Exposé 21.12 *Veines des membres inférieurs (suite)*

Figure 21.28 Principales veines du bassin et des membres inférieurs.

🔑 **Les veines profondes portent habituellement le même nom que les artères qu'elles accompagnent.**

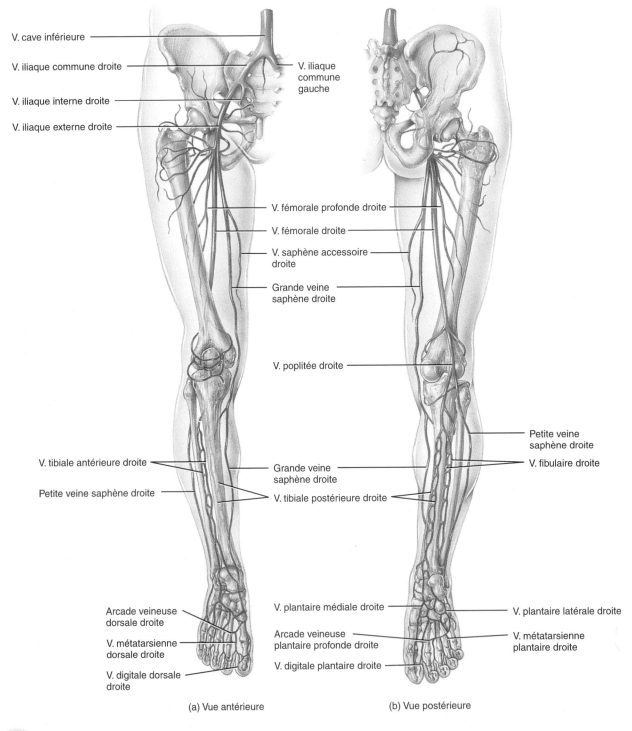

V. cave inférieure

V. iliaque commune droite

V. iliaque interne droite

V. iliaque externe droite

V. iliaque commune gauche

V. fémorale profonde droite

V. fémorale droite

V. saphène accessoire droite

Grande veine saphène droite

V. poplitée droite

Petite veine saphène droite

V. fibulaire droite

V. tibiale antérieure droite

Grande veine saphène droite

Petite veine saphène droite

V. tibiale postérieure droite

Arcade veineuse dorsale droite

V. plantaire médiale droite

V. plantaire latérale droite

V. métatarsienne dorsale droite

Arcade veineuse plantaire profonde droite

V. métatarsienne plantaire droite

V. digitale dorsale droite

V. digitale plantaire droite

(a) Vue antérieure

(b) Vue postérieure

Q   Quelles sont les veines superficielles du membre inférieur ?

Système porte hépatique

OBJECTIF

- *Identifier les vaisseaux sanguins et le trajet du système porte hépatique.*

Nous avons vu que les deux principales voies de la circulation sont les circulations systémique et pulmonaire. Avant d'examiner la circulation pulmonaire, nous nous penchons sur le système porte hépatique, qui est une subdivision de la circulation systémique. Le **système porte hépatique** (*hépar* = foie) détourne vers le foie une partie du drainage veineux de la rate et des organes du système digestif avant de le retourner au cœur (figure 21.29). Un *système porte* achemine le sang entre les réseaux capillaires de deux régions de l'organisme sans passer par le cœur. Dans le système porte hépatique, le sang s'écoule des capillaires du système digestif aux sinusoïdes du foie. Après un repas, le sang du système porte hépatique est riche en substances absorbées par le tube digestif. Le foie conserve une partie de ces substances et modifie les autres avant qu'elles atteignent la circulation systémique. Par exemple, le foie convertit le glucose en glycogène, substance qu'il emmagasine et qui contribue au maintien de l'homéostasie du glucose sanguin ; le foie détoxifie également les substances nocives provenant du tube digestif et détruit les bactéries par phagocytose.

La **veine porte hépatique** est formée par l'union des veines mésentérique supérieure et splénique. La **veine mésentérique supérieure** draine l'intestin grêle et certaines parties du gros intestin, l'estomac et le pancréas par les *veines jéjunales, iléales, iléo-colique, coliques droites, colique moyenne, pancréatico-duodénale* et *gastro-omentale droite.* La **veine splénique** draine l'estomac, le pancréas et certaines parties du gros intestin par les *veines gastrique courte, gastro-omentale gauche, pancréatique* et *mésentérique inférieure.* La veine mésentérique inférieure, qui passe dans la veine splénique, draine certaines parties du gros intestin par les *veines rectales supérieures, sigmoïdiennes* et *coliques gauches.* Les *veines gastriques droite* et *gauche,* qui communiquent directement avec la veine porte hépatique, drainent l'estomac. La *veine cystique,* qui donne également sur la veine porte hépatique, draine la vésicule biliaire.

Lorsque le foie reçoit du sang désoxygéné par l'intermédiaire du système porte hépatique, il reçoit également du sang oxygéné de l'artère hépatique propre, une ramification du tronc cœliaque. Tout ce sang quitte le foie par les **veines hépatiques,** qui se drainent dans la veine cave inférieure.

Les autres veines portes de l'organisme, appelées veines portes hypophysaires, acheminent le sang de l'hypothalamus à l'adénohypophyse. Elles sont représentées à la figure 18.5, p. 605.

Circulation pulmonaire

OBJECTIF

- *Identifier les vaisseaux sanguins et le trajet de la circulation pulmonaire.*

La **circulation pulmonaire** transporte le sang désoxygéné du ventricule droit aux alvéoles pulmonaires dans les poumons et ramène le sang oxygéné des alvéoles jusqu'à l'oreillette gauche (figure 21.30). Le **tronc pulmonaire** émerge du ventricule droit puis monte vers l'arrière et la gauche. Il se divise ensuite en deux branches : l'**artère pulmonaire droite,** qui irrigue le poumon droit, et l'**artère pulmonaire gauche,** qui irrigue le poumon gauche. Les artères pulmonaires sont les seules artères qui transportent du sang désoxygéné après la naissance. Lorsqu'elles entrent dans les poumons, leurs branches se divisent successivement jusqu'à ce qu'elles forment des capillaires autour des alvéoles pulmonaires. Le gaz carbonique passe du sang aux alvéoles pulmonaires, puis est expiré. L'oxygène inspiré dans les poumons passe dans le sang. Les capillaires pulmonaires s'unissent pour former d'abord des veinules puis les **veines pulmonaires,** qui sortent des poumons et transportent le sang oxygéné jusqu'à l'oreillette gauche. Quatre veines pulmonaires, deux à droite et deux à gauche, entrent dans l'oreillette gauche. Après la naissance, les veines pulmonaires sont les seules à transporter du sang oxygéné. Les contractions du ventricule gauche permettent l'éjection du sang oxygéné dans la circulation systémique.

On distingue la circulation pulmonaire de la circulation systémique de deux façons. Premièrement, le sang de la circulation pulmonaire ne doit pas parcourir une aussi grande distance que le sang de la circulation systémique. Deuxièmement, les artères pulmonaires ont un plus gros diamètre, des parois plus minces et moins de tissu élastique que les artères systémiques ; par conséquent, la résistance au débit sanguin pulmonaire est très faible, ce qui signifie qu'il faut moins de pression pour faire circuler le sang dans les poumons. La pression systolique maximale dans le ventricule droit correspond à 20 % de celle observée dans le ventricule gauche.

Circulation fœtale

OBJECTIF

- *Identifier les vaisseaux sanguins et le trajet de la circulation fœtale.*

Le système circulatoire du fœtus, appelé **circulation fœtale,** diffère du système circulatoire postnatal car les poumons, les reins et les organes du système digestif ne commencent à fonctionner qu'après la naissance. Le fœtus obtient son oxygène et ses nutriments par diffusion du sang maternel et élimine son gaz carbonique et ses déchets par diffusion dans le sang maternel.

Les échanges de substances entre la circulation du fœtus et celle de la mère s'effectue par l'intermédiaire du **placenta,** organe qui se forme à l'intérieur de l'utérus de la mère et est relié à l'ombilic du fœtus par le **cordon ombilical.** Le placenta communique avec le système cardiovasculaire de la mère par les nombreux petits vaisseaux sanguins qui émergent de la paroi utérine. Le cordon ombilical contient des vaisseaux

Figure 21.29 Système porte hépatique. Un diagramme de l'écoulement du sang dans le foie, montrant également la circulation artérielle, est représenté en (b) ; le sang désoxygéné est coloré en bleu et le sang oxygéné, en rouge.

Le système porte hépatique apporte au foie le sang veineux provenant de la rate et des organes du système digestif.

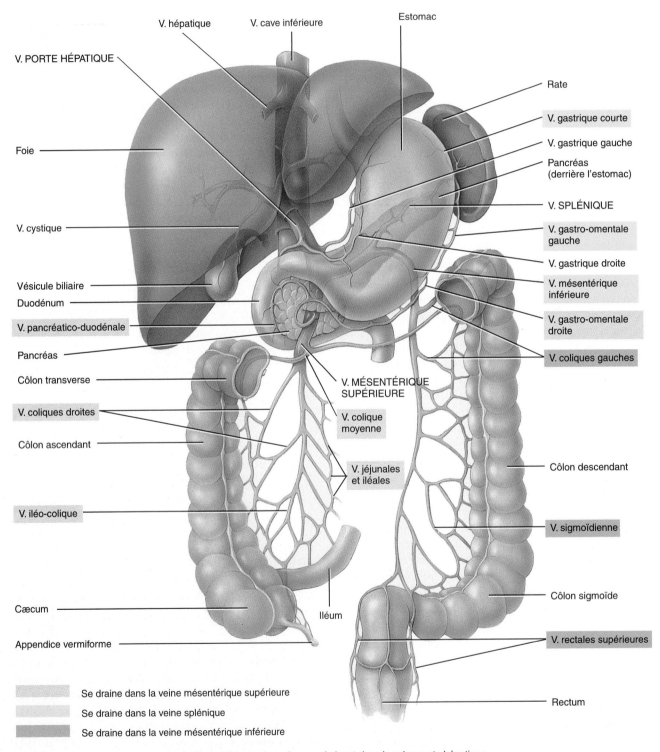

(a) Vue antérieure des veines se drainant dans la veine porte hépatique

Figure 21.29 (suite)

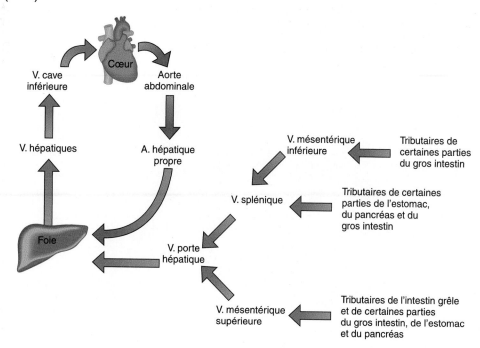

(b) Diagramme des principaux vaisseaux sanguins du système porte hépatique, de la circulation artérielle et du drainage veineux du foie

 Quelles sont les veines qui drainent le foie?

sanguins qui se ramifient pour former des capillaires dans le placenta. Les déchets du sang fœtal diffusent de ces capillaires vers des espaces du placenta remplis de sang maternel (les espaces intervilleux), puis atteignent les veines de l'utérus (voir la figure 29.8a, p. 1097). Les nutriments circulent en sens inverse: des vaisseaux sanguins maternels vers les espaces intervilleux, puis vers les capillaires fœtaux. Normalement, le sang de la mère et celui du fœtus n'entrent jamais en contact direct puisque tous les échanges s'effectuent par diffusion à travers les parois des capillaires.

Le sang passe du fœtus au placenta par les deux **artères ombilicales** (figure 21.31a et c). Ces rameaux des artères iliaques internes sont situés à l'intérieur du cordon ombilical. Dans le placenta, le sang fœtal capte de l'oxygène et des nutriments et se débarrasse de son gaz carbonique et de ses déchets. Le sang oxygéné sort ensuite du placenta en empruntant une **veine ombilicale** impaire. Cette veine monte vers le foie du fœtus, où elle se divise en deux rameaux. Une partie du sang s'écoule dans le rameau qui communique avec la veine porte hépatique et entre dans le foie, mais la plus grande partie s'écoule dans le deuxième rameau, appelé **conduit veineux,** qui se draine dans la veine cave inférieure.

Le sang désoxygéné issu des régions inférieures se mélange au sang oxygéné du conduit veineux dans la veine cave inférieure. Ce sang mélangé entre ensuite dans l'oreillette

droite. Le sang désoxygéné des régions supérieures du fœtus entre pour sa part dans la veine cave supérieure puis dans l'oreillette droite.

Chez le fœtus, la majeure partie du sang ne circule pas du ventricule droit aux poumons, comme c'est le cas après la naissance, car les oreillettes droite et gauche sont séparées par un orifice situé dans le septum, le **foramen ovale.** Environ un tiers du sang emprunte le foramen ovale pour atteindre directement la circulation systémique. Le sang qui passe dans le ventricule droit est pompé dans le tronc pulmonaire, mais une quantité infime de ce sang pénètre dans les poumons non fonctionnels du fœtus. Il circule plutôt vers le **conduit artériel,** vaisseau qui relie le tronc pulmonaire à l'aorte et recueille presque tout le sang qui contourne les poumons du fœtus. Le sang de l'aorte est acheminé vers tous les tissus fœtaux par la circulation systémique. Lorsque les artères iliaques communes se divisent en artères iliaques externes et internes, une partie du sang passe dans les artères iliaques internes, puis dans les artères ombilicales, avant de revenir dans le placenta pour de nouveaux échanges. Le seul vaisseau de la circulation fœtale qui transporte du sang totalement oxygéné est la veine ombilicale.

Après la naissance, lorsque les fonctions pulmonaire, rénale et digestive commencent, le système vasculaire subit les changements suivants (figure 21.31b).

Figure 21.30 Circulation pulmonaire.

 La circulation pulmonaire achemine le sang désoxygéné du ventricule droit aux poumons et ramène le sang oxygéné des poumons à l'oreillette gauche.

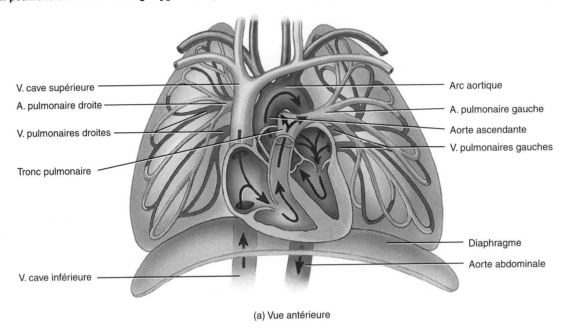

V. cave supérieure

A. pulmonaire droite

V. pulmonaires droites

Tronc pulmonaire

V. cave inférieure

Arc aortique

A. pulmonaire gauche

Aorte ascendante

V. pulmonaires gauches

Diaphragme

Aorte abdominale

(a) Vue antérieure

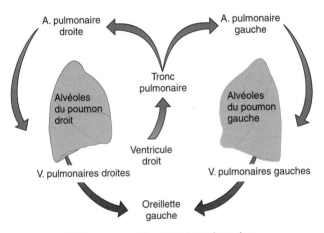

A. pulmonaire droite

A. pulmonaire gauche

Tronc pulmonaire

Alvéoles du poumon droit

Alvéoles du poumon gauche

Ventricule droit

V. pulmonaires droites

V. pulmonaires gauches

Oreillette gauche

(b) Diagramme de la circulation pulmonaire

Q Après la naissance, quelles sont les seules artères qui transportent du sang désoxygéné ?

1. Lorsque le cordon ombilical est ligaturé, le sang cesse de circuler dans les artères ombilicales, qui se remplissent de tissu conjonctif ; les parties distales des artères ombilicales deviennent des cordons fibreux appelés **ligaments ombilicaux médiaux.** Bien que les artères cessent de fonctionner quelques minutes après la naissance, leur fermeture complète peut prendre de 2 à 3 mois.

2. La veine ombilicale se collabe et devient le **ligament rond du foie,** une structure qui relie l'ombilic au foie.

3. Le conduit veineux se collabe également et devient le **ligament veineux,** un cordon fibreux sur la face inférieure du foie.

4. Le placenta est expulsé (avec ce qui compose le **délivre**).

5. Le foramen ovale se ferme normalement peu de temps après la naissance et devient alors la **fosse ovale,** une dépression dans le septum interauriculaire. Lorsque le nourrisson inspire pour la première fois, ses poumons se

Figure 21.31 Circulation fœtale et changements à la naissance. Les cases entre les parties (a) et (b) présentent la transformation de certaines structures fœtales après la naissance.

Les poumons et les organes du système digestif ne commencent à fonctionner qu'après la naissance.

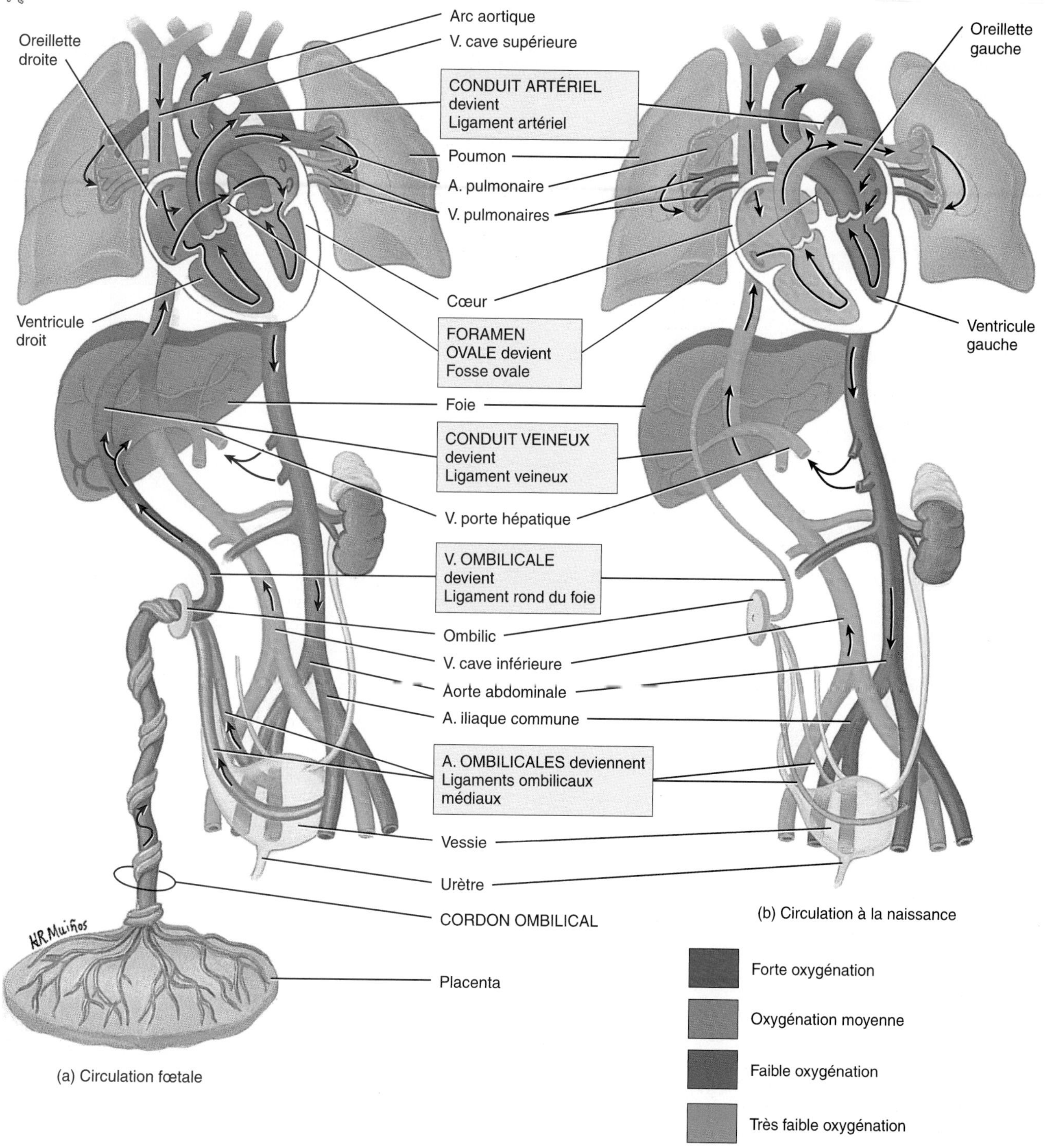
Arc aortique
V. cave supérieure
Oreillette droite
Oreillette gauche
CONDUIT ARTÉRIEL devient Ligament artériel
Poumon
A. pulmonaire
V. pulmonaires
Cœur
Ventricule droit
Ventricule gauche
FORAMEN OVALE devient Fosse ovale
Foie
CONDUIT VEINEUX devient Ligament veineux
V. porte hépatique
V. OMBILICALE devient Ligament rond du foie
Ombilic
V. cave inférieure
Aorte abdominale
A. iliaque commune
A. OMBILICALES deviennent Ligaments ombilicaux médiaux
Vessie
Urètre
CORDON OMBILICAL
Placenta
HR Muiños
(a) Circulation fœtale
(b) Circulation à la naissance
Forte oxygénation
Oxygénation moyenne
Faible oxygénation
Très faible oxygénation

Suite à la page suivante

dilatent et le sang commence à y circuler. Le sang qui sort des poumons en direction du cœur fait augmenter la pression dans l'oreillette gauche. Cette pression ferme le foramen ovale en poussant sur la valvule qui le sépare du septum interauriculaire. La fermeture permanente du foramen ovale nécessite environ un an.

Figure 21.31 Circulation fœtale et changements à la naissance (suite)

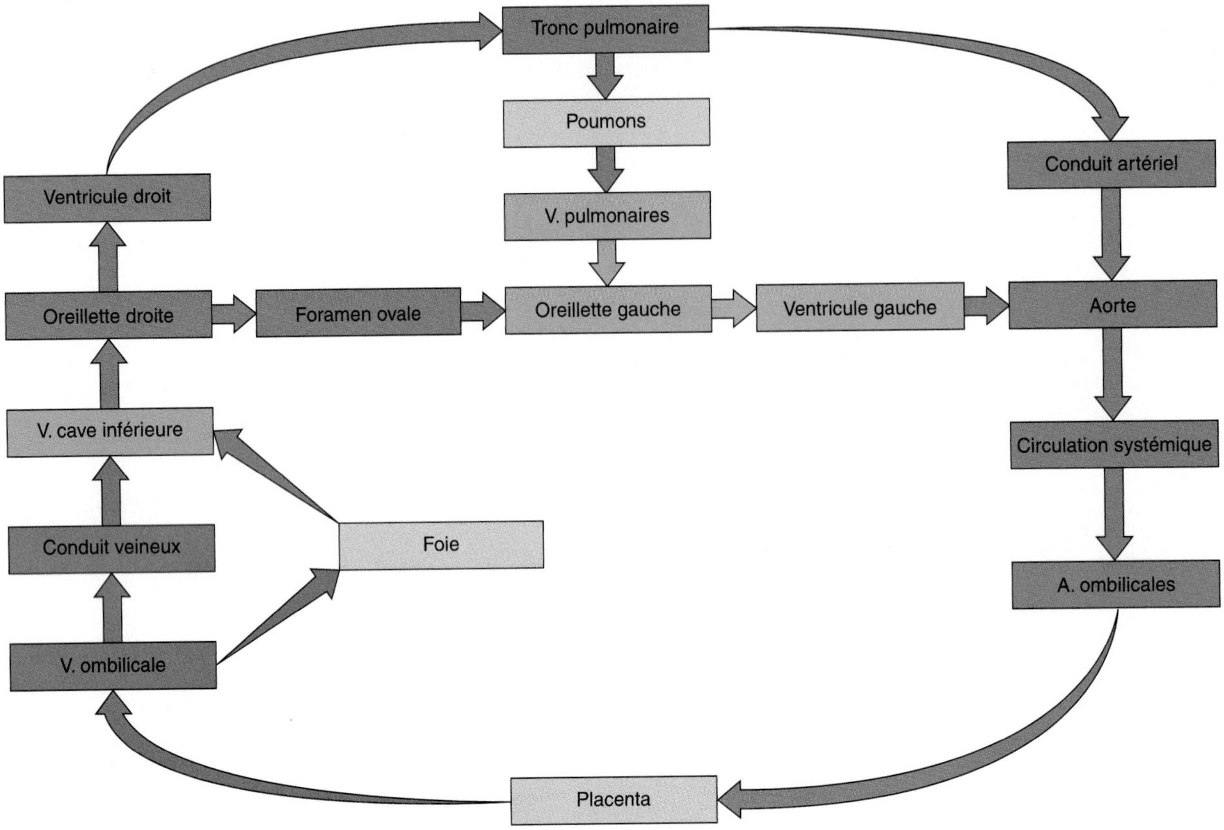

```
                          ┌──────────────────┐
         ┌───────────────▶│  Tronc pulmonaire │──────────────┐
         │                └──────────────────┘               │
         │                     │                              │
         │                     ▼                              ▼
         │                ┌──────────┐                 ┌─────────────────┐
         │                │  Poumons │                 │ Conduit artériel │
  ┌──────────────┐        └──────────┘                 └─────────────────┘
  │ Ventricule   │             │                              │
  │    droit     │             ▼                              ▼
  └──────────────┘        ┌──────────────┐              ┌──────────┐
         ▲                │ V. pulmonaires│             │   Aorte  │
         │                └──────────────┘              └──────────┘
  ┌──────────────┐  ┌──────────────┐  ┌──────────────┐  ┌──────────────┐        │
  │  Oreillette  │─▶│ Foramen ovale │─▶│  Oreillette  │─▶│ Ventricule   │─▶ Aorte│
  │    droite    │  └──────────────┘  │    gauche    │  │    gauche    │         │
  └──────────────┘                    └──────────────┘  └──────────────┘         ▼
         ▲                                                           ┌─────────────────────┐
         │                                                           │ Circulation systémique│
  ┌──────────────┐                                                   └─────────────────────┘
  │ V. cave      │                                                            │
  │  inférieure  │                                                            ▼
  └──────────────┘              ┌──────────┐                          ┌──────────────┐
         ▲                      │   Foie   │                          │ A. ombilicales│
  ┌──────────────┐              └──────────┘                          └──────────────┘
  │Conduit veineux│                                                           │
  └──────────────┘                                                            │
         ▲                                                                    │
  ┌──────────────┐                                                           │
  │ V. ombilicale │                                                          │
  └──────────────┘                ┌──────────┐                              │
         ▲                        │ Placenta │◀─────────────────────────────┘
         └────────────────────────└──────────┘
```

(c) Diagramme de la circulation fœtale

Q   Dans quelle structure l'échange de substances entre la mère et le fœtus s'effectue-t-il ?

6. Le conduit artériel se ferme par vasoconstriction presque immédiatement après la naissance et devient alors le **ligament artériel.** Sa fermeture anatomique complète prend de 1 à 3 mois.

1. Représentez par un diagramme le système porte hépatique. Pourquoi ce système est-il important ?
2. Représentez par un diagramme le trajet de la circulation pulmonaire.
3. Décrivez l'anatomie et la physiologie de la circulation fœtale. Indiquez la fonction des artères ombilicales, de la veine ombilicale, du conduit veineux, du foramen ovale et du conduit artériel.

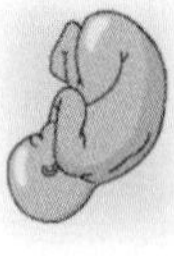

DÉVELOPPEMENT EMBRYONNAIRE DES VAISSEAUX SANGUINS ET DU SANG

OBJECTIF

• *Décrire le développement des vaisseaux sanguins et du sang.*

Le sac vitellin fournit peu de nourriture à l'embryon en développement. La formation du sang et des vaisseaux sanguins commence dès le quinzième ou le seizième jour dans le **mésoderme** du sac vitellin, le chorion et le pédicule de fixation.

Les *vaisseaux sanguins* naissent de masses isolées et de cordons de mésenchyme dans le mésoderme appelés **îlots sanguins** (figure 21.32). Les espaces qui se forment rapidement dans ces îlots deviendront la lumière des vaisseaux sanguins. Une partie des cellules mésenchymateuses entourant de près ces espaces deviennent *l'endothélium des vaisseaux sanguins*. Le mésenchyme autour de l'endothélium forme les *tuniques* (interne, moyenne et externe) des gros vaisseaux sanguins. Lorsque les îlots sanguins se développent et fusionnent, ils forment un vaste réseau de vaisseaux sanguins qui alimentent l'ensemble de l'embryon.

Le *plasma sanguin* et les *cellules sanguines* sont produits par les cellules endothéliales et apparaissent très tôt dans les vaisseaux sanguins du sac vitellin et l'allantoïde. La formation du sang commence vers le deuxième mois dans le foie et la rate, un peu plus tard dans la moelle osseuse rouge et à un stade beaucoup plus avancé dans les nœuds lymphatiques.

1. Comparez l'origine des vaisseaux sanguins et celle du sang.

VIEILLISSEMENT DU SYSTÈME CARDIOVASCULAIRE

OBJECTIF

- *Expliquer les effets du vieillissement sur le système cardiovasculaire.*

À mesure que l'on vieillit, le système cardiovasculaire subit plusieurs changements, dont les plus courants sont la perte d'élasticité de l'aorte, le rétrécissement des fibres musculaires cardiaques, l'affaiblissement progressif du muscle cardiaque, la réduction du débit cardiaque, la baisse de la fréquence cardiaque maximale et l'augmentation de la pression systolique. Le taux de cholestérol sanguin total augmente souvent avec l'âge, de même que le taux de lipoprotéines de basse densité (LDL) ; par ailleurs, le taux de lipoprotéines de haute densité (HDL) tend à diminuer. L'incidence des coronaropathies, qui constitue la principale cause de maladies cardiaques et de décès chez les Américains âgés, augmente. L'insuffisance cardiaque, qui regroupe un ensemble de symptômes associés à une déficience de la pompe cardiaque, est répandue également chez les personnes âgées.

Figure 21.32 Développement des vaisseaux sanguins et des cellules sanguines à partir des îlots sanguins.

🔑 Le développement des vaisseaux sanguins de l'embryon commence vers le quinzième ou le seizième jour.

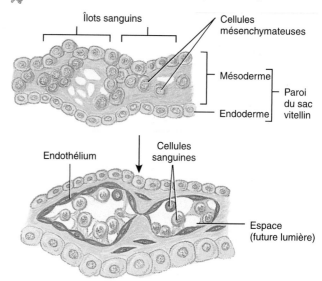

Îlots sanguins — Cellules mésenchymateuses — Mésoderme — Endoderme — Paroi du sac vitellin

Endothélium — Cellules sanguines — Espace (future lumière)

Cellules sanguines — Lumière du vaisseau sanguin

H.R. Muiños

Q De quelle couche de la cellule germinale les vaisseaux sanguins et le sang sont-ils dérivés ?

Les changements dans les vaisseaux sanguins qui irriguent l'encéphale, dus à l'athérosclérose par exemple, diminuent le débit sanguin cérébral, ce qui peut provoquer un dysfonctionnement ou la mort des cellules cérébrales. À 80 ans, le débit sanguin cérébral est de 20 % moins élevé que chez une personne de 30 ans et le débit sanguin rénal est de 50 % moins élevé.

DÉSÉQUILIBRES HOMÉOSTATIQUES

HYPERTENSION

L'**hypertension** est une élévation anormale et persistante de la pression artérielle ; elle correspond à une pression systolique de 140 mm Hg ou plus et à une pression diastolique de 90 mm Hg ou plus. Rappelez-vous qu'une pression sanguine de 120/80 est normale et souhaitable chez un adulte en bonne santé. Dans les sociétés industrialisées, l'hypertension est la maladie qui affecte le plus souvent le cœur et les vaisseaux sanguins et elle constitue une des principales causes d'insuffisance cardiaque, de maladie rénale et d'accident vasculaire cérébral. Dans le système de classification adopté en 1997 aux États-Unis, les valeurs de la pression artérielle chez l'adulte sont les suivantes :

Optimale   Systolique : moins de 120

                  Diastolique : moins de 80

Normale   Systolique : moins de 130

                  Diastolique : moins de 85

Haute-normale   Systolique : 130-139 ; diastolique : 85-89

Hypertension   Systolique : 140 ou plus ;
                  diastolique : 90 ou plus

Stade 1   Systolique : 140-159 ; diastolique : 90-99

Stade 2   Systolique : 160-179 ; diastolique : 100-109

Stade 3   Systolique : 180 ou plus ;
                  diastolique : 110 ou plus

Typologie et causes de l'hypertension

Une proportion de 90 à 95 % des cas d'hypertension entrent dans la catégorie de l'**hypertension essentielle,** soit une pression artérielle constamment élevée sans cause précise. Les 5 à 10 % qui restent sont des cas d'**hypertension secondaire,** c'est-à-dire une hypertension dont la cause est connue. Plusieurs facteurs causent l'hypertension secondaire :

- L'*obstruction du débit sanguin rénal* ou les troubles qui endommagent le tissu rénal peuvent entraîner une hypersécrétion de rénine dans le sang. La concentration élevée d'angiotensine II qui en résulte cause une vasoconstriction, ce qui augmente la résistance périphérique.

- L'*hypersécrétion d'aldostérone,* consécutive par exemple à une tumeur du cortex surrénal, stimule une réabsorption excessive de sodium et d'eau par les reins, ce qui augmente le volume des liquides de l'organisme.

- L'*hypersécrétion d'adrénaline et de noradrénaline* par un **phéochromocytome,** c'est-à-dire une tumeur de la médullosurrénale. L'adrénaline et la noradrénaline augmentent la fréquence cardiaque, la contractilité du cœur et la résistance périphérique.

Conséquences de l'hypertension non traitée

L'hypertension est insidieuse – d'où son surnom de « tueur silencieux » – car elle peut causer d'importants dommages aux vaisseaux sanguins, au cœur, au cerveau et aux reins avant l'apparition de douleur ou d'autres symptômes. Dans les vaisseaux sanguins, elle provoque un épaississement de la tunique moyenne, accélère la progression de l'athérosclérose et des coronaropathies et augmente la résistance périphérique. Dans le cœur, elle augmente la postcharge, ce qui force les ventricules à fournir un plus grand effort pour éjecter le sang. En réponse à cette surcharge de travail, le myocarde s'hypertrophie, en particulier la paroi du ventricule gauche. Lorsque le débit sanguin coronaire ne peut pas satisfaire à des demandes supplémentaires d'oxygène, l'angine de poitrine et même un infarctus du myocarde sont à craindre. Quand le myocarde hypertrophié ne peut plus compenser l'augmentation de la postcharge, le ventricule gauche se dilate et s'affaiblit. Puisque les artères de l'encéphale sont souvent moins bien protégées par les tissus adjacents que les grandes artères des autres régions de l'organisme, l'hypertension peut à la longue provoquer leur rupture, ce qui entraîne une hémorragie cérébrale suivie d'un accident vasculaire cérébral. L'hypertension endommage également les artérioles des reins, qui s'épaississent, diminuant ainsi la lumière des vaisseaux ;

étant donné que le débit sanguin vers les reins est diminué, les reins sécrètent une plus grande quantité de rénine, et cette enzyme élève encore davantage la pression artérielle.

Modifications du mode de vie visant à réduire l'hypertension

Bien que plusieurs catégories de médicaments (décrites plus loin) puissent abaisser une pression artérielle trop élevée, certaines modifications apportées au mode de vie sont également efficaces. En voici quelques-unes.

- *Perte pondérale.* Il s'agit du meilleur traitement de l'hypertension, si l'on exclut les médicaments. Chez les personnes obèses et hypertendues, le fait de perdre ne serait-ce que quelques kilogrammes peut contribuer à réduire la pression artérielle.

- *Réduction de l'apport en alcool.* Il est conseillé de limiter sa consommation à 60 mL d'alcool à 100 % par jour ou de s'abstenir complètement.

- *Exercice.* Améliorer sa forme physique en pratiquant une activité modérée (telle la marche rapide) plusieurs fois par semaine à raison de 30 à 45 min par séance peut diminuer la pression systolique d'environ 10 mm Hg.

- *Consommation réduite de sodium (sel).* Environ la moitié des personnes hypertendues sont extrêmement sensibles au sel. Dans leur cas, il semble qu'un régime alimentaire riche en sel favorise l'hypertension et qu'un régime pauvre en sel diminue la pression artérielle.

- *Maintien de l'apport recommandé en potassium, en calcium et en magnésium.* Un régime alimentaire riche en potassium, calcium et magnésium contribue à réduire les risques d'hypertension.

- *Abandon du tabagisme.* Le tabac est très nocif pour le cœur et peut aggraver les dommages causés par l'hypertension puisqu'il favorise la vasoconstriction.

- *Maîtrise du stress.* Diverses techniques de méditation et de relaxation profonde sont utiles pour réduire la pression sanguine, car elles peuvent diminuer la libération quotidienne d'adrénaline et de noradrénaline par la médullosurrénale.

Médicaments antihypertenseurs

Les médicaments qui conjuguent divers mécanismes d'action réduisent efficacement l'hypertension. De nombreuses personnes réagissent très bien aux *diurétiques,* qui diminuent la pression artérielle en diminuant le volume sanguin puisqu'ils augmentent l'élimination d'eau et de sel dans l'urine. Les *inhibiteurs de l'enzyme de conversion* bloquent la formation d'angiotensine II ; ce faisant, ils favorisent la vasodilatation et réduisent la libération d'aldostérone. Les *bêtabloquants* réduisent quant à eux la pression sanguine en inhibant la sécrétion de rénine et en réduisant la fréquence cardiaque et la contractilité du cœur. Les *vasodilatateurs* relâchent le muscle lisse des parois artérielles, ce qui cause une vasodilatation et réduit la pression artérielle en abaissant la résistance périphérique. Les *inhibiteurs des canaux calciques* sont d'importants vasodilatateurs qui ralentissent l'entrée de Ca^{2+} dans les cellules musculaires lisses des vaisseaux sanguins. Ces substances réduisent la charge de travail du cœur en ralentissant l'entrée de Ca^{2+} dans les fibres du myocarde, ce qui réduit la force de leurs contractions.

TERMES MÉDICAUX

Anévrisme Portion amincie et affaiblie d'une paroi artérielle ou veineuse qui fait saillie et forme une poche ; le plus souvent causé par l'athérosclérose, la syphilis, les anomalies congénitales des vaisseaux sanguins et un traumatisme ; non traité, l'anévrisme grossit et la paroi du vaisseau sanguin devient si mince qu'elle éclate ; il s'ensuit une hémorragie massive, accompagnée d'un choc et d'une douleur intense, susceptible de provoquer un accident vasculaire cérébral, voire la mort.

Angiogenèse Formation de nouveaux vaisseaux sanguins.

Aortographie Examen radiographique de l'aorte et de ses principales ramifications après injection d'un produit de contraste opaque aux rayons X.

Artérite (*itis* = inflammation) Inflammation d'une artère, probablement causée par une réponse auto-immune.

Claudication Douleur et irrégularité de la démarche causée par une mauvaise circulation du sang dans les membres ; aussi appelée boiterie.

Endartériectomie de la carotide Résection d'une plaque athéromateuse (athérome) de l'artère carotide visant à rétablir le débit sanguin cérébral.

Hypertension à la blouse blanche Syndrome touchant des personnes normotendues qui, dans un environnement clinique, deviennent si nerveuses que leur pression artérielle augmente.

Hypotension Basse pression artérielle ; ce terme désigne habituellement une chute de pression brusque, par exemple durant une hémorragie grave.

Hypotension orthostatique (*orthos* = droit ; *statos* = debout) Baisse marquée de la pression artérielle systémique survenant lors du passage de la position couchée à la position assise ou debout ; traduit habituellement la présence d'une maladie ; peut être causée par une perte excessive de liquide, certains médicaments et des facteurs cardiovasculaires ou neurogènes.

Maladie de Raynaud Trouble vasculaire affectant principalement les femmes, caractérisé par des crises d'ischémie bilatérales, habituellement dans les doigts et les orteils dont la peau pâlit, accompagnées d'une sensation de brûlure et de la douleur ; déclenchée par l'exposition au froid ou des stimulus émotionnels.

Normotendu(e) Se dit d'une personne dont la pression artérielle est normale.

Occlusion Fermeture ou obstruction de la lumière d'une structure telle qu'un vaisseau sanguin ; la présence d'un athérome dans une artère est un exemple d'occlusion.

Phlébite (*phlebos* = veine) Inflammation d'une veine, le plus souvent dans les jambes.

Thrombectomie (*thrombos* = caillot) Ablation chirurgicale d'un caillot à l'intérieur d'un vaisseau sanguin.

Thrombophlébite Formation d'un caillot consécutive à l'inflammation d'une veine ; la thrombophlébite superficielle touche les veines situées sous la peau, en particulier celles du mollet.

Thrombose veineuse profonde Présence d'un thrombus (caillot de sang) dans une veine profonde des membres inférieurs ; peut provoquer 1) une embolie pulmonaire, si le thrombus se déloge et entre dans les artères pulmonaires, et 2) un syndrome postphlébitique, caractérisé par un œdème, de la douleur et des changements cutanés consécutifs à la destruction des valvules veineuses.

RÉSUMÉ

ANATOMIE DES VAISSEAUX SANGUINS (p. 709)

1. Les artères transportent le sang du cœur jusqu'aux tissus. La paroi d'une artère comprend une tunique interne, une tunique moyenne (qui maintient son élasticité et sa force de contraction) et une tunique externe.

2. Les artères qui possèdent le plus grand diamètre sont appelées artères élastiques (ou artères conductrices), et les artères de taille moyenne sont appelées artères musculaires (ou artères distributrices).

3. L'union des branches distales de deux ou plusieurs artères est appelée anastomose. Il existe de nombreuses anastomoses artérielles. On appelle circulation collatérale le chemin que le sang se fraie à travers une anastomose. Les artères qui ne s'anastomosent pas sont appelées artères terminales.

4. Une artériole est une petite artère qui apporte le sang aux capillaires.

5. Grâce à la vasoconstriction et à la vasodilatation, les artérioles jouent un rôle essentiel dans la régulation du débit sanguin depuis les artères jusqu'aux capillaires ainsi que dans la régulation de la pression artérielle.

6. Les capillaires sont des vaisseaux sanguins microscopiques qui permettent l'échange de substances entre le sang et les cellules des tissus ; certains capillaires sont continus, tandis que d'autres sont fenestrés.

7. Les capillaires se ramifient pour former un vaste réseau qui alimente un tissu. Ce réseau augmente la surface de distribution des substances échangées et accroît la vitesse de ces échanges.

8. Les sphincters précapillaires régissent l'écoulement du sang dans les capillaires.

9. Les sinusoïdes du foie sont des vaisseaux sanguins microscopiques.

10. Les veinules sont de petites veines formées par l'union de plusieurs capillaires.

11. Les veines sont constituées des trois mêmes tuniques que les artères, mais leurs tuniques interne et moyenne sont plus minces. La lumière d'une veine est également plus grande que celle d'une artère comparable.

12. Les veines contiennent des valvules qui empêchent le sang de refluer.

13. Dans les membres inférieurs, les valvules veineuses relâchées peuvent causer des varices.

14. Le sinus veineux est une veine à la paroi très mince.

15. Les veines systémiques constituent des réservoirs sanguins car elles reçoivent une grande partie du volume sanguin. Une veino-constriction peut faire dériver une partie du sang de ces réservoirs vers les régions qui ont besoin d'un apport accru de sang.

16. Les principaux réservoirs sanguins sont les veines des organes abdominaux (foie et rate) et de la peau.

ÉCHANGES CAPILLAIRES (p. 715)

1. Les substances entrent dans les capillaires et en sortent par diffusion, par transcytose ou par écoulement de masse.

2. L'eau et les solutés (sauf les protéines) se déplacent à travers les parois des capillaires sous l'effet des pressions hydrostatiques et osmotiques.

3. Le quasi-équilibre entre la filtration et la réabsorption dans les capillaires est appelé phénomène de Starling.

4. L'œdème est une augmentation anormale du volume de liquide interstitiel.

HÉMODYNAMIQUE : FACTEURS INFLUANT SUR LA CIRCULATION (p. 718)

1. La vitesse du débit sanguin est inversement proportionnelle à l'aire de la section transversale des vaisseaux sanguins ; cette vitesse est minimale dans les vaisseaux dont l'aire de la section transversale est maximale.

2. La vitesse du débit sanguin diminue à mesure que le sang s'écoule de l'aorte vers les artères puis vers les capillaires, et elle augmente lorsque le sang retourne au cœur.

3. Le débit sanguin est déterminé par la pression artérielle et la résistance périphérique.

4. Le sang circule des régions où la pression est plus élevée vers celles où la pression est la plus faible ; plus la résistance est élevée, plus le débit sanguin est faible.

5. Le débit cardiaque équivaut à la pression artérielle moyenne divisée par la résistance totale (DC = PAM ÷ R).

6. La pression sanguine est la pression que le sang exerce sur les parois d'un vaisseau sanguin.

7. La pression artérielle est fonction du débit cardiaque, du volume sanguin, de la viscosité du sang, de la résistance et de l'élasticité des artères.

8. À partir du moment où le sang quitte l'aorte pour entrer dans la circulation systémique, sa pression diminue progressivement, et elle est devenue nulle (0 mm Hg) lorsqu'il pénètre dans le ventricule droit.

9. La résistance est fonction de la viscosité du sang, de la longueur des vaisseaux sanguins et du rayon moyen des vaisseaux sanguins.

10. Le retour veineux dépend du gradient de pression entre les veinules et le ventricule droit.

11. Le retour du sang dans le cœur dépend de plusieurs facteurs, y compris la contraction des muscles squelettiques, les valvules des veines (en particulier celles des membres) et les changements de pression durant la respiration.

RÉGULATION DE LA PRESSION ARTÉRIELLE ET DU DÉBIT SANGUIN (p. 722)

1. Le centre cardiovasculaire est un groupe de neurones dans le bulbe rachidien qui régissent la fréquence cardiaque, la contractilité du cœur et le diamètre des vaisseaux sanguins.

2. Le centre cardiovasculaire reçoit des informations d'entrée des centres cérébraux supérieurs et des récepteurs sensoriels (barorécepteurs et chimiorécepteurs).

3. Les informations de sortie émises par le centre cardiovasculaire empruntent des fibres sympathiques et parasympathiques. Les influx sympathiques acheminés par les nerfs cardiaques augmentent la fréquence cardiaque et la contractilité du cœur, tandis que les influx parasympathiques acheminés par les nerfs vagues diminuent la fréquence cardiaque.

4. Les barorécepteurs surveillent la pression sanguine ; les chimio-récepteurs surveillent la concentration sanguine d'oxygène, de gaz carbonique et d'ions hydrogène.

5. Le réflexe sinu-carotidien contribue au maintien d'une pression artérielle normale dans l'encéphale.

6. Le réflexe aortique régit la pression artérielle systémique.

7. Les hormones qui contribuent à la régulation de la pression artérielle sont l'adrénaline, la noradrénaline, l'hormone antidiurétique (ADH), l'angiotensine II et le peptide natriurétique auriculaire.

8. On appelle autorégulation la capacité d'un tissu à ajuster localement et automatiquement le débit sanguin d'une région donnée pour combler ses besoins.

9. La concentration d'oxygène dans le sang est le principal stimulus de l'autorégulation.

CHOC ET HOMÉOSTASIE (p. 727)

1. Le choc est une défaillance du système cardiovasculaire, qui ne fournit pas suffisamment d'oxygène et de nutriments aux cellules pour combler leurs besoins métaboliques.

2. On distingue le choc hypovolémique, le choc cardiogénique, le choc d'origine vasculaire et le choc par obstruction.

3. Les signes et symptômes du choc comprennent une fréquence cardiaque rapide au repos, un pouls faible et rapide, une peau moite, froide et pâle, la transpiration, l'hypotension, une altération de l'état mental, une diminution de la formation d'urine, la soif et l'acidose.

ÉVALUATION DE LA CIRCULATION (p. 728)

1. L'expansion et la rétractation successives des artères élastiques qui accompagnent chaque battement de cœur créent une onde de pression, appelée pouls. On peut sentir le pouls en palpant n'importe quelle artère située près de la surface de la peau ou en contact avec une structure rigide.

2. La fréquence normale du pouls au repos se situe entre 70 et 80 battements/min.

3. La pression artérielle est la pression que le sang exerce sur la paroi d'une artère lorsque le ventricule gauche est en systole, puis en diastole. On la mesure au moyen d'un sphygmomanomètre.

4. La pression systolique est la pression maximale que le sang atteint durant la contraction ventriculaire. La pression diastolique est la pression enregistrée durant la relaxation ventriculaire. Normalement, la pression artérielle est de 120/80 mm Hg.

5. On appelle pression différentielle la différence entre la pression systolique et la pression diastolique. Elle se situe en moyenne à 40 mm Hg.

VOIES DE LA CIRCULATION (p. 731)

1. Après la naissance, les deux principales voies de la circulation sont la circulation systémique et la circulation pulmonaire.

2. La circulation coronarienne et le système porte hépatique sont des subdivisions de la circulation systémique.

3. La circulation fœtale n'existe que chez le fœtus.

4. La circulation systémique transporte le sang oxygéné du ventricule gauche vers l'aorte, puis vers toutes les régions de l'organisme (y compris certains tissus pulmonaires, *à l'exception* des alvéoles pulmonaires), et ramène le sang désoxygéné dans l'oreillette droite.

5. L'aorte se divise en aorte ascendante, en arc aortique et en aorte descendante. Chaque division émet des artères dont les ramifications irriguent l'ensemble de l'organisme.

6. Le sang revient au cœur en empruntant les veines systémiques. Toutes les veines de la circulation systémique se déversent dans la veine cave supérieure ou inférieure ou dans le sinus coronaire, qui se drainent à leur tour dans l'oreillette droite.

7. Les principaux vaisseaux de la circulation systémique sont décrits dans les exposés 21.1 à 21.12.

8. Le système porte hépatique détourne vers le foie une partie du sang veineux issu de la rate et des organes du système digestif avant de le retourner au cœur. Elle permet au foie d'utiliser des nutriments et de détoxifier les substances nocives présentes dans le sang.

9. La circulation pulmonaire transporte le sang désoxygéné depuis le ventricule droit jusqu'aux alvéoles pulmonaires et ramène le sang oxygéné depuis les alvéoles jusqu'à l'oreillette gauche. Elle permet l'oxygénation du sang de la circulation systémique.

10. La circulation fœtale est destinée à l'échange de substances entre le fœtus et la mère.

11. Le fœtus obtient son oxygène et ses nutriments par diffusion du sang maternel et élimine son gaz carbonique et ses déchets dans le sang maternel (par l'intermédiaire du placenta).

12. Après la naissance, lorsque les fonctions pulmonaire, digestive et hépatique commencent, les structures spécifiques de la circulation fœtale ne sont plus nécessaires.

DÉVELOPPEMENT EMBRYONNAIRE DES VAISSEAUX SANGUINS ET DU SANG (p. 772)

1. Les vaisseaux sanguins naissent de masses isolées du mésenchyme situées dans le mésoderme et appelées îlots sanguins.

2. Le sang est produit par l'endothélium des vaisseaux sanguins.

VIEILLISSEMENT DU SYSTÈME CARDIOVASCULAIRE (p. 773)

1. Les changements les plus courants associés au vieillissement du système cardiovasculaire sont la perte d'élasticité des vaisseaux sanguins, le rétrécissement des fibres musculaires cardiaques et l'augmentation de la pression artérielle systolique.

2. L'incidence des coronaropathies, de l'insuffisance cardiaque et de l'athérosclérose augmente avec l'âge.

AUTOÉVALUATION

Choix multiples

1. Les vaisseaux sanguins qui jouent le rôle de réservoirs de pression sont : a) les artères musculaires ; b) les artères élastiques ; c) les anastomoses ; d) les veines ; e) les artérioles.

2. Les principaux vaisseaux sanguins qui permettent l'échange de nutriments et de déchets entre le sang et les cellules des tissus à travers les espaces interstitiels sont : a) les artères ; b) les artérioles ; c) les capillaires ; d) les veinules ; e) les veines.

3. Lesquels des facteurs suivants peuvent causer un œdème ? 1) Augmentation de la pression colloïdo-osmotique du sang. 2) Augmentation de la pression hydrostatique du sang. 3) Diminution de la concentration de protéines plasmatiques. 4) Augmentation de la perméabilité des capillaires. 5) Obstruction des vaisseaux lymphatiques.
a) 1, 2 et 3. b) 2, 3 et 4. c) 3, 4 et 5. d) 1, 3, 4 et 5. e) 2, 3, 4 et 5.

4. Lesquels des facteurs suivants influent sur la résistance périphérique ? 1) Viscosité du sang. 2) Longueur totale des vaisseaux sanguins. 3) Rayon moyen des vaisseaux sanguins. 4) Type de vaisseau sanguin. 5) Concentration sanguine d'oxygène.
a) 1, 2 et 3. b) 2, 3 et 4. c) 3, 4 et 5. d) 1, 3 et 5. e) 2, 4 et 5.

5. Lesquels des facteurs suivants contribuent à la régulation de la pression artérielle ? 1) Réflexes des barorécepteurs et des chimiorécepteurs. 2) Hormones. 3) Autorégulation. 4) Concentration sanguine d'hydrogène. 5) Concentration sanguine d'oxygène.
a) 1, 2 et 4. b) 2, 4 et 5. c) 1, 4 et 5. d) 1, 2, 3, 4 et 5. e) 3, 4 et 5.

6. Lesquels des énoncés suivants sont vrais ? 1) L'hypertension affecte le plus souvent le cœur. 2) L'hypertension perturbe la fonction rénale. 3) L'hypertension essentielle consiste en une élévation persistante de la pression artérielle sans cause précise.

4) L'hypertension chronique peut provoquer un accident vasculaire cérébral. 5) Des changements du mode de vie tels que la perte pondérale, l'exercice et la consommation réduite de sel contribuent au traitement de l'hypertension.
a) 1, 3, 4 et 5. b) 2, 3, 4 et 5. c) 1, 2, 3, 4 et 5. d) 1, 4 et 5. e) 2, 3 et 5.

7. Associez les éléments suivants :

____ a) onde de pression transmise à toutes les artères, créée par l'expansion et la dilatation successives des artères élastiques après chaque systole du ventricule gauche

____ b) pression artérielle minimale pendant la relaxation ventriculaire

____ c) fréquence cardiaque ou pouls lents au repos

____ d) débit cardiaque inadéquat provoquant une insuffisance du système cardiovasculaire qui ne peut fournir suffisamment d'oxygène et de nutriments aux cellules des tissus pour combler leurs besoins métaboliques

____ e) fréquence cardiaque ou pouls rapides au repos

____ f) pression artérielle maximale après la contraction ventriculaire

1) choc
2) pouls
3) tachycardie
4) bradycardie
5) pression systolique
6) pression diastolique

8. Associez les éléments suivants :

___ a) irrigue le rein

___ b) draine l'intestin grêle, certaines parties du gros intestin, l'estomac et le pancréas

___ c) irriguent et drainent le muscle cardiaque

___ d) irriguent les membres inférieurs

___ e) draine le sang oxygéné des poumons et l'achemine vers l'oreillette gauche

___ f) irrigue l'estomac, le foie et le pancréas

___ g) irriguent l'encéphale

___ h) irrigue le gros intestin

___ i) drainent la tête

___ j) détourne vers le foie une partie du sang veineux de la rate et des organes du système digestif avant de le retourner au cœur

___ k) irrigue l'intestin grêle

___ l) élément de la circulation veineuse de la jambe ; vaisseau utilisé pour les pontages coronariens

1) veine mésentérique supérieure
2) artère mésentérique inférieure
3) veine pulmonaire
4) vaisseaux coronaires
5) système porte hépatique
6) artères carotides
7) veines jugulaires
8) tronc cœliaque
9) artères iliaques communes
10) artère mésentérique supérieure
11) artère rénale
12) veine saphène

Vrai ou faux

9. Le principal mécanisme permettant les échanges capillaires est la diffusion.

10. La fonction générale du système cardiovasculaire est de garantir une circulation sanguine adéquate dans tous les tissus de l'organisme pour que les échanges capillaires entre le plasma sanguin, le liquide interstitiel et les cellules des tissus s'effectuent.

Phrases à compléter

11. Les substances entrent dans les capillaires et en sortent par ___, ___ et ___.

12. Pour que l'écoulement de masse soit possible, deux types de pression, les pressions ___ et ___, doivent favoriser la filtration ; ___ est la pression qui favorise le plus la réabsorption.

13. La distribution du débit cardiaque dans les tissus dépend de l'interaction entre le ___, qui stimule l'écoulement sanguin, la ___ au débit sanguin, ___ et ___.

14. Le réflexe ___ contribue au maintien d'une pression artérielle normale dans l'encéphale ; le réflexe ___ régit la pression artérielle systémique.

15. Associez les éléments suivants :

___ a) ramène le sang oxygéné du placenta

___ b) orifice dans le septum séparant les oreillettes gauche et droite

___ c) devient le ligament veineux après la naissance

___ d) acheminent le sang du fœtus au placenta

___ e) contourne les poumons non fonctionnels ; devient le ligament artériel à la naissance

___ f) deviennent les ligaments ombilicaux médiaux à la naissance

___ g) devient le ligament rond du foie à la naissance

1) conduit veineux
2) conduit artériel
3) foramen ovale
4) artères ombilicales
5) veine ombilicale

QUESTIONS À COURT DÉVELOPPEMENT

1. Quelles structures de la circulation fœtale disparaissent après la naissance ? Pourquoi ces changements se produisent-ils ? (INDICE : *Une mère a beau vouloir tout faire pour son bébé après la naissance, elle ne pourra jamais respirer à sa place.*)

2. Joseph étudie le trajet que son sang parcourt pour aller du cœur à la main, et s'aperçoit que ce trajet diffère légèrement d'un côté à l'autre. Tracez le chemin parcouru par le sang du cœur jusqu'aux mains droite et gauche. (INDICE : *Le trajet est plus asymétrique du côté du cœur que du côté de la main.*)

3. Louis a passé la semaine précédant son examen étendu sur la plage à étudier les variations de son bronzage. « Pourquoi ont-ils mis une question sur les sinus dans un examen sur la circulation ? » se plaint-il après l'examen. « On a étudié les sinus avec le système osseux ! » Que répondriez-vous à Louis ? (INDICE : *Dans les os, les sinus sont remplis d'air ; ceux de la circulation ne le sont pas.*)

RÉPONSES AUX QUESTIONS DES FIGURES

21.1 L'artère fémorale a la paroi la plus épaisse ; la veine fémorale a la plus large lumière.

21.2 Dans l'athérosclérose, les artères élastiques qui ont perdu une partie de leur compliance emmagasinent une quantité moindre d'énergie durant la systole ; le cœur doit donc fournir un plus grand effort pour maintenir le même débit sanguin.

21.3 Les tissus métaboliquement actifs consomment de l'oxygène et produisent des déchets plus rapidement que les tissus inactifs.

21.4 Les substances traversent les parois des capillaires par les fentes intercellulaires et les fenestrations, par transcytose dans les vésicules pinocytaires et par les membranes plasmiques des cellules endothéliales.

21.5 Lorsqu'on se tient debout, la gravitation cause une accumulation de sang dans les veines des membres. Les valvules empêchent le reflux du sang à mesure que le sang s'écoule vers l'oreillette droite après chaque battement de cœur. En position debout, la gravitation favorise la circulation dans les veines du cou qui ramènent le sang au cœur.

21.6 Le volume sanguin dans les veinules et les veines est d'environ 60 % de 5 L, soit 3 L; dans les capillaires, il est d'environ 5 % de 5 L, soit 250 mL.

21.7 La pression colloïdo-osmotique du sang est inférieure à la normale chez une personne dont le taux de protéines plasmatiques est réduit, et la réabsorption capillaire est donc plus faible. Il s'ensuit un œdème (voir p. 717).

21.8 La vitesse du débit sanguin est maximale dans l'aorte et les artères.

21.9 La pression artérielle moyenne dans l'aorte est d'environ 93 mm Hg.

21.10 Le retour veineux est favorisé par la pompe musculaire squelettique et la pompe respiratoire.

21.11 La résistance périphérique est principalement régie par la vasodilatation et la vasoconstriction des artérioles.

21.12 Le centre cardiovasculaire régit le muscle cardiaque dans le cœur et le muscle lisse dans les parois des vaisseaux sanguins.

21.13 Pour atteindre le centre cardiovasculaire, les influx des barorécepteurs des sinus carotidiens empruntent les nerfs glossopharyngiens (IX), et les influx des barorécepteurs de l'arc aortique empruntent les nerfs vagues (X).

21.14 Elle représente les changements qui surviennent lors du passage à la position debout, car la gravitation favorise l'accumulation de sang dans les veines des jambes lorsqu'on est debout, ce qui diminue la pression artérielle dans le haut du corps.

21.15 Pas nécessairement; si la résistance périphérique augmente beaucoup, la perfusion peut être inadéquate.

21.16 Pression diastolique = 95 mm Hg; pression systolique = 142 mm Hg; pression différentielle = 47 mm Hg. Cette personne est au stade 1 de l'hypertension car sa pression systolique dépasse 140 mm Hg et sa pression diastolique dépasse 90 mm Hg.

21.17 Les deux principales voies de la circulation sont la circulation systémique et la circulation pulmonaire.

21.18 Les divisions de l'aorte sont l'aorte ascendante, l'arc aortique, l'aorte thoracique et l'aorte abdominale.

21.19 Les artères coronaires naissent de l'aorte ascendante.

21.20 Les ramifications de l'arc aortique sont le tronc brachiocéphalique, l'artère carotide commune gauche et l'artère subclavière gauche.

21.21 L'aorte thoracique commence à la hauteur du disque intervertébral, entre T4 et T5.

21.22 L'aorte abdominale naît au hiatus aortique du diaphragme.

21.23 L'aorte abdominale se divise en artères iliaques communes à la hauteur de L4 à peu près.

21.24 La veine cave supérieure draine les régions situées au-dessus du diaphragme, et la veine cave inférieure, les régions situées en dessous.

21.25 Tout le sang veineux de l'encéphale se draine dans les veines jugulaires internes.

21.26 La veine médiane du coude est souvent utilisée pour prélever des échantillons de sang.

21.27 La veine cave inférieure ramène le sang des viscères abdominopelviens au cœur.

21.28 Les veines superficielles du membre inférieur sont l'arcade veineuse dorsale et les grande et petite veines saphènes.

21.29 Les veines hépatiques drainent le foie.

21.30 Les artères pulmonaires transportent le sang désoxygéné.

21.31 L'échange de substances entre la mère et le fœtus s'effectue dans le placenta.

21.32 Les vaisseaux sanguins et le sang sont dérivés du mésoderme.

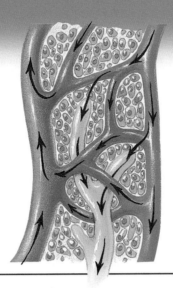

La capacité de l'organisme à repousser la maladie est appelée **résistance**; inversement, la vulnérabilité ou l'absence de résistance porte le nom de **susceptibilité.** Il existe deux types de résistance à la maladie : non spécifique et spécifique. La **résistance non spécifique** à la maladie comprend des mécanismes de défense qui assurent une protection immédiate mais générale contre un large éventail d'**agents pathogènes.** Ces derniers sont des microbes qui causent des maladies, tels que les bactéries, les virus et les parasites. La première ligne de défense de la résistance non spécifique est constituée par les barrières physique et chimique de la peau et des muqueuses; par exemple, l'acidité du contenu de l'estomac tue un grand nombre de bactéries ingérées avec les aliments. La **résistance spécifique,** ou **immunité,** s'établit plus lentement et passe par l'activation de lymphocytes spécifiques qui combattent des agents pathogènes ou autres corps étrangers bien précis. L'immunité est assurée par le système lymphatique. Le présent chapitre décrit les mécanismes qui mettent en place les défenses contre les envahisseurs et favorisent la réparation des tissus endommagés.

SYSTÈME LYMPHATIQUE

OBJECTIFS

- *Décrire les principales structures du système lymphatique et nommer ses fonctions.*
- *Décrire l'organisation des vaisseaux lymphatiques.*
- *Décrire la formation et l'écoulement de la lymphe.*
- *Nommer et décrire les tissus lymphatiques et les organes lymphatiques primaires et secondaires.*

Le **système lymphatique** est constitué d'un liquide appelé lymphe qui circule dans les vaisseaux lymphatiques, de plusieurs structures et organes qui contiennent du tissu lymphatique ainsi que de la moelle osseuse rouge qui abrite les cellules souches à l'origine des lymphocytes (figure 22.1). Le liquide interstitiel et la lymphe ont en fait la même composition; la différence la plus importante entre les deux est leur situation. La **lymphe** (*lympha* = eau) est le nom qu'on donne au liquide interstitiel une fois qu'il est entré dans les vaisseaux lymphatiques. Le tissu lymphatique est un tissu conjonctif spécialisé qui contient un grand nombre de lymphocytes.

Fonctions du système lymphatique

Le système lymphatique assure trois grandes fonctions :

1. *Drainer le liquide interstitiel.* Les vaisseaux lymphatiques drainent les tissus de l'excès de liquide interstitiel.

2. *Transporter les lipides alimentaires.* Les vaisseaux lymphatiques transportent jusque dans le sang les lipides et les vitamines liposolubles (A, D, E et K) qui ont été absorbés dans le tube digestif.

3. *Faciliter les réponses immunitaires.* Le tissu lymphatique est à l'origine de réponses très spécifiques destinées à neutraliser des microbes particuliers ou des cellules anormales. Les lymphocytes, aidés des macrophages, reconnaissent les cellules étrangères, les microbes, les toxines et les cellules cancéreuses. Ils y réagissent de deux façons principales. D'une part, les lymphocytes T détruisent les

Figure 22.1 Structures du système lymphatique.

🗝 **Le système lymphatique comprend la lymphe, les vaisseaux lymphatiques, les tissus lymphatiques et la moelle osseuse rouge.**

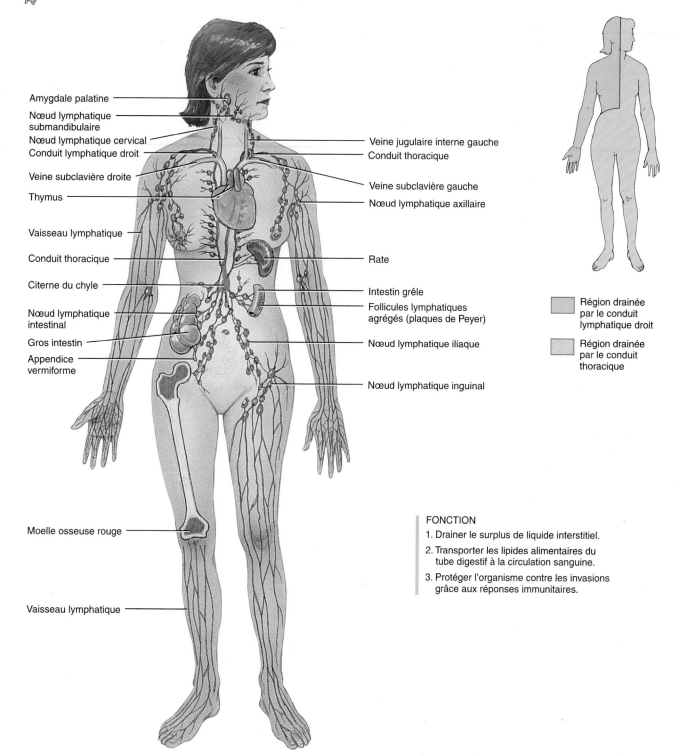

Amygdale palatine
Nœud lymphatique submandibulaire
Nœud lymphatique cervical
Conduit lymphatique droit
Veine subclavière droite
Thymus
Vaisseau lymphatique
Conduit thoracique
Citerne du chyle
Nœud lymphatique intestinal
Gros intestin
Appendice vermiforme
Moelle osseuse rouge
Vaisseau lymphatique

Veine jugulaire interne gauche
Conduit thoracique
Veine subclavière gauche
Nœud lymphatique axillaire
Rate
Intestin grêle
Follicules lymphatiques agrégés (plaques de Peyer)
Nœud lymphatique iliaque
Nœud lymphatique inguinal

Région drainée par le conduit lymphatique droit
Région drainée par le conduit thoracique

FONCTION
1. Drainer le surplus de liquide interstitiel.
2. Transporter les lipides alimentaires du tube digestif à la circulation sanguine.
3. Protéger l'organisme contre les invasions grâce aux réponses immunitaires.

Vue antérieure des principales structures du système lymphatique

 Q Quel tissu contient des cellules souches qui deviennent des lymphocytes?

Figure 22.2 Capillaires lymphatiques.

 Les capillaires lymphatiques se trouvent partout dans le corps sauf dans les tissus avasculaires, le système nerveux central, certaines parties de la rate et la moelle osseuse rouge.

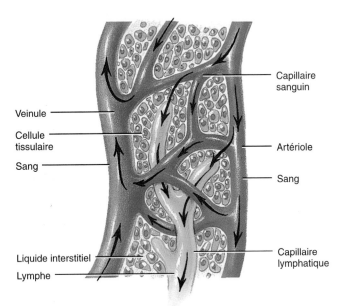

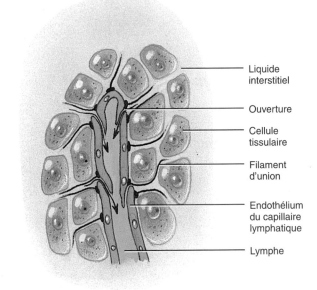

(a) Relations entre les capillaires lymphatiques, les cellules tissulaires et les capillaires sanguins

(b) Détails d'un capillaire lymphatique

 La lymphe ressemble-t-elle plus au plasma sanguin ou au liquide interstitiel? Pourquoi?

envahisseurs en les faisant éclater ou en libérant des substances cytotoxiques (qui tuent les cellules). D'autre part, les lymphocytes B se différencient en plasmocytes qui sécrètent des anticorps, soit des protéines qui se lient aux substances étrangères de façon spécifique et causent leur destruction.

Vaisseaux lymphatiques et circulation de la lymphe

Les vaisseaux lymphatiques prennent naissance dans les **capillaires lymphatiques.** Ces derniers sont des tubes fermés aux extrémités et situés dans les espaces intercellulaires (figure 22.2). De la même façon que les capillaires sanguins convergent pour former des veinules et des veines, les capillaires lymphatiques se joignent pour former les **vaisseaux lymphatiques** (voir la figure 22.1), qui ressemblent par leur structure aux veines sauf que leurs parois sont plus minces et leurs valvules plus nombreuses. Dans les vaisseaux lymphatiques, la lymphe traverse des structures appelées **nœuds lymphatiques,** ou ganglions lymphatiques, qui sont composées de tissu lymphatique et disposées à intervalles plus ou moins réguliers le long des vaisseaux. Dans la peau, les vaisseaux

lymphatiques sont situés dans l'hypoderme et suivent généralement les veines; dans les viscères, ils suivent plutôt les artères et forment des plexus (réseaux) autour d'elles.

Capillaires lymphatiques

On trouve des capillaires lymphatiques partout dans le corps sauf dans les tissus avasculaires (tels le cartilage, l'épiderme et la cornée), le système nerveux central, certaines parties de la rate et la moelle osseuse rouge. Leur diamètre est légèrement plus grand que celui des capillaires sanguins. Leur structure unique permet au liquide interstitiel d'y entrer mais non d'en sortir. Les bords des cellules endothéliales qui forment les parois des capillaires lymphatiques se chevauchent. Quand la pression est plus élevée dans le liquide interstitiel que dans la lymphe, les cellules se séparent légèrement, comme une valve à sens unique, et le liquide pénètre dans le capillaire lymphatique (voir la figure 22.2b). Quand la pression est plus élevée à l'intérieur du capillaire lymphatique, les cellules se resserrent, si bien que la lymphe ne peut pas refluer dans le compartiment interstitiel. Des *filaments d'union,* perpendiculaires au capillaire lymphatique, relient les cellules endothéliales aux tissus avoisinants.

Quand le liquide interstitiel s'accumule et fait enfler les tissus, une traction s'exerce sur les filaments d'union qui agrandit davantage l'ouverture entre les cellules endothéliales et favorise l'écoulement de liquide vers l'intérieur des capillaires lymphatiques.

Dans l'intestin grêle, des capillaires lymphatiques spécialisés appelés **vaisseaux chylifères** transportent les lipides alimentaires vers les vaisseaux lymphatiques, lesquels les déversent dans le sang. La présence de ces lipides confère un aspect laiteux à la lymphe qui draine l'intestin grêle. La lymphe de cette région est appelée **chyle** (*khulos* = suc). Ailleurs, la lymphe est un liquide clair de couleur jaune pâle.

Troncs et conduits lymphatiques

Des capillaires lymphatiques, la lymphe passe dans les vaisseaux lymphatiques puis à travers les nœuds lymphatiques. Les vaisseaux lymphatiques qui quittent les nœuds acheminent la lymphe soit vers un autre nœud du même groupe, soit vers un autre groupe de nœuds lymphatiques. À partir du groupe le plus proximal de chaque chaîne de nœuds, les vaisseaux se joignent pour former les **troncs lymphatiques.** Les troncs lymphatiques principaux sont les **troncs lombaires, intestinal, broncho-médiastinaux, subclaviers** et **jugulaires** (figure 22.3). Les troncs lymphatiques principaux déversent la lymphe dans deux grands vaisseaux, le conduit thoracique et le conduit lymphatique droit. La lymphe se jette ensuite dans le sang veineux.

Le **conduit thoracique** mesure de 38 à 45 cm de long et prend naissance dans un évasement appelé **citerne du chyle,** à l'avant de la deuxième vertèbre lombaire. Le conduit thoracique est le principal vaisseau collecteur du système lymphatique. Il draine les côtés gauches de la tête, du cou et du thorax, le membre supérieur gauche et toutes les autres parties du corps situées sous les côtes. Il déverse la lymphe dans le sang veineux par l'intermédiaire de la **veine subclavière gauche.**

La citerne du chyle reçoit la lymphe des troncs lombaires gauche et droit et du tronc intestinal. Les troncs lombaires drainent les membres inférieurs, la paroi pelvienne et les viscères pelviens, les reins, les glandes surrénales et les vaisseaux lymphatiques profonds qui recueillent la lymphe de la majeure partie de la paroi abdominale. Le tronc intestinal draine l'estomac, les intestins, le pancréas, la rate et une partie du foie.

Dans le cou, le conduit thoracique reçoit aussi la lymphe des troncs jugulaire, subclavier et bronchio-médiastinal gauches. Le tronc jugulaire gauche draine le côté gauche de la tête et du cou. Le tronc subclavier gauche draine la lymphe du membre supérieur gauche. Le tronc broncho-médiastinal gauche draine les parties profondes du côté gauche de la paroi thoracique antérieure, la partie supérieure de la paroi abdominale antérieure, la partie antérieure du diaphragme, le poumon gauche et le côté gauche du cœur.

Le **conduit lymphatique droit** (voir la figure 22.3) mesure environ 1,25 cm de long. Il draine le côté supérieur droit du corps et en déverse la lymphe dans le sang veineux par l'intermédiaire de la **veine subclavière droite.** Trois troncs lymphatiques se jettent dans le conduit lymphatique droit: le tronc jugulaire droit, qui draine le côté droit de la tête et du cou, le tronc subclavier droit, qui draine la lymphe du membre supérieur droit, et le tronc broncho-médiastinal droit, qui draine le côté droit du thorax, le poumon droit, le côté droit du cœur et une partie du foie.

Formation et écoulement de la lymphe

La plupart des composants du plasma sanguin traversent librement les parois des capillaires pour former le liquide interstitiel. Toutefois, le liquide sort des capillaires sanguins en plus grande quantité qu'il n'y retourne par réabsorption (voir la figure 21.7, p. 717). L'excès – environ 3 L par jour – passe dans les vaisseaux lymphatiques et devient la lymphe. Étant donné que la plupart des protéines plasmatiques sont trop grosses pour quitter les vaisseaux sanguins, le liquide interstitiel en contient très peu. Toutefois, celles qui s'échappent du plasma ne peuvent pas retourner directement dans le sang par diffusion parce que le gradient de concentration (taux élevé de protéines à l'intérieur des capillaires sanguins, taux faible à l'extérieur) l'en empêche. En conséquence, une des fonctions importantes des vaisseaux lymphatiques consiste à renvoyer ces protéines plasmatiques dans la circulation sanguine.

Enfin, la lymphe drainée par les conduits thoracique et lymphatique droit aboutit dans le sang veineux à la jonction des veines subclavière et jugulaire interne (voir la figure 22.3). Ainsi, le liquide s'écoule de la façon suivante: capillaires sanguins (sang) → espaces interstitiels (liquide interstitiel) → capillaires lymphatiques (lymphe) → vaisseaux lymphatiques (lymphe) → conduits lymphatiques (lymphe) → veines subclavières (sang). Ce parcours, ainsi que les relations entre les systèmes lymphatique et cardiovasculaire, est illustré à la figure 22.4.

Rappelez-vous que la pompe musculaire et la pompe respiratoire favorisent le retour veineux vers le cœur (voir p. 720-721). De même, ces deux pompes facilitent l'écoulement de la lymphe des espaces tissulaires vers les grands conduits lymphatiques, puis vers les veines subclavières. Les contractions musculaires compriment les vaisseaux lymphatiques et, un peu comme le ferait une trayeuse, propulsent la lymphe vers les veines subclavières. Les vaisseaux lymphatiques sont munis de valvules à sens unique, semblables à celles des veines, qui empêchent le reflux de la lymphe. Durant la respiration, la pression qui s'exerce sur le système lymphatique change. À chaque inspiration, la lymphe s'écoule de la région abdominale, où la pression est plus élevée, vers la région thoracique, où elle est plus basse. De même, la chute de la pression abdominale qui accompagne l'expiration favorise l'écoulement de la lymphe des vaisseaux plus éloignés vers

Figure 22.3 Écoulement de la lymphe des troncs lymphatiques dans les conduits thoracique et lymphatique droit.

🔑 **Toute la lymphe retourne à la circulation sanguine par les conduits thoracique et lymphatique droit.**

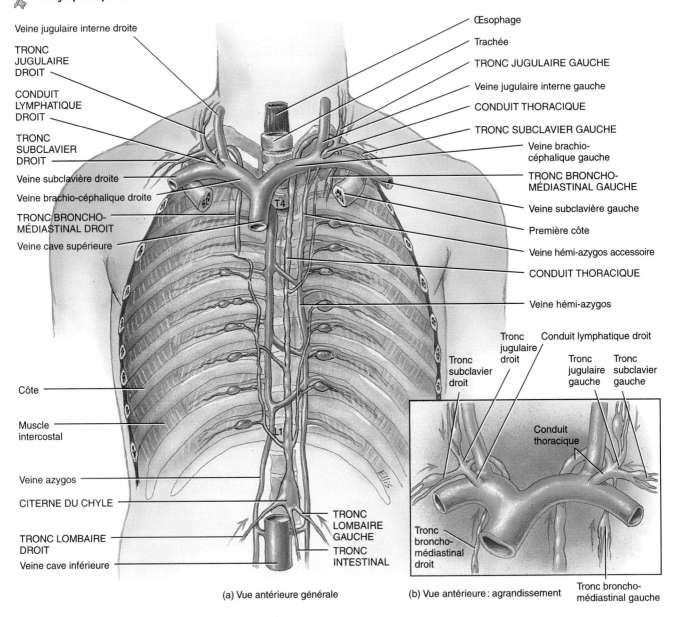

Veine jugulaire interne droite

TRONC JUGULAIRE DROIT

CONDUIT LYMPHATIQUE DROIT

TRONC SUBCLAVIER DROIT

Veine subclavière droite

Veine brachio-céphalique droite

TRONC BRONCHO-MÉDIASTINAL DROIT

Veine cave supérieure

Côte

Muscle intercostal

Veine azygos

CITERNE DU CHYLE

TRONC LOMBAIRE DROIT

Veine cave inférieure

Œsophage

Trachée

TRONC JUGULAIRE GAUCHE

Veine jugulaire interne gauche

CONDUIT THORACIQUE

TRONC SUBCLAVIER GAUCHE

Veine brachio-céphalique gauche

TRONC BRONCHO-MÉDIASTINAL GAUCHE

Veine subclavière gauche

Première côte

CONDUIT THORACIQUE

Veine hémi-azygos accessoire

Veine hémi-azygos

T4

L1

Ellis

TRONC LOMBAIRE GAUCHE

TRONC INTESTINAL

(a) Vue antérieure générale

Tronc subclavier droit

Tronc jugulaire droit

Conduit lymphatique droit

Tronc jugulaire gauche

Tronc subclavier gauche

Conduit thoracique

Tronc broncho-médiastinal droit

Tronc broncho-médiastinal gauche

(b) Vue antérieure : agrandissement

Q Quels vaisseaux lymphatiques se jettent dans la citerne du chyle ?
Quel conduit reçoit la lymphe de la citerne du chyle ?

les vaisseaux abdominaux. De plus, lorsqu'un vaisseau lymphatique est distendu, les muscles lisses de ses parois se contractent et font avancer la lymphe d'un segment du vaisseau vers le suivant.

Organes et tissus lymphatiques

Les organes et les tissus du système lymphatique sont disséminés dans tout le corps. On les classe en deux groupes selon leur fonction. Les **organes lymphatiques primaires**

Figure 22.4 Représentation schématique des relations entre le système lymphatique et le système cardiovasculaire.

 Le liquide qui s'écoule passe par les structures suivantes : capillaires sanguins (sang) → espaces interstitiels (liquide interstitiel) → capillaires lymphatiques (lymphe) → vaisseaux lymphatiques (lymphe) → conduits lymphatiques (lymphe) → veines subclavières (sang).

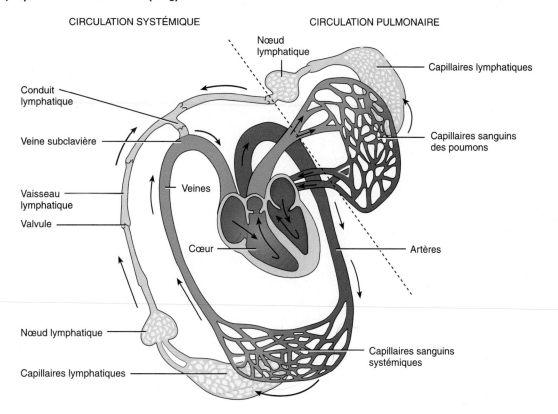

Les flèches indiquent la direction de l'écoulement de la lymphe et du sang

 L'inspiration facilite-t-elle l'écoulement de la lymphe ou s'y oppose-t-elle ?

constituent un environnement approprié à la division et à la maturation des cellules souches appelées à se transformer en lymphocytes B et en lymphocytes T, c'est-à-dire les cellules effectrices des réponses immunitaires. Les organes lymphatiques primaires sont la **moelle osseuse rouge** (dans les os plats et l'épiphyse des os longs chez les adultes) et le **thymus.** Les cellules souches hématopoïétiques pluripotentes de la moelle osseuse rouge donnent naissance aux lymphocytes B matures ainsi qu'aux lymphocytes pré-T qui migrent vers le thymus où leur maturation se poursuit. Les **tissus** et les **organes lymphatiques secondaires,** où la plupart des réponses immunitaires ont lieu, comprennent les **nœuds lymphatiques,** la **rate** et les **follicules** ou **nodules** (selon leur situation dans l'organisme) **lymphatiques.** Le thymus, les nœuds lymphatiques et la rate sont considérés comme des organes parce qu'ils sont limités par une capsule de tissu conjonctif ; les follicules ou nodules lymphatiques par contre ne sont pas des organes parce qu'ils ne possèdent pas de capsule.

Thymus

Le **thymus** est habituellement formé de deux lobes. Il est situé dans le médiastin derrière le sternum (figure 22.5a). Une couche de tissu conjonctif enveloppe les deux **lobes du thymus** et les maintient attachés, mais chaque lobe est lui-même enfermé dans une **capsule** de tissu conjonctif. Des prolongements de la capsule, appelés **trabécules** (= petites poutres), pénètrent dans l'organe et divisent les lobes en **lobules** (figure 22.5b).

Chaque lobule comprend un cortex périphérique, qui prend une teinte foncée à la coloration, et une médulla centrale, de teinte plus pâle à la coloration. Le cortex est constitué de lymphocytes serrés les uns contre les autres, de macrophages et de **cellules épithéliales réticulaires** disposées autour des amas de lymphocytes. La médulla est constituée surtout de cellules épithéliales réticulaires et de lymphocytes plutôt dispersés. Bien qu'on ne connaisse que quelques-unes des

Figure 22.5 Thymus.

 Le thymus est un organe bilobé qui atteint sa taille maximale à la puberté et s'atrophie par la suite avec l'âge.

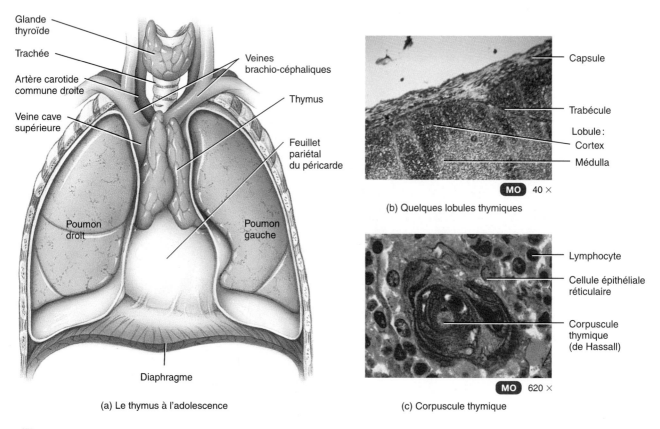

(a) Le thymus à l'adolescence

(b) Quelques lobules thymiques

MO 40 ×

(c) Corpuscule thymique

MO 620 ×

Q Quels sont les lymphocytes qui arrivent à maturité dans le thymus ?

fonctions des cellules épithéliales réticulaires, on sait qu'elles produisent les hormones thymiques qui contribuent probablement à la maturation des lymphocytes T. De plus, la médulla contient les **corpuscules thymiques,** ou corpuscules de Hassall, structure caractéristique formée de couches concentriques de cellules épithéliales réticulaires aplaties remplies de granules de kératohyaline et de kératine (figure 22.5c).

Le thymus est un organe de grande taille chez les nourrissons, chez qui son poids atteint environ 70 g. Après la puberté, le tissu thymique est peu à peu remplacé par du tissu conjonctif lâche et du tissu adipeux. À l'âge adulte, la glande s'atrophie considérablement et ne pèse plus parfois que 3 g au cours de la vieillesse.

Nœuds lymphatiques

On appelle **nœuds lymphatiques** les quelque 600 organes en forme de haricots qui sont situés le long des vaisseaux lymphatiques. Ils sont disséminés dans l'ensemble de l'organisme, en superficie et en profondeur, et généralement regroupés (voir la figure 22.1). Les nœuds lymphatiques sont très concentrés près des glandes mammaires et dans les régions de l'aisselle et de l'aine.

Les nœuds lymphatiques mesurent de 1 à 25 mm de long ; ils sont recouverts par une **capsule** composée de tissu conjonctif dense qui forme des prolongements dans le nœud (figure 22.6). Ces projections de la capsule, appelées **trabécules,** divisent le nœud en compartiments, lui assurent un soutien et offrent une voie d'entrée aux vaisseaux sanguins. Dans la capsule se trouve un réseau de fibres réticulaires et de fibroblastes qui servent aussi à soutenir la structure du nœud. La capsule, les trabécules, les fibres réticulaires et les fibroblastes constituent le *stroma,* ou charpente, du nœud lymphatique. Le *parenchyme* du nœud lymphatique comprend deux régions spécialisées : le cortex, en surface, et la médulla, au centre. Le cortex est lui-même divisé en régions externe et interne. Le **cortex externe** contient des follicules lymphatiques composés principalement de lymphocytes B. Les régions de ces follicules qui prennent une teinte pâle à la coloration sont les **centres**

Figure 22.6 Structure d'un nœud lymphatique. Les flèches indiquent la direction de l'écoulement de la lymphe.

🔑 **Les nœuds lymphatiques sont présents dans tout le corps, mais sont généralement regroupés.**

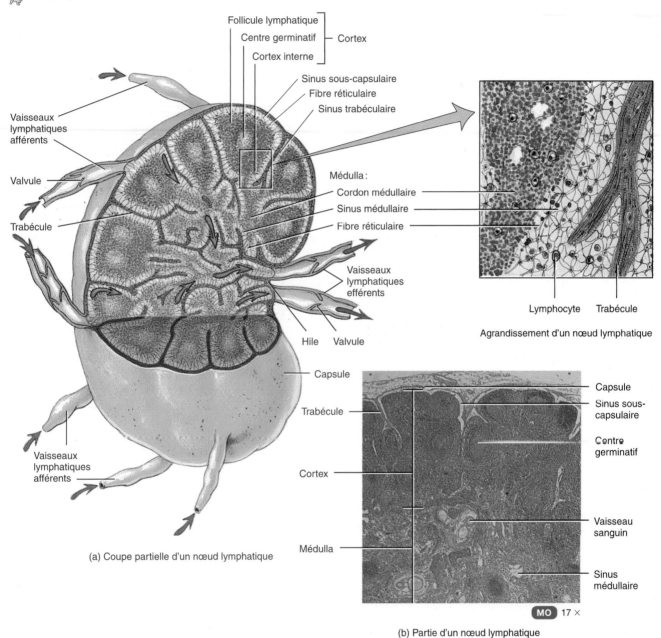

(a) Coupe partielle d'un nœud lymphatique

Agrandissement d'un nœud lymphatique

MO 17 ×

(b) Partie d'un nœud lymphatique

Q   Qu'arrive-t-il aux substances étrangères transportées dans la lymphe, qui entrent dans un nœud lymphatique ?

germinatifs, où les lymphocytes B prolifèrent et deviennent des plasmocytes sécrétant des anticorps. Les cellules réticulaires des centres germinatifs, appelés **cellules dendritiques,** jouent le rôle de cellules présentatrices d'antigènes qui contribuent à déclencher les réponses immunitaires.

Les centres germinatifs contiennent aussi des macrophages. Le **cortex interne** contient des lymphocytes T. La **médulla** du nœud lymphatique contient des lymphocytes B et des plasmocytes qui forment des filaments serrés appelés **cordons médullaires.**

La lymphe traverse le nœud dans un sens seulement. Elle entre par les **vaisseaux lymphatiques afférents** (*afferre* = apporter), qui pénètrent la surface convexe du nœud à plusieurs endroits. Les vaisseaux afférents contiennent des valvules qui s'ouvrent vers le centre du nœud, si bien que la lymphe est acheminée vers l'*intérieur*. Là, elle entre dans des **sinus,** qui sont un ensemble de canaux irréguliers contenant des fibres réticulaires ramifiées, des lymphocytes et des macrophages. La lymphe qui arrive par les vaisseaux lymphatiques afférents passe d'abord dans le **sinus sous-capsulaire** situé immédiatement sous la capsule. Elle s'écoule ensuite dans les **sinus trabéculaires,** qui traversent le cortex parallèlement aux trabécules. Puis elle arrive dans les **sinus médullaires,** qui s'étendent dans la médulla. Les sinus médullaires sont drainés par un ou deux **vaisseaux lymphatiques efférents** (*efferre* = porter hors), qui sont plus larges et moins nombreux que les vaisseaux afférents. Ils contiennent des valvules qui s'ouvrent vers la sortie du nœud, si bien que la lymphe est dirigée vers l'*extérieur*. Les vaisseaux lymphatiques efférents émergent d'une légère dépression, appelée **hile,** située sur le côté du nœud. Les vaisseaux sanguins pénètrent aussi dans le nœud et en sortent par le hile.

Les nœuds lymphatiques sont les seuls organes qui filtrent la lymphe. Quand cette dernière entre dans le nœud, les substances étrangères sont emprisonnées dans les fibres réticulaires des sinus. Les macrophages en détruisent alors une partie par phagocytose et les lymphocytes en éliminent d'autres par diverses réponses immunitaires. La lymphe filtrée quitte le nœud par l'autre extrémité. Les plasmocytes et les lymphocytes T qui ont proliféré dans le nœud lymphatique peuvent aussi être emportés par la lymphe et se rendre dans d'autres parties de l'organisme.

APPLICATION CLINIQUE
Métastases par la voie du système lymphatique

Une **métastase** (*metastasis* = changement de place) est la propagation d'une maladie d'un premier organe à un deuxième organe qui ne lui est pas relié directement. Toutes les tumeurs malignes présentent cette caractéristique. Les cellules cancéreuses sont transportées soit dans la circulation sanguine, soit dans le système lymphatique, et créent de nouvelles tumeurs là où elles se fixent. Quand une métastase se forme par l'intermédiaire du système lymphatique, on peut prévoir l'emplacement de foyers tumoraux secondaires selon la direction de l'écoulement de la lymphe en provenance de la tumeur primitive. Les nœuds lymphatiques cancéreux sont enflés, fermes, dépourvus de sensibilité et attachés à des structures sous-jacentes. Au contraire, la plupart des nœuds lymphatiques qui sont enflés par suite d'une infection sont tendres, mobiles et très douloureux. ■

Rate

La **rate** est un organe ovale qui mesure environ 12 cm de long, ce qui en fait la masse de tissu lymphatique la plus volumineuse du corps (figure 22.7a). Elle est située dans la région hypochondriaque gauche entre l'estomac et le diaphragme. La face supérieure de la rate, qui est lisse et convexe, épouse la face concave du diaphragme. Les organes avoisinants créent des renfoncements dans la face viscérale de la rate, soit l'empreinte gastrique (estomac), l'empreinte rénale (rein gauche) et l'empreinte colique (courbe colique gauche). Comme les nœuds lymphatiques, la rate possède un hile par lequel passent l'artère splénique, la veine splénique et les vaisseaux lymphatiques efférents.

Une capsule de tissu conjonctif dense enveloppe la rate. Des trabécules prolongent la capsule vers l'intérieur de l'organe ; la capsule elle-même est entourée par une séreuse, le péritoine viscéral. La capsule, les trabécules, les fibres réticulaires et les fibroblastes constituent le stroma de la rate ; le parenchyme comprend deux tissus différents appelés pulpe blanche et pulpe rouge (figure 22.7b). La **pulpe blanche** est formée de tissu lymphatique, surtout de lymphocytes et de macrophages disposés autour de ramifications de l'artère splénique appelées artères centrales. La **pulpe rouge** est formée de **sinus veineux** remplis de sang et de régions de tissu splénique appelées **cordons spléniques,** ou cordons de Billroth. Ces derniers sont composés de globules rouges, de macrophages, de lymphocytes, de plasmocytes et de granulocytes. La pulpe rouge est traversée de veines avec lesquelles elle est en étroit rapport.

Le sang qui entre dans la rate par l'artère splénique se jette dans les artères centrales de la pulpe blanche. Dans cette dernière, les lymphocytes B et T s'acquittent de leurs fonctions immunitaires pendant que les macrophages détruisent par phagocytose les agents pathogènes apportés par le sang. Dans la pulpe rouge, la rate accomplit trois fonctions qui se rapportent aux cellules sanguines : 1) élimination des cellules sanguines et des plaquettes usées ou défectueuses par les macrophages, 2) emmagasinage des plaquettes (la rate contient peut-être le tiers des réserves de l'organisme) et 3) production de cellules sanguines (hématopoïèse) pendant le développement fœtal.

La rate est l'organe le plus souvent endommagé dans les cas de traumatismes abdominaux. La rupture de la rate produit une grave hémorragie intrapéritonéale et entraîne l'état de choc. L'ablation immédiate de la rate (*splénectomie*) s'impose pour arrêter l'hémorragie et sauver le patient. D'autres structures, en particulier la moelle osseuse rouge et le foie, peuvent prendre en charge les fonctions normalement accomplies par la rate.

Follicules ou nodules lymphatiques

Les **follicules** ou **nodules lymphatiques** sont des amas de tissu lymphatique de forme ovale qui ne sont pas encapsulés. Comme ils sont dispersés dans le chorion (tissu conjonctif) de la muqueuse qui tapisse le tube digestif, les voies des systèmes urinaire et reproducteur ainsi que les voies aériennes

Figure 22.7 Structure de la rate.

🔑 **La rate est la masse de tissu lymphatique la plus volumineuse du corps.**

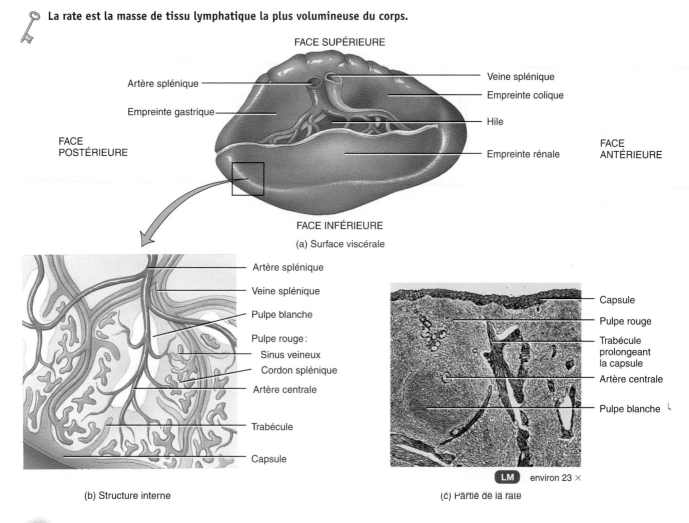

FACE SUPÉRIEURE

Artère splénique

Veine splénique

Empreinte colique

Empreinte gastrique

Hile

FACE POSTÉRIEURE

FACE ANTÉRIEURE

Empreinte rénale

FACE INFÉRIEURE

(a) Surface viscérale

Artère splénique

Veine splénique

Pulpe blanche

Pulpe rouge :

Sinus veineux

Cordon splénique

Artère centrale

Trabécule

Capsule

(b) Structure interne

Capsule

Pulpe rouge

Trabécule prolongeant la capsule

Artère centrale

Pulpe blanche

LM environ 23 ×

(c) Partie de la rate

Ⓠ Quelles sont les principales fonctions de la rate après la naissance ?

du système respiratoire, ils portent aussi le nom de **tissu lymphoïde associé aux muqueuses** (**MALT,** « mucosa-associated lymphoid tissue »).

Bien que de nombreux follicules ou nodules lymphatiques soient petits et isolés (comme les follicules lymphatiques solitaires de l'estomac), certains forment des agrégats étendus et multiples dans des endroits particuliers du corps, notamment les amygdales de la région pharyngienne et les nodules lymphatiques agrégés, ou plaques de Peyer, dans l'iléum de l'intestin grêle. On trouve également des nodules lymphatiques agrégés dans l'appendice vermiforme. De plus, cinq **amygdales** forment habituellement un anneau à la jonction de la cavité orale et de l'oropharynx et à la jonction des cavités nasales et du nasopharynx (voir la figure 23.2b, p. 824). En conséquence, les amygdales occupent une position stratégique pour participer aux réponses immunitaires contre les substances étrangères inhalées ou ingérées. L'unique **amygdale**

pharyngienne est enchâssée dans la paroi postérieure du nasopharynx. Les deux **amygdales palatines** reposent de part et d'autre de la région postérieure de la cavité orale ; ce sont celles qui sont habituellement enlevées au cours de l'amygdalectomie. Les deux **amygdales linguales,** situées à la base de la langue, doivent parfois aussi être retirées lors de l'amygdalectomie.

1. En quoi le liquide interstitiel et la lymphe se ressemblent-ils ? En quoi diffèrent-ils ?
2. Quelles sont les différences structurales entre les vaisseaux lymphatiques et les veines ?
3. Faites un diagramme qui représente la circulation lymphatique.
4. Quel est le rôle du thymus dans l'immunité ?
5. Quelles sont les fonctions des nœuds lymphatiques ?
6. Décrivez les fonctions de la rate.

Figure 22.8 Développement du système lymphatique.

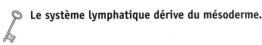

Le système lymphatique dérive du mésoderme.

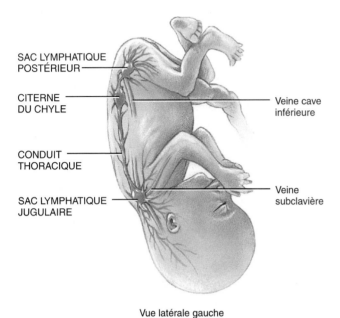

SAC LYMPHATIQUE POSTÉRIEUR

CITERNE DU CHYLE

CONDUIT THORACIQUE

SAC LYMPHATIQUE JUGULAIRE

Veine cave inférieure

Veine subclavière

Vue latérale gauche

Q À quel moment le système lymphatique commence-t-il à se développer ?

DÉVELOPPEMENT EMBRYONNAIRE DU SYSTÈME LYMPHATIQUE
OBJECTIF

• *Décrire le développement du système lymphatique.*

Le système lymphatique commence à se former vers la fin de la cinquième semaine de gestation. Les *vaisseaux lymphatiques* naissent des **sacs lymphatiques** qui sont issus des veines en voie de formation, lesquelles dérivent du **mésoderme.**

Les premiers sacs lymphatiques qui apparaissent sont la paire de **sacs lymphatiques jugulaires** à la jonction des veines jugulaire interne et subclavière (figure 22.8). À partir de ces sacs lymphatiques jugulaires, des plexus de capillaires s'étendent au thorax, aux membres supérieurs, au cou et à la tête. Certains plexus s'agrandissent et forment des vaisseaux lymphatiques dans leurs régions respectives. Chaque sac lymphatique jugulaire conserve au moins un lien avec sa veine jugulaire. Celui de gauche devient la partie supérieure du conduit thoracique (le conduit lymphatique gauche).

Le sac lymphatique qui apparaît ensuite est le **sac lymphatique rétro-péritonéal,** à la racine du mésentère de l'intestin. Il se forme à partir de la veine cave primitive et des veines mésonéphrotiques (du rein embryonnaire). Des plexus capillaires et des vaisseaux lymphatiques s'étendent

du sac lymphatique rétro-péritonéal vers les viscères abdominaux et le diaphragme. Des liens s'établissent entre ce sac et la citerne du chyle, mais ceux qui le reliaient aux veines avoisinantes disparaissent.

Pendant que le sac lymphatique rétro-péritonéal se développe, un autre sac lymphatique, la **citerne du chyle,** commence à se former sous le diaphragme contre la paroi abdominale postérieure. Elle donne naissance à la partie inférieure du *conduit thoracique* et à la *citerne du chyle* du conduit thoracique. Comme le sac lymphatique rétro-péritonéal, la citerne du chyle perd ses liens avec les veines situées à proximité.

Les derniers sacs lymphatiques, soit la paire de **sacs lymphatiques postérieurs,** sont issus des veines iliaques. Les sacs lymphatiques postérieurs donnent naissance aux plexus capillaires et aux vaisseaux lymphatiques de la paroi abdominale, de la région pelvienne et des membres inférieurs. Ils se joignent à la citerne du chyle et perdent leurs liens avec les veines adjacentes.

À l'exception de la partie antérieure du sac qui donne naissance à la citerne du chyle, tous les sacs lymphatiques sont envahis par des **cellules mésenchymateuses** et se transforment en groupes de *nœuds lymphatiques.*

La *rate* se développe à partir de **cellules mésenchymateuses** entre les feuillets du mésentère dorsal commun de l'estomac. Le *thymus* est issu d'une excroissance de la **troisième poche branchiale** (voir la figure 18.22a, p. 635).

1. Nommez les quatre sacs lymphatiques qui donnent naissance aux vaisseaux lymphatiques.

RÉSISTANCE NON SPÉCIFIQUE À LA MALADIE
OBJECTIF

• *Décrire les mécanismes de la résistance non spécifique à la maladie.*

Plusieurs mécanismes contribuent à la résistance non spécifique à la maladie, mais ils ont tous une propriété commune : ils offrent une protection immédiate contre un large éventail d'agents pathogènes et de substances étrangères. Comme son nom l'indique, cette forme de résistance ne donne pas lieu à des réponses spécifiques dirigées contre des envahisseurs précis ; ses mécanismes de protection fonctionnent toujours de la même façon, quelle que soit la nature de l'intrus. Les mécanismes de résistance non spécifique comprennent les barrières physiques et chimiques superficielles que constituent la peau et les muqueuses, ainsi que diverses défenses non spécifiques internes telles que les protéines antimicrobiennes, les cellules tueuses naturelles, les phagocytes, l'inflammation et la fièvre.

Première ligne de défense: peau et muqueuses

La peau et les muqueuses sont la première ligne de défense de l'organisme contre les agents pathogènes. Elles forment des barrières à la fois physiques et chimiques qui s'opposent à l'entrée des agents pathogènes et des substances étrangères et préviennent ainsi la maladie.

Le revêtement épithélial de la peau, l'**épiderme,** avec ses multiples couches de cellules kératinisées serrées les unes contre les autres constitue un obstacle physique formidable pour les microbes (voir la figure 5.1, p. 149). De plus, la desquamation périodique des cellules épidermiques contribue à enlever les microbes de la surface de la peau. Les bactéries pénètrent rarement la surface intacte d'un épiderme sain. Mais si cette surface présente une brèche, par suite de coupures, de brûlures ou de piqûres, les agents pathogènes peuvent la pénétrer et envahir les tissus adjacents ou entrer dans la circulation sanguine pour aller s'établir ailleurs dans l'organisme.

Le revêtement épithélial des **muqueuses** qui tapissent les cavités corporelles sécrète un liquide appelé **mucus,** qui lubrifie et humecte la surface des cavités. Étant légèrement visqueux, le mucus emprisonne de nombreux microbes et substances étrangères. La muqueuse du nez possède des poils enduits de mucus, les **vibrisses,** qui filtrent l'air inspiré et en retiennent les microbes, les poussières et les polluants. La muqueuse des voies respiratoires supérieures contient des **cils,** qui sont des prolongements microscopiques filiformes de la surface des cellules épithéliales. Le mouvement ondulatoire des cils propulse vers la gorge les poussières et les microbes qui ont été aspirés et se trouvent emprisonnés dans le mucus. La toux et les éternuements accélèrent l'expulsion du mucus.

D'autres liquides produits par divers organes participent également à la protection du revêtement épithélial de la peau et des muqueuses. Par exemple, l'**appareil lacrymal** des yeux (voir la figure 16.4, p. 544) produit des larmes en réponse aux substances irritantes et les évacue. Le clignement des yeux répartit les larmes sur la surface du globe oculaire et le lavage continuel que ces dernières assurent contribue à diluer les microbes et à les empêcher de se fixer à l'œil.

La **salive,** produite par les glandes salivaires, nettoie la surface des dents et des muqueuses de la bouche et les débarrasse des microbes, un peu comme les larmes le font dans les yeux. L'écoulement de la salive diminue la colonisation de la bouche par les microbes.

L'**évacuation de l'urine** nettoie l'urètre et retarde la colonisation microbienne du système urinaire. De même, les sécrétions vaginales évacuent les microbes du corps de la femme. La **défécation** et le **vomissement** sont également des processus qui peuvent expulser les microbes. Par exemple, en réponse aux toxines microbiennes qui irritent la muqueuse de la partie inférieure du tube digestif, les muscles lisses de ce dernier se contractent vigoureusement; la diarrhée qui s'ensuit évacue rapidement un grand nombre de microbes.

Certaines substances chimiques contribuent également à la grande résistance que la peau et les muqueuses offrent aux invasions microbiennes. Les glandes sébacées de la peau sécrètent une substance huileuse appelée **sébum** qui forme un enduit protecteur à la surface de la peau; les acides gras non saturés du sébum inhibent la croissance de certains champignons et bactéries pathogènes. L'acidité de la peau (pH de 3 à 5) est causée en partie par la sécrétion d'acides gras et d'acide lactique. La **transpiration** aide à emporter les microbes qui se déposent à la surface de la peau; la sueur contient aussi le **lysozyme,** une enzyme qui dégrade la paroi cellulaire de certaines bactéries. On trouve également du lysozyme dans les larmes, la salive, les sécrétions nasales et les liquides tissulaires, où il exerce aussi une action antimicrobienne. Le **suc gastrique,** produit par les glandes de l'estomac, est un mélange d'acide chlorhydrique, d'enzymes et de mucus. Sa grande acidité (pH de 1,2 à 3,0) détruit de nombreuses bactéries et la plupart de leurs toxines. Les **sécrétions vaginales** sont aussi légèrement acides, ce qui prévient la prolifération des bactéries.

Seconde ligne de défense: défenses internes

Quand des agents pathogènes pénètrent les barrières physiques et chimiques de la peau et des muqueuses, ils se heurtent à une seconde ligne de défense: les protéines antimicrobiennes internes, les phagocytes, les cellules tueuses naturelles, l'inflammation et la fièvre.

Protéines antimicrobiennes

Le sang et le liquide interstitiel contiennent trois principaux types de **protéines antimicrobiennes** qui s'opposent à la croissance des microbes:

1. *Interférons.* Les lymphocytes, les macrophages et les fibroblastes infectés par des virus produisent des protéines appelées **interférons.** Une fois produits et libérés par des cellules infectées par des virus, les interférons diffusent vers les cellules non infectées qui se trouvent à proximité et se lient à des récepteurs membranaires, où ils déclenchent la synthèse de protéines antivirales qui perturbent la réplication de ces agents infectieux. Bien que les interférons n'empêchent pas les virus d'adhérer aux cellules hôtes et d'y pénétrer, ils en bloquent la réplication. Or les virus ne causent des maladies que s'ils peuvent se répliquer dans les cellules de l'organisme. Les interférons sont un mécanisme de défense important contre un grand nombre de virus différents. Les trois types d'interférons sont l'interféron alpha, l'interféron bêta et l'interféron gamma.

2. *Complément.* Le **système du complément** est formé d'un groupe de protéines normalement inactives dans le plasma sanguin et sur les membranes plasmiques. Quand elles sont activées, ces protéines agissent comme « compléments » de certaines réactions immunitaires, allergiques et inflammatoires, et peuvent même les amplifier.

3. *Transferrines.* Des protéines qui lient le fer, appelées **transferrines,** inhibent la prolifération de certaines bactéries en réduisant la quantité de fer disponible.

Cellules tueuses naturelles et phagocytes

Si des microbes réussissent à pénétrer la peau et les muqueuses et à survivre à l'action des protéines antimicrobiennes dans le sang, ils vont être attaqués par les cellules tueuses naturelles ou par les phagocytes. Les **cellules tueuses naturelles** (**NK,** «natural killer») sont des lymphocytes dépourvus des molécules membranaires propres aux lymphocytes B et T, mais capables néanmoins de tuer un large éventail de microbes infectieux ainsi que certaines cellules tumorales qui apparaissent spontanément. Entre 5 et 10% des lymphocytes dans la circulation sanguine sont des cellules NK; elles sont aussi présentes dans la rate, les nœuds lymphatiques et la moelle osseuse rouge. Elles attaquent les cellules portant sur leur membrane plasmique certaines protéines anormales de la famille des antigènes du complexe majeur d'histocompatibilité (CMH), qui sont décrits à la page 798. Les cellules NK ont au moins deux moyens de tuer leurs cibles. Elles libèrent des **perforines:** ces molécules s'insèrent dans la membrane plasmique des microbes et la rendent si perméable qu'elles provoquent la cytolyse. Elles peuvent aussi se lier à la cellule cible et l'endommager par contact direct.

Les **phagocytes** (*phagein* = manger; *kutos* = cellule) sont des cellules spécialisées dans la **phagocytose** (*ôsis* = processus), c'est-à-dire l'ingestion de microbes ou d'autres particules (voir la figure 3.14, p. 79). Les deux principaux types de phagocytes sont les **granulocytes neutrophiles** et les **macrophages;** ces derniers se développent à partir des monocytes et jouent le rôle d'éboueurs de l'organisme. Des macrophages mobiles, appelés **macrophages libres,** sont présents dans la plupart des tissus. D'autres, appelés **macrophages fixes,** montent la garde dans des tissus spécifiques. On compte parmi ces derniers les histiocytes, dans la peau et la couche sous-cutanée, les cellules réticulo-endothéliales étoilées (ou cellules de Kupffer) dans le foie, les macrophages alvéolaires (ou cellules à poussière) dans les poumons, les microglies dans le système nerveux et les macrophages tissulaires dans la rate, les nœuds lymphatiques et la moelle osseuse rouge. En plus de constituer un mécanisme de défense non spécifique, la phagocytose joue un rôle primordial dans l'immunité, comme nous allons le voir plus loin dans le présent chapitre.

La phagocytose se déroule en plusieurs étapes: le chimiotactisme, l'adhérence, l'ingestion, la digestion et la destruction (figure 22.9):

1. *Chimiotactisme.* L'attraction des phagocytes vers un endroit particulier par le truchement de substances chimiques est appelé **chimiotactisme** (*tactus* = tact). Les molécules chimiotactiques qui attirent les phagocytes comprennent certaines substances produites par les microbes, des composants de globules blancs et de cellules tissulaires endommagées, et des protéines activées du complément.

2. *Adhérence.* L'arrimage de la membrane plasmique d'un phagocyte à la surface d'un microorganisme ou d'un corps étranger quelconque est appelé **adhérence.**

3. *Ingestion.* Après l'adhérence, l'**ingestion** a lieu. La membrane plasmique du phagocyte forme des prolongements, appelés pseudopodes, qui englobent le microorganisme. Quand ce dernier est cerné, les pseudopodes se touchent et fusionnent, enfermant ainsi le microorganisme dans une vésicule appelée **phagosome.**

4. *Digestion.* Le phagosome, qui est formé quand la vésicule se détache complètement de la membrane plasmique, entre dans le cytoplasme et fusionne avec des lysosomes pour constituer une structure plus volumineuse appelée **phagolysosome.** Le lysosome contient le lysozyme, qui dégrade la paroi microbienne, et des enzymes digestives, qui dégradent les glucides, les protéines, les lipides et les acides nucléiques. Le phagocyte produit aussi des oxydants mortels tels que l'anion superoxyde (O_2^-), l'anion hypochlorite (OCl^-), et l'eau oxygénée (H_2O_2) au cours d'un processus appelé **explosion oxydative.**

5. *Destruction.* Dans le phagolysosome, l'attaque chimique déclenchée par le lysozyme, les enzymes digestives et les oxydants tue rapidement de nombreux types de microbes. Tout matériel qui ne peut pas être dégradé est retenu dans des structures appelées **corps résiduels,** que la cellule finit par expulser par exocytose.

Certains microbes, tels les staphylocoques dont les toxines causent un des types d'intoxication alimentaire, peuvent être ingérés mais non détruits. Ce sont plutôt les phagocytes qui risquent d'être tués par ces toxines. D'autres microbes, tel le bacille tuberculeux qui cause la tuberculose, peuvent se multiplier dans les phagolysosomes et finissent par tuer le phagocyte. D'autres encore, comme ceux qui causent la tularémie et la brucellose, peuvent demeurer inactifs dans les phagocytes pendant des mois ou des années.

Inflammation

Les cellules endommagées par les microbes ou des agents de nature physique ou chimique déclenchent une réaction de défense appelée **inflammation.** Les quatre signes caractéristiques et symptômes de l'inflammation sont la **rougeur,** la **douleur,** la **chaleur** et la **tuméfaction.** L'inflammation peut aussi causer une **perte fonctionnelle** dans la région touchée, selon l'étendue de la lésion et l'endroit où elle se trouve. Elle circonscrit les microbes, les toxines et les substances étrangères aux environs de la lésion et prépare le site pour la réparation tissulaire. C'est ainsi qu'elle contribue à rétablir l'homéostasie des tissus.

L'inflammation étant un moyen de défense non spécifique, la réponse d'un tissu à une coupure, par exemple, est semblable à celle que suscite une brûlure, des rayonnements ou une invasion virale ou bactérienne. Dans tous les cas, l'inflammation se déroule en trois étapes principales: 1) la

Figure 22.9 Phagocytose d'un microbe. La première étape de la phagocytose, le chimiotactisme, n'est pas illustrée.

🔑 **Les principaux types de phagocytes sont les granulocytes neutrophiles et les macrophages.**

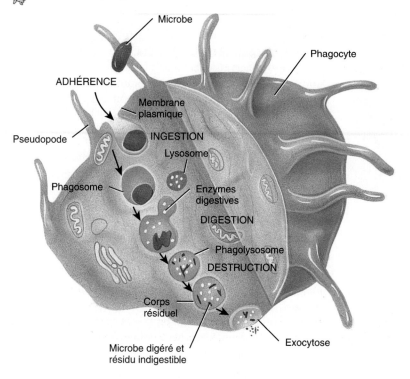

(a) Étapes de la phagocytose

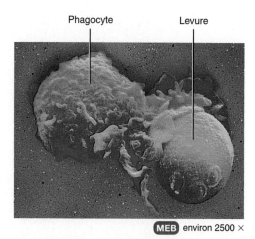

MEB environ 2500 ×

(b) Phagocyte absorbant une levure

Ⓠ Quelles sont les substances chimiques qui ont pour fonction de détruire les microbes ingérés ?

vasodilatation et l'augmentation de la perméabilité des vaisseaux sanguins, 2) la diapédèse des phagocytes et 3) la réparation tissulaire.

Immédiatement après l'apparition de la lésion, les vaisseaux sanguins dans la région se dilatent et deviennent plus perméables. La **vasodilatation,** c'est-à-dire l'augmentation du diamètre des vaisseaux sanguins, permet d'accroître le débit de sang dans le secteur touché ; l'**augmentation de la perméabilité** signifie que les substances normalement retenues dans la circulation sanguine, tels les anticorps, les protéines de la coagulation et les phagocytes, peuvent traverser plus facilement les parois des vaisseaux sanguins (figure 22.10). L'augmentation du débit sanguin contribue aussi à emporter les produits toxiques libérés par les microorganismes envahisseurs et les cellules mortes.

Au nombre des substances qui participent à la vasodilatation, à l'augmentation de la perméabilité et aux autres aspects de la réaction inflammatoire, on compte :

- *L'histamine.* En réponse à une lésion, les mastocytes dans le tissu conjonctif ainsi que les granulocytes basophiles et les plaquettes dans le sang libèrent de l'**histamine.** Les granulocytes neutrophiles et les macrophages attirés par la lésion stimulent aussi la libération d'histamine, qui entraîne la vasodilatation et l'augmentation de la perméabilité des vaisseaux sanguins.

- *Les kinines.* Ce sont des polypeptides, formés dans le sang à partir de précurseurs inactifs appelés kininogènes, qui déclenchent la vasodilatation, augmentent la perméabilité des vaisseaux et jouent le rôle d'agents chimiotactiques pour les phagocytes.

- *Les prostaglandines (PG).* Ces lipides, en particulier ceux du type E, sont libérés par les cellules endommagées et amplifient les effets de l'histamine et des kinines. Les prostaglandines stimulent peut-être également la diapédèse des phagocytes à travers les parois capillaires.

Figure 22.10 Inflammation.

 Les trois étapes de l'inflammation sont 1) la vasodilatation et l'augmentation de la perméabilité des vaisseaux sanguins, 2) la diapédèse des phagocytes et 3) la réparation tissulaire.

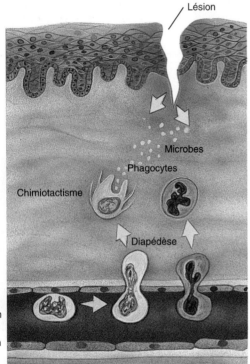

Les phagocytes migrent du sang vers la lésion

 Quelles sont les causes de chacun des signes et symptômes d'inflammation suivants : rougeur, douleur, chaleur et tuméfaction ?

- *Les leucotriènes.* Les leucotriènes sont produits par les granulocytes basophiles et les mastocytes à partir de la dégradation de phospholipides membranaires. Ils font augmenter la perméabilité des vaisseaux sanguins et jouent un rôle dans l'adhérence des phagocytes aux agents pathogènes. Ce sont également des agents chimiotactiques qui attirent les phagocytes.

- *Le complément.* Divers composants du système du complément stimulent la libération d'histamine, attirent les granulocytes neutrophiles par chimiotactisme et favorisent la phagocytose. Certains composants peuvent aussi détruire des bactéries.

Quelques minutes après une lésion, la dilatation des artérioles et l'augmentation de la perméabilité des capillaires produisent de la chaleur, une rougeur et l'œdème (tuméfaction) dans la région touchée. La grande quantité de sang chaud qui traverse cette région est à l'origine à la fois de la chaleur et de la rougeur (érythème). La température locale augmente légèrement et cause une accélération des réactions

métaboliques et la libération de chaleur supplémentaire. L'œdème résulte de l'augmentation de la perméabilité des vaisseaux sanguins qui permet un plus grand écoulement de liquide de la circulation sanguine vers les espaces tissulaires. La douleur, immédiate ou différée, est un signe important d'inflammation ; elle peut provenir de la lésion de fibres nerveuses ou de l'irritation causée par les produits toxiques des microorganismes. Les kinines influent sur certaines terminaisons nerveuses et engendrent une grande part de la douleur qui accompagne l'inflammation. Quant aux prostaglandines, elles intensifient et prolongent la douleur. Celle-ci peut aussi découler de l'augmentation de la pression due à l'œdème.

La plus grande perméabilité des capillaires permet les fuites de facteurs de coagulation dans les tissus. La série de réactions en cascade se déclenche et le fibrinogène est converti en un réseau épais et insoluble de fibrine qui localise et emprisonne les microbes envahisseurs, et les empêche de se disséminer.

Dans l'heure qui suit le déclenchement du processus inflammatoire, les phagocytes arrivent sur les lieux, les granulocytes neutrophiles d'abord, les monocytes ensuite (voir la figure 22.10). Ils quittent la circulation sanguine là où se trouve l'inflammation par un processus appelé **diapédèse.** La diapédèse des granulocytes neutrophiles repose sur le chimiotactisme. Ces phagocytes sont attirés par les microbes, les kinines, le complément et d'autres granulocytes neutrophiles. Ils tentent de détruire les envahisseurs par phagocytose. Un flot continu de granulocytes neutrophiles est assuré par la production de nouvelles cellules dans la moelle osseuse et leur libération dans la circulation. L'augmentation de globules blancs, ou leucocytes, que cela entraîne dans le sang est appelée **leucocytose.**

Les granulocytes neutrophiles prédominent au début de la réaction inflammatoire, mais ils meurent rapidement. Après plusieurs heures d'inflammation, les monocytes remplacent les granulocytes neutrophiles dans la région infectée. Quand ils pénètrent dans le tissu enflammé, les monocytes se transforment en macrophages libres qui augmentent l'activité phagocytaire des macrophages fixes. Ce sont des phagocytes plus puissants que les granulocytes neutrophiles. Ils englobent les tissus endommagés, les granulocytes neutrophiles usés et les microbes envahisseurs.

Ces phagocytes finissent aussi par mourir. Après quelques jours, une pochette de phagocytes morts et de tissus endommagés se forme. Cet agrégat de cellules mortes et de liquide est appelé **pus.** La formation de pus a lieu dans la plupart des réactions inflammatoires et se poursuit habituellement jusqu'à ce que l'infection se résorbe. À l'occasion, le pus se rend à la surface du corps ou s'écoule dans une cavité, où il se disperse. Il arrive aussi que le pus demeure même après la fin de l'infection. Dans ce cas, il est détruit et absorbé peu à peu au cours des jours qui suivent.

Abcès et ulcères

Quand le pus ne peut pas s'échapper d'une région enflammée, il forme un **abcès,** soit une accumulation excessive de pus dans un espace restreint. Les boutons et les furoncles, ou clous, en sont des exemples communs. Quand la couche superficielle d'un organe ou d'un tissu enflammés se détache, la lésion ouverte qui s'ensuit est appelée **ulcère.** Les personnes qui n'ont pas une bonne circulation sanguine – les diabétiques atteints d'athérosclérose avancée, par exemple – sont prédisposés à la formation d'ulcères dans les tissus des jambes. Ces ulcères de stase apparaissent parce que l'apport en oxygène et en nutriments dans les tissus est insuffisant, si bien que ces derniers deviennent très sensibles à des blessures même légères ou à des infections. ■

Fièvre

La **fièvre** est une température corporelle plus élevée que la normale qui survient parce que le réglage du thermostat hypothalamique est modifié. On ne comprend pas encore toute son importance, mais on sait qu'elle se manifeste très souvent durant les infections et l'inflammation. De nombreuses toxines bactériennes élèvent la température du corps, parfois en déclenchant la libération de cytokines pyrogènes telles que l'interleukine 1. L'élévation de la température du corps amplifie les effets des interférons, inhibe la prolifération de certains microbes et accélère les réactions de l'organisme qui facilitent la guérison. (Nous étudions la fièvre plus en détail à la page 965.)

Le tableau 22.1 présente un résumé des éléments de la résistance non spécifique.

1. Nommez les facteurs physiques et chimiques de la peau et des muqueuses qui protègent l'organisme contre la maladie.
2. Quelles sont les défenses internes contre les microbes qui pénètrent la peau et les muqueuses ?
3. Comparez l'activité des cellules tueuses naturelles avec celle des phagocytes.
4. Définissez l'*inflammation.* Décrivez ses principaux signes et symptômes, et les étapes de son déroulement.

RÉSISTANCE SPÉCIFIQUE : IMMUNITÉ

OBJECTIFS

• *Définir l'«immunité» et décrire l'origine des lymphocytes T et B.*

• *Expliquer la relation entre les antigènes et les anticorps.*

• *Décrire le rôle des cellules présentatrices d'antigènes dans le traitement des antigènes exogènes et endogènes.*

La capacité de l'organisme à se défendre contre des agents envahisseurs spécifiques tels que les bactéries, les toxines, les virus et les tissus étrangers est appelée **résistance spécifique,**

Tableau 22.1 Résistance non spécifique

ÉLÉMENT	FONCTIONS
Première ligne de défense : peau et muqueuses	
Facteurs physiques	
Épiderme	Oppose une barrière physique à la pénétration des microbes.
Muqueuses	Empêchent l'accès à de nombreux microbes, mais ne sont pas aussi efficaces que la peau intacte.
Mucus	Emprisonne les microbes dans le système respiratoire et le tube digestif.
Vibrisses	Filtrent les microbes et la poussière dans le nez.
Cils	Aidés du mucus, emprisonnent et évacuent les microbes et la poussière des voies respiratoires supérieures.
Appareil lacrymal	Les larmes diluent et emportent avec elles les microbes et les substances irritantes.
Salive	Enlève les microbes de la surface des dents et de la muqueuse de la bouche.
Urine	Chasse les microbes de l'urètre.
Défécation et vomissement	Expulsent les microbes de l'organisme.
Facteurs chimiques	
pH acide de la peau	S'oppose à la croissance de nombreux microbes.
Acides gras non saturés	Substances antibactériennes du sébum.
Lysozyme	Substance antibactérienne de la transpiration, des larmes, de la salive, des sécrétions nasales et des liquides tissulaires.
Suc gastrique	Détruit les bactéries et la plupart des toxines dans l'estomac.
Sécrétions vaginales	Légère acidité qui nuit à la croissance des bactéries.
Seconde ligne de défense : défenses internes	
Protéines antimicrobiennes	
Interférons	Protègent les cellules saines de l'hôte contre l'infection virale.
Système du complément	Cause la cytolyse des microbes, favorise la phagocytose et contribue à l'inflammation.
Cellules tueuses naturelles (NK)	Tuent un large éventail de microbes et certaines cellules tumorales.
Phagocytes	Englobent les particules de matière étrangère.
Inflammation	Circonscrit et détruit les microbes, et enclenche la réparation tissulaire.
Fièvre	Amplifie les effets des interférons, inhibe la prolifération de certains microbes et accélère les réactions de l'organisme qui facilitent la guérison.

ou **immunité.** Les substances qui sont reconnues comme étrangères et qui provoquent une réponse immunitaire sont appelées **antigènes** (**Ag**). Deux propriétés distinguent l'immunité des défenses non spécifiques: 1) la réaction *spécifique* à des molécules étrangères définies (antigènes), ce qui suppose le pouvoir de distinguer entre les molécules du soi et celles du non-soi, et 2) la *mémoire* de la plupart des antigènes déjà rencontrés, qui fait en sorte qu'une nouvelle exposition à ces antigènes déclenche une réponse plus rapide et vigoureuse. La science qui s'intéresse aux réponses de l'organisme aux stimulus des antigènes est appelée **immunologie** (*immunitas* = exemption de charge; *logos* = science). Le **système immunitaire** comprend les cellules et les tissus à l'origine des réponses immunitaires.

Maturation des lymphocytes T et des lymphocytes B

Les cellules dites **immunocompétentes,** c'est-à-dire qui peuvent donner naissance à des réponses immunitaires si elles sont stimulées adéquatement, sont des lymphocytes appelés lymphocytes B et lymphocytes T. Les deux types de lymphocytes sont issus de cellules souches hématopoïétiques pluripotentes qui se forment dans la moelle osseuse rouge (voir la figure 19.3, p. 649). Les lymphocytes B se développent en cellules immunocompétentes et matures dans la moelle osseuse; ils sont produits durant toute la vie de l'organisme. Les lymphocytes T viennent de lymphocytes pré-T qui ont migré de la moelle osseuse jusqu'au thymus (figure 22.11). La majorité des lymphocytes T sont formés avant la puberté, mais un certain nombre continue d'arriver à maturité tout au long de la vie.

Avant que les lymphocytes T quittent le thymus ou que les lymphocytes B sortent de la moelle osseuse rouge, ils acquièrent plusieurs protéines membranaires caractéristiques. Certaines sont des **récepteurs d'antigènes,** c'est-à-dire des molécules capables de reconnaître un antigène spécifique (voir la figure 22.11). De plus, à leur sortie du thymus, les lymphocytes T sont soit des CD4+, soit des CD8+, selon que leur membrane plasmique contient une protéine appelée CD4 ou une protéine appelée CD8. Nous verrons plus loin dans le présent chapitre que ces deux types de lymphocytes T, appelés lymphocytes T4 et lymphocytes T8, ont des fonctions très différentes.

Types de réponses immunitaires

L'immunité comprend deux types de réponses intimement liées, toutes deux déclenchées par les antigènes. Le premier type, appelé **réponse immunitaire à médiation cellulaire,** se caractérise par la prolifération de lymphocytes T CD8+ qui deviennent des lymphocytes T cytotoxiques capables d'attaquer directement l'antigène envahisseur. Dans le second type, appelé **réponse immunitaire humorale,** les lymphocytes B se transforment en plasmocytes qui synthétisent et sécrètent des protéines spécifiques appelées **anticorps,** ou **immunoglobulines.** Les anticorps se lient à des antigènes spécifiques et les inactivent. La plupart des lymphocytes T CD4+ deviennent des lymphocytes T auxiliaires qui facilitent aussi bien la réponse immunitaire à médiation cellulaire que la réponse immunitaire humorale.

Dans une certaine mesure, chaque type de réponse immunitaire se spécialise dans la lutte contre certains types d'envahisseurs. L'immunité à médiation cellulaire est particulièrement efficace contre 1) les agents pathogènes intracellulaires qui résident à l'intérieur des cellules hôtes (principalement des champignons, des parasites et des virus), 2) certaines cellules cancéreuses et 3) les greffes de tissus étrangers. C'est ainsi que dans l'immunité à médiation cellulaire, des cellules attaquent toujours d'autres cellules. L'immunité humorale est surtout dirigée contre 1) les antigènes présents dans les liquides de l'organisme et 2) les agents pathogènes extracellulaires qui se multiplient dans les liquides de l'organisme mais pénètrent rarement dans les cellules (principalement des bactéries). Toutefois, il arrive souvent qu'un agent pathogène déclenche les deux types de réponses immunitaires.

Antigènes

Les antigènes possèdent deux caractéristiques importantes: l'immunogénicité et la réactivité. L'**immunogénicité** (*geneia* = production) est la capacité de provoquer une réponse immunitaire en stimulant la production d'anticorps spécifiques ou bien la prolifération de lymphocytes T spécifiques, ou encore les deux. Le terme *antigène* décrit sa fonction qui consiste à en*gen*drer des *anti*corps. La **réactivité** est la capacité de l'antigène à réagir spécifiquement avec les anticorps ou les cellules qu'il a attaqués. Les immunologistes définissent les antigènes comme des substances qui sont dotées de réactivité. Les substances qui possèdent à la fois l'immunogénicité et la réactivité sont considérées comme des **antigènes complets.** Toutefois, le terme *antigène* indique couramment à la fois l'immunogénicité et la réactivité, et c'est dans ce sens que nous l'employons.

Un antigène peut être un microbe entier ou une de ses parties. Les structures bactériennes telles que les flagelles, les capsules et les parois sont antigéniques; les toxines des microbes le sont aussi. Il existe également des antigènes non microbiens comme le pollen, le blanc d'œuf, les cellules sanguines incompatibles et les greffes de tissus ou d'organes. L'énorme diversité d'antigènes dans l'environnement constitue autant de possibilités de provoquer des réponses immunitaires.

Les antigènes qui échappent aux défenses non spécifiques aboutissent habituellement dans le tissu lymphatique en empruntant l'une des trois voies suivantes: 1) la plupart des antigènes qui entrent dans la circulation sanguine (par une ouverture dans un vaisseau sanguin endommagé, par exemple) sont déposés dans la rate; 2) les antigènes qui pénètrent la peau passent dans les vaisseaux lymphatiques et se rendent

Figure 22.11 Maturation des lymphocytes et rôles de ces derniers dans les deux types de réponses immunitaires.

 Les lymphocytes B et les lymphocytes pré-T se développent à partir de cellules souches hématopoïétiques pluripotentes dans la moelle osseuse rouge.

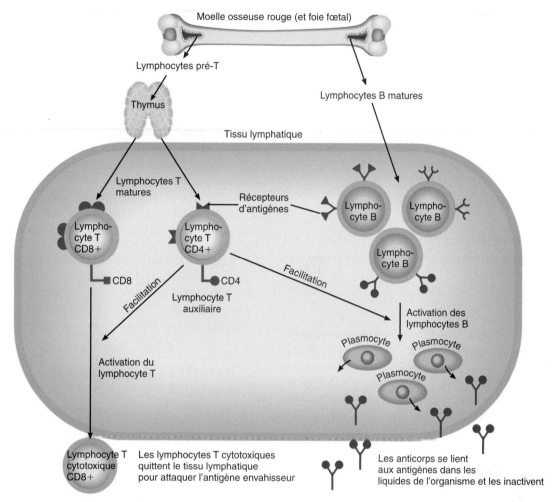

Moelle osseuse rouge (et foie fœtal)

Lymphocytes pré-T

Thymus

Lymphocytes B matures

Tissu lymphatique

Lymphocytes T matures

Récepteurs d'antigènes

Lymphocyte T CD8+

CD8

Facilitation

Lymphocyte T CD4+

CD4

Lymphocyte T auxiliaire

Facilitation

Lymphocyte B

Lymphocyte B

Lymphocyte B

Activation des lymphocytes B

Activation du lymphocyte T

Plasmocyte

Plasmocyte

Plasmocyte

Lymphocyte T cytotoxique CD8+

Les lymphocytes T cytotoxiques quittent le tissu lymphatique pour attaquer l'antigène envahisseur

Les anticorps se lient aux antigènes dans les liquides de l'organisme et les inactivent

RÉPONSES IMMUNITAIRES À MÉDIATION CELLULAIRE
Dirigées contre les agents pathogènes intracellulaires tels que les virus, certaines cellules cancéreuses et les greffes de tissus

RÉPONSES IMMUNITAIRES HUMORALES
Dirigées contre les agents pathogènes extracellulaires tels que les bactéries

 Quel type de lymphocyte T participe à la fois aux réponses immunitaires à médiation cellulaire et aux réponses immunitaires humorales?

dans les nœuds lymphatiques; 3) les antigènes qui pénètrent les muqueuses se logent dans le tissu lymphoïde associé aux muqueuses (MALT).

Nature chimique des antigènes

Les antigènes sont de grosses molécules complexes, la plupart du temps de nature protéique. Toutefois, les acides nucléiques, les lipoprotéines, les glycoprotéines et certains gros polysaccharides peuvent aussi agir comme des antigènes. Les lymphocytes T répondent seulement aux antigènes qui ont une composante protéique; les lymphocytes B réagissent aux antigènes constitués de protéines, de certains lipides, de glucides et d'acides nucléiques. Les antigènes complets ont généralement des poids moléculaires élevés, de 10 000 daltons ou plus, mais les grosses molécules formées par la répétition de sous-unités simples – par exemple, la cellulose et la plupart des plastiques – ne sont habituellement pas antigéniques. C'est pourquoi on peut utiliser les matières plastiques dans les valvules cardiaques ou les articulations artificielles.

Une substance de petite taille qui est dotée de réactivité mais non d'immunogénicité est appelée **haptène** (*haptein* = attacher). Un haptène ne peut stimuler une réponse immunitaire que s'il est attaché à une molécule porteuse de plus grande taille. C'est le cas de la petite toxine lipidique du

Figure 22.12 Épitopes (ou déterminants antigéniques).

La plupart des antigènes ont plusieurs épitopes qui stimulent la production de divers anticorps ou l'activation de divers lymphocytes T.

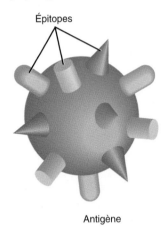

Épitopes

Antigène

Q Quelle est la différence entre un épitope et un haptène?

sumac vénéneux qui déclenche une réponse immunitaire après s'être liée à une protéine de l'organisme. De même, certains médicaments comme la pénicilline peuvent se combiner à des protéines de l'organisme pour former des complexes immunogènes. Ce type de réponse immunitaire provoquée par un haptène est à l'origine de réactions allergiques aux médicaments et à certaines substances de l'environnement (voir p. 815).

Épitopes

Les petites portions spécifiques des molécules d'antigènes qui déclenchent les réponses immunitaires sont appelées **épitopes,** ou *déterminants antigéniques* (figure 22.12). La plupart des antigènes ont de nombreux épitopes menant chacun à la production d'un anticorps spécifique ou à l'activation d'un lymphocyte T spécifique. En règle générale, les antigènes sont des substances étrangères; ils ne font pas partie des tissus de l'organisme. Toutefois, il arrive que le système immunitaire soit incapable de distinguer l'«ami» (soi) de l'«ennemi» (non-soi). Il en résulte un trouble auto-immun (voir p. 816), c'est-à-dire que des molécules ou des cellules du soi sont attaquées comme si elles étaient étrangères.

Diversité des récepteurs d'antigènes

Le système immunitaire humain possède une propriété étonnante: il est capable de reconnaître au moins un milliard (10^9) d'épitopes différents et de s'y lier. Avant même qu'un antigène donné entre dans l'organisme, il est attendu par des lymphocytes T et B qui peuvent reconnaître l'intrus et y

réagir. Certaines cellules du système immunitaire peuvent même reconnaître des molécules artificielles qui n'existent pas dans la nature. La capacité de reconnaître tous ces épitopes tient à la diversité non moins vaste de récepteurs d'antigènes. Étant donné que la cellule humaine ne contient que 100 000 gènes environ, comment est-il possible de produire un milliard ou plus de récepteurs d'antigènes différents?

La réponse à ce puzzle s'est avérée simple sur le plan conceptuel. La diversité des récepteurs d'antigènes des lymphocytes B, comme celle des récepteurs des lymphocytes T ainsi que celle des anticorps produits, résulte de la permutation et du réarrangement de segments de gènes dont il existe quelques centaines de variantes. Ce processus est appelé **recombinaison somatique.** Les segments de gènes sont assemblés de façon à donner des combinaisons différentes pendant que les lymphocytes se développent à partir des cellules souches dans la moelle osseuse rouge et le thymus. Une situation analogue serait de battre un jeu de 52 cartes et d'en tirer trois cartes. Si on répète l'opération de nombreuses fois, on peut obtenir bien plus que 52 séries différentes de trois cartes. Par suite de la recombinaison somatique, chaque lymphocyte B ou T se retrouve avec une série unique de segments de gènes qui code pour son récepteur d'antigène unique. Après la transcription et la traduction, les molécules des récepteurs sont insérées dans la membrane plasmique.

Antigènes du complexe majeur d'histocompatibilité

On trouve des «antigènes du soi» sur la membrane plasmique de la plupart des cellules de l'organisme. Ce sont les **antigènes du complexe majeur d'histocompatibilité** (**CMH**). Ces glycoprotéines intrinsèques à la membrane sont aussi appelées *antigènes associés aux leucocytes humains* (*HLA*, «human leukocyte associated») parce qu'on les a identifiées d'abord sur les globules blancs. Sauf chez les vrais jumeaux, chacun de nous possède un ensemble unique d'antigènes du CMH. Des milliers et, dans certains cas, plusieurs centaines de milliers de molécules du CMH marquent la surface de toutes les cellules de l'organisme (sauf les globules rouges). Bien que ces molécules soient à l'origine du rejet des tissus transplantés d'une personne à une autre, leur fonction normale est d'aider les lymphocytes T à reconnaître les antigènes qui sont étrangers, c'est-à-dire les antigènes du non-soi, ce qui constitue un préalable important à toute réponse immunitaire.

Il existe deux types d'antigènes du complexe majeur d'histocompatibilité: les types de classe I et les types de classe II. Les molécules du CMH de classe I (CMH-I) font partie de la membrane plasmique de toutes les cellules de l'organisme sauf les globules rouges. Les molécules du CMH de classe II (CMH-II) figurent seulement à la surface des cellules présentatrices d'antigènes (voir ci-dessous), des cellules du thymus et des lymphocytes T qui ont été activés par un antigène.

Voies du traitement des antigènes

Pour qu'une réponse immunitaire ait lieu, les lymphocytes B et T doivent reconnaître la présence d'un antigène étranger. Alors que les lymphocytes B peuvent reconnaître les antigènes dans le liquide extracellulaire et s'y lier, les lymphocytes T ne peuvent reconnaître que des fragments de protéines antigéniques qui ont été préalablement traités et sont associés à des antigènes du soi, en l'occurrence ceux du complexe majeur d'histocompatibilité. Lorsque les protéines intracellulaires sont dégradées, certains de leurs fragments réduits à la taille de peptides se fixent dans le sillon de liaison peptidique qui se trouve sur les molécules du CMH nouvellement synthétisées. Cette association stabilise la molécule du CMH et facilite son repliement, de façon qu'elle ait la conformation appropriée à son insertion dans la membrane plasmique. Quand un fragment peptidique provenant d'une *protéine du soi* est associé à un antigène du CMH à la surface d'une cellule, les lymphocytes T n'en tiennent pas compte, mais si le fragment vient d'une *protéine étrangère*, quelques lymphocytes T le reconnaissent comme un intrus et la réponse immunitaire est déclenchée. La préparation d'un antigène étranger en vue de l'exposer à la surface d'une cellule est appelée *traitement et présentation* de l'antigène ; le processus peut emprunter deux voies, selon que l'antigène est exogène ou endogène.

Traitement des antigènes exogènes

Les antigènes étrangers qui sont présents dans les liquides à l'extérieur des cellules sont appelés *antigènes exogènes*. Ils comprennent les intrus tels que les bactéries et les toxines bactériennes, les parasites, le pollen et les poussières inhalés, et les virus avant qu'ils infectent les cellules de l'organisme. Une classe spéciale de cellules appelées **cellules présentatrices d'antigènes** (**CPA**) traitent et présentent les antigènes exogènes. Les CPA comprennent les macrophages, les lymphocytes B et les cellules dendritiques (qui doivent leur nom à leurs longues ramifications). Les CPA sont situées stratégiquement là où les antigènes risquent de pénétrer les défenses non spécifiques et de s'introduire dans l'organisme. Ces endroits sont l'épiderme et le derme (les cellules de Langerhans sont un type de cellule dendritique), les muqueuses qui tapissent le tube digestif et les voies des systèmes respiratoire, urinaire et reproducteur, et enfin les nœuds lymphatiques. Après avoir traité un antigène, les CPA migrent des tissus vers les nœuds lymphatiques en empruntant les vaisseaux lymphatiques.

Les étapes du traitement et de la présentation d'un antigène exogène par une cellule présentatrice d'antigènes sont les suivantes (figure 22.13) :

❶ *Ingestion de l'antigène.* Les cellules présentatrices d'antigènes englobent les antigènes par phagocytose ou par endocytose. L'ingestion peut s'effectuer dans presque toutes les parties de l'organisme où les envahisseurs, tels les microbes, ont pénétré les défenses non spécifiques.

❷ *Digestion de l'antigène et formation de fragments peptidiques.* Dans les phagosomes ou dans les endosomes, les enzymes digestives scindent les gros antigènes en courts fragments peptidiques. Pendant ce temps, la cellule présentatrice d'antigènes synthétise des molécules du CMH-II et les enveloppe dans des vésicules. Ces molécules sont ancrées à la face interne de la membrane vésiculaire.

❸ *Fusion des vésicules.* Les vésicules contenant les fragments peptidiques de l'antigène fusionnent avec celles qui renferment les molécules du CMH-II.

❹ *Liaison des fragments peptidiques aux molécules du CMH-II.* Après la fusion des deux types de vésicules, les fragments peptidiques de l'antigène se lient aux molécules du CMH-II.

❺ *Insertion du complexe antigène-CMH-II dans la membrane plasmique.* La vésicule de fusion qui contient les complexes antigène-CMH-II s'engage sur la voie de l'exocytose. C'est ainsi que les complexes antigène-CMH-II sont insérés dans la membrane plasmique.

Après le traitement de l'antigène, la cellule présentatrice migre vers le tissu lymphatique où elle présente l'antigène aux lymphocytes T. Quelques-uns de ces lymphocytes possèdent des récepteurs compatibles dont la forme permet de reconnaître le complexe fragment antigénique-CMH-II et de s'y lier, déclenchant ainsi une réponse immunitaire soit humorale, soit à médiation cellulaire. La présentation d'un antigène exogène associé à des molécules du CMH-II par les cellules présentatrices d'antigènes informe les lymphocytes T que des intrus sont présents dans l'organisme et déclenche le branle-bas de combat.

Traitement des antigènes endogènes

Les antigènes étrangers qui sont synthétisés dans les cellules de l'organisme portent le nom d'*antigènes endogènes*. Ce sont, par exemple, des protéines virales produites par suite de l'infection d'une cellule par un virus qui s'approprie sa machinerie métabolique, ou encore des protéines anormales synthétisées par des cellules cancéreuses. Les fragments d'antigènes endogènes s'associent aux molécules du complexe

Figure 22.13 Traitement et présentation d'un antigène exogène par une cellule présentatrice d'antigènes (CPA).

🔑 **Sauf chez les vrais jumeaux, chacun de nous possède un ensemble unique de molécules du complexe majeur d'histocompatibilité (CMH). Ces molécules aident les lymphocytes T à reconnaître les substances étrangères.**

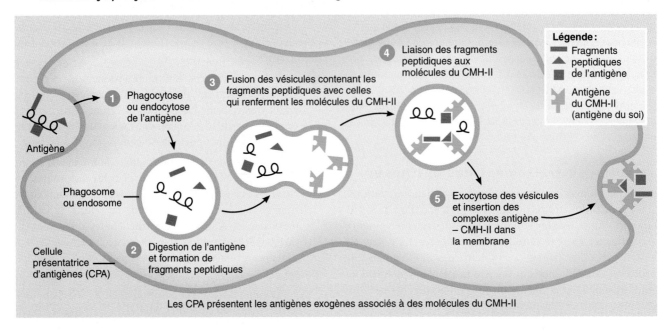

Les CPA présentent les antigènes exogènes associés à des molécules du CMH-II

Q Quelles sont les cellules qui peuvent jouer le rôle de CPA et où les trouve-t-on dans l'organisme ?

majeur d'histocompatibilité de classe I dans les cellules infectées. Ces complexes endogènes composés de fragments antigéniques et de molécules du CMH-I se rendent alors à la membrane plasmique où ils sont exposés à la surface de la cellule. La plupart des cellules de l'organisme peuvent traiter et présenter les antigènes endogènes. La présentation d'un antigène endogène lié à une molécule du CMH-I indique qu'une cellule a été infectée et qu'elle a besoin d'aide.

Cytokines

Les **cytokines** sont de petites hormones protéiques qui stimulent ou inhibent de nombreuses fonctions cellulaires normales, telles que la croissance et la différenciation cellulaires. Les lymphocytes et les cellules présentatrices d'antigènes sécrètent des cytokines, à l'instar des fibroblastes, des cellules endothéliales, des monocytes, des hépatocytes et des cellules rénales. Certaines cytokines stimulent la prolifération de cellules progénitrices hématopoïétiques dans la moelle osseuse. D'autres régissent l'activité de cellules qui participent aux défenses non spécifiques, ou réponses immunitaires. Le tableau 22.2 présente plus de détails à ce sujet.

APPLICATION CLINIQUE
Thérapie par cytokines

La **thérapie par cytokines** consiste à utiliser des cytokines pour le traitement de maladies. Les interférons ont été les premières cytokines dont on a pu démontrer l'efficacité dans le traitement d'un cancer humain. L'interféron alpha (Intron A) est approuvé aux États-Unis pour le traitement du sarcome de Kaposi, un cancer fréquent chez les personnes infectées par le VIH (virus qui cause le SIDA). L'interféron alpha est également approuvé pour le traitement de l'herpès génital (qui est causé par l'herpèsvirus), des hépatites à virus B et C ainsi que de la leucémie à tricholeucocytes. Une forme d'interféron bêta (Betaseron) ralentit la progression de la sclérose en plaques et diminue la fréquence et l'intensité des crises causées par cette maladie. Parmi les interleukines, la plus utilisée dans la lutte contre le cancer est l'interleukine 2. Bien que le traitement entraîne la régression de la tumeur chez certains patients, ce médicament peut aussi s'avérer très toxique. Ses effets secondaires fâcheux comprennent des accès de fièvre élevée, une faiblesse extrême, une respiration difficile causée par l'œdème pulmonaire et l'hypotension menant à l'état de choc. ■

Tableau 22.2 Résumé des cytokines qui participent aux réponses immunitaires

CYTOKINE	ORIGINE ET FONCTIONS
Interleukine 1 (IL-1)	Produite par les monocytes et les macrophages; agent de costimulation de la prolifération des lymphocytes T et B; cause la fièvre en agissant sur l'hypothalamus.
Interleukine 2 (IL-2) (Facteur de croissance des lymphocytes T)	Sécrétée par les lymphocytes T auxiliaires; agent de costimulation de la prolifération des lymphocytes T auxiliaires, des lymphocytes T cytotoxiques et des lymphocytes B; active les cellules tueuses naturelles.
Interleukine 4 (IL-4) (Facteur de stimulation des lymphocytes B)	Produite par les lymphocytes T auxiliaires activés; agent de costimulation des lymphocytes B; stimule la sécrétion d'anticorps IgE par les plasmocytes (voir le tableau 22.3); favorise la croissance des lymphocytes T.
Interleukine 5 (IL-5)	Produit par certains lymphocytes T CD4+ activés et les mastocytes activés; agent de costimulation des lymphocytes B; stimule la sécrétion d'anticorps IgA par les plasmocytes.
Facteur nécrosant des tumeurs (TNF)	Produit surtout par les macrophages; favorise le rassemblement des granulocytes neutrophiles et des macrophages dans les sièges d'inflammation et stimule leur potentiel destructeur à l'égard des microbes; stimule la production d'IL-1 par les macrophages; induit la synthèse de facteurs stimulant la formation de colonies par les cellules endothéliales et les fibroblastes; exerce une action protectrice semblable à celle des interférons contre les virus; joue le rôle de pyrogène endogène causant la fièvre (voir p. 965).
Facteur de croissance transformant bêta (TGF-β)	Sécrété par les lymphocytes T et les macrophages; produit certains effets positifs mais on croit qu'il joue un rôle important dans l'extinction de la réponse immunitaire; inhibe la prolifération des lymphocytes T et l'activation des macrophages.
Interféron gamma	Sécrété par les lymphocytes T auxiliaires et cytotoxiques et par les cellules tueuses naturelles; stimule vigoureusement la phagocytose par les granulocytes neutrophiles et les macrophages; active les cellules tueuses naturelles; amplifie les réponses immunitaires humorales et les réponses à médiation cellulaire.
Interférons alpha et bêta	Produits par les cellules infectées par des virus pour inhiber la réplication virale dans les cellules non infectées; produits par les macrophages stimulés par les antigènes pour activer la croissance des lymphocytes T; activent les cellules tueuses naturelles, inhibent la croissance cellulaire et empêchent la formation de certaines tumeurs.
Lymphotoxine (LT)	Sécrétée par les lymphocytes T cytotoxiques; détruit les cellules en causant la fragmentation de l'ADN.
Perforine	Sécrétée par les lymphocytes T cytotoxiques et peut-être par les cellules tueuses naturelles; perfore la membrane plasmique des cellules cibles, causant la cytolyse.
Facteur d'inhibition de la migration des macrophages	Produit par les lymphocytes T; empêche les macrophages de quitter le siège d'une infection.

1. Qu'est-ce que l'immunocompétence et quelles sont les cellules de l'organisme qui possèdent cette propriété?
2. Comparez les fonctions des «antigènes du soi» du complexe majeur d'histocompatibilité de classe I d'une part et du complexe majeur d'histocompatibilité de classe II d'autre part.
3. Comment les antigènes se rendent-ils dans le tissu lymphatique?
4. Qu'est-ce qu'une cytokine? Quelle est l'origine des cytokines et comment fonctionnent-elles?

RÉPONSE IMMUNITAIRE À MÉDIATION CELLULAIRE

OBJECTIF

• *Décrire les étapes de la réponse immunitaire à médiation cellulaire.*

La réponse immunitaire à médiation cellulaire commence par l'*activation* d'un petit nombre de lymphocytes T à la suite de leur exposition à un antigène spécifique. Une fois activé, chaque lymphocyte T passe par des étapes de *prolifération* et de *différenciation* et devient un clone de **cellules effectrices,** c'est-à-dire une population de cellules identiques qui reconnaissent le même antigène et s'acquittent d'un aspect de l'attaque immunitaire. Enfin, la réponse immunitaire aboutit à l'*élimination* de l'intrus.

Activation, prolifération et différenciation des lymphocytes T

Les **récepteurs d'antigènes des lymphocytes T (TCR,** «T cell receptor») sont situés sur la membrane plasmique. Ils reconnaissent des fragments spécifiques d'antigènes étrangers qui leur sont présentés sous forme de complexes antigène-CMH et ils s'y lient. Il y a des millions de lymphocytes T différents, chacun avec ses propres récepteurs qui reconnaissent un complexe antigène-CMH spécifique. En règle générale, la plupart des lymphocytes T sont inactifs. Quand un antigène entre dans l'organisme, quelques lymphocytes T seulement ont les récepteurs qui peuvent le reconnaître et s'y lier. La reconnaissance de l'antigène par le récepteur spécifique est le *premier signal* qui met le lymphocyte T sur la voie de l'activation.

L'activation effective du lymphocyte T requiert un *second signal,* appelé **signal de costimulation.** On connaît plus de 20 agents de costimulation. Certains sont des cytokines, telles l'**interleukine 1** et l'**interleukine 2.** D'autres sont des paires de molécules membranaires qui sont formées par le contact d'une molécule située à la surface du lymphocyte T et d'une molécule située à la surface de la cellule présentatrice d'antigènes et qui permettent aux deux cellules d'adhérer l'une à l'autre pendant un certain temps. La nécessité des deux signaux peut être comparée à ce qui est requis pour démarrer une voiture et la faire avancer. Quand on met la bonne clé (antigène) dans le contact (TCR) et qu'on la tourne, la voiture démarre (reconnaissance de l'antigène spécifique), mais elle n'avance que si on embraye (costimulation). La costimulation est nécessaire pour éviter qu'une réponse immunitaire ne se déclenche par accident. On pense que les différents signaux de costimulation influent sur les lymphocytes T activés de différentes manières, de la même façon que d'embrayer en marche arrière produit un autre effet que de se mettre en première. Du reste, on croit que la reconnaissance (liaison de l'antigène au récepteur) sans costimulation amène un *état d'inactivité* prolongé appelé **anergie,** et ce aussi bien dans les lymphocytes T que dans les lymphocytes B – un peu comme une voiture au point mort dont le moteur tourne jusqu'à ce qu'il manque d'essence.

Le lymphocyte T qui a reçu deux signaux (reconnaissance de l'antigène et costimulation) est considéré comme **activé.** Il se met alors à grossir et commence à **proliférer** (se diviser plusieurs fois) et à se **différencier** (former des cellules plus spécialisées). Il en résulte un **clone,** c'est-à-dire une population de cellules identiques qui reconnaissent le même antigène spécifique. Avant la première exposition à un antigène donné, il est possible qu'une poignée seulement de lymphocytes T soit en mesure de le reconnaître, mais après le déclenchement d'une réponse immunitaire, il y en a des milliers. L'activation, la différenciation et la prolifération des lymphocytes T ont lieu dans les tissus et organes lymphatiques secondaires. S'il vous est arrivé d'avoir les amygdales ou les nœuds lymphatiques enflés dans le cou, la prolifération de lymphocytes engagés dans une réponse immunitaire en était vraisemblablement la cause.

Types de lymphocytes T

Il y a trois principaux types de lymphocytes T différenciés : les lymphocytes T auxiliaires, les lymphocytes T cytotoxiques et les lymphocytes T mémoires.

Lymphocytes T auxiliaires

La plupart de lymphocytes T qui portent CD4 deviennent des **lymphocytes T auxiliaires,** ou **lymphocytes T4.** Les lymphocytes T auxiliaires au repos (non activés) reconnaissent des fragments d'antigènes associés aux molécules du complexe majeur d'histocompatibilité de classe II (CMH-II) et sont costimulés par l'interleukine 1, qui est sécrétée par les macrophages (figure 22.14a). C'est ainsi que les lymphocytes T auxiliaires sont activés principalement par des cellules présentatrices d'antigènes.

Quelques heures après la costimulation, les lymphocytes T auxiliaires se mettent à sécréter diverses cytokines (voir le tableau 22.2). Selon la sous-population à laquelle ils appartiennent, ils se spécialisent dans la production de cytokines particulières. En outre, des sous-types particuliers de lymphocytes T auxiliaires se manifestent dans certaines maladies, telles l'asthme, la sclérose en plaques et l'arthrite de Lyme. L'interleukine 2 (IL-2) est une des cytokines les plus importantes produites par les lymphocytes T auxiliaires. Elle est nécessaire à presque toutes les réponses immunitaires et constitue le principal stimulateur de la prolifération des lymphocytes T. Elle peut servir d'agent de costimulation pour les lymphocytes T auxiliaires ou les lymphocytes T cytotoxiques, et elle amplifie l'activation et la prolifération des lymphocytes T, des lymphocytes B et des cellules tueuses naturelles.

Certains effets de l'interleukine 2 constituent de bons exemples d'un mécanisme de rétroactivation bénéfique. Nous avons mentionné plus haut que l'activation d'un lymphocyte T auxiliaire l'amène à sécréter de l'IL-2, qui, de façon autocrine, se lie aux récepteurs d'IL-2 sur la membrane plasmique de la cellule qui l'a produite. Un des effets qui s'ensuit est la stimulation de la division cellulaire. Au fur et à mesure que les lymphocytes T auxiliaires prolifèrent, la rétroactivation s'accroît parce que les cellules sécrètent une plus grande quantité d'IL-2, ce qui entraîne la poursuite de la division cellulaire. L'IL-2 peut aussi agir de façon paracrine en se liant aux récepteurs d'IL-2 des lymphocytes T auxiliaires, des lymphocytes T cytotoxiques et des lymphocytes B qui se trouvent à proximité. Si une de ces cellules s'est déjà liée à un antigène, l'IL-2 sert d'agent de costimulation et les active.

Lymphocytes T cytotoxiques

Les lymphocytes T porteurs de CD8 deviennent des **lymphocytes T cytotoxiques,** ou **lymphocytes T8.** Les lymphocytes T cytotoxiques reconnaissent les antigènes étrangers combinés à des molécules du complexe majeur d'histocompatibilité de classe I (CMH-I) à la surface 1) des cellules de l'organisme infectées par des virus, 2) de certaines cellules tumorales et 3) des cellules de greffons (figure 22.14b). Toutefois, pour devenir cytolytiques (capables de tuer des cellules par cytolyse), ils doivent recevoir un signal de costimulation sous forme d'interleukine 2 ou d'une autre cytokine produite par des lymphocytes T auxiliaires. (Rappelez-vous que les lymphocytes T auxiliaires sont activés par l'antigène associé à des molécules du CMH-II.) Ainsi, la pleine activation des lymphocytes T cytotoxiques requiert la présentation de l'antigène associé aussi bien aux molécules du CMH-I qu'à celles du CMH-II.

Figure 22.14 Activation, prolifération et différenciation des lymphocytes T.

La liaison de CD4 au CMH-II et de CD8 au CMH-I contribue à stabiliser l'interaction de l'antigène et du TCR de façon à faciliter la reconnaissance de l'antigène par le lymphocyte T.

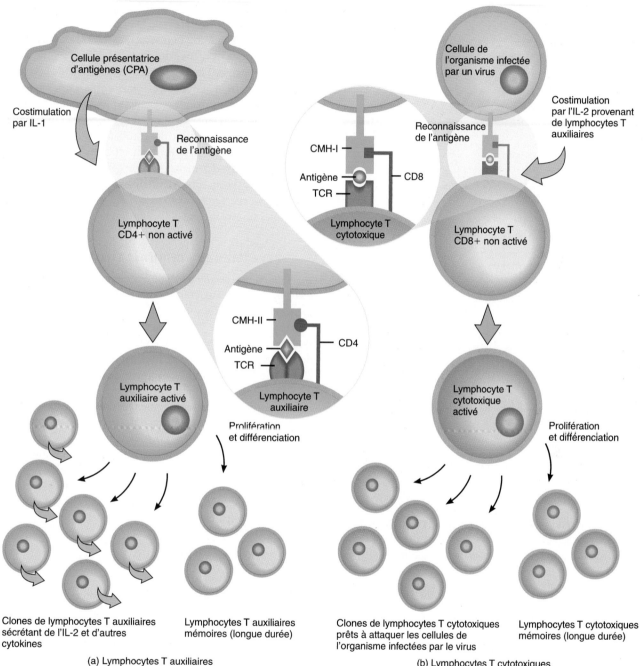

Clones de lymphocytes T auxiliaires sécrétant de l'IL-2 et d'autres cytokines

Lymphocytes T auxiliaires mémoires (longue durée)

(a) Lymphocytes T auxiliaires

Clones de lymphocytes T cytotoxiques prêts à attaquer les cellules de l'organisme infectées par le virus

Lymphocytes T cytotoxiques mémoires (longue durée)

(b) Lymphocytes T cytotoxiques

 Quels sont les deux signaux qui entraînent l'activation d'un lymphocyte T?

Lymphocytes T mémoires

Les lymphocytes T qui subsistent après qu'un clone a proliféré et a participé à une réponse immunitaire à médiation cellulaire sont appelés **lymphocytes T mémoires.** Si, plus tard, un agent pathogène porteur du même antigène étranger envahit à nouveau l'organisme, des milliers de lymphocytes mémoires sont prêts à déclencher une réaction, qui sera beaucoup plus rapide que celle qui a marqué la première invasion.

Figure 22.15 Activité des lymphocytes T cytotoxiques. Après avoir porté le « coup fatal » à une cellule, le lymphocyte T cytotoxique peut s'en dégager et attaquer une autre cellule cible ayant le même antigène.

🔑 **Les lymphocytes T cytotoxiques tuent les microbes directement en sécrétant de la perforine et de la lymphotoxine.**

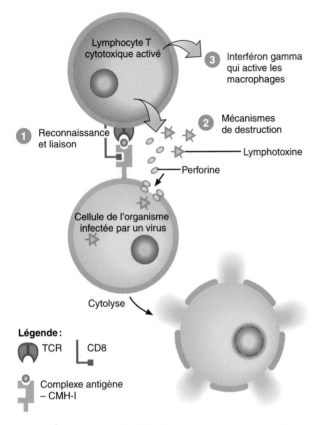

Légende :
- TCR
- CD8
- Complexe antigène – CMH-I

Q À part les cellules infectées par des virus, quels autres types de cellules cibles les lymphocytes T cytotoxiques attaquent-ils ?

La deuxième réponse est habituellement si prompte et vigoureuse que les agents pathogènes sont détruits avant même que se manifestent les symptômes de la maladie.

Élimination des envahisseurs

Les lymphocytes T cytotoxiques sont les soldats qui partent au front pour combattre les envahisseurs étrangers dans les réponses immunitaires à médiation cellulaire. Ils quittent le tissu lymphatique et les organes lymphatiques secondaires et migrent vers le siège de l'invasion, de l'infection ou de la tumeur. Ils reconnaissent les cellules cibles porteuses de l'antigène qui a stimulé l'activation et la prolifération de leurs cellules progénitrices et s'y attachent. C'est alors qu'ils portent un « coup fatal » aux cellules cibles sans être eux-mêmes touchés (figure 22.15). Après s'être dégagé d'une cellule cible, le lymphocyte T cytotoxique peut partir à la recherche d'un autre envahisseur avec le même antigène, et le détruire.

Les lymphocytes T cytotoxiques utilisent deux mécanismes pour détruire leurs cibles. Dans le premier, le lymphocyte T cytotoxique libère par exocytose la perforine, une protéine contenue dans des granules. La **perforine** forme dans la membrane plasmique des trous par lesquels le liquide extracellulaire s'infiltre dans la cellule cible et la fait éclater ; ce processus est appelé **cytolyse.** Dans le second mécanisme, le lymphocyte T cytotoxique sécrète la **lymphotoxine,** une molécule toxique qui active des enzymes dans la cellule cible. Ces enzymes causent la fragmentation de l'ADN de la cellule cible, qui meurt. C'est par ces deux mécanismes que les lymphocytes T cytotoxiques détruisent les cellules infectées. De plus, ils sécrètent de l'interféron gamma, qui active les phagocytes sur les lieux du combat. Les lymphocytes T cytotoxiques sont particulièrement efficaces contre les bactéries qui causent des maladies à progression lente (telles la tuberculose et la brucellose), certains virus, les champignons, les cellules cancéreuses associées à des infections virales et les cellules transplantées.

Surveillance immunitaire

Quand une cellule normale devient cancéreuse, elle porte souvent de nouveaux composants à sa surface appelés **antigènes tumoraux.** Ce sont des molécules qui sont rarement, ou jamais, exposées à la surface de cellules normales. Si le système immunitaire reconnaît un antigène tumoral comme non soi, il peut détruire les cellules cancéreuses qui l'exhibent. Ce type de réponse immunitaire, appelée **surveillance immunitaire,** est effectué par les lymphocytes T cytotoxiques, les macrophages et les cellules tueuses naturelles. La surveillance immunitaire est surtout efficace pour éliminer les cellules tumorales causées par des virus cancérogènes. C'est pourquoi, chez les receveurs de transplantation qui prennent des médicaments immunosuppresseurs pour prévenir le rejet du greffon par exemple, la fréquence de la plupart des cancers n'est pas plus élevée que la normale, mais celle des cancers associés à des virus augmente beaucoup.

🩺 APPLICATION CLINIQUE
Rejet d'un greffon

La **greffe d'organe** consiste à remplacer un organe endommagé ou malade, tels le cœur, le foie, un rein, les poumons ou le pancréas, par un organe qui a été donné par une autre personne. En général, le système immunitaire reconnaît comme étrangères les protéines de l'organe transplanté et déclenche contre elles à la fois une réponse humorale et une réponse à médiation cellulaire. Ce phénomène est appelé **rejet du greffon.** Plus les antigènes du complexe majeur d'histocompatibilité du donneur et du receveur sont semblables, plus la réaction de rejet du greffon sera faible. On réduit le risque de rejet en administrant aux receveurs d'organes des immunosuppresseurs tels que la *cyclosporine,* dérivée d'un champignon. Ce médicament inhibe la sécrétion d'interleukine 2 par les lymphocytes T auxiliaires, mais influe très peu sur les lymphocytes B. C'est ainsi que le risque de rejet est diminué mais que la résistance à certaines maladies est préservée. ■

1. Décrivez les fonctions des lymphocytes T auxiliaires, cytotoxiques et mémoires.
2. Comment les lymphocytes T cytotoxiques détruisent-ils leurs cibles?
3. Expliquez l'utilité de la surveillance immunitaire.

RÉPONSE IMMUNITAIRE HUMORALE

OBJECTIFS

• *Décrire les étapes de la réponse immunitaire humorale.*

• *Décrire les caractéristiques chimiques et l'action des anticorps.*

L'organisme contient non seulement des millions de lymphocytes T différents, mais aussi des millions de lymphocytes B, également différents et capables chacun de répondre à un antigène spécifique. Contrairement aux lymphocytes T cytotoxiques qui quittent le tissu lymphatique pour débusquer et détruire les antigènes étrangers, les lymphocytes B ne bougent pas. Quand ils sont mis en présence d'un antigène étranger, des lymphocytes B spécifiques dans les nœuds lymphatiques, la rate ou le tissu lymphatique du tube digestif deviennent activés. Ils se différencient alors en plasmocytes sécrétant des anticorps spécifiques, lesquels se mettent à circuler dans la lymphe et le sang pour atteindre le siège de l'invasion.

Activation, prolifération et différenciation des lymphocytes B

Durant l'activation d'un lymphocyte B, les récepteurs d'antigène à la surface de la cellule se lient à l'antigène dont ils sont spécifiques (figure 22.16). Le récepteur d'antigène d'un lymphocyte B est semblable du point de vue chimique aux anticorps qui seront sécrétés plus tard par les descendants du lymphocyte. Bien que les lymphocytes B puissent répondre aux antigènes non traités qui sont présents dans la lymphe ou dans le liquide interstitiel, leur réaction est beaucoup plus intense quand des cellules dendritiques situées à proximité traitent l'antigène et le leur présentent. Certaines molécules de l'antigène sont alors ingérées par le lymphocyte B et dégradées. Leurs fragments peptidiques sont combinés aux antigènes du soi représentés par le CMH-II et exposés à la surface du lymphocyte B. Des lymphocytes T auxiliaires reconnaissent le complexe antigène-CMH-II et donnent le signal de costimulation nécessaire à la prolifération et à la différenciation du lymphocyte B. Les lymphocytes T auxiliaires produisent de l'interleukine 2 et d'autres cytokines qui jouent le rôle d'agents de costimulation et activent le lymphocyte B.

Figure 22.16 Activation, prolifération et différenciation des lymphocytes B en plasmocytes et en lymphocytes mémoires. En réalité, les plasmocytes sont beaucoup plus gros que les lymphocytes B.

Les plasmocytes sécrètent des anticorps.

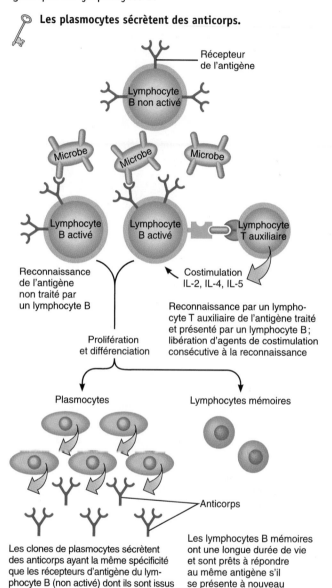

Q Combien de sortes d'anticorps différents seront sécrétés par les plasmocytes du clone représenté ci-dessus?

L'interleukine 1 sécrétée par les macrophages amplifie également la prolifération des lymphocytes B et leur différenciation en plasmocytes.

Certains des lymphocytes B activés grossissent, se divisent et se différencient en un clone de **plasmocytes** dont la fonction est de sécréter des anticorps. La sécrétion d'anticorps par chaque plasmocyte peut atteindre le rythme phénoménal de 2 000 molécules par seconde et se poursuivre pendant 4 ou 5 jours, jusqu'à la mort du plasmocyte. Les lymphocytes B

Figure 22.17 Structure chimique d'un anticorps de la classe des immuno-globulines G (IgG). Chaque molécule contient quatre chaînes polypeptidiques (deux lourdes et deux légères) et une petite chaîne glucidique fixée à chaque chaîne lourde. En (a), chaque sphère représente un acide aminé. En (b), V_L = région variable de la chaîne légère, C_L = région constante de la chaîne légère, V_H = région variable de la chaîne lourde et C_H = région constante de la chaîne lourde.

🔑 **Un anticorps se lie spécifiquement à l'épitope de l'antigène qui a déclenché sa production.**

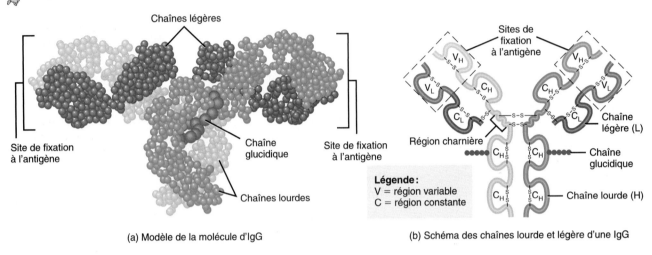

(a) Modèle de la molécule d'IgG

(b) Schéma des chaînes lourde et légère d'une IgG

Q Quelle est la fonction des régions variables?

activés qui ne se différencient pas en plasmocytes deviennent des **lymphocytes B mémoires** qui seront prêts à réagir plus vite et plus vigoureusement si le même antigène se présente de nouveau.

La diversité des antigènes stimule les différents lymphocytes B à se transformer en plasmocytes et en lymphocytes B mémoires correspondants. Les lymphocytes B d'un clone ne sont en mesure de sécréter qu'un seul type d'anticorps, dont la spécificité est identique à celle du récepteur d'antigène à la surface du lymphocyte B qui, à l'origine, a réagi à l'antigène. Un antigène donné n'active que les lymphocytes B prédestinés (par la combinaison de segments de gènes qu'il porte en lui) à sécréter les anticorps spécifiques de cet antigène. Les anticorps provenant d'un clone de plasmocytes entrent dans la circulation sanguine et forment des complexes antigène-anticorps avec les antigènes qui sont à l'origine de leur production.

Anticorps

Un **anticorps** se lie de façon spécifique à l'épitope de l'antigène qui a déclenché sa production. Sa structure épouse celle de l'antigène un peu comme une serrure et la clé qui l'ouvre vont ensemble. En théorie, un lymphocyte B pourrait produire autant d'anticorps différents qu'il y a de récepteurs d'antigènes à sa surface. En effet, les mêmes segments de

gènes recombinés codent à la fois pour les récepteurs d'antigène sur les lymphocytes B et pour les anticorps qui seront sécrétés ensuite par les plasmocytes.

Structure des anticorps

Les anticorps appartiennent à un groupe de glycoprotéines appelées globulines; c'est pourquoi ils portent aussi le nom d'**immunoglobulines** (**Ig**). La plupart des anticorps contiennent quatre chaînes polypeptidiques (figure 22.17). Deux des chaînes sont identiques et sont appelées **chaînes lourdes** (**H**, « heavy »); elles sont formées d'environ 450 acides aminés. De courtes chaînes glucidiques sont fixées à chacune des chaînes polypeptidiques. Les deux autres chaînes polypeptidiques, identiques elles aussi, sont appelées **chaînes légères** (**L**, « light ») et sont formées d'environ 220 acides aminés chacune. Un pont disulfure (S-S) relie chaque chaîne légère à une chaîne lourde. Deux autres ponts disulfure joignent les deux chaînes lourdes en leur milieu; cette partie de l'anticorps est dotée d'une grande flexibilité et est appelée **région charnière**. Comme les « bras » de l'anticorps ont une certaine mobilité due à la souplesse de la région charnière, la molécule peut prendre la forme d'un T (figure 22.17a) ou d'un Y (figure 22.17b).

Chaque chaîne H et chaque chaîne L comprend deux régions distinctes. La **région variable** (**V**) des chaînes H et L est située au bout des bras de l'anticorps et constitue le **site**

Tableau 22.3 Classes d'immunoglobulines (Ig)

NOM ET STRUCTURE	CARACTÉRISTIQUES ET FONCTIONS
IgG	La plus abondante; constitue environ 80 % des anticorps dans le sang; se trouve dans le sang, la lymphe et les intestins; monomère (une unité). Protège contre les bactéries et les virus en potentialisant la phagocytose, en neutralisant les toxines et en déclenchant le système du complément. C'est la seule classe d'anticorps qui traverse le placenta de la mère vers le fœtus, auquel elle confère une protection immunitaire importante qui persiste chez le nouveau-né.
IgA	Constitue entre 10 et 15 % des anticorps dans le sang; se présente sous forme de monomère ou de dimère (deux unités). Se trouve surtout dans la sueur, les larmes, la salive, le mucus, le lait et les sécrétions gastro-intestinales. Présente en moindre quantité dans le sang et la lymphe. Sa concentration diminue durant le stress, ce qui réduit la résistance à l'infection. Procure aux muqueuses une protection locale contre les bactéries et les virus.
IgM	Constitue entre 5 et 10 % des anticorps dans le sang; se présente sous forme de pentamère (cinq unités); première classe d'anticorps sécrétée par les plasmocytes après une première exposition à un antigène; se trouve dans le sang et la lymphe. Active le système du complément et cause l'agglutination et la lyse des microbes. Présente aussi sous forme de monomère à la surface des lymphocytes B, où elle sert de récepteur d'antigène. Dans le plasma sanguin, les anticorps anti-A et anti-B, qui se lient respectivement aux antigènes A et aux antigènes B du système des groupes sanguins ABO lors d'une transfusion sanguine incompatible, sont des IgM (voir la figure 19.12, p. 664).
IgD	Constitue environ 0,2 % des anticorps dans le sang; se présente sous forme de monomère; se trouve dans le sang, la lymphe et à la surface des lymphocytes B, où elle sert de récepteur d'antigène. Joue un rôle dans l'activation des lymphocytes B.
IgE	Constitue moins de 0,1 % des anticorps dans le sang; se présente sous forme de monomère; située sur les mastocytes et les granulocytes basophiles. Joue un rôle dans les réactions allergiques et d'hypersensibilité; procure une certaine protection contre les vers parasites.

de fixation à l'antigène. Cette région, qui est différente pour chaque type d'anticorps, est la partie de la molécule qui reconnaît un antigène particulier et s'y attache spécifiquement. Étant donné que la plupart des anticorps possèdent deux sites de fixation à l'antigène, on dit qu'ils sont bivalents. La flexibilité de la charnière permet à l'anticorps de se lier simultanément à deux épitopes situés à une certaine distance l'un de l'autre, par exemple à la surface d'un microbe.

L'autre partie des chaînes H et L, appelée **région constante (C)**, est à peu près la même pour tous les anticorps de la même classe et détermine quel type de réaction antigène-anticorps aura lieu. Cependant, la région constante de la chaîne lourde diffère d'une classe d'anticorps à l'autre et sa structure sert à distinguer cinq classes différentes, désignées IgG, IgA, IgM, IgD et IgE. Chaque classe est caractérisée par une structure chimique distincte et un rôle biologique particulier. Comme les IgM sont les premiers à se manifester et qu'ils ont une durée de vie assez courte, leur présence indique une invasion récente. Chez un malade, l'agent pathogène peut être révélé par la présence d'un taux élevé d'IgM spécifiques d'un organisme particulier. La résistance du fœtus et du nouveau-né à l'infection provient surtout des IgG maternels qui traversent le placenta avant la naissance et des IgA qui sont absorbés avec le lait maternel après la naissance. Le tableau 22.3 présente un résumé des structures et des fonctions des cinq classes d'anticorps.

Rôles des anticorps

Bien que les cinq classes d'immunoglobulines remplissent des fonctions quelque peu distinctes, toutes ont pour effet de contrer les antigènes. Les rôles des anticorps sont les suivants:

- *Neutralisation de l'antigène.* La réaction antigène-anticorps bloque ou neutralise les effets nocifs de certaines toxines bactériennes et empêche la fixation de certains virus sur les cellules de l'organisme.

- *Immobilisation des bactéries.* Si des anticorps se lient aux antigènes des cils, ou flagelles, de bactéries mobiles, la réaction antigène-anticorps peut enlever leur mobilité aux microbes et ainsi limiter leur dissémination dans les tissus avoisinants.

- *Agglutination et précipitation des antigènes.* Comme les anticorps ont au moins deux sites de fixation à l'antigène, la réaction antigène-anticorps peut entraîner la réticulation des agents pathogènes et causer leur agglutination (formation d'amas). De même, lorsqu'ils forment ainsi des liaisons transversales avec les anticorps, les antigènes solubles peuvent être amenés à précipiter et à former des agrégats plus accessibles aux phagocytes.

- *Activation du complément.* Les complexes antigène-anticorps déclenchent la voie classique du système du complément (voir plus loin).

- *Potentialisation de la phagocytose.* Les anticorps augmentent l'activité des phagocytes en causant l'agglutination et la précipitation des antigènes, en activant le complément et en enrobant les microbes de telle sorte qu'ils se prêtent mieux à la phagocytose ; ce processus est appelé **opsonisation.**

APPLICATION CLINIQUE
Anticorps monoclonaux

Les anticorps produits par un individu qui combat un antigène donné peuvent être récoltés dans son sang. Toutefois, puisqu'un antigène possède beaucoup d'épitopes, un grand nombre de clones différents de plasmocytes participent à la production de ces anticorps, qui forment un éventail de molécules différentes dirigées contre l'antigène. Si on parvenait à isoler un plasmocyte particulier et à le faire proliférer pour qu'il produise un clone de plasmocytes identiques, on pourrait obtenir une grande quantité d'anticorps également identiques. Malheureusement, il est difficile de mettre les lymphocytes et les plasmocytes en culture. Les scientifiques ont contourné cette difficulté en fusionnant des lymphocytes B avec des cellules tumorales qui croissent facilement en culture et prolifèrent sans fin. La lignée de cellules hybrides ainsi obtenue est appelée **hybridome.** Les hybridomes sont une source durable d'anticorps purs, identiques et abondants, qu'on appelle **anticorps monoclonaux** parce qu'ils proviennent d'un clone unique de cellules identiques. Chacun de ces anticorps se lie à un seul épitope. En clinique, on les utilise par exemple pour mesurer la concentration de médicaments dans le sang des patients. On a également recours aux anticorps monoclonaux pour établir le diagnostic dans les cas d'angine streptococcique, de grossesse, d'allergies et d'affections telles que l'hépatite, la rage et certaines maladies sexuellement transmissibles. On les utilise aussi pour détecter le cancer à ses débuts et vérifier l'étendue des métastases. ■

Rôle du système du complément dans l'immunité

Le **système du complément** est un moyen de défense constitué de protéines plasmatiques qui attaquent et détruisent les microbes. Le système peut être activé par l'une de deux voies (classique et alterne), qui sont toutes deux formées d'une suite ordonnée, ou cascade, de réactions. Les deux voies aboutissent aux mêmes résultats : inflammation, potentialisation de la phagocytose et éclatement des microbes.

Le système du complément est constitué de plus de 20 protéines plasmatiques différentes. Il comprend les protéines appelées C1 à C9 (la lettre C représente le mot *complément*) et les protéines appelées facteurs B, D et P (properdine). La **voie classique** (figure 22.18) est amorcée par la liaison des anticorps aux antigènes. Ces derniers peuvent être des bactéries ou des cellules étrangères. Le complexe antigène-anticorps active la protéine C1 et lance ainsi la cascade. La **voie alterne** ne fait pas appel aux anticorps. Elle est déclenchée par l'interaction des facteurs B, D et P et de polysaccharides à la surface des microbes (figure 22.18). Cette interaction active la protéine C3 et fait démarrer la cascade.

Les conséquences de l'activation des voies classique et alterne sont les suivantes :

1 *Activation de l'inflammation.* Certaines protéines du complément (C3a, C4a et C5a) contribuent au déclenchement de l'inflammation. Elles dilatent les artérioles, ce qui augmente le débit sanguin dans la région touchée, et stimulent la libération d'histamine par les mastocytes, les granulocytes basophiles et les plaquettes. Étant donné que l'histamine augmente la perméabilité des capillaires sanguins, les globules blancs peuvent se rendre plus facilement dans les tissus pour combattre l'infection ou l'allergie. D'autres protéines du complément servent d'agents chimiotactiques et attirent les phagocytes au siège de l'invasion microbienne.

2 *Opsonisation.* Les fragments du complément C3b adhèrent à la surface des microbes et, par la suite, interagissent avec des récepteurs sur les phagocytes. Cette interaction, qui favorise la phagocytose, constitue un exemple d'opsonisation.

3 *Cytolyse.* Plusieurs protéines du complément (C5b, C6, C7, C8 et C9) s'allient pour former un **complexe d'attaque membranaire** (**MAC,** « membrane attack complex ») qui s'insère dans la membrane plasmique du microbe et y perce de grands trous par lesquels les liquides peuvent pénétrer dans la cellule. Le microbe se met alors à gonfler et finit par éclater (cytolyse).

Mémoire immunitaire

Une des propriétés de la réponse immunitaire est de conserver la mémoire des antigènes spécifiques qui ont suscité cette réponse dans le passé. La mémoire immunitaire est causée par la présence d'anticorps qui restent dans l'organisme et de lymphocytes ayant une très longue durée de vie, qui sont issus de la prolifération et de la différenciation de lymphocytes B et T stimulés par les antigènes.

Les réponses immunitaires, qu'elles soient humorales ou à médiation cellulaire, sont beaucoup plus rapides et intenses après une nouvelle exposition à un antigène qu'elles ne le sont la première fois. Au départ, seules quelques cellules possèdent la spécificité nécessaire pour réagir et il faut parfois plusieurs jours pour que la réponse immunitaire

Figure 22.18 Les voies classique et alterne du système du complément.

Lorsqu'elles sont activées, les protéines du complément potentialisent certaines réactions immunitaires, allergiques et inflammatoires.

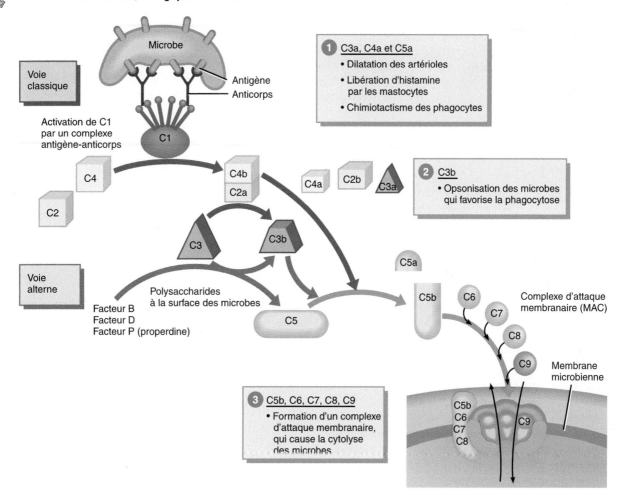

Quelle voie d'activation du complément est liée au système immunitaire ? Pourquoi ?

atteigne son intensité maximale. Après une première réaction à l'antigène, des milliers de lymphocytes mémoires se trouvent prêts à proliférer et à se différencier en plasmocytes ou en lymphocytes T cytotoxiques, et ce quelques heures seulement après que le même antigène leur a été présenté de nouveau.

On peut mesurer la mémoire immunitaire par la concentration des anticorps dans le sérum, appelée *titre des anticorps*. Après une première exposition à un antigène, il n'y a pas d'anticorps pendant une période de plusieurs jours ; on assiste ensuite à une augmentation lente du titre des anticorps, d'abord des IgM puis des IgG ; enfin, on constate un déclin graduel du titre (figure 22.19). C'est ce qu'on appelle la **réaction primaire.**

Les lymphocytes mémoires peuvent rester dans l'organisme pendant des décennies. Chaque nouvelle exposition au même antigène entraîne la prolifération rapide de ces cellules. Le titre des anticorps après ces expositions renouvelées est beaucoup plus élevé qu'au moment de la réaction primaire et comprend surtout des IgG. Cette réponse accélérée et amplifiée est appelée **réaction secondaire.** Les anticorps produits au cours d'une réaction secondaire possèdent une affinité encore plus grande pour l'antigène que ceux qui sont produits lors de la réaction primaire. En conséquence, ils arrivent mieux à l'éliminer.

Les réactions primaire et secondaires ont lieu durant les infections microbiennes. Quand on se remet d'une infection sans l'aide de médicaments antimicrobiens, c'est

Figure 22.19 Production d'anticorps au cours de la réaction primaire (après la première exposition) et de la réaction secondaire (après la deuxième exposition) à un antigène.

 La mémoire immunitaire rend possible l'immunisation par la vaccination.

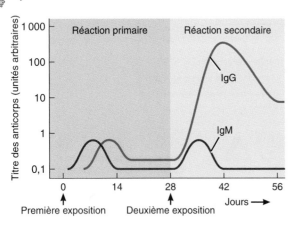

 D'après le graphique ci-dessus, dans quelle proportion la quantité d'IgG dans la circulation sanguine a-t-elle augmenté au cours de la réaction secondaire par rapport à la réaction primaire ?

Tableau 22.4 Types d'immunité

TYPE D'IMMUNITÉ	MODE D'ACQUISITION
Immunité active acquise naturellement	La reconnaissance de l'antigène par les lymphocytes B et T et leur costimulation amène la formation de plasmocytes qui sécrètent des anticorps, de lymphocytes T cytotoxiques et de lymphocytes mémoires B et T.
Immunité passive acquise naturellement	Transfert d'IgG de la mère au fœtus à travers le placenta ou d'IgA de la mère au nourrisson dans le lait maternel.
Immunité active acquise artificiellement	Les antigènes introduits dans l'organisme par suite de la vaccination stimulent des réponses immunitaires humorale et à médiation cellulaire qui amènent la production de lymphocytes mémoires. Les antigènes sont traités au préalable pour qu'ils soient immunogènes mais non pathogènes, c'est-à-dire qu'ils déclenchent une réponse immunitaire sans causer de maladie.
Immunité passive acquise artificiellement	Injection intraveineuse d'immunoglobulines (anticorps).

habituellement grâce à la réaction primaire. Si, plus tard, on est infecté par le même microbe, la réaction secondaire peut être assez rapide pour détruire les intrus avant que les signes ou les symptômes de l'infection aient le temps de se manifester.

La mémoire immunitaire est à la base de l'immunisation par vaccination contre certaines maladies (la poliomyélite, par exemple). Quand on reçoit le vaccin, qui peut contenir des microbes entiers atténués ou tués ou des parties de microbes, les lymphocytes B et T sont activés. Si par la suite on est infecté par l'agent pathogène vivant, l'organisme déclenche une réaction secondaire.

Le tableau 22.4 résume les divers types d'immunité acquise naturellement et artificiellement.

1. Quelles sont les différences entre les cinq classes d'anticorps sur le plan de la structure et des fonctions ?
2. Comparez la réponse immunitaire humorale et la réponse immunitaire à médiation cellulaire.
3. Comment le système du complément augmente-t-il la réponse immunitaire humorale ?
4. Expliquez l'importance de la réaction secondaire à l'antigène.

RECONNAISSANCE DU SOI ET TOLÉRANCE IMMUNITAIRE
OBJECTIF

- *Décrire comment la reconnaissance du soi et la tolérance immunitaire se développent.*

Pour bien remplir leurs fonctions, les lymphocytes T d'un individu doivent posséder deux caractéristiques : 1) ils doivent reconnaître les molécules du complexe majeur d'histocompatibilité (CMH) de l'organisme auquel ils appartiennent, processus appelé **reconnaissance du soi,** et 2) ils doivent être insensibles aux fragments peptidiques des protéines de l'organisme, état nommé **tolérance immunitaire** (figure 22.20). Les lymphocytes B présentent aussi une tolérance immunitaire. La perte de tolérance immunitaire amène l'éclosion de maladies auto-immunes (voir p. 816).

Pendant leur séjour dans le thymus, les lymphocytes T immatures qui deviennent capables de reconnaître le CMH du soi vont survivre, alors que ceux qui en sont incapables vont mourir par apoptose (mort cellulaire programmée). Cet aspect du développement de l'immunocompétence est appelé **sélection positive** (voir la figure 22.20a). Les lymphocytes T que cette sélection destine à survivre *peuvent reconnaître* l'élément CMH d'un complexe antigène-CMH.

Par contre, le développement de la tolérance immunitaire s'effectue par un processus d'élimination appelé **sélection négative** dans lequel les lymphocytes T sont détruits ou inactivés si leurs récepteurs reconnaissent les fragments peptidiques des protéines du soi (voir la figure 22.20a). Les lymphocytes T que cette sélection conserve *ne répondent pas* aux fragments des molécules qui sont normalement présentes dans l'organisme. La sélection négative s'effectue de deux façons : par délétion et par anergie. Dans le cas de la **délétion,** les lymphocytes T qui réagissent au soi meurent par apoptose, alors que l'**anergie** les rend insensibles à la stimulation antigénique sans pour autant les tuer. On estime que, dans le

Figure 22.20 Développement de la reconnaissance du soi et de la tolérance immunitaire.

La sélection positive permet la reconnaissance des molécules du soi représentées par le CMH-I et le CMH-II; la sélection négative assure la tolérance immunitaire des peptides du soi.

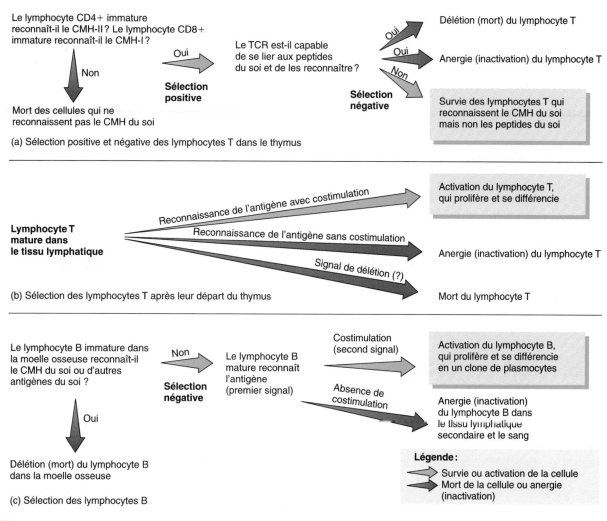

(a) Sélection positive et négative des lymphocytes T dans le thymus

(b) Sélection des lymphocytes T après leur départ du thymus

(c) Sélection des lymphocytes B

 Quelle est la différence entre la délétion et l'anergie?

thymus, seulement 1 lymphocyte T immature sur 100 reçoit les signaux qui lui permettent d'éviter l'apoptose durant les deux sélections, positive et négative, et est alors appelé à devenir un lymphocyte T mature et immunocompétent.

Après leur sortie du thymus, il est encore possible pour les lymphocytes T d'être exposés à une protéine du soi qui n'est pas familière. Dans ce cas, ils peuvent devenir anergiques s'il n'y a pas de costimulation (voir la figure 22.20b). Certaines données suggèrent que la délétion des lymphocytes T qui réagissent aux antigènes du soi est également possible après qu'ils ont quitté le thymus. Les lymphocytes B acquièrent aussi la tolérance par délétion et anergie (voir la figure 22.20c). Pendant leur développement dans la moelle osseuse, les

lymphocytes B ayant des récepteurs qui reconnaissent les antigènes du soi communs (tels que ceux du CMH ou des groupes sanguins) sont supprimés. Toutefois, après leur libération dans la circulation sanguine, il semble que l'anergie soit le principal mécanisme par lequel les réponses aux protéines du soi sont évitées. Quand les lymphocytes B rencontrent des antigènes qui ne sont pas associés à des cellules présentatrices d'antigènes, l'indispensable signal de costimulation est souvent absent. Dans ce cas, le lymphocyte B risque de devenir anergique (inactivé) plutôt qu'activé.

Le tableau 22.5 présente un résumé de l'activité des cellules qui participent à la réponse immunitaire.

Tableau 22.5 Résumé des fonctions des cellules qui participent à la réponse immunitaire

CELLULE	FONCTIONS
Cellules présentatrices d'antigènes (CPA)	
Macrophage	Phagocytose ; traitement des antigènes étrangers et présentation aux lymphocytes T ; sécrétion d'interleukine 1, qui stimule la sécrétion d'interleukine 2 par les lymphocytes T auxiliaires et entraîne la prolifération des lymphocytes B ; sécrétion d'interférons qui stimulent la croissance des lymphocytes T.
Cellule dendritique	Traite les antigènes et les présente aux lymphocytes T et B ; se trouve dans les muqueuses, la peau et les nœuds lymphatiques.
Lymphocyte B	Traite les antigènes et les présente aux lymphocytes T auxiliaires.
Lymphocytes	
Lymphocyte T cytotoxique (ou lymphocyte T8)	Cause la lyse et la mort des cellules étrangères en libérant la perforine et la lymphotoxine ; libère d'autres cytokines qui attirent les macrophages et augmentent leur activité phagocytaire (interféron gamma), et s'opposent à leur départ du site de la réaction (facteur d'inhibition de la migration des macrophages).
Lymphocyte T auxiliaire (ou lymphocyte T4)	Collabore avec les lymphocytes B afin d'amplifier la production d'anticorps par les plasmocytes et sécrète de l'interleukine 2, qui stimule la prolifération des lymphocytes T et B. Sécrète peut-être l'interféron gamma et le facteur nécrosant des tumeurs (TNF), qui stimulent la réaction inflammatoire.
Lymphocyte T mémoire	Reste en attente dans le tissu lymphatique et reconnaît l'antigène de l'intrus d'origine, et ce des années après la première exposition.
Lymphocyte B	Se différencie en plasmocyte qui produit des anticorps.
Plasmocyte	Descendant d'un lymphocyte B qui produit et sécrète des anticorps.
Lymphocyte B mémoire	Prêt à répondre plus rapidement et vigoureusement que la première fois à un antigène donné dans le cas où ce dernier s'introduirait à nouveau dans l'organisme.

APPLICATION CLINIQUE
Immunothérapie tumorale

Les chercheurs s'emploient depuis des années à mobiliser les ressources du système immunitaire pour attaquer le cancer. Cette approche, appelée **immunothérapie tumorale,** est efficace contre certains types de cancers. Dans *l'immunothérapie cellulaire adoptive,* des cellules ayant une activité antitumorale sont injectées dans le sang d'un patient cancéreux. On espère ainsi que ces cellules « adoptées » repéreront et détruiront les cellules tumorales. Une des méthodes employées en immunothérapie cellulaire adoptive consiste à prélever dans le sang du patient des cellules tueuses naturelles et des lymphocytes T cytotoxiques inactifs et de les mettre en culture avec de l'interleukine 2 de façon à les activer. Ces cellules, appelées *cellules tueuses activées par des lymphokines* (*LAK,* « lymphokine-activated killer »), sont réinjectées dans le sang du patient. Bien que les cellules LAK causent une certaine régression des tumeurs, la plupart des patients connaissent des complications graves. ■

1. Définissez les termes suivants : *sélection positive, sélection négative* et *anergie.*

VIEILLISSEMENT DU SYSTÈME IMMUNITAIRE
OBJECTIF

• *Décrire les effets du vieillissement sur le système immunitaire.*

Les personnes d'un âge avancé deviennent plus prédisposées à toutes sortes d'infections et de tumeurs malignes. Leurs réponses aux vaccins sont diminuées et elles tendent à produire une plus grande quantité d'auto-anticorps (anticorps dirigés contre les molécules de leur propre organisme). De plus, le système immunitaire commence à fonctionner au ralenti. Par exemple, les lymphocytes T réagissent moins bien aux antigènes et ils sont mobilisés en moins grand nombre lors d'une infection. Ce phénomène résulte peut-être de l'atrophie du thymus due au vieillissement ou d'une diminution de la production d'hormones thymiques. Comme la population des lymphocytes T décroît avec l'âge, la réactivité des lymphocytes B s'atténue aussi. En conséquence, les concentrations d'anticorps n'augmentent pas en réponse à l'action d'un antigène, ce qui rend les individus plus vulnérables à diverses infections. C'est pour cette raison capitale qu'on encourage les personnes âgées à se faire vacciner contre la grippe chaque année.

1. Quelles sont les réactions générales du système lymphatique au fur et à mesure du vieillissement?

DÉSÉQUILIBRES HOMÉOSTATIQUES

SIDA : SYNDROME D'IMMUNODÉFICIENCE ACQUISE

Lorsqu'une personne est atteinte du **syndrome d'immunodéficience acquise** (**SIDA**), elle est affectée par toutes sortes d'infections révélatrices qui résultent de la destruction progressive de certaines cellules du système immunitaire par le **virus de l'immunodéficience humaine** (**VIH**). Comme nous le verrons, le SIDA est le dernier stade de l'infection par le VIH. Une personne infectée par le VIH peut être asymptomatique pendant de nombreuses années, même si le virus est en train d'attaquer sans relâche le système immunitaire. Cette infection est grave et généralement fatale parce que le virus s'installe aux commandes des cellules mêmes que l'organisme mobilise pour l'attaquer, et il finit par les détruire.

Épidémiologie

Le VIH se transmet d'un individu à l'autre de façon privilégiée au cours de pratiques ou d'actions qui donnent lieu à des échanges de sang et de certains liquides de l'organisme, où se trouve le virus. Dans la majorité des populations touchées, le VIH est transmis dans le sperme ou les sécrétions vaginales durant le coït non protégé ou les relations sexuelles buccogénitales. Il est aussi transmis par échange direct de sang, comme chez les toxicomanes qui mettent leurs seringues en commun. Les personnes à haut risque sont les partenaires sexuels d'individus infectés par le VIH; les professionnels de la santé qui peuvent se piquer accidentellement en manipulant des seringues contaminées courent des risques moins élevés. Le VIH peut être également transmis par une mère à son fœtus ou à son nourrisson. Avant 1985 en Amérique du Nord et en Europe, de nombreuses personnes se sont retrouvées contaminées par suite de transfusions de sang et de produits sanguins contenant le virus. Des tests de dépistage du VIH dans le sang, adoptés après 1985, ont pratiquement éliminé ce mode de transmission du virus en Amérique du Nord et dans les pays développés. Par contre, en Afrique subsaharienne, où habitent les deux tiers des personnes infectées par le VIH, 25 % du sang transfusé n'est pas soumis à un dépistage pour ce virus.

Dans les pays industrialisés, favorisés sur le plan économique, la plupart des personnes atteintes du SIDA sont soit des hommes homosexuels qui ont pratiqué le coït anal non protégé, soit des usagers de drogue par voie intraveineuse. Le taux des nouvelles infections aux États-Unis révèle une tendance différente et inquiétante. L'augmentation des infections est la plus marquée chez les personnes de couleur, les femmes et les adolescents. Dans les pays en voie de développement, le VIH se transmet principalement au cours de relations hétérosexuelles non protégées, mais les risques sont multipliés par la contamination des banques de sang. En l'an 2000, parmi les 40 millions de personnes infectées par le VIH dans le monde, environ la moitié étaient des femmes et le quart des enfants.

Le VIH est un virus très fragile; il ne survit pas longtemps hors de l'organisme humain. Il n'est pas transmis par les piqûres d'insectes. Il importe de comprendre qu'il est impossible d'être infecté par simple contact physique avec une personne porteuse du VIH, par exemple en la serrant dans ses bras ou en vivant sous le même toit. On peut éliminer le virus des articles de soins personnels et des instruments médicaux en les exposant à la chaleur (57 °C pendant 10 minutes) ou en les nettoyant avec des désinfectants courants tels que l'eau oxygénée, l'alcool à friction, l'eau de Javel ou les nettoyants germicides. Laver la vaisselle et les vêtements à la machine suffisent aussi à tuer le VIH.

L'épidémiologie du VIH suggère également des moyens pour prévenir la maladie. Le risque de transmettre ou de contracter le VIH durant le coït vaginal ou anal peut être réduit considérablement – bien qu'on ne puisse pas l'éliminer entièrement – par l'emploi de préservatifs en latex. Les programmes de santé publique mis sur pied pour encourager les usagers de drogue par voie intraveineuse à s'abstenir de mettre en commun leurs seringues se sont avérés efficaces pour freiner l'augmentation des infections dans cette population. De plus, l'administration prophylactique de certains médicaments comme l'AZT (voir plus loin) aux femmes enceintes infectées par le VIH a permis de réduire au minimum la transmission du virus à leurs bébés, et ce avec une remarquable efficacité.

Pathogénie de l'infection par le VIH

Le VIH est composé de matériel génétique à simple brin entouré d'une capside de protéine protectrice. Afin de se répliquer, le virus doit pénétrer dans une cellule hôte où il utilise les enzymes, les ribosomes et les nutriments cellulaires pour produire des copies de son information génétique. Contrairement à la plupart des virus, le VIH est un type de **rétrovirus**, c'est-à-dire un virus dont le patrimoine génétique est conservé dans l'ARN plutôt que dans l'ADN. Après que la particule s'est introduite dans une cellule hôte, une enzyme virale appelée **transcriptase inverse** parcourt le brin d'ARN viral et le transcrit en ADN.

La capside qui contient l'ARN du VIH et la transcriptase inverse est formée d'un grand nombre de molécules d'une protéine appelée P24. De plus, la capside est recouverte d'une enveloppe composée d'une bicouche lipidique dans laquelle sont enchâssées diverses glycoprotéines caractéristiques (figure 22.21). Une de ces glycoprotéines, nommée GP120, sert à arrimer le virus aux molécules CD4 des lymphocytes T, des macrophages et des cellules dendritiques. De plus, le VIH doit se lier en même temps à un corécepteur

Figure 22.21 Virus de l'immunodéficience humaine (VIH), l'agent pathogène qui cause le SIDA. Au cœur du virus se trouve l'ARN et la transcriptase inverse, ainsi que plusieurs autres enzymes. La capside qui renferme ces éléments est formée d'une protéine appelée P24. L'enveloppe est composée d'une bicouche lipidique envahie par des glycoprotéines (GP120 et GP41) qui jouent un rôle capital quand le VIH se lie à certaines cellules cibles et les pénètre.

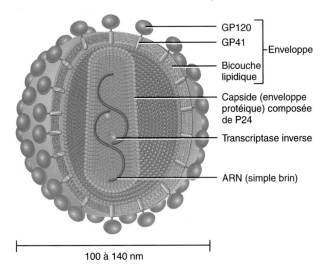

GP120
GP41   ⎤
               ⎬ Enveloppe
Bicouche   ⎦
lipidique

Capside (enveloppe
protéique) composée
de P24

Transcriptase inverse

ARN (simple brin)

100 à 140 nm

situé dans la membrane plasmique de la cellule hôte – une molécule appelée CCR5 sur les cellules présentatrices d'antigènes et une autre appelée CXCR4 sur les lymphocytes T – pour pouvoir entrer dans la cellule. Une autre glycoprotéine, la GP41, facilite la fusion des bicouches lipidiques du virus et de la cellule hôte.

La liaison des protéines d'arrimage du VIH aux récepteurs et corécepteurs de la membrane plasmique de la cellule hôte déclenche l'endocytose par récepteurs interposés et entraîne le virus dans le cytoplasme de la cellule. Une fois dans la cellule, le VIH se défait de sa capside protéique. La transcriptase inverse copie l'ARN viral en ADN et ce dernier s'intègre à l'ADN cellulaire. C'est ainsi que l'ADN viral se reproduit en même temps que l'ADN de la cellule hôte au cours de la division cellulaire normale. En outre, dans certaines circonstances qui ne sont pas encore élucidées, l'ADN viral peut ordonner à la cellule infectée de se mettre à produire des millions de copies d'ARN viral et d'assembler de nouvelles capsides protéiques pour les recouvrir. Les nouvelles particules de VIH quittent la cellule par bourgeonnement de la membrane plasmique et circulent dans le sang à la recherche de cellules à infecter.

Le VIH porte atteinte surtout aux lymphocytes T4 (ou lymphocytes T auxiliaires), et ce de plusieurs façons. Plus de 100 milliards de copies virales peuvent être synthétisées tous les jours. Le bourgeonnement des virus à la surface d'une cellule infectée se poursuit avec une telle rapidité qu'il finit par entraîner la cytolyse. De plus, les défenses de l'organisme attaquent les cellules infectées et les tuent en même temps que les virus qu'elles contiennent.

Nous avons vu dans le présent chapitre que les lymphocytes T4 sont en quelque sorte les « chefs d'orchestre » de la réponse immunitaire. Chez la plupart des individus infectés par le VIH, l'organisme est en mesure de remplacer les lymphocytes T4 infectés à peu près au rythme de leur destruction. Ce processus se poursuit

pendant des années, mais la capacité de l'organisme à remplacer les lymphocytes T4 s'épuise peu à peu ; le nombre de ces lymphocytes dans la circulation sanguine diminue progressivement au rythme de 20 millions de cellules par jour environ.

Signes, symptômes et diagnostic de l'infection par le VIH

Immédiatement après avoir été infectées par le VIH, la plupart des personnes sont atteintes d'une brève maladie qui ressemble à la grippe. Les signes et les symptômes communs sont la fièvre, la fatigue, des éruptions, des maux de tête, des douleurs aux articulations, un mal de gorge et des nœuds lymphatiques enflés. Près de 50 % des personnes infectées présentent également des sueurs nocturnes. Au bout de trois ou quatre semaines, les plasmocytes se mettent à sécréter des anticorps contre les composants de la capside protéique du VIH. Ces anticorps peuvent être décelés dans le plasma sanguin et constituent ainsi un moyen de dépistage du VIH. Lorsqu'un test de dépistage révèle qu'un individu est porteur du VIH, cela signifie en général qu'il possède des anticorps contre le VIH dans son sang. Si on soupçonne une infection aiguë par le VIH mais que les tests de détection des anticorps sont négatives, on peut avoir recours à des analyses de laboratoire qui détectent dans le plasma sanguin l'ARN du VIH ou la protéine de la capside P24, et ainsi confirmer la présence du virus.

Évolution de la maladie vers le SIDA

Au bout d'un laps de temps de 2 à 10 ans, le virus a détruit un tel nombre de lymphocytes T4 que la plupart des personnes infectées commencent à éprouver des symptômes d'immunodéficience. Ces personnes ont souvent des nœuds lymphatiques enflés et souffrent de fatigue persistante, d'une perte pondérale involontaire, de sueurs nocturnes, d'éruptions cutanées et de diarrhées, et elles présentent diverses lésions de la bouche et des gencives. En outre, le virus peut commencer à infecter des neurones dans le cerveau, affectant ainsi la mémoire et produisant des troubles visuels.

Au fur et à mesure que le système immunitaire décline, les personnes infectées par le VIH deviennent la proie d'une foule d'*infections opportunistes,* maladies causées par des microorganismes qui sont normalement contenus mais qui se mettent à proliférer en raison du déficit immunitaire. Le diagnostic de SIDA est porté quand le nombre de lymphocytes T4 tombe à moins de 200 cellules par nanolitre (= millimètre cube) de sang ou quand les infections opportunistes se manifestent. La plupart du temps, ce sont ces infections opportunistes qui finissent par causer la mort.

Chez environ 5 % des individus infectés par le VIH, le SIDA ne s'est pas déclaré ; on dit que ces cas sont non évolutifs à long terme. Le nombre de leurs lymphocytes T4 est stable et ils ne présentent pas de symptômes. Ces personnes ont peut-être été infectées par une souche de VIH affaibli ou possèdent de puissantes cellules tueuses naturelles et des anticorps efficaces contre le virus. Dans certains cas, on a observé des mutations des deux gènes qui codent pour le corécepteur CCR5, ce qui empêche vraisemblablement certaines souches de VIH de pénétrer dans les cellules présentatrices d'antigènes.

Traitement de l'infection par le VIH

À l'heure actuelle l'infection par le VIH est incurable et, malgré les recherches poussées, il n'existe pas encore de vaccin efficace qui puisse immuniser contre le VIH. Toutefois, deux catégories de médicaments permettent de prolonger la vie de nombreuses personnes infectées par le VIH. La première catégorie est formée des *inhibiteurs de la transcriptase inverse,* qui s'opposent à l'action de l'enzyme utilisée par le virus pour transcrire son ARN en ADN. Ces médicaments comprennent la zidovudine (AZT), la didanosine (ddI), la didéoxycytidine (ddC) et la stavudine (d4T). La seconde catégorie, découverte plus récemment, est formée des *inhibiteurs de la protéase,* qui s'opposent à l'action de la protéase, une enzyme virale qui découpe des protéines en pièces destinées à l'assemblage de la capside des particules de VIH en cours de production. Ces médicaments comprennent le nelfinavir, le saquinavir, le ritonavir et l'indinavir.

À la fin de l'année 1995, les chercheurs ont découvert que la plupart des individus infectés par le VIH qui reçoivent une *trithérapie* – deux inhibiteurs de la transcriptase inverse ayant des modes d'action différents et un inhibiteur de la protéase – connaissent une réduction radicale de leur charge virale (nombre de copies d'ARN du VIH par millilitre de plasma) et une augmentation du nombre de lymphocytes T4 dans le sang entier. La trithérapie non seulement retarde l'évolution de l'infection par le VIH vers le SIDA, mais elle permet à beaucoup de sidéens de connaître une rémission, voire la disparition, des infections opportunistes et un retour apparent à la santé. Malheureusement, ce traitement est très coûteux (plus de 10 000 $ américains par an), le schéma posologique est épuisant et certains tolèrent mal les effets secondaires des médicaments. À l'heure actuelle, on estime que les personnes qui réagissent favorablement à ces médicaments devront les prendre longtemps, peut-être même toute leur vie.

RÉACTIONS ALLERGIQUES

Une personne qui présente une réaction démesurée à une substance que la plupart des gens tolèrent est dite **hypersensible,** ou **allergique.** La réaction allergique entraîne toujours certaines lésions tissulaires. Les antigènes qui provoquent des réactions allergiques sont appelés **allergènes.** On compte parmi les allergènes courants certains aliments (lait, arachides, fruits de mer, œufs), des antibiotiques (pénicilline, tétracycline), des vaccins (coqueluche, typhoïde), des venins (abeille, guêpe, serpent), des cosmétiques, certaines molécules produites par des plantes (tel le sumac vénéneux), le pollen, la poussière, les levures, des colorants iodés utilisés en radiologie, et même des microbes.

On distingue quatre grands types de réactions d'hypersensibilité : le type I (anaphylactique), le type II (cytotoxique), le type III (à complexes immuns) et le type IV (à médiation cellulaire). Les trois premiers sont des réponses immunitaires humorales qui mettent en jeu les anticorps ; le dernier est une réponse immunitaire à médiation cellulaire.

Les **réactions de type I,** ou **réactions anaphylactiques,** sont les plus communes et surviennent dans les minutes qui suivent l'exposition à un allergène auquel une personne a été préalablement sensibilisée. L'**anaphylaxie** résulte de l'interaction d'un allergène avec les anticorps IgE à la surface de mastocytes et de granulocytes basophiles. En réponse à certains allergènes, certaines personnes produisent des anticorps IgE qui se lient à la surface des mastocytes et des granulocytes basophiles. Quand le même allergène est à nouveau introduit dans l'organisme, il se fixe aux IgE déjà en place. Les mastocytes et les granulocytes basophiles réagissent en libérant de l'histamine, des prostaglandines, des leucotriènes et de la kinine. Ensemble, ces médiateurs causent la vasodilatation et font augmenter la perméabilité des capillaires sanguins, la contraction des muscles lisses dans les voies aériennes des poumons et la sécrétion de mucus. La personne peut alors connaître des réactions inflammatoires, éprouver de la difficulté à respirer par suite de la constriction de ses voies aériennes et souffrir d'écoulement nasal dû à la sécrétion excessive de mucus. Le **choc anaphylactique** peut survenir chez certains sujets très sensibles lorsqu'ils reçoivent un médicament déclencheur ou qu'ils se font piquer par une guêpe. Dans ce cas, la respiration sifflante et le souffle court qui résulte de la constriction des voies aériennes s'accompagnent généralement d'un état de choc dû à la vasodilatation et à la perte de liquide venant du sang. Il est urgent de traiter cet état qui menace la vie du malade, en administrant à ce dernier une injection d'adrénaline pour dilater les voies aériennes et renforcer les battements du cœur.

Les **réactions de type II,** ou **réactions cytotoxiques,** sont causées par des anticorps (IgG ou IgM) dirigés contre des antigènes des cellules sanguines (globules rouges, lymphocytes ou plaquettes) ou contre des cellules tissulaires. La réaction des anticorps et des antigènes amène habituellement l'activation du complément. Les réactions de type II, qui peuvent être déclenchées lors de transfusions sanguines incompatibles, endommage les cellules par la cytolyse qui s'ensuit.

Les **réactions de type III,** ou **réactions à complexes immuns,** sont déclenchées par des antigènes, des anticorps (IgA ou IgM) et le complément. Dans certaines situations, le rapport entre les quantités d'antigènes et d'anticorps est tel que les complexes immuns formés sont assez petits pour échapper à la phagocytose. Par contre, ils restent emprisonnés dans la membrane basale sous l'endothélium des vaisseaux sanguins où ils activent le complément et causent l'inflammation. Les affections qui en résultent comprennent la glomérulonéphrite et la polyarthrite rhumatoïde.

Les **réactions de type IV,** ou **réactions à médiation cellulaire** ou encore **hypersensibilités retardées,** se manifestent habituellement entre 12 et 72 heures après l'exposition à un allergène. Ces réactions surviennent quand un allergène est absorbé par des cellules présentatrices d'antigènes (telles les cellules de Langerhans dans la peau) qui migrent vers les nœuds lymphatiques et présentent l'allergène aux lymphocytes T. Ces derniers se mettent alors à proliférer, et un certain nombre de ces nouveaux lymphocytes T retournent au point d'entrée de l'allergène dans le corps et produisent l'interféron gamma, qui active les macrophages, et le facteur nécrosant des tumeurs, qui amène une réaction inflammatoire. Les bactéries intracellulaires telles que *Mycobacterium tuberculosis* (ou bacille de Koch) ainsi que certains haptènes tels que la toxine du sumac vénéneux déclenchent ce type de réponse immunitaire à médiation cellulaire. Le test cutané pour le dépistage de la tuberculose est une réaction d'hypersensibilité retardée.

MONONUCLÉOSE INFECTIEUSE

La **mononucléose infectieuse** est une maladie contagieuse causée par le *virus Epstein-Barr.* Elle atteint surtout les enfants et les jeunes adultes, et frappe trois fois plus souvent les femmes que les hommes. La plupart du temps, le virus pénètre dans l'organisme lors d'un contact oral intime comme le baiser. Il se multiplie alors dans le tissu lymphatique et se répand dans le sang où il infecte les lymphocytes B, principales cellules hôtes, et continue de se multiplier. Par suite de cette infection, les lymphocytes B grossissent et présentent une apparence anormale si bien qu'ils ressemblent à des monocytes, d'où le terme de *mononucléose.* Les signes et les symptômes comprennent une leucocytose avec un taux de lymphocytes anormalement élevé, de la fatigue, des céphalées, des étourdissements, des maux de gorge, des nœuds lymphatiques enflés et douloureux et de la fièvre. Il n'y a pas de traitement curatif pour la mononucléose infectieuse, mais en général elle disparaît spontanément en quelques semaines.

TERMES MÉDICAUX

Adénite (*aden* = glande; *ite* = inflammation) Affection caractérisée par des nœuds lymphatiques enflés, douloureux et enflammés à la suite d'une infection.

Allogreffe (*allos* = autre) Greffe entre individus génétiquement distincts mais de la même espèce. Les greffes de peau où le donneur et le receveur sont différents ainsi que les transfusions sanguines sont des allogreffes.

Amygdalectomie (*ectomê* = ablation) Ablation d'une ou des amygdales.

Autogreffe (*autos* = soi-même) Transplantation de tissu d'une partie du corps à une autre chez le même individu (par exemple, les greffes de peau dans les cas de brûlures ou de chirurgie plastique).

Gammaglobuline Suspension d'immunoglobulines du sang composée d'anticorps qui réagissent à un agent pathogène spécifique. Sa préparation consiste à injecter l'agent pathogène chez des animaux, à leur prélever du sang après qu'ils ont produit des anticorps, à isoler ces anticorps et à les injecter chez un humain pour lui conférer l'immunité à court terme.

Lupus érythémateux aigu disséminé, ou **LED** (*lupus* = loup) Maladie inflammatoire non contagieuse du tissu conjonctif, d'origine auto-immune, qui atteint surtout les jeunes femmes. Des lésions aux parois des vaisseaux sanguins causent la libération de substances qui provoquent l'inflammation. Les symptômes de cette affection comprennent des douleurs aux articulations, un peu de fièvre, de la fatigue, des ulcères de la bouche, une perte pondérale, la tuméfaction des nœuds lymphatiques et de la rate, la photosensibilité, une perte rapide et abondante des cheveux et parfois une éruption sur les joues et la racine du nez appelée « placard en papillon ».

Lymphadénopathie (*lympha* = eau; *pathos* = ce qu'on éprouve) Nœuds lymphatiques enflés et parfois douloureux.

Lymphœdème (*oidein* = enfler) Accumulation de lymphe qui produit une tuméfaction du tissu sous-cutané.

Lymphomes (*ome* = tumeur) Cancers du système lymphatique, en particulier des nœuds lymphatiques. Les deux principaux types de lymphomes sont la maladie de Hodgkin et le lymphome non hodgkinien.

Maladie auto-immune Maladie qui se déclenche quand le système immunitaire d'une personne cesse de reconnaître les antigènes du soi et se met à attaquer ses propres cellules. Par exemple, la polyarthrite rhumatoïde, le lupus érythémateux aigu disséminé, le rhumatisme articulaire aigu, les anémies hémolytique et pernicieuse, la maladie d'Addison, la maladie de Basedow, le diabète insulinodépendant, la myasthénie grave, la sclérose en plaques et la rectocolite hémorragique. Aussi appelée **auto-immunité.**

Splénomégalie (*splên* = rate; *megalê* = grand) Augmentation du volume de la rate.

Syndrome de fatigue chronique Trouble qui atteint généralement les jeunes adultes et en particulier les femmes, caractérisé par 1) une fatigue extrême qui diminue l'activité normale pendant au moins 6 mois et 2) l'absence d'autres maladies connues (cancer, infections, toxicomanie, toxicité ou troubles psychiatriques) dont les symptômes sont semblables.

Xénogreffe (*xenos* = étranger) Transplantation entre animaux d'espèces différentes. On utilise des xénogreffes de tissu porcin (porc) ou bovin (bœuf) chez l'humain comme pansement physiologique dans les cas de brûlures graves.

RÉSUMÉ

INTRODUCTION (p. 780)
1. La capacité de repousser la maladie est appelé résistance. L'absence de résistance est appelée susceptibilité.
2. La résistance non spécifique comprend une grande diversité de réponses de l'organisme contre un large éventail d'agents pathogènes; la résistance spécifique, ou immunité, met en œuvre l'activation de lymphocytes spécifiques en vue de combattre une substance étrangère particulière.

SYSTÈME LYMPHATIQUE (p. 780)
1. Le système lymphatique est à l'origine des réponses immunitaires; il comprend la lymphe, les vaisseaux lymphatiques ainsi que les structures et organes qui contiennent du tissu lymphatique (tissu réticulaire spécialisé renfermant un grand nombre de lymphocytes).

2. Le système lymphatique draine le liquide interstitiel, transporte les lipides alimentaires et protège l'organisme contre les envahisseurs au moyen des réponses immunitaires.
3. Les vaisseaux lymphatiques prennent naissance dans les capillaires lymphatiques. Ces derniers sont des tubes fermés aux extrémités et situés dans les espaces intercellulaires.
4. Le liquide interstitiel s'écoule dans les capillaires lymphatiques, où il forme la lymphe.
5. Les capillaires lymphatiques se joignent pour former des vaisseaux plus grands, appelés vaisseaux lymphatiques, qui transportent la lymphe et lui font traverser des structures appelées nœuds lymphatiques.
6. La lymphe s'écoule des capillaires lymphatiques vers les vaisseaux lymphatiques, puis elle passe dans les troncs lymphatiques,

de là dans le conduit thoracique (ou dans le conduit lymphatique droit) ; elle se jette enfin dans les veines subclavières.

7. La lymphe se déplace sous l'action des contractions des muscles squelettiques et des mouvements de la respiration. L'écoulement est facilité par les valvules des vaisseaux lymphatiques.

8. Les organes lymphatiques primaires sont la moelle osseuse rouge et le thymus. Les organes lymphatiques secondaires sont les nœuds lymphatiques, la rate et les follicules ou nodules lymphatiques.

9. Le thymus repose entre le sternum et les grands vaisseaux sanguins au-dessus du cœur. Il est le siège de la maturation des lymphocytes T.

10. Les nœuds lymphatiques sont des structures ovales recouvertes d'une capsule et situées le long des vaisseaux lymphatiques.

11. La lymphe pénètre dans les nœuds lymphatiques par les vaisseaux lymphatiques afférents. Elle est filtrée dans les nœuds et les quitte par les vaisseaux lymphatiques efférents.

12. C'est dans les nœuds lymphatiques qu'a lieu la prolifération des plasmocytes et des lymphocytes T.

13. La rate est la masse de tissu lymphatique la plus volumineuse de l'organisme. Les lymphocytes B y prolifèrent et deviennent des plasmocytes. Elle est aussi un lieu de phagocytose de bactéries et de globules rouges usés.

14. Les follicules ou nodules lymphatiques sont disséminés dans la muqueuse du tube digestif et dans les systèmes respiratoire, urinaire et reproducteur. Ce tissu lymphatique porte le nom de tissu lymphoïde associé aux muqueuses (MALT).

DÉVELOPPEMENT EMBRYONNAIRE DU SYSTÈME LYMPHATIQUE (p. 790)

1. Les vaisseaux lymphatiques naissent des sacs lymphatiques, qui sont issus des veines en voie de formation. En conséquence, ils dérivent du mésoderme.

2. Les nœuds lymphatiques sont issus des sacs lymphatiques qui sont envahis par des cellules mésenchymateuses.

RÉSISTANCE NON SPÉCIFIQUE À LA MALADIE (p. 790)

1. Les mécanismes de la résistance non spécifique comprennent des facteurs physiques, des facteurs chimiques, les protéines antimicrobiennes, les cellules tueuses naturelles, les phagocytes, l'inflammation et la fièvre.

2. La peau et les muqueuses constituent la première ligne de défense contre l'entrée des agents pathogènes.

3. Les protéines antimicrobiennes comprennent les interférons, le système du complément et les transferrines.

4. Les cellules tueuses naturelles et les phagocytes attaquent et tuent les agents pathogènes et les cellules défectueuses de l'organisme.

5. L'inflammation participe à l'élimination des microbes, des toxines et des substances étrangères présents dans une lésion et prépare l'endroit endommagé pour la réparation tissulaire.

6. La fièvre amplifie les effets antiviraux des interférons, inhibe la croissance de certains microbes et accélère les réactions de l'organisme qui favorisent la guérison.

7. Le tableau 22.1, p. 795, présente un résumé des éléments de la résistance non spécifique.

RÉSISTANCE SPÉCIFIQUE : IMMUNITÉ (p. 795)

1. La résistance spécifique à la maladie comprend la production de lymphocytes ou d'anticorps spécifiques dirigés contre des antigènes spécifiques. On l'appelle immunité.

2. Les lymphocytes B et T dérivent de cellules souches situées dans la moelle osseuse rouge.

3. Les lymphocytes T achèvent leur maturation et acquièrent l'immunocompétence dans le thymus.

4. Dans les réponses immunitaires à médiation cellulaire, les lymphocytes T cytotoxiques attaquent directement l'antigène envahisseur, alors que dans les réponses immunitaires humorales, les plasmocytes sécrètent des anticorps.

5. Les antigènes sont des substances chimiques que le système immunitaire reconnaît comme étrangères.

6. La très grande diversité des récepteurs d'antigènes est rendue possible par la recombinaison somatique.

7. Les «antigènes du soi», appelés antigènes du complexe majeur d'histocompatibilité (CMH), sont particuliers à chaque personne. Toutes les cellules de l'organisme sauf les globules rouges ont à leur surface des molécules du CMH-I; certaines cellules ont aussi des molécules du CMH-II.

8. Certaines cellules, appelées cellules présentatrices d'antigènes (CPA), qui comprennent les macrophages, les lymphocytes B et les cellules dendritiques, sont en mesure d'effectuer le traitement des antigènes.

9. Les antigènes exogènes (formés à l'extérieur de l'organisme) sont présentés aux lymphocytes T après avoir été associés à des molécules du CMH-II, alors que les antigènes endogènes (formés à l'intérieur d'une cellule de l'organisme) sont présentés après avoir été associés à des molécules du CMH-I.

10. Les cytokines sont de petites hormones protéiques nécessaires à de nombreuses fonctions cellulaires normales. Certaines régulent les réponses immunitaires (voir le tableau 22.2, p. 801).

RÉPONSE IMMUNITAIRE À MÉDIATION CELLULAIRE (p. 801)

1. Dans une réponse immunitaire à médiation cellulaire, il y a reconnaissance d'un antigène, prolifération de lymphocytes T spécifiques suivie de leur différenciation en cellules effectrices et, enfin, élimination de l'antigène.

2. Les récepteurs d'antigène des lymphocytes T (TCR) reconnaissent des fragments d'antigènes associés à des molécules du CMH à la surface des cellules de l'organisme.

3. La prolifération des lymphocytes T requiert un signal de costimulation provenant soit d'une cytokine telle que l'interleukine 1 ou l'interleukine 2, soit d'une paire de molécules de la membrane plasmique.

4. Il existe plusieurs sous-populations de lymphocytes T. Les lymphocytes T auxiliaires portent une protéine, la CD4, à leur surface, ils reconnaissent les fragments d'antigènes associés à des molécules du CMH-II et sécrètent plusieurs cytokines, dont la plus importante est l'interleukine 2 qui joue le rôle d'agent de costimulation pour les lymphocytes T cytotoxiques, les lymphocytes B et d'autres lymphocytes T auxiliaires. Les lymphocytes T cytotoxiques portent une protéine, la CD8, à leur surface et reconnaissent les fragments d'antigènes associés aux molécules du CMH-I. Les lymphocytes T mémoires demeurent dans l'organisme après une réponse immunitaire à médiation cellulaire et sont en mesure de déclencher une réponse plus rapide si un agent pathogène portant le même antigène étranger tente plus tard d'envahir l'organisme.

5. Les lymphocytes T cytotoxiques éliminent les intrus en sécrétant la perforine, qui cause la cytolyse, et la lymphotoxine, qui cause la fragmentation de l'ADN de la cellule cible.

6. Les lymphocytes T cytotoxiques, les macrophages et les cellules tueuses naturelles assurent la surveillance immunitaire. Ils reconnaissent et détruisent les cellules cancéreuses qui présentent des antigènes tumoraux.

RÉPONSE IMMUNITAIRE HUMORALE (p. 805)

1. Les lymphocytes B peuvent réagir aux antigènes non traités, mais leur réponse est plus vigoureuse quand les cellules dendritiques leur présentent l'antigène. L'interleukine 2 ainsi que d'autres cytokines sécrétées par les lymphocytes T auxiliaires servent de signaux de costimulation entraînant la prolifération des lymphocytes B.

2. Un lymphocyte B activé devient un clone de plasmocytes dont la fonction est de produire des anticorps.

3. Un anticorps est une protéine qui se lie de façon spécifique à l'antigène qui a déclenché sa production.

4. Les anticorps sont formés de chaînes lourdes et de chaînes légères, et présentent des régions variables et des régions constantes.

5. On regroupe les anticorps, selon leur structure et leurs propriétés chimiques, en cinq grandes classes (IgG, IgA, IgM, IgD et IgE) ayant chacune un rôle biologique spécifique.

6. Les fonctions des anticorps comprennent la neutralisation des antigènes, l'immobilisation des bactéries, l'agglutination et la précipitation des antigènes, l'activation du système du complément et la potentialisation de la phagocytose.

7. Le système du complément est un groupe de protéines qui servent de complément aux réponses immunitaires et qui participent à l'élimination des antigènes de l'organisme.

8. L'immunisation contre certains microbes est possible parce que des lymphocytes B mémoires et des lymphocytes T mémoires demeurent dans l'organisme après une réponse primaire à un antigène. La réponse secondaire assure la protection de l'organisme dans l'éventualité d'une nouvelle invasion par le même microbe.

RECONNAISSANCE DU SOI ET TOLÉRANCE IMMUNITAIRE (p. 810)

1. Les lymphocytes T sont soumis à la sélection positive pour faire en sorte qu'ils reconnaissent les antigènes du soi représentés par le CMH (reconnaissance du soi) et à la sélection négative pour éviter qu'ils ne réagissent aux autres protéines du soi (tolérance). La sélection négative comprend la délétion et l'anergie.

2. Les lymphocytes B acquièrent la tolérance par délétion et anergie.

VIEILLISSEMENT DU SYSTÈME IMMUNITAIRE (p. 812)

1. Avec l'âge, les individus offrent moins de résistance aux infections et aux tumeurs malignes, répondent moins bien aux vaccins et produisent une plus grande quantité d'auto-anticorps.

2. Les réponses immunitaires sont également moins vigoureuses avec l'âge.

AUTOÉVALUATION

Choix multiples

1. Parmi les fonctions suivantes, lesquelles appartiennent au système lymphatique? 1) Drainer le liquide interstitiel. 2) Drainer le liquide intracellulaire. 3) Transporter les lipides alimentaires. 4) Transporter les acides nucléiques. 5) Protéger contre les invasions.
a) 1, 2 et 3. b) 2, 3 et 4. c) 3, 4 et 5. d) 1, 2 et 4. e) 1, 3 et 5.

2. Lesquels des énoncés suivants sont exacts? 1) Les vaisseaux lymphatiques se trouvent partout dans le corps sauf dans les tissus avasculaires, le SNC, des parties de la rate et la moelle osseuse rouge. 2) Le liquide interstitiel peut pénétrer dans les capillaires lymphatiques mais ne peut s'en échapper. 3) Les filaments d'union relient les cellules endothéliales lymphatiques aux tissus environnants. 4) Les vaisseaux lymphatiques reçoivent librement tous les composants du sang, y compris les éléments figurés. 5) Les vaisseaux lymphatiques sont reliés directement aux vaisseaux sanguins par l'intermédiaire des veines subclavières.
a) 1, 3, 4 et 5. b) 2, 3, 4 et 5. c) 1, 2, 3 et 4. d) 1, 2, 4 et 5. e) 1, 2, 3 et 5.

3. Parmi les éléments suivants, lesquels sont des facteurs physiques qui participent à la lutte contre les agents pathogènes et la maladie? 1) Les jonctions serrées des cellules épidermiques. 2) Le mucus des muqueuses. 3) La salive. 4) Les interférons. 5) Le complément.
a) 1, 3 et 4. b) 2, 4 et 5. c) 1, 4 et 5. d) 1, 2 et 3. e) 1, 2 et 4.

4. Parmi les éléments suivants, lesquels sont des étapes de l'inflammation? 1) Vasodilatation et augmentation de la perméabilité des vaisseaux sanguins. 2) Diapédèse des phagocytes. 3) Réparation tissulaire. 4) Opsonisation. 5) Adhérence.
a) 1, 2 et 3. b) 2, 3 et 4. c) 3, 4 et 5. d)1, 3 et 5. e) 2, 4 et 5.

5. La réponse immunitaire humorale est surtout efficace contre: a) les greffes de tissu étranger, b) les agents pathogènes intracellulaires, c) les agents pathogènes extracellulaires, d) les cellules cancéreuses, e) les virus.

6. Parmi les éléments suivants, lesquels sont des fonctions des anticorps? 1) Neutralisation des antigènes. 2) Immobilisation des bactéries. 3) Agglutination et précipitation des antigènes. 4) Activation du complément. 5) Potentialisation de la phagocytose.
a) 1, 3 et 4. b) 2, 4 et 5. c) 1, 2, 3 et 4. d) 1, 2, 3 et 5. e) 1, 2, 3, 4 et 5.

Phrases à compléter

7. Les facteurs qui assurent l'écoulement de la lymphe sont ___, ___ et ___.

8. Les trois premières étapes de la phagocytose sont ___, ___ et ___.

9. La première ligne de défense non spécifique contre les agents pathogènes est constituée de ___ et de ___; la seconde ligne de défense non spécifique est constituée de ___ et de ___.

10. Les deux caractéristiques de l'immunité sont ___ et ___.

Vrai ou faux

11. L'écoulement de liquide qui quitte la circulation sanguine et y retourne par la voie du système lymphatique passe, dans l'ordre, par les structures suivantes: artères (sang), capillaires sanguins (sang), espaces interstiels (liquide interstitiel), capillaires lymphatiques (lymphe), vaisseaux lymphatiques (lymphe), conduits lymphatiques (lymphe), veines subclavières (sang).

12. Les lymphocytes T d'une personne doivent être en mesure de reconnaître les molécules du CMH de cette personne (processus appelé reconnaissance du soi), mais ne pas réagir aux fragments peptidiques de ses propres protéines (état appelé tolérance immunitaire).

13. Associez les éléments suivants :

___ a) structures ovales ou en forme de haricot situées le long des vaisseaux lymphatiques ; contiennent des lymphocytes T, des macrophages et des cellules dendritiques folliculaires ; filtrent la lymphe

___ b) produit les lymphocytes pré-T et les lymphocytes B ; se trouve dans les os plats et les épiphyses des os longs

___ c) la masse de tissu lymphatique la plus volumineuse de l'organisme

___ d) organe où s'effectue la maturation des lymphocytes T

___ e) amas de lymphocytes qui montent la garde dans toutes les muqueuses

1) moelle osseuse rouge 4) rate
2) thymus 5) follicules ou nodules
3) nœuds lymphatiques lymphatiques

14. Associez les éléments suivants :

___ a) reconnaissent les antigènes étrangers associés aux molécules du CMH-I sur les cellules de l'organisme infectées par des virus, sur certaines cellules tumorales et sur les cellules d'un greffon

___ b) sont prêts à reconnaître l'antigène d'un intrus qui a été repoussé dans le passé et qui tente de s'introduire à nouveau dans l'organisme

___ c) se différencient en plasmocytes qui sécrètent des anticorps spécifiques

___ d) font le traitement et la présentation d'antigènes exogènes ; comprennent les macrophages, les lymphocytes B et les cellules dendritiques

___ e) sécrètent des cytokines qui servent de signaux de costimulation

___ f) ingèrent les microbes et les particules étrangères ; comprennent les granulocytes neutrophiles et les macrophages

___ g) lymphocytes ayant la capacité de tuer un large éventail de microbes infectieux ainsi que les cellules de certaines tumeurs spontanées ; ces cellules sont dépourvues de récepteurs d'antigènes

1) lymphocytes T auxiliaires 5) cellules tueuses naturelles
2) lymphocytes T cytotoxiques 6) phagocytes
3) lymphocytes T mémoires 7) cellules présentatrices
4) lymphocytes B d'antigènes

15. Associez les éléments suivants :

___ a) participent à l'inflammation, à l'opsonisation et à la cytolyse

___ b) stimulent la libération d'histamine, attirent les granulocytes neutrophiles par chimiotactisme, favorisent la phagocytose et détruisent les bactéries

___ c) glycoprotéines qui marquent la surface de toutes les cellules de l'organisme sauf les globules rouges ; permettent de distinguer le soi du non-soi

___ d) antigènes étrangers présents dans les liquides à l'extérieur des cellules

___ e) antigènes étrangers synthétisés à l'intérieur des cellules de l'organisme

___ f) petites hormones protéiques qui stimulent ou inhibent un grand nombre de fonctions cellulaires normales ; servent de signaux de costimulation des lymphocytes B et T

___ g) substance qui est dotée de réactivité mais non d'immunogénicité

___ h) cause la vasodilatation et augmente la perméabilité des vaisseaux sanguins ; se trouve dans les mastocytes du tissu conjonctif ainsi que dans les granulocytes basophiles et les plaquettes sanguines

___ i) polypeptides formés dans le sang ; causent la vasodilatation et augmentent la perméabilité des vaisseaux sanguins ; servent d'agents chimiotactiques pour les phagocytes

___ j) glycoprotéines formées de quatre chaînes polypeptidiques qui lient les antigènes

1) antigènes exogènes 7) histamine
2) antigènes endogènes 8) antigènes du
3) protéines du complément complexe majeur d'histo-
4) haptène compatibilité (CMH)
5) cytokines 9) kinines
6) anticorps 10) protéines du complément

QUESTIONS À COURT DÉVELOPPEMENT

1. Marc, qui a trois ans, court pieds nus dans l'herbe et ressent tout à coup une douleur vive. Il dit à sa mère en pleurant qu'il a marché sur une « beille ». Sa mère retire un dard de son pied. Trente minutes plus tard, le pourtour de la piqûre a enflé et Marc se plaint que le dessous du pied lui démange. De quel type de réponse immunitaire s'agit-il ? (INDICE : *Les symptômes ont été soulagés par l'application de glace et une pommade topique à la cortisone.*)

2. Sophie est en expédition pédestre à la montagne. Le deuxième jour de la randonnée, elle se plante une écharde dans le pouce droit. Elle ne souffre pas beaucoup (les pieds lui font plus mal que le pouce), si bien qu'elle se contente d'appliquer un sparadrap

et n'y pense plus. À la fin de l'expédition, Sophie a des stries rouges qui lui parcourent le bras droit et des bosses douloureuses à l'aisselle droite. Qu'a-t-elle au bras ? (INDICE : *Elle aurait dû mieux s'occuper de cette écharde.*)

3. Amélie observe sa mère en train de se faire vacciner contre la grippe. « Pourquoi as-tu besoin d'une piqûre, puisque tu n'es pas malade ? » demande-t-elle. « Parce que je ne veux pas tomber malade », lui répond sa mère. Expliquez comment la vaccination prévient la grippe. (INDICE : *Le vaccin contre la grippe n'est pas efficace contre la rougeole, la varicelle ou la pneumonie ; il fonctionne uniquement contre la grippe.*)

RÉPONSES AUX QUESTIONS DES FIGURES

22.1 La moelle osseuse rouge contient des cellules souches qui deviennent des lymphocytes.

22.2 La lymphe ressemble plus au liquide interstitiel qu'au plasma parce que la quantité de protéines qu'elle contient est faible.

22.3 Les troncs lombaires gauche et droit et le tronc intestinal se jettent dans la citerne du chyle, qui est drainée par le conduit thoracique.

22.4 L'inspiration favorise l'écoulement de la lymphe des vaisseaux lymphatiques abdominaux vers la région thoracique.

22.5 Les lymphocytes T arrivent à maturité dans le thymus.

22.6 Les substances étrangères qui entrent dans un nœud lymphatique par la lymphe peuvent être phagocytées par les macrophages ou attaquées par les lymphocytes au cours d'une réponse immunitaire.

22.7 La pulpe blanche de la rate assure des fonctions immunitaires; la pulpe rouge assure des fonctions reliées aux cellules sanguines.

22.8 Le système lymphatique commence à se développer vers la fin de la cinquième semaine de gestation.

22.9 Les microbes sont tués par le lysozyme, des enzymes digestives et des oxydants.

22.10 La *rougeur* résulte du débit sanguin qui augmente par suite de la vasodilatation; la *douleur* résulte de lésions aux fibres nerveuses, de l'irritation causée par les toxines microbiennes, les kinines et les prostaglandines, et de la pression due à l'œdème; la *chaleur* résulte du débit sanguin accru et de l'accélération locale des réactions métaboliques; la *tuméfaction* résulte du liquide qui s'échappe des capillaires par suite de l'augmentation de leur perméabilité.

22.11 Les lymphocytes T auxiliaires participent à la fois aux réponses immunitaires à médiation cellulaire et aux réponses immunitaires humorales.

22.12 Un épitope est une petite partie immunogène d'un antigène complexe; un haptène est une petite molécule qui ne devient immunogène que lorsqu'elle est liée à une protéine de l'organisme.

22.13 Les CPA comprennent les macrophages qui se trouvent dans de nombreux tissus de l'organisme, les lymphocytes B dans le sang et le tissu lymphatique ainsi que les cellules dendritiques dans les muqueuses et la peau.

22.14 Le premier signal de l'activation d'un lymphocyte T est la liaison de l'antigène au récepteur d'antigène; le second signal vient d'un agent de costimulation tel qu'une cytokine ou une paire de molécules membranaires.

22.15 Les lymphocytes T cytotoxiques attaquent certaines cellules tumorales et les cellules des greffons, ainsi que les cellules infectées par les virus.

22.16 Un clone de plasmocytes ne sécrète qu'une sorte d'anticorps.

22.17 Les régions variables reconnaissent un antigène spécifique et s'y lient.

22.18 La voie classique d'activation du complément est liée aux réponses immunitaires humorales parce que les complexes antigène-anticorps activent C1.

22.19 Au maximum de la sécrétion, environ 1 000 fois plus d'IgG sont produites lors de la réaction secondaire que lors de la réaction primaire.

22.20 Lorsqu'il y a délétion, les lymphocytes T ou B qui réagissent au soi meurent; dans le cas de l'anergie, les lymphocytes T ou B sont vivants mais ils ne répondent pas à la stimulation par l'antigène.

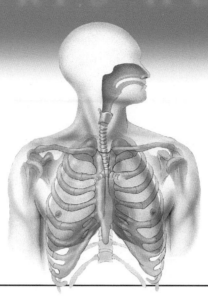

Les cellules ont continuellement besoin d'oxygène (O_2) pour les réactions métaboliques qui libèrent de l'énergie à partir des molécules de nutriments et qui produisent de l'ATP. Ces réactions amènent aussi la formation de gaz carbonique (CO_2). L'excès de CO_2 doit être éliminé rapidement et efficacement, car il cause de l'acidité qui peut être toxique pour les cellules. Les deux systèmes qui ensemble assurent l'apport d'O_2 et l'élimination de CO_2 sont les systèmes cardiovasculaire et respiratoire. Le système respiratoire permet les échanges gazeux – absorption de l'O_2 et élimination du CO_2 –, alors que le système cardiovasculaire transporte le sang contenant les gaz entre les poumons et les cellules de l'organisme. La défaillance de l'un ou l'autre des systèmes perturbe l'homéostasie et cause la mort rapide des cellules par manque d'oxygène et accumulation des déchets. En plus de réaliser les échanges gazeux, le système respiratoire participe à la régulation du pH sanguin, contient des récepteurs qui servent à l'olfaction, filtre l'air inspiré, produit les sons et débarrasse l'organisme d'une certaine quantité d'eau et de chaleur dans l'air expiré.

Le processus des échanges gazeux dans l'organisme, appelé **respiration,** s'effectue en trois grandes étapes:

1. La **ventilation pulmonaire** (*pulmo* = poumon) est le processus mécanique par lequel l'air pénètre (inspiration) dans les poumons et en ressort (expiration).

2. La **respiration externe** est formée des échanges gazeux entre les cavités aériennes des poumons et le sang dans les capillaires pulmonaires. Au cours de ce processus, le sang des capillaires pulmonaires gagne de l'O_2 et perd du CO_2.

3. La **respiration interne** est formée des échanges gazeux entre le sang dans les capillaires systémiques et les cellules des tissus. Le sang perd de l'O_2 et gagne du CO_2. Dans les cellules, les réactions métaboliques qui consomment de l'O_2 et libèrent du CO_2 au cours de la production de l'ATP sont appelées *respiration cellulaire* (voir le chapitre 25).

ANATOMIE DU SYSTÈME RESPIRATOIRE

OBJECTIFS

• *Décrire l'anatomie et l'histologie du nez, du pharynx, du larynx, de la trachée, des bronches et des poumons.*

• *Nommer les fonctions de chacune des structures du système respiratoire.*

Le **système respiratoire** comprend le nez, le pharynx (gorge), le larynx, la trachée, les bronches et les poumons (figure 23.1). Sur le plan structural, le système respiratoire est constitué de deux parties: 1) le **système respiratoire supérieur,** formé du nez, du pharynx et des structures associées, et 2) le **système respiratoire inférieur,** formé du larynx, de la trachée, des bronches et des poumons. Sur le plan fonctionnel, le système respiratoire est également constitué de deux parties: 1) la **zone de conduction,** qui est formée d'une série de cavités et de conduits reliés les uns aux autres, à l'intérieur et à l'extérieur des poumons – le nez, le pharynx, le larynx, la trachée, les bronches, les bronchioles et les bronchioles terminales –, qui filtrent, réchauffent et humidifient

Figure 23.1 Structures du système respiratoire.

Le système respiratoire supérieur comprend le nez, le pharynx et les structures associées ; le système respiratoire inférieur comprend le larynx, la trachée, les bronches et les poumons.

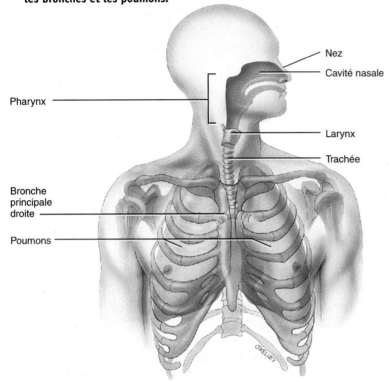

Nez

Cavité nasale

Pharynx

Larynx

Trachée

Bronche principale droite

Poumons

FONCTIONS

1. Siège des échanges gazeux – absorption de O_2 qui sera acheminé vers les cellules de l'organisme et élimination du CO_2 produit par les cellules.

2. Contribue à la régulation du pH sanguin.

3. Contient les récepteurs olfactifs, filtre l'air inspiré et produit les sons.

(a) Vue antérieure des organes de la respiration

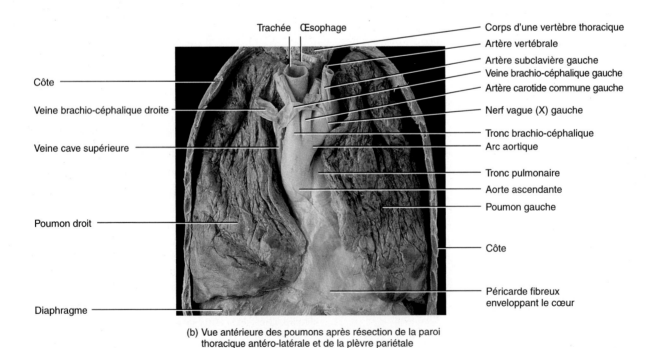

Trachée   Œsophage

Corps d'une vertèbre thoracique

Artère vertébrale

Artère subclavière gauche

Veine brachio-céphalique gauche

Artère carotide commune gauche

Côte

Veine brachio-céphalique droite

Nerf vague (X) gauche

Tronc brachio-céphalique

Veine cave supérieure

Arc aortique

Tronc pulmonaire

Aorte ascendante

Poumon gauche

Poumon droit

Côte

Péricarde fibreux enveloppant le cœur

Diaphragme

(b) Vue antérieure des poumons après résection de la paroi thoracique antéro-latérale et de la plèvre pariétale

Q Quelles structures font partie de la zone de conduction du système respiratoire ?

l'air et l'acheminent dans les poumons, et 2) la **zone respiratoire,** qui est formée de tissus à l'intérieur des poumons où s'effectuent les échanges gazeux – les bronchioles respiratoires, les conduits alvéolaires, les sacs alvéolaires et les alvéoles pulmonaires. Ces dernières structures constituent le principal lieu des échanges gazeux entre l'air et le sang. Le volume de la zone de conduction chez l'adulte est d'environ 150 mL; celui de la zone respiratoire est de 5 à 6 L.

La branche de la médecine qui traite du diagnostic et du traitement des maladies des oreilles, du nez et de la gorge est appelée **oto-rhino-laryngologie** (*ôtos* = oreille; *rhinos* = nez; *laruggos* = gosier; *logos* = science). Le **pneumologue** est le spécialiste du diagnostic et du traitement des maladies des poumons.

Nez

Le nez se divise en une partie externe et une partie interne. La partie externe est constituée d'une charpente de tissu osseux et de cartilage hyalin recouverte de muscle et de peau; elle est tapissée d'une muqueuse. La charpente osseuse comprend l'os frontal, l'os nasal et les maxillaires (figure 23.2a). La charpente cartilagineuse comprend le **cartilage septal du nez,** qui forme la partie antérieure du septum nasal, les **cartilages nasaux latéraux** sous les os nasaux et les **cartilages alaires,** qui forment une partie des parois des narines. En raison de sa charpente de cartilage hyalin souple, le reste du nez externe possède une certaine flexibilité. Les deux ouvertures sous le nez externe sont appelées **narines.** La figure 23.3 montre l'anatomie de surface du nez. Les structures situées à l'intérieur de la partie externe du nez ont trois fonctions: 1) réchauffer, humidifier et filtrer l'air qui entre, 2) détecter les stimulus olfactifs et 3) modifier les vibrations de la voix, parce que les narines constituent de grandes cavités de résonance.

La partie interne du nez est une grande cavité de la face antérieure du crâne située sous les os nasaux et au-dessus de la bouche. Elle comprend aussi des muscles et une muqueuse. À l'avant, le nez interne se joint au nez externe et, à l'arrière, il communique avec le pharynx par deux ouvertures appelées **choanes** (voir la figure 23.2b). Des conduits reliés aux sinus paranasaux (frontal, sphénoïdal, maxillaire et ethmoïdal) et les conduits lacrymo-nasaux s'ouvrent aussi dans le nez interne. Les parois latérales du nez interne sont formées par l'os ethmoïde, les maxillaires, les os lacrymaux, les os palatins et les cornets nasaux inférieurs (voir la figure 7.9, p. 208); l'os ethmoïde forme aussi la paroi supérieure du nez. Le plancher du nez interne est formé principalement des os palatins et des processus palatins des maxillaires qui ensemble constituent le palais osseux.

Les espaces à l'intérieur du nez interne sont appelés **cavités nasales;** elles sont divisées en deux parties, gauche et droite, par une cloison verticale, le **septum nasal.** La partie antérieure du septum comprend surtout du cartilage hyalin;

le reste est formé par le vomer, la lame perpendiculaire de l'ethmoïde, les maxillaires et les os palatins (voir la figure 7.14, p. 213). La partie antérieure des cavités nasales, juste à l'intérieur des narines, est appelée **vestibule;** elle est entourée de cartilage. La partie supérieure des cavités nasales est limitée par des os.

Quand l'air pénètre dans les narines, il passe d'abord dans le vestibule. La peau qui tapisse ce dernier contient des poils rugueux qui filtrent les grosses particules de poussière. Les projections des cornets nasaux supérieur, moyen et inférieur forment trois «étagères» sur les parois latérales des cavités nasales. Les cornets, qui touchent presque au septum, subdivisent chaque côté des cavités nasales en une série de sillons ou couloirs – les **méats** (*meatus* = passage) **nasaux supérieur, moyen** et **inférieur.** Une muqueuse tapisse les cavités nasales et ses étagères. L'alternance de cornets et de méats augmente la surface du nez interne et prévient la déshydratation en formant en quelque sorte des déflecteurs qui emprisonnent les gouttelettes d'eau au cours de l'expiration.

Les récepteurs olfactifs sont situés dans la muqueuse qui tapisse les cornets nasaux supérieurs et le septum adjacent. C'est la **région olfactive de la muqueuse du nez.** Au-dessous, la muqueuse contient des capillaires et un épithélium pseudostratifié prismatique cilié avec de nombreuses cellules caliciformes. En tourbillonnant autour des cornets et dans les méats, l'air inspiré est réchauffé par le sang qui circule dans les capillaires. Le mucus sécrété par les cellules caliciformes humidifie l'air et emprisonne les particules de poussière. Le liquide qui s'écoule des conduits lacrymo-nasaux et peut-être les sécrétions des sinus paranasaux contribuent également à humidifier l'air. Les cils déplacent le mucus et les particules de poussière emprisonnées vers le pharynx, d'où ils peuvent être avalés ou crachés, ce qui en débarrasse les voies respiratoires.

APPLICATION CLINIQUE
Rhinoplastie

La **rhinoplastie** (*plassein* = façonner) est une opération chirurgicale au cours de laquelle la structure du nez externe est modifiée. Bien qu'elle soit souvent pratiquée pour des raisons esthétiques (on se fait «refaire le nez»), elle sert parfois à réparer un nez fracturé ou une déviation du septum nasal. Elle s'effectue sous anesthésie à la fois locale et générale. À l'aide d'instruments qu'on fait passer par les narines, on corrige la déformation du cartilage nasal, on brise et on replace les os du nez de manière à obtenir la forme voulue. On maintient le nez en position pendant la cicatrisation au moyen d'un méchage et d'une attelle internes. ■

Pharynx

Le **pharynx,** ou gorge, est un tube en forme d'entonnoir mesurant environ 13 cm de long qui prend naissance au niveau des choanes et s'étend jusqu'à la hauteur du cartilage cricoïde, le plus inférieur des cartilages du larynx (figure 23.4).

Figure 23.2 Structures respiratoires de la tête et du cou.

🔑 **En passant dans le nez, l'air est réchauffé, filtré et humidifié.**

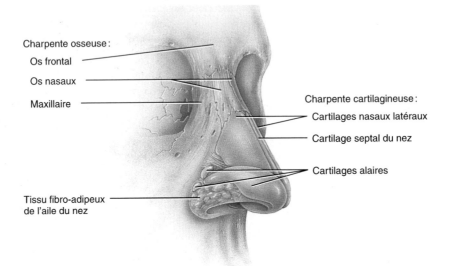

Charpente osseuse :

Os frontal

Os nasaux

Maxillaire

Charpente cartilagineuse :

Cartilages nasaux latéraux

Cartilage septal du nez

Cartilages alaires

Tissu fibro-adipeux de l'aile du nez

(a) Vue antéro-latérale de la partie externe du nez montrant les charpentes osseuse et cartilagineuse

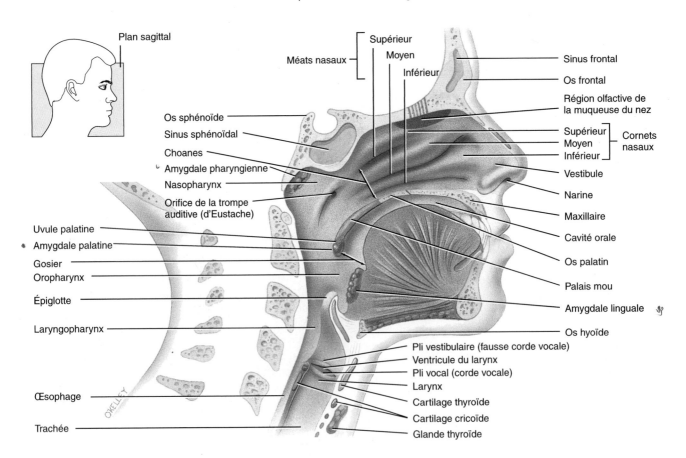

Plan sagittal

Supérieur
Moyen
Inférieur

Méats nasaux

Sinus frontal

Os frontal

Région olfactive de la muqueuse du nez

Os sphénoïde

Sinus sphénoïdal

Choanes

Amygdale pharyngienne

Nasopharynx

Orifice de la trompe auditive (d'Eustache)

Supérieur
Moyen
Inférieur

Cornets nasaux

Vestibule

Narine

Maxillaire

Cavité orale

Os palatin

Palais mou

Amygdale linguale

Os hyoïde

Uvule palatine

Amygdale palatine

Gosier

Oropharynx

Épiglotte

Laryngopharynx

Œsophage

Trachée

Pli vestibulaire (fausse corde vocale)

Ventricule du larynx

Pli vocal (corde vocale)

Larynx

Cartilage thyroïde

Cartilage cricoïde

Glande thyroïde

(b) Coupe sagittale du côté gauche de la tête et du cou montrant la situation des structures respiratoires

Q Quel est le parcours effectué par les molécules d'air qui passent par le nez ?

Le pharynx est situé juste derrière les cavités orale et nasales, au-dessus du larynx et juste devant les vertèbres cervicales. Sa paroi est composée de muscles squelettiques et elle est tapissée d'une muqueuse. Le pharynx sert de passage pour l'air et les aliments, constitue une caisse de résonance pour la phonation et abrite les amygdales, qui participent aux réactions immunitaires contre les envahisseurs étrangers.

On peut diviser le pharynx en trois régions anatomiques : 1) le nasopharynx, 2) l'oropharynx et 3) le laryngopharynx. (Voir le schéma dans le coin inférieur gauche de la figure 23.4.) La musculature de l'ensemble du pharynx comprend deux couches : l'une circulaire et externe, l'autre longitudinale et interne.

La partie supérieure du pharynx, appelée **nasopharynx,** se trouve derrière les cavités nasales et s'étend jusqu'au plan du palais mou. Sa paroi comprend cinq ouvertures : les deux choanes, les deux orifices qui mènent dans les trompes auditives (ou trompes d'Eustache) et l'ouverture qui donne sur l'oropharynx. La paroi postérieure porte également l'**amygdale pharyngienne.** Le nasopharynx reçoit par les choanes l'air des cavités nasales ainsi que du mucus chargé de poussières. Il est tapissé d'épithélium pseudostratifié prismatique cilié, et les cils poussent le mucus vers la région inférieure du pharynx. Le nasopharynx échange aussi de petites quantités d'air avec les trompes auditives de façon à équilibrer la pression de l'air entre le pharynx et l'oreille moyenne.

Figure 23.3 Anatomie de surface du nez.

🔑 **Le nez externe possède une charpente cartilagineuse et osseuse.**

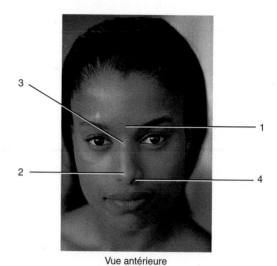

Vue antérieure

1. **Racine :** Point d'attache supérieur du nez à l'os frontal
2. **Pointe du nez :** Extrémité du nez
3. **Arête :** Charpente osseuse du nez formée par les os nasaux
4. **Narine :** Ouverture de la cavité nasale vers l'extérieur

Q À quel endroit le nez est-il attaché à l'os frontal ?

Figure 23.4 Pharynx.

🔑 **Les trois régions du pharynx sont 1) le nasopharynx, 2) l'oropharynx et 3) le laryngopharynx.**

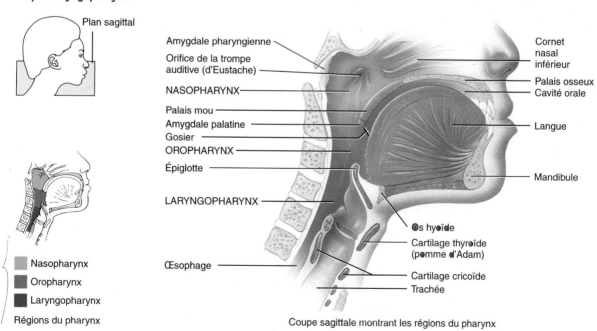

Plan sagittal

Nasopharynx
Oropharynx
Laryngopharynx
Régions du pharynx

Amygdale pharyngienne
Orifice de la trompe auditive (d'Eustache)
NASOPHARYNX
Palais mou
Amygdale palatine
Gosier
OROPHARYNX
Épiglotte
LARYNGOPHARYNX
Œsophage

Cornet nasal inférieur
Palais osseux
Cavité orale
Langue
Mandibule
Os hyoïde
Cartilage thyroïde (pomme d'Adam)
Cartilage cricoïde
Trachée

Coupe sagittale montrant les régions du pharynx

Q Quelles sont les limites supérieure et inférieure du pharynx ?

La partie intermédiaire du pharynx, appelée **oropharynx,** est située derrière la cavité orale et s'étend vers le bas, du palais mou jusqu'à la hauteur de l'os hyoïde. Elle ne possède qu'une ouverture, le **gosier,** qui communique avec la bouche. Cette région du pharynx assure des fonctions respiratoire et digestive parce qu'elle constitue un passage commun pour l'air et les aliments solides et liquides. Elle résiste à l'action abrasive des aliments grâce à son épithélium stratifié pavimenteux non kératinisé. Deux paires d'amygdales, les **amygdales palatines** et **linguales,** se trouvent dans l'oropharynx.

La partie inférieure du pharynx, qui porte le nom de **laryngopharynx,** prend naissance à la hauteur de l'os hyoïde et relie l'œsophage au larynx. Comme l'oropharynx, le laryngopharynx est une voie à double fonction, respiratoire et digestive, et il est tapissé d'épithélium stratifié pavimenteux non kératinisé.

Larynx

Le **larynx** est un court passage qui relie le laryngopharynx à la trachée. Il est situé sur la ligne médiane du cou devant les quatrième, cinquième et sixième vertèbres cervicales (C4 à C6).

La paroi du larynx est constituée de neuf cartilages (figure 23.5). Trois d'entre eux sont impairs (cartilage thyroïde, cartilage épiglottique et cartilage cricoïde). Les trois autres sont pairs (cartilages aryténoïdes, cunéiformes et corniculés). Parmi les cartilages pairs, les cartilages aryténoïdes sont les plus importants parce qu'ils influent sur la position et la tension des plis vocaux, ou cordes vocales. Les muscles extrinsèques du larynx relient les cartilages à d'autres structures de la gorge. Les muscles intrinsèques relient les cartilages entre eux.

Le **cartilage thyroïde,** ou **pomme d'Adam,** comprend deux lames de cartilage hyalin soudées qui constituent la paroi antérieure du larynx et lui donnent une forme triangulaire. Il est généralement plus grand chez les hommes que chez les femmes en raison de l'influence des hormones sexuelles mâles sur sa croissance pendant la puberté. Le ligament qui relie le cartilage thyroïde à l'os hyoïde est appelé **membrane thyro-hyoïdienne.**

L'**épiglotte** (*epi* = sur; *glôtta* = langue) est un grand cartilage élastique recouvert d'épithélium dont la forme rappelle une feuille (voir aussi la figure 23.4). La « queue » de l'épiglotte est attachée au bord antérieur du cartilage thyroïde, mais le « limbe de la feuille » est libre de s'ouvrir et de se fermer comme une trappe. Pendant la déglutition, le pharynx et le larynx s'élèvent. Par suite de ce mouvement, le pharynx s'élargit pour recevoir les aliments solides et liquides. L'élévation du larynx fait descendre le bord libre de l'épiglotte de sorte que celle-ci se referme sur la glotte comme un couvercle. La **glotte** est constituée d'une paire de plis dans la muqueuse, soit les plis vocaux du larynx, et de l'espace entre eux appelé **fente de la glotte.** La fermeture du larynx durant la déglutition achemine les aliments et les liquides vers l'œsophage et les empêche de pénétrer dans les voies aériennes situées plus bas. Quand de petites particules de poussière, de fumée, de nourriture ou de liquide passent dans le larynx, elles déclenchent le réflexe de la toux et sont habituellement expulsées.

Le **cartilage cricoïde** (*krikos* = anneau) est un anneau de cartilage hyalin qui forme la paroi inférieure du larynx. Il est attaché au premier anneau de cartilage de la trachée par le **ligament crico-trachéal.** Il est relié au cartilage thyroïde par le **ligament crico-thyroïdien.** Le cartilage cricoïde sert de repère lorsqu'il faut ouvrir une voie aérienne d'urgence (trachéotomie; voir p. 830).

La paire de **cartilages aryténoïdes** (*arutaina* = vase à puiser) est formée de deux structures triangulaires. Ces cartilages sont composés principalement de cartilage hyalin et sont situés sur le bord supérieur et postérieur du cartilage cricoïde. Ils sont reliés aux plis vocaux et aux muscles pharyngiens intrinsèques. Prenant appui sur les cartilages aryténoïdes lorsqu'ils se contractent, les muscles pharyngiens intrinsèques actionnent les plis vocaux.

La paire de **cartilages corniculés** (*corniculum* = petite corne) est formée de deux structures en forme de cornes, comme leur nom l'indique, composées de cartilage élastique et situées au sommet d'un cartilage aryténoïde. La paire de **cartilages cunéiformes** (*cuneus* = coin) est située devant les cartilages corniculés. Ces structures ressemblant à de petites massues sont constituées de cartilage élastique. Elles soutiennent les plis vocaux et les côtés de l'épiglotte.

Au-dessus des plis vocaux, le larynx est tapissé d'épithélium stratifié pavimenteux non kératinisé. Au-dessous des plis vocaux, il est tapissé d'épithélium pseudostratifié prismatique cilié comprenant des cellules prismatiques ciliées, des cellules caliciformes et des cellules basales. Le mucus qu'il produit aide à capter la poussière qui a réussi à traverser les voies supérieures. Alors que les cils des voies aériennes supérieures déplacent le mucus et les particules emprisonnées vers le *bas* en direction du pharynx, les cils des voies aériennes inférieures les poussent vers le *haut* en direction du pharynx.

Structures de la phonation

La muqueuse du larynx forme deux paires de plis (voir la figure 23.5c): la paire supérieure porte le nom de **plis vestibulaires,** ou **fausses cordes vocales,** et la paire inférieure, celui de **plis vocaux,** ou **cordes vocales.** L'espace entre les plis vestibulaires est appelé **fente vestibulaire.** Le **ventricule du larynx** est formé par une dilatation latérale de la partie centrale de la cavité du larynx entre les plis vestibulaires au-dessus et les plis vocaux au-dessous (voir la figure 23.2b).

Quand les plis vestibulaires sont rapprochés l'un de l'autre, ils permettent de retenir le souffle contre la pression venant de la cavité thoracique, comme dans le cas d'une

Figure 23.5 Larynx.

 Le larynx est constitué de neuf cartilages.

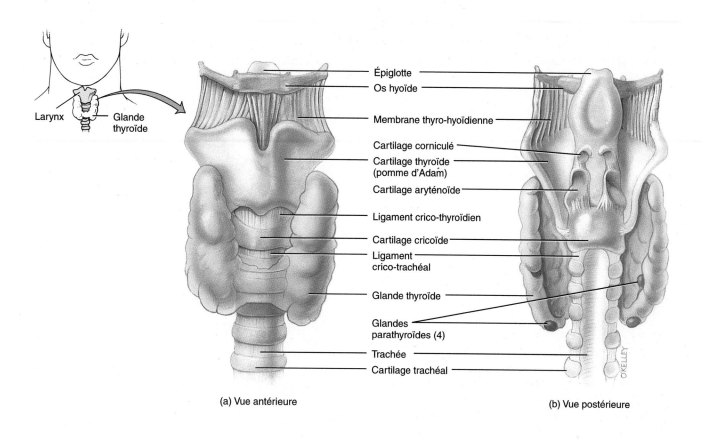

(a) Vue antérieure

(b) Vue postérieure

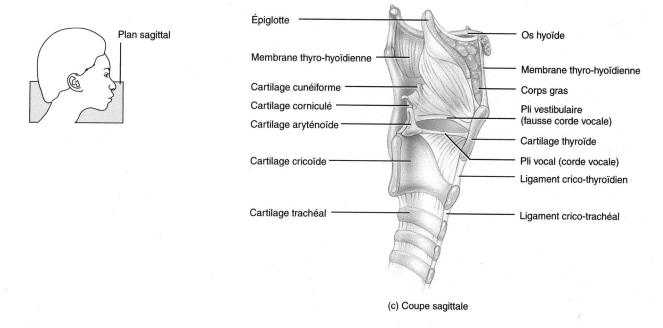

(c) Coupe sagittale

 Comment l'épiglotte prévient-elle l'aspiration d'aliments solides et liquides?

Figure 23.6 Mouvement des plis vocaux.

 La glotte est constituée d'une paire de plis dans la muqueuse, les plis vocaux du larynx, et de l'espace entre eux appelé fente de la glotte.

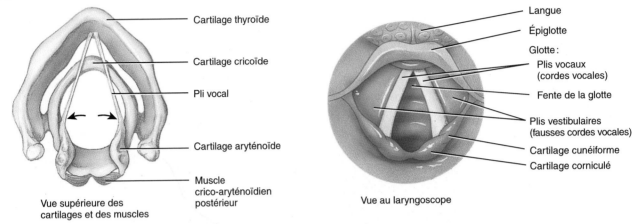

Cartilage thyroïde

Cartilage cricoïde

Pli vocal

Cartilage aryténoïde

Muscle crico-aryténoïdien postérieur

Vue supérieure des cartilages et des muscles

Langue

Épiglotte

Glotte :
Plis vocaux (cordes vocales)

Fente de la glotte

Plis vestibulaires (fausses cordes vocales)

Cartilage cunéiforme

Cartilage corniculé

Vue au laryngoscope

(a) Mouvement de séparation des plis vocaux (abduction)

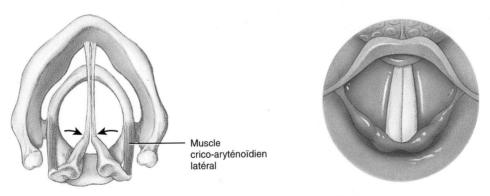

Muscle crico-aryténoïdien latéral

(b) Mouvement de rapprochement des plis vocaux (adduction)

 Quelle est la principale fonction des plis vocaux ?

personne qui force pour soulever un objet lourd. Sous la muqueuse des plis vocaux, dont l'épithélium est du type stratifié pavimenteux non kératinisé, se trouvent des bandes de ligaments élastiques tendues entre les éléments de cartilage rigide comme les cordes d'une guitare. Des muscles squelettiques du larynx, appelés muscles intrinsèques, sont reliés à la fois au cartilage rigide et aux plis vocaux. Quand ils se contractent, ils tendent les ligaments élastiques, ce qui tire les plis vocaux vers le centre des voies aériennes et amène la fente de la glotte à se rétrécir. Si de l'air est envoyé contre les plis vocaux, ils se mettent à vibrer et produisent des ondes sonores dans la colonne d'air qui occupe le pharynx, le nez et la bouche. Plus la pression de l'air est grande, plus le son est fort.

Quand les muscles intrinsèques du larynx se contractent, ils tirent sur les cartilages aryténoïdes et les font pivoter. Par exemple, la contraction des muscles crico-aryténoïdiens

postérieurs sépare les plis vocaux (abduction), ouvrant ainsi la fente de la glotte (figure 23.6a). À l'inverse, la contraction des muscles crico-aryténoïdiens latéraux rapproche les plis vocaux l'un de l'autre (adduction) et ferme la fente de la glotte (figure 23.6b). D'autres muscles intrinsèques peuvent allonger (et mettre de la tension sur) ou raccourcir (et détendre) les plis vocaux.

La hauteur des sons dépend de la tension des plis vocaux. Si ces derniers sont tendus par l'action des muscles, ils vibrent plus rapidement et produisent des sons plus aigus. Les sons graves sont obtenus par une diminution de la tension musculaire sur les plis vocaux. Par suite de l'influence des androgènes (hormones sexuelles mâles), les plis vocaux sont habituellement plus épais et plus longs chez les hommes que chez les femmes. En conséquence, ils vibrent plus lentement et le registre de la voix masculine est généralement plus grave que celui de la voix féminine.

Figure 23.7 Situation de la trachée par rapport à l'œsophage.

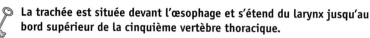

La trachée est située devant l'œsophage et s'étend du larynx jusqu'au bord supérieur de la cinquième vertèbre thoracique.

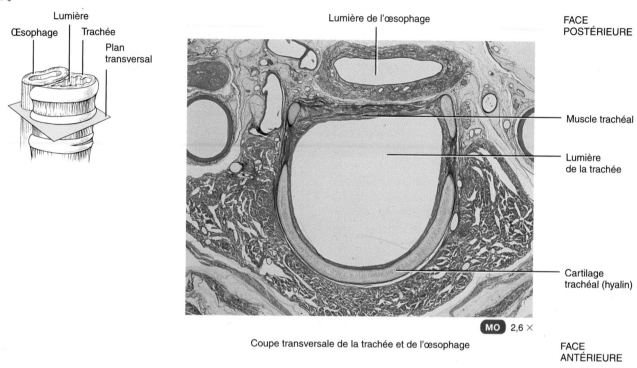

Œsophage
Lumière
Trachée
Plan transversal

Lumière de l'œsophage

FACE POSTÉRIEURE

Muscle trachéal

Lumière de la trachée

Cartilage trachéal (hyalin)

MO 2,6 ×

Coupe transversale de la trachée et de l'œsophage

FACE ANTÉRIEURE

Q Quel est l'avantage de l'absence de cartilage entre la trachée et l'œsophage?

Les sons proviennent de la vibration des plis vocaux, mais il faut la participation d'autres structures pour les convertir en paroles reconnaissables. Le pharynx, la bouche, les cavités nasales et les sinus paranasaux jouent le rôle de caisses de résonance qui donnent à la voix sa qualité humaine et individuelle. Nous produisons les voyelles en contractant et en relâchant les muscles de la paroi du pharynx. Les muscles du visage, de la langue et des lèvres nous aident à articuler les mots.

Le chuchotement s'obtient en fermant la fente de la glotte de manière à n'en laisser ouverte que la partie postérieure. Les plis vocaux ne vibrent pas lorsqu'on chuchote, si bien qu'on n'émet ni sons aigus, ni sons graves. Néanmoins, il est possible de prononcer des paroles intelligibles en changeant la forme de la cavité orale. Les variations de volume de la cavité orale modifient sa résonance et permettent de moduler l'air qui est projeté vers les lèvres de façon à simuler les voyelles.

Trachée

La **trachée** (*trakheia artêria* = artère raboteuse) est un conduit d'air tubulaire qui mesure environ 12 cm de long et 2,5 cm de diamètre. Elle est située devant l'œsophage (figure 23.7) et s'étend du larynx jusqu'au bord supérieur de la cinquième vertèbre thoracique (T5), où elle se divise pour former les bronches principales droite et gauche (voir la figure 23.8).

La paroi de la trachée comprend quatre couches. Ce sont, de l'intérieur vers l'extérieur, 1) une muqueuse, 2) une sous-muqueuse, 3) du cartilage hyalin et 4) une adventice composée de tissu conjonctif lâche. La muqueuse de la trachée comprend un épithélium pseudostratifié prismatique cilié recouvrant un chorion qui contient des fibres élastiques et réticulaires (voir le tableau 4.1, p. 121). L'épithélium est constitué de cellules prismatiques ciliées et de cellules caliciformes qui se rendent jusqu'à la lumière, ainsi que de cellules basales enfouies. Cet épithélium procure la même protection contre la poussière que la muqueuse qui tapisse les cavités nasales et le larynx. La sous-muqueuse est composée de tissu conjonctif lâche contenant des glandes séromuqueuses avec leurs conduits. On compte de 16 à 20 anneaux incomplets de cartilage hyalin, empilés comme autant de lettres C placées à l'horizontale. On peut les palper à travers la peau sous le larynx. L'ouverture des anneaux en C est tournée vers l'œsophage (voir la figure 23.7), ce qui permet une légère distension de ce dernier dans la trachée durant la déglutition.

Des fibres musculaires lisses transverses, qui forment le **muscle trachéal,** et du tissu conjonctif élastique stabilisent les extrémités libres des anneaux de cartilage. Les anneaux de cartilage servent de soutien semi-rigide qui empêche la paroi trachéale de s'effondrer (surtout durant l'inspiration) et de s'opposer au passage de l'air. L'adventice est composée de tissu conjonctif lâche qui relie la trachée aux tissus environnants.

APPLICATION CLINIQUE
Trachéotomie et intubation

Plusieurs états pathologiques peuvent causer l'obstruction de la trachée et entraver le passage de l'air. Par exemple, les anneaux de cartilage qui soutiennent la trachée peuvent s'écraser par suite d'un coup à la poitrine, une inflammation de la muqueuse peut la faire enfler au point de fermer les voies aériennes, ou il peut y avoir aspiration de vomissements ou de corps étrangers. On emploie deux méthodes pour rétablir la respiration quand la trachée est obstruée. Si l'obstruction se trouve au-dessus du larynx, on peut pratiquer une **trachéotomie,** qui consiste à faire d'abord une incision dans la peau, puis une courte incision longitudinale dans la trachée sous le cartilage cricoïde. Le patient respire alors au moyen d'une canule trachéale en métal ou en plastique insérée dans l'incision. La seconde méthode est l'**intubation,** qui consiste à introduire une canule dans la bouche ou le nez, puis dans le larynx et la trachée. La canule est assez ferme pour déplacer toute obstruction molle et la lumière du conduit permet le passage de l'air. Si du mucus s'est accumulé dans la trachée, on peut l'aspirer par la canule. ■

Bronches

À la hauteur du bord supérieur de la cinquième vertèbre thoracique, la trachée se divise en une **bronche principale droite,** qui pénètre dans le poumon droit, et une **bronche principale gauche,** qui pénètre dans le poumon gauche (figure 23.8). La bronche principale droite est plus verticale, plus courte et plus large que la gauche. En conséquence, un objet aspiré a plus de chances de pénétrer et de se loger dans la bronche principale droite que dans la gauche. Comme la trachée, les bronches principales contiennent des anneaux incomplets de cartilage et sont tapissées d'épithélium pseudostratifié prismatique cilié.

Là où la trachée se divise en bronches principales droite et gauche se trouve une crête intérieure appelée **carina** (= coquille de noix). Elle est formée par une saillie du dernier cartilage trachéal qui est dirigée vers l'arrière et légèrement vers le bas. La muqueuse de la carina est un des points les plus sensibles du larynx et de la trachée pour le déclenchement du réflexe de la toux. L'élargissement et la déformation de la carina est un signe inquiétant, car ils indiquent habituellement la présence d'un carcinome des nœuds lymphatiques dans la région où la trachée se divise.

À l'entrée des poumons, les bronches principales se divisent en bronches plus petites, les **bronches lobaires,** à raison d'une bronche par lobe. (Le poumon droit a trois lobes ; le poumon gauche en a deux.) Les bronches lobaires se ramifient elles-mêmes et forment des bronches encore plus petites, les **bronches segmentaires,** qui se divisent à leur tour en **bronchioles.** Les bronchioles elles-mêmes se ramifient à plusieurs reprises et les plus petites se divisent en conduits encore plus petits appelés **bronchioles terminales.** Toutes ces ramifications à partir de la trachée ressemblent à un arbre inversé souvent nommé **arbre bronchique.**

Au fur et à mesure que s'étendent les ramifications de l'arbre bronchique, on peut noter plusieurs changements sur le plan structural. Premièrement, l'épithélium se modifie progressivement : il est pseudostratifié prismatique cilié dans les bronches et simple cuboïde non cilié dans les bronchioles terminales. (Dans les endroits qui sont tapissés d'épithélium cuboïde non cilié, les particules aspirées sont éliminées par des macrophages.) Deuxièmement, les anneaux incomplets de cartilage des bronches principales sont remplacés peu à peu par des plaques de cartilage qui finissent par disparaître aussi. Troisièmement, au fur et à mesure que la quantité de cartilage diminue, la quantité de muscle lisse augmente. Des bandes de muscle lisse entourent la lumière en spirale. Toutefois, en l'absence de soutien par du cartilage, les voies aériennes peuvent être fermées par des spasmes musculaires. C'est ce qui se produit lors d'une crise d'asthme, et cette situation peut mettre en péril la vie de la personne atteinte. Durant l'exercice physique, l'activité de la partie sympathique du SNA augmente et la médullosurrénale libère de l'adrénaline et de la noradrénaline. Ces hormones entraînent toutes deux le relâchement des muscles lisses des bronchioles et, par conséquent, la dilatation des voies aériennes. Il en résulte une amélioration de la ventilation pulmonaire parce que l'air atteint les alvéoles plus rapidement. La partie parasympathique du SNA et les médiateurs des réactions allergiques tels que l'histamine causent la contraction des muscles lisses des bronchioles et entraînent la constriction des bronchioles distales.

1. Quelles fonctions le système respiratoire et le système circulatoire ont-ils en commun ?
2. Expliquez les différences entre le système respiratoire supérieur et le système respiratoire inférieur.
3. Comparez la structure et les fonctions du nez externe et du nez interne.
4. Quelles sont les trois régions anatomiques du pharynx ? Nommez les rôles de chacune de ces régions dans la respiration.
5. Expliquez comment le larynx fonctionne au cours de la respiration et de la phonation.
6. Décrivez la situation, la structure et la fonction de la trachée.
7. Qu'est-ce que l'arbre bronchique ? Décrivez sa structure.

Figure 23.8 Ramifications des voies aériennes à partir de la trachée : l'arbre bronchique.

 L'arbre bronchique commence à la trachée et se termine dans les bronchioles terminales.

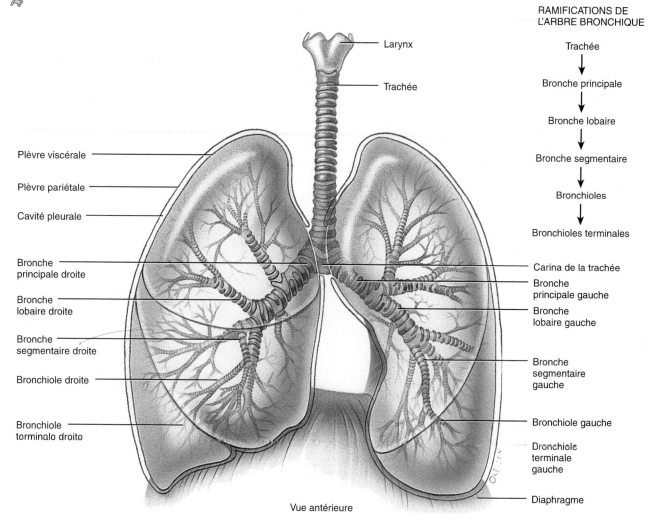

RAMIFICATIONS DE
L'ARBRE BRONCHIQUE

Trachée
↓
Bronche principale
↓
Bronche lobaire
↓
Bronche segmentaire
↓
Bronchioles
↓
Bronchioles terminales

Larynx

Trachée

Plèvre viscérale

Plèvre pariétale

Cavité pleurale

Bronche
principale droite

Bronche
lobaire droite

Bronche
segmentaire droite

Bronchiole droite

Bronchiole
terminale droite

Carina de la trachée

Bronche
principale gauche

Bronche
lobaire gauche

Bronche
segmentaire
gauche

Bronchiole gauche

Bronchiole
terminale
gauche

Diaphragme

Vue antérieure

Q Combien de lobes et de bronches lobaires y a-t-il dans chaque poumon ?

Poumons

OBJECTIF

• *Décrire l'anatomie et l'histologie des poumons.*

Les deux **poumons** sont des organes de forme conique situés dans la cavité thoracique. Ils sont séparés l'un de l'autre par le cœur et d'autres structures du médiastin, lequel divise la cavité thoracique en deux compartiments distincts sur le plan anatomique. Ainsi, si l'un des poumons s'affaisse par suite d'un traumatisme, l'autre peut rester dilaté. Deux feuillets de séreuse, qui forment ensemble la **plèvre** (*pleura* = côté), enveloppent et protègent chaque poumon. Le feuillet superficiel, la **plèvre pariétale,** tapisse la paroi de la cavité thoracique ; le feuillet interne, la **plèvre viscérale,** recouvre les poumons

eux-mêmes (figure 23.9). Entre la plèvre viscérale et la plèvre pariétale se trouve un petit espace, la **cavité pleurale,** qui contient une petite quantité de liquide lubrifiant sécrété par la séreuse. Ce liquide réduit la friction entre les deux feuillets de la séreuse et leur permet de glisser facilement l'un sur l'autre pendant la respiration. Le liquide pleural est aussi responsable de l'adhérence des deux feuillets l'un à l'autre, tout comme une pellicule d'eau maintient deux lames de verre collées l'une contre l'autre. Chaque poumon est entouré de sa propre cavité pleurale. L'inflammation de la plèvre, appelée **pleurésie,** peut causer une certaine douleur dans les premiers temps en raison de la friction entre le feuillet pariétal et le feuillet viscéral. Si l'inflammation persiste, la cavité pleurale se remplit de liquide : c'est l'**épanchement pleural.**

Figure 23.9 Relation entre la plèvre et les poumons. La flèche dans le schéma de gauche indique l'orientation de la coupe des poumons (vue supérieure).

🔑 **La plèvre pariétale tapisse la cavité thoracique ; la plèvre viscérale recouvre les poumons.**

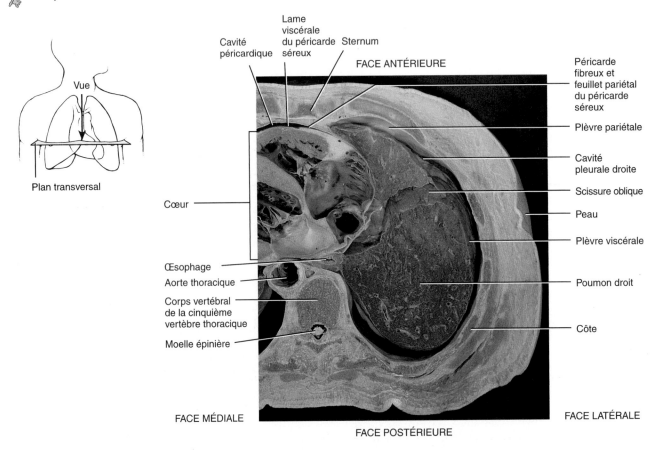

Vue supérieure d'une coupe transversale de la cavité thoracique montrant la cavité pleurale et les feuillets de la plèvre

Q De quel type de membrane la plèvre est-elle composée ?

Les poumons s'étendent du diaphragme jusqu'aux clavicules, qu'ils dépassent légèrement, et s'appuient contre les côtes à l'avant et à l'arrière (figure 23.10). La partie élargie au bas des poumons, appelée **base du poumon,** est concave et épouse la région convexe du diaphragme. La partie étroite au sommet est l'**apex du poumon.** La face du poumon qui repose contre les côtes, la **face costale,** épouse la courbure des côtes. La **face médiale** (ou **médiastinale**) de chaque poumon présente une région, le **hile,** par laquelle entrent et sortent les bronches, les vaisseaux sanguins pulmonaires, les vaisseaux lymphatiques et les nerfs. Ces structures sont retenues par la plèvre et du tissu conjonctif, et constituent la **racine du poumon.** La face médiale du poumon gauche présente également une échancrure, l'**incisure cardiaque,** dans laquelle repose le cœur. En raison de l'espace occupé par le cœur, le poumon gauche est de 10 % environ plus petit que le poumon droit. Bien que ce dernier soit plus large et

plus épais, il est un peu plus court que le poumon gauche car le diaphragme est surélevé du côté droit par le foie, situé juste en dessous.

Les poumons occupent presque entièrement le thorax (voir la figure 23.10a). L'apex se trouve au-dessus du tiers médial des clavicules ; c'est la seule région qui peut être palpée. Les faces antérieure, latérale et postérieure sont appuyées contre les côtes. La base s'étend du sixième cartilage costal à l'avant jusqu'au processus épineux de la dixième vertèbre thoracique à l'arrière. La plèvre s'étale, sur environ 5 cm sous la base du poumon, du sixième cartilage costal à l'avant jusqu'à la douzième côte à l'arrière. Les poumons ne remplissent donc pas complètement la cavité pleurale dans cette région, ce qui permet de retirer tout excès de liquide de la cavité sans endommager le tissu du poumon en insérant une aiguille dans le septième espace intercostal, sur la face postérieure ; cette procédure est appelée **thoracocentèse** (*kentêsis* = piqûre).

Figure 23.10 Anatomie de surface des poumons.

Les subdivisions des poumons sont les lobes, les segments broncho-pulmonaires et les lobules.

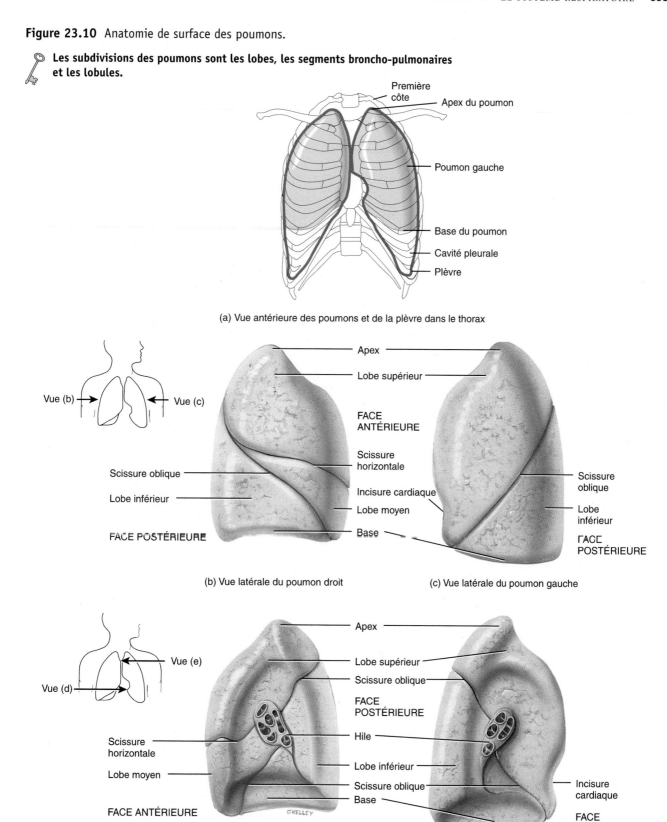

(a) Vue antérieure des poumons et de la plèvre dans le thorax

(b) Vue latérale du poumon droit

(c) Vue latérale du poumon gauche

(d) Vue médiale du poumon droit

(e) Vue médiale du poumon gauche

Q Pourquoi les poumons gauche et droit sont-ils de dimensions et de formes légèrement différentes ?

Figure 23.11 Anatomie microscopique d'un lobule pulmonaire.

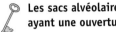 **Les sacs alvéolaires sont constitués de deux ou plusieurs alvéoles ayant une ouverture commune.**

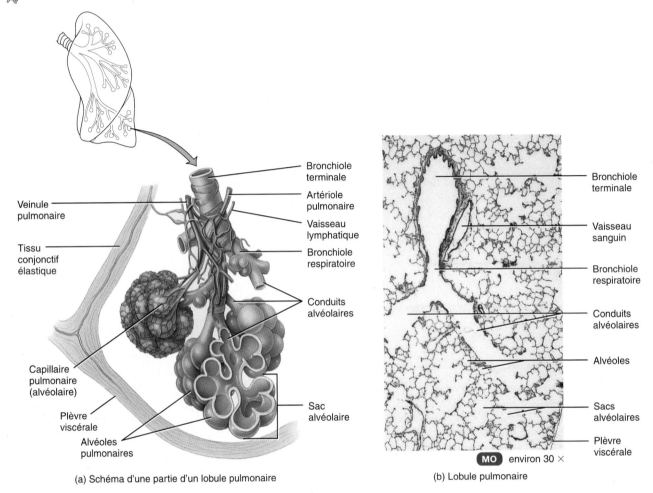

(a) Schéma d'une partie d'un lobule pulmonaire

(b) Lobule pulmonaire

MO environ 30 ×

Q De quel type d'épithélium la paroi de l'alvéole pulmonaire est-elle composée ?

Lobes, scissures et lobules

Chaque poumon est divisé en lobes par une ou deux scissures (voir la figure 23.10b-e). Les deux poumons présentent une **scissure oblique,** qui s'étend vers le bas et l'avant ; le poumon droit présente de plus une **scissure horizontale.** La scissure oblique du poumon gauche sépare le **lobe supérieur** du **lobe inférieur.** Quant au poumon droit, la partie supérieure de la scissure oblique sépare le lobe supérieur du lobe inférieur, alors que la partie inférieure sépare le lobe inférieur du **lobe moyen.** La scissure horizontale du poumon droit subdivise le lobe supérieur, formant ainsi un lobe moyen.

Chaque lobe reçoit sa propre bronche lobaire. Ainsi, la bronche principale droite donne naissance à trois bronches lobaires appelées **bronches lobaires supérieure, intermédiaire** et **inférieure,** et la bronche principale gauche aux **bronches lobaires supérieure** et **inférieure.** À l'intérieur des poumons, les bronches lobaires se divisent en **bronches segmentaires,** qui sont constantes par leur origine et leur distribution – il y a dix bronches segmentaires dans chaque poumon. Le segment de tissu pulmonaire ventilé par chacune de ces bronches est appelé **segment broncho-pulmonaire.** On peut traiter les troubles bronchiques et pulmonaires (tels les tumeurs ou les abcès) localisés dans un segment broncho-pulmonaire par une ablation chirurgicale sans endommager le tissu pulmonaire environnant.

Chaque segment broncho-pulmonaire est constitué d'un grand nombre de petits compartiments appelés **lobules,** dont chacun est enveloppé de tissu conjonctif élastique et contient un vaisseau lymphatique, une artériole, une veinule et une bronchiole terminale (figure 23.11a). Les bronchioles terminales se subdivisent en ramifications microscopiques

Figure 23.12 Structure et fonction d'une alvéole pulmonaire.

🔑 **L'échange des gaz respiratoires s'effectue par diffusion à travers la membrane alvéolo-capillaire.**

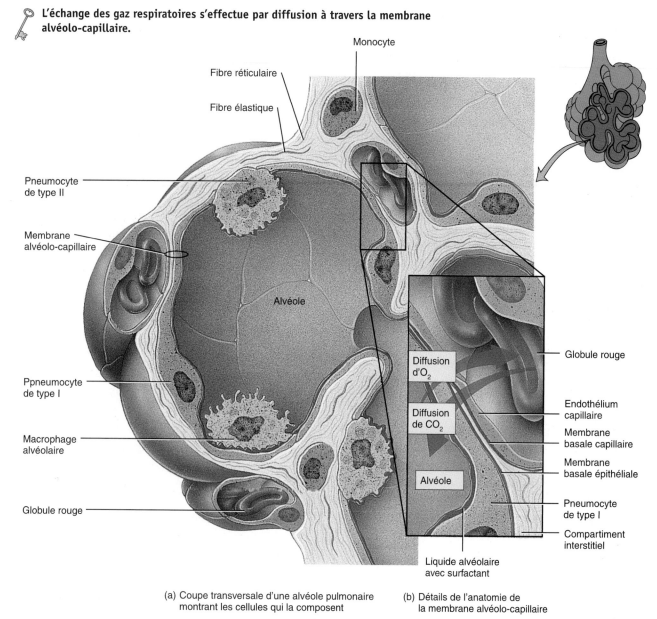

(a) Coupe transversale d'une alvéole pulmonaire montrant les cellules qui la composent

(b) Détails de l'anatomie de la membrane alvéolo-capillaire

Ⓠ Quelle est l'épaisseur de la membrane alvéolo-capillaire ?

appelées **bronchioles respiratoires** (figure 23.11b). Au fur et à mesure que les bronchioles respiratoires s'enfoncent plus profondément dans les poumons, l'épithélium qui les tapisse se modifie : de simple cuboïde il devient simple pavimenteux. Les bronchioles respiratoires se subdivisent à leur tour en plusieurs (de 2 à 11) **conduits alvéolaires.** Les voies aériennes entre la trachée et les conduits alvéolaires se ramifient environ 25 fois ; une première fois entre la trachée et les bronches principales, une deuxième fois entre les bronches principales et les bronches lobaires et ainsi de suite à 25 reprises environ jusqu'aux conduits alvéolaires.

Alvéoles pulmonaires

Tout autour des conduits alvéolaires se trouvent un grand nombre d'alvéoles et de sacs alvéolaires. Une **alvéole pulmonaire** est une poche sphérique tapissée d'épithélium simple pavimenteux et soutenue par une mince membrane basale élastique ; les **sacs alvéolaires** sont constitués de deux ou plusieurs alvéoles ayant une ouverture commune (voir la figure 23.11a et b). Les parois des alvéoles comprennent deux types de cellules épithéliales alvéolaires (figure 23.12). Les **pneumocytes de type I** sont des cellules épithéliales simples pavimenteuses qui couvrent presque uniformément la paroi alvéolaire et entre lesquelles sont dispersés quelques **pneumocytes de type II,** aussi appelés **pneumocytes granuleux.** Les pneumocytes de type I sont des cellules minces dans lesquelles s'effectuent la plupart des échanges gazeux. Les pneumocytes de type II sont des cellules épithéliales cuboïdes ou arrondies dont les surfaces libres sont recouvertes de microvillosités. Ils sécrètent le liquide alvéolaire qui humidifie la surface des cellules en contact avec l'air. Ce liquide contient le **surfactant,** mélange complexe de phospholipides et de lipoprotéines doté de propriétés semblables à celles des détergents. Le surfactant diminue la tension superficielle du liquide alvéolaire et rend ainsi les alvéoles moins susceptibles de s'affaisser. Associés à la paroi alvéolaire, on trouve les **macrophages alvéolaires,** ou **cellules à poussière,** phagocytes libres qui éliminent les particules de poussière fines et d'autres débris de l'espace alvéolaire. On trouve également des fibroblastes qui produisent des fibres réticulaires et élastiques. La couche de pneumocytes de type I repose sur une membrane basale élastique. Autour des alvéoles, l'artériole et la veinule lobulaires se ramifient pour former un réseau de capillaires sanguins constitués d'une seule couche de cellules endothéliales et d'une membrane basale.

L'échange d'O_2 et de CO_2 entre les espaces aériens des poumons et le sang s'effectue par diffusion à travers les parois alvéolaires et capillaires. Les gaz traversent la **membrane alvéolo-capillaire,** qui est formée de quatre couches (voir la figure 23.12b) :

1. Une couche formant la **paroi alvéolaire** et composée de pneumocytes de type I, de pneumocytes de type II et des macrophages alvéolaires qui leur sont associés.

2. Une **membrane basale épithéliale** sous-jacente à la paroi alvéolaire.

3. Une **membrane basale capillaire** qui est souvent fusionnée à la membrane basale épithéliale.

4. Les **cellules endothéliales** des capillaires.

Bien qu'elle comprenne plusieurs couches, la membrane alvéolo-capillaire est très mince – son épaisseur est de 0,5 µm seulement, soit environ le seizième du diamètre d'un globule rouge. Cette minceur permet la diffusion rapide des gaz. Par ailleurs, on estime que les poumons contiennent 300 millions d'alvéoles, ce qui représente une énorme superficie de 70 m² – environ la surface d'un court de handball – pour les échanges gazeux.

Vascularisation des poumons

Les poumons reçoivent du sang par deux ensembles d'artères : les artères pulmonaires et les artères bronchiques de l'aorte thoracique. Le sang désoxygéné passe par le tronc pulmonaire, qui se divise en deux ; l'artère pulmonaire gauche pénètre dans le poumon gauche et l'artère pulmonaire droite pénètre dans le poumon droit. Le retour du sang oxygéné au cœur s'effectue par les veines pulmonaires, qui se jettent dans l'oreillette gauche (voir la figure 21.30,

p. 770). Phénomène unique dans la circulation sanguine, l'hypoxie (faible taux d'O_2) localisée provoque la constriction des vaisseaux sanguins pulmonaires. Dans tous les autres tissus de l'organisme, l'hypoxie entraîne la dilatation des vaisseaux sanguins, ce qui fait augmenter le débit sanguin dans les régions en carence d'O_2. Dans les poumons, la vasoconstriction causée par l'hypoxie détourne le sang pulmonaire des régions mal ventilées vers celles qui sont mieux ventilées.

Le sang oxygéné arrive dans les poumons par les artères bronchiques de l'aorte thoracique. Son rôle principal est de perfuser les parois des bronches et des bronchioles. Il existe des ponts entre les branches des artères bronchiques et celles des artères pulmonaires, si bien que la majeure partie du sang retourne au cœur par les veines pulmonaires. Toutefois, une certaine quantité de sang passe dans les veines bronchiques, puis dans les rameaux du réseau azygos, et retourne au cœur par la veine cave supérieure.

1. Où sont situés les poumons ? Distinguez la plèvre pariétale de la plèvre viscérale.
2. Définissez chacune des parties suivantes du poumon : *base, apex, face costale, face médiale, hile, racine, incisure cardiaque, lobe* et *lobule*.
3. Qu'est-ce qu'un segment broncho-pulmonaire ?
4. Décrivez l'histologie et la fonction de la membrane alvéolo-capillaire.

VENTILATION PULMONAIRE
OBJECTIF
• *Décrire les mécanismes de l'inspiration et de l'expiration.*

La **ventilation pulmonaire,** ou **respiration,** est le processus par lequel s'effectuent les échanges de gaz entre l'atmosphère et les alvéoles pulmonaires. L'air circule entre l'atmosphère et les poumons parce que des différences de pression sont créées, dans un sens puis dans l'autre, par la contraction et le relâchement des muscles de la respiration. La vitesse d'écoulement de l'air et l'effort nécessaire pour respirer sont aussi influencés par la tension superficielle alvéolaire, la compliance pulmonaire et la résistance des voies aériennes.

Variations de pression au cours de la ventilation pulmonaire

L'air pénètre dans les poumons quand la pression de l'air à l'intérieur des poumons est inférieure à celle de l'air dans l'atmosphère, et il en ressort quand la pression à l'intérieur des poumons est supérieure à la pression atmosphérique.

Inspiration

L'action par laquelle l'air entre dans les poumons est appelée **inspiration,** ou **inhalation.** Immédiatement avant chaque inspiration, la pression de l'air dans les poumons est égale à la pression atmosphérique qui, au niveau de la mer, est d'environ 760 millimètres de mercure (mm Hg), ou 1 atmosphère (atm). Pour que l'air pénètre dans les poumons, la pression dans les alvéoles doit être inférieure à celle de l'atmosphère. On obtient cette condition en augmentant le volume des poumons.

La pression d'un gaz dans un contenant fermé est inversement proportionnelle au volume du contenant. Si on augmente la taille du contenant, la pression du gaz à l'intérieur diminue. Si, au contraire, on diminue la taille du contenant, la pression à l'intérieur augmente. On peut démontrer cette relation inverse entre le volume et la pression, appelée **loi de Boyle,** de la façon suivante (figure 23.13). Supposons qu'on place un gaz dans un cylindre muni d'un piston mobile et d'un manomètre, et que la pression initiale créée par les molécules de gaz qui entrent en collision avec la paroi du contenant égale 1 atm. Si on appuie sur le piston, le gaz est comprimé et occupe un plus petit volume, si bien que le même nombre de molécules de gaz entre en collision avec une plus petite surface. La manomètre indique que la pression double quand le volume du gaz diminue de moitié. Autrement dit, le même nombre de molécules dans la moitié du volume produit deux fois plus de pression. Si, au contraire, le piston est soulevé pour augmenter le volume, la pression diminue. Ainsi, la pression et le volume d'un gaz sont en rapport inverse. La loi de Boyle s'applique aussi dans plusieurs activités de tous les jours, comme lorsqu'on se sert d'une pompe de bicyclette ou qu'on gonfle un ballon.

Les différences de pression causées par les changements de volume des poumons forcent l'air à y entrer quand nous inspirons et à en sortir quand nous expirons. Pour que l'inspiration ait lieu, les poumons doivent se dilater, ce qui augmente leur volume et fait baisser la pression à l'intérieur sous le niveau de la pression atmosphérique. La dilatation des poumons commence par la contraction du principal muscle inspiratoire, le diaphragme (figure 23.14).

Le diaphragme est un muscle squelettique en forme de dôme qui constitue le plancher de la cavité thoracique. Il est innervé par des fibres nerveuses du nerf phrénique qui émerge de la moelle épinière à la hauteur des vertèbres cervicales 3, 4 et 5. Lorsqu'il se contracte, le diaphragme s'aplatit et fait augmenter la dimension de la cavité thoracique dans le sens de la hauteur. Pendant la respiration normale au repos, il s'abaisse d'environ 1 cm, ce qui produit une différence de pression de 1 à 3 mm Hg et l'entrée d'environ 500 mL d'air. Lors de la respiration forcée, le diaphragme peut s'abaisser de 10 cm, entraînant alors une différence de pression de 100 mm Hg et l'entrée de 2 à 3 L d'air.

Durant la respiration normale, la pression entre les deux feuillets de la plèvre, appelée **pression intrapleurale,** est toujours sous-atmosphérique (inférieure à la pression atmosphérique). Immédiatement avant l'inspiration, elle est plus basse que la pression atmosphérique d'environ 4 mm Hg, ou

Figure 23.13 Loi de Boyle.

 Le volume d'un gaz est inversement proportionnel à la pression.

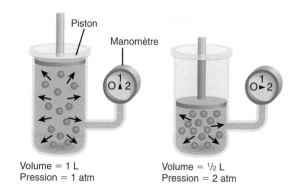

Volume = 1 L
Pression = 1 atm

Volume = ½ L
Pression = 2 atm

Q Si le volume passe de 1 L à ¼ L, quelle est la variation de la pression ?

égale à environ 756 mm Hg quand la pression atmosphérique est de 760 mm Hg (figure 23.15). Quand le diaphragme se contracte et que les dimensions de la cavité thoracique augmentent, le volume de la cavité pleurale augmente aussi, ce qui fait baisser la pression intrapleurale à environ 754 mm Hg. Habituellement, durant l'expansion du thorax, les plèvres pariétale et viscérale adhèrent fortement l'une à l'autre en raison de la pression sous-atmosphérique entre elles et de la tension superficielle créée par le contact de leurs surfaces humides. Au fur et à mesure que la cavité thoracique se dilate, la plèvre pariétale qui la tapisse est tirée vers l'extérieur dans toutes les directions et entraîne avec elle la plèvre viscérale et les poumons.

Quand le volume des poumons augmente de cette façon, la pression à l'intérieur des poumons, appelée **pression intra-alvéolaire** (ou **pression intrapulmonaire**), tombe de 760 à 758 mm Hg. Une différence de pression entre l'atmosphère et les alvéoles se trouve ainsi établie. Comme l'air s'écoule toujours des régions de haute pression vers les régions de basse pression, l'inspiration a lieu. L'air continue à pénétrer dans les poumons tant qu'il y a une différence de pression. Durant les inspirations profondes ou forcées, des muscles inspiratoires accessoires participent à l'accroissement de la dimension de la cavité thoracique (voir la figure 23.14a) de la façon façon suivante. Les muscles intercostaux externes soulèvent les côtes, le sterno-cléido-mastoïdien soulève le sternum, les scalènes soulèvent les deux côtes supérieures et le petit pectoral soulève les troisième, quatrième et cinquième côtes.

La figure 23.16a résume les événements qui se déroulent durant l'inspiration.

Figure 23.14 Muscles de l'inspiration et de l'expiration et leurs rôles dans la ventilation pulmonaire. Le petit pectoral, un muscle inspiratoire accessoire, est représenté dans la figure 11.15a.

 Durant les inspirations profondes ou forcées, des muscles inspiratoires accessoires (sterno-cléido-mastoïdiens, scalènes et petits pectoraux) sont sollicités.

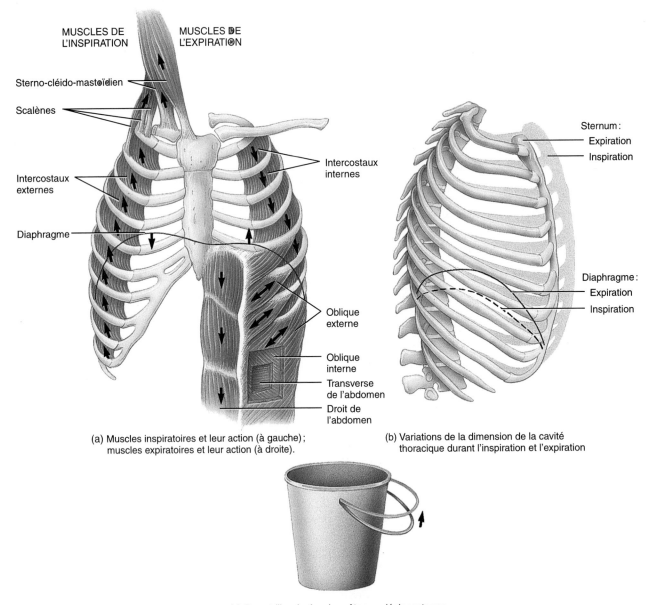

MUSCLES DE L'INSPIRATION

MUSCLES DE L'EXPIRATION

Sterno-cléido-mastoïdien

Scalènes

Intercostaux externes

Diaphragme

Intercostaux internes

Oblique externe

Oblique interne

Transverse de l'abdomen

Droit de l'abdomen

Sternum :
Expiration
Inspiration

Diaphragme :
Expiration
Inspiration

(a) Muscles inspiratoires et leur action (à gauche) ; muscles expiratoires et leur action (à droite).

(b) Variations de la dimension de la cavité thoracique durant l'inspiration et l'expiration

(c) Durant l'inspiration, les côtes se déplacent vers le haut et vers l'extérieur comme l'anse d'un seau

Q En ce moment, quel est le principal muscle qui assure votre respiration ?

Expiration

L'expulsion de l'air des poumons, appelée **expiration** (ou **exhalation**), est aussi due à un gradient de pression mais, dans ce cas, le gradient est inversé : la pression dans les poumons est supérieure à la pression atmosphérique. Contrairement à l'inspiration, l'expiration calme et normale est un *processus passif* parce qu'elle ne nécessite aucune contraction musculaire. Elle est plutôt le résultat de la **rétraction élastique**

Figure 23.15 Variations de pression liées à la ventilation pulmonaire. Durant l'inspiration, le diaphragme se contracte, la poitrine se gonfle, les poumons s'étirent vers l'extérieur et la pression intra-alvéolaire diminue. Durant l'expiration, le diaphragme se relâche, les poumons se rétractent, la pression intra-alvéolaire augmente et l'air est expulsé des poumons.

 L'air pénètre dans les poumons quand la pression intra-alvéolaire est inférieure à la pression atmosphérique et en ressort quand la pression intra-alvéolaire est plus élevée que la pression atmosphérique.

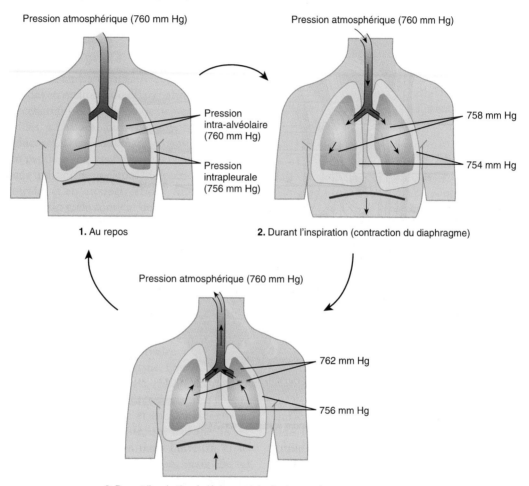

Pression atmosphérique (760 mm Hg)

Pression atmosphérique (760 mm Hg)

Pression intra-alvéolaire (760 mm Hg)

Pression intrapleurale (756 mm Hg)

758 mm Hg

754 mm Hg

1. Au repos

2. Durant l'inspiration (contraction du diaphragme)

Pression atmosphérique (760 mm Hg)

762 mm Hg

756 mm Hg

3. Durant l'expiration (relâchement du diaphragme)

 Quelles sont les variations de la pression intrapleurale durant la respiration calme et normale ?

de la paroi de la poitrine et des poumons, qui ont tendance à reprendre naturellement leur forme après avoir été étirés. Deux forces dirigées vers l'intérieur contribuent à la rétraction élastique : 1) la rétraction des fibres élastiques qui ont été étirées durant l'inspiration et 2) la traction vers l'intérieur exercée par la tension superficielle de la pellicule de liquide alvéolaire.

L'expiration commence quand les muscles inspiratoires se relâchent. Lorsque le diaphragme se détend, le dôme qu'il forme se déplace vers le haut sous l'effet de son élasticité. Ces mouvements diminuent les dimensions verticale et antéro-

postérieure de la cavité thoracique, ce qui réduit le volume des poumons et fait augmenter la pression intra-alvéolaire jusqu'à environ 762 mm Hg. L'air s'écoule alors de la région de haute pression dans les alvéoles vers la région de plus basse pression dans l'atmosphère (voir la figure 23.15).

L'expiration ne devient un processus actif que durant la respiration forcée, comme c'est le cas quand on joue d'un instrument à vent ou qu'on fait de l'exercice. C'est alors que les muscles de l'expiration – les muscles abdominaux et les intercostaux internes (voir la figure 23.14a) – se contractent et font augmenter la pression dans la région abdominale et

Figure 23.16 Résumé des événements qui se déroulent durant l'inspiration et l'expiration.

 L'inspiration et l'expiration sont causées par des variations de la pression intra-alvéolaire.

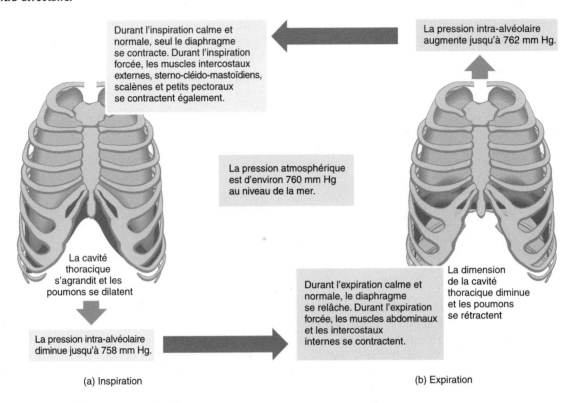

Durant l'inspiration calme et normale, seul le diaphragme se contracte. Durant l'inspiration forcée, les muscles intercostaux externes, sterno-cléido-mastoïdiens, scalènes et petits pectoraux se contractent également.

La pression intra-alvéolaire augmente jusqu'à 762 mm Hg.

La pression atmosphérique est d'environ 760 mm Hg au niveau de la mer.

La cavité thoracique s'agrandit et les poumons se dilatent

La dimension de la cavité thoracique diminue et les poumons se rétractent

Durant l'expiration calme et normale, le diaphragme se relâche. Durant l'expiration forcée, les muscles abdominaux et les intercostaux internes se contractent.

La pression intra-alvéolaire diminue jusqu'à 758 mm Hg.

(a) Inspiration

(b) Expiration

Q Quelle est la pression atmosphérique normale au niveau de la mer ?

le thorax. La contraction des muscles abdominaux déplace les côtes inférieures vers le bas et comprime les viscères abdominaux, ce qui force le diaphragme vers le haut. La contraction des intercostaux internes, dont l'orientation est inférieure et postérieure, tire les côtes vers le bas. Bien que la pression intrapleurale soit toujours inférieure à la pression intra-alvéolaire, elle peut momentanément dépasser la pression atmosphérique durant une expiration forcée, par exemple quand on tousse.

La figure 23.16b résume les événements qui se déroulent durant l'expiration.

Autres facteurs qui influent sur la ventilation pulmonaire

Bien que ce soient les différences de pression qui dirigent l'air durant l'inspiration et l'expiration, trois autres facteurs influent sur la vitesse de l'écoulement d'air et la facilité avec laquelle s'effectue la ventilation pulmonaire. Ce sont la tension superficielle du liquide alvéolaire, la compliance pulmonaire et la résistance des voies aériennes.

Tension superficielle du liquide alvéolaire

Nous avons mentionné plus haut qu'une mince couche de liquide recouvre la face de la lumière des alvéoles et exerce une force appelée **tension superficielle.** Toute interface air-eau présente une tension de surface parce que les molécules d'eau, étant polaires, sont attirées les unes vers les autres avec plus de force qu'elles ne le sont vers les molécules gazeuses de l'air. Quand un liquide enveloppe une sphère d'air, comme dans une alvéole ou dans une bulle de savon, la tension superficielle produit une force dirigée vers l'intérieur. Les bulles de savon « éclatent » parce qu'elles s'affaissent sous l'action de la tension superficielle. Dans les poumons, la tension superficielle impose aux alvéoles le plus petit diamètre possible. Pour se dilater, à chaque inspiration, les poumons doivent vaincre la tension superficielle. De plus, la rétraction élastique des poumons, qui réduit la taille des alvéoles durant l'expiration, est attribuable aux deux tiers à la tension superficielle.

Le surfactant présent dans le liquide alvéolaire abaisse sa tension superficielle de telle sorte qu'elle est inférieure à celle de l'eau pure. Le manque de surfactant chez les prématurés entraîne la *détresse respiratoire du nouveau-né*; dans ce cas, la tension superficielle du liquide alvéolaire est très élevée, si bien que beaucoup d'alvéoles s'affaissent à la fin de chaque expiration. De grands efforts sont alors nécessaires pour rouvrir les alvéoles au cours de l'inspiration suivante.

APPLICATION CLINIQUE
Pneumothorax

Il n'y a pas de communication entre les cavités pleurales et le milieu extérieur. Ainsi, la pression interne des cavités pleurales et celle de l'atmosphère ne peuvent pas s'équilibrer. Certaines lésions de la paroi thoracique permettent à l'air, en provenance de l'extérieur ou des alvéoles, de pénétrer dans l'espace intrapleural. On appelle **pneumothorax** (*pneumôn* = poumon) cet état où la cavité pleurale se remplit d'air. Comme la pression intrapleurale devient alors égale à la pression atmosphérique (et n'est plus sous-atmosphérique), la tension superficielle et la rétraction des fibres élastiques entraînent l'affaissement du poumon. ■

Compliance pulmonaire

La **compliance** est une mesure de l'effort requis pour étirer les poumons et la paroi thoracique. Si elle est élevée, les poumons et la paroi thoracique se dilatent facilement; si elle est faible, leur distension se heurte à une résistance. Par analogie, un ballon mince qui est facile à gonfler possède une compliance élevée, alors qu'un ballon épais et peu flexible qui se gonfle au prix d'un gros effort a une compliance faible. Dans les poumons, la compliance est liée à deux principaux facteurs: l'élasticité et la tension superficielle. Normalement, les poumons ont une compliance élevée et se dilatent facilement parce que les fibres élastiques du tissu pulmonaire s'étirent bien et que le surfactant du liquide alvéolaire réduit la tension superficielle. La diminution de la compliance est un trait commun des affections pulmonaires qui 1) entraînent la formation de tissus cicatriciels (par exemple, la tuberculose), 2) causent l'accumulation de liquide dans les tissus (œdème pulmonaire), 3) produisent un déficit en surfactant ou 4) s'opposent d'une manière quelconque à la distension des poumons (par exemple, la paralysie des muscles intercostaux). L'emphysème pulmonaire provoque une augmentation de la compliance pulmonaire par suite de la destruction des fibres élastiques dans les parois alvéolaires.

Résistance des voies aériennes

Comme c'est le cas pour l'écoulement du sang dans les vaisseaux sanguins, la vitesse d'écoulement de l'air dans les voies aériennes dépend à la fois de la différence de pression et de la résistance. L'écoulement de l'air égale la différence de pression entre les alvéoles et l'atmosphère divisée par la résistance. Les parois des voies aériennes, en particulier celles des bronchioles, opposent une certaine résistance à l'écoulement normal de l'air qui entre dans les poumons et en sort. La distension des poumons pendant l'inspiration élargit les bronchioles parce que leurs parois sont tirées vers l'extérieur dans toutes les directions. Les voies aériennes dont le diamètre est plus grand offrent moins de résistance. Durant l'expiration, la résistance augmente au fur et à mesure que le diamètre des bronchioles diminue. De plus, le degré de contraction ou de relâchement des muscles lisses dans les parois des voies aériennes modifie leur diamètre et régule ainsi la résistance. L'augmentation des signaux de la partie sympathique du système nerveux autonome entraîne le relâchement de ces muscles lisses, qui cause à son tour la bronchodilatation et une diminution de la résistance.

Toute affection qui rétrécit les voies aériennes ou y crée des obstacles augmente la résistance. Il faut alors que la pression soit plus élevée pour maintenir le même débit d'air. Le signe principal de l'asthme ou de la bronchopneumopathie chronique obstructive – emphysème pulmonaire ou bronchite chronique – est l'augmentation de la résistance des voies aériennes due à leur obstruction ou à leur affaissement.

Types de respiration et mouvements d'air non respiratoires

La respiration calme normale est appelée **eupnée** (*eu* = bien; *pnein* = respirer). L'eupnée comprend la respiration superficielle, la respiration profonde ou une combinaison des deux. La respiration superficielle (ou de la poitrine), appelée **respiration costale**, consiste en un mouvement de la poitrine vers le haut et l'extérieur qui résulte de la contraction des muscles intercostaux externes. La respiration profonde (ou abdominale), appelée **respiration diaphragmatique**, consiste en un mouvement de l'abdomen vers l'extérieur par suite de la contraction et de l'abaissement du diaphragme.

Le système respiratoire permet aussi aux humains d'exprimer des émotions, par exemple par le rire, les soupirs et les sanglots. Par ailleurs, on peut utiliser les mouvements d'air pour expulser des substances étrangères des voies aériennes inférieures, par exemple en éternuant et en toussant. Les mouvements d'air sont aussi modulés au cours des vocalisations liées à la parole et au chant. Certains mouvements d'air non respiratoires qui expriment des émotions ou dégagent les voies aériennes sont décrits dans le tableau 23.1. Tous ces mouvements sont des réflexes, mais on peut aussi en provoquer quelques-uns volontairement.

1. Quelles sont les principales différences entre la ventilation pulmonaire, la respiration externe et la respiration interne?
2. Comparez ce qui se passe durant la ventilation calme et la ventilation forcée.
3. Décrivez comment la tension superficielle alvéolaire, la compliance et la résistance des voies aériennes influent sur la ventilation pulmonaire.
4. Définissez les divers types de *mouvements d'air non respiratoires*.

Tableau 23.1 Mouvements d'air non respiratoires

MOUVEMENT	DESCRIPTION
Toux	Inspiration longue et profonde suivie de la fermeture complète de la fente de la glotte, amenant une expiration forte qui ouvre abruptement la fente et souffle l'air à travers les voies aériennes supérieures. Le stimulus à l'origine de ce réflexe peut être un corps étranger logé dans le larynx, la trachée ou l'épiglotte.
Éternuement	Contraction spasmodique des muscles de l'expiration qui expulse l'air avec force à travers le nez et la bouche. Le stimulus peut être une irritation de la muqueuse nasale.
Soupir	Inspiration longue et profonde suivie immédiatement d'une expiration plus courte mais forte.
Bâillement	Inspiration profonde par la bouche grande ouverte, produisant un abaissement exagéré de la mandibule. Le stimulus peut être la somnolence, la fatigue ou le bâillement d'une autre personne, mais la cause précise est inconnue.
Sanglot	Série d'inspirations convulsives suivies d'une expiration unique prolongée. La fente de la glotte se referme plus tôt que d'habitude après chaque inspiration, si bien qu'une petite quantité d'air seulement pénètre dans les poumons à chaque inspiration.
Pleurs	Inspiration suivie d'un grand nombre de courtes expirations convulsives durant lesquelles la fente de la glotte reste ouverte et les plis vocaux vibrent; les pleurs s'accompagnent d'expressions faciales caractéristiques et de larmes.
Rire	Essentiellement les mêmes mouvements que ceux des pleurs, mais leur rythme et les expressions faciales sont habituellement différents. Il est parfois impossible de distinguer le rire des pleurs.
Hoquet	Contraction spasmodique du diaphragme suivie de la fermeture spasmodique de la fente de la glotte qui produit un bruit sec à l'inspiration. Le stimulus est habituellement une irritation des terminaisons des nerfs sensitifs du tube digestif.
Manœuvre de Valsalva	Expiration forcée, la fente de la glotte fermée, comme lorsqu'on force en déféquant.

VOLUMES ET CAPACITÉS RESPIRATOIRES

OBJECTIF

• *Définir les volumes et les capacités respiratoires.*

Au repos, un adulte en bonne santé respire en moyenne 12 fois par minute. Chaque inspiration et chaque expiration déplace environ 500 mL d'air. Le volume d'une respiration est appelé **volume courant** (V_T, «tidal volume»). Ainsi, la **ventilation-minute** (**VM**) – le volume total d'air inspiré et expiré chaque minute – égale la fréquence respiratoire multipliée par le volume courant:

$$VM = 12 \text{ respirations/min} \times 500 \text{ mL}$$
$$= 6 \text{ litres/min}$$

Une ventilation-minute inférieure à la normale indique habituellement un dysfonctionnement pulmonaire. L'appareil généralement utilisé pour mesurer la fréquence respiratoire et le volume d'air échangé durant la respiration est un **spiromètre** (*spirare* = respirer; *metrum* = mesure). Les résultats sont inscrits sur un **spirogramme.** L'inspiration est représentée par une déflexion vers le haut et l'expiration, par une déflexion vers le bas; l'enregistrement s'effectue la plupart du temps de droite à gauche (figure 23.17).

Le volume courant varie considérablement d'une personne à une autre et, chez la même personne, d'un moment à un autre. Chez l'adulte moyen, environ 70% du volume courant (350 mL) se rend effectivement dans la zone respiratoire – bronchioles respiratoires, conduits alvéolaires, sacs alvéolaires et alvéoles pulmonaires – et participent à la respiration externe; les 30% qui restent (150 mL) sont retenus dans la zone de conduction, c'est-à-dire le nez, le pharynx, le larynx, la trachée, les bronches, les bronchioles et les bronchioles terminales. Cette zone porte le nom d'**espace mort anatomique.** (En règle générale, le volume de l'espace mort anatomique d'une personne en millilitres est à peu près égal à son poids idéal en kilogrammes.) La quantité d'air mesurée par la ventilation-minute n'est pas entièrement utilisée pour les échanges gazeux puisqu'il en reste une partie dans l'espace mort anatomique. La **ventilation alvéolaire** est le volume d'air par minute qui atteint les alvéoles et les autres structures de la zone respiratoire. Dans l'exemple que nous venons de donner, la ventilation alvéolaire égale 350 mL × 12 respirations/min = 4 200 mL/min.

D'autres volumes respiratoires sont établis à partir de la respiration forcée. En général, ces volumes sont plus grands chez les hommes, les individus de grande taille et les jeunes adultes; à l'inverse, ils sont plus petits chez les femmes, les individus de petite taille et les personnes âgées. On peut diagnostiquer divers troubles respiratoires en comparant les valeurs obtenues pour une personne avec les valeurs normales établies pour son sexe, sa taille et son âge. Nous donnons ici les valeurs moyennes pour les jeunes adultes.

En respirant très profondément, on peut inhaler beaucoup plus que 500 mL d'air. Ce supplément d'air inspiré, appelé **volume de réserve inspiratoire,** est d'environ 3 100 mL (voir la figure 23.17). On peut inspirer encore plus d'air après une expiration forcée. Si on inspire normalement pour ensuite expirer le plus fort possible, on doit pouvoir expulser 1 200 mL d'air en plus des 500 mL du volume courant. Ces 1 200 mL sont appelés **volume de réserve expiratoire.**

Figure 23.17 Spirogramme des volumes et capacités respiratoires (valeurs moyennes chez l'adulte en bonne santé).

Les capacités respiratoires sont calculées en combinant divers volumes respiratoires.

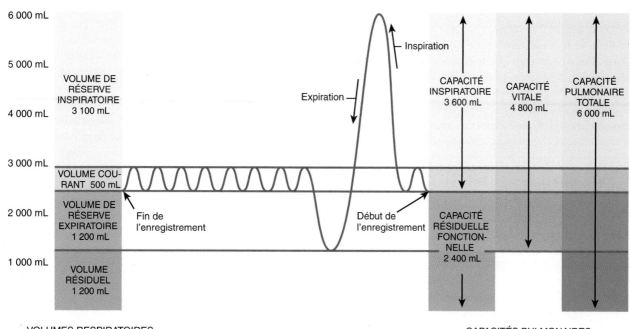

 Si vous inspirez le plus profondément possible, puis expirez tout l'air que vous pouvez, quelle capacité pulmonaire mettez-vous en évidence?

Le **VEMS$_1$** est le **volume expiratoire maximum-seconde,** c'est-à-dire le volume d'air qu'il est possible d'expulser des poumons en 1 seconde avec un effort maximal après une inspiration maximale. En général, la bronchopneumopathie chronique obstructive diminue de beaucoup le VEMS$_1$, parce qu'elle élève la résistance des voies aériennes.

Même après l'expulsion du volume de réserve expiratoire, il reste une quantité considérable d'air dans les poumons parce que la pression intrapleurale sous-atmosphérique maintient les alvéoles légèrement gonflées. Il reste aussi de l'air dans les voies aériennes qui ne s'affaissent pas. Ce volume, qu'on ne peut pas mesurer par spirométrie, est appelé **volume résiduel.** Il correspond à environ 1 200 mL.

Si on ouvre la cavité thoracique, la pression intrapleurale s'élève jusqu'à égaler la pression atmosphérique. Elle amène alors l'expulsion d'une partie du volume résiduel. L'air qui reste est appelé **volume minimal.** Ce volume constitue un outil médical et légal qui permet d'établir si un bébé est mort avant ou après la naissance. On peut révéler la présence d'un volume minimal en plaçant un morceau de poumon dans

l'eau et en voyant s'il flotte. Les poumons d'un fœtus ne contiennent pas d'air; en conséquence, ceux d'un enfant mort-né ne flottent pas.

Les capacités respiratoires sont calculées en combinant les volumes respiratoires de différentes façons (voir la figure 23.17). La **capacité inspiratoire** est la somme du volume courant et du volume de réserve inspiratoire (500 mL + 3 100 mL = 3 600 mL). La **capacité résiduelle fonctionnelle** est la somme du volume résiduel et du volume de réserve expiratoire (1 200 mL + 1 200 mL = 2 400 mL). La **capacité vitale** est la somme du volume de réserve inspiratoire, du volume courant et du volume de réserve expiratoire (4 800 mL). Enfin, la **capacité pulmonaire totale** est la somme de tous les volumes (6 000 mL).

1. Qu'est-ce qu'un spiromètre?
2. Faites la distinction entre les volumes respiratoires et les capacités respiratoires.
3. Comment calcule-t-on la ventilation-minute?
4. Définissez la *ventilation alvéolaire* et le *VEMS$_1$*.

ÉCHANGES D'OXYGÈNE ET DE GAZ CARBONIQUE

OBJECTIF

- *Expliquer la loi de Dalton et la loi de Henry.*
- *Décrire les échanges d'oxygène et de gaz carbonique dans les respirations externe et interne.*

Les échanges d'oxygène et de gaz carbonique entre l'air alvéolaire et le sang pulmonaire s'effectuent par diffusion passive. Celle-ci est régie par le comportement des gaz, qui obéit aux lois de Dalton et de Henry. La loi de Dalton est importante pour comprendre comment les gaz se déplacent par diffusion des zones où leur pression est plus élevée vers celles où elle est plus basse. La loi de Henry permet d'expliquer comment la solubilité d'un gaz est en relation avec sa diffusion.

Lois des gaz: la loi de Dalton et la loi de Henry

Selon la **loi de Dalton,** chacun des gaz dans un mélange de gaz exerce sa propre pression comme si les autres gaz n'étaient pas présents. La pression d'un gaz particulier dans un mélange est appelée *pression partielle* de ce gaz et est représentée par la notation P_x, où l'indice est la formule du gaz. On calcule la pression totale du mélange en additionnant toutes les pressions partielles. L'air atmosphérique est un mélange de gaz – azote (N_2), oxygène, vapeur d'eau (H_2O) et gaz carbonique, plus d'autres gaz en petites quantités. La pression atmosphérique est la somme des pressions de tous ces gaz:

$$\text{Pression atmosphérique (760 mm Hg)} = P_{N_2} + P_{O_2} + P_{H_2O} + P_{CO_2} + P_{\text{autres gaz}}$$

On peut déterminer la pression partielle exercée par chaque constituant du mélange en multipliant le pourcentage du gaz dans le mélange par la pression totale de ce dernier. L'air atmosphérique est constitué d'azote à 78,6%, d'oxygène à 20,9%, de gaz carbonique à 0,04% et d'autres gaz à 0,06%; il y a aussi une certaine quantité variable de vapeur d'eau, environ 0,4% par temps frais et sec. Ainsi, les pressions partielles des gaz dans l'air inspiré sont les suivantes:

$$
\begin{aligned}
P_{N_2} &= 0{,}786 \times 760 \text{ mm Hg} &&= 597{,}4 \text{ mm Hg} \\
P_{O_2} &= 0{,}209 \times 760 \text{ mm Hg} &&= 158{,}8 \text{ mm Hg} \\
P_{H_2O} &= 0{,}004 \times 760 \text{ mm Hg} &&= 3{,}0 \text{ mm Hg} \\
P_{CO_2} &= 0{,}0004 \times 760 \text{ mm Hg} &&= 0{,}3 \text{ mm Hg} \\
P_{\text{autres gaz}} &= 0{,}0006 \times 760 \text{ mm Hg} &&= \underline{0{,}5 \text{ mm Hg}} \\
&&&\text{Total} = 760{,}0 \text{ mm Hg}
\end{aligned}
$$

Ces pressions partielles sont importantes parce qu'elles déterminent les déplacements d'O_2 et de CO_2 entre l'atmosphère et les poumons, entre les poumons et le sang, et entre le sang et les cellules de l'organisme. Quand un mélange de gaz diffuse à travers une membrane perméable, chaque gaz diffuse de la région où sa pression partielle est plus élevée vers la région où elle est plus faible. Plus la différence de pression partielle est grande, plus la vitesse de diffusion est grande. Chaque gaz se comporte comme s'il n'y avait pas d'autres gaz dans le mélange et diffuse à la vitesse que lui impose sa propre pression partielle.

Selon la **loi de Henry,** la quantité de gaz qui se dissout dans un liquide est proportionnelle à la pression partielle du gaz et à son coefficient de solubilité. Dans les liquides de l'organisme, la capacité d'un gaz à se maintenir en solution est plus grande quand sa pression partielle et son coefficient de solubilité dans l'eau sont élevés. Plus la pression partielle exercée par un gaz sur un liquide est importante et plus son coefficient de solubilité est élevé, plus grande est la quantité de gaz en solution. Par comparaison avec l'oxygène, beaucoup plus de CO_2 est dissous dans le plasma parce que le coefficient de solubilité du CO_2 est 24 fois plus grand que celui de l'O_2. Même si l'air que nous respirons contient presque 79% de N_2, ce gaz n'a aucun effet connu sur les fonctions de l'organisme et, à la pression au niveau de la mer, on en trouve très peu dissous dans le plasma sanguin parce que son coefficient de solubilité est très faible.

On peut observer la loi de Henry à l'œuvre dans des situations de tous les jours. Par exemple, vous avez sans doute remarqué que les bouteilles de boisson gazeuse produisent un sifflement quand on les débouche et que des bulles montent à la surface pendant un certain temps après qu'elles sont ouvertes. Le gaz dissous dans ces boissons est du CO_2. Comme l'embouteillage et le capsulage se font sous haute pression, le CO_2 reste dissous tant que la bouteille est fermée. Dès que vous la décapsulez, la pression tombe et le gaz s'échappe de la solution en faisant des bulles.

APPLICATION CLINIQUE
Oxygénothérapie hyperbare

L'oxygénothérapie hyperbare (*huper* = au-dessus; *baros* = pression) est une importante application clinique de la loi de Henry. L'utilisation de la pression pour faire dissoudre une plus grande quantité d'O_2 dans le sang est un recours efficace pour traiter les patients infectés par des bactéries anaérobies, comme celles qui causent le tétanos et la gangrène. (Les bactéries anaérobies ne peuvent pas vivre en présence d'O_2 libre.) La personne traitée par oxygénothérapie hyperbare est placée dans un caisson hyperbare qui contient de l'O_2 à des pressions de 3 à 4 atmosphères (2 280 à 3 040 mm Hg). À mesure que les tissus de l'organisme absorbent l'O_2, les bactéries meurent. On utilise aussi les caissons hyperbares pour traiter certains troubles cardiaques, l'intoxication par le monoxyde de carbone, les embolies gazeuses, les syndromes d'écrasement, l'œdème cérébral, certaines infections osseuses causées par des bactéries anaérobies et difficiles à traiter, l'inhalation de fumée, la quasi-noyade, l'asphyxie, les insuffisances vasculaires et les brûlures. ■

Figure 23.18 Variation des pressions partielles d'oxygène et de gaz carbonique (en mm Hg) durant la respiration externe et la respiration interne.

🔑 **Les gaz diffusent des régions où leur pression partielle est plus élevée vers celles où elle est plus basse.**

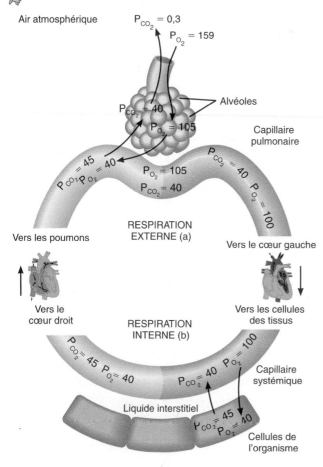

Q Qu'est-ce qui fait en sorte que l'oxygène quitte les alvéoles pour pénétrer dans les capillaires pulmonaires, et sort des capillaires systémiques pour entrer dans les cellules des tissus?

Respirations externe et interne

On appelle **respiration externe,** ou **respiration pulmonaire,** les échanges d'O_2 et de CO_2 entre l'air dans les alvéoles pulmonaires et le sang dans les capillaires pulmonaires (figure 23.18a). La respiration externe dans les poumons est responsable de la conversion du **sang désoxygéné** (ayant perdu une partie de son O_2), qui arrive du côté droit du cœur, en **sang oxygéné** (saturé d'O_2) qui retourne au côté gauche du cœur (voir la figure 20.7, p. 682). Durant l'inspiration, l'air atmosphérique contenant de l'O_2 pénètre dans les

alvéoles et, durant l'expiration, du CO_2 est expiré dans l'atmosphère. Le sang désoxygéné est propulsé par le ventricule droit dans les artères pulmonaires et se rend dans les capillaires pulmonaires qui entourent les alvéoles. Les pressions partielles des gaz dans les capillaires pulmonaires et celles des gaz dans l'air alvéolaire atteignent l'état d'équilibre.

La P_{O_2} de l'air alvéolaire est de 105 mm Hg. Au repos, la P_{O_2} du sang désoxygéné qui entre dans les capillaires pulmonaires est d'environ 40 mm Hg; après un exercice, elle sera plus basse encore parce que les fibres musculaires qui se contractent utilisent plus d'O_2. En raison de cette différence de P_{O_2}, il y a diffusion nette d'O_2 des alvéoles vers le sang désoxygéné jusqu'à ce que l'équilibre soit atteint. La P_{O_2} du sang désormais oxygéné s'élève à 105 mm Hg. Puisque le sang qui quitte les capillaires près des alvéoles se mélange à un petit volume de sang qui a circulé dans la zone de conduction du système respiratoire, où les échanges gazeux n'ont pas lieu, la P_{O_2} du sang dans les veines pulmonaires est légèrement inférieure à celle dans les capillaires pulmonaires, soit 100 mm Hg environ.

Pendant que l'O_2 diffuse des alvéoles vers le sang désoxygéné, le CO_2 diffuse dans le sens contraire. La P_{CO_2} du sang désoxygéné est de 45 mm Hg chez un individu au repos, alors que celle de l'air alvéolaire est de 40 mm Hg. En raison de cette différence de P_{CO_2}, le gaz carbonique diffuse du sang désoxygéné vers les alvéoles jusqu'à ce que la P_{CO_2} du sang tombe à 40 mm Hg.

La *vitesse* des échanges gazeux durant la respiration externe dépend de plusieurs facteurs:

- *Les différences de pressions partielles des gaz.* Tant que la P_{O_2} alvéolaire est supérieure à celle des capillaires pulmonaires, l'O_2 diffuse des alvéoles vers le sang. La vitesse de diffusion est plus élevée quand la différence entre la P_{O_2} dans l'air alvéolaire et celle dans le sang des capillaires pulmonaires est plus grande; la diffusion ralentit quand la différence est plus petite, comme c'est le cas à haute altitude. Quand on s'élève en altitude, la pression atmosphérique totale diminue et avec elle la pression partielle d'O_2 – de 159 mm Hg au niveau de la mer à 110 mm Hg à 3 075 m et à 73 mm Hg à 6 100 m. Bien que l'O_2 constitue toujours 20,9 % du total, la P_{O_2} de l'air inspiré diminue en même temps que l'altitude augmente. La P_{O_2} alvéolaire diminue proportionnellement et l'O_2 diffuse plus lentement dans le sang. Les symptômes habituels du **mal d'altitude** – souffle court, maux de tête, fatigue, insomnie, nausées, étourdissements et désorientation – sont causés par la diminution de la quantité d'O_2 dans le sang. Les différences de P_{O_2} et de P_{CO_2} entre l'air alvéolaire et le sang pulmonaire augmentent durant l'exercice. Comme les tissus actifs consomment plus d'O_2 et libèrent plus de CO_2, la P_{O_2} du sang qui regagne le côté droit du cœur diminue alors que sa P_{CO_2} augmente. L'accroissement des différences de pressions partielles fait augmenter la vitesse de diffusion des gaz. Les pressions partielles d'O_2 et de CO_2 dans les alvéoles dépendent aussi de la vitesse d'écoulement de l'air qui entre dans les poumons et en sort. Certains médicaments (telle la morphine) ralentissent la ventilation et font ainsi diminuer les quantités d'O_2 et de CO_2 qui peuvent participer aux échanges entre les alvéoles et le sang.

- *Surface disponible pour les échanges gazeux.* Toute affection pulmonaire qui diminue la superficie fonctionnelle de la membrane alvéolo-capillaire (environ 70 m^2) ralentit la vitesse de la respiration externe. Dans le cas de l'emphysème pulmonaire, par exemple, les parois alvéolaires se désintègrent, ce qui fait diminuer la surface d'échange de la membrane en deçà de la normale.

- *Distance de diffusion.* Si l'épaisseur totale de la membrane alvéolo-capillaire (0,5 µm seulement) était plus grande, la vitesse de diffusion serait plus lente. De plus, les capillaires sont si étroits que les globules rouges doivent s'y engager à la file indienne, ce qui réduit la distance de diffusion entre l'air des alvéoles et l'hémoglobine dans les globules rouges. L'accumulation de liquide interstitiel entre les alvéoles, comme dans le cas de l'œdème pulmonaire, réduit la vitesse des échanges gazeux parce qu'elle augmente la distance de diffusion.

- *Solubilité et masse moléculaire des gaz.* En raison de sa masse moléculaire plus faible que celle du CO_2, on pourrait penser que l'O_2 diffuse à travers la membrane alvéolo-capillaire près de une fois et demie plus vite. En revanche, la solubilité du CO_2 dans la phase liquide de la membrane alvéolo-capillaire est environ 24 fois plus élevée que celle de l'O_2. Compte tenu de ces deux facteurs, la diffusion nette du CO_2 vers l'extérieur se produit 20 fois plus rapidement que la diffusion nette de l'O_2 vers l'intérieur. En conséquence, quand la diffusion est plus lente que la normale, par exemple dans les cas d'emphysème ou d'œdème pulmonaires, l'insuffisance d'O_2 (hypoxie) se manifeste habituellement avant que la rétention de CO_2 (hypercapnie) devienne inquiétante.

Le nombre de capillaires à proximité des alvéoles dans le poumon est très élevé et le sang y circule assez lentement pour devenir saturé d'O_2. Durant un exercice vigoureux, lorsqu'il y a augmentation du débit cardiaque et accélération de la circulation systémique comme de la circulation pulmonaire, le sang passe plus vite dans les capillaires pulmonaires. Malgré cela, la P_{O_2} normale du sang dans les veines pulmonaires est de 100 mm Hg. Par contre, durant les maladies qui ralentissent la diffusion des gaz, il peut arriver que le sang ne parvienne pas parfaitement à l'équilibre avec l'air alvéolaire, plus particulièrement quand le passage du sang s'accélère comme au cours d'un exercice. Il en résulte que la P_{O_2} baisse tandis que la P_{CO_2} s'élève.

Le ventricule gauche pompe le sang oxygéné dans l'aorte, à travers les artères et les capillaires systémiques, jusqu'aux cellules des tissus. On appelle **respiration interne,** ou **respiration tissulaire,** les échanges d'O_2 et de CO_2 entre les capillaires systémiques et les cellules des tissus (voir la figure 23.18b). Ces échanges sont responsables de la conversion du sang oxygéné en sang désoxygéné. Le sang oxygéné qui entre dans les capillaires tissulaires a une P_{O_2} de 100 mm Hg, alors que les cellules des tissus ont une P_{O_2} moyenne de 40 mm Hg. En raison de cette différence de P_{O_2}, l'oxygène diffuse du sang oxygéné aux cellules, en passant à travers le liquide interstitiel, jusqu'à ce que la P_{O_2} du sang tombe à 40 mm Hg, qui est, au repos, la P_{O_2} moyenne du sang désoxygéné à son entrée dans les veinules des tissus.

La pénétration dans les tissus de seulement 25 % environ de l'O_2 disponible dans le sang oxygéné suffit à entretenir les besoins des cellules au repos. Ainsi, le sang désoxygéné d'un individu au repos conserve encore 75 % de son contenu en O_2. Durant l'exercice, plus d'oxygène diffuse du sang vers les cellules actives, qui libèrent du CO_2 par suite de l'utilisation d'O_2 pour la production d'ATP; la proportion d'O_2 dans le sang désoxygéné tombe alors sous les 75 %.

Pendant que l'O_2 diffuse des capillaires vers les cellules des tissus, le CO_2 diffuse dans le sens contraire. La P_{CO_2} moyenne des cellules des tissus est de 45 mm Hg, alors que celle du sang oxygéné dans les capillaires tissulaires est de 40 mm Hg. Il en résulte que le CO_2 diffuse des cellules vers le sang oxygéné, en passant par le liquide interstitiel, jusqu'à ce que la P_{CO_2} dans le sang s'élève à 45 mm Hg, c'est-à-dire la P_{CO_2} du sang désoxygéné dans les capillaires tissulaires. Le sang désoxygéné retourne au cœur et est pompé dans les poumons pour amorcer un nouveau cycle de respiration externe.

En résumé, les pressions partielles d'O_2 et de CO_2 en mm Hg dans l'air alvéolaire, le sang oxygéné, les cellules des tissus et le sang désoxygéné sont les suivantes :

Alvéoles :	P_{O_2} = 105 mm Hg;	P_{CO_2} = 40 mm Hg
Sang oxygéné :	P_{O_2} = 100 mm Hg;	P_{CO_2} = 40 mm Hg
Cellules des tissus (moyenne) :	P_{O_2} = 40 mm Hg;	P_{CO_2} = 45 mm Hg
Sang désoxygéné :	P_{O_2} = 40 mm Hg;	P_{CO_2} = 45 mm Hg

Les quantités relatives d'O_2 et de CO_2 diffèrent entre l'air inspiré (atmosphérique), l'air alvéolaire et l'air expiré. Elles ont les valeurs suivantes :

Air inspiré : 20,9 % O_2, 0,04 % CO_2
Air alvéolaire : 13,6 % O_2, 5,2 % CO_2
Air expiré : 16 % O_2, 4,5 % CO_2

Par comparaison avec l'air inspiré, l'air alvéolaire a moins d'O_2 (20,9 % contre 13,6 %) et plus de CO_2 (0,04 % contre 5,2 %) parce que des échanges gazeux se produisent dans les alvéoles. Par contre, l'air expiré contient plus d'O_2 que l'air alvéolaire (16 % contre 14 %) et moins de CO_2 (4,5 % contre 5,2 %) parce qu'une partie de l'air expiré se trouvait dans l'espace mort anatomique et n'a pas participé aux échanges gazeux.

L'air expiré est un mélange d'air alvéolaire et d'air inspiré qui n'a pas dépassé l'espace mort anatomique. Par ailleurs, l'air expiré et l'air alvéolaire contiennent plus de vapeur d'eau que l'air inspiré parce que les muqueuses humidifient l'air après son entrée dans le système respiratoire.

1. Définissez la *pression partielle* d'un gaz. Comment la pression partielle de l'oxygène est-elle liée à l'altitude ?
2. Construisez un diagramme qui illustre comment et pourquoi les gaz respiratoires diffusent durant les respirations externe et interne.

TRANSPORT DE L'OXYGÈNE ET DU GAZ CARBONIQUE DANS LE SANG

OBJECTIF

• *Expliquer comment l'oxygène et le gaz carbonique sont transportés dans le sang.*

Le transport des gaz entre les poumons et les tissus de l'organisme s'effectue par l'intermédiaire du sang. Quand l'O_2 et le CO_2 entrent dans le sang, certains changements physiques et chimiques se produisent qui facilitent le transport et les échanges des gaz. Examinons d'abord la dynamique du transport de l'oxygène.

Transport de l'oxygène

L'oxygène ne se dissout pas facilement dans l'eau, si bien que très peu d'O_2 – seulement 1,5 % environ – est transporté dans le plasma sanguin sous forme dissoute. Le reste de l'O_2 – environ 98,5 % – est transporté sous forme de combinaison chimique par l'hémoglobine dans les globules rouges (figure 23.19). Dans 100 mL de sang oxygéné se trouve l'équivalent de 20 mL d'O_2 gazeux – 0,3 mL est dissous dans le plasma et 19,7 mL sont liés à l'hémoglobine.

L'hémoglobine est composée d'une partie protéique appelée globine et d'un pigment contenant du fer appelé hème (voir la figure 19.4b et c, p. 650). La molécule d'hémoglobine possède quatre groupements hème qui peuvent se combiner chacun avec une molécule d'O_2. L'oxygène et l'hémoglobine se combinent par une réaction facilement réversible pour former de l'**oxyhémoglobine** de la façon suivante :

$$\underset{\substack{\text{Hémoglobine réduite} \\ \text{(désoxyhémoglobine)}}}{\text{Hb}} + \underset{\text{Oxygène}}{\text{O}_2} \xrightleftharpoons[\text{Dissociation d'O}_2]{\text{Liaison d'O}_2} \underset{\text{Oxyhémoglobine}}{\text{HbO}_2}$$

Puisque 98,5 % de l'O_2 est lié à l'hémoglobine et, de ce fait, emprisonné dans les globules rouges, seul l'O_2 dissous (1,5 %) peut diffuser des capillaires tissulaires vers les cellules des tissus. En conséquence, il est important de comprendre les facteurs qui favorisent la liaison de l'O_2 à l'hémoglobine et sa dissociation (séparation) de l'hémoglobine.

Figure 23.19 Transport de l'oxygène (O_2) et du gaz carbonique (CO_2) dans le sang.

 La plus grande partie de l'O_2 est transportée par l'hémoglobine sous forme d'oxyhémoglobine dans les globules rouges ; la plus grande partie du CO_2 est transportée dans le plasma sanguin sous forme d'ions bicarbonate.

Transport du CO_2
7 % dissous dans le plasma
23 % sous forme de $HbCO_2$
70 % sous forme de HCO_3^-

Transport de l'O_2
1,5 % dissous dans le plasma
98,5 % sous forme de HbO_2

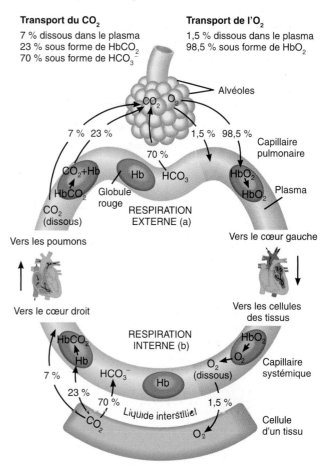

Q Combien de millilitres d'O_2 y a-t-il dans 100 mL de sang oxygéné au cours d'un exercice vigoureux ?

Relation entre l'hémoglobine et la pression partielle de l'oxygène

Parmi les facteurs qui déterminent combien d'O_2 se lie à l'hémoglobine, la P_{O_2} est le plus important. La quantité d'O_2 qui se combine avec l'hémoglobine est d'autant plus grande que la P_{O_2} est plus élevée. Quand toute l'hémoglobine réduite (désoxyhémoglobine) est convertie en HbO_2, on dit que l'hémoglobine est **pleinement saturée** ; quand l'hémoglobine forme un mélange de Hb et de HbO_2, elle est **partiellement saturée**. Le **pourcentage de saturation de l'hémoglobine** exprime la saturation moyenne de l'hémoglobine en oxygène. Par exemple, si toutes les molécules d'hémoglobine sont combinées avec deux molécules d'O_2, alors l'hémoglobine est saturée à 50 % parce que chaque Hb peut se lier à un

Figure 23.20 Courbe de dissociation de l'oxyhémoglobine montrant la relation entre le degré de saturation de l'hémoglobine et la P_{O_2} à la température corporelle normale.

🔑 **La quantité d'O_2 qui se combine avec l'hémoglobine augmente avec l'élévation de la P_{O_2}.**

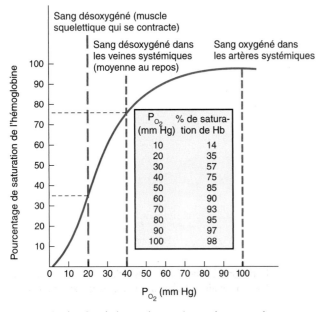

P_{O_2} (mm Hg)	% de saturation de Hb
10	14
20	35
30	57
40	75
50	85
60	90
70	93
80	95
90	97
100	98

Q Quel point de la courbe représente le sang qui se trouve en ce moment dans vos veines pulmonaires ? Quel point le représenterait si vous étiez en train de faire du jogging ?

maximum de quatre O_2. La courbe de dissociation de l'oxyhémoglobine de la figure 23.20 illustre la relation entre le pourcentage de saturation de l'hémoglobine et la P_{O_2}. Notez que lorsque la P_{O_2} est élevée, l'hémoglobine se lie à de grandes quantités d'O_2 et devient saturée à presque 100 %. Quand la P_{O_2} est faible, l'hémoglobine n'est que partiellement saturée. Autrement dit, le nombre de molécules d'O_2 combinées à l'hémoglobine augmente avec l'élévation de la P_{O_2}, jusqu'à ce que toutes les molécules d'hémoglobine disponibles soient saturées. Ainsi, dans les capillaires pulmonaires, où la P_{O_2} est élevée, une grande quantité d'O_2 se lie à l'hémoglobine. Dans les capillaires tissulaires, où la P_{O_2} est plus faible, l'hémoglobine ne retient pas autant d'O_2 ; l'O_2 est alors déchargé par diffusion dans les cellules des tissus. Notez que l'hémoglobine reste saturée d'O_2 à 75 % quand la P_{O_2} est de 40 mm Hg, soit la P_{O_2} moyenne des cellules des tissus au repos. C'est sur cette observation que nous nous sommes fondés pour dire plus haut que 25 % seulement de l'O_2 disponible est libéré de l'hémoglobine et passe dans les cellules de l'organisme au repos.

Quand la P_{O_2} se situe entre 60 et 100 mm Hg, l'hémoglobine est saturée d'O_2 à 90 % ou plus (voir la figure 23.20). Ainsi, le sang se charge presque complètement d'O_2 dans les poumons même quand la P_{O_2} de l'air alvéolaire n'est que

de 60 mm Hg. La courbe Hb-P_{O_2} explique pourquoi l'individu peut encore bien fonctionner même à haute altitude ou quand il est atteint de certaines maladies cardiaques ou pulmonaires, bien que la P_{O_2} ne soit parfois que de 60 mm Hg. Notez aussi sur le graphique que, à une P_{O_2} de 40 mm Hg, ce qui constitue une pression beaucoup plus faible, l'hémoglobine est encore saturée d'O_2 à 75 %. Par contre, à 20 mm Hg, la saturation de Hb en oxygène tombe à 35 %. Entre 40 et 20 mm Hg, de grandes quantités d'O_2 se dissocient de l'hémoglobine en réponse à de faibles diminutions de la P_{O_2}. Dans les tissus actifs comme les muscles qui se contractent, la P_{O_2} peut baisser bien au-dessous de 40 mm Hg. Un grand pourcentage d'O_2 se dissocie alors de l'hémoglobine et devient disponible pour les tissus dont le métabolisme est élevé.

Autres facteurs qui influent sur l'affinité de l'hémoglobine pour l'oxygène

Bien que le pourcentage de saturation de l'hémoglobine par l'O_2 soit déterminé principalement par la P_{O_2}, plusieurs autres facteurs influent sur l'**affinité** de l'hémoglobine pour l'oxygène, c'est-à-dire la force avec laquelle l'hémoglobine se lie à l'oxygène. En fait, ces facteurs peuvent déplacer toute la courbe soit vers la gauche (plus grande affinité), soit vers la droite (plus faible affinité). Cette variation de l'affinité de l'hémoglobine pour l'O_2 montre encore une fois comment les mécanismes de l'homéostasie adaptent l'activité de l'organisme aux besoins des cellules. La raison d'être de chacun de ces mécanismes devient claire si on se souvient que les cellules métaboliquement actives ont besoin d'O_2 et produisent des acides, du CO_2 et de la chaleur qui doivent être éliminés. Les quatre facteurs suivants influent sur l'affinité de l'hémoglobine pour l'O_2 :

1. *Acidité (pH).* Au fur et à mesure que l'acidité augmente (le pH diminue), l'affinité de l'hémoglobine pour l'O_2 décroît, ce qui facilite la dissociation de l'O_2 de l'hémoglobine (figure 23.21a). Autrement dit, l'augmentation de l'acidité favorise la libération de l'oxygène par l'hémoglobine. Les principaux acides produits par les tissus métaboliquement actifs sont l'acide lactique et l'acide carbonique. Quand le pH diminue, la courbe de dissociation de l'oxyhémoglobine se déplace en entier vers la droite – pour toute P_{O_2} donnée, l'Hb est moins saturée d'O_2. Ce changement est appelé **effet Bohr.** Il s'explique par le fait que l'hémoglobine sert de tampon pour les ions hydrogène (H^+). Mais lorsque les ions H^+ se lient aux acides aminés de l'hémoglobine, ils modifient légèrement la structure de la protéine et font diminuer sa capacité de transporter l'oxygène. Ainsi, la diminution du pH déloge l'O_2 de l'hémoglobine et rend l'O_2 plus disponible pour les cellules des tissus. À l'inverse, l'élévation du pH augmente l'affinité de l'hémoglobine pour l'O_2 et déplace la courbe de dissociation de l'oxyhémoglobine vers la gauche.

Figure 23.21 Courbes de dissociation de l'oxyhémoglobine montrant comment, à la température corporelle normale, le degré de saturation de l'hémoglobine est lié, d'une part, au pH (a) et, d'autre part, à la P_{CO_2} (b). Quand le pH augmente ou que la P_{CO_2} diminue, l'O_2 se combine avec plus de force à l'hémoglobine, si bien qu'il est moins disponible pour les tissus. Ces relations sont illustrées par les lignes pointillées.

 Quand le pH diminue ou que la P_{CO_2} augmente, l'affinité de l'hémoglobine pour l'O_2 décroît. Ainsi, l'O_2 se combine en plus petite quantité avec l'hémoglobine et devient plus disponible pour les tissus.

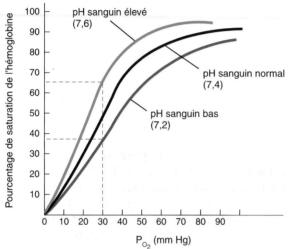

(a) Effet du pH sur l'affinité de l'hémoglobine pour l'oxygène

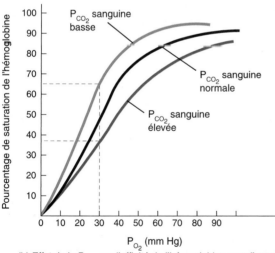

(b) Effet de la P_{CO_2} sur l'affinité de l'hémoglobine pour l'oxygène

Q Par comparaison avec sa valeur lorsqu'on est assis, l'affinité de l'hémoglobine pour l'O_2 est-elle plus élevée ou plus faible quand on fait de l'exercice? Quel est l'avantage de ce changement pour l'organisme?

2. *Pression partielle du gaz carbonique.* Le CO_2 se lie aussi à l'hémoglobine et produit un effet semblable à celui des ions H^+ (déplacement de la courbe à droite). Quand la

Figure 23.22 Courbes de dissociation de l'oxyhémoglobine montrant la relation entre la température et le degré de saturation de l'hémoglobine par l'O_2.

 Au fur et à mesure que la température augmente, l'affinité de l'hémoglobine pour l'O_2 diminue.

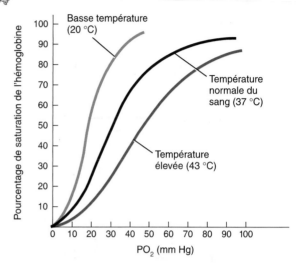

Q La disponibilité de l'O_2 pour les cellules des tissus augmente-t-elle ou diminue-t-elle quand on a de la fièvre? Pourquoi?

P_{CO_2} augmente, l'hémoglobine libère l'O_2 plus facilement (figure 23.21b). La P_{CO_2} et le pH sont des facteurs reliés parce que l'abaissement du pH sanguin (acidité) est une conséquence de l'élévation de la P_{CO_2}. Quand le CO_2 entre dans le sang, il est en grande partie converti temporairement en acide carbonique (H_2CO_3), au cours d'une réaction catalysée par une enzyme des globules rouges appelée *anhydrase carbonique* (AC):

$$CO_2 + H_2O \underset{}{\overset{AC}{\rightleftharpoons}} H_2CO_3 \rightleftharpoons H^+ + HCO_3^-$$

Gaz carbonique   Eau   Acide carbonique   Ion hydrogène   Ion bicarbonate

L'acide carbonique ainsi formé dans les globules rouges se dissocie en ions hydrogène et en ions bicarbonate. Au fur et à mesure que la concentration d'ions H^+ augmente, le pH diminue. Ainsi, l'élévation de la P_{CO_2} rend l'environnement plus acide, ce qui favorise la libération d'O_2 par l'hémoglobine. Durant l'exercice, l'acide lactique – un sous-produit du métabolisme anaérobie des muscles – fait aussi diminuer le pH sanguin. L'abaissement de la P_{CO_2} (et l'élévation du pH) déplacent la courbe de dissociation vers la gauche.

3. *Température.* La quantité d'O_2 libérée par l'hémoglobine augmente, jusqu'à un certain point, avec la température (figure 23.22). La chaleur est un sous-produit des réactions métaboliques de toutes les cellules et celle qui est libérée par la contraction des fibres musculaires tend à faire monter la température corporelle. Les cellules métaboliquement actives ont besoin d'une plus grande quantité d'O_2 et libèrent plus d'acides et de chaleur. À leur tour, les acides et

Figure 23.23 Courbes de dissociation des oxyhémoglobines fœtale et maternelle.

 L'hémoglobine fœtale a une plus grande affinité pour l'O₂ que l'hémoglobine adulte.

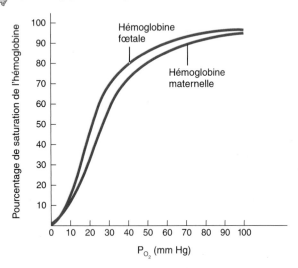

 La P$_{O_2}$ du sang placentaire est d'environ 40 mm Hg. Quels sont les pourcentages de saturation des hémoglobines fœtale et maternelle à cette P$_{O_2}$?

la chaleur favorisent la libération d'O₂ de l'oxyhémoglobine. La fièvre produit le même effet. À l'inverse, quand il y a hypothermie (abaissement de la température corporelle), le métabolisme cellulaire ralentit, le besoin en O₂ diminue et une plus grande quantité d'O₂ reste liée à l'hémoglobine (déplacement de la courbe de dissociation vers la gauche).

4. *2,3-DPG.* Les globules rouges contiennent une substance appelée **2,3-diphosphoglycérate** (**2,3-DPG**) qui réduit l'affinité de l'hémoglobine pour l'O₂ et favorise ainsi la libération d'O₂. Le 2,3-DPG se forme dans les globules rouges quand ils dégradent le glucose pour produire de l'ATP par un processus appelé glycolyse (voir p. 928). Quand le 2,3-DPG se combine avec l'hémoglobine, la liaison de l'hémoglobine à l'O₂ est plus faible. Plus le taux de 2,3-DPG est élevé, plus l'O₂ se dissocie de l'hémoglobine. Certaines hormones, telles la thyroxine, l'hormone de croissance, l'adrénaline, la noradrénaline et la testostérone, stimulent la formation du 2,3-DPG. La concentration de 2,3-DPG est également plus élevée chez les personnes qui vivent en altitude.

Affinité pour l'oxygène des hémoglobines fœtale et adulte

L'**hémoglobine fœtale** (**HbF**) diffère de l'**hémoglobine adulte** (**HbA**) par sa structure et son affinité pour l'O₂. L'HbF a une plus grande affinité pour l'O₂ parce qu'elle se lie moins bien au 2,3-DPG. Ainsi, quand la P$_{O_2}$ est faible, l'HbF peut transporter jusqu'à 30 % de plus d'O₂ que l'HbA maternelle (figure 23.23). Lorsque le sang maternel entre dans le placenta, le transfert de l'O₂ au sang fœtal s'effectue facile-

ment. Cela est très important parce que la saturation du sang maternel en O₂ est assez faible dans le placenta, si bien que le fœtus pourrait souffrir d'hypoxie si son hémoglobine ne possédait pas une plus grande affinité pour l'O₂.

APPLICATION CLINIQUE
Oxycarbonisme

Le monoxyde de carbone est un gaz incolore et inodore qui se trouve dans les émanations des automobiles et des appareils de chauffage au gaz ainsi que dans la fumée de tabac. C'est un des sous-produits de la combustion des matières qui contiennent du carbone, tels le charbon, le gaz naturel et le bois. Le monoxyde de carbone se combine avec le groupement hème de l'hémoglobine, comme l'O₂, sauf que la force de la liaison du monoxyde de carbone à l'hémoglobine dépasse de plus de 200 fois celle de l'O₂. Ainsi, à une concentration de 0,1 % seulement (P$_{CO}$ = 0,5 mm Hg), le monoxyde de carbone se combine avec la moitié des molécules d'hémoglobine disponibles et réduit de 50 % la capacité du sang à transporter l'oxygène. Un taux élevé de monoxyde de carbone dans le sang cause une intoxication, appelée **oxycarbonisme**, dont un des signes est un changement de la coloration des lèvres et de la muqueuse orale, qui deviennent écarlates. Le traitement consiste à administrer de l'O₂ pur, qui accélère la dissociation du monoxyde de carbone et de l'hémoglobine. ■

Transport du gaz carbonique

Chez une personne à l'état normal de repos, dans 100 mL de sang désoxygéné se trouve l'équivalent de 53 mL de CO₂ gazeux, qui est transporté dans le sang sous trois formes principales (voir la figure 23.19):

1. *CO₂ dissous.* Un petit pourcentage du gaz carbonique – environ 7 % – est dissous dans le plasma. À son arrivée dans les poumons, il diffuse dans les alvéoles.

2. *Composés carbaminés.* Un pourcentage un peu plus élevé de gaz carbonique, environ 23 %, se combine avec les groupements amine des acides aminés et des protéines du sang pour former des **composés carbaminés.** Comme l'hémoglobine est la protéine la plus abondante dans le sang, la plus grande partie du CO₂ transporté de cette façon est lié aux acides aminés de la globine, soit la partie protéique de l'hémoglobine. On appelle **carbhémoglobine** (**HbCO₂**) l'hémoglobine liée au CO₂:

$$Hb \quad + \quad CO_2 \quad \rightleftharpoons \quad HbCO_2$$

Hémoglobine Gaz carbonique Carbhémoglobine

La formation de la carbhémoglobine est largement influencée par la P$_{CO_2}$. Par exemple, dans les capillaires tissulaires, la P$_{CO_2}$ est relativement élevée, ce qui favorise la synthèse de carbhémoglobine. Mais dans les capillaires pulmonaires, où la P$_{CO_2}$ est relativement faible, le CO₂ se dissocie facilement de la globine et passe dans les alvéoles par diffusion.

Figure 23.24 Résumé des échanges et du transport des gaz.

Quand le CO_2 quitte les cellules des tissus et pénètre dans les globules rouges, il favorise la dissociation de l'O_2 et de l'hémoglobine (effet Bohr). Ainsi, une plus grande quantité de CO_2 se combine avec l'hémoglobine et plus d'ions bicarbonate (HCO_3^-) sont formés. Quand l'O_2 passe des alvéoles aux globules rouges, l'hémoglobine devient saturée d'O_2 et son acidité augmente. L'hémoglobine devenue plus acide libère plus d'ions hydrogène (H^+), qui se lient aux ions HCO_3^- pour former de l'acide carbonique (H_2CO_3). L'H_2CO_3 se dissocie en H_2O et en CO_2, et le CO_2 diffuse du sang vers les alvéoles.

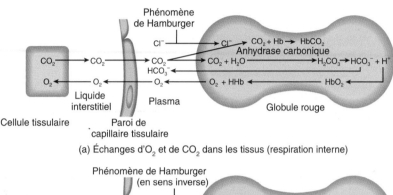

(a) Échanges d'O_2 et de CO_2 dans les tissus (respiration interne)

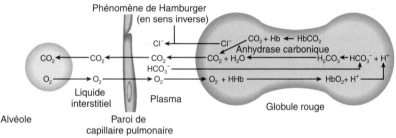

(b) Échanges d'O_2 et de CO_2 dans les poumons (respiration externe)

Q Selon vous, doit-on s'attendre à trouver la concentration de HCO_3^- plus élevée dans le plasma d'une artère du bras ou dans celui d'une veine du même bras?

3. *Ions bicarbonate.* La plus grande partie du CO_2 – environ 70 % – est transporté dans le plasma sous forme d'**ions bicarbonate** (HCO_3^-), qui sont formés au cours d'une réaction que nous avons mentionnée plus haut:

$$CO_2 + H_2O \underset{}{\overset{AC}{\rightleftharpoons}} H_2CO_3 \rightleftharpoons H^+ + HCO_3^-$$

Gaz carbonique   Eau   Acide carbonique   Ion hydrogène   Ion bicarbonate

Après avoir diffusé dans les capillaires tissulaires et pénétré dans les globules rouges, le CO_2 réagit avec l'eau en présence de l'anhydrase carbonique (AC), une enzyme, et forme de l'acide carbonique, qui se dissocie en ions H^+ et en ions HCO_3^-. Certains des ions HCO_3^-, qui s'accumulent dans les globules rouges, diffusent vers le plasma, suivant leur gradient de concentration. En échange, des ions chlorure (Cl^-) diffusent du plasma vers l'intérieur des globules rouges. Cet échange d'ions négatifs, qui maintient l'équilibre électrique entre le plasma et les globules rouges, est appelé **phénomène de Hamburger.** Ces réactions ont pour effet net de débarrasser les cellules des tissus de leur CO_2 et de le transporter dans le plasma sous

forme de HCO_3^-. Quand le sang passe dans les capillaires pulmonaires, toutes ces réactions s'effectuent en sens inverse pour permettre l'expiration du CO_2.

La quantité de CO_2 que le sang peut transporter est fonction du pourcentage de saturation de l'hémoglobine en oxygène. Moins il y a d'oxyhémoglobine (HbO_2), plus le sang peut transporter de CO_2. Cette relation, qui porte le nom d'**effet Haldane,** est liée à deux caractéristiques de la désoxyhémoglobine. 1) La désoxyhémoglobine se lie mieux au CO_2 que l'HbO_2 et peut, de ce fait, en transporter davantage. 2) La désoxyhémoglobine est un meilleur tampon d'ions H^+ que l'HbO_2. En conséquence, elle absorbe les ions H^+ qui sont en solution et favorise la conversion du CO_2 en HCO_3^- au moyen de la réaction catalysée par l'anhydrase carbonique.

Résumé des échanges et du transport des gaz dans les poumons et les tissus

Le sang désoxygéné qui retourne aux poumons (figure 23.24a) contient du CO_2 dissous dans le plasma, du CO_2 combiné à la globine sous forme de carbhémoglobine et du CO_2 incorporé dans les ions HCO_3^- à l'intérieur des globules rouges. Les globules rouges ont aussi absorbé des ions H$^+$, qui sont en partie tamponnés par l'hémoglobine (HHb). Dans les capillaires pulmonaires, les réactions chimiques se font dans le sens inverse (figure 23.24b). Les molécules de CO_2 dissoutes dans le plasma et celles qui se dissocient de la globine diffusent vers les alvéoles et sont expirées. En même temps, l'O_2 inspiré diffuse des alvéoles vers les globules rouges et se fixe à l'hémoglobine. L'effet Bohr est réversible : tout comme l'augmentation des ions H$^+$ dans le sang entraîne la dissociation de l'O_2 et de l'hémoglobine, la liaison de l'O_2 à l'hémoglobine amène cette dernière à se libérer des ions H$^+$. Le gaz carbonique dans les ions HCO_3^- est libéré quand H$^+$ se combine avec HCO_3^- dans les globules rouges pour former H_2CO_3, qui se dissocie en CO_2 et H_2O. Le sens de la réaction de l'acide carbonique dépend surtout de la P_{CO_2}. Dans les capillaires tissulaires, où la P_{CO_2} est élevée, H$^+$ et HCO_3^- se forment ; dans les capillaires pulmonaires, où la P_{CO_2} est faible, CO_2 et H_2O se forment. Au fur et à mesure que la concentration de HCO_3^- diminue dans les globules rouges des capillaires pulmonaires, les ions HCO_3^- du plasma pénètrent par diffusion dans les cellules en échange d'ions Cl^-. Le gaz carbonique, qui sort des globules rouges par diffusion, passe dans les alvéoles d'où il est expiré. Ainsi, le sang oxygéné qui quitte les poumons contient plus d'O_2 et moins de CO_2 et d'ions H$^+$.

1. Chez une personne au repos, combien de molécules d'O_2 sont fixées à chaque molécule d'hémoglobine, en moyenne, dans le sang d'une artère pulmonaire ? dans celui d'une veine pulmonaire ?
2. Décrivez la relation entre l'hémoglobine et la P_{O_2}. Expliquez comment la température, les ions H$^+$, la P_{CO_2} et le 2,3-DPG influent sur l'affinité de l'Hb pour l'O_2.
3. Expliquez pourquoi l'hémoglobine libère plus d'oxygène lorsque le sang circule dans des tissus métaboliquement actifs, comme les muscles squelettiques durant l'exercice physique, que lorsque les tissus sont au repos.

RÉGULATION DE LA RESPIRATION

OBJECTIF

- *Décrire les divers facteurs qui régulent la fréquence et l'amplitude respiratoires.*

Au repos, environ 200 mL d'O_2 sont consommés toutes les minutes par les cellules de l'organisme. Durant l'exercice intense, la consommation peut dépasser cette valeur de 15 à 20 fois chez l'adulte moyen en bonne santé et jusqu'à 30 fois chez les athlètes d'élite entraînés en endurance. En conséquence, il existe certains mécanismes qui ajustent l'effort respiratoire aux exigences métaboliques. Le rythme de la respiration est régi par des groupes de neurones du bulbe rachidien et du pont. Nous examinerons d'abord les principaux mécanismes par lesquels le système nerveux règle le rythme respiratoire.

 Figure 23.25 Situation des régions du centre respiratoire.

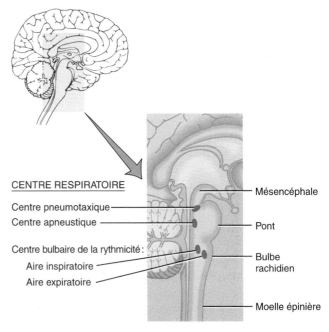

Le centre respiratoire se compose de neurones situés dans le centre bulbaire de la rythmicité du bulbe rachidien et dans les centres pneumotaxique et apneustique du pont.

CENTRE RESPIRATOIRE

Centre pneumotaxique
Centre apneustique

Centre bulbaire de la rythmicité :
Aire inspiratoire
Aire expiratoire

Mésencéphale
Pont
Bulbe rachidien
Moelle épinière

Coupe sagittale du tronc cérébral

 Dans quelle région se trouvent les neurones autorythmiques qui sont tour à tour actifs et inactifs, suivant un cycle qui se répète ?

Rôle du centre respiratoire

Le volume du thorax est modifié par l'action des muscles de la respiration, dont la contraction et le relâchement résultent d'influx nerveux qui leur sont transmis par des centres de l'encéphale. La région qui est à l'origine des influx nerveux destinés aux muscles respiratoires est constituée d'amas de neurones situés de chaque côté du bulbe rachidien et du pont dans le tronc cérébral. Cette région, appelée **centre respiratoire,** comprend des neurones très dispersés qui se répartissent sur le plan fonctionnel en trois régions : 1) le centre bulbaire de la rythmicité dans le bulbe rachidien, 2) le centre pneumotaxique dans le pont et 3) le centre apneustique, également dans le pont (figure 23.25).

Centre bulbaire de la rythmicité

La fonction du **centre bulbaire de la rythmicité** consiste à régir le rythme de base de la respiration. En règle générale chez une personne à l'état normal de repos, l'inspiration dure environ 2 secondes et l'expiration environ 3 secondes. Dans le centre bulbaire de la rythmicité se trouvent des neurones inspiratoires et des neurones expiratoires qui forment respectivement une aire inspiratoire et une aire expiratoire. Nous nous pencherons d'abord sur le rôle des neurones inspiratoires dans la respiration.

Figure 23.26 Rôles accordés au centre bulbaire de la rythmicité dans la régulation (a) du rythme de base de la respiration et (b) de la respiration forcée.

 Durant la respiration normale, au repos, l'aire expiratoire est inactive ; durant la respiration forcée, l'aire expiratoire est activée par l'aire inspiratoire.

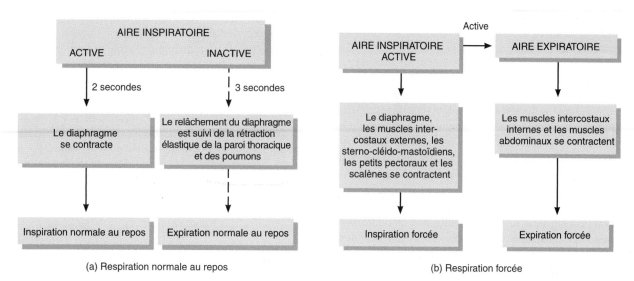

(a) Respiration normale au repos

(b) Respiration forcée

Q Quels nerfs transmettent les influx du centre respiratoire au diaphragme ?

Le rythme de base de la respiration est déterminé par des influx nerveux qui prennent naissance dans l'aire inspiratoire (figure 23.26a). Au début de l'expiration, l'aire inspiratoire est inactive, mais après 3 secondes, elle devient automatiquement active sous l'action d'influx provenant de neurones autorythmiques. Même quand toutes les connexions entre les nerfs afférents et l'aire inspiratoire sont coupées ou bloquées, les neurones de cette région continuent à émettre des influx rythmiques qui déclenchent l'inspiration. Les influx nerveux résultant de l'activité de l'aire inspiratoire durent environ 2 secondes et se propagent au diaphragme par les nerfs phréniques. Quand ces influx atteignent le diaphragme, ce dernier se contracte et l'inspiration a lieu. Au bout de 2 secondes, les muscles inspiratoires se relâchent pendant environ 3 secondes, puis le cycle recommence.

Les neurones de l'aire expiratoire sont inactifs durant la plupart des respirations normales au repos. Au repos, l'inspiration s'accomplit par la contraction active du diaphragme et l'expiration résulte de la rétraction élastique et passive des poumons et de la paroi thoracique qui suit le relâchement du diaphragme. Par contre, durant la ventilation forcée, les influx nerveux de l'aire inspiratoire activent l'aire expiratoire (figure 23.26b), causant la contraction des muscles intercostaux internes et des muscles abdominaux, ce qui réduit la dimension de la cavité thoracique et entraîne l'expiration forcée.

Centre pneumotaxique

Le centre de rythmicité bulbaire régit le rythme de base de la respiration. Toutefois, d'autres régions du tronc cérébral participent à la coordination de la transition entre l'inspiration et l'expiration. L'une d'elles est le **centre pneumotaxique** (*pneumôn* = poumon ; *taxis* = arrangement), qui est situé dans la partie supérieure du pont (voir la figure 23.25) et qui transmet des influx inhibiteurs à l'aire inspiratoire. Le principal effet de ces influx nerveux est de contribuer à freiner l'aire inspiratoire avant que les poumons ne se gonflent trop. Autrement dit, les influx limitent la durée de l'inspiration et préparent ainsi le début de l'expiration. Quand le centre pneumotaxique devient plus actif, la fréquence respiratoire augmente.

Centre apneustique

La coordination de la transition entre l'inspiration et l'expiration dépend également d'une région du tronc cérébral appelée **centre apneustique,** qui est situé dans la partie inférieure du pont (voir la figure 23.25). Le centre apneustique active l'aire inspiratoire par des influx excitateurs qui prolongent l'inspiration et, partant, inhibent l'expiration. Cette stimulation a lieu quand le centre pneumotaxique est inactif ; quand ce dernier est actif, il l'emporte sur le centre apneustique.

Régulation du centre respiratoire

Si le rythme de base de la respiration est établi et coordonné par l'aire inspiratoire, il peut être modifié en réponse à des influx provenant d'autres régions de l'encéphale et de récepteurs du système nerveux périphérique. Nous examinerons maintenant plusieurs facteurs qui influent sur la régulation de la respiration.

Influences corticales sur la respiration

Le cortex cérébral étant relié au centre respiratoire, nous pouvons volontairement modifier notre type de respiration. Nous pouvons même refuser carrément de respirer pour un court laps de temps. Le contrôle volontaire joue un rôle protecteur parce qu'il nous permet d'empêcher que les poumons ne soient envahis d'eau ou de gaz irritants. Cependant, la capacité de ne pas respirer est limitée par l'accumulation de CO_2 et de H^+ dans le sang. Quand la P_{CO_2} et la concentration d'ions H^+ franchissent un certain seuil, l'aire inspiratoire est stimulée vigoureusement, des influx nerveux parcourent les nerfs phréniques et intercostaux jusqu'aux muscles inspiratoires et la respiration reprend, qu'on le veuille ou non. Il est impossible de se suicider en retenant son souffle. Même si on s'évanouit, la respiration reprend quand on perd connaissance. Des influx nerveux de l'hypothalamus et du système limbique exercent aussi une action sur le centre respiratoire et permettent à des stimulus émotifs de modifier la respiration (par exemple, quand on pleure).

Régulation chimique de la respiration

Certains stimulus chimiques modulent la fréquence et l'amplitude respiratoires. Le système respiratoire a pour fonction de maintenir des concentrations adéquates de CO_2 et d'O_2. Il n'est pas étonnant qu'il soit très sensible aux variations de leurs concentrations dans le sang. Des chimiorécepteurs situés à deux endroits régissent les concentrations de CO_2 et d'O_2 et transmettent l'information au centre respiratoire. Les **chimiorécepteurs centraux** sont situés dans le bulbe rachidien (système nerveux *central*), alors que les **chimiorécepteurs périphériques** se trouvent dans les parois d'artères systémiques et transmettent des. influx au centre respiratoire par l'intermédiaire de deux nerfs crâniens du système nerveux *périphérique*.

Les chimiorécepteurs centraux réagissent aux variations de la concentration d'ions H^+ ou de la P_{CO_2}, ou des deux, dans le liquide cérébro-spinal. Les chimiorécepteurs périphériques sont particulièrement sensibles aux variations de la P_{O_2}, ainsi que des ions H^+ et de la P_{CO_2}, dans le sang; ils sont situés dans les **corpuscules aortiques,** amas de chimiorécepteurs logés dans la paroi de l'arc aortique, et dans les **glomus carotidiens,** qui sont des nodules ovales dans les parois des artères carotides communes gauche et droite, là où ces dernières se divisent en artère carotide interne et artère carotide externe. Les fibres nerveuses sensitives des corpuscules aortiques sont reliées au nerf vague (X), tandis que celles des glomus carotidiens se joignent aux nerfs glosso-pharyngiens gauche et droit (IX).

Étant liposoluble, le CO_2 diffuse facilement à travers les membranes plasmiques, y compris celles qui forment la barrière hémato-encéphalique. L'anhydrase carbonique est présente dans les cellules, si bien que le CO_2 peut se combiner avec l'eau (H_2O) pour former de l'acide carbonique (H_2CO_3), qui se dissocie rapidement en H^+ et HCO_3^-. Ainsi, toute augmentation de la concentration de CO_2 entraîne une augmentation des ions H^+ et, inversement, toute diminution du taux de CO_2 amène une diminution des ions H^+.

Normalement, la P_{CO_2} dans le sang artériel est de 40 mm Hg. S'il y a une augmentation, même faible, de la P_{CO_2} – état appelé **hypercapnie** – les chimiorécepteurs centraux sont stimulés et réagissent vigoureusement à l'augmentation de la concentration des ions H^+ dans le liquide cérébro-spinal qui accompagne l'hypercapnie. Les concentrations d'H^+ et de CO_2 connaissent des fluctuations plus importantes dans le liquide cérébro-spinal que dans le plasma sanguin parce que le liquide cérébro-spinal contient moins de tampons que le sang. Les chimiorécepteurs périphériques des corpuscules aortiques et des glomus carotidiens sont aussi stimulés à la fois par la P_{CO_2} élevée et par l'augmentation de la concentration d'ions H^+. De plus, ils réagissent aux déficits en O_2. Si la P_{O_2} artérielle descend de la valeur normale de 100 mm Hg à environ 50 mm Hg, les chimiorécepteurs périphériques sont stimulés vigoureusement.

Quand il y a une augmentation de la P_{CO_2} et de la concentration d'ions H^+, et une diminution de la P_{O_2}, les signaux émis par les chimiorécepteurs centraux et périphériques causent une montée en flèche de l'activité de l'aire inspiratoire et une augmentation de la fréquence et de l'amplitude de la respiration (figure 23.27). La respiration rapide et profonde, appelée **hyperventilation,** permet l'expiration d'une plus grande quantité de CO_2 jusqu'à ce que la P_{CO_2} et la concentration des ions H^+ reviennent à la normale. La respiration lente et superficielle est appelée **hypoventilation.**

Si la P_{CO_2} artérielle est inférieure à 40 mm Hg – état appelé **hypocapnie** – les chimiorécepteurs centraux et périphériques ne sont pas stimulés et n'envoient pas d'influx stimulateurs à l'aire inspiratoire. Par conséquent, cette dernière établit d'elle-même un rythme modéré jusqu'à ce que le CO_2 s'accumule et que la P_{CO_2} remonte à 40 mm Hg. Les personnes qui pratiquent l'hyperventilation et se mettent en état d'hypocapnie peuvent retenir leur souffle beaucoup plus longtemps que la normale. On encourageait autrefois les nageurs à utiliser cette technique juste avant de plonger pour une compétition, mais c'est une pratique risquée parce que la concentration d'O_2 peut diminuer dangereusement et causer l'évanouissement avant que la P_{CO_2} remonte assez pour stimuler l'inspiration. Une personne qui s'évanouit sur la terre ferme peut subir quelques ecchymoses, mais celle qui perd connaissance dans l'eau risque de se noyer.

Figure 23.27 Régulation de la respiration en réponse aux variations de P_{CO_2}, de P_{O_2} et de pH (concentration des ions H^+) sanguins, par rétro-inhibition.

🗝 **L'augmentation de la P_{CO_2} du sang artériel stimule le centre inspiratoire.**

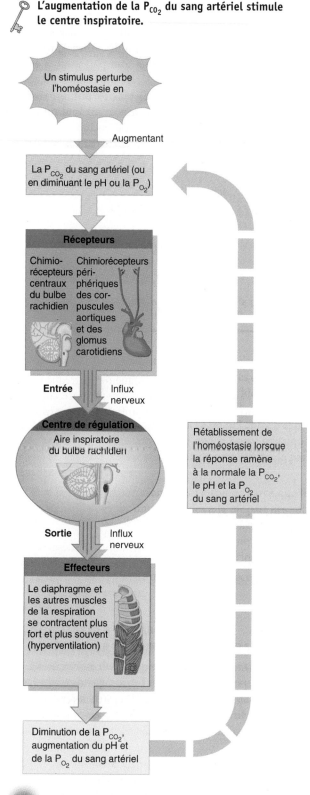

Un stimulus perturbe l'homéostasie en

Augmentant

La P_{CO_2} du sang artériel (ou en diminuant le pH ou la P_{O_2})

Récepteurs

Chimio-récepteurs centraux du bulbe rachidien | Chimiorécepteurs périphériques des corpuscules aortiques et des glomus carotidiens

Entrée | Influx nerveux

Centre de régulation

Aire inspiratoire du bulbe rachidien

Rétablissement de l'homéostasie lorsque la réponse ramène à la normale la P_{CO_2}, le pH et la P_{O_2} du sang artériel

Sortie | Influx nerveux

Effecteurs

Le diaphragme et les autres muscles de la respiration se contractent plus fort et plus souvent (hyperventilation)

Diminution de la P_{CO_2}, augmentation du pH et de la P_{O_2} du sang artériel

Q Quelle est la P_{CO_2} normale du sang artériel?

Un déficit grave en O_2 réduit considérablement l'activité des chimiorécepteurs centraux et de l'aire inspiratoire. Les réactions de ceux-ci aux stimulus, quels qu'ils soient, ne sont alors plus adéquates et le nombre d'influx destinés aux muscles de la respiration diminue (figure 23.28). Au fur et à mesure que la fréquence respiratoire ralentit ou lorsque la respiration s'arrête, la P_{CO_2} baisse de plus en plus et une spirale de rétroactivation s'établit.

🩺 APPLICATION CLINIQUE
Hypoxie

L'hypoxie (*hupo* = au-dessous) est un déficit en O_2 dans les tissus. On reconnaît quatre types d'hypoxie qui sont classés, selon leur origine, de la façon suivante :

1. **L'hypoxie hypoxique** résulte d'une faible P_{O_2} dans le sang artériel causée par la haute altitude, l'obstruction des voies aériennes ou la présence de liquide dans les poumons.

2. Dans l'**hypoxie des anémies,** il n'y a pas assez d'hémoglobine fonctionnelle dans le sang, ce qui réduit le transport d'O_2 aux cellules des tissus. Cette forme d'hypoxie peut se manifester par exemple à la suite d'une hémorragie ou d'une anémie, ou encore quand l'hémoglobine ne parvient pas à transporter sa charge normale d'O_2, comme dans une intoxication par le monoxyde de carbone.

3. Dans l'**hypoxie ischémique,** la circulation sanguine dans un tissu est réduite à tel point que ce dernier ne reçoit pas assez d'O_2, même si la P_{O_2} et le taux d'oxyhémoglobine sont normaux.

4. Dans l'**hypoxie histotoxique,** le sang apporte assez d'O_2 aux tissus, mais ceux-ci sont incapables de l'utiliser adéquatement en raison de la présence d'un agent toxique. Cet état peut être dû à l'intoxication par le cyanure, qui bloque l'action d'une enzyme nécessaire à l'utilisation de l'O_2 au cours de la synthèse de l'ATP. ■

Propriocepteurs et respiration

Dès qu'on commence à faire de l'exercice, la fréquence et l'amplitude respiratoires augmentent, avant même qu'apparaissent les variations de P_{O_2}, de P_{CO_2} ou de concentration des ions H^+. On croit que le principal stimulus à l'origine de ces changements rapides de l'effort respiratoire provient des propriocepteurs, qui régissent le mouvement des articulations et des muscles. Les influx nerveux des propriocepteurs stimulent l'aire inspiratoire du bulbe rachidien. En même temps, certaines collatérales (ramifications) d'axones des neurones moteurs supérieurs qui prennent naissance dans l'aire motrice primaire (gyrus précentral) font parvenir des influx excitateurs à l'aire inspiratoire.

Réflexe de distension pulmonaire

Dans les parois des bronches et des bronchioles se trouvent des récepteurs sensibles à l'étirement appelés **baro-récepteurs.** Quand ces récepteurs sont étirés par suite du

Figure 23.28 Réduction de la P_{O_2} du sang par rétroactivation.

 Une forte réduction de la P_{O_2} du sang artériel réduit l'activité des chimiorécepteurs centraux et de l'aire inspiratoire.

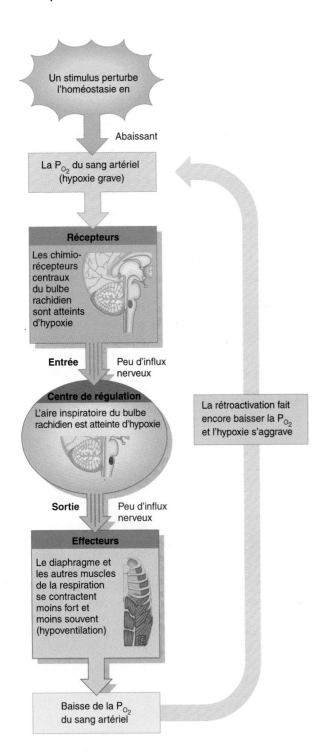

Un stimulus perturbe l'homéostasie en

Abaissant

La P_{O_2} du sang artériel (hypoxie grave)

Récepteurs

Les chimiorécepteurs centraux du bulbe rachidien sont atteints d'hypoxie

Entrée — Peu d'influx nerveux

Centre de régulation

L'aire inspiratoire du bulbe rachidien est atteinte d'hypoxie

Sortie — Peu d'influx nerveux

Effecteurs

Le diaphragme et les autres muscles de la respiration se contractent moins fort et moins souvent (hypoventilation)

La rétroactivation fait encore baisser la P_{O_2} et l'hypoxie s'aggrave

Baisse de la P_{O_2} du sang artériel

Q Comment pourrait-on intervenir pour arrêter cette boucle de rétroactivation?

gonflement excessif des poumons, des influx nerveux sont envoyés par le nerf vague (X) à l'aire inspiratoire et au centre apneustique. Ces influx inhibent l'aire inspiratoire et le centre apneustique (le rôle de ce dernier est d'activer l'aire inspiratoire). L'expiration est alors déclenchée. Au fur et à mesure que l'air est expulsé, les poumons se dégonflent et les barorécepteurs cessent d'être stimulés. Ainsi, l'aire inspiratoire et le centre apneustique ne sont plus inhibés et une nouvelle inspiration s'amorce. Certaines études suggèrent que ce réflexe, appelé **réflexe de distension pulmonaire** (ou **réflexe de Hering-Breuer**), constitue avant tout un mécanisme de protection qui prévient la distension excessive des poumons et qu'il ne joue pas un rôle clé dans la régulation normale de la respiration.

Influence d'autres facteurs sur la respiration

Les éléments suivants font partie des autres facteurs qui participent à la régulation de la respiration.

- *Stimulation du système limbique.* L'anxiété ou l'anticipation d'une activité peut stimuler le système limbique. Ce dernier envoie un signal excitateur à l'aire inspiratoire qui fait augmenter la fréquence et l'amplitude respiratoires.

- *Température.* L'augmentation de la température corporelle qui résulte, par exemple, d'un accès de fièvre ou d'un exercice physique vigoureux fait augmenter la fréquence respiratoire; une diminution de la température corporelle fait ralentir la fréquence respiratoire. Une exposition soudaine au froid (comme être plongé dans l'eau froide) cause l'**apnée** (*a* = sans; *pnein* = souffle), soit un arrêt temporaire de la respiration.

- *Douleur.* Une douleur vive et soudaine cause une brève apnée, mais une douleur somatique prolongée fait augmenter la fréquence respiratoire. La douleur viscérale peut ralentir la respiration.

- *Étirement du muscle sphincter de l'anus.* Cette action fait augmenter la fréquence respiratoire. Elle est parfois utilisée pour stimuler la respiration chez un nouveau-né ou chez une personne qui a cessé de respirer.

- *Irritation des voies aériennes.* L'irritation chimique ou mécanique du pharynx ou du larynx provoque un arrêt immédiat de la respiration suivi d'un accès de toux ou d'éternuements.

- *Pression artérielle.* Le sinus de l'aorte et le sinus carotidien, qui sont situés près des corpuscules aortiques et des glomus carotidiens, contiennent des barorécepteurs sensibles aux changements de la pression artérielle. Le rôle premier de ces barorécepteurs est de participer à la régulation de la pression artérielle, mais ils jouent aussi un rôle modeste dans la respiration. L'élévation soudaine de la pression artérielle fait diminuer la fréquence respiratoire, alors qu'une baisse de la pression artérielle la fait augmenter.

Tableau 23.2 Résumé de la régulation de la fréquence et de l'amplitude respiratoires

FACTEURS QUI FONT AUGMENTER LA FRÉQUENCE ET L'AMPLITUDE RESPIRATOIRES

Hyperventilation volontaire régie par le cortex cérébral.

Anticipation d'activité par la stimulation du système limbique.

Augmentation, dans le sang artériel, du taux d'ions H^+ ou de la P_{CO_2} au-dessus de 40 mm Hg et diminution de la P_{O_2} du sang artériel de 100 à 50 mm Hg, détectées par les chimiorécepteurs centraux et périphériques.

Augmentation des influx sensitifs provenant des propriocepteurs des muscles et des articulations, et augmentation des influx moteurs provenant du cortex moteur.

Baisse de la pression artérielle détectée par les barorécepteurs.

Élévation de la température corporelle.

Douleur prolongée.
Étirement du sphincter de l'anus.

CENTRE RESPIRATOIRE

FACTEURS QUI FONT DIMINUER LA FRÉQUENCE ET L'AMPLITUDE RESPIRATOIRES

Hypoventilation volontaire régie par le cortex cérébral (limitée par l'accumulation de CO_2 et d'ions H^+).

Diminution, dans le sang artériel, du taux d'ions H^+ ou de la P_{CO_2} au-dessous de 40 mm Hg détectée par les chimiorécepteurs centraux et périphériques, et diminution de la P_{O_2} du sang artériel au-dessous de 50 mm Hg.

Diminution des influx sensitifs provenant des propriocepteurs des muscles et des articulations, et diminution des influx moteurs provenant du cortex moteur

Augmentation de la pression artérielle détectée par les barorécepteurs.

Diminution de la température corporelle (une exposition soudaine au froid cause l'apnée).

Douleur vive causant l'apnée.

Irritation du pharynx ou du larynx par un contact physique ou un stimulus chimique causant l'apnée suivie de toux ou d'éternuements.

Le tableau 23.2 présente un résumé des facteurs qui font augmenter ou diminuer la fréquence et l'amplitude respiratoires.

1. Comment le centre bulbaire de la rythmicité assure-t-il la régulation de la respiration ? Quel est le rôle des centres apneustique et pneumotaxique dans cette régulation ?
2. Expliquez comment chacun des éléments suivants modifie la respiration : cortex cérébral, réflexe de distension pulmonaire, CO_2, O_2, propriocepteurs, température, douleur et irritation de la muqueuse du système respiratoire.

EFFETS DE L'EXERCICE SUR LE SYSTÈME RESPIRATOIRE

OBJECTIF

• *Décrire les effets de l'exercice sur le système respiratoire.*

Durant l'exercice, les systèmes respiratoire et cardiovasculaire s'adaptent à l'intensité et à la durée de l'effort déployé. Les effets de l'exercice sur le cœur sont traités au chapitre 20 ; nous examinerons ici l'influence de l'exercice sur le système respiratoire.

Rappelons que la quantité de sang envoyée par le cœur aux poumons est égale à celle destinée au reste du corps. Ainsi, quand le débit cardiaque augmente, l'apport sanguin aux poumons, appelé **perfusion pulmonaire,** augmente également. De plus, la **capacité de diffusion des poumons pour l'oxygène,** mesure de la vitesse à laquelle l'O_2 diffuse de l'air alvéolaire vers le sang, peut tripler quand l'exercice est poussé au maximum parce qu'un plus grand nombre de capillaires pulmonaires sont perfusés au maximum. Il en résulte une augmentation de la superficie disponible pour la diffusion d'O_2 dans les capillaires pulmonaires.

Quand les muscles se contractent durant l'exercice, ils consomment de grandes quantités d'O_2 et produisent de grandes quantités de CO_2. Quand l'exercice est vigoureux, la consommation d'O_2 et la ventilation pulmonaire augmentent de façon spectaculaire. Au début de l'exercice, il y a une augmentation soudaine de la ventilation pulmonaire suivie d'un accroissement plus graduel. Quand l'exercice est modéré, c'est surtout l'amplitude respiratoire qui augmente plutôt que la fréquence des respirations. Quand l'exercice est plus intense, la fréquence respiratoire s'accroît également.

L'augmentation soudaine de la ventilation au début de l'exercice est causée par des changements d'ordre nerveux qui envoient des influx excitateurs à l'aire inspiratoire du bulbe rachidien. Ces changements comprennent 1) l'anticipation de l'activité, qui stimule le système limbique, 2) les influx sensitifs provenant des propriocepteurs des muscles, des tendons et des articulations et 3) les influx moteurs de l'aire motrice primaire (gyrus précentral). L'augmentation plus graduelle de la ventilation qui accompagne l'exercice modéré est causée par des changements *chimiques* et *physiques* dans la circulation sanguine. Ce sont, entre autres, 1) une légère diminution de la P_{O_2}, consécutive à l'augmentation de la consommation d'O_2, 2) une légère augmentation de la P_{CO_2}, due à l'accroissement de la production de CO_2 par les fibres musculaires qui se contractent, et 3) une élévation de la température, qui résulte de la chaleur libérée par la plus grande consommation d'O_2. Par ailleurs, durant l'exercice intense, les ions HCO_3^- tamponnent les ions H^+ provenant de l'acide lactique par le truchement d'une réaction qui dégage du CO_2, lequel fait augmenter encore davantage la P_{CO_2}.

À la fin de la période d'exercice, une diminution soudaine de la ventilation pulmonaire est suivie par une baisse plus graduelle jusqu'à l'état de repos. La diminution initiale est le fait surtout de modifications de facteurs nerveux qui accompagnent le ralentissement ou la cessation du mouvement, alors que la phase graduelle est le reflet du retour progressif de la composition chimique du sang et de la température à leurs niveaux normaux à l'état de repos.

APPLICATION CLINIQUE
Pourquoi les fumeurs connaissent une efficacité respiratoire diminuée

Il arrive souvent que les personnes qui fument s'essoufflent facilement quand elles font de l'exercice, même modéré. Plusieurs facteurs diminuent l'efficacité respiratoire chez les fumeurs. 1) La nicotine cause la constriction des bronchioles terminales, ce qui nuit à l'écoulement de l'air qui entre dans les poumons et en sort. 2) Le monoxyde de carbone dans la fumée se lie à l'hémoglobine et réduit sa capacité à transporter l'oxygène. 3) Certains agents irritants dans la fumée stimulent la sécrétion de mucus dans l'arbre bronchique et causent l'œdème de la muqueuse de revêtement; ces deux réactions ont pour effet d'entraver l'écoulement de l'air dans les poumons. 4) Les agents irritants dans la fumée inhibent aussi le mouvement des cils de la muqueuse du système respiratoire et peuvent même les détruire, si bien que l'excès de mucus et les corps étrangers ne sont pas éliminés facilement et rendent la respiration encore plus difficile. 5) À la longue, le tabagisme entraîne la destruction des fibres élastiques des

poumons et constitue la cause première d'emphysème pulmonaire (voir p. 860). Ces altérations amènent l'affaissement des petites bronchioles et l'emprisonnement d'air dans les alvéoles à la fin de l'expiration; les échanges gazeux sont alors moins efficaces. ■

DÉVELOPPEMENT EMBRYONNAIRE DU SYSTÈME RESPIRATOIRE
OBJECTIF
• *Décrire le développement du système respiratoire.*

Le développement de la bouche et du pharynx est décrit au chapitre 24. Nous nous pencherons ici sur les autres structures du système respiratoire. Vers la quatrième semaine du développement embryonnaire, le système respiratoire commence à se former à partir d'une excroissance de **l'endoderme** du proentéron (précurseur de certains organes du système digestif) juste derrière le pharynx. Cette excroissance est appelée **bourgeon laryngo-trachéal** (voir la figure 18.22, p. 635). Ce dernier s'allonge et se différencie pour donner la future muqueuse épithéliale du *larynx* et d'autres structures. À son extrémité proximale, il conserve une fente qui s'ouvre sur le pharynx et porte le nom de *rima glottis*. La partie moyenne du bourgeon deviendra la muqueuse de la *trachée*. La partie distale se divise en deux pour former les **bourgeons pulmonaires,** qui donneront la muqueuse des *bronches* et des *poumons* (figure 23.29).

Au cours de leur développement, les bourgeons pulmonaires se ramifient à de nombreuses reprises pour donner tous les *tubes de l'arbre bronchique*. Après le sixième mois, les extrémités fermées des tubes se dilatent et deviennent les *alvéoles pulmonaires*. Les muscles lisses, le cartilage et le tissu conjonctif des voies aériennes ainsi que les feuillets de la plèvre des poumons sont issus de **cellules mésenchymateuses**, ou cellules mésodermiques.

VIEILLISSEMENT DU SYSTÈME RESPIRATOIRE
OBJECTIF
• *Décrire les effets du vieillissement sur le système respiratoire.*

Les voies aériennes et les tissus du système respiratoire, y compris les alvéoles pulmonaires, deviennent moins élastiques et plus rigides avec l'âge. La paroi thoracique devient plus rigide également. Il en résulte une diminution de la capacité pulmonaire. En fait, à 70 ans, la capacité vitale (soit la quantité maximale d'air qu'on peut expirer après une inspiration maximale) peut avoir diminué de 35 %. De plus, il y a une diminution de la concentration sanguine d'O_2 et une réduction de l'activité des macrophages alvéolaires et des cils

Figure 23.29 Développement des tubes de l'arbre bronchique ainsi que des poumons.

 Le système respiratoire se développe à partir de l'endoderme et du mésoderme.

 À quel moment le système respiratoire commence-t-il à se développer chez l'embryon ?

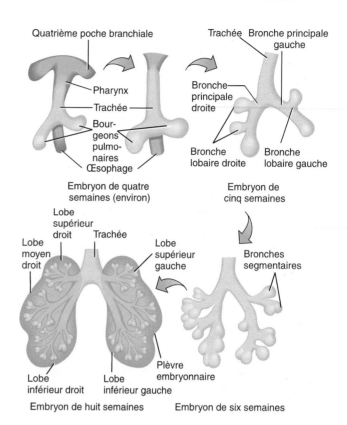

de l'épithélium qui tapisse les voies respiratoires. En raison de tous ces facteurs liés au vieillissement, les personnes âgées sont plus sujettes à la pneumonie, à la bronchite, à l'emphysème et aux autres maladies pulmonaires.

1. Comment l'exercice influe-t-il sur l'aire inspiratoire ?
2. Quelles structures se développent à partir du bourgeon laryngo-trachéal ?
3. Pourquoi la capacité pulmonaire diminue-t-elle avec l'âge ?

DÉSÉQUILIBRES HOMÉOSTATIQUES

ASTHME

L'**asthme** (*asthma* = essoufflement) est un trouble des voies aériennes caractérisé par une inflammation chronique, une hypersensibilité à divers stimulus et une obstruction qui est partiellement réversible, soit spontanément, soit par traitement. Il affecte de 3 à 5 % de la population des États-Unis et se manifeste plus souvent chez les enfants que chez les adultes. Les voies aériennes peuvent être obstruées par des spasmes des muscles lisses dans les parois des petites bronches et des bronchioles, un œdème de la muqueuse, une augmentation de la sécrétion de mucus ainsi que des lésions de l'épithélium des voies aériennes.

Les personnes souffrant d'asthme réagissent souvent à de faibles concentrations d'agents qui ne produisent habituellement pas de symptômes chez les personnes normales. Parfois, la crise est déclenchée par un allergène tel que le pollen, les acariens, les moisissures ou un aliment particulier. D'autres causes communes sont les bouleversements émotifs, l'aspirine, les sulfites (utilisés dans le vin et la bière et pour conserver les légumes dans les buffets de crudités), l'exercice physique et l'inhalation d'air froid ou de la fumée de cigarette. Au début de la réaction (phase aiguë), les spasmes des muscles lisses s'accompagnent d'une sécrétion excessive de mucus qui peut obstruer les bronches et les bronchioles et exacerber la crise. La phase tardive (chronique) de la réaction est caractérisée par l'inflammation, la fibrose, l'œdème et la nécrose (mort) des cellules épithéliales des bronches. Une foule de médiateurs chimiques entrent en jeu, dont les leucotriènes, les prostaglandines, la thromboxane, le facteur d'activation des plaquettes et l'histamine.

Les symptômes comprennent une respiration difficile, parfois sifflante, de la toux, une oppression thoracique, la tachycardie, la fatigue, la peau moite et de l'anxiété. On traite les crises aiguës en faisant inhaler un agoniste β_2-adrénergique (albutérol) qui favorise le relâchement des muscles lisses dans les bronchioles et ouvre les voies aériennes. Toutefois, à long terme, on vise à calmer l'inflammation sous-jacente. Les anti-inflammatoires les plus souvent utilisés sont les corticostéroïdes (glucocorticoïdes) en aérosol, le cromoglycate disodique (Intal) et les inhibiteurs des leucotriènes (Accolate).

BRONCHOPNEUMOPATHIE CHRONIQUE OBSTRUCTIVE

Le terme **bronchopneumopathie chronique obstructive** (**BPCO**) regroupe plusieurs types de maladies respiratoires caractérisés par une obstruction chronique et récurrente qui fait obstacle à l'écoulement de l'air et augmente la résistance des voies aériennes. La BPCO affecte environ 30 millions d'Américains et est la quatrième cause de décès après les maladies cardiaques, le cancer et les accidents vasculaires cérébraux. Les principaux types de BPCO sont l'emphysème pulmonaire et la bronchite chronique. Dans la plupart des cas, on peut prévenir ces maladies, car leur cause principale est le tabagisme actif ou passif. Parmi les autres causes, on compte la pollution de l'air, les infections pulmonaires, les professions où on s'expose aux poussières et aux gaz ainsi que des facteurs héréditaires. Puisque, en moyenne, les hommes ont été exposés à la fumée de cigarette pendant plus d'années que les femmes, ils sont sujets à la

BPCO deux fois plus qu'elles. Néanmoins, l'incidence de la BPCO chez les femmes est six fois plus élevée qu'il y a 50 ans et reflète l'augmentation du tabagisme chez ces dernières.

Emphysème pulmonaire

L'**emphysème pulmonaire** (*emphusêma* = gonflement) est une maladie caractérisée par la destruction des parois alvéolaires, ce qui amène la formation d'espaces aériens plus grands que la normale où l'air reste emprisonné durant l'expiration. Avec une plus petite superficie pour les échanges gazeux, la membrane alvéolo-capillaire endommagée ne permet plus une aussi bonne diffusion de l'O_2. Le taux sanguin d'O_2 est un peu moins élevé et tout exercice, même léger, qui fait augmenter les besoins des cellules en O_2 laisse le patient à bout de souffle. Au fur et à mesure qu'augmente le nombre de parois alvéolaires endommagées, la rétraction élastique des poumons diminue en raison de la perte de fibres élastiques et la quantité d'air emprisonné dans les poumons à la fin de l'expiration s'accroît. Au bout de plusieurs années, l'effort inspiratoire soutenu fait augmenter la dimension de la cage thoracique, donnant ce qu'on appelle le « thorax en tonneau ».

L'emphysème pulmonaire est généralement causé par une irritation constante sur une longue période; la fumée de cigarette, l'air pollué et les poussières industrielles inhalées au travail sont les agents irritants les plus courants. Les sacs alvéolaires peuvent aussi être détruits par suite d'un déséquilibre entre des enzymes appelées protéases (par exemple, l'élastase) et l'*alpha-1-antitrypsine,* une molécule qui inhibe ces protéases. Quand le foie produit moins d'alpha-1-antitrypsine, l'élastase n'est plus inhibée et peut attaquer le tissu conjonctif dans les parois des sacs alvéolaires. Non seulement la fumée de cigarette a-t-elle pour effet de désactiver cette protéine qui semble essentielle à la prévention de l'emphysème, mais elle s'oppose également à la réparation du tissu pulmonaire affecté.

Le traitement consiste à cesser de fumer, à éliminer les autres agents irritants environnementaux, à pratiquer de l'exercice physique sous surveillance médicale et à faire des exercices de respiration. On pourra aussi avoir recours aux bronchodilatateurs et à l'oxygénothérapie.

Bronchite chronique

La **bronchite chronique** est un trouble caractérisé par une sécrétion excessive de mucus dans les bronches et une toux productive (avec expectoration) qui dure au moins trois mois par année pendant deux ans de suite. Le tabagisme est la cause principale de la bronchite chronique. Les agents irritants inhalés produisent une inflammation chronique accompagnée d'une augmentation de la taille et du nombre de glandes muqueuses et de cellules caliciformes dans l'épithélium des voies aériennes. Le mucus épais et surabondant rétrécit les voies aériennes et entrave le fonctionnement des cils. Ainsi, les agents pathogènes inhalés se logent dans les sécrétions et se multiplient rapidement. En plus de la toux productive, les symptômes de la bronchite chronique sont l'essoufflement, la respiration sifflante, la cyanose et l'hypertension artérielle pulmonaire. Le traitement est semblable à celui de l'emphysème pulmonaire.

CANCER DU POUMON

Aux États-Unis, le **cancer du poumon** est la principale cause de décès par cancer chez les hommes et chez les femmes. Il emporte 160 000 personnes par année. Au moment du diagnostic, il a habituellement atteint un stade avancé; il s'accompagne de métastases (propagation de cellules cancéreuses dans l'organisme) chez environ

55 % des patients, et chez un autre 25 % les nœuds lymphatiques régionaux sont atteints. La plupart des individus atteints d'un cancer du poumon meurent dans l'année qui suit le diagnostic; au total, le taux de survie est de 10 à 15 % seulement. Le tabagisme est la principale cause de cancer du poumon. Environ 85 % des cas sont reliés à cette pratique et la maladie est de 10 à 30 fois plus courante chez les fumeurs que chez les non-fumeurs. L'exposition à la fumée des autres est aussi associée au cancer du poumon et aux maladies cardiaques. Aux États-Unis, on estime que le tabagisme passif cause quelque 4 000 décès par année par suite du cancer du poumon et près de 40 000 décès par suite de maladies cardiaques. Les autres causes du cancer du poumon sont les rayonnements ionisants et les agents irritants inhalés tels que l'amiante et le radon. L'emphysème pulmonaire prédispose souvent au cancer du poumon.

Le type de cancer du poumon le plus fréquent, le **cancer broncho-pulmonaire,** prend naissance dans l'épithélium des bronches. Les tumeurs sont nommées d'après leur site d'origine. Par exemple, les *adénocarcinomes* se développent dans les régions périphériques des poumons à partir de glandes bronchiales et de cellules alvéolaires, les *épithéliomas épidermoïdes bronchiques* se forment à partir de l'épithélium des grosses bronches et les *épithéliomas à petites cellules* (ou épithéliomas à cellules en grains d'avoine) du poumon se développent à partir des cellules épithéliales des bronches principales près du hile du poumon et s'étendent souvent très tôt au médiastin. Selon le type de cancer broncho-pulmonaire, les tumeurs peuvent être agressives, invasives et produire des métastases généralisées dans l'organisme. Ce sont, au départ, des lésions épithéliales qui croissent jusqu'à former des masses qui obstruent les bronches ou envahissent le tissu pulmonaire adjacent. Leurs métastases se retrouvent dans les nœuds lymphatiques, l'encéphale, les os, le foie et d'autres organes.

Les symptômes du cancer du poumon dépendent de l'endroit où la tumeur est située. Ils peuvent comprendre une toux chronique, des expectorations contenant du sang, une respiration sifflante, l'essoufflement, des douleurs thoraciques, une voix rauque, de la difficulté à avaler, la perte de poids, l'anorexie, la fatigue, des douleurs aux os, de la confusion, des troubles de l'équilibre, des maux de tête, l'anémie, une thrombocytopénie et la jaunisse.

On traite cette maladie par l'ablation partielle ou totale du poumon atteint (pneumonectomie), la radiothérapie et la chimiothérapie.

PNEUMONIE

La **pneumonie,** ou **pneumopathie inflammatoire,** est une infection ou une inflammation aiguë des alvéoles pulmonaires. C'est la première cause de décès par infection aux États-Unis où, selon les estimations, 4 millions de personnes seraient atteintes par année. Quand certains microbes pénètrent dans les poumons de personnes à risque, ils libèrent des toxines et stimulent l'inflammation et des réponses immunitaires qui ont des effets secondaires nocifs. Les toxines et la réponse immunitaire endommagent les alvéoles et la muqueuse des bronches; par suite de l'inflammation et de l'œdème, les alvéoles se remplissent de débris et d'exsudat qui font obstacle à la ventilation et aux échanges gazeux.

La cause de pneumonie la plus fréquente est un pneumocoque, la bactérie *Streptococcus pneumoniæ,* mais d'autres microbes peuvent aussi causer la pneumonie. Les individus les plus sujets à cette maladie sont les personnes âgées, les nourrissons, les individus ayant un déficit immunitaire (ceux qui sont atteints du SIDA ou d'un cancer, ou ceux qui prennent des immunosuppresseurs), les fumeurs et les individus qui souffrent d'une pneumopathie obstructive. La plupart des cas de pneumonie sont précédés d'une infection des voies respiratoires supérieures qui est souvent d'origine virale. Les individus se mettent alors à avoir de la fièvre, des frissons, une toux sèche ou productive, des malaises, des douleurs thoraciques et parfois une dyspnée et une hémoptysie.

Le traitement peut comprendre l'administration d'antibiotiques, l'utilisation de bronchodilatateurs, l'oxygénothérapie, une augmentation de l'ingestion de liquides ainsi que la physiothérapie thoracique (percussion, vibration et drainage postural).

TUBERCULOSE

La bactérie *Mycobacterium tuberculosis* produit une maladie infectieuse et contagieuse appelée **tuberculose** qui atteint le plus souvent les poumons et la plèvre mais peut aussi toucher d'autres parties du corps. Après avoir pénétré dans les poumons, les bactéries se multiplient et causent une inflammation qui attire les granulocytes neutrophiles et les macrophages. Ces cellules englobent les bactéries pour les empêcher de se répandre. Si le système immunitaire n'est pas affaibli, les bactéries restent inactives tout au long de la vie, mais un déficit immunitaire peut leur donner l'occasion de s'échapper dans le sang et la lymphe pour aller infecter d'autres organes. Chez nombre de patients, les symptômes – fatigue, perte pondérale, léthargie, anorexie, faible fièvre, sueurs nocturnes, toux, dyspnée, douleurs thoraciques et hémoptysie – ne se manifestent que dans les stades avancés de la maladie.

Au cours des dernières années, l'incidence de la tuberculose aux États-Unis est montée en flèche. Il est possible que le facteur qui a le plus contribué à cette augmentation soit la présence du virus de l'immunodéficience humaine (VIH). Les personnes infectées par le VIH sont beaucoup plus sujettes à la tuberculose parce que leur système immunitaire est affaibli. D'autres facteurs ont fait augmenter le nombre de cas, comme l'accroissement du nombre de sans-abri, la recrudescence de la toxicomanie, l'immigration plus importante de personnes venant de pays où la prévalence de la tuberculose est élevée, l'aggravation des conditions de logement chez les plus démunis ainsi que la transmission aérogène de la tuberculose dans les prisons et les structures d'accueil pour les sans-abri. Par ailleurs, on a récemment observé des flambées de tuberculose comportant des souches de *Mycobacterium tuberculosis* multirésistantes qui se développent parce que les patients ne prennent pas tous les antibiotiques et autres médicaments prescrits dans le schéma posologique qui leur est donné.

CORYZA ET GRIPPE

Des centaines de virus sont à l'origine du **coryza,** couramment appelé **rhume.** Un groupe de virus nommés rhinovirus cause environ 40 % de tous les rhumes chez les adultes. Les symptômes habituels sont les éternuements, des sécrétions nasales abondantes, une toux sèche et de la congestion. En règle générale, le rhume sans complications n'est pas accompagné de fièvre. Les complications comprennent la sinusite, l'asthme, la bronchite, l'otite et la laryngite. Certaines recherches récentes font état d'une association entre le stress émotif et le rhume : plus le stress est intense, plus la fréquence et la durée des rhumes augmente.

La **grippe** est aussi causée par un virus. Les symptômes comprennent le frisson, de la fièvre (généralement supérieure à 39 °C), des maux de tête et des douleurs musculaires. D'autres symptômes, qui ressemblent à ceux du rhume, se manifestent quand la fièvre tombe.

ŒDÈME PULMONAIRE

L'**œdème pulmonaire** est une accumulation anormale de liquide interstitiel dans les espaces intercellulaires et les alvéoles des poumons. Il peut être causé par une augmentation de la perméabilité des capillaires pulmonaires (origine pulmonaire) ou une élévation de la pression dans les capillaires pulmonaires (origine cardiaque) ; cette dernière cause peut coïncider avec une insuffisance cardiaque congestive. Le symptôme le plus fréquent est la dyspnée. On peut aussi observer une respiration sifflante, de la tachypnée (fréquence respiratoire élevée), de l'agitation, le sentiment de suffoquer, la cyanose, la pâleur et la diaphorèse (transpiration profuse). Le traitement consiste à administrer de l'oxygène, des médicaments qui dilatent les bronchioles et font baisser la pression artérielle, des diurétiques pour favoriser l'élimination de l'excès de liquide et des médicaments qui rétablissent l'équilibre acido-basique ; on peut aussi avoir recours à l'aspiration des voies aériennes et à la ventilation artificielle.

FIBROSE KYSTIQUE DU PANCRÉAS

La **fibrose kystique du pancréas,** ou **mucoviscidose,** est une maladie héréditaire des épithéliums sécrétoires qui atteint les voies aériennes, le foie, le pancréas, l'intestin grêle et les glandes sudoripares. C'est la maladie héréditaire mortelle la plus répandue chez les individus de race blanche : on estime que 5 % de la population est porteuse du gène. La cause de la fibrose kystique est une mutation touchant une protéine de transport qui se trouve à la surface d'un grand nombre de cellules épithéliales et qui permet aux ions chlorure de traverser la membrane plasmique. Le dysfonctionnement des glandes sudoripares se traduit par une surabondance de chlorure de sodium (sel) dans la sueur. La mesure de cet excès de chlorure est un indice utilisé dans le diagnostic de la fibrose kystique. La mutation perturbe aussi le fonctionnement de plusieurs organes en entraînant la sécrétion d'un mucus épais qui obstrue les conduits et ne s'écoule pas facilement. L'accumulation de ces sécrétions amène de l'inflammation et le remplacement des cellules endommagées par du tissu conjonctif qui bouche davantage les conduits. L'encombrement et l'infection des voies aériennes rendent la respiration difficile et aboutissent à la destruction des tissus des poumons. La plupart des décès liés à la fibrose kystique sont attribuables à des maladies pulmonaires. L'obstruction des conduits biliaires dans le foie gêne la digestion et perturbe la fonction hépatique. L'obstruction des conduits pancréatiques empêche les enzymes digestives de se rendre à l'intestin grêle. Comme le suc pancréatique contient la principale enzyme pour la digestion des lipides, le malade n'absorbe pas les graisses ni les vitamines liposolubles et souffre de carence en vitamines A, D et K. Quant au système reproducteur, l'obstruction du conduit déférent entraîne la stérilité chez l'homme ; la formation de bouchons muqueux denses dans le vagin limite l'accès des spermatozoïdes à l'utérus et peut provoquer la stérilité féminine.

Les enfants qui souffrent de fibrose kystique reçoivent des extraits de pancréas et de fortes doses de vitamines A, D et K. Le régime alimentaire recommandé est riche en calories, en graisses et en protéines, et comprend des suppléments vitaminiques et beaucoup de sel.

TERMES MÉDICAUX

Asphyxie (*asphuxia* = arrêt du pouls) Carence en oxygène par suite d'une insuffisance d'oxygène dans l'air ou d'une entrave à la ventilation pulmonaire, à la respiration externe ou à la respiration interne.

Aspiration Inhalation dans l'arbre bronchique d'une substance étrangère telle que l'eau, la nourriture ou un corps étranger ; également, le fait de tirer une substance vers l'intérieur ou l'extérieur par succion.

Atélectasie (*atelês* = incomplet ; *ektasis* = dilatation) Dilatation incomplète d'un poumon ou d'une partie d'un poumon causée par l'obstruction d'une voie aérienne, la compression d'un poumon ou un déficit en surfactant.

Bronchectasie Dilatation chronique des bronches ou des bronchioles.

Bronchographie Technique d'imagerie qui permet de visualiser l'arbre bronchique par radiographie. Après avoir fait inhaler au patient un produit de contraste opaque aux rayons X au moyen d'un cathéter intratrachéal, on prend des radiographies du thorax dans diverses positions et le cliché obtenu, un **bronchogramme,** donne une image de l'arbre bronchique.

Bronchoscopie Examen visuel des bronches au moyen d'un bronchoscope, instrument tubulaire flexible muni d'une source lumineuse que l'on introduit dans les bronches en passant par la bouche (ou le nez), le larynx et la trachée. L'examinateur peut observer l'intérieur de la trachée et des bronches et pratiquer une biopsie d'une tumeur, dégager les voies aériennes d'un objet ou de sécrétions qui les obstruent, prélever un échantillon pour le mettre en culture ou faire un frottis en vue d'un examen microscopique, arrêter une hémorragie ou administrer un médicament.

Dyspnée (*dus* = difficulté) Respiration difficile ou douloureuse.

Épistaxis Perte de sang par le nez par suite d'un traumatisme, d'une infection, d'une allergie, d'une tumeur maligne ou de troubles de la coagulation. On peut l'arrêter par cautérisation au nitrate d'argent, électrocautérisation ou méchage. Aussi appelée **saignement de nez.**

Hémoptysie (*haima* = sang ; *ptuein* = cracher) Crachement de sang provenant des voies respiratoires.

Insuffisance respiratoire Trouble caractérisé par l'incapacité du système respiratoire à fournir assez d'O_2 pour entretenir le métabolisme ou à éliminer assez de CO_2 pour prévenir l'acidose respiratoire (pH du liquide extracellulaire inférieur à la normale).

Manœuvre de Heimlich Technique de premiers soins utilisée pour dégager les voies aériennes d'objets qui les obstruent. Elle consiste à exercer une poussée brusque vers le haut entre le nombril et le rebord costal de façon à provoquer l'élévation soudaine du diaphragme et l'expulsion rapide et vigoureuse de l'air contenu dans les poumons. Cette action force l'air à sortir de la trachée et permet l'éjection de l'objet qui cause l'obstruction. On emploie aussi la manœuvre de Heimlich pour expulser l'eau des poumons de personnes qui ont failli se noyer, avant d'entreprendre la réanimation.

Mort soudaine du nourrisson Mort d'un nourrisson entre l'âge de 1 semaine et 12 mois. Elle serait due à une hypoxie qui survient pendant que l'enfant dort en décubitus ventral et qu'il respire de l'air exhalé emprisonné dans un creux du matelas. On recommande maintenant de faire dormir les nouveau-nés normaux sur le dos.

Râles Bruits que l'on entend parfois dans les poumons et qui ressemblent à des gargouillements. Le râle est aux poumons ce que le souffle est au cœur. Ils sont de divers types. Certains sont causés par la présence d'une forme ou d'une quantité anormales de liquide ou de mucus dans les bronches ou alvéoles, d'autres encore par une bronchoconstriction qui crée de la turbulence dans l'air en mouvement.

Respirateur Appareil muni d'un masque qui couvre le nez et la bouche, ou branché directement à une sonde endotrachéale ou à une canule à trachéotomie, et qui sert à faciliter ou à assurer la ventilation, ou à administrer des médicaments en aérosol dans les voies aériennes.

Respiration de Cheyne-Stokes Cycle de ventilation irrégulière commençant par des respirations superficielles qui augmentent en fréquence et en amplitude, puis diminuent et cessent complètement pendant 15 ou 20 secondes. La respiration de Cheyne-Stokes est normale chez les nourrissons ; on l'observe aussi souvent juste avant la mort chez les personnes souffrant de maladies pulmonaires, cérébrales, cardiaques et rénales.

Rhinite (*rhinos* = nez) Inflammation chronique ou aiguë de la muqueuse nasale.

Syndrome de détresse respiratoire aiguë (SDRA) Forme de défaillance respiratoire caractérisée par une perméabilité excessive des membranes alvéolo-capillaires et une hypoxie grave. Les situations qui peuvent être à l'origine du syndrome comprennent la quasi-noyade, l'aspiration de suc gastrique acide, une réaction aux médicaments, l'inhalation d'un gaz irritant tel que l'ammoniac, des réactions allergiques, diverses infections pulmonaires telles que la pneumonie ou la tuberculose ainsi que l'hypertension pulmonaire. Ce syndrome atteint environ 250 000 personnes par année aux États-Unis et près de 50 % d'entre elles meurent malgré des soins médicaux intensifs.

Tachypnée (*takhus* = rapide) Rythme rapide de la respiration.

ANATOMIE DU SYSTÈME RESPIRATOIRE (p. 821)

1. Le système respiratoire comprend le nez, le pharynx, le larynx, la trachée, les bronches et les poumons. Avec le système cardiovasculaire, il a pour fonction de fournir l'oxygène (O_2) et d'éliminer le gaz carbonique (CO_2) du sang.

2. La partie externe du nez est constituée de cartilage et de peau, et elle est tapissée d'une muqueuse. Les ouvertures vers l'extérieur sont appelées narines.

3. La partie interne du nez communique avec les sinus paranasaux et le nasopharynx par les choanes.

4. Les cavités nasales sont divisées par un septum. La partie antérieure des cavités est appelée vestibule. Le nez réchauffe, humidifie et filtre l'air. Il joue un rôle dans l'olfaction et la phonation.

5. Le pharynx (ou gorge) est un tube musculaire tapissé d'une muqueuse. Les régions anatomiques du pharynx sont le nasopharynx, l'oropharynx et le laryngopharynx.

6. Le nasopharynx sert à la respiration. L'oropharynx et le laryngopharynx assurent des fonctions digestive et respiratoire.

7. Le larynx est un passage qui relie le pharynx à la trachée. Il comprend le cartilage thyroïde, ou pomme d'Adam, l'épiglotte (qui empêche la nourriture d'entrer dans le larynx), le cartilage cricoïde (qui relie le larynx à la trachée) et des cartilages pairs : aryténoïdes, corniculés et cunéiformes.

8. Le larynx contient les plis vocaux, qui produisent des sons quand ils vibrent. S'ils sont tendus, les plis vocaux produisent des sons aigus ; s'ils sont relâchés, les sons sont graves.

9. La trachée s'étend du larynx aux bronches principales. Elle est composée d'anneaux de cartilage en forme de C et de muscle lisse, et elle est tapissée d'un épithélium pseudostratifié prismatique cilié.

10. L'arbre bronchique est constitué de la trachée, des bronches principales, lobaires et segmentaires, des bronchioles et des bronchioles terminales. Les parois des bronches contiennent des anneaux de cartilage. Les parois des bronchioles contiennent des plaques de cartilage dont la taille va en diminuant et des muscles lisses qui augmentent en quantité.

11. Les poumons sont des organes pairs situés dans la cavité thoracique. Ils sont complètement enveloppés par la plèvre. La plèvre pariétale est le feuillet superficiel qui tapisse la cavité thoracique ; la plèvre viscérale est le feuillet interne qui recouvre les poumons.

12. Le poumon droit possède trois lobes séparés par deux scissures ; le poumon gauche possède deux lobes séparés par une scissure et une échancrure appelée incisure cardiaque.

13. Les bronches lobaires donnent naissance à des ramifications appelées bronches segmentaires, qui alimentent des segments de tissu pulmonaire appelés segments broncho-pulmonaires.

14. Chaque segment broncho-pulmonaire est constitué de lobules, qui contiennent des vaisseaux lymphatiques, des artérioles, des veinules, des bronchioles terminales, des bronchioles respiratoires, des conduits alvéolaires, des sacs alvéolaires et des alvéoles pulmonaires.

15. Les parois alvéolaires sont composées de pneumocytes de type I, de pneumocytes de type II et de macrophages alvéolaires qui leur sont associés.

16. Les échanges gazeux s'effectuent à travers la membrane alvéolo-capillaire.

VENTILATION PULMONAIRE (p. 836)

1. La ventilation pulmonaire comprend l'inspiration et l'expiration.

2. La circulation de l'air dans les poumons dépend de variations de pression qui obéissent en partie à la loi de Boyle, selon laquelle le volume d'un gaz est inversement proportionnel à sa pression quand la température est constante.

3. L'inspiration a lieu quand la pression alvéolaire est inférieure à la pression atmosphérique. La contraction du diaphragme augmente la dimension du thorax, ce qui abaisse la pression intrapleurale et dilate les poumons. Cette dilatation fait baisser la pression intra-alvéolaire, si bien que l'air se déplace de l'atmosphère aux poumons suivant un gradient de pression.

4. Au cours des inspirations forcées, des muscles inspiratoires accessoires (intercostaux externes, sterno-cléido-mastoïdiens, scalènes et petits pectoraux) sont aussi utilisés.

5. L'expiration a lieu quand la pression alvéolaire est supérieure à la pression atmosphérique. Le relâchement du diaphragme amène la rétraction élastique de la paroi thoracique et des poumons, ce qui fait augmenter la pression intrapleurale ; le volume des poumons diminue et la pression intra-alvéolaire augmente, si bien que l'air se déplace des poumons vers l'atmosphère.

6. L'expiration forcée nécessite la contraction des muscles intercostaux internes et des muscles abdominaux.

7. La tension superficielle exercée par le liquide alvéolaire est diminuée par le surfactant.

8. La compliance est la facilité avec laquelle les poumons et la paroi thoracique se dilatent.

9. Les parois des voies aériennes offrent une certaine résistance à la respiration.

10. La respiration calme normale est appelée eupnée. La respiration costale et la respiration diaphragmatique sont d'autres types de respiration. Les mouvements d'air non respiratoires, tels la toux, l'éternuement, le soupir, le bâillement, les sanglots, les pleurs, le rire et le hoquet, servent à exprimer des émotions et à dégager les voies aériennes.

VOLUMES ET CAPACITÉS RESPIRATOIRES (p. 842)

1. Les volumes d'air qui sont déplacés durant la respiration et la fréquence de la respiration se mesurent à l'aide d'un spiromètre.

2. Les volumes respiratoires mesurés par spirométrie comprennent le volume courant, la ventilation-minute, la ventilation alvéolaire, le volume de réserve inspiratoire, le volume de réserve expiratoire et le volume expiratoire maximum-seconde. Les autres volumes respiratoires sont l'espace mort anatomique, le volume résiduel et le volume minimal.

3. Les capacités pulmonaires, qu'on obtient en faisant la somme de deux ou plusieurs volumes, sont la capacité inspiratoire, la capacité résiduelle fonctionnelle, la capacité vitale et la capacité totale.

ÉCHANGES D'OXYGÈNE ET DE GAZ CARBONIQUE (p. 844)

1. La pression partielle d'un gaz est la pression exercée par ce gaz dans un mélange de gaz. Elle est représentée par la notation P_x, où l'indice est la formule du gaz.

2. Selon la loi de Dalton, chaque gaz dans un mélange de gaz exerce sa propre pression comme si les autres gaz n'étaient pas là.

3. Selon la loi de Henry, la quantité de gaz qui se dissout dans un liquide est proportionnelle à la pression partielle du gaz et à son coefficient de solubilité (à condition que la température reste constante).

4. Dans les respirations interne et externe, l'O_2 et le CO_2 diffusent des régions où leur pression partielle est plus élevée vers celles où elle est plus basse.

5. On appelle respiration externe les échanges gazeux entre les alvéoles et les capillaires pulmonaires. Elle dépend des différences de pressions partielles, d'une grande superficie pour les échanges gazeux, d'une petite distance de diffusion à travers la membrane alvéolo-capillaire et de la vitesse de l'écoulement de l'air dans les poumons.

6. On appelle respiration interne les échanges gazeux entre les capillaires tissulaires et les cellules des tissus.

TRANSPORT DE L'OXYGÈNE ET DU GAZ CARBONIQUE DANS LE SANG (p. 847)

1. Pour 100 mL de sang oxygéné, 1,5 % de l'O_2 est dissous dans le plasma et 98,5 % sont liés à l'hémoglobine avec laquelle ils forment l'oxyhémoglobine (HbO_2).

2. L'association de l'O_2 et de l'hémoglobine est fonction de la P_{O_2}, de l'acidité (pH), de la P_{CO_2}, de la température et du 2,3-DPG.

3. L'hémoglobine fœtale diffère de l'hémoglobine adulte par sa structure et sa plus grande affinité pour l'O_2.

4. Pour 100 mL de sang désoxygéné, 7 % du CO_2 sont dissous dans le plasma, 23 % sont combinés à l'hémoglobine sous forme de carbhémoglobine ($HbCO_2$) et 70 % sont convertis en ions bicarbonate (HCO_3^-).

5. Dans un milieu acide, l'affinité de l'hémoglobine pour l'O_2 diminue, si bien que les deux molécules se dissocient plus facilement (effet Bohr).

6. En présence d'O_2, moins de CO_2 se lie à l'hémoglobine (effet Haldane).

RÉGULATION DE LA RESPIRATION (p. 852)

1. Le centre respiratoire comprend le centre bulbaire de la rythmicité, le centre pneumotaxique et le centre apneustique.

2. L'aire inspiratoire possède une excitabilité intrinsèque (autorythmicité) qui détermine le rythme de base de la respiration.

3. Les centres pneumotaxique et apneustique coordonnent la transition entre l'inspiration et l'expiration.

4. La respiration peut être modifiée par plusieurs facteurs qui comprennent, entre autres, des influences corticales, le réflexe de distension pulmonaire, des stimulus chimiques tels que les taux d'O_2, de CO_2 et d'ions H^+, les influx des propriocepteurs, les variations de la pression sanguine, les stimulations du système limbique, la température, la douleur et l'irritation des voies aériennes.

EFFETS DE L'EXERCICE SUR LE SYSTÈME RESPIRATOIRE (p. 857)

1. La fréquence et l'amplitude respiratoires varient selon l'intensité et la durée de l'exercice.

2. Il y a une augmentation de la perfusion pulmonaire et de la capacité de diffusion des poumons pour l'oxygène durant l'exercice.

3. L'augmentation soudaine de la ventilation au début de l'exercice est causée par des changements d'ordre nerveux qui produisent des influx excitateurs destinés à l'aire inspiratoire du bulbe rachidien. L'augmentation plus graduelle de la ventilation qui accompagne l'exercice modéré est causée par des changements chimiques et physiques dans la circulation sanguine.

DÉVELOPPEMENT EMBRYONNAIRE DU SYSTÈME RESPIRATOIRE (p. 858)

1. Le système respiratoire commence à se former à partir d'une excroissance de l'endoderme appelée bourgeon laryngotrachéal.

2. Les muscles lisses, le cartilage et le tissu conjonctif des voies bronchiques ainsi que les feuillets de la plèvre sont issus du mésoderme.

VIEILLISSEMENT DU SYSTÈME RESPIRATOIRE (p. 858)

1. Le vieillissement entraîne une diminution de la capacité vitale et de la concentration sanguine d'O_2, et une réduction de l'activité des macrophages alvéolaires.

2. Les personnes âgées sont plus sujettes à la pneumonie, à l'emphysème pulmonaire, à la bronchite et aux autres maladies pulmonaires.

AUTOÉVALUATION

1. Associez les éléments suivants :
   - ___ a) sert de passage pour l'air et les aliments, constitue une caissé de résonance pour les sons du langage et abrite les amygdales
   - ___ b) siège de la respiration externe
   - ___ c) relie le laryngopharynx à la trachée ; contient les plis vocaux
   - ___ d) séreuse qui enveloppe les poumons
   - ___ e) réchauffe, humidifie et filtre l'air ; reçoit les stimulus olfactifs ; sert de caisse de résonance pour les sons
   - ___ f) tapissent la paroi des alvéoles
   - ___ g) passage tubulaire pour l'air reliant le larynx aux bronches
   - ___ h) sécrètent le liquide alvéolaire qui humidifie les cellules alvéolaires ; sécrètent le surfactant
   - ___ i) empêche les aliments ou les liquides d'entrer dans les voies aériennes
   - ___ j) voies aériennes qui pénètrent dans les poumons

1) nez	6) bronches
2) pharynx	7) plèvre
3) larynx	8) alvéoles
4) épiglotte	9) pneumocytes de type I
5) trachée	10) pneumocytes de type II

Phrases à compléter

2. Les trois grandes étapes de la respiration sont ___, ___ et ___.

3. Le processus par lequel s'effectuent les échanges de gaz entre l'atmosphère et les alvéoles pulmonaires est appelé ____. L'action par laquelle l'air entre dans les poumons est appelée ____ et celle par laquelle l'air est expulsé des poumons est appelée ____.

4. L'oxygène dans le sang est transporté principalement sous forme ____ ; le gaz carbonique est transporté surtout sous forme ____.

5. La réaction chimique qui s'applique au transport du gaz carbonique dans le sang est ____.

Vrai ou faux

6. La circulation pulmonaire diffère de la circulation systémique car les vaisseaux sanguins pulmonaires offrent plus de résistance à l'écoulement du sang, si bien que la pression doit être plus élevée pour que le sang se déplace.

7. Le muscle le plus important de la respiration est le diaphragme.

8. Associez les éléments suivants :
____ a) déficit en oxygène dans les tissus
____ b) faible augmentation de la pression partielle du gaz carbonique
____ c) respiration calme normale
____ d) respiration profonde, abdominale
____ e) facilité avec laquelle les poumons et la paroi thoracique se dilatent
____ f) arrêt temporaire de la respiration
____ g) respiration rapide
____ h) respiration difficile ou douloureuse
____ i) respiration superficielle, de la poitrine
____ j) affaissement ou dilatation incomplète du tissu pulmonaire

1) eupnée 6) respiration diaphragmatique
2) apnée 7) atélectasie
3) dyspnée 8) compliance
4) hyperventilation 9) hypoxie
5) respiration costale 10) hypercapnie

Choix multiples

9. Lesquels des énoncés suivants sont exacts ? 1) L'expiration normale au cours de la respiration calme est un processus actif nécessitant des contractions musculaires soutenues. 2) L'expiration passive résulte de la rétraction élastique de la paroi thoracique et des poumons. 3) La ventilation est le fait d'un gradient de pression entre les poumons et l'air atmosphérique. 4) Durant la respiration normale, la pression entre les deux feuillets de la plèvre (pression intrapleurale) est toujours sous-atmosphérique. 5) La loi de Boyle – la pression d'un gaz dans un contenant fermé est directement proportionnelle au volume du contenant – explique la ventilation.
a) 1, 2 et 3. b) 2, 3 et 4. c) 3, 4 et 5. d) 1, 3 et 5. e) 2, 3 et 5.

10. Lesquels des facteurs suivants influent sur la vitesse de la respiration externe ? 1) Les différences de pressions partielles des gaz. 2) La surface disponible pour les échanges gazeux. 3) La distance de diffusion. 4) La solubilité et la masse moléculaire des gaz. 5) La présence de surfactant.
a) 1, 2 et 3. b) 2, 4 et 5. c) 1, 2, 4 et 5. d) 1, 2, 3 et 4. e) 2, 3, 4 et 5.

11. Le facteur le plus important dans la détermination du pourcentage de saturation de l'hémoglobine en oxygène est : a) la pression partielle de l'oxygène ; b) l'acidité ; c) la pression partielle du gaz carbonique ; d) la température ; e) le 2,3-DPG.

12. Le volume pulmonaire qui constitue un outil médical et légal permettant d'établir si un bébé est mort avant ou après la naissance est : a) le volume courant ; b) le volume résiduel ; c) le volume minimal ; d) le volume de réserve expiratoire ; e) le volume de réserve inspiratoire.

13. Quelle est la loi des gaz selon laquelle chaque gaz dans un mélange exerce sa propre pression comme si les autres gaz n'étaient pas là ?
a) La loi de Boyle. b) La loi de Henry. c) La loi de Dalton. d) L'effet Haldane. e) L'effet Bohr.

14. Lesquels des énoncés suivants sont vrais ? 1) Il est impossible de se suicider en retenant son souffle. 2) Le cortex cérébral permet d'exercer le pouvoir de la volonté sur la respiration. 3) Les stimulus émotifs peuvent modifier la respiration. 4) Certains stimulus chimiques déterminent la fréquence et l'amplitude respiratoires. 5) Au début d'un exercice physique, il y a une augmentation soudaine de la ventilation pulmonaire, puis une augmentation plus graduelle.
a) 1, 2, 4 et 5. b) 2, 3 et 5. c) 1, 3 et 5. d) 2, 3, 4 et 5. e) 1, 2, 3, 4 et 5.

15. Associez les éléments suivants :
____ a) prévient la distension excessive des poumons
____ b) régit le rythme de base de la respiration
____ c) active l'aire inspiratoire par des influx excitateurs qui prolongent aussi l'inspiration et, partant, inhibent l'expiration
____ d) au fur et à mesure que l'acidité augmente, l'affinité de l'hémoglobine pour l'O_2 décroît, ce qui facilite la dissociation de ces molécules
____ e) transmet des influx inhibiteurs à l'aire inspiratoire du bulbe rachidien pour en freiner l'activité avant que les poumons ne se gonflent trop
____ f) se rapporte à la pression partielle d'un gaz dans un mélange de gaz

1) effet Bohr 4) centre pneumotaxique
2) loi de Dalton 5) centre apneustique
3) centre bulbaire de la rythmicité 6) réflexe de Hering-Breuer

QUESTIONS À COURT DÉVELOPPEMENT

1. Loïc est membre de l'équipe de natation de l'université. Durant un cours de travaux pratiques en anatomie et physiologie, il a été appelé à mesurer ses volumes respiratoires. Son volume courant était dans la moyenne pour un homme de son âge et de sa taille, mais son volume de réserve inspiratoire était le plus élevé de la classe. Dressez une liste des valeurs normales, chez les hommes, des volumes respiratoires qui se mesurent au spiromètre. Selon vous, les volumes moyens chez les femmes sont-ils les mêmes ? Pourquoi ? (INDICE : *La capacité pulmonaire totale comprend un volume qu'on ne peut pas mesurer par spirométrie.*)

2. Manuel a pris position au marbre et a levé son bâton. La balle, mal lancée, lui est arrivée sur le nez. La radiographie révèle une

fracture des deux os médians du nez externe. Décrivez la structure du nez externe et indiquez où se trouve la fracture. (INDICE : *Manuel devra peut-être avoir recours à la rhinoplastie pour réparer son nez.*)

3. Selon sa mère, Mélanie est une enfant qui «ne manque pas de caractère». Quant à vous, il y a d'autres qualificatifs qui vous viennent à l'esprit. Mélanie menace de retenir son souffle jusqu'à ce que, comme elle dit, «je devienne bleue et que je tombe morte – vous l'aurez voulu!» Devez-vous craindre pour sa vie, comme elle le souhaiterait? (INDICE : *Certains aspects seulement de la respiration sont soumis à la volonté.*)

RÉPONSES AUX QUESTIONS DES FIGURES

23.1 La zone de conduction du système respiratoire comprend le nez, le pharynx, le larynx, la trachée, les bronches et les bronchioles (sauf les bronchioles respiratoires).

23.2 L'air passe par les narines → le vestibule → la cavité nasale → les choanes.

23.3 La racine du nez est le point d'attache du nez à l'os frontal.

23.4 La limite supérieure du pharynx est formée par les choanes; la limite inférieure est le cartilage cricoïde.

23.5 Au moment de la déglutition, l'épiglotte se referme sur la fente de la glotte, voie d'accès à la trachée.

23.6 La principale fonction des plis vocaux est de produire les sons de la voix.

23.7 Étant donné que les tissus qui séparent la trachée de l'œsophage sont souples, l'œsophage peut s'élargir et comprimer l'arrière de la trachée durant la déglutition.

23.8 Le poumon gauche possède deux lobes et deux bronches lobaires; le poumon droit possède trois lobes et trois bronches lobaires.

23.9 La plèvre est une séreuse.

23.10 Étant donné que le cœur est aux deux tiers situé à gauche de la ligne médiane du corps, le poumon gauche contient une incisure cardiaque où il vient se loger.

23.11 La paroi de l'alvéole est composée d'épithélium simple pavimenteux.

23.12 La membrane alvéolo-capillaire mesure en moyenne 0,5 µm d'épaisseur.

23.13 La pression augmente à 4 atm.

23.14 Si vous êtes au repos, en train de lire, votre diaphragme est le muscle de la respiration le plus actif.

23.15 Au début de l'inspiration, la pression intrapleurale est d'environ 756 mm Hg. Sous l'action du diaphragme qui se contracte, elle tombe à environ 754 mm Hg, car le volume de l'espace entre les deux feuillets de la plèvre augmente. Quand le diaphragme se relâche, elle remonte à 756 mm Hg.

23.16 La pression atmosphérique normale au niveau de la mer est de 760 mm Hg.

23.17 En inspirant le plus profondément possible, puis en expirant tout l'air qu'on peut, on met en évidence la capacité vitale.

23.18 Aux deux endroits, la différence de P_{O_2} favorise la diffusion de l'oxygène.

23.19 Au cours d'un exercice vigoureux, il y a 20 mL d'O_2 dans 100 mL de sang oxygéné (comme au repos).

23.20 Dans les deux cas, l'hémoglobine dans les veines pulmonaires est pleinement saturée en O_2, ce qui est représenté par un point situé dans la partie supérieure droite de la courbe.

23.21 Comme les muscles squelettiques actifs produisent de l'acide lactique (ou lactate) et du CO_2, le pH sanguin diminue légèrement et la P_{CO_2} augmente quand on fait de l'exercice. Il en résulte une diminution de l'affinité de l'hémoglobine pour l'O_2, ce qui libère de l'O_2 pour les muscles au travail.

23.22 La disponibilité de l'O_2 augmente quand on a de la fièvre parce que l'affinité de l'hémoglobine pour l'O_2 diminue avec l'élévation de la température.

23.23 L'Hb fœtale est saturée à 80 % en O_2, alors que l'Hb maternelle est saturée à environ 75 % à une P_{O_2} de 40 mm Hg.

23.24 Le sang prélevé de la veine aura une concentration de HCO_3^- plus élevée.

23.25 L'aire inspiratoire du bulbe rachidien contient les neurones autorythmiques.

23.26 Les nerfs phréniques innervent le diaphragme.

23.27 La P_{CO_2} normale du sang artériel est de 40 mm Hg.

23.28 On pourrait administrer de l'air enrichi en O_2 par ventilation artificielle si la victime a cessé de respirer. Le bouche-à-bouche pourrait aussi sauver la personne.

23.29 Le système respiratoire commence à se développer vers la quatrième semaine du développement embryonnaire.

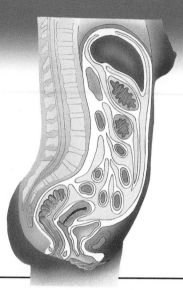

La nourriture contient une grande variété de nutriments, molécules nécessaires à l'élaboration de nouveaux tissus, à la réparation des tissus endommagés et au maintien des réactions chimiques essentielles. La nourriture est également vitale parce qu'elle est la source de l'énergie nécessaire aux réactions chimiques en cours dans toutes les cellules. Toutefois, la plupart des aliments que nous consommons ne peuvent pas être utilisés tels quels comme source d'énergie cellulaire. Ils doivent d'abord être dégradés en molécules assez petites pour traverser la membrane plasmique des cellules : ce processus porte le nom de **digestion.** Le déplacement de ces molécules de taille réduite à travers les cellules et leur passage dans le sang et la lymphe est appelé **absorption.** Le présent chapitre porte sur les organes qui ensemble accomplissent ces fonctions, soit le **système digestif.**

La branche de la médecine qui traite de la structure et des fonctions de l'estomac et des intestins, et qui se penche sur le diagnostic et le traitement des maladies de ces organes est appelée **gastroentérologie** (*gastêr* = estomac ; *enteron* = intestin ; *logos* = science). La branche de la médecine qui se penche sur le diagnostic et le traitement des troubles du rectum et de l'anus est appelée **proctologie** (*proktos* = anus).

SYSTÈME DIGESTIF : VUE D'ENSEMBLE

OBJECTIFS

• *Nommer les organes du système digestif.*

• *Décrire les principales fonctions accomplies par le système digestif.*

Le système digestif (figure 24.1) comprend deux groupes d'organes : le tube digestif et les organes digestifs annexes. Le **tube digestif,** ou **canal alimentaire,** est un conduit qui s'étend sans interruption de la bouche à l'anus et passe par la cavité ventrale du corps. Les organes du tube digestif sont la bouche, la majeure partie du pharynx, l'œsophage, l'estomac, l'intestin grêle et le gros intestin. Sa longueur, mesurée sur un cadavre, est d'environ 9 m. Chez une personne vivante, il est plus court parce que les muscles le long de ses parois ont une certaine tonicité (état de tension soutenue). Les **organes digestifs annexes** sont les dents, la langue, les glandes salivaires, le foie, la vésicule biliaire et le pancréas. Les dents participent à la transformation physique des aliments et la langue facilite la mastication et la déglutition. Les autres organes annexes ne sont jamais en contact direct avec la nourriture. Ils produisent ou emmagasinent des sécrétions qui atteignent le tube digestif par des conduits et participent à la dégradation chimique des aliments.

Le tube digestif retient la nourriture à partir du moment où elle est ingérée jusqu'à ce qu'elle soit digérée et absorbée ou éliminée. Les contractions musculaires des parois du tube digestif réduisent la taille des aliments en les brassant. Elles contribuent aussi à dissoudre les aliments en les mélangeant aux liquides qui sont sécrétés dans le tube digestif. Les enzymes sécrétées par les structures annexes et les cellules qui tapissent le tube digestif dégradent la nourriture par leur

Figure 24.1 Organes du système digestif.

 Les organes du tube digestif sont la bouche, le pharynx, l'œsophage, l'estomac, l'intestin grêle et le gros intestin. Les organes digestifs annexes sont les dents, la langue, les glandes salivaires, le foie, la vésicule biliaire et le pancréas.

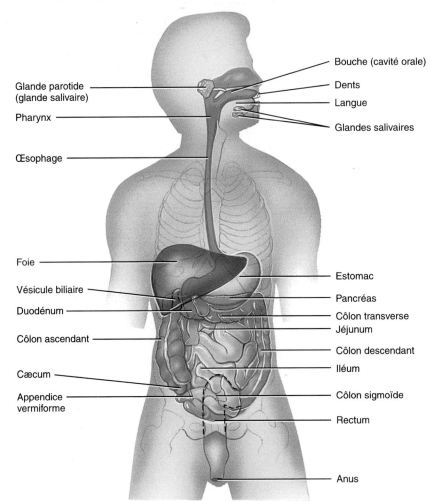

FONCTIONS

1. Ingestion. Action de prendre la nourriture dans la bouche.
2. Sécrétion. Libération d'eau, d'acide, de tampons et d'enzymes dans la lumière du tube digestif.
3. Brassage et propulsion. Trituration et propulsion des aliments dans le tube digestif.
4. Digestion. Digestion mécanique et chimique de la nourriture.
5. Absorption. Passage des produits digérés du tube digestif dans le sang et la lymphe.
6. Défécation. Élimination des fèces du tube digestif.

Vue latérale droite de la tête et du cou et vue antérieure du tronc

Q Quelles structures du système digestif sécrètent les enzymes digestives ?

action chimique. Les contractions ondulatoires des muscles lisses des parois du tube digestif propulsent les aliments de l'œsophage à l'anus.

En somme, le système digestif accomplit six grandes fonctions :

1. *Ingestion*. C'est le processus par lequel on prend les aliments solides et liquides dans la bouche (manger).

2. *Sécrétion*. Chaque jour, les cellules des parois du tube digestif et des organes annexes sécrètent au total environ 7 L d'eau, d'acide, de tampons et d'enzymes dans la lumière du tube digestif.

3. *Brassage et propulsion*. L'alternance des contractions et du relâchement des muscles lisses des parois du tube digestif mélange les aliments et les sécrétions, et les fait avancer

jusqu'à l'anus. Cette propriété du tube digestif grâce à laquelle il mélange et déplace son contenu sur toute sa longueur est appelée **motilité.**

4. *Digestion*. Les aliments ingérés sont réduits en petites molécules par des processus mécaniques et chimiques. Au cours de la **digestion mécanique,** les dents découpent et broient la nourriture avant qu'elle soit avalée ; ensuite, les muscles lisses de l'estomac et de l'intestin grêle la pétrissent. C'est ainsi que les molécules des aliments sont dissoutes et bien mélangées aux enzymes digestives. Au cours de la **digestion chimique,** les grosses molécules de glucides, de lipides, de protéines et d'acides nucléiques dans la nourriture sont scindées par hydrolyse en plus petites molécules (voir la figure 2.16, p. 47). Les enzymes

digestives produites par les glandes salivaires, l'estomac, le pancréas et l'intestin grêle catalysent ces réactions cataboliques. Quelques substances dans la nourriture peuvent être absorbées sans digestion chimique, par exemple les acides aminés, le cholestérol, le glucose, les vitamines, les minéraux et l'eau.

5. *Absorption.* Durant l'absorption, les liquides sécrétés ainsi que les petites molécules et les ions qui résultent de la digestion pénètrent dans les cellules épithéliales qui tapissent la lumière du tube digestif soit par transport actif, soit par diffusion passive. Les substances absorbées passent dans le sang ou la lymphe et sont acheminées aux cellules partout dans l'organisme.

6. *Défécation.* Les déchets, les substances indigestibles, les bactéries, les cellules qui se détachent de la muqueuse du tube digestif et la matière digérée qui n'a pas été absorbée quittent le corps par l'anus. C'est la **défécation.** On appelle **fèces** la matière éliminée.

1. Nommez les organes du tube digestif et les organes digestifs annexes.
2. Quels organes du système digestif sont en contact avec la nourriture et quelles sont certaines de leurs fonctions digestives?
3. Quelles sortes de molécules dans les aliments sont soumises à la digestion chimique? Lesquelles ne le sont pas?

COUCHES TISSULAIRES DU TUBE DIGESTIF

OBJECTIF

• *Décrire les couches tissulaires qui forment la paroi du tube digestif.*

La paroi du tube digestif possède, de l'œsophage jusqu'au canal anal, une structure uniforme composée de quatre couches de tissus qui sont, de l'intérieur vers l'extérieur, la muqueuse, la sous-muqueuse, la musculeuse et la séreuse (figure 24.2).

Muqueuse

La lumière du tube digestif est tapissée d'une **muqueuse** qui est formée de trois couches: 1) un épithélium en contact direct avec le contenu du tube digestif; 2) une couche sous-jacente de tissu conjonctif lâche et 3) une couche mince de muscle lisse.

1. L'**épithélium** de la bouche, du pharynx, de l'œsophage et du canal anal est principalement du type stratifié pavimenteux non kératinisé et joue un rôle protecteur. Un épithélium simple prismatique, dont les fonctions sont la sécrétion et l'absorption, tapisse l'estomac et les intestins. Les cellules épithéliales simples prismatiques sont étroitement reliées les unes aux autres par des jonctions serrées

qui préviennent les fuites entre les cellules. Les cellules épithéliales du tube digestif se renouvellent rapidement: elles tombent et sont remplacées par de nouvelles cellules tous les 5 à 7 jours. Parmi les cellules épithéliales absorbantes se trouvent des cellules exocrines qui sécrètent du mucus et du liquide dans la lumière du tube et plusieurs types de cellules endocrines, appelées collectivement **cellules entéro-endocrines,** qui sécrètent des hormones dans la circulation sanguine.

2. Le **chorion** est formé de tissu conjonctif lâche et contient beaucoup de vaisseaux sanguins et lymphatiques, qui sont les voies par lesquelles les nutriments absorbés par le tube digestif atteignent les autres tissus du corps. Cette couche soutient l'épithélium et l'attache à la muscularis mucosæ (voir ci-dessous). Le chorion contient également la plupart des cellules du **tissu lymphoïde associé aux muqueuses** (**MALT**, « mucosa-associated lymphoid tissue »). Ces follicules ou nodules lymphatiques importants contiennent des cellules du système immunitaire qui protègent contre la maladie. Le MALT est présent d'un bout à l'autre du tube digestif, en particulier dans les amygdales, l'intestin grêle, l'appendice vermiforme et le gros intestin, et il contient à peu près autant de cellules immunitaires que le reste du corps. Les lymphocytes et les macrophages du MALT préparent des réponses immunitaires contre les microbes, telles les bactéries, qui ont réussi à pénétrer l'épithélium.

3. Une couche mince de fibres musculaires lisses appelée **muscularis mucosæ** fronce la muqueuse de l'estomac et de l'intestin grêle, formant ainsi un grand nombre de petits plis qui augmentent la surface disponible pour la digestion et l'absorption. Grâce aux mouvements de la muscularis mucosæ, toutes les cellules absorbantes sont exposées au contenu du tube digestif.

Sous-muqueuse

La **sous-muqueuse** est composée de tissu conjonctif lâche qui fixe la muqueuse à la troisième couche, la musculeuse. Elle est richement vascularisée et contient le **plexus sous-muqueux entérique**, ou *plexus de Meissner,* qui fait partie du **système nerveux entérique** (**SNE**). Le SNE est le « cerveau de l'intestin »; il comprend environ 100 millions de neurones dans deux plexus entériques qui parcourent le tube digestif d'un bout à l'autre. Le plexus sous-muqueux est constitué de neurones entériques sensitifs et moteurs ainsi que de fibres nerveuses postganglionnaires parasympathiques et sympathiques qui innervent la sous-muqueuse et la muqueuse. Il régule les mouvements de la muqueuse et la vasoconstriction des vaisseaux sanguins. Il innerve également les cellules exocrines des glandes de la muqueuse et, de ce fait, joue un rôle important dans la régulation des sécrétions du tube digestif. La sous-muqueuse peut aussi contenir des glandes et du tissu lymphatique.

Figure 24.2 Représentation schématique en trois dimensions des diverses couches tissulaires du tube digestif.

🔑 **Les quatre couches de tissus du tube digestif sont, de l'intérieur vers l'extérieur, la muqueuse, la sous-muqueuse, la musculeuse et la séreuse.**

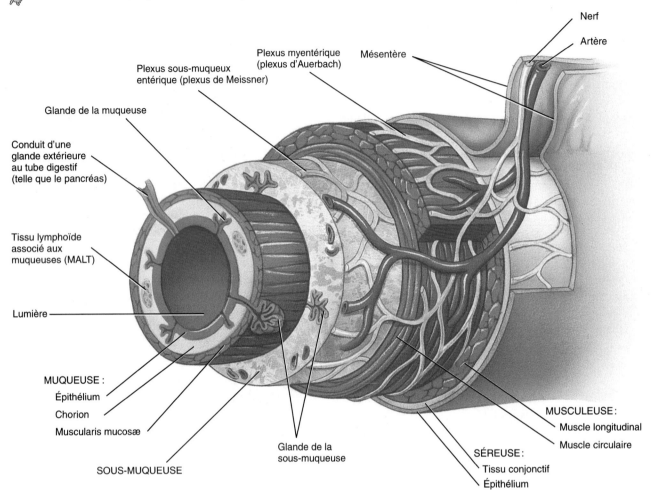

Q Quelle est la fonction des plexus entériques dans la paroi du tube digestif?

Musculeuse

La **musculeuse** de la bouche, du pharynx et des parties supérieure et moyenne de l'œsophage comprend du *tissu musculaire squelettique* qui permet la déglutition volontaire. Le sphincter externe de l'anus est aussi composé de muscle squelettique. Ce sphincter permet le contrôle volontaire de la défécation. Ailleurs, la musculeuse comprend du *tissu musculaire lisse* qui, en règle générale, forme deux couches : une couche interne de fibres circulaires et une couche externe de fibres longitudinales. Les contractions involontaires des muscles lisses exercent une action mécanique qui fragmente les aliments, les mélange avec les sécrétions digestives et les déplace le long du tube digestif. La musculeuse contient aussi le second plexus du système nerveux entérique – le **plexus myentérique** (*mus* = muscle), ou *plexus d'Auerbach*,

qui est constitué de neurones entériques, de ganglions parasympathiques et de fibres nerveuses postganglionnaires parasympathiques ainsi que de fibres nerveuses postganglionnaires sympathiques qui innervent la musculeuse. Ce plexus régit principalement la motilité du tube digestif, en particulier la fréquence et la force des contractions de la musculeuse.

Séreuse

La **séreuse** est la couche superficielle des parties du tube digestif qui sont suspendues dans la cavité abdominopelvienne. Elle est composée de tissu conjonctif et d'épithélium simple pavimenteux. Nous verrons plus loin que l'œsophage, qui passe à travers le médiastin, possède une couche superficielle appelée *adventice* et composée de tissu conjonctif

Figure 24.3 Situation des replis péritonéaux les uns par rapport aux autres et par rapport aux organes du système digestif. La dimension de la cavité péritonéale a été exagérée pour la rendre plus évidente.

🔑 **Le péritoine est la plus grande séreuse du corps.**

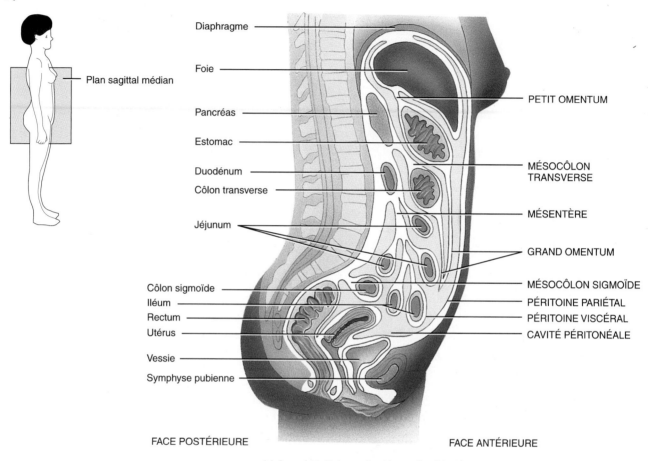

Diaphragme

Foie

Plan sagittal médian

Pancréas

Estomac

Duodénum

Côlon transverse

Jéjunum

Côlon sigmoïde

Iléum

Rectum

Utérus

Vessie

Symphyse pubienne

PETIT OMENTUM

MÉSOCÔLON TRANSVERSE

MÉSENTÈRE

GRAND OMENTUM

MÉSOCÔLON SIGMOÏDE

PÉRITOINE PARIÉTAL

PÉRITOINE VISCÉRAL

CAVITÉ PÉRITONÉALE

FACE POSTÉRIEURE

FACE ANTÉRIEURE

(a) Coupe sagittale montrant les replis péritonéaux

Suite à la page suivante

lâche. Sous le diaphragme, la séreuse porte aussi le nom de **péritoine viscéral** ; elle forme alors une partie du péritoine, que nous allons maintenant examiner en détail.

1. Où, le long du tube digestif, la musculeuse est-elle composée de muscle squelettique ? Les contractions de ce muscle squelettique sont-elles volontaires ou involontaires ?
2. Quels sont les deux plexus qui forment le système nerveux entérique et où sont-ils situés ?

PÉRITOINE

OBJECTIF

• *Décrire le péritoine et ses replis.*

Le **péritoine** (*peri* = autour) est la plus grande séreuse du corps ; il est constitué d'une couche de mésothélium simple pavimenteux soutenue par une couche sous-jacente de tissu conjonctif. Le **péritoine pariétal** tapisse la paroi de la cavité abdomino-pelvienne ; le **péritoine viscéral** enveloppe certains organes de la cavité et forme leur séreuse (figure 24.3a). Le mince espace entre la partie pariétale et la partie viscérale du péritoine est appelée **cavité péritonéale** et contient la sérosité. Certaines maladies peuvent causer une distension de la cavité péritonéale par suite de l'accumulation de plusieurs litres de liquide. Cet état est nommé **ascite.**

Nous verrons que certains organes sont fixés à la paroi abdominale postérieure et sont recouverts par le péritoine sur leur face antérieure seulement. Ces organes, qui comprennent les reins et le pancréas, sont dits **rétropéritonéaux** (*retro* = en arrière).

Contrairement au péricarde et à la plèvre, qui moulent le cœur et les poumons, le péritoine forme de grands replis qui s'insèrent entre les viscères. Les plis retiennent les organes

Figure 24.3 (suite)

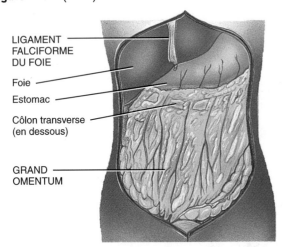

LIGAMENT FALCIFORME DU FOIE

Foie

Estomac

Côlon transverse (en dessous)

GRAND OMENTUM

(b) Grand omentum, vue antérieure

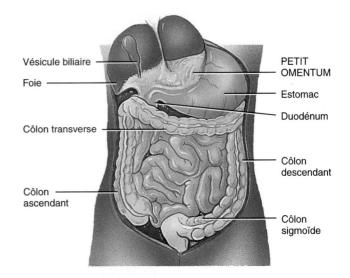

Vésicule biliaire

Foie

Côlon transverse

Côlon ascendant

PETIT OMENTUM

Estomac

Duodénum

Côlon descendant

Côlon sigmoïde

(c) Petit omentum, vue antérieure (foie et vésicule biliaire soulevés)

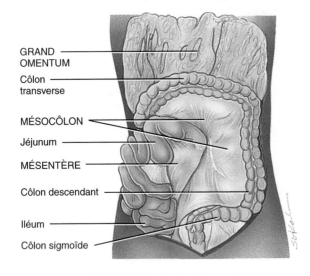

GRAND OMENTUM

Côlon transverse

MÉSOCÔLON

Jéjunum

MÉSENTÈRE

Côlon descendant

Iléum

Côlon sigmoïde

(d) Mésentère et mésocôlon, vue antérieure (grand omentum soulevé et intestin grêle rejeté sur le côté droit)

Q Quel repli péritonéal fixe l'intestin grêle à la paroi abdominale postérieure ?

Les autres replis péritonéaux importants sont le ligament falciforme du foie, le petit omentum et le grand omentum. Le **ligament falciforme du foie** (*falcis* = faux) fixe le foie à la paroi abdominale antérieure et au diaphragme (figure 24.3b). (Le foie est le seul organe digestif attaché à la paroi abdominale antérieure.) Le **petit omentum** (= peau grasse) se forme à partir de deux replis de la séreuse de l'estomac et du duodénum, et suspend ces deux organes au foie (figure 24.3c). Il contient des nœuds lymphatiques. Le **grand omentum** (ou épiploon), le plus grand repli péritonéal, retombe comme un « tablier graisseux » sur le côlon transverse et les anses de l'intestin grêle (voir la figure 24.3b et d). Il est formé d'une lame double repliée sur elle-même, si bien qu'il constitue une structure à quatre couches. À partir de points d'attache le long de l'estomac et du duodénum, il s'étend vers le bas devant l'intestin grêle, puis remonte et se fixe au côlon transverse. Le grand omentum contient une quantité appréciable de tissu adipeux et beaucoup de nœuds lymphatiques. Il possède aussi des macrophages et des plasmocytes producteurs d'anticorps qui participent à la lutte contre les infections du tube digestif et empêchent leur propagation.

APPLICATION CLINIQUE
Péritonite

La **péritonite** est une inflammation aiguë du péritoine. Elle résulte souvent d'une contamination par des microbes infectieux qui s'introduisent dans le péritoine par une plaie dans la paroi abdominale, qu'elle soit d'origine accidentelle ou chirurgicale, ou à la suite de la perforation ou de la rupture d'organes abdominaux. Par exemple, si des bactéries pénètrent dans la cavité péritonéale par suite d'une perforation

les uns contre les autres et les fixent aux parois de la cavité abdominale. Ils contiennent des vaisseaux sanguins et lymphatiques ainsi que des nerfs qui desservent les organes abdominaux. Un des plis du péritoine, le **mésentère** (*mesos* = au milieu), est un prolongement de la séreuse de l'intestin grêle (voir figure 24.3a et d) ; son extrémité supérieure attache l'intestin grêle à la paroi abdominale postérieure. Un autre pli, le **mésocôlon,** fixe le gros intestin à la paroi abdominale postérieure ; il contient aussi des vaisseaux sanguins et lymphatiques qui desservent les intestins. Le mésentère et le mésocôlon maintiennent les intestins en place tout en leur permettant de bouger assez librement sous l'action des contractions musculaires qui brassent et font avancer le contenu de la lumière dans le tube digestif.

Figure 24.4 Structures de la bouche (cavité orale).

 La bouche est formée par les joues, le palais osseux et le palais mou ainsi que la langue.

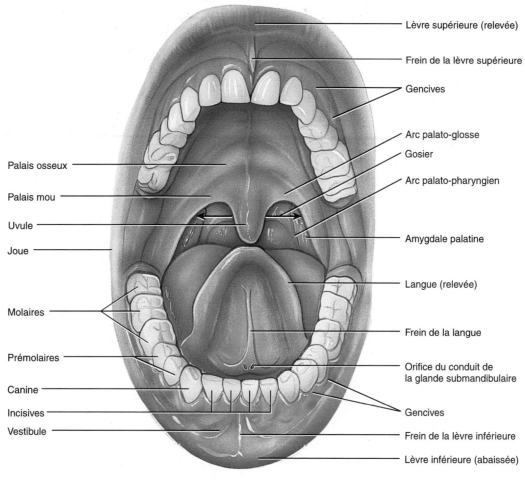

Lèvre supérieure (relevée)

Frein de la lèvre supérieure

Gencives

Arc palato-glosse

Gosier

Arc palato-pharyngien

Amygdale palatine

Langue (relevée)

Frein de la langue

Orifice du conduit de la glande submandibulaire

Gencives

Frein de la lèvre inférieure

Lèvre inférieure (abaissée)

Palais osseux

Palais mou

Uvule

Joue

Molaires

Prémolaires

Canine

Incisives

Vestibule

Vue antérieure

 Quelle est la fonction de l'uvule ?

de l'intestin ou de la rupture de l'appendice vermiforme, elles peuvent produire une forme de péritonite aiguë qui peut être mortelle. Le frottement des surfaces péritonéales enflammées les unes contre les autres peut causer une forme moins grave (mais tout de même douloureuse) de péritonite. ■

1. Décrivez la situation du péritoine viscéral et du péritoine pariétal.
2. Décrivez les points d'attache et les fonctions du mésentère, du mésocôlon, du ligament falciforme du foie, du petit omentum et du grand omentum.

BOUCHE

OBJECTIFS

- Situer les glandes salivaires et décrire les fonctions de leurs sécrétions.
- Décrire la structure et les fonctions de la langue.
- Nommer les parties d'une dent typique et comparer les dentures déciduale et permanente.

La **bouche,** aussi appelée **cavité orale,** est constituée des joues, du palais mou et du palais osseux ainsi que de la langue (figure 24.4). Les **joues,** qui forment les parois latérales de la cavité orale, sont des structures musculaires recouvertes de peau à l'extérieur et d'un épithélium stratifié pavimenteux non kératinisé à l'intérieur. La partie antérieure des joues se termine aux lèvres.

Les **lèvres** sont des plis de chair qui entourent l'ouverture de la bouche. Elles sont recouvertes de peau à l'extérieur et d'une muqueuse à l'intérieur. Une zone de transition marque l'endroit où ces deux types de tissu se rejoignent. Cette partie des lèvres est non kératinisée et la couleur du sang qui circule dans les vaisseaux sous-jacents est visible à travers la couche superficielle transparente. La face interne de chaque lèvre est attachée à la gencive correspondante par un repli médian de la muqueuse appelé **frein de la lèvre.**

Entre la peau et la muqueuse de la cavité orale se trouvent du tissu conjonctif et le muscle orbiculaire de la bouche. Durant la mastication, les contractions des muscles buccinateurs des joues et du muscle orbiculaire de la bouche contribuent à retenir la nourriture entre les dents. Ces muscles jouent aussi un rôle dans l'élocution.

Le **vestibule** de la bouche est un espace limité en dehors par les joues et les lèvres, et en dedans par les gencives et les dents. La **cavité propre de la bouche** s'étend des gencives et des dents jusqu'au **gosier,** ouverture qui mène de la cavité orale au pharynx, ou gorge.

Le **palais osseux,** soit la partie antérieure du toit de la bouche, est formé par les maxillaires et les os palatins. Il est recouvert d'une muqueuse et constitue une cloison osseuse entre la cavité orale et les cavités nasales. Le **palais mou,** soit la partie postérieure du toit de la bouche, est une voûte musculaire séparant l'oropharynx du nasopharynx; il est tapissé d'une muqueuse.

Suspendu au bord libre du palais mou se trouve un prolongement musculaire conique appelé **uvule** (= petit raisin). Durant la déglutition, le palais mou et l'uvule sont tirés vers le haut de telle sorte qu'ils ferment le nasopharynx et empêchent la nourriture ou les boissons avalées de pénétrer dans les cavités nasales. Deux replis musculaires situés latéralement par rapport à la base de l'uvule descendent le long des côtés du palais mou : à l'avant, l'**arc palato-glosse** s'étend de chaque côté jusqu'à la base de la langue; à l'arrière, l'**arc palato-pharyngien** rejoint la paroi latérale du pharynx. Les amygdales palatines sont situées entre ces arcs; les amygdales linguales sont à la base de la langue. Au bord postérieur du palais mou, la bouche s'ouvre par le gosier sur l'oropharynx (voir la figure 24.4).

Structure et fonction des glandes salivaires

Une **glande salivaire** est une cellule ou un organe qui libère dans la cavité orale une sécrétion appelée salive. Ordinairement, les glandes salivaires sécrètent juste assez de salive pour humecter la muqueuse orale et pharyngienne et nettoyer la bouche et les dents. Toutefois, quand il y a de la nourriture dans la bouche, la sécrétion de salive augmente; la salive lubrifie et dissout les aliments, et amorce leur dégradation chimique.

La muqueuse de la bouche et de la langue contient un grand nombre de petites glandes salivaires qui débouchent directement, ou indirectement par de courts conduits, dans la cavité orale. Ce sont les *glandes labiales,* les *glandes buccales* et les *glandes palatines* dans les lèvres, les joues et le palais, respectivement, et les *glandes linguales* dans la langue qui, ensemble, produisent une petite partie de la salive. La plus grande partie de la salive est sécrétée par les **glandes salivaires majeures** qui sont situées au-delà de la muqueuse orale. Leurs sécrétions se déversent dans des conduits qui mènent à la cavité orale.

Il y a trois paires de glandes salivaires majeures : les glandes parotides, les glandes submandibulaires et les glandes sublinguales (figure 24.5a). Les **glandes parotides** (*para* = à côté de; *otos* = oreille) sont situées en avant et au-dessous des oreilles, entre la peau et le muscle masséter. Chacune sécrète de la salive dans la cavité orale par le **conduit parotidien** qui traverse le muscle buccinateur et s'ouvre sur le vestibule au niveau de la deuxième dent molaire supérieure. Les **glandes submandibulaires** se trouvent sous la base de la langue dans la partie postérieure du plancher de la bouche. Les **conduits submandibulaires,** qui les drainent, passent sous la muqueuse de chaque côté de la ligne médiane du plancher oral et débouchent dans la cavité propre de la bouche à côté du frein de la langue. Les **glandes sublinguales** sont situées au-dessus des glandes submandibulaires. Les **conduits sublinguaux mineurs** s'ouvrent dans le plancher de la cavité propre de la bouche.

Composition et fonctions de la salive

Au point de vue chimique, la **salive** se compose d'eau à 99,5 % et de solutés à 0,5 %. Parmi les solutés se trouvent des ions sodium, potassium, chlorure, bicarbonate, phosphate et autres. Il y a également des gaz dissous et diverses substances organiques, y compris de l'urée et de l'acide urique, du mucus, des immunoglobulines A, du lysozyme (une enzyme bactériolytique) et une enzyme digestive – l'amylase salivaire, qui agit sur l'amidon.

Chaque glande salivaire majeure fournit les composants de la salive dans des proportions différentes. Les glandes parotides contiennent des cellules qui sécrètent un liquide séreux comprenant de l'amylase salivaire. Comme les glandes submandibulaires renferment des cellules semblables à celles des parotides, avec quelques cellules muqueuses, elles sécrètent un liquide qui contient de l'amylase mais qui est rendu plus visqueux par le mucus. Les glandes sublinguales renferment surtout des cellules muqueuses, si bien qu'elles sécrètent un liquide beaucoup plus épais qui n'apporte qu'une petite quantité d'amylase à la salive.

Figure 24.5 Glandes salivaires majeures. La glande submandibulaire représentée dans la photomicrographie en (b) est surtout constituée d'acinus séreux (parties de la glande qui sécrètent le liquide séreux) et de quelques acinus muqueux (parties de la glande qui sécrètent du mucus); les glandes parotides sont formées d'acinus séreux seulement et les glandes sublinguales surtout d'acinus muqueux et de quelques acinus séreux.

🔑 **La salive lubrifie et dissout les aliments, et amorce la dégradation chimique des glucides.**

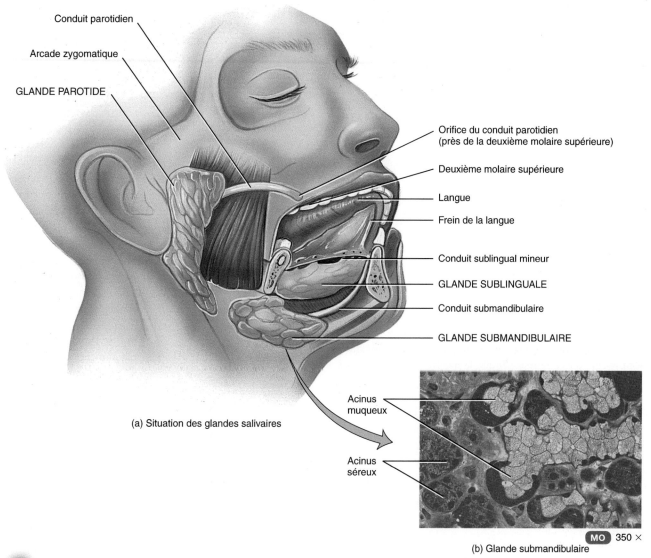

(a) Situation des glandes salivaires

(b) Glande submandibulaire

MO 350 ×

Ⓠ Quelle est la fonction des ions chlorure dans la salive?

L'eau qui se trouve dans la salive procure un milieu dans lequel la nourriture peut se dissoudre pour permettre la gustation et donner lieu aux premières réactions digestives. Les ions chlorure dans la salive activent l'amylase salivaire. Les ions bicarbonate et phosphate exercent une action tampon sur les aliments acides qui entrent dans la bouche, si bien que la salive n'est que légèrement acide (pH 6,35 à 6,85). On trouve de l'urée et de l'acide urique dans la salive parce que les glandes salivaires (comme les glandes sudoripares de la peau) contri-

buent à débarrasser le corps des déchets métaboliques. Le mucus lubrifie la nourriture, ce qui permet de la déplacer dans la bouche, de la rouler en boule et de l'avaler facilement. Les immunoglobulines A sont un type d'anticorps qui inhibent la croissance des bactéries et le lysozyme est une enzyme qui les tue. Bien que ces substances réduisent les infections de la muqueuse et jouent un rôle dans la prévention des caries dentaires, elles ne sont pas présentes en quantité suffisante pour éliminer toutes les bactéries orales.

Salivation

La sécrétion de la salive, ou **salivation,** est régie par le système nerveux. La quantité de salive sécrétée quotidiennement varie beaucoup, mais elle est en moyenne de 1 000 à 1 500 mL. Normalement, la stimulation parasympathique entraîne la sécrétion continuelle d'une quantité modérée de salive qui maintient les muqueuses humides et facilite l'élocution en lubrifiant la langue et les lèvres. Par la suite, la salive est avalée et contribue à humidifier l'œsophage. La plupart des composants de la salive finissent par être réabsorbés, ce qui réduit les pertes liquidiennes. La stimulation sympathique domine lors du stress et cause l'assèchement de la bouche. S'il y a déshydratation, les glandes salivaires cessent de sécréter de la salive pour conserver l'eau et la bouche devient sèche, ce qui contribue à la sensation de soif. Dans ces conditions, boire rétablit non seulement l'équilibre hydrique dans le corps mais humecte aussi la bouche.

Le contact et le goût de la nourriture sont aussi de puissants stimulants des glandes salivaires. Certaines molécules dans les aliments agissent sur les récepteurs du goût situés dans les calicules gustatifs (ou bourgeons du goût), sur la langue. Ces récepteurs du goût font parvenir des influx aux deux noyaux salivaires dans le tronc cérébral. Les influx parasympathiques qui reviennent par les fibres nerveuses des nerfs facial (VII) et glosso-pharyngien (IX) stimulent la sécrétion de salive. La sécrétion abondante se continue pendant un certain temps après la déglutition, ce qui permet de nettoyer la bouche ainsi que de diluer et de neutraliser les agents irritants chimiques qui restent.

L'odeur, la vue, l'idée de la nourriture ou les sons qui y sont reliés peuvent aussi stimuler la sécrétion de salive. Cette stimulation constitue une activation psychologique et elle met en jeu des comportements acquis. Quand sont évoqués les souvenirs qui associent stimulus et nourriture, des influx nerveux se propagent du cortex aux noyaux du tronc cérébral et les glandes salivaires sont activées. L'activation psychologique des glandes a des conséquences bénéfiques pour l'organisme, car elle permet à la digestion chimique de commencer dans la bouche dès que les aliments sont ingérés. La salivation est aussi déclenchée lorsqu'on avale des aliments irritants ou par suite de nausées résultant de réflexes qui ont leur origine dans l'estomac et l'intestin grêle supérieur. Ce mécanisme sert vraisemblablement à diluer ou à neutraliser les substances irritantes.

APPLICATION CLINIQUE
Oreillons

Bien que toutes les glandes salivaires puissent être la cible d'une infection naso-pharyngienne, le virus des oreillons (myxovirus) s'attaque typiquement aux glandes parotides. Les **oreillons** sont une inflammation et une tuméfaction des glandes parotides accompagnées d'une fièvre modérée, de malaises dans tout le corps et d'une douleur extrême dans la gorge, surtout lorsque le malade avale des aliments sûrs ou des jus de fruits acides. La tuméfaction, qui se situe juste devant la branche de la mandibule, peut toucher un seul côté du visage ou les deux. Quand la maladie survient après la puberté, environ 30 % des patients masculins souffrent d'une inflammation des testicules ; elle entraîne rarement la stérilité parce que la complication est généralement unilatérale (un seul testicule). Depuis 1967, date à laquelle le vaccin contre les oreillons a été mis sur le marché, l'incidence de la maladie a diminué. ■

Structure et fonction de la langue

La **langue** est un organe digestif annexe composé de tissu musculaire squelettique recouvert d'une muqueuse. Avec les muscles qui lui sont associés, elle forme le plancher de la cavité orale. Elle est divisée en moitiés latérales symétriques par un septum médian qui la traverse sur toute sa longueur. Elle est attachée par le bas à l'os hyoïde, au processus styloïde de l'os temporal et à la mandibule. Chaque moitié de la langue est constituée d'un ensemble identique de muscles extrinsèques et intrinsèques.

Les **muscles extrinsèques** de la langue, dont les origines sont à l'extérieur de la langue (sur des os avoisinants) et les insertions sur du tissu conjonctif dans la langue, comprennent les muscles hyo-glosse, génio-glosse et stylo-glosse (voir la figure 11.7, p. 340). Les muscles extrinsèques permettent de bouger la langue latéralement et d'avant en arrière pour diriger les aliments durant la mastication, les modeler en une masse arrondie et les pousser vers l'arrière de la bouche pour la déglutition. Ils forment également le plancher de la bouche et retiennent la langue en position. Les **muscles intrinsèques** ont leurs points d'origine et d'insertion sur le tissu conjonctif de la langue elle-même ; ils changent la forme et la taille de la langue pour permettre l'élocution et la déglutition. Ils comprennent les muscles longitudinal supérieur, longitudinal inférieur, transverse de la langue et vertical de la langue. Le **frein de la langue,** repli de la muqueuse sur la ligne médiane du dessous de la langue, est fixé au plancher de la bouche et limite le mouvement de la langue vers l'arrière (voir les figures 24.4 et 24.5). Les personnes dont le frein de la langue est anormalement court ou rigide – état appelé **ankyloglossie** – éprouvent de la difficulté à manger et à parler, si bien qu'on dit qu'elles ont la « langue liée ».

Le dos (face supérieure) et les côtés de la langue sont couverts de **papilles** (= bout du sein), qui sont des prolongements du chorion, ou lamina propria, tapissés d'un épithélium kératinisé (voir la figure 16.2a, p. 541). Beaucoup de papilles contiennent des calicules gustatifs, les récepteurs de la gustation (goût). Les **papilles fungiformes** (= en forme de champignon) sont des saillies distribuées parmi les papilles filiformes ; elles sont plus nombreuses près du bout de la langue et on les reconnaît aux points rouges qu'elles forment. La plupart d'entre elles contiennent des calicules

Figure 24.6 Dent type et structures environnantes.

Les dents sont ancrées dans les alvéoles des processus alvéolaires des maxillaires et de la mandibule.

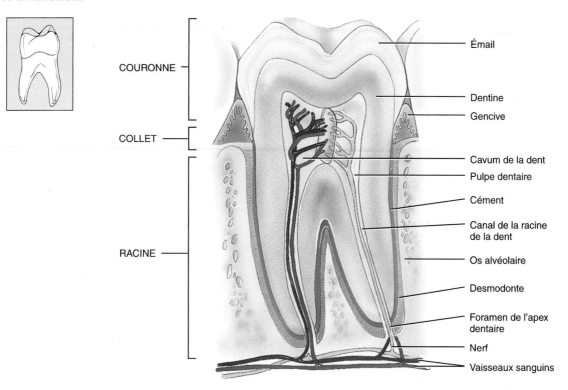

COURONNE

COLLET

RACINE

Émail

Dentine
Gencive

Cavum de la dent
Pulpe dentaire
Cément
Canal de la racine
de la dent
Os alvéolaire
Desmodonte
Foramen de l'apex
dentaire
Nerf
Vaisseaux sanguins

Coupe sagittale d'une molaire de la mandibule (molaire inférieure)

Q De quel type de tissu est formé le principal composant de la dent?

gustatifs. Les **papilles circumvallées** (*circum* = autour; *vallum* = palissade), ou caliciformes, dessinent un V inversé sur la face postérieure de la langue; elles contiennent toutes des calicules gustatifs. Les **papilles filiformes** (= en forme de fils) sont des saillies coniques, blanchâtres, disposées en rangées parallèles sur les deux tiers antérieurs de la langue. Elles ne possèdent pas de calicules gustatifs, mais elles augmentent la friction entre les aliments et la langue et facilitent ainsi le déplacement des particules de nourriture dans la cavité orale. Les **glandes linguales** du chorion ajoutent du mucus à la salive.

Structure et fonction des dents

Les **dents** (figure 24.6) sont des organes digestifs annexes enchâssés dans les alvéoles des processus alvéolaires de la mandibule et des maxillaires. Les processus alvéolaires sont recouverts par les **gencives** qui pénètrent légèrement dans chaque alvéole pour former le sillon gingival. Le **desmodonte** (*odontos* = dent) est un tissu conjonctif fibreux dense qui tapisse l'intérieur des alvéoles et se fixe au cément des racines. Il ancre ainsi les dents dans la mâchoire et sert d'amortisseur durant la mastication.

La dent est formée de trois régions principales. La **couronne** est la partie visible qui s'élève au-dessus de la gencive. La **racine** est la partie qui s'implante dans l'alvéole. Il y a entre une et trois racines par dent. Le **collet de la dent** est le rétrécissement situé à la jonction de la couronne et de la racine. Il est adjacent au bord gingival.

Les dents se composent principalement de **dentine**, tissu conjonctif calcifié qui leur donne leur forme et leur rigidité. La dentine est plus dure que les os parce qu'elle contient plus de sels de calcium (70 % de la masse sèche). Elle renferme une cavité. La partie renflée de cette dernière, le **cavum de la dent,** est située dans la couronne et est remplie de la **pulpe dentaire,** tissu conjonctif qui contient des vaisseaux sanguins, des nerfs et des vaisseaux lymphatiques. Le cavum se prolonge dans chaque racine par un étroit canal, le **canal de la racine de la dent,** qui présente à son extrémité une ouverture nommée **foramen de l'apex dentaire.** C'est par cette ouverture que passent les vaisseaux sanguins, les vaisseaux lymphatiques et les nerfs.

La dentine de la couronne est recouverte d'**émail** formé principalement de phosphate de calcium et de carbonate de calcium. L'émail est la substance la plus dure du corps et la

Figure 24.7 Dentures et âge de l'éruption des dents (entre parenthèses).

⚷ **Les dents déciduales commencent à faire éruption à l'âge de 6 mois et continuent d'apparaître, à raison d'une paire environ tous les mois, jusqu'à ce que les 20 dents soient présentes.**

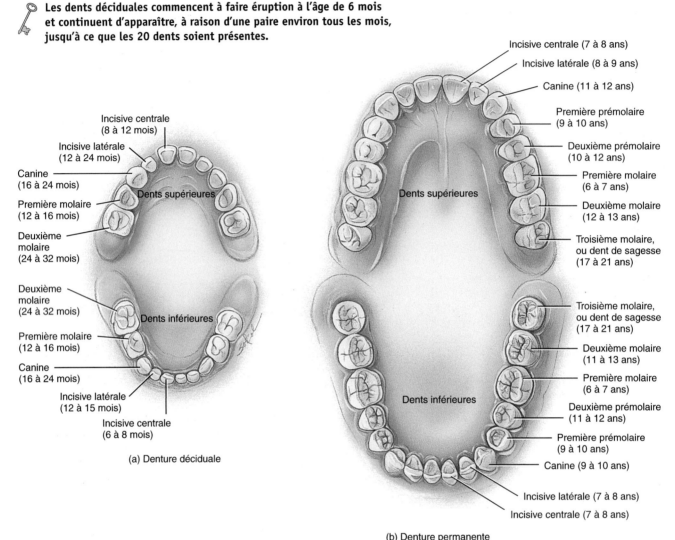

(a) Denture déciduale

(b) Denture permanente

Q Quelles dents permanentes ne remplacent aucune dent déciduale?

plus riche en sels de calcium (environ 95 % de sa masse sèche). Il protège les dents contre l'usure causée par la mastication. Il forme également une barrière contre les acides qui peuvent facilement dissoudre la dentine. Le **cément** est une autre substance qui ressemble au tissu osseux. Il recouvre la dentine de la racine et attache cette dernière au desmodonte.

La branche de la médecine dentaire qui a pour objet la prévention, le diagnostic et le traitement des maladies de la pulpe, de la racine, du desmodonte et de l'os alvéolaire est appelée **endodontie** (*endon* = en dedans). L'**orthodontie** (*orthos* = droit) vise la prévention et la correction des anomalies d'alignement des dents; la **parodontie** traite les affections des tissus immédiatement adjacents aux dents.

Les humains ont deux **dentures,** ou séries de dents. La première, la denture primaire, est formée des **dents déciduales** (*deciduus* = qui tombe), aussi appelées **dents de lait** ou encore **dents temporaires.** Ces dernières commencent à faire éruption vers l'âge de 6 mois et continuent d'apparaître, à raison d'une paire environ tous les mois, jusqu'à ce que les 20 dents soient présentes (figure 24.7a). Les incisives, qui sont le plus près de la ligne médiane, sont en forme de ciseau et sont adaptées pour couper la nourriture. On les appelle **incisives centrales** ou **incisives latérales** selon leur position. À côté des incisives, vers l'arrière, se trouvent les **canines,** qui présentent une face pointue appelée cuspide. Ces dents servent à déchirer la nourriture. Les incisives et les canines ne possèdent qu'une racine chacune. Derrière elles, se trouvent les **premières** et **deuxièmes molaires,** qui ont quatre cuspides. Les molaires maxillaires (supérieures) ont trois racines ; les molaires mandibulaires (inférieures) en ont deux. Ces dents écrasent et broient la nourriture.

Toutes les dents déciduales tombent – généralement entre 6 et 12 ans – et sont remplacées par les **dents permanentes** (figure 24.7b). La denture permanente comprend 32 dents qui font éruption entre l'âge de 6 ans et l'âge adulte. Sa structure ressemble à celle de la denture primaire, à l'exception des dents suivantes. Les molaires déciduales sont remplacées par les **premières** et **deuxièmes prémolaires** (ou **dents bicuspides**), qui portent deux cuspides et une racine (les premières prémolaires supérieures ont deux racines) et servent à écraser et à broyer. Les molaires permanentes qui font éruption dans la bouche derrière les prémolaires ne remplacent pas de dents déciduales et apparaissent au fur et à mesure que la mâchoire grandit et leur fait de la place – les **premières molaires** sont en place à l'âge de 6 ans, les **deuxièmes molaires** à l'âge de 12 ans et les **troisièmes molaires** (ou **dents de sagesse**) après 17 ans.

Il arrive souvent que l'espace derrière les deuxièmes molaires ne soit pas assez grand pour permettre l'éruption des troisièmes molaires. Dans ce cas, les troisièmes molaires restent enfouies dans l'os alvéolaire et sont dites « incluses ». Elles sont souvent sensibles, voire douloureuses, et il faut les extraire par une opération chirurgicale. Chez certains individus, les troisièmes molaires restent très petites ou ne se forment pas du tout.

Digestion mécanique et digestion chimique dans la bouche

La digestion mécanique dans la bouche résulte de la **mastication,** au cours de laquelle la nourriture est remuée par la langue, broyée par les dents et mélangée à la salive. Les aliments sont ainsi transformés en une masse molle, souple et facile à avaler qu'on appelle **bol alimentaire** (*bôlos* = motte de terre). Les molécules de nourriture commencent à se dissoudre dans l'eau de la salive ; il s'agit d'une étape importante parce que les enzymes ne peuvent réagir avec ces molécules que dans un milieu liquide.

Une enzyme, l'amylase salivaire, effectue la digestion chimique qui a lieu dans la bouche. L'**amylase salivaire** amorce la dégradation de l'amidon. Les glucides contenus dans les aliments sont soit des monosaccharides et des disaccharides, soit des polysaccharides complexes tels que l'amidon (voir p. 47). La plupart des glucides que nous consommons se trouvent sous forme d'amidon, mais seuls les monosaccharides peuvent passer dans le sang. En conséquence, les disaccharides et l'amidon ingérés doivent être réduits à l'état de monosaccharides. La fonction de l'amylase salivaire est de briser certaines liaisons chimiques entre les unités de glucose

Tableau 24.1 Résumé des processus digestifs qui se déroulent dans la bouche

STRUCTURE	PROCESSUS	RÉSULTAT
Joues et lèvres	Gardent la nourriture entre les dents durant la mastication.	La nourriture est triturée uniformément.
Glandes salivaires	Sécrètent la salive.	La muqueuse de la bouche et du pharynx est humectée et lubrifiée.
		La salive ramollit, humecte et dissout la nourriture, et nettoie la bouche et les dents.
		L'amylase salivaire scinde l'amidon en particules plus petites.
Langue		
Muscles extrinsèques	Déplacent la langue de gauche à droite et d'avant en arrière.	La nourriture est remuée pour la mastication, modelée en bol alimentaire et dirigée à l'arrière pour la déglutition.
Muscles intrinsèques	Modifient la forme de la langue.	Déglutition et élocution.
Calicules gustatifs	Servent de récepteurs de la gustation (goût) et détectent la présence de nourriture dans la bouche.	La sécrétion de la salive est stimulée par des influx nerveux qui quittent les calicules gustatifs, passent par les noyaux salivaires du tronc cérébral et sont transmis aux glandes salivaires.
Dents	Coupent, déchirent et broient les aliments.	Les aliments solides sont réduits en petites particules pour la déglutition.

qui forment l'amidon, ce qui réduit les longues chaînes de polysaccharides en maltose (disaccharide), maltotriose (trisaccharide) et en courts polymères du glucose appelés alpha-dextrines. Même si la nourriture est habituellement avalée trop vite pour permettre la réduction de tout l'amidon en disaccharides dans la bouche, l'amylase salivaire dans le bol alimentaire continue d'agir sur l'amidon pendant environ une heure, après quoi elle est inactivée par les acides de l'estomac.

Le tableau 24.1 présente un résumé des processus digestifs qui ont lieu dans la bouche.

Figure 24.8 Déglutition. Durant le temps pharyngien de la déglutition (b), la langue s'élève et s'appuie contre le palais, le nasopharynx se referme, le larynx s'élève, l'épiglotte bloque l'accès au larynx et le bol alimentaire passe dans l'œsophage.

 La déglutition est un mécanisme qui achemine la nourriture de la bouche à l'estomac.

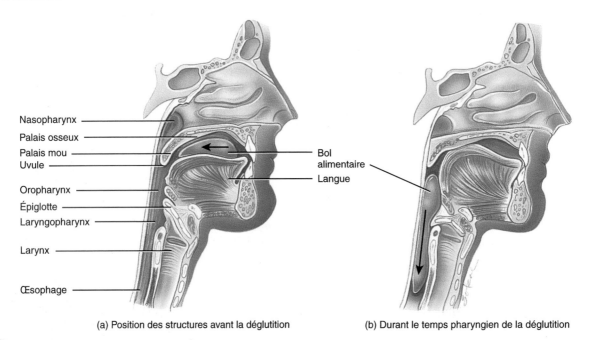

(a) Position des structures avant la déglutition

(b) Durant le temps pharyngien de la déglutition

 La déglutition est-elle une action volontaire ou involontaire ?

1. Quelles structures forment la bouche (cavité orale) ?
2. Quelles sont les différences histologiques entre les glandes salivaires majeures ?
3. Décrivez la composition de la salive et le rôle des éléments qui en font partie.
4. Comment s'effectue la régulation de la sécrétion salivaire ?
5. Comparez les fonctions des dents incisives, canines, prémolaires et molaires.
6. Qu'est-ce qu'un bol alimentaire ? Comment se forme-t-il ?

PHARYNX

OBJECTIF

• *Situer le pharynx et décrire sa fonction.*

Quand les aliments sont avalés, ils passent de la bouche au **pharynx** (*pharugx* = gorge). Ce dernier est un tube en forme d'entonnoir qui s'étend des choanes à l'œsophage vers l'arrière et au larynx vers l'avant (voir la figure 23.4, p. 825). Il se compose de muscles squelettiques et est tapissé d'une muqueuse. Contrairement au nasopharynx dont la fonction est uniquement respiratoire, l'oropharynx et le laryngopharynx jouent des rôles digestifs aussi bien que respiratoires.

L'oropharynx et le laryngopharynx reçoivent la nourriture de la bouche et leurs contractions musculaires contribuent à la propulser dans l'œsophage.

L'acheminement de la nourriture de la bouche à l'estomac s'effectue par la **déglutition,** soit l'action d'avaler (figure 24.8). La déglutition est facilitée par la salive et le mucus, et met en jeu la bouche, le pharynx et l'œsophage. Elle s'effectue en trois temps : 1) le temps buccal, qui est volontaire et au cours duquel le bol alimentaire est acheminé dans l'oropharynx, 2) le temps pharyngien, qui se caractérise par le passage involontaire du bol alimentaire à travers le pharynx jusque dans l'œsophage, et 3) le temps œsophagien (voir la section sur l'œsophage), qui se caractérise par le passage involontaire du bol alimentaire le long de l'œsophage jusqu'à son arrivée dans l'estomac.

La déglutition commence quand le bol alimentaire est poussé à l'arrière de la cavité orale et dans l'oropharynx par le mouvement de la langue dirigé vers le haut et l'arrière contre le palais ; cette étape, qui est volontaire, constitue le **temps buccal de la déglutition.** Avec le passage du bol alimentaire dans l'oropharynx s'amorce le **temps pharyngien de la déglutition,** qui est involontaire (figure 24.8b). Les voies aériennes se ferment et la respiration est momentané-

interrompue. Le bol alimentaire stimule des récepteurs dans l'oropharynx qui envoient des influx au **centre de la déglutition** dans le bulbe rachidien et le pont inférieur du tronc cérébral. Les influx qui reviennent font s'élever le palais mou et l'uvule afin de fermer le nasopharynx. Le larynx est tiré en avant et en haut contre le dessous de la langue. L'élévation du larynx entraîne l'épiglotte vers l'arrière et le bas, si bien qu'elle bloque l'accès à la fente de la glotte. Le déplacement du larynx rapproche également les cordes vocales, ce qui contribue à fermer davantage les voies respiratoires. De plus, il élargit l'ouverture entre le laryngopharynx et l'œsophage. Le bol alimentaire met de 1 à 2 s pour traverser le laryngopharynx et pénétrer dans l'œsophage, après quoi les voies aériennes s'ouvrent à nouveau et la respiration reprend.

1. Définissez la *déglutition*. Nommez dans l'ordre les étapes par lesquelles le bol alimentaire passe de la bouche à l'estomac.
2. Décrivez les temps buccal et pharyngien de la déglutition.

ŒSOPHAGE

OBJECTIF

• *Situer l'œsophage et décrire son anatomie, son histologie et sa fonction.*

L'**œsophage** (= qui porte ce qu'on mange) est un tube musculaire souple situé derrière la trachée. Il mesure environ 25 cm de long. Il prend naissance sur le bord inférieur du laryngopharynx, passe à travers le médiastin devant la colonne vertébrale, traverse le diaphragme par une ouverture appelée **hiatus œsophagien** et aboutit dans la partie supérieure de l'estomac (voir la figure 24.1).

Histologie de l'œsophage

La **muqueuse** de l'œsophage se compose d'un épithélium stratifié pavimenteux non kératinisé, d'un chorion (tissu conjonctif lâche) et d'une muscularis mucosæ (muscle lisse) (figure 24.9). Près de l'estomac, la muqueuse de l'œsophage contient aussi des glandes muqueuses. L'épithélium stratifié pavimenteux des lèvres, de la bouche, de la langue, de l'oropharynx, du laryngopharynx et de l'œsophage fournit une bonne protection contre l'abrasion causée par les particules de nourriture qui sont mastiquées, mélangées aux sécrétions et avalées. La **sous-muqueuse,** qui est composée de tissu conjonctif lâche, contient des vaisseaux sanguins et des glandes muqueuses. La **musculeuse** du tiers supérieur de l'œsophage est composée de muscle squelettique, celle du tiers intermédiaire de muscle squelettique et lisse, et celle du tiers inférieur de muscle lisse. La couche superficielle est appelée **adventice,** plutôt que séreuse, parce que le tissu conjonctif lâche qui la compose n'est pas recouvert de mésothélium et parce qu'elle se joint au tissu conjonctif des structures entre lesquelles elle passe dans le médiastin. L'adventice attache l'œsophage aux structures environnantes.

Figure 24.9 Histologie de l'œsophage. Le tableau 4.1, p. 118, présente une coupe à plus fort grossissement d'un épithélium stratifié pavimenteux non kératinisé.

 L'œsophage sécrète du mucus et transporte la nourriture jusqu'à l'estomac.

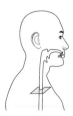

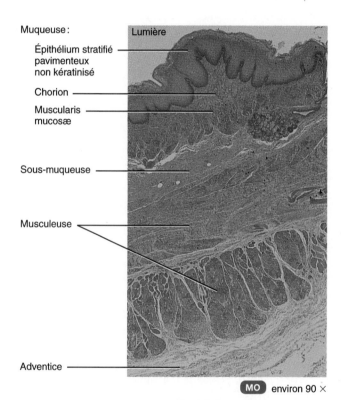

Muqueuse :
Épithélium stratifié pavimenteux non kératinisé

Chorion

Muscularis mucosæ

Sous-muqueuse

Musculeuse

Adventice

Lumière

MO environ 90 ×

Paroi de l'œsophage

 Dans quelles couches de l'œsophage sont situées les glandes qui sécrètent le mucus servant à le lubrifier ?

Physiologie de l'œsophage

L'œsophage sécrète du mucus et transporte la nourriture jusqu'à l'estomac. Il ne produit pas d'enzymes digestives et n'est pas un lieu d'absorption. Le passage des aliments du laryngopharynx à l'œsophage est réglé par un sphincter (anneau ou bande musculaire circulaire normalement contracté) appelé **sphincter œsophagien supérieur** qui est situé à l'entrée de l'œsophage. Ce sphincter est formé par le muscle crico-pharyngien et est fixé au cartilage cricoïde. L'élévation du larynx durant le temps pharyngien de la déglutition

Figure 24.10 Péristaltisme durant le temps œsophagien de la déglutition.

 Le péristaltisme est un mouvement ondulatoire constitué de contractions qui se propagent le long de la musculeuse.

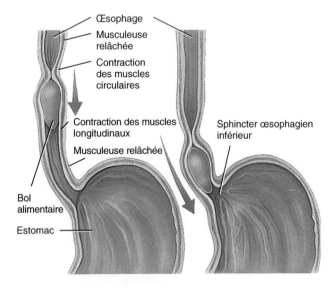

Œsophage

Musculeuse relâchée

Contraction des muscles circulaires

Contraction des muscles longitudinaux

Musculeuse relâchée

Sphincter œsophagien inférieur

Bol alimentaire

Estomac

Vue antérieure du péristaltisme dans l'œsophage

 Est-ce que le péristaltisme « pousse » ou « tire » la nourriture dans le tube digestif ?

Tableau 24.2 Résumé des processus digestifs qui se déroulent dans le pharynx et l'œsophage

STRUCTURE	PROCESSUS	RÉSULTAT
Pharynx	Temps pharyngien de la déglutition.	Le bol alimentaire se déplace de l'oropharynx au laryngopharynx, puis entre dans l'œsophage. Les voies aériennes sont fermées.
Œsophage	Relâchement du sphincter œsophagien supérieur.	Le bol alimentaire peut passer du laryngopharynx à l'œsophage.
	Temps œsophagien de la déglutition (péristaltisme).	Le bol alimentaire est poussé le long de l'œsophage.
	Relâchement du sphincter œsophagien inférieur.	Le bol alimentaire peut pénétrer dans l'estomac.
	Sécrétion de mucus.	Lubrification de l'œsophage pour faciliter le passage du bol alimentaire.

Juste au-dessus du diaphragme, l'œsophage se rétrécit légèrement en raison de la contraction soutenue de la musculeuse dans la partie la plus basse du tube. Ce sphincter physiologique, appelé **sphincter œsophagien inférieur,** se relâche durant la déglutition et permet au bol alimentaire de passer de l'œsophage à l'estomac.

Le tableau 24.2 présente un résumé des processus digestifs qui ont lieu dans le pharynx et l'œsophage.

 APPLICATION CLINIQUE
Reflux gastro-œsophagien

Si le sphincter œsophagien inférieur ne se referme pas bien après que le bol alimentaire a pénétré dans l'estomac, il peut y avoir reflux du contenu de l'estomac dans le bas de l'œsophage. On appelle cette affection **reflux gastro-œsophagien.** L'acide chlorhydrique (HCl) provenant de l'estomac irrite la paroi œsophagienne et cause une sensation de brûlure que l'on appelle **brûlures d'estomac.** La consommation d'alcool et le tabagisme peuvent entraîner le relâchement du sphincter et exacerber le problème. On calme souvent les symptômes en supprimant les aliments qui stimulent fortement la sécrétion d'acide dans l'estomac (café, chocolat, tomates, aliments gras, menthe poivrée ou verte, et oignons). Il est aussi possible de réduire l'acidité gastrique en prenant, de 30 à 60 min avant un repas, des inhibiteurs des récepteurs H_2 (de l'histamine) tels que la cimétidine (Tagamet) ou la famotidine (Pepcid), qui se vendent sans ordonnance. Enfin, on neutralise

provoque le relâchement du sphincter et permet au bol alimentaire de pénétrer dans l'œsophage. Ce muscle se relâche aussi durant l'expiration.

Durant le **temps œsophagien de la déglutition,** des ondes de contractions et de relâchements coordonnées parcourent les couches circulaire et longitudinale de la musculeuse. Ce mouvement, appelé **péristaltisme** (*stalsis* = contraction), pousse le bol alimentaire dans l'œsophage (figure 24.10). Le péristaltisme a lieu dans plusieurs structures tubulaires, y compris d'autres parties du tube digestif, les uretères, les conduits biliaires et les trompes utérines ; dans l'œsophage, il est régi par le bulbe rachidien. Dans la section de l'œsophage située juste au-dessus du bol alimentaire, les fibres musculaires circulaires se contractent ; elles resserrent ainsi les parois de l'œsophage et forcent le bol alimentaire à avancer vers l'estomac. Pendant ce temps, les fibres longitudinales au-dessous du bol alimentaire se contractent aussi, ce qui raccourcit cette section et en déplace les parois vers l'extérieur de telle sorte qu'elle puisse recevoir le bol. Les contractions reprennent plus bas en un mouvement ondulatoire qui pousse la nourriture vers l'estomac. Le mucus sécrété par les glandes œsophagiennes lubrifie le bol alimentaire et diminue la friction. La nourriture solide ou semi-solide met de 4 à 8 s pour passer de la bouche à l'estomac ; les aliments très mous et les liquides passent en près d'une seconde.

l'acide déjà sécrété à l'aide d'antiacides tels que Tums ou Maalox. On peut diminuer le risque de provoquer les symptômes en consommant de plus petites quantités de nourriture et en évitant de s'étendre immédiatement après les repas. Le reflux gastro-œsophagien accompagne parfois le cancer de l'œsophage. ■

1. Situez l'œsophage et décrivez-en l'histologie. Quel est son rôle dans la digestion ?
2. Expliquez le fonctionnement des sphincters œsophagiens supérieur et inférieur.

ESTOMAC

OBJECTIF

• *Situer l'estomac et décrire son anatomie, son histologie et ses fonctions.*

L'**estomac** est un renflement du tube digestif, habituellement en forme de J, qui est situé directement sous le diaphragme dans les régions épigastrique, ombilicale et hypochondriaque gauche de l'abdomen (voir la figure 1.12a, p. 20). Il relie l'œsophage au duodénum, première partie de l'intestin grêle (figure 24.11). Puisque les repas peuvent être avalés beaucoup plus vite que l'intestin ne peut les digérer et les absorber, une des fonctions de l'estomac est précisément de former un réservoir où la nourriture peut être retenue et malaxée. À intervalles appropriés après l'ingestion des aliments, l'estomac pousse une petite quantité de nourriture dans la première partie de l'intestin grêle. La position et la taille de l'estomac varient sans cesse ; le diaphragme l'abaisse à chaque inspiration et le tire vers le haut à chaque expiration. Vide, il est à peu près de la taille d'une grosse saucisse, mais il constitue la partie la plus extensible du tube digestif et peut recevoir une grande quantité de nourriture. La digestion de l'amidon se poursuit dans l'estomac, et celle des protéines et des triglycérides y débute. Le bol alimentaire encore partiellement solide y est transformé en liquide et certaines substances y sont absorbées.

Anatomie de l'estomac

L'estomac comprend quatre grandes régions : le cardia, le fundus, le corps et le pylore (voir la figure 24.11). Le **cardia** entoure l'orifice supérieur de l'estomac. La partie arrondie à gauche et au-dessus du cardia est le **fundus.** Au-dessous de ce dernier se trouve la plus grande partie de l'estomac, appelée **corps de l'estomac,** qui en constitue le centre. La région qui fait la jonction avec le duodénum est le **pylore** (*pylê* = porte ; *ourôs* = gardien) ; elle comprend deux parties, l'**antre pylorique,** qui est relié au corps de l'estomac, et le **canal pylorique,** qui mène au duodénum. Quand l'estomac est vide, la muqueuse forme de grands replis, appelés **plis gastriques,** qu'on peut observer à l'œil nu. Le pylore communique avec le duodénum par le **sphincter pylorique.** Le bord médial concave de l'estomac est appelé **petite courbure** et le bord latéral convexe, **grande courbure.**

APPLICATION CLINIQUE
Pylorospasme et sténose du pylore

On peut trouver deux anomalies du sphincter pylorique chez les nourrissons. Dans les cas de **pylorospasme,** les fibres musculaires du sphincter ne se relâchent pas normalement, si bien que la nourriture ne passe pas facilement de l'estomac à l'intestin grêle. En conséquence, l'estomac se remplit trop et le nourrisson vomit souvent pour se soulager. On traite le pylorospasme par des médicaments qui détendent les fibres musculaires du sphincter. La **sténose pylorique** est un rétrécissement du sphincter pylorique. Sa correction nécessite une intervention chirurgicale. Le symptôme principal est le vomissement en jet, c'est-à-dire la projection en gerbe de vomissure liquide. ■

Histologie de l'estomac

La paroi de l'estomac comprend les quatre grandes couches de tissu que l'on observe ailleurs dans le tube digestif, avec quelques particularités (figure 24.12a). La surface de la **muqueuse** est constituée d'un épithélium simple prismatique composé de **cellules à mucus superficielles.** En dessous se trouve un **chorion** (tissu conjonctif lâche) et une **muscularis mucosæ** (muscle lisse). Les cellules épithéliales s'invaginent dans le chorion, où elles forment des colonnes de cellules sécrétrices appelées **glandes gastriques** qui débouchent sur un grand nombre de dépressions étroites, les **cryptes de l'estomac.** Les sécrétions de plusieurs glandes gastriques se déversent dans chaque crypte et sont acheminées jusqu'à la lumière de l'estomac.

Les glandes gastriques contiennent trois types de *cellules exocrines* dont les sécrétions se jettent dans la lumière de l'estomac : les cellules à mucus du collet, les cellules principales et les cellules pariétales. Les cellules à mucus superficielles et les **cellules à mucus du collet** sécrètent du mucus (figure 24.12b). Les **cellules principales** sécrètent le pepsinogène et la lipase gastrique. Les **cellules pariétales** produisent l'acide chlorhydrique et le facteur intrinsèque (nécessaire à l'absorption de la vitamine B_{12}). Les sécrétions de toutes ces cellules forment le **suc gastrique,** dont le volume atteint entre 2 000 et 3 000 mL par jour. De plus, les glandes gastriques comprennent un type de cellules entéro-endocrines, les **cellules G,** que l'on trouve surtout dans l'antre pylorique et qui sécrète la gastrine dans la circulation sanguine. Nous verrons bientôt que cette hormone influe sur plusieurs aspects de l'activité gastrique.

Trois autres couches sous-tendent la muqueuse. La **sous-muqueuse** de l'estomac est composée de tissu conjonctif lâche. La **musculeuse** est constituée de trois (plutôt que deux) couches de muscle lisse : une couche longitudinale externe, une couche circulaire moyenne et une couche oblique interne. La couche oblique est en grande partie limitée au corps de l'estomac. La **séreuse** (mésothélium simple pavimenteux et tissu conjonctif lâche) qui recouvre l'estomac fait partie du péritoine viscéral. Du côté de la petite courbure, le péritoine

Figure 24.11 Anatomie interne et externe de l'estomac.

Les quatre régions de l'estomac sont le cardia, le fundus, le corps et le pylore.

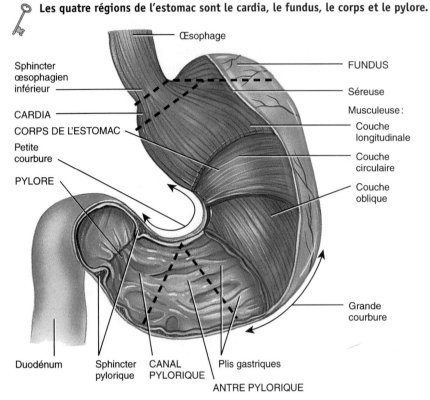

Œsophage

Sphincter œsophagien inférieur

CARDIA

CORPS DE L'ESTOMAC

Petite courbure

PYLORE

Duodénum

Sphincter pylorique

CANAL PYLORIQUE

Plis gastriques

ANTRE PYLORIQUE

FUNDUS

Séreuse

Musculeuse :

Couche longitudinale

Couche circulaire

Couche oblique

Grande courbure

FONCTIONS DE L'ESTOMAC

1. Mélange la salive, la nourriture et le suc gastrique pour former le chyme.
2. Sert de réservoir pour la nourriture avant son passage dans l'intestin grêle.
3. Sécrète le suc gastrique qui contient le HCl, la pepsine, le facteur intrinsèque et la lipase gastrique.
4. Le HCl tue les bactéries et dénature les protéines. La pepsine commence la digestion des protéines. Le facteur intrinsèque facilite l'absorption de la vitamine B_{12}. La lipase gastrique participe à la digestion des triglycérides.
5. Sécrète la gastrine dans le sang.

(a) Vue antérieure des régions de l'estomac

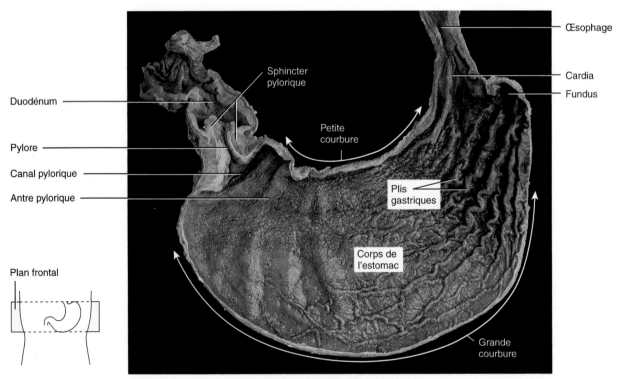

Œsophage

Cardia

Fundus

Duodénum

Sphincter pylorique

Pylore

Petite courbure

Canal pylorique

Antre pylorique

Plis gastriques

Corps de l'estomac

Plan frontal

Grande courbure

(b) Coupe frontale de la face interne

Q Après un très gros repas, votre estomac a-t-il des plis gastriques ?

Figure 24.12 Histologie de l'estomac.

🔑 **La musculeuse de l'estomac est constituée de trois couches de tissu musculaire lisse.**

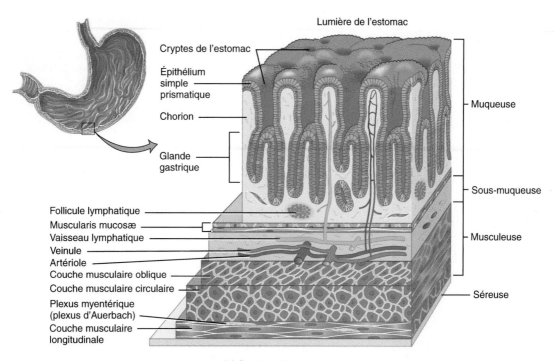

Lumière de l'estomac

Cryptes de l'estomac

Épithélium simple prismatique

Chorion

Glande gastrique

Muqueuse

Sous-muqueuse

Follicule lymphatique
Muscularis mucosæ
Vaisseau lymphatique
Veinule
Artériole
Couche musculaire oblique
Couche musculaire circulaire
Plexus myentérique (plexus d'Auerbach)
Couche musculaire longitudinale

Musculeuse

Séreuse

(a) Couches de l'estomac

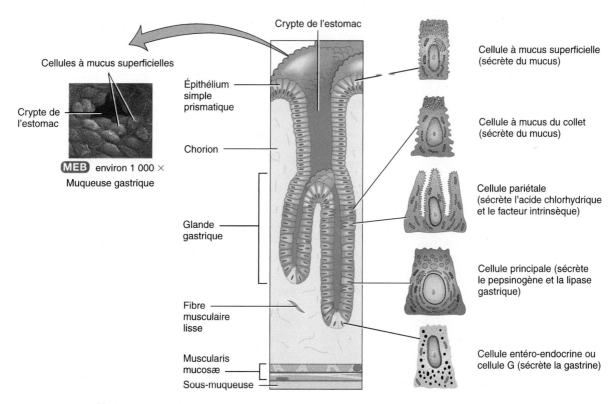

Crypte de l'estomac

Cellules à mucus superficielles

Crypte de l'estomac

MEB environ 1 000 ×
Muqueuse gastrique

Épithélium simple prismatique

Chorion

Glande gastrique

Fibre musculaire lisse

Muscularis mucosæ

Sous-muqueuse

Cellule à mucus superficielle (sécrète du mucus)

Cellule à mucus du collet (sécrète du mucus)

Cellule pariétale (sécrète l'acide chlorhydrique et le facteur intrinsèque)

Cellule principale (sécrète le pepsinogène et la lipase gastrique)

Cellule entéro-endocrine ou cellule G (sécrète la gastrine)

(b) Muqueuse gastrique avec ses glandes gastriques et les types de cellules qui la composent

Suite à la page suivante

Figure 24.12 Histologie de l'estomac (suite)

Crypte de l'estomac

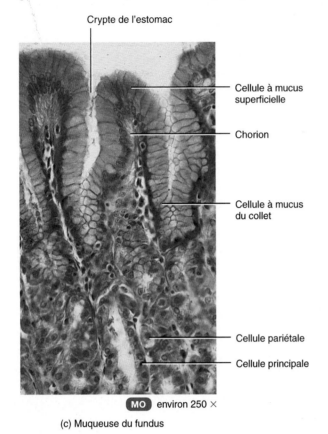

Cellule à mucus
superficielle

Chorion

Cellule à mucus
du collet

Cellule pariétale

Cellule principale

MO   environ 250 ×

(c) Muqueuse du fundus

Q Quels types de cellules trouve-t-on dans les glandes
gastriques et quelles sont leurs sécrétions?

viscéral s'étend vers le haut jusqu'au foie et porte le nom
de petit omentum. Du côté de la grande courbure, il se
prolonge vers le bas pour former le grand omentum qui
recouvre les intestins.

Digestion mécanique et digestion chimique dans l'estomac

Quelques minutes après que la nourriture est entrée dans
l'estomac, des contractions péristaltiques de faible amplitude, appelées **ondes de brassage,** parcourent l'estomac
toutes les 15 à 25 s. Ces ondes favorisent la macération de
la nourriture, la mélangent aux sécrétions des glandes gastriques et la réduisent en une bouillie appelée **chyme**
(*khumos* = humeur). On observe peu d'ondes de brassage
dans le fundus, qui sert surtout de réservoir pour la nourriture. Au fur et à mesure que la digestion se poursuit, des
ondes plus vigoureuses prennent naissance dans le corps de
l'estomac et vont en s'intensifiant jusqu'au pylore. En règle
générale, le sphincter pylorique demeure presque entièrement fermé, mais pas tout à fait; quand le chyme arrive au
pylore, il franchit le sphincter, quelques millilitres à la fois, et
passe dans le duodénum sous l'impulsion d'une onde de

brassage. La plus grande partie du chyme est refoulée dans le
corps de l'estomac, où elle continue à être remuée. L'onde
suivante propulse de nouveau le chyme en avant et en pousse
encore un peu dans le duodénum. Ce va-et-vient du contenu
gastrique est responsable de la majeure partie du brassage
dans l'estomac.

La nourriture peut rester dans le fundus durant près
d'une heure sans se mélanger au suc gastrique. Pendant ce
temps, la digestion par l'amylase salivaire se poursuit. Mais le
malaxage ne tarde pas à réunir le chyme et le suc gastrique
acide, inhibant l'amylase salivaire et activant la lipase linguale,
qui commence à digérer les triglycérides pour produire des
acides gras et des diglycérides.

Bien que les cellules pariétales sécrètent des ions hydrogène (H^+) et des ions chlorure (Cl^-) séparément dans la
lumière de l'estomac, l'effet net est la sécrétion d'acide chlorhydrique (HCl). Les **pompes à protons** actionnées par la
H^+-K^+ ATPase font passer, par transport actif, les ions H^+
dans la lumière en échange d'ions K^+ qui entrent dans les
cellules. En même temps, les ions Cl^- et K^+ sortent des cellules
par diffusion à travers des canaux de fuite dans la membrane
apicale (du côté de la lumière). Dans la membrane basolatérale, qui fait face au chorion, des systèmes antiports Cl^--
HCO_3^- font entrer des ions Cl^- dans les cellules pariétales
en échange d'ions HCO_3^-, qui diffusent dans les capillaires
sanguins. Ainsi, on assiste à une «marée alcaline» d'ions
bicarbonate qui déferle dans la circulation sanguine après les
repas. Le milieu très acide de l'estomac tue un grand nombre
de microbes dans la nourriture. Le HCl dénature (déplie)
partiellement les protéines dans la nourriture et stimule la
sécrétion d'hormones qui favorisent la libération de la bile et
du suc pancréatique.

La digestion enzymatique des protéines commence dans
l'estomac. La seule enzyme protéolytique (qui digère les protéines) de l'estomac est la **pepsine,** qui est sécrétée par les
cellules principales. Cette enzyme brise certaines liaisons
peptidiques entre les acides aminés qui composent les protéines, si bien que les chaînes protéiques formées d'un grand
nombre d'acides aminés sont dégradées en fragments peptidiques plus courts. L'efficacité de la pepsine est maximale
dans le milieu très acide de l'estomac (pH 2); l'enzyme est
inactivée par les pH plus élevés.

Qu'est-ce qui empêche la pepsine de digérer les protéines
des cellules gastriques en même temps que celles de la nourriture? Premièrement, la pepsine est sécrétée sous une forme
inactive appelée *pepsinogène*; sous cette forme, elle ne peut
pas digérer les protéines contenues dans les cellules principales
qui la produisent. Le pepsinogène n'est converti en pepsine
active qu'au contact de molécules de pepsine déjà activées ou
de l'acide chlorhydrique sécrété par les cellules pariétales.
Deuxièmement, les cellules épithéliales de l'estomac sont
protégées du suc gastrique par un mucus alcalin d'une épaisseur de 1 à 3 mm sécrété par les cellules à mucus superficielles
et les cellules à mucus du collet.

Tableau 24.3 Résumé des processus digestifs qui se déroulent dans l'estomac

STRUCTURE	PROCESSUS	RÉSULTAT(S)
Muqueuse		
Cellules principales	Sécrètent le pepsinogène.	La pepsine, sous forme activée, brise certaines liaisons peptidiques des protéines.
	Sécrètent la lipase gastrique.	Fragmentation des triglycérides à chaînes courtes en acides gras et en monoglycérides.
Cellules pariétales	Sécrètent l'acide chlorhydrique.	L'acide tue les microbes dans la nourriture, dénature les protéines et convertit le pepsinogène en pepsine.
	Sécrètent le facteur intrinsèque.	Le facteur est requis pour l'absorption de la vitamine B_{12}, qui est essentielle à la production normale des globules rouges (érythropoïèse).
Cellules à mucus superficielles et cellules à mucus du collet	Sécrètent du mucus.	Formation d'une barrière protectrice qui empêche la digestion de la paroi de l'estomac.
Cellules G	Sécrètent la gastrine.	La gastrine stimule les cellules pariétales qui sécrètent le HCl et les cellules principales qui sécrètent le pepsinogène ; elle cause la contraction du sphincter œsophagien inférieur, augmente la motilité gastrique et provoque le relâchement du sphincter pylorique.
Musculeuse	Ondes de brassage.	Les ondes favorisent la macération de la nourriture et mélangent cette dernière au suc gastrique pour former le chyme.
	Péristaltisme.	Force le chyme à franchir le sphincter pylorique.
Sphincter pylorique	S'ouvre pour permettre le passage du chyme dans le duodénum.	Le sphincter régule le passage du chyme de l'estomac au duodénum ; il prévient le reflux du chyme du duodénum à l'estomac.

L'estomac produit une autre enzyme appelée **lipase gastrique**, qui fragmente les triglycérides à chaînes courtes dans les matières grasses du lait et les réduit en acides gras et en monoglycérides. Cette enzyme, qui joue un rôle mineur dans l'estomac adulte, fonctionne le mieux à un pH entre 5 et 6. Il existe une enzyme plus importante que la lipase gastrique : il s'agit de la lipase pancréatique qui est sécrétée par le pancréas dans l'intestin grêle.

Il se fait peu d'absorption dans l'estomac parce que les cellules épithéliales sont imperméables à la plupart des substances. Toutefois, les cellules à mucus absorbent une certaine quantité d'eau, d'ions et d'acides gras à chaîne courte ainsi que certains médicaments (en particulier l'aspirine) et l'alcool.

Le tableau 24.3 présente un résumé des processus digestifs qui ont lieu dans l'estomac.

Régulation de la motilité et de la sécrétion gastriques

La sécrétion du suc gastrique et les contractions des muscles lisses de la paroi de l'estomac sont régies par des mécanismes nerveux et hormonaux. La digestion dans l'estomac s'effectue en trois phases qui se chevauchent. Ce sont les phases céphalique, gastrique et intestinale (figure 24.13).

Phase céphalique

La **phase céphalique** de la digestion gastrique se compose de réflexes déclenchés par des récepteurs sensoriels situés dans la tête. Avant même que les aliments pénètrent dans l'estomac, ce réflexe est suscité par la vue, l'odeur, le goût ou l'idée de la nourriture. Le cortex cérébral et le centre de la faim dans l'hypothalamus envoient des influx nerveux au bulbe rachidien. De là, les influx sont transmis aux fibres nerveuses préganglionnaires parasympathiques du nerf vague (X), et vont stimuler les fibres nerveuses postganglionnaires parasympathiques du plexus sous-muqueux. À leur tour, les fibres nerveuses parasympathiques transmettent des influx aux cellules pariétales et principales ainsi qu'aux cellules à mucus et font augmenter les sécrétions de toutes les glandes gastriques. Ces influx stimulent la sécrétion par les glandes gastriques de pepsinogène, d'acide chlorhydrique et de mucus dans le chyme de l'estomac, et de gastrine dans le sang. Les influx des fibres nerveuses parasympathiques font aussi augmenter la motilité de l'estomac. Les émotions telles que la colère, la peur et l'anxiété peuvent ralentir la digestion parce qu'elles stimulent la partie sympathique du système nerveux autonome, qui inhibe l'activité gastrique.

Phase gastrique

À l'arrivée de la nourriture dans l'estomac, les récepteurs sensoriels de ce dernier déclenchent des mécanismes nerveux et hormonaux qui font en sorte que la sécrétion et la motilité gastriques se poursuivent. C'est la **phase gastrique** de la digestion dans l'estomac (voir la figure 24.13). La nourriture, quelle qu'elle soit, amène la distension (étirement) de l'estomac et stimule les mécanorécepteurs situés dans sa paroi. De plus, des chimiorécepteurs réagissent au pH du chyme. Quand les parois de l'estomac sont distendues ou

Figure 24.13 Les phases céphalique, gastrique et intestinale de la digestion dans l'estomac.

 Des réflexes déclenchés par des récepteurs sensoriels dans la tête, l'estomac et l'intestin grêle constituent respectivement la phase céphalique, la phase gastrique et la phase intestinale de la digestion dans l'estomac.

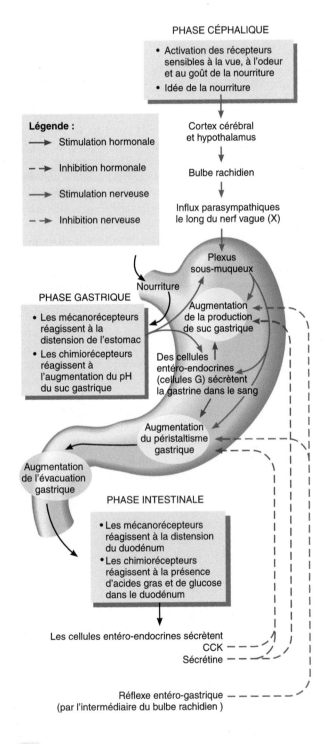

Q Quels sont les effets sur l'estomac d'une augmentation de la stimulation du nerf vague (X) ?

que le pH augmente par suite de l'arrivée de protéines qui exercent une action tampon sur l'acidité gastrique, les mécanorécepteurs et les chimiorécepteurs sont activés et une boucle de rétro-inhibition par voie nerveuse se met en branle (figure 24.14). À partir des récepteurs, les influx nerveux se propagent au plexus sous-muqueux où ils activent les fibres nerveuses parasympathiques et entériques. Les influx nerveux ainsi produits donnent naissance aux ondes péristaltiques et continuent de stimuler la libération de suc gastrique par les cellules pariétales et principales et par les cellules à mucus.

Les ondes péristaltiques mélangent la nourriture avec le suc gastrique et, lorsqu'elles deviennent assez puissantes, elles font gicler dans le duodénum une petite quantité de chyme – entre 10 et 15 mL environ – par l'ouverture du sphincter pylorique. Lorsque le pH du chyme redevient acide et que les parois de l'estomac sont moins distendues parce qu'une partie de son contenu est passée dans l'intestin grêle, ce mécanisme de rétro-inhibition ralentit la sécrétion de suc gastrique.

Durant la phase gastrique, la régulation des sécrétions de l'estomac s'effectue aussi par rétro-inhibition hormonale (voir la figure 24.13). Les protéines partiellement digérées exercent une action tampon sur les ions H^+, ce qui fait augmenter le pH, et la nourriture ingérée distend l'estomac. Les chimiorécepteurs et les mécanorécepteurs qui enregistrent ces changements stimulent la libération d'acétylcholine par les fibres nerveuses parasympathiques. À son tour, l'acétylcholine provoque la sécrétion de **gastrine,** hormone produite par les cellules G, qui sont des cellules entéro-endocrines situées dans la muqueuse de l'antre pylorique. (La gastrine est aussi sécrétée en petite quantité par des cellules entéro-endocrines dans l'intestin grêle ; par ailleurs, certaines substances dans la nourriture – par exemple, la caféine – stimulent directement la libération de gastrine.) La gastrine entre dans la circulation sanguine et va se lier à ses cellules cibles, les glandes gastriques.

La gastrine stimule la croissance des glandes gastriques et la sécrétion de grandes quantités de suc gastrique. Elle renforce aussi les contractions du sphincter œsophagien inférieur, augmente la motilité de l'estomac et relâche le sphincter pylorique et la valve iléo-cæcale (voir plus loin). La sécrétion de la gastrine est inhibée lorsque le pH du suc gastrique tombe sous 2,0 ; elle est stimulée lorsque le pH augmente. Ce mécanisme de rétro-inhibition permet de maintenir le pH optimal pour l'activité de la pepsine, la destruction des microbes et la dénaturation des protéines dans l'estomac.

L'acétylcholine (ACh) libérée par les fibres nerveuses parasympathiques et la gastrine sécrétée par les cellules G font augmenter la production de HCl par les cellules pariétales en présence d'histamine. Autrement dit, l'histamine, qui est une substance paracrine libérée par les mastocytes du chorion et qui agit sur les cellules pariétales avoisinantes, accroît par effet synergique l'efficacité de l'acétylcholine et de la

Figure 24.14 Régulation, par rétro-inhibition d'origine nerveuse, du pH du suc gastrique ainsi que de la motilité de l'estomac durant la phase gastrique de la digestion.

🔑 **Quels sont les effets sur l'estomac d'une augmentation de la stimulation du nerf vague (X) ?**

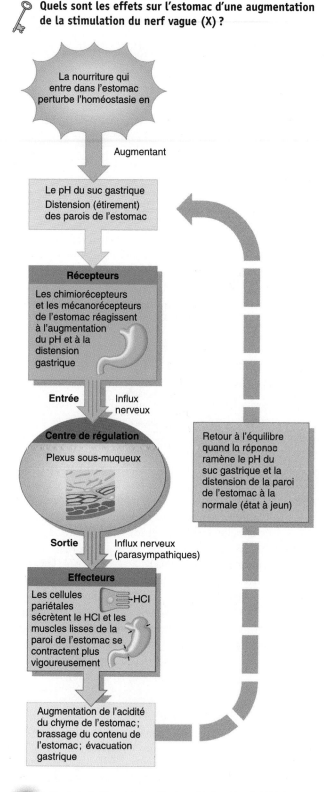

Q Pourquoi dit-on que cette boucle de rétro-inhibition est un « réflexe local » ?

gastrine. La membrane plasmique des cellules pariétales porte des récepteurs pour ces trois substances. Les récepteurs de l'histamine sur les cellules pariétales sont appelés récepteurs H_2 ; les réponses qu'ils déclenchent sont différentes de celles qu'entraînent les récepteurs H_1 mis en jeu dans les réactions allergiques.

Phase intestinale

La **phase intestinale** de la digestion dans l'estomac résulte de l'activation de récepteurs situés dans l'intestin grêle. Contrairement aux réflexes déclenchés durant les phases céphalique et gastrique qui stimulent la sécrétion et la motilité de l'estomac, les réflexes de la phase intestinale ont des effets inhibiteurs (voir la figure 24.13). Ils ralentissent l'évacuation du chyme de l'estomac et préviennent la surcharge du duodénum. De plus, les réactions provoquées durant la phase intestinale font en sorte que la digestion de la nourriture qui a atteint l'intestin grêle se poursuive. Quand le chyme qui contient des acides gras et du glucose passe de l'estomac à l'intestin grêle, il stimule des cellules entéro-endocrines de la muqueuse de l'intestin grêle. Ces dernières libèrent alors dans le sang deux hormones qui agissent sur l'estomac – la **sécrétine** et la **cholécystokinine** (**CCK**). En ce qui concerne l'estomac, la sécrétine a pour effet principal de faire diminuer la sécrétion gastrique, alors que la CCK inhibe surtout l'évacuation gastrique. Ces deux hormones exercent des actions importantes sur le pancréas, le foie et la vésicule biliaire (nous y reviendrons bientôt), qui contribuent à la régulation des processus digestifs.

Régulation de l'évacuation gastrique

L'**évacuation gastrique,** soit le déversement périodique de chyme par l'estomac dans le duodénum, est régie par des réflexes nerveux et hormonaux qui fonctionnent de la façon suivante (figure 24.15a) :

1 Les stimulus tels que la distension de l'estomac et la présence de protéines partiellement digérées, d'alcool et de caféine amorcent l'évacuation gastrique.

2 Ces stimulus font augmenter la sécrétion de gastrine et donnent naissance à des influx parasympathiques dans le nerf vague (X).

3 La gastrine et les influx nerveux stimulent la contraction du sphincter œsophagien inférieur, augmentent la motilité de l'estomac et relâchent le sphincter pylorique.

4 Le résultat net de ces actions est l'évacuation gastrique.

Les réflexes nerveux et hormonaux contribuent également à assurer que l'estomac ne libère pas plus de chyme dans l'intestin grêle que celui-ci ne peut en recevoir. Le réflexe nerveux appelé **réflexe entéro-gastrique** et la cholécystokinine inhibent l'évacuation gastrique de la façon suivante (figure 24.15b) :

Figure 24.15 Régulation nerveuse et hormonale de l'évacuation gastrique.

🔑 **Les aliments riches en glucides sont les premiers à quitter l'estomac.**

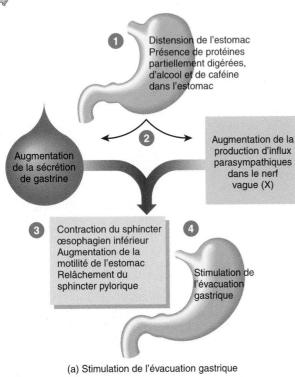

(a) Stimulation de l'évacuation gastrique

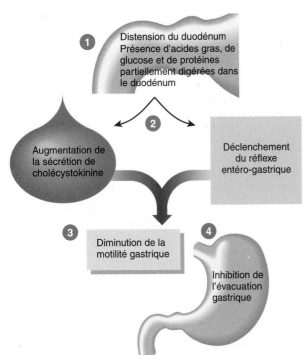

(b) Inhibition de l'évacuation gastrique

Q Quel serait l'effet d'une vagotomie (section des fibres nerveuses du nerf vague) sur l'évacuation gastrique ?

1 Les stimulus tels que la distension du duodénum et la présence d'acides gras, de glucose et de protéines partiellement digérées dans le chyme duodénal inhibent l'évacuation gastrique.

2 Ces stimulus déclenchent le réflexe entéro-gastrique. Des influx nerveux se propagent du duodénum au bulbe rachidien, où ils inhibent la stimulation parasympathique et stimulent l'activité sympathique de l'estomac. Ces mêmes stimulus font aussi augmenter la sécrétion de cholécystokinine.

3 L'augmentation des influx sympathiques et de la libération de cholécystokinine fait diminuer la motilité gastrique.

4 Le résultat net de ces actions est l'inhibition de l'évacuation gastrique.

Entre 2 et 4 h après un repas, l'estomac a vidé son contenu dans le duodénum. Les aliments riches en glucides restent le moins longtemps dans l'estomac ; ceux qui ont une teneur élevée en protéines sont gardés plus longtemps et l'évacuation est la plus lente après un repas gras qui contient de grandes quantités de triglycérides. Ce ralentissement de l'évacuation après la consommation de triglycérides est dû au fait que les acides gras dans le chyme stimulent la libération de cholécystokinine.

APPLICATION CLINIQUE
Vomissement

Le **vomissement** est l'expulsion, avec force, du contenu du tube digestif supérieur (estomac et parfois duodénum) par la bouche. Les stimulus les plus puissants du vomissement sont l'irritation et la distension de l'estomac, mais ce phénomène peut aussi être provoqué par la vue de choses désagréables, l'anesthésie générale, les étourdissements et certaines substances telles que la morphine et les dérivés de la digitaline. Des influx nerveux sont transmis au centre du vomissement dans le bulbe rachidien, et les influx qui en repartent se propagent aux organes du tube digestif supérieur, au diaphragme et aux muscles abdominaux. Essentiellement, le vomissement consiste à comprimer l'estomac entre le diaphragme et les muscles abdominaux, et à en expulser le contenu par l'ouverture des sphincters de l'œsophage. Lorsqu'ils se prolongent, les vomissements peuvent avoir des conséquences graves, en particulier pour les nourrissons et les personnes âgées, parce que la perte de suc gastrique acide peut amener une alcalose (élévation du pH sanguin au-dessus de la normale). ■

1. Comparez l'épithélium de l'œsophage avec celui de l'estomac. Comment ces structures sont-elles adaptées à la fonction de l'organe qu'elles recouvrent ?
2. Quelle est l'importance des plis gastriques, des cellules à mucus superficielles, des cellules à mucus du collet, des cellules principales et pariétales, et des cellules G de l'estomac ?

3. Quel est le rôle de la pepsine? Pourquoi est-elle sécrétée sous une forme inactive?

4. Quelles sont les fonctions de la lipase gastrique dans l'estomac?

5. Décrivez les facteurs qui stimulent et inhibent la sécrétion et la motilité gastriques. Pourquoi les trois phases de la digestion gastrique sont-elles appelées phase céphalique, phase gastrique et phase intestinale?

PANCRÉAS

OBJECTIF

- *Situer le pancréas et décrire son anatomie, son histologie et sa fonction.*

De l'estomac, le chyme passe à l'intestin grêle. Or la digestion chimique dans cet organe est liée au fonctionnement du pancréas, du foie et de la vésicule biliaire. Nous nous pencherons donc en premier lieu sur l'activité de ces organes digestifs annexes et sur leur contribution à la digestion qui s'effectue dans l'intestin grêle.

Anatomie du pancréas

Le **pancréas** (*pan* = tout; *kreas* = chair) est une glande rétropéritonéale qui mesure de 12 à 15 cm de long et 2,5 cm d'épaisseur. Il est situé derrière la grande courbure de l'estomac. Il comprend une tête, un corps et une queue, et est habituellement relié au duodénum par deux conduits (figure 24.16). La **tête** est la partie renflée de l'organe près de la courbe du duodénum; au-dessus et vers la gauche se trouvent, au milieu, le **corps,** puis la **queue** qui va en rétrécissant.

Les sécrétions pancréatiques produites par les cellules exocrines à l'intérieur de l'organe passent dans de petits conduits. Ceux-ci se joignent et finissent par former deux grands conduits qui se jettent dans l'intestin grêle. Le plus grand de ces conduits est appelé **conduit pancréatique,** ou **canal de Wirsung.** Chez la plupart des gens, le conduit pancréatique fusionne avec le conduit cholédoque en provenance du foie et de la vésicule biliaire pour former l'**ampoule hépato-pancréatique,** ou **ampoule de Vater,** qui débouche dans le duodénum. L'ouverture de l'ampoule se trouve au sommet d'une élévation de la muqueuse duodénale appelée **papille duodénale majeure,** située à environ 10 cm sous le sphincter pylorique de l'estomac. Le plus petit des deux conduits, le **conduit pancréatique accessoire,** ou **canal de Santorini,** déverse son contenu dans le duodénum environ 2,5 cm au-dessus de l'ampoule hépato-pancréatique.

Histologie du pancréas

Le pancréas comprend des petits groupes de cellules épithéliales glandulaires, dont environ 99% forment des grappes appelés **acinus** et constituent la partie *exocrine* de l'organe (voir la figure 18.18b et c, p. 625). Les cellules acineuses sécrètent un mélange de liquide et d'enzymes digestives appelé **suc pancréatique.** Les autres cellules (1%) sont regroupées en amas appelés **îlots pancréatiques,** ou **îlots de Langerhans,** qui constituent la partie *endocrine* du pancréas. Ces cellules sécrètent des hormones: le glucagon, l'insuline, la somatostatine et le polypeptide pancréatique. Les fonctions de ces hormones sont examinées au chapitre 18.

Composition et fonctions du suc pancréatique

Tous les jours, le pancréas produit de 1 200 à 1 500 mL de suc pancréatique, liquide clair, incolore composé surtout d'eau, de quelques sels, de bicarbonate de sodium et de plusieurs enzymes. Le bicarbonate de sodium confère au suc pancréatique un pH légèrement alcalin (de 7,1 à 8,2) qui sert de tampon pour l'acidité du suc gastrique dans le chyme et inactive la pepsine provenant de l'estomac. Il établit également le pH approprié à l'action des enzymes digestives dans l'intestin grêle. Les enzymes du suc pancréatique comprennent l'**amylase pancréatique,** qui digère les glucides, la **trypsine,** la **chymotrypsine,** la **carboxypeptidase** et l'**élastase,** qui s'attaquent aux protéines, la **lipase pancréatique,** principale enzyme de digestion des triglycérides chez l'adulte, et enfin la **ribonucléase** et la **désoxyribonucléase,** qui catalysent la dégradation des acides nucléiques.

À l'instar de la pepsine qui est produite dans l'estomac sous une forme inactive (pepsinogène), les enzymes protéolytiques du pancréas ne sont pas produites sous une forme active. Comme elles sont inactives, ces enzymes ne digèrent pas les cellules du pancréas lui-même. La trypsine est sécrétée sous une forme inactive appelée **trypsinogène.** Les cellules acineuses du pancréas sécrètent aussi une protéine appelée **inhibiteur de la trypsine,** qui se lie aux molécules de trypsine formées accidentellement dans le pancréas ou dans le suc pancréatique et bloque leur activité enzymatique. Quand le trypsinogène atteint la lumière de l'intestin grêle, il entre en contact avec une enzyme d'activation de la bordure en brosse appelée **entérokinase,** qui supprime une partie de la molécule pour former la trypsine. À son tour, la trypsine agit sur les précurseurs inactifs (appelés **chymotrypsinogène, procarboxypeptidase** et **proélastase**) pour donner la chymotrypsine, la carboxypeptidase et l'élastase, respectivement.

APPLICATION CLINIQUE
Pancréatite

L'inflammation du pancréas, qui est souvent associée à un abus d'alcool ou à une lithiase biliaire chronique, est appelée **pancréatite.** Dans le cas plus grave de **pancréatite aiguë,** qui est liée à une très grande consommation d'alcool ou à une obstruction des voies biliaires, les cellules du pancréas peuvent libérer de la trypsine plutôt que du trypsinogène ou produire une quantité insuffisante d'inhibiteur de la trypsine,

Figure 24.16 Situation du pancréas par rapport au foie, à la vésicule biliaire et au duodénum. L'agrandissement à droite montre la jonction du conduit cholédoque et du conduit pancréatique qui forment l'ampoule hépato-pancréatique (ou ampoule de Vater) et l'ouverture de cette dernière dans le duodénum.

🔑 **Les enzymes pancréatiques catalysent la digestion de l'amidon (polysaccharides), des protéines, des triglycérides et des acides nucléiques.**

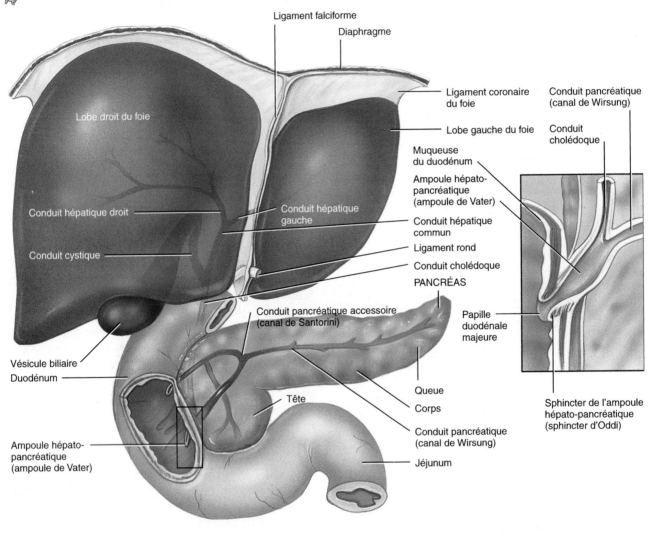

Vue antérieure

Q Quel type de liquide se trouve dans le conduit pancréatique? le conduit cholédoque? l'ampoule hépato-pancréatique?

si bien que le pancréas est exposé à l'autodigestion. Les patients atteints de pancréatite aiguë réagissent généralement bien au traitement, mais les rechutes sont fréquentes. ■

Régulation de la sécrétion pancréatique

La sécrétion pancréatique, comme la sécrétion gastrique, est régie par des mécanismes nerveux et hormonaux, de la façon suivante (figure 24.17).

1 Durant les phases céphalique et gastrique de la digestion dans l'estomac, des influx parasympathiques sont transmis par le nerf vague (X) au pancréas.

2 Ces influx nerveux parasympathiques stimulent la sécrétion des enzymes pancréatiques.

3 Le chyme acide contenant des protéines et des lipides partiellement digérés pénètre dans l'intestin grêle.

Figure 24.17 Stimulation nerveuse et hormonale de la sécrétion du suc pancréatique.

🔑 **La stimulation parasympathique (par le nerf vague) et le chyme acide dans l'intestin grêle provoquent la libération de sécrétine dans le sang. La stimulation par le nerf vague ainsi que la présence d'acides gras et d'acides aminés dans le chyme de l'intestin grêle entraînent la libération de cholécystokinine (CCK) dans le sang.**

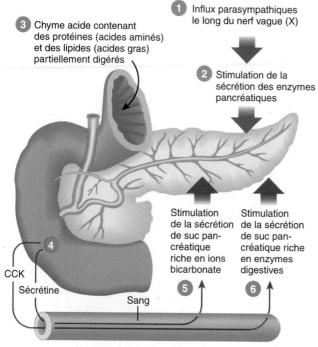

3 Chyme acide contenant des protéines (acides aminés) et des lipides (acides gras) partiellement digérés

1 Influx parasympathiques le long du nerf vague (X)

2 Stimulation de la sécrétion des enzymes pancréatiques

Stimulation de la sécrétion de suc pancréatique riche en ions bicarbonate

Stimulation de la sécrétion de suc pancréatique riche en enzymes digestives

4

CCK

Sécrétine

Sang

5 **6**

Q Pourquoi la sécrétion de suc pancréatique riche en ions bicarbonate est-elle utile à cette étape de la digestion ?

4 En réponse aux acides gras et aux acides aminés, certaines cellules entéro-endocrines de l'intestin grêle sécrètent de la cholécystokinine (CCK) dans le sang. En réponse au chyme acide, d'autres cellules entéro-endocrines de la muqueuse intestinale libèrent de la sécrétine dans le sang.

5 La sécrétine stimule l'écoulement du suc pancréatique riche en ions bicarbonate.

6 La CCK stimule la sécrétion d'un suc pancréatique riche en enzymes digestives.

1. Décrivez le réseau de conduits qui relie le pancréas au duodénum.
2. Qu'est-ce que les acinus pancréatiques ? Comparez leurs fonctions avec celles des îlots pancréatiques (ou îlots de Langerhans).
3. Décrivez la composition du suc pancréatique et la fonction digestive de chacun de ses éléments.
4. Comment s'effectue la régulation de la sécrétion du suc pancréatique ?

FOIE ET VÉSICULE BILIAIRE

OBJECTIF

- *Situer le foie et la vésicule biliaire et décrire leur anatomie, leur histologie et leurs fonctions.*

Le **foie** est la glande la plus lourde de l'organisme. Il pèse environ 1,4 kg chez l'adulte moyen et constitue par sa dimension le deuxième organe du corps après la peau. Il est situé sous le diaphragme et occupe la majeure partie de la région hypochondriaque droite et une partie de la région épigastrique de la cavité abdomino-pelvienne (voir la figure 1.12a, p. 20).

La **vésicule biliaire** est un sac en forme de poire située dans une dépression de la face postérieure du foie. Elle mesure de 7 à 10 cm de long et est habituellement suspendue au bord antéro-inférieur du foie (voir la figure 24.16).

Anatomie du foie et de la vésicule biliaire

Le foie est presque entièrement recouvert de péritoine viscéral et est complètement enveloppé par une couche de tissu conjonctif dense irrégulier située sous le péritoine. Il est divisé en deux lobes principaux – le **lobe droit,** qui est le plus grand, et le **lobe gauche** – par le **ligament falciforme** (voir la figure 24.16). Même si beaucoup d'anatomistes considèrent que le lobe droit comprend un **lobe carré** inférieur et un **lobe caudé** postérieur, en raison de sa morphologie interne (principalement la distribution des vaisseaux sanguins), il est plus approprié d'attribuer les lobes carré et caudé au lobe gauche. Le ligament falciforme, un repli du péritoine pariétal, s'étend du dessous du diaphragme jusqu'à la face supérieure du foie entre les deux lobes principaux. Il aide à suspendre le foie. Le long du bord libre du ligament falciforme se trouve le **ligament rond du foie.** Ce cordon fibreux est un vestige de la veine ombilicale du fœtus (voir la figure 21.31a et b, p. 771) ; il s'étend du foie au nombril. Les **ligaments coronaires** droit et gauche sont des replis étroits du péritoine pariétal qui suspendent le foie au diaphragme.

Les trois parties de la vésicule biliaire sont le *fundus,* la portion large de l'organe qui dépasse le bord inférieur du foie, le *corps,* soit la région centrale, et le *col,* où la vésicule se rétrécit. Le corps et le col sont orientés vers le haut.

Histologie du foie et de la vésicule biliaire

Les lobes du foie comprennent un grand nombre d'unités fonctionnelles appelées **lobules** (figure 24.18), qui sont constituées de cellules épithéliales spécialisées appelées **hépatocytes** (*hêpatos* = foie ; *kutos* = cellule). Ces derniers forment des plaques irrégulières, ramifiées, disposées autour d'une **veine centrale** et reliées entre elles. Au lieu de capillaires, le foie présente des renflements tapissés d'endothélium qui portent le nom de **sinusoïdes,** par lesquels le sang passe. Ces vaisseaux

Figure 24.18 Histologie d'un lobule, unité fonctionnelle du foie.

🔑 **Le lobule est constitué d'hépatocytes disposés autour d'une veine centrale.**

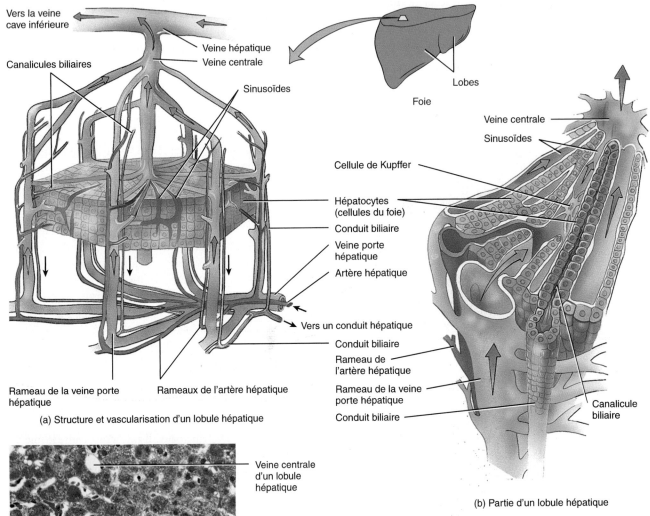

(a) Structure et vascularisation d'un lobule hépatique

(b) Partie d'un lobule hépatique

(c) Partie d'un lobule hépatique

Q Quel type de cellule est capable de phagocytose dans le foie?

---

contiennent des phagocytes fixes appelés **cellules de Kupffer,** ou **cellules réticulo-endothéliales étoilées,** qui détruisent les leucocytes et les globules rouges usés, les bactéries et autres substances étrangères dans le sang veineux en provenance du tube digestif.

La bile, qui est sécrétée par les hépatocytes, entre dans les **canalicules biliaires** (*canaliculus* = petit canal), qui sont des canaux intercellulaires étroits débouchant dans les petits *ductules biliaires* (voir la figure 24.18a). Les ductules déversent la bile dans les *conduits biliaires* à la périphérie des lobules. Les conduits biliaires fusionnent et vont en s'élargissant jusqu'à former les **conduits hépatiques droit** et **gauche,** qui se jettent dans le **conduit hépatique commun** (voir la figure 24.16). Ce dernier quitte le foie et se joint en aval au **conduit cystique** (*kustis* = vessie) de la vésicule biliaire pour former le **conduit cholédoque.** La bile remonte le conduit cystique et est emmagasinée temporairement dans la vésicule biliaire.

La muqueuse de la vésicule biliaire est constituée d'un épithélium simple prismatique qui forme des plis semblables à ceux de l'estomac. La vésicule biliaire n'a pas de sousmuqueuse. La couche musculaire moyenne de la paroi est

Figure 24.19 Circulation sanguine dans le foie : origine du sang, son cheminement dans l'organe et la voie empruntée pour son retour au cœur.

 Le foie reçoit du sang riche en oxygène par l'artère hépatique et du sang désoxygéné riche en nutriments par la veine porte hépatique.

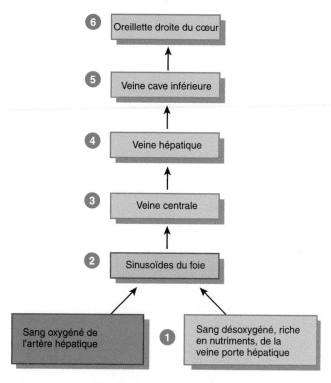

 Au cours des premières heures après un repas, quels changements observe-t-on dans la composition chimique du sang qui passe dans les sinusoïdes du foie ?

formée de fibres musculaires lisses qui, en se contractant, expulsent le contenu de la vésicule dans le **conduit cystique.** La couche externe de la vésicule biliaire est le péritoine viscéral. La fonction de la vésicule biliaire consiste à entreposer et à concentrer (jusqu'à dix fois) la bile jusqu'à ce qu'elle soit requise dans l'intestin grêle. Au cours du processus de concentration, l'eau et des ions sont absorbés par la muqueuse de la vésicule.

Vascularisation du foie

Le foie reçoit du sang de deux sources (figure 24.19). Il obtient de l'artère hépatique du sang oxygéné et de la veine porte hépatique du sang désoxygéné contenant des nutriments nouvellement absorbés, des médicaments et peut-être des microbes et des toxines en provenance du tube digestif (voir la figure 21.29, p. 768). Les rameaux de l'artère hépatique et de la veine porte hépatique acheminent le sang aux sinusoïdes du foie, où l'oxygène, la plupart des nutriments et certaines substances toxiques sont absorbés par les hépatocytes. Les substances produites par les hépatocytes et les

nutriments dont les autres cellules ont besoin sont sécrétés dans le sang. Ce dernier est recueilli par les veines centrales et finit par passer dans une veine hépatique. Le foie est souvent le siège de métastases dans les cas de cancers qui ont pris naissance dans le tube digestif parce que le sang qui provient de ce dernier lui est acheminé par le système porte hépatique. En règle générale, les ramifications de la veine porte hépatique, de l'artère hépatique et des conduits biliaires traversent le foie côte à côte. Ces trois structures forment un ensemble appelé **triade porte** (voir la figure 24.18).

Composition et rôle de la bile

Tous les jours, les hépatocytes sécrètent de 800 à 1 000 mL de **bile.** Il s'agit d'un liquide jaune, brunâtre ou vert olive dont le pH se situe entre 7,6 et 8,6 et qui est composé surtout d'eau et d'acides biliaires, ainsi que de sels biliaires, de cholestérol, d'un phospholipide appelé lécithine, de pigments biliaires et de plusieurs ions.

La bile est en partie un produit d'excrétion et en partie une sécrétion digestive. Les sels biliaires, qui sont des sels de sodium et des sels de potassium d'acides biliaires (surtout l'acide cholique et l'acide chénodésoxycholique), jouent un rôle dans l'**émulsification** des lipides et leur absorption après qu'ils ont été digérés. L'émulsification consiste à fragmenter les gros globules de lipides pour former une suspension de gouttelettes d'environ 1 μm de diamètre. Ces minuscules gouttelettes présentent une très grande surface qui permet à la lipase pancréatique de réaliser plus rapidement la digestion des triglycérides. Le cholestérol est soluble dans la bile grâce aux sels biliaires et à la lécithine.

Le principal pigment biliaire est la **bilirubine conjuguée.** La phagocytose des globules rouges usés libère du fer, de la globine et de la bilirubine (dérivée de l'hème). Le fer et la globine sont recyclés et une partie de la bilirubine est convertie en **bilirubine conjuguée** à des molécules d'acide glucuronique. La bilirubine conjuguée est sécrétée dans la bile et passe dans l'intestin, où elle est dégradée. Un des produits ainsi obtenus – la **stercobiline** – confère aux fèces leur couleur brune normale.

Régulation de la sécrétion biliaire

Après avoir accompli leur fonction d'agents émulsifiants, la plupart des sels biliaires sont réabsorbés par transport actif dans le dernier segment de l'intestin grêle (iléum) et passent dans la circulation porte pour retourner au foie. Bien qu'ils libèrent continuellement de la bile, les hépatocytes en augmentent la production et la sécrétion quand le sang de la veine porte contient plus d'acides biliaires ; ainsi, pendant que la digestion et l'absorption se poursuivent dans l'intestin grêle, la libération de bile augmente. Entre les repas, après que la plus grande partie de l'absorption est terminée, la bile s'écoule dans la vésicule biliaire où elle est emmagasinée, et ce, parce que le **sphincter de l'ampoule hépato-pancréatique**

Figure 24.20 Stimulus nerveux et hormonaux qui favorisent la production et la libération de la bile.

🔑 **Les sels biliaires jouent un rôle dans l'émulsification et l'absorption des lipides.**

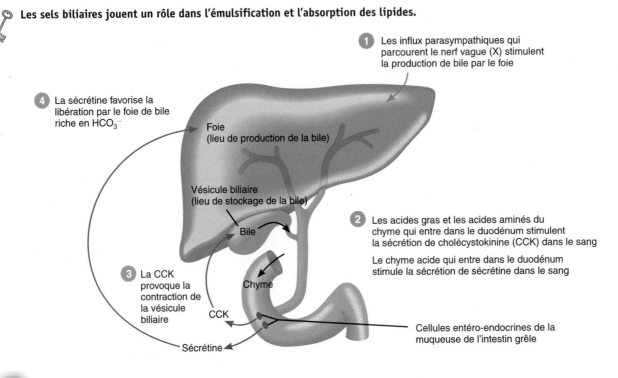

1 Les influx parasympathiques qui parcourent le nerf vague (X) stimulent la production de bile par le foie

4 La sécrétine favorise la libération par le foie de bile riche en HCO_3^-

Foie (lieu de production de la bile)

Vésicule biliaire (lieu de stockage de la bile)

Bile

2 Les acides gras et les acides aminés du chyme qui entre dans le duodénum stimulent la sécrétion de cholécystokinine (CCK) dans le sang

Le chyme acide qui entre dans le duodénum stimule la sécrétion de sécrétine dans le sang

3 La CCK provoque la contraction de la vésicule biliaire

Chyme

CCK

Cellules entéro-endocrines de la muqueuse de l'intestin grêle

Sécrétine

Ⓠ Comment les effets de la sécrétine sur le foie et le pancréas se ressemblent-ils ?

(ou *sphincter d'Oddi* ; voir la figure 24.16) interdit l'accès du duodénum. Après les repas, plusieurs stimulus nerveux et hormonaux favorisent la production et la libération de la bile (figure 24.20) :

1 Les influx parasympathiques qui parcourent les fibres nerveuses du nerf vague (X) peuvent faire augmenter la production de bile par le foie jusqu'à plus de deux fois sa valeur à l'état basal.

2 Les acides gras et les acides aminés du chyme qui entre dans le duodénum stimulent certaines cellules entéro-endocrines du duodénum, qui réagissent en sécrétant la cholécystokinine (CCK) dans le sang. Le chyme acide qui pénètre dans le duodénum stimule la libération de la sécrétine dans le sang par d'autres cellules entéro-endocrines.

3 La CCK provoque la contraction de la paroi de la vésicule biliaire et force l'évacuation de la bile qui s'y trouve en réserve dans le conduit cystique et le conduit cholédoque. La CCK cause aussi le relâchement du sphincter de l'ampoule hépato-pancréatique et permet ainsi à la bile de se déverser dans le duodénum.

4 La sécrétine, qui stimule la sécrétion de suc pancréatique riche en ions HCO_3^-, fait aussi augmenter la sécrétion de ces ions par les hépatocytes dans la bile.

Fonctions du foie

Non seulement le foie sécrète-t-il la bile, qui est nécessaire à l'absorption des lipides alimentaires, mais il accomplit aussi beaucoup d'autres fonctions vitales :

- *Métabolisme des glucides.* Le foie joue un rôle particulièrement important dans le maintien de la glycémie normale. Quand le taux de glucose est bas, il peut transformer le glycogène en glucose et libérer ce dernier dans la circulation. Il peut aussi convertir en glucose certains acides aminés, l'acide lactique et d'autres sucres tels que le fructose et le galactose. Quand le taux de glucose est élevé, juste après un repas par exemple, le foie convertit le glucose en glycogène et en triglycérides pour les mettre en réserve.

- *Métabolisme des lipides.* Les hépatocytes emmagasinent une partie des triglycérides, métabolisent les acides gras pour produire de l'ATP et synthétisent les lipoprotéines, qui font le transport aller-retour des acides gras, des triglycérides et du cholestérol entre le foie et les cellules de l'organisme. Ils synthétisent aussi le cholestérol et l'utilisent pour produire les sels biliaires.

- *Métabolisme des protéines.* Les hépatocytes font la désamination des acides aminés (ils en retirent le groupement amine, NH_2). Cette réaction permet d'utiliser les acides aminés pour la production d'ATP ou de les convertir en glucides ou en lipides. L'ammoniac (NH_3) qui en résulte est toxique et doit être converti en urée, qui l'est beaucoup moins. Cette dernière est excrétée dans l'urine. Les hépatocytes synthétisent aussi la plupart des protéines plasmatiques telles que les globulines alpha et bêta, l'albumine, la prothrombine et le fibrinogène.

- *Traitement des médicaments, des drogues et des hormones.* Le foie peut détoxiquer des substances telles que l'alcool ou excréter dans la bile les médicaments tels que la pénicilline, l'érythromycine et les sulfamides. Il peut aussi modifier chimiquement ou excréter les hormones thyroïdiennes et les hormones stéroïdes telles que les œstrogènes et l'aldostérone.

- *Excrétion de la bilirubine.* Nous avons vu que la bilirubine, qui est dérivée de l'hème des globules rouges usés, est extraite du sang par le foie et sécrétée dans la bile. La majeure partie de la bilirubine est métabolisée dans l'intestin grêle par des bactéries et éliminée dans les fèces.

- *Synthèse des sels biliaires.* Les sels biliaires sont utilisés dans l'intestin grêle pour l'émulsification et l'absorption des lipides, du cholestérol, des phospholipides et des lipoprotéines.

- *Stockage.* En plus d'emmagasiner le glycogène, le foie est un des principaux lieux de stockage de certaines vitamines (A, B_{12}, D, E et K) et de certains minéraux (fer et cuivre). Le foie libère ces substances quand elles sont requises ailleurs dans l'organisme.

- *Phagocytose.* Les cellules de Kupffer, ou cellules réticulo-endothéliales étoilées, phagocytent les globules rouges et les globules blancs usés ainsi que certaines bactéries.

- *Activation de la vitamine D.* La peau, le foie et les reins participent à la synthèse de la vitamine D sous sa forme active (voir p. 160).

Les fonctions du foie qui se rapportent au métabolisme sont traitées plus en détail au chapitre 25.

APPLICATION CLINIQUE
Lithiase biliaire

Si la bile ne contient pas assez de sels biliaires ou de lécithine, ou a un excès de cholestérol, ce dernier peut cristalliser et former des **calculs biliaires.** Selon leur taille et leur nombre, ces concrétions peuvent occasionner une obstruction minime, intermittente ou complète des conduits et perturber l'écoulement de la bile de la vésicule biliaire au duodénum. Le traitement consiste à administrer des médicaments pour dissoudre les calculs biliaires, à utiliser la lithotritie (thérapie par ondes de choc) ou à recourir à la chirurgie. Pour les personnes dont la lithiase est récurrente ou pour lesquelles les médicaments ou la lithotritie sont contre-indiqués, la *cholécystectomie* – ablation de la vésicule biliaire et de son contenu – devient nécessaire. Plus d'un demi-million de cholécystectomies sont pratiquées chaque année aux États-Unis. ■

1. Dessinez un lobule hépatique et identifiez ses éléments.
2. Décrivez la vascularisation du foie et précisez par quels vaisseaux le sang arrive au foie, le traverse et en repart.
3. Comment le foie et la vésicule biliaire sont-ils reliés au duodénum?
4. Comment la bile qui est formée dans le foie est-elle collectée et transportée à la vésicule biliaire, où elle est emmagasinée?
5. Quelle est la fonction de la bile?
6. Comment s'effectue la régulation de la sécrétion biliaire?

RÉSUMÉ: HORMONES DIGESTIVES
OBJECTIF

- *Décrire le lieu de la sécrétion ainsi que l'action de la gastrine, de la sécrétine et de la cholécystokinine.*

Le tableau 24.4 résume les effets des trois principales hormones digestives – la gastrine, la sécrétine et la cholécystokinine – ainsi que les stimulus qui favorisent leur libération. Ces trois hormones sont sécrétées dans le sang par des cellules entéro-endocrines situées dans la muqueuse du tube digestif. L'action de la gastrine s'exerce principalement sur l'estomac, alors que celle de la sécrétine et de la cholécystokinine touchent avant tout le pancréas, le foie et la vésicule biliaire.

La distension de l'estomac provoquée par la nourriture ainsi que l'effet tampon des protéines sur l'acide gastrique déclenchent la libération de la gastrine. La gastrine favorise la sécrétion du suc gastrique et fait augmenter la motilité de l'estomac. Ainsi, la nourriture ingérée est bien mélangée pour former une bouillie épaisse, le chyme. La contraction tonique du sphincter œsophagien inférieur, qui s'intensifie sous l'action de la gastrine, empêche le reflux du chyme acide dans l'œsophage.

Le principal stimulus à l'origine de la sécrétion de la sécrétine est le chyme acide (dont la concentration en H^+ est élevée) qui entre dans l'intestin grêle. La sécrétine à son tour favorise la sécrétion d'ions bicarbonate (HCO_3^-) dans le suc pancréatique et la bile (voir les figures 24.17 et 24.20). Le HCO_3^- exerce un effet tampon sur l'excès d'ions H^+. Outre cet effet majeur, la sécrétine inhibe la sécrétion du suc gastrique, favorise la croissance normale et le maintien du pancréas, et augmente les effets de la CCK. En résumé, la sécrétine produit un effet tampon sur l'acide contenu dans le chyme qui pénètre dans le duodénum, et freine la production d'acide par l'estomac.

Les acides aminés provenant des protéines partiellement digérées ainsi que les acides gras des triglycérides aussi partiellement digérés stimulent la sécrétion de cholécystokinine par les cellules entéro-endocrines de la muqueuse de l'intestin grêle. La CCK stimule la sécrétion de suc pancréatique riche en enzymes digestives (voir la figure 24.17) et l'éjection de bile dans le duodénum (voir la figure 24.20). Elle ralentit l'évacuation gastrique en stimulant la contraction du sphincter

Tableau 24.4 Les principales hormones qui régissent la digestion

HORMONE	ORIGINE ET STIMULATION DE LA SÉCRÉTION	ACTIONS
Gastrine	La distension de l'estomac, la présence de protéines partiellement digérées et de caféine dans l'estomac, ainsi que le pH élevé du chyme gastrique stimulent la sécrétion de gastrine par les cellules G, qui sont situées surtout dans la muqueuse de l'antre pylorique de l'estomac.	*Effets majeurs :* Favorise la sécrétion du suc gastrique, fait augmenter la motilité gastrique et stimule la croissance de la muqueuse de l'estomac. *Effets mineurs :* Provoque la constriction du sphincter œsophagien inférieur et le relâchement du sphincter pylorique et de la valve iléo-cæcale.
Sécrétine	Le chyme acide (teneur en H^+ élevée) qui entre dans l'intestin grêle stimule la sécrétion de sécrétine par les cellules S qui sont situées dans la muqueuse de l'intestin grêle.	*Effets majeurs :* Stimule la sécrétion de suc pancréatique et de bile dont la teneur en HCO_3^- (ions bicarbonate) est élevée. *Effets mineurs :* Inhibe la sécrétion du suc gastrique, favorise la croissance normale et le maintien du pancréas, et renforce les effets de la CCK.
Cholécystokinine (CCK)	Les protéines partiellement digérées (acides aminés), les triglycérides et les acides gras qui entrent dans l'intestin grêle stimulent la sécrétion de la CCK par des cellules entéro-endocrines spécialisées qui sont situées dans la muqueuse de l'intestin grêle ; la CCK est aussi libérée dans l'encéphale.	*Effets majeurs :* Stimule la sécrétion de suc pancréatique riche en enzymes digestives, cause l'éjection de la bile de la vésicule biliaire et l'ouverture du sphincter de l'ampoule hépato-pancréatique (ou sphincter d'Oddi), et produit la satiété (sensation d'être rassasié). *Effets mineurs :* Inhibe l'évacuation gastrique, favorise la croissance normale et le maintien du pancréas, et renforce les effets de la sécrétine.

pylorique et produit la satiété (sensation d'être rassasié) en agissant sur l'hypothalamus dans l'encéphale. Comme la sécrétine, la CCK favorise la croissance normale et le maintien du pancréas ; elle augmente aussi les effets de la sécrétine.

En plus de ces trois hormones, au moins dix autres hormones gastro-intestinales sont sécrétées par le tube digestif et exercent une action sur lui. Elles comprennent la *motiline,* la *substance P* et la *bombésine,* qui stimulent la motilité des intestins ; le *polypeptide intestinal vasoactif* (*VIP,* « vasoactive intestinal peptide »), qui stimule la libération d'ions et d'eau par les intestins et inhibe la sécrétion d'acide gastrique ; le *peptide de libération de la gastrine,* qui, comme son nom l'indique, augmente la libération de gastrine dans le sang ; et la *somatostatine,* qui inhibe la libération de la gastrine. On croit que certaines de ces hormones exercent une action locale (paracrine), alors que d'autres sont sécrétées dans le sang ou encore dans la lumière du tube digestif. Le rôle physiologique des hormones gastro-intestinales fait encore l'objet de recherches.

1. Quels sont les stimulus qui déclenchent la sécrétion de la gastrine, de la sécrétine et de la cholécystokinine ?

INTESTIN GRÊLE

OBJECTIF

- *Situer l'intestin grêle et décrire son anatomie, son histologie et sa fonction.*

Ayant examiné les sources des principales enzymes et hormones digestives, nous pouvons nous pencher sur la partie suivante du système digestif et continuer notre étude de la digestion et de l'absorption. Les principales étapes de la digestion et de l'absorption se déroulent dans un long tube appelé **intestin grêle.** La structure de cet organe est particulièrement bien adaptée à ces fonctions. Sa seule longueur procure une grande surface pour la digestion et l'absorption et elle est augmentée par des plis circulaires, des villosités et des microvillosités. L'intestin grêle commence au sphincter pylorique de l'estomac, serpente dans la partie centrale et inférieure de la cavité abdominale et débouche dans le gros intestin. Son diamètre est en moyenne de 2,5 cm ; sa longueur est d'environ 3 m chez une personne vivante et d'environ 6,5 m dans un cadavre en raison de la perte de tonus des muscles lisses après la mort.

Anatomie de l'intestin grêle

L'intestin grêle comprend trois segments (figure 24.21). Le **duodénum,** qui est le plus court des trois, est rétropéritonéal. Il s'étend du sphincter pylorique de l'estomac jusqu'au jéjunum et mesure environ 25 cm de long. Le mot latin *duodenum* signifie « douze » et il se rapporte à la longueur de ce segment, qui équivaut à peu près à la largeur de 12 doigts. Le **jéjunum** mesure environ 1 m de long et aboutit à l'iléum. Le mot latin *jejunum* signifie « à jeun », et cette partie du tube digestif est effectivement vide après la mort. Le dernier seg-

Figure 24.21 Segments de l'intestin grêle.

 La majeure partie de la digestion et de l'absorption s'effectue dans l'intestin grêle.

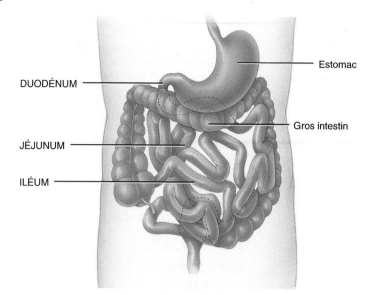

DUODÉNUM

JÉJUNUM

ILÉUM

Estomac

Gros intestin

FONCTIONS DE L'INTESTIN GRÊLE
1. Grâce à la segmentation, mélange le chyme avec les sucs digestifs et favorise le contact de la nourriture avec la muqueuse pour permettre son absorption ; le péristaltisme propulse le chyme dans l'intestin grêle.
2. Achève la digestion des glucides, des protéines et des lipides ; accomplit toute la digestion des acides nucléiques.
3. Absorbe environ 90 % des nutriments.

Vue antérieure

 Quel est le plus grand segment de l'intestin grêle ?

ment de l'intestin grêle, l'**iléum** (*eilein* = enrouler), est le plus long. Il mesure environ 2 m et s'abouche au gros intestin à la hauteur de la **valve iléo-cæcale.**

La muqueuse présente des crêtes permanentes appelées **plis circulaires** qui mesurent 10 mm de haut (voir la figure 24.22c). Les plis circulaires commencent près de la partie proximale du duodénum et se terminent vers le milieu de l'iléum ; certains parcourent toute la circonférence de l'intestin, d'autres en font partiellement le tour. Ils favorisent l'absorption en augmentant la surface de la paroi et en forçant le chyme à se déplacer en spirale plutôt qu'en ligne droite.

Histologie de l'intestin grêle

On trouve dans la paroi de l'intestin grêle les quatre couches de tissu communes à la majeure partie du tube digestif, mais certaines particularités de la muqueuse et de la sous-muqueuse facilitent les processus de la digestion et de l'absorption. La muqueuse forme des **villosités** (*villus* = poil), qui sont des saillies digitiformes mesurant de 0,5 à 1 mm de long (figure 24.22a). Le grand nombre de villosités (entre 20 et 40 par millimètre carré) augmente énormément la surface de l'épithélium disponible pour l'absorption et la digestion, et confère à la muqueuse intestinale une apparence duveteuse. Chaque villosité est formée, au centre, d'un prolongement du chorion (tissu conjonctif lâche) dans

lequel sont enchâssés une artériole, une veinule, un réseau de capillaires sanguins et un **vaisseau chylifère,** qui est un capillaire lymphatique. Les nutriments absorbés par les cellules épithéliales qui recouvrent les villosités traversent la paroi d'un capillaire ou d'un vaisseau chylifère et entrent dans le sang ou la lymphe, respectivement.

L'épithélium de la muqueuse est de type simple prismatique et contient des cellules absorbantes, des cellules caliciformes, des cellules entéro-endocrines et des cellules à granules acidophiles, ou cellules de Paneth (figure 24.22b). La membrane apicale (libre) des cellules absorbantes présente des **microvillosités** (*mikros* = petit) ; chacune de celles-ci est un prolongement cylindrique de la membrane qui mesure 1 µm de long et contient un faisceau de 20 à 30 filaments d'actine. Sur une photomicrographie prise au microscope optique, on ne distingue pas individuellement les microvillosités ; on voit plutôt une bordure floue, appelée **bordure en brosse,** qui s'avance dans la lumière de l'intestin grêle (voir la figure 24.23b). On estime qu'il y a 200 millions de microvillosités par millimètre carré d'intestin grêle. Ces structures augmentent énormément la surface de la membrane plasmique, si bien que de plus grandes quantités de nutriments digérés peuvent diffuser dans les cellules absorbantes par unité de temps. La bordure en brosse contient aussi plusieurs enzymes ayant des fonctions digestives (voir plus loin).

Figure 24.22 Anatomie de l'intestin grêle.

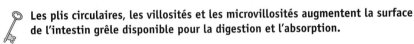

Les plis circulaires, les villosités et les microvillosités augmentent la surface de l'intestin grêle disponible pour la digestion et l'absorption.

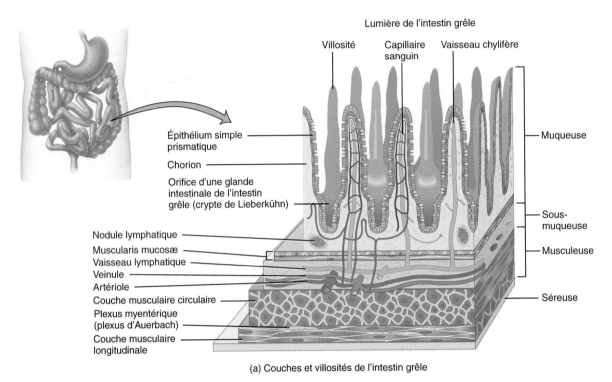

Lumière de l'intestin grêle

Villosité — Capillaire sanguin — Vaisseau chylifère

Épithélium simple prismatique

Chorion

Orifice d'une glande intestinale de l'intestin grêle (crypte de Lieberkühn)

Nodule lymphatique
Muscularis mucosæ
Vaisseau lymphatique
Veinule
Artériole
Couche musculaire circulaire
Plexus myentérique (plexus d'Auerbach)
Couche musculaire longitudinale

Muqueuse

Sous-muqueuse

Musculeuse

Séreuse

(a) Couches et villosités de l'intestin grêle

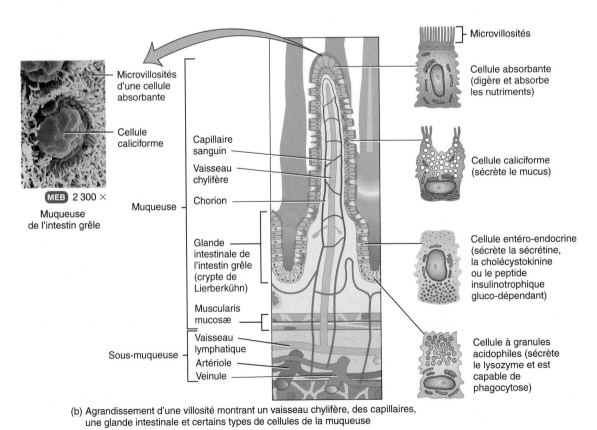

Microvillosités d'une cellule absorbante

Cellule caliciforme

MEB 2 300 ×

Muqueuse de l'intestin grêle

Microvillosités

Cellule absorbante (digère et absorbe les nutriments)

Capillaire sanguin
Vaisseau chylifère
Chorion

Muqueuse

Cellule caliciforme (sécrète le mucus)

Glande intestinale de l'intestin grêle (crypte de Lierberkühn)

Muscularis mucosæ

Vaisseau lymphatique
Artériole
Veinule

Sous-muqueuse

Cellule entéro-endocrine (sécrète la sécrétine, la cholécystokinine ou le peptide insulinotrophique gluco-dépendant)

Cellule à granules acidophiles (sécrète le lysozyme et est capable de phagocytose)

(b) Agrandissement d'une villosité montrant un vaisseau chylifère, des capillaires, une glande intestinale et certains types de cellules de la muqueuse

Figure 24.22 (suite)

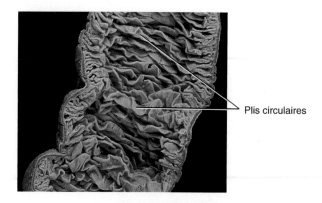

Plis circulaires

(c) Coupe du jéjunum mettant en évidence les plis circulaires

 Quelle est l'importance fonctionnelle du réseau de capillaires sanguins et du vaisseau chylifère au centre de chaque villosité?

La muqueuse contient un grand nombre de crevasses profondes tapissées d'épithélium glandulaire. Les cellules de ce dernier forment les **glandes intestinales de l'intestin grêle,** ou **cryptes de Lieberkühn,** et sécrètent le suc intestinal. Beaucoup de cellules épithéliales de la muqueuse sont des cellules caliciformes, qui sécrètent du mucus. Les **cellules à granules acidophiles,** ou cellules de Paneth, qui se trouvent tout au fond des glandes intestinales, sécrètent le lysozyme, une enzyme bactéricide, et sont capables de phagocytose. Elles jouent peut-être un rôle dans la régulation de la population microbienne intestinale. Trois types de cellules entéroendocrines spécialisées, aussi situées au fond des glandes intestinales, sécrètent des hormones: la sécrétine (par les cellules S), la cholécystokinine (par les cellules CCK) et le peptide insulinotrophique gluco-dépendant (par les cellules K). Le chorion de l'intestin grêle contient en abondance du tissu lymphoïde associé aux muqueuses (MALT). Les **nodules lymphatiques solitaires** sont le plus nombreux dans la partie distale de l'iléum; il y a aussi dans l'iléum un grand nombre d'amas de ces nodules appelés **nodules lymphatiques agrégés,** ou **plaques de Peyer.** La muscularis mucosæ est composée de muscle lisse. La sous-muqueuse du duodénum possède des **glandes duodénales,** ou **glandes de Brunner** (figure 24.23a). Ces glandes sécrètent un mucus alcalin qui contribue à neutraliser l'acide gastrique dans le chyme.

La **musculeuse** de l'intestin grêle est constituée de deux couches de muscle lisse. La couche externe, qui est plus mince, contient des fibres longitudinales; la couche interne, plus épaisse, contient des fibres circulaires. La séreuse (c'est-à-dire le péritoine viscéral) enveloppe complètement l'intestin grêle, sauf une grande part du duodénum.

Rôles du suc intestinal et des enzymes de la bordure en brosse

Le **suc intestinal** est un liquide jaune clair sécrété à raison de 1 à 2 L par jour. Il contient de l'eau et du mucus, et est légèrement alcalin (pH 7,6). Les sucs pancréatique et intestinal procurent ensemble un milieu liquide favorisant l'absorption des substances du chyme qui entrent en contact avec les microvillosités. Les cellules épithéliales absorbantes synthétisent plusieurs enzymes digestives, appelées **enzymes de la bordure en brosse,** qu'elles insèrent dans la membrane plasmique des microvillosités. Ainsi, une partie de la digestion enzymatique s'effectue à la surface des cellules épithéliales qui tapissent les villosités, plutôt que dans la lumière seulement, comme c'est le cas ailleurs dans le tube digestif. Parmi les enzymes de la bordure en brosse, on trouve quatre enzymes qui catalysent la digestion des glucides – l'**alpha-dextrinase,** la **maltase,** la **sucrase** et la **lactase** –, des enzymes pour la digestion des protéines – les **peptidases** (**aminopeptidase** et **dipeptidase**) – et deux types d'enzymes qui digèrent les nucléotides – les **nucléosidases** et les **phosphatases.** Par ailleurs, quand les cellules en cours de desquamation passent dans la lumière de l'intestin grêle, elles se désagrègent et libèrent des enzymes qui contribuent à la digestion des nutriments dans le chyme.

Digestion mécanique dans l'intestin grêle

Les deux types de mouvements de l'intestin grêle – la segmentation et un type de péristaltisme appelé complexe de motilité migrante – sont régis principalement par le plexus myentérique. La **segmentation** est une contraction de brassage localisée qui a lieu dans les endroits de l'intestin qui sont distendus par un gros volume de chyme. La segmentation mélange le chyme avec les sucs digestifs et met les particules d'aliments de plus en plus simplifiées en contact avec la muqueuse pour qu'elles soient absorbées; elle ne fait pas avancer le contenu de l'intestin. Ce type de mouvement commence par la contraction de certaines fibres musculaires circulaires dans une partie de l'intestin grêle; la constriction qui en résulte divise l'intestin en segments. Ensuite, les fibres musculaires qui encerclent le milieu de chacun des segments se contractent à leur tour et divisent ceux-ci à nouveau. Enfin, les premières fibres qui s'étaient contractées se relâchent et chacun des petits segments se joint à un segment adjacent de manière à former de nouveau un grand segment. La répétition de cette séquence imprime au chyme un mouvement de va-et-vient. La segmentation se produit avec le plus de rapidité dans le duodénum, où elle a lieu environ 12 fois par minute. Elle ralentit progressivement jusqu'à environ 8 fois par minute dans l'iléum. Ce type de mouvement ressemble à ce qui se passe quand on comprime tour à tour le milieu puis les extrémités d'un tube de dentifrice fermé.

Après qu'un repas a été absorbé presque complètement et que la distension de la paroi de l'intestin grêle a diminué, la segmentation cesse et le péristaltisme commence. Le type

Figure 24.23 Histologie du duodénum.

Les microvillosités augmentent énormément la surface de l'intestin grêle disponible pour la digestion et l'absorption.

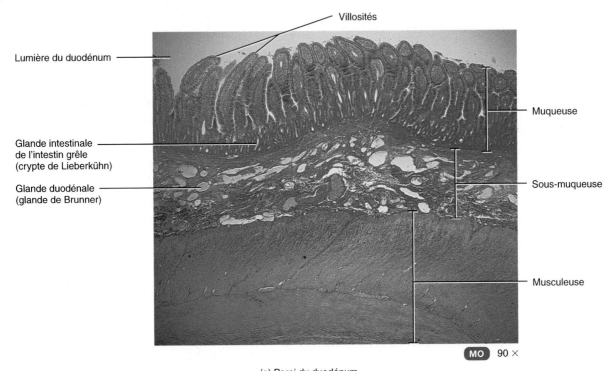

Villosités

Lumière du duodénum

Muqueuse

Glande intestinale
de l'intestin grêle
(crypte de Lieberkühn)

Glande duodénale
(glande de Brunner)

Sous-muqueuse

Musculeuse

MO 90 ×

(a) Paroi du duodénum

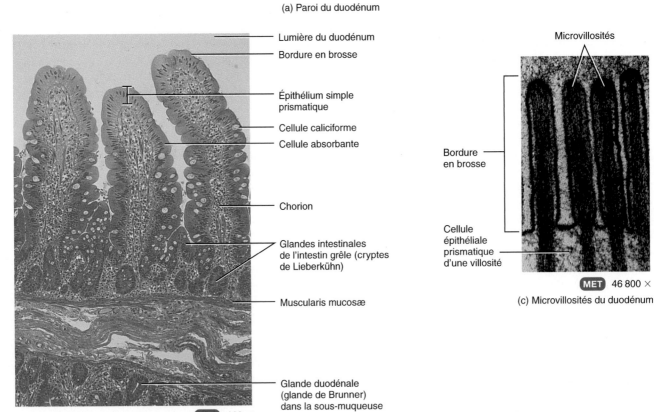

Lumière du duodénum

Bordure en brosse

Épithélium simple
prismatique

Cellule caliciforme

Cellule absorbante

Chorion

Glandes intestinales
de l'intestin grêle (cryptes
de Lieberkühn)

Muscularis mucosæ

Glande duodénale
(glande de Brunner)
dans la sous-muqueuse

MO 160 ×

(b) Trois villosités du duodénum

Microvillosités

Bordure
en brosse

Cellule
épithéliale
prismatique
d'une villosité

MET 46 800 ×

(c) Microvillosités du duodénum

Q Quelle est la fonction du liquide sécrété par les glandes duodénales (ou glandes de Brunner) ?

de péristaltisme observé dans l'intestin grêle est appelé **complexe de motilité migrante (CMM)**. Il prend naissance dans la partie inférieure de l'estomac et pousse le chyme en avant sur une petite distance dans l'intestin grêle, puis se dissipe. Le CMM migre lentement le long de l'intestin grêle et atteint l'extrémité de l'iléum entre 90 et 120 min plus tard. Puis, un autre CMM s'amorce dans l'estomac. Au total, le chyme reste de 3 à 5 h dans l'intestin grêle.

Digestion chimique dans l'intestin grêle

Dans la bouche, l'amylase salivaire convertit l'amidon (un polysaccharide) en maltose (un disaccharide), en maltotriose (un trisaccharide) et en alpha-dextrines (fragments d'amidon ramifiés, à chaînes courtes, composés de cinq à dix unités de glucose). Dans l'estomac, la pepsine convertit les protéines en peptides (courts fragments de protéines), et la lipase gastrique transforme quelques triglycérides en acides gras, en diglycérides et en monoglycérides. Ainsi, le chyme qui entre dans l'intestin grêle contient des glucides, des protéines et des lipides, tous partiellement digérés. La digestion complète des glucides, des protéines et des lipides requiert l'action combinée du suc pancréatique, de la bile et du suc intestinal dans l'intestin grêle.

Digestion des glucides

Bien que son action puisse se continuer un certain temps dans l'estomac, l'**amylase salivaire** est inactivée puis détruite par le pH acide de cet organe. En conséquence, seule une petite partie de l'amidon est réduite en maltose quand le chyme quitte l'estomac. L'amidon qui n'est pas dégradé en maltose, en maltotriose et en alpha-dextrines est scindé par l'**amylase pancréatique,** une enzyme du suc pancréatique qui exerce son action dans l'intestin grêle. L'amylase agit sur le glycogène et l'amidon, mais elle est sans effet sur un autre polysaccharide, la cellulose, une fibre végétale indigestible. Après que l'amylase (salivaire ou pancréatique) a réduit l'amidon en petits fragments, une enzyme de la bordure en brosse appelée **alpha-dextrinase** s'attaque aux alpha-dextrines obtenues, dont elle enlève le glucose, une unité à la fois.

Les molécules ingérées de sucrose, de lactose et de maltose – trois disaccharides – ne sont pas modifiées avant d'atteindre l'intestin grêle. Trois enzymes de la bordure en brosse scindent ces disaccharides en monosaccharides : la **sucrase** réduit le sucrose en une molécule de glucose et une molécule de fructose, la **lactase** décompose le lactose en une molécule de glucose et une molécule de galactose et la **maltase** divise le maltose et le maltotriose en deux ou trois molécules de glucose, respectivement. La production de monosaccharides met fin à la digestion des glucides, puisqu'il y a des mécanismes qui permettent l'absorption de ces unités.

Chez certains individus, les cellules de la muqueuse de l'intestin grêle ne produisent pas assez de lactase, qui est une enzyme essentielle à la digestion du lactose. Il en résulte une affection appelée **intolérance au lactose**. La présence de lactose non digéré dans le chyme amène la rétention de liquide dans les fèces et la fermentation bactérienne du lactose produit des gaz. Les symptômes de l'intolérance au lactose sont la diarrhée, les gaz, le ballonnement et les crampes abdominales consécutives à la consommation de lait ou de produits laitiers. Ces symptômes peuvent être relativement mineurs ou, au contraire, être assez graves pour nécessiter des soins médicaux. Les personnes atteintes de ce trouble peuvent prendre des suppléments alimentaires destinés à faciliter la digestion du lactose. ■

Digestion des protéines

La digestion des protéines commence dans l'estomac, où la **pepsine** les morcèle en peptides. Les enzymes du suc pancréatique – **trypsine, chymotrypsine, carboxypeptidase et élastase** – continuent de réduire les protéines en peptides. Bien que toutes ces enzymes convertissent des protéines entières en peptides, leur action diffère quelque peu parce que les liaisons peptidiques auxquelles elles s'attaquent sont situées entre différents acides aminés. La trypsine, la chymotrypsine et l'élastase scindent la liaison peptidique entre un acide aminé spécifique et son voisin ; la carboxypeptidase coupe la liaison peptidique qui joint l'acide aminé terminal à l'extrémité carboxylique du reste du peptide. La digestion des protéines est menée à terme par deux **peptidases** de la bordure en brosse : l'aminopeptidase et la dipeptidase. L'**aminopeptidase** digère les peptides en coupant la liaison peptidique qui joint l'acide aminé terminal à l'extrémité aminée du peptide. La **dipeptidase** décompose les dipeptides (deux acides aminés réunis par une liaison peptidique) en acides aminés simples.

Digestion des lipides

Les lipides les plus abondants dans les aliments que nous consommons sont les triglycérides, qui sont constitués d'une molécule de glycérol liée à trois molécules d'acides gras (voir la figure 2.17, p. 49). Les enzymes qui hydrolysent les triglycérides et les phospholipides sont appelées **lipases.** Chez l'adulte, la plus grande partie de la digestion des lipides a lieu dans l'intestin grêle, bien qu'il s'en produise aussi un peu dans l'estomac grâce à l'action de la **lipase gastrique.** Quand le chyme pénètre dans l'intestin grêle, les sels biliaires émulsifient les globules de triglycérides en fines gouttelettes d'environ 1 µm de diamètre, ce qui augmente la surface exposée à la **lipase pancréatique,** une autre enzyme du suc pancréatique. Cette enzyme hydrolyse les triglycérides en acides gras et en monoglycérides, qui sont les principaux produits de la digestion de ces lipides. Les lipases gastrique et pancréatique détachent deux des trois acides gras liés au glycérol ; le troisième reste en place pour former un mono-glycéride.

Digestion des acides nucléiques

Le suc pancréatique contient deux nucléases : la **ribo-nucléase,** qui digère l'ARN, et la **désoxyribonucléase,** qui digère l'ADN. Les nucléotides produits par l'action des deux nucléases sont digérés à leur tour par des enzymes de la bordure en brosse appelées **nucléosidases** et **phosphatases.** Il en résulte des pentoses, des phosphates et des bases azotées, qui sont absorbés par transport actif.

Le tableau 24.5 présente en résumé les sources, les substrats et les produits des enzymes digestives.

Régulation de la motilité et de la sécrétion intestinales

Les mécanismes les plus importants de régulation de la motilité et de la sécrétion de l'intestin grêle sont des réflexes entériques déclenchés par la présence du chyme ; le polypeptide intestinal vasoactif (VIP) stimule aussi la production de suc intestinal. La segmentation dépend surtout de la distension de l'intestin, qui donne naissance à des influx nerveux destinés aux plexus entériques et au système nerveux central. Les réflexes entériques et les influx parasympathiques en provenance du SNC augmentent la motilité ; les influx sympathiques la font diminuer. Les complexes de motilité migrante deviennent plus forts quand la plus grande partie des nutriments et de l'eau a été absorbée – c'est-à-dire quand les parois de l'intestin grêle sont moins distendues. En devenant plus vigoureux, le péristaltisme pousse le chyme vers le gros intestin à une vitesse qui peut atteindre 10 cm/s. Les premiers restes d'un repas atteignent l'entrée du gros intestin au bout de 4 h environ.

Absorption dans l'intestin grêle

Tous les processus mécaniques et chimiques de la digestion qui se déroulent dans le tube digestif, de la bouche à l'intestin grêle, visent à donner aux aliments une forme qui leur permette de traverser les cellules épithéliales de la muqueuse et de passer dans les vaisseaux sanguins et lymphatiques sous-jacents. C'est ainsi que les glucides sont transformés en monosaccharides (glucose, fructose et galactose), les protéines en acides aminés, en dipeptides et en tripeptides et enfin les triglycérides en acides gras, en glycérol et en monoglycérides. Le passage de ces nutriments digérés du tube digestif au sang ou à la lymphe est appelé **absorption.**

L'absorption s'effectue par diffusion simple, diffusion facilitée, osmose et transport actif. Environ 90 % de l'absorption des nutriments a lieu dans l'intestin grêle ; le reste a lieu dans l'estomac et le gros intestin. Les substances qui ne sont pas digérées ou absorbées dans l'intestin grêle passent dans le gros intestin.

Absorption des monosaccharides

Tous les glucides sont absorbés sous forme de monosaccharides. La capacité d'absorption des monosaccharides par l'intestin grêle est énorme – on l'estime à 120 g par heure. En conséquence, tous les glucides alimentaires qui sont digérés normalement sont absorbés. Il ne reste dans les fèces que la cellulose et les fibres indigestibles. Les monosaccharides quittent la lumière de l'intestin et traversent la membrane apicale par *diffusion facilitée* ou par *transport actif.* Le fructose, un monosaccharide qu'on trouve dans les fruits, est transporté par *diffusion facilitée.* Le glucose et le galactose passent dans les cellules épithéliales des villosités par *transport actif secondaire* qui est couplé au transport actif du Na^+ (figure 24.24a). Le transporteur possède des sites de liaison pour une molécule de glucose et deux ions sodium ; si les trois sites ne sont pas occupés, le transport n'a pas lieu. Le galactose et le glucose utilisent le même transporteur et sont ainsi en compétition l'un avec l'autre. (Puisque le Na^+ et le glucose ou le galactose se déplacent dans la même direction, il s'agit d'un système *symport.* Il y a dans les tubules rénaux un système symport Na^+-glucose du même type qui réabsorbe le glucose qui s'est échappé du sang ; voir la figure 26.12, p. 991). Ensuite, les monosaccharides quittent les cellules épithéliales par *diffusion facilitée* à travers la membrane basolatérale et pénètrent dans les capillaires des villosités (voir la figure 24.24a et b).

Absorption des acides aminés, des dipeptides et des tripeptides

La plupart des protéines sont absorbées sous forme d'acides aminés par des processus de *transport actif* qui ont lieu surtout dans le duodénum et le jéjunum. Environ la moitié des acides aminés absorbés proviennent de la nourriture ; l'autre moitié vient de protéines qui font partie des sucs digestifs et de cellules mortes qui se détachent de la muqueuse. Normalement, de 95 à 98 % des protéines dans l'intestin grêle sont digérées et absorbées. Plusieurs transporteurs prennent en charge les différents types d'acides aminés. Certains acides aminés pénètrent dans les cellules épithéliales des villosités par des mécanismes de transport actif secondaire Na^+-dépendants qui sont semblables au transporteur de glucose. D'autres acides aminés traversent seuls la membrane plasmique par transport actif. Au moins un système symport achemine les dipeptides et les tripeptides en les faisant passer avec des ions H^+ ; par la suite, ces peptides sont hydrolysés en leurs acides aminés constitutifs dans les cellules épithéliales. Les acides aminés quittent les cellules épithéliales par diffusion et pénètrent dans les capillaires des villosités (voir la figure 24.24a et b). Les monosaccharides et les acides aminés sont transportés dans le sang jusqu'au foie par le système porte hépatique. S'ils ne sont pas retenus par les hépatocytes, ils passent dans la circulation générale.

Absorption des lipides

Tous les lipides alimentaires sont absorbés par *diffusion simple.* Les adultes absorbent environ 95 % des lipides présents dans l'intestin grêle ; les nouveau-nés produisent moins

Tableau 24.5 Résumé des enzymes digestives

ENZYME	SOURCE	SUBSTRATS	PRODUITS
Salive			
Amylase salivaire	Glandes salivaires.	Amidon (polysaccharides).	Maltose (disaccharide), maltotriose (trisaccharide) et alpha-dextrines.
Suc gastrique			
Pepsine (activée à partir du pepsinogène par l'action de la pepsine et de l'acide chlorhydrique)	Cellules principales (à granules de zymogène) de l'estomac.	Protéines.	Peptides.
Lipase gastrique	Cellules principales (à granules de zymogène) de l'estomac.	Triglycérides à chaînes courtes (huiles et graisses) des matières grasses du lait.	Acides gras et monoglycérides.
Suc pancréatique			
Amylase pancréatique	Cellules acineuses du pancréas.	Amidon (polysaccharides).	Maltose (disaccharide), maltotriose (trisaccharide) et alpha-dextrines.
Trypsine (activée à partir du trypsinogène par l'action de l'entérokinase)	Cellules acineuses du pancréas.	Protéines.	Peptides.
Chymotrypsine (activée à partir du chymotrypsinogène par l'action de la trypsine)	Cellules acineuses du pancréas.	Protéines.	Peptides.
Élastase (activée à partir de la proélastase par l'action de la trypsine)	Cellules acineuses du pancréas.	Protéines.	Peptides.
Carboxypeptidase (activée à partir de la procarboxypeptidase par l'action de la trypsine)	Cellules acineuses du pancréas.	Acide aminé terminal à l'extrémité carboxylique des peptides.	Peptides et acides aminés.
Lipase pancréatique	Cellules acineuses du pancréas.	Triglycérides (huiles et graisses) émulsifiés par les sels biliaires.	Acides gras et monoglycérides.
Nucléases			
Ribonucléase	Cellules acineuses du pancréas.	Acide ribonucléique.	Nucléotides.
Désoxyribonucléase	Cellules acineuses du pancréas.	Acide désoxyribonucléique.	Nucléotides.
Bordure en brosse			
Alpha-dextrinase	Intestin grêle.	Alpha-dextrines.	Glucose.
Maltase	Intestin grêle.	Maltose.	Glucose.
Sucrase	Intestin grêle.	Sucrose.	Glucose et fructose.
Lactase	Intestin grêle.	Lactose.	Glucose et galactose.
Entérokinase	Intestin grêle.	Trypsinogène.	Trypsine.
Peptidases			
Aminopeptidase	Intestin grêle.	Acide aminé terminal à l'extrémité aminée des peptides.	Peptides et acides aminés.
Dipeptidase	Intestin grêle.	Dipeptides.	Acides aminés.
Nucléosidases et phosphatases	Intestin grêle.	Nucléotides.	Bases azotées, pentoses et phosphates.

Figure 24.24 Absorption des nutriments digérés dans l'intestin grêle. Pour simplifier le schéma, tous les aliments digérés sont représentés dans la lumière de l'intestin grêle, bien que certains nutriments soient soumis à l'action d'enzymes de la bordure en brosse.

🔑 **Les acides gras à chaîne longue et les monoglycérides sont absorbés dans les vaisseaux chylifères ; les autres produits de la digestion pénètrent dans les capillaires sanguins.**

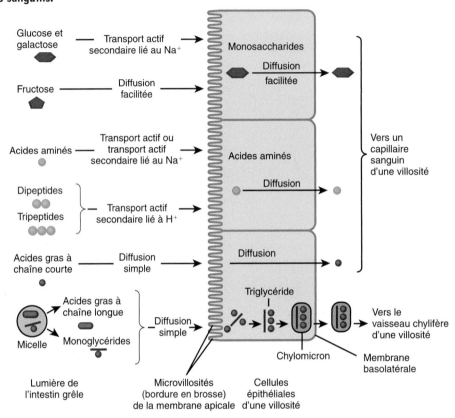

(a) Mécanismes par lesquels les nutriments traversent les cellules épithéliales des villosités

de bile et, par conséquent, n'absorbent qu'environ 85 % des lipides. Par suite de leur émulsification et de leur digestion, les triglycérides sont décomposés en monoglycérides et en acides gras. Rappelez-vous que la lipase pancréatique détache deux des trois acides gras liés au glycérol durant la digestion d'un triglycéride ; le troisième acide gras reste fixé au glycérol et forme un monoglycéride. La petite quantité d'acides gras à chaîne courte (de moins de 10 à 12 atomes de carbone) qui se trouve dans la nourriture pénètre dans les cellules épithéliales par diffusion simple et emprunte le même chemin que les monosaccharides et les acides aminés pour se rendre dans les capillaires sanguins des villosités (voir la figure 24.24a et b).

Toutefois, la plupart des acides gras ingérés sont des acides gras à chaîne longue. Avec les monoglycérides, ils arrivent dans la circulation sanguine par une autre voie et leur absorption ne se fait adéquatement qu'avec le concours de la bile.

Les sels biliaires sont amphiphiles ; ils possèdent une région polaire (hydrophile) et une région non polaire (hydrophobe). En conséquence, ils peuvent former des sphères minuscules appelées **micelles** (*mica* = parcelle), qui ont de 2 à 10 nm de diamètre et comprennent entre 20 et 50 molécules de sels biliaires. Comme elles sont petites et qu'elles portent à leur surface la région polaire des sels biliaires, les micelles peuvent se dissoudre dans l'eau du liquide intestinal. De leur côté, les lipides alimentaires partiellement digérés peuvent se dissoudre dans le milieu non polaire qui existe au cœur des micelles. C'est sous cette forme que les acides gras et les monoglycérides entrent en contact avec les cellules épithéliales des villosités.

Les acides gras et les monoglycérides traversent par diffusion la membrane apicale des cellules épithéliales, laissant les micelles derrière eux dans le chyme. Les micelles accomplissent continuellement cette fonction de transport. Quand

Figure 24.24 (suite)

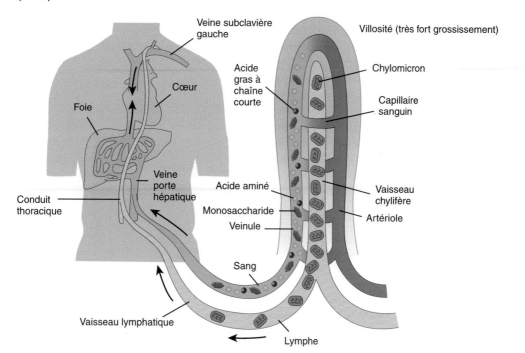

(b) Transport des nutriments absorbés dans le sang et la lymphe

 La taille d'un monoglycéride peut être supérieure à celle d'un acide aminé. Pourquoi les monoglycérides peuvent-ils être absorbés par diffusion simple, alors que les acides aminés ne le peuvent pas?

le chyme arrive dans l'iléum, de 90 à 95% des sels biliaires sont réabsorbés et retournent au foie, par le système porte hépatique, pour être recyclés. Ainsi, les sels biliaires sont sécrétés par les hépatocytes dans la bile, réabsorbés dans l'iléum et sécrétés à nouveau dans la bile. Ce cycle porte le nom de **cycle entéro-hépatique.** Un déficit en sels biliaires, par suite d'une obstruction des conduits biliaires ou de l'ablation de la vésicule biliaire, peut entraîner la perte de 40% des lipides alimentaires dans les fèces parce que l'absorption des lipides est compromise. De plus, quand les lipides ne sont pas bien absorbés, les vitamines liposolubles – A, D, E et K – ne le sont pas non plus.

Dans les cellules épithéliales, beaucoup de monoglycérides sont encore digérés par des lipases en glycérol et en acides gras. Puis le glycérol et les acides gras se combinent de nouveau pour former des triglycérides, qui s'agglomèrent en globules avec des molécules de phospholipides et de cholestérol. Les globules sont ensuite recouverts d'une enveloppe protéique. Ces grosses masses sphériques (d'environ 80 nm de diamètre) sont appelés **chylomicrons.** La couche protéique hydrophile permet aux chylomicrons de rester en suspension et les empêche de s'agglutiner. Les chylomicrons quittent les cellules épithéliales par exocytose. En raison de leur grande taille, ils ne peuvent pas pénétrer dans les capillaires sanguins de l'intestin grêle; cependant, ils peuvent traverser les parois moins étanches des vaisseaux chylifères. Ils sont alors transportés par les vaisseaux lymphatiques jusqu'au conduit thoracique et, de là, passent dans la circulation sanguine à la hauteur de la veine subclavière gauche (voir la figure 24.24b).

Dans les 10 min qui suivent leur absorption, environ la moitié des chylomicrons ont déjà été retirés du sang lors de leur passage dans les capillaires sanguins du foie et du tissu adipeux. Cette opération s'accomplit grâce à une enzyme des cellules endothéliales des capillaires, appelée **lipoprotéine lipase,** qui dégrade les triglycérides des chylomicrons et des autres lipoprotéines en acides gras et en glycérol. Les acides gras passent par diffusion dans les hépatocytes et les adipocytes, et se combinent avec le glycérol lors de la resynthèse des triglycérides. Deux ou trois heures après un repas, il ne reste que très peu de chylomicrons dans le sang.

Absorption des électrolytes

Beaucoup d'électrolytes absorbés dans l'intestin grêle proviennent des sécrétions gastro-intestinales. Une certaine quantité vient des aliments solides et liquides qui sont ingérés. Les ions sodium sont expulsés par transport actif hors des cellules épithéliales de l'intestin après y avoir pénétré par diffusion et transport actif secondaire. Cette fonction est accomplie par les pompes à sodium (Na^+-K^+ ATPase). Ainsi, la plupart des ions sodium des sécrétions gastro-intestinales sont récupérés et ne sont pas perdus dans les fèces. Les ions chlorure, iodure et nitrate, dont la charge est négative, suivent le Na^+ par des mécanismes de transport passif ou sont transportés par des mécanismes actifs. Les ions calcium sont absorbés par un processus de transport actif stimulé par le calcitriol. D'autres électrolytes tels que le fer ionique et les ions potassium, magnésium et phosphate sont aussi absorbés grâce à des mécanismes de transport actif.

Absorption des vitamines

Les vitamines liposolubles A, D, E et K sont incluses dans les micelles avec les lipides alimentaires et sont absorbées par simple diffusion. La plupart des vitamines hydrosolubles telles que la majorité des vitamines B et la vitamine C sont également absorbées par simple diffusion. Toutefois, la vitamine B_{12} se combine avec le facteur intrinsèque qui est produit dans l'estomac, et le complexe est absorbé dans l'iléum par un mécanisme de transport actif.

Absorption de l'eau

Le volume total de liquide qui entre dans l'intestin grêle tous les jours – environ 9,3 L – provient de l'ingestion de liquides (environ 2,3 L) et des sécrétions gastro-intestinales (environ 7,0 L). La figure 24.25 montre les quantités de liquides ingérées, sécrétées, absorbées et excrétées par le tube digestif. L'intestin grêle absorbe environ 8,3 L de liquide ; le reste passe dans le gros intestin où il est absorbé presque en totalité – environ 0,9 L. Seulement 0,1 L (100 mL) d'eau par jour est excrété dans les fèces.

L'absorption de l'eau dans le tube digestif s'effectue entièrement par *osmose* depuis la lumière des intestins jusqu'aux capillaires sanguins en passant à travers les cellules épithéliales. Comme l'eau peut traverser la muqueuse intestinale dans les deux sens, son absorption dépend de celle des électrolytes et des nutriments, et est liée au maintien de l'équilibre osmotique entre le sang et l'intestin grêle. Les électrolytes, les monosaccharides et les acides aminés qui sont passés dans le sang établissent un gradient de concentration pour l'eau qui favorise l'absorption de l'eau par osmose.

Le tableau 24.6 présente un résumé des processus digestifs qui se déroulent dans le pancréas, le foie, la vésicule biliaire et l'intestin grêle.

1. Quels sont les segments de l'intestin grêle ?
2. Comment la muqueuse et la sous-muqueuse de l'intestin grêle sont-elles adaptées à la digestion et à l'absorption ?

Figure 24.25 Volumes des liquides ingérés, sécrétés, absorbés et excrétés quotidiennement à partir du tube digestif.

 L'absorption de l'eau dans le tube digestif s'effectue entièrement par osmose.

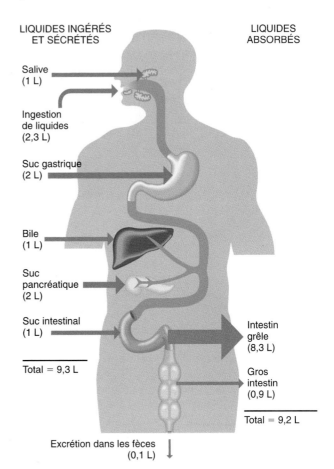

LIQUIDES INGÉRÉS ET SÉCRÉTÉS

LIQUIDES ABSORBÉS

Salive (1 L)

Ingestion de liquides (2,3 L)

Suc gastrique (2 L)

Bile (1 L)

Suc pancréatique (2 L)

Suc intestinal (1 L)

Total = 9,3 L

Intestin grêle (8,3 L)

Gros intestin (0,9 L)

Total = 9,2 L

Excrétion dans les fèces (0,1 L)

Bilan hydrique dans le tube digestif

 Quels sont les deux organes du système digestif qui sécrètent le plus de liquide ?

3. Décrivez les types de mouvement dans l'intestin grêle.
4. Expliquez la fonction de chacune des enzymes digestives.
5. Comment s'effectue la régulation de la sécrétion dans l'intestin grêle ?
6. Définissez l'*absorption*. Comment les produits de la digestion des glucides et des protéines sont-ils absorbés ? Comment les produits de la digestion des lipides sont-ils absorbés ?
7. Par quelles voies les nutriments absorbés atteignent-ils le foie ?
8. Décrivez l'absorption des électrolytes, des vitamines et de l'eau par l'intestin grêle.

Tableau 24.6 Résumé des processus digestifs qui se déroulent dans le pancréas, le foie, la vésicule biliaire et l'intestin grêle

STRUCTURE	FONCTIONS
Pancréas	Sécrète le suc pancréatique dans le duodénum par le conduit pancréatique (voir le tableau 24.5 pour la liste des enzymes pancréatiques et de leurs fonctions).
Foie	Produit la bile (sels biliaires) nécessaire à l'émulsification et à l'absorption des lipides.
Vésicule biliaire	Emmagasine, concentre et libère la bile dans le duodénum par le conduit cholédoque.
Intestin grêle	Lieu principal de digestion et d'absorption des nutriments et de l'eau dans le tube digestif.
Muqueuse/ sous-muqueuse	
Glandes intestinales	Sécrètent le suc intestinal.
Glandes duodénales (glandes de Brunner)	Sécrètent un liquide alcalin, qui agit comme un tampon sur les acides gastriques, ainsi que du mucus protecteur et lubrifiant.
Microvillosités	Prolongements microscopiques de la membrane des cellules épithéliales qui contiennent les enzymes de la bordure en brosse (voir le tableau 24.5) et augmentent la surface disponible pour l'absorption et la digestion.
Villosités	Prolongements digitiformes de la muqueuse par lesquels s'effectue l'absorption des aliments digérés et qui augmentent la surface disponible pour la digestion et l'absorption.
Plis circulaires	Plis de la muqueuse et de la sous-muqueuse qui augmentent la surface disponible pour l'absorption et la digestion.
Musculeuse	
Segmentation	Se compose de contractions en alternance des fibres de muscle lisse circulaires qui produisent une segmentation répétée des parties de l'intestin grêle ; mélange le chyme avec les sucs digestifs et met la nourriture en contact avec la muqueuse pour faciliter son absorption.
Complexe de motilité migrante (CMM)	Type de péristaltisme constitué d'ondes de contraction et de relâchement des fibres de muscle lisse longitudinales et circulaires qui se propagent sur toute la longueur de l'intestin grêle ; fait avancer le chyme vers la valve iléo-cæcale.

GROS INTESTIN

OBJECTIF

• *Décrire l'anatomie, l'histologie et les fonctions du gros intestin.*

Le gros intestin constitue la partie terminale du tube digestif et comprend quatre grands segments. Ses principales fonctions consistent à finir l'absorption, à produire certaines vitamines, à former les fèces et à les expulser du corps.

Anatomie du gros intestin

Le **gros intestin** mesure environ 1,5 m de long et 6,5 cm de diamètre. Il s'étend de l'iléum à l'anus et est attaché à la paroi abdominale postérieure par son **mésocôlon,** qui est formé d'un double feuillet de péritoine. Sur le plan structural, les quatre principaux segments du gros intestin sont le cæcum, le côlon, le rectum et le canal anal (figure 24.26a).

L'ouverture par laquelle l'iléum communique avec le gros intestin est protégée par un repli de la muqueuse appelé **valve iléo-cæcale,** qui permet au contenu de l'intestin grêle de passer dans le gros intestin. Suspendu sous la valve se trouve le **cæcum,** segment en cul-de-sac d'environ 6 cm de long. Le cæcum se prolonge par un tube flexueux d'environ 8 cm de long appelé **appendice vermiforme** (*appendix* = addition ; *vermis* = ver). L'appendice est relié à la partie inférieure du mésentère de l'iléum par un repli péritonéal appelé **mésoappendice.**

Le cæcum s'ouvre sur un long tube appelé **côlon,** qui se divise en parties ascendante, transverse, descendante et sig-moïde. Les parties ascendante et descendante sont rétropéri-tonéales, alors que les parties transverse et sigmoïde ne le sont pas. Le **côlon ascendant** monte du côté droit de l'abdomen jusqu'à la face inférieure du foie, où il fait un virage à gauche abrupt pour former la **courbure colique droite** (hépatique). La partie du côlon qui traverse l'abdomen jusqu'au côté gauche est appelée **côlon transverse.** De ce côté, sous l'extré-mité inférieure de la rate, il fait un angle appelé **courbure colique gauche** (splénique). Il devient alors le **côlon descen-dant,** qui s'étend vers le bas jusqu'à la crête iliaque. Le **côlon sigmoïde** (*sigma* = S) prend naissance près de la crête iliaque gauche, se prolonge vers l'intérieur jusqu'à la ligne médiane et se termine au rectum à peu près à la hauteur de la troisième vertèbre sacrale.

Le **rectum,** qui mesure 20 cm, constitue le segment terminal du tube digestif. Il est situé devant le sacrum et le coccyx. Il se termine par le **canal anal,** qui s'étend sur 2 ou 3 cm (figure 24.26b). La muqueuse du canal anal forme des replis longitudinaux, appelés **colonnes anales,** qui sont parcourus par un réseau d'artères et de veines. L'ouverture du canal anal sur l'extérieur, appelée **anus,** est protégée par un sphincter interne de muscle lisse (involontaire) et un sphincter externe de muscle squelettique (volontaire). Normalement, l'anus est fermé sauf durant l'évacuation des fèces.

APPLICATION CLINIQUE
Appendicite

L'**appendicite** est une inflammation de l'appendice vermiforme. Elle est précédée par une obstruction de la lumière de l'appendice par le chyme, une inflammation, un

Figure 24.26 Anatomie du gros intestin.

 Les segments du gros intestin sont le cæcum, le côlon, le rectum et le canal anal.

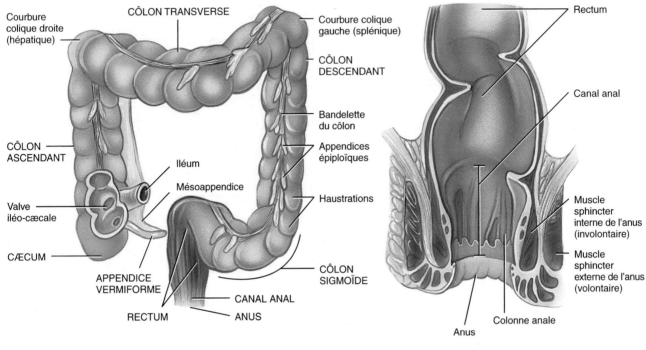

Courbure colique droite (hépatique)

CÔLON TRANSVERSE

Courbure colique gauche (splénique)

CÔLON DESCENDANT

Bandelette du côlon

Appendices épiploïques

Haustrations

CÔLON ASCENDANT

Iléum

Mésoappendice

Valve iléo-cæcale

CÆCUM

APPENDICE VERMIFORME

RECTUM

CANAL ANAL

ANUS

CÔLON SIGMOÏDE

Rectum

Canal anal

Muscle sphincter interne de l'anus (involontaire)

Muscle sphincter externe de l'anus (volontaire)

Colonne anale

Anus

(a) Vue antérieure du gros intestin et de ses principaux segments

(b) Coupe frontale du canal anal

FONCTIONS DU GROS INTESTIN
1. Les contractions haustrales, le péristaltisme et les mouvements de masse poussent le contenu du côlon jusque dans le rectum.
2. Les bactéries du gros intestin produisent certaines vitamines B et la vitamine K.
3. Absorption d'eau, de certains ions et de vitamines.
4. Défécation (évacuation des fèces).

Q Quelles parties du côlon sont rétropéritonéales?

corps étranger, un carcinome du cæcum, une sténose ou un tortillement de l'organe. Elle est caractérisée par une forte fièvre, une leukocytose élevée et un taux de granulocytes neutrophiles supérieur à 75 %. L'infection qui en résulte peut amener de l'œdème et une ischémie, et peut causer la gangrène et la rupture de l'organe dans les 24 à 36 h qui suivent. En général, l'appendicite se manifeste par une douleur irradiant dans la région ombilicale de l'abdomen, suivie d'anorexie (perte d'appétit), de nausées et de vomissements. Après quelques heures, la douleur est localisée dans le quadrant inférieur droit de l'abdomen. Elle est continuelle, sourde ou intense, et exacerbée par la toux, l'éternuement ou les mouvements du corps. L'appendicectomie (ablation de l'appendice) immédiate est recommandée parce qu'il vaut mieux opérer que de risquer la rupture, la péritonite et la gangrène. ■

Histologie du gros intestin

La paroi du gros intestin diffère de celle de l'intestin grêle sous plusieurs rapports. Il n'y a pas de villosités ou de plis circulaires permanents dans la **muqueuse,** qui est constituée d'un épithélium simple prismatique, d'un chorion (tissu conjonctif lâche) et d'une muscularis mucosæ (muscle lisse) (figure 24.27a). L'épithélium contient surtout des cellules absorbantes et des cellules caliciformes (figure 24.27b et c). Les cellules absorbantes ont pour fonction première d'assimiler l'eau, tandis que les cellules caliciformes sécrètent du mucus qui facilite le passage du contenu intestinal. Ces deux types de cellules sont situés dans de longues glandes tubuleuses droites qui traversent toute l'épaisseur de la muqueuse. Des nodules lymphatiques solitaires se trouvent également dans la muqueuse. La **sous-muqueuse** du gros

Figure 24.27 Histologie du gros intestin.

 Les glandes intestinales formées par les cellules épithéliales simples prismatiques et les cellules caliciformes traversent toute l'épaisseur de la muqueuse.

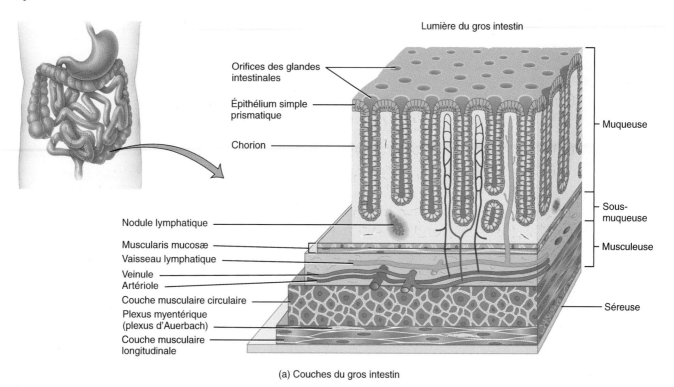

Lumière du gros intestin

Orifices des glandes intestinales

Épithélium simple prismatique

Chorion

Muqueuse

Sous-muqueuse

Musculeuse

Séreuse

Nodule lymphatique

Muscularis mucosæ

Vaisseau lymphatique

Veinule

Artériole

Couche musculaire circulaire

Plexus myentérique (plexus d'Auerbach)

Couche musculaire longitudinale

(a) Couches du gros intestin

Suite à la page suivante

intestin est semblable à celle du reste du tube digestif. La **musculeuse** est constituée d'une couche externe de muscle lisse longitudinal et d'une couche interne de muscle lisse circulaire. À la différence des autres régions du tube digestif, certaines parties des muscles longitudinaux s'épaississent pour former trois bandes longitudinales bien visibles appelées **bandelettes du côlon,** qui parcourent le gros intestin sur presque toute sa longueur (voir la figure 24.26a). Les bandelettes sont séparées par des régions de la paroi où le muscle longitudinal est moins présent ou même absent. Les contractions toniques des bandelettes fronce le côlon en une suite de poches appelées **haustrations** (= en forme de sac), qui lui donnent un aspect bosselé. Une couche simple de muscle lisse circulaire s'étend entre les bandelettes. La **séreuse** du gros intestin fait partie du péritoine viscéral. De petits sacs de péritoine viscéral remplis de graisse sont fixés aux bandelettes du côlon et portent le nom d'**appendices épiploïques.**

Digestion mécanique dans le gros intestin

Le passage du chyme de l'iléum au cæcum est régi par l'action de la valve iléo-cæcale. Normalement, la valve est partiellement fermée si bien que le chyme passe lentement dans le cæcum. Immédiatement après un repas, le **réflexe gastro-iléal** intensifie le péristaltisme de l'iléum et pousse le chyme qui s'y trouve dans le cæcum. Une hormone, la gastrine, provoque aussi le relâchement de la valve. Quand le cæcum est distendu, la contraction de la valve iléo-cæcale est plus prononcée.

Les mouvements du côlon commencent quand les matières traversent la valve iléo-cæcale. Comme le chyme se déplace dans l'intestin grêle à une vitesse à peu près constante, le temps nécessaire pour faire passer un repas dans le côlon est déterminé par la vitesse de l'évacuation gastrique. La nourriture qui franchit la valve iléo-cæcale remplit le cæcum et s'accumule dans le côlon ascendant.

Les **contractions haustrales** sont des mouvements caractéristiques du gros intestin. Au fur et à mesure qu'elles se remplissent, les haustrations, qui sont normalement relâchées, deviennent distendues. Quand cet étirement atteint un certain seuil, les parois se contractent et font avancer le contenu d'une haustration à la suivante. Le gros intestin est aussi doué de **péristaltisme,** bien qu'à une fréquence moins élevée (entre 3 et 12 contractions par minute) que les segments plus proximaux du tube digestif. Enfin, le dernier type de mouvements s'appelle **mouvements de masse.** Il s'agit d'une onde péristaltique puissante qui prend naissance à peu

Figure 24.27 Histologie du gros intestin (suite)

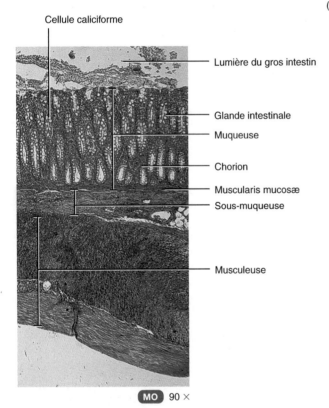

MEB 2 900 ×

Muqueuse du gros intestin

Cellule absorbante

Cellule caliciforme

Chorion

Orifices des glandes intestinales

Glande intestinale

Fibre musculaire lisse

Muscularis mucosæ

Sous-muqueuse

Microvillosités

Cellule absorbante (absorbe l'eau)

Cellule caliciforme (sécrète du mucus)

Nodule lymphatique

(b) Coupe de la muqueuse du gros intestin montrant les glandes intestinales et les types de cellules qui les composent

Cellule caliciforme

Lumière du gros intestin

Glande intestinale

Muqueuse

Chorion

Muscularis mucosæ

Sous-muqueuse

Musculeuse

MO 90 ×

(c) Paroi du gros intestin

Q Quelle est la fonction des cellules caliciformes?

près au milieu du côlon transverse et en pousse rapidement le contenu dans le rectum. Puisque la présence de nourriture dans l'estomac déclenche le **réflexe gastrocolique** dans le côlon, les mouvements de masse ont généralement lieu trois ou quatre fois par jour, durant ou tout de suite après les repas.

Digestion chimique dans le gros intestin

La dernière étape de la digestion a lieu dans le côlon grâce à l'activité de bactéries qui en habitent la lumière. Les glandes intestinales du gros intestin sécrètent du mucus, mais pas d'enzymes. Le chyme est préparé pour l'élimination par l'action des bactéries, qui font fermenter ce qui reste de glucides et dégagent de l'hydrogène, du gaz carbonique et du méthane. Ces gaz contribuent à la formation de flatuosités (ou gaz) dans le côlon. S'il y en a trop, ils produisent de la *flatulence*. Les bactéries convertissent aussi les protéines qui restent en acides aminés et décomposent ces derniers en substances plus simples : indole, scatole, sulfure d'hydrogène et acides gras. Une partie de l'indole et du scatole est éliminée dans les fèces et contribue à leur odeur ; le reste est absorbé et transporté jusqu'au foie, où ces composés sont convertis en substances moins toxiques qui sont excrétées dans l'urine. Les bactéries décomposent aussi la bilirubine en pigments plus simples, dont la stercobiline, qui donnent aux fèces leur couleur brune. Plusieurs vitamines nécessaires au métabolisme normal, y compris certaines vitamines B et la vitamine K, sont des produits bactériens absorbés dans le côlon.

Absorption et formation des fèces dans le gros intestin

Après être resté dans le gros intestin de 3 à 10 h, le chyme est devenu solide ou semi-solide par suite de l'absorption d'eau et porte alors le nom de **fèces**. Au point de vue chimique, les fèces se composent d'eau, de sels inorganiques, de cellules épithéliales qui se sont détachées de la muqueuse du tube digestif, de bactéries, de produits de décomposition bactérienne, de matières digérées qui n'ont pas été absorbées et de substances indigestibles contenues dans la nourriture.

Bien que l'absorption d'eau se fasse surtout dans l'intestin grêle, le gros intestin en assimile assez pour être considéré comme un organe qui joue un rôle important dans le maintien de l'équilibre hydrique de l'organisme. Il reçoit de 0,5 à 1,0 L d'eau et l'absorbe par osmose, sauf quelque 100 à 200 mL. Il absorbe aussi des électrolytes, dont le sodium et le chlorure, ainsi que des vitamines.

Réflexe de défécation

Les mouvements de masse poussent les matières fécales du côlon sigmoïde dans le rectum. La distension de la paroi rectale stimule des mécanorécepteurs dont l'action déclenche le **réflexe de défécation** par lequel le rectum se vide. Ce réflexe se produit de la façon suivante. En réponse à l'étirement de la paroi rectale, les récepteurs font parvenir des influx nerveux sensitifs à la moelle épinière sacrale. Les influx moteurs de la moelle reviennent par les nerfs parasympathiques au côlon descendant, au côlon sigmoïde, au rectum et à l'anus. Ils entraînent la contraction des muscles longitudinaux du rectum, qui font raccourcir ce dernier et donc augmenter la pression intérieure. Cette pression, les contractions volontaires du diaphragme et des muscles de l'abdomen, ainsi que la stimulation parasympathique ouvrent le sphincter interne.

Le sphincter externe est soumis à l'action de la volonté. Quand on le relâche volontairement, la défécation a lieu et les fèces sont expulsées par l'anus. Par contre, sa constriction volontaire peut retarder la défécation. Les contractions volontaires du diaphragme et des muscles abdominaux facilitent la défécation en faisant augmenter la pression dans l'abdomen, ce qui comprime vers l'intérieur les parois du côlon sigmoïde et du rectum. Quand la défécation est reportée, les fèces sont refoulées dans le côlon sigmoïde jusqu'à ce qu'une nouvelle vague de mouvements de masse stimule les mécanorécepteurs et fasse resurgir l'envie de déféquer. Chez les nourrissons, le rectum se vide automatiquement sous l'impulsion du réflexe de défécation parce que la maîtrise du sphincter externe de l'anus n'est pas encore acquise.

La **diarrhée** (*dia* = de divers côtés; *rhein* = s'écouler) est une augmentation de la fréquence, du volume et du contenu hydrique des fèces causée par un accroissement de la motilité

Tableau 24.7 Résumé des processus digestifs qui se déroulent dans le gros intestin

STRUCTURE	PROCESSUS	FONCTION(S)
Lumière	Activité bactérienne.	Dégrade les glucides, les protéines et les acides aminés non digérés en produits qui peuvent être excrétés dans les fèces ou absorbés et détoxiqués par le foie; synthétise certaines vitamines B et la vitamine K.
Muqueuse	Sécrétion de mucus.	Lubrifie le côlon et protège la muqueuse.
	Absorption d'eau et d'autres composés solubles.	Maintient l'équilibre hydrique; augmente la consistance des fèces; absorbe les vitamines et des ions.
Musculeuse	Contractions haustrales.	Déplace le contenu intestinal d'une haustration à l'autre au moyen de contractions musculaires.
	Péristaltisme.	Déplace le contenu intestinal le long du côlon par des contractions des muscles circulaires et longitudinaux.
	Mouvements de masse.	Pousse avec force le contenu intestinal dans le côlon sigmoïde et le rectum.
	Réflexe de défécation.	Élimine les fèces par des contractions du côlon sigmoïde et du rectum.

et une diminution de l'absorption intestinales. Quand le chyme passe trop rapidement dans l'intestin grêle et que les fèces en font autant dans le gros intestin, l'absorption ne se fait pas bien, faute de temps. Les diarrhées fréquentes peuvent entraîner la déshydratation et un déséquilibre électrolytique. L'accélération excessive de la motilité peut résulter de l'intolérance au lactose, du stress et de la présence de microbes qui irritent la muqueuse gastro-intestinale.

La **constipation** (*cum* = avec; *stipare* = serrer) signifie que la défécation est moins fréquente ou rendue difficile en raison d'une diminution de la motilité des intestins. Étant retenues longtemps dans le côlon, les fèces s'assèchent et durcissent parce que l'absorption d'eau se poursuit. La constipation peut être causée par de mauvaises habitudes (comme retarder la défécation), des spasmes du côlon, un déficit en fibres dans l'alimentation, une ingestion insuffisante de liquides, le manque d'exercice, le stress émotif et certains médicaments. On traite souvent cet état au moyen d'un laxatif doux, tel le lait de magnésie, qui provoque la défécation. Mais beaucoup de médecins soutiennent que les laxatifs créent une dépendance et qu'il vaut mieux employer d'autres moyens qui présentent moins de risques pour la santé, par exemple consommer plus de fibres, faire plus d'exercice et boire plus de liquides.

Le tableau 24.7 présente un résumé des processus digestifs qui se déroulent dans le gros intestin.

Figure 24.28 Développement du système digestif.

🗝 **Le tube digestif est dérivé de l'endoderme et du mésoderme.**

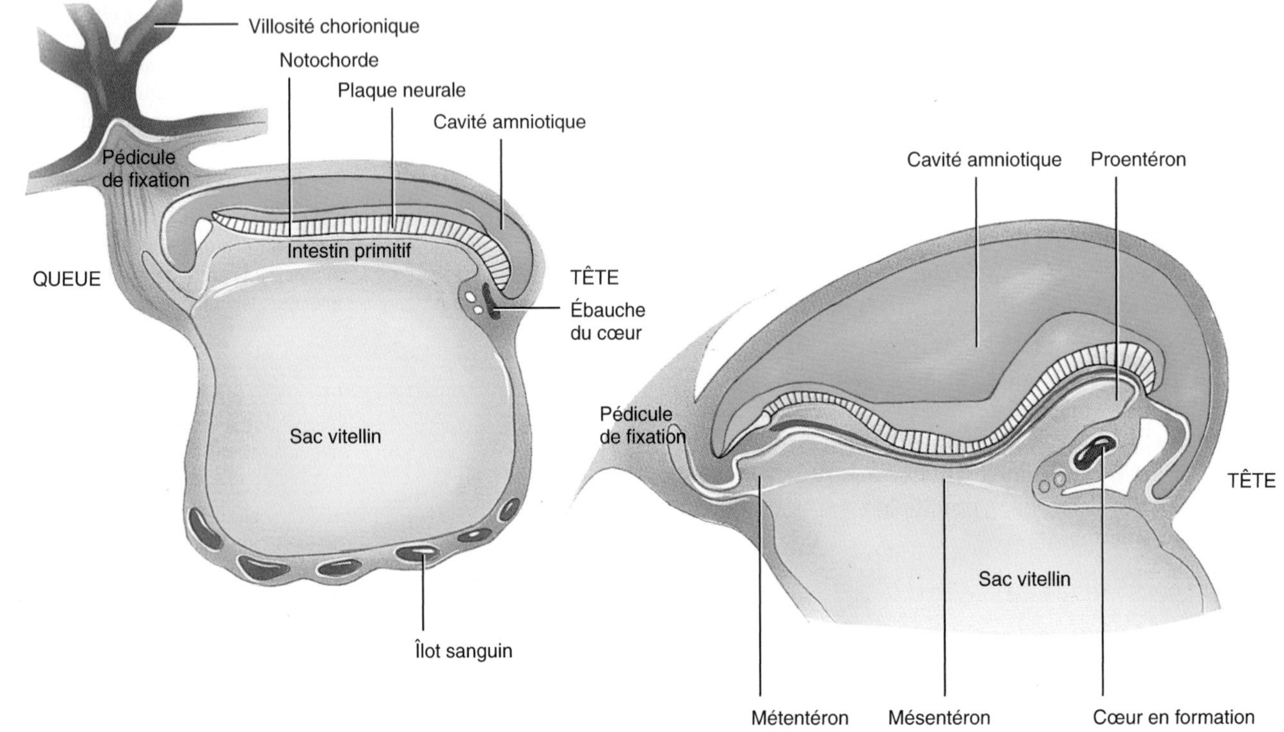

Villosité chorionique

Notochorde

Plaque neurale

Cavité amniotique

Pédicule de fixation

QUEUE

Intestin primitif

TÊTE

Ébauche du cœur

Sac vitellin

Îlot sanguin

Cavité amniotique

Proentéron

Pédicule de fixation

TÊTE

Sac vitellin

Métentéron

Mésentéron

Cœur en formation

(a) Coupe sagittale de l'embryon avant l'apparition des somites

(b) Coupe sagittale de l'embryon au stade de sept somites

APPLICATION CLINIQUE
Fibres alimentaires

Les fibres alimentaires sont constituées de glucides végétaux indigestibles – telles la cellulose, la lignine et la pectine – qui se trouvent dans les fruits, les légumes, les céréales et les haricots. Les **fibres insolubles,** qui ne se dissolvent pas dans l'eau, comprennent les parties ligneuses ou structurales des plantes telles que la peau des fruits et des légumes et l'enveloppe de son qui recouvre les grains de blé et de maïs. Les fibres insolubles passent dans le tube digestif presque sans modification et accélèrent le passage des matières avec lesquelles elles sont mélangées. Les **fibres solubles** se dissolvent dans l'eau et forment un gel, qui ralentit le passage des substances dans le tube digestif. On les trouve en abondance dans les haricots, l'avoine, l'orge, le brocoli, les pruneaux, les pommes et les agrumes.

Les personnes qui choisissent un régime riche en fibres diminuent le risque de souffrir d'obésité, de diabète, d'athérosclérose, de calculs biliaires, d'hémorroïdes, de diverticulite, d'appendicite et de cancers du côlon et du rectum. On croit également que les fibres solubles contribuent à diminuer le taux de cholestérol sanguin parce qu'elles se lient aux sels

biliaires et empêchent leur réabsorption, ce qui fait augmenter l'utilisation du cholestérol pour remplacer les sels biliaires éliminés dans les fèces. ■

1. Quels sont les principaux segments du gros intestin?
2. Comment la musculeuse du gros intestin diffère-t-elle de celle des autres parties du tube digestif? Qu'est-ce qu'une haustration?
3. Décrivez les mouvements mécaniques qui se produisent dans le gros intestin.
4. Définissez la *défécation.* Comment a-t-elle lieu?
5. Expliquez l'activité du gros intestin qui transforme son contenu en fèces.

DÉVELOPPEMENT EMBRYONNAIRE DU SYSTÈME DIGESTIF
O<small>BJECTIF</small>

• *Décrire le développement du système digestif.*

Vers le quatorzième jour après la fécondation, les cellules de l'endoderme forment une cavité appelée **intestin primitif** (figure 24.28a). Peu après la formation du mésoderme et sa

Figure 24.28 (suite)

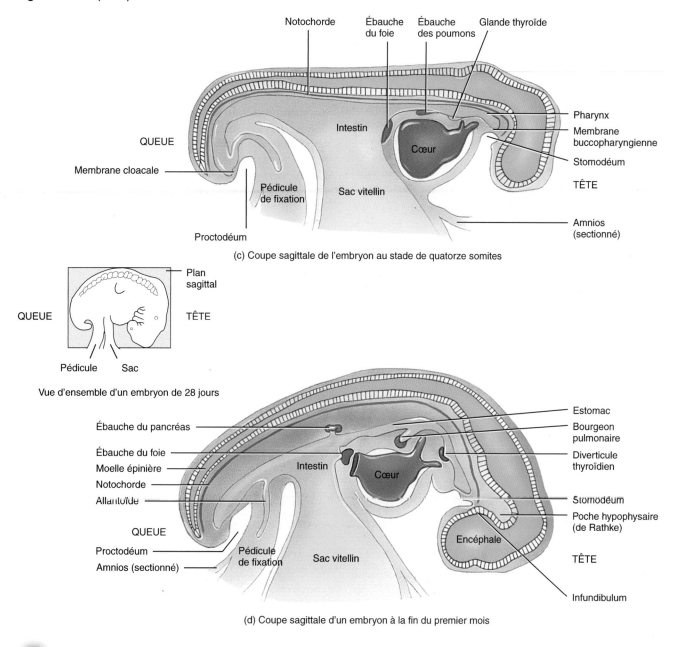

(c) Coupe sagittale de l'embryon au stade de quatorze somites

Vue d'ensemble d'un embryon de 28 jours

(d) Coupe sagittale d'un embryon à la fin du premier mois

Q À quel moment le tube digestif commence-t-il à se développer?

séparation en deux couches (somatique et splanchnique), le mésoderme splanchnique s'associe à l'endoderme de l'intestin primitif, ce qui procure à ce dernier une paroi double. La **couche endodermique** donne naissance à l'*épithélium de revêtement* et aux *glandes* de la majeure partie du tube digestif; la **couche mésodermique** produit les *muscles lisses* et le *tissu conjonctif* du tube digestif.

L'intestin primitif s'allonge et, durant la troisième semaine, se différencie en trois segments qui sont, d'avant en arrière, le **proentéron,** ou intestin antérieur de l'embryon, le **mésentéron,** ou intestin moyen de l'embryon et le **métentéron,** ou intestin postérieur de l'embryon (figure 24.28b). Jusqu'à la cinquième semaine de gestation, le mésentéron s'ouvre sur le sac vitellin; par la suite, le sac vitellin se contracte et se sépare du mésentéron, dont la paroi se referme. Dans la région du proentéron, une dépression de l'ectoderme nommée **stomodéum** apparaît (figure 24.28c). Elle deviendra la *cavité orale*. La **membrane buccopharyngienne** qui sépare le proentéron du stomodéum se rompt durant la quatrième semaine de gestation, si bien que le proentéron communique avec l'extérieur de l'embryon par la cavité orale. Une autre dépression ectodermique, le **proctodéum,** se forme dans le métentéron et est appelée à devenir l'*anus.* La **membrane cloacale,** qui sépare le métentéron du proctodéum, se rompt, si bien que le métentéron communique avec l'extérieur de l'embryon par l'anus. Ainsi, le tube digestif se présente comme un canal continu de la bouche à l'anus.

Le proentéron devient le *pharynx,* l'*œsophage,* l'*estomac* et une *partie du duodénum.* Le mésentéron forme le *reste du duodénum,* le *jéjunum,* l'*iléum* et une *partie du gros intestin* (cæcum, appendice, côlon ascendant et la majeure partie du côlon transverse). Le métentéron est appelé à devenir le *reste du gros intestin,* sauf une partie du canal anal qui est dérivée du proctodéum.

Au cours du développement, l'endoderme forme des bourgeons creux, à différents endroits le long du proentéron, qui plongent dans le mésoderme. Ces bourgeons vont devenir les *glandes salivaires,* le *foie,* la *vésicule biliaire* et le *pancréas* (figure 24.28d). Chaque glande garde un lien avec le tube digestif au moyen de conduits.

1. Quelles structures se développent à partir du proentéron, du mésentéron et du métentéron ?

VIEILLISSEMENT DU SYSTÈME DIGESTIF
OBJECTIF
• *Décrire les effets du vieillissement sur le système digestif.*

Les changements qui touchent le système digestif par suite du vieillissement sont, entre autres, le ralentissement des mécanismes de sécrétion, la diminution de la motilité des organes digestifs, la perte de tonus et de force du tissu musculaire et des structures qui le soutiennent, l'altération de la rétroaction neurosensorielle qui agit sur la libération des enzymes et des hormones, et la diminution de la réaction à la douleur et aux sensations internes. Dans la partie supérieure du tube digestif, les changements fréquemment observés comprennent la diminution de la sensibilité aux irritations et aux lésions de la bouche, la perte des sensations gustatives, les maladies desmodontales, les troubles de déglutition, la hernie hiatale, la gastrite et l'ulcère gastro-duodénal. Les changements qui peuvent survenir dans l'intestin grêle sont l'ulcère duodénal, l'appendicite, la malabsorption et la mauvaise digestion. Les autres troubles dont l'incidence augmente avec l'âge sont les affections de la vésicule biliaire, la jaunisse, la cirrhose et la pancréatite aiguë. Parmi les changements qui atteignent le gros intestin, on observe la constipation, les hémorroïdes et la diverticulite. Les cancers du côlon ou du rectum sont assez répandus.

DÉSÉQUILIBRES HOMÉOSTATIQUES

CARIES DENTAIRES

Les **caries dentaires** sont associées à une déminéralisation progressive (ou ramollissement) de l'émail et de la dentine. À défaut de traitement, les microorganismes peuvent envahir la pulpe, causer une inflammation et une infection, puis entraîner la mort de la pulpe et un abcès de l'os alvéolaire qui entoure l'apex de la racine. Lorsqu'elles sont rendues à ce point, les dents doivent être traitées par traitement radiculaire.

Les caries dentaires prennent naissance quand des bactéries, qui agissent sur les sucres, produisent des acides qui déminéralisent l'émail. Le **dextran,** polysaccharide collant dérivé du sucrose, fait adhérer les bactéries aux dents. Les amas de cellules bactériennes, de dextran et d'autres débris qui se fixent aux dents constituent la **plaque dentaire.** La salive n'atteint plus la surface de la dent pour neutraliser l'acide parce que la plaque la recouvre. Se brosser les dents immédiatement après avoir mangé élimine la plaque des surfaces plates avant que les bactéries puissent produire des acides. Les dentistes recommandent aussi d'enlever la plaque entre les dents toutes les 24 h avec de la soie dentaire.

MALADIES DESMODONTALES

Les **maladies desmodontales,** ou parodontales, sont un ensemble de troubles divers caractérisés par de l'inflammation et une dégénérescence des gencives, de l'os alvéolaire, du desmodonte et du cément. L'une d'elles est appelée **pyorrhée.** Les premiers symptômes de cet affection sont la tuméfaction et l'inflammation des tissus mous ainsi que des saignements des gencives. Si elle est laissée sans traitement, les tissus mous peuvent se détériorer et l'os alvéolaire peut se résorber. Les dents deviennent alors mobiles et il y a récession des gencives. Les maladies desmodontales sont souvent causées par une mauvaise hygiène buccale, par des agents irritants locaux tels que les **bactéries,** la nourriture enclavée et la fumée de cigarette, ou encore par une mauvaise occlusion.

MALADIE ULCÉREUSE GASTRO-DUODÉNALE

Aux États-Unis, de 5 à 10 % de la population est atteinte de la **maladie ulcéreuse gastro-duodénale.** Un **ulcère** est une lésion en forme de cratère dans une membrane. Ceux qui prennent naissance dans les régions du tube digestif exposées au suc gastrique acide sont appelés **ulcères gastro-duodénaux.** Dans le cas de ces ulcères, l'hémorragie est la complication la plus répandue ; elle peut entraîner l'anémie si la perte de sang est importante. Dans les cas aigus, les ulcères gastro-duodénaux peuvent provoquer l'état de choc et la mort. On attribue cette maladie à trois causes distinctes : 1) une bactérie, *Helicobacter pylori,* 2) les anti-inflammatoires non stéroïdiens (AINS), telle l'aspirine, et 3) l'hypersécrétion de HCl, comme dans le syndrome de Zollinger-Ellison, qui est une tumeur sécrétrice de gastrine généralement située dans le pancréas.

Helicobacter pylori (anciennement appelée *Campylobacter pylori*) est la cause la plus fréquente d'ulcères gastro-duodénaux. La bactérie produit une enzyme appelée uréase qui décompose l'urée en ammoniac et en gaz carbonique. En même temps qu'il protège la bactérie de l'acidité du milieu, l'ammoniac s'attaque à la couche protectrice de mucus de l'estomac et aux cellules gastriques sous-jacentes. *H. pylori* produit aussi la catalase, une enzyme qui, croit-on, protège le microbe contre la phagocytose par les granulocytes neutrophiles, ainsi que plusieurs protéines d'adhérence qui permettent à la bactérie de se fixer aux cellules gastriques.

Il y a plusieurs thérapeutiques pour traiter la maladie ulcéreuse gastro-duodénale. Puisque le tabac, l'alcool, la caféine et les AINS peuvent perturber les mécanismes de défense de la muqueuse et, de ce fait, augmenter sa sensibilité aux effets destructeurs du HCl, il vaut mieux éviter ces substances. Dans les cas associés à *H. pylori*, l'administration d'antibiotiques règle souvent le problème. Les antiacides oraux tels que Tums ou Maalox peuvent procurer un soulagement temporaire en neutralisant l'acide gastrique. Quand la maladie est causée par une hypersécrétion de HCl, on peut avoir recours aux inhibiteurs des récepteurs H_2 (tels que Tagamet) ou aux inhibiteurs des pompes à protons tels que l'oméprazole (Prilosec), qui bloquent la sécrétion de H^+ par les cellules pariétales.

DIVERTICULITE

La **diverticulose** est la formation de diverticules, évaginations de la paroi du côlon qui créent des poches là où la musculeuse s'est affaiblie. En règle générale, les personnes qui sont atteintes de diverticulose n'ont aucun symptôme et ne souffrent pas de complications, mais environ 15 % d'entre elles finissent par présenter une inflammation appelée **diverticulite.** Cette affection peut s'accompagner de douleur, de constipation ou, au contraire, d'une augmentation de la fréquence des selles, de nausées, de vomissements et de température subfébrile. Les régimes pauvres en fibres favorisent le développement de la diverticulite et les patients qui adoptent des régimes à haute teneur en fibres connaissent une réduction marquée des symptômes. Dans les cas graves, on peut avoir recours à la chirurgie et enlever les parties touchées du côlon. La perforation d'un diverticule peut entraîner la libération de bactéries dans la cavité abdominale et causer une péritonite.

CANCERS DU CÔLON ET DU RECTUM

Les **cancers du côlon et du rectum** figurent parmi les tumeurs malignes les plus meurtrières, se situant au second rang après le cancer du poumon chez les hommes et au troisième après les cancers du poumon et du sein chez les femmes. L'hérédité joue un rôle très important puisqu'une prédisposition d'origine génétique contribue à plus de la moitié des cas de cancers du côlon et du rectum. La consommation d'alcool et les régimes riches en protéines et graisses animales augmentent le risque de présenter un cancer du côlon ou du rectum, alors qu'on attribue un rôle protecteur aux fibres alimentaires,

aux rétinoïdes, au calcium et au sélénium. Les signes et symptômes de ce type de cancer comprennent la diarrhée, la constipation, les crampes, des douleurs abdominales et des saignements rectaux visibles ou occultes. Le dépistage peut se faire par la recherche de sang dans les fèces, le toucher rectal, la sigmoïdoscopie, la coloscopie et le lavement baryté. On peut éliminer les tumeurs par endoscopie ou chirurgie.

HÉPATITE

L'**hépatite** est une inflammation du foie qui peut être provoquée par des virus, des médicaments et des substances chimiques, y compris l'alcool. Au point de vue clinique, on reconnaît plusieurs types d'hépatites virales. L'**hépatite A,** ou **hépatite infectieuse,** est causée par le virus de l'hépatite A ; elle se transmet lorsqu'il y a contamination par les fèces d'objets tels que les aliments, les vêtements, les jouets et les ustensiles de cuisine (voie fécale-orale). En règle générale, il s'agit d'une maladie anodine des enfants et des jeunes adultes caractérisée par la perte d'appétit, des malaises, des nausées, de la diarrhée, de la fièvre et des frissons. Elle finit par produire une jaunisse. Ce type d'hépatite ne cause pas de lésions permanentes du foie. La plupart des personnes atteintes guérissent en 4 à 6 semaines.

L'**hépatite B** est causée par le virus de l'hépatite B et se transmet principalement par contact sexuel et l'utilisation de seringues et d'équipements de transfusion contaminés. Elle est également transmissible par la salive et les larmes. Le virus peut être présent pendant des années, voire toute la vie, et peut entraîner la cirrhose et, dans certains cas, le cancer du foie. Les individus qui sont porteurs du virus actif de l'hépatite B sont à risque pour la cirrhose et sont contagieux. On peut prévenir l'hépatite B au moyen de vaccins produits par génie génétique.

L'**hépatite C** est causée par le virus de l'hépatite C ; elle ressemble à l'hépatite B au point de vue clinique. Elle est souvent transmise par les transfusions sanguines. L'hépatite C peut entraîner la cirrhose et, dans certains cas, le cancer du foie.

L'**hépatite D** est causée par le virus de l'hépatite D. Elle se transmet comme l'hépatite B. En fait, une personne doit être déjà infectée par le virus de l'hépatite B pour contracter l'hépatite D. La maladie a pour conséquence une atteinte hépatique grave et présente un taux de mortalité plus élevé que l'infection par le virus de l'hépatite B seul.

L'**hépatite E** est causée par le virus de l'hépatite E et se transmet comme l'hépatite A. Elle n'entraîne pas de maladie chronique du foie, mais le taux de mortalité chez les femmes enceintes atteintes est très élevé.

ANOREXIE MENTALE

L'**anorexie mentale** est un trouble chronique caractérisé par une perte pondérale volontaire, une perception négative de l'image du corps et des modifications physiologiques consécutives à la dénutrition. Les patients souffrent d'une fixation sur le maintien du poids corporel idéal et se croient souvent tenus d'aller à la selle tous les jours malgré une ingestion insuffisante de nourriture. Ils abusent des laxatifs, ce qui aggrave le déséquilibre hydro-électrolytique et les carences nutritives. L'affection touche surtout les jeunes femmes célibataires et pourrait être héréditaire. Des menstruations anormales, l'aménorrhée (absence de menstruations) et un métabolisme basal ralenti sont le reflet des effets dépresseurs de l'inanition. Les individus peuvent devenir émaciés et mourir de faim ou d'une des complications qui résultent de la maladie. On trouve parfois associées à ce trouble l'ostéoporose, la dépression et des anomalies cérébrales accompagnées de diminution des fonctions mentales. La psychothérapie et un régime alimentaire adapté sont les traitements indiqués.

TERMES MÉDICAUX

Achalasie (*a* = sans; *chalasis* = relâchement) Cet état est causé par un dérèglement du plexus myentérique. Il en résulte que le sphincter œsophagien inférieur ne se relâche pas normalement à l'approche de nourriture. Un repas entier peut être bloqué dans l'œsophage et passer très lentement dans l'estomac. La distension de l'œsophage entraîne des douleurs dans la poitrine qui sont souvent attribuées à un malaise cardiaque.

Aphte Ulcère douloureux de la muqueuse de la bouche qui atteint les femmes plus que les hommes, en général entre l'âge de 10 et 40 ans. Il s'agit peut-être d'une réaction auto-immune ou d'une allergie alimentaire.

Borborygme Gargouillement causé par la propulsion de gaz dans les intestins.

Boulimie (*boûs* = bœuf; *limos* = faim) Affection qui touche en particulier les femmes blanches, jeunes, célibataires et de classe moyenne. Les personnes atteintes mangent de manière excessive au moins deux fois par semaine, puis se purgent en se faisant vomir, en jeûnant ou en suivant un régime strict, en se donnant un programme d'exercice vigoureux, ou en utilisant des laxatifs et des diurétiques. La maladie est provoquée par la crainte de se trouver obèse ainsi que par le stress, la dépression et des troubles physiologiques tels que les tumeurs de l'hypothalamus.

Cholécystite (*kholê* = bile; *kustis* = vessie; *itis* = inflammation) Dans certains cas, il s'agit d'une inflammation auto-immune de la vésicule biliaire; dans les autres cas, la maladie résulte d'une obstruction du conduit cystique par des calculs biliaires.

Cirrhose Foie déformé ou parcouru de tissu cicatriciel par suite d'une inflammation chronique due à l'hépatite, aux substances chimiques qui détruisent les hépatocytes, aux parasites qui infectent le foie et à l'alcoolisme. Les hépatocytes sont remplacés par du tissu conjonctif fibreux ou adipeux. Les symptômes sont, entre autres, la jaunisse, l'œdème dans les jambes, des hémorragies soudaines et une sensibilité accrue aux médicaments.

Colite Inflammation de la muqueuse du côlon et du rectum qui réduit l'absorption d'eau et de sels, produisant de ce fait des fèces liquides et sanguinolentes et entraînant, dans les cas graves, la déshydratation et la déplétion électrolytique. Les spasmes de la musculeuse irritée causent des crampes. On croit qu'il s'agit d'une affection auto-immune.

Côlon irritable Maladie de l'ensemble du tube digestif, dans laquelle les personnes atteintes réagissent au stress en manifestant des symptômes (telles des crampes et des douleurs abdominales) associés à des diarrhées qui alternent avec de la constipation. Les fèces peuvent contenir des quantités excessives de mucus. La flatulence, la nausée et la perte d'appétit font aussi partie des symptômes. Ce trouble est également appelé **colopathie fonctionnelle,** ou **colite spasmodique.**

Colostomie (*stoma* = bouche) Dérivation de la circulation fécale par une ouverture dans le côlon qui donne sur un abouchement fixé à l'extérieur de la paroi abdominale lors d'une opération chirurgicale. Cet orifice remplace l'anus et permet l'évacuation des fèces dans une poche qui se porte sur l'abdomen.

Diarrhée des voyageurs Maladie infectieuse du tube digestif qui occasionne des envies impérieuses d'aller à la selle, des fèces liquides, des crampes, des douleurs abdominales, des malaises, des nausées et, parfois, de la fièvre et une déshydratation. On la contracte par ingestion de nourriture ou d'eau contaminée par des matières fécales contenant, en règle générale, des bactéries (surtout *Escherichia coli*); les virus et les protozoaires parasites sont des causes moins fréquentes.

Dysphagie (*dus* = difficulté; *phagein* = manger) Déglutition rendue difficile par l'inflammation, la paralysie, une obstruction ou un traumatisme.

Entérite (*enteron* = intestin) Inflammation de l'intestin, en particulier de l'intestin grêle.

Flatuosité Air (gaz) dans l'estomac ou l'intestin, habituellement expulsé par l'anus. Si l'évacuation du gaz se fait par la bouche, on l'appelle **éructation,** ou **rot.** Les flatuosités peuvent résulter de gaz libérés par suite de la dégradation de la nourriture dans l'estomac. Elles peuvent aussi provenir de l'ingestion d'air ou de substances contenant des gaz comme les boissons gazeuses.

Gastrectomie (*gastêr* = estomac; *ektomê* = ablation) Ablation partielle ou totale de l'estomac.

Gastroscopie (*skopein* = observer) Examen endoscopique de l'estomac à l'aide d'une sonde lumineuse, par lequel on peut voir directement l'intérieur de l'organe et évaluer un ulcère, une tumeur, une inflammation ou l'origine d'un saignement.

Hernie Saillie partielle ou totale d'un organe par une ouverture dans la membrane ou la paroi d'une cavité, habituellement de la cavité abdominale. La *hernie diaphragmatique,* ou *hiatale,* est la saillie de l'œsophage inférieur, de l'estomac ou de l'intestin dans la cavité thoracique par le hiatus œsophagien. La *hernie inguinale* est la saillie du sac herniaire dans l'ouverture inguinale; à un stade avancé, elle peut contenir une partie de l'intestin et, chez l'homme, déborder dans le scrotum où elle peut entraîner l'étranglement de la partie herniée.

Maladies inflammatoires de l'intestin Troubles dont il existe deux formes. 1) La maladie de Crohn est une inflammation du tube digestif, en particulier de l'iléum distal et du côlon proximal; l'inflammation peut s'étendre de la muqueuse à la séreuse. 2) La colite ulcéreuse est une inflammation de la muqueuse du tube digestif, habituellement limitée au gros intestin et accompagnée de saignements rectaux.

Malocclusion (*malus* = mauvais; *occlusio* = fermeture) Trouble qui résulte d'un mauvais contact entre les dents des maxillaires (dents supérieures) et celles de la mandibule (dents inférieures).

RÉSUMÉ

INTRODUCTION (p. 867)

1. La dégradation des grosses molécules de nourriture en molécules plus petites est appelée digestion ; le passage de ces petites molécules dans le sang et la lymphe est appelé absorption.
2. Les organes qui ensemble accomplissent la digestion et l'absorption constituent le système digestif et se répartissent habituellement en deux grands groupes : le tube digestif et les organes digestifs annexes.
3. Le tube digestif est un conduit qui s'étend sans interruption de la bouche à l'anus.
4. Les structures annexes sont les dents, la langue, les glandes salivaires, le foie, la vésicule biliaire et le pancréas.

SYSTÈME DIGESTIF : VUE D'ENSEMBLE (p. 867)

1. La digestion comprend six processus de base : l'ingestion, la sécrétion, le brassage et la propulsion, la digestion mécanique et la digestion chimique, l'absorption ainsi que la défécation.
2. La digestion mécanique comprend la mastication et les mouvements du tube digestif qui facilitent la digestion chimique.
3. La digestion chimique est une suite de réactions d'hydrolyse qui dégradent les grosses molécules de glucides, de lipides, de protéines et d'acides nucléiques et les réduisent en plus petites molécules que les cellules de l'organisme peuvent utiliser.

COUCHES TISSULAIRES DU TUBE DIGESTIF (p. 869)

1. La paroi du tube digestif possède, dans l'ensemble, une structure uniforme formée de quatre couches de tissus qui sont, de l'intérieur vers l'extérieur, la muqueuse, la sous-muqueuse, la musculeuse et la séreuse.
2. Enfouies dans le chorion de la muqueuse se trouvent de grandes plaques de tissu lymphatique appelé tissu lymphoïde associé aux muqueuses (MALT).

PÉRITOINE (p. 871)

1. Le péritoine est la plus grande séreuse du corps. Il tapisse les parois de la cavité abdominale et recouvre certains organes de l'abdomen.
2. Les replis du péritoine comprennent le mésentère, le mésocôlon, le ligament falciforme du foie, le petit omentum et le grand omentum.

BOUCHE (p. 873)

1. La bouche est formée des joues, du palais osseux et du palais mou, des lèvres et de la langue.
2. Le vestibule est l'espace limité, du côté extérieur, par les joues et les lèvres, et, du côté intérieur, par les dents et les gencives.
3. La cavité propre de la bouche s'étend du vestibule jusqu'au gosier.
4. La langue, avec les muscles qui lui sont associés, forme le plancher de la cavité orale. Elle se compose de muscles squelettiques recouverts d'une muqueuse.
5. La face supérieure et les côtés de la langue sont couverts de papilles dont certaines contiennent des calicules gustatifs.
6. La majeure partie de la salive est sécrétée par les glandes salivaires, qui sont situées à l'extérieur de la bouche. Ces glandes déversent leurs sécrétions dans des conduits qui débouchent dans la cavité orale.

7. Il y a trois paires de glandes salivaires majeures : ce sont les glandes parotides, submandibulaires et sublinguales.
8. La salive lubrifie la nourriture et amorce la digestion chimique des glucides.
9. La salivation est régie par le système nerveux.
10. Les dents font saillie dans la bouche et sont adaptées à la digestion mécanique.
11. Typiquement, la dent est formée de trois régions principales : la couronne, la racine et le collet de la dent.
12. Les dents se composent principalement de dentine et sont recouvertes d'émail, la substance la plus dure du corps.
13. Il y a deux dentures. La première est formée des dents déciduales et la seconde, des dents permanentes.
14. Grâce à la mastication, la nourriture est mélangée à la salive et formée en une masse molle et flexible appelée bol alimentaire.
15. L'amylase salivaire amorce la digestion de l'amidon.

PHARYNX (p. 880)

1. La déglutition, soit l'action d'avaler, achemine le bol alimentaire de la bouche à l'estomac.
2. La déglutition comprend un temps buccal (volontaire), un temps pharyngien (involontaire) et un temps œsophagien (involontaire).

ŒSOPHAGE (p. 881)

1. L'œsophage est un tube musculaire souple qui relie le pharynx à l'estomac.
2. Il fait passer le bol alimentaire dans l'estomac par péristaltisme.
3. Il comprend un sphincter œsophagien supérieur et un sphincter œsophagien inférieur.

ESTOMAC (p. 883)

1. L'estomac relie l'œsophage au duodénum.
2. Les principales régions anatomiques de l'estomac sont le cardia, le fundus, le corps et le pylore.
3. Les adaptations de l'estomac pour la digestion comprennent les plis gastriques ; les glandes qui produisent le mucus, l'acide chlorhydrique, la pepsine, la lipase gastrique et le facteur intrinsèque ; et la musculeuse, qui est formée de trois couches.
4. La digestion mécanique s'effectue par les ondes de brassage.
5. La digestion chimique consiste surtout à convertir les protéines en peptides sous l'action de la pepsine.
6. La paroi gastrique est imperméable à la plupart des substances.
7. Parmi les substances que peut absorber l'estomac se trouvent l'eau, certains ions, les médicaments et l'alcool.
8. La sécrétion gastrique est régie par des mécanismes nerveux et hormonaux.
9. La stimulation de la sécrétion gastrique s'effectue en trois phases qui se chevauchent. Ce sont les phases céphalique, gastrique et intestinale.
10. Durant les phases céphalique et gastrique, le péristaltisme est stimulé. Durant la phase intestinale, la motilité est inhibée.
11. L'évacuation gastrique est stimulée par la distension de l'estomac, et la gastrine est libérée en réponse à la présence de certains types d'aliments.
12. L'évacuation gastrique est inhibée par le réflexe entéro-gastrique et par la CCK, une hormone.

PANCRÉAS (p. 891)

1. Le pancréas est formé d'une tête, d'un corps et d'une queue. Il est relié au duodénum par le conduit pancréatique et le conduit pancréatique accessoire.
2. Les îlots pancréatiques (ou îlots de Langerhans) sont des structures endocrines qui sécrètent des hormones. Les acinus sont des structures exocrines qui sécrètent le suc pancréatique.
3. Le suc pancréatique contient des enzymes qui digèrent l'amidon (amylase pancréatique), les protéines (trypsine, chymotrypsine, carboxypeptidase et élastase), les triglycérides (lipase pancréatique) et les acides nucléiques (ribonucléase et désoxyribonucléase).
4. La sécrétion pancréatique est régie par des mécanismes nerveux et hormonaux.

FOIE ET VÉSICULE BILIAIRE (p. 893)

1. Le foie est formé des lobes gauche et droit ; le lobe droit comprend le lobe carré et le lobe caudé. La vésicule biliaire est un sac situé dans une dépression de la face postérieure du foie. Elle emmagasine et concentre la bile.
2. Les lobes du foie sont composés de lobules qui contiennent des hépatocytes (cellules du foie), des sinusoïdes, des cellules de Kupffer (ou cellules réticulo-endothéliales étoilées) et une veine centrale.
3. Les hépatocytes produisent la bile, qui est transportée par un système de conduits jusqu'à la vésicule biliaire, où elle est concentrée et emmagasinée temporairement. La cholécystokinine (CCK) stimule l'éjection de la bile dans le conduit cholédoque.
4. Le rôle de la bile dans la digestion est l'émulsification des lipides alimentaires.
5. Le foie accomplit aussi des fonctions liées au métabolisme des glucides, des lipides et des protéines, au catabolisme des médicaments et des hormones, à l'excrétion de la bilirubine, à la synthèse des sels biliaires, au stockage des vitamines et des minéraux, à la phagocytose ainsi qu'à l'activation de la vitamine D.
6. La sécrétion de la bile est régie par des mécanismes nerveux et hormonaux.

RÉSUMÉ : HORMONES DIGESTIVES (p. 897)

1. Les cellules entéro-endocrines de la muqueuse du tube digestif sécrètent plusieurs hormones de régulation des processus digestifs. Les principales hormones sont la gastrine (de l'estomac), la sécrétine (de l'intestin grêle) et la cholécystokinine (de l'intestin grêle).
2. La gastrine agit surtout sur l'estomac, alors que la sécrétine et la cholécystokinine influent principalement sur le pancréas, le foie et la vésicule biliaire.

INTESTIN GRÊLE (p. 898)

1. L'intestin grêle s'étend du sphincter pylorique jusqu'à la valve iléo-cæcale.
2. Il se divise en duodénum, jéjunum et iléum.
3. Ses glandes sécrètent du liquide et du mucus ; les plis circulaires, les villosités et les microvillosités de ses parois présentent une grande surface pour la digestion et l'absorption.
4. Les enzymes de la bordure en brosse digèrent les alpha-dextrines, le maltose, le sucrose, le lactose, les peptides et les nucléotides à la surface des cellules épithéliales de la muqueuse.
5. Les enzymes pancréatiques et celles de la bordure en brosse de l'intestin transforment l'amidon en maltose, maltotriose et alpha-dextrines (amylase pancréatique), les alpha-dextrines en glucose (alpha-dextrinase), le maltose en glucose (maltase), le sucrose en glucose et en fructose (sucrase), le lactose en glucose et en galactose (lactase) et les protéines en peptides (trypsine, chymotrypsine et élastase). Par ailleurs, les enzymes coupent les liaisons peptidiques qui joignent les acides aminés terminaux aux extrémités carboxyliques des peptides (carboxypeptidases) ; elles coupent aussi les liaisons peptidiques qui joignent les acides aminés terminaux aux extrémités aminées des peptides (aminopeptidases). Enfin, les enzymes réduisent les dipeptides en acides aminés (dipeptidases), les triglycérides en acides gras et en monoglycérides (lipases) et les nucléotides en pentoses et en bases azotées (nucléosidases et phosphatases).
6. La digestion mécanique dans l'intestin grêle comprend la segmentation et les complexes de motilité migrante.
7. Les mécanismes les plus importants de régulation de la motilité et de la sécrétion intestinales sont les réflexes entériques et les hormones digestives.
8. Les influx parasympathiques augmentent la motilité ; les influx sympathiques la diminuent.
9. L'absorption s'effectue par diffusion simple, diffusion facilitée, osmose et transport actif. Elle s'accomplit surtout dans l'intestin grêle.
10. Les monosaccharides, les acides aminés et les acides gras à chaîne courte passent dans les capillaires sanguins.
11. Les acides gras à chaîne longue et les monoglycérides sont absorbés à partir de micelles, resynthétisés en triglycérides et rassemblés en chylomicrons.
12. Les chylomicrons se rendent dans la lymphe des vaisseaux chylifères des villosités.
13. L'intestin grêle absorbe aussi des électrolytes, des vitamines et de l'eau.

GROS INTESTIN (p. 909)

1. Le gros intestin s'étend de la valve iléo-cæcale à l'anus.
2. Les segments du gros intestin sont le cæcum, le côlon, le rectum et le canal anal.
3. La muqueuse contient un grand nombre de cellules caliciformes et la musculeuse est constituée de bandelettes du côlon et d'haustrations.
4. La digestion mécanique dans le gros intestin comprend les contractions haustrales, le péristaltisme et les mouvements de masse.
5. La dernière étape de la digestion chimique a lieu dans le gros intestin grâce à l'activité des bactéries. Les substances sont dégradées davantage et certaines vitamines sont synthétisées.
6. Le gros intestin absorbe de l'eau, des électrolytes et des vitamines.
7. Les fèces sont composées d'eau, de sels inorganiques, de cellules épithéliales, de bactéries et d'aliments non digérés.
8. L'élimination des fèces par le rectum est appelée défécation.
9. La défécation est un réflexe facilité par les contractions volontaires du diaphragme et des muscles de l'abdomen, et par le relâchement du sphincter externe de l'anus.

DÉVELOPPEMENT EMBRYONNAIRE DU SYSTÈME DIGESTIF (p. 914)

1. L'endoderme de l'intestin primitif forme l'épithélium et les glandes de la majeure partie du tube digestif.
2. Le mésoderme de l'intestin primitif forme les muscles lisses et le tissu conjonctif du tube digestif.

VIEILLISSEMENT DU SYSTÈME DIGESTIF (p. 916)

1. Les changements qui touchent l'ensemble du tube digestif sont le ralentissement des mécanismes de sécrétion, la diminution de la motilité et la perte de tonus.

2. Les changements spécifiques peuvent inclure la perte des sensations gustatives, la pyorrhée, les hernies, les ulcères gastro-duodénaux, la constipation, les hémorroïdes et les maladies liées à la diverticulose.

AUTOÉVALUATION

1. Associez les éléments suivants:
___ a) tube musculaire affaissé jouant un rôle dans la déglutition et le péristaltisme
___ b) organe vestigial contenant une grande quantité de tissu lymphatique
___ c) sa sous-muqueuse contient les glandes de Brunner
___ d) produit et sécrète la bile
___ e) sa sous-muqueuse contient les nodules lymphatiques agrégés
___ f) accomplit l'ingestion, la mastication et la déglutition
___ g) a pour fonction de retenir et de brasser la nourriture, de la faire avancer par péristaltisme et d'en faire la digestion chimique grâce à une enzyme, la pepsine
___ h) réservoir de bile
___ i) forme des déchets semi-solides au moyen des contractions haustrales et du péristaltisme
___ j) lieu de passage de la nourriture, des liquides et de l'air; participe à la déglutition

1) bouche
2) pharynx
3) œsophage
4) estomac
5) duodénum
6) iléum
7) côlon
8) foie
9) vésicule biliaire
10) appendice vermiforme

2. Associez les éléments suivants:
___ a) enzyme d'activation de la bordure en brosse qui retranche une partie de la molécule de trypsinogène pour former la trypsine, une protéase
___ b) enzyme qui amorce la digestion des glucides dans la bouche
___ c) principale enzyme de digestion des triglycérides chez l'adulte
___ d) stimule la croissance des glandes gastriques et la sécrétion du suc gastrique
___ e) protéase sécrétée par les cellules principales de l'estomac
___ f) stimule l'écoulement de suc pancréatique riche en ions bicarbonate
___ g) agent émulsifiant non enzymatique
___ h) cause la contraction de la vésicule biliaire et stimule la production de suc pancréatique riche en enzymes digestives
___ i) inhibe la libération du suc gastrique
___ j) stimule la sécrétion d'ions et d'eau par les intestins et inhibe la sécrétion d'acide gastrique

1) gastrine
2) cholécystokinine
3) sécrétine
4) entérokinase
5) pepsine
6) amylase salivaire
7) lipase pancréatique
8) bile
9) polypeptide intestinal vasoactif
10) somatostatine

Choix multiples

3. Parmi les éléments suivants, lesquels sont des processus digestifs de base? 1) Ingestion. 2) Sécrétion. 3) Brassage et propulsion. 4) Ventilation. 5) Absorption. 6) Défécation. 7) Excrétion. 8) Digestion.
a) 1, 2, 3, 5, 6 et 8. b) 2, 3, 4, 6, 7 et 8. c) 1, 3, 5 et 8. d) 2, 3, 6 et 8. e) 1, 3, 6 et 8.

4. Parmi les fonctions suivantes, lesquelles sont assurées par le foie? 1) Métabolisme des glucides, des lipides et des protéines. 2) Métabolisme des acides nucléiques. 3) Excrétion de la bilirubine. 4) Synthèse des sels biliaires. 5) Activation de la vitamine D.
a) 1, 2, 3 et 5. b) 1, 2, 3 et 4. c) 1, 3, 4 et 5. d) 2, 3, 4 et 5. e) 1, 2, 4 et 5.

5. La partie de la paroi du tube digestif qui contient le tissu lymphoïde associé aux muqueuses est: a) la muscularis mucosæ; b) la sous-muqueuse; c) la musculeuse; d) la séreuse; e) le chorion.

6. L'organe digestif dont la musculeuse comprend trois couches est: a) l'œsophage; b) le côlon; c) l'intestin grêle; d) l'estomac; e) le cæcum.

7. Lesquels des énoncés suivants sur la régulation de la sécrétion et de la motilité gastriques sont vrais? 1) La vue, l'odeur, le goût ou l'idée de la nourriture peut déclencher la phase céphalique de la digestion gastrique. 2) La phase gastrique commence quand la nourriture pénètre dans l'intestin grêle. 3) Lorsqu'ils sont activés, les mécanorécepteurs de l'estomac déclenchent la production de suc gastrique et le péristaltisme. 4) Les réflexes de la phase intestinale inhibent l'activité gastrique. 5) Le réflexe entéro-gastrique prend naissance durant la phase gastrique.
a) 1, 3 et 4. b) 2, 4 et 5. c) 1, 4 et 5. d) 1, 2 et 5. e) 1, 2, 3 et 4.

8. Le principal mouvement de l'intestin grêle est: a) le péristaltisme; b) le brassage; c) la segmentation; d) la déglutition; e) l'étirement.

Phrases à compléter

9. Les quatre couches du tube digestif sont, de l'intérieur vers l'extérieur, la ___, la ___, la ___ et la ___.

10. La plus grande séreuse du corps est le ___. Les ___ et le ___ sont des replis de cette tunique.

11. Le ___ régit les mouvements de la muqueuse et la vasoconstriction des vaisseaux sanguins. Le ___ régit la motilité du tube digestif, la fréquence et la force des contractions de la musculeuse.

12. Les produits finaux de la digestion chimique des glucides sont des ___. Ceux des protéines sont des ___. Ceux des lipides sont des ___ et des ___. Ceux des acides nucléiques sont des ___, des ___ et du ___.

Vrai ou faux

13. Tous les produits finaux de la digestion sont absorbés à partir de la lumière du tube digestif directement dans les capillaires sanguins du système cardiovasculaire et transportés jusqu'au foie, où ils sont traités.

14. La dernière étape de la digestion s'effectue dans le côlon sous l'action des haustrations.

15. Associez les éléments suivants :

___ a) microvillosités de l'intestin grêle qui augmentent la surface disponible pour l'absorption ; contient aussi des enzymes digestives

___ b) prolongements digitiformes de la muqueuse de l'intestin grêle qui augmentent sa superficie

___ c) produisent l'acide chlorhydrique dans l'estomac

___ d) sécrètent du lysozyme ; contribuent à la régulation de la population microbienne dans les intestins

___ e) pousse la nourriture vers l'arrière de la bouche pour la déglutition ; garde la nourriture en contact avec les dents

___ f) limite le mouvement de la langue vers l'arrière

___ g) produisent un liquide dans la bouche qui nettoie la cavité orale et les dents ; lubrifie, dissout la nourriture et en amorce la digestion chimique

___ h) les principales structures de la mastication

___ i) sécrètent le pepsinogène et la lipase gastrique dans l'estomac

___ j) crêtes permanentes de la muqueuse de l'intestin grêle ; favorisent l'absorption en augmentant la surface et en forçant le chyme à se déplacer en spirale plutôt qu'en ligne droite

___ k) cellules réticulo-endothéliales étoilées du foie ; phagocytent les leucocytes et les globules rouges usés, les bactéries et autres corps étrangers dans le sang en provenance du tube digestif

1) glandes salivaires
2) cellules pariétales
3) cellules principales
4) bordure en brosse
5) cellules de Kupffer
6) dents
7) langue
8) villosités
9) plis circulaires
10) cellules à granules acidophiles
11) frein de la langue

QUESTIONS À COURT DÉVELOPPEMENT

1. Les deux premières dents permanentes de Catherine ont fait éruption juste à temps pour fermer l'écartement entre ses dents supérieures avant la rentrée scolaire. Par malheur, la veille de la prise de photo de classe, elle est tombée de son vélo et l'écartement est réapparu. Utilisez les termes anatomiques appropriés pour décrire les dents que Catherine a perdues et celles qui lui restent. (INDICE : *Un ensemble complet de dents déciduales comprend un nombre de dents différent de celui de l'ensemble de dents permanentes.*)

2. L'obésité cause de l'inquiétude à beaucoup de personnes. Supposons qu'on ait inventé un inhalateur de CCK (cholécystokinine) en aérosol pour traiter celles qui doivent perdre du poids. Quelle serait l'action de la CCK sur le système digestif et son influence sur l'appétit ? (INDICE : *La CCK est produite par des cellules entéro-endocrines.*)

3. Le chirurgien explique à une femme qu'il va prélever le petit lobe de son foie et le transplanter dans le corps de son enfant pour remplacer le foie malade de ce dernier. Utilisez les termes anatomiques appropriés pour situer cette partie du foie de la femme. (INDICE : *Si les mains ne sont pas placées correctement lorsqu'on pratique la réanimation cardiorespiratoire, le processus xiphoïde peut perforer le foie.*)

RÉPONSES AUX QUESTIONS DES FIGURES

24.1 Les enzymes digestives sont produites par les glandes salivaires, l'estomac, le pancréas et l'intestin grêle.

24.2 Les plexus entériques participent à la régulation de la sécrétion et de la motilité du tube digestif.

24.3 Le mésentère fixe l'intestin grêle à la paroi abdominale postérieure.

24.4 L'uvule est une des structures qui empêchent la nourriture et les liquides de pénétrer dans la cavité nasale durant la déglutition.

24.5 Les ions chlorure dans la salive activent l'amylase salivaire.

24.6 Le principal composant de la dent, soit la dentine, est formé de tissu conjonctif.

24.7 Les premières, deuxièmes et troisièmes molaires ne remplacent aucune dent déciduale.

24.8 La déglutition est volontaire et involontaire. Elle est amorcée par une action volontaire qui est accomplie par des muscles squelettiques. L'action qui suit – déplacer le bol alimentaire dans l'œsophage et l'expédier dans l'estomac – est involontaire et s'effectue par péristaltisme des muscles lisses.

24.9 La muqueuse et la sous-muqueuse de l'œsophage contiennent les glandes qui sécrètent le mucus.

24.10 La nourriture est poussée par la contraction des muscles lisses derrière le bol alimentaire et le relâchement des muscles lisses situés devant lui.

24.11 Après un gros repas, les plis gastriques s'étirent et disparaissent au fur et à mesure que l'estomac se remplit.

24.12 Les cellules à mucus superficielles et les cellules à mucus du collet sécrètent du mucus ; les cellules principales sécrètent le pepsinogène et la lipase gastrique ; les cellules pariétales sécrètent le HCl et le facteur intrinsèque ; les cellules G sécrètent la gastrine.

24.13 La stimulation du nerf vague (X) cause la sécrétion du suc gastrique et fait augmenter la motilité gastrique.

24.14 Cette boucle de rétro-inhibition est un « réflexe local » parce que toutes les étapes de la boucle se déroulent dans l'estomac ; aucun influx en provenance de l'encéphale ou de la moelle épinière n'est requis.

24.15 Une vagotomie ralentirait l'évacuation gastrique.

24.16 Le conduit pancréatique contient le suc pancréatique (liquide et enzymes digestives) ; le conduit cholédoque contient la bile ; l'ampoule hépato-pancréatique contient le suc pancréatique et la bile.

24.17 Les ions HCO_3^- du suc pancréatique exercent un effet tampon sur l'acide gastrique et élèvent le pH du chyme afin que les enzymes pancréatiques puissent entrer en action.

24.18 La phagocytose dans le foie est accomplie par les cellules de Kupffer, ou cellules réticulo-endothéliales étoilées.

24.19 Pendant que s'effectue l'absorption d'un repas, les hépatocytes extraient les nutriments du sang qui traverse les sinusoïdes du foie. Ils retirent également l'O_2 et certaines substances toxiques.

24.20 La sécrétine favorise la libération de liquide riche en ions HCO_3^- et par le pancréas et par le foie.

24.21 L'iléum est le segment le plus long de l'intestin grêle.

24.22 Les nutriments qui sont absorbés entrent dans le sang par les capillaires ou dans la lymphe par les vaisseaux chylifères.

24.23 Le liquide sécrété par les glandes duodénales – un mucus alcalin – neutralise l'acide gastrique et protège la muqueuse du duodénum.

24.24 Les monoglycérides étant des molécules non polaires (hydrophobes), ils peuvent se dissoudre dans la bicouche lipidique de la membrane plasmique et ainsi la traverser par diffusion.

24.25 L'estomac et le pancréas sont les deux organes du système digestif qui sécrètent les plus grandes quantités de liquides.

24.26 Les segments ascendant et descendant du côlon sont rétropéritonéaux.

24.27 Les cellules caliciformes sécrètent le mucus qui lubrifie le contenu du côlon.

24.28 Le tube digestif commence à se développer environ 14 jours après la fécondation.

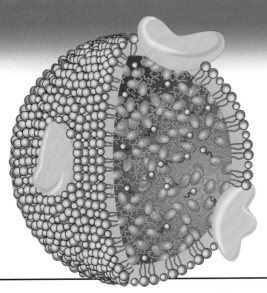

Les plantes utilisent un pigment vert, la chlorophylle, pour capter l'énergie du soleil. Notre peau ne contient pas de pigment analogue, si bien que la nourriture que nous consommons est la seule source d'énergie que nous puissions transformer en travail biologique. Grâce aux réactions métaboliques, l'organisme peut produire à partir de précurseurs simples beaucoup de molécules nécessaires au maintien des cellules et des tissus ; ce qu'il ne peut pas synthétiser – acides aminés essentiels, acides gras essentiels, vitamines et minéraux – doit venir de la nourriture. Les glucides, les lipides et les protéines dans la nourriture sont digérés par des enzymes dans le tube digestif. Les produits de la digestion qui atteignent les cellules de l'organisme sont des monosaccharides, des acides gras, du glycérol, des monoglycérides et des acides aminés. Certains minéraux et de nombreuses vitamines font partie de systèmes enzymatiques qui catalysent la dégradation et la synthèse des glucides, des lipides et des protéines. Les molécules de nourriture absorbées par le tube digestif sont appelées à remplir trois grandes fonctions :

1. La plupart des molécules de nourriture servent à *procurer de l'énergie* pour entretenir les processus vitaux tels que le transport actif, la réplication de l'ADN, la synthèse protéique, la contraction musculaire et la mitose.

2. Certaines molécules de nourriture sont utilisées comme *unités constitutives* pour la synthèse de molécules structurales ou fonctionnelles plus complexes telles que les protéines musculaires, les hormones et les enzymes.

3. D'autres molécules de nourriture sont *emmagasinées pour être utilisées plus tard*. Par exemple, le glycogène est stocké dans les cellules du foie et les triglycérides dans les cellules adipeuses.

Dans le présent chapitre, nous étudierons comment les réactions métaboliques permettent d'extraire l'énergie chimique contenue dans la nourriture, comment chaque groupe de molécules de nourriture contribue à la croissance, à la réparation et à la satisfaction des besoins énergétiques de l'organisme, et comment l'équilibre de la chaleur et de l'énergie est maintenue. Enfin, nous explorerons certains aspects de la nutrition.

RÉACTIONS MÉTABOLIQUES

OBJECTIF

• *Expliquer le rôle de l'ATP dans l'anabolisme et le catabolisme.*

On appelle **métabolisme** (*metabolê* = changement) l'ensemble des réactions chimiques de l'organisme. Il a pour fonction d'assurer l'équilibre énergétique entre les réactions cataboliques, qui sont des réactions de dégradation, et les réactions anaboliques, qui sont des réactions de synthèse. La plupart des réactions cataboliques sont *exothermiques* ; elles produisent plus d'énergie qu'elles n'en consomment. Inversement, les réactions anaboliques sont *endothermiques* ;

elles consomment plus d'énergie qu'elles n'en produisent. La molécule qui participe le plus souvent aux échanges d'énergie dans la cellule vivante est l'**ATP** (**adénosine triphosphate**), qui couple les réactions cataboliques productrices d'énergie aux réactions anaboliques consommatrices d'énergie.

La nature des réactions métaboliques qui se produisent dépend du type d'enzyme en activité dans une cellule donnée à un moment donné. Souvent, des réactions cataboliques se produisent dans un compartiment de la cellule, par exemple les mitochondries, alors que des réactions de synthèse se poursuivent ailleurs, comme dans le réticulum endoplasmique.

Les molécules synthétisées par les réactions anaboliques ont une durée limitée. À de rares exceptions près, elles finissent par être dégradées et les atomes qui les composent sont recyclés pour former d'autres molécules ou sont excrétés. Le recyclage de molécules biologiques s'effectue continuellement dans les tissus vivants, rapidement dans certains d'entre eux et très lentement dans d'autres. Les cellules peuvent être remises à neuf, molécule par molécule ; ou un tissu reconstruit, cellule par cellule.

Catabolisme et anabolisme : définitions

L'ensemble des réactions chimiques qui dégradent les molécules organiques complexes en molécules plus simples est appelé **catabolisme** (*kata* = en bas). Les réactions cataboliques libèrent l'énergie chimique emmagasinée dans les molécules organiques. D'importantes suites de réactions cataboliques se déroulent au cours de la glycolyse, du cycle de Krebs et de la chaîne de transport des électrons. Nous y reviendrons plus loin dans le présent chapitre.

L'ensemble des réactions chimiques qui combinent les molécules simples et les monomères pour former les composantes structurales et fonctionnelles complexes de l'organisme est appelé **anabolisme** (*ana* = en haut). Les réactions anaboliques sont, par exemple, la formation des liens peptidiques entre les acides aminés durant la synthèse des protéines, l'incorporation d'acides gras dans les phospholipides qui composent la bicouche de la membrane plasmique ainsi que l'assemblage de monomères de glucose pour former le glycogène.

Couplage du catabolisme et de l'anabolisme par l'ATP

Les réactions chimiques des systèmes vivants doivent arriver à transférer et gérer efficacement des quantités d'énergie d'une molécule à une autre. La molécule le plus souvent utilisée pour cette tâche est l'ATP, qui est en quelque sorte la « devise énergétique » de la cellule vivante. Comme l'argent liquide, elle est toujours disponible pour faire l'« achat » d'activités cellulaires ; elle est dépensée et régénérée sans cesse. La cellule typique possède environ un milliard de

Figure 25.1 Rôle de l'ATP dans le couplage des réactions anaboliques et cataboliques. Quand les molécules complexes et les polymères sont dégradés (catabolisme, à gauche), une partie de l'énergie est transférée à l'ATP et le reste est libéré sous forme de chaleur. Quand les molécules simples et les monomères sont combinés pour former des molécules complexes (anabolisme, à droite), l'ATP fournit l'énergie nécessaire à la synthèse et, là aussi, une partie de l'énergie est convertie en chaleur.

🔑 **Le couplage des réactions qui libèrent de l'énergie et de celles qui en consomment se réalise par le truchement de l'ATP.**

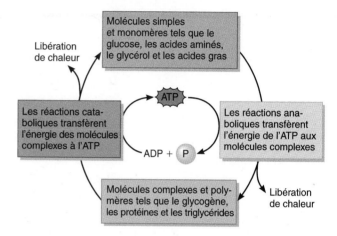

Q Dans une cellule pancréatique qui produit des enzymes digestives, est-ce l'anabolisme ou le catabolisme qui prédomine ?

molécules d'ATP. En général, chacune d'elles ne dure qu'une minute avant d'être recrutée. Ainsi, l'ATP n'est pas un bien qu'on met de côté pour longtemps, comme l'or dans une chambre forte, mais plutôt une monnaie à portée de la main pour les transactions de tous les instants.

Nous avons vu au chapitre 2 que la molécule d'ATP est composée d'une molécule d'adénine, d'une molécule de ribose et de trois groupements phosphate liés les uns aux autres (voir la figure 2.26, p. 58). La figure 25.1 montre comment l'ATP fait le pont entre les réactions anaboliques et les réactions cataboliques. Quand le groupement phosphate terminal est retiré de l'ATP au cours d'une réaction anabolique, il y a formation d'adénosine-diphosphate (ADP) et d'un groupement phosphate (représenté par le symbole Ⓟ). Une partie de l'énergie libérée sert à alimenter les réactions anaboliques telles que la formation de glycogène à partir du glucose. Par la suite, l'énergie contenue dans les molécules complexes est utilisée dans les réactions cataboliques pour combiner l'ADP avec un groupement phosphate de façon à redonner de l'ATP :

$$ADP + Ⓟ + énergie \longrightarrow ATP$$

Environ 40 % de l'énergie libérée par le catabolisme sert aux fonctions cellulaires; le reste est converti en chaleur, dont une partie contribue à maintenir la température corporelle normale. La chaleur excédentaire est perdue au profit du milieu extérieur. Par comparaison avec les machines qui ne convertissent généralement que de 10 à 20 % de l'énergie en travail, l'efficacité du métabolisme corporel, qui se situe à 40 %, est impressionnante. Néanmoins, l'organisme doit continuellement absorber et traiter l'énergie de sources externes afin que les cellules puissent synthétiser assez d'ATP pour entretenir la vie.

1. Qu'est-ce que le métabolisme? Indiquez la différence entre l'anabolisme et le catabolisme, et donnez des exemples de ces deux phénomènes.
2. Comment l'ATP couple-t-il l'anabolisme et le catabolisme?

TRANSFERT D'ÉNERGIE

OBJECTIFS

- *Décrire les réactions d'oxydoréduction.*
- *Expliquer le rôle de l'ATP dans le métabolisme.*

Diverses réactions cataboliques transfèrent de l'énergie aux liaisons phosphate « riches en energie » de l'ATP. Bien que la quantité d'énergie contenue dans ces liaisons ne soit pas exceptionnellement grande, elle peut être libérée rapidement et facilement. Avant d'examiner les voies métaboliques, nous devons considérer deux aspects importants du transfert d'énergie: les réactions d'oxydoréduction et les mécanismes de production d'ATP.

Réactions d'oxydoréduction

L'**oxydation** consiste à *retirer des électrons* d'un atome ou d'une molécule; il en résulte une *diminution* de l'énergie potentielle de l'atome ou de la molécule. Comme la plupart des réactions d'oxydation biologiques entraînent une perte d'atomes d'hydrogène, on les appelle *réactions de déshydrogénation*. La conversion de l'acide lactique en acide pyruvique est un exemple de réaction d'oxydation:

$$\begin{array}{c} COOH \\ | \\ HC-OH \\ | \\ CH_3 \end{array} \xrightarrow[\text{(oxydation)}]{\text{retrait de 2 H (H}^+ + \text{H}^-)} \begin{array}{c} COOH \\ | \\ C=O \\ | \\ CH_3 \end{array}$$

Acide lactique   Acide pyruvique

La **réduction** est le contraire de l'oxydation; elle consiste à *ajouter des électrons* à une molécule. La réduction amène une *augmentation* de l'énergie potentielle de la molécule. La conversion de l'acide pyruvique en acide lactique est un exemple de réaction de réduction:

$$\begin{array}{c} COOH \\ | \\ C=O \\ | \\ CH_3 \end{array} \xrightarrow[\text{(réduction)}]{\text{ajout de 2 H (H}^+ + \text{H}^-)} \begin{array}{c} COOH \\ | \\ HC-OH \\ | \\ CH_3 \end{array}$$

Acide pyruvique   Acide lactique

Quand une substance est oxydée, les atomes d'hydrogène libérés ne demeurent pas libres dans la cellule, mais sont immédiatement transférés à un autre composé par des coenzymes. Les cellules animales utilisent couramment deux coenzymes pour le transport des atomes d'hydrogène: le **nicotinamide adénine dinucléotide (NAD$^+$)**, soit un dérivé de la niacine – une vitamine du groupe B –, et la **flavine adénine dinucléotide (FAD)**, soit un dérivé de la vitamine B$_2$ (riboflavine). Les états oxydé et réduit du NAD$^+$ et de la FAD sont représentés de la façon suivante:

$$NAD^+ \underset{-2\,H\,(H^+ + H^-)}{\overset{+2\,H\,(H^+ + H^-)}{\rightleftharpoons}} NADH + H^+$$

oxydé   réduit

$$FAD \underset{-2\,H\,(H^+ + H^-)}{\overset{+2\,H\,(H^+ + H^-)}{\rightleftharpoons}} FADH_2$$

oxydée   réduite

Dans les équations ci-dessus, 2 H (H$^+$ + H$^-$) signifie que deux atomes d'hydrogène neutres (2 H) sont équivalents à un ion hydrogène (H$^+$) plus un ion hydrure (H$^-$). Quand le NAD$^+$ est réduit en NADH + H$^+$, le NAD$^+$ gagne un ion hydrure (H$^-$) et l'ion H$^+$ est libéré dans la solution environnante. L'addition d'un ion hydrure au NAD$^+$ neutralise la charge de ce dernier et lui ajoute un atome d'hydrogène, si bien que la forme réduite est NADH. Quand le NADH est oxydé en NAD$^+$, un ion hydrure est perdu par le NADH, ce qui se traduit par un atome d'hydrogène de moins et une charge positive de plus. Ainsi, la forme oxydée est le NAD$^+$. La FAD est réduite en FADH$_2$ quand elle gagne un ion hydrogène et un ion hydrure, et la FADH$_2$ est oxydée en FAD lorsqu'elle perd ces ions.

Les réactions d'oxydation et de réduction sont toujours couplées; chaque fois qu'une substance est oxydée, une autre est simultanément réduite. C'est pourquoi on appelle ces réactions couplées des **réactions d'oxydoréduction,** ou **réactions redox.** Par exemple, quand l'acide lactique est *oxydé* pour former de l'acide pyruvique, les deux atomes d'hydrogène qui sont retirés au cours de la réaction servent à *réduire* le NAD$^+$. On peut illustrer le couplage de la réaction redox en écrivant celle-ci de la façon suivante:

Acide lactique $\diagdown$ $\diagup$ NAD$^+$
réduit   oxydé

Acide pyruvique $\diagup$ $\diagdown$ NADH + H$^+$
oxydé   réduit

Il est important de retenir, à propos des réactions d'oxydoréduction, que l'oxydation est habituellement une réaction exothermique (qui libère de l'énergie). Les cellules utilisent des réactions biochimiques à étapes multiples pour libérer l'énergie contenue dans des composés riches en énergie et hautement réduits (avec beaucoup d'atomes d'hydrogène), au profit de composés moins riches en énergie et hautement oxydés (avec beaucoup d'atomes d'oxygène ou de liaisons multiples). Par exemple, quand une cellule oxyde une molécule de glucose ($C_6H_{12}O_6$), l'énergie de la molécule de glucose est libérée par étapes. À la fin, une partie de l'énergie est captée par transfert à l'ATP, qui devient alors une source d'énergie pour alimenter les réactions cellulaires qui en ont besoin. Les composés qui contiennent un grand nombre d'atomes d'hydrogène (par exemple, le glucose) sont des substances hautement réduites qui renferment plus d'énergie potentielle chimique que les composés oxydés. C'est pourquoi le glucose est un nutriment précieux.

Mécanismes de production de l'ATP

Une partie de l'énergie libérée lors des réactions d'oxydation est captée dans la cellule par la formation d'ATP. En bref, un groupement phosphate (P) est ajouté à l'ADP, moyennant un supplément d'énergie, pour former de l'ATP. Les deux liaisons phosphate riches en énergie qui peuvent être utilisées pour effectuer des transferts d'énergie sont représentées par le symbole ~ :

$$\text{Adénosine} - \underset{\text{ADP}}{\underbrace{\textcircled{P} \sim \textcircled{P}}} + \textcircled{P} + \text{énergie} \longrightarrow$$

$$\underset{\text{ATP}}{\underbrace{\text{Adénosine} - \textcircled{P} \sim \textcircled{P} \sim \textcircled{P}}}$$

La liaison phosphate riche en énergie qui attache le troisième groupement phosphate renferme l'énergie contenue dans cette réaction. L'addition d'un groupement phosphate à une molécule, appelée **phosphorylation,** augmente son énergie potentielle. Les organismes utilisent trois mécanismes de phosphorylation pour produire de l'ATP :

1. La **phosphorylation au niveau du substrat** engendre de l'ATP en transférant un groupement phosphate riche en énergie d'un composé métabolique intermédiaire phosphorylé – ou substrat – directement à l'ADP. Dans les cellules humaines, ce processus a lieu dans le cytosol.

2. La **phosphorylation oxydative** retire des électrons des composés organiques, les fait passer par une suite d'accepteurs d'électrons qui forment la **chaîne de transport des électrons,** et finit par les transférer à des molécules d'oxygène (O_2). Ce processus se déroule dans la membrane interne des mitochondries de la cellule.

3. La **photophosphorylation** n'a lieu que dans les cellules végétales qui contiennent de la chlorophylle ou dans certaines bactéries pourvues d'autres pigments qui absorbent la lumière.

1. Quelle est la différence entre l'ion hydrure et l'ion hydrogène? Décrivez le rôle de ces deux ions dans les réactions redox.

2. Décrivez les trois façons de produire de l'ATP.

MÉTABOLISME DES GLUCIDES
OBJECTIF

- *Décrire le sort, le métabolisme et les fonctions des glucides.*

Lors de la digestion, les polysaccharides et les disaccharides sont hydrolysés pour former trois monosaccharides: le glucose (environ 80%), le fructose et le galactose. (Au cours de son passage dans les cellules épithéliales intestinales, une partie du fructose est convertie en glucose.) Ces monosaccharides sont absorbés dans les capillaires des villosités de l'intestin grêle, puis acheminés au foie par la veine porte hépatique. Les hépatocytes (cellules du foie) convertissent la majeure partie de ce qui reste de fructose et presque tout le galactose en glucose. Ainsi, décrire le métabolisme des glucides, c'est en réalité parler de celui du glucose. En raison des mécanismes de rétro-inhibition qui maintiennent la glycémie à environ 5 mmol/L de plasma, il y a au total entre 2 et 3 g de glucose normalement en circulation dans le sang.

Sort du glucose

Comme le glucose constitue la matière première préférée de l'organisme pour la synthèse de l'ATP, le sort de ce monosaccharide – l'usage qui en est fait –, après qu'il est extrait des aliments et absorbé, dépend des besoins des cellules de l'organisme. Celles-ci ont recours au glucose pour les fonctions suivantes :

- *Production d'ATP.* Dans les cellules de l'organisme qui ont un besoin immédiat d'énergie, le glucose est oxydé pour donner de l'ATP. Si les cellules n'en ont pas immédiatement besoin pour produire de l'ATP, il y a plusieurs autres voies métaboliques vers lesquelles il peut être dirigé.

- *Synthèse d'acides aminés.* Les cellules de l'organisme peuvent utiliser le glucose pour produire plusieurs acides aminés, qui peuvent ensuite être incorporés dans des protéines.

- *Synthèse du glycogène.* Les hépatocytes et les fibres musculaires peuvent effectuer la **glycogenèse** (*glukus* = doux; *genesis* = génération), par laquelle des centaines de monomères de glucose sont combinés pour former du glycogène, un polysaccharide. La capacité totale de stockage du glycogène est d'environ 125 g dans le foie et de 375 g dans les muscles squelettiques.

- *Synthèse de triglycérides.* S'il n'y a plus de place pour stocker le glycogène, les hépatocytes sont en mesure de transformer le glucose en glycérol et en acides gras qui peuvent ensuite être utilisés pour la **lipogenèse,** c'est-à-dire la synthèse des triglycérides. Ces derniers sont emmagasinés dans le tissu adipeux, dont la capacité de stockage est pratiquement illimitée.

Entrée du glucose dans les cellules

Avant qu'il puisse être utilisé par les cellules, le glucose doit d'abord traverser la membrane plasmique et pénétrer dans le cytosol. Alors que son absorption dans le tube digestif (et les tubules rénaux) s'effectue par transport actif secondaire (symporteur Na^+-glucose), son déplacement du sang vers l'intérieur de la plupart des autres cellules de l'organisme a lieu par le truchement des molécules GluT, une famille de transporteurs du glucose par diffusion facilitée (voir p. 74). L'insuline augmente l'insertion de GluT4 dans la membrane plasmique de la plupart des cellules de l'organisme et, de ce fait, accroît le taux de diffusion facilitée du glucose vers le cytoplasme. Dans les neurones et les hépatocytes cependant, il y a beaucoup de molécules GluT en permanence dans la membrane plasmique, si bien que la voie est toujours libre pour l'entrée du glucose dans ces cellules. Aussitôt entré dans la cellule, le glucose devient phosphorylé. Comme les molécules GluT ne sont pas en mesure de transporter le glucose phosphorylé, cette réaction emprisonne le glucose dans la cellule.

Catabolisme du glucose

L'oxydation du glucose pour produire de l'ATP porte aussi le nom de **respiration cellulaire** et comprend quatre groupes de réactions : la glycolyse, la formation d'acétyl coenzyme A, le cycle de Krebs et la chaîne de transport des électrons (figure 25.2).

❶ La *glycolyse* est une suite de réactions au cours desquelles une molécule de glucose est oxydée et deux molécules d'acide pyruvique sont produites. Ces réactions engendrent aussi deux molécules d'ATP et deux NADH + H^+ porteurs d'énergie. Puisque la glycolyse s'effectue sans oxygène, elle constitue une façon anaérobie (sans oxygène) d'obtenir de l'ATP. C'est pourquoi on lui donne le nom de **respiration cellulaire anaérobie.**

❷ La *formation d'acétyl coenzyme A* est une étape de transition qui prépare l'acide pyruvique pour son entrée dans le cycle de Krebs. Cette étape produit aussi du NADH + H^+ porteur d'énergie et du gaz carbonique (CO_2).

❸ Les réactions du *cycle de Krebs* oxydent l'acétyl coenzyme A et produisent du CO_2, de l'ATP, du NADH + H^+ porteur d'énergie et de la $FADH_2$.

❹ Les réactions de la *chaîne de transport des électrons* oxydent le NADH + H^+ et la $FADH_2$ et transfèrent leurs électrons à une série de transporteurs d'électrons. Ensemble, le cycle de Krebs et la chaîne de transport des électrons nécessitent de l'oxygène pour produire de l'ATP. On leur donne le nom de **respiration cellulaire aérobie.**

Glycolyse

La **glycolyse** (*lusis* = dissolution) se compose de 10 réactions chimiques qui divisent une molécule de glucose à six carbones en deux molécules d'acide pyruvique à trois carbones. (Attention : Ne confondez pas la *glycolyse* et la *glycogénolyse*, qui est la dégradation du glycogène en glucose.)

La figure 25.3a de la page 930 illustre les étapes de la glycolyse ; chacune des réactions est catalysée par une enzyme spécifique. Les dix étapes de ce processus s'enchaînent de la façon suivante :

❶ La première réaction produit la phosphorylation du glucose au moyen d'un groupement phosphate en provenance d'une molécule d'ATP.

❷ La deuxième réaction convertit le glucose-6-phosphate en fructose-6-phosphate.

❸ La troisième réaction utilise une deuxième molécule d'ATP pour ajouter un deuxième groupement phosphate. La *phosphofructokinase*, l'enzyme qui catalyse cette étape, est l'élément clé de la régulation de la glycolyse. Son activité est grande quand la concentration d'ADP est élevée ; il y a alors production rapide d'ATP. Son activité est faible quand la concentration d'ATP est élevée. Lorsque l'activité de la phosphofructokinase est faible, la majeure partie du glucose ne s'engage pas dans la voie de la glycolyse, mais elle est plutôt convertie en glycogène pour être emmagasinée.

❹ et ❺ La molécule de fructose doublement phosphorylée se scinde en deux composés à trois carbones, le 3-phosphoglycéraldéhyde (3-PG) et le dihydroxyacétone phosphate. Ces deux composés sont interconvertibles, mais c'est le 3-PG qui est appelé à être oxydé en acide pyruvique.

❻ L'oxydation a lieu lorsque deux molécules de NAD^+ acceptent deux paires d'électrons et d'ions hydrogène provenant de deux molécules de 3-PG, pour former deux molécules de NADH et deux d'acide 1,3-disphosphoglycérique (DPG). De nombreuses cellules de l'organisme utilisent les deux NADH obtenus ici pour produire quatre ATP dans la chaîne de transport des électrons. Quelques types de cellules, comme les hépatocytes, les cellules rénales et les fibres musculaires cardiaques, peuvent tirer six ATP des deux NADH.

❼ à ❿ Ces réactions produisent quatre molécules d'ATP et deux d'acide pyruvique (pyruvate*).

En résumé, bien que la glycolyse utilise deux molécules d'ATP, elle en produit quatre pour un gain net de deux molécules d'ATP pour chaque molécule de glucose oxydée (figure 25.3b).

---

* Les groupements carboxyle (—COOH) des intermédiaires de la glycolyse et du cycle de l'acide citrique sont pour la plupart ionisés en —COO⁻ au pH des liquides corporels. Le terme « acide », avec le suffixe -*ique* dans le mot qui suit, indique la forme non ionisée, alors que le suffixe -*ate* s'emploie pour la forme ionisée. Bien que les noms en -*ate* soient plus corrects, nous retiendrons la nomenclature avec le mot « acide » parce qu'elle est plus familière.

Figure 25.2 Vue d'ensemble de la respiration cellulaire (oxydation du glucose). Cette figure est reprise de différentes façons à quelques endroits dans le chapitre pour montrer comment certaines réactions s'inscrivent dans le processus plus large de la respiration cellulaire.

🔑 L'oxydation du glucose comprend la glycolyse, la formation d'acétyl coenzyme A, le cycle de Krebs et la chaîne de transport des électrons.

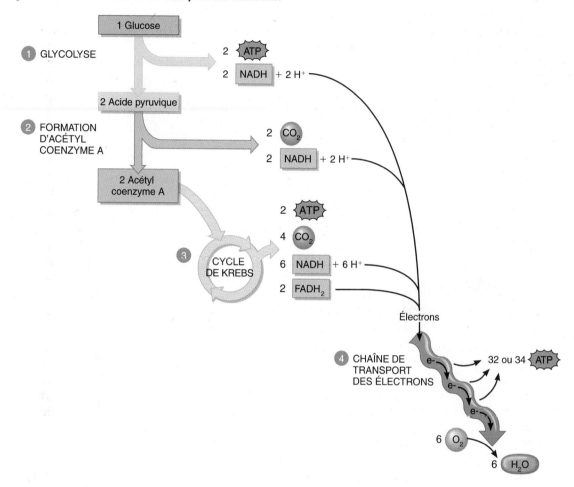

Q Lequel des quatre processus montrés ci-dessus est aussi appelé respiration cellulaire anaérobie ?

Sort de l'acide pyruvique

Le sort de l'acide pyruvique produit lors de la glycolyse dépend de l'oxygène disponible (figure 25.4, p. 932). S'il y a pénurie d'oxygène (conditions anaérobies) – par exemple, dans les fibres musculaires squelettiques durant un exercice vigoureux –, l'acide pyruvique passe par une voie anaérobie où il est réduit par l'addition de deux atomes d'hydrogène pour former de l'acide lactique (lactate) :

$$2 \text{ Acide pyruvique} + 2 \text{ NADH} + 2 \text{ H}^+ \longrightarrow$$
(oxydé)

$$2 \text{ Acide lactique} + 2 \text{ NAD}^+$$
(réduit)

Cette réaction régénère le NAD^+ qui a servi à l'oxydation du 3-phosphoglycéraldéhyde (étape ❻ de la glycolyse) et permet ainsi à la glycolyse de se poursuivre. Au fur et à mesure de sa production, l'acide lactique quitte rapidement la cellule par diffusion et pénètre dans le sang. Les hépatocytes le retirent du sang et le reconvertissent en acide pyruvique.

Quand il y a beaucoup d'oxygène (conditions aérobies), la plupart des cellules convertissent l'acide pyruvique en acétyl coenzyme A. Cette molécule fait le pont entre la glycolyse, qui a lieu dans le cytosol, et le cycle de Krebs, qui se déroule dans la matrice des mitochondries. L'acide pyruvique pénètre dans la matrice à l'aide d'un transporteur protéique spécial. Comme ils n'ont pas de mitochondries, les globules rouges ne peuvent produire de l'ATP que par glycolyse.

Figure 25.3 Glycolyse. En (a), les dix étapes de la glycolyse. En (b), résumé simplifié de la glycolyse.

🔑 **Le bilan de la glycolyse est un gain net de deux ATP, deux NADH et deux H⁺.**

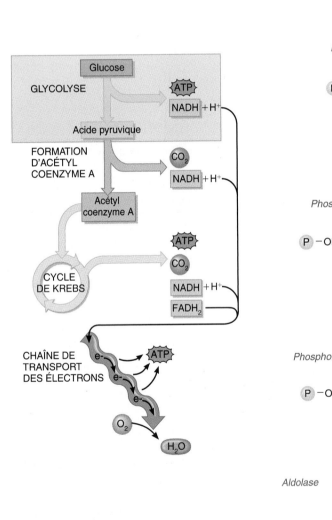

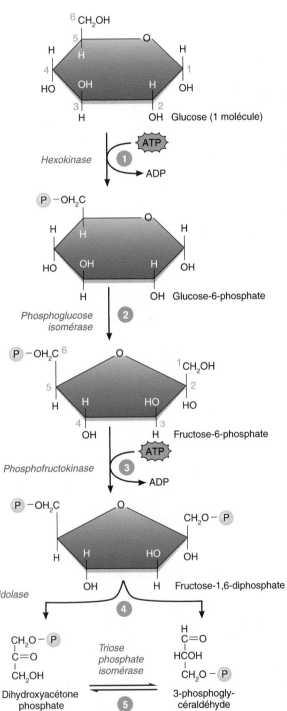

(a) Représentation détaillée

Figure 25.3 (suite)

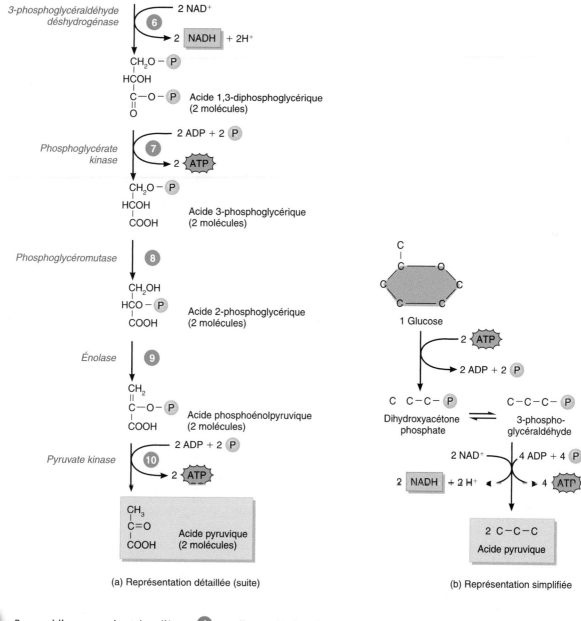

(a) Représentation détaillée (suite)

(b) Représentation simplifiée

Q Pourquoi l'enzyme qui catalyse l'étape **1** est-elle appelée hexokinase?

Formation de l'acétyl coenzyme A

Chaque étape de l'oxydation du glucose nécessite une enzyme particulière et, souvent, une coenzyme aussi. La coenzyme utilisée à cette étape-ci de la respiration cellulaire est la **coenzyme A** (**CoA**), qui est dérivée de l'acide pantothénique, une vitamine B. Durant l'étape de transition entre la glycolyse et le cycle de Krebs, l'acide pyruvique est préparé pour son entrée dans le cycle. La *pyruvate déshydrogénase,* enzyme qui se trouve uniquement dans la matrice mitochondriale, convertit le pyruvate en un fragment à deux carbones par l'élimination d'une molécule de gaz carbonique

(voir la figure 25.4). La perte d'une molécule de CO_2 par une substance est appelée **décarboxylation.** C'est là la première réaction de la respiration cellulaire qui dégage du CO_2. Au cours de cette réaction, il y a aussi oxydation de l'acide pyruvique. Chaque molécule d'acide pyruvique perd deux atomes d'hydrogène, l'un sous forme d'ion hydrure (H^-) et l'autre sous forme d'ion hydrogène (H^+). La coenzyme NAD^+ est réduite en recevant le H^- de l'acide pyruvique; le H^+ est libéré dans la matrice mitochondriale. La réduction du NAD^+ en $NADH + H^+$ est représentée dans la figure 25.4 par la flèche courbée qui se joint à celle de la réaction pour ensuite

Figure 25.4 Sort de l'acide pyruvique.

 Quand il y a beaucoup d'oxygène, l'acide pyruvique entre dans les mitochondries, est converti en acétyl coenzyme A et passe dans le cycle de Krebs (voie aérobie). Quand l'oxygène est rare, la majeure partie de l'acide pyruvique est convertie en acide lactique par une voie anaérobie.

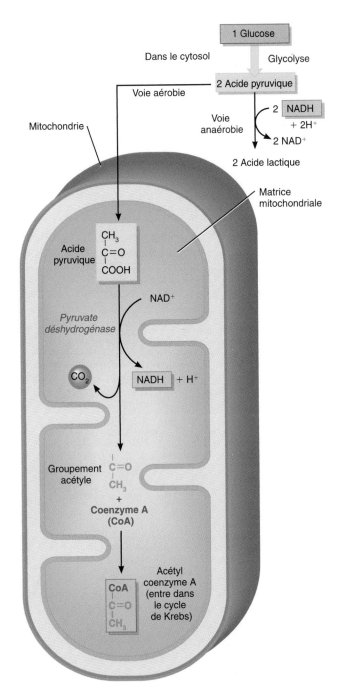

Q Dans quel compartiment cellulaire a lieu la glycolyse? le cycle de Krebs?

s'en dégager. Rappelez-vous que l'oxydation d'une molécule de glucose produit deux molécules d'acide pyruvique, si bien que pour chaque molécule de glucose, deux molécules de gaz carbonique sont perdues et deux NADH + H$^+$ sont produits. Le fragment à deux carbones, appelé **groupement acétyle,** se lie à la coenzyme A et le complexe ainsi formé prend le nom d'**acétyl coenzyme A** (**acétyl CoA**). Dès que l'acide pyruvique a été décarboxylé et que le groupement acétyle qui reste s'est fixé à la CoA, le composé ainsi produit (acétyl CoA) est prêt à entrer dans le cycle de Krebs.

Cycle de Krebs

Le **cycle de Krebs** – nommé en l'honneur du biochimiste Hans Krebs, qui a décrit ces réactions dans les années 1930 – est aussi connu sous l'appellation de **cycle de l'acide citrique,** parce que ce dernier est le premier composé formé quand un groupement acétyle entre dans le cycle. Dans l'ensemble, le cycle de Krebs est une suite de réactions d'oxydoréduction et de décarboxylation, dont chacune est catalysée par une enzyme spécifique dans la matrice mitochondriale.

Dans le cycle de Krebs, une grande quantité d'énergie chimique potentielle, emmagasinée dans les substances intermédiaires dérivées de l'acide pyruvique, est libérée par étapes. Les réactions d'oxydoréduction transfèrent l'énergie chimique, sous forme d'électrons, à deux coenzymes – le NAD$^+$ et la FAD. Les dérivés de l'acide pyruvique sont oxydés, alors que les coenzymes sont réduites. De plus, une des étapes produit de l'ATP. Lorsque vous lirez la description de chaque réaction dans le texte, reportez-vous aux réactions numérotées de la figure 25.5a. L'enzyme qui catalyse chaque réaction est indiquée entre parenthèses.

1 *Entrée du groupement acétyle.* La liaison chimique qui unit le groupement acétyle à la coenzyme A (CoA) se brise et le groupement acétyle à deux carbones se lie à une molécule d'acide oxaloacétique à quatre carbones pour former une molécule à six carbones appelée acide citrique. La CoA est libérée et peut se combiner avec un autre groupement acétyle provenant de l'acide pyruvique et recommencer le processus. (*citrate synthase*)

2 *Isomérisation.* L'acide citrique est converti par isomérisation en acide isocitrique, dont la formule moléculaire est la même que celle du citrate. Toutefois, notez que le groupement hydroxyle (−OH) est maintenant lié à un autre carbone. (*aconitase*)

3 *Décarboxylation oxydative.* L'acide isocitrique est oxydé et perd une molécule de CO$_2$ pour former une molécule à cinq carbones appelée acide α-cétoglutarique. Le H$^-$ de l'oxydation est transmis au NAD$^+$, qui est réduit en NADH + H$^+$. Il s'agit de la deuxième réaction de la respiration cellulaire qui libère du CO$_2$. (*isocitrate déshydrogénase*)

Figure 25.5 Cycle de Krebs. En (a), les neuf étapes du cycle. En (b), résumé simplifié du cycle.

Le bilan du cycle de Krebs est 1) la production de coenzymes réduites (NADH + H$^+$ et FADH$_2$), qui contiennent de l'énergie en réserve, 2) la production de GTP, composé riche en énergie qui sert à la formation d'ATP, et 3) la libération de CO$_2$, qui est transporté jusqu'aux poumons et expiré.

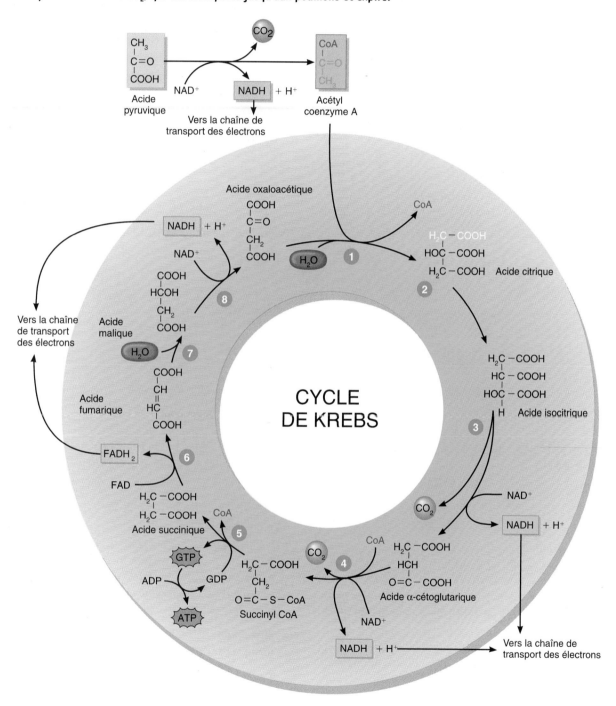

(a) Représentation détaillée

Suite à la page suivante

Figure 25.5 Cycle de Krebs (suite)

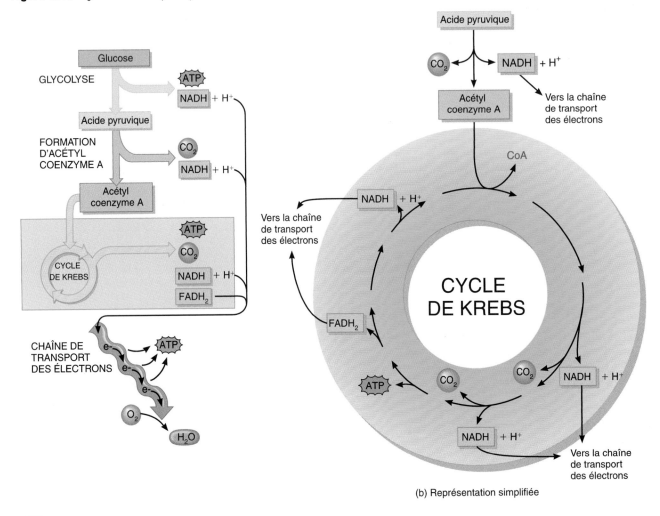

(b) Représentation simplifiée

Q Pourquoi la production de coenzymes réduites est-elle importante dans le cycle de Krebs ?

4 *Décarboxylation oxydative.* L'acide α-cétoglutarique est oxydé, perd une molécule de CO_2 et se lie à la CoA pour former une molécule à quatre carbones appelée succinyl CoA. Il s'agit de la troisième réaction de la respiration cellulaire qui libère du CO_2. (*α-cétoglutarate déshydrogénase*)

5 *Phosphorylation au niveau du substrat.* À cette étape du cycle, une phosphorylation a lieu au niveau du substrat. La CoA est déplacée par un groupement phosphate, puis ce dernier est transféré au guanosine diphosphate (GDP) pour former du guanosine triphosphate (GTP). Le GTP ressemble à l'ATP : il peut donner un groupement phosphate à l'ADP et le transformer en ATP. Ces réactions convertissent aussi le succinyl CoA en acide succinique. (*succinyl CoA synthétase*)

6 *Déshydrogénation.* L'acide succinique est oxydé pour donner de l'acide fumarique lorsque deux de ses atomes d'hydrogène sont transférés à la flavine adénine dinucléotide (FAD), coenzyme dont la réduction produit de la $FADH_2$. (*succinate déshydrogénase*)

7 *Hydratation.* L'acide fumarique est converti en acide malique par l'addition d'une molécule d'eau. (*fumarase*)

8 *Déshydrogénation.* À l'étape finale du cycle, l'acide malique est oxydé pour former de nouveau de l'acide oxaloacétique. En cours de route, deux atomes d'hydrogène sont retirés et l'un d'eux est transféré au NAD^+, dont la réduction produit du NADH + H^+. L'acide oxaloacétique régénéré peut se combiner avec une autre molécule d'acétyl CoA et relancer le cycle. (*malate déshydrogénase*)

Les coenzymes réduites (NADH et FADH$_2$) sont les produits les plus importants du cycle de Krebs parce qu'elles contiennent l'énergie qui était emmagasinée à l'origine dans le glucose, puis dans l'acide pyruvique. En somme, pour chaque molécule d'acétyl CoA qui entre dans le cycle de Krebs, trois NADH, trois H$^+$ et une FADH$_2$ sont produits par des réactions d'oxydoréduction, et une molécule d'ATP est obtenue par phosphorylation au niveau du substrat (figure 25.5b). Dans la chaîne de transport des électrons, les trois NADH + trois H$^+$ donneront neuf molécules d'ATP, et la FADH$_2$ en rapportera deux. Ainsi, chaque «tour» du cycle de Krebs produit à la fin 12 molécules d'ATP. Puisque le glucose fournit deux molécules d'acétyl CoA, son catabolisme par le cycle de Krebs et la chaîne de transport des électrons produit 24 molécules d'ATP par molécule de glucose.

Il y a libération de CO$_2$ quand l'acide pyruvique est converti en acétyl CoA et au cours des deux réactions de décarboxylation du cycle de Krebs (voir la figure 25.5b). Mais puisque la molécule de glucose donne deux molécules d'acide pyruvique, six molécules de CO$_2$ au total sont libérées pour chaque molécule de glucose métabolisée par cette voie. Les molécules de CO$_2$ quittent les mitochondries, traversent le cytosol par diffusion jusqu'à la membrane plasmique et entrent dans la circulation sanguine, également par diffusion. Enfin, le CO$_2$ est transporté par le sang jusqu'aux poumons, où il est expiré.

Chaîne de transport des électrons

La **chaîne de transport des électrons** est composée d'une suite de **transporteurs d'électrons** qui sont des protéines intrinsèques de la membrane mitochondriale interne. Cette membrane présente de nombreux replis appelés crêtes qui augmentent sa superficie et permettent à chaque mitochondrie de porter des milliers de copies de la chaîne de transport. Chacun des transporteurs de la chaîne est réduit lorsqu'il accepte des électrons et oxydé lorsqu'il les cède. Au fur et à mesure que les électrons se déplacent le long de la chaîne, des réactions exothermiques libèrent de petites quantités d'énergie par étapes et cette énergie sert à former de l'ATP. Dans la respiration cellulaire aérobie, le dernier accepteur d'électrons de la chaîne est l'oxygène. Puisque ce mécanisme de production d'ATP fonctionne en reliant des réactions chimiques (le passage d'électrons le long de la chaîne de transport) au pompage d'ions hydrogène, il est appelé **chimiosmose** (*chimio* = chimie; *ôsmos* = poussée). En bref, la chimiosmose comprend les étapes suivantes (figure 25.6):

① L'énergie provenant du NADH + H$^+$ passe le long de la chaîne de transport des électrons et sert à pomper des ions H$^+$ (protons) de la matrice de la mitochondrie vers l'espace entre les membranes mitochondriales interne et externe.

② Une forte concentration d'ions H$^+$ s'établit entre les membranes mitochondriales interne et externe.

Figure 25.6 Chimiosmose.

 Au cours de la chimiosmose, l'ATP est produite lorsque les ions hydrogène retournent par diffusion à la matrice mitochondriale.

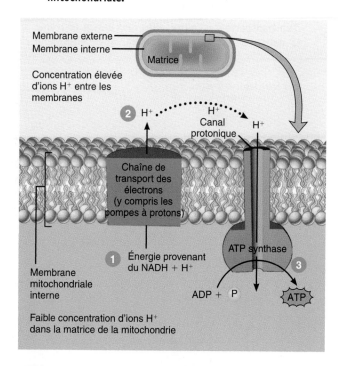

Q Quelle est la source d'énergie qui alimente les pompes à protons?

③ La synthèse d'ATP a alors lieu quand les ions hydrogène reviennent par diffusion dans la matrice mitochondriale en passant par un type spécifique de canal protonique situé dans la membrane interne.

Examinons d'abord les transporteurs d'électrons. Par la suite, nous étudierons la chimiosmose en détail.

Transporteurs d'électrons Plusieurs types de molécules et d'atomes servent de transporteurs d'électrons:

- La **flavine mononucléotide** (**FMN**), comme la FAD (flavine adénine dinucléotide), est une flavoprotéine dérivée de la riboflavine (vitamine B$_2$).

- Les **cytochromes** sont des protéines avec un groupement porteur de fer (hème) qui peut se présenter tour à tour sous forme réduite (Fe^{2+}) ou oxydée (Fe^{3+}). Plusieurs cytochromes font partie de la chaîne de transport des électrons. Ce sont le cytochrome *b* (cyt *b*), le cytochrome *c$_1$* (cyt *c$_1$*), le cytochrome *c* (cyt *c*), le cytochrome *a* (cyt *a*) et le cytochrome *a$_3$* (cyt *a$_3$*).

- Les **centres fer-soufre** (**Fe-S**) contiennent soit deux, soit quatre atomes de fer liés à des atomes de soufre qui forment un centre de transfert d'électrons au sein d'une protéine.

Figure 25.7 Action des trois pompes à protons et de l'ATP synthase dans la membrane mitochondriale interne. Chaque pompe est un complexe de trois transporteurs d'électrons ou plus. À mesure que les ions H^+ retournent par diffusion dans la matrice mitochondriale, il y a synthèse d'ATP.

🔑 **Au fur et à mesure que les trois pompes à protons transmettent les électrons d'un transporteur à l'autre, elles font passer en même temps des ions H^+ de la matrice à l'espace entre les membranes mitochondriales interne et externe.**

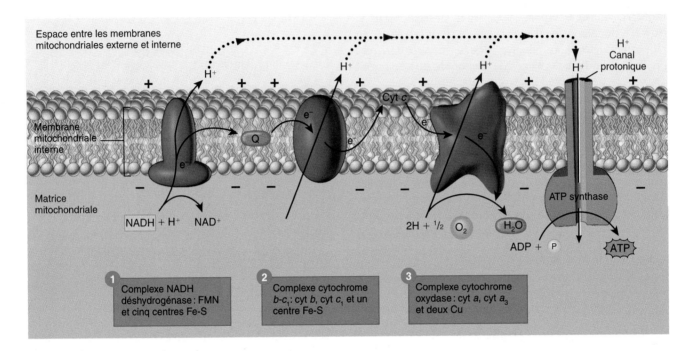

Ⓠ Où se trouve la plus forte concentration d'ions H^+ ?

- Des **atomes de cuivre** (**Cu**) liés à deux protéines de la chaîne participent également au transfert des électrons.
- La **coenzyme Q,** ou simplement **Q,** est un transporteur non protéique, de faible masse moléculaire, qui est mobile dans la bicouche lipidique de la membrane interne.

Étapes du transport des électrons et production chimiosmotique d'ATP Enchâssés dans la membrane mitochondriale interne, les transporteurs de la chaîne de transport des électrons sont regroupés en trois complexes, fonctionnant chacun comme une **pompe à protons** qui évacue les ions H^+ de la matrice mitochondriale et contribue à créer un gradient électrochimique d'ions H^+. Chacune des trois pompes à protons est un complexe qui transporte des électrons et pompe des ions H^+, comme suit (figure 25.7):

➊ La première pompe à protons est le **complexe NADH déshydrogénase,** qui contient de la flavine mononucléotide (FMN) et cinq centres Fe-S ou plus. Le NADH + H^+ est oxydé pour former du NAD^+ et la FMN est réduite

en $FMNH_2$, qui est oxydée à son tour lorsqu'elle transmet des électrons aux centres fer-soufre. La Q, qui se déplace librement dans la membrane, transporte les électrons au complexe formant la deuxième pompe.

➋ La deuxième pompe à protons est le **complexe cytochrome b-c_1,** qui contient des cytochromes et un centre fer-soufre. Les électrons passent successivement de la Q au cyt b, puis au Fe-S et au cyt c_1. Le transporteur d'électrons qui fait la navette entre les deuxième et troisième pompes est le cytochrome c (cyt c).

➌ La troisième pompe à protons est le **complexe cytochrome oxydase,** qui contient les cytochromes a et a_3 ainsi que deux atomes de cuivre. Les électrons passent de cyt c au Cu, au cyt a et, enfin, au cyt a_3. Le cyt a_3 transmet ses électrons à la moitié d'une molécule d'oxygène (O_2) qui devient chargée négativement et se lie à deux ions H^+ du milieu environnant pour former une molécule de H_2O. Cette étape est la seule de la respiration cellulaire aérobie dans laquelle il y a consommation d'O_2. Le cyanure est un poison mortel parce qu'il se lie au complexe cytochrome oxydase et bloque cette dernière étape du transport des électrons.

Le pompage des ions H+ produit à la fois un gradient de concentration de protons et un gradient électrique. Le côté de la membrane mitochondriale interne où s'accumulent les ions H⁺ devient chargé positivement par rapport à l'autre côté. Le gradient électrochimique ainsi formé possède de l'énergie potentielle, appelée *force protonique motrice*. Insérés dans la membrane mitochondriale interne, des canaux protoniques permettent la diffusion des ions H⁺ vers l'intérieur à travers la membrane sous l'action de la force protonique motrice. Lorsque les ions H⁺ retournent à l'intérieur par diffusion, ils produisent de l'ATP parce que les canaux protoniques possèdent aussi une enzyme appelée **ATP synthase.** Cette dernière utilise la force protonique motrice pour synthétiser de l'ATP à partir d'ADP et de Ⓟ. Ce processus de chimiosmose est à l'origine de la plus grande partie de l'ATP produite durant la respiration cellulaire.

Résumé de la respiration cellulaire

Les divers transferts d'électrons de la chaîne de transport des électrons produisent soit 32, soit 34 molécules d'ATP par molécule de glucose oxydée: 28 ou 30* à partir des 10 molécules de NADH + H⁺ et 2 à partir de chacune des 2 molécules de FADH₂ (quatre en tout). Ainsi, au cours de la respiration cellulaire, 36 ou 38 molécules d'ATP peuvent résulter d'une molécule de glucose. Notez que deux de ces ATP proviennent de la phosphorylation au niveau du substrat lors de la glycolyse et deux de la phosphorylation au niveau du substrat durant le cycle de Krebs. La réaction globale est la suivante:

$$C_6H_{12}O_6 + 6\,O_2 + 36 \text{ ou } 38 \text{ ADP} + 36 \text{ ou } 38 \text{ Ⓟ}$$

Glucose   Oxygène

$$\longrightarrow 6\,CO_2 + 6\,H_2O + 36 \text{ ou } 38 \text{ ATP}$$

Gaz   Eau
carbonique

Le tableau 25.1 présente le bilan de la production d'ATP durant la respiration cellulaire. La figure 25.8 donne une représentation schématique des principales réactions de la respiration cellulaire. Le rendement réel de la production d'ATP peut être plus faible que les 36 ou 38 molécules d'ATP calculées par molécule de glucose. Par exemple, on ne con-

Tableau 25.1 Résumé de la production d'ATP au cours de la respiration cellulaire

SOURCE	ATP PRODUITE (PROCESSUS)
Glycolyse	
Oxydation d'une molécule de glucose en deux molécules d'acide pyruvique	2 ATP (phosphorylation au niveau du substrat)
Production de 2 NADH + H⁺	4 ou 6 ATP (phosphorylation oxydative dans la chaîne de transport des électrons)
Formation d'acétyl coenzyme A	
2 NADH + 2 H⁺	6 ATP (phosphorylation oxydative dans la chaîne de transport des électrons)
Cycle de Krebs et chaîne de transport des électrons	
Oxydation du succinyl CoA en acide succinique	2 GTP qui sont convertis en 2 ATP (phosphorylation au niveau du substrat)
Production de 6 NADH + 6 H⁺	18 ATP (phosphorylation oxydative dans la chaîne de transport des électrons)
Production de 2 FADH₂	4 ATP (phosphorylation oxydative dans la chaîne de transport des électrons)
Total:	36 ou 38 ATP par molécule de glucose (maximum théorique)

naît pas avec certitude le nombre exact d'ions H⁺ qui doivent être expulsés de la matrice pour produire une molécule d'ATP durant la chimiosmose. Par ailleurs, l'ATP produite dans les mitochondries doit être transportée vers le cytosol pour être utilisée ailleurs dans la cellule. L'exportation d'ATP, en échange d'ADP provenant des réactions métaboliques qui ont lieu dans le cytosol, nécessite une partie de la force protonique motrice.

La glycolyse, le cycle de Krebs et, plus particulièrement, la chaîne de transport des électrons procurent tout l'ATP nécessaire à l'activité cellulaire. Comme le cycle de Krebs et la chaîne de transport des électrons sont des processus aérobies, les cellules ne peuvent pas soutenir leur activité longtemps sans une quantité suffisante d'oxygène.

APPLICATION CLINIQUE
Surcharge glucidique

La quantité de glycogène emmagasinée dans le foie et les muscles squelettiques varie et peut être complètement épuisée lors d'épreuves sportives de longue durée. Ainsi, de nombreux marathoniens et participants à des épreuves d'endurance se donnent un programme d'exercices et un régime alimentaire précis qui comprend la consommation de grandes quantités de glucides complexes, tels que pâtes et pommes de terre, dans les trois jours qui précèdent l'épreuve. Cette pratique, appelée **surcharge glucidique,** a pour but de maximiser la quantité de glycogène musculaire disponible pour produire de l'ATP. Pour les épreuves sportives qui durent plus d'une heure, la recherche a montré que la surcharge glucidique augmente l'endurance. ■

---

* Les deux molécules de NADH produites dans le cytosol durant la glycolyse ne peuvent pas pénétrer dans les mitochondries. Elles donnent plutôt leurs électrons à l'une de deux molécules de transfert, appelées navette du malate et navette du glycérol phosphate. Dans les cellules du foie, du rein et du cœur, l'utilisation de la navette du malate amène la synthèse de trois molécules d'ATP pour chaque molécule de NADH. Dans les autres cellules de l'organisme, comme les fibres musculaires squelettiques et les neurones, l'utilisation de la navette du glycérol phosphate permet de synthétiser deux ATP pour chaque NADH.

Figure 25.8 Résumé des principales réactions de la respiration cellulaire. CTE = chaîne de transport des électrons et chimiosmose.

 À l'exception de la glycolyse qui se déroule dans le cytosol, toutes les réactions de la respiration cellulaire ont lieu à l'intérieur des mitochondries.

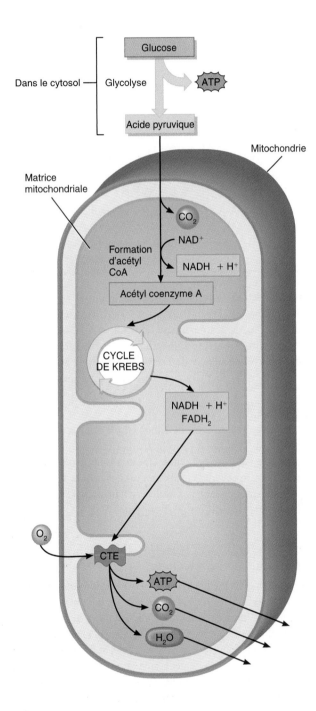

 Combien de molécules d'O_2 sont utilisées au cours de l'oxydation complète d'une molécule de glucose? Combien de molécules de CO_2 sont produites?

Figure 25.9 Glycogenèse et glycogénolyse.

 La voie de la glycogenèse convertit le glucose en glycogène, alors que celle de la glycogénolyse dégrade le glycogène en glucose.

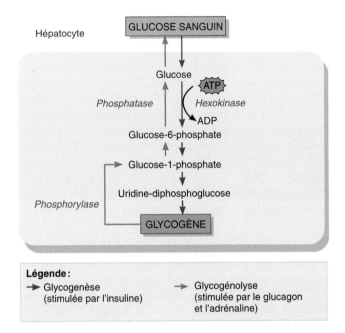

Légende:
→ Glycogenèse (stimulée par l'insuline)
→ Glycogénolyse (stimulée par le glucagon et l'adrénaline)

Q Outre les hépatocytes, quelles cellules de l'organisme sont en mesure de synthétiser le glycogène? Pourquoi ne peuvent-elles pas libérer du glucose dans le sang?

Anabolisme du glucose

Même si la majeure partie du glucose dans l'organisme est catabolisée pour produire de l'ATP, le glucose peut faire partie de plusieurs réactions anaboliques. L'une d'elles est la synthèse du glycogène; une autre est la synthèse de nouvelles molécules de glucose à partir de certains produits de dégradation des protéines et des lipides.

Stockage du glucose: glycogenèse

Si les molécules de glucose ne sont pas utilisées immédiatement pour la production d'ATP, elles sont combinées pour former un polysaccharide, le glycogène. Au cours de la **glycogenèse** (figure 25.9), le glucose qui entre dans les hépatocytes ou dans les cellules musculaires squelettiques est d'abord phosphorylé par l'hexokinase pour former du glucose-6-phosphate. Ce dernier est converti en glucose-1-phosphate, puis en uridine-diphosphoglucose et, enfin, en glycogène. L'insuline des cellules bêta du pancréas stimule la glycogenèse.

Figure 25.10 Néoglucogenèse : conversion de molécules non glucidiques (acides aminés, acide lactique et glycérol) en glucose.

🔑 **Environ 60 % des acides aminés de l'organisme peuvent servir à la néoglucogenèse.**

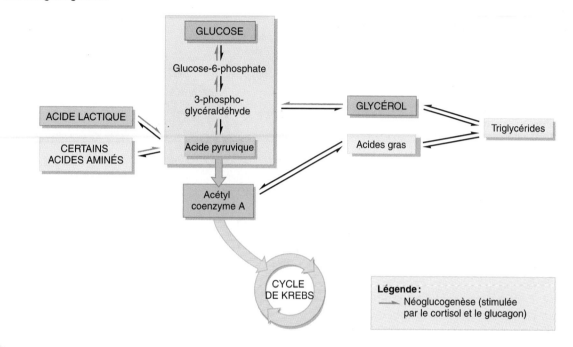

Q   Quelles cellules peuvent accomplir la néoglucogenèse et la glycogenèse ?

Libération du glucose : glycogénolyse

Quand l'organisme réclame de l'ATP pour alimenter son activité, le glycogène emmagasiné dans les hépatocytes est dégradé en glucose, puis libéré dans le sang et acheminé vers les cellules, où s'effectue son catabolisme. La conversion du glycogène en glucose est appelée **glycogénolyse.**

La glycogénolyse n'est pas simplement la glycogenèse à rebours (voir la figure 25.9). La première étape consiste à détacher des molécules de glucose des ramifications de la molécule de glycogène, et ce, par phosphorylation, pour former du glucose-1-phosphate. La phosphorylase, l'enzyme qui catalyse cette réaction, est activée par deux hormones : le glucagon provenant des cellules alpha du pancréas et l'adrénaline de la médullosurrénale. Le glucose-1-phosphate est ensuite converti en glucose-6-phosphate et enfin en glucose. Puisque la phosphatase, l'enzyme qui transforme le glucose-6-phosphate en glucose, est présente dans les hépatocytes mais non dans les cellules musculaires squelettiques, le foie peut libérer dans le sang du glucose dérivé du glycogène, mais les muscles squelettiques ne le peuvent pas. Dans les cellules musculaires squelettiques, le glycogène est métabolisé en glucose-1-phosphate, qui est ensuite catabolisé pour la production d'ATP par la glycolyse et le cycle de Krebs. Toutefois, l'acide lactique produit par la glycolyse dans les cellules musculaires peut être converti en glucose dans le foie. C'est ainsi que le glycogène des muscles peut devenir une source indirecte de glucose sanguin.

Formation de glucose à partir des protéines et des lipides : néoglucogenèse

Lorsque les réserves de glycogène dans le foie commencent à s'épuiser, les cellules de l'organisme se mettent à accroître le catabolisme des triglycérides et des protéines. Bien que normalement le catabolisme des triglycérides et des protéines ait toujours lieu, la dégradation en masse de ces substances ne s'effectue que chez les individus qui jeûnent, sont sous-alimentés, mangent des repas qui contiennent très peu de glucides ou souffrent d'un trouble endocrinien.

Certaines molécules peuvent être dégradées et converties en glucose dans le foie. Le processus par lequel de nouvelles molécules de glucose sont produites à partir de composés non glucidiques est appelé **néoglucogenèse** (*neo* = nouveau). L'acide lactique, certains acides aminés et le glycérol contenu dans les triglycérides peuvent servir à la formation de nouvelles molécules de glucose par néoglucogenèse (figure 25.10). Environ 60 % des acides aminés de l'organisme peuvent être convertis de cette façon. Les acides aminés tels que l'alanine, la cystéine, la glycine, la sérine et la thréonine, ainsi que l'acide lactique sont transformés en acide pyruvique, qui peut être transformé en glucose ou entrer dans le cycle de Krebs. Le glycérol peut être converti en 3-phosphoglycéraldéhyde, qui peut former de l'acide pyruvique ou être utilisé pour la synthèse du glucose.

La néoglucogenèse est stimulée par le cortisol, principale hormone glucocorticoïde du cortex surrénal, et par le glucagon provenant du pancréas. De plus, le cortisol stimule la dégradation des protéines en acides aminés, ce qui fait augmenter les réserves d'acides aminés disponibles pour la néoglucogenèse. Les hormones thyroïdiennes (thyroxine et triiodothyronine) mobilisent également les protéines et peuvent rendre le glycérol disponible pour la néoglucogenèse en faisant appel aux triglycérides du tissu adipeux.

1. Expliquez comment le glucose pénètre dans les cellules de l'organisme.
2. Définissez la *glycolyse.* Décrivez-en les principales étapes et l'aboutissement. Quel est le sort de l'acide pyruvique ?
3. Décrivez la formation de l'acétyl coenzyme A.
4. Esquissez les grandes étapes et les principaux produits du cycle de Krebs.
5. Expliquez ce qui se passe dans la chaîne de transport des électrons et pourquoi ce processus est appelé chimiosmose.
6. Dressez une liste sommaire des sources d'ATP engendrées par l'oxydation complète d'une molécule de glucose.
7. Définissez la *glycogenèse* et la *glycogénolyse.* Dans quelles circonstances chacune d'elles se produit-elle ?
8. Qu'est-ce que la néoglucogenèse et pourquoi est-elle importante ?

MÉTABOLISME DES LIPIDES

OBJECTIFS

• *Décrire les lipoprotéines qui transportent les lipides dans le sang.*

• *Décrire le sort, le métabolisme et les fonctions des lipides.*

Transport des lipides par les lipoprotéines

La plupart des lipides, tels le cholestérol et les triglycérides, sont des molécules non polaires et, par conséquent, très hydrophobes. Pour qu'elles puissent être transportées dans le milieu aqueux que constitue le sang, ces molécules doivent d'abord être combinées avec des protéines produites par le foie et l'intestin de façon à devenir hydrosolubles. Les combinaisons ainsi formées, appelées **lipoprotéines,** sont des particules sphériques qui contiennent des centaines de molécules (figure 25.11). Dans chaque lipoprotéine, une enveloppe externe de protéines polaires associées à des molécules de phospholipides et de cholestérol amphiphiles entoure un noyau de triglycérides et d'esters du cholestérol hydrophobes. Les protéines qui font partie de cette enveloppe portent

Figure 25.11 Une lipoprotéine. Celle qui est représentée ici est une VLDL.

 Un feuillet simple de phospholipides, de cholestérol et de protéines amphiphiles enveloppe un noyau de lipides non polaires.

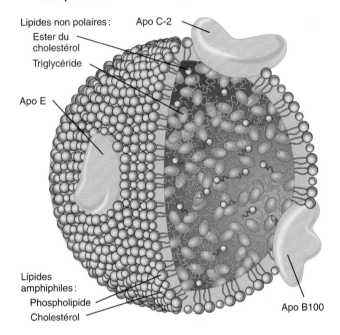

Q Quel type de lipoprotéine transporte le cholestérol jusqu'aux cellules de l'organisme ?

le nom d'**apoprotéine** (**apo**) suivi d'une lettre, A, B, C, D ou E, et parfois d'un nombre. En plus de contribuer à la solubilité des lipoprotéines dans les liquides de l'organisme, chaque apoprotéine remplit des fonctions spécifiques.

Il y a plusieurs types de lipoprotéines, ayant des fonctions différentes, mais ce sont essentiellement des transporteurs : elles procurent en quelque sorte un service de collecte et de livraison qui achemine les divers types de lipides aux cellules qui en ont besoin ou les retire de la circulation s'ils sont superflus. On classe et on nomme les lipoprotéines surtout selon leur densité, qui est déterminée par le rapport entre les lipides (dont la densité est faible) et les protéines (dont la densité est élevée). Des plus volumineuses et plus légères aux plus petites et plus lourdes, les quatre principales classes de lipoprotéines sont les chylomicrons, les lipoprotéines de très basse densité (VLDL), les lipoprotéines de basse densité (LDL) et les lipoprotéines de haute densité (HDL).

Les **chylomicrons** sont formés dans les cellules épithéliales de la muqueuse de l'intestin grêle et contiennent des lipides *exogènes* (alimentaires). Ils comprennent entre 1 et 2 % de protéines, 85 % de triglycérides, 7 % de phospholipides et entre 6 et 7 % de cholestérol. Ils portent aussi une petite quantité de vitamines liposolubles. Les chylomicrons pénètrent dans les vaisseaux chylifères des villosités intestinales et sont transportés par la lymphe jusqu'au sang veineux, puis dans la circulation générale. Leur présence confère au plasma sanguin une apparence laiteuse, mais ils ne passent que quelques minutes dans le sang. Lorsqu'ils circulent dans les capillaires du tissu adipeux, une de leurs apoprotéines, l'**apo C-2,** active la *lipoprotéine lipase endothéliale,* une enzyme qui retire les acides gras des triglycérides contenus dans les chylomicrons. Les acides gras libres sont alors absorbés par les adipocytes, où ils sont emmagasinés, et par les cellules musculaires, où ils servent à produire de l'ATP. Les hépatocytes retirent les résidus des chylomicrons du sang au moyen de l'endocytose par récepteurs interposés ; l'**apo E,** une autre apoprotéine du chylomicron, sert alors de protéine d'amarrage.

Les **lipoprotéines de très basse densité** (**VLDL,** « very low-density lipoproteins ») sont formées dans les hépatocytes et contiennent des triglycérides *endogènes.* Les VLDL comprennent environ 10 % de protéines, 50 % de triglycérides, 20 % de phospholipides et 20 % de cholestérol. Elles transportent les triglycérides synthétisés dans les hépatocytes aux adipocytes, où ils sont emmagasinés. Comme les chylomicrons, elles perdent leurs triglycérides quand leur **apo C-2** active la lipoprotéine lipase endothéliale, et les acides gras libérés pénètrent dans les adipocytes qui les mettent en réserve et dans les cellules musculaires qui les utilisent pour produire de l'ATP. Après avoir déposé une partie de leurs triglycérides dans les adipocytes, les VLDL sont converties en LDL.

Les **lipoprotéines de basse densité** (**LDL,** « low-density lipoproteins ») contiennent 25 % de protéines, 5 % de triglycérides, 20 % de phospholipides et 50 % de cholestérol. Elles transportent environ 75 % du cholestérol total dans le sang et le distribuent aux cellules partout dans le corps, où il sert à la réparation des membranes et à la synthèse des hormones stéroïdes et des sels biliaires. La seule apoprotéine des LDL est l'**apo B100,** la protéine d'amarrage qui se lie aux récepteurs de LDL et provoque leur endocytose par récepteurs interposés. Dès qu'elles ont passé la membrane plasmique, les LDL sont dégradées et le cholestérol libéré peut être utilisé pour répondre aux besoins de la cellule. Quand la cellule a assez de cholestérol pour poursuivre son activité, un mécanisme de rétro-inhibition bloque la synthèse de nouveaux récepteurs de LDL.

Lorsqu'elles sont présentes en trop grand nombre, les LDL déposent du cholestérol à l'intérieur et autour des fibres musculaires lisses des artères, où il se forme des plaques d'athérosclérose qui augmentent le risque de coronaropathie (voir p. 701). C'est pourquoi le cholestérol des LDL est qualifié de « mauvais » cholestérol. Étant donné que certaines personnes ne produisent pas assez de récepteurs de LDL, leurs cellules sont incapables de retirer efficacement les LDL du sang. En conséquence, le taux de leurs LDL plasmatiques est plus élevé que la normale et ces personnes sont plus susceptibles de présenter des formations de plaques d'athérosclérose. Par ailleurs, les personnes qui ont un régime alimentaire riche en lipides produisent plus de VLDL, ce qui élève le taux de LDL et favorise aussi la formation des plaques d'athérosclérose.

Les **lipoprotéines de haute densité** (**HDL,** « high-density lipoproteins »), qui contiennent de 40 à 45 % de protéines, de 5 à 10 % de triglycérides, 30 % de phospholipides et 20 % de cholestérol, retirent l'excédent de cholestérol des cellules et le transportent jusqu'au foie, où il est éliminé. Puisque ces lipoprotéines préviennent l'accumulation du cholestérol dans le sang, un taux élevé de HDL est associé à un risque plus faible de maladie coronarienne. C'est pourquoi le cholestérol des HDL est qualifié de « bon » cholestérol.

Sources et signification du cholestérol dans le sang

Il y a deux sources de cholestérol. Une certaine quantité se trouve dans les aliments (œufs, produits laitiers, abats, bœuf, porc et charcuteries), mais la majeure partie est synthétisée par le foie. Les aliments gras qui ne contiennent aucune trace de cholestérol peuvent quand même entraîner une élévation spectaculaire de la cholestérolémie, et ce, de deux façons. Premièrement, l'ingestion d'une grande quantité de lipides alimentaires stimule la réabsorption dans le sang de la bile avec son cholestérol, de façon à réduire la perte de cholestérol dans les fèces. Deuxièmement, quand les graisses saturées sont dégradées dans l'organisme, les hépatocytes utilisent une partie des produits obtenus pour faire du cholestérol.

Lorsqu'on fait un bilan lipidique, on mesure habituellement le cholestérol total (CT), le cholestérol des HDL et les triglycérides (VLDL). On calcule ensuite le cholestérol des LDL au moyen de la formule suivante : LDL = CT − HDL − (triglycérides/5). On exprime les valeurs de cholestérol en mmol/L. Chez les adultes, on considère souhaitable que le cholestérol total se situe à moins de 5,2 mmol/L, les LDL à moins de 3,4 mmol/L et les HDL au-dessus de 0,9 mmol/L. Normalement, les triglycérides se situent à moins de 2,8 mmol/L.

Quand le taux sanguin de cholestérol total monte, le risque de maladie coronarienne se met à augmenter. Lorsqu'il dépasse 5,2 mmol/L, le risque de crise cardiaque double en proportion avec chaque augmentation de 1,3 mmol/L. On considère que des taux de cholestérol total entre 5,2 et 6,2 mmol/L et de LDL entre 3,4 et 4,1 mmol/L se situent à la limite supérieure de ce qui est souhaitable. La cholestérolémie est considérée comme élevée si ces valeurs dépassent 6,2 mmol/L et 4,1 mmol/L, respectivement. Le rapport entre le cholestérol total et le cholestérol des HDL indique le risque de survenue de maladie coronarienne. Par exemple, une personne dont le cholestérol total est de 4,68 mmol/L et les HDL de 1,56 mmol/L a un quotient de risque égal à 3. Les quotients supérieurs à 4 sont à éviter ; plus ils sont élevés, plus le risque de présenter une maladie coronarienne est grand.

Les traitements proposés pour réduire la cholestérolémie sont l'exercice, un régime approprié et des médicaments. L'activité physique régulière, de niveau aérobique ou presque, augmente le taux de HDL. Le régime doit être modifié pour réduire la consommation totale de graisses, plus particulièrement des graisses saturées, et celle du cholestérol. Les médicaments utilisés pour traiter l'hypercholestérolémie sont la cholestyramine (Questran) et le colestipol (Colestid), qui favorisent l'excrétion de la bile dans les fèces; l'acide nicotinique (Lipo-nicin); la lovastatine (Mevacor), la simvastatine (Zocor) et l'atorvastatine (Lipitor), qui bloquent une enzyme clé (HMG-CoA réductase) de la synthèse du cholestérol.

Sort des lipides

Comme les glucides, les lipides peuvent être oxydés pour produire de l'ATP. Si l'organisme n'a pas besoin immédiatement des lipides à cette fin, ils sont mis en réserve dans le tissu adipeux qui se trouve partout dans le corps et dans le foie. Quelques lipides sont utilisés comme molécules structurales ou pour la synthèse d'autres substances essentielles. C'est le cas des phospholipides, qui sont des constituants de la membrane plasmique, des lipoprotéines, qui servent au transport du cholestérol dans l'organisme, de la thromboplastine, qui est nécessaire à la coagulation du sang, et des gaines de myéline, qui accélèrent la conduction des influx nerveux. Reportez-vous au tableau 2.7, p. 48, pour revoir les diverses fonctions des lipides dans l'organisme.

Stockage des triglycérides

Une des principales fonctions du tissu adipeux consiste à retirer les triglycérides des chylomicrons et des VLDL et à les emmagasiner jusqu'à ce que d'autres parties de l'organisme en aient besoin pour la production d'ATP. Les adipocytes de l'hypoderme contiennent environ 50 % des triglycérides en réserve. D'autres tissus adipeux se partagent le reste – environ 12 % autour des reins, de 10 à 15 % dans les omentums, 15 % dans la région des organes génitaux, de 5 à 8 % entre les muscles et 5 % derrière les yeux, dans les sillons du cœur et sur la face externe du gros intestin. Les triglycérides du tissu adipeux sont continuellement dégradés et resynthétisés. Ainsi, les molécules qui sont emmagasinées aujourd'hui dans le tissu adipeux ne sont pas les mêmes que celles qui s'y trouvaient le mois dernier parce qu'elles sont sans cesse tirées des réserves, transportées dans le sang et déposées à nouveau dans d'autres cellules du tissu adipeux.

Catabolisme des lipides: lipolyse

Les triglycérides emmagasinés dans le tissu adipeux constituent 98 % des réserves d'énergie de l'organisme. Ils sont plus faciles à stocker que le glycogène, en partie parce qu'ils sont hydrophobes et n'exercent pas de pression osmotique sur les membranes des cellules. Plusieurs tissus (muscles, foie et tissu adipeux) font couramment l'oxydation d'acides gras dérivés des triglycérides pour produire de l'ATP. Avant qu'ils puissent être catabolisés pour donner de l'ATP, les triglycérides doivent être scindés en glycérol et en acides gras. Ce processus, appelé **lipolyse,** est catalysé par des enzymes appelées **lipases.** L'adrénaline et la noradrénaline sont deux hormones qui amplifient la dégradation des triglycérides en acides gras et en glycérol. Elles sont libérées quand le tonus sympathique augmente, comme c'est le cas, par exemple, durant l'exercice. Le cortisol, les hormones thyroïdiennes et les somatomédines sont également des hormones lipolytiques. Par contre, l'insuline inhibe la lipolyse.

Le catabolisme du glycérol et des acides gras produits par la lipolyse s'effectue par des voies différentes (figure 25.12). Le glycérol est converti par de nombreuses cellules de l'organisme en 3-phosphoglycéraldéhyde, un composé qui se forme aussi durant le catabolisme du glucose. Si les réserves d'ATP de la cellule sont élevées, le 3-phosphoglycéraldéhyde est converti en glucose – il s'agit là d'un exemple de néoglucogenèse. Mais si la cellule a besoin de produire plus d'ATP, le 3-phosphoglycéraldéhyde passe dans la voie catabolique qui mène à la formation d'acide pyruvique.

Le catabolisme des acides gras est différent de celui du glycérol et produit plus d'ATP. La première étape de ce processus est une série de réactions, appelée β-**oxydation,** qui se déroule dans la matrice des mitochondries. Des enzymes retirent deux atomes de carbone à la fois de la longue chaîne de carbone qui compose un acide gras et les fixent à la coenzyme A pour former de l'acétyl CoA. À la deuxième étape du catabolisme des acides gras, l'acétyl CoA obtenu par β-oxydation entre dans le cycle de Krebs (voir la figure 25.12). Un acide gras de 16 carbones comme l'acide palmitique peut produire un gain net de 129 molécules d'ATP à la suite de son oxydation complète par les voies de la β-oxydation, du cycle de Krebs et de la chaîne de transport des électrons.

Au cours du catabolisme normal des acides gras, les hépatocytes peuvent condenser deux molécules d'acétyl CoA pour former de l'**acide acétylacétique.** Cette réaction libère la coenzyme A, une molécule de grande taille qui ne peut pas quitter la cellule par diffusion. Une partie de l'acide acétylacétique est convertie en **acide β-hydroxybutyrique** et en **acétone.** La formation de ces trois substances, regroupées sous l'appellation de **corps cétoniques,** porte le nom de **cétogenèse** (voir la figure 25.12). Comme les corps cétoniques traversent librement la membrane plasmique, ils quittent les hépatocytes et entrent dans la circulation sanguine.

D'autres cellules absorbent l'acide acétylacétique et attachent ses quatre carbones à deux molécules de coenzyme A pour former deux molécules d'acétyl CoA. Ces dernières peuvent alors entrer dans le cycle de Krebs pour être oxydées. Le muscle cardiaque et le cortex (partie externe) du rein utilisent l'acide acétylacétique de préférence au glucose pour produire de l'ATP. Les hépatocytes, qui synthétisent l'acide

Figure 25.12 Voies du métabolisme des lipides. Le glycérol peut être converti en 3-phosphoglycéraldéhyde, qui peut ensuite être transformé en glucose ou entrer dans le cycle de Krebs pour être oxydé. Les acides gras passent par la β-oxydation et entrent dans le cycle de Krebs par l'intermédiaire de l'acétyl coenzyme A. La synthèse de lipides à partir du glucose ou des acides aminés est appelée lipogenèse.

Le catabolisme du glycérol et des acides gras s'effectue par des voies différentes.

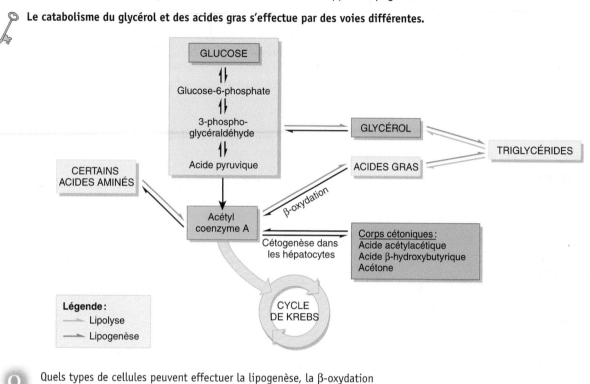

Quels types de cellules peuvent effectuer la lipogenèse, la β-oxydation et la lipolyse ? Quel type de cellules peut effectuer la cétogenèse ?

acétylacétique, ne peuvent pas l'utiliser pour produire de l'ATP parce qu'ils n'ont pas l'enzyme qui rétablit la liaison avec la coenzyme A.

Anabolisme des lipides : lipogenèse

Les hépatocytes et les adipocytes peuvent synthétiser des lipides à partir du glucose ou d'acides aminés au moyen de la **lipogenèse** (voir la figure 25.12), qui est stimulée par l'insuline. La lipogenèse a lieu lorsqu'un individu consomme plus d'énergie sous forme d'aliments qu'il n'en faut pour satisfaire ses besoins en ATP. Les glucides, les protéines et les lipides alimentaires excédentaires connaissent tous le même sort – ils sont transformés en triglycérides. Plusieurs acides aminés peuvent être convertis en acétyl CoA et, de là, en triglycérides. Les étapes de la conversion du glucose en lipides comprennent la formation de 3-phosphoglycéraldéhyde, qui peut donner du glycérol, et d'acétyl CoA, qui peut être transformé en acides gras. Par suite de réactions anaboliques, le glycérol et les acides gras ainsi formés peuvent devenir des triglycérides, qui seront emmagasinés, ou d'autres lipides tels que les lipoprotéines, les phospholipides et le cholestérol.

APPLICATION CLINIQUE
Cétose

Normalement, le taux de corps cétoniques dans le sang est très faible parce que les tissus utilisent les corps cétoniques pour produire de l'ATP au fur et à mesure que les hépatocytes les libèrent dans la circulation à la suite de la dégradation des acides gras. Toutefois, durant les périodes de β-oxydation excessive, la production de corps cétoniques dépasse la capacité d'absorption et d'utilisation des cellules. La β-oxydation peut devenir excessive à la suite d'un repas riche en triglycérides ou durant le jeûne ou la famine, parce qu'il y a peu de glucides pour alimenter le catabolisme des lipides. La β-oxydation excessive se produit aussi chez les personnes atteintes de diabète non traité ou mal équilibré, et ce, pour deux raisons : 1) comme il n'y a pas assez de glucose qui pénètre dans les cellules, les triglycérides sont utilisés pour produire de l'ATP et 2) comme l'insuline inhibe normalement la lipolyse, l'insuffisance d'insuline accélère la lipolyse. Quand la concentration des corps cétoniques dans le sang dépasse la normale – cet état est appelé **cétose** –, les corps cétoniques, qui sont pour la plupart des acides, doivent être tamponnés. S'il y a une trop grande accumulation de corps cétoniques, ceux-ci abaissent la concentration des tampons tels que les ions bicarbonate, et le pH sanguin baisse. C'est ainsi qu'une cétose extrême ou prolongée peut entraîner l'**acidose** (par **acidocétose**), un pH sanguin anormalement bas. Quand un diabétique souffre d'un déficit insulinique grave, un des signes suggestifs de son état est l'odeur sucrée de son haleine causée par l'acétone, un des corps cétoniques. ■

1. Quelles sont les fonctions des apoprotéines dans les lipoprotéines?
2. Dites quelles particules de lipoprotéines contiennent le « bon » et le « mauvais » cholestérol et expliquez pourquoi on utilise ces qualificatifs.
3. Où sont emmagasinés les triglycérides dans l'organisme?
4. Décrivez les principales étapes du catabolisme du glycérol et des acides gras.
5. Que sont les corps cétoniques? Qu'est-ce que la cétose?
6. Définissez la *lipogenèse* et expliquez-en l'importance.

MÉTABOLISME DES PROTÉINES

OBJECTIF

• *Décrire le sort, le métabolisme et les fonctions des protéines.*

Durant la digestion, les protéines sont dégradées en leurs composants, les acides aminés, qui sont absorbés par les capillaires sanguins des villosités intestinales et transportés jusqu'au foie par la veine porte hépatique. Contrairement aux glucides et aux triglycérides, qui sont emmagasinés, les protéines ne sont pas mises en réserve pour l'avenir; les acides aminés sont plutôt oxydés pour produire de l'ATP ou utilisés pour synthétiser de nouvelles protéines qui serviront à la croissance ou à la réparation des tissus. Les acides aminés alimentaires en excédent ne sont pas excrétés dans l'urine ou les fèces, mais plutôt convertis en glucose (néoglucogenèse) ou en triglycérides (lipogenèse).

Sort des protéines

Les acides aminés pénètrent dans les cellules de l'organisme par transport actif et ce processus est stimulé par les somatomédines (IGF) et l'insuline. Presque aussitôt après leur entrée dans l'organisme, les acides aminés sont incorporés dans des protéines. De nombreuses protéines servent d'enzymes; d'autres servent au transport (hémoglobine) ou forment des anticorps, des facteurs de coagulation (fibrinogène), des hormones (insuline) ou des éléments contractiles dans les fibres musculaires (actine et myosine). Plusieurs protéines servent de composants structuraux du corps (collagène, élastine et kératine). Reportez-vous au tableau 2.8, p. 51, pour revoir les diverses fonctions des protéines dans l'organisme.

Catabolisme des protéines

Le catabolisme des protéines a cours tous les jours dans l'organisme. Les protéines sont extraites des cellules usées (telles que les globules rouges) et dégradées pour en libérer les acides aminés. Certains acides aminés sont convertis en d'autres acides aminés, les liaisons peptidiques se reforment et de nouvelles protéines sont synthétisées dans le courant de l'activité de renouvellement constant de la cellule. Une part importante des acides aminés absorbés par le tube digestif provient des protéines de cellules usées qui se sont détachées de la muqueuse et sont passées dans la lumière de l'intestin.

Les protéines qui sont recyclées sont d'abord dégradées en acides aminés. Ensuite, les hépatocytes convertissent les acides aminés en acides gras, en corps cétoniques ou en glucose, ou bien les oxydent pour former du gaz carbonique et de l'eau. Toutefois, avant d'être soumis au catabolisme, les acides aminés doivent d'abord être convertis en diverses substances qui peuvent entrer dans le cycle de Krebs. L'une de ces conversions consiste à retirer le groupement amine (NH_2) de l'acide aminé – par un processus appelé **désamination** – et à le transformer en ammoniac (NH_3). Par la suite, les hépatocytes convertissent l'ammoniac en urée, qui est excrétée dans l'urine. Les autres types de conversions sont la décarboxylation et la déshydrogénation. La figure 25.13 montre que certains acides aminés entrent dans le cycle de Krebs à différents endroits. La conversion des acides aminés en glucose (néoglucogenèse) est présentée à la figure 25.10; celle des acides aminés en acides gras (lipogenèse) ou en corps cétoniques (cétogenèse), à la figure 25.12.

Anabolisme des protéines

L'anabolisme des protéines passe par la formation de liaisons peptidiques entre les acides aminés pour créer de nouvelles protéines. Ce processus, qui porte aussi le nom de synthèse des protéines, se déroule sur les ribosomes dans presque toutes les cellules de l'organisme, comme le dictent l'ADN et l'ARN cellulaires (voir la figure 3.30, p. 96). Les somatomédines, les hormones thyroïdiennes (T_3 et T_4), l'insuline, les œstrogènes et la testostérone stimulent la synthèse des protéines. Ces dernières sont parmi les principaux composants de la plupart des structures cellulaires, si bien qu'il est particulièrement important d'en consommer assez durant les années de croissance, pendant la grossesse et quand les tissus ont été endommagés par la maladie ou un traumatisme. Mais une fois que l'apport alimentaire est adéquat, on n'augmente pas la masse musculaire ou osseuse en consommant plus de protéines; on obtient ce résultat seulement par des séances régulières d'activité musculaire contre résistance.

Des 20 acides aminés de l'organisme humain, 10 sont des **acides aminés essentiels** – ils doivent faire partie de l'alimentation parce que l'organisme ne peut pas les synthétiser (du moins pas en quantité suffisante). Il y a huit acides aminés que les humains sont incapables de fabriquer (isoleucine,

Figure 25.13 Divers points d'entrée des acides aminés (représentés sur fond jaune) dans le cycle de Krebs en vue de leur oxydation.

🔑 **Avant que s'amorce leur catabolisme, les acides aminés doivent être convertis en diverses substances qui peuvent entrer dans le cycle de Krebs.**

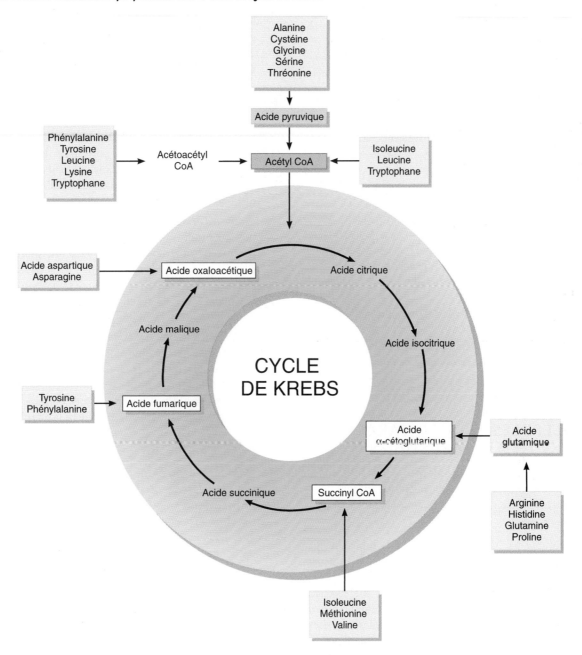

Ⓠ Quel est le groupement que doivent perdre les acides aminés avant d'entrer dans le cycle de Krebs, et comment s'appelle ce processus?

leucine, méthionine, phénylalanine, thréonine, tryptophane et valine) et deux (arginine et histidine) qu'ils ne peuvent pas produire en quantité suffisante (en particulier durant l'enfance). Comme les végétaux les synthétisent, les humains peuvent obtenir ces acides aminés essentiels en consommant des végétaux ou des produits venant d'animaux (qui mangent des plantes). Les **acides aminés non essentiels** peuvent être synthétisés par un processus appelé **transamination,** soit le transfert d'un groupement amine d'un acide aminé à l'acide pyruvique ou à un acide du cycle de Krebs. Lorsque les acides aminés essentiels et non essentiels appropriés sont présents dans les cellules, la synthèse des protéines se poursuit rapidement.

La **phénylcétonurie** est un défaut héréditaire du métabolisme des protéines caractérisé par un taux sanguin élevé de phénylalanine, un acide aminé. La plupart des enfants atteints ont une mutation dans le gène codant pour la phénylalanine hydroxylase ; cette enzyme est nécessaire à la conversion de la phénylalanine en tyrosine, un acide aminé qui peut entrer dans le cycle de Krebs. La déficience en phénylalanine hydroxylase fait en sorte que la phénylalanine ne peut pas être métabolisée, et la quantité qui n'est pas utilisée pour la synthèse protéique s'accumule dans le sang. Si elle n'est pas soignée, cette maladie cause des vomissements, des éruptions, des crises d'épilepsie, des troubles de croissance et une arriération mentale profonde. On fait passer aux nouveau-nés des tests de dépistage de la phénylcétonurie, ce qui permet de prévenir l'arriération mentale en imposant à l'enfant un régime qui lui donne seulement la quantité de phénylalanine nécessaire à sa croissance. Les sujets atteints risquent quand même d'éprouver des troubles d'apprentissage. Comme l'aspartame, un édulcorant de synthèse, contient de la phénylalanine, les enfants atteints de phénylcétonurie doivent éviter d'en consommer. ■

1. Quel est le rapport entre la désamination et le catabolisme des acides aminés ?
2. Résumez les principales étapes de la synthèse des protéines.
3. Définissez l'*acide aminé essentiel* et l'*acide aminé non essentiel*.

MOLÉCULES CLÉS AU CARREFOUR DES VOIES MÉTABOLIQUES

OBJECTIF

• *Nommer les molécules clés du métabolisme, décrire les réactions auxquelles elles participent et les produits qu'elles créent.*

On compte par milliers les différentes molécules qui composent la cellule, mais trois d'entre elles – le glucose-6-phosphate, l'acide pyruvique et l'acétyl coenzyme A – accomplissent des fonctions clés dans le métabolisme (figure 25.14). Ces molécules se trouvent au carrefour d'importantes voies métaboliques ; les réactions qu'elles autorisent dépendent de l'état nutritionnel et du niveau d'activité de l'organisme. Les réactions ❶ à ❼ de la figure 25.14 se déroulent dans le cytosol, alors que les réactions ❽ à ❿ ont lieu à l'intérieur des mitochondries.

Rôle du glucose-6-phosphate

Peu après son entrée dans la cellule, le glucose est converti par une kinase en **glucose-6-phosphate.** Ce dernier peut s'engager dans une des quatre voies suivantes (voir la figure 25.14) :

❶ *Synthèse du glycogène.* Quand le glucose se trouve en abondance dans la circulation sanguine, comme c'est le cas juste après un repas, une importante quantité de glucose-6-phosphate sert à la synthèse du glycogène, forme sous laquelle les glucides sont emmagasinés chez les animaux. La dégradation ultérieure du glycogène en glucose-6-phosphate s'effectue par une suite légèrement différente de réactions. La synthèse et la dégradation du glycogène ont lieu surtout dans les fibres musculaires squelettiques et les hépatocytes.

❷ *Libération de glucose dans la circulation sanguine.* Si l'enzyme glucose-6-phosphatase est présente et active, le glucose-6-phosphate peut être déphosphorylé. Une fois débarrassé du groupement phosphate, le glucose peut quitter la cellule et entrer dans la circulation sanguine. Les hépatocytes sont les principales cellules en mesure de libérer du glucose dans le sang de cette façon.

❸ *Synthèse d'acides nucléiques.* Le glucose-6-phosphate est la molécule utilisée par les cellules de l'organisme comme précurseur du ribose-5-phosphate, un sucre de cinq carbones qui sert à la synthèse de l'ARN (acide ribonucléique) et de l'ADN (acide désoxyribonucléique). La même suite de réactions qui produit le ribose-5-phosphate est à l'origine du NADPH, une molécule nécessaire à certaines réactions de réduction.

❹ *Glycolyse.* Une certaine quantité d'ATP est produite de façon anaérobie par la glycolyse. Au cours de cette dernière, le glucose-6-phosphate est converti en acide pyruvique, autre molécule clé du métabolisme. La plupart des cellules de l'organisme effectuent la glycolyse.

Rôle de l'acide pyruvique

Quand une molécule de glucose, avec ses six carbones, est soumise à la glycolyse, elle donne naissance à deux molécules d'**acide pyruvique,** ayant chacune trois carbones. L'acide pyruvique se situe aussi à un carrefour de voies métaboliques. S'il y a assez d'oxygène, les réactions aérobies (consommatrices d'oxygène) de la respiration cellulaire sont autorisées ; s'il y a peu d'oxygène, ce sont les réactions anaérobies qui ont lieu (voir la figure 25.14) :

❺ *Production d'acide lactique.* Quand il y a peu d'oxygène dans un tissu, comme c'est le cas dans les muscles squelettiques ou le muscle cardiaque qui se contractent vigoureusement, une certaine quantité d'acide pyruvique est transformée en acide lactique. Ce dernier passe alors dans la circulation sanguine par diffusion et, de là, dans les hépatocytes, qui le reconvertissent en acide pyruvique.

❻ *Production d'alanine.* L'acide pyruvique est un des ponts entre le métabolisme des glucides et celui des protéines. Grâce à la transamination, un groupement amine ($-NH_3$) peut soit être ajouté à l'acide pyruvique (un groupement glucide) pour produire de l'alanine, un acide aminé, soit être retiré de l'alanine pour donner de l'acide pyruvique.

Figure 25.14 Résumé des rôles des molécules clés dans les voies métaboliques. Les flèches doubles indiquent que les réactions représentées peuvent se produire dans un sens ou dans l'autre, si les enzymes nécessaires sont présentes et si les conditions sont favorables ; les flèches simples représentent des étapes irréversibles.

🔑 **Trois molécules – glucose-6-phosphate, acide pyruvique et acétyl coenzyme A – se trouvent au carrefour d'importantes voies métaboliques ; les réactions qu'elles autorisent dépendent de l'état nutritionnel et du niveau d'activité de l'organisme.**

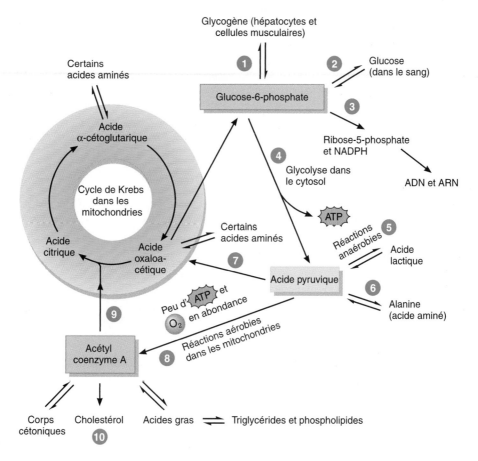

Q Quelle substance est la porte d'entrée du cycle de Krebs pour les molécules de combustible qui sont oxydées en vue de produire de l'ATP ?

7 *Néoglucogenèse.* L'acide pyruvique et certains acides aminés peuvent être convertis en acide oxaloacétique, un des intermédiaires du cycle de Krebs, qui, à son tour, peut servir à la formation de glucose-6-phosphate. Cette suite de réactions de néoglucogenèse contourne certaines réactions à sens unique de la glycolyse.

Rôle de l'acétyl coenzyme A

8 Quand la quantité d'ATP dans la cellule est faible mais que l'oxygène est abondant, la plus grande partie de l'acide pyruvique est canalisée vers les réactions productrices d'ATP – le cycle de Krebs et la chaîne de transport des électrons – par conversion en **acétyl coenzyme A.**

9 *Entrée dans le cycle de Krebs.* L'acétyl CoA est le véhicule grâce auquel les groupements acétyle, avec leurs deux carbones, font leur entrée dans le cycle de Krebs. Les réactions oxydatives qui s'y déroulent convertissent l'acétyl CoA en CO_2 et produisent les coenzymes réduites (NADH et $FADH_2$) qui transfèrent les électrons dans la chaîne de transport des électrons. À leur tour, les réactions oxydatives de la chaîne de transport des électrons produisent de l'ATP. La plupart des molécules de combustible qui sont oxydées pour produire de l'ATP – glucose, acides gras et corps cétoniques – sont d'abord converties en acétyl CoA.

10 *Synthèse de lipides.* L'acétyl CoA sert aussi à la synthèse de certains lipides, y compris des acides gras, des corps cétoniques et du cholestérol. Puisque l'acide pyruvique

Tableau 25.2 Résumé du métabolisme

PROCESSUS	COMMENTAIRES
Glucides	
Catabolisme du glucose	L'oxydation complète du glucose (respiration cellulaire) est la principale source d'ATP de la cellule et comprend la glycolyse, le cycle de Krebs et la chaîne de transport des électrons. L'oxydation complète de 1 molécule de glucose produit au maximum 36 ou 38 molécules d'ATP.
Glycolyse	La conversion du glucose en acide pyruvique produit une certaine quantité d'ATP. Les réactions ne nécessitent pas d'oxygène (respiration cellulaire anaérobie).
Cycle de Krebs	Le cycle est formé d'une suite de réactions d'oxydoréduction au cours desquelles des coenzymes (NAD$^+$ et FAD) se lient à des ions hydrogène et hydrure provenant d'acides organiques oxydés. Il y a production d'une certaine quantité d'ATP. Les sous-produits sont le CO_2 et l'H_2O. Les réactions sont aérobies.
Chaîne de transport des électrons	Le troisième ensemble de réactions dans le catabolisme du glucose est aussi une suite de réactions d'oxydoréduction au cours desquelles des électrons passent d'un transporteur à l'autre et entraînent la production de la plus grande partie de l'ATP. Les réactions nécessitent de l'oxygène (respiration cellulaire aérobie).
Anabolisme du glucose	Le glucose qui n'est pas immédiatement nécessaire pour la production d'ATP peut être converti en glycogène (glycogenèse) pour être mis en réserve. Le glycogène peut être reconverti en glucose (glycogénolyse). La conversion d'acides aminés, de glycérol et d'acide lactique en glucose est appelée néoglucogenèse.
Lipides	
Catabolisme des triglycérides	Les triglycérides sont scindés en glycérol et en acides gras. Le glycérol peut être converti en glucose (néoglucogenèse) ou catabolisé par la glycolyse. Les acides gras sont catabolisés par β-oxydation en acétyl coenzyme A qui peut entrer dans le cycle de Krebs pour la production d'ATP ou être converti en corps cétoniques (cétogenèse).
Anabolisme des triglycérides	La synthèse des triglycérides à partir du glucose et des acides gras est appelée lipogenèse. Les triglycérides sont emmagasinés dans le tissu adipeux.
Protéines	
Catabolisme des protéines	Les acides aminés sont oxydés dans le cycle de Krebs après désamination. L'ammoniac produit par la désamination est converti en urée par le foie, libéré dans la circulation et excrété dans l'urine. Les acides aminés peuvent être convertis en glucose (néoglucogenèse), en acides gras ou en corps cétoniques.
Anabolisme des protéines	La synthèse des protéines est dirigée par l'ADN et s'effectue grâce à l'ARN et aux ribosomes des cellules.

peut être converti en acétyl CoA, les glucides peuvent être transformés en triglycérides. Il s'agit là de la voie métabolique pour le stockage de l'énergie excédentaire sous forme de graisse. Toutefois, les mammifères, y compris les humains, ne peuvent pas reconvertir l'acétyl CoA en acide pyruvique, si bien que les acides gras ne peuvent pas servir à la production de glucose ou d'autres molécules de glucides.

Le tableau 25.2 résume le métabolisme des glucides, des lipides et des protéines.

1. Expliquez l'importance du glucose-6-phosphate, de l'acide pyruvique et de l'acétyl coenzyme A dans le métabolisme.
2. Où a lieu, dans la cellule, chacune des réactions représentées dans la figure 25.14 ?

ADAPTATIONS MÉTABOLIQUES
OBJECTIF

• *Comparer le métabolisme de l'état postprandial avec celui de l'état de jeûne.*

La régulation des réactions métaboliques dépend à la fois des conditions chimiques à l'intérieur des cellules, telles les concentrations d'ATP et d'oxygène, et de signaux provenant des systèmes nerveux et endocrinien. Certains aspects du métabolisme dépendent du laps de temps écoulé depuis le dernier repas. Dans l'**état postprandial** (*prandium* = repas), ou phase d'absorption, les nutriments ingérés entrent dans la circulation sanguine et le glucose est facilement disponible pour la production d'ATP. Dans l'**état de jeûne** (entre les repas), il n'y a plus d'absorption de nutriments par le tube digestif et l'énergie nécessaire doit provenir de combustibles déjà présents dans l'organisme. En général, il faut environ quatre heures pour absorber un repas complètement. Une personne qui mange trois repas par jour est dans l'état postprandial pendant environ 12 h par jour. Si elle ne prend pas de collations entre les repas, les 12 h qui restent – habituellement la fin de la matinée et de l'après-midi, et la majeure partie de la nuit – se passent en état de jeûne.

Puisque, dans l'état de jeûne, le système nerveux et les globules rouges continuent de dépendre du glucose pour la production d'ATP, il est essentiel que la glycémie demeure stable durant cette période. Les hormones sont les principaux régulateurs du métabolisme dans les deux états. Les effets de l'insuline dominent dans l'état postprandial, tandis que plusieurs autres hormones régulent le métabolisme dans l'état de jeûne. Au cours d'un jeûne prolongé ou d'une famine, de nombreuses cellules font une utilisation accrue des corps cétoniques pour produire de l'ATP.

Métabolisme dans l'état postprandial

Peu après les repas, les nutriments commencent à entrer dans le sang. Rappelez-vous que les aliments ingérés atteignent la circulation surtout sous forme de glucose, d'acides aminés et de triglycérides (dans les chylomicrons). On observe deux signes métaboliques importants de l'état postprandial : l'oxydation du glucose pour la production d'ATP, qui a lieu dans la plupart des cellules de l'organisme, et le stockage des molécules de combustible excédentaires en vue des périodes de jeûne entre les repas, qui s'effectue principalement dans les hépatocytes, les adipocytes et les fibres musculaires squelettiques.

Réactions durant l'état postprandial

Les réactions suivantes sont celles qui dominent durant l'état postprandial (figure 25.15) :

1 Environ 50 % du glucose absorbé à la suite d'un repas typique est oxydé par les cellules de l'organisme pour produire de l'ATP par la glycolyse, le cycle de Krebs et la chaîne de transport des électrons.

2 La majeure partie du glucose qui entre dans les hépatocytes est convertie en triglycérides ou en glycogène.

3 Le foie garde certains des acides gras et des triglycérides qu'il synthétise, mais les hépatocytes mettent la plupart de ces lipides dans des VLDL qui les transportent jusqu'au tissu adipeux, où ils sont emmagasinés.

4 Les adipocytes captent aussi une part du glucose laissé par le foie et le convertissent en triglycérides qui seront emmagasinés. En somme, environ 40 % du glucose obtenu d'un repas est converti en triglycérides et environ 10 % est emmagasiné sous forme de glycogène dans les muscles squelettiques et les hépatocytes.

5 La plupart des lipides alimentaires (surtout des triglycérides et des acides gras) sont emmagasinés dans le tissu adipeux ; une petite partie seulement sert à des réactions de synthèse. Les adipocytes obtiennent les lipides des chylomicrons, des VLDL et de leurs propres réactions de synthèse.

6 De nombreux acides aminés alimentaires qui entrent dans les hépatocytes sont désaminés pour former des acides cétoniques, qui peuvent soit entrer dans le cycle de Krebs pour produire de l'ATP, soit servir à la synthèse de glucose ou d'acides gras.

7 Certains acides aminés qui entrent dans les hépatocytes servent à la synthèse de protéines (par exemple, les protéines plasmatiques).

8 Les acides aminés laissés par les hépatocytes sont utilisés par d'autres cellules de l'organisme (comme les cellules musculaires) pour la synthèse de protéines ou de molécules régulatrices telles que les hormones ou les enzymes.

Régulation du métabolisme durant l'état postprandial

Peu après un repas, le peptide insulinotrophique gluco-dépendant (GIP) ainsi que l'élévation de la concentration sanguine du glucose et de certains acides aminés stimulent les cellules bêta du pancréas qui libèrent l'insuline. En général, l'insuline fait augmenter l'activité des enzymes nécessaires à l'anabolisme et à la synthèse des molécules destinées aux réserves ; en même temps, elle réduit l'activité des enzymes nécessaires aux réactions cataboliques (ou de dégradation). L'insuline favorise l'entrée du glucose et des acides aminés dans les cellules de plusieurs tissus ; elle stimule la phosphorylation du glucose dans les hépatocytes et la conversion du glucose-6-phosphate en glycogène aussi bien dans les hépatocytes que dans les cellules musculaires. Elle active la synthèse des triglycérides dans le foie et le tissu adipeux, et celle des protéines dans tout l'organisme. (Reportez-vous à la page 627 pour revoir les effets de l'insuline.) Les somatomédines et les hormones thyroïdiennes (T_3 et T_4) stimulent aussi la synthèse des protéines. Le tableau 25.3 résume la régulation hormonale du métabolisme dans l'état postprandial.

Métabolisme dans l'état de jeûne

Quatre heures environ après le dernier repas, l'absorption des nutriments dans l'intestin grêle est presque terminée ; la glycémie commence à baisser parce que le glucose continue de quitter la circulation sanguine pour entrer dans les cellules, alors qu'il n'est plus absorbé par le tube digestif. C'est ainsi que la principale tâche métabolique de l'état de jeûne consiste à maintenir la glycémie à son niveau normal, soit entre 3,9 et 6,1 mmol/L. L'homéostasie de la glycémie est particulièrement importante pour le système nerveux et les globules rouges, et ce, pour les raisons suivantes :

- Le principal combustible utilisé par le système nerveux pour produire de l'ATP est le glucose, parce que les acides gras ne peuvent pas franchir la barrière hémato-encéphalique.

- Les globules rouges obtiennent tout leur ATP de la glycolyse du glucose parce qu'ils n'ont pas de mitochondries et, par conséquent, n'ont pas accès au cycle de Krebs et à la chaîne de transport des électrons.

Réactions durant l'état de jeûne

Durant l'état de jeûne, la *production de glucose* et la *conservation du glucose* contribuent à stabiliser la glycémie. Les hépatocytes produisent des molécules de glucose et les exportent dans le sang, tandis que d'autres cellules de l'organisme passent aux combustibles de rechange pour la

Figure 25.15   Principales voies métaboliques de l'état postprandial.

Dans l'état postprandial, la plupart des cellules de l'organisme produisent de l'ATP par oxydation du glucose en CO_2 et en H_2O.

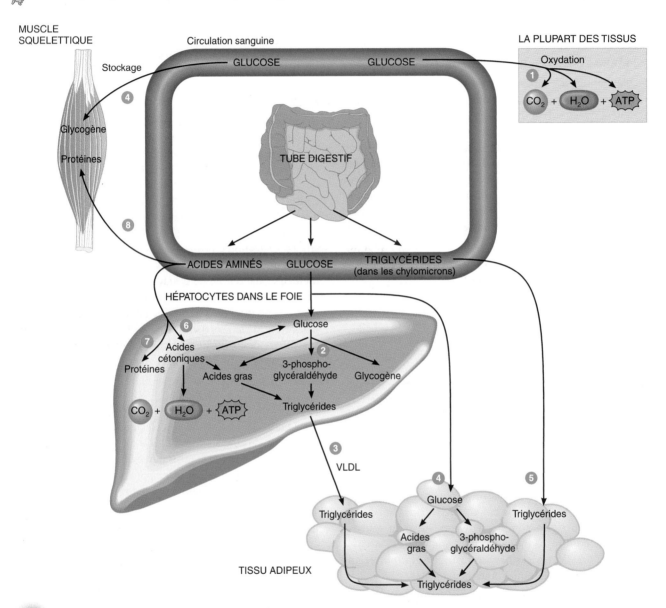

Q   Les réactions représentées ci-dessus sont-elles surtout anaboliques ou cataboliques?

production d'ATP afin de conserver le glucose qui se raréfie. Les principales réactions de l'état de jeûne qui produisent du glucose sont les suivantes (figure 25.16, p. 952):

1 *Dégradation du glycogène dans le foie.* Durant le jeûne, une des principales sources de glucose sanguin est le glycogène du foie, qui constitue une réserve de glucose d'environ quatre heures. Le foie est continuellement en train de former et de dégrader du glycogène pour répondre aux besoins.

2 *Lipolyse.* Le glycérol, provenant de la dégradation des triglycérides dans le tissu adipeux, sert aussi à former du glucose.

3 *Néoglucogenèse à partir de l'acide lactique.* Durant l'exercice, le tissu musculaire squelettique dégrade le glycogène en réserve (voir l'étape **9**) et produit un peu d'ATP de façon anaérobie par glycolyse. Une partie de l'acide pyruvique ainsi obtenu est convertie en acétyl CoA; une autre partie est convertie en acide lactique,

Tableau 25.3 Régulation hormonale du métabolisme dans l'état postprandial

PROCESSUS	CIBLES	PRINCIPALES HORMONES STIMULATRICES
Diffusion facilitée du glucose dans les cellules	La plupart des cellules.	Insuline*.
Transport actif des acides aminés dans les cellules	La plupart des cellules.	Insuline.
Glycogenèse (synthèse du glycogène)	Hépatocytes et fibres musculaires.	Insuline.
Synthèse des protéines	Toutes les cellules de l'organisme.	Insuline, hormones thyroïdiennes et somatomédines.
Lipogenèse (synthèse des triglycérides)	Adipocytes et hépatocytes.	Insuline.

* La diffusion facilitée du glucose dans les hépatocytes et les neurones fonctionne en tout temps et ne dépend pas de l'insuline.

qui diffuse dans le sang. Le foie peut utiliser l'acide lactique pour produire du glucose par néoglucogenèse, et le libérer par la suite dans le sang.

④ *Néoglucogenèse à partir d'acides aminés.* La dégradation d'une quantité modeste de protéines dans les muscles squelettiques et les autres tissus libère d'énormes quantités d'acides aminés, qui peuvent alors être converties en glucose par néoglucogenèse dans le foie.

Malgré ces moyens de production du glucose, la glycémie ne peut pas être entretenue longtemps sans des changements métaboliques supplémentaires. Ainsi, il est nécessaire de déclencher une adaptation majeure durant l'état de jeûne pour obtenir de l'ATP tout en conservant le glucose. Les réactions suivantes produisent de l'ATP sans faire appel au glucose :

⑤ *Oxydation des acides gras.* Les acides gras libérés par la lipolyse des triglycérides ne peuvent pas servir à la production de glucose parce que l'acétyl CoA ne se convertit pas facilement en acide pyruvique. Mais la plupart des cellules peuvent oxyder directement les acides gras, les canaliser vers le cycle de Krebs sous forme d'acétyl CoA et produire de l'ATP par la chaîne de transport des électrons.

⑥ *Oxydation de l'acide lactique.* Le muscle cardiaque peut produire de l'ATP de façon aérobie à partir de l'acide lactique.

⑦ *Oxydation des acides aminés.* Les hépatocytes peuvent oxyder directement les acides aminés pour produire de l'ATP.

⑧ *Oxydation des corps cétoniques.* Les hépatocytes convertissent aussi les acides gras en corps cétoniques qui peuvent être utilisés par le cœur, les reins et d'autres tissus pour la production d'ATP.

⑨ *Dégradation du glycogène des muscles.* Les cellules musculaires squelettiques transforment le glycogène en glucose-6-phosphate, qui est soumis à la glycolyse et procure de l'ATP pour la contraction musculaire.

Régulation du métabolisme durant l'état de jeûne

Durant l'état de jeûne, le métabolisme est soumis aussi bien à la régulation d'hormones qu'à la régulation de la partie sympathique du système nerveux autonome (SNA). Les hormones qui sont à l'œuvre durant l'état de jeûne sont parfois nommées hormones anti-insuliniques parce qu'elles s'opposent à l'action de l'insuline, qui domine durant l'état postprandial. Avec la baisse de la glycémie, la sécrétion d'insuline décroît et la libération des hormones anti-insuliniques augmente.

Quand le taux sanguin de glucose se met à diminuer, la sécrétion du glucagon par les cellules alpha du pancréas s'accélère, et celle de l'insuline par les cellules bêta ralentit. Le principal tissu cible du glucagon est le foie et son effet majeur est la libération accrue du glucose dans la circulation sanguine par suite de la néoglucogenèse et de la glycogénolyse.

L'hypoglycémie active aussi la partie sympathique du SNA. Des neurones de l'hypothalamus, sensibles au glucose, réagissent à la diminution de son taux sanguin et augmentent l'activité sympathique. En conséquence, les terminaisons nerveuses sympathiques libèrent un neurotransmetteur, la noradrénaline, et la médullosurrénale libère dans le sang deux hormones, l'adrénaline et la noradrénaline – deux catécholamines. Comme le glucagon, l'adrénaline stimule la dégradation du glycogène. L'adrénaline et la noradrénaline sont toutes deux de puissants stimulateurs de la lipolyse. Ces actions des catécholamines contribuent à faire augmenter le taux sanguin de glucose et d'acides gras libres. En conséquence, les muscles consomment plus d'acides gras pour produire de l'ATP et il y a plus de glucose disponible pour le système nerveux. Le tableau 25.4 résume la régulation hormonale du métabolisme durant l'état de jeûne.

Métabolisme durant le jeûne prolongé et la famine

On entend par **jeûne prolongé** l'absence de nourriture pendant plusieurs heures au-delà d'un jeûne normal ou pendant quelques jours, et par **famine,** des semaines ou des mois

Figure 25.16 Principales voies métaboliques de l'état de jeûne.

La principale fonction des réactions de l'état de jeûne est de maintenir la glycémie à sa valeur normale.

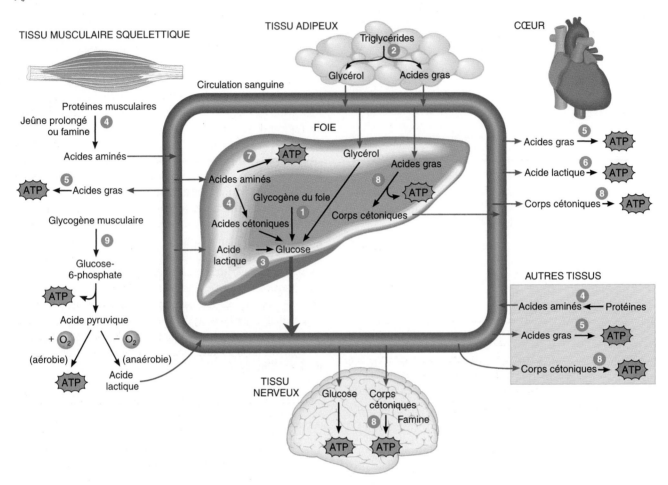

Q Quels processus augmentent directement la glycémie durant l'état de jeûne, et dans quelle partie du corps chacun d'eux se déroule-t-il?

de privation durant lesquels l'apport alimentaire est insuffisant. On peut survivre sans nourriture pendant deux mois ou plus si l'on boit assez d'eau pour prévenir la déshydratation. Bien que les réserves de glycogène s'épuisent en quelques heures après le début d'un jeûne, le catabolisme des triglycérides emmagasinés et des protéines structurales peut procurer de l'énergie pendant plusieurs semaines. La quantité de tissu adipeux du corps détermine la durée de vie possible sans nourriture.

Durant le jeûne prolongé et la famine, le tissu nerveux et les globules rouges continuent d'utiliser le glucose pour la production d'ATP. Il y a une provision disponible d'acides aminés pour alimenter la néoglucogenèse parce que la diminution du taux d'insuline et l'augmentation du taux du cortisol ralentissent la synthèse des protéines et favorisent leur catabolisme. La plupart des cellules de l'organisme, surtout les cellules musculaires squelettiques en raison de la masse considérable de protéines qu'elles contiennent au départ,

peuvent se passer d'une quantité importante de ces molécules avant que leur performance ne soit compromise. Durant les premiers jours de jeûne, le catabolisme des protéines dépasse leur synthèse d'environ 75 g par jour, car une partie des « vieux » acides aminés sont désaminés et servent à la néoglucogenèse en l'absence de « nouveaux » acides aminés (provenant des aliments).

Au deuxième jour de jeûne, la glycémie s'est stabilisée à environ 3,6 mmol/L, tandis que le taux d'acides gras dans le plasma a quadruplé. La lipolyse des triglycérides dans le tissu adipeux libère du glycérol, qui sert à la néoglucogenèse, et des acides gras. Ces derniers diffusent dans les fibres musculaires et les autres cellules de l'organisme, où ils servent à la production d'acétyl CoA qui entre dans le cycle de Krebs. L'ATP est alors synthétisée au fur et à mesure que l'oxydation se poursuit dans le cycle de Krebs et la chaîne de transport des électrons.

Tableau 25.4 Régulation hormonale du métabolisme durant l'état de jeûne

PROCESSUS	CIBLES	PRINCIPALES HORMONES STIMULATRICES
Glycogénolyse (dégradation du glycogène)	Hépatocytes et fibres musculaires squelettiques.	Glucagon et adrénaline.
Lipolyse (dégradation des triglycérides)	Adipocytes.	Adrénaline, noradrénaline, cortisol, somatomédines, hormones thyroïdiennes et autres.
Dégradation des protéines	La plupart des cellules de l'organisme, mais plus particulièrement les fibres musculaires squelettiques.	Cortisol.
Néoglucogenèse (synthèse de glucose à partir de substances non glucidiques)	Hépatocytes et cellules du cortex rénal.	Glucagon et cortisol.

Le changement métabolique le plus spectaculaire engendré par le jeûne prolongé et la famine est l'augmentation de la formation de corps cétoniques par les hépatocytes. Durant le jeûne, une petite quantité de glucose seulement est soumise à la glycolyse pour donner de l'acide pyruvique, qui peut alors être converti en acide oxaloacétique. L'acétyl CoA entre dans le cycle de Krebs en se combinant avec l'acide oxaloacétique (voir la figure 25.14); quand cet acide est rendu rare par le jeûne prolongé, une partie seulement de l'acétyl CoA disponible peut entrer dans le cycle de Krebs. Le reste sert à la cétogenèse, principalement dans le foie. Ainsi, la production de corps cétoniques s'accélère au fur et à mesure qu'augmente le catabolisme des acides gras. Étant liposolubles, les corps cétoniques diffusent à travers les membranes plasmiques et la barrière hémato-encéphalique, et peuvent servir de combustible de rechange pour la production d'ATP, surtout par les fibres musculaires squelettiques et cardiaques ainsi que par les neurones. Normalement, il n'y a qu'une quantité infime de corps cétoniques dans le sang (0,01 mmol/L); par conséquent, ceux-ci constituent une source d'énergie négligeable. Mais après deux jours de jeûne, le taux de cétones est de 100 à 300 fois plus élevé et procure environ le tiers du combustible utilisé par l'encéphale pour la production d'ATP. Au bout de 40 jours de famine, les cétones peuvent répondre aux deux tiers des besoins d'énergie de l'encéphale. En fait, la présence des cétones réduit la consommation de glucose pour la production d'ATP, ce qui diminue la nécessité de la néoglucogenèse et ralentit le catabolisme des protéines musculaires jusqu'à environ 20 g par jour dans le stade avancé du jeûne.

APPLICATION CLINIQUE
Absorption d'alcool

Les effets intoxicants et invalidants de l'alcool dépendent de sa concentration dans le sang. L'alcool étant liposoluble, son absorption commence dans l'estomac. Toutefois, la superficie disponible pour son absorption est beaucoup plus grande dans l'intestin grêle que dans l'estomac, si bien que l'alcool est absorbé beaucoup plus rapidement lorsqu'il atteint le duodénum. Par conséquent, plus l'alcool reste longtemps dans l'estomac, moins l'élévation de l'alcoolémie est rapide. Puisque les acides gras dans le chyme ralentissent l'évacuation gastrique, le taux sanguin d'alcool augmente moins vite quand on consomme en même temps des aliments riches en lipides tels que pizzas, hamburgers ou nachos. De plus, l'alcool déshydrogénase, une enzyme des cellules de la muqueuse gastrique, transforme une partie de l'alcool en acétaldéhyde, qui n'est pas intoxicant. Quand l'évacuation gastrique est plus lente, une plus grande proportion d'alcool est absorbée et convertie en acétaldéhyde dans l'estomac, si bien qu'il en passe moins dans le sang. À consommation égale, les femmes ont souvent une alcoolémie plus élevée (et, par conséquent, sont plus intoxiquées) que les hommes de même taille, et ce, pour deux raisons: 1) les femmes ont généralement un plus petit volume sanguin total et 2) l'activité de l'alcool déshydrogénase gastrique peut être jusqu'à 60 % plus faible chez elles. Chez les hommes asiatiques également, l'activité de cette enzyme est parfois moins élevée. ■

1. Décrivez le rôle des hormones suivantes dans la régulation du métabolisme: insuline, glucagon, adrénaline, somatomédines, thyroxine, cortisol, œstrogènes et testostérone.

2. Pourquoi la cétogenèse est-elle plus importante durant le jeûne prolongé que durant l'alternance des états postprandial et de jeûne de courte durée?

CHALEUR ET ÉQUILIBRE ÉNERGÉTIQUE

OBJECTIFS

• *Définir le métabolisme basal et expliquer quelques-uns des facteurs qui l'influencent.*

• *Décrire les facteurs qui influent sur la production de chaleur par l'organisme.*

• *Expliquer comment la température corporelle normale est maintenue par des mécanismes de rétro-inhibition mettant en jeu le centre thermorégulateur de l'hypothalamus.*

L'organisme produit plus ou moins de chaleur selon la vitesse des réactions métaboliques. L'homéostasie de la température corporelle ne peut être maintenue que si la vitesse à laquelle la chaleur du corps se perd égale la vitesse à laquelle elle est produite par le métabolisme. En conséquence, il est important de comprendre comment la chaleur est perdue, acquise ou conservée.

Vitesse du métabolisme

On appelle **vitesse du métabolisme** la vitesse globale à laquelle l'énergie est consommée par les réactions métaboliques. Une partie de cette énergie sert à la production d'ATP et une partie est dégagée en chaleur. La **chaleur** est une forme d'énergie cinétique qui se mesure en tant que **température** et qu'on a longtemps exprimée en unités appelées calories. Une **calorie** est la quantité d'énergie sous forme de chaleur nécessaire pour élever la température de 1 g d'eau de 14 à 15 °C. Comme cette unité est relativement petite, on lui a préféré la **kilocalorie** (**kcal** ou **Cal**) pour mesurer la vitesse du métabolisme de l'organisme et exprimer le contenu énergétique des aliments. Une kilocalorie égale 1 000 calories. Une autre unité d'énergie et de chaleur, le **joule,** remplace la calorie dans le système d'unités international. Le joule est la quantité d'énergie correspondant au travail produit par une force de 1 newton se déplaçant sur une distance de 1 mètre dans la direction de la force. On utilise le **kilojoule** (**kJ**), qui équivaut à 1 000 joules, pour exprimer le contenu énergétique des réactions chimiques ou des aliments. Une kilocalorie égale 4,18 kilojoules.

Puisque de nombreux facteurs influent sur la vitesse du métabolisme, on la mesure dans des conditions normalisées, le corps au repos et à jeun, dans ce qu'on appelle l'**état basal.** La mesure ainsi obtenue est le **métabolisme basal.** Le plus souvent, on détermine le métabolisme basal en mesurant la quantité d'oxygène utilisée par kilojoule ou kilocalorie de nourriture métabolisée. Quand l'organisme consomme 1 L d'oxygène pour oxyder un mélange alimentaire typique de triglycérides, de glucides et de protéines, environ 20 kJ d'énergie (4,8 Cal) sont libérés. Le métabolisme basal est de 5 000 à 7 500 kJ/jour (1 200 à 1 800 Cal/jour) chez les adultes, ou environ 100 kJ/kg (24 Cal/kg) de masse corporelle chez l'homme adulte et 92 kJ/kg (22 Cal/kg) chez la femme adulte. L'énergie supplémentaire nécessaire à l'activité quotidienne, telles la digestion et la marche, varie de 2 100 kJ (500 Cal) chez une petite personne relativement sédentaire jusqu'à plus de 12 500 kJ (3 000 Cal) chez un individu qui s'entraîne pour des compétitions de niveau olympique ou pour l'escalade en montagne.

Maintien de la température corporelle

Malgré les grandes fluctuations de la température extérieure, les mécanismes homéostatiques peuvent maintenir la température interne du corps dans des limites normales. Si la vitesse à laquelle l'organisme produit de la chaleur est égale à la vitesse à laquelle la chaleur se dissipe, la température centrale reste constante à environ 37 °C. La **température centrale** est la température des structures corporelles situées en profondeur sous la peau et l'hypoderme. La **température de surface** est la température de la peau et de l'hypoderme. La température de surface peut être de 1 à 6 °C au-dessous de la température centrale, selon les conditions ambiantes. Une température centrale trop élevée cause la mort en dénaturant les protéines de l'organisme ; si elle est trop basse, elle entraîne des arythmies cardiaques qui sont également mortelles.

Production de chaleur

La production de chaleur par l'organisme est proportionnelle à la vitesse du métabolisme. Plusieurs facteurs influent sur la vitesse du métabolisme et, de ce fait, sur la vitesse de production de la chaleur :

- *Exercice.* Durant un exercice intense, la vitesse du métabolisme peut atteindre jusqu'à 15 fois celle du métabolisme basal. Chez les athlètes bien entraînés, cette augmentation peut être multipliée par 20.

- *Hormones.* Les hormones thyroïdiennes (thyroxine et triiodothyronine) sont les principaux régulateurs du métabolisme basal, qui augmente au fur et à mesure que s'élève le taux sanguin de ces hormones. Toutefois, la réaction aux variations du taux d'hormones thyroïdiennes est lente et peut se faire attendre plusieurs jours. Les hormones thyroïdiennes font augmenter le métabolisme basal, en partie en stimulant la respiration cellulaire aérobie. Quand les cellules consomment plus d'oxygène pour produire de l'ATP, la quantité de chaleur dégagée augmente et la température corporelle s'élève. D'autres hormones produisent un effet mineur sur le métabolisme basal. La testostérone, l'insuline et l'hormone de croissance peuvent faire augmenter la vitesse du métabolisme de 5 à 15 %.

- *Système nerveux.* Durant les périodes d'exercice ou de stress, la partie sympathique du système nerveux autonome est stimulée. Elle libère de la noradrénaline par ses neurones postganglionnaires et stimule la libération d'adrénaline et de noradrénaline par la médullosurrénale. Ces deux hormones font augmenter la vitesse du métabolisme des cellules de l'organisme.

- *Température corporelle.* Plus la température corporelle est élevée, plus la vitesse du métabolisme est rapide. Pour 1 °C d'élévation de la température centrale, la vitesse des réactions biochimiques augmente d'environ 10 %. En conséquence, la vitesse du métabolisme peut s'accroître considérablement lorsqu'on a de la fièvre.

- *Ingestion de nourriture.* L'ingestion de nourriture peut faire augmenter la vitesse du métabolisme de 10 à 20 %. Cet effet, appelé *thermogenèse d'origine alimentaire,* est le plus marqué après un repas riche en protéines, et le moins marqué quand on consomme des glucides et des lipides.

- *Âge.* La vitesse du métabolisme d'un enfant, compte tenu de sa taille, est environ le double de celle d'une personne âgée en raison de la vitesse élevée des réactions liées à la croissance.

- *Autres facteurs.* Parmi les autres facteurs qui influent sur la vitesse du métabolisme, on compte le sexe (moins élevée chez les femmes, sauf durant la grossesse et la lactation), le climat (moins élevée dans les régions tropicales), le sommeil (moins élevée) et la malnutrition (moins élevée).

Mécanismes d'échange de chaleur

Le maintien de la température corporelle normale est lié à la capacité de dissiper la chaleur dans l'environnement au même rythme qu'elle est produite par les réactions métaboliques. Le transfert de la chaleur du corps au milieu dans lequel il se trouve s'effectue par quatre moyens : la conduction, la convection, le rayonnement et l'évaporation.

1. La **conduction** est l'échange de chaleur qui a lieu entre les molécules de deux substances qui sont en contact direct. Au repos, environ 3 % de la chaleur corporelle est perdue par conduction vers des matières solides qui sont en contact avec le corps, telles que les meubles, les vêtements et les bijoux. On peut aussi recevoir de la chaleur par conduction – en prenant un bain chaud, par exemple. Comme l'eau conduit la chaleur 20 fois mieux que l'air, la perte ou le gain de chaleur par conduction est beaucoup plus important quand le corps est immergé dans l'eau froide ou chaude.

2. La **convection** est le transfert de chaleur obtenu par le mouvement d'un fluide (un gaz ou un liquide) entre des zones de températures différentes. La rencontre de l'air ou de l'eau avec le corps entraîne un transfert de chaleur à la fois par conduction et par convection. Quand l'air frais entre en contact avec le corps, il se réchauffe ; de ce fait, il devient moins dense et crée un courant de convection ascendant qui l'emporte. Plus l'air se déplace rapidement – par exemple, sous l'action de la brise ou d'un ventilateur –, plus la vitesse de convection est grande. Au repos, environ 15 % de la chaleur corporelle est dissipé dans l'air par conduction et convection.

3. Le **rayonnement** est le transfert de chaleur sous forme de rayons infrarouges entre un objet plus chaud et un autre plus froid sans contact direct. Le corps perd de la chaleur en émettant plus d'ondes infrarouges qu'il n'en reçoit des objets qui sont plus froids. Si les objets environnants sont plus chauds que le corps, ce dernier absorbe plus de chaleur qu'il n'en perd par rayonnement. Dans une pièce à 21 °C, environ 60 % de la perte de chaleur s'effectue par rayonnement chez une personne au repos.

4. L'**évaporation** est la conversion d'un liquide en vapeur. Chaque millilitre d'eau qui s'évapore emporte une grande quantité de chaleur – environ 2,40 kJ/mL (0,58 Cal/mL). En général, au repos, environ 22 % de la perte de chaleur se fait par l'évaporation d'à peu près 700 mL d'eau par jour – 300 mL dans l'air expiré et 400 mL depuis la surface de la peau. Puisque nous ne sommes pas conscients habituellement de cette perte d'eau par la peau et les muqueuses de la bouche et des voies respiratoires, elle porte le nom de **perte insensible d'eau.** La vitesse d'évaporation est inversement proportionnelle à l'humidité relative, c'est-à-dire au rapport entre la quantité réelle de vapeur d'eau dans l'air et la quantité maximale que l'air peut contenir à une température donnée. Plus l'humidité relative est élevée, plus la vitesse d'évaporation est faible. À 100 % d'humidité, on gagne autant de chaleur par condensation de l'eau à la surface de la peau qu'on en perd par évaporation. L'évaporation est le principal mécanisme par lequel on évite la surchauffe pendant l'exercice. Dans des conditions extrêmes, le corps peut produire un maximum d'environ 3 L de sueur par heure et perdre ainsi plus de 7 100 kJ (1 700 kcal) en chaleur si tout s'évapore. (Remarque : Contrairement à celle qui s'évapore, la sueur qui tombe du corps en gouttes dissipe très peu de chaleur.)

Centre thermorégulateur de l'hypothalamus

Le centre de régulation qui joue le rôle de thermostat dans l'organisme est constitué d'un groupe de neurones de la région antérieure de l'hypothalamus, appelé **noyau préoptique.** Cette région reçoit les influx de thermorécepteurs situés dans la peau et les muqueuses, et dans l'hypothalamus. Les neurones du noyau préoptique produisent des influx nerveux plus fréquemment quand la température du sang augmente et moins fréquemment quand elle diminue.

Les influx nerveux issus du noyau préoptique se propagent vers deux autres régions de l'hypothalamus appelées **centre de la thermolyse** et **centre de la thermogenèse.** Lorsqu'ils sont stimulés par le noyau préoptique, ces centres déclenchent une série de réactions qui font respectivement baisser et augmenter la température corporelle.

Thermorégulation

Si la température centrale diminue, une réaction est déclenchée dont le but est de favoriser la conservation de la chaleur et d'en faire augmenter la production. Elle met en jeu plusieurs boucles de rétro-inhibition qui ramènent la température corporelle à sa valeur normale (figure 25.17). Les thermorécepteurs de la peau et de l'hypothalamus envoient des influx nerveux au noyau préoptique et au centre de la thermogenèse dans l'hypothalamus ainsi qu'aux cellules neurosécrétrices de l'hypothalamus qui produisent la thyréolibérine (TRH). L'hypothalamus réagit en émettant des influx nerveux et en sécrétant la TRH, qui stimule à son tour la libération de la thyrotrophine (TSH) par les cellules thyrotropes de l'adénohypophyse. Les influx nerveux de l'hypothalamus et la TSH activent alors plusieurs effecteurs.

Chaque effecteur réagit de façon à faire monter la température centrale jusqu'à la valeur normale :

- Les influx nerveux du centre de la thermogenèse stimulent les nerfs sympathiques qui causent la constriction des vaisseaux sanguins de la peau. Cette vasoconstriction diminue le débit circulatoire du sang chaud et, de ce fait, le transfert de chaleur des viscères vers la peau. Le ralentissement de

Figure 25.17 Mécanismes de rétro-inhibition qui conservent la chaleur
et augmentent la production de chaleur.

**La température centrale est celle des structures du corps situées profondément
sous la peau et l'hypoderme ; la température de surface est celle de la peau
et de l'hypoderme.**

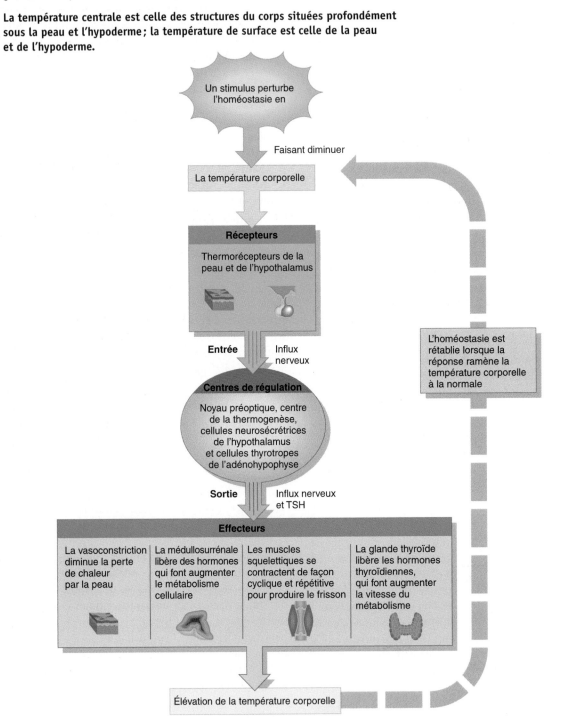

Un stimulus perturbe
l'homéostasie en

Faisant diminuer

La température corporelle

Récepteurs

Thermorécepteurs de la
peau et de l'hypothalamus

Entrée   Influx
nerveux

Centres de régulation

Noyau préoptique, centre
de la thermogenèse,
cellules neurosécrétrices
de l'hypothalamus
et cellules thyrotropes
de l'adénohypophyse

Sortie   Influx nerveux
et TSH

L'homéostasie est
rétablie lorsque la
réponse ramène la
température corporelle
à la normale

Effecteurs

| La vasoconstriction diminue la perte de chaleur par la peau | La médullosurrénale libère des hormones qui font augmenter le métabolisme cellulaire | Les muscles squelettiques se contractent de façon cyclique et répétitive pour produire le frisson | La glande thyroïde libère les hormones thyroïdiennes, qui font augmenter la vitesse du métabolisme |

Élévation de la température corporelle

Q Quels facteurs peuvent accélérer le métabolisme et, partant, la production
de chaleur ?

la perte de chaleur permet à la température centrale de
remonter grâce à la chaleur qui continue d'être produite
par les réactions métaboliques.

• Les influx nerveux qui se rendent à la médullosurrénale par les nerfs sympathiques stimulent la libération d'adrénaline et de noradrénaline dans le sang. Ces

hormones entraînent une augmentation du métabolisme cellulaire et, partant, une augmentation de la production de chaleur.

- Le centre de la thermogenèse stimule les régions de l'encéphale qui augmentent le tonus musculaire et, par conséquent, la production de chaleur. Quand le tonus s'élève dans un muscle (l'agoniste), les petites contractions étirent les fuseaux neuromusculaires de l'antagoniste et déclenchent un réflexe d'étirement. La contraction qui en résulte dans l'antagoniste étire les fuseaux neuromusculaires de l'agoniste et ce dernier réagit à son tour par un réflexe d'étirement. Ce cycle qui se répète et qu'on appelle **frisson** accélère considérablement la production de chaleur. Durant l'élévation maximale du frisson, la production de chaleur corporelle peut atteindre jusqu'à quatre fois celle du métabolisme basal en quelques minutes seulement.
- La glande thyroïde réagit à la TSH en libérant plus d'hormones thyroïdiennes dans le sang. Au fur et à mesure de l'augmentation de la concentration d'hormones thyroïdiennes, une lente accélération du métabolisme se produit qui fait monter la température corporelle.

Si la température centrale du corps s'élève au-dessus de la normale, une boucle de rétro-inhibition opposée à celle qui est représentée à la figure 25.17 est déclenchée. L'élévation de la température du sang stimule les thermorécepteurs qui envoient des influx nerveux au noyau préoptique. Ce dernier stimule alors le centre de la thermolyse et inhibe le centre de la thermogenèse. Les influx nerveux du centre de la thermolyse causent la dilatation des vaisseaux sanguins de la peau. La peau se réchauffe et la chaleur excédentaire est dissipée dans le milieu ambiant par rayonnement et conduction par suite de l'augmentation du volume de sang qui circule du centre du corps, où la température est plus élevée, vers la peau, où elle est plus basse. En même temps, la vitesse du métabolisme diminue et il n'y a pas de frissons. La température élevée du sang stimule les glandes sudoripares de la peau par l'activation hypothalamique des nerfs sympathiques. Au fur et à mesure que l'eau de la sueur s'évapore, la peau se rafraîchit. Toutes ces réactions s'opposent aux effets thermogènes et contribuent à ramener la température corporelle à la normale.

APPLICATION CLINIQUE
Hypothermie

L'**hypothermie** est l'abaissement de la température centrale du corps jusqu'à 35 °C ou moins. Les causes de cet état comprennent l'exposition à un froid intense (immersion dans l'eau glacée), les troubles du métabolisme (hypoglycémie, insuffisance surrénale ou hypothyroïdisme), les drogues et les médicaments (alcool, antidépresseurs, sédatifs ou tranquillisants), les brûlures et la malnutrition. L'hypothermie est caractérisée par les signes suivants qui se manifestent au fur et à mesure que la température centrale chute : sensation de froid, frisson, confusion, vasoconstriction, rigidité musculaire, bradycardie, acidose, hypoventilation, hypotension, abolition des mouvements spontanés, coma et mort (habituellement causée par une arythmie cardiaque). Les personnes âgées ont des mécanismes métaboliques de protection contre le froid affaiblis et leur perception du froid est atténuée. Elles courent donc davantage le risque d'être victimes d'hypothermie. ■

Régulation de l'apport alimentaire

Quand le contenu énergétique de la nourriture est égal à l'énergie dépensée par toutes les cellules de l'organisme, le poids corporel reste constant. Cela est vrai s'il n'y a pas de gain ou de perte d'eau. Toutefois, dans les sociétés les mieux nanties, une partie importante de la population est obèse, état qui augmente le risque de mourir de divers troubles cardiovasculaires et métaboliques tels que le diabète.

La plupart des animaux adultes et un grand nombre d'hommes et de femmes ont un poids corporel stable qui se maintient pendant de longues périodes. Cette stabilité peut persister malgré de grandes variations dans l'activité et l'ingestion de nourriture d'un jour à l'autre. Mais il n'y a pas de récepteurs sensoriels qui réagissent aux changements de poids ou de taille. Alors, comment la régulation de l'apport alimentaire s'effectue-t-elle? La réponse à cette question nous échappe toujours. Il semble que la régulation dépende de nombreux facteurs, dont la concentration de certains nutriments dans le sang, certaines hormones, des éléments psychologiques tels que le stress et la dépression, des signaux provenant du tube digestif et de sens particuliers ainsi que de connexions neurales entre l'hypothalamus et d'autres parties de l'encéphale.

Au cœur de l'hypothalamus se trouvent des noyaux qui jouent des rôles clés dans la régulation de l'apport alimentaire (voir la figure 14.10, p. 486). Quand on stimule chez des animaux un certain groupe de neurones – le **centre de la faim,** situé dans les noyaux latéraux de l'hypothalamus – ils se mettent à manger avec appétit, même s'ils ont déjà été nourris. Un autre centre, constitué d'un groupe de neurones appelé le **centre de la satiété,** est situé dans les noyaux ventro-médiaux de l'hypothalamus. La satiété est le contraire de l'appétit; c'est la sensation éprouvée quand on est rassasié. Elle s'accompagne de l'absence du désir de manger. Les animaux dont on stimule ce centre cessent de manger, même si on les a privés de nourriture pendant des jours.

Comment les neurones de l'hypothalamus détectent-ils si une personne est bien nourrie ou s'il est temps pour elle de manger? Il est possible que ces neurones réagissent à des différences entre la composition chimique du sang après les repas et celle qui existe durant le jeûne. Parmi les signaux moléculaires qui circulent dans le sang et indiquent à l'hypothalamus qu'il doit calmer l'appétit et augmenter la dépense énergétique se trouvent plusieurs hormones (glucagon, cholécystokinine et adrénaline agissant par la voie des récepteurs bêta), le glucose ainsi que la leptine, qui est libérée par les adipocytes lorsqu'ils synthétisent des triglycérides. Les signaux moléculaires qui font augmenter l'appétit et diminuer la dépense énergétique comprennent, entre autres, les substances opioïdes, la somatocrinine (GHRH), les glucocorticoïdes, l'adrénaline agissant par la voie des récepteurs alpha, l'insuline, la progestérone et la somatostatine.

L'apport alimentaire est également régi par la distension du tube digestif, en particulier de l'estomac et du duodénum. L'étirement de ces organes déclenche un réflexe qui active le centre de la satiété et inhibe celui de la faim. Des facteurs psychologiques peuvent outrepasser les mécanismes de régulation habituels. C'est ce qui se produit dans les cas d'anorexie mentale, de boulimie et d'obésité (voir les pages 917 et 965).

1. Définissez le *kilojoule* (kJ). Quand emploie-t-on cette unité?
2. Distinguez entre la température centrale et la température de surface.
3. Par quels moyens une personne peut-elle dissiper de la chaleur dans le milieu ambiant ou, au contraire, gagner de la chaleur aux dépens de ce dernier? Comment est-il possible de perdre de la chaleur sur une plage ensoleillée quand la température atteint 40 °C et l'humidité, 85%?
4. Expliquez comment s'effectue la régulation de l'apport alimentaire.

NUTRITION

OBJECTIFS

- *Indiquer comment choisir les aliments en vue de maintenir un régime sain.*
- *Comparer les minéraux et les vitamines quant à leur source, leur fonction et leur importance dans le métabolisme.*

Les aliments contiennent les substances, appelées **nutriments,** que l'organisme utilise pour assurer la croissance, l'entretien et la réparation de ses tissus. Les nutriments comprennent l'eau, les glucides, les lipides, les protéines, les vitamines et les minéraux. Le nutriment qu'il faut consommer en plus grande quantité que les autres est l'eau – environ 2 000 à 3 000 g (2 ou 3 L) par jour. L'eau est le composé le plus abondant du corps. Elle constitue le milieu dans lequel la plupart des réactions métaboliques se produisent et participe elle-même à certaines de ces réactions (par exemple, les réactions d'hydrolyse). Reportez-vous à la page 41 pour revoir les rôles importants de l'eau dans l'organisme. Trois nutriments organiques – les glucides, les lipides et les protéines – procurent l'énergie nécessaire aux réactions métaboliques et servent d'éléments constitutifs dans la composition des structures du corps. Les *nutriments essentiels* sont des molécules spécifiques que le corps ne peut pas produire en quantité suffisante pour répondre à ses besoins et qu'il doit, par conséquent, trouver dans les aliments. Certains acides aminés, certains acides gras, les vitamines et les minéraux sont des nutriments essentiels.

Nous décrivons ci-dessous quelques principes d'une alimentation saine ainsi que le rôle des minéraux et des vitamines dans le métabolisme.

Principes d'une alimentation saine

À ce jour, nous ne savons pas avec certitude quels sont les meilleurs types de glucides, de lipides et de protéines à consommer ni quelles en sont les quantités optimales, car il existe une grande diversité de populations dans le monde avec des régimes qui peuvent être extrêmement différents, mais adaptés à leurs modes de vie particuliers. Les experts en nutrition recommandent de distribuer l'énergie consommée de la façon suivante : de 50 à 60 % en provenance des glucides ; moins de 30 % en provenance des lipides, dont pas plus de 10 % de graisses saturées ; de 12 à 15 % en provenance des protéines ; pas plus de 5 % en provenance de l'alcool.

Au Canada, les recommandations pour une alimentation saine sont les suivantes :

1. Agrémenter l'alimentation par la variété.
2. Dans l'ensemble de l'alimentation, donner la plus grande part aux céréales, pains et autres produits céréaliers ainsi qu'aux légumes et aux fruits.
3. Opter pour des produits laitiers moins gras, des viandes plus maigres et des aliments préparés avec peu ou pas de matières grasses.
4. Chercher à atteindre et maintenir un poids-santé en étant régulièrement actif et en mangeant sainement.
5. Consommer le sel, l'alcool ou la caféine avec modération.

Pour aider les gens à adopter un régime équilibré en vitamines, minéraux, glucides, lipides et protéines, le ministère de la Santé et du Bien-être social du Canada a publié le *Guide alimentaire canadien pour manger sainement* qui met l'accent sur la diversité des besoins de chacun. À partir des quatre grands groupes d'aliments à consommer chaque jour et qui sont représentés sous forme d'arc-en-ciel (figure 25.18), le Guide alimentaire propose un certain nombre de portions qui sont fonction de l'âge, de la taille, du sexe et du niveau d'activité de la personne. Ainsi, le nombre de portions le moins élevé correspond à un régime de 5 500 kJ/jour (1 800 Cal/jour), alors que le plus élevé équivaut à un régime de 13 375 kJ/jour (3 200 Cal/jour). Dans le groupe Produits céréaliers – pain, céréales, riz et pâtes –, il est conseillé de consommer des produits céréaliers complets ou enrichis. Dans le groupe Légumes et fruits, il est conseillé de consommer plus souvent des légumes vert foncé ou orange et des fruits orange. Dans le groupe Produits laitiers – lait, yogourt et fromage –, il est conseillé de consommer des produits moins gras. Enfin, dans le groupe Viandes et substituts – viandes, volailles, poissons, œufs, haricots secs, etc. –, il est conseillé de consommer des produits plus maigres et des légumineuses. On suggère de consommer avec modération les graisses, les huiles et les sucreries.

Figure 25.18 L'arc-en-ciel du Guide alimentaire canadien. Le nombre de portions le moins élevé correspond à un régime alimentaire de 5 500 kJ (1 800 Cal/jour) par jour, alors que le plus élevé équivaut à un régime de 13 375 kJ (3 200 Cal/jour) par jour. Les exemples représentent une portion. Adapté de *Le guide alimentaire canadien: pour manger sainement à l'intention des quatre ans et plus,* Santé Canada, 1992. © Ministre de Travaux publics et Services gouvernementaux Canada, 2001.

🔑 **Les couleurs de l'arc-en-ciel indiquent les quatre grands groupes alimentaires avec, sous chacun, le nombre de portions à consommer tous les jours.**

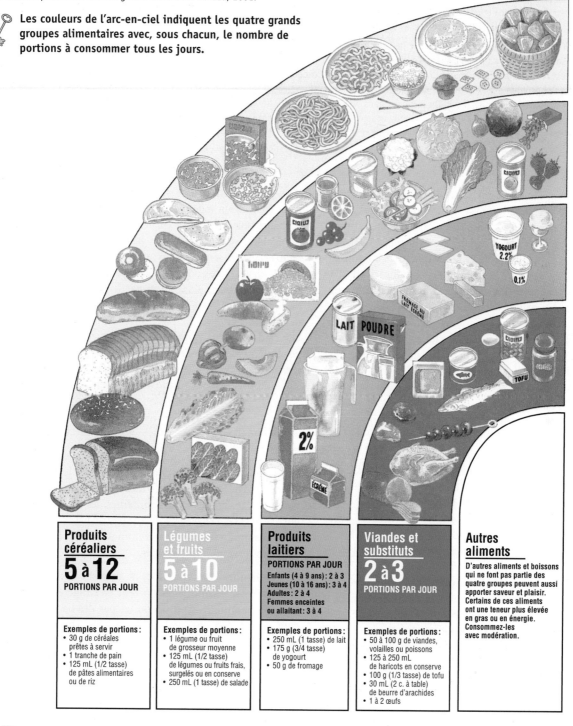

Produits céréaliers
5 à 12
PORTIONS PAR JOUR

Exemples de portions:
- 30 g de céréales prêtes à servir
- 1 tranche de pain
- 125 mL (1/2 tasse) de pâtes alimentaires ou de riz

Légumes et fruits
5 à 10
PORTIONS PAR JOUR

Exemples de portions:
- 1 légume ou fruit de grosseur moyenne
- 125 mL (1/2 tasse) de légumes ou fruits frais, surgelés ou en conserve
- 250 mL (1 tasse) de salade

Produits laitiers
PORTIONS PAR JOUR
Enfants (4 à 9 ans): 2 à 3
Jeunes (10 à 16 ans): 3 à 4
Adultes: 2 à 4
Femmes enceintes ou allaitant: 3 à 4

Exemples de portions:
- 250 mL (1 tasse) de lait
- 175 g (3/4 tasse) de yogourt
- 50 g de fromage

Viandes et substituts
2 à 3
PORTIONS PAR JOUR

Exemples de portions:
- 50 à 100 g de viandes, volailles ou poissons
- 125 à 250 mL de haricots en conserve
- 100 g (1/3 tasse) de tofu
- 30 mL (2 c. à table) de beurre d'arachides
- 1 à 2 œufs

Autres aliments

D'autres aliments et boissons qui ne font pas partie des quatre groupes peuvent aussi apporter saveur et plaisir. Certains de ces aliments ont une teneur plus élevée en gras ou en énergie. Consommez-les avec modération.

Q Quels aliments représentés ci-dessus contiennent du cholestérol et la plupart des acides gras saturés que nous consommons?

Tableau 25.5 Minéraux vitaux pour l'organisme

MINÉRAUX	COMMENTAIRES	IMPORTANCE
Calcium	Le minéral le plus abondant de l'organisme. Il se présente combiné avec le phosphate. Environ 99 % du calcium se trouve emmagasiné dans les os et les dents. Le taux sanguin de Ca^{2+} est régi par la calcitonine et la parathormone (PTH). L'absorption du calcium n'a lieu qu'en présence de vitamine D. L'excédent est excrété dans les fèces et l'urine. On le trouve dans le lait, les jaunes d'œufs, les crustacés et les légumes verts à feuilles.	Formation des os et des dents, coagulation du sang, activité normale des muscles et des nerfs, endocytose et exocytose, motilité cellulaire, mouvement des chromosomes avant la division cellulaire, métabolisme du glycogène, synthèse et libération de neurotransmetteurs.
Phosphore	Environ 80 % du phosphore se trouve dans les os et les dents sous forme de sels de phosphate. Le taux sanguin de phosphate est régi par la calcitonine et la parathormone (PTH). L'excédent de phosphore est excrété dans l'urine ; une petite quantité est éliminée dans les fèces. On le trouve dans les produits laitiers, la viande, le poisson, la volaille et les noix.	Formation des os et des dents. Les phosphates ($H_2PO_4^-$, HPO_4^{2-} et PO_4^{3-}) constituent un des principaux systèmes tampons du sang. Le phosphore joue un rôle important dans la contraction musculaire et l'activité nerveuse. Constituant de nombreuses enzymes. Participe au transfert d'énergie (ATP). Constituant de l'ADN et de l'ARN.

Le Guide alimentaire insiste pour que les Canadiens limitent l'apport énergétique venant des lipides, particulièrement celui venant des graisses saturées. En effet, l'athérosclérose et la maladie coronarienne sont répandues dans les populations où l'on utilise de grandes quantités de graisses saturées et de cholestérol. En comparaison, dans les populations du pourtour méditerranéen, le risque de maladie coronarienne est faible malgré le fait que jusqu'à 40 % de l'énergie consommée proviennent de matières grasses : l'huile d'olive qui y est la principale source de lipides est riche en acides gras mono-insaturés et ne contient pas de cholestérol. De même, l'huile de colza, l'huile d'arachide, les avocats et les noix ne contiennent pas de cholestérol et sont riches en acides gras mono-insaturés.

Minéraux

Certains minéraux et beaucoup de vitamines font partie des systèmes enzymatiques qui catalysent les réactions métaboliques. Les **minéraux** sont des éléments inorganiques qui se trouvent naturellement dans la croûte terrestre. Dans l'organisme, ils se présentent combinés les uns avec les autres ou avec des composés organiques, ou encore sous forme d'ions en solution. Les minéraux constituent environ 4 % du poids total du corps et sont surtout concentrés dans le squelette. Les minéraux les plus abondants dans l'organisme sont le calcium, le phosphore, le potassium, le soufre, le sodium, le chlore, le magnésium, le fer et l'iode (voir le tableau 2.1, p. 28). D'autres minéraux ont aussi des fonctions essentielles à la vie : par exemple, le manganèse, le cuivre, le cobalt, le zinc, le fluor, le sélénium et le chrome. L'aluminium, le silicium, l'arsenic et le nickel sont également présents dans l'organisme, mais leurs fonctions, s'il y en a, sont inconnues.

Le calcium et le phosphore font partie de la matrice osseuse. Cependant, comme les minéraux ne s'assemblent pas en composés à longues chaînes, ils constituent de piètres matériaux pour construire des structures complexes. Un des principaux rôles des minéraux est de participer à la régulation des réactions enzymatiques. Le calcium, le fer, le magnésium et le manganèse sont des constituants de certaines coenzymes. Le magnésium sert aussi de catalyseur dans la conversion de l'ADP en ATP. Le sodium et le phosphore agissent dans les systèmes tampons. Le sodium participe aussi à la régulation de l'osmose de l'eau et, avec d'autres ions, à la production des influx nerveux. Le tableau 25.5 présente les fonctions vitales de certains minéraux. Notez que l'organisme utilise généralement les minéraux sous leur forme ionisée. Certains d'entre eux, comme le chlore, sont toxiques, voire mortels, s'ils sont ingérés sous forme non ionisée.

Vitamines

Les nutriments organiques qui sont nécessaires en petite quantité pour maintenir la croissance et le métabolisme normal portent le nom de **vitamines.** Contrairement aux glucides, aux lipides et aux protéines, les vitamines ne procurent pas d'énergie et ne jouent pas de rôle structural dans l'organisme. La plupart des vitamines dont les fonctions sont connues servent de coenzymes.

La majorité des vitamines ne peuvent pas être synthétisées par l'organisme ; elles doivent être ingérées. Certaines, telle la vitamine K, sont produites par des bactéries dans le tube digestif et, par la suite, absorbées. L'organisme peut assembler certaines vitamines si les matières premières, appelées **provitamines,** sont fournies. Par exemple, la vitamine A est produite par l'organisme à partir d'une provitamine, le β-carotène, qui est présente dans les légumes jaunes tels que les carottes ainsi que les légumes à feuilles vert foncé tels que les épinards. Aucun aliment ne contient à lui seul toutes les vitamines nécessaires – c'est là une des raisons d'adopter un régime varié.

Tableau 25.5 (suite)

MINÉRAUX	COMMENTAIRES	IMPORTANCE
Potassium	Principal cation (K^+) du liquide intracellulaire. L'excédent est excrété dans l'urine. Présent dans tous les aliments ; l'alimentation normale en fournit la quantité nécessaire.	Participe à la conduction du potentiel d'action dans les nerfs et les muscles.
Soufre	L'élément constituant de beaucoup de protéines (telle l'insuline), de transporteurs d'électrons dans la phosphorylation oxydative et de certaines vitamines (thiamine et biotine). Il est excrété dans l'urine. On le trouve dans le bœuf, le foie, l'agneau, le poisson, la volaille, les œufs, le fromage et les haricots.	En tant que constituant d'hormones et de vitamines, il participe à la régulation de diverses activités du corps. Nécessaire à la production d'ATP lors de la respiration cellulaire aérobie.
Sodium	Le cation (Na^+) le plus abondant du liquide extracellulaire ; une certaine quantité se trouve dans les os. Il est excrété dans l'urine et la sueur. La consommation normale de NaCl (sel de table) procure amplement la quantité nécessaire.	Influe fortement sur la distribution de l'eau par le truchement de l'osmose. Fait partie du système tampon bicarbonate. Participe à la conduction du potentiel d'action dans les nerfs et les muscles.
Chlore	Principal anion (Cl^-) du liquide extracellulaire. L'excédent est excrété dans l'urine. La consommation normale de NaCl procure la quantité nécessaire.	Joue un rôle dans l'équilibre acidobasique du sang, l'équilibre hydrique et la formation d'HCl dans l'estomac.
Magnésium	Cation important (Mg^{2+}) du liquide intracellulaire. Il est excrété dans l'urine et les fèces. On le trouve dans de nombreux aliments variés, tels les légumes verts à feuilles, les fruits de mer et les céréales complètes.	Nécessaire au fonctionnement normal des tissus musculaire et nerveux. Participe à la formation des os. Constituant de nombreuses coenzymes.
Fer	Environ 66 % du fer se trouve dans l'hémoglobine du sang. Les pertes normales de fer résultent de la chute des cheveux, de l'élimination des cellules épithéliales et muqueuses usées, de son élimination dans la sueur, l'urine, les fèces, la bile et le sang des menstruations. On le trouve dans la viande, le foie, les crustacés, les jaunes d'œufs, les haricots, les légumineuses, les fruits secs, les noix et les céréales.	Se lie de façon réversible à l'O_2 dans l'hémoglobine. Composant des cytochromes de la chaîne de transport des électrons.
Iode	Constituant essentiel des hormones thyroïdiennes. Il est excrété dans l'urine. On le trouve dans les fruits de mer, le sel iodé et les légumes cultivés dans des sols riches en iode.	Essentiel à la glande thyroïde pour la synthèse des hormones thyroïdiennes, qui régulent la vitesse du métabolisme.
Manganèse	Une petite quantité est emmagasinée dans le foie et la rate. La majeure partie est excrétée dans les fèces. On le trouve dans les céréales complètes, les noix, les légumes feuillus et le thé.	Active plusieurs enzymes. Nécessaire à la synthèse de l'hémoglobine, à la formation de l'urée, à la croissance, à la reproduction, à la lactation, à la formation des os. Est peut-être aussi nécessaire à la production et à la libération de l'insuline.
Cuivre	Une petite quantité est emmagasinée dans le foie et la rate. La majeure partie est excrétée dans les fèces. On le trouve, entre autres, dans les œufs, la farine de blé entier, les haricots, les betteraves, le foie, le poisson, les épinards et les asperges.	Nécessaire, avec le fer, à la synthèse de l'hémoglobine. Composant de coenzymes de la chaîne de transport des électrons et d'une enzyme essentielle à la formation de la mélanine.
Cobalt	Constituant de la vitamine B_{12}. On le trouve dans les viandes, le lait, le foie, les rognons, les huîtres et les palourdes.	En tant que composant de la vitamine B_{12}, nécessaire à l'érythropoïèse.
Zinc	Constituant important de certaines enzymes. On le trouve dans de nombreux aliments, en particulier les viandes, les céréales complètes, les noix, les légumineuses et les huîtres.	En tant que composant de l'anhydrase carbonique, important pour le métabolisme du gaz carbonique. Nécessaire à la croissance normale et à la cicatrisation, à la sensibilité gustative normale et à l'appétit, et à la production normale de spermatozoïdes chez l'homme. En tant que composant des peptidases, participe à la digestion des protéines.
Fluor	Composante des os, des dents et d'autres tissus. On le trouve dans l'eau fluorée, les dentifrices et certains suppléments de minéraux.	Semble améliorer la structure des dents et prévenir la carie dentaire.
Sélénium	Se trouve dans les fruits de mer, la viande, le poulet, les céréales, les jaunes d'œufs, le lait, les champignons et l'ail.	Antioxydant. Prévient les cassures chromosomiques. Joue peut-être un rôle dans la prévention de certaines anomalies congénitales.
Chrome	Se trouve sous forme très concentrée dans la levure de bière. Il est aussi présent dans le vin et certaines bières.	Nécessaire à l'activité normale de l'insuline dans le métabolisme des glucides et des lipides.

Tableau 25.6 Les principales vitamines

VITAMINES	COMMENTAIRES ET SOURCES	FONCTIONS	SYMPTÔMES ET TROUBLES DE CARENCE
Liposolubles	Toutes ces vitamines nécessitent des sels biliaires et des lipides alimentaires pour être bien absorbées.		
A	Formée à partir d'une provitamine, le β-carotène (et d'autres provitamines), dans le tube digestif. Emmagasinée dans le foie. Le carotène et les autres provitamines se trouvent, entre autres sources, dans les légumes jaunes et les légumes verts ; la vitamine A déjà formée se trouve dans le foie et le lait.	Maintient la santé générale et l'intégrité des cellules épithéliales. Le β-carotène est un antioxydant qui inactive les radicaux libres.	Atrophie et kératinisation de l'épithélium, entraînant l'assèchement de la peau et des cheveux ; incidence accrue d'infections des oreilles, des sinus et des voies respiratoires, urinaires et du tube digestif ; impossibilité de gagner du poids ; assèchement de la cornée et formation de lésions cutanées.
		Essentielle à la formation des photopigments, molécules sensibles à la lumière dans les photorécepteurs de la rétine.	**Cécité nocturne,** ou troubles d'adaptation à l'obscurité.
		Favorise la croissance des os et des dents, apparemment en participant à la régulation de l'activité des ostéoblastes et des ostéoclastes.	Développement retardé ou anormal des os et des dents.

On classe les vitamines en deux grands groupes : les vitamines liposolubles et les vitamines hydrosolubles. Les **vitamines liposolubles** sont absorbées en même temps que les autres lipides alimentaires dans l'intestin grêle et transportées avec eux dans les chylomicrons. Elles ne peuvent pas être absorbées en quantité suffisante si elles ne sont pas accompagnées d'autres lipides. Les vitamines liposolubles peuvent être emmagasinées dans les cellules, en particulier dans les hépatocytes. Elles comprennent les vitamines A, D, E et K. Par contraste, les **vitamines hydrosolubles** sont absorbées avec l'eau dans le tube digestif et se dissolvent dans les liquides de l'organisme. Les excédents de ces vitamines ne sont pas mis en réserve mais sont excrétés dans l'urine. Les vitamines B et la vitamine C en sont des exemples.

En plus de leurs autres fonctions, trois vitamines – C, E et le β-carotène (une provitamine) – sont aussi appelées **vitamines antioxydantes** parce qu'elles inactivent les radicaux libres d'oxygène, qui sont des particules très réactives ayant un électron non apparié (voir la figure 2.3, p. 31). Les radicaux libres endommagent les membranes cellulaires, l'ADN et d'autres structures cellulaires. Ils contribuent également à la formation des plaques d'athérosclérose qui rétrécissent les artères. Certains radicaux libres sont produits naturellement dans l'organisme ; d'autres dérivent d'agents nocifs provenant de l'environnement, tels la fumée de tabac et les rayonnements. On croit que les vitamines antioxydantes jouent un rôle dans la protection contre certains types de cancers, la réduction de la formation des plaques d'athérosclérose, le ralentissement de certains effets du vieillissement

et la diminution du risque de formation de cataracte touchant le cristallin de l'œil. Le tableau 25.6 donne la liste des principales vitamines, leurs sources, leurs fonctions et les troubles que leur carence peut occasionner.

APPLICATION CLINIQUE
Suppléments vitaminiques et minéraux

La plupart des nutritionnistes recommandent un régime alimentaire équilibré composé d'aliments variés plutôt que la prise de suppléments vitaminiques et minéraux, sauf dans certaines circonstances particulières. Par exemple, on recommande souvent les suppléments suivants : le fer pour les femmes qui ont un écoulement menstruel excessif ; le fer et le calcium pour celles qui sont enceintes ou qui allaitent ; l'acide folique (folate) pour toutes les femmes qui sont susceptibles de devenir enceintes, afin de réduire le risque de malformations du tube neural chez le fœtus ; le calcium pour la plupart des adultes, parce qu'ils ne reçoivent pas la quantité recommandée dans leur alimentation ; et la vitamine B_{12} pour les personnes strictement végétariennes, qui ne mangent pas de viande. Étant donné que la plupart des Nord-Américains n'obtiennent pas dans leur nourriture la quantité élevée de vitamines antioxydantes qui est censée avoir des effets bénéfiques, certains experts recommandent de prendre des suppléments des vitamines C et E. Toutefois, quantité n'est pas synonyme de qualité ; les doses massives de vitamines ou de minéraux peuvent être très nocives. ■

1. Définissez un *nutriment* et dressez la liste des différents types de nutriments.

Tableau 25.6 (suite)

VITAMINES	COMMENTAIRES ET SOURCES	FONCTIONS	SYMPTÔMES ET TROUBLES DE CARENCE
D	Les rayons du soleil convertissent le 7-déhydrocholestérol dans la peau en cholécalciférol (vitamine D_3). Une enzyme du foie convertit ensuite le cholécalciférol en 25-hydroxycholécalciférol. Une deuxième enzyme rénale convertit le 25-hydroxycholécalciférol en calcitriol (1,25-dihydroxycalciférol), qui est la forme active de la vitamine D. Excrétée surtout par l'intermédiaire de la bile. On la trouve dans les huiles de foie de poisson, les jaunes d'œufs et le lait enrichi.	Essentielle à l'absorption et à l'utilisation du calcium et du phosphore provenant du tube digestif. Assure avec la parathormone (PTH) le maintien de l'homéostasie du Ca^{2+}.	L'utilisation inadéquate du calcium par les os entraîne le **rachitisme** chez les enfants et l'**ostéomalacie** chez les adultes. Risque de perte de tonus musculaire.
E (tocophérols)	Emmagasinée dans le foie, le tissu adipeux et les muscles. On la trouve dans les noix fraîches et le germe de blé, les huiles de certaines graines et les légumes verts à feuilles.	Inhibe le catabolisme de certains acides gras qui participent à la formation des structures cellulaires, en particulier des membranes. Joue un rôle dans la formation de l'ADN, de l'ARN et des globules rouges. On croit qu'elle favorise la cicatrisation, qu'elle contribue à maintenir les structures et les fonctions normales du système nerveux et qu'elle réduit la formation de tissus cicatriciels. On croit également qu'elle contribue à protéger le foie des substances toxiques telles que le tétrachlorure de carbone. Elle est un antioxydant qui inactive les radicaux libres.	Peut causer l'oxydation des graisses monoinsaturées et entraîner des anomalies structurales et fonctionnelles des mitochondries, des lysosomes et des membranes plasmiques. L'anémie hémolytique est une des conséquences possibles. La carence cause aussi la dystrophie musculaire chez les singes et la stérilité chez les rats.
K	Produite par des bactéries intestinales. Emmagasinée dans le foie et la rate. On la trouve dans les épinards, le chou-fleur, le chou et le foie.	Coenzyme essentielle à la synthèse par le foie de plusieurs facteurs de coagulation, dont la prothrombine.	Le ralentissement du temps de coagulation entraîne des saignements excessifs.
Hydrosolubles	Ces vitamines sont absorbées avec l'eau dans le tube digestif et dissoutes dans les liquides de l'organisme.		
B_1 (thiamine)	Rapidement détruite par la chaleur. N'est pas emmagasinée dans l'organisme. L'excédent est éliminé dans l'urine. On la trouve dans les produits céréaliers complets, les œufs, le porc, les noix, le foie et la levure.	Coenzyme associée à un grand nombre d'enzymes différentes qui scindent les liaisons entre carbones et participent au métabolisme des glucides en catalysant la transformation de l'acide pyruvique en CO_2 et en H_2O. Essentielle à la synthèse de l'acétylcholine.	Le métabolisme défectueux des glucides entraîne l'accumulation d'acide pyruvique et d'acide lactique, et une production insuffisante d'ATP pour les cellules musculaires et nerveuses. La carence amène: 1) le **béribéri** – paralysie partielle des muscles lisses du tube digestif, causant des troubles digestifs; la paralysie des muscles squelettiques; l'atrophie des membres; 2) la **polynévrite** – due à la dégénérescence de la gaine de myéline; l'altération des réflexes, la détérioration du sens du toucher, l'arrêt de croissance chez l'enfant et la perte d'appétit.
B_2 (riboflavine)	N'est pas emmagasinée en grande quantité dans les tissus. La majeure partie est excrétée dans l'urine. Une petite quantité provient des bactéries du tube digestif. On la trouve dans la levure, le foie, le bœuf, le veau, l'agneau, les œufs, les produits céréaliers complets, les asperges, les pois, les betteraves et les arachides.	Composant de certaines coenzymes (par exemple, la FAD et le FMN) du métabolisme des glucides et des protéines, en particulier dans les cellules de l'œil, du tégument, de la muqueuse intestinale et du sang.	La carence peut entraîner une mauvaise utilisation de l'oxygène aboutissant à une vision embrouillée, des cataractes et des ulcérations de la cornée. Aussi, dermatite et fendillement de la peau, lésions de la muqueuse intestinale et apparition d'un type d'anémie.

Tableau 25.6 Les principales vitamines (suite)

VITAMINES	COMMENTAIRES ET SOURCES	FONCTIONS	SYMPTÔMES ET TROUBLES DE CARENCE
Niacine (nicotinamide)	Dérivée du tryptophane, un acide aminé. On la trouve dans la levure, la viande, le foie, le poisson, les produits céréaliers complets, les pois, les haricots et les noix.	Composant essentiel du NAD et du NADP, qui sont des coenzymes des réactions d'oxydoréduction. Dans le métabolisme des lipides, elle inhibe la production du cholestérol et participe à la dégradation des triglycérides.	La principale maladie est la **pellagre**, qui est caractérisée par la dermatite, la diarrhée et des troubles psychologiques.
B₆ (pyridoxine)	Synthétisée par les bactéries du tube digestif. Emmagasinée dans le foie, les muscles, l'encéphale. On la trouve aussi dans le saumon, la levure, les tomates, le maïs jaune, les épinards, les produits céréaliers complets, le foie et le yogourt.	Coenzyme essentielle au métabolisme normal des acides aminés. Participe à la production des anticorps circulants. Sert peut-être de coenzyme dans le métabolisme des triglycérides.	Le symptôme le plus courant est la dermatite des yeux, du nez et de la bouche. Les autres symptômes sont les retards de croissance et la nausée.
B₁₂ (cyanocobalamine)	Seule vitamine B qui ne se trouve pas dans les légumes ; seule vitamine contenant du cobalt. Son absorption dans le tube digestif dépend du facteur intrinsèque sécrété par la muqueuse gastrique. On la trouve dans le foie, les rognons, le lait, les œufs, le fromage et la viande.	Coenzyme nécessaire à la formation des globules rouges et de la méthionine (un acide aminé), à l'entrée de certains acides aminés dans le cycle de Krebs et à la production de la choline (qui sert à la synthèse de l'acétylcholine).	Anémie pernicieuse, anomalies neuropsychiatriques (ataxie, perte de mémoire, faiblesse, troubles de la personnalité et de l'humeur, ainsi que sensations anormales) et altération de l'activité des ostéoblastes.
Acide pantothénique	Emmagasiné principalement dans le foie et les reins. Une certaine quantité est produite par les bactéries du tube digestif. On le trouve aussi dans les rognons, le foie, la levure, les légumes verts et les céréales.	Composant de la coenzyme A qui est essentielle au transfert du groupement acétyle de l'acide pyruvique au cycle de Krebs, à la conversion des lipides et des acides aminés en glucose et à la synthèse du cholestérol et des hormones stéroïdes.	La carence créée expérimentalement laisse entrevoir la fatigue, les spasmes musculaires, la dégénérescence neuro-musculaire, une production insuffisante d'hormones stéroïdes surrénales.
Acide folique (folate, folacine)	Synthétisé par les bactéries du tube digestif. On le trouve dans les légumes verts à feuilles, les brocolis, les asperges, le pain, les haricots secs et les agrumes.	Composant des systèmes enzymatiques effectuant la synthèse des purines et des pyrimidines qui font partie de l'ADN et de l'ARN. Essentielle à la production normale des globules rouges et blancs.	Production de globules rouges plus gros que la normale (anémie macrocytaire). Risque accru d'anomalies du tube neural chez les bébés nés de mères carencées en acide folique.
Biotine	Synthétisée par les bactéries du tube digestif. On la trouve dans la levure, le foie, les jaunes d'œufs, les rognons.	Coenzyme essentielle à la conversion de l'acide pyruvique en acide oxaloacétique et à la synthèse des acides gras et des purines.	Dépression nerveuse, douleur musculaire, dermatite, fatigue, nausée.
C (acide ascorbique)	Rapidement détruite par la chaleur. Emmagasinée en partie dans le tissu glandulaire et le plasma. On la trouve dans les agrumes, les tomates et les légumes verts.	Facilite plusieurs réactions métaboliques, en particulier celles du métabolisme des protéines, dont la mise en place du collagène dans la formation du tissu conjonctif. En tant que coenzyme, elle peut se combiner avec les poisons et les neutraliser jusqu'à leur excrétion. Facilite l'action des anticorps et la cicatrisation. Antioxydant.	Scorbut ; anémie ; plusieurs symptômes liés à des anomalies de la croissance et de la réparation du tissu conjonctif : par exemple, gencives enflées et sensibles, déchaussement des dents (avec détérioration des processus alvéolaires), mauvaise cicatrisation, saignements (parois des vaisseaux fragilisées par suite de la dégénérescence du tissu conjonctif) et retard de croissance.

2. Décrivez l'arc-en-ciel du Guide alimentaire canadien et donnez des exemples représentatifs de chacun des groupes d'aliments.

3. Qu'est-ce qu'un minéral? Décrivez brièvement les fonctions des minéraux suivants: calcium, phosphore, potassium, soufre, sodium, chlore, magnésium, fer, iode, cuivre, zinc, fluor, manganèse, cobalt, chrome et sélénium.

4. Définissez une *vitamine*. Expliquez comment on obtient les vitamines. Faites une distinction entre les vitamines liposolubles et les vitamines hydrosolubles.

5. Pour chacune des vitamines suivantes, indiquez la principale fonction et l'effet ou les effets d'une carence: A, D, E, K, B_1, B_2, niacine, B_6, B_{12}, acide pantothénique, acide folique, biotine et C.

DÉSÉQUILIBRES HOMÉOSTATIQUES

ANOMALIES DE LA TEMPÉRATURE CORPORELLE

Fièvre

La **fièvre** est une élévation de la température centrale commandée par le centre thermorégulateur de l'hypothalamus qui règle le «thermostat» du corps à une valeur plus élevée. La plupart du temps, elle est causée par une infection virale ou bactérienne (ou des toxines bactériennes); elle peut aussi être causée par l'ovulation, une sécrétion excessive d'hormones thyroïdiennes, une tumeur et une réaction à un vaccin. Une substance qui donne la fièvre porte le nom de **pyrogène** (*pur* = feu; *genos* = origine). Elle agit de la façon suivante: quand les phagocytes ingèrent certaines bactéries, ils se mettent à sécréter de l'interleukine 1, qui est pyrogène. Celle-ci se rend à l'hypothalamus par la circulation et stimule les neurones du noyau préoptique, qui sécrètent alors des prostaglandines, en particulier de la série E. Sous l'action des prostaglandines, les réglages du centre thermorégulateur se modifient à la hausse et les mécanismes réflexes de la thermorégulation entrent en jeu pour élever la température centrale en conséquence. Les *antipyrétiques* sont des substances qui soulagent ou réduisent la fièvre; ce sont, par exemple, l'aspirine, l'acétaminophène (Tylenol) et l'ibuprofène (Advil), qui font baisser la fièvre en inhibant la synthèse des prostaglandines.

Supposons que le centre thermorégulateur se règle à 39 °C sous l'influence de pyrogènes. Les mécanismes de la thermogenèse (vasoconstriction, accélération du métabolisme, frissons) fonctionnent à plein rendement. En conséquence, même si la température centrale s'élève au-dessus de la normale – par exemple, à 38 °C –, la peau reste froide et on grelotte. Cet état, appelé le **frissons,** est le signe incontestable d'une augmentation de la température centrale. Après plusieurs heures, cette dernière atteint la valeur fixée par le centre thermorégulateur et le frisson disparaît. Mais l'organisme continue de maintenir la température à 39 °C. Quand les pyrogènes disparaissent, le réglage du centre thermorégulateur se remet à la normale, c'est-à-dire à 37 °C. La température centrale étant élevée au début, les mécanismes de la thermolyse (vasodilatation et transpiration) entrent en jeu pour la faire diminuer. La peau devient chaude et il y a sudation. Cette phase porte le nom de **crise;** elle indique que la température centrale redescend.

Jusqu'à un certain point, la fièvre est bénéfique. L'élévation de la température intensifie l'effet de l'interféron et la phagocytose par les macrophages, tout en faisant obstacle à la réplication de certains agents pathogènes. Comme la fièvre augmente la fréquence cardiaque, les globules blancs, qui combattent les infections, se rendent plus rapidement là où leur présence est requise. De plus, la production des anticorps et la prolifération des lymphocytes T s'accélèrent. Par ailleurs, la chaleur accroît la vitesse des réactions chimiques;

dès lors, la réparation des cellules de l'organisme peut s'effectuer plus vite pendant la maladie. Les complications de la fièvre comprennent la déshydratation, l'acidose et les dommages permanents au cerveau. En règle générale, l'élévation de la température centrale au-dessus de 44-46 °C entraîne la mort.

Crampes de chaleur, épuisement dû à la chaleur et coup de chaleur

Les **crampes de chaleur** se produisent à la suite de sueurs abondantes qui privent l'organisme d'eau et de sel (NaCl). La perte de sel cause des contractions douloureuses des muscles. Les crampes atteignent le plus souvent les muscles qui ont servi durant un travail, mais elles ne se manifestent qu'après coup, quand la personne se repose. Des liquides salés amènent habituellement une amélioration rapide de l'état.

Lorsqu'il y a **épuisement dû à la chaleur,** la température centrale est généralement normale, ou un peu au-dessous de la normale, et la peau est fraîche et humide par suite d'une transpiration profuse. L'état est normalement caractérisé par une perte de liquides et d'électrolytes, en particulier de sel. La perte de sel cause des crampes, des étourdissements, des vomissements et des évanouissements; la perte liquidienne peut entraîner une chute de la pression artérielle. On recommande le repos complet et des comprimés de sel.

Quand il y a **coup de chaleur** (ou **insolation**), la température et l'humidité relative sont élevées, ce qui entrave la perte de chaleur du corps par rayonnement, conduction ou évaporation. Il s'ensuit un affaiblissement des facultés neurologiques. Le débit sanguin vers la peau diminue, la transpiration cesse presque complètement et la température centrale monte en flèche. C'est ainsi que la peau devient sèche et chaude – sa température peut atteindre 43 °C. Les cellules de l'encéphale sont atteintes, si bien que le centre thermorégulateur de l'hypothalamus cesse de fonctionner. Le traitement, qui doit commencer immédiatement, consiste à refroidir le corps par immersion dans l'eau froide et à administrer des liquides et des électrolytes.

OBÉSITÉ

L'**obésité** – poids corporel qui dépasse de plus de 20 % une certaine norme souhaitable en raison d'une accumulation excessive de tissu adipeux – touche un tiers de la population adulte des États-Unis. (Un athlète peut être en *excès pondéral* s'il a une quantité de tissu musculaire plus élevée que la normale sans pour autant être obèse.) Même l'obésité modérée est dangereuse pour la santé; elle constitue un facteur de risque dans les maladies cardiovasculaires, l'hypertension, les maladies pulmonaires, le diabète non insulino-dépendant, l'arthrite, certains cancers (sein, utérus et côlon), les varices et les maladies de la vésicule biliaire. De plus, on a démontré que la perte de tissu adipeux chez les individus obèses élève le cholestérol HDL, qui est associé à la prévention des maladies cardiovasculaires.

Dans quelques cas, l'obésité peut être consécutive à un traumatisme ou à une tumeur des centres de régulation de l'apport alimentaire situés dans l'hypothalamus. Dans la plupart des cas d'obésité, on ne trouve pas de cause spécifique. Les facteurs qui favorisent son apparition comprennent l'hérédité, les habitudes alimentaires acquises durant l'enfance, les excès de table pour soulager la tension ainsi que les coutumes sociales. Des recherches indiquent que certaines personnes obèses dépensent moins d'énergie durant la digestion et l'absorption d'un repas. De plus, les obèses qui perdent du poids ont besoin d'environ 15 % de moins d'énergie pour maintenir un poids corporel normal que les personnes qui n'ont jamais été obèses. Bien que la leptine inhibe l'appétit et produise la satiété dans les expériences sur les animaux, il n'y a pas de déficience à cet égard chez la plupart des personnes obèses.

MALNUTRITION

La **malnutrition** est un déséquilibre de l'apport alimentaire – soit un apport énergétique total inadéquat ou excessif, soit un déficit en nutriments spécifiques. Dans le cas de la dénutrition ou de l'apport alimentaire inadéquat, la malnutrition peut résulter de certains états tels que le jeûne, l'anorexie mentale, la privation, le cancer, une occlusion gastro-intestinale, l'impossibilité d'avaler, une maladie rénale et une mauvaise dentition. La malnutrition peut aussi être causée par un régime mal équilibré, une malabsorption, une mauvaise distribution des nutriments ou une incapacité à les utiliser (par exemple, dans le diabète), une augmentation des besoins en nutriments (consécutive à la fièvre, à une infection, à une brûlure, à une fracture, au stress et à l'exposition à la chaleur ou au froid), une perte accrue de nutriments (diarrhée, saignements ou glucosurie) et une suralimentation (excès de vitamines, de minéraux et d'énergie).

Un des principaux types de dénutrition est causé par un apport inadéquat de protéines ou d'énergie ou des deux. On peut classer cette dénutrition protéique et énergétique en deux types selon la carence alimentaire en cause. Dans le premier type, appelé **kwashiorkor,** l'apport protéique est insuffisant en dépit d'un apport énergétique normal ou presque. Beaucoup d'enfants africains qui se nourrissent surtout de farine de maïs sont atteints de cette maladie parce que la principale protéine du maïs, la zéine, ne contient pas de tryptophane ni de lysine, qui sont deux acides aminés essentiels utilisés pour la croissance et la réparation tissulaire. Les principaux signes de cette affection sont l'œdème abdominal, l'hypertrophie du foie, l'hypotension, la bradycardie, l'hypothermie, l'anorexie, la léthargie, la sécheresse et l'hyperpigmentation de la peau, les cheveux qui se détachent facilement et, parfois, l'arriération mentale.

Un deuxième type de dénutrition protéique et énergétique, appelé **marasme,** résulte d'un apport inadéquat en protéines et en énergie. Il est caractérisé par un retard de croissance, un petit poids, l'atrophie musculaire, l'émaciation, la peau sèche et les cheveux fins, secs et ternes.

RÉSUMÉ

INTRODUCTION (p. 924)

1. La nourriture que nous consommons est la seule source d'énergie que nous puissions transformer en travail biologique. Elle procure aussi les substances essentielles que nous ne pouvons pas synthétiser.
2. La plupart des molécules de nourriture absorbées par le tube digestif sont utilisées soit comme sources d'énergie pour les processus vitaux, soit comme unités constitutives pour la synthèse de molécules complexes, soit comme réserves pour être utilisées plus tard.

RÉACTIONS MÉTABOLIQUES (p. 924)

1. Le métabolisme est l'ensemble des réactions chimiques de l'organisme. Il y a deux types de métabolisme : le catabolisme et l'anabolisme.
2. Le catabolisme comprend les réactions chimiques qui dégradent les composés organiques complexes en composés plus simples. Dans l'ensemble, les réactions cataboliques sont exothermiques ; elles produisent plus d'énergie qu'elles n'en consomment.
3. L'anabolisme comprend les réactions chimiques qui combinent les molécules simples en molécules complexes pour former les composantes structurales et fonctionnelles de l'organisme. Dans l'ensemble, les réactions anaboliques sont endothermiques ; elles consomment plus d'énergie qu'elles n'en produisent.
4. Le couplage de l'anabolisme et du catabolisme s'effectue au moyen de l'ATP.

TRANSFERT D'ÉNERGIE (p. 926)

1. L'oxydation consiste à retirer des électrons d'une substance ; la réduction ajoute des électrons à une substance.
2. Le nicotinamide adénine dinucléotide (NAD^+) et la flavine adénine dinucléotide (FAD) sont deux coenzymes qui servent à transporter des atomes d'hydrogène durant les réactions couplées d'oxydoréduction.
3. L'ATP peut être produit par phosphorylation au niveau du substrat, phosphorylation oxydative et photophosphorylation.

MÉTABOLISME DES GLUCIDES (p. 927)

1. Durant la digestion, les polysaccharides et les disaccharides sont hydrolysés pour former trois monosaccharides : le glucose (environ 80 %), le fructose et le galactose ; les deux derniers sont ensuite convertis en glucose.
2. Une partie du glucose est oxydée par les cellules pour fournir de l'ATP. Le glucose peut aussi servir à la synthèse d'acides aminés, de glycogène et de triglycérides.
3. Le glucose entre dans la plupart des cellules par diffusion facilitée et il est phosphorylé pour former du glucose-6-phosphate ; ce processus est stimulé par l'insuline. La voie est toujours « ouverte » pour l'entrée du glucose dans les neurones et les hépatocytes.
4. La respiration cellulaire, c'est-à-dire l'oxydation complète du glucose en CO_2 et H_2O, comprend la glycolyse, le cycle de Krebs et la chaîne de transport des électrons.

5. La glycolyse est la dégradation du glucose pour former deux molécules d'acide pyruvique ; il y a gain net de deux molécules d'ATP.

6. Quand l'oxygène est rare, l'acide pyruvique est réduit en acide lactique ; dans des conditions aérobies, l'acide pyruvique entre dans le cycle de Krebs.

7. La préparation de l'acide pyruvique pour son entrée dans le cycle de Krebs comprend sa conversion en un groupement acétyle à deux carbones, suivie de l'addition de la coenzyme A pour former l'acétyl coenzyme A.

8. Le cycle de Krebs comprend la décarboxylation, l'oxydation et la réduction de divers acides organiques.

9. Chaque molécule d'acide pyruvique qui est convertie en acétyl coenzyme A et qui entre par la suite dans le cycle de Krebs produit trois molécules de CO_2, quatre molécules de NADH et quatre ions H^+, une molécule de $FADH_2$ et une molécule d'ATP.

10. L'énergie qui se trouvait emmagasinée à l'origine dans le glucose, puis dans l'acide pyruvique, est transférée principalement aux coenzymes réduites NADH et $FADH_2$.

11. La chaîne de transport des électrons comprend une suite de réactions d'oxydoréduction au cours desquelles l'énergie du NADH et de la $FADH_2$ est libérée et transférée à l'ATP.

12. Les transporteurs d'électrons comprennent la FMN, les cytochromes, les centres fer-soufre, les atomes de cuivre et la coenzyme Q.

13. La chaîne de transport des électrons produit un maximum de 32 ou 34 molécules d'ATP et 6 molécules d'H_2O.

14. Le tableau 25.1, p. 937, présente le bilan de la production d'ATP durant la respiration cellulaire. On peut représenter l'oxydation complète du glucose de la façon suivante :

$$C_6H_{12}O_6 + 6\ O_2 + 36\ ou\ 38\ ADP + 36\ ou\ 38\ \textcircled{P}$$
$$\longrightarrow 6\ CO_2 + 6\ H_2O + 36\ ou\ 38\ ATP$$

15. La conversion du glucose en glycogène en vue de le stocker dans le foie et les muscles squelettiques est appelée glycogenèse. Elle est stimulée par l'insuline.

16. La conversion du glycogène en glucose est appelée glycogénolyse. Elle se produit entre les repas, sous l'action du glucagon et de l'adrénaline.

17. La néoglucogenèse est la conversion de molécules non glucidiques en glucose. Elle est stimulée par le cortisol et le glucagon.

MÉTABOLISME DES LIPIDES (p. 940)

1. Les lipoprotéines transportent les lipides dans la circulation sanguine. Les types de lipoprotéines sont les chylomicrons, qui transportent les lipides alimentaires jusqu'au tissu adipeux, les lipoprotéines de très basse densité (VLDL), qui transportent les triglycérides du foie jusqu'au tissu adipeux, les lipoprotéines de basse densité (LDL), qui font parvenir le cholestérol aux cellules de l'organisme, et les lipoprotéines de haute densité (HDL), qui retirent le cholestérol excédentaire des cellules de l'organisme et le transportent jusqu'au foie en vue de son élimination.

2. Le cholestérol dans le sang provient de deux sources : la nourriture et la synthèse dans le foie.

3. Les lipides peuvent être oxydés pour produire de l'ATP ou emmagasinés dans le tissu adipeux sous forme de triglycérides.

4. Quelques lipides sont utilisés comme molécules structurales ou pour la synthèse de molécules essentielles.

5. Les triglycérides sont emmagasinés dans le tissu adipeux, surtout dans l'hypoderme.

6. Le tissu adipeux contient des lipases qui catalysent le dépôt des triglycérides provenant des chylomicrons et hydrolysent les triglycérides en acides gras et en glycérol.

7. Au cours de la lipolyse, les triglycérides sont scindés en acides gras et en glycérol, et libérés par le tissu adipeux sous l'action de l'adrénaline, de la noradrénaline, du cortisol, des hormones thyroïdiennes et des somatomédines.

8. Le glycérol peut être converti en glucose après avoir été converti en 3-phosphoglycéraldéhyde.

9. Lors de la β-oxydation des acides gras, les atomes de carbone sont retirés deux à deux des chaînes d'acides gras ; les molécules d'acétyl coenzyme A produites par ces réactions entrent dans le cycle de Krebs.

10. La conversion du glucose ou des acides aminés en lipides est appelée lipogenèse ; elle est stimulée par l'insuline.

MÉTABOLISME DES PROTÉINES (p. 944)

1. Au cours de la digestion, les protéines sont hydrolysées en acides aminés, qui entrent dans le foie par la veine porte hépatique.

2. Les acides aminés, sous l'action des somatomédines et de l'insuline, entrent dans les cellules de l'organisme par transport actif.

3. Dans les cellules, les acides aminés sont soit incorporés dans les protéines pour devenir des enzymes, des hormones, des éléments structuraux et ainsi de suite, soit emmagasinés sous forme de graisse ou de glycogène, soit utilisés comme source d'énergie.

4. Pour être catabolisés, les acides aminés doivent être convertis en substances qui peuvent entrer dans le cycle de Krebs ; ces conversions comprennent la désamination, la décarboxylation et l'hydrogénation.

5. Les acides aminés peuvent aussi être convertis en glucose, en acides gras et en corps cétoniques.

6. La synthèse des protéines est stimulée par les somatomédines, les hormones thyroïdiennes, l'insuline, les œstrogènes et la testostérone.

7. Le tableau 25.2, p. 948, résume le métabolisme des glucides, des lipides et des protéines.

MOLÉCULES CLÉS AU CARREFOUR DES VOIES MÉTABOLIQUES (p. 946)

1. Trois molécules jouent un rôle clé dans le métabolisme : le glucose-6-phosphate, l'acide pyruvique et l'acétyl coenzyme A.

2. Le glucose-6-phosphate peut être converti en glucose, en glycogène, en ribose-5-phosphate et en acide pyruvique.

3. Quand l'ATP est rare et l'oxygène abondant, l'acide pyruvique est converti en acétyl coenzyme A ; quand l'oxygène est rare, l'acide pyruvique est transformé en acide lactique. L'acide pyruvique est un des ponts entre le métabolisme des glucides et celui des protéines.

4. L'acétyl coenzyme A est la molécule qui entre dans le cycle de Krebs ; il sert également à la synthèse des acides gras, des corps cétoniques et du cholestérol.

ADAPTATIONS MÉTABOLIQUES (p. 948)

1. Dans l'état postprandial, les nutriments entrent dans le sang et la lymphe depuis le tube digestif.

2. Dans l'état postprandial, le glucose sanguin est oxydé pour former de l'ATP et le glucose qui est transporté jusqu'au foie est converti en glycogène et en tryglycérides. La plupart des triglycérides sont emmagasinés dans le tissu adipeux. Les acides aminés dans les hépatocytes sont convertis en glucides, en lipides et en protéines.

Le tableau 25.3, p. 951, résume la régulation hormonale du métabolisme dans l'état postprandial.

3. Dans l'état de jeûne, l'absorption est terminée et les besoins en ATP sont satisfaits par les nutriments qui sont présents dans l'organisme.

4. Dans l'état de jeûne, la principale tâche consiste à maintenir une glycémie normale. Cela s'accomplit par la conversion du glycogène en glucose dans le foie et les muscles squelettiques, la conversion du glycérol en glucose, la conversion d'acides aminés en glucose et l'oxydation d'acides gras, de corps cétoniques et d'acides aminés pour produire de l'ATP. Le tableau 25.4, p. 953, résume la régulation hormonale du métabolisme durant l'état de jeûne.

5. Le jeûne prolongé est l'absence de nourriture pendant quelques jours; dans la famine, l'apport alimentaire est inadéquat durant des semaines ou des mois.

6. Durant le jeûne prolongé et la famine, l'organisme a de plus en plus recours aux acides gras et aux corps cétoniques pour produire de l'ATP.

CHALEUR ET ÉQUILIBRE ÉNERGÉTIQUE (p. 953)

1. La mesure de la vitesse du métabolisme à l'état basal est appelée métabolisme basal.

2. Le joule est la quantité d'énergie correspondant au travail d'une force de 1 newton se déplaçant sur une distance de 1 mètre. Un kilojoule (kJ) équivaut à 1 000 joules. Une kilocalorie égale 4,18 kilojoules.

3. La température centrale normale se maintient parce qu'un état d'équilibre délicat s'établit entre les mécanismes de production et les mécanismes de dissipation de la chaleur.

4. La vitesse du métabolisme est influencée par l'exercice, les hormones, le système nerveux, la température du corps, l'ingestion de nourriture, l'âge, le sexe, le climat, le sommeil et la malnutrition.

5. Les mécanismes de transfert de la chaleur sont la conduction, la convection, le rayonnement et l'évaporation.

6. La conduction est le transfert de chaleur entre deux substances ou objets qui sont en contact direct.

7. La convection est le transfert de chaleur effectué par un liquide ou un gaz qui se déplace entre des zones de températures différentes.

8. Le rayonnement est le transfert de chaleur d'un objet plus chaud vers un objet plus froid sans contact physique entre eux.

9. L'évaporation est la conversion d'un liquide en vapeur; le corps perd de la chaleur au cours de ce processus.

10. Le centre thermorégulateur de l'hypothalamus se trouve dans le noyau préoptique.

11. Les réactions qui permettent de produire, de conserver ou de retenir la chaleur quand la température centrale baisse sont la vasoconstriction, la libération d'adrénaline, de noradrénaline et d'hormones thyroïdiennes, et le frisson.

12. Les réactions qui accélèrent la perte de chaleur quand la température centrale s'élève comprennent la vasodilatation, le ralentissement du métabolisme et l'évaporation de la sueur.

13. Deux centres de l'hypothalamus, le centre de la faim et le centre de la satiété, jouent un rôle dans la régulation de l'apport alimentaire.

NUTRITION (p. 958)

1. Les nutriments comprennent l'eau, les glucides, les lipides, les protéines, les minéraux et les vitamines.

2. La plupart des adolescents et des adultes doivent consommer de 6 700 à 11 700 kJ (1 600 à 2 800 kcal) par jour.

3. Les experts de la nutrition suggèrent que de 50 à 60 % de l'énergie alimentaire proviennent des glucides, 30 % ou moins des lipides et de 12 à 15 % des protéines, mais les quantités optimales de ces nutriments peuvent varier.

4. L'arc-en-ciel du Guide alimentaire canadien indique combien de portions des quatre grands groupes d'aliments il est recommandé de consommer chaque jour pour obtenir l'énergie et la variété de nutriments nécessaires à la santé.

5. Les minéraux dont les fonctions essentielles sont attestées sont le calcium, le phosphore, le potassium, le soufre, le sodium, le chlore, le magnésium, le fer, l'iode, le manganèse, le cobalt, le cuivre, le zinc, le fluor, le sélénium et le chrome. Leurs fonctions sont résumées dans le tableau 25.5, p. 960-961.

6. Les vitamines sont des nutriments organiques qui maintiennent la croissance et le métabolisme normal. Nombre d'entre elles accomplissent leurs fonctions dans des systèmes enzymatiques.

7. Les vitamines liposolubles sont absorbées avec les lipides; elles comprennent les vitamines A, D, E et K. Les vitamines hydrosolubles sont absorbées avec l'eau; elles comprennent les vitamines B et la vitamine C.

8. Les fonctions et les troubles de carence des principales vitamines sont résumés dans le tableau 25.6, p. 962-964.

AUTOÉVALUATION

Phrases à compléter

1. Les molécules de nourriture absorbées par le tube digestif sont destinées à ___, à ___ ou à ___.

2. Le centre thermorégulateur et le centre de régulation de l'apport alimentaire sont situés dans l'___, lui-même partie de l'encéphale.

3. Les trois molécules clés du métabolisme sont ___, ___, et ___.

4. Les ___ sont les principaux régulateurs du métabolisme.

Vrai ou faux

5. La molécule du transfert d'énergie dans le corps est le glucose.

6. La majeure partie du glucose dans le corps sert à produire de l'ATP.

Choix multiples

7. Laquelle des substances suivantes n'est *pas* considérée comme un nutriment? a) Eau. b) Glucides. c) Acides nucléiques. d) Protéines. e) Lipides.

8. Lesquels des facteurs suivants influent sur la vitesse du métabolisme et, partant, sur la production de chaleur corporelle? 1) Exercice. 2) Hormones. 3) Minéraux. 4) Apport alimentaire. 5) Élimination des déchets. 6) Âge.
a) 1, 2, 3 et 4. b) 2, 3, 4 et 5. c) 3, 4, 5 et 6. d) 1, 2, 4 et 6. e) 1, 3, 5 et 6.

9. Lesquels des processus suivants font partie du sort du glucose dans le corps? 1) Production d'ATP. 2) Synthèse d'acides aminés. 3) Synthèse du glycogène. 4) Synthèse de triglycérides. 5) Synthèse de vitamines.

a) 1, 2, 3 et 4. b) 2, 3, 4 et 5. c) 1, 3 et 5. d) 2, 4 et 5. e) 1, 2, 4 et 5.

10. Laquelle des séquences suivantes représente, dans l'ordre, les étapes de l'oxydation du glucose pour produire de l'ATP? a) Chaîne de transport des électrons, cycle de Krebs, glycolyse, formation d'acétyl CoA. b) Cycle de Krebs, formation d'acétyl CoA, chaîne de transport des électrons, glycolyse. c) Glycolyse, chaîne de transport des électrons, cycle de Krebs, formation d'acétyl CoA. d) Glycolyse, formation d'acétyl CoA, cycle de Krebs, chaîne de transport des électrons. e) Formation d'acétyl CoA, cycle de Krebs, glycolyse, chaîne de transport des électrons.

11. Parmi les réactions suivantes, lesquelles sont des réactions de l'état postprandial? 1) Respiration cellulaire aérobie. 2) Glycogenèse. 3) Glycogénolyse. 4) Néoglucogenèse à partir de l'acide lactique. 5) Lipolyse.

a) 1 et 2. b) 2 et 3. c) 3 et 4. d) 4 et 5. e) 1 et 5.

12. Parmi les mécanismes suivants, lesquels sont des mécanismes de dissipation de la chaleur? 1) Frisson dans les muscles squelettiques. 2) Libération d'hormones thyroïdiennes. 3) Conduction. 4) Évaporation. 5) Vasoconstriction. 6) Convection. 7) Rayonnement.

a) 1, 3, 5 et 7. b) 3, 4, 6 et 7. c) 2, 4, 5 et 7. d) 1, 2, 4 et 6. e) 1, 3, 5 et 6.

13. Associez les éléments suivants:

____ a) le mécanisme de production d'ATP qui lie des réactions chimiques au pompage d'ions hydrogène

____ b) la perte d'électrons par un atome ou une molécule ayant pour conséquence une diminution d'énergie

____ c) l'ensemble des réactions chimiques de l'organisme

____ d) l'oxydation du glucose pour produire de l'ATP

____ e) l'ajout d'électrons à une molécule ayant pour conséquence une augmentation de son contenu énergétique

____ f) des réactions chimiques qui réduisent les molécules organiques complexes et les polymères en substances plus simples

____ g) la vitesse globale à laquelle l'organisme produit de la chaleur

____ h) la formation de corps cétoniques

____ i) les réactions chimiques qui combinent des molécules simples avec des monomères pour former des substances plus complexes

____ j) l'addition d'un groupement phosphate à un composé chimique

1) métabolisme	6) réduction
2) catabolisme	7) phosphorylation
3) anabolisme	8) chimiosmose
4) vitesse du métabolisme	9) cétogenèse
5) oxydation	10) respiration cellulaire

14. Associez les éléments suivants:

____ a) la conversion du glycogène en glucose

____ b) la perte du groupement amine par un acide aminé

____ c) la dégradation d'un triglycéride en glycérol et en acides gras

____ d) la perte de deux atomes de carbone à la fois par un acide gras

____ e) la formation de corps cétoniques

____ f) la synthèse de lipides à partir du glucose ou d'acides aminés

____ g) la conversion du glucose en glycogène

____ h) le transfert d'un groupement amine d'un acide aminé à une substance telle que l'acide pyruvique pour former un acide aminé non essentiel

____ i) la formation de glucose à partir de substances non glucidiques

____ j) la dégradation du glucose en deux molécules d'acide pyruvique

1) glycolyse	6) cétogenèse
2) glycogénolyse	7) lipogenèse
3) glycogenèse	8) désamination
4) néoglucogenèse	9) transamination
5) lipolyse	10) β-oxydation

15. Associez les éléments suivants:

____ a) transportent le cholestérol vers les cellules de l'organisme, où il est utilisé pour la réparation des membranes et la synthèse des hormones stéroïdes et des sels biliaires; lorsqu'elles sont en trop grande quantité, déposent du cholestérol dans les vaisseaux sanguins

____ b) retirent le cholestérol excédentaire des cellules de l'organisme et le transportent jusqu'au foie en vue de son élimination

____ c) nutriments organiques nécessaires en très petite quantité pour le maintien de la croissance et du métabolisme normal

____ d) la molécule qui fournit l'énergie dans l'organisme

____ e) nutriments dont les molécules peuvent être oxydées pour produire de l'ATP, stockées dans le tissu adipeux, utilisées comme molécules structurales dans les membranes cellulaires ou comme transporteurs de cholestérol dans le sang

____ f) molécule de la famille des stéroïdes couramment utilisée comme indicateur du risque de maladie coronarienne

____ g) la matière première préférée de l'organisme pour la synthèse de l'ATP

____ h) substances composées d'acides aminés; ce sont les principales molécules de régulation de l'organisme

____ i) acide acétylacétique, acide β-hydroxybutyrique et acétone

____ j) substances inorganiques qui accomplissent beaucoup de fonctions vitales dans l'organisme

1) vitamines	6) ATP
2) minéraux	7) cholestérol
3) glucose	8) corps cétoniques
4) lipides	9) lipoprotéines de basse densité
5) protéines	10) lipoprotéines de haute densité

QUESTIONS À COURT DÉVELOPPEMENT

1. Anne s'entraîne pour le marathon. À un jour de la grande compétition, elle a écourté sa course d'entraînement du matin et se prépare à s'empiffrer de pain et de pâtes pour son dernier repas. Pourquoi Anne mange-t-elle tout ce pain et ces spaghettis? (INDICE: *Le pain et les pâtes contiennent beaucoup de glucides.*)

2. M. Ferland croit que, pour obtenir une pelouse parfaite, il faut tondre le gazon à dates fixes. Un samedi matin qu'il poussait sa tondeuse par une chaleur torride, il s'est mis à avoir des étourdissements et des nausées. Quand il s'est assis, il a été incommodé par des crampes dans les jambes et il a failli s'évanouir. De quoi souffre M. Ferland? (INDICE: *Sa chemise était trempée de sueur et son front était frais au toucher.*)

3. La mère de Sarah s'inquiète des habitudes alimentaires de sa fille, qui a trois ans. Elle déplore que «certains jours, la petite ne prend que quelques bouchées, puis le lendemain, elle mange comme un ogre!» Selon le pédiatre auquel elle s'est confiée, il semble bien que Sarah ait un comportement parfaitement normal en ce qui concerne son apport alimentaire. Comment se fait la régulation de l'apport alimentaire? (INDICE: *Sarah est trop jeune pour compter ses apports énergétiques.*)

RÉPONSES AUX QUESTIONS DES FIGURES

25.1 Dans les cellules acineuses du pancréas, l'anabolisme prédomine parce qu'elles effectuent la synthèse de molécules complexes (enzymes digestives).

25.2 La glycolyse est aussi appelée respiration cellulaire anaérobie.

25.3 Le substrat est le glucose, c'est-à-dire un hexose; les kinases sont des enzymes qui font la phosphorylation de leur substrat (elles y ajoutent des groupements phosphate). Ainsi, l'enzyme s'appelle hexokinase.

25.4 La glycolyse a lieu dans le cytosol; le cycle de Krebs, dans les mitochondries.

25.5 La production de coenzymes réduites est importante dans le cycle de Krebs parce que ces molécules rendent possible la formation d'ATP dans la chaîne de transport des électrons.

25.6 La source d'énergie qui alimente les pompes à protons est formée des électrons provenant du NADH + H+.

25.7 La concentration d'ions H+ la plus forte se trouve dans l'espace entre les membranes interne et externe de la mitochondrie.

25.8 Au cours de l'oxydation complète d'une molécule de glucose, six molécules d'O_2 sont utilisées et six molécules de CO_2 sont produites.

25.9 Les fibres musculaires squelettiques peuvent synthétiser le glycogène, mais elles ne peuvent pas libérer le glucose dans le sang parce qu'elles n'ont pas l'enzyme requise, soit la phosphatase.

25.10 Les hépatocytes peuvent accomplir la néoglucogenèse et la glycogenèse.

25.11 Les LDL transportent le cholestérol aux cellules de l'organisme.

25.12 Les hépatocytes et les adipocytes peuvent effectuer la lipogenèse, la β-oxydation et la lipolyse. Les hépatocytes accomplissent la cétogenèse.

25.13 Les acides aminés doivent perdre leur groupement amine par désamination.

25.14 L'acétyl coenzyme A est la porte d'entrée du cycle de Krebs.

25.15 Les réactions de l'état postprandial sont surtout anaboliques.

25.16 Les processus qui élèvent directement la glycémie durant l'état de jeûne comprennent la lipolyse (dans les adipocytes et les hépatocytes), la néoglucogenèse (dans les hépatocytes) et la glycogénolyse (dans les hépatocytes).

25.17 L'exercice, la partie sympathique du système nerveux autonome, des hormones (adrénaline, noradrénaline, thyroxine, testostérone, hormone de croissance), l'élévation de la température corporelle et l'ingestion de nourriture font augmenter la vitesse du métabolisme.

25.18 Les aliments qui contiennent le cholestérol et la plupart des acides gras saturés que nous consommons sont les fromages, les viandes grasses, les œufs et les produits laitiers gras tels que la crème et le beurre.

26 LE SYSTÈME URINAIRE

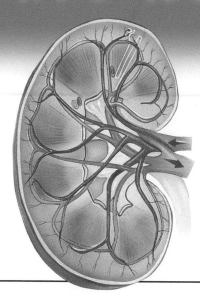

Le **système urinaire** comprend deux reins, deux uretères, une vessie et un urètre (figure 26.1). Après que les reins ont filtré le sang et renvoyé la majeure partie de l'eau et des solutés dans la circulation sanguine, l'eau et les solutés qui restent constituent l'**urine.** Celle-ci est excrétée de chaque rein par son uretère, puis mise en réserve dans la vessie jusqu'à ce qu'elle soit expulsée du corps par l'urètre. Chez les hommes, l'urètre est également la voie par laquelle le sperme quitte le corps. La **néphrologie** (*nephros* = rein ; *logos* = science) est la science de l'anatomie, de la physiologie et de la pathologie du rein. La branche de la médecine qui traite du système urinaire des hommes et des femmes, ainsi que des organes génitaux masculins, est appelée **urologie** (*ouron* = urine).

FONCTIONS DU REIN : VUE D'ENSEMBLE

OBJECTIF

• *Dresser la liste des fonctions du rein.*

Les reins sont les organes où les principales fonctions du système urinaire s'accomplissent, car les autres parties du système sont avant tout des conduits et des lieux de stockage. Les reins filtrent le sang et forment l'urine ; ils contribuent ainsi à maintenir l'équilibre des liquides de l'organisme, et ce, de plusieurs façons. Voici quelques fonctions du rein :

• *Régulation de la composition ionique du sang.* Les reins participent à la régulation de la concentration sanguine de plusieurs ions, dont les plus importants sont les ions sodium (Na^+), potassium (K^+), calcium (Ca^{2+}), chlorure (Cl^-) et phosphate (HPO_4^{2-}).

• *Maintien de l'osmolarité sanguine.* En réglant séparément la perte d'eau et celle des solutés dans l'urine, les reins maintiennent l'osmolarité du sang à un niveau relativement stable, soit près de 290 milliosmoles par litre (mOsm/L)*.

• *Régulation du volume sanguin.* En conservant ou en éliminant l'eau, les reins ajustent le volume sanguin et, de ce fait, assurent la régulation du volume de liquide interstitiel. Par ailleurs, une augmentation du volume sanguin provoque une élévation de la pression artérielle, alors qu'une diminution du volume sanguin fait baisser la pression artérielle.

---

* L'**osmolarité** d'une solution est la mesure du nombre total de particules dissoutes par litre de solution. Les particules peuvent être des molécules, des ions ou une combinaison des deux. On calcule l'osmolarité en multipliant la molarité (voir p. 41) par le nombre de particules par molécule, une fois cette dernière dissoute. L'*osmolalité* est une notion voisine : il s'agit du nombre de particules de soluté par *kilogramme* d'eau. Comme il est plus facile de mesurer le volume d'une solution que de déterminer la masse d'eau qu'elle contient, on a plus souvent recours à l'osmolarité qu'à l'osmolalité. La plupart des liquides de l'organisme et des solutions employées en clinique sont dilués, si bien qu'il y a moins de 1 % de différence entre les deux mesures.

Figure 26.1 Organes du système urinaire, montrés en relation avec quelques structures avoisinantes chez la femme.

L'urine formée par les reins passe d'abord dans les uretères, puis elle est emmagasinée dans la vessie et traverse enfin l'urètre, par lequel elle est éliminée du corps.

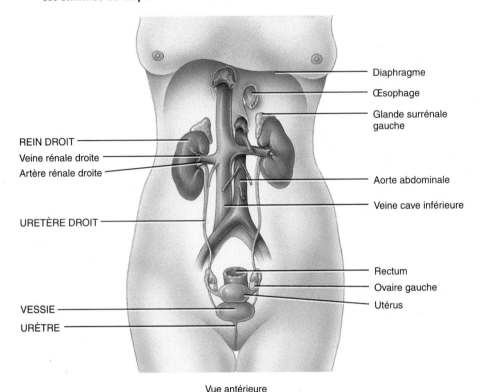

Diaphragme

Œsophage

Glande surrénale gauche

REIN DROIT

Veine rénale droite

Artère rénale droite

Aorte abdominale

Veine cave inférieure

URETÈRE DROIT

Rectum

Ovaire gauche

Utérus

VESSIE

URÈTRE

Vue antérieure

FONCTIONS DU SYSTÈME URINAIRE

1. Les reins règlent le volume et la composition du sang, contribuent à la régulation de la pression artérielle, synthétisent du glucose par désamination, libèrent l'érythropoïétine et participent à la synthèse de la vitamine D.
2. Les uretères transportent l'urine des reins jusqu'à la vessie.
3. La vessie emmagasine l'urine.
4. L'urètre évacue l'urine du corps.

 Quels sont les organes du système urinaire?

- *Régulation de la pression artérielle.* Outre leur action sur le volume sanguin, les reins contribuent à la régulation de la pression artérielle de deux autres façons : ils sécrètent la rénine, une enzyme qui active le système rénine-angiotensine (voir la figure 18.16, p. 621), et ils règlent la résistance rénale, celle qui s'oppose à la circulation du sang dans les reins et, de ce fait, influe sur la résistance périphérique (voir la figure 21.11, p. 721). L'augmentation de la rénine ou de la résistance rénale a pour effet d'élever la pression artérielle.

- *Régulation du pH sanguin.* Les reins excrètent dans l'urine des quantités variables d'ions H^+ et retiennent les ions bicarbonate (HCO_3^-), qui exercent un important effet tampon sur les ions H^+. Ces deux fonctions contribuent à la régulation du pH sanguin.

- *Libération d'hormones.* Les reins libèrent deux hormones : le *calcitriol,* forme active de la vitamine D, qui contribue à la régulation de l'homéostasie du calcium (voir la figure 18.14, p. 618), et l'*érythropoïétine,* qui stimule la production de globules rouges (voir la figure 19.5, p. 652).

- *Régulation de la glycémie.* Les reins peuvent effectuer la désamination de la glutamine, un acide aminé, l'utiliser pour la *néoglucogenèse* (synthèse de nouvelles molécules de glucose) et libérer le glucose dans le sang.

- *Excrétion des déchets et des substances étrangères.* Grâce à la formation d'urine, les reins participent à l'excrétion des déchets, c'est-à-dire des substances qui n'ont aucune fonction utile dans l'organisme. Certains déchets excrétés dans l'urine proviennent de réactions métaboliques. C'est le cas de l'ammoniaque et de l'urée produits par la désamination des acides aminés, de la bilirubine provenant du catabolisme de l'hémoglobine, de la créatinine obtenue de la dégradation de la créatine phosphate dans les fibres musculaires et de l'acide urique issu du catabolisme des acides nucléiques. Certains déchets excrétés dans l'urine sont des substances étrangères telles que des drogues, des médicaments et des toxines environnementales.

1. Décrivez trois moyens par lesquels les reins contribuent à la régulation de la pression artérielle.

Figure 26.2 Situation et enveloppes des reins.

 Les reins sont entourés d'une capsule fibreuse, d'une capsule adipeuse et du fascia rénal.

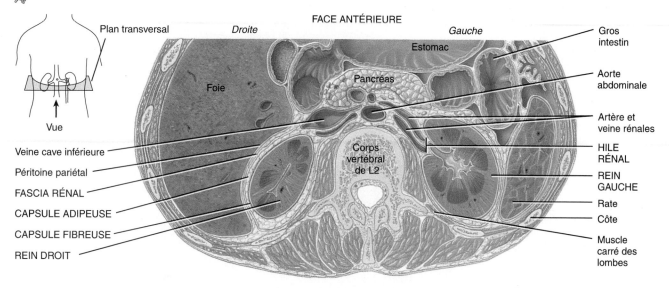

FACE ANTÉRIEURE

Plan transversal · *Droite* · *Gauche* · Gros intestin · Estomac · Pancréas · Foie · Aorte abdominale · Artère et veine rénales · Corps vertébral de L2 · HILE RÉNAL · Vue · Veine cave inférieure · Péritoine pariétal · FASCIA RÉNAL · CAPSULE ADIPEUSE · CAPSULE FIBREUSE · REIN DROIT · REIN GAUCHE · Rate · Côte · Muscle carré des lombes

FACE POSTÉRIEURE

Vue inférieure d'une coupe transversale de l'abdomen (L2)

Q Pourquoi dit-on que les reins sont rétropéritonéaux ?

2. Quelle est l'osmolarité d'une solution de CaCl$_2$ 0,2 molaire ? d'une solution de glucose 0,2 molaire ? d'une solution de NaCl 0,2 molaire ? (INDICE : *Calculez le nombre de particules obtenues quand chaque soluté se dissout dans l'eau.*)

3. Qu'entend-on par déchets et comment les reins contribuent-ils à en débarrasser l'organisme ?

ANATOMIE ET HISTOLOGIE DES REINS

OBJECTIFS

- *Décrire les traits anatomiques externes et internes des reins, sur le plan macroscopique.*
- *Montrer le parcours du sang qui circule dans les reins.*
- *Décrire la structure des corpuscules et des tubules rénaux.*

Les **reins** sont des organes pairs rougeâtres en forme de haricots situés juste au-dessus de la taille entre le péritoine et la paroi postérieure de l'abdomen. Comme ils se trouvent derrière le péritoine tapissant la cavité abdominale, on dit qu'ils sont **rétropéritonéaux** (*retro* = en arrière) (figure 26.2). (Les uretères et les glandes surrénales sont aussi des structures rétropéritonéales.) Les reins occupent un espace entre la dernière vertèbre thoracique et la troisième vertèbre lombaire. Ainsi, ils sont partiellement protégés par la onzième et

la douzième paire de côtes. Le rein droit est légèrement plus bas que le gauche (voir la figure 26.1) parce que le foie occupe un grand espace du côté droit, au-dessus du rein.

Anatomie externe du rein

Chez l'adulte, le rein normal mesure de 10 à 12 cm de long, de 5 à 7 cm de large et 3 cm d'épaisseur – à peu près la taille d'un gros pain de savon. Il pèse de 135 à 150 g. Le bord concave et médial de chaque rein fait face à la colonne vertébrale (voir la figure 26.1). Près du centre du bord concave du rein, il y a une échancrure verticale profonde appelée **hile rénal** (voir la figure 26.3), par laquelle l'uretère, tout comme les vaisseaux sanguins et lymphatiques et les nerfs, quitte le rein.

Trois couches de tissus enveloppent chaque rein (voir la figure 26.2). La couche profonde, nommée **capsule fibreuse,** est une membrane fibreuse, lisse et transparente, située dans le prolongement de la couche externe de l'uretère. Elle sert de protection contre les traumatismes et contribue à maintenir la forme du rein. La couche intermédiaire, appelée **capsule adipeuse,** est une masse de tissu adipeux qui entoure la capsule rénale. Elle protège aussi le rein contre les traumatismes et le tient fermement en place dans la cavité abdominale. La couche superficielle, nommée **fascia rénal,** est une fine couche de tissu conjonctif dense irrégulier qui attache le rein aux structures avoisinantes et à la paroi abdominale.

Figure 26.3 Anatomie interne du rein.

 Les deux principales régions du parenchyme rénal sont le cortex et les pyramides de la médullaire rénale.

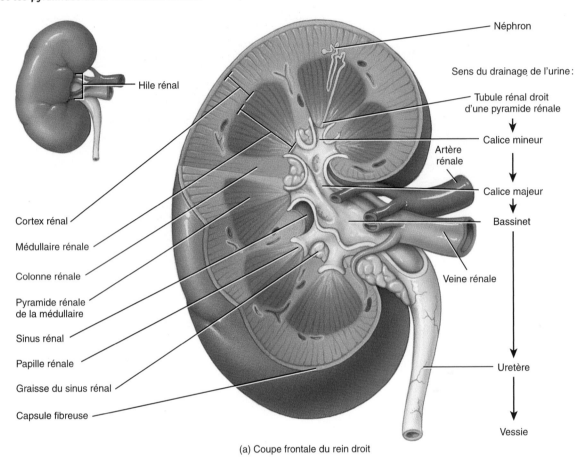

Hile rénal

Cortex rénal

Médullaire rénale

Colonne rénale

Pyramide rénale de la médullaire

Sinus rénal

Papille rénale

Graisse du sinus rénal

Capsule fibreuse

Néphron

Sens du drainage de l'urine:

Tubule rénal droit d'une pyramide rénale

↓

Calice mineur

Artère rénale

↓

Calice majeur

Bassinet

Veine rénale

↓

↓

Uretère

↓

Vessie

(a) Coupe frontale du rein droit

Anatomie interne du rein

Une coupe frontale du rein révèle deux régions distinctes: une zone superficielle rougeâtre, à texture lisse, appelée **cortex rénal** (*cortex* = écorce) et une zone profonde, brun rougeâtre, appelée **médullaire rénale** (*medulla* = moelle) (figure 26.3). La médullaire est constituée de 8 à 18 **pyramides rénales** de forme conique. La base (extrémité élargie) de chaque pyramide fait face au cortex rénal et le sommet (extrémité effilée), appelé **papille rénale,** est orienté vers le centre du rein. Les prolongements du cortex situés entre les pyramides sont appelés **colonnes rénales.**

Ensemble, le cortex rénal et les pyramides rénales de la médullaire constituent la partie fonctionnelle, ou **parenchyme,** du rein. Les unités fonctionnelles du rein – environ 1 million de structures microscopiques appelées **néphrons** – se trouvent dans le parenchyme. L'urine produite par les néphrons se jette dans les gros **tubules rénaux droits** qui traversent les papilles rénales des pyramides. Les tubules droits débouchent sur des structures en forme de coupe appelées **calices rénaux mineurs** et **majeurs.** Chaque rein possède entre 8 et 18 calices mineurs et 2 ou 3 calices majeurs. Chacun des calices mineurs reçoit l'urine des tubules droits qui passent dans une papille rénale et la déverse dans un calice majeur. De là, l'urine se jette dans une grande cavité appelée **bassinet,** ou pelvis rénal (*pelvis* = bassin), et traverse l'uretère pour se rendre jusqu'à la vessie.

Le hile s'agrandit à l'intérieur du rein pour former une cavité appelée **sinus rénal,** qui contient une partie du bassinet, les calices et des ramifications des nerfs et des vaisseaux sanguins rénaux. Du tissu adipeux contribue à stabiliser ces structures dans le sinus rénal.

Vascularisation et innervation du rein

Puisque les reins débarrassent le sang de ses déchets et assurent la régulation de son volume et de sa composition ionique, il n'est pas étonnant qu'ils soient très bien vascularisés. Ils constituent moins de 0,5 % de la masse corporelle

Figure 26.3 (suite)

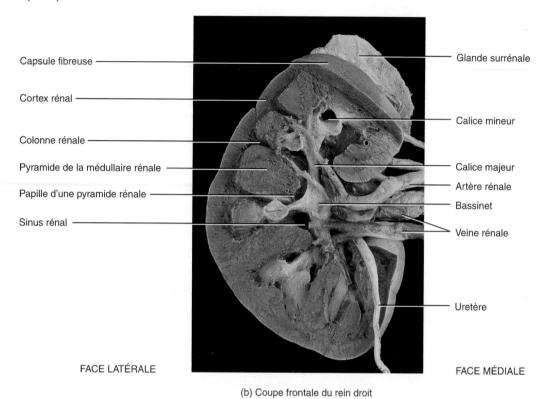

Capsule fibreuse

Cortex rénal

Colonne rénale

Pyramide de la médullaire rénale

Papille d'une pyramide rénale

Sinus rénal

Glande surrénale

Calice mineur

Calice majeur

Artère rénale

Bassinet

Veine rénale

Uretère

FACE LATÉRALE

FACE MÉDIALE

(b) Coupe frontale du rein droit

Q Quelles structures passent par le hile rénal?

totale, mais ils reçoivent de 20 à 25 % du débit cardiaque au repos par les **artères rénales** droite et gauche (figure 26.4). Chez l'adulte, le débit sanguin rénal est d'environ 1 200 mL par minute.

Dans le rein, l'artère rénale se divise en plusieurs **artères segmentaires.** Celles-ci donnent naissance à leur tour à plusieurs ramifications qui pénètrent dans le parenchyme et traversent les colonnes rénales entre les pyramides rénales; ce sont les **artères interlobaires.** À la base des pyramides rénales, les artères interlobaires décrivent un arc entre la médullaire et le cortex; à cet endroit, elles sont appelées **artères arquées.** Les subdivisions des artères arquées donnent lieu à une série d'**artères interlobulaires** qui pénètrent dans le cortex rénal et se ramifient en **artérioles glomérulaires afférentes** (*afferre* = apporter).

Chaque néphron reçoit une artériole glomérulaire afférente qui se divise en un réseau de capillaires enchevêtrés de forme sphérique appelé **glomérule** (*glomerulus* = petite boule). Ensuite, les capillaires glomérulaires se joignent pour former une **artériole glomérulaire efférente** (*efferre* = porter hors) qui draine le sang du glomérule. Les capillaires glomérulaires sont uniques, car ils sont situés entre deux artérioles, plutôt qu'entre une artériole et une veinule. La vasodilatation et la vasoconstriction coordonnées des artérioles afférentes

et efférentes peuvent modifier considérablement le débit sanguin rénal et la résistance vasculaire rénale, laquelle modifie à son tour la résistance périphérique. Étant des réseaux capillaires, les glomérules font partie à la fois du système cardiovasculaire et du système urinaire.

Les artérioles efférentes se ramifient pour former un réseau de capillaires, appelés **capillaires péritubulaires** (*peri* = autour), qui entourent les parties tubulaires du néphron dans le cortex rénal. Certaines artérioles efférentes donnent naissance à de longs vaisseaux en forme d'anses, les **artérioles droites** et **veinules droites** (aussi nommées collectivement vasa recta), qui irriguent les parties tubulaires du néphron dans la médullaire rénale (voir la figure 26.5).

Les capillaires péritubulaires finissent par converger pour former les **veinules péritubulaires,** puis les **veines interlobulaires.** (Les veines interlobulaires reçoivent aussi le sang des veinules droites.) Le sang passe ensuite par les **veines arquées,** se déverse dans les **veines interlobaires** situées entre les pyramides rénales et se jette dans les **veines segmentaires.** Le sang quitte le rein par l'unique **veine rénale** au niveau du hile rénal.

La plupart des nerfs du rein proviennent du *ganglion cœliaque* et passent par le *plexus rénal* pour entrer dans le rein avec l'artère rénale. Tous ces nerfs appartiennent à la

Figure 26.4 Vascularisation du rein.

🔑 **Les artères rénales apportent aux reins de 20 à 25 % du débit cardiaque au repos.**

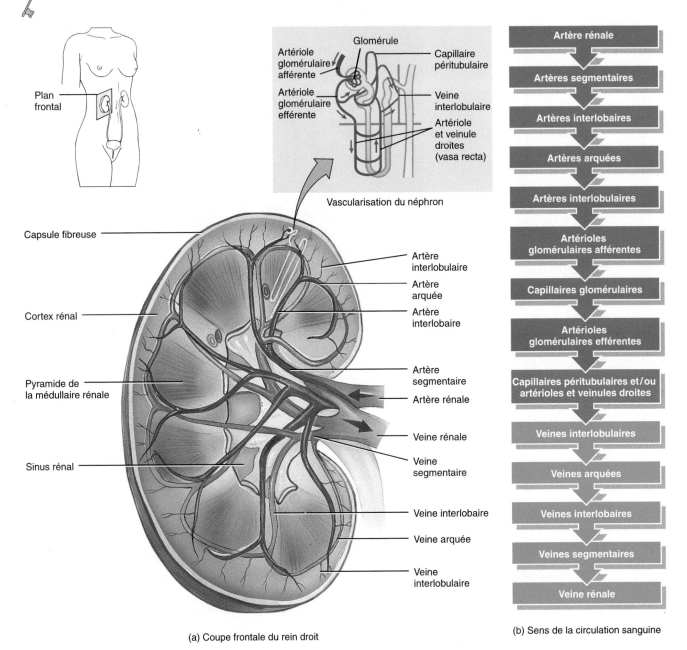

Vascularisation du néphron

(a) Coupe frontale du rein droit

(b) Sens de la circulation sanguine

Ⓠ Quel volume de sang pénètre chaque minute dans les artères rénales ?

partie sympathique du système nerveux autonome. La plupart sont des nerfs vasomoteurs qui innervent les vaisseaux sanguins, c'est-à-dire qu'ils règlent le débit sanguin et la résistance rénale en modifiant le diamètre des artérioles.

Néphron

Le néphron est l'unité fonctionnelle du rein. Il accomplit trois grandes tâches : il filtre le sang, il retourne dans le sang les substances utiles afin qu'elles restent dans l'organisme et

Figure 26.5 Structure des néphrons (en doré) et des vaisseaux sanguins associés. (a) Néphron cortical. (b) Néphron juxtamédullaire.

🔑 **Le néphron est l'unité fonctionnelle du rein.**

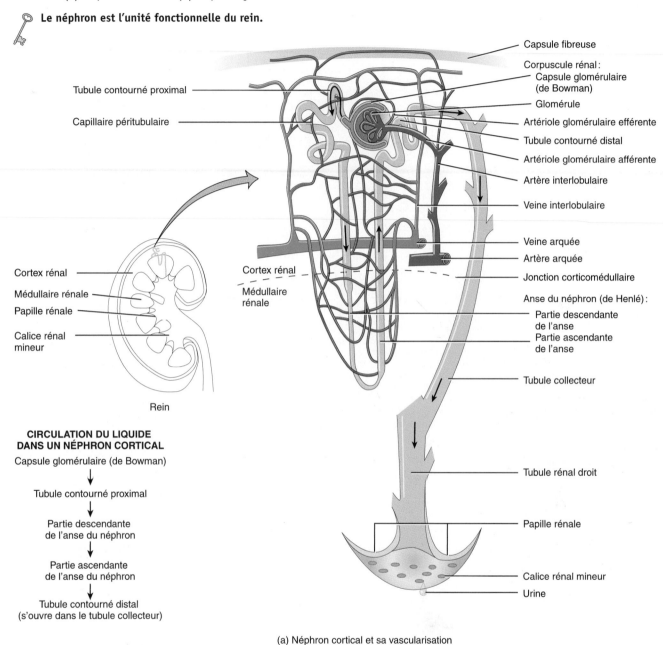

CIRCULATION DU LIQUIDE
DANS UN NÉPHRON CORTICAL

Capsule glomérulaire (de Bowman)
↓
Tubule contourné proximal
↓
Partie descendante
de l'anse du néphron
↓
Partie ascendante
de l'anse du néphron
↓
Tubule contourné distal
(s'ouvre dans le tubule collecteur)

(a) Néphron cortical et sa vascularisation

Suite à la page suivante

il en retire les substances dont l'organisme n'a pas besoin. Ainsi, le néphron maintient l'équilibre de la composition sanguine et produit l'urine.

Parties du néphron

Le néphron (figure 26.5) est constitué de deux parties : le **corpuscule rénal** (*corpusculum* = atome), où s'effectue la filtration du plasma, et le **tubule rénal,** dans lequel passe le liquide filtré. Le corpuscule rénal est formé de deux parties :

le **glomérule** et la **capsule glomérulaire** (ou **capsule de Bowman**), sorte de coupe épithéliale à double paroi qui enveloppe le glomérule. À partir de la capsule glomérulaire, le liquide produit par la filtration du plasma passe dans le tubule rénal, qui est formé de trois grandes sections. Dans l'ordre qui correspond au sens de l'écoulement du liquide, ce sont 1) le **tubule contourné proximal,** 2) l'**anse du néphron** (ou **anse de Henlé**) et 3) le **tubule contourné distal.** Le terme *proximal* désigne la partie du tubule reliée à la capsule

Figure 26.5 (suite)

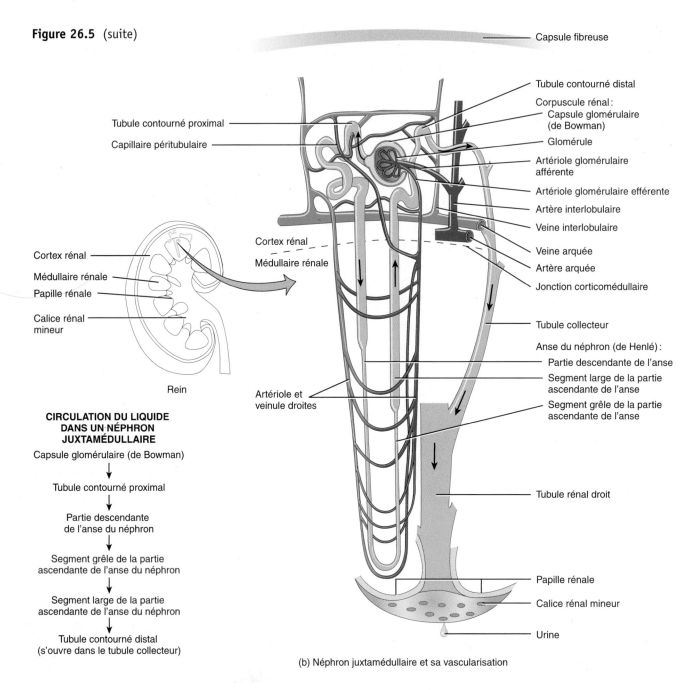

Capsule fibreuse

Tubule contourné distal

Corpuscule rénal:
Capsule glomérulaire (de Bowman)

Glomérule

Artériole glomérulaire afférente

Artériole glomérulaire efférente

Artère interlobulaire

Veine interlobulaire

Veine arquée

Artère arquée

Jonction corticomédullaire

Tubule collecteur

Anse du néphron (de Henlé):
Partie descendante de l'anse

Segment large de la partie ascendante de l'anse

Segment grêle de la partie ascendante de l'anse

Tubule rénal droit

Papille rénale

Calice rénal mineur

Urine

Tubule contourné proximal

Capillaire péritubulaire

Cortex rénal

Médullaire rénale

Cortex rénal

Médullaire rénale

Papille rénale

Calice rénal mineur

Rein

Artériole et veinule droites

CIRCULATION DU LIQUIDE DANS UN NÉPHRON JUXTAMÉDULLAIRE

Capsule glomérulaire (de Bowman)
↓
Tubule contourné proximal
↓
Partie descendante de l'anse du néphron
↓
Segment grêle de la partie ascendante de l'anse du néphron
↓
Segment large de la partie ascendante de l'anse du néphron
↓
Tubule contourné distal (s'ouvre dans le tubule collecteur)

(b) Néphron juxtamédullaire et sa vascularisation

Q Quelles sont les principales différences entre le néphron cortical et le néphron juxtamédullaire?

glomérulaire et le terme *distal*, la partie qui est plus éloignée. Le mot *contourné* indique que le tubule est en forme de serpentin plutôt que droit. Le corpuscule rénal et les deux tubules contournés sont situés dans le cortex rénal, alors que l'anse du néphron plonge dans la médullaire rénale, fait un virage en épingle à cheveux et revient dans le cortex.

Les tubules contournés distaux de plusieurs néphrons déversent leur contenu dans un **tubule collecteur.** Les tubules collecteurs convergent et s'unissent pour former quelques centaines de gros **tubules rénaux droits** qui se jettent dans les calices mineurs. Les tubules collecteurs et les tubules rénaux droits s'étendent du cortex rénal jusqu'au bassinet en passant par la médullaire. Bien que le rein possède environ 1 million de néphrons, le nombre de ses tubules collecteurs est beaucoup plus petit et celui de ses tubules rénaux droits l'est encore plus.

L'anse du néphron relie le tubule contourné proximal au tubule contourné distal. La première partie de l'anse pénètre dans la médullaire rénale, où elle devient la **partie descendante de l'anse** (voir la figure 26.5). L'anse fait alors un virage en épingle à cheveux et retourne au cortex rénal : elle porte alors le nom de **partie ascendante de l'anse.** De 80 à 85 % des néphrons sont des **néphrons corticaux.** Leur corpuscule rénal est situé dans la partie externe du cortex rénal, et ils ont des anses *courtes* qui se trouvent surtout dans le cortex et ne pénètrent que dans la région superficielle de la médullaire rénale (voir la figure 26.5a). Les anses courtes sont vascularisées par des capillaires péritubulaires dérivés d'artérioles glomérulaires efférentes. Les 15 à 20 % de néphrons qui restent sont appelés **néphrons juxtamédullaires** (*juxta* = près de). Ils ont un corpuscule rénal situé bien à l'intérieur du cortex, près de la médullaire, et une anse *longue* qui plonge au plus profond de la médullaire (voir la figure 26.5b). Les anses longues sont vascularisées par les capillaires péritubulaires et par les artérioles et veinules droites dérivées des artérioles glomérulaires efférentes. De plus, la partie ascendante de l'anse du néphron juxtamédullaire est elle-même composée de deux segments : le **segment grêle de la partie ascendante** suivi du **segment large de la partie ascendante** (voir la figure 26.5b). Les néphrons à anses longues permettent au rein d'excréter de l'urine très diluée ou très concentrée, selon le cas (voir le texte de la page 997).

Histologie du néphron et du tubule collecteur

La paroi de la capsule glomérulaire et des tubules qui y sont rattachés est formée, d'un bout à l'autre, d'une seule couche de cellules épithéliales. Toutefois, chaque partie de cet ensemble possède des caractéristiques histologiques propres qui reflètent ses fonctions particulières. Dans l'ordre de l'écoulement du liquide, les parties que nous décrirons sont la capsule glomérulaire, le tubule rénal et le tubule collecteur.

Capsule glomérulaire La capsule glomérulaire (de Bowman) comprend un feuillet viscéral et un feuillet pariétal (figure 26.6a). Le feuillet viscéral est composé d'un épithélium simple pavimenteux formé de cellules modifiées appelées **podocytes** (*podos* = pied ; *kutos* = cellule). Ces cellules possèdent de nombreux prolongements en forme de pieds (pédicelles) qui s'enroulent autour de la couche unique de cellules endothéliales des capillaires glomérulaires et forment la paroi interne de la capsule. Le feuillet pariétal de la capsule glomérulaire est composé d'un épithélium simple pavimenteux et constitue la paroi externe de la capsule. Le liquide filtré en provenance des capillaires glomérulaires pénètre dans la **chambre glomérulaire,** c'est-à-dire l'espace entre les deux feuillets de la capsule glomérulaire.

Tubule rénal et tubule collecteur Le tableau 26.1 présente les types de cellules qui forment le tubule rénal et le tubule collecteur. Dans le tubule contourné proximal, les cellules forment un épithélium simple cuboïde qui porte sur la face apicale (donnant sur la lumière) une bordure en brosse proéminente. Les microvillosités de la bordure en brosse, comme celles de l'intestin grêle, augmentent la superficie disponible pour la réabsorption et la sécrétion. La partie descendante de l'anse du néphron et le début de la partie ascendante de l'anse (segment grêle de la partie ascendante) sont formés d'un épithélium simple pavimenteux. (Rappelez-vous que les néphrons corticaux, qui possèdent des anses courtes, n'ont pas de segment grêle de la partie ascendante.) Le segment large de la partie ascendante de l'anse du néphron est composé d'un épithélium simple aux cellules cuboïdes ou aux cellules prismatiques basses.

Le dernier segment de la partie ascendante de l'anse est en contact avec l'artériole glomérulaire afférente qui dessert le corpuscule rénal du même néphron (voir la figure 26.6a). Comme les cellules qui composent le tubule dans cette région sont prismatiques et entassées, elles sont nommées **macula densa** (*macula* = tache ; *densa* = épaisse). Le long de la macula densa, la paroi de l'artériole glomérulaire afférente (et parfois de l'artériole glomérulaire efférente) contient des fibres musculaires lisses modifiées appelées **cellules juxtaglomérulaires.** Avec la macula densa, elles constituent l'**appareil juxtaglomérulaire.** Le tubule contourné distal (TCD) prend naissance un peu en aval de la macula densa. Bien que les cellules du tubule contourné distal et du tubule collecteur forment un épithélium simple cuboïde, elles possèdent seulement quelques microvillosités. À partir de la portion terminale du TCD jusque dans le tubule collecteur, on trouve deux types de cellules. La plupart sont des **cellules principales,** qui ont des invaginations de la membrane basale. Les autres, moins nombreuses, sont des **cellules intercalaires,** qui possèdent des microvillosités sur leur face apicale et un grand nombre de mitochondries. Les cellules principales ont des récepteurs pour l'hormone antidiurétique (ADH) et l'aldostérone, deux hormones qui assurent la régulation de leurs fonctions. Les cellules intercalaires participent au maintien de l'équilibre du pH sanguin. Les tubules collecteurs se jettent dans les gros tubules rénaux droits, qui sont tapissés d'un épithélium simple prismatique.

APPLICATION CLINIQUE
Nombre de néphrons

Le nombre de néphrons est déjà fixé à la naissance et ne change pas. Toute augmentation de la taille du rein est uniquement attribuable à la croissance des néphrons eux-mêmes. Si ces derniers sont endommagés ou malades, il ne s'en forme pas de nouveaux. En général, les signes d'un dysfonctionnement ne se manifestent que si la fonction rénale diminue à moins de 25 % de la normale, parce que les néphrons

Figure 26.6 Histologie du corpuscule rénal.

🔑 **Le corpuscule rénal est constitué d'une capsule glomérulaire (de Bowman) et d'un glomérule.**

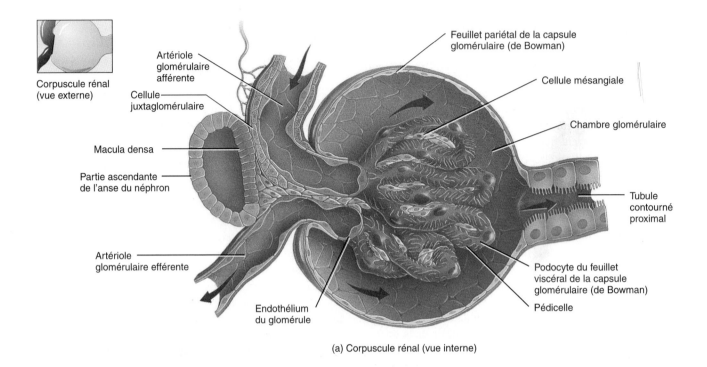

Corpuscule rénal
(vue externe)

Artériole
glomérulaire
afférente

Cellule
juxtaglomérulaire

Macula densa

Partie ascendante
de l'anse du néphron

Artériole
glomérulaire efférente

Endothélium
du glomérule

Feuillet pariétal de la capsule
glomérulaire (de Bowman)

Cellule mésangiale

Chambre glomérulaire

Tubule
contourné
proximal

Podocyte du feuillet
viscéral de la capsule
glomérulaire (de Bowman)

Pédicelle

(a) Corpuscule rénal (vue interne)

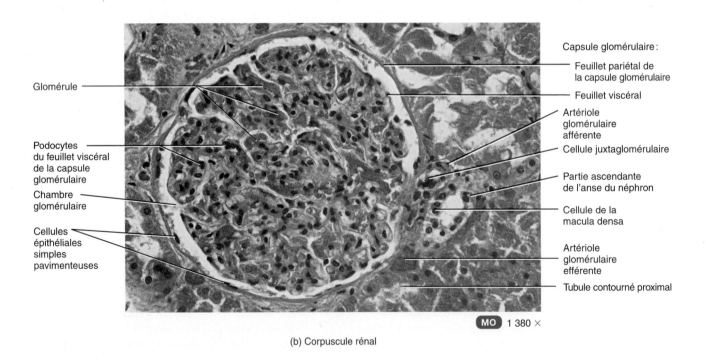

Glomérule

Podocytes
du feuillet viscéral
de la capsule
glomérulaire

Chambre
glomérulaire

Cellules
épithéliales
simples
pavimenteuses

Capsule glomérulaire :

Feuillet pariétal de
la capsule glomérulaire

Feuillet viscéral

Artériole
glomérulaire
afférente

Cellule juxtaglomérulaire

Partie ascendante
de l'anse du néphron

Cellule de la
macula densa

Artériole
glomérulaire
efférente

Tubule contourné proximal

MO 1 380 ×

(b) Corpuscule rénal

Q La photomicrographie en (b) représente-t-elle une coupe du cortex ou une coupe
de la médullaire rénale ? Comment le savez-vous ?

Tableau 26.1 Caractéristiques histologiques du tubule rénal et du tubule collecteur

RÉGION	HISTOLOGIE	DESCRIPTION
Tubule contourné proximal (TCP)	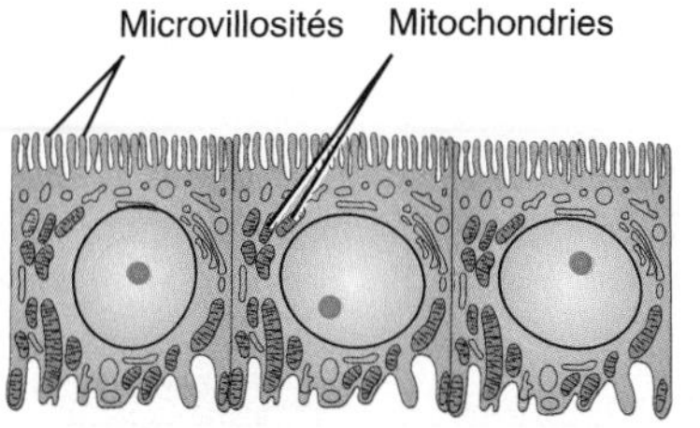 Microvillosités Mitochondries	Cellules épithéliales simples cuboïdes dont les microvillosités forment une bordure en brosse proéminente.
Anse du néphron: partie descendante et segment grêle de la partie ascendante	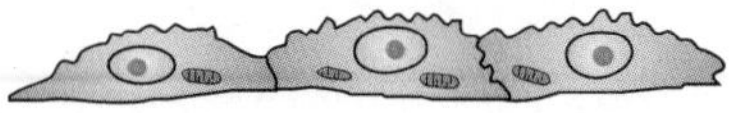	Cellules épithéliales simples pavimenteuses.
Anse du néphron: segment large de la partie ascendante	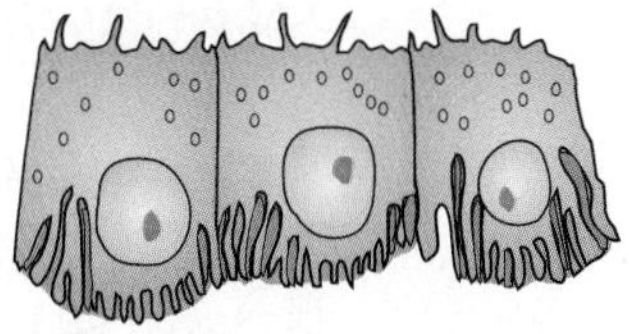	Cellules épithéliales simples cuboïdes ou prismatiques basses.
Majeure partie du tubule contourné distal (TCD)	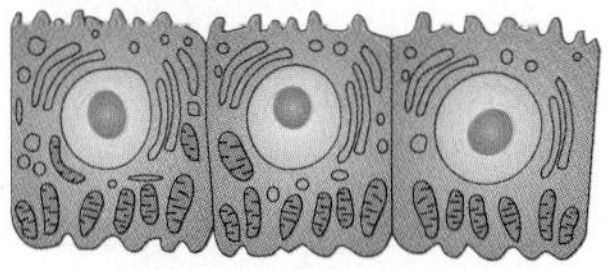	Cellules épithéliales simples cuboïdes.
Portion terminale du TCD; tubule collecteur (TC)	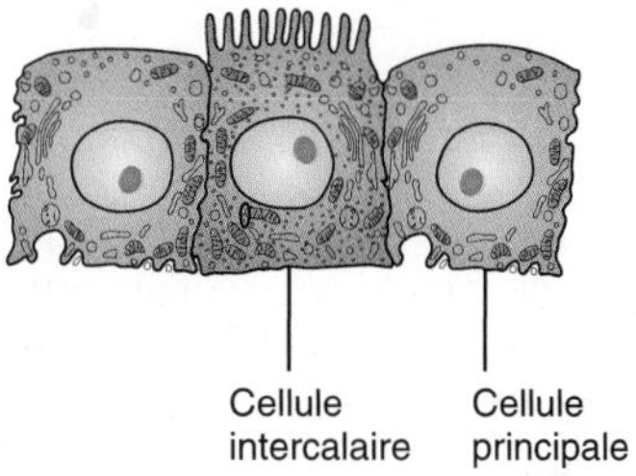 Cellule intercalaire Cellule principale	Épithélium simple cuboïde composé de cellules principales et de cellules intercalaires dans la partie terminale du TCD et dans le tubule collecteur.

qui restent s'adaptent petit à petit à l'augmentation de la charge. Par exemple, l'ablation d'un rein entraîne l'hypertrophie (augmentation de volume) de l'autre, qui finit par filtrer le sang avec une efficacité équivalant à 80 % de celle de deux reins normaux. ■

1. Décrivez la situation des reins. Pourquoi les qualifie-t-on de rétropéritonéaux ?
2. Quelle partie du système nerveux autonome innerve les vaisseaux sanguins du rein ?
3. Quelles sont les différences structurales entre le néphron cortical et le néphron juxtamédullaire ?
4. Décrivez l'histologie des diverses parties du néphron et du tubule collecteur.
5. Décrivez la structure de l'appareil juxtaglomérulaire.

PHYSIOLOGIE RÉNALE: VUE D'ENSEMBLE

OBJECTIF

• *Nommer les trois principales tâches du néphron et du tubule collecteur, et indiquer où elles sont accomplies.*

En produisant l'urine, le néphron et le tubule collecteur accomplissent trois processus rénaux de base – la filtration glomérulaire, la sécrétion tubulaire et la réabsorption tubulaire (figure 26.7):

❶ *Filtration glomérulaire.* Au cours de la première étape de la production de l'urine, une partie de l'eau et la plupart des solutés du plasma quittent la circulation sanguine en traversant la paroi des capillaires glomérulaires et passent dans la capsule glomérulaire, qui se jette dans le tubule rénal.

Figure 26.7 Schéma du rapport entre la structure du néphron et ses trois fonctions de base : filtration glomérulaire, réabsorption tubulaire et sécrétion tubulaire. Les substances excrétées restent dans l'urine et finissent par être éliminées. Pour toute substance S, le taux d'excrétion de S = le taux de filtration de S − le taux de réabsorption de S + le taux de sécrétion de S.

 La filtration glomérulaire a lieu dans le corpuscule rénal, alors que la réabsorption tubulaire et la sécrétion tubulaire s'accomplissent le long du tubule rénal et du tubule collecteur.

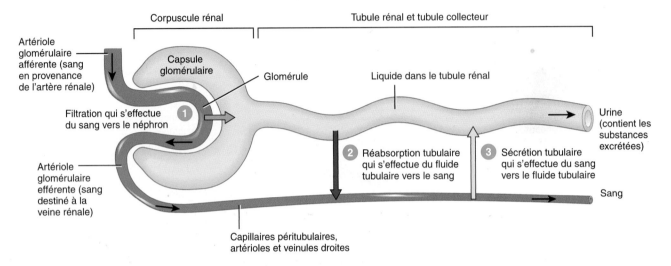

Q Quand les cellules des tubules rénaux sécrètent la pénicilline, le médicament est-il ajouté à la circulation sanguine ou en est-il retiré ?

2 *Réabsorption tubulaire.* En s'écoulant dans le tubule rénal et le tubule collecteur, la majeure partie de l'eau et un grand nombre de solutés utiles qui se trouvent dans le filtrat sont réabsorbés par les cellules des tubules et retournés au sang qui circule dans les capillaires péritubulaires et les artérioles et veinules droites. Notez que le terme *ré*absorption désigne le retour de substances à la circulation sanguine, par contraste avec l'absorption, qui signifie l'entrée de nouvelles substances dans l'organisme.

3 *Sécrétion tubulaire.* Au fur et à mesure que le liquide passe dans le tubule rénal et le tubule collecteur, les cellules de ces conduits y sécrètent des substances additionnelles, tels des déchets, des médicaments et des ions excédentaires. La sécrétion tubulaire *retire* des éléments du sang ; dans les autres cas de sécrétion, comme la sécrétion d'hormones, une substance est souvent libérée dans le sang.

Les solutés du liquide qui débouche dans le bassinet restent dans l'urine et sont excrétés. Le taux d'excrétion urinaire d'un soluté est égal à son taux de filtration glomérulaire, plus son taux de sécrétion, moins son taux de réabsorption.

Grâce à la filtration, à la réabsorption et à la sécrétion, les néphrons maintiennent l'homéostasie du sang. La situation est en quelque sorte analogue à celle d'un centre de recyclage : les camions des éboueurs déversent les déchets dans une trémie qui achemine les petits détritus vers un convoyeur (filtration glomérulaire du plasma). Pendant que les rebuts se déplacent sur le tapis roulant, des travailleurs reprennent les articles utiles, tels les canettes en aluminium, les plastiques et les contenants en verre (réabsorption). D'autres travailleurs déposent sur le convoyeur des déchets additionnels laissés au centre ainsi que les plus gros articles (sécrétion). À l'extrémité du tapis roulant, ce qui reste tombe dans un camion qui le transporte au site d'enfouissement (excrétion des déchets dans l'urine).

FILTRATION GLOMÉRULAIRE
OBJECTIFS

• *Décrire la membrane de filtration.*

• *Étudier les types de pression qui s'exercent sur le glomérule et comment ils favorisent la filtration ou s'y opposent.*

Le liquide qui pénètre dans la chambre glomérulaire est appelé **filtrat glomérulaire.** La fraction du plasma qui quitte les artérioles glomérulaires afférentes des reins pour devenir le filtrat glomérulaire est la *fraction filtrée.* En général, la fraction filtrée est de 0,16 à 0,20 (de 16 à 20 %), mais cette valeur varie considérablement, chez les individus sains comme chez les malades. En moyenne, le volume

Figure 26.8 La membrane de filtration (endothélio-capsulaire). En (a), la taille des fenestrations endothéliales et des fentes de filtration est exagérée pour mettre ces structures en relief. Copyright Richard K. Kessel et Randy H. Kardon, tiré de *Tissues and Organs: A Text-Atlas of Scanning Electron Microscopy*. W. H. Freeman and Company, 1979. Tous droits réservés.

🔑 **Durant la filtration glomérulaire, l'eau et les solutés passent du plasma sanguin à la chambre glomérulaire.**

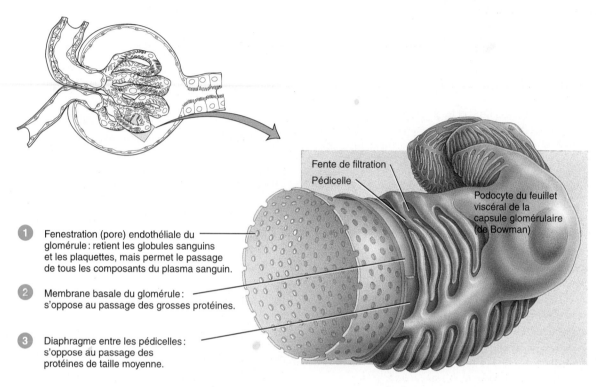

1 Fenestration (pore) endothéliale du glomérule : retient les globules sanguins et les plaquettes, mais permet le passage de tous les composants du plasma sanguin.

2 Membrane basale du glomérule : s'oppose au passage des grosses protéines.

3 Diaphragme entre les pédicelles : s'oppose au passage des protéines de taille moyenne.

Fente de filtration
Pédicelle
Podocyte du feuillet viscéral de la capsule glomérulaire (de Bowman)

(a) Détails de la membrane de filtration

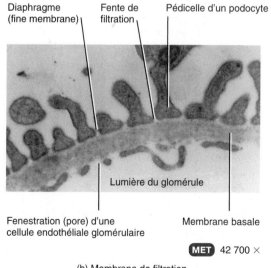

Diaphragme (fine membrane)
Fente de filtration
Pédicelle d'un podocyte
Lumière du glomérule
Fenestration (pore) d'une cellule endothéliale glomérulaire
Membrane basale

MET 42 700 ×

(b) Membrane de filtration

Q Quelle partie de la membrane de filtration empêche les globules rouges de pénétrer dans la chambre glomérulaire ?

quotidien de filtrat glomérulaire chez l'adulte est de 150 L chez les femmes et de 180 L chez les hommes, ce qui représente environ 65 fois le volume total du plasma sanguin. Toutefois, plus de 99 % du filtrat glomérulaire retourne à la circulation sanguine par réabsorption tubulaire, si bien que de 1 à 2 L seulement sont excrétés sous forme d'urine.

Membrane de filtration

Ensemble, les cellules endothéliales des capillaires glomérulaires et les podocytes, qui entourent complètement les capillaires, forment une barrière poreuse appelée **membrane de filtration,** ou **membrane endothélio-capsulaire.** Cette disposition en forme de sandwich permet le passage de l'eau et des petits solutés mais retient la plupart des protéines plasmatiques, les globules sanguins et les plaquettes. Les substances dans le filtrat quittent la circulation et traversent trois barrières – une cellule endothéliale glomérulaire, la membrane basale et une fente de filtration formée par un podocyte (figure 26.8) :

1 Les cellules endothéliales glomérulaires sont assez poreuses, car elles possèdent de grandes **fenestrations** (pores) qui mesurent de 70 à 100 nm (0,07 à 0,1 μm) de diamètre. La taille de ces ouvertures permet à tous les solutés du plasma sanguin de quitter les capillaires glomérulaires, mais s'oppose au passage des globules sanguins et des plaquettes. Parmi les capillaires glomérulaires et dans le sillon entre les artérioles glomérulaires afférentes et efférentes se trouvent des **cellules mésangiales** (*mesos* = au milieu; *angeion* = vaisseau), qui sont des cellules contractiles participant à la régulation de la filtration glomérulaire (voir la figure 26.6a).

2 La **membrane basale,** une couche de matière acellulaire située entre l'endothélium et les podocytes, est constituée de fibrilles enchâssées dans une matrice de glycoprotéines. Elle s'oppose au passage des grosses protéines plasmatiques.

3 Le pourtour de chaque podocyte présente des milliers de prolongements en forme de pieds appelés **pédicelles** (*podos* = pied) qui s'enroulent autour des capillaires glomérulaires. Les espaces entre les pédicelles sont les **fentes de filtration.** Une membrane mince, le **diaphragme,** recouvre chaque fente de filtration; elle permet le passage de molécules dont le diamètre est inférieur à 6 ou 7 nm (0,006 ou 0,007 μm), dont l'eau, le glucose, les vitamines, les acides aminés, les plus petites protéines plasmatiques, l'ammoniaque, l'urée et les ions. Puisque la protéine plasmatique la plus abondante – l'albumine – a un diamètre de 7,1 nm, il en passe moins de 1 % à travers cette fine membrane.

Le principe de la filtration – l'utilisation de la pression pour forcer des liquides et des solutés à traverser une membrane – est le même dans les capillaires glomérulaires que dans les autres capillaires de l'organisme (voir le phénomène de Starling, figure 21.7, p. 717). Cependant, le volume de liquide filtré par le corpuscule rénal est beaucoup plus grand que celui qui traverse les autres capillaires, et ce, pour trois raisons:

1. Étant longs et nombreux, *les capillaires glomérulaires présentent une grande superficie pour la filtration.* La proportion de cette superficie disponible pour la filtration dépend des cellules mésangiales. Quand ces dernières sont relâchées, la superficie est maximale et la filtration glomérulaire est très élevée; quand elles se contractent, la superficie disponible diminue et la filtration glomérulaire ralentit.

2. *La membrane de filtration est mince et poreuse.* Bien que la membrane de filtration soit constituée de trois couches, son épaisseur n'est que de 0,1 μm. De plus, les capillaires glomérulaires sont environ 50 fois plus perméables que les capillaires de la plupart des autres tissus, en raison surtout de leurs grandes fenestrations.

3. *La pression sanguine dans les capillaires glomérulaires est élevée.* Le diamètre de l'artériole glomérulaire efférente étant inférieur à celui de l'artériole glomérulaire afférente, la résistance offerte à l'écoulement du sang dans le glomérule est élevée. En conséquence, la pression sanguine dans les capillaires glomérulaires est considérablement plus grande que dans les autres capillaires de l'organisme; cette pression accrue produit plus de filtrat.

Pression nette de filtration

La filtration glomérulaire est tributaire de trois grandes pressions – une qui *favorise* la filtration et deux qui s'y *opposent* (figure 26.9):

1 La **pression hydrostatique glomérulaire** (PH_g) favorise la filtration – elle fait passer l'eau et les solutés du plasma sanguin à travers la membrane de filtration. La pression hydrostatique glomérulaire est la pression du sang dans les capillaires glomérulaires; elle est d'environ 55 mm Hg.

2 La **pression hydrostatique capsulaire** (PH_c) s'oppose à la filtration. C'est la pression hydrostatique exercée contre la membrane de filtration par le liquide qui se trouve dans la chambre glomérulaire et le tubule rénal. La PH_c est d'environ 15 mm Hg.

3 La **pression oncotique** (**PO**), ou pression colloïdo-osmotique, est la pression osmotique liée aux protéines telles que l'albumine, les globulines et le fibrinogène du plasma sanguin. Elle s'oppose également à la filtration. La PO moyenne dans les capillaires glomérulaires est d'environ 30 mm Hg.

On détermine la **pression nette de filtration** (**PNF**), soit la pression totale qui favorise la filtration, de la façon suivante:

$$\text{Pression nette de filtration (PNF)} = PH_g - PH_c - PO$$

On calcule la PNF normale en donnant aux pressions les valeurs citées:

$$PNF = 55 \text{ mm Hg} - 15 \text{ mm Hg} - 30 \text{ mm Hg}$$
$$= 10 \text{ mm Hg}$$

Ainsi, une pression de seulement 10 mm Hg assure la filtration d'une quantité normale de plasma (moins les protéines plasmatiques), du glomérule vers la chambre glomérulaire.

Débit de filtration glomérulaire

La quantité de filtrat produit chaque minute dans tous les corpuscules rénaux des deux reins est appelée **débit de filtration glomérulaire** (**DFG**). Chez l'adulte, le DFG atteint en moyenne 125 mL/min chez l'homme et 105 mL/min chez la femme. L'équilibre des liquides organiques exige que les reins maintiennent un DFG relativement stable. Si le DFG

Figure 26.9 Les pressions à l'origine de la filtration glomérulaire.
Ensemble, ces pressions déterminent la pression nette de filtration (PNF).

🔑 **La pression hydrostatique glomérulaire favorise la filtration, alors que
la pression hydrostatique capsulaire et la pression oncotique s'y opposent.**

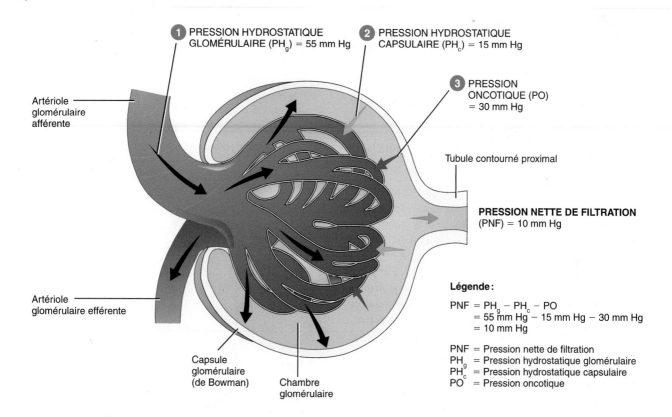

1 PRESSION HYDROSTATIQUE
GLOMÉRULAIRE (PH_g) = 55 mm Hg

2 PRESSION HYDROSTATIQUE
CAPSULAIRE (PH_c) = 15 mm Hg

3 PRESSION
ONCOTIQUE (PO)
= 30 mm Hg

Artériole
glomérulaire
afférente

Tubule contourné proximal

PRESSION NETTE DE FILTRATION
(PNF) = 10 mm Hg

Artériole
glomérulaire
efférente

Légende :

PNF = PH_g − PH_c − PO
= 55 mm Hg − 15 mm Hg − 30 mm Hg
= 10 mm Hg

PNF = Pression nette de filtration
PH_g = Pression hydrostatique glomérulaire
PH_c = Pression hydrostatique capsulaire
PO = Pression oncotique

Capsule
glomérulaire
(de Bowman)

Chambre
glomérulaire

Q Supposons qu'une tumeur comprime l'uretère droit et l'obstrue. Quel effet
cette situation aura-t-elle sur la PH_c et, partant, sur la PNF dans le rein droit ?
Le rein gauche sera-t-il aussi touché ?

est trop élevé, certaines substances essentielles risquent de passer trop vite dans le tubule rénal pour être complètement réabsorbées ; elles seront alors perdues dans l'urine. S'il est trop faible, presque tout le filtrat peut être réabsorbé et certains déchets ne seront pas excrétés adéquatement.

Le débit de filtration glomérulaire dépend directement des pressions qui composent la pression nette de filtration ; tout changement de la pression nette de filtration influe sur le DFG. Par exemple, une hémorragie importante réduit la pression artérielle systémique, ce qui fait aussi diminuer la pression hydrostatique glomérulaire. La filtration cesse si la pression hydrostatique glomérulaire baisse jusqu'à 45 mm Hg parce que les pressions opposées totalisent 45 mm Hg. Chose étonnante, quand la pression artérielle systémique s'élève au-dessus de la normale, la pression nette de filtration et le

DFG augmentent très peu. Le DFG est presque constant quand la pression artérielle moyenne se situe entre 80 et 180 mm Hg.

Régulation du débit de filtration glomérulaire

Les mécanismes de régulation du débit de filtration glomérulaire fonctionnent principalement de deux façons : 1) en réglant le débit sanguin à l'entrée et à la sortie du glomérule et 2) en modifiant la superficie des capillaires glomérulaires disponible pour la filtration. Le DFG augmente quand le débit sanguin dans les capillaires glomérulaires s'accélère. La régulation du débit sanguin glomérulaire s'effectue par une action coordonnée qui ajuste le diamètre des artérioles glomérulaires afférentes et efférentes. Par exemple, la constriction de l'artériole afférente réduit le débit sanguin dans le glomérule, alors que sa dilatation l'augmente. Trois mécanismes régissent le DFG : l'autorégulation rénale, la régulation nerveuse et la régulation hormonale.

Autorégulation rénale du DFG Les reins eux-mêmes contribuent à maintenir le débit sanguin rénal et le débit de filtration glomérulaire à un niveau constant, malgré les fluctuations normales quotidiennes de la pression artérielle systémique (comme c'est le cas, par exemple, durant l'exercice). Cette fonction est appelée **autorégulation rénale** et comprend deux mécanismes – le mécanisme myogène et la rétroaction tubulo-glomérulaire. Ensemble, ils peuvent maintenir le DFG à un niveau presque constant, et ce, sur un large intervalle de pressions artérielles systémiques.

Le **mécanisme myogène** (*mys* = muscle ; *genos* = qui engendre) entre en jeu quand la contraction de cellules musculaires lisses dans la paroi des artérioles glomérulaires afférentes se déclenche sous l'action d'un étirement. Quand la pression artérielle s'élève, le DFG augmente parce que le débit sanguin rénal augmente aussi. Cependant, l'élévation de la pression artérielle étire aussi les parois des artérioles glomérulaires afférentes. En réaction, les fibres musculaires lisses dans les parois des artérioles afférentes se contractent, la lumière des artérioles rétrécit et le débit sanguin rénal diminue, ce qui ramène le DFG à son niveau d'origine. À l'inverse, quand la pression artérielle baisse, les cellules musculaires lisses sont moins étirées et se relâchent. Les artérioles afférentes se dilatent, le débit sanguin rénal augmente et le DFG en fait autant. Le mécanisme myogène ramène le débit sanguin rénal et le DFG à leur niveau normal dans les quelques secondes qui suivent le changement de pression artérielle.

Le deuxième mécanisme contribuant à l'autorégulation rénale, la **rétroaction tubulo-glomérulaire,** est ainsi appelé parce qu'une partie du tubule rénal – la macula densa – exerce une rétroaction sur le glomérule (figure 26.10). Quand le DFG est au-dessus de la normale en raison d'une pression artérielle systémique élevée, le liquide filtré s'écoule plus rapidement dans le tubule rénal. En conséquence, le tubule contourné proximal et l'anse du néphron ont moins de temps pour réabsorber le Na$^+$, le Cl$^-$ et l'eau. On croit que les cellules de la macula densa peuvent détecter la quantité accrue de Na$^+$, de Cl$^-$ et d'eau qui passe et déclencher la libération d'un vasoconstricteur, dont la nature précise est encore inconnue, par des cellules de l'appareil juxtaglomérulaire. Ce vasoconstricteur provoque la contraction des artérioles glomérulaires afférentes, le débit sanguin dans les capillaires glomérulaires diminue, de même que le DFG. Si la pression artérielle chute et que le DFG est inférieur à la normale, le contraire se produit, bien qu'à un moindre degré. La rétroaction tubulo-glomérulaire agit plus lentement que le mécanisme myogénique.

Figure 26.10 Rétroaction tubulo-glomérulaire.

Des cellules de la macula densa de l'appareil juxtaglomérulaire (JGA) contribuent par rétro-inhibition à la régulation du débit de filtration glomérulaire.

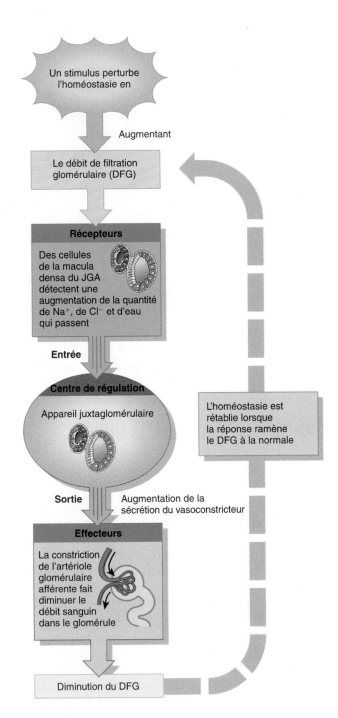

 Pourquoi appelle-t-on ce processus *auto*régulation ?

Tableau 26.2 Régulation du débit de filtration glomérulaire (DFG)

TYPE DE RÉGULATION	PRINCIPAL STIMULUS	MÉCANISME ET CIBLE	EFFET SUR LE DFG
Autorégulation rénale			
Mécanisme myogène	Étirement des fibres musculaires lisses dans les parois des artérioles glomérulaires afférentes à la suite d'une augmentation de la pression artérielle.	Les fibres musculaires lisses étirées se contractent et rétrécissent la lumière des artérioles glomérulaires afférentes.	Diminution.
Rétroaction tubulo-glomérulaire	Accélération du débit de Na^+ et de Cl^- dans la macula densa en raison d'une élévation de la pression artérielle systémique.	La libération accrue d'un vasoconstricteur par l'appareil juxtaglomérulaire provoque la constriction des artérioles glomérulaires afférentes.	Diminution.
Régulation nerveuse	Augmentation de l'activité des nerfs sympathiques rénaux qui entraîne la libération de noradrénaline.	La constriction des artérioles glomérulaires afférentes par l'activation des récepteurs α_1 et l'augmentation de la libération de rénine.	Diminution.
Régulation hormonale			
Angiotensine II	Diminution du volume sanguin ou de la pression artérielle qui stimule la production d'angiotensine II.	La constriction des artérioles glomérulaires afférentes et efférentes.	Diminution.
Peptide natriurétique auriculaire (ANP)	Étirement du muscle cardiaque qui stimule la sécrétion d'ANP.	Le relâchement des cellules mésangiales du glomérule augmente la superficie des capillaires disponible pour la filtration.	Augmentation.

Régulation nerveuse du DFG Comme la plupart des vaisseaux sanguins du corps, ceux du rein sont innervés par des fibres nerveuses de la partie sympathique du SNA qui libèrent de la noradrénaline. Cette hormone cause la vasoconstriction en activant les récepteurs α_1, qui sont particulièrement abondants dans les fibres musculaires lisses des artérioles glomérulaires afférentes. Au repos, la stimulation sympathique est relativement faible, les artérioles afférentes et efférentes sont dilatées et le DFG est régi surtout par l'autorégulation rénale. Lorsqu'elles sont soumises à une stimulation sympathique modérée, les artérioles glomérulaires afférentes et efférentes se contractent avec la même intensité. Le débit sanguin à l'entrée et à la sortie du glomérule est restreint dans la même mesure et le DFG diminue très peu. Toutefois, si la stimulation sympathique s'intensifie, comme c'est le cas durant l'exercice ou une hémorragie, la vasoconstriction devient plus marquée dans les artérioles afférentes. Il en résulte une importante diminution du débit sanguin dans les capillaires glomérulaires et une chute du DFG. Cette réduction du débit sanguin rénal a deux conséquences : elle réduit la production d'urine, ce qui contribue à conserver le volume sanguin, et elle permet d'augmenter le débit sanguin dans les autres tissus du corps. La stimulation sympathique provoque aussi la libération de la rénine par les cellules juxtaglomérulaires. Cette hormone accélère la production d'une autre hormone, l'angiotensine II (voir la figure 18.16, p. 621).

Régulation hormonale du DFG L'angiotensine II diminue le DFG, alors que le peptide natriurétique auriculaire (ANP) l'augmente. L'**angiotensine II** est un vasoconstricteur très puissant qui resserre à la fois les artérioles glomérulaires afférentes et les artérioles glomérulaires efférentes. Il réduit ainsi le débit sanguin rénal et, partant, le DFG. Comme son nom l'indique, le **peptide natriurétique auriculaire (ANP)** est sécrété par des cellules qui se trouvent dans les oreillettes du cœur. L'étirement des oreillettes, causé, par exemple, par une augmentation du volume sanguin, stimule la sécrétion d'ANP. Ce dernier provoque le relâchement des cellules mésangiales glomérulaires, ce qui augmente la superficie des capillaires disponible pour la filtration et, par la même occasion, le débit de filtration glomérulaire.

Le tableau 26.2 résume les moyens par lesquels s'effectue la régulation du débit de filtration glomérulaire.

1. Si la vitesse d'excrétion urinaire d'un médicament tel que la pénicilline est plus grande que celle à laquelle il est filtré dans le glomérule, par quelle autre voie le médicament passe-t-il dans l'urine ?
2. Quelle est, sur le plan chimique, la différence la plus importante entre le plasma et le filtrat glomérulaire ?
3. Décrivez les facteurs grâce auxquels la filtration dans les capillaires glomérulaires est beaucoup plus importante que dans les autres capillaires du corps.

Tableau 26.3 Substances contenues dans le plasma et quantités filtrées, réabsorbées et excrétées dans l'urine

SUBSTANCE	QUANTITÉ TOTALE DANS LE PLASMA*	QUANTITÉ FILTRÉE† (QUI PASSE DANS LA CAPSULE GLOMÉ-RULAIRE, PAR JOUR)	QUANTITÉ RÉABSORBÉE (RETOURNÉE À LA CIR-CULATION, PAR JOUR)	URINE (EXCRÉTÉE, PAR JOUR)
Eau	3 L	180 L	178 à 179 L	1 à 2 L
Protéines	200 g	2,0 g	1,9 g	0,1 g
Ions sodium (Na^+)	420 mmol	25 185 mmol	25 000 mmol	174 mmol
Ions chlorure (Cl^-)	300 mmol	18 000 mmol	17 850 mmol	175 mmol
Ions bicarbonate (HCO_3^-)	75 mmol	4 500 mmol	4 500 mmol	2 mmol
Glucose	15 mmol	900 mmol	900 mmol	0
Urée	15 mmol	900 mmol	450 mmol	450 mmol‡
Ions potassium (K^+)	13,0 mmol	770 mmol	770 mmol	50 mmol§
Acide urique	0,9 mmol	50 mmol	45 mmol	4,8 mmol
Créatinine	0,3 mmol	14 mmol	0	14 mmol

* Pour un volume plasmatique total de 3 L.
† Pour un DFG de 180 L par jour.
‡ En plus d'être filtrée et réabsorbée, l'urée est sécrétée.
§ La presque totalité du K^+ filtré est réabsorbée dans les tubules contournés et l'anse du néphron.
Une quantité variable de K^+ est sécrétée par les cellules principales dans le tubule collecteur.

4. Écrivez l'équation qui permet de calculer la pression nette de filtration (PNF).
5. Expliquez par quels moyens s'effectue la régulation du débit de filtration glomérulaire.

RÉABSORPTION ET SÉCRÉTION TUBULAIRES

OBJECTIFS

• *Décrire les voies et les mécanismes de la réabsorption et de la sécrétion tubulaires.*

• *Décrire comment les divers segments du tubule rénal et du tubule collecteur réabsorbent l'eau et les solutés.*

• *Décrire comment les divers segments du tubule rénal et du tubule collecteur sécrètent les solutés dans l'urine.*

Principes de la réabsorption et de la sécrétion tubulaires

Le débit de filtration glomérulaire normal est si élevé que le volume de liquide qui entre dans les tubules contournés proximaux en une demi-heure est supérieur au volume total du plasma. La réabsorption – le retour à la circulation sanguine de la majeure partie de l'eau filtrée et de nombreux solutés – constitue la deuxième fonction du néphron et du tubule collecteur. Elle est surtout réalisée par les cellules du tubule contourné proximal, mais aussi, dans une moindre mesure, par les cellules épithéliales tout au long du tubule rénal et du tubule collecteur. Les solutés réabsorbés tant par des mécanismes actifs que par des mécanismes passifs comprennent le glucose, les acides aminés, l'urée et les ions tels que Na^+, K^+, Ca^{2+}, Cl^-, HCO_3^- (bicarbonate) et HPO_4^{2-} (phosphate). Les cellules situées en aval ajustent avec précision les processus de réabsorption de façon à maintenir l'équilibre homéostatique de l'eau et de certains ions. La plupart des petites protéines et des peptides qui traversent le filtre sont également réabsorbés, en général par pinocytose. Pour apprécier toute l'ampleur de la réabsorption tubulaire, consultez le tableau 26.3 et comparez les quantités de substances qui sont filtrées, réabsorbées et excrétées dans l'urine avec celles qui sont présentes dans le plasma sanguin.

La troisième fonction des néphrons et des tubules collecteurs est la sécrétion tubulaire, c'est-à-dire le transfert dans le fluide tubulaire de substances qui se trouvent dans le sang et les cellules des tubules. Les substances sécrétées sont, entre autres, les ions H^+, K^+ et ammonium (NH_4^+), la créatinine et certains médicaments tels que la pénicilline. La sécrétion tubulaire a deux effets importants : la sécrétion des ions H^+ contribue à équilibrer le pH sanguin et la sécrétion d'autres substances est un moyen de les éliminer de l'organisme.

Voies de réabsorption

Une substance qui quitte le liquide dans la lumière d'un tubule peut être réabsorbée dans un capillaire péritubulaire par deux voies. Elle peut passer *entre* des cellules tubulaires

Figure 26.11 Voies de réabsorption : paracellulaire (entre les cellules) et transcellulaire (à travers les cellules).

 Dans la réabsorption paracellulaire, l'eau et les solutés du fluide tubulaire retournent à la circulation sanguine en passant entre les cellules des tubules. Dans la réabsorption transcellulaire, les solutés et l'eau du fluide tubulaire regagnent la circulation sanguine en traversant les cellules des tubules.

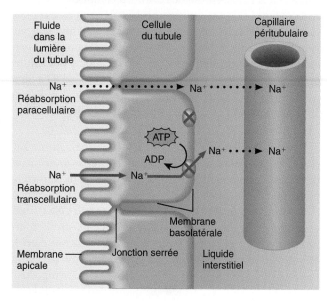

Légende :

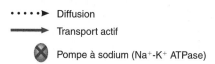

Diffusion

Transport actif

Pompe à sodium (Na⁺-K⁺ ATPase)

 Quelle est la principale fonction des jonctions serrées entre les cellules des tubules ?

adjacentes ou *à travers* une cellule du tubule (figure 26.11). Dans le tubule rénal, les cellules sont reliées les unes aux autres par des jonctions serrées qui les ceinturent, un peu à la manière des anneaux de plastique qui retiennent les paquets de canettes de boisson gazeuse. La **membrane apicale** (le dessus des canettes) est en contact avec le fluide tubulaire, et la **membrane basolatérale** (le fond et le côté des canettes) baigne dans le liquide interstitiel qui se trouve sur les côtés et à la base de la cellule. Les jonctions serrées empêchent les protéines membranaires du compartiment apical de se mélanger à celles du compartiment basolatéral, mais elles ne s'opposent pas tout à fait aux échanges entre le liquide interstitiel et le liquide de la lumière des tubules.

Une certaine quantité de liquide peut passer *entre* les cellules par un processus passif appelé **réabsorption paracellulaire** (*para* = à côté de). On croit que dans certaines parties du tubule rénal la voie paracellulaire effectue jusqu'à 50 % de la réabsorption de certains ions et de l'eau qui passe

avec eux par osmose. Dans le cas de la **réabsorption transcellulaire** (*trans* = à travers), une substance qui se trouve dans le fluide de la lumière tubulaire franchit la membrane apicale de la cellule du tubule, traverse le cytosol et passe à travers la membrane basolatérale pour atteindre le liquide interstitiel.

Mécanismes de transport

Quand les cellules rénales transportent des solutés hors du fluide tubulaire ou, au contraire, les déversent dans ce dernier, le transport de chacune des substances s'effectue dans une seule direction. Il n'est donc pas étonnant que les membranes apicale et basolatérale possèdent des protéines de transport différentes. Par ailleurs, les jonctions serrées forment un barrière qui s'oppose à la diffusion des protéines d'un de ces compartiments membranaires à l'autre.

La réabsorption de Na⁺ par les tubules rénaux est particulièrement importante parce que les filtres glomérulaires laissent passer plus d'ions sodium que toute autre substance, sauf l'eau. De plus, la réabsorption des solutés est à l'origine de la réabsorption de l'eau parce que celle-ci ne regagne la circulation que passivement par osmose. Plusieurs mécanismes de transport accomplissent la réabsorption de Na⁺ dans chaque partie du tubule rénal et du tubule collecteur. Ils récupèrent non seulement le Na⁺ filtré mais aussi d'autres électrolytes, des nutriments et de l'eau. Certains transporteurs font aussi la sécrétion des ions hydrogène et potassium en excès dans l'organisme.

Les cellules tapissant les tubules rénaux, comme les autres cellules de l'organisme, ont une faible concentration de Na⁺ dans leur cytosol en raison de l'activité des pompes à sodium (Na⁺-K⁺ ATPase) qui débarrassent les cellules de Na⁺ par la membrane basolatérale (voir la figure 26.11). L'absence de pompes à sodium dans la membrane apicale fait en sorte que la réabsorption de Na⁺ s'effectue à sens unique. La plupart des ions sodium qui traversent la membrane apicale sont rejetés par les pompes dans le liquide interstitiel à la base et sur le côté des cellules. La quantité d'ATP utilisée par les pompes à sodium dans les tubules rénaux est considérable – on l'estime à 6 % de la consommation totale d'ATP au repos. À titre de comparaison, cela représente à peu près la quantité d'énergie nécessaire aux contractions du diaphragme durant la respiration calme.

Nous avons noté au chapitre 3 que le transport des substances à travers les membranes peut être soit actif, soit passif. Rappelons que, dans le **transport actif primaire,** l'énergie produite par l'hydrolyse de l'ATP actionne une « pompe » qui permet aux substances de traverser la membrane. La pompe à sodium, qui consomme de l'ATP de cette façon, constitue un exemple de transport actif primaire. Dans le **transport actif secondaire,** c'est l'énergie emmagasinée dans le gradient électrochimique d'un ion, plutôt que l'hydrolyse de l'ATP, qui propulse les substances à travers les membranes. Le transport actif secondaire couple le déplacement d'un ion qui « descend le courant » de son gradient électrochimique à celui d'une autre substance qui, elle, «remonte le courant» de son gradient électrochimique. Les protéines membranaires qui assurent le transport actif secondaire sont appelées *symporteurs* quand elles déplacent deux substances ou plus dans la même direction à travers la membrane, et *antiporteurs* quand elles déplacent deux substances ou plus dans des sens opposés. Chaque type de transporteur est limité quant à la vitesse à laquelle il peut accomplir sa tâche, tout comme un escalier mécanique qui ne peut déplacer d'un étage à l'autre plus d'un certain nombre de personnes par heure. Cette limite s'appelle **transport maximal** (T_m) et se mesure en mg/min.

Le mécanisme de réabsorption de l'eau par les tubules rénaux et le tubule collecteur est l'osmose. Environ 90 % de la réabsorption de l'eau filtrée par les reins s'effectue en même temps que la réabsorption de solutés tels que les ions Na^+, Cl^- et les molécules de glucose. Ce phénomène s'appelle **réabsorption obligatoire de l'eau** parce que celle-ci est forcée de suivre les solutés qui retournent à la circulation sanguine. Ce type de réabsorption de l'eau a lieu dans le tubule contourné proximal et la partie descendante de l'anse parce que ces segments du néphron sont toujours perméables à l'eau. La réabsorption des 10 % d'eau qui restent, soit de 10 à 20 L au total par jour, s'appelle **réabsorption facultative de l'eau.** Le mot *facultatif* signifie «capable de s'adapter à un besoin». La réabsorption facultative de l'eau s'effectue surtout dans le tubule collecteur et elle est régie par l'hormone antidiurétique.

APPLICATION CLINIQUE
Glycosurie

Quand la concentration sanguine du glucose est supérieure à 11,12 mmol/L, les symporteurs du rein ne parviennent pas à réabsorber tout le glucose qui passe dans le filtrat glomérulaire. En conséquence, une partie du glucose demeure dans l'urine et occasionne ce qu'on appelle la **glycosurie.** La cause la plus fréquente de cet état est le diabète. Chez les personnes qui en sont atteintes, la glycémie peut s'élever bien au-dessus de la normale car l'activité de l'insuline est déficiente. La glycosurie résulte aussi de mutations rares des gènes qui entraînent une diminution considérable du T_m des symporteurs rénaux Na^+-glucose. Dans ce cas, le glucose apparaît dans l'urine même si la glycémie est normale. ■

Ayant établi les principes du transport rénal, nous pouvons suivre le trajet du filtrat dans la capsule glomérulaire, le tubule contourné proximal, l'anse du néphron, le tubule contourné distal et le tubule collecteur, et examiner où et comment les substances sont réabsorbées et sécrétées. En raison de la réabsorption et de la sécrétion, la composition du liquide change au fur et à mesure qu'il s'écoule dans le tubule rénal et le tubule collecteur. Le filtrat devient le *fluide tubulaire* dès qu'il pénètre dans le tubule contourné proximal, et ce qui est finalement excrété par les reins est l'*urine,* qui s'écoule des tubules rénaux droits et se jette dans le bassinet.

Réabsorption dans le tubule contourné proximal

La majeure partie de la réabsorption des solutés et de l'eau à partir du filtrat a lieu dans les tubules contournés proximaux et la plupart des processus d'absorption font appel au Na^+. Deux types de transporteurs de Na^+ sont situés dans le tubule contourné proximal: 1) plusieurs symporteurs Na^+ effectuent la réabsorption de cet ion en compagnie de divers autres solutés et 2) les antiporteurs Na^+-H^+ assurent la réabsorption des ions Na^+ en échange d'ions H^+ qui sont sécrétés. Les transporteurs de Na^+ du tubule contourné proximal permettent la réabsorption de 100 % de la plupart des solutés organiques, tels le glucose et les acides aminés, de 80 à 90 % des ions HCO_3^-, de 65 % de l'eau et des ions Na^+ et K^+, de 50 % des ions Cl^- et d'une quantité variable des ions Ca^{2+}, Mg^{2+} et HPO_4^{2-}.

Normalement, le glucose, les acides aminés, l'acide lactique, les vitamines hydrosolubles et les autres nutriments filtrés ne sont pas perdus dans l'urine parce qu'ils sont complètement réabsorbés dans la première moitié du tubule contourné proximal (TCP) par les **symporteurs Na^+** situés dans la membrane apicale. La figure 26.12 illustre le fonctionnement du principal symporteur Na^+-glucose dans la membrane apicale des cellules du TCP. Deux ions Na^+ et une molécule de glucose se fixent à la protéine du symporteur qui les fait passer du fluide tubulaire dans la cellule du tubule. Le glucose qui pénètre dans une cellule du tubule contourné proximal au moyen d'un symporteur Na^+ traverse ensuite la membrane basolatérale par diffusion facilitée et gagne un capillaire péritubulaire par diffusion simple. D'autres symporteurs Na^+ dans le TCP récupèrent les ions phosphate et sulfate, tous les acides aminés et l'acide lactique.

Un autre mécanisme de transport actif secondaire effectue la réabsorption d'ions Na^+ et retourne en même temps des ions HCO_3^- filtrés et de l'eau dans les capillaires péritubulaires. Les **antiporteurs Na^+-H^+** font entrer des ions Na^+ filtrés dans les cellules du TCP en leur permettant de suivre leur gradient de concentration, et ce, en échange d'ions H^+ (figure 26.13a). C'est ainsi qu'il y a réabsorption de Na^+ et sécrétion de H^+. Les cellules du TCP produisent continuellement les ions H^+ nécessaires au fonctionnement des antiporteurs. Le gaz carbonique (CO_2) diffuse du sang péritubulaire ou du fluide tubulaire, ou est produit par les réactions métaboliques dans les cellules. Sous l'action de l'*anhydrase carbonique*, le CO_2 se combine avec l'eau (H_2O) pour former de l'acide carbonique (H_2CO_3), qui se dissocie par la suite en H^+ et HCO_3^-:

$$CO_2 + H_2O \xrightarrow{\text{Anhydrase carbonique}} H_2CO_3 \longrightarrow H^+ + HCO_3^-$$

Ce même mécanisme assure la réabsorption de 80 à 90 % des ions bicarbonate filtrés, qui exercent une action tampon importante dans l'organisme. La réabsorption du

Figure 26.12 Réabsorption du glucose par un symporteur Na⁺-glucose dans les cellules du tubule contourné proximal (TCP).

🔑 **Normalement, tout le glucose qui est filtré est réabsorbé dans le TCP.**

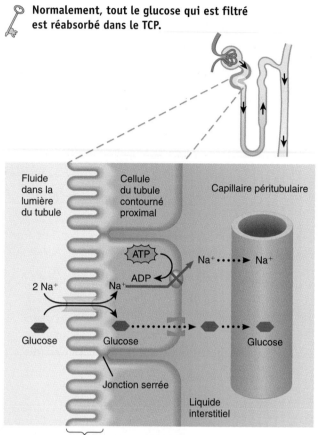

Légende :

	Symporteur Na⁺-glucose
→	Transport actif secondaire
	Transporteur pour la diffusion facilitée du glucose
····▶	Diffusion
⊗	Pompe à sodium

Q Comment le glucose filtré pénètre-t-il dans la cellule du TCP et comment la quitte-t-il ?

HCO₃⁻ est représentée à la figure 26.13b. Après avoir été sécrétés dans le fluide de la lumière du tubule contourné proximal, les ions H⁺ se combinent avec les ions HCO₃⁻ du filtrat. Cette réaction, catalysée par l'anhydrase carbonique présente dans la bordure en brosse, forme du H₂CO₃, qui se dissocie en CO₂ et en H₂O. Le gaz carbonique pénètre alors par diffusion dans les cellules du tubule et se lie à l'H₂O pour former du H₂CO₃, qui se dissocie en H⁺ et en HCO₃⁻. Quand leur concentration s'élève dans le cytosol, les ions HCO₃⁻ se lient à un transporteur de la membrane basolatérale qui leur permet de quitter la cellule par diffusion facilitée. Ils passent

Figure 26.13 Fonctions des antiporteurs Na⁺-H⁺ dans les cellules du tubule contourné proximal. a) Réabsorption des ions sodium (Na⁺) et sécrétion des ions hydrogène (H⁺) par transport actif secondaire à travers la membrane apicale ; b) réabsorption des ions bicarbonate (HCO₃⁻) par diffusion facilitée à travers la membrane basolatérale. CO₂ = gaz carbonique ; H₂CO₃ = acide carbonique ; AC = anhydrase carbonique.

🔑 **Les antiporteurs Na⁺-H⁺ favorisent la réabsorption transcellulaire des ions Na⁺ et HCO₃⁻ ainsi que de l'eau dans le tubule contourné proximal.**

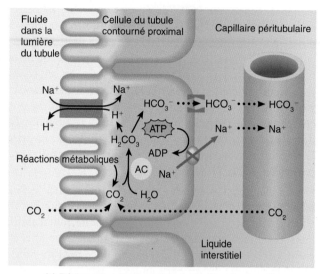

(a) Réabsorption des ions Na⁺ et sécrétion des ions H⁺

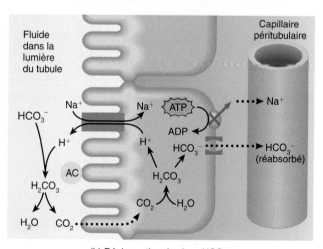

(b) Réabsorption des ions HCO₃⁻

Légende :

▬	Antiporteur Na⁺-H⁺
→	Transport actif secondaire
	Transporteur pour la diffusion facilitée des ions HCO₃⁻
····▶	Diffusion
⊗	Pompe à sodium

Q Quelle étape du déplacement des ions Na⁺, en (a), est favorisée par le gradient électrochimique ?

dans le sang par diffusion, en compagnie d'ions Na^+. C'est ainsi que, pour chaque ion H^+ sécrété dans le fluide tubulaire, un ion HCO_3^- filtré retourne à la circulation.

En plus d'accomplir la réabsorption des ions sodium, les symporteurs Na^+ et les antiporteurs Na^+-H^+ favorisent la réabsorption passive d'autres solutés. Au fur et à mesure que les ions Na^+ et HCO_3^-, ainsi que les solutés organiques et l'eau, quittent le fluide tubulaire sous l'action des symporteurs Na^+ et des antiporteurs Na^+-H^+, la concentration des solutés qui restent dans le filtrat augmente. Dans la deuxième moitié du TCP, l'urée et les ions Cl^-, K^+, Ca^{2+} et Mg^{2+} sont poussés par leurs gradients électrochimiques à passer par diffusion passive dans les capillaires péritubulaires. Pour ce faire, ils empruntent les voies paracellulaire et transcellulaire (figure 26.14). De ces ions, le Cl^- est celui dont la concentration est la plus élevée. La diffusion d'anions Cl^- par la voie paracellulaire confère au liquide interstitiel une charge électrique négative par rapport au fluide tubulaire. La différence de potentiel électrique ainsi obtenue favorise la réabsorption paracellulaire passive des cations filtrés, en particulier de Na^+, K^+, Ca^{2+} et Mg^{2+}.

La réabsorption des ions Na^+ et d'autres solutés facilite aussi la réabsorption de l'eau par osmose (voir la figure 26.14). Chaque soluté réabsorbé augmente l'osmolarité, tout d'abord dans les cellules du tubule, puis dans le liquide interstitiel et, enfin, dans le sang. Ainsi, l'eau passe rapidement du fluide tubulaire aux capillaires péritubulaires, par les voies paracellulaire et transcellulaire, et rétablit l'équilibre osmotique. Autrement dit, la réabsorption des solutés crée un gradient osmotique qui entraîne la réabsorption de l'eau par osmose. Les cellules de la paroi du tubule contourné proximal et de la partie descendante de l'anse du néphron sont particulièrement perméables à l'eau parce qu'elles ont de nombreuses molécules d'*aquaporine-1,* une protéine membranaire qui sert de canal pour l'eau.

Sécrétion de NH_3 et de NH_4^+ dans le tubule contourné proximal

L'ammoniaque (NH_3) est un déchet toxique dérivé de la désamination (perte d'un groupement amine) de divers acides aminés. Cette réaction se produit surtout dans les hépatocytes, qui convertissent une grande partie de l'ammoniaque en urée, un composé moins toxique. Bien que l'on trouve une très petite quantité d'urée et d'ammoniaque dans la sueur, l'excrétion de la majorité de ces déchets azotés s'effectue dans l'urine. L'urée et l'ammoniaque contenus dans le sang passent dans le filtrat glomérulaire et sont sécrétés dans le fluide tubulaire par les cellules du tubule contourné proximal.

Les cellules du tubule contourné proximal produisent elles-mêmes de l'ammoniaque en effectuant la désamination de la glutamine, un acide aminé, par une réaction qui produit du NH_3 et du HCO_3^-. La plupart des molécules de NH_3

Figure 26.14 Réabsorption passive des ions Cl^-, K^+, Ca^{2+} et Mg^{2+}, de l'urée et de l'eau dans la deuxième moitié du tubule contourné proximal.

 Les gradients électrochimiques favorisent la réabsorption passive des solutés par les voies paracellulaire et transcellulaire.

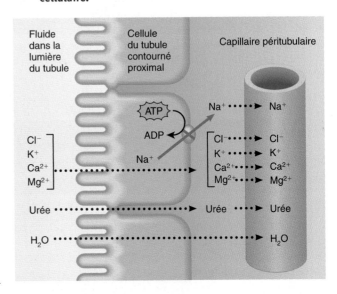

Par quel mécanisme l'eau du fluide tubulaire est-elle réabsorbée?

se lient rapidement à des ions H^+ pour former des ions ammonium (NH_4^+), qui peuvent prendre la place des ions H^+ dans les antiporteurs Na^+-H^+ de la membrane apicale et passer ainsi dans le fluide tubulaire. Les ions HCO_3^- traversent la membrane basolatérale et gagnent la circulation sanguine par diffusion. La production d'ammoniaque et sa sécrétion dans le tubule contourné proximal augmentent quand il y a acidose (pH sanguin inférieur à 7,35). Il en résulte une élévation de la concentration sanguine de HCO_3^- qui contribue à faire augmenter le pH sanguin. Inversement, lors d'une alcalose (pH sanguin supérieur à 7,45), la formation d'ammoniaque ralentit et la diminution de la teneur du sang en HCO_3^- contribue à faire baisser le pH sanguin. La contribution du rein à l'équilibre acidobasique sera examinée plus en détail au chapitre 27.

Réabsorption dans l'anse du néphron

Comme les tubules contournés proximaux réabsorbent environ 65 % de l'eau filtrée (environ 80 mL/min), le fluide entre dans l'anse du néphron à une vitesse de 40 à 45 mL/min. La composition chimique du fluide tubulaire est alors passablement différente de celle du plasma sanguin (et de celle du filtrat glomérulaire) parce que le glucose, les acides aminés et les autres nutriments n'y sont plus présents. Toutefois, l'osmolarité du fluide tubulaire est encore proche de celle du sang, parce que la réabsorption de l'eau par osmose suit de près celle des solutés tout le long du tubule contourné proximal.

L'anse du néphron réabsorbe de 20 à 30 % des ions Na$^+$, K$^+$ et Ca^{2+}, de 10 à 20 % des ions HCO$_3^-$, 35 % des ions Cl$^-$ et 15 % de l'eau dans le filtrat. Pour la première fois, la réabsorption de l'eau par osmose n'est *pas* automatiquement couplée à la réabsorption des solutés filtrés. C'est ainsi que l'anse du néphron rend possible la régulation *indépendante* du *volume* et de l'*osmolarité* des liquides organiques.

La membrane apicale des cellules du segment large de la partie ascendante de l'anse du néphron possède des **symporteurs Na$^+$-K$^+$-2Cl$^-$** qui récupèrent simultanément un ion Na$^+$, un ion K$^+$ et deux ions Cl$^-$ du fluide dans la lumière du tubule (figure 26.15). Les ions Na$^+$ qui passent dans le liquide interstitiel par transport actif à la base et sur les côtés des cellules gagnent les artérioles et les veinules droites par diffusion passive. Les ions Cl$^-$ franchissent la membrane basolatérale par diffusion à travers des canaux de fuite. Comme la membrane apicale possède un grand nombre de ces canaux de fuite à K$^+$, la plupart des ions K$^+$ qui pénètrent dans les cellules par les symporteurs retournent au fluide tubulaire par diffusion en suivant leur gradient de concentration. Par conséquent, le principal effet des symporteurs Na$^+$-K$^+$-2Cl$^-$ est la réabsorption des ions Na$^+$ et Cl$^-$.

Le retour au fluide tubulaire, par les canaux de la membrane apicale, des ions K$^+$ avec leur charge positive confère au liquide interstitiel et au sang une charge nette négative par rapport au fluide dans la partie ascendante de l'anse du néphron. Cette charge négative attire les cations – Na$^+$, K$^+$, Ca^{2+} et Mg^{2+} – du fluide tubulaire vers les artérioles et les veinules droites par la voie paracellulaire.

Bien que 15 % environ de l'eau filtrée soit réabsorbée dans la partie *descendante* de l'anse du néphron, il n'y a pas de réabsorption d'eau, ou très peu, dans la partie *ascendante* parce que la membrane apicale des cellules de cette région est pratiquement imperméable à l'eau. Comme les ions sont réabsorbés mais non les molécules d'eau, l'osmolarité du fluide tubulaire décroît au fur et à mesure de sa progression dans la partie ascendante.

Réabsorption dans le tubule contourné distal

Le fluide pénètre dans le tubule contourné distal (TCD) à une vitesse d'environ 25 mL/min parce que 80 % de l'eau filtrée (100 mL/min) a été réabsorbée. Au fur et à mesure que le liquide s'écoule dans le TCD, la réabsorption des ions Na$^+$ et Cl$^-$ se poursuit grâce aux **symporteurs Na$^+$-Cl$^-$** situés dans la membrane apicale des cellules. Les pompes à sodium et les canaux de fuite à Cl$^-$ dans la membrane basolatérale permettent alors la réabsorption des ions Na$^+$ et Cl$^-$ par les capillaires péritubulaires. La quantité d'ions Na$^+$ et Cl$^-$ réabsorbés ici dépend de la vitesse à laquelle ces ions sont

Figure 26.15 Symporteur Na$^+$-K$^+$-2Cl$^-$ dans le segment large de la partie ascendante de l'anse du néphron.

🔑 **Les cellules du segment large de la partie ascendante de l'anse ont des symporteurs qui réabsorbent simultanément un ion Na$^+$, un ion K$^+$ et deux ions Cl$^-$.**

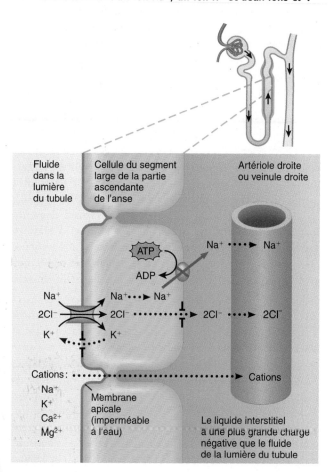

Légende :

 Symporteur Na$^+$-K$^+$-2Cl$^-$

 Canaux de fuite

⊗ Pompe à sodium

••••▶ Diffusion

Q Pourquoi ce processus est-il considéré comme un mécanisme de transport actif secondaire ? La réabsorption des ions s'accompagne-t-elle d'une réabsorption d'eau dans cette région du néphron ?

acheminés au TCD ; une arrivée rapide des ions entraîne une augmentation de la réabsorption dans le TCD. Le TCD est également la principale cible de la parathormone qui y stimule la réabsorption des ions Ca^{2+}. Comme dans le segment large de la partie ascendante, les solutés sont réabsorbés avec très peu d'eau parce que les cellules du TCD ne sont pas très perméables à l'eau.

Réabsorption et sécrétion dans le tubule collecteur

Quand le fluide arrive à l'extrémité du tubule contourné distal, de 90 à 95 % des solutés filtrés et de l'eau ont déjà été retournés à la circulation sanguine. Rappelons qu'il y a deux types de cellules – principales et intercalaires – à l'extrémité du tubule contourné distal et dans le tubule collecteur. Les cellules principales réabsorbent des ions Na^+ et sécrètent des ions K^+, alors que les cellules intercalaires réabsorbent les ions K^+ et HCO_3^-, et sécrètent des ions H^+.

Réabsorption des ions Na^+ et sécrétion des ions K^+ par les cellules principales

Contrairement à ce qui se passe dans les segments précédents du néphron, les ions Na^+ traversent la membrane apicale des cellules principales par des canaux de fuite à Na^+ plutôt que par des symporteurs ou des antiporteurs (figure 26.16). La concentration des ions Na^+ dans le cytosol demeure faible, comme ailleurs, parce que les pompes à sodium expulsent les ions par transport actif à travers la membrane basolatérale. Ensuite, les ions Na^+ gagnent les capillaires péritubulaires par diffusion passive à travers les espaces interstitiels autour des cellules des tubules.

Normalement, la plupart des ions K^+ du filtrat retournent à la circulation sanguine par réabsorption paracellulaire et transcellulaire dans le tubule contourné proximal et l'anse du néphron. Pour maintenir la teneur des liquides organiques en ions K^+ à un niveau stable et compenser les variations de l'apport alimentaire en potassium, les cellules principales sécrètent une quantité variable d'ions K^+ (voir la figure 26.16). Comme les pompes à sodium basolatérales approvisionnent continuellement les cellules principales en K^+, la concentration intracellulaire de cet ion demeure élevée. Les canaux de fuite à K^+ sont présents dans la membrane apicale et dans la membrane basolatérale. Par conséquent, une partie des ions K^+, suivant leur gradient de concentration, diffusent dans le fluide tubulaire où ils sont très peu concentrés. Ce mécanisme de sécrétion est à l'origine de la plupart des ions K^+ excrétés dans l'urine.

L'aldostérone est une hormone qui fait augmenter la réabsorption des ions Na^+ et de l'eau ainsi que la sécrétion des ions K^+ par les cellules principales. Elle exerce son action en augmentant l'activité des pompes à sodium et des canaux de fuite existants et en stimulant la synthèse de canaux et de pompes. Si le taux d'aldostérone est faible, les cellules principales réabsorbent peu d'ions Na^+ et sécrètent peu d'ions K^+, ce qui peut provoquer une élévation critique de la concentration sanguine des ions K^+. Au fur et à mesure qu'il augmente dans le plasma, le taux de K^+ peut entraîner l'apparition de troubles du rythme cardiaque et, si l'augmentation est considérable, il peut causer un arrêt cardiaque.

Les facteurs suivants font augmenter le nombre d'ions K^+ sécrétés par les cellules principales :

Figure 26.16 Réabsorption des ions Na^+ et sécrétion des ions K^+ par les cellules principales dans le dernier segment du tubule contourné distal et dans le tubule collecteur.

 Dans la membrane apicale des cellules principales, les canaux de fuite à $Na+$ permettent l'entrée des ions $Na+$, alors que les canaux de fuite à $K+$ permettent la sortie des ions $K+$ dans le fluide tubulaire.

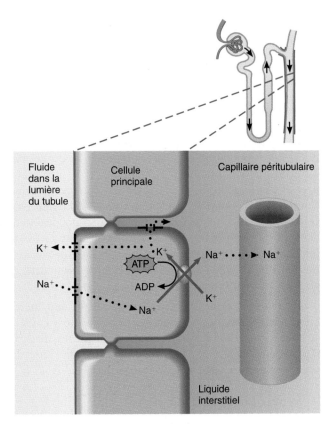

Légende :

•••••▶ Diffusion

⊣ ⊢ Canaux de fuite

⊗ Pompe à sodium

 Quelle hormone stimule la réabsorption et la sécrétion par les cellules principales et quel est le mécanisme par lequel elle exerce son action ?

1. *Taux de K^+ élevé dans le plasma.* L'élévation de la concentration plasmatique des ions K^+ stimule la libération d'aldostérone par le cortex surrénal.

2. *Élévation de la concentration d'aldostérone.* L'aldostérone stimule les cellules principales, qui sécrètent alors plus d'ions K^+ dans le fluide tubulaire.

3. *Augmentation de l'apport d'ions Na^+.* L'élévation de la concentration des ions Na^+ dans le fluide qui s'achemine vers les tubules collecteurs fait augmenter la vitesse d'absorption des ions Na^+ et celle de la sécrétion des ions K^+.

Sécrétion des ions H⁺ et absorption des ions HCO₃⁻ par les cellules intercalaires

La membrane apicale de certaines cellules intercalaires contient des **pompes à protons** (**ATPase H⁺**) qui sécrètent des ions H⁺ dans le fluide tubulaire (figure 26.17). Les cellules intercalaires peuvent sécréter des ions H⁺ contre leur gradient de concentration avec une efficacité telle que l'urine peut être jusqu'à 1 000 fois (3 unités de pH) plus acide que le sang. Les ions HCO₃⁻ produits par la dissociation de H₂CO₃ dans les cellules intercalaires traversent la membrane basolatérale grâce à des **antiporteurs Cl⁻-HCO₃⁻** et pénètrent dans les capillaires péritubulaires par diffusion (voir la figure 26.17a). Les ions HCO₃⁻ qui entrent dans le sang de cette façon sont des produits *de synthèse* (non filtrés); en conséquence, le sang qui quitte le rein par la veine rénale peut avoir une teneur en ions HCO₃⁻ plus élevée que celui qui arrive par l'artère rénale. Fait intéressant, des cellules intercalaires d'un deuxième type possèdent des pompes à protons dans leur membrane basolatérale et des antiporteurs Cl⁻-HCO₃⁻ dans leur membrane apicale; ces cellules sécrètent des ions HCO₃⁻ et réabsorbent des ions H⁺. Ainsi, les deux types de cellules intercalaires contribuent au maintien du pH des liquides organiques de deux façons: en excrétant les ions H⁺ excédentaires quand le pH est trop bas ou en excrétant les ions HCO₃⁻ excédentaires quand le pH est trop élevé.

Certains ions hydrogène sécrétés dans le fluide tubulaire des tubules collecteurs sont tamponnés. À cet endroit du rein, la plupart des ions bicarbonate filtrés ont été réabsorbés; il en reste peu dans la lumière du tubule pour se combiner avec les ions H⁺ sécrétés et exercer un effet tampon. Toutefois, il y a deux autres tampons qui peuvent se combiner avec les ions H⁺ (voir la figure 26.17b). Le plus abondant est formé des ions HPO₄²⁻ (ion monohydrogénophosphate); il y a aussi une petite quantité de NH₃ (ammoniaque). Les ions H⁺ se combinent avec les ions HPO₄²⁻ pour former des ions H₂PO₄⁻ (ion dihydrogénophosphate) et avec le NH₃ pour former des ions NH₄⁺ (ions ammonium). Comme ces ions ne peuvent pas entrer par diffusion dans les cellules des tubules, ils sont excrétés dans l'urine.

Régulation hormonale de la réabsorption et de la sécrétion tubulaires

Quatre hormones influent sur la réabsorption de l'eau et des ions Na⁺ et Cl⁻ ainsi que sur la sécrétion des ions K⁺ par les tubules rénaux. Les plus importants régulateurs hormonaux de la réabsorption et de la sécrétion des électrolytes sont l'angiotensine II et l'aldostérone. La réabsorption de l'eau est régie principalement par l'hormone antidiurétique. Le peptide natriurétique auriculaire joue un rôle mineur dans l'inhibition de la réabsorption des électrolytes et de l'eau.

Figure 26.17 Sécrétion des ions H⁺ par les cellules intercalaires dans le tubule collecteur. HCO₃⁻ = ion bicarbonate; CO₂ = gaz carbonique; H₂O = eau; H₂CO₃ = acide carbonique; Cl⁻ = ion chlorure; NH₃ = ammoniaque; NH₄⁺ = ion ammonium; HPO₄²⁻ = ion monohydrogénophosphate; H₂PO₄⁻ = ion dihydrogénophosphate.

🔑 **L'urine peut être jusqu'à 1 000 fois plus acide que le sang en raison de l'action des pompes à protons.**

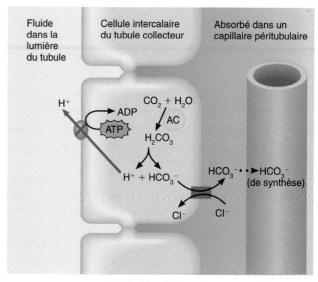

(a) Sécrétion des ions H⁺

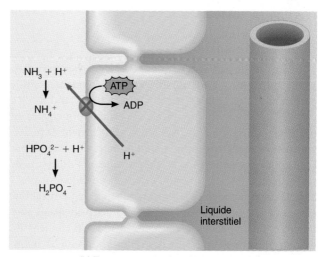

(b) Tamponnage des ions H⁺ dans l'urine

Légende:

  Pompe à protons (ATPase H⁺)

  Antiporteur HCO₃⁻-Cl⁻

•••► Diffusion

Q Quels seraient les effets d'une substance qui bloque l'activité de l'anhydrase carbonique?

Système rénine-angiotensine-aldostérone

Quand la pression artérielle et le volume sanguin diminuent, les parois des artérioles glomérulaires afférentes sont moins étirées et les cellules juxtaglomérulaires sécrètent de la **rénine** dans le sang. La stimulation sympathique provoque aussi directement la libération de cette enzyme par les cellules juxtaglomérulaires. La rénine agit sur l'angiotensinogène, qui est synthétisé par les hépatocytes, et lui retranche un peptide de 10 acides aminés appelé angiotensine I. *L'enzyme de conversion de l'angiotensine* (ACE) retranche deux autres acides aminés de cette dernière et la convertit en **angiotensine II,** qui est la forme active de cette hormone.

L'angiotensine II influe sur la physiologie rénale de quatre façons :

1. Elle ralentit le débit de filtration glomérulaire en causant la vasoconstriction des artérioles glomérulaires afférentes.

2. Elle augmente la réabsorption des ions Na^+ et Cl^- et celle de l'eau dans le tubule contourné proximal en stimulant l'activité des antiporteurs Na^+-H^+.

3. Elle stimule la libération par le cortex surrénal d'**aldostérone,** hormone qui fait augmenter la réabsorption des ions Na^+ et Cl^- par les cellules principales des tubules collecteurs. En raison de l'osmose, la diminution de l'excrétion des ions Na^+ et Cl^- entraîne une diminution de l'excrétion de l'eau, ce qui fait augmenter le volume sanguin.

4. Elle stimule la libération de l'hormone antidiurétique, qui fait augmenter la réabsorption de l'eau dans le tubule collecteur.

Hormone antidiurétique

L'**hormone antidiurétique** (**ADH**), ou **vasopressine,** régule la réabsorption facultative de l'eau en augmentant la perméabilité des cellules principales à l'eau. Quand il n'y a pas d'ADH, la membrane apicale des cellules principales est très peu perméable à l'eau. Ces cellules renferment de petites vésicules qui contiennent un grand nombre de canaux pour l'eau appelés **aquaporines-2***. En provoquant l'exocytose de ces vésicules, l'ADH stimule l'insertion des aquaporines-2 dans la membrane apicale. En conséquence, la perméabilité à l'eau de la membrane apicale des cellules principales augmente et les molécules d'eau passent plus rapidement du fluide tubulaire à l'intérieur des cellules. Comme la membrane basolatérale est toujours perméable à l'eau, cette dernière parvient rapidement au sang. Quand la concentration d'ADH est maximale, les reins produisent seulement de 400 à 500 mL d'urine très concentrée par jour. Quand le taux d'ADH diminue, les aquaporines-2 sont retirées de la membrane apicale par endocytose et un plus grand volume d'urine diluée est alors excrété.

---

* Le canal à eau mentionné plus tôt – l'aquaporine-1 – n'est pas soumis à l'action de l'ADH.

Figure 26.18 Régulation par rétro-inhibition de la réabsorption facultative de l'eau régie par l'ADH.

🔑 **La majeure partie de la réabsorption de l'eau (90 %) est obligatoire ; 10 % de la réabsorption est facultative.**

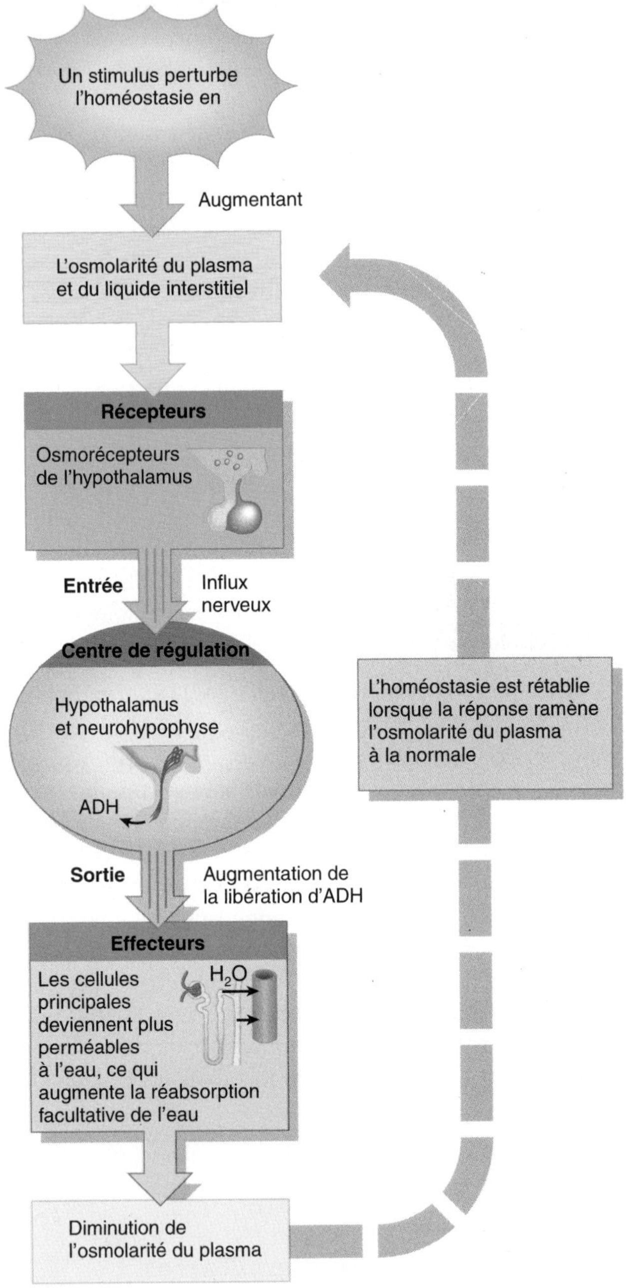

Q À part l'ADH, quelles autres hormones contribuent à la régulation de la réabsorption de l'eau ?

La régulation de la réabsorption facultative de l'eau s'effectue par un mécanisme de rétro-inhibition mettant en jeu l'ADH (figure 26.18). Quand l'osmolarité ou la pression osmotique du plasma et du liquide interstitiel augmente – c'est-à-dire quand la concentration en eau décroît – ne

Tableau 26.4 Régulation hormonale de la réabsorption et de la sécrétion tubulaires

HORMONE	PRINCIPAUX STIMULUS À L'ORIGINE DE LA LIBÉRATION	MÉCANISME ET CIBLE	EFFETS
Angiotensine II	La diminution de la pression artérielle ou du volume sanguin stimule la production d'angiotensine II par l'action de la rénine.	Stimule l'activité des antiporteurs Na^+-H^+ dans les cellules du tubule proximal.	Augmente la réabsorption des ions Na^+, d'autres solutés et de l'eau, ce qui accroît le volume sanguin.
Aldostérone	L'augmentation du taux d'angiotensine II et d'ions K^+ dans le plasma provoque la libération d'aldostérone par le cortex surrénal.	Augmente l'activité et la synthèse des pompes à sodium dans la membrane basolatérale et des canaux à Na^+ dans la membrane apicale des cellules principales du tubule collecteur.	Augmente la sécrétion des ions K^+ ainsi que la réabsorption des ions Na^+ et Cl^- et celle de l'eau, ce qui accroît le volume sanguin.
Hormone antidiurétique (ADH) ou vasopressine	L'augmentation de l'osmolarité du liquide extracellulaire ou de la concentration d'angiotensine II provoque la libération d'ADH par la neurohypophyse.	Stimule l'insertion de canaux pour l'eau, appelés aquaporines-2, dans la membrane apicale des cellules principales.	Augmente la réabsorption facultative de l'eau, ce qui diminue l'osmolarité des liquides organiques.
Peptide natriurétique auriculaire (ANP)	L'étirement de l'oreillette du cœur stimule la sécrétion d'ANP.	Inhibe la réabsorption des ions Na^+ et de l'eau dans le tubule proximal et le tubule collecteur; inhibe aussi la sécrétion d'aldostérone et d'ADH.	Augmente l'excrétion des ions Na^+ dans l'urine (natrurie); augmente la production d'urine (diurèse), ce qui diminue le volume sanguin.

serait-ce que de 1 %, les osmorécepteurs de l'hypothalamus réagissent à la variation. Leurs influx nerveux stimulent la sécrétion d'ADH supplémentaire dans le sang et les cellules principales deviennent plus perméables à l'eau. Au fur et à mesure que la réabsorption facultative de l'eau augmente, l'osmolarité du plasma diminue et revient à la normale. Les personnes dont l'activité de l'ADH est déficitaire – trouble appelé diabète insipide – peuvent excréter jusqu'à 20 L d'urine très diluée par jour.

Peptide natriurétique auriculaire

Une forte augmentation du volume sanguin provoque la libération du peptide natriurétique auriculaire (ANP). L'importance du rôle de l'ANP dans la régulation de la fonction tubulaire normale reste à préciser, mais on sait qu'il peut inhiber la réabsorption des ions Na^+ et de l'eau dans le tubule contourné proximal et le tubule collecteur, et qu'il inhibe la sécrétion de l'aldostérone et de l'ADH. Ces effets augmentent l'excrétion des ions Na^+ dans l'urine (natrurie) ainsi que la production d'urine (diurèse), ce qui diminue le volume sanguin.

Le tableau 26.4 résume la régulation hormonale de la réabsorption et de la sécrétion tubulaires.

1. Faites un schéma qui illustre comment les substances sont réabsorbées par les voies transcellulaire et paracellulaire. Indiquez l'emplacement des membranes apicale et basolatérale. Où sont situées les pompes à sodium ?
2. Décrivez deux mécanismes de réabsorption des ions Na^+ dans le tube contourné proximal, un dans l'anse du néphron, un dans le tube contourné distal et un dans le tubule collecteur. Quels autres solutés sont réabsorbés ou sécrétés avec le Na^+ dans chaque cas ?
3. Comment les ions hydrogène sont-ils sécrétés par les cellules intercalaires ?
4. Dressez un tableau qui indique les proportions d'eau et de Na^+ du filtrat qui sont réabsorbées dans le tubule contourné proximal, l'anse du néphron, le tubule contourné distal et le tubule collecteur. Indiquez, s'il y a lieu, quelles hormones régissent la réabsorption dans chaque segment.

Production d'urine diluée et d'urine concentrée
OBJECTIF

• *Décrire comment le tubule rénal produit l'urine diluée ou concentrée.*

Bien que la consommation d'eau puisse varier énormément chez un individu, le volume total des liquides organiques demeure assez stable. L'équilibre du volume des liquides organiques dépend en grande partie de la capacité des reins à réguler la perte d'eau dans l'urine. Le rein normal produit un volume important d'urine diluée quand l'apport hydrique est grand et un petit volume d'urine concentrée quand cet apport est faible ou que les pertes liquidiennes sont élevées. L'ADH détermine si l'urine formée sera diluée ou concentrée. En l'absence d'ADH, l'urine contient une grande quantité d'eau par rapport aux solutés (urine diluée). À l'inverse, en présence d'ADH, beaucoup d'eau est réabsorbée dans le sang, ce qui diminue le rapport eau-solutés dans l'urine (urine concentrée).

Formation d'urine diluée

Le rapport entre l'eau et les particules de solutés est le même dans le filtrat glomérulaire que dans le sang. L'osmolarité y est d'environ 300 mOsm/L. Nous avons déjà indiqué

Figure 26.19 Formation d'urine diluée. Les nombres représentent l'osmolarité en milliosmoles par litre (mOsm/L). Les traits gras de couleur brune dans la partie ascendante de l'anse du néphron et le tubule contourné distal indiquent que ces régions sont imperméables à l'eau ; les traits gras de couleur bleue marquent l'extrémité du tubule contourné distal et le tubule collecteur, qui sont imperméables à l'eau en l'absence d'ADH ; le fond bleu pâle autour du néphron représente le liquide interstitiel. Quand il n'y a pas d'ADH, l'osmolarité de l'urine peut diminuer jusqu'à 65 mOsm/L.

 Quand le taux d'ADH est faible, l'urine est diluée et son osmolarité est inférieure à celle du sang.

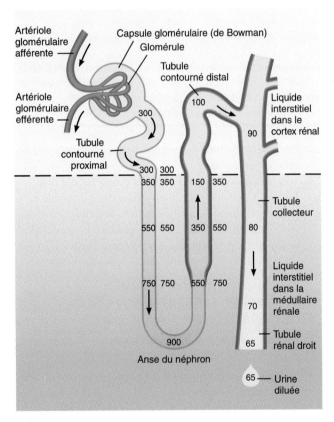

 Q Quelles parties du tubule rénal et du tubule collecteur réabsorbent plus de solutés que d'eau pour produire l'urine diluée ?

que le fluide à la sortie du tubule contourné proximal et le plasma sont isotoniques. Lors de la formation d'urine *diluée* (figure 26.19), l'osmolarité du fluide dans la lumière du tubule *augmente* pendant qu'il s'écoule dans la partie descendante de l'anse du néphron, *diminue* quand il passe dans la partie ascendante de l'anse et continue de *diminuer* dans le reste du néphron et le tubule collecteur. Ces variations d'osmolarité sont le fait des conditions suivantes le long du parcours du fluide tubulaire :

1. Puisque l'osmolarité du liquide interstitiel de la médullaire rénale augmente progressivement, la réabsorption de l'eau par osmose s'intensifie au fur et à mesure que le fluide tubulaire progresse le long de la partie descendante vers le fond de l'anse. (Nous expliquons ci-dessous la source de ce gradient osmotique médullaire.) En conséquence, le fluide qui reste dans la lumière devient de plus en plus concentré.

2. Les cellules de la paroi du segment large de la partie ascendante de l'anse ont des symporteurs qui réabsorbent par transport actif les ions Na^+, K^+ et Cl^- qui se trouvent dans le fluide tubulaire (voir la figure 26.15). Les ions passent du fluide tubulaire au liquide interstitiel en traversant les cellules du segment large de la partie ascendante. Enfin, certains d'entre eux atteignent par diffusion le sang des artérioles et des veinules droites.

3. Bien que des solutés soient réabsorbés dans le segment large de la partie ascendante, la perméabilité à l'eau dans cette région du néphron est toujours assez faible, si bien que l'eau ne suit pas par osmose. Comme les solutés – mais non les molécules d'eau – quittent le fluide tubulaire, l'osmolarité de ce dernier chute à environ 150 mOsm/L. En conséquence, le fluide qui pénètre dans le tubule contourné distal est plus dilué que le plasma.

4. Pendant que le fluide poursuit son chemin le long du tubule contourné distal, d'autres solutés, mais pratiquement pas de molécules d'eau, sont réabsorbés parce que le tubule est aussi imperméable à l'eau dans cette région, qu'il y ait ou non de l'ADH.

5. Enfin, puisque les cellules principales des tubules collecteurs sont imperméables à l'eau quand la concentration d'ADH est très faible, le fluide tubulaire devient de plus en plus dilué à mesure qu'il continue de s'écouler. Lorsqu'il atteint le bassinet, sa concentration peut être seulement de 65 à 70 mOsm/L, soit quatre fois plus diluée que celle du plasma sanguin ou du filtrat glomérulaire.

Formation d'urine concentrée

Quand l'apport hydrique est faible ou que les pertes liquidiennes sont élevées (par exemple, quand on transpire beaucoup), les reins doivent conserver l'eau mais continuer d'éliminer les déchets et les ions excédentaires. Sous l'influence de l'ADH, les reins produisent de petits volumes d'urine très concentrée. L'urine peut être quatre fois plus concentrée (jusqu'à 1 200 mOsm/L) que le plasma sanguin ou le filtrat glomérulaire (300 mOsm/L).

Cette propriété qu'a l'ADH de permettre l'excrétion d'urine concentrée dépend de la présence d'un **gradient osmotique** de solutés dans le liquide interstitiel de la médullaire rénale. Notez, dans la figure 26.20, que la concentration des solutés dans le liquide interstitiel du rein passe d'environ 300 mOsm/L dans le cortex à environ 1 200 mOsm/L dans les profondeurs de la médullaire rénale. Les principaux

Figure 26.20 Mécanisme de concentration de l'urine dans les néphrons juxta-médullaires (à anses longues). Le trait vert indique la présence de symporteurs Na⁺-K⁺-2Cl⁻ qui réabsorbent ces ions simultanément dans le liquide interstitiel de la médullaire rénale ; cette partie du néphron est aussi relativement imperméable à l'eau et à l'urée. Toutes les concentrations sont en milliosmoles par litre (mOsm/L).

🔑 **La formation d'urine concentrée dépend des concentrations élevées des solutés dans le liquide interstitiel de la médullaire rénale.**

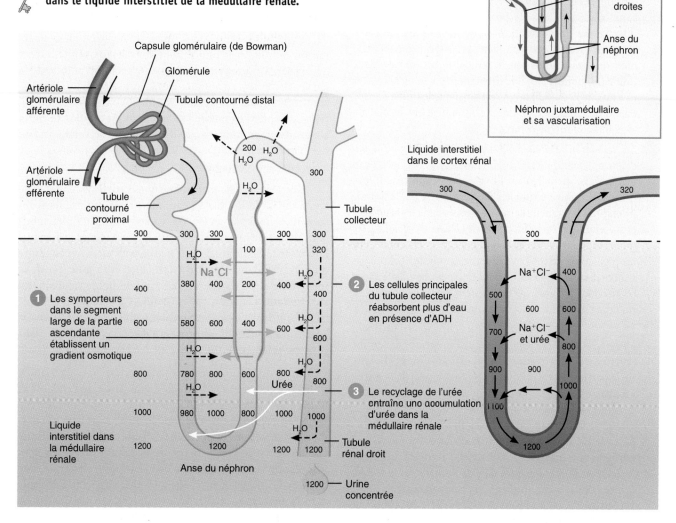

(a) Réabsorption des ions Na⁺ et Cl⁻ ainsi que de l'eau dans le néphron juxtamédullaire (à anses longues)

(b) Recyclage des sels et de l'urée dans l'artériole et la veinule droites

 Quels sont les solutés qui contribuent le plus à l'osmolarité élevée du liquide interstitiel dans la médullaire rénale ?

solutés qui contribuent à créer cette osmolarité élevée sont les ions Na⁺ et Cl⁻ ainsi que l'urée. Deux facteurs importants participent à l'établissement et au maintien de ce gradient osmotique : 1) les différences de perméabilité aux solutés et à l'eau, et les écarts de réabsorption de ces substances dans les divers segments des anses longues du néphron et dans les tubules collecteurs, et 2) l'écoulement à contre-courant (dans des directions opposées) du fluide des anses qui se trouve dans les parties ascendantes et descendantes voisines les unes des autres.

La production d'urine concentrée s'effectue de la façon suivante (figure 26.20) :

❶ *Dans les néphrons à anses longues, les symporteurs des cellules du segment large de la partie ascendante établissent le gradient osmotique de la médullaire rénale. Dans le segment large de la partie ascendante de l'anse du néphron, les symporteurs Na⁺-K⁺-2Cl⁻ réabsorbent les ions Na⁺ et Cl⁻ (mais non l'eau) du fluide tubulaire (figure 26.20a).*

En conséquence, la concentration de ces ions augmente progressivement dans le liquide interstitiel de la médullaire externe. Bien que le mécanisme ne soit pas élucidé, les cellules du segment *grêle* de la partie ascendante de l'anse du néphron semblent aussi contribuer à la formation du gradient osmotique de la médullaire interne. Les ions qui pénètrent dans les artérioles droites par diffusion sont emportés dans les profondeurs de la médullaire interne par la circulation sanguine (figure 26.20b). Toutefois, le débit sanguin dans ces artérioles est lent, si bien que les solutés ont le temps de diffuser entre le fluide tubulaire, le liquide interstitiel et le sang à tous les niveaux de la médullaire. C'est ainsi que le fluide dans la partie descendante, le liquide interstitiel et le plasma atteignent la même osmolarité.

② *Les cellules des tubules collecteurs réabsorbent plus d'eau et d'urée.* Quand l'ADH augmente la perméabilité à l'eau des cellules principales, l'eau quitte rapidement par osmose le fluide du tubule collecteur, passe par le liquide interstitiel de la médullaire interne et gagne les artérioles et les veinules droites. En raison de cette perte d'eau, l'urée qui reste dans le fluide du tubule collecteur devient de plus en plus concentrée. Les cellules des tubules collecteurs situées dans les régions profondes de la médullaire étant perméables à l'urée, cette dernière passe par diffusion du fluide tubulaire au liquide interstitiel de la médullaire.

③ *Le recyclage de l'urée entraîne une accumulation d'urée dans la médullaire rénale.* Une partie de l'urée qui s'accumule dans le liquide interstitiel diffuse dans le fluide tubulaire de la partie descendante et du segment grêle de la partie ascendante des anses longues du néphron, qui sont aussi perméables à l'urée (voir la figure 26.20a). Toutefois, quand le fluide passe dans le segment large de la partie ascendante, le tubule contourné distal, le tubule de raccordement (connecteur) et la partie corticale du tubule collecteur, l'urée demeure dans la lumière parce que les cellules de ces conduits sont plutôt imperméables à cette molécule. Dans le tubule collecteur, la réabsorption de l'eau se poursuit par osmose grâce à la présence d'ADH. Cette réabsorption d'eau *augmente davantage* la concentration de l'urée dans le fluide tubulaire, encore *plus* d'urée diffuse alors vers le liquide interstitiel de la médullaire rénale interne et le cycle recommence. Ce transfert répété d'urée entre les segments du tubule rénal et le liquide interstitiel de la médullaire est appelé *recyclage de l'urée*. C'est ainsi que la réabsorption de l'eau qui se trouve dans le fluide des tubules collecteurs favorise l'accumulation d'urée dans le liquide interstitiel de la médullaire rénale et, par la même occasion, la réabsorption de l'eau. Les solutés qui restent dans la lumière deviennent très concentrés et un petit volume d'urine concentrée est excrété.

Le deuxième facteur à l'origine du gradient osmotique dans la médullaire rénale est le **mécanisme à contre-courant,** dont le fonctionnement repose sur la forme en épingle à cheveux des anses longues du néphron juxtamédullaire. Remarquez dans la figure 26.20a que la partie descendante de l'anse du néphron conduit le fluide tubulaire du cortex rénal vers la région profonde de la médullaire et que la partie ascendante lui fait faire le parcours en sens inverse. Ainsi, dans des conduits parallèles, voisins l'un de l'autre, on observe que le fluide s'écoule dans des directions contraires. On appelle ce phénomène *écoulement à contre-courant.*

La partie descendante de l'anse du néphron est très perméable à l'eau, mais plutôt imperméable aux solutés autres que l'urée. L'osmolarité du liquide interstitiel autour de la partie descendante étant plus élevée que celle du fluide tubulaire, l'eau quitte la partie descendante par osmose, ce qui fait augmenter l'osmolarité à l'intérieur du tubule. Au fur et à mesure que le fluide avance dans la partie descendante, son osmolarité continue d'augmenter : dans la partie en épingle à cheveux, elle peut atteindre 1 200 mOsm/L.

Nous avons déjà mentionné que la partie ascendante de l'anse est imperméable à l'eau, mais ses symporteurs réabsorbent les ions Na^+ et Cl^- qui passent alors du fluide tubulaire au liquide interstitiel de la médullaire rénale, si bien que l'osmolarité du fluide décroît petit à petit au fur et à mesure qu'il avance dans la partie ascendante. À la jonction de la médullaire et du cortex, l'osmolarité du fluide tubulaire est redescendue à environ 100 mOsm/L. Globalement, le fluide tubulaire devient progressivement plus concentré dans la partie descendante et progressivement plus dilué dans la partie ascendante.

La figure 26.20b montre que l'artériole et la veinule droites sont également formées d'une partie descendante et d'une partie ascendante qui sont parallèles l'une à l'autre et à l'anse du néphron. Tout comme le fluide tubulaire s'écoule dans des directions opposées dans l'anse du néphron, le sang circule dans des directions opposées dans les artérioles et les veinules droites. À son entrée dans l'artériole droite, le sang a une osmolarité d'environ 300 mOsm/L. Pendant sa descente dans la médullaire rénale, où le liquide interstitiel devient de plus en plus concentré, les ions Na^+ et Cl^-, ainsi que l'urée, passent par diffusion du liquide interstitiel au sang. Mais, après l'augmentation de son osmolarité, le sang commence à remonter dans la veinule droite ; il traverse alors une région où le liquide interstitiel devient de moins en moins concentré. En conséquence, les ions et l'urée passent par diffusion du sang au liquide interstitiel, et l'eau réabsorbée diffuse du liquide interstitiel vers les veinules droites. L'osmolarité du sang qui quitte la veinule droite n'est que légèrement plus élevée que celle du sang qui entre dans l'artériole droite. Ainsi, le système composé de l'artériole et de la veinule droites fournit de l'oxygène et des nutriments à la médullaire rénale sans diminuer le gradient osmotique.

La figure 26.21 résume les processus de filtration, de réabsorption et de sécrétion dans chaque segment du néphron et du tubule collecteur.

Figure 26.21 Résumé de la filtration, de la réabsorption et de la sécrétion dans le néphron et le tubule collecteur.

🔑 **La filtration s'effectue dans le corpuscule rénal ; la réabsorption a lieu tout le long du tubule rénal et du tubule collecteur.**

TUBULE CONTOURNÉ PROXIMAL

Réabsorption (dans le sang) des substances filtrées suivantes :

Eau	65 % (osmose)
Na$^+$	65 % (pompes à sodium, symporteurs, antiporteurs)
K$^+$	65 % (diffusion)
Glucose	100 % (symporteurs et diffusion facilitée)
Acides aminés	100 % (symporteurs et diffusion facilitée)
Cl$^-$	50 % (diffusion)
HCO$_3^-$	80 à 90 % (diffusion facilitée)
Urée	50 % (diffusion)
Ca^{2+}, Mg^{2+}	variable (diffusion)

Sécrétion (dans l'urine) de :

H$^+$	variable (antiporteurs)
NH$_4^+$	variable, augmente dans le cas d'acidose (antiporteurs)
Urée	variable (diffusion)
Créatinine	petite quantité

À l'extrémité du TCP, le fluide tubulaire et le sang sont encore isotoniques (300 mOsm/L).

ANSE DU NÉPHRON

Réabsorption (dans le sang) de :

Eau	15 % (osmose dans la partie descendante)
Na$^+$	20 à 30 % (symporteurs dans la partie ascendante)
K$^+$	20 à 30 % (symporteurs dans la partie ascendante)
Cl$^-$	35 % (symporteurs dans la partie ascendante)
HCO$_3^-$	10 à 20 % (diffusion facilitée)
Ca^{2+}, Mg^{2+}	variable (diffusion)

Sécrétion (dans l'urine) de :

Urée	variable (recyclage à partir du tubule collecteur)

À l'extrémité de l'anse du néphron, le fluide tubulaire est hypotonique (de 100 à 150 mOsm/L).

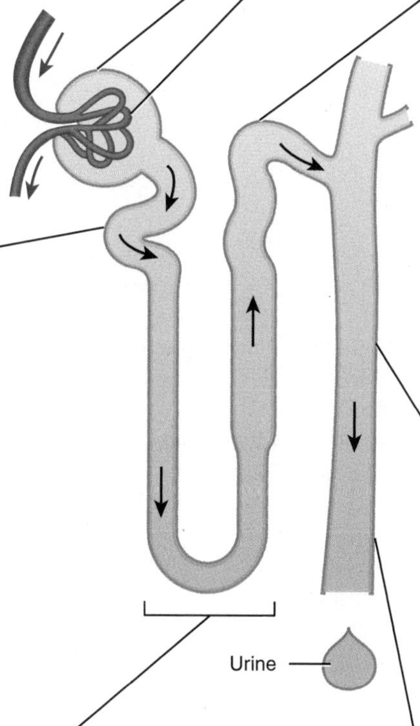

CORPUSCULE RÉNAL

Débit de filtration glomérulaire : De 105 à 125 mL/min de filtrat isotonique avec le sang

Composition du filtrat : eau et tous les solutés présents dans le sang (sauf les protéines), y compris les ions, le glucose, les acides aminés, la créatinine, l'acide urique

TUBULE CONTOURNÉ DISTAL

Réabsorption (dans le sang) de :

Eau	10 à 15 % (osmose)
Na$^+$	5 % (symporteurs)
Cl$^-$	5 % (symporteurs)
Ca^{2+}	variable (stimulée par la parathormone)

CELLULES PRINCIPALES À L'EXTRÉMITÉ DU TUBULE DISTAL ET DANS LE TUBULE COLLECTEUR

Réabsorption (dans le sang) de :

Eau	5 à 9 % (insertion de canaux à eau stimulée par l'ADH)
Na$^+$	1 à 4 % (pompes à sodium)
Urée	variable (recyclage vers l'anse du néphron)

Sécrétion (dans l'urine) de :

K$^+$	quantité variable déterminée par l'apport alimentaire (canaux de fuite)

Le fluide tubulaire qui quitte le tubule collecteur est dilué quand le taux d'ADH est faible et concentré quand ce taux est élevé.

CELLULES INTERCALAIRES À L'EXTRÉMITÉ DU TUBULE DISTAL ET DANS LE TUBULE COLLECTEUR

Réabsorption (dans le sang) de :

HCO$_3^-$ (nouveau)	quantité variable, selon la sécrétion d'ions H$^+$ (antiporteurs)
Urée	variable (recyclage vers l'anse du néphron)

Sécrétion (dans l'urine) de :

H$^+$	quantité variable pour conserver l'équilibre acidobasique (pompes H$^+$)

Urine

 Dans quelles parties du néphron et du tubule collecteur la sécrétion a-t-elle lieu ?

APPLICATION CLINIQUE
Diurétiques

Les **diurétiques** sont des substances qui ralentissent la réabsorption de l'eau par les reins et causent ainsi une *diurèse*, c'est-à-dire un débit urinaire élevé. Parmi les diurétiques naturels, on compte la *caféine*, présente dans le café, le thé et les colas, qui inhibe la réabsorption des ions Na^+, et l'*alcool*, contenu dans la bière, le vin et autres boissons alcoolisées, qui inhibe la sécrétion de l'ADH. La plupart des diurétiques produisent leur effet en perturbant un des mécanismes de réabsorption des ions Na^+ filtrés. Par exemple, les diurétiques de l'anse, tel le furosémide (Lasix), inhibent sélectivement les symporteurs Na^+-K^+-$2Cl^-$ du segment large de la partie ascendante du néphron (voir la figure 26.15). Les diurétiques thiazidiques, tel le chlorothiazide (Diuril), agissent sur le tubule contourné distal, où ils favorisent la perte de NaCl dans l'urine en inhibant les symporteurs Na^+-Cl^-.

Les diurétiques qui diminuent la réabsorption de Na^+ dans le tubule contourné proximal ou l'anse du néphron font en sorte que les parties distales du néphron reçoivent une quantité de liquide et de solutés supérieure à la normale. En réponse à cet apport accru d'eau et d'ions Na^+ et Cl^-, le tubule contourné distal augmente la réabsorption des ions Na^+ et Cl^- ainsi que la sécrétion des ions K^+. Cette élévation de la réabsorption ne compense pas la diminution qui a eu lieu en amont. Par contre, la sécrétion accrue de K^+ entraîne souvent une perte excessive d'ions K^+ dans l'urine. Les diurétiques d'épargne potassique permettent d'éviter cet effet. Agissant sur les cellules principales du tubule collecteur, ils inhibent l'action de l'aldostérone – c'est le cas de la spironolactone (Aldactone) – ou ils bloquent les canaux de fuite à Na^+ dans la membrane apicale (par exemple, amiloride). En ralentissant la réabsorption des ions Na^+ ainsi que celle de l'eau et d'autres solutés tout en inhibant la sécrétion des ions K^+ par les cellules principales, ces médicaments produisent une diurèse légère sans perte excessive d'ions K^+ dans l'urine. ■

1. Comment les symporteurs de la partie ascendante de l'anse du néphron et des cellules principales du tubule collecteur contribuent-ils à la formation de l'urine concentrée?
2. Expliquez comment l'ADH régule la réabsorption facultative de l'eau.
3. Qu'est-ce que le mécanisme à contre-courant? Pourquoi est-il important?
4. Qu'est-ce que la diurèse? Décrivez le mécanisme d'action du furosémide, des diurétiques thiazidiques et des diurétiques d'épargne potassique.

ÉVALUATION DE LA FONCTION RÉNALE

OBJECTIFS

• *Définir l'examen des urines et en décrire l'importance.*
• *Définir la clairance rénale et en décrire l'importance.*

Tableau 26.5 Caractéristiques de l'urine normale

CARACTÉRISTIQUES	DESCRIPTION
Volume	De 1 à 2 L toutes les 24 h, mais le volume varie considérablement.
Couleur	Jaune ou ambre, mais varie selon la concentration de l'urine et le régime alimentaire. La couleur provient de l'urochrome (pigment produit par la dégradation de la bile). L'urine concentrée est plus foncée. L'alimentation (urine rendue rougeâtre par les betteraves), les médicaments et certaines maladies influent sur la couleur. Les calculs rénaux peuvent causer la présence de sang dans les urines.
Turbidité	Fraîchement émise, elle est transparente, mais elle devient trouble (turbide) quand on la laisse reposer.
Odeur	Légèrement aromatique, mais dégage une odeur d'ammoniac si on la laisse reposer. Lorsqu'ils ingèrent des asperges, certains individus ont la capacité héréditaire de former du méthylmercaptan qui donne à l'urine une odeur caractéristique. L'urine des diabétiques a une odeur fruitée due à la présence de corps cétoniques.
pH	Se situe entre 4,6 et 8,0; moyenne: 6,0; varie considérablement selon le régime alimentaire. Les régimes riches en protéines augmentent l'acidité; les régimes végétariens augmentent l'alcalinité.
Densité	La densité (masse volumique) est le rapport entre la masse du volume d'une substance et la masse d'un volume égal d'eau distillée. Celle de l'urine varie de 1,001 à 1,035. Plus la concentration des solutés est élevée, plus la densité est élevée.

L'évaluation de routine de la fonction rénale consiste à mesurer la quantité et la qualité de l'urine ainsi que la concentration des déchets dans le sang.

Examen des urines

L'analyse du volume et des propriétés physiques, chimiques et microscopiques de l'urine, appelée **examen des urines,** fournit de nombreux renseignements sur l'état de l'organisme. Les principales caractéristiques de l'urine normale sont résumées dans le tableau 26.5. Le volume d'urine éliminé chaque jour par un adulte normal est de 1 à 2 L. Il dépend de l'apport hydrique, de la pression artérielle, de l'osmolarité sanguine, de l'alimentation, de la température corporelle, de la consommation de diurétiques, de l'état mental et de l'état de santé en général. Une diminution de la pression artérielle déclenche le système rénine-angiotensine-aldostérone, qui augmente la réabsorption de l'eau et des sels dans le tubule

Tableau 26.6 Résumé des constituants anormaux de l'urine

CONSTITUANTS ANORMAUX	COMMENTAIRES
Albumine	Constituant normal du plasma, qui n'apparaît habituellement dans l'urine qu'en très petite quantité parce qu'il est trop volumineux pour traverser les fenestrations des capillaires. La présence excessive d'albumine dans l'urine – **albuminurie** – indique une augmentation de la perméabilité de la membrane de filtration causée par une blessure ou une maladie, une élévation de la pression artérielle ou une irritation des cellules rénales par des substances telles que les toxines bactériennes, l'éther ou les métaux lourds.
Glucose	La présence de glucose dans l'urine est appelée **glycosurie** et constitue habituellement un signe de diabète. Elle est parfois causée par le stress, qui peut occasionner la sécrétion d'adrénaline en quantité excessive. L'adrénaline stimule la dégradation du glycogène et la libération de glucose par le foie.
Globules rouges (érythrocytes)	La présence de globules rouges dans l'urine est appelée **hématurie** et indique généralement un état pathologique. Elle peut être causée par une inflammation aiguë des organes urinaires par suite d'une maladie ou d'une irritation par des calculs rénaux. Elle peut aussi être causée, entre autres, par des tumeurs, un traumatisme ou une maladie rénale. On doit s'assurer que l'échantillon d'urine n'est pas contaminé par le sang menstruel provenant du vagin.
Globules blancs (leucocytes)	La présence de globules blancs et d'autres constituants du pus dans l'urine, appelée **pyurie**, est révélatrice d'une infection du rein ou d'un autre organe urinaire.
Corps cétoniques	Une concentration élevée de corps cétoniques dans l'urine, appelée **cétonurie**, peut être un signe de diabète, d'anorexie, de dénutrition ou simplement d'une insuffisance de glucides dans l'alimentation.
Bilirubine	Quand les globules rouges sont détruits par les macrophages, la globine est séparée de l'hémoglobine et l'hème est converti en biliverdine. La majeure partie de la biliverdine est transformée en bilirubine, principal responsable de la pigmentation de la bile. Une concentration de bilirubine dans l'urine supérieure à la normale est appelée **bilirubinurie.**
Urobilinogène	La présence d'urobilinogène (produit de dégradation de l'hémoglobine) dans l'urine est appelée **urobilinogénurie.** Il est normal d'en déceler des traces, mais un taux élevé d'urobilinogène peut être causé par une anémie hémolytique ou pernicieuse, une hépatite infectieuse, une obstruction biliaire, une jaunisse, une cirrhose, une insuffisance cardiaque ou une mononucléose infectieuse.
Cylindres urinaires	Les **cylindres urinaires** sont de petits amas de matière qui ont durci en épousant la forme de la lumière du tubule dans lequel ils se trouvent. Ils sont par la suite évacués du tubule sous l'action du filtrat qui s'accumule en amont. On nomme les cylindres d'après les cellules ou les substances dont ils sont formés ou on leur donne un qualificatif en rapport avec leur apparence. Par exemple, on trouve des cylindres leucocytaires, hématiques et épithéliaux. Ces derniers contiennent des cellules provenant des parois des tubules.
Microbes	Le type et le nombre de bactéries varient selon la nature de l'infection des voies urinaires. Parmi les plus fréquentes, on trouve *E. coli*. Le champignon qu'on trouve le plus souvent dans l'urine est *Candida albicans,* qui cause la vaginite. Le protozoaire le plus fréquemment rencontré est *Trichomonas vaginalis,* qui cause la vaginite chez la femme et l'urétrite chez l'homme.

rénal et diminue le volume urinaire. Par contraste, quand l'osmolarité du sang diminue – par exemple, après la consommation d'un grand volume d'eau – la sécrétion de l'ADH est inhibée et un plus grand volume d'urine est excrété.

Environ 95 % du volume total de l'urine est constitué d'eau ; les 5 % qui restent sont des électrolytes, des solutés dérivés du métabolisme cellulaire et des substances étrangères telles que des médicaments. L'urine normale ne contient pas de protéines. Parmi les solutés normalement présents dans l'urine, on compte des électrolytes filtrés et sécrétés qui n'ont pas été réabsorbés, de l'urée (provenant de la dégradation des protéines), de la créatinine (provenant de la dégradation de la créatine phosphate dans les fibres musculaires), de l'acide urique (de la dégradation des acides nucléiques), de l'urobilinogène (de la dégradation de l'hémoglobine) et d'autres substances en petites quantités telles que des acides gras, des pigments, des enzymes et des hormones.

Si le métabolisme de l'organisme ou la fonction rénale sont perturbés par la maladie, on peut observer dans l'urine des traces de substances qui ne s'y trouvent pas normalement ou des constituants normaux en quantités anormales. Le tableau 26.6 présente plusieurs constituants anormaux de l'urine qu'un examen des urines peut révéler.

Examens sanguins

Deux examens sanguins fournissent des renseignements sur la fonction rénale. L'un d'eux est le test de l'**azote uréique du sang** (**BUN,** «blood urea nitrogen»). Il permet de mesurer dans le sang l'azote contenu dans l'urée qui provient du catabolisme et de la désamination des acides aminés. Quand le débit de filtration glomérulaire diminue de façon importante, comme dans les cas de maladie rénale ou d'obstruction des voies urinaires, le taux d'azote uréique du sang monte en flèche. Un des traitements possibles consiste à réduire au minimum l'apport de protéines alimentaires, ce qui fait diminuer la production d'urée.

Le deuxième test souvent utilisé pour évaluer la fonction rénale est la mesure de la **créatininémie** qui résulte du catabolisme de la créatine phosphate dans les muscles squelettiques. Normalement, la créatininémie est stable parce que la vitesse à laquelle la créatinine est excrétée dans l'urine égale la vitesse à laquelle elle est libérée des muscles. Un taux de créatinine supérieur à 135 mmol/L indique habituellement un mauvais fonctionnement des reins. Les valeurs normales de quelques examens sanguins choisis figurent dans l'appendice C.

Clairance rénale

Une valeur plus utile encore que celle de l'azote uréique du sang et celle de la créatininémie pour le diagnostic des troubles rénaux est la valeur obtenue quand on mesure l'efficacité des reins à retirer une substance donnée du plasma sanguin. La **clairance rénale** est le volume de sang « nettoyé » ou débarrassé d'une substance par unité de temps. Elle est habituellement exprimée en *millilitres par minute*. Une clairance rénale élevée indique que l'excrétion d'une substance dans l'urine est efficace ; une clairance faible est le signe d'une excrétion inefficace. Par exemple, la clairance du glucose est normalement égale à zéro parce que cette molécule n'est pas excrétée du tout ; au contraire, 100 % du glucose dans le filtrat est retourné au sang par réabsorption tubulaire. En pharmacologie, il est nécessaire de connaître la clairance d'un médicament pour établir la posologie appropriée. Si la clairance est élevée (c'est le cas de la pénicilline), la dose administrée doit aussi être élevée et on doit prendre le médicament plusieurs fois par jour pour maintenir une concentration thérapeutique adéquate dans le sang.

On utilise l'équation suivante pour calculer la clairance :

$$\text{Clairance rénale de la substance } S = \frac{U \times V}{P}$$

U et P sont les concentrations respectives de la substance dans l'urine et le plasma (exprimées dans les mêmes unités telles que mg/mL), et V est le débit urinaire en mL/min.

La clairance d'un soluté dépend des trois principales fonctions du néphron : la filtration glomérulaire, la réabsorption tubulaire et la sécrétion tubulaire. Si une substance passe dans le filtrat mais n'est ni réabsorbée, ni sécrétée, alors sa clairance égale le débit de filtration glomérulaire, parce que toutes les molécules qui traversent la membrane de filtration se retrouvent dans l'urine. C'est le cas de la créatinine, à peu de choses près : elle passe facilement le filtre, n'est pas réabsorbée et n'est que très peu sécrétée. Mesurer la clairance de la créatinine, qui est normalement de 120 à 140 mL/min, est le moyen le plus facile d'évaluer le débit de filtration glomérulaire. L'urée est un déchet qui est filtré, réabsorbé et sécrété de façon variable. Sa clairance, généralement inférieure à celle du DGF, est d'environ 70 mL/min.

APPLICATION CLINIQUE
Dialyse

Si les reins sont lésés par la maladie ou une blessure à tel point qu'ils ne peuvent pas fonctionner adéquatement, alors le sang doit être purifié artificiellement par **dialyse.** Ce traitement consiste à séparer les gros solutés des petits au moyen d'une membrane à perméabilité sélective. Le rein artificiel emploie une méthode de dialyse appelée **hémodialyse** (*haima* = sang) parce qu'il filtre directement le sang du patient. Le sang circule dans une tubulure composée d'une membrane de dialyse à perméabilité sélective et les déchets passent par diffusion du sang à la solution de dialyse dans laquelle baigne la membrane. La solution de dialyse est continuellement remplacée pour entretenir les gradients de concentration favorables à la diffusion des solutés entre le sang et la machine. Après son passage dans la tubulure de dialyse, le sang purifié retourne au corps.

La **dialyse péritonéale continue ambulatoire** (**DPCA**) utilise la muqueuse de la cavité péritonéale comme membrane de dialyse. L'extrémité d'un cathéter est introduite lors d'une chirurgie dans la cavité péritonéale du patient et reliée à une solution de dialyse stérile. Sous l'action de la gravité, le dialysat s'écoule de son contenant de plastique et pénètre dans la cavité péritonéale. La solution demeure dans la cavité jusqu'à ce que les déchets métaboliques, les électrolytes en excédent et le liquide extracellulaire diffusent dans la solution de dialyse. Ensuite, la cavité est drainée par gravité et la solution est recueillie dans un sac stérile qui est jeté. ■

1. Décrivez les caractéristiques suivantes de l'urine normale : couleur, turbidité, odeur, pH et densité.
2. Décrivez la composition chimique de l'urine normale.
3. Comment peut-on évaluer la fonction rénale ?
4. Expliquez pourquoi les clairances rénales du glucose, de l'urée et de la créatinine sont différentes. Comment chacune de ces clairances se compare-t-elle au débit de filtration glomérulaire ?

TRANSPORT, ENTREPOSAGE ET ÉLIMINATION DE L'URINE
OBJECTIF

• *Décrire l'anatomie, l'histologie et la physiologie des uretères, de la vessie et de l'urètre.*

L'urine passe dans les tubules rénaux droits et s'écoule dans les calices rénaux mineurs. Ces derniers se joignent pour former les calices rénaux majeurs qui déversent leur contenu dans le bassinet (voir la figure 26.3). À partir du

Figure 26.22 Uretères, vessie et urètre (chez la femme).

L'urine s'accumule dans la vessie avant d'être expulsée lors de la miction.

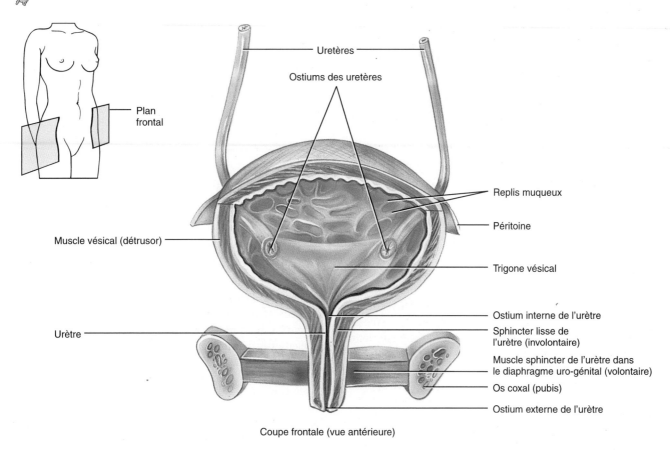

Coupe frontale (vue antérieure)

Comment appelle-t-on l'absence de contrôle volontaire de la miction ?

bassinet, l'urine emprunte les uretères pour gagner la vessie. Elle est ensuite évacuée du corps par un conduit unique, l'urètre (voir la figure 26.1).

Uretères

Les deux **uretères** transportent chacun l'urine du bassinet d'un rein jusqu'à la vessie. Les contractions péristaltiques des parois musculaires des uretères poussent l'urine vers la vessie, mais la pression hydrostatique et la force de gravité y contribuent également. La fréquence des ondes péristaltiques qui se propagent du bassinet à la vessie varie de une à cinq par minute, selon la vitesse de formation de l'urine.

Les uretères mesurent de 25 à 30 cm de long. Ce sont des tubes étroits, aux parois épaisses, dont le diamètre varie entre 1 et 10 mm le long de leur parcours entre le bassinet et la vessie. Comme les reins, les uretères sont rétropéritonéaux. À la base de la vessie, ils tournent vers l'intérieur et s'abouchent à celle-ci en traversant obliquement la paroi de sa face postérieure (figure 26.22).

Bien qu'il n'y ait pas de valvule anatomique à l'ouverture de chaque uretère dans la vessie, il y a une valvule physiologique qui est très efficace. Quand la vessie se remplit, la pression interne comprime les orifices obliques qui mènent aux uretères et empêche le reflux de l'urine. Quand cette valvule physiologique ne fonctionne pas bien, les microbes peuvent remonter les uretères et infecter un des reins ou les deux.

Trois couches de tissu forment la paroi des uretères. La couche la plus profonde est une **muqueuse** composée d'un **épithélium transitionnel** (voir le tableau 4.1H, p. 120) et d'un **chorion** sous-jacent de tissu conjonctif lâche avec une quantité appréciable de collagène, de fibres élastiques et de tissu lymphatique. L'épithélium transitionnel s'étire facilement – il s'agit d'un avantage important pour un organe qui doit contenir des volumes de liquide variables. Le mucus sécrété par la muqueuse empêche celle-ci d'entrer en contact avec l'urine, dont la concentration de solutés et le pH peuvent être très différents de ceux du cytosol des cellules qui forment la paroi de l'uretère. Sur presque toute la longueur des uretères, la couche intermédiaire, ou **musculeuse,** comprend une lame longitudinale interne et une lame circulaire externe composées de fibres musculaires lisses. Cette disposition est l'inverse de celle du tube digestif dont la lame interne est circulaire et la lame externe longitudinale ; la musculeuse du tiers distal des uretères contient aussi une lame externe de fibres musculaires longitudinales. Ainsi, la musculeuse du tiers distal de l'uretère est longitudinale à l'intérieur, circulaire au milieu et longitudinale à l'extérieur. Le péristaltisme est la principale fonction de la musculeuse. La couche superficielle des uretères est l'**adventice,** un feuillet de tissu conjonctif lâche contenant des vaisseaux sanguins, des vaisseaux lymphatiques et des nerfs qui desservent la musculeuse et la muqueuse. L'adventice se fond dans le tissu conjonctif environnant et maintient les uretères en place.

Vessie

La **vessie** est un organe musculaire creux et extensible qui est situé dans la cavité pelvienne derrière la symphyse pubienne. Chez l'homme, la vessie se trouve directement devant le rectum ; chez la femme, elle est devant le vagin et sous l'utérus (voir la figure 28.13b, p. 1053). La vessie est maintenue en place par des replis du péritoine. La forme de la vessie dépend de la quantité d'urine qu'elle contient. Quand elle est vide, elle est affaissée ; quand elle est légèrement distendue, elle devient sphérique. Au fur et à mesure que le volume d'urine augmente, elle prend de plus en plus la forme d'une poire qui remonte dans la cavité abdominale. La capacité moyenne de la vessie est de 700 à 800 mL ; elle est plus petite chez la femme parce que l'utérus occupe l'espace immédiatement au-dessus.

Anatomie et histologie de la vessie

Dans le plancher de la vessie se trouve une petite région triangulaire appelée **trigone** (= triangle) **vésical.** Les deux sommets postérieurs du trigone contiennent les ostiums des uretères et le sommet antérieur contient l'**ostium interne de l'urètre** (voir la figure 26.22). Le trigone présente une surface lisse parce que sa muqueuse est solidement attachée à la musculeuse.

La paroi de la vessie est composée de trois couches de tissus. La plus profonde est la **muqueuse,** qui comprend un **épithélium transitionnel** et un **chorion** sous-jacent semblable à celle des uretères. Elle présente aussi des replis muqueux. La couche qui enveloppe la muqueuse est la **musculeuse** intermédiaire, aussi appelée **muscle vésical** ou encore **détrusor** (= expulser). Cette couche est composée de trois lames de fibres musculaires lisses : une lame longitudinale interne, une lame circulaire moyenne et une lame longitudinale externe. Autour de l'ostium de l'urètre, les fibres circulaires forment le **sphincter lisse de l'urètre ;** au-dessous se trouve le **muscle sphincter de l'urètre,** qui est composé de muscle squelettique et constitue une modification du diaphragme uro-génital (voir la figure 11.12, p. 351). La couche superficielle des faces postérieure et inférieure de la vessie est l'**adventice,** un feuillet de tissu conjonctif lâche dans le prolongement de celui des uretères. Sur la face supérieure de la vessie se trouve la **séreuse,** une couche de péritoine viscéral.

Réflexe de la miction

L'émission d'urine par la vessie est appelée **miction** (*mictio* = uriner). Elle résulte d'une combinaison de contractions musculaires volontaires et involontaires. Quand le volume de l'urine dans la vessie dépasse de 200 à 400 mL, la pression qui s'exerce à l'intérieur augmente considérablement et les mécanorécepteurs situés dans la paroi vésicale transmettent des influx nerveux à la moelle épinière. Ces influx se propagent jusqu'au **centre de la miction** dans les segments S2 et S3 de la moelle épinière sacrale et déclenchent un réflexe spinal appelé **réflexe de la miction.** Dans cet arc réflexe, les influx parasympathiques du centre de la miction se propagent jusqu'à la paroi de la vessie et au sphincter lisse de l'urètre. Les influx nerveux provoquent la *contraction* du muscle vésical et le *relâchement* du sphincter lisse de l'urètre. En même temps, le centre de la miction inhibe les neurones moteurs somatiques qui innervent les fibres musculaires squelettiques du muscle sphincter de l'urètre. La miction suit la contraction de la paroi vésicale et le relâchement des sphincters. Quand la vessie se remplit, on ressent une pression qui fait naître le désir conscient d'uriner avant même que le réflexe de la miction se manifeste. Bien que l'évacuation de la vessie s'effectue par réflexe, nous apprenons dès la petite enfance à la déclencher et à l'arrêter volontairement. Ainsi, en contrôlant l'activité du muscle sphincter de l'urètre et de certains muscles du plancher pelvien, le cortex cérébral peut déclencher la miction ou la retarder pendant un certain temps.

Urètre

L'**urètre** est un petit conduit qui prend naissance à l'ostium interne de l'urètre dans le plancher de la vessie et débouche à l'extérieur du corps (voir la figure 26.1). Chez l'homme et la femme, l'urètre constitue la partie terminale du système urinaire et le passage par lequel le corps évacue l'urine ; chez l'homme, il sert aussi à l'émission du sperme.

Chez la femme, l'urètre est situé directement derrière la symphyse pubienne ; il descend en oblique vers l'avant et mesure 4 cm de long (voir la figure 28.13b, p. 1053). L'ouverture de l'urètre sur l'extérieur, l'**ostium externe de l'urètre,** est située entre le clitoris et le vestibule du vagin (voir la figure 28.22, p. 1062). La paroi de l'urètre féminin est formée d'une **muqueuse** interne et d'une **musculeuse** superficielle. La muqueuse est composée d'un **épithélium** et d'un **chorion** (tissu conjonctif lâche avec des fibres élastiques et un plexus veineux). La musculeuse est constituée d'une couche circulaire de fibres musculaires lisses et elle est en continuité avec celle de la vessie. Près de cette dernière, la muqueuse contient un épithélium transitionnel qui prolonge celui de la vessie. Près de l'ostium externe de l'urètre, l'épithélium est de type stratifié pavimenteux non kératinisé. Entre ces deux régions, il est de type stratifié prismatique ou pseudostratifié prismatique.

Chez l'homme, l'urètre s'étend aussi de l'ostium interne jusqu'à l'extérieur, mais sa longueur et son parcours dans le corps diffèrent considérablement de ceux de la femme (voir la figure 28.3, p. 1039, et la figure 28.12, p. 1051). L'urètre masculin traverse d'abord la prostate, puis le diaphragme uro-génital et enfin le pénis, soit une distance de 15 à 20 cm.

L'urètre masculin, qui comprend aussi une **muqueuse** interne et une **musculeuse** superficielle, se divise en trois régions anatomiques : 1) la **partie prostatique** traverse la prostate ; 2) la **partie membranacée,** la plus courte des trois, traverse le diaphragme uro-génital et 3) la **partie spongieuse,** qui est la plus longue, passe par le pénis. L'épithélium de la partie prostatique est dans le prolongement de celui de la vessie : il est de type transitionnel au départ et devient plus loin stratifié prismatique ou pseudostratifié prismatique. La muqueuse de la partie membranacée comprend un épithélium stratifié prismatique ou pseudostratifié prismatique. L'épithélium de la partie spongieuse est stratifié prismatique ou pseudostratifié prismatique, sauf près de l'ostium externe de l'urètre, où il est stratifié pavimenteux non kératinisé. Le **chorion** de l'urètre masculin est composée de tissu conjonctif lâche, de fibres élastiques et d'un plexus veineux.

La musculeuse de la partie prostatique est composée de fibres musculaires lisses formant des brins surtout circulaires à la face externe du chorion ; ces fibres circulaires contribuent à former le sphincter lisse de l'urètre qui ferme la vessie. La musculeuse de la partie membranacée est constituée de fibres musculaires squelettiques du diaphragme uro-génital dont la disposition circulaire contribue à la formation du muscle sphincter de l'urètre à la sortie de la vessie.

APPLICATION CLINIQUE
Incontinence urinaire

L'absence de contrôle volontaire de la miction est appelée **incontinence urinaire.** Chez les nourrissons et les enfants de moins de deux ou trois ans, l'incontinence est normale parce que les neurones qui mènent au muscle sphincter de l'urètre ne sont pas complètement développés, si bien que la vessie se vide dès qu'elle est assez distendue pour déclencher le réflexe de la miction. L'incontinence urinaire touche aussi les adultes. Plus de 10 millions d'adultes aux États-Unis en sont atteints. De 1 à 2 millions d'entre eux souffrent **d'incontinence d'effort.** Dans leur cas, les efforts physiques ou les états qui augmentent la pression abdominale, tels que la toux, les éternuements, le rire, l'exercice, la grossesse ou simplement la marche, peuvent provoquer des fuites d'urine de

la vessie. L'incontinence chez les adultes peut aussi être causée par une lésion des nerfs qui agissent sur la vessie, une diminution de la flexibilité de la vessie due au vieillissement, une maladie ou une irritation de la vessie ou de l'urètre, une lésion du muscle sphincter de l'urètre ou certains médicaments. De plus, les fumeurs sont deux fois plus susceptibles de souffrir d'incontinence que les non-fumeurs. ■

1. Quelles forces contribuent à propulser l'urine du bassinet à la vessie ?
2. Qu'est-ce que la miction ? Décrivez le réflexe de la miction.
3. Comparez les urètres masculins et féminins quant à leur situation, leur longueur et leur histologie.

TRAITEMENT DES DÉCHETS AILLEURS DANS L'ORGANISME
OBJECTIF
• *Décrire comment le déchets de l'organisme sont traités.*

Nous avons vu qu'une des nombreuses fonctions du système urinaire consiste à débarrasser l'organisme de certains types de déchets. Outre les reins, plusieurs tissus, organes et processus contribuent au confinement temporaire des déchets, à leur transport en vue de leur évacuation, au recyclage des matériaux et à l'excrétion des substances excédentaires ou toxiques. Voici quelques-uns de ces systèmes de traitement des déchets :

• *Tampons.* Les tampons fixent les ions hydrogène (H^+) excédentaires. Ils empêchent ainsi l'acidité des liquides organiques d'augmenter. Ils ressemblent à des corbeilles à papier en ce sens que leur capacité est limitée ; à la fin, les ions H^+, comme les papiers de la corbeille, doivent être éliminés de l'organisme par excrétion.

• *Sang.* La circulation sanguine constitue un service de ramassage et de transport des déchets et joue un rôle semblable à celui des éboueurs et des égouts dans une ville.

• *Foie.* Le recyclage métabolique, telles la conversion des acides aminés en glucose ou celle du glucose en acides gras, s'effectue principalement dans le foie. C'est là aussi que certaines substances toxiques sont transformées en substances moins toxiques, comme l'ammoniaque en urée. Ces fonctions du foie sont décrites aux chapitres 24 et 25.

• *Poumons.* À chaque expiration, les poumons excrètent du CO_2 et rejettent de la chaleur et un peu de vapeur d'eau.

• *Glandes sudoripares.* En particulier durant l'exercice, les glandes sudoripares de la peau contribuent à éliminer la chaleur, l'eau et le CO_2 excédentaires, ainsi qu'une petite quantité de sels et d'urée.

• *Tube digestif.* Grâce à la défécation, le tube digestif élimine les aliments solides non digérés, des déchets, du CO_2, de l'eau, des sels et de la chaleur.

Figure 26.23 Développement du système urinaire.

 Trois paires de reins se forment successivement dans le mésoderme intermédiaire : le pronéphros, le mésonéphros et le métanéphros.

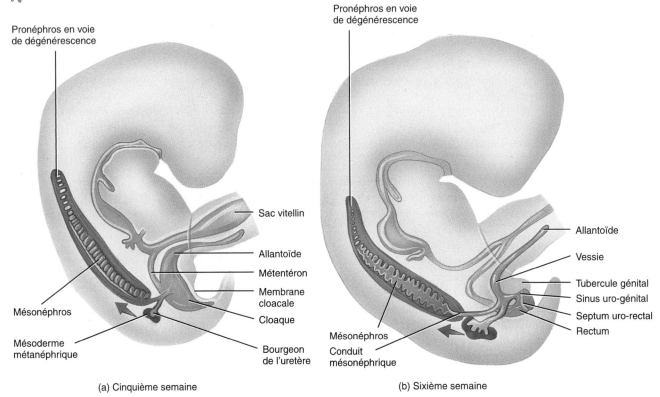

Pronéphros en voie de dégénérescence

Mésonéphros

Mésoderme métanéphrique

Sac vitellin

Allantoïde

Métentéron

Membrane cloacale

Cloaque

Bourgeon de l'uretère

(a) Cinquième semaine

Pronéphros en voie de dégénérescence

Mésonéphros

Conduit mésonéphrique

Allantoïde

Vessie

Tubercule génital

Sinus uro-génital

Septum uro-rectal

Rectum

(b) Sixième semaine

DÉVELOPPEMENT EMBRYONNAIRE DU SYSTÈME URINAIRE

OBJECTIF

• *Décrire le développement du système urinaire.*

Au cours de la troisième semaine du développement fœtal, une partie du mésoderme le long de la face postérieure de l'embryon, nommée **mésoderme intermédiaire,** commence à se différencier pour donner naissance aux reins. Trois paires de reins se forment successivement dans le mésoderme intermédiaire : le pronéphros, le mésonéphros et le métanéphros (figure 26.23). Seule la dernière paire est appelée à demeurer et à devenir les reins fonctionnels du nouveau-né.

Le premier rein, le **pronéphros,** est celui des trois qui est situé le plus haut. Il est relié au **conduit pronéphrique** qui se jette dans le **cloaque,** aboutissement commun des conduits urinaires, digestifs et reproducteurs. Le pronéphros commence à dégénérer pendant la quatrième semaine et disparaît avant la sixième semaine ; toutefois, les conduits pronéphriques demeurent.

Le deuxième rein, le **mésonéphros,** remplace le pronéphros. La partie du conduit pronéphrique qui est reliée au mésonéphros devient le **conduit mésonéphrique.** Le mésonéphros commence à dégénérer durant la sixième semaine. À la huitième semaine, il est presque disparu.

Aux environs de la cinquième semaine, une excroissance mésodermique, appelée **bourgeon de l'uretère,** se développe à l'extrémité distale du conduit mésonéphrique près du cloaque. Le **métanéphros,** ou rein définitif, se développe à partir du bourgeon de l'uretère et du mésoderme métanéphrique. Le bourgeon de l'uretère donne naissance aux *tubules collecteurs,* aux *calices,* au *bassinet* et à l'*uretère.* Le **mésoderme métanéphrique** forme les néphrons. Dès le troisième mois, les reins fœtaux commencent à excréter de l'urine dans le liquide amniotique ambiant ; en fait, la majeure partie du liquide amniotique est constituée d'urine fœtale.

Au cours du développement, le cloaque se divise en **sinus uro-génital,** dans lequel les conduits urinaires et génitaux se déversent, et en *rectum,* qui se vide dans le canal anal. La *vessie* se développe à partir du sinus uro-génital. Chez la femme, l'*urètre* se forme par suite de l'allongement du petit

Figure 26.23 (suite)

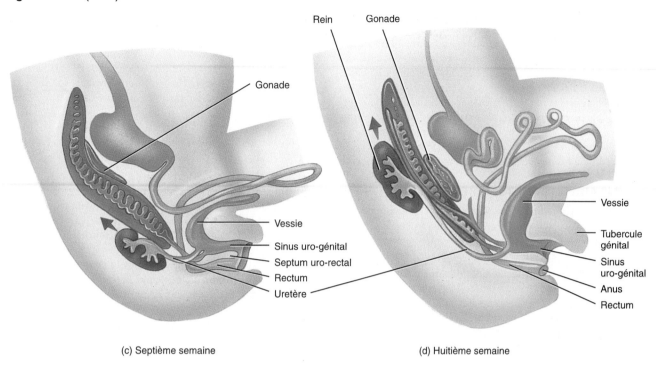

(c) Septième semaine

(d) Huitième semaine

Q À quel moment les reins commencent-ils à se développer ?

conduit qui relie la vessie au sinus uro-génital. Le *vestibule*, dans lequel les conduits urinaires et génitaux se vident, est aussi dérivé du sinus uro-génital. Chez l'homme, l'urètre est considérablement plus long et plus complexe, mais il est aussi dérivé du sinus uro-génital.

VIEILLISSEMENT DU SYSTÈME URINAIRE

OBJECTIF

• *Décrire les effets du vieillissement sur le système urinaire.*

Avec l'âge, les reins deviennent plus petits et, le débit sanguin étant moins élevé, ils filtrent moins de sang. En moyenne, la masse des deux reins, qui est de 260 g dans la vingtaine, est inférieure à 200 g à l'âge de 80 ans. De même, le débit sanguin rénal et le débit de filtration diminuent de 50 % entre 40 et 70 ans. Les maladies rénales qui deviennent plus fréquentes avec l'âge comprennent les inflammations rénales aiguës et chroniques et les calculs rénaux. Comme la sensation de la soif diminue au fur et à mesure qu'on vieillit, les personnes âgées sont sujettes à la déshydratation. Les infections du système urinaire sont aussi plus fréquentes, de même que la polyurie (production excessive d'urine), la nycturie (mictions fréquentes la nuit), les mictions plus fréquentes, la dysurie (mictions douloureuses), la rétention d'urine ou l'incontinence et l'hématurie (présence de sang dans les urines). Le cancer le plus fréquent chez les hommes âgés est celui de la prostate (voir p. 1079).

DÉSÉQUILIBRES HOMÉOSTATIQUES

CALCULS RÉNAUX

Il arrive que les cristaux de sels présents dans l'urine précipitent et forment des agrégats insolubles appelés **calculs rénaux** (*calculus* = caillou), ou communément pierres. Ces concrétions contiennent souvent des cristaux d'oxalate de calcium, d'acide urique ou de phosphate de calcium. Les conditions qui favorisent la formation de calculs comprennent l'ingestion excessive de calcium, un apport d'eau insuffisant, une urine anormalement alcaline ou acide et l'hyperactivité des glandes parathyroïdes. Quand un calcul reste logé dans un conduit étroit, tel un uretère, la douleur peut être insupportable. La **lithotripsie** (*lithos* = pierre) par ondes de choc permet de traiter les calculs sans recours à la chirurgie. Le lithotriteur est un appareil qui émet des ondes sonores brèves de haute intensité à travers un coussin rempli d'eau. Pendant une période de 30 à 60 min, 1 000 ondes de choc hydrauliques ou plus pulvérisent les calculs. À la fin, les fragments sont assez petits pour passer dans l'urine.

INFECTIONS URINAIRES

L'expression **infection urinaire** désigne soit une infection d'une partie du système urinaire, soit la présence d'un grand nombre de microbes dans l'urine. Les infections urinaires sont plus fréquentes chez les femmes parce que leur urètre est plus court que celui des hommes. Les symptômes peuvent être des douleurs ou une sensation de brûlure à la miction, des mictions impérieuses et fréquentes, des douleurs lombaires et de l'incontinence nocturne. Les infections urinaires comprennent l'*urétrite* (inflammation de l'urètre), la *cystite* (inflammation de la vessie) et la *pyélonéphrite* (inflammation des reins). Si la pyélonéphrite devient chronique, le tissu cicatriciel qui se forme diminue de façon importante le fonctionnement des reins.

MALADIES GLOMÉRULAIRES

Un certain nombre d'affections peuvent endommager les glomérules rénaux, soit directement, soit indirectement par suite d'une maladie ailleurs dans le corps. En général, c'est la membrane de filtration qui est atteinte et sa perméabilité augmente.

La **glomérulonéphrite** est une inflammation du rein qui touche les glomérules. Une des causes les plus fréquentes est une réaction allergique aux toxines produites par des streptocoques qui ont infecté peu de temps auparavant une autre partie du corps, en particulier la gorge. Les glomérules deviennent enflammés, tuméfiés et engorgés de sang à tel point que la membrane de filtration laisse passer les globules sanguins et les protéines plasmatiques. En conséquence, l'urine contient beaucoup d'érythrocytes (hématurie) et de protéines. Les lésions des glomérules peuvent être permanentes et entraîner une insuffisance rénale chronique.

Le **syndrome néphrotique** est une affection caractérisée par une *protéinurie* élevée (protéines dans l'urine) et une *hyperlipidémie* (taux élevé de cholestérol, de phospholipides et de triglycérides dans le sang). La protéinurie élevée est due à une plus grande perméabilité de la membrane de filtration, qui permet aux protéines, en particulier l'albumine, de quitter la circulation sanguine et d'être excrétées dans l'urine. La perte d'albumine entraîne l'*hypoalbuminémie* (faible concentration d'albumine dans le sang) dès que la production d'albumine par le foie cesse de compenser la perte dans les urines. Le syndrome s'accompagne souvent d'œdème, habituellement visible autour des yeux, des chevilles, des pieds et de l'abdomen, parce que la perte d'albumine diminue la pression oncotique dans le sang. Il est associé à plusieurs maladies glomérulaires d'origine inconnue, ainsi qu'à des troubles systémiques tels que le diabète, le lupus érythémateux aigu disséminé, divers cancers et le SIDA.

INSUFFISANCE RÉNALE

L'**insuffisance rénale** est une diminution ou un arrêt de la filtration glomérulaire. Dans le cas de l'**insuffisance rénale aiguë,** les reins cessent de fonctionner soudainement et complètement (ou presque complètement). La principale caractéristique de l'insuffisance rénale aiguë est la suppression du débit urinaire, qui se traduit habituellement par une *oligurie* (*oligos* = peu abondant; *ouron* = urine), c'est-à-dire un débit urinaire quotidien inférieur à 250 mL, ou par une *anurie*, un débit urinaire quotidien inférieur à 50 mL. Les causes de cet état comprennent une diminution du volume sanguin (par exemple, consécutif à une hémorragie), une réduction du débit cardiaque, des lésions des tubules rénaux, la présence de calculs rénaux, l'utilisation de produits de contraste pour révéler les vaisseaux

sanguins lors d'une angiographie, la prise d'anti-inflammatoires non stéroïdiens et de certains antibiotiques. L'insuffisance rénale occasionne de l'œdème en raison de la rétention d'eau et de sels, une acidose par suite de l'incapacité des reins à excréter les substances acides, une élévation de la concentration d'urée due à l'excrétion réduite des déchets métaboliques, une augmentation de la concentration du potassium qui peut provoquer un arrêt cardiaque, une anémie parce que les reins n'arrivent pas à sécréter assez d'érythropoïétine pour assurer une production adéquate de globules rouges, et une ostéomalacie parce que les reins ont perdu leur capacité de convertir la vitamine D en calcitriol, qui est nécessaire à l'absorption du calcium dans l'intestin grêle.

L'**insuffisance rénale chronique** est associée à un déclin progressif et généralement irréversible du débit de filtration glomérulaire. Elle peut être causée par une glomérulonéphrite chronique, une pyélonéphrite, une polykystose rénale ou une perte de tissu rénal consécutive à un traumatisme. Elle se développe en trois étapes. Durant la première étape, soit la *diminution de la réserve rénale,* jusqu'à 75 % des néphrons fonctionnels sont détruits. Il est possible que la personne atteinte n'observe pas de signes ou ne ressente pas de symptômes parce que les néphrons qui restent deviennent plus gros et accomplissent la tâche de ceux qui ne fonctionnent plus. Après avoir perdu 75 % des néphrons, la personne entre dans la deuxième phase, appelée *insuffisance rénale,* caractérisée par une diminution du débit de filtration glomérulaire et une augmentation du taux sanguin de déchets azotés et de créatinine. De plus, les reins sont incapables de concentrer ou de diluer l'urine efficacement. La dernière étape, appelée *stade d'insuffisance rénale terminale,* commence quand environ 90 % des néphrons sont détruits. Le débit de filtration glomérulaire diminue alors à 10 ou 15 % de la normale, il y a oligurie et la concentration sanguine de déchets azotés et de créatinine continue d'augmenter. Les personnes qui sont au stade d'insuffisance rénale terminale doivent être dialysées ou recevoir une greffe de rein.

POLYKYSTOSE RÉNALE

La **polykystose rénale** est une des maladies héréditaires les plus fréquentes. Chez les nouveau-nés, elle entraîne la mort à la naissance ou peu de temps après. Chez les adultes, elle est la cause de 6 à 12 % des greffes du rein. Les tubules rénaux deviennent criblés de centaines ou de milliers de kystes (cavités remplies de liquide). De plus, l'apoptose (mort cellulaire programmée) intempestive des cellules dans les tubules non kystiques entraîne une diminution progressive de la fonction rénale et, à plus ou moins longue échéance, l'insuffisance rénale terminale.

Les personnes qui souffrent de polykystose rénale peuvent aussi avoir le foie, le pancréas, la rate et les gonades atteints de kystes et sujets à l'apoptose; elles courent plus de risques de subir des anévrismes cérébraux. Elles peuvent également connaître des anomalies des valves du cœur et présenter des diverticules dans le côlon. En général, les symptômes ne se manifestent pas avant l'âge adulte; c'est alors que les patients peuvent souffrir de maux de dos, d'infections urinaires et d'hypertension, et observer la présence de sang dans les urines et de masses importantes dans l'abdomen. L'emploi de médicaments qui ramènent la pression artérielle à la normale, un régime alimentaire faible en protéines et en sel, et des traitements contre les infections urinaires peuvent ralentir la progression de la maladie vers l'insuffisance rénale.

TERMES MÉDICAUX

Azotémie (*haima* = sang) Présence d'urée ou d'autres substances azotées dans le sang.

Cystocèle (*kystis* = vessie; *kêlê* = hernie) Hernie de la vessie.

Énurésie (*en* = dans; *ourein* = uriner) Miction involontaire après l'âge auquel on devrait habituellement la maîtriser.

Énurésie nocturne Émission d'urine durant le sommeil, incontinence nocturne. Touche environ 15% des enfants de cinq ans et disparaît spontanément la plupart du temps; environ 1% des adultes seulement en sont affligés. Ce trouble est peut-être héréditaire, car il est plus fréquent chez les vrais jumeaux que chez les jumeaux dizygotes, et chez les enfants dont les parents ou les frères et sœurs ont souffert d'incontinence nocturne. Les causes possibles comprennent une capacité vésicale inférieure à la normale, une surproduction d'urine la nuit ou le fait que l'incontinent ne parvient pas à s'éveiller lorsque sa vessie est pleine. Aussi appelée **nycturie.**

Polyurie (*polys* = beaucoup) Formation excessive d'urine.

Rétention urinaire Incapacité d'éliminer l'urine normalement ou complètement; peut être consécutive à une obstruction de l'urètre ou du col de la vessie, à une contraction nerveuse de l'urètre ou à l'absence d'envie d'uriner. Chez l'homme, l'hypertrophie de la prostate peut comprimer l'urètre et causer la rétention urinaire.

Rétrécissement Diminution de la lumière d'un conduit ou d'un organe creux tels que l'uretère, l'urètre ou toute autre structure tubulaire du corps.

Urographie intraveineuse (*ouron* = urine; *graphein* = écrire) **(UIV)** Radiographie des reins après injection intraveineuse d'un produit de contraste.

RÉSUMÉ

INTRODUCTION (p. 971)

1. Les organes du système urinaire sont les reins, les uretères, la vessie et l'urètre.
2. L'eau et les solutés qui restent après que les reins ont filtré le sang et retourné la majeure partie de l'eau et des solutés à la circulation sanguine constituent l'urine.

FONCTIONS DU REIN: VUE D'ENSEMBLE (p. 971)

1. Les reins régulent la composition ionique du sang, son osmolarité, le volume sanguin, la pression artérielle ainsi que le pH du sang.
2. Les reins participent aussi à la néoglucogenèse, libèrent le calcitriol et l'érythropoïétine, et excrètent les déchets et les substances étrangères.

ANATOMIE ET HISTOLOGIE DES REINS (p. 973)

1. Les reins sont des organes rétropéritonéaux fixés à la paroi abdominale postérieure.
2. Trois couches de tissu enveloppent les reins: la capsule fibreuse, la capsule adipeuse et le fascia rénal.
3. L'intérieur du rein est formé d'un cortex, d'une médullaire, de pyramides, de papilles et de colonnes rénales, de calices et d'un bassinet.
4. Le sang pénètre dans le rein par l'artère rénale. Il passe, dans l'ordre, par les artères segmentaires, interlobaires, arquées et interlobulaires, les artérioles glomérulaires afférentes, les capillaires glomérulaires, les artérioles glomérulaires efférentes, les capillaires péritubulaires, les artérioles et les veinules droites (aussi appelées collectivement vasa recta), et les veines interlobulaires, arquées, interlobaires et segmentaires. Enfin, il quitte le rein par la veine rénale.
5. Des nerfs vasomoteurs de la partie sympathique du système nerveux autonome innervent les vaisseaux sanguins du rein; ils participent à la régulation du débit sanguin.

6. Le néphron est l'unité fonctionnelle du rein. Il est constitué d'un corpuscule rénal (glomérule et capsule glomérulaire, ou de Bowman) et d'un tubule rénal.
7. Le tubule rénal comprend le tubule contourné proximal, l'anse du néphron et le tubule contourné distal, qui se jette dans le tubule collecteur (que se partagent plusieurs néphrons). L'anse du néphron est formée d'une partie descendante et d'une partie ascendante.
8. Le néphron cortical a une anse courte qui ne pénètre que la région superficielle de la médullaire rénale; le néphron juxtamédullaire a une anse longue qui s'enfonce dans la médullaire presque jusqu'à la papille rénale.
9. La paroi de la capsule glomérulaire, du tubule rénal et du tubule collecteur est formée, d'un bout à l'autre, d'une seule couche de cellules épithéliales. L'épithélium de chaque partie du tubule possède des caractéristiques histologiques propres. Le tableau 26.1, p. 981, résume les caractéristiques histologiques du tubule rénal et du tubule collecteur.
10. L'appareil juxtaglomérulaire est composé des cellules juxtaglomérulaires et de la macula densa de l'extrémité de la partie ascendante de l'anse du néphron.

PHYSIOLOGIE RÉNALE: VUE D'ENSEMBLE (p. 981)

1. Le néphron assure trois fonctions principales: la filtration glomérulaire, la sécrétion tubulaire et la réabsorption tubulaire.

FILTRATION GLOMÉRULAIRE (p. 982)

1. Le liquide qui pénètre dans la chambre glomérulaire est appelé filtrat glomérulaire.
2. La membrane de filtration (endothélio-capsulaire) est formée de l'endothélium glomérulaire, de la membrane basale et des fentes de filtration entre les pédicelles des podocytes.

3. La plupart des substances du plasma traversent facilement le filtre glomérulaire. Toutefois, les globules sanguins et la plupart des protéines ne passent pas dans le filtrat.

4. Le filtrat glomérulaire totalise jusqu'à 180 L de liquide par jour. La quantité de fluide filtré est élevée parce que le filtre est mince et poreux, les capillaires glomérulaires sont longs et la pression sanguine dans les capillaires est élevée.

5. La pression hydrostatique glomérulaire (PH_g) favorise la filtration, alors que la pression hydrostatique capsulaire (PH_c) et la pression oncotique (PO) s'y opposent. La pression nette de filtration (PNF) = $PH_g - PH_c - PO$. La PNF est d'environ 10 mm Hg.

6. Le débit de filtration glomérulaire (DFG) est la quantité de filtrat produit dans les deux reins par minute; il est normalement de 105 à 125 mL/min.

7. Le débit de filtration glomérulaire dépend de l'autorégulation rénale, de la régulation nerveuse et de la régulation hormonale. Le tableau 26.2, p. 987, résume la régulation du DFG.

RÉABSORPTION ET SÉCRÉTION TUBULAIRES (p. 988)

1. La réabsorption tubulaire est un processus sélectif qui récupère des substances du fluide tubulaire et les retourne à la circulation sanguine. Les substances réabsorbées comprennent l'eau, le glucose, les acides aminés, l'urée et des ions tels que le sodium, le chlorure, le potassium, le bicarbonate et le phosphate (voir le tableau 26.3, p. 988).

2. Certaines substances dont l'organisme n'a pas besoin sont retirées de la circulation sanguine et rejetées dans l'urine par la sécrétion tubulaire. Ce sont, entre autres, des ions (K^+, H^+ et NH_4^+), l'urée, la créatinine et certains médicaments.

3. La réabsorption s'effectue par les voies paracellulaire (entre les cellules des tubules) et transcellulaire (à travers les cellules des tubules).

4. La quantité maximale d'une substance qui peut être réabsorbée par unité de temps s'appelle le transport maximal (T_m).

5. Environ 90% de la réabsorption d'eau est obligatoire; elle s'effectue par osmose et accompagne la réabsorption des solutés. Les 10% qui restent constituent la réabsorption facultative de l'eau, qui varie selon les besoins de l'organisme et obéit à la régulation de l'ADH.

6. Les ions Na^+ sont réabsorbés sur toute l'étendue de la membrane basolatérale par transport actif primaire.

7. Dans le tubule contourné proximal, les ions sodium sont réabsorbés à travers la membrane apicale par des symporteurs Na^+-glucose et des antiporteurs Na^+-H^+; l'eau est réabsorbée par osmose; les ions Cl^-, K^+, Ca^{2+} et Mg^{2+} ainsi que l'urée sont réabsorbés par diffusion passive; le NH_3 et le NH_4^+ sont sécrétés.

8. L'anse du néphron réabsorbe de 20 à 30% des ions Na^+, K^+, Ca^{2+} et HCO_3^-, 35% des ions Cl^- et 15% de l'eau filtrés.

9. Le tubule contourné distal réabsorbe les ions sodium et chlorure au moyen de symporteurs Na^+-Cl^-.

10. Dans le tubule collecteur, les cellules principales réabsorbent des ions Na^+ et sécrètent des ions K^+. Certaines cellules intercalaires réabsorbent des ions K^+ et HCO_3^- et sécrètent des ions H^+, alors que d'autres cellules intercalaires sécrètent des ions HCO_3^-.

11. L'angiotensine II, l'aldostérone, l'hormone antidiurétique et le peptide natriurétique auriculaire régulent la réabsorption des solutés et de l'eau. Leurs effets sont résumés dans le tableau 26.4, p. 997.

12. En l'absence d'ADH, les reins produisent de l'urine diluée; les tubules rénaux absorbent plus de solutés que d'eau.

13. En présence de l'ADH, les reins produisent de l'urine concentrée; de grandes quantités d'eau sont réabsorbées du fluide tubulaire et passent dans le liquide interstitiel, ce qui augmente la concentration des solutés dans l'urine.

14. Le mécanisme à contre-courant établit un gradient osmotique dans le liquide interstitiel de la médullaire rénale, qui permet la production d'urine concentrée lorsque l'ADH est présente.

ÉVALUATION DE LA FONCTION RÉNALE (p. 1002)

1. L'examen des urines est une analyse du volume et des propriétés physiques, chimiques et microscopiques d'un échantillon d'urine. Le tableau 26.5, p. 1002, résume les principales caractéristiques physiques de l'urine.

2. Sur le plan chimique, l'urine normale contient environ 95% d'eau et 5% de solutés. Parmi les solutés normalement présents se trouvent l'urée, la créatinine, l'acide urique, l'urobilinogène et divers ions.

3. Le tableau 26.6, p. 1003, présente plusieurs constituants anormaux qu'un examen des urines peut révéler, dont l'albumine, le glucose, les globules rouges et blancs, les corps cétoniques, la bilirubine, l'urobilinogène en quantité excessive, les cylindres urinaires et les microbes.

4. La clairance rénale est la capacité des reins à retirer une substance donnée du sang par unité de temps.

TRANSPORT, ENTREPOSAGE ET ÉLIMINATION DE L'URINE (p. 1004)

1. Les uretères sont rétropéritonéaux et sont constitués d'une muqueuse, d'une musculeuse et d'une adventice. Ils transportent l'urine du bassinet à la vessie, principalement par péristaltisme.

2. La vessie est située dans la cavité pelvienne derrière la symphyse pubienne; sa fonction est d'entreposer l'urine entre les mictions.

3. La vessie est composée d'une muqueuse avec des replis muqueux, d'une musculeuse (muscle vésical) et d'une adventice (séreuse sur la face supérieure).

4. Le réflexe de la miction évacue l'urine de la vessie par suite d'influx parasympathiques qui causent la contraction du muscle vésical et le relâchement du sphincter lisse de l'urètre, et par suite de l'inhibition des influx dans les neurones moteurs somatiques qui innervent le muscle sphincter de l'urètre.

5. L'urètre est un conduit qui commence dans le plancher de la vessie et va jusqu'à l'extérieur du corps. Son anatomie et son histologie sont différentes chez l'homme et la femme. Chez les deux sexes, l'urètre sert à l'évacuation de l'urine du corps; chez l'homme, il sert également à l'émission du sperme.

TRAITEMENT DES DÉCHETS AILLEURS DANS L'ORGANISME (p. 1007)

1. Outre les reins, plusieurs tissus, organes et processus contribuent au confinement temporaire des déchets, à leur transport en vue de leur évacuation, au recyclage des matériaux et à l'excrétion des substances excédentaires ou toxiques.

2. Les tampons lient les ions H^+ excédentaires, le sang transporte les déchets, le foie convertit les substances toxiques en substances moins toxiques, les poumons dégagent du CO_2, les glandes sudoripares contribuent à dissiper la chaleur et le tube digestif élimine les déchets solides.

DÉVELOPPEMENT EMBRYONNAIRE DU SYSTÈME URINAIRE (p. 1008)

1. Les reins se développent à partir du mésoderme intermédiaire.

2. Leur développement passe par les structures suivantes, dans l'ordre : pronéphros, mésonéphros, métanéphros. Seul le métanéphros demeure et devient le rein fonctionnel.

VIEILLISSEMENT DU SYSTÈME URINAIRE (p. 1009)

1. Avec l'âge, les reins deviennent plus petits et, le débit sanguin étant moins élevé, ils filtrent moins de sang.

2. Les troubles les plus fréquents liés au vieillissement comprennent les infections urinaires, les mictions fréquentes, la rétention d'urine ou l'incontinence et les calculs rénaux.

AUTOÉVALUATION

1. Associez les éléments suivants :
___ a) cellules situées à l'extrémité du tubule contourné distal et dans le tubule collecteur ; elles sont régulées par l'ADH et l'aldostérone
___ b) réseau de capillaires situé dans la capsule glomérulaire et servant à la filtration
___ c) unité fonctionnelle du rein
___ d) se jette dans un tubule collecteur
___ e) ensemble formé du glomérule et de la capsule glomérulaire ; où le plasma est filtré
___ f) feuillet viscéral de la capsule glomérulaire constitué d'un épithélium simple pavimenteux modifié
___ g) cellules du dernier segment de la partie ascendante de l'anse du néphron qui sont en contact avec l'artériole glomérulaire afférente
___ h) lieu de la réabsorption obligatoire de l'eau
___ i) peuvent sécréter des ions H^+ contre leur gradient de concentration
___ j) fibres musculaires lisses modifiées de la paroi de l'artériole glomérulaire afférente

1) podocytes	6) cellules juxtaglomérulaires
2) glomérule	7) macula densa
3) corpuscule rénal	8) cellules principales
4) tubule contourné proximal	9) cellules intercalaires
5) tubule contourné distal	10) néphron

2. Associez les éléments suivants :
___ a) principal organe du recyclage métabolique
___ b) excrètent de l'eau et des solutés excédentaires, des ions H^+ et d'autres ions, de la chaleur et du CO_2
___ c) excrète les aliments solides non digérés, des déchets, du CO_2, de l'eau, des sels et de la chaleur
___ d) recueille les déchets des cellules de l'organisme
___ e) excrètent du CO_2, de la chaleur et de la vapeur d'eau
___ f) lient les ions hydrogène excédentaires
___ g) éliminent le surcroît de chaleur, d'eau et de CO_2, de même que de petites quantités de sels et d'urée

1) tampons	5) poumons
2) sang	6) glandes sudoripares
3) foie	7) reins
4) tube digestif	

Choix multiples

3. Lesquelles parmi les suivantes sont des caractéristiques du corpuscule rénal qui augmentent sa capacité de filtration ? 1) Grande superficie des capillaires glomérulaires. 2) Membrane de filtration épaisse à perméabilité sélective. 3) Basse pression dans les capillaires glomérulaires. 4) Haute pression dans les capillaires glomérulaires. 5) Membrane de filtration mince et poreuse.
a) 1, 2 et 3. b) 2, 4 et 5. c) 1, 4 et 5. d) 2, 3 et 4. e) 2, 3 et 5.

4. La pression qui favorise la filtration glomérulaire est : a) la pression hydrostatique glomérulaire ; b) la pression hydrostatique capsulaire ; c) la pression oncotique ; d) la pression osmotique capsulaire ; e) les pressions hydrostatique et osmotique capsulaires ensemble.

5. Lesquels des énoncés suivants sont exacts ? 1) Le débit de filtration glomérulaire (DFG) dépend directement des pressions qui composent la pression nette de filtration. 2) Tout changement de la pression nette de filtration se répercute sur le DFG. 3) Les mécanismes de régulation du DFG régissent le débit sanguin à l'entrée et à la sortie du glomérule, et modifient la superficie des capillaires glomérulaires disponible pour la filtration. 4) Le DFG augmente quand le débit sanguin dans les capillaires glomérulaires diminue. 5) Normalement, le DFG augmente très peu quand la pression artérielle systémique s'élève.
a) 1, 2 et 3. b) 2, 3 et 4. c) 3, 4 et 5. d) 1, 2, 3 et 5. e) 2, 3, 4, et 5.

6. Lesquels parmi les suivants sont des mécanismes qui régissent le DFG ? 1) Autorégulation rénale. 2) Régulation nerveuse. 3) Régulation hormonale. 4) Régulation chimique des ions. 5) Présence ou absence d'un transporteur.
a) 1, 2 et 3. b) 2, 3 et 4. c) 3, 4 et 5. d) 1, 3 et 5. e) 1, 3 et 4.

7. Lesquelles des hormones suivantes influent sur la réabsorption de l'eau et des ions Na^+ et Cl^- et sur la sécrétion des ions K^+ par les tubules rénaux ? 1) Angiotensine II. 2) Aldostérone. 3) ADH. 4) Peptide natriurétique auriculaire. 5) Hormone thyroïdienne.
a) 1, 3 et 5. b) 2, 3 et 4. c) 2, 4 et 5. d) 1, 2, 4 et 5. e) 1, 2, 3 et 4.

8. Laquelle des énumérations suivantes représente la suite des structures que traverse le fluide tubulaire ? a) Tubule contourné proximal, partie descendante de l'anse du néphron, partie ascendante de l'anse du néphron, tubule collecteur, tubule contourné proximal, tubule rénal droit. b) Tubule contourné proximal, partie descendante de l'anse du néphron, partie ascendante de l'anse du néphron, tubule contourné distal, tubule collecteur, tubule rénal droit. c) Tubule rénal droit, tubule contourné distal, tubule contourné proximal, tubule collecteur, partie ascendante de l'anse du néphron, partie descendante de l'anse du néphron. d) Tubule collecteur, tubule contourné proximal, partie ascendante de l'anse du néphron, partie descendante de l'anse du néphron, tubule rénal droit, tubule contourné distal. e) Tubule contourné distal, partie ascendante de l'anse du néphron, partie descendante de l'anse du néphron, tubule contourné proximal, tubule rénal droit, tubule collecteur.

Vrai ou faux

9. Lors de la formation de l'urine diluée, l'osmolarité du fluide dans la lumière du tubule augmente quand il s'écoule dans la partie descendante de l'anse du néphron, diminue quand il remonte la partie ascendante et continue de diminuer dans le reste du néphron et le collecteur.

10. Le sang qui passe de l'artère rénale à la veine rénale traverse, dans l'ordre, l'artère rénale, les artères segmentaires, les artères interlobaires, les artères arquées, les artères interlobulaires, les artérioles glomérulaires afférentes, les glomérules, les artérioles glomérulaires efférentes, les capillaires péritubulaires, les artérioles droites, les veinules droites, les veinules péritubulaires, les veines interlobulaires, les veines arquées, les veines interlobaires, les veines segmentaires et la veine rénale.

Phrases à compléter

11. Les cellules de ___ des uretères et de la vessie permettent à ces structures de s'étirer pour laisser passer l'urine et l'entreposer.

12. La miction est un réflexe à la fois ___ et ___.

13. Les trois fonctions du néphron sont ___, ___ et ___.

14. Le rein accomplit les huit tâches suivantes : ___, ___, ___, ___, ___, ___, ___ et ___.

15. Associez les éléments suivants :

___ a) protéines membranaires qui servent de canaux pour l'eau ; se trouvent dans les cellules du tubule contourné proximal et de la partie descendante de l'anse du néphron

___ b) mécanisme de transport actif secondaire qui accomplit la réabsorption des ions Na^+, retourne des ions HCO_3^- et de l'eau du filtrat aux capillaires péritubulaires et sécrète des ions H^+

___ c) ATPase H^+ qui sécrète des ions H^+ dans le fluide tubulaire

___ d) stimule la sécrétion d'ions K^+ supplémentaires dans le fluide tubulaire par les cellules principales

___ e) ralentit le débit de filtration glomérulaire ; augmente la pression et le volume sanguins

___ f) augmente le débit de filtration glomérulaire

___ g) régule la réabsorption facultative de l'eau en augmentant la perméabilité à l'eau des cellules principales

___ h) réabsorbent les ions Na^+ avec divers autres solutés

1) angiotensine II	4) aquaporines
2) peptide natriurétique auriculaire	5) aldostérone
3) antiporteurs Na^+-H^+	6) ADH
	7) pompes à protons

QUESTIONS À COURT DÉVELOPPEMENT

1. Imaginez la découverte d'une nouvelle toxine qui bloque la réabsorption par les tubules rénaux mais n'influe pas sur la filtration. Dites quels seront les effets à court terme de cette toxine. (INDICE : *Normalement, environ 99 % du filtrat glomérulaire est réabsorbé.*)

2. La petite Catherine et son père roulent à toute vitesse sur l'autoroute. Soudain, elle s'écrie : « Arrête TOUT DE SUITE ! J'ai tellement envie que je vais éclater. » Son père estime qu'elle peut attendre jusqu'à la prochaine aire de repos. Grâce à quelles structures de la vessie sera-t-elle en mesure de se retenir ? (INDICE : *Les enfants sont souvent amenés à l'urgence pour des os fracturés, mais non pour des vessies éclatées.*)

3. Toutes les sondes vésicales sont de la même longueur, mais le nombre de centimètres qui doivent être introduits dans le corps pour atteindre la vessie et libérer l'urine diffère considérablement selon qu'il s'agit d'un homme ou d'une femme. Pourquoi ? (INDICE : *Pourquoi les hommes et les femmes se tiennent-ils dans des positions différentes pour uriner ?*)

RÉPONSES AUX QUESTIONS DES FIGURES

26.1 Les reins, les uretères, la vessie et l'urètre sont les organes du système urinaire.

26.2 Les reins sont rétropéritonéaux parce qu'ils sont situés derrière le péritoine.

26.3 Des vaisseaux sanguins, des vaisseaux lymphatiques, des nerfs et un uretère passent par le hile rénal.

26.4 Environ 1 200 mL de sang pénètrent chaque minute dans les artères rénales.

26.5 Le glomérule du néphron cortical est situé dans la partie externe du cortex rénal ; l'anse est courte et pénètre seulement dans la région superficielle de la médullaire rénale. Le glomérule du néphron juxtamédullaire est situé profondément dans le cortex rénal ; l'anse est longue et plonge dans la médullaire rénale presque jusqu'à la papille rénale.

26.6 La coupe a été faite dans le cortex rénal parce qu'il n'y a pas de corpuscules rénaux dans la médullaire.

26.7 La pénicilline sécrétée est retirée de la circulation sanguine.

26.8 Les fenestrations endothéliales (pores) des capillaires glomérulaires sont trop étroites pour laisser passer les globules rouges.

26.9 L'obstruction de l'uretère droit fera augmenter la PH_c et diminuer la PNF dans le rein droit ; elle n'aura aucun effet sur le rein gauche.

26.10 *Auto* signifie soi-même ; la rétroaction tubulo-glomérulaire est un exemple d'autorégulation parce qu'elle se déroule entièrement dans le rein.

26.11 Les jonctions serrées forment une barrière qui empêche les protéines des transporteurs, des canaux et des pompes de diffuser entre les membranes apicale et basolatérale.

26.12 Le glucose pénètre dans la cellule du TCP par un symporteur Na^+-glucose de la membrane apicale et en sort par diffusion facilitée à travers la membrane basolatérale.

26.13 Le gradient électrochimique favorise l'entrée des ions Na^+ dans la cellule du tubule par l'intermédiaire des antiporteurs de la membrane apicale.

26.14 La réabsorption des solutés crée un gradient osmotique qui favorise la réabsorption de l'eau par osmose.

26.15 Il s'agit d'un mécanisme de transport actif secondaire parce que le symporteur utilise l'énergie emmagasinée dans le gradient de concentration des ions Na^+, qui s'est établi entre le liquide extracellulaire et le cytosol. Il n'y a pas de réabsorption d'eau ici parce que le segment large de la partie ascendante de l'anse du néphron est pratiquement imperméable à l'eau.

26.16 Dans les cellules principales, l'aldostérone active la sécrétion d'ions K^+ et la réabsorption d'ions Na^+ en augmentant l'activité des pompes à sodium existantes et en stimulant la synthèse de pompes à sodium et de canaux de fuite pour les ions Na^+ et K^+.

26.17 L'inhibiteur de l'anhydrase carbonique réduit la sécrétion d'ions H^+ dans l'urine et diminue la réabsorption des ions Na^+ et HCO_3^- dans le sang. Il a un effet diurétique et tend à occasionner une acidose (diminution du pH sanguin) en raison de la perte d'ions HCO_3^- dans l'urine.

26.18 L'aldostérone et le peptide natriurétique auriculaire influent aussi sur la réabsorption de l'eau dans les reins.

26.19 Il y a production d'urine diluée quand le segment large de la partie ascendante de l'anse du néphron, le tubule contourné distal et le tubule collecteur réabsorbent plus de solutés que d'eau.

26.20 L'osmolarité élevée du liquide interstitiel dans la médullaire rénale est surtout le fait des ions Na^+ et Cl^- ainsi que de l'urée.

26.21 La sécrétion a lieu dans le tubule contourné proximal, l'anse du néphron et le tubule collecteur.

26.22 L'absence de contrôle volontaire de la miction est appelée incontinence urinaire.

26.23 Les reins commencent à se développer au cours de la troisième semaine de la gestation.

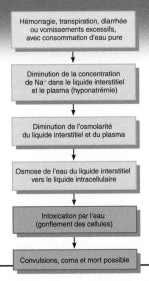

L'eau et les solutés dissous dans chacun des compartiments du corps constituent les **liquides organiques.** L'eau est le principal constituant de tous les liquides organiques. Dans l'organisme en bonne santé, des mécanismes de régulation assurent l'équilibre de ces liquides ; leur dérèglement peut entraver sérieusement le bon fonctionnement de tous les organes du corps, y compris celui du système nerveux. Dans le présent chapitre, nous nous pencherons sur les mécanismes qui régulent le volume total de l'eau dans le corps et sa distribution dans les divers compartiments hydriques. Nous examinerons également les facteurs qui exercent une influence déterminante sur les concentrations des solutés et le pH des liquides organiques.

COMPARTIMENTS HYDRIQUES ET ÉQUILIBRE HYDRIQUE

OBJECTIFS

- *Situer le liquide intracellulaire (LI) et le liquide extracellulaire (LE), et décrire les compartiments hydriques du corps.*

- *Décrire les sources d'eau et de solutés ainsi que les voies de leur déperdition, et en expliquer la régulation.*

Chez les adultes maigres, les liquides organiques représentent environ 55 % et 60 % de la masse corporelle totale chez la femme et chez l'homme, respectivement. Ils sont répartis en deux compartiments principaux – le compartiment intracellulaire et le compartiment extracellulaire

(figure 27.1). Les deux tiers environ des liquides organiques sont contenus dans les cellules et forment le **liquide intracellulaire** (**LI ;** *intra* = en dedans). L'autre tiers, appelé **liquide extracellulaire** (**LE ;** *extra* = en dehors), se trouve à l'extérieur des cellules et comprend tous les autres liquides organiques. Environ 80 % du LE est constitué du **liquide interstitiel** (*inter* = entre), qui occupe l'espace microscopique entre les cellules des tissus. Les 20 % qui restent sont le **plasma,** c'est-à-dire la partie liquide du sang. En plus du liquide interstitiel et du plasma, le LE comprend la lymphe dans les vaisseaux lymphatiques, le liquide cérébro-spinal dans le système nerveux, les liquides dans le tube digestif, la synovie dans les articulations, l'humeur aqueuse et le corps vitré dans l'œil, l'endolymphe et la périlymphe dans l'oreille, les liquides pleural, péricardique et péritonéal entre les séreuses, et le filtrat glomérulaire dans le rein.

La membrane plasmique des cellules sépare le liquide intracellulaire du liquide interstitiel, et la paroi des vaisseaux sanguins constitue une barrière entre le liquide interstitiel et le plasma. Ce n'est que dans les plus petits vaisseaux sanguins, les capillaires, que les parois sont assez minces et poreuses pour permettre l'échange d'eau et de solutés entre le plasma et le liquide interstitiel.

Le terme **équilibre hydrique** signifie que l'organisme possède les quantités requises d'eau et de solutés et qu'elles sont réparties correctement entre les compartiments. Malgré l'échange continuel d'eau et de solutés entre les compartiments, par filtration, réabsorption, diffusion et osmose, le volume de liquide dans chacun d'eux est assez stable.

Figure 27.1 Compartiments hydriques de l'organisme.

 Le terme *liquides organiques* désigne l'eau dans le corps et les substances qui y sont dissoutes.

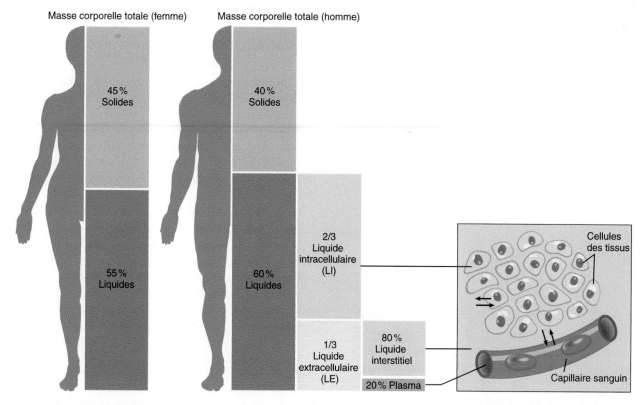

(a) Distribution de l'eau dans l'organisme d'une femme et d'un homme adultes de taille moyenne et maigres

(b) Échange d'eau entre les compartiments hydriques de l'organisme

 Quel est le volume plasmatique approximatif chez un homme maigre de 60 kg? chez une femme maigre de 60 kg? (ATTENTION : *Un litre de liquide organique a une masse de 1 kg.*)

Consultez la figure 21.7, p. 717, pour revoir les pressions qui favorisent la filtration et la réabsorption. Comme l'osmose est le principal moyen par lequel l'eau se déplace entre le liquide interstitiel et le liquide intracellulaire, la concentration des solutés dans ces compartiments détermine la *direction* du mouvement de l'eau. La plupart des solutés dans les liquides organiques sont des **électrolytes,** soit des composés inorganiques qui se dissocient en ions. L'équilibre hydrique dépend de l'équilibre électrolytique ; les deux sont en relation. Puisqu'il est rare que l'ingestion d'eau et d'électrolytes s'effectue exactement dans les proportions qui correspondent à celles qu'ils ont dans les liquides organiques, la capacité des reins à excréter le surplus d'eau en produisant de l'urine diluée ou à excréter le surplus d'électrolytes en produisant de l'urine concentrée est d'une importance capitale.

Apport et déperdition hydriques

L'**eau** est de loin le constituant le plus abondant du corps. Elle constitue de 45 à 75 % de la masse corporelle totale, selon l'âge et le sexe. Les nourrissons ont le pourcentage d'eau le plus élevé, soit jusqu'à 75 % de la masse corporelle ; cette valeur diminue jusqu'à l'âge d'environ deux ans. Jusqu'à la puberté, la masse corporelle des garçons et des filles comprend environ 60 % d'eau. Puisque le tissu adipeux ne contient presque pas d'eau, les personnes grasses ont une plus petite proportion d'eau que les personnes maigres. Chez les hommes adultes maigres, l'eau constitue environ 60 % de la masse corporelle. Même les femmes maigres ont plus de graisse sous-cutanée que les hommes, si bien que la quantité totale d'eau dans leur corps est plus faible et constitue environ 55 % de la masse corporelle.

Figure 27.2 Sources de l'apport hydrique et voies de la déperdition hydrique dans des conditions normales. Les valeurs représentent les volumes moyens chez l'adulte.

🔑 Normalement, la déperdition hydrique quotidienne est égale à l'apport hydrique quotidien.

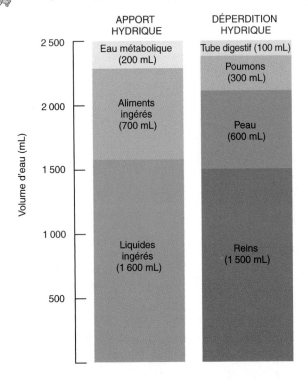

Q Comment l'hyperventilation, les vomissements, la fièvre et les diurétiques influent-ils sur l'équilibre hydrique ?

Le corps peut acquérir de l'eau de deux façons : par ingestion et par synthèse métabolique (figure 27.2). Les principales sources d'eau sont les liquides ingérés (1 600 mL) et les aliments humides (700 mL) absorbés dans le tube digestif, qui totalisent environ 2 300 mL par jour. L'autre source d'eau est l'**eau métabolique** – environ 200 mL par jour – qui est produite dans l'organisme principalement quand des électrons sont acceptés par l'oxygène au cours de la respiration cellulaire aérobie (voir la figure 25.7, p. 936) et, dans une proportion moindre, lors des réactions de synthèse par déshydratation (voir la figure 2.16, p. 47). Au total, l'apport hydrique quotidien est d'environ 2 500 mL.

Normalement, les pertes d'eau sont égales aux apports en eau, de telle sorte que le volume des liquides organiques demeure constant. Il y a quatre voies de déperdition hydrique (voir la figure 27.2). Tous les jours, les reins éliminent environ 1 500 mL d'eau dans l'urine, la peau, environ 600 mL (400 mL par perspiration insensible et 200 mL par transpiration), les poumons, environ 300 mL sous forme de vapeur d'eau et le tube digestif, environ 100 mL dans les fèces. Chez la femme en âge de procréer, le flux menstruel constitue une voie supplémentaire de perte d'eau. En moyenne donc, la

déperdition hydrique quotidienne totalise environ 2 500 mL. La quantité d'eau perdue par une voie donnée peut varier considérablement selon les circonstances. Par exemple, l'eau peut ruisseler du corps sous forme de sueur durant un effort intense ; elle peut également être évacuée dans une diarrhée lors d'une infection du tube digestif.

Régulation de l'apport hydrique

La formation de l'eau métabolique n'a pas pour fonction de maintenir l'équilibre hydrique de l'organisme. Le volume d'eau métabolique dépend plutôt de l'ampleur de la respiration cellulaire aérobie, qui traduit la quantité d'ATP requise par les cellules de l'organisme. La régulation de l'apport hydrique s'effectue principalement en ajustant le volume d'eau ingéré, c'est-à-dire en buvant une plus ou moins grande quantité de liquides. Le besoin de boire est régi par une région de l'hypothalamus appelée **centre de la soif.**

Quand la déperdition d'eau dépasse l'apport hydrique, la **déshydratation** – soit une diminution du volume des liquides organiques et une augmentation de leur osmolarité – stimule la soif (figure 27.3). Une légère déshydratation se produit quand la masse corporelle décroît de 2 % en raison d'une déperdition hydrique. Une réduction du volume sanguin provoque une chute de la pression artérielle. Les reins réagissent à ce changement en libérant de la rénine, qui entraîne la formation d'angiotensine II. L'augmentation des influx nerveux en provenance des osmorécepteurs de l'hypothalamus, déclenchée par l'élévation de l'osmolarité sanguine, et l'augmentation de l'angiotensine II dans le sang stimulent le centre de la soif dans l'hypothalamus. D'autres signaux stimulent aussi la soif, dont des influx en provenance de neurones dans la bouche qui sont sensibles à l'assèchement par suite d'une diminution de la production de salive et d'autres influx en provenance de barorécepteurs sensibles à la baisse de pression dans le cœur et les vaisseaux sanguins. Ces réactions ont pour effet d'accroître la soif, ce qui amène habituellement une plus grande ingestion de liquides (s'ils sont disponibles) et le rétablissement du volume hydrique normal. Le résultat net du cycle, c'est que l'apport hydrique égale la déperdition. Toutefois, il arrive que la soif tarde à se manifester ou qu'il n'y ait pas de possibilité de prendre des liquides. Il s'ensuit alors une déshydratation importante, laquelle se manifeste le plus souvent chez les personnes âgées, les nourrissons et les personnes qui souffrent de confusion mentale. Dans les cas où il y a transpiration abondante ou déperdition hydrique causée par la diarrhée ou les vomissements, il est conseillé de commencer à remplacer les liquides organiques en buvant, avant même que la soif se fasse sentir.

Régulation de la déperdition d'eau et de solutés

Même si la déperdition d'eau et de solutés par la sudation et par l'expiration augmente durant l'exercice, l'élimination de l'*excédent* de ces substances s'effectue principalement dans l'urine. Nous verrons bientôt que la *perte de NaCl dans l'urine* est le principal facteur qui détermine le *volume* des liquides organiques, puisque «l'eau suit le sel». Par contraste, la *perte d'eau dans l'urine* est le principal facteur qui détermine l'*osmolarité* des liquides organiques.

Puisque la quantité de NaCl (sel) consommée quotidiennement dans les aliments varie considérablement, l'excrétion des ions Na^+ et Cl^- dans l'urine doit varier aussi pour que l'homéostasie soit maintenue. Des fluctuations hormonales régulent la perte de ces ions dans l'urine, ce qui influe sur le volume sanguin. La figure 27.4 illustre les changements qui s'opèrent à la suite d'un repas salé. L'augmentation de l'ingestion de NaCl entraîne un accroissement des concentrations plasmatiques de Na^+ et de Cl^- (principaux responsables de l'osmolarité du liquide extracellulaire). L'élévation de l'osmolarité du liquide interstitiel qui en résulte cause un déplacement d'eau par osmose du liquide intracellulaire au liquide interstitiel, puis au plasma sanguin, ce qui fait augmenter le volume du sang.

Les trois principales hormones qui régulent l'ampleur de la réabsorption rénale d'ions Na^+ et Cl^- (et partant, la quantité perdue dans l'urine) sont l'**angiotensine II,** l'**aldostérone** et le **peptide natriurétique auriculaire (ANP,** «atrial natriuretic peptide»). L'angiotensine II et l'aldostérone stimulent la réabsorption (réduisent l'élimination dans l'urine) des ions Na^+ et Cl^- et augmentent ainsi le volume des liquides organiques. L'ANP favorise la **natrurie,** c'est-à-dire l'accroissement de l'excrétion urinaire des ions Na^+ (et Cl^-), ce qui réduit le volume sanguin. Toute augmentation du volume sanguin cause l'étirement des oreillettes du cœur et entraîne la libération du peptide natriurétique auriculaire, qui déclenche la natrurie. L'augmentation du volume sanguin ralentit aussi la libération de rénine par les cellules juxtaglomérulaires du rein. Quand le taux de rénine baisse, la production d'angiotensine II diminue aussi. Si la concentration de l'angiotensine II passe de modérée à faible, le débit de filtration glomérulaire augmente et la réabsorption des ions Na^+ et Cl^- ainsi que de l'eau décroît dans les tubules rénaux. La réduction de l'angiotensine II fait aussi diminuer la sécrétion d'aldostérone, ce qui ralentit la réabsorption des ions Na^+ et Cl^- dans les tubules collecteurs; une plus grande quantité d'ions Na^+ et Cl^- demeure ainsi dans le fluide tubulaire, et ces ions sont excrétés dans l'urine. Sur le plan osmotique, la conséquence d'une plus grande excrétion d'ions Na^+ et Cl^- est une augmentation de la déperdition hydrique dans l'urine qui fait baisser le volume sanguin.

La principale hormone qui régule les pertes d'eau est l'**hormone antidiurétique (ADH).** Elle est produite par des cellules neurosécrétrices qui descendent de l'hypothalamus à la neurohypophyse. Une augmentation de l'osmolarité du plasma et du liquide interstitiel stimule non seulement le mécanisme de la soif, mais aussi la libération d'ADH (voir la figure 26.18, p. 996) qui favorise l'insertion de canaux protéiques à eau (aquaporines-2) dans la membrane apicale des

Figure 27.3 Voies par lesquelles la déshydratation stimule la soif.

🔑 **Il y a déshydratation quand la déperdition hydrique dépasse l'apport hydrique.**

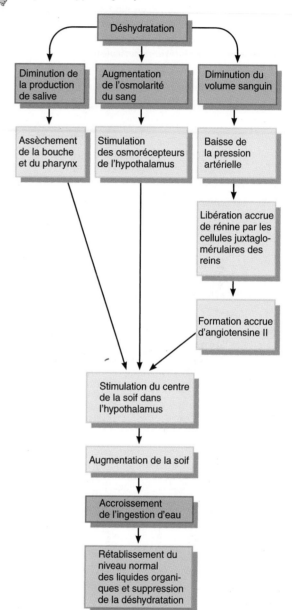

Q   La régulation de ces voies s'effectue-t-elle par rétro-inhibition ou par rétroactivation? Pourquoi?

cellules principales des tubules collecteurs du rein. En conséquence, la perméabilité de ces cellules à l'eau augmente. Poussées par l'osmose, les molécules d'eau quittent le fluide tubulaire rénal, pénètrent dans les cellules et, de là, passent dans la circulation sanguine, ce qui a pour effet de produire un petit volume d'urine très concentrée. Par contre, l'ingestion d'eau pure diminue l'osmolarité du sang et du liquide interstitiel. En quelques minutes, la sécrétion d'ADH s'arrête

Figure 27.4 Fluctuations hormonales consécutives à une augmentation de la consommation de NaCl. La diminution du volume sanguin qui en résulte s'obtient par une déperdition accrue d'ions Na⁺ et Cl⁻ dans l'urine.

 Les trois principales hormones qui régulent la réabsorption rénale d'ions Na⁺ et Cl⁻ (et partant, la quantité perdue dans l'urine) sont l'angiotensine II, l'aldostérone et le peptide natriurétique auriculaire.

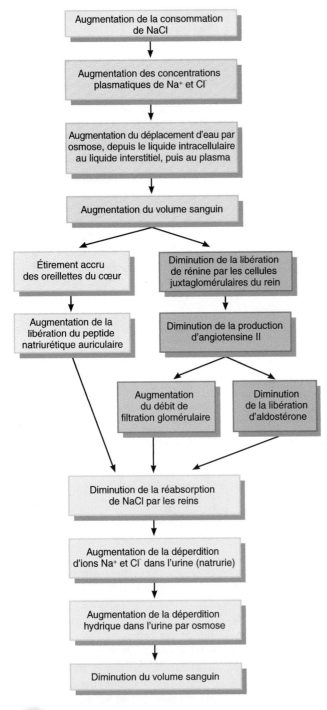

Q Comment l'hyperaldostéronisme (sécrétion excessive d'aldostérone) cause-t-il l'œdème ?

et, bientôt, sa concentration sanguine tombe presque à zéro. Quand les cellules principales ne sont plus stimulées par l'ADH, les molécules d'aquaporine-2 sont retirées de la membrane apicale par endocytose. La perméabilité des cellules principales à l'eau diminue et la déperdition hydrique dans l'urine augmente.

Dans certaines circonstances, d'autres facteurs que l'osmolarité du sang influent sur les pertes d'eau dans l'urine. Une diminution importante du volume sanguin, décelée par les barorécepteurs (sensibles à l'étirement) dans l'oreillette gauche et les parois des vaisseaux sanguins, stimule aussi la libération d'ADH. Dans les cas de déshydratation grave, le débit de filtration glomérulaire diminue par suite de la chute de la pression artérielle, ce qui réduit les pertes d'eau dans l'urine. Inversement, l'ingestion d'une trop grande quantité d'eau fait augmenter la pression artérielle et le débit de filtration glomérulaire, si bien que la déperdition hydrique dans l'urine s'accroît. L'hyperventilation (respiration anormalement rapide et profonde) élève les pertes d'eau en augmentant l'expiration de la vapeur d'eau. Les vomissements et la diarrhée produisent une déperdition hydrique par le tube digestif. Enfin, la fièvre, la transpiration abondante et la destruction de surfaces de peau par suite de brûlures entraînent des pertes excessives d'eau par la peau.

Mouvement de l'eau entre les compartiments hydriques

Normalement, les liquides intracellulaire et interstitiel ont la même osmolarité, si bien que les cellules n'ont pas tendance à gonfler ni à rétrécir. Toutefois, un déséquilibre hydrique entre ces deux compartiments peut être causé par des changements de leur osmolarité. Une augmentation de l'osmolarité du liquide interstitiel attire l'eau hors des cellules et les fait rétrécir légèrement ; à l'inverse, une diminution de l'osmolarité du liquide interstitiel fait gonfler les cellules. Ces fluctuations de l'osmolarité résultent le plus souvent de changements dans la concentration des ions Na⁺.

Une diminution de l'osmolarité du liquide interstitiel inhibe habituellement la sécrétion d'ADH. S'ils fonctionnent normalement, les reins excrètent alors l'excédent d'eau dans l'urine, ce qui ramène la pression osmotique des liquides organiques à la normale. En conséquence, les cellules ne gonflent que légèrement et brièvement. Mais quand une personne consomme de l'eau plus rapidement que le système urinaire ne peut l'excréter (le débit urinaire maximal est d'environ 15 mL/min) ou lorsque les reins fonctionnent mal, il peut y avoir **intoxication par l'eau**. Il s'agit d'un excès d'eau dans l'organisme qui rend les cellules hypotoniques et les fait gonfler, entraînant un danger pour l'organisme (figure 27.5). Si l'eau et les ions Na⁺ perdus par suite d'une hémorragie, de transpiration excessive, de vomissements ou de diarrhée sont remplacés par la consommation d'eau pure, les liquides organiques se trouvent dilués, ce qui peut faire

Figure 27.5 Les étapes de l'intoxication par l'eau.

 L'intoxication par l'eau est caractérisée par un excès d'eau dans l'organisme qui rend les cellules hypotoniques et les fait gonfler.

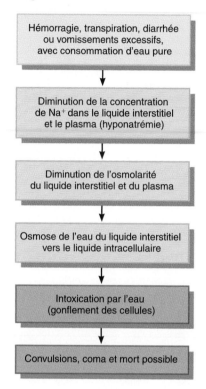

Hémorragie, transpiration, diarrhée ou vomissements excessifs, avec consommation d'eau pure

↓

Diminution de la concentration de Na⁺ dans le liquide interstitiel et le plasma (hyponatrémie)

↓

Diminution de l'osmolarité du liquide interstitiel et du plasma

↓

Osmose de l'eau du liquide interstitiel vers le liquide intracellulaire

↓

Intoxication par l'eau (gonflement des cellules)

↓

Convulsions, coma et mort possible

Q Pourquoi les solutions administrées dans les traitements de réhydratation orale contiennent-elles un peu de sel de table (NaCl) ?

chuter la concentration des ions Na⁺ dans le plasma, puis dans le liquide interstitiel, sous les valeurs normales (hyponatrémie). Quand la concentration des ions Na⁺ dans le liquide interstitiel baisse, l'osmolarité de ce dernier diminue aussi. Le résultat net est un déplacement de l'eau par osmose depuis le liquide interstitiel vers le liquide intracellulaire. L'eau qui entre dans les cellules les rend hypotoniques et les fait gonfler, ce qui entraîne des convulsions, le coma et parfois la mort. Pour prévenir cette terrible suite d'événements dans les cas graves de perte d'eau et d'électrolytes, il faut procéder à une réhydratation intraveineuse ou orale en utilisant des solutions qui contiennent un peu de sel de table (NaCl).

APPLICATION CLINIQUE
Lavements et équilibre hydrique

Le **lavement** consiste à introduire une solution dans le rectum et le côlon afin de stimuler l'activité de l'intestin et de provoquer l'évacuation des fèces. Les lavements fréquents, en particulier chez les jeunes enfants, augmentent le risque de déséquilibre hydrique et électrolytique. Comme l'eau du robinet (qui est hypotonique) et les préparations commerciales hypertoniques peuvent entraîner des déplacements rapides des liquides d'un compartiment à l'autre, il est préférable d'utiliser des solutions isotoniques. ■

1. Dressez une liste des compartiments hydriques du corps et calculez le volume approximatif de chacun d'eux.
2. Quelles sont les sources d'eau et les voies de déperdition hydrique les plus susceptibles d'être régies ?
3. Expliquez le rôle de la soif dans la régulation de l'apport hydrique.
4. Décrivez comment l'angiotensine II, l'aldostérone, le peptide natriurétique auriculaire et l'hormone antidiurétique assurent la régulation du volume et de l'osmolarité des liquides organiques.
5. Décrivez les facteurs à l'origine des déplacements d'eau entre le liquide interstitiel et le liquide intracellulaire.

ÉLECTROLYTES DANS LES LIQUIDES ORGANIQUES
OBJECTIFS

- *Comparer la composition électrolytique des trois principaux compartiments hydriques : le plasma, le liquide interstitiel et le liquide intracellulaire.*
- *Examiner les fonctions des ions sodium, chlorure, potassium, bicarbonate, calcium, phosphate et magnésium, et expliquer la régulation de leurs concentrations.*

Les ions formés par la dissolution des électrolytes remplissent quatre grandes fonctions dans l'organisme. 1) Puisqu'ils sont pour la plupart confinés à des compartiments hydriques particuliers et qu'ils sont plus abondants que les non-électrolytes, certains ions *régissent les déplacements de l'eau par osmose entre les compartiments hydriques.* 2) Les ions *contribuent au maintien de l'équilibre acidobasique* nécessaire à l'activité cellulaire normale. 3) Les ions *créent des courants électriques,* qui permettent la production de potentiels d'action et de potentiels gradués et régissent la sécrétion de certains neurotransmetteurs et de certaines hormones. 4) Plusieurs ions *servent de cofacteurs* essentiels à l'activité optimale de certaines enzymes.

Concentrations des électrolytes dans les liquides organiques

Pour comparer les charges que portent les ions dans différentes solutions, on exprime habituellement leur concentration en **millimoles/litre** (**mmol/L**). Cette unité donne la concentration de cations ou d'anions dans un volume donné de solution. Rappelons qu'une mole d'une substance est sa masse moléculaire exprimée en grammes.

La figure 27.6 présente une comparaison des concentrations des principaux électrolytes et anions protéiques dans le plasma, le liquide interstitiel et le liquide intracellulaire. La

Figure 27.6 Concentrations des électrolytes et des anions protéiques dans le plasma, le liquide interstitiel et le liquide intracellulaire. La hauteur de chaque colonne représente la concentration en millimoles par litre (mmol/L).

🔑 **Les électrolytes qui se trouvent dans les liquides extracellulaires sont différents de ceux que contient le liquide intracellulaire.**

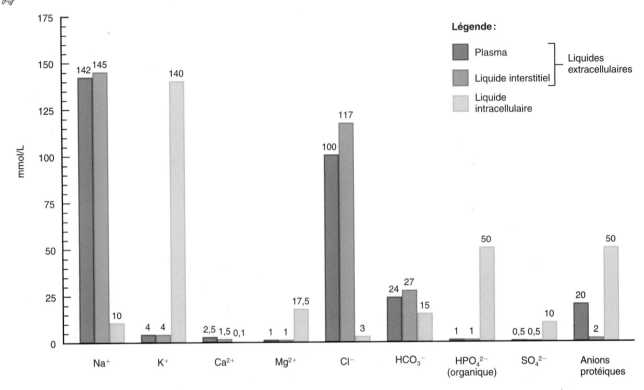

Q Quels sont les deux principaux anions et le principal cation dans les liquides extracellulaires? dans le liquide intracellulaire?

différence la plus importante entre les deux liquides extracellulaires – plasma et liquide interstitiel – tient à ce que le plasma contient un grand nombre d'anions protéiques, alors que le liquide interstitiel en a très peu. Comme, normalement, les parois des capillaires sont à peu près imperméables aux protéines, quelques-unes seulement s'échappent du plasma et passent dans le liquide interstitiel. C'est cette différence de concentration des protéines qui contribue le plus à la pression oncotique exercée par le plasma. Autrement, les deux liquides sont semblables.

Par contre, la composition en électrolytes du liquide intracellulaire diffère considérablement de celle du liquide extracellulaire. Dans ce dernier, le cation le plus abondant est le Na⁺ et l'anion le plus abondant est le Cl⁻. Dans le liquide intracellulaire, le cation le plus abondant est le K⁺ et les anions les plus abondants sont les protéines et le phosphate (HPO_4^{2-}). Les pompes à sodium (Na⁺-K⁺ ATPase), qui expulsent les ions Na⁺ des cellules et y font entrer les ions K⁺ par transport actif, jouent un rôle de premier plan dans le maintien de la concentration intracellulaire élevée d'ions K⁺ et de la concentration extracellulaire élevée d'ions Na⁺.

Sodium

Les ions sodium (Na⁺) sont les ions extracellulaires les plus abondants et constituent environ 90% des cations du milieu extérieur aux cellules. La concentration plasmatique normale de Na⁺ est de 136 à 148 mmol/L. Nous avons vu que les ions Na⁺ jouent un rôle clé dans l'équilibre hydrique et électrolytique parce qu'ils sont à l'origine de presque la moitié de l'osmolarité du liquide extracellulaire (142 mOsm/L sur environ 290 mOsm/L). Le passage des ions Na⁺ dans les canaux ioniques voltage-dépendants de la membrane plasmique est également nécessaire à la création et à la conduction des potentiels d'action dans les neurones et les fibres musculaires. L'apport quotidien de Na⁺ en Amérique du Nord dépasse souvent de beaucoup les besoins normaux de l'organisme, surtout à cause de la consommation excessive de sel de table. Les reins excrètent les ions Na⁺ excédentaires, mais ils peuvent aussi les conserver lorsqu'il y a pénurie.

Le taux de Na⁺ dans le sang est régi par l'aldostérone, l'hormone antidiurétique (ADH) et le peptide natriurétique auriculaire (ANP). L'aldostérone augmente la réabsorption rénale des ions Na$^+$. La libération d'ADH cesse quand la concentration plasmatique de Na$^+$ devient inférieure à environ 135 mmol/L. Cette absence d'ADH permet une plus grande excrétion d'eau dans l'urine, ce qui rétablit le taux normal d'ions Na$^+$ dans le liquide extracellulaire. Le peptide natriurétique auriculaire (ANP) fait augmenter l'excrétion de Na$^+$ et d'eau par les reins lorsque le taux de Na$^+$ est trop élevé.

APPLICATION CLINIQUE
L'œdème et l'hypovolémie indiquent un déséquilibre des ions Na$^+$

S'il y a un excès d'ions sodium dans l'organisme parce que les reins ne parviennent pas à en excréter suffisamment, l'eau se trouve aussi retenue par osmose. Il en résulte de l'**œdème**, c'est-à-dire une accumulation anormale de liquide interstitiel. L'insuffisance rénale et l'hyperaldostéronisme (sécrétion excessive d'aldostérone) sont deux causes de rétention d'ions Na$^+$. À l'inverse, une perte excessive d'ions Na$^+$ dans l'urine occasionne une déperdition hydrique excessive par osmose, ce qui entraîne l'**hypovolémie**, c'est-à-dire un volume sanguin inférieur à la normale. L'hypovolémie consécutive à la perte d'ions Na$^+$ est le plus souvent causée par une sécrétion inadéquate d'aldostérone associée soit à une insuffisance surrénale, soit à un traitement excessif aux diurétiques. ■

Chlorure

Les ions chlorure (Cl$^-$) sont les anions extracellulaires les plus abondants. La concentration plasmatique normale d'ions Cl$^-$ est de 95 à 105 mmol/L. Ces ions vont et viennent assez facilement par diffusion entre les compartiments extracellulaire et intracellulaire parce que la plupart des membranes plasmiques contiennent de nombreux canaux de fuite à Cl$^-$. En conséquence, les ions Cl$^-$ contribuent à équilibrer les concentrations des anions dans les différents compartiments hydriques. Par exemple, dans le phénomène de Hamburger, les ions Cl$^-$ circulent entre les globules rouges et le plasma selon que le taux sanguin du gaz carbonique augmente ou diminue (voir la figure 23.24, p. 851). Dans ce cas, l'échange des ions Cl$^-$ contre des ions HCO$_3^-$ permet de rétablir l'équilibre des anions dans les liquides extracellulaires et le liquide intracellulaire. Les ions chlorure font aussi partie de l'acide chlorhydrique sécrété dans le suc gastrique. L'ADH participe à la régulation du taux de Cl$^-$ dans les liquides organiques parce qu'elle agit sur la perte d'eau dans l'urine. Les processus qui augmentent ou diminuent la réabsorption rénale des ions sodium influent également sur celle des ions chlorure, qui suivent passivement les premiers par attraction électrique – les ions Cl$^-$, dont la charge est négative, suivent les ions Na$^+$ chargés positivement.

Potassium

Les ions potassium (K$^+$) sont les cations les plus abondants du liquide intracellulaire (140 mmol/L). Ils jouent un rôle clé dans la création du potentiel de repos de la membrane et dans l'étape de repolarisation du potentiel d'action des neurones et des fibres musculaires. Ils participent également au maintien du volume hydrique intracellulaire normal. Quand ils entrent dans les cellules ou en sortent, les ions K$^+$ le font souvent en échange d'ions H$^+$. Ce déplacement d'ions H$^+$ contribue à la régulation du pH.

La concentration plasmatique normale des ions K$^+$ est de 3,5 à 5,0 mmol/L. Elle est régie principalement par l'aldostérone. Quand la concentration en ions K$^+$ est élevée, l'aldostérone est sécrétée en plus grande quantité dans le sang; ainsi, les cellules principales des tubules collecteurs sont stimulées et se mettent à sécréter plus d'ions K$^+$, qui sont éliminés dans l'urine. Inversement, quand la concentration plasmatique des ions K$^+$ est faible, la sécrétion d'aldostérone diminue et moins d'ions potassium sont excrétés dans l'urine. Un taux plasmatique anormal d'ions K$^+$ nuit au fonctionnement neuromusculaire et cardiaque.

Bicarbonate

Les ions bicarbonate (HCO$_3^-$) sont au deuxième rang des anions extracellulaires les plus abondants. Leur concentration plasmatique normale est de 22 à 26 mmol/L dans le sang artériel systémique et de 23 à 27 mmol/L dans le sang veineux systémique. La concentration des ions HCO$_3^-$ augmente au fur et à mesure que le sang circule dans les capillaires systémiques parce que le gaz carbonique libéré par les cellules métaboliquement actives se combine avec l'eau pour former de l'acide carbonique, qui se dissocie en ions H$^+$ et HCO$_3^-$. À l'inverse, quand le sang passe dans les capillaires pulmonaires, la concentration de HCO$_3^-$ baisse de nouveau par suite de l'expiration du gaz carbonique. (La figure 23.24 de la page 851 illustre ces réactions.) Le liquide intracellulaire contient aussi une petite quantité d'ions HCO$_3^-$. Nous avons vu que l'échange des ions Cl$^-$ contre des ions HCO$_3^-$ contribue à maintenir l'équilibre des anions dans le liquide extracellulaire et le liquide intracellulaire.

La régulation de la concentration sanguine des ions HCO$_3^-$ est assurée principalement par les reins. Les cellules intercalaires des tubules rénaux peuvent soit former des ions HCO$_3^-$ et les libérer dans la circulation quand leur concentration sanguine est faible (voir la figure 26.17, p. 995), soit excréter le surplus de HCO$_3^-$ dans l'urine quand la concentration sanguine est trop élevée. Nous reviendrons sur les fluctuations de la concentration sanguine des ions HCO$_3^-$ plus loin dans le présent chapitre, plus précisément dans la section sur l'équilibre acidobasique.

Calcium

Le fait qu'une énorme quantité de calcium soit emmagasinée dans les os explique que cet élément constitue la substance minérale la plus abondante du corps. Chez l'adulte, environ 98 % du calcium se trouve dans le squelette et les dents, où il est combiné avec des phosphates pour former un réseau cristallin de sels minéraux. Dans les liquides organiques, le calcium est principalement un cation extracellulaire (Ca^{2+}). La concentration plasmatique normale d'ions Ca^{2+} libres ou non liés est de 1,17 à 1,3 mmol/L; à peu près autant d'ions Ca^{2+} sont liés à diverses protéines plasmatiques. En plus de contribuer à la dureté des os et des dents, les ions Ca^{2+} jouent des rôles importants dans la coagulation du sang, la libération de neurotransmetteurs, le maintien du tonus musculaire et l'excitabilité des tissus musculaire et nerveux.

La régulation de la concentration des ions Ca^{2+} dans le plasma est assurée principalement par la parathormone (PTH) et le calcitriol (1,25-dihydroxyvitamine D_3), la forme hormonale de la vitamine D (voir la figure 18.14, p. 618). Une diminution du taux plasmatique de Ca^{2+} entraîne la libération d'une plus grande quantité de parathormone, qui stimule les ostéoclastes du tissu osseux à libérer du calcium (et du phosphate) contenu dans la trame osseuse sous forme de sels minéraux. Ainsi, la parathormone augmente la *résorption* osseuse. Elle augmente aussi la production de calcitriol (qui favorise l'*absorption* de Ca^{2+} dans le tube digestif) et stimule la *réabsorption* des ions Ca^{2+} du filtrat glomérulaire, qui retournent alors à la circulation en passant par les cellules des tubules rénaux.

Phosphate

Chez l'adulte, environ 85 % du phosphate est présent sous forme de phosphate de calcium, sel qui est un composant structural des os et des dents; les 15 % qui restent sont sous forme ionisée. Trois ions phosphate ($H_2PO_4^-$, HPO_4^{2-} et PO_4^{3-}) sont d'importants anions intracellulaires, mais au pH normal des liquides organiques l'ion HPO_4^{2-} est la forme prédominante. Les phosphates fournissent environ 50 mmol/L d'anions au liquide intracellulaire. L'ion HPO_4^{2-} est un tampon important des ions H^+, autant dans les liquides organiques que dans l'urine. Bien que certains phosphates soient «libres», la plupart sont liés de façon covalente à des molécules organiques telles que des lipides (phospholipides), des protéines, des glucides, des acides nucléiques (ADN et ARN) et l'adénosine triphosphate (ATP).

La concentration plasmatique normale de phosphate ionisé est seulement de 0,85 à 1,3 mmol/L. Les deux hormones qui assurent l'homéostasie du calcium – parathormone (PTH) et calcitriol – régulent également le taux de HPO_4^{2-} dans le plasma sanguin. La PTH stimule la résorption de la matrice osseuse par les ostéoclastes, ce qui entraîne la libération d'ions phosphate et calcium dans la circulation. Toutefois, dans les reins, la PTH inhibe la réabsorption des ions phosphate en même temps qu'elle stimule celle des ions calcium par les cellules des tubules rénaux. Ainsi, la PTH augmente l'excrétion urinaire du phosphate et en diminue le taux sanguin. Le calcitriol favorise à la fois l'absorption des phosphates et celle du calcium par le tube digestif.

Magnésium

Chez l'adulte, environ 54 % du magnésium de l'organisme est déposé dans la matrice osseuse sous forme de sels de magnésium; les 46 % qui restent sont présents sous forme d'ions magnésium (Mg^{2+}) dans le liquide intracellulaire (45 %) et le liquide extracellulaire (1 %). Par ordre d'importance, les ions Mg^{2+} sont au deuxième rang des cations intracellulaires (17,5 mmol/L). Sur le plan fonctionnel, l'ion Mg^{2+} est un cofacteur de la Na^+-K^+ ATPase (l'enzyme de la pompe à sodium) et des enzymes qui interviennent dans le métabolisme des glucides et des protéines. Il joue également un rôle important dans l'activité neuromusculaire, la transmission des influx nerveux et le fonctionnement du myocarde. Il est aussi nécessaire à la sécrétion de la parathormone.

La concentration plasmatique normale des ions Mg^{2+} est faible; elle est seulement de 0,65 à 1,05 mmol/L. Plusieurs facteurs régulent le taux plasmatique des ions Mg^{2+} en variant la vitesse à laquelle ceux-ci sont excrétés dans l'urine. Les reins augmentent l'excrétion urinaire des ions Mg^{2+} lorsqu'il y a hypercalcémie, hypermagnésémie, augmentation du volume du liquide extracellulaire, diminution de la parathormone et acidose. Dans les situations contraires, ils réduisent l'excrétion rénale de Mg^{2+}.

Le tableau 27.1 décrit les déséquilibres causés par l'insuffisance ou l'excès de certains électrolytes.

APPLICATION CLINIQUE
Individus susceptibles de présenter des déséquilibres hydrique et électrolytique

Certains individus sont susceptibles de présenter des déséquilibres hydrique et électrolytique, et ce, pour diverses raisons. Ce sont, entre autres, ceux qui dépendent des autres pour obtenir nourriture et eau, tels les nourrissons, les personnes âgées ou hospitalisées, les personnes qui reçoivent des traitements accompagnés de perfusions, de drainages, d'aspirations ou de sondes urinaires. Ce sont aussi les personnes qui prennent des diurétiques, celles qui sont sujettes à une déperdition excessive d'eau et doivent augmenter leur apport hydrique, ou encore celles qui connaissent une rétention d'eau et qui, en conséquence, doivent éviter de boire certains liquides. Enfin, ce sont les personnes qui viennent d'être opérées, qui ont subi des traumatismes ou des brûlures graves, qui sont atteintes de maladies chroniques (insuffisance cardiaque, diabète, bronchopneumopathie chronique obstructive et cancer), qui sont confinées à la maison et celles qui sont dans un état de confusion mentale et incapables de communiquer leurs besoins ou de réagir à la soif. ■

1. Décrivez les fonctions des électrolytes dans l'organisme.
2. Nommez trois électrolytes extracellulaires importants et trois électrolytes intracellulaires importants.

Tableau 27.1 Déséquilibres des électrolytes sanguins

| ÉLECTROLYTES* | CARENCES | | EXCÈS | |
	NOMS ET CAUSES	SYMPTÔMES	NOMS ET CAUSES	SYMPTÔMES
Sodium (Na$^+$) 136 à 148 mmol/L	L'**hyponatrémie** peut être causée par une diminution de l'ingestion de sodium, une augmentation de la déperdition de sodium consécutive à des vomissements, à la diarrhée, à un déficit en aldostérone ou à l'emploi de certains diurétiques, et par un apport hydrique excessif.	Faiblesse musculaire; étourdissements, céphalée et hypotension; tachycardie et choc; confusion mentale, stupeur et coma.	L'**hypernatrémie** peut être occasionnée par la déshydratation, la privation d'eau ou un excès de sodium dans l'alimentation ou une solution intraveineuse; elle cause l'hypertonie du liquide extracellulaire, qui fait sortir l'eau des cellules au profit du liquide extracellulaire et entraîne leur déshydratation.	Soif intense, hypertension, œdème, agitation et convulsions.
Chlorure (Cl$^-$) 95 à 105 mmol/L	L'**hypochlorémie** peut être causée par des vomissements excessifs, l'hyperhydratation, un déficit en aldostérone, une insuffisance cardiaque et l'emploi de certains diurétiques tels que le furosémide (Lasix).	Spasmes musculaires, alcalose métabolique, respiration superficielle, hypotension et tétanie.	L'**hyperchlorémie** peut résulter de la déshydratation causée par la déperdition hydrique ou la privation d'eau; elle peut aussi survenir à la suite d'un apport excessif de chlorure, d'une insuffisance rénale grave, d'hyperaldostéronisme, de certains types d'acidose et des effets de certains médicaments.	Léthargie, faiblesse, acidose métabolique et respiration rapide et profonde.
Potassium (K$^+$) 3,5 à 5,0 mmol/L	L'**hypokaliémie** peut résulter d'une déperdition excessive de potassium provoquée par les vomissements ou la diarrhée, d'une diminution de l'apport en potassium, d'hyperaldostéronisme, d'une maladie rénale et de l'emploi de certains diurétiques.	Fatigue musculaire, paralysie flasque, confusion mentale, augmentation du débit urinaire, respiration superficielle et altérations de l'électrocardiogramme, dont l'aplatissement de l'onde T.	L'**hyperkaliémie** peut être causée par un apport excessif de potassium, une insuffisance rénale, un déficit en aldostérone, des blessures causant l'écrasement des tissus ou une transfusion de sang hémolysé.	Irritabilité, nausées, vomissements, diarrhée, faiblesse musculaire; elle peut causer la mort en déclenchant la fibrillation ventriculaire.
Calcium (Ca^{2+}) total = de 2,4 à 2,6 mmol/L; ionisé = de 1,17 à 1,3 mmol/L	L'**hypocalcémie** peut être causée par une augmentation de la déperdition de calcium, une diminution de l'apport en calcium, une élévation du taux de phosphate ou l'hypoparathyroïdie.	Engourdissements et picotements dans les doigts; réflexes hyperactifs, crampes musculaires, tétanie et convulsions; fractures des os; spasmes des muscles du larynx qui peuvent causer la mort par asphyxie.	L'**hypercalcémie** peut résulter de l'hyperparathyroïdie, de certains cancers, d'un apport excessif de vitamine D et de la maladie osseuse de Paget.	Léthargie, faiblesse, anorexie, nausées, vomissements, polyurie, démangeaisons, douleurs osseuses, dépression, confusion, paresthésie, stupeur et coma.
Phosphate (HPO$_4{}^{2-}$) 0,85 à 1,3 mmol/L	L'**hypophosphatémie** peut être occasionnée par une augmentation de la déperdition urinaire, une diminution de l'absorption intestinale ou une augmentation de l'utilisation des phosphates.	Confusion, épilepsie, coma, douleurs thoraciques et musculaires, engourdissements et picotements dans les doigts, perte de coordination, perte de mémoire et léthargie.	L'**hyperphosphatémie** se manifeste quand les reins ne parviennent pas à excréter l'excès de phosphate, par exemple dans le cas d'une insuffisance rénale; elle peut aussi résulter d'une augmentation de l'apport en phosphate ou de la destruction de cellules de l'organisme entraînant la libération de phosphate dans la circulation sanguine.	Anorexie, nausées, vomissements, faiblesse musculaire, réflexes hyperactifs, tétanie et tachycardie.

* Les valeurs représentent les intervalles de concentrations plasmatiques normales chez l'adulte.

Tableau 27.1 Déséquilibres des électrolytes sanguins (suite)

| ÉLECTROLYTES* | CARENCES | | EXCÈS | |
	NOMS ET CAUSES	SYMPTÔMES	NOMS ET CAUSES	SYMPTÔMES
Magnésium (Mg^{2+}) 0,65 à 1,05 mmol/L	L'**hypomagnésémie** peut être causée par un apport insuffisant ou une déperdition excessive dans l'urine et les fèces ; elle est aussi occasionnée par l'alcoolisme, la malnutrition, le diabète et les traitements par les diurétiques.	Faiblesse, irritabilité, tétanie, délire, convulsions, confusion, anorexie, nausées, vomissements, paresthésie et arythmies cardiaques.	L'**hypermagnésémie** est occasionnée par une insuffisance rénale ou une augmentation de l'apport en magnésium, par exemple dans les antiacides au magnésium ; elle est aussi causée par un déficit en aldostérone et l'hypothyroïdie.	Hypotension, faiblesse musculaire ou paralysie, nausées, vomissements et altérations des fonctions mentales.

* Les valeurs représentent les intervalles de concentrations plasmatiques normales chez l'adulte.

ÉQUILIBRE ACIDOBASIQUE

OBJECTIFS

- *Comparer le rôle des tampons, de l'expiration du gaz carbonique et de l'excrétion rénale des ions H$^+$ dans le maintien du pH des liquides organiques.*

- *Définir les déséquilibres acidobasiques, décrire leurs effets sur l'organisme et expliquer leurs traitements.*

Il ressort clairement de ce que nous avons vu jusqu'à maintenant que les divers ions jouent des rôles différents dans le maintien de l'homéostasie. Une des principales tâches de l'organisme consiste à garder la concentration des ions H$^+$ (pH) à un niveau approprié dans les liquides organiques. Cette tâche – le maintien de l'équilibre acidobasique – est primordiale parce que la conformation tridimensionnelle des protéines de l'organisme, sans laquelle ces dernières ne peuvent pas remplir leurs fonctions, est très sensible aux variations de pH. Quand il y a de grandes quantités de protéines dans l'alimentation – ce qui est la norme en Amérique du Nord –, le métabolisme cellulaire produit plus d'acides que de bases et tend ainsi à acidifier le sang. (Il peut être utile de revoir ce qui a été dit sur les acides, les bases et le pH au chapitre 2.)

Chez une personne en bonne santé, le pH du sang artériel systémique se maintient entre 7,35 et 7,45. (Un pH de 7,4 correspond à une concentration d'ions H$^+$ égale à 0,000 04 mmol/L = 40 nmol/L.) Puisque les réactions métaboliques produisent souvent un énorme excès d'ions H$^+$, l'absence d'un mécanisme d'élimination de ces ions ferait augmenter leur concentration dans les liquides organiques et entraînerait une mort rapide. En conséquence, le maintien de la concentration des ions H$^+$ dans un intervalle de pH restreint est essentiel à la vie. Trois grands mécanismes ont pour tâche de retirer les ions H$^+$ des liquides organiques et de les éliminer de l'organisme. Ce sont les suivants :

1. *Systèmes tampons.* Les tampons entrent en action rapidement pour lier temporairement les ions H$^+$, retirant de la solution l'excédent des ions H$^+$ très réactifs, mais ne les éliminant pas de l'organisme.

2. *Expiration du gaz carbonique.* En respirant plus vite et plus profondément, on peut expirer plus de gaz carbonique. Cela réduit le taux d'acide carbonique dans le sang en quelques minutes et fait augmenter le pH sanguin (diminue la concentration sanguine d'ions H$^+$).

3. *Excrétion rénale des ions H$^+$.* Le mécanisme le plus lent, mais le seul qui permette d'éliminer les acides sauf l'acide carbonique, est l'excrétion dans l'urine.

Nous traiterons maintenant tour à tour de chacun de ces mécanismes.

Actions des systèmes tampons

La plupart des systèmes tampons de l'organisme sont constitués d'un acide faible et du sel de cet acide, qui sert de base faible. Les tampons préviennent les fluctuations trop importantes et trop rapides du pH des liquides organiques en transformant les bases et les acides forts en bases et en acides faibles. Ils exercent leur action en une fraction de seconde. Les acides forts diminuent le pH plus que les acides faibles parce qu'ils libèrent leur hydrogène plus facilement et fournissent ainsi plus d'ions hydrogène libres. De même, les bases fortes augmentent le pH plus que les bases faibles. Les principaux systèmes tampons des liquides organiques sont le système tampon des protéines, le système tampon acide carbonique-bicarbonate et le système tampon des phosphates.

Système tampon des protéines

Le **système tampon des protéines** est le tampon le plus abondant du liquide intracellulaire et du plasma. L'hémoglobine constitue un tampon protéique particulièrement efficace dans les globules rouges et l'albumine est le principal tampon protéique du plasma. Les protéines sont formées d'acides aminés, qui sont des molécules organiques contenant au moins un groupement carboxyle (-COOH) et au moins un groupement amine (-NH$_2$); ces groupements sont les composants fonctionnels du système tampon des protéines. Le groupement carboxyle libre à une des extrémités de la protéine se comporte comme un acide et libère un ion H$^+$ quand le pH augmente; il se dissocie de la façon suivante:

$$\underset{II}{\overset{R}{NH_2-C-COOH}} \longrightarrow \underset{H}{\overset{R}{NH_2-C-COO^-}} + H^+$$

L'ion H$^+$ est alors en mesure de réagir avec un ion OH$^-$ en excédent dans la solution pour former de l'eau. Le groupement amine libre à l'autre extrémité de la protéine fonctionne comme une base quand le pH tombe. Il se lie à un ion H$^+$, de la façon suivante:

$$\underset{H}{\overset{R}{NH_2-C-COOH}} + H^+ \longrightarrow {}^+\underset{H}{\overset{R}{NH_3-C-COOH}}$$

Ainsi, les protéines peuvent tamponner à la fois les acides et les bases. En plus des groupements carboxyle et amine terminaux, 7 des 20 acides aminés ont des chaînes latérales qui ont une action tampon sur les ions H$^+$.

L'hémoglobine est un tampon d'ions H$^+$ efficace dans les globules rouges. Elle agit de la façon suivante. Pendant que le sang circule dans les capillaires systémiques, le gaz carbonique (CO$_2$) quitte les cellules des tissus et pénètre dans les globules rouges où il se combine avec l'eau (H$_2$O) pour former de l'acide carbonique (H$_2$CO$_3$). Ce dernier se dissocie en H$^+$ et HCO$_3^-$. Pendant que le CO$_2$ pénètre dans les globules rouges, l'oxyhémoglobine (HbO$_2$) transfère son oxygène aux cellules des tissus. L'hémoglobine réduite (désoxyhémoglobine) est un excellent tampon d'ions H$^+$, si bien qu'elle les fixe presque tous. C'est pourquoi on représente habituellement l'hémoglobine réduite par le symbole HbH. Les réactions suivantes résument ces relations:

$$\underset{\text{Eau}}{H_2O} + \underset{\substack{\text{Gaz carbonique}\\\text{(entrant dans les}\\\text{globules rouges)}}}{CO_2} \longrightarrow \underset{\substack{\text{Acide}\\\text{carbonique}}}{H_2CO_3}$$

$$\underset{\text{Acide carbonique}}{H_2CO_3} \longrightarrow \underset{\text{Ion hydrogène}}{H^+} + \underset{\text{Ion bicarbonate}}{HCO_3^-}$$

$$\underset{\substack{\text{Oxyhémo-}\\\text{globine (dans}\\\text{les globules}\\\text{rouges)}}}{HbO_2} + \underset{\substack{\text{Ion hydrogène}\\\text{(de l'acide}\\\text{carbonique)}}}{H^+} \longrightarrow \underset{\substack{\text{Hémoglobine}\\\text{réduite}}}{HbH} + \underset{\substack{\text{Oxygène}\\\text{(destiné}\\\text{aux cellules}\\\text{des tissus)}}}{O_2}$$

Système tampon acide carbonique-bicarbonate

Le **système tampon acide carbonique-bicarbonate** fait appel à l'*ion bicarbonate* (HCO$_3^-$), qui peut jouer le rôle d'une base faible, et à l'*acide carbonique* (H$_2$CO$_3$), qui peut être un acide faible. L'ion HCO$_3^-$ est un anion important dans les liquides intracellulaire et extracellulaire (voir la figure 27.6). Il réagit avec le CO$_2$ qui est libéré continuellement durant la respiration cellulaire pour produire de l'H$_2$CO$_3$. S'il y a excès d'ions H$^+$, les ions HCO$_3^-$ peuvent servir de base faible et les retirer de la solution comme suit:

$$\underset{\text{Ion hydrogène}}{H^+} + \underset{\substack{\text{Ion bicarbonate}\\\text{(base faible)}}}{HCO_3^-} \longrightarrow \underset{\text{Acide carbonique}}{H_2CO_3}$$

Par la suite, l'H$_2$CO$_3$ se dissocie en eau et en gaz carbonique dans les poumons, et le CO$_2$ est expiré.

Inversement, s'il y a pénurie d'ions H$^+$, l'H$_2$CO$_3$ peut jouer le rôle d'un acide faible et en fournir, de la façon suivante:

$$\underset{\substack{\text{Acide carbonique}\\\text{(acide faible)}}}{H_2CO_3} \longrightarrow \underset{\text{Ion hydrogène}}{H^+} + \underset{\text{Ion bicarbonate}}{HCO_3^-}$$

Lorsque le pH est de 7,4, la concentration des ions HCO$_3^-$ est d'environ 24 mmol/L, alors que celle de l'H$_2$CO$_3$ est d'à peu près 1,2 mmol/L; ainsi, les ions bicarbonate sont 20 fois plus nombreux que les molécules d'acide carbonique. Puisque le CO$_2$ et l'H$_2$O se combinent pour former l'H$_2$CO$_3$, ce système tampon ne protège pas contre les fluctuations de pH causées par les troubles respiratoires où il y a excès ou pénurie de CO$_2$.

Système tampon des phosphates

Le mécanisme du **système tampon des phosphates** est essentiellement le même que celui du système acide carbonique-bicarbonate. Les composants de ce système sont l'*ion dihydrogénophosphate* (H$_2$PO$_4^-$) et l'*ion monohydrogénophosphate* (HPO$_4^{2-}$). Rappelons que les phosphates sont les anions majoritaires dans le liquide intracellulaire et les anions minoritaires dans les liquides extracellulaires (voir la figure 27.6). L'ion dihydrogénophosphate joue le rôle d'un acide faible. Il est en mesure de tamponner les bases fortes telles que l'ion OH$^-$, comme suit:

$$\underset{\substack{\text{Ion hydroxyle}\\\text{(base forte)}}}{OH^-} + \underset{\substack{\text{Ion dihydrogéno-}\\\text{phosphate (acide faible)}}}{H_2PO_4^-} \longrightarrow \underset{\text{Eau}}{H_2O} + \underset{\substack{\text{Ion mono-}\\\text{hydrogéno-}\\\text{phosphate}\\\text{(base faible)}}}{HPO_4^{2-}}$$

Par contre, l'ion monohydrogénophosphate est une base faible qui peut tamponner les ions H$^+$ libérés par les acides forts tels que l'acide chlorhydrique (HCl):

$$H^+ \ + \ HPO_4^{2-} \ \longrightarrow \ H_2PO_4^-$$

Ion hydrogène (acide fort)   Ion monohydro-génophosphate (base faible)   Ion dihydrogénophosphate (acide faible)

Les phosphates étant concentrés surtout dans le liquide intracellulaire, le système tampon des phosphates joue un rôle important dans la régulation du pH du cytosol. Il agit aussi dans les liquides extracellulaires, mais à un degré moindre, et il exerce une action tampon sur les acides dans l'urine. Des ions $H_2PO_4^-$ se forment quand le surplus d'ions H^+ dans le fluide tubulaire rénal se combine avec les ions HPO_4^{2-} (voir la figure 26.17, p. 995). Les ions H^+ qui font alors partie des ions $H_2PO_4^-$ passent dans l'urine. Cette réaction constitue un des moyens par lesquels les reins aident à maintenir le pH sanguin en excrétant des ions H^+ dans l'urine.

Expiration du gaz carbonique

La respiration joue aussi un rôle dans le maintien du pH des liquides organiques. Une augmentation de la concentration du gaz carbonique (CO_2) dans ces liquides élève la concentration des ions H^+ et abaisse du même coup le pH (le rend plus acide). Puisqu'on peut éliminer l'H_2CO_3 en expirant du CO_2, on l'appelle **acide volatil**. Inversement, une diminution de la concentration de CO_2 dans les liquides organiques élève le pH (le rend plus alcalin). Cette interaction chimique est illustrée par les réactions réversibles suivantes :

$$CO_2 \ + \ H_2O \ \rightleftharpoons \ H_2CO_3 \ \rightleftharpoons \ H^+ \ + \ HCO_3^-$$

Gaz carbonique   Eau   Acide carbonique   Ion hydrogène   Ion bicarbonate

Un ajustement du pH des liquides organiques peut s'effectuer en changeant la vitesse et la profondeur de la respiration. Il faut de une à trois minutes pour accomplir cette modification. L'augmentation de la ventilation fait accroître la quantité de CO_2 expiré. La réaction ci-dessus est poussée vers la gauche, la concentration des ions H^+ tombe et le pH sanguin s'élève. Quand la ventilation double, le pH augmente d'environ 0,23 unité, de 7,4 à 7,63. Si la ventilation ralentit, la quantité de CO_2 expiré diminue et le pH sanguin tombe. Quand elle est réduite au quart de sa valeur normale, le pH diminue de 0,4 unité, soit de 7,4 à 7,0. Ces exemples illustrent l'ampleur de l'influence de la respiration sur le pH des liquides organiques.

L'interaction entre le pH des liquides organiques et la vitesse et la profondeur de la respiration est régie par un mécanisme de rétro-inhibition (figure 27.7). Par exemple, si le sang devient plus acide, la diminution du pH (augmentation de la concentration des ions H^+) est décelée par les chimiorécepteurs centraux du bulbe rachidien et les chimiorécepteurs périphériques des corpuscules aortiques et des glomus carotidiens. Ces récepteurs stimulent l'aire inspiratoire

Figure 27.7 Régulation par rétro-inhibition du pH sanguin par le système respiratoire.

🔑 **L'expiration de gaz carbonique abaisse la concentration des ions H^+ dans le sang.**

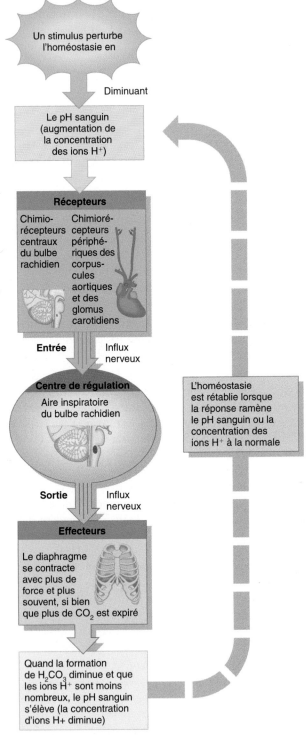

Un stimulus perturbe l'homéostasie en

Diminuant

Le pH sanguin (augmentation de la concentration des ions H^+)

Récepteurs

Chimiorécepteurs centraux du bulbe rachidien   Chimiorécepteurs périphériques des corpuscules aortiques et des glomus carotidiens

Entrée   Influx nerveux

Centre de régulation

Aire inspiratoire du bulbe rachidien

Sortie   Influx nerveux

Effecteurs

Le diaphragme se contracte avec plus de force et plus souvent, si bien que plus de CO_2 est expiré

Quand la formation de H_2CO_3 diminue et que les ions H^+ sont moins nombreux, le pH sanguin s'élève (la concentration d'ions H^+ diminue)

L'homéostasie est rétablie lorsque la réponse ramène le pH sanguin ou la concentration des ions H^+ à la normale

Q Si vous retenez votre souffle pendant 30 secondes, quel effet probable cela aura-t-il sur votre pH sanguin ?

du bulbe rachidien. Les contractions du diaphragme et des autres muscles qui interviennent dans la ventilation deviennent alors plus rapides et vigoureuses, si bien qu'une plus grande quantité de CO_2 est expirée. Quand la formation de H_2CO_3 diminue et que les ions H^+ deviennent moins nombreux, le pH sanguin augmente. Lorsque la réaction ramène le pH sanguin (concentration des ions H^+) à la normale, l'homéostasie est rétablie. Le même mécanisme de rétro-inhibition entre en jeu quand le taux sanguin de CO_2 s'élève. La ventilation augmente, ce qui élimine une plus grande quantité de CO_2 du sang et abaisse la concentration d'ions H^+, de telle sorte que le pH sanguin s'élève.

Si, au contraire, le pH du sang augmente, le centre respiratoire est inhibé et la ventilation diminue. Une diminution de la concentration de CO_2 dans le sang produit le même effet. Quand la ventilation ralentit, le CO_2 s'accumule dans le sang et la concentration des ions H^+ augmente. Ce mécanisme respiratoire est un puissant éliminateur d'acidité, mais il est limité au seul acide volatil de l'organisme – l'acide carbonique.

Excrétion des ions H⁺ par les reins

Les réactions métaboliques produisent des **acides non volatils,** tel l'acide sulfurique, au rythme d'environ 1 mmol d'ions H^+ par jour par kilogramme de masse corporelle. La seule façon d'éliminer tout cet acide est d'excréter des ions H^+ dans l'urine. Puisque les reins synthétisent aussi des ions HCO_3^- et réabsorbent ceux qui passent dans le filtrat, ce tampon important ne se perd pas dans l'urine. Compte tenu de l'ampleur de ces contributions à l'équilibre acidobasique, il n'est pas étonnant qu'une insuffisance rénale puisse causer la mort rapidement. Nous avons expliqué le rôle des reins dans le maintien du pH au chapitre 26; revoyez attentivement la figure 26.17 à la page 995.

Le tableau 27.2 résume les mécanismes qui maintiennent le pH des liquides organiques.

Déséquilibres acidobasiques

Le pH normal du sang artériel systémique se situe entre 7,35 (= 45 nmol d'ions H^+/L) et 7,45 (= 35 nmol d'ions H^+/L). L'**acidose** (ou **acidémie**) est un état caractérisé par un pH sanguin inférieur à 7,35; l'**alcalose** (ou **alcalinité excessive du sang**) est caractérisée par un pH sanguin supérieur à 7,45.

Le principal effet physiologique de l'acidose est la dépression du système nerveux central consécutive à une réduction de la transmission synaptique. Chez un individu dont le pH artériel systémique est inférieur à 7, la gravité de la dépression du système nerveux est telle qu'il devient désorienté, puis comateux et qu'il risque de mourir. Les patients atteints d'acidose grave meurent généralement dans le coma. Par contraste, un des principaux effets physiologiques de

Tableau 27.2 Mécanismes qui maintiennent le pH des liquides organiques

MÉCANISMES	COMMENTAIRES
Systèmes tampons	La plupart sont constitués d'un acide faible et du sel de cet acide, qui sert de base faible. Ils préviennent les fluctuations trop brusques du pH des liquides organiques.
Protéines	Les tampons les plus abondants dans les cellules et le sang. L'histidine et la cystéine sont les acides aminés qui confèrent aux protéines la majeure partie de leur action tampon. L'hémoglobine dans les globules rouges est un bon tampon.
Acide carbonique-bicarbonate	Important régulateur du pH sanguin. Système tampon le plus abondant du liquide extracellulaire.
Phosphates	Système tampon important du liquide intracellulaire et de l'urine.
Expiration du CO_2	Quand l'expiration du CO_2 augmente, le pH s'élève (moins d'ions H^+). Quand l'expiration du CO_2 diminue, le pH chute (plus d'ions H^+).
Reins	Les tubules rénaux sécrètent des ions H^+ dans l'urine et réabsorbent des ions HCO_3^- pour éviter leur élimination dans l'urine.

l'alcalose est une surexcitation des systèmes nerveux central et périphérique. Les influx parcourent les neurones de façon répétitive, même sans les stimulus normaux. Il en résulte de la nervosité, des spasmes musculaires, des convulsions et parfois la mort.

Une modification du pH sanguin qui occasionne une acidose ou une alcalose peut être corrigée par **compensation,** c'est-à-dire la réponse physiologique à un déséquilibre acidobasique qui vise à rétablir le pH normal dans le sang artériel. La compensation peut être soit *complète,* si le pH revient effectivement à la normale, soit *partielle,* si le pH artériel systémique reste inférieur à 7,35 ou supérieur à 7,45. Quand des causes métaboliques sont à l'origine du dérèglement du pH sanguin, l'hyperventilation ou l'hypoventilation peuvent contribuer à ramener ce dernier vers les valeurs normales. Cette forme de compensation, appelée **compensation respiratoire,** est déclenchée en quelques minutes et atteint son maximum en quelques heures. Toutefois, si ce sont des causes respiratoires qui rendent le pH sanguin anormal, des **compensations rénales** – modifications de la sécrétion des ions H^+ et de la réabsorption des ions HCO_3^- par les tubules rénaux – peuvent contribuer à rectifier la situation. La compensation rénale peut commencer en quelques minutes, mais elle n'atteint son efficacité maximale qu'au bout de plusieurs jours.

À propos des explications qui suivent, notons que tant l'acidose respiratoire que l'alcalose respiratoire sont des troubles qui résultent de changements de la pression partielle du CO_2 (P_{CO_2}) dans le sang artériel systémique (les valeurs normales vont de 35 à 45 mm Hg). Par contre, l'acidose métabolique et l'alcalose métabolique sont des perturbations qui proviennent de changements dans la concentration des ions HCO_3^- (les valeurs normales vont de 22 à 26 mmol/L dans le sang artériel systémique).

Acidose respiratoire

Le signe distinctif de l'**acidose respiratoire** est une P_{CO_2} du sang artériel systémique supérieure à 45 mm Hg. L'expiration inadéquate du CO_2 fait diminuer le pH sanguin ; tout état qui entrave le passage de CO_2 du sang aux alvéoles des poumons et, de là, à l'atmosphère entraîne une accumulation de CO_2, d'H_2CO_3 et d'ions H^+. Ces états comprennent l'emphysème, l'œdème pulmonaire, les lésions du centre respiratoire du bulbe rachidien, l'obstruction des voies aériennes ou les maladies des muscles de la respiration. Si le trouble respiratoire n'est pas trop grave, les reins peuvent contribuer à élever le pH sanguin en augmentant l'excrétion d'ions H^+ et la réabsorption d'ions HCO_3^- (compensation rénale). L'objectif du traitement de l'acidose respiratoire est d'augmenter l'expiration de CO_2, par exemple par un traitement destiné à améliorer la ventilation. L'administration intraveineuse de HCO_3^- peut aussi être utile.

Alcalose respiratoire

Lors d'une **alcalose respiratoire,** la P_{CO_2} du sang artériel baisse à moins de 35 mm Hg. La diminution de la P_{CO_2} et l'élévation du pH qui l'accompagne sont causées par une hyperventilation consécutive à un trouble qui stimule l'aire inspiratoire du tronc cérébral. Cet état peut résulter d'un déficit d'oxygène occasionné par l'altitude ou une maladie pulmonaire, un accident vasculaire cérébral ou un état d'anxiété grave. La compensation rénale peut ramener le pH sanguin à une valeur normale si les reins diminuent l'excrétion des ions H^+ et la réabsorption des ions HCO_3^-. Le traitement de l'alcalose respiratoire a pour but d'élever le taux de CO_2 dans l'organisme. Un traitement simple consiste à faire respirer le patient dans un sac de papier pendant un court laps de temps ; de cette façon, la personne inspire de l'air contenant une concentration de CO_2 supérieure à la normale.

Acidose métabolique

Dans le cas d'une **acidose métabolique,** le taux d'ions HCO_3^- dans le plasma artériel systémique diminue à moins de 22 mmol/L. Une telle réduction de ce tampon important fait diminuer le pH sanguin. Trois situations peuvent faire baisser le taux plasmatique des ions HCO_3^- : 1) une déperdition d'ions HCO_3^-, par exemple à la suite d'une diarrhée grave ou d'un dysfonctionnement rénal, 2) l'accumulation d'un acide autre que l'acide carbonique, par exemple en raison d'une cétose (voir p. 943), ou 3) une défaillance des reins qui ne parviennent pas à excréter les ions H^+ provenant du métabolisme des protéines alimentaires. Si le déséquilibre n'est pas trop important, l'hyperventilation peut contribuer à ramener le pH sanguin à une valeur normale (compensation respiratoire). Le traitement de l'acidose métabolique consiste à administrer des solutions intraveineuses de bicarbonate de sodium et à éliminer la cause de l'acidose.

Alcalose métabolique

Quand il y a **alcalose métabolique,** la concentration sanguine d'ions HCO_3^- est supérieure à 26 mmol/L. Le pH s'élève au-dessus de 7,45 par suite d'une déperdition d'acide non respiratoire ou de l'ingestion d'une trop grande quantité de médicaments alcalins. Les vomissements excessifs du contenu gastrique, qui occasionnent une perte considérable d'acide chlorhydrique, sont probablement la cause la plus fréquente d'alcalose métabolique. Parmi les autres causes, on compte l'aspiration gastrique, l'emploi de certains diurétiques, des troubles endocriniens, l'ingestion d'une trop grande quantité de médicaments alcalins et une déshydratation grave. La compensation respiratoire par hypoventilation peut ramener le pH sanguin à une valeur normale. Le traitement de l'alcalose métabolique consiste à administrer des liquides de façon à combler les déficits en chlorure, potassium et autres électrolytes, et à éliminer la cause de l'alcalose.

Le tableau 27.3 résume les divers types d'acidose et d'alcalose.

APPLICATION CLINIQUE
Diagnostic des déséquilibres acidobasiques

On peut souvent établir avec précision la cause d'un déséquilibre acidobasique par l'analyse de trois valeurs obtenues à partir d'un échantillon de sang artériel systémique : le pH, la concentration d'ions HCO_3^- et la P_{CO_2}. La méthode employée pour établir le bon diagnostic comprend les quatre étapes suivantes :

1. Noter si le pH est élevé (alcalose) ou bas (acidose).
2. Déterminer quelle valeur – P_{CO_2} ou HCO_3^- – se situe hors de l'intervalle normal et pourrait être la cause de l'écart de pH. Par exemple, un pH élevé peut être causé par une P_{CO_2} basse ou une concentration de HCO_3^- élevée.
3. Faire la déduction suivante : si la cause est une P_{CO_2} anormale, le trouble est de nature respiratoire ; si la cause est une concentration anormale de HCO_3^-, il s'agit d'un trouble métabolique.
4. Examiner la valeur qui ne correspond pas à l'écart de pH observé. Si elle est normale, il n'y a pas de compensation. Si elle ne se situe pas dans l'intervalle normal, il y a compensation et elle corrige en partie le déséquilibre du pH. ■

1. Expliquez comment chacun des systèmes tampons suivants contribue à maintenir le pH des liquides organiques : protéines, acide carbonique-bicarbonate et phosphates.

Tableau 27.3 Résumé de l'acidose et de l'alcalose

TROUBLES	DÉFINITIONS	CAUSES FRÉQUENTES	MÉCANISMES DE COMPENSATION
Acidose respiratoire	Augmentation de la P_{CO_2} (au-dessus de 45 mm Hg) et diminution du pH (sous 7,35) s'il n'y a pas de compensation.	Hypoventilation consécutive à l'emphysème, à l'œdème pulmonaire, à un traumatisme du centre respiratoire, à l'obstruction des voies aériennes ou au dysfonctionnement des muscles de la respiration.	*Rénal:* augmentation de l'excrétion des ions H^+ et de la réabsorption des ions HCO_3^-. Si la compensation est complète, le pH redevient normal mais la P_{CO_2} est élevée.
Alcalose respiratoire	Diminution de la P_{CO_2} (à moins de 35 mm Hg) et augmentation du pH (au-dessus de 7,45) s'il n'y a pas de compensation.	Hyperventilation consécutive à un déficit en oxygène, à une maladie pulmonaire, à un accident vasculaire cérébral, à l'anxiété ou à une surdose d'aspirine.	*Rénal:* diminution de l'excrétion des ions H^+ et de la réabsorption des ions HCO_3^-. Si la compensation est complète, le pH redevient normal mais la P_{CO_2} est basse.
Acidose métabolique	Diminution des ions HCO_3^- (sous 22 mmol/L) et du pH (sous 7,35) s'il n'y a pas de compensation.	Déperdition d'ions bicarbonate par suite de diarrhée, d'accumulation d'acide (cétose), de dysfonctionnement rénal.	*Respiratoire:* hyperventilation qui augmente la perte de CO_2. Si la compensation est complète, le pH redevient normal mais la concentration de HCO_3^- est faible.
Alcalose métabolique	Augmentation des ions HCO_3^- (au-dessus de 26 mmol/L) et du pH (au-dessus de 7,45) s'il n'y a pas de compensation.	Déperdition d'acide consécutive à des vomissements, à l'aspiration gastrique ou à l'utilisation de certains diurétiques; ingestion excessive de médicaments alcalins.	*Respiratoire:* hypoventilation qui ralentit la perte de CO_2. Si la compensation est complète, le pH redevient normal mais la concentration de HCO_3^- est élevée.

2. Définissez l'acidose et l'alcalose. Comparez l'acidose respiratoire, l'acidose métabolique, l'alcalose respiratoire et l'alcalose métabolique.

3. Quels sont les principaux effets physiologiques de l'acidose et de l'alcalose?

4. Supposons que vous connaissiez le pH, la concentration de HCO_3^- et la P_{CO_2}. Expliquez comment ces valeurs peuvent vous aider à déterminer la cause d'un déséquilibre acidobasique.

VIEILLISSEMENT ET ÉQUILIBRE HYDRIQUE, ÉLECTROLYTIQUE ET ACIDOBASIQUE

OBJECTIF

• *Décrire les changements dans l'équilibre hydrique, électrolytique et acidobasique qui peuvent survenir avec l'âge.*

Il y a des différences importantes entre l'adulte et le nouveau-né, en particulier chez le prématuré, quant à la distribution des liquides, la régulation de l'équilibre hydrique et électrolytique et l'homéostasie acidobasique. En effet, les nourrissons connaissent plus de difficultés que les adultes dans ces domaines. Les différences sont liées aux caractéristiques suivantes:

• *Proportion d'eau et répartition.* La masse corporelle totale du nouveau-né est composée d'environ 75 % d'eau (cette proportion peut atteindre 90 % chez le bébé prématuré), alors que chez l'adulte, cette valeur se situe entre 55 et 60 %. (Le pourcentage « adulte » est fixé vers l'âge de

deux ans.) Par ailleurs, les adultes ont deux fois plus d'eau dans le compartiment intracellulaire que dans le compartiment extracellulaire; chez le nouveau-né prématuré, on observe le contraire. Le compartiment extracellulaire étant plus exposé aux changements que le compartiment intracellulaire, tout apport ou toute déperdition hydrique rapide a des conséquences beaucoup plus importantes chez le nourrisson. Étant donné que le taux des échanges – apport et élimination de liquides – est environ sept fois plus rapide chez le nourrisson que chez l'adulte, les fluctuations même minimes de l'équilibre hydrique peuvent entraîner des anomalies graves.

• *Métabolisme.* Le métabolisme du nourrisson est environ deux fois plus rapide que celui de l'adulte. En conséquence, la production d'acides et de déchets métaboliques est plus élevée et peut entraîner l'acidose chez le nourrisson.

• *Maturation fonctionnelle des reins.* Le rein du nouveau-né est près de deux fois moins efficace que celui de l'adulte pour concentrer l'urine. (Il n'atteint sa maturité fonctionnelle que vers la fin du premier mois après la naissance.) En conséquence, le rein du nouveau-né n'est pas aussi efficace que le rein adulte pour concentrer l'urine et débarrasser l'organisme du surplus d'acide produit par suite de son métabolisme rapide.

• *Surface corporelle.* Le rapport entre la surface et le volume corporels du nouveau-né est environ trois fois plus grand que celui de l'adulte, ce qui se traduit par une déperdition d'eau par la peau considérablement plus élevée chez le nourrisson.

- *Fréquence respiratoire.* La fréquence respiratoire élevée du nourrisson (de 30 à 80 respirations par minute) cause une plus grande déperdition d'eau par les poumons. De plus, il y a risque d'alcalose respiratoire parce que la ventilation accrue élimine plus de CO_2 et abaisse la P_{CO_2}.

- *Concentrations des ions.* Le nouveau-né a des concentrations d'ions K^+ et Cl^- plus élevées que l'adulte. Il est ainsi plus exposé à l'acidose métabolique.

Par comparaison avec celle des enfants et des jeunes adultes, la capacité des adultes plus âgés à maintenir l'équilibre hydrique, électrolytique et acidobasique est souvent diminuée. Avec l'âge, beaucoup d'individus ont un plus petit volume de liquide intracellulaire et la quantité totale de potassium dans leur organisme est moins grande en raison de la diminution de la masse musculaire squelettique et de l'augmentation de la masse du tissu adipeux (qui contient très peu d'eau). Le ralentissement des fonctions respiratoire et rénale dû à l'âge peut compromettre l'équilibre acidobasique en freinant l'expiration du CO_2 et l'excrétion de l'excès d'acides dans l'urine. D'autres altérations rénales, telles la diminution du débit sanguin ou du débit de filtration glomérulaire et une sensibilité amoindrie à l'hormone antidiurétique, influent de façon défavorable sur la capacité de maintenir l'équilibre hydrique et électrolytique. Par suite de la réduction du nombre et de l'efficacité des glandes sudoripares, la perspiration sensible et insensible par la peau diminue avec l'âge. En raison de ces changements liés à l'âge, les adultes qui vieillissent sont exposés à plusieurs troubles hydriques et électrolytiques :

- La *déshydratation* et l'*hypernatrémie* ont souvent lieu en raison d'un apport hydrique insuffisant ou d'une déperdition d'eau supérieure à celle du sodium dans les vomissements, les fèces ou l'urine.

- L'*hyponatrémie* peut survenir par suite d'un apport insuffisant de sodium, d'une déperdition élevée de sodium dans l'urine, les vomissements ou la diarrhée, ou d'une diminution de la capacité des reins à produire de l'urine diluée.

- L'*hypokaliémie* se manifeste souvent chez les adultes âgés qui utilisent régulièrement des laxatifs pour soulager la constipation ou qui prennent des diurétiques favorisant la déplétion potassique pour traiter l'hypertension ou une cardiopathie.

- L'*acidose* peut être consécutive à une incapacité des poumons ou des reins à compenser un déséquilibre acidobasique. Elle peut survenir quand les cellules des tubules rénaux produisent moins d'ammoniaque, qui ne peut alors se combiner avec les ions H^+ et être excrété dans l'urine sous forme d'ions NH_4^+ ; elle peut aussi être causée par une diminution de l'expiration de CO_2.

RÉSUMÉ

COMPARTIMENTS HYDRIQUES ET ÉQUILIBRE HYDRIQUE (p. 1016)

1. Les liquides organiques comprennent l'eau et les solutés qui y sont dissous.

2. Environ les deux tiers des liquides organiques se trouvent dans les cellules, où ils portent le nom de liquide intracellulaire (LI). L'autre tiers, appelé liquide extracellulaire (LE), comprend le liquide interstitiel, le plasma et la lymphe, le liquide cérébrospinal, les liquides du tube digestif, la synovie, les liquides des yeux et des oreilles, les liquides pleural, péricardique et péritonéal, et le filtrat glomérulaire.

3. L'équilibre hydrique signifie que les divers compartiments de l'organisme contiennent leur part normale d'eau.

4. Une substance inorganique qui se dissocie en ions lorsqu'elle est en solution s'appelle un électrolyte. L'équilibre hydrique et l'équilibre électrolytique sont en relation.

5. L'eau est le constituant le plus abondant du corps – selon l'âge et la quantité de tissu adipeux dans l'organisme, elle représente de 45 à 75 % de la masse corporelle totale.

6. L'apport hydrique et la déperdition hydrique quotidiennes sont chacun d'environ 2 500 mL. Les sources de l'apport hydrique sont les aliments et les liquides ingérés ainsi que l'eau produite par la respiration cellulaire et les réactions de synthèse par déshydratation (eau métabolique). La déperdition hydrique s'effectue par la miction, l'évaporation à la surface de la peau, l'expiration de la vapeur d'eau et la défécation. Chez la femme, le flux menstruel constitue une voie supplémentaire de déperdition hydrique.

7. La régulation de l'apport hydrique s'effectue principalement en ajustant le volume d'eau absorbé, c'est-à-dire en buvant une plus ou moins grande quantité de liquides. Le centre de la soif dans l'hypothalamus régit le besoin de boire.

8. Même si la déperdition d'eau et de solutés dans la sueur et par l'expiration augmente durant l'exercice, l'élimination de l'excédent de ces substances dépend principalement de la régulation de leur excrétion dans l'urine. La perte de NaCl dans l'urine est le principal facteur qui détermine le volume des liquides organiques, tandis que la perte d'eau dans l'urine est le principal facteur qui détermine l'osmolarité des liquides organiques.

9. L'angiotensine II et l'aldostérone réduisent la déperdition urinaire d'ions Na^+ et Cl^- et, de ce fait, augmentent le volume des liquides organiques. L'ANP favorise la natriurie, soit l'accroissement de l'excrétion urinaire des ions Na^+ (et Cl^-), ce qui réduit le volume sanguin.

10. La principale hormone qui régule la déperdition hydrique et, partant, l'osmolarité des liquides organiques est l'hormone antidiurétique (ADH).

11. Une augmentation de l'osmolarité du liquide interstitiel attire l'eau hors des cellules et les fait rétrécir légèrement. Une dimi-

nution de l'osmolarité du liquide interstitiel fait gonfler les cellules. Les fluctuations de l'osmolarité résultent le plus souvent de changements dans la concentration des ions Na⁺, principal soluté du liquide interstitiel.

12. Quand une personne consomme de l'eau plus rapidement que le système urinaire ne peut l'excréter ou lorsque les reins fonctionnent mal, il peut y avoir intoxication par l'eau, ce qui fait gonfler les cellules et entraîne un danger pour l'organisme.

ÉLECTROLYTES DANS LES LIQUIDES ORGANIQUES (p. 1021)

1. Les ions formés par la dissolution des électrolytes dans les liquides organiques régissent les déplacements de l'eau par osmose entre les compartiments hydriques, contribuent au maintien de l'équilibre acidobasique et créent des courants électriques.

2. On exprime les concentrations des cations et des anions en millimoles par litre (mmol/L).

3. Le plasma, le liquide interstitiel et le liquide intracellulaire diffèrent par la nature et la quantité des ions qu'ils contiennent.

4. Les ions sodium (Na⁺) sont les ions extracellulaires les plus abondants. Ils participent à la transmission des influx nerveux, à la contraction musculaire et à l'équilibre hydrique et électrolytique. Le taux de Na⁺ est régi par l'aldostérone, l'hormone antidiurétique et le peptide natriurétique auriculaire.

5. Les ions chlorure (Cl⁻) sont les principaux anions extracellulaires. Ils jouent un rôle dans la régulation de la pression osmotique et la formation de l'HCl du suc gastrique. Le taux de Cl⁻ est régi indirectement par l'hormone antidiurétique et par les processus qui augmentent ou diminuent la réabsorption rénale des ions Na⁺.

6. Les ions potassium (K⁺) sont les cations les plus abondants du liquide intracellulaire. Ils jouent un rôle clé dans le potentiel de repos de la membrane et le potentiel d'action des neurones et des fibres musculaires. Ils participent au maintien du volume hydrique intracellulaire normal et à la régulation du pH. Le taux de K⁺ est régi par l'aldostérone.

7. Les ions bicarbonate (HCO₃⁻) sont au deuxième rang des anions extracellulaires les plus abondants. Ils constituent le tampon le plus important du plasma.

8. Le calcium est le minéral le plus abondant de l'organisme. Les sels de calcium sont des composants structuraux des os et des dents. Les ions Ca²⁺, qui sont principalement des cations extracellulaires, servent à la coagulation du sang, à la libération des neurotransmetteurs et aux contractions musculaires. Le taux de Ca²⁺ est régi surtout par la parathormone et le calcitriol.

9. Les ions phosphate (H₂PO₄⁻, HPO₄²⁻ et PO₄³⁻) sont principalement des anions intracellulaires. Les sels de phosphate sont des composants structuraux des os et des dents. Les phosphates sont aussi nécessaires à la synthèse des acides nucléiques et de l'ATP, et participent aux réactions tampons. Leur taux est régi par la parathormone et le calcitriol.

10. Les ions magnésium (Mg²⁺) sont principalement des cations intracellulaires. Ils jouent le rôle de cofacteurs dans plusieurs systèmes enzymatiques.

11. Le tableau 27.1, p. 1025-1026, décrit les déséquilibres causés par l'insuffisance ou l'excès de certains électrolytes importants.

ÉQUILIBRE ACIDOBASIQUE (p. 1026)

1. L'équilibre acidobasique de l'ensemble de l'organisme est maintenu par la régulation de la concentration des ions H⁺ dans les liquides organiques et plus particulièrement dans le liquide extracellulaire.

2. Le pH normal du sang artériel systémique se situe entre 7,35 et 7,45.

3. L'équilibre du pH est maintenu par des systèmes tampons, par l'expiration du gaz carbonique et par l'excrétion rénale des ions H⁺ et la réabsorption rénale des ions HCO₃⁻.

4. Les systèmes tampons importants sont les protéines, le système acide carbonique-bicarbonate et les phosphates.

5. Une augmentation de l'expiration du gaz carbonique élève le pH sanguin ; une diminution de l'expiration du CO₂ abaisse le pH sanguin.

6. Les reins excrètent des ions H⁺ et réabsorbent des ions HCO₃⁻.

7. Le tableau 27.2, p. 1029, résume les mécanismes qui maintiennent le pH des liquides organiques.

8. L'acidose est caractérisée par un pH artériel systémique inférieur à 7,35 ; son principal effet est la dépression du système nerveux central (SNC). L'alcalose est caractérisée par un pH artériel systémique supérieur à 7,45 ; son principal effet est la surexcitation du SNC.

9. L'acidose et l'alcalose respiratoires sont des troubles causés par des fluctuations de la P_{CO_2} du sang, alors que l'acidose et l'alcalose métaboliques sont associées à des fluctuations de la concentration sanguine des ions HCO₃⁻.

10. L'acidose et l'alcalose métaboliques peuvent être compensées par des mécanismes respiratoires ; l'acidose et l'alcalose respiratoires peuvent être compensées par des mécanismes rénaux.

11. Le tableau 27.3, p. 1031, résume les divers types d'acidose et d'alcalose.

12. En examinant le pH, le taux de HCO₃⁻ et la P_{CO_2}, on peut établir avec précision la cause d'un déséquilibre acidobasique.

AUTOÉVALUATION

Phrases à compléter

1. Le composant le plus abondant des liquides organiques est ___.

2. Le principal effet physiologique de l'acidose est la ___ du ___ consécutive à une réduction des ___. Un des principaux effets physiologiques de l'alcalose est une ___ des ___ et ___.

3. La plupart des tampons sont constitués d'un ___ et d'une ___.

4. Les principaux systèmes tampons de l'organisme sont les ___, le système ___ et les ___.

Vrai ou faux

5. Le tampon le plus abondant dans le plasma et les cellules de l'organisme est le système tampon des protéines.

6. Normalement, la déperdition hydrique égale l'apport hydrique, si bien que le volume des liquides organiques est constant.

Choix multiples

7. La régulation de l'apport hydrique s'effectue principalement en variant : a) le volume d'eau absorbé ; b) le taux d'activité de la respiration cellulaire ; c) la formation de l'eau métabolique ; d) le volume de l'eau métabolique ; e) l'utilisation métabolique de l'eau.

8. De quelle façon la déshydratation stimule-t-elle la soif ? 1) Elle diminue la production de salive. 2) Elle augmente la production de salive. 3) Elle augmente l'osmolarité des liquides organiques. 4) Elle diminue l'osmolarité des liquides organiques. 5) Elle diminue le volume sanguin. 6) Elle augmente le volume sanguin.
   a) 1, 2, 4 et 6. b) 1, 3, 5 et 6. c) 1, 3 et 5. d) 2, 4 et 6. e) 1, 4, 5 et 6.

9. Lesquelles des hormones suivantes régulent la déperdition hydrique ? 1) Hormone antidiurétique. 2) Aldostérone. 3) Peptide natriurétique auriculaire. 4) Thyroxine. 5) Cortisol.
   a) 1, 3 et 5. b) 1, 2 et 3. c) 2, 4 et 5. d) 2, 3 et 4. e) 1, 3 et 4.

10. Lesquels des énoncés suivants sont vrais à propos des ions dans l'organisme ? 1) Ils régissent l'osmose de l'eau entre les compartiments hydriques. 2) Ils participent au maintien de l'équilibre acidobasique. 3) Ils créent des courants électriques. 4) Ils servent de cofacteurs de l'activité enzymatique. 5) Ils servent d'hormones locales dans certaines situations particulières.
   a) 1, 3 et 5. b) 2, 4 et 5. c) 1, 4 et 5. d) 1, 2 et 4. e) 1, 2, 3 et 4.

11. Lesquels des énoncés suivants sont vrais ? 1) Les tampons préviennent les fluctuations trop importantes et trop rapides du pH des liquides organiques. 2) Les tampons agissent lentement. 3) Les acides forts font baisser le pH plus que les acides faibles parce qu'ils fournissent moins d'ions H^+. 4) Les protéines peuvent tamponner les acides et les bases. 5) L'hémoglobine est un tampon important.
   a) 1, 2, 3 et 5. b) 1, 3, 4 et 5. c) 1, 3 et 5. d) 1, 4 et 5. e) 2, 3 et 5.

12. Lesquels des énoncés suivants sont vrais ? 1) Une augmentation de la concentration du gaz carbonique dans les liquides organiques entraîne une hausse de la concentration des ions H^+ et, par conséquent, une baisse du pH. 2) Retenir son souffle entraîne une baisse du pH sanguin. 3) Le mécanisme tampon respiratoire peut éliminer un seul acide volatil : l'acide carbonique. 4) La seule façon d'éliminer les acides fixes est d'excréter les ions H^+ dans l'urine. 5) Quand le régime alimentaire contient beaucoup de protéines, le métabolisme normal produit plus d'acides que de bases.
   a) 1, 2, 3, 4 et 5. b) 1, 3, 4 et 5. c) 1, 2, 3 et 4. d) 1, 2, 4 et 5. e) 1, 3 et 4.

13. Associez les éléments suivants :
   ____ a) ions de charge négative
   ____ b) ions de charge positive
   ____ c) composés ayant des liaisons covalentes qui ne forment pas d'ions lorsqu'ils sont dissous dans l'eau
   ____ d) substances inorganiques qui, en solution, se dissocient en ions
   ____ e) substances qui préviennent les fluctuations trop importantes et trop rapides du pH des liquides organiques
   1) électrolytes   4) non-électrolytes
   2) anions   5) tampons
   3) cation

14. Associez les éléments suivants :
   ____ a) cation le plus abondant dans le liquide intracellulaire ; joue un rôle clé dans la création du potentiel de repos de la membrane
   ____ b) minéral le plus abondant dans l'organisme ; joue des rôles importants dans la coagulation du sang, la libération des neurotransmetteurs, le maintien du tonus musculaire et l'excitabilité des tissus musculaire et nerveux
   ____ c) au deuxième rang des cations intracellulaires les plus abondants ; cofacteur de la Na^+-K^+ ATPase et des enzymes qui interviennent dans le métabolisme des glucides et des protéines
   ____ d) ion extracellulaire le plus abondant ; essentiel à l'équilibre hydrique et électrolytique
   ____ e) ions le plus souvent combinés avec des lipides, des protéines, des glucides, des acides nucléiques et l'ATP dans les cellules
   ____ f) anion extracellulaire le plus abondant ; contribue à équilibrer la concentration des anions dans les divers compartiments hydriques
   ____ g) au deuxième rang des anions extracellulaires les plus abondants ; régulé principalement par les reins ; joue un rôle important dans l'équilibre acidobasique
   1) sodium   5) calcium
   2) chlorure   6) phosphate
   3) potassium   7) magnésium
   4) bicarbonate

15. Associez les éléments suivants :
   ____ a) augmentation anormale du volume du liquide interstitiel
   ____ b) gonflement des cellules par suite d'un déplacement d'eau qui amène cette dernière à quitter le plasma, à passer dans le liquide interstitiel, puis à pénétrer dans les cellules
   ____ c) se produit quand la déperdition d'eau dépasse l'apport d'eau
   ____ d) peut se produire quand l'eau passe du plasma au liquide interstitiel et fait ainsi diminuer le volume sanguin
   ____ e) sa cause peut être l'emphysème, l'œdème pulmonaire, une lésion du centre respiratoire du bulbe rachidien, l'obstruction des voies aériennes ou des troubles des muscles de la respiration
   ____ f) sa cause peut être une déperdition d'ions bicarbonate, la cétose ou l'incapacité des reins à excréter les ions H^+
   ____ g) sa cause peut être des vomissements excessifs, l'aspiration gastrique, l'emploi de certains diurétiques, une déshydratation grave ou l'ingestion excessive de médicaments alcalins
   ____ h) sa cause peut être un manque d'oxygène en altitude, un accident vasculaire cérébral, une anxiété grave ou une surdose d'aspirine
   1) acidose respiratoire   5) déshydratation
   2) alcalose respiratoire   6) choc hypovolémique
   3) acidose métabolique   7) intoxication par l'eau
   4) alcalose métabolique   8) œdème

QUESTIONS À COURT DÉVELOPPEMENT

1. Après avoir fait la fête tard dans la nuit, Pierre s'est retrouvé au service des urgences. Selon ses amis, il aurait dit éprouver une soif telle qu'il se sentait capable de boire la quantité d'eau que peut contenir une baignoire. Quelqu'un l'aurait alors mis au défi de s'exécuter. Ses amis ont appelé l'ambulance quand Pierre a été pris de convulsions. Que s'est-il passé? (INDICE: *Pierre s'est intoxiqué, mais non à l'alcool.*)

2. «Je suis furieuse contre Jacques, confia Amélie à son amie. Nous sommes à peu près de la même taille et du même poids, mais les mesures de tissu adipeux que nous avons faites au labo d'anatomie et de physiologie ont révélé qu'il a moins de graisse que moi!» Comment pouvez-vous expliquer cela à Amélie? (INDICE: *La graisse et l'eau ne se mélangent pas.*)

3. Manu s'est servi une assiettée des restes laissés par son colocataire. Il leur a trouvé un goût bizarre, mais il les a mangés quand même parce qu'il n'avait pas envie de cuisiner. Un peu plus tard, Manu a vomi tout ce qu'il avait dans l'estomac. Il a ensuite tenté de calmer ses nausées en prenant toute une bouteille d'antiacides. Quel est l'effet de cet épisode sur l'équilibre hydrique et électrolytique de Manu? (INDICE: *Quel est le pH du suc gastrique?*)

4. Henri est à l'unité des soins intensifs parce qu'il a subi un grave infarctus du myocarde il y a trois jours. Le laboratoire fait état des valeurs suivantes, obtenues à partir d'un échantillon de sang artériel: pH = 7,30; HCO_3^- = 20 mmol/L, P_{CO_2} = 32 mm Hg. Établissez un diagnostic sur l'état acidobasique de Henri et déterminez s'il y a ou non compensation. (INDICE: *Suivez les quatre étapes de la méthode décrite à la page 1030.*)

RÉPONSES AUX QUESTIONS DES FIGURES

27.1 Le volume plasmatique égale la masse corporelle × le pourcentage de la masse corporelle représenté par les liquides organiques × la proportion des liquides organiques représentée par le liquide extracellulaire × la proportion du liquide extracellulaire représentée par le plasma × un facteur de conversion (1 L/kg). Chez l'homme:

$$\text{Volume plasmatique} = 60 \text{ kg} \times 0,60 \times \tfrac{1}{3} \times 0,20 \times 1 \text{ L/kg} = 2,4 \text{ L}$$

Chez la femme, le volume plasmatique est de 2,2 L.

27.2 L'hyperventilation, les vomissements, la fièvre et les diurétiques augmentent la déperdition hydrique.

27.3 Le mécanisme à l'œuvre ici est la rétro-inhibition parce que le résultat (l'augmentation de l'apport hydrique) s'oppose au stimulus d'origine (la déshydratation).

27.4 L'excès d'aldostérone favorise une réabsorption rénale de NaCl et d'eau anormalement élevée, ce qui augmente le volume sanguin et la pression artérielle. L'augmentation de la pression artérielle force les liquides à traverser la paroi des capillaires et à s'accumuler dans le liquide interstitiel, d'où l'œdème.

27.5 Quand le sel et l'eau sont absorbés en même temps dans le tube digestif, le volume sanguin augmente sans causer une chute de l'osmolarité. En conséquence, il n'y a pas d'intoxication par l'eau.

27.6 Dans le liquide extracellulaire, le principal cation est l'ion Na^+ et les principaux anions sont les ions Cl^- et HCO_3^-. Dans le liquide intracellulaire, le principal cation est l'ion K^+ et les principaux anions sont les protéines et les phosphates organiques (par exemple, l'ATP).

27.7 Retenir son souffle fait légèrement baisser le pH sanguin en causant une accumulation de CO_2 et d'ions H^+.

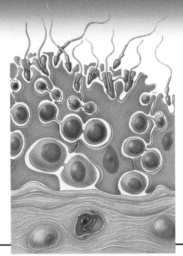

28 LE SYSTÈME REPRODUCTEUR

La **reproduction sexuée** est le processus par lequel un organisme engendre sa descendance au moyen de cellules germinales appelées **gamètes** (*gametê* = épouse, époux). La fusion d'un gamète mâle (spermatozoïde) et d'un gamète femelle (ovule) – phénomène appelé **fécondation** – produit une cellule contenant un ensemble de chromosomes issu de chaque parent. L'homme et la femme ont des organes génitaux anatomiquement distincts qui sont adaptés à la production de gamètes, à la fécondation et, chez la femme, à la croissance de l'embryon et du fœtus.

On peut classer les organes génitaux masculins et féminins selon leur fonction. Les **gonades,** soit les testicules chez l'homme et les ovaires chez la femme, produisent des gamètes et sécrètent des hormones sexuelles. Divers **conduits** emmagasinent et transportent les gamètes, tandis que les **glandes sexuelles annexes** sécrètent des substances qui protègent les gamètes et facilitent leur mouvement. Enfin, les *organes de soutien* tels que le pénis et l'utérus participent à la libération et à la rencontre des gamètes et, chez la femme, à la croissance du fœtus durant la grossesse.

La **gynécologie** (*gunaïkos* = femme; *logos* = science) est la discipline médicale qui s'intéresse au diagnostic et au traitement des maladies du système reproducteur féminin. Comme nous l'avons mentionné au chapitre 26, l'**urologie** est la discipline médicale qui étudie le système urinaire; les urologues s'intéressent également au diagnostic et au traitement des maladies et des troubles du système reproducteur masculin.

CYCLE CELLULAIRE DANS LES GONADES

OBJECTIF

• *Décrire le processus de la méiose.*

Avant d'aborder le cycle cellulaire dans les gonades, nous devons comprendre comment le matériel génétique est réparti dans les cellules.

Nombre de chromosomes dans les cellules somatiques et les gamètes

Chez l'être humain, les cellules somatiques, telles les cellules de l'encéphale, de l'estomac ou du rein, contiennent 23 paires de chromosomes ou 46 chromosomes au total; un chromosome de chaque paire est hérité de chaque parent. Les chromosomes qui forment une paire sont appelés **chromosomes homologues** (*homos* = semblable), car ils contiennent des gènes similaires disposés dans le même ordre ou presque. À l'examen microscopique (voir la figure 29.18, p. 1113), les chromosomes homologues se ressemblent généralement beaucoup; seule une paire de **chromosomes sexuels** dits X et Y fait exception. Chez la femme, la paire homologue de chromosomes sexuels est composée de deux chromosomes X tandis que chez l'homme, elle comprend un chromosome X et un chromosome Y. Les 22 autres paires de chromosomes sont appelés **autosomes.** Puisque les cellules somatiques contiennent deux séries de chromosomes, elles sont appelées **cellules diploïdes** (*diplous* = double; *eidos* = aspect). Les

Figure 28.1 Méiose : division d'une cellule reproductrice.
Chaque étape est détaillée dans le texte.

Lors de la division d'une cellule reproductrice, une cellule mère diploïde
est soumise à la méiose I et à la méiose II pour produire quatre gamètes
haploïdes génétiquement distincts de la cellule mère.

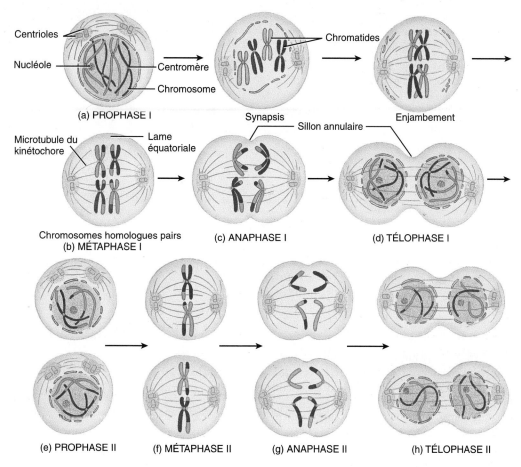

(a) PROPHASE I   Synapsis   Enjambement

Centrioles
Nucléole — Centromère
Chromosome
Chromatides

Microtubule du kinétochore — Lame équatoriale
Sillon annulaire

Chromosomes homologues pairs
(b) MÉTAPHASE I   (c) ANAPHASE I   (d) TÉLOPHASE I

(e) PROPHASE II   (f) MÉTAPHASE II   (g) ANAPHASE II   (h) TÉLOPHASE II

Q Durant quelle phase de la méiose les chromosomes se répliquent-ils ?

généticiens utilisent le symbole « *n* » pour désigner le nombre de chromosomes différents dans un organisme ; chez l'être humain, *n* = 23. Les cellules diploïdes sont « *2n* ».

Dans la reproduction sexuée, chaque nouvel organisme est issu de l'union et de la fusion de deux gamètes différents, provenant chacun d'un parent. Cependant, si chaque gamète avait le même nombre de chromosomes que les cellules somatiques, ce nombre doublerait chaque fois qu'il y a fécondation. Or, le nombre de chromosomes ne double pas au moment de la fécondation, car le cycle cellulaire dans les gonades produit des gamètes dont le nombre de chromosomes est réduit de moitié. Les gamètes contiennent une seule série de chromosomes et sont donc appelés **cellules haploïdes** (*haplous* = simple). En d'autres termes, les gamètes reçoivent une seule série de chromosomes (*1n*) au terme d'une division cellulaire particulière appelée **méiose** (*meiôsis* = réduction).

Méiose

Durant le développement des gamètes, la méiose permet la production de cellules haploïdes qui ne contiennent que 23 chromosomes. La méiose se déroule en deux étapes successives : la **méiose I** et la **méiose II.** Au cours de l'interphase qui précède la méiose I, les chromosomes se répliquent de la même manière que dans l'interphase précédant la mitose dans la division des cellules somatiques.

Méiose I

La méiose I, qui commence après la réplication des chromosomes, s'accomplit en quatre phases : la prophase I, la métaphase I, l'anaphase I et la télophase I (figure 28.1a à d). La prophase I est une phase prolongée pendant laquelle les chromosomes raccourcissent et épaississent, perdent leur enveloppe nucléaire et leurs nucléoles, et gagnent un fuseau mitotique. Contrairement à ce qui se produit durant la prophase de la mitose, les chromosomes se disposent en paires homologues. Dans la métaphase I, les paires homologues de chromosomes s'alignent sur la lame équatoriale de la cellule et les chromosomes homologues se placent côte à côte. (Cet appariement de chromosomes homologues n'a pas lieu pendant la métaphase de la mitose.) La région péricentriolaire d'un centrosome forme des microtubules qui fixent les centromères aux pôles opposés de la cellule. Durant l'anaphase I, les membres de chaque paire homologue se séparent et chacun se déplace vers un pôle opposé de la cellule. Les centromères ne se séparent pas et les chromatides paires sont maintenues ensemble par un centromère. (Durant l'anaphase de la mitose, les centromères se divisent et les chromatides sœurs se séparent.) La télophase I et la cytocinèse de la méiose et de la mitose se ressemblent. Le résultat net de la méiose I est la création de cellules filles contenant chacune le nombre haploïde de chromosomes ; chaque cellule contient un seul membre de chaque paire de chromosomes homologues présents dans la cellule mère.

Deux phénomènes que l'on n'observe pas dans la prophase I de la mitose (ou dans la prophase II de la méiose) se produisent durant la prophase I de la méiose. Dans le premier, appelé **synapsis,** les deux chromatides de chaque paire de chromosomes homologues s'apparient et forment un ensemble de quatre chromatides nommé **tétrade.** Dans le second, appelé **enjambement,** certaines parties d'une chromatide peuvent être échangées avec des parties d'une autre chromatide (figure 28.2). L'enjambement est l'un des processus qui permettent l'échange de gènes entre chromatides homologues pour que les cellules filles produites soient génétiquement distinctes les unes des autres et génétiquement distinctes de la cellule mère dont elles sont issues. Il permet la **recombinaison génétique,** soit la formation de nouvelles combinaisons de gènes, et contribue à la grande diversité des gènes que l'on observe chez l'être humain et d'autres organismes qui produisent des gamètes par méiose.

Méiose II

La deuxième étape de la méiose, la méiose II, comprend également quatre phases : la prophase II, la métaphase II, l'anaphase II et la télophase II (voir la figure 28.1e à h). Ces phases sont semblables à celles de la mitose : les centromères se divisent et les chromatides sœurs se séparent et se dirigent vers les pôles opposés de la cellule.

En résumé, la méiose I commence par une cellule mère diploïde et se termine par deux cellules filles dont chacune possède le nombre haploïde de chromosomes. Durant la méiose II, chaque cellule haploïde formée pendant la méiose I se divise, ce qui donne quatre cellules haploïdes génétiquement distinctes.

1. Faites la distinction entre les cellules haploïdes (*n*) et diploïdes (*2n*).
2. Que sont les chromosomes homologues ?

Figure 28.2 Enjambement à l'intérieur d'une tétrade durant la prophase I de la méiose.

 L'enjambement permet l'échange de gènes entre chromosomes homologues.

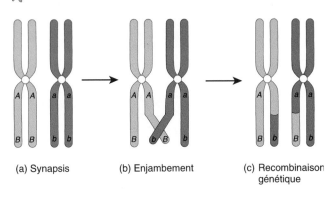

(a) Synapsis   (b) Enjambement   (c) Recombinaison génétique

 Quel est l'effet de l'enjambement sur la composition génétique des cellules filles ?

3. Dans un tableau, comparez la méiose avec la mitose. (INDICE : *Pour réviser la mitose, reportez-vous à la figure 3.33, p. 100.*)

SYSTÈME REPRODUCTEUR DE L'HOMME

OBJECTIF

• *Décrire la structure et les fonctions des organes du système reproducteur masculin.*

Les organes du système reproducteur de l'homme comprennent les testicules, un réseau de conduits (conduit déférent, conduits éjaculateurs et urètre), les glandes sexuelles annexes (vésicules séminales, prostate et glande bulbo-urétrale) et plusieurs structures de soutien, dont le scrotum et le pénis (figure 28.3). Les testicules (gonades mâles) produisent des spermatozoïdes et sécrètent des hormones. Les divers conduits transportent et emmagasinent les spermatozoïdes, participent à leur maturation et les acheminent vers l'extérieur de l'organisme. Le sperme contient des spermatozoïdes et des sécrétions des glandes sexuelles annexes.

Scrotum

Le **scrotum** est la structure de soutien des testicules. Il s'agit d'un sac formé de peau lâche et de fascia superficiel suspendu à la racine du pénis (voir la figure 28.3a). À l'extérieur, le scrotum ressemble à une poche de peau unique séparée en deux par une crête centrale appelée **raphé du scrotum ;** à l'intérieur, le septum scrotal divise le scrotum en deux moitiés contenant chacune un testicule (figure 28.4). Le septum scrotal se compose de fascia superficiel et d'un tissu constitué de faisceaux de fibres musculaires lisses, le

Figure 28.3 Organes du système reproducteur de l'homme et structures adjacentes.

 Les organes du système reproducteur sont adaptés à la production de nouveaux individus et à la transmission du matériel génétique d'une génération à la suivante.

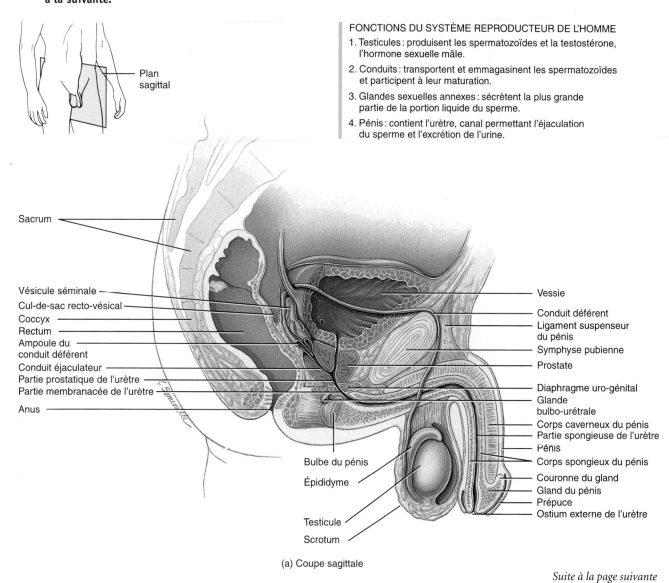

Plan sagittal

FONCTIONS DU SYSTÈME REPRODUCTEUR DE L'HOMME

1. Testicules : produisent les spermatozoïdes et la testostérone, l'hormone sexuelle mâle.
2. Conduits : transportent et emmagasinent les spermatozoïdes et participent à leur maturation.
3. Glandes sexuelles annexes : sécrètent la plus grande partie de la portion liquide du sperme.
4. Pénis : contient l'urètre, canal permettant l'éjaculation du sperme et l'excrétion de l'urine.

Sacrum

Vésicule séminale
Cul-de-sac recto-vésical
Coccyx
Rectum
Ampoule du conduit déférent
Conduit éjaculateur
Partie prostatique de l'urètre
Partie membranacée de l'urètre
Anus

Vessie
Conduit déférent
Ligament suspenseur du pénis
Symphyse pubienne
Prostate
Diaphragme uro-génital
Glande bulbo-urétrale
Corps caverneux du pénis
Partie spongieuse de l'urètre
Pénis
Corps spongieux du pénis
Couronne du gland
Gland du pénis
Prépuce
Ostium externe de l'urètre

Bulbe du pénis
Épididyme
Testicule
Scrotum

(a) Coupe sagittale

Suite à la page suivante

dartos. Le dartos se prolonge dans le tissu sous-cutané du scrotum et se trouve en continuité avec le tissu sous-cutané de la paroi abdominale. Lorsqu'il se contracte, ce muscle plisse la peau du scrotum.

Grâce à sa situation et à la contraction de ses fibres musculaires, le scrotum régit la température des testicules. Comme il est situé à l'extérieur de la cavité pelvienne, il parvient à maintenir une température interne inférieure d'environ 2 ou 3 °C à la température profonde du corps, ce qui est nécessaire à la production normale des spermatozoïdes. Le **muscle crémaster** (*kremaster* = suspenseur), qui est situé à l'intérieur du cordon spermatique et constitue un prolongement du muscle oblique interne formé de bandes de tissu musculaire squelettique, élève les testicules lors d'une exposition au froid (et en réponse à un stimulus sexuel). Les testicules se trouvent alors plus près de la cavité pelvienne, ce qui leur permet d'absorber la chaleur du corps. L'exposition à la chaleur produit la réaction inverse. Le dartos réagit également aux écarts de température, puisqu'il se contracte quand il fait froid et se relâche quand il fait chaud.

Testicules

Les **testicules** sont des glandes ovales paires mesurant environ 5 cm de long et 2,5 cm de diamètre (figure 28.5, p. 1042). Chaque testicule pèse entre 10 et 15 g. Les testicules

Figure 28.3 (suite)

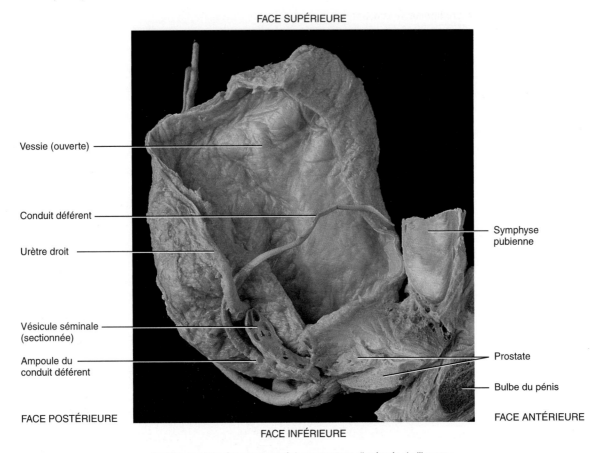

FACE SUPÉRIEURE

Vessie (ouverte)

Conduit déférent

Urètre droit

Vésicule séminale
(sectionnée)

Ampoule du
conduit déférent

Symphyse
pubienne

Prostate

Bulbe du pénis

FACE POSTÉRIEURE

FACE ANTÉRIEURE

FACE INFÉRIEURE

(b) Vue sagittale des organes génitaux annexes disséqués de l'homme

Quels sont les groupes d'organes du système reproducteur de l'homme,
et quelles sont les fonctions de chaque groupe ?

se forment près des reins, dans la partie postérieure de l'abdomen, et commencent habituellement à descendre dans le scrotum par les canaux inguinaux (passages dans la paroi abdominale antérieure ; voir la figure 28.4) durant la dernière moitié du septième mois de développement fœtal. Une séreuse dérivée du péritoine, appelée **vaginale du testicule,** se forme durant la descente et recouvre partiellement les testicules. Sous la vaginale du testicule se trouve l'**albuginée** (*albus* = blanc), une capsule blanche fibreuse et dense dont les projections intérieures constituent des cloisons (septums) qui divisent le testicule en une série de 200 à 300 compartiments internes appelés **lobules.** Chacun de ces lobules renferme de un à trois petits conduits enroulés ou contournés, les **tubules séminifères** (*seminis* = semence ; *fer* = qui porte), où sont fabriqués les spermatozoïdes (figure 28.6, p. 1043).

Les **cellules spermatogéniques** sont les cellules produites à tous les stades de la formation des spermatozoïdes. La spermatogenèse commence dans des cellules germinales appelées **spermatogonies** (*gônos* = génération) qui tapissent

la périphérie des tubules séminifères (voir la figure 28.6). Ces cellules se forment à partir des **cellules germinales primordiales** (*primordium* = commencement) issues de l'endoderme du sac vitellin qui entrent dans les testicules au début du développement. Dans les testicules de l'embryon, les cellules germinales primordiales se différencient en spermatogonies, qui restent en dormance pendant l'enfance. À la puberté, les spermatogonies subissent des mitoses, puis des méioses, avant de finir par se différencier en cellules productrices de spermatozoïdes. Les cellules en voie de développement se déplacent en couches vers la lumière du tubule. Ce sont, des moins matures aux plus matures, les spermatocytes primaires, les spermatocytes secondaires, les spermatides et les spermatozoïdes. Lorsque le **spermatozoïde** (*zôon* = être vivant) est presque mature, il est libéré dans la lumière du tubule séminifère.

Dans les tubules, enchâssées parmi les cellules spermatogéniques, se trouvent les grosses **cellules de Sertoli** qui s'étendent de la lame basale à la lumière du tubule. Sur

Figure 28.4 Scrotum : structure de soutien des testicules.

 Le scrotum, qui est constitué de peau lâche et de fascia superficiel, soutient les testicules.

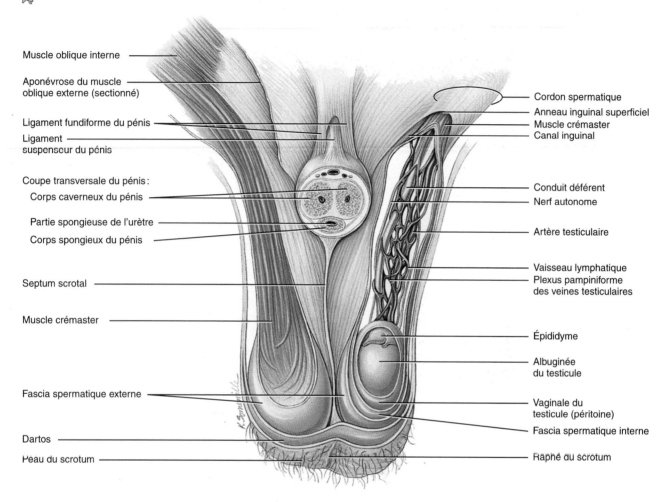

Muscle oblique interne

Aponévrose du muscle oblique externe (sectionné)

Ligament fundiforme du pénis

Ligament suspenseur du pénis

Coupe transversale du pénis :

Corps caverneux du pénis

Partie spongieuse de l'urètre

Corps spongieux du pénis

Septum scrotal

Muscle crémaster

Fascia spermatique externe

Dartos

Peau du scrotum

Cordon spermatique

Anneau inguinal superficiel

Muscle crémaster

Canal inguinal

Conduit déférent

Nerf autonome

Artère testiculaire

Vaisseau lymphatique

Plexus pampiniforme des veines testiculaires

Épididyme

Albuginée du testicule

Vaginale du testicule (péritoine)

Fascia spermatique interne

Raphé du scrotum

Vue antérieure du scrotum et des testicules et coupe transversale du pénis

 Quels sont les muscles qui participent à la régulation de la température des testicules ?

la face inférieure de la lame basale, les cellules de Sertoli sont unies les unes aux autres par des jonctions serrées qui forment la **barrière hémato-testiculaire.** Pour atteindre les gamètes en voie de développement, les substances doivent d'abord traverser les cellules de Sertoli. En isolant les cellules spermatogéniques du sang, la barrière hémato-testiculaire empêche le système immunitaire de réagir aux antigènes de surface de ces cellules, qu'il considère comme des corps étrangers.

Les cellules de Sertoli soutiennent et protègent les cellules spermatogéniques en voie de formation ; elles nourrissent les spermatocytes, les spermatides et les spermatozoïdes ; elles phagocytent le cytoplasme évacué par les spermatides au

cours de la spermatogenèse ; elles surveillent le mouvement des cellules spermatogéniques ainsi que la libération de spermatozoïdes dans la lumière des tubules séminifères. Elles produisent également un liquide qui permet le transport des spermatozoïdes, sécrètent une protéine porteuse d'androgènes ainsi qu'une hormone, l'inhibine, et assurent la médiation des effets d'autres hormones.

Dans les espaces séparant les tubules séminifères les uns des autres, on trouve les **cellules interstitielles,** ou cellules de Leydig (voir la figure 28.6b). Ces amas de cellules sécrètent la testostérone, l'androgène (hormone sexuelle mâle) le plus important.

Figure 28.5 Anatomie interne et externe d'un testicule.

Les testicules sont les gonades masculines; ils produisent les spermatozoïdes haploïdes.

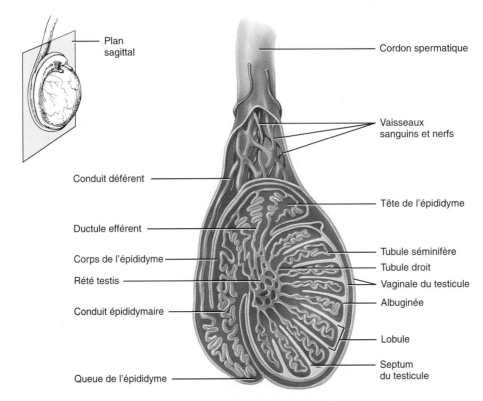

a) Coupe sagittale d'un testicule montrant les tubules séminifères

Plan sagittal — Cordon spermatique — Vaisseaux sanguins et nerfs — Conduit déférent — Tête de l'épididyme — Ductule efférent — Tubule séminifère — Corps de l'épididyme — Tubule droit — Rété testis — Vaginale du testicule — Conduit épididymaire — Albuginée — Lobule — Queue de l'épididyme — Septum du testicule

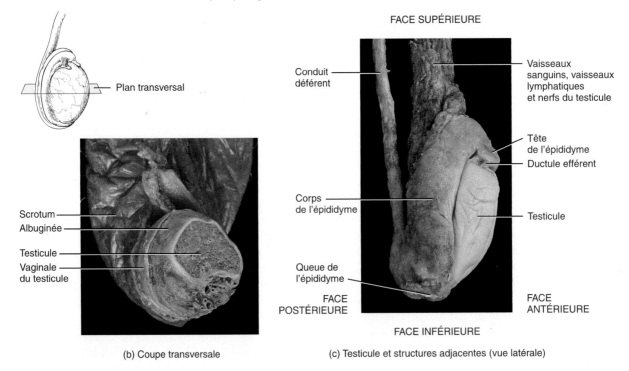

FACE SUPÉRIEURE

Plan transversal

Conduit déférent — Vaisseaux sanguins, vaisseaux lymphatiques et nerfs du testicule — Tête de l'épididyme — Ductule efférent — Corps de l'épididyme — Testicule — Queue de l'épididyme

Scrotum — Albuginée — Testicule — Vaginale du testicule

FACE POSTÉRIEURE — FACE ANTÉRIEURE — FACE INFÉRIEURE

(b) Coupe transversale

(c) Testicule et structures adjacentes (vue latérale)

Q Quelles sont les couches de tissu qui recouvrent et protègent les testicules?

Figure 28.6 Anatomie microscopique des tubules séminifères et phases de la spermatogenèse. Dans (b), les flèches indiquent le développement des cellules spermatogéniques, des moins matures aux plus matures. Les symboles *n* et 2*n* désignent le nombre haploïde et le nombre diploïde de chromosomes, respectivement.

🔑 **La spermatogenèse a lieu dans les tubules séminifères des testicules.**

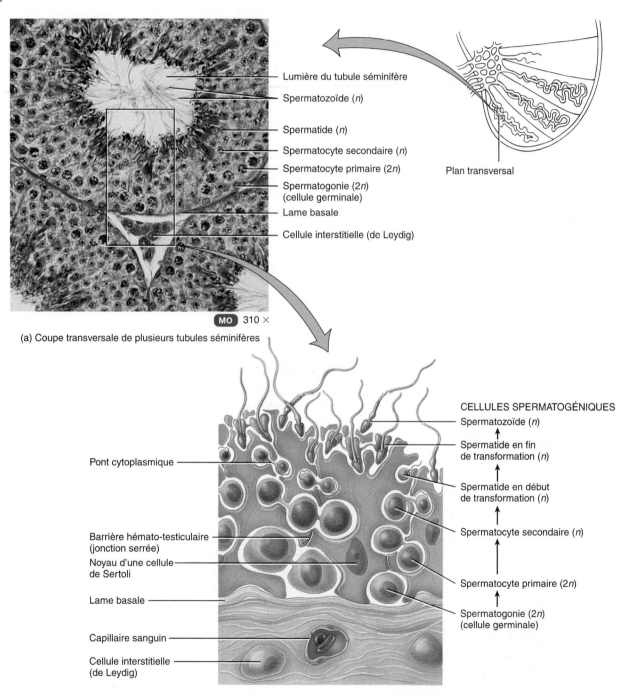

Lumière du tubule séminifère
Spermatozoïde (*n*)
Spermatide (*n*)
Spermatocyte secondaire (*n*)
Spermatocyte primaire (2*n*)
Spermatogonie (2*n*) (cellule germinale)
Lame basale
Cellule interstitielle (de Leydig)

Plan transversal

MO 310 ×

(a) Coupe transversale de plusieurs tubules séminifères

CELLULES SPERMATOGÉNIQUES
Spermatozoïde (*n*)
Spermatide en fin de transformation (*n*)
Spermatide en début de transformation (*n*)
Spermatocyte secondaire (*n*)
Spermatocyte primaire (2*n*)
Spermatogonie (2*n*) (cellule germinale)

Pont cytoplasmique
Barrière hémato-testiculaire (jonction serrée)
Noyau d'une cellule de Sertoli
Lame basale
Capillaire sanguin
Cellule interstitielle (de Leydig)

(b) Coupe transversale d'une partie d'un tubule séminifère

Q Quelles sont les cellules qui sécrètent la testostérone ?

APPLICATION CLINIQUE
Cryptorchidie

La **cryptorchidie** (*kruptos* = caché ; *orkhis* = testicule) se produit lorsque les testicules ne descendent pas dans le scrotum. Cette anomalie atteint environ 3 % des nouveau-nés à terme et environ 30 % des enfants prématurés. Non traitée, la cryptorchidie bilatérale entraîne la stérilité, car les cellules actives durant les premières phases de la spermatogenèse sont détruites par la température élevée qui règne dans la cavité pelvienne. Le risque de cancer du testicule est de 30 à 50 fois plus élevé dans le cas de testicules non descendus. Dans environ 80 % des cas, les testicules descendent spontanément durant la première année de vie. S'ils ne descendent pas, une intervention chirurgicale s'impose, idéalement avant l'âge de 18 mois. ■

Spermatogenèse

La **spermatogenèse** (*genesis* = formation) est le processus par lequel les tubules séminifères des testicules produisent les spermatozoïdes haploïdes. Chez l'homme, elle dure entre 65 et 75 jours. La spermatogenèse débute dans les spermatogonies, qui contiennent le nombre diploïde (2*n*) de chromosomes (figure 28.7). Les spermatogonies sont des *cellules germinales* car, lors de leur mitose, une partie des cellules filles demeurent près de la lame basale du tubule séminifère sous une forme non différenciée et servent de réservoir de cellules pour les mitoses et la formation de spermatozoïdes à venir. Les cellules filles qui restent s'éloignent de la lame basale, poursuivent leur développement et se différencient en **spermatocytes primaires.** Comme les spermatogonies, les spermatocytes primaires sont diploïdes (2*n*), c'est-à-dire qu'ils possèdent 46 chromosomes.

Le spermatocyte primaire grossit avant de se diviser. Lors de sa méiose, deux divisions nucléaires se produisent (voir la figure 28.7). Dans la méiose I, il y a réplication de l'ADN, alignement de paires homologues de chromosomes sur la lame équatoriale et enjambement. Puis, le fuseau méiotique se forme et attire un chromosome (dupliqué) de chaque paire vers un pôle opposé de la cellule. Cet appariement aléatoire de chromosomes dérivés de la mère et du père qui s'acheminent vers des pôles opposés est l'un des facteurs qui créent les variations génétiques dans les gamètes. Les cellules formées par la méiose I sont appelées **spermatocytes secondaires** et contiennent chacune 23 chromosomes (nombre haploïde). Toutefois, chaque chromosome d'un spermatocyte secondaire est composé de deux chromatides (deux copies de l'ADN) qui sont encore unies par un centromère.

Dans la méiose II, aucune réplication d'ADN n'a lieu. Les chromosomes forment une seule ligne le long de la lame équatoriale et les chromatides de chaque chromosome se séparent. Chacune des **spermatides,** les cellules issues de la méiose II, est haploïde. Un spermatocyte primaire produit donc quatre spermatides au terme de deux divisions cellulaires (méiose I et méiose II).

Figure 28.7 Étapes de la spermatogenèse. Les cellules diploïdes (2*n*) possèdent 46 chromosomes et les cellules haploïdes (*n*), 23 chromosomes.

🔑 **La spermiogenèse correspond à la maturation des spermatides en spermatozoïdes.**

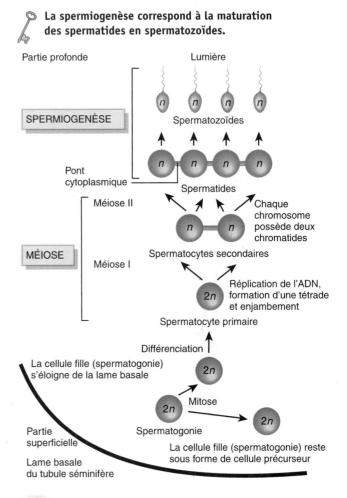

Q Qu'est-ce qui est « réduit » pendant la méiose I ?

Un phénomène unique et très intéressant se produit durant la spermatogenèse. À mesure qu'ils prolifèrent, les spermatozoïdes subissent une séparation cytoplasmique (cytocinèse) incomplète. Les quatre cellules filles restent liées par leur pont cytoplasmique tout au long de leur développement (voir les figures 28.6b et 28.7). Ce mode de développement est l'explication la plus plausible de la production synchronisée des spermatozoïdes dans toutes les régions d'un tubule séminifère. Il assure probablement aussi la survie des spermatozoïdes, dont la moitié contiennent un chromosome X et l'autre moitié, un chromosome Y. Il se pourrait que le grand chromosome X porte les gènes nécessaires à la spermatogenèse qui manquent au chromosome Y de plus petite taille.

L'étape finale de la spermatogenèse, la **spermiogenèse,** est la transformation des spermatides en spermatozoïdes. Comme aucune division cellulaire ne se produit durant la

Figure 28.8 Spermatozoïde.

🔑 **Environ 300 millions de spermatozoïdes arrivent à maturité chaque jour.**

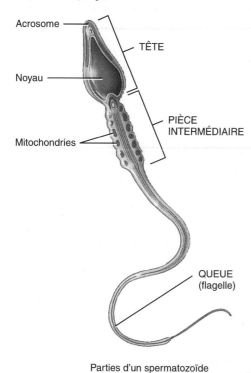

Parties d'un spermatozoïde

Q Quelles sont les fonctions de chaque partie d'un spermatozoïde?

spermiogenèse, chaque spermatide se transforme en un seul **spermatozoïde.** On appelle **spermiation** la séparation du spermatozoïde de la cellule de Sertoli à laquelle il est lié. Le spermatozoïde entre ensuite dans la lumière du tubule séminifère et se dirige vers les conduits des testicules.

Les spermatozoïdes se forment à un rythme d'environ 300 millions par jour. Une fois éjaculés, la plupart ne survivent pas plus de 48 h dans les voies génitales de la femme. Le spermatozoïde comprend des structures très adaptées à sa fonction, qui est d'atteindre et de pénétrer un ovocyte secondaire: une tête, une pièce intermédiaire et une queue (figure 28.8). La **tête** contient de la matière nucléaire (ADN) et un **acrosome** (*akros* = à l'extrémité), vésicule qui renferme de l'hyaluronidase et des protéinases (enzymes qui facilitent la pénétration du spermatozoïde dans un ovocyte secondaire). Les nombreuses mitochondries de la **pièce intermédiaire** réalisent les activités métaboliques qui fournissent l'ATP nécessaire à la locomotion. La **queue,** un flagelle typique, propulse le spermatozoïde sur sa trajectoire.

Régulation hormonale de la spermatogenèse

À la puberté, l'adénohypophyse sécrète une plus grande quantité des gonadotrophines: l'**hormone lutéinisante** (**LH**) et l'**hormone folliculostimulante** (**FSH**). La libération de ces

Figure 28.9 Régulation hormonale des fonctions testiculaires. Stimulées par la FSH et la testostérone, les cellules de Sertoli sécrètent une protéine liant les androgènes (ABP).

🔑 **La libération de FSH est stimulée par la GnRH et inhibée par l'inhibine; la libération de LH est stimulée par la GnRH et inhibée par la testostérone.**

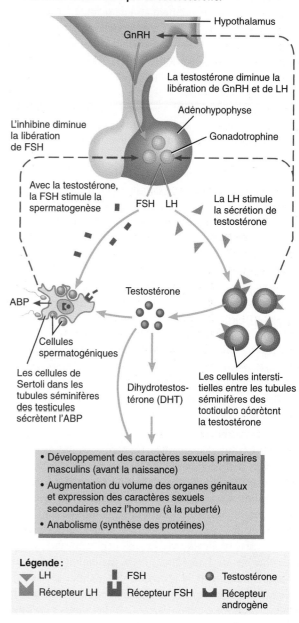

Q Quelles sont les cellules qui sécrètent l'inhibine?

substances est régie par la **gonadolibérine** (**GnRH**) venant de l'hypothalamus. La figure 28.9 résume la régulation hormonale du fonctionnement des testicules.

La LH stimule les cellules interstitielles pour qu'elles sécrètent la **testostérone,** hormone qui est synthétisée à partir du cholestérol dans les testicules et constitue le principal androgène. La testostérone est liposoluble et diffuse des cellules interstitielles vers le liquide interstitiel pour enfin rejoindre la circulation sanguine. Dans certaines cellules cibles, notamment celles de la prostate et des vésicules séminales, une enzyme appelée 5-alpha-réductase convertit la testostérone en un androgène encore plus puissant, la **dihydrotestostérone** (**DHT**).

La FSH agit indirectement afin de stimuler la spermatogenèse (voir la figure 28.9). En synergie avec la testostérone, la FSH pousse les cellules de Sertoli à stimuler la sécrétion d'une protéine liant les androgènes, l'**ABP** (« androgenbinding protein ») dans la lumière des tubules séminifères ainsi que dans le liquide interstitiel entourant les cellules spermatogéniques. L'ABP se lie à la testostérone, ce qui contribue à maintenir une concentration élevée de testostérone près des tubules séminifères. La testostérone déclenche les étapes finales de la spermatogenèse.

Les deux androgènes (testostérone et dihydrotestostérone) se fixent aux mêmes récepteurs androgènes qui se trouvent à l'intérieur du noyau des cellules cibles. Ce complexe hormone-récepteur assure la régulation de la transcription génétique; il active certains gènes et en désactive d'autres. En réaction à ces changements, les androgènes produisent plusieurs effets:

- *Développement prénatal.* Avant la naissance, la testostérone stimule le développement des conduits du système reproducteur masculin et la descente des testicules. La dihydrotestostérone stimule, quant à elle, la formation des organes génitaux externes (décrits à la page 1077). Dans l'encéphale, la testostérone est également convertie en œstrogènes (hormones sexuelles féminines), ce qui peut influer sur le développement de certaines régions de l'encéphale chez l'homme.

- *Développement des caractères sexuels masculins.* À la puberté, la testostérone et la dihydrotestostérone stimulent le développement et l'augmentation de volume des organes génitaux et le développement des caractères sexuels secondaires masculins. Ces caractères comprennent: la croissance musculaire et osseuse qui donne à l'homme des épaules larges et des hanches étroites; l'apparition des poils du pubis, des aisselles, du visage et de la poitrine (à l'intérieur des limites de l'hérédité); l'épaississement de la peau; l'augmentation de la sécrétion des glandes sébacées; et l'augmentation du volume du larynx qui abaisse la voix.

- *Développement de la fonction sexuelle.* Les androgènes jouent un rôle dans le comportement sexuel et la spermatogenèse chez l'homme ainsi que dans la pulsion sexuelle (libido) chez les deux sexes. Rappelez-vous que le cortex surrénal est la principale source d'androgènes chez la femme.

- *Stimulation de l'anabolisme.* Les androgènes sont des hormones anaboliques, ce qui signifie qu'elles stimulent la synthèse des protéines. Il en résulte une masse musculaire et osseuse plus dense chez les hommes que chez les femmes. Les androgènes stimulent également la fermeture du cartilage de conjugaison.

Figure 28.10 Régulation de la concentration sanguine de testostérone par rétro-inhibition.

Les gonadotrophines de l'adénohypophyse produisent l'hormone lutéinisante (LH).

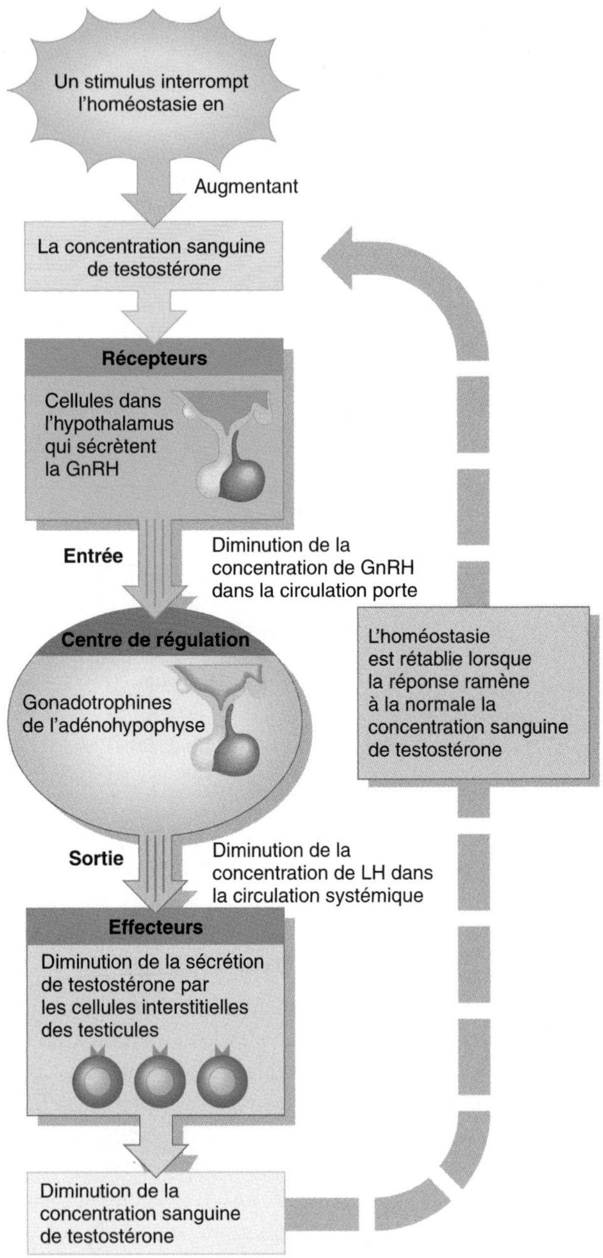

Un stimulus interrompt l'homéostasie en

Augmentant

La concentration sanguine de testostérone

Récepteurs

Cellules dans l'hypothalamus qui sécrètent la GnRH

Entrée

Diminution de la concentration de GnRH dans la circulation porte

Centre de régulation

Gonadotrophines de l'adénohypophyse

L'homéostasie est rétablie lorsque la réponse ramène à la normale la concentration sanguine de testostérone

Sortie

Diminution de la concentration de LH dans la circulation systémique

Effecteurs

Diminution de la sécrétion de testostérone par les cellules interstitielles des testicules

Diminution de la concentration sanguine de testostérone

Q Quelles sont les hormones qui inhibent la sécrétion de FSH et de LH par l'adénohypophyse?

Un mécanisme de rétro-inhibition régit la production de la testostérone (figure 28.10). Lorsque la concentration sanguine de testostérone augmente jusqu'à un certain niveau, elle inhibe la libération de GnRH par les cellules de l'hypothalamus. Par conséquent, une quantité moindre de

GnRH se trouve dans la circulation porte qui relie l'hypothalamus à l'adénohypophyse. Les gonadotrophines dans l'adénohypophyse libèrent alors moins de LH, et la concentration de cette hormone dans la circulation systémique diminue. Moins stimulées par la LH, les cellules interstitielles des testicules libèrent moins de testostérone, ce qui favorise le rétablissement de l'homéostasie. Si la concentration sanguine de testostérone diminue trop, cependant, l'hypothalamus libère encore de la GnRH, ce qui stimule la sécrétion de LH par l'adénohypophyse et, par la même occasion, la production de testostérone par les testicules.

Lorsque la spermatogenèse est assez avancée pour assurer les fonctions sexuelles masculines, les cellules de Sertoli libèrent de l'**inhibine,** une hormone protéique qui, comme son nom l'indique, inhibe la sécrétion de FSH par l'adénohypophyse (voir la figure 28.9). L'inhibine ralentit donc également la spermatogenèse. Si la spermatogenèse se déroule trop lentement, une quantité moindre d'inhibine est libérée, ce qui accroît la sécrétion de FSH et accélère la spermatogenèse.

1. Décrivez comment le scrotum protège les testicules des écarts de température.
2. Décrivez la structure interne d'un testicule. Où les spermatozoïdes sont-ils produits ? Quelles sont les fonctions des cellules de Sertoli et des cellules interstitielles ?
3. Décrivez les principales étapes de la spermatogenèse.
4. Nommez les parties principales d'un spermatozoïde et énumérez les fonctions de chacune.
5. Expliquez les effets de la FSH et de la LH sur le système reproducteur de l'homme. Comment la GnRH régit-elle ces hormones ?
6. Décrivez les effets physiologiques de la testostérone et de l'inhibine sur le système reproducteur de l'homme. Comment la concentration sanguine de testostérone est-elle régie ?

Voies génitales de l'homme

Conduits du testicule

Les spermatozoïdes et le liquide libérés dans la lumière des tubules séminifères sont propulsés vers les tubules droits sous l'effet de la pression créée par leur libération continue par les cellules de Sertoli. Les tubules droits débouchent sur un réseau de conduits dans le testicule, le **rété testis** (voir la figure 28.5a). De là, le sperme traverse une série de **ductules efférents** dans l'épididyme qui se jettent dans un conduit unique appelé **conduit épididymaire.**

Épididyme

L'**épididyme** (*epi* = sur ; *didumos* = testicule) est un organe en forme de virgule d'environ 4 cm de long couché sur le bord postérieur de chaque testicule (voir la figure 28.5a). Sa plus grande partie est le **conduit épididymaire,** long conduit très pelotonné. Sa partie supérieure plus volumineuse, appelée **tête de l'épididyme,** constitue le point d'union des ductules efférents des testicules et du conduit épididymaire. Le **corps de l'épididyme** est sa partie centrale étroite, et la **queue de l'épididyme,** sa petite terminaison inférieure. À son extrémité distale, la queue de l'épididyme devient le conduit déférent (décrit ci-dessous).

Le conduit épididymaire est une structure très pelotonnée qui mesurerait environ 6 m de long si elle était déroulée. Il est tapissé d'épithélium pseudostratifié prismatique et recouvert de plusieurs couches de muscle lisse. Les surfaces libres des cellules prismatiques contiennent de longues microvillosités ramifiantes, les **stéréocils,** qui augmentent la surface de réabsorption des spermatozoïdes dégradés.

C'est dans le conduit épididymaire que la mobilité des spermatozoïdes augmente sur une période de 10 à 14 jours. Ce canal emmagasine également des spermatozoïdes et favorise leur expulsion dans le conduit déférent par les contractions péristaltiques de son muscle lisse. Les spermatozoïdes peuvent rester dans le conduit épididymaire pendant un mois, parfois plus longtemps.

Conduit déférent

Au niveau de la queue de l'épididyme, le conduit épididymaire se déroule et son diamètre augmente ; on l'appelle alors **conduit déférent** (voir la figure 28.5a). Mesurant environ 45 cm de long, ce canal monte le long du bord postérieur de l'épididyme, traverse le canal inguinal (voir la figure 28.4) et entre dans la cavité pelvienne. Il fait ensuite une boucle au-dessus de l'urètre et continue sur le côté et la face postérieure de la vessie (voir la figure 28.3a). L'extrémité terminale dilatée du conduit déférent est appelée **ampoule du conduit déférent** (voir la figure 28.11). Le conduit déférent est tapissé d'épithélium pseudostratifié prismatique et est pourvu d'une enveloppe épaisse composée de trois couches de muscle ; les couches interne et externe sont longitudinales, et la couche moyenne est circulaire.

Le conduit déférent emmagasine les spermatozoïdes et assure leur viabilité pendant plusieurs mois. Il achemine également les spermatozoïdes de l'épididyme jusqu'à l'urètre grâce aux contractions péristaltiques de son enveloppe musculaire. Les spermatozoïdes non éjaculés sont finalement réabsorbés.

Le **cordon spermatique** est une formation de soutien du système reproducteur de l'homme qui monte à partir du scrotum vers l'extérieur (voir la figure 28.4). Il est constitué de la partie du conduit déférent qui monte dans le scrotum, de l'artère testiculaire, de fibres nerveuses autonomes, des veines qui drainent les testicules et transportent la testostérone vers la circulation (plexus pampiniforme), de vaisseaux lymphatiques et du muscle crémaster. Le cordon spermatique et le nerf ilio-inguinal traversent le **canal inguinal** (aine), un passage oblique situé dans la paroi abdominale antérieure, supérieur et parallèle à la moitié interne du ligament inguinal. Le canal, qui mesure entre 4 et 5 cm de long, prend naissance dans l'**anneau inguinal profond,** orifice effilé situé dans l'aponévrose du muscle transverse de l'abdomen, et se termine dans l'**anneau inguinal superficiel** (voir la figure 28.4), orifice triangulaire situé dans l'aponévrose du muscle oblique externe de l'abdomen. Chez la femme, le ligament rond de l'utérus et le nerf ilio-inguinal traversent le canal inguinal.

APPLICATION CLINIQUE
Hernies inguinales

L'aine est une région vulnérable de la paroi abdominale qui est souvent sujette à la **hernie inguinale,** une rupture d'une partie de la région inguinale causant la protrusion d'une portion de l'intestin grêle. Dans la *hernie inguinale indirecte,* une partie de l'intestin grêle fait irruption dans l'anneau inguinal profond et pénètre dans le scrotum, tandis que dans la *hernie inguinale directe,* cette même portion s'enfonce dans la paroi postérieure du canal inguinal, ce qui cause un renflement localisé. Le canal inguinal étant plus grand chez l'homme que chez la femme, les hernies sont plus fréquentes chez celui-ci, car sa paroi abdominale est par conséquent moins résistante. ■

Conduits éjaculateurs

Chaque **conduit éjaculateur** (*ejaculari* = lancer) mesure environ 2 cm de long et résulte de l'union du conduit de la vésicule séminale et de l'ampoule du conduit déférent (figure 28.11). Les conduits éjaculateurs prennent naissance juste au-dessus de la partie supérieure de la prostate et passent en dessous et en avant de cette dernière. Ils se terminent dans la partie prostatique de l'urètre, dans laquelle ils expulsent les spermatozoïdes et les sécrétions des vésicules séminales juste avant l'**éjaculation,** définie comme l'émission puissante du sperme de l'urètre vers l'extérieur. Les conduits éjaculateurs servent également au transport et à l'expulsion des sécrétions des vésicules séminales (décrites ci-après).

Urètre

Chez l'homme, l'**urètre** est un conduit uro-génital terminal, c'est-à-dire qu'il appartient aux systèmes reproducteur et urinaire et qu'il livre passage à la fois au sperme et à l'urine. Mesurant environ 20 cm de long, il traverse la prostate, le diaphragme uro-génital et le pénis, et se divise en trois parties (voir les figures 28.3a et 28.11). La **partie prostatique** de l'urètre masculin mesure entre 2 et 3 cm de long et traverse la prostate. Elle descend et passe alors à travers le diaphragme uro-génital (cloison musculaire tendue entre la branche inférieure du pubis et la branche de l'ischium; voir la figure 11.13, p. 353), où elle devient la partie membranacée de l'urètre. La **partie membranacée** de l'urètre masculin mesure environ 1 cm de long. Lorsqu'elle pénètre dans le corps spongieux du pénis, elle devient la **partie spongieuse,** qui mesure entre 15 et 20 cm de long. La partie spongieuse de l'urètre masculin se termine par l'**ostium externe de l'urètre.** L'histologie de l'urètre masculin est présentée à la page 1007.

1. Nommez les conduits qui acheminent les spermatozoïdes dans les testicules.
2. Décrivez la position, la structure et les fonctions du conduit épididymaire, du conduit déférent et du conduit éjaculateur.
3. Énumérez les structures qui forment le cordon spermatique.
4. Situez les trois divisions de l'urètre masculin.
5. Dessinez le parcours des spermatozoïdes dans le réseau de conduits qui les amène des tubules séminifères à l'urètre.

Glandes sexuelles annexes

Tandis que les conduits du système reproducteur de l'homme emmagasinent et transportent les spermatozoïdes, les **glandes sexuelles annexes** sécrètent la majeure partie de la portion liquide du sperme. Ces glandes comprennent les vésicules séminales, la prostate et les glandes bulbo-urétrales.

Vésicules séminales

Les **vésicules séminales** paires sont des structures contournées en forme de sac qui mesurent environ 5 cm de long; elles sont appuyées sur la face postérieure de la base de la vessie, en avant du rectum (voir la figure 28.11). Ces glandes sécrètent un liquide alcalin visqueux renfermant du fructose (un monosaccharide), des prostaglandines et des protéines de coagulation différentes de celles du sang. Comme il est alcalin, ce liquide contribue à neutraliser l'environnement acide de l'urètre masculin et des voies génitales féminines, qui pourrait autrement inactiver et détruire les spermatozoïdes. Le fructose intervient dans la production d'ATP par les spermatozoïdes. Les prostaglandines augmentent la mobilité et la viabilité des spermatozoïdes et peuvent également stimuler les contractions musculaires dans les voies génitales de la femme. Le liquide sécrété par les vésicules séminales constitue normalement 60 % environ du volume du sperme.

Prostate

La **prostate** est une glande unique en forme de beignet et de la grosseur d'un marron; elle est située en dessous de la vessie et entoure la partie prostatique de l'urètre (voir la figure 28.11). La prostate sécrète un liquide laiteux et légèrement acide (pH d'environ 6,5) qui contient 1) de l'*acide citrique,* utilisé par les spermatozoïdes pour produire de l'ATP dans le cadre du cycle de Krebs (voir p. 932), 2) de la phosphatase acide, dont la fonction est inconnue, et 3) plusieurs enzymes protéolytiques telles que l'*antigène prostatique spécifique* (PSA, «prostate-specific antigen»), le pepsinogène, le lysozyme, l'amylase et l'hyaluronidase.

Figure 28.11 Situation de plusieurs organes génitaux annexes de l'homme. La prostate, l'urètre et le pénis ont été sectionnés pour montrer les détails internes.

🔑 L'urètre de l'homme se divise en trois parties: la partie prostatique, la partie membranacée et la partie spongieuse.

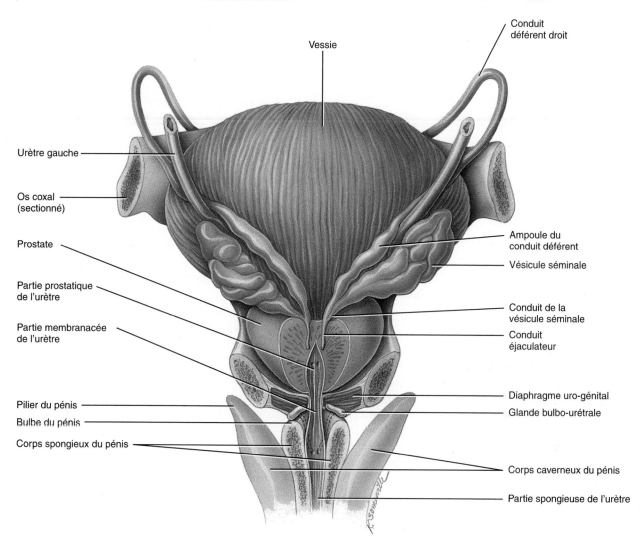

Vessie

Conduit déférent droit

Urètre gauche

Os coxal (sectionné)

Prostate

Partie prostatique de l'urètre

Partie membranacée de l'urètre

Pilier du pénis

Bulbe du pénis

Corps spongieux du pénis

Ampoule du conduit déférent

Vésicule séminale

Conduit de la vésicule séminale

Conduit éjaculateur

Diaphragme uro-génital

Glande bulbo-urétrale

Corps caverneux du pénis

Partie spongieuse de l'urètre

Vue postérieure des organes génitaux annexes de l'homme

FONCTIONS DES SÉCRÉTIONS DES GLANDES SEXUELLES ANNEXES

1. Vésicules séminales: sécrètent un liquide alcalin visqueux qui contribue à neutraliser l'acidité des voies génitales de la femme, fournissent le fructose nécessaire à la production d'ATP par les spermatozoïdes, favorisent la mobilité et la viabilité des spermatozoïdes et aident le sperme à coaguler après l'éjaculation.

2. Prostate: sécrète un liquide laiteux et légèrement acide qui aide le sperme à coaguler après l'éjaculation et contribue par la suite à sa fibrinolyse.

3. Glandes bulbo-urétrales: sécrètent un liquide alcalin qui neutralise l'acidité de l'urètre et un mucus qui lubrifie le revêtement de l'urètre et l'extrémité du pénis durant le coït.

Ⓠ Quelle est la glande annexe qui fournit la plus grande partie du liquide séminal?

Les sécrétions de la prostate entrent dans la partie prostatique de l'urètre par plusieurs conduits. Représentant environ 25 % du volume du sperme, elles favorisent la mobilité et la viabilité des spermatozoïdes. La prostate augmente lentement de volume de la naissance jusqu'à la puberté, puis elle grossit rapidement. Sa croissance se stabilise vers l'âge de 30 ans, puis vers 45 ans elle peut se remettre à grossir.

Glandes bulbo-urétrales

Les **glandes bulbo-urétrales,** ou **glandes de Cowper,** sont des glandes paires de la grosseur d'un pois situées sous la prostate, de part et d'autre de la partie membranacée de l'urètre dans le diaphragme uro-génital. Leurs conduits s'ouvrent dans la partie spongieuse de l'urètre (voir la figure 28.11). Durant la phase d'excitation sexuelle, les glandes bulbo-urétrales sécrètent une substance alcaline qui protège les spermatozoïdes circulants en neutralisant l'acidité de l'urine qui se trouve dans l'urètre. Elles sécrètent également un mucus qui lubrifie l'extrémité du pénis et le revêtement de l'urètre, de sorte qu'un moins grand nombre de spermatozoïdes sont endommagés pendant l'éjaculation.

Sperme

Le **sperme** est un mélange de spermatozoïdes et de **liquide séminal,** liquide composé de sécrétions des tubules séminifères, des vésicules séminales, de la prostate et des glandes bulbo-urétrales. En temps normal, le volume de sperme éjaculé varie entre 2,5 et 5 mL, pour une numération des spermatozoïdes allant de 50 à 150 millions par mL. Un homme dont la numération des spermatozoïdes est inférieure à 20 millions/mL est probablement infertile. Une grande quantité de spermatozoïdes est nécessaire à la reproduction, puisqu'une fraction infime seulement des spermatozoïdes éjaculés atteint l'ovocyte secondaire.

Bien que le liquide prostatique soit quelque peu acide, le sperme est légèrement alcalin (pH de 7,2 à 7,7), car les sécrétions des vésicules séminales sont plus alcalines et plus abondantes que les autres. Les sécrétions de la prostate confèrent également au sperme son aspect laiteux, tandis que les liquides produits par les vésicules séminales et les glandes bulbo-urétrales le rendent gluant. Le liquide séminal transporte les spermatozoïdes, leur procure des nutriments et neutralise l'acidité de l'urètre masculin et du vagin. Le sperme contient en outre un antibiotique, appelé *séminalplasmine,* capable de détruire certaines bactéries. Puisque le sperme et les voies génitales inférieures de la femme contiennent des bactéries, l'activité antibiotique de la séminalplasmine peut contribuer à abaisser leur nombre.

Une fois éjaculé, le sperme coagule dans un intervalle de 5 min, puisqu'il contient des protéines de coagulation provenant des vésicules séminales. On ignore encore le rôle de la coagulation du sperme, mais on sait que les protéines qui y participent sont différentes de celles qui permettent la coagulation du sang. Au bout de 10 à 20 min, le sperme redevient liquide sous l'effet fibrinolytique de l'antigène prostatique spécifique et d'autres enzymes protéolytiques produites par la prostate. Une liquéfaction anormale ou retardée du sperme coagulé peut entraîner une immobilisation complète ou partielle des spermatozoïdes, et inhiber leur mouvement dans le col de l'utérus.

Pénis

Le **pénis** contient l'urètre et sert de passage pour l'éjaculation du sperme et l'excrétion de l'urine. De forme cylindrique, il est formé d'un corps, d'une racine et d'un gland. Le **corps du pénis** est constitué de trois masses cylindriques de tissu, chacune entourée de tissu fibreux appelé **albuginée** (figure 28.12b). Les masses dorsolatérales paires sont appelées **corps caverneux du pénis,** tandis que la petite masse médiane, appelée **corps spongieux du pénis,** entoure la partie spongieuse de l'urètre et la maintient ouverte pendant l'éjaculation. Ces trois masses, enrobées de fascia et de peau, sont composées de tissu érectile traversé de sinus sanguins.

Lors de l'excitation sexuelle, qui peut résulter d'un stimulus visuel, tactile, auditif ou olfactif ou encore d'un produit de l'imagination, les artères irriguant le pénis se dilatent et une quantité importante de sang afflue dans les sinus sanguins. L'expansion des sinus comprime les veines drainant le pénis, ce qui ralentit le débit sanguin. Ces phénomènes vasculaires, déclenchés par un réflexe parasympathique, provoquent une **érection.** Le pénis redevient mou lorsque les artères se resserrent et que la pression exercée sur les veines se relâche.

L'éjaculation est un réflexe sympathique. Le sphincter de muscle lisse à la base de la vessie se ferme, ce qui prévient l'expulsion de l'urine pendant l'éjaculation et l'infiltration de sperme dans la vessie. Même avant l'éjaculation, les contractions péristaltiques dans l'ampoule du conduit déférent, les vésicules séminales, les conduits éjaculateurs et la prostate propulsent le sperme dans la partie spongieuse de l'urètre. Ce phénomène produit habituellement une **émission,** c'est-à-dire l'écoulement d'un petit volume de sperme avant l'éjaculation. L'émission peut également se produire pendant le sommeil (émission nocturne).

La racine du pénis constitue la partie proximale (rattachée) de l'organe. Elle comprend le **bulbe du pénis,** un renflement situé à la base du corps spongieux, et les **piliers du pénis,** deux extrémités effilées du corps caverneux qui se détachent de la racine (figure 28.12a). Le bulbe du pénis est fixé à la face inférieure du diaphragme uro-génital et recouvert du muscle bulbo-spongieux. Chaque pilier du pénis est fixé à la branche de l'ischium et à la branche inférieure du pubis et recouvert par le muscle ischio-caverneux (voir la figure 11.13, p. 353). La contraction de ces muscles squelettiques favorise l'éjaculation.

L'extrémité distale du corps spongieux du pénis est une région légèrement renflée, appelée **gland du pénis,** portant à sa base la **couronne du gland.** La partie distale de l'urètre est

Figure 28.12 Structure interne du pénis. Le médaillon dans (b) montre les détails de la peau et du fascia.

🔑 **Le pénis contient l'urètre, passage servant à l'éjaculation du sperme et à l'excrétion de l'urine.**

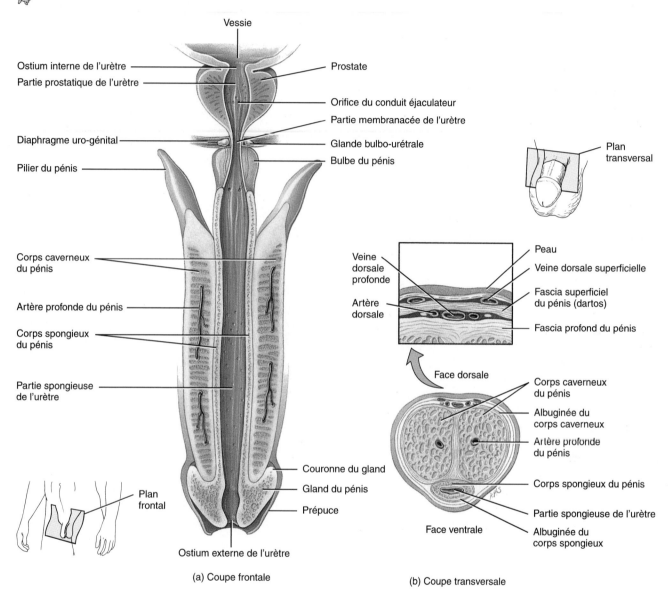

(a) Coupe frontale

(b) Coupe transversale

Q Quelles sont les masses de tissu qui constituent le tissu érectile du pénis, et pourquoi deviennent-elles rigides pendant l'excitation sexuelle ?

plus volumineuse à l'intérieur du gland du pénis et forme un orifice terminal effilé, l'**ostium externe de l'urètre.** Le gland d'un pénis non circoncis est couvert d'un repli de peau lâche appelé **prépuce.** Deux ligaments en continuité avec le fascia du pénis supportent le poids de cet organe : le **ligament fundiforme,** qui naît dans la partie inférieure de la ligne blanche, et le **ligament suspenseur du pénis,** issu de la symphyse pubienne.

APPLICATION CLINIQUE
Circoncision

La **circoncision** (*circumcidere* = couper autour) est l'ablation chirurgicale partielle ou totale du prépuce. Elle est habituellement pratiquée dans les trois à quatre jours suivant la naissance, ou le huitième jour si elle est dictée par la tradition religieuse juive. Bien que certains professionnels de la santé estiment que la circoncision n'a aucun fondement

Figure 28.13 Organes reproducteurs de la femme et structures adjacentes.

Les organes reproducteurs de la femme comprennent les ovaires, les trompes utérines, l'utérus, le vagin, la vulve et les glandes mammaires.

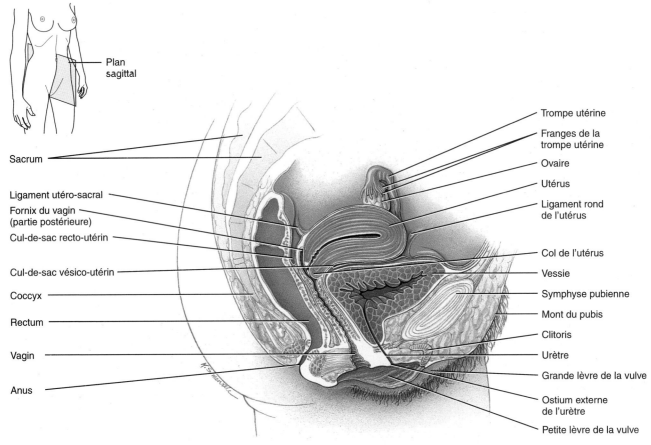

Plan sagittal

Sacrum

Ligament utéro-sacral

Fornix du vagin (partie postérieure)

Cul-de-sac recto-utérin

Cul-de-sac vésico-utérin

Coccyx

Rectum

Vagin

Anus

Trompe utérine

Franges de la trompe utérine

Ovaire

Utérus

Ligament rond de l'utérus

Col de l'utérus

Vessie

Symphyse pubienne

Mont du pubis

Clitoris

Urètre

Grande lèvre de la vulve

Ostium externe de l'urètre

Petite lèvre de la vulve

(a) Coupe sagittale montrant les organes reproducteurs de la femme

FONCTIONS DU SYSTÈME REPRODUCTEUR DE LA FEMME

1. Ovaires : produisent des ovocytes secondaires et des hormones telles que la progestérone et les œstrogènes (hormones sexuelles femelles), l'inhibine et la relaxine.

2. Trompes utérines : transportent un ovocyte secondaire vers l'utérus et constituent le siège de la fécondation.

3. Utérus : siège de l'implantation d'un ovule fécondé, du développement du fœtus pendant la grossesse et de l'accouchement.

4. Vagin : reçoit le pénis pendant le coït et livre passage au fœtus pendant l'accouchement.

5. Glandes mammaires : synthétisent, sécrètent et éjectent le lait maternel destiné à nourrir le nouveau-né.

médical, d'autres lui attribuent certains avantages, comme de diminuer les risques d'infection des voies urinaires et d'offrir une protection contre le cancer du pénis et les maladies sexuellement transmissibles. ■

1. Expliquez brièvement la situation et les fonctions des vésicules séminales, de la prostate et des glandes bulbo-urétrales.
2. Qu'est-ce que le sperme ? Quelle est sa fonction ?
3. Expliquez le phénomène de l'érection.

SYSTÈME REPRODUCTEUR DE LA FEMME

OBJECTIF

- *Décrire la situation, la structure et les fonctions des organes du système reproducteur de la femme.*

Les organes génitaux féminins (figure 28.13) comprennent les ovaires, qui produisent des ovocytes secondaires et des hormones telles que la progestérone et les œstrogènes (hormones sexuelles femelles), l'inhibine et la relaxine ; les trompes

Figure 28.13 (suite)

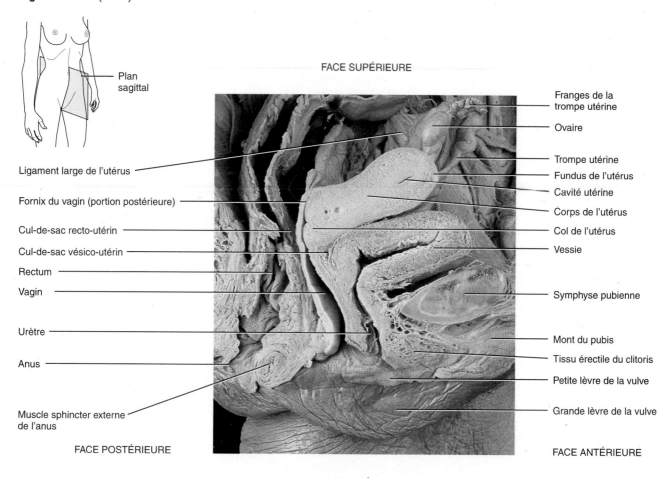

Plan sagittal

FACE SUPÉRIEURE

Franges de la trompe utérine

Ovaire

Trompe utérine

Fundus de l'utérus

Cavité utérine

Corps de l'utérus

Col de l'utérus

Vessie

Symphyse pubienne

Mont du pubis

Tissu érectile du clitoris

Petite lèvre de la vulve

Grande lèvre de la vulve

FACE ANTÉRIEURE

Ligament large de l'utérus

Fornix du vagin (portion postérieure)

Cul-de-sac recto-utérin

Cul-de-sac vésico-utérin

Rectum

Vagin

Urètre

Anus

Muscle sphincter externe de l'anus

FACE POSTÉRIEURE

FACE INFÉRIEURE

(b) Coupe sagittale montrant les organes reproducteurs de la femme

Q Lesquelles des structures chez l'homme sont homologues aux ovaires, au clitoris, aux glandes para-urétrales et aux glandes vestibulaires majeures ?

utérines, qui transportent les ovocytes secondaires et l'ovule fécondé vers l'utérus ; l'utérus, siège du développement embryonnaire et fœtal ; le vagin et les organes externes qui constituent la vulve. Les glandes mammaires font également partie du système reproducteur de la femme.

Ovaires

Les **ovaires** (*ovum* = œuf) sont des glandes paires qui ont la forme et la taille d'amandes non écaillées ; ils sont homologues aux testicules. (Les structures *homologues* ont une origine embryonnaire identique.) Situés de part et d'autre de l'utérus, les ovaires descendent vers le détroit supérieur de la cavité pelvienne au cours du troisième mois de développement fœtal. Une série de ligaments les maintient en place (figure 28.14). Le **ligament large de l'utérus** (voir également la figure 28.13b), qui fait partie du péritoine pariétal, est fixé

aux ovaires par un repli double du péritoine appelé **mésovarium.** Le **ligament propre de l'ovaire** ancre les ovaires à l'utérus et le **ligament suspenseur de l'ovaire** les rattache à la paroi pelvienne. Chaque ovaire présente un **hile de l'ovaire,** zone de pénétration des vaisseaux sanguins et des nerfs et structure d'ancrage du mésovarium.

Histologie de l'ovaire

Chaque ovaire est constitué des parties suivantes (figure 28.15, p. 1055) :

- **L'épithélium superficiel de l'ovaire,** ou épithélium germinatif, est une couche de cellules épithéliales simples (cuboïdes ou pavimenteuses) qui recouvre l'ovaire et se trouve en continuité avec le mésothélium du mésovarium. Le terme *épithélium germinatif* n'est pas approprié, car cette couche de cellules ne donne pas naissance aux

Figure 28.14 Position relative des ovaires, de l'utérus et des ligaments qui les soutiennent.

 Les ligaments qui maintiennent les ovaires en place sont le mésovarium, le ligament propre de l'ovaire et le ligament suspenseur de l'ovaire.

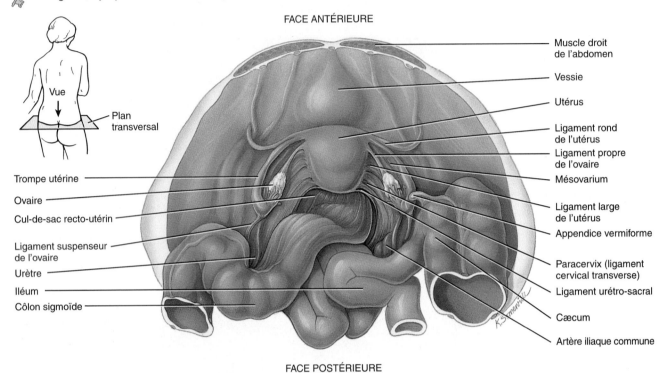

 À quelles structures le mésovarium, le ligament propre de l'ovaire et le ligament suspenseur de l'ovaire fixent-ils l'ovaire?

ovules comme on l'avait d'abord cru. On sait maintenant que les progéniteurs des ovules naissent dans l'endoderme du sac vitellin et migrent vers les ovaires durant le développement embryonnaire.

- L'**albuginée** est une capsule blanchâtre de tissu conjonctif dense et irrégulier située immédiatement en dessous de l'épithélium superficiel.

- Le **cortex de l'ovaire** est un peu plus profond que l'albuginée; il est composé de tissu conjonctif dense et contient les follicules ovariques (décrits ci-après).

- La **médulla de l'ovaire** est une région plus profonde que le cortex de l'ovaire; elle se compose de tissu conjonctif lâche et contient des vaisseaux sanguins, des vaisseaux lymphatiques et des nerfs.

- Les **follicules ovariques** (*folliculus* = petit sac) sont enfouis dans le cortex de l'ovaire et se composent d'**ovocytes** en voie de développement entourés de cellules. Lorsque ces cellules ne forment qu'une seule couche, elles sont appelées **cellules folliculaires,** et lorsque leurs couches se multiplient au cours du développement, elles deviennent

des **cellules granuleuses.** Cette enveloppe de cellules nourrit l'ovocyte immature et sécrète des œstrogènes à mesure que le follicule grossit.

- Le **follicule mûr,** ou follicule de De Graaf, est un gros follicule rempli de liquide qui se rompt et expulse un ovocyte secondaire lors du processus de l'**ovulation.**

- Le **corps jaune** contient les restes du follicule mûr après l'ovulation. Il produit de la progestérone, des œstrogènes, de la relaxine et de l'inhibine, puis dégénère et se transforme en un tissu fibreux appelé **corps blanc.**

Ovogenèse

L'**ovogenèse** (*ovum* = œuf) est la formation des gamètes dans les ovaires. Comme la spermatogenèse, elle met à contribution la méiose. Au début du développement fœtal, les cellules germinales primordiales migrent de l'endoderme du sac vitellin aux ovaires. Là, elles se différencient en **ovogonies,** cellules diploïdes (2*n*) qui se divisent par mitose pour former des millions de cellules germinales. Même avant la naissance, la plupart de ces cellules dégénèrent lors d'un

Figure 28.15 Histologie de l'ovaire. Les flèches indiquent la séquence des étapes du développement qui président à la maturation d'un ovule durant le cycle ovarien.

🔑 **Les ovaires sont les gonades de la femme; ils produisent des ovocytes haploïdes.**

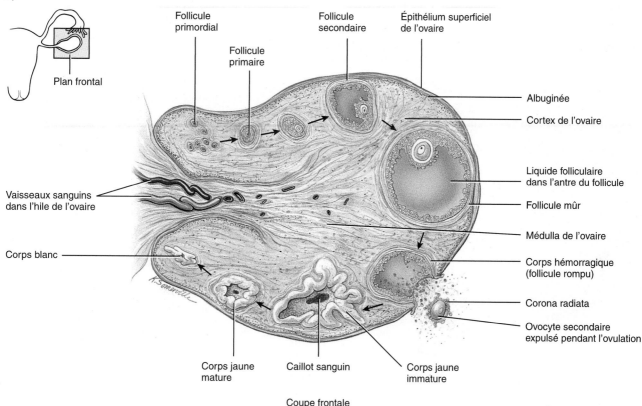

Coupe frontale

❓ Lesquelles des structures de l'ovaire contiennent du tissu endocrine, et quelles hormones sécrètent-elles?

processus appelé **atrésie.** Quelques-unes réussissent cependant à grossir et deviennent des **ovocytes primaires** qui entrent en prophase de la méiose I durant la période de développement fœtal, mais ne complètent cette phase qu'après la puberté. À la naissance, chaque ovaire contient entre 200 000 et 2 000 000 d'ovogonies et d'ovocytes primaires. À la puberté, ils ne sont plus que 40 000, et durant la période de procréation de la femme, seulement 400 deviennent matures et parviennent à l'ovulation, tandis que les autres sont détruits par atrésie.

Chaque ovocyte primaire est entouré d'une couche unique de cellules folliculaires; l'ensemble de cette structure forme un **follicule primordial** (figure 28.16a). Pour une raison qui reste à déterminer, quelques follicules ovariques primordiaux peuvent croître périodiquement, même durant l'enfance. Ils deviennent alors des **follicules primaires,** entourés d'abord d'une couche unique de cellules folliculaires cuboïdes, puis de six à sept couches minces de cellules cuboïdes et prismatiques appelées **cellules granuleuses.** À mesure que le follicule croît, une couche claire de glycoprotéines, appelée

zone pellucide, se forme entre l'ovocyte primaire et les cellules granuleuses. La couche la plus interne de cellules granuleuses se fixe solidement à la zone pellucide et devient alors la **corona radiata** (*corona* = couronne; *radiata* = radiation) (figure 28.16b). La couche la plus externe de cellules granuleuses repose sur une lame basale qui les sépare du stroma de l'ovaire qui les entoure; cette région externe porte le nom de **thèque folliculaire.** Le follicule poursuit sa croissance tandis que la thèque se divise en deux couches: 1) la **thèque interne,** une couche interne vascularisée de cellules sécrétrices, et 2) la **thèque externe,** une couche externe de cellules de tissu conjonctif. Les cellules granuleuses commencent à sécréter du liquide folliculaire qui s'accumule dans l'antre, cavité située au centre du follicule. Le follicule s'appelle maintenant **follicule secondaire.** Pendant l'enfance, les follicules primaires et immatures sont continuellement détruits par atrésie.

Après la puberté, les gonadotrophines sécrétées par l'adénohypophyse stimulent chaque mois la reprise de l'ovogenèse (figure 28.17). La méiose I reprend dans plusieurs follicules secondaires, mais un seul atteindra la maturité

Figure 28.16 Follicules ovariques. (a) Follicules primordiaux et follicule primaire dans le cortex de l'ovaire. (b) Follicule secondaire.

🔑 **À mesure que le follicule ovarique croît, il sécrète du liquide folliculaire qui s'accumule dans une cavité appelée antre.**

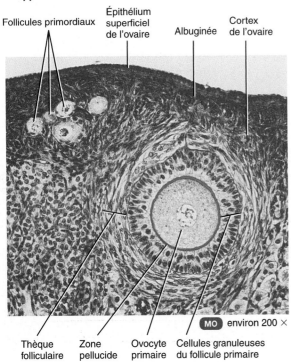

Follicules primordiaux — Épithélium superficiel de l'ovaire — Albuginée — Cortex de l'ovaire

MO environ 200 ×

Thèque folliculaire — Zone pellucide — Ovocyte primaire — Cellules granuleuses du follicule primaire

(a) Cortex de l'ovaire

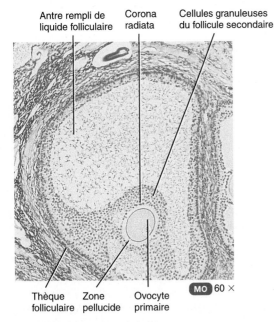

Antre rempli de liquide folliculaire — Corona radiata — Cellules granuleuses du follicule secondaire

MO 60 ×

Thèque folliculaire — Zone pellucide — Ovocyte primaire

(b) Follicule secondaire

🔵 **Q** Quel est le destin de la plupart des follicules ovariques ?

Figure 28.17 Ovogenèse. Les cellules diploïdes ($2n$) possèdent 46 chromosomes ; les cellules haploïdes (n) possèdent 23 chromosomes.

🔑 **Dans un ovocyte, la méiose II ne se termine que si la fécondation a lieu.**

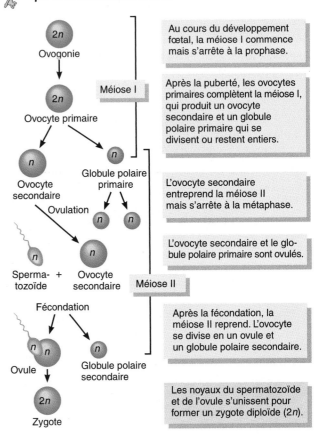

Ovogonie

Méiose I

Ovocyte primaire

Ovocyte secondaire — Globule polaire primaire

Ovulation

Spermatozoïde + Ovocyte secondaire

Méiose II

Fécondation

Ovule — Globule polaire secondaire

Zygote

Au cours du développement fœtal, la méiose I commence mais s'arrête à la prophase.

Après la puberté, les ovocytes primaires complètent la méiose I, qui produit un ovocyte secondaire et un globule polaire primaire qui se divisent ou restent entiers.

L'ovocyte secondaire entreprend la méiose II mais s'arrête à la métaphase.

L'ovocyte secondaire et le globule polaire primaire sont ovulés.

Après la fécondation, la méiose II reprend. L'ovocyte se divise en un ovule et un globule polaire secondaire.

Les noyaux du spermatozoïde et de l'ovule s'unissent pour former un zygote diploïde ($2n$).

🔵 **Q** Comparez l'âge d'un ovocyte primaire chez la femme à l'âge d'un spermatocyte primaire chez l'homme.

nécessaire pour l'ovulation. L'ovocyte primaire diploïde termine sa méiose I, et deux cellules haploïdes de taille inégale (contenant chacune 23 chromosomes (n) possédant deux chromatides chacun) sont produites. La plus petite cellule issue de la méiose I, appelée **globule polaire primaire,** consiste essentiellement en un amas de déchets de matière nucléaire. La plus grosse, appelée **ovocyte secondaire,** contient la majeure partie du cytoplasme. Une fois l'ovocyte secondaire formé, il entreprend la métaphase de la méiose II, puis cesse de croître. Le follicule dans lequel ces phénomènes se déroulent, appelé **follicule mûr,** se rompt peu de temps après et libère son ovocyte secondaire lors du processus de **l'ovulation.**

Au cours de l'ovulation, un ovocyte secondaire (comprenant le globule polaire primaire et la corona radiata) est expulsé dans la cavité pelvienne. Ces cellules sont normalement captées par la trompe utérine. Si la fécondation n'a pas lieu, l'ovocyte secondaire dégénère. Si des spermatozoïdes atteignent la trompe utérine et que l'un d'eux pénètre dans l'ovocyte secondaire, la méiose II reprend. L'ovocyte secondaire se divise en deux cellules haploïdes (*n*) de taille inégale. La plus grosse de ces cellules est l'**ovule,** c'est-à-dire l'œuf mature, et la plus petite est le **globule polaire secondaire.** Les noyaux du spermatozoïde et de l'ovule s'unissent ensuite pour former un **zygote** diploïde (2*n*). Si le globule polaire primaire se divise encore pour former deux globules polaires, l'ovocyte primaire donnera naissance à un ovule haploïde (*n*) et à trois globules polaires haploïdes (*n*) qui dégénéreront tous. Une ovogonie donne donc naissance à un seul gamète (un ovule), tandis qu'une spermatogonie en produit quatre (spermatozoïdes).

1. Comment les ovaires sont-ils maintenus en place dans la cavité pelvienne ?
2. Décrivez la structure microscopique et la fonction d'un ovaire.
3. Décrivez les principales étapes de l'ovogenèse.

Trompes utérines

La femme possède deux **trompes utérines,** aussi appelées **trompes de Fallope,** situées de part et d'autre de l'utérus (figure 28.18). Enfouis dans les plis des ligaments larges de l'utérus, ces tubes, qui mesurent environ 10 cm de long, transportent les ovocytes secondaires et les ovules fécondés des ovaires jusqu'à l'utérus. La portion en forme d'entonnoir de chaque trompe, appelée **infundibulum,** est située près de l'ovaire mais s'ouvre dans la cavité pelvienne. Elle est bordée de projections digitiformes appelées **franges de la trompe** dont l'une est fixée à l'extrémité externe de l'ovaire. À partir de l'infundibulum, la trompe utérine s'étend vers le plan médian du corps, puis descend et se fixe à l'angle supérieur externe de l'utérus. L'**ampoule de la trompe utérine** est sa portion la plus large et la plus longue, puisqu'elle constitue les deux tiers externes de sa longueur. L'**isthme de la trompe utérine** est une structure courte et étroite à paroi épaisse qui est plus médiale et s'ouvre dans l'utérus.

Sur le plan histologique, les trompes utérines sont constituées de trois couches. La muqueuse interne contient des cellules épithéliales prismatiques ciliées qui facilitent le mouvement de l'ovule fécondé (ou de l'ovocyte secondaire) dans la trompe utérine, et des cellules sécrétrices, dotées de microvillosités, qui nourrissent l'ovule (figure 28.19, p. 1059). La couche moyenne est une musculeuse formée d'un épais anneau interne de muscle lisse et d'une région externe mince composée de muscle lisse longitudinal. Les contractions péristaltiques de la musculeuse et les mouvements ciliaires de la muqueuse aident l'ovocyte ou l'ovule fécondé à progresser vers l'utérus. La couche externe des trompes utérines est une séreuse.

Après l'ovulation, les courants locaux produits par les mouvements des franges de la trompe utérine, qui entourent la surface du follicule mûr juste avant l'ovulation, propulsent l'ovocyte secondaire dans la trompe utérine. Normalement, un spermatozoïde atteint et féconde l'ovocyte secondaire dans l'ampoule de la trompe utérine, mais cette rencontre peut également avoir lieu dans la cavité abdomino-pelvienne. La fécondation peut survenir à tout moment dans la trompe utérine dans l'intervalle de 24 h qui suit l'ovulation. Quelques heures après la fécondation, la matière nucléaire de l'ovule haploïde et celle du spermatozoïde s'unissent ; l'ovule fécondé diploïde est maintenant un zygote. Au terme de plusieurs divisions cellulaires, il atteint l'utérus, environ sept jours après l'ovulation.

Utérus

L'**utérus** fait partie du parcours des spermatozoïdes qui se dirigent vers les trompes utérines (voir la figure 28.18). Il constitue également le siège de la menstruation, de l'implantation de l'ovule fécondé, du développement du fœtus pendant la grossesse ainsi que de l'accouchement. Situé entre la vessie et le rectum, l'utérus a la grosseur et la forme d'une poire renversée. Chez la femme qui n'a jamais été enceinte, il mesure environ 7,5 cm de long, 5 cm de large et 2,5 cm d'épaisseur ; il est plus gros chez la femme qui a récemment connu une grossesse et plus petit (atrophié) lorsque les concentrations d'hormones sexuelles diminuent, comme cela se produit après la ménopause.

Les divisions anatomiques de l'utérus sont : 1) le **fundus de l'utérus,** une partie arrondie située au-dessus des trompes utérines, 2) le **corps de l'utérus,** sa portion centrale effilée, et 3) le **col de l'utérus,** sa partie inférieure étroite qui s'ouvre dans le vagin. Situé entre le corps et le col de l'utérus, l'**isthme de l'utérus** est une région rétrécie mesurant environ 1 cm de long. L'intérieur du corps de l'utérus se nomme cavité utérine, et l'intérieur de l'étroit col de l'utérus est appelé canal du col utérin. Le canal du col utérin communique avec la cavité utérine par l'**ostium interne de l'utérus** (*ostium* = porte) et avec le vagin par l'**ostium externe de l'utérus.**

Normalement, le corps de l'utérus s'avance au-dessus de la vessie dans une position appelée **antéversion.** Le col de l'utérus pointe vers le bas et l'arrière et entre dans la paroi antérieure du vagin à angle presque droit (voir la figure 28.13). Plusieurs ligaments, dont certains sont des prolongements du péritoine pariétal et d'autres des cordons fibromusculaires, maintiennent l'utérus en place (voir la figure 28.14). Les **ligaments larges de l'utérus** pairs sont deux replis péritonéaux qui fixent l'utérus aux bords latéraux de la cavité pelvienne. Situés de chaque côté du rectum, les **ligaments utéro-sacraux** pairs sont des prolongements du péritoine qui relient l'utérus au sacrum. Les **paracervix,** ou ligaments cervicaux transverses, s'étendent en dessous de la base des ligaments larges, entre la paroi pelvienne, le col de l'utérus et le vagin. Les **ligaments ronds de l'utérus** sont des bandes de tissu conjonctif fibreux situées entre les couches du ligament large ; ils sont tendus d'un point de l'utérus situé juste en dessous des trompes utérines jusqu'à une partie des grandes

Figure 28.18 Trompes utérines en rapport avec les ovaires, l'utérus et les structures adjacentes. Du côté gauche de la figure, la trompe utérine et l'utérus ont été sectionnés pour montrer les structures internes.

 Après l'ovulation, un ovocyte secondaire et sa corona radiata progressent de la cavité pelvienne vers l'infundibulum de la trompe utérine. L'utérus est le siège de la menstruation, de l'implantation d'un ovule fécondé, du développement du fœtus ainsi que de l'accouchement.

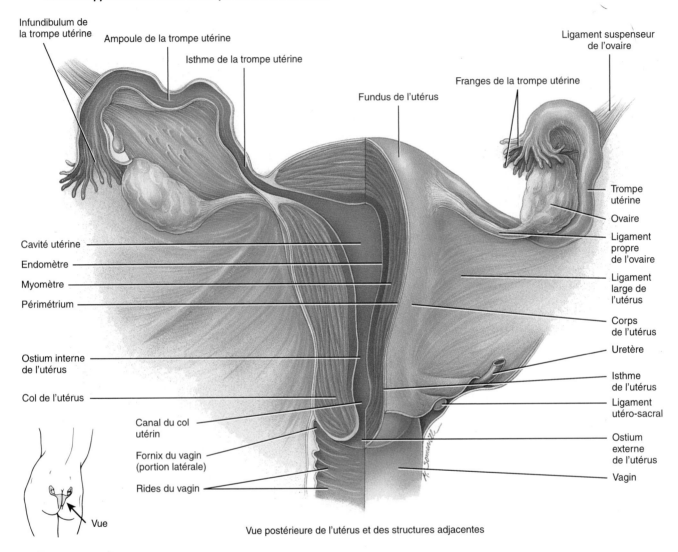

Vue postérieure de l'utérus et des structures adjacentes

Q Où se déroule habituellement la fécondation ?

lèvres des organes génitaux externes. Bien qu'ils maintiennent l'utérus en antéversion, les ligaments laissent au corps de l'utérus assez de liberté de mouvement pour que l'utérus puisse se placer dans une mauvaise position. Lorsque l'utérus est fléchi vers l'arrière, on dit qu'il se trouve en **rétroversion** (*retro* = en arrière).

D'un point de vue histologique, l'utérus comprend trois couches de tissu : le périmétrium, le myomètre et l'endomètre (figure 28.20). La couche externe, le **périmétrium** (*peri* = autour ; *mêtra* = matrice), est une séreuse qui fait partie du péritoine viscéral ; il est composé d'épithélium pavimenteux simple et de tissu conjonctif aréolaire. Il se prolonge latéralement pour former le ligament large de l'utérus, antérieurement pour recouvrir la vessie et former une poche peu profonde appelée **cul-de-sac vésico-utérin** (*vesica* = vessie ; voir la figure 28.13), et postérieurement pour recouvrir le rectum et former une poche profonde, le **cul-de-sac recto-utérin,** qui constitue le point le plus inférieur de la cavité pelvienne.

Figure 28.19 Cellules des muqueuses de la trompe utérine.

 Les contractions péristaltiques de la musculeuse des trompes utérines et le mouvement des cils de la muqueuse aident l'ovocyte ou l'ovule fécondé à progresser vers l'utérus.

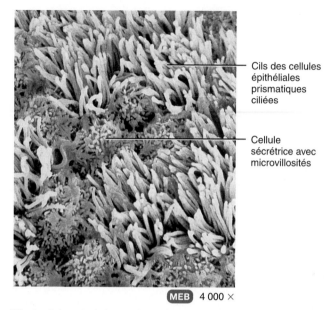

Cils des cellules épithéliales prismatiques ciliées

Cellule sécrétrice avec microvillosités

MEB 4 000 ×

Cils et cellules sécrétrices tapissant la trompe utérine

 Quels types de cellules tapissent les trompes utérines ?

Figure 28.20 Histologie de l'utérus ; le périmétrium superficiel (séreuse) n'est pas représenté.

 Les trois couches de l'utérus sont, de la plus superficielle à la plus profonde, le périmétrium (séreuse), le myomètre et l'endomètre.

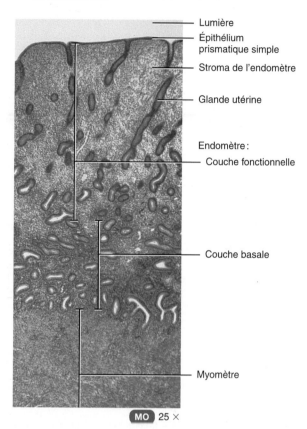

Lumière
Épithélium prismatique simple
Stroma de l'endomètre
Glande utérine

Endomètre :
Couche fonctionnelle

Couche basale

Myomètre

MO 25 ×

Portion de l'endomètre et du myomètre

 En quoi la structure de l'endomètre et du myomètre est-elle adaptée à leurs fonctions ?

La couche moyenne de l'utérus, appelée **myomètre** (*myo* = muscle), se compose de trois feuillets de fibres musculaires lisses ; son épaisseur diminue à partir du fundus de l'utérus jusqu'au col de l'utérus. Sa couche moyenne plus épaisse est circulaire, tandis que ses couches interne et externe sont longitudinales ou obliques. Pendant l'accouchement, les contractions coordonnées produites par le myomètre en réponse à l'ocytocine libérée par la neurohypophyse favorisent l'expulsion du fœtus de l'utérus.

La tunique interne de l'utérus, appelée **endomètre** (*endon* = en dedans), est très vascularisée. Elle est composée d'une couche interne d'épithélium prismatique simple (cellules ciliées et sécrétrices) qui recouvre sa lumière, d'un stroma sous-jacent très épais fait de chorion (tissu conjonctif aréolaire) ainsi que de glandes utérines qui s'invaginent dans l'épithélium intracavitaire et se terminent à proximité du myomètre. L'endomètre se compose de deux couches. La **couche fonctionnelle de l'endomètre** tapisse la cavité de l'utérus et se desquame au cours de la menstruation, tandis que la **couche basale** est permanente et élabore une nouvelle couche fonctionnelle après chaque menstruation.

Les cellules sécrétrices de la muqueuse du col de l'utérus produisent la **glaire cervicale,** un mélange d'eau, de glyco-protéines, de protéines sériques, de lipides, d'enzymes et de sels inorganiques. La femme en âge de procréer sécrète entre 20 et 60 mL de glaire cervicale par jour. Au moment de l'ovulation, la glaire cervicale accueille plus facilement les spermatozoïdes, car elle est moins visqueuse et plus alcaline (pH de 8,5) ; le reste du temps, elle forme un bouchon qui empêche les spermatozoïdes d'entrer. La glaire cervicale apporte un supplément d'énergie aux spermatozoïdes. Le col de l'utérus et la glaire cervicale servent également de réservoir aux spermatozoïdes et les protègent des agressions du milieu vaginal et des phagocytes. Ils peuvent également jouer un rôle dans la *capacitation,* c'est-à-dire la transformation fonctionnelle que subissent les spermatozoïdes dans les voies génitales féminines pour pouvoir féconder un ovocyte secondaire.

L'irrigation sanguine de l'utérus est assurée par des branches de l'artère iliaque interne appelées **artères utérines** (figure 28.21). Des ramifications de ces artères appelées **artères arquées** sont disposées en cercle dans le myomètre et donnent

Figure 28.21 Vascularisation de l'utérus. Le médaillon montre les détails histologiques des vaisseaux sanguins de l'endomètre.

🔑 **Les artérioles droites fournissent les substances nécessaires à la régénération de la couche fonctionnelle de l'endomètre.**

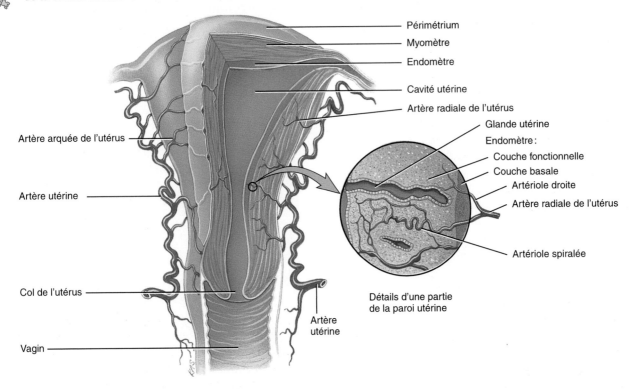

Vue antérieure de l'utérus (côté gauche partiellement sectionné)

Q Quelle est l'importance fonctionnelle de la couche basale de l'endomètre ?

naissance aux **artères radiales** qui pénètrent en profondeur dans le myomètre. Juste avant d'entrer dans l'endomètre, ces rameaux se divisent en deux : les **artérioles droites** fournissent à la couche basale les substances dont elle a besoin pour élaborer une nouvelle couche fonctionnelle, et les **artérioles spiralées** irriguent la couche fonctionnelle et se transforment considérablement durant le cycle menstruel. Le sang qui sort de l'utérus est drainé par les **veines utérines** jusque dans les veines iliaques internes. L'abondante vascularisation de l'utérus est essentielle à la croissance d'une nouvelle couche fonctionnelle après la menstruation, à l'implantation d'un ovule fécondé et à la formation du placenta.

 APPLICATION CLINIQUE
Hystérectomie

L'**hystérectomie** (*hustera* = utérus) est l'ablation chirurgicale de l'utérus ; il s'agit de l'intervention gynécologique le plus couramment pratiquée. Ses indications comprennent l'endométriose, les maladies inflammatoires pelviennes, des kystes récurrents aux ovaires, des saignements utérins trop abondants ainsi que le cancer du col de l'utérus, de l'utérus ou des ovaires. Dans l'hystérectomie subtotale, on retire le corps de l'utérus, mais le col de l'utérus reste en place. Dans l'hystérectomie totale, le corps et le col sont enlevés. L'hystérectomie élargie comprend l'ablation du corps et du col de l'utérus, des trompes utérines, des ovaires (dans certains cas), de la partie supérieure du vagin, des nœuds lymphatiques pelviens et de certaines structures de soutien, comme les ligaments. ▪

1. Où se trouvent les trompes utérines ? Quelle est leur fonction ?
2. Faites un schéma des principales parties de l'utérus et nommez-les.
3. Décrivez la disposition des ligaments qui maintiennent l'utérus en position normale.
4. Décrivez l'histologie de l'utérus.
5. Expliquez la vascularisation de l'utérus. Pourquoi est-il important que l'utérus soit abondamment vascularisé ?

Vagin

Le **vagin** sert de passage pour le flux menstruel et l'accouchement et il reçoit le sperme éjaculé par le pénis pendant le coït. Il consiste en un tube fibromusculaire de 10 cm de long tapissé d'une muqueuse (voir les figures 28.13 et 28.18). Situé entre la vessie et le rectum, le vagin est orienté vers le haut et l'arrière, où il s'attache à l'utérus. Un cul-de-sac appelé **fornix du vagin** (*fornix* = voûte) entoure le point d'attache du vagin au col de l'utérus.

La muqueuse du vagin est en continuité avec celle de l'utérus. Sur le plan histologique, elle se compose d'un épithélium pavimenteux stratifié non kératinisé et de tissu conjonctif aréolaire enfoui dans une série de plis transverses appelés **rides du vagin.** Les cellules dendritiques de la muqueuse sont des cellules présentatrices d'antigènes (décrites à la page 799) qui participent à la transmission de virus comme le VIH (qui cause le SIDA) d'un homme séropositif à une femme pendant un rapport sexuel.

La **muqueuse du vagin** emmagasine d'abondantes quantités de glycogène qui se décompose pour produire des acides organiques. L'acidité qui en résulte retarde la croissance de microbes, mais elle est également nocive pour les spermatozoïdes. Les composantes alcalines du sperme, qui lui viennent principalement des vésicules séminales, neutralisent le pH acide du vagin et augmentent la viabilité des spermatozoïdes.

La **musculeuse du vagin** est formée d'une couche circulaire externe et d'une couche longitudinale interne de muscle lisse, dont la grande élasticité permet l'entrée du pénis pendant le coït et le passage du bébé pendant l'accouchement.

L'**adventice du vagin** est une couche superficielle de tissu conjonctif aréolaire; elle ancre le vagin aux organes adjacents (urètre et vessie à l'avant, rectum et canal anal à l'arrière).

À son extrémité inférieure, le vagin s'ouvre sur l'extérieur par l'**ostium du vagin.** Cet orifice est parfois bordé d'un mince repli muqueux vascularisé, appelé **hymen,** qui le ferme partiellement (voir la figure 28.22). L'**imperforation de l'hymen** est une fermeture complète de l'ostium du vagin, qu'il est parfois nécessaire de corriger par une intervention chirurgicale visant à ouvrir l'ostium pour permettre l'écoulement du flux menstruel.

Vulve

Le terme **vulve,** ou **pudendum féminin,** désigne l'ensemble des organes génitaux externes de la femme (figure 28.22). La vulve comprend les éléments suivants :

- Le **mont du pubis,** situé en avant des ostiums du vagin et de l'urètre, est une saillie de tissu adipeux recouvert de peau et de poils pubiens épais, qui coussine la symphyse pubienne.

- Les **grandes lèvres de la vulve,** deux replis longitudinaux de peau, s'étendent vers le bas et l'arrière à partir du mont du pubis. Recouvertes de poils pubiens, les grandes lèvres sont riches en tissu adipeux, en glandes sébacées et en glandes sudoripares (*sudor* = sueur) apocrines. Elles sont homologues du scrotum.

- Les **petites lèvres de la vulve** sont de petits replis cutanés à l'intérieur des grandes lèvres de la vulve. Contrairement aux grandes lèvres, les petites lèvres sont dépourvues de poils et de tissu adipeux et contiennent peu de glandes sudoripares, mais beaucoup de glandes sébacées. Les petites lèvres de la vulve sont homologues de la partie spongieuse de l'urètre chez l'homme.

- Le **clitoris** est une petite masse cylindrique composée de tissu érectile et de nerfs qui est située à la jonction antérieure des petites lèvres de la vulve. Un repli cutané appelé **prépuce du clitoris** recouvre le corps du clitoris au point d'union des petites lèvres de la vulve. La partie exposée du clitoris est le gland du clitoris. Homologue du gland du pénis chez l'homme, le clitoris réagit également à la stimulation tactile en se gonflant, ce qui contribue à l'excitation sexuelle chez la femme.

- Le **vestibule du vagin** est la région située entre les petites lèvres de la vulve. Il renferme l'hymen (s'il est intact), l'ostium du vagin, l'ostium externe de l'urètre et les orifices des conduits de plusieurs glandes. Le vestibule est homologue de la partie membranacée de l'urètre chez l'homme. L'**ostium du vagin** permet à cet organe de s'ouvrir sur l'extérieur et occupe la majeure partie du vestibule; il est bordé de l'hymen. En avant de l'ostium du vagin et en arrière du clitoris, on trouve l'**ostium externe de l'urètre,** qui fait communiquer l'urètre avec l'extérieur. De part et d'autre de l'ostium externe de l'urètre se trouvent les orifices des conduits des **glandes para-urétrales,** qui sont enchâssées dans la paroi de l'urètre et sécrètent un mucus. Les glandes para-urétrales sont homologues de la prostate. De chaque côté de l'ostium du vagin, on observe les **glandes vestibulaires majeures** (voir la figure 28.23), qui s'ouvrent par des conduits sur une rainure séparant l'hymen des grandes lèvres de la vulve; durant l'excitation sexuelle et le coït, ces glandes produisent une petite quantité de mucus qui s'ajoute à la glaire cervicale et accentue la lubrification. Les glandes vestibulaires majeures sont homologues des glandes bulbo-urétrales chez l'homme. Plusieurs **glandes vestibulaires mineures** s'ouvrent également sur le vestibule du vagin.

- Le **bulbe du vestibule** (voir la figure 28.23), composé de deux masses allongées de tissu érectile sous-jacentes aux lèvres, est situé de part et d'autre de l'ostium du vagin. Il se remplit de sang durant l'excitation sexuelle, ce qui rétrécit l'ostium du vagin et crée une pression sur le pénis pendant le coït. Il est homologue du corps spongieux et du bulbe du pénis chez l'homme.

Le tableau 28.1 résume les structures homologues des systèmes reproducteurs de la femme et de l'homme.

Figure 28.22 Composantes de la vulve.

🔑 **Le terme vulve désigne l'ensemble des organes génitaux externes de la femme.**

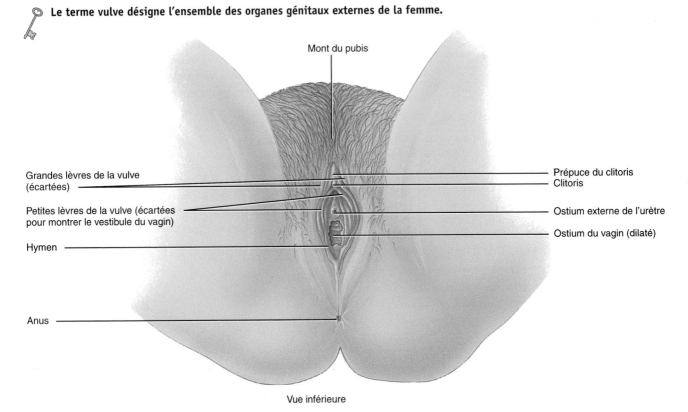

Mont du pubis

Grandes lèvres de la vulve (écartées)

Petites lèvres de la vulve (écartées pour montrer le vestibule du vagin)

Hymen

Anus

Prépuce du clitoris

Clitoris

Ostium externe de l'urètre

Ostium du vagin (dilaté)

Vue inférieure

Ⓠ Quelles sont les structures de surface situées à l'avant de l'ostium du vagin ? Quelles sont celles situées de chaque côté ?

Périnée

Le **périnée** est une région en forme de losange située à l'intérieur des cuisses et des fesses, tant chez la femme que chez l'homme ; il contient les organes génitaux externes et l'anus (figure 28.23). Il est circonscrit à l'avant par la symphyse pubienne, sur les côtés par les tubérosités ischiatiques et à l'arrière par le coccyx. Si on divise le périnée en traçant une ligne transversale entre les tubérosités ischiatiques, on obtient le **triangle uro-génital** antérieur qui comprend les organes génitaux externes et un triangle anal postérieur qui abrite l'anus.

Glandes mammaires

Les deux **glandes mammaires** (*mamma* = sein maternel) sont des glandes sudoripares modifiées qui produisent du lait. Elle sont situées à la surface des muscles grands pectoraux et dentelés antérieurs, auxquels elles sont fixées par une couche de fascia profond composé de tissu conjonctif dense irrégulier (figure 28.24).

Chaque sein se termine par une protubérance pigmentée, appelée **mamelon,** qui comporte une série d'orifices très rapprochés menant aux **conduits lactifères,** d'où émerge le

Tableau 28.1 Résumé des structures homologues des systèmes reproducteurs de la femme et de l'homme

STRUCTURES CHEZ LA FEMME	STRUCTURES CHEZ L'HOMME
Ovaires	Testicules
Ovule	Spermatozoïde
Grandes lèvres de la vulve	Scrotum
Petites lèvres de la vulve	Partie spongieuse de l'urètre
Vestibule du vagin	Partie membranacée de l'urètre
Bulbe du vestibule	Corps spongieux du pénis et bulbe du pénis
Clitoris	Gland du pénis
Glandes para-urétrales	Prostate
Glandes vestibulaires majeures	Glandes bulbo-urétrales

lait. Le cercle de peau pigmentée entourant le mamelon est appelé **aréole** (= petite aire) ; il doit son apparence rugueuse aux glandes sébacées modifiées qu'il contient. Les **ligaments suspenseurs du sein** qui fixent le sein sont constitués de

Figure 28.23 Périnée de la femme. (Le périnée de l'homme est illustré à la figure 11.13, p. 353.)

🔑 Le périnée est une région en forme de losange située à l'intérieur des cuisses et des fesses, qui contient les organes génitaux externes et l'anus.

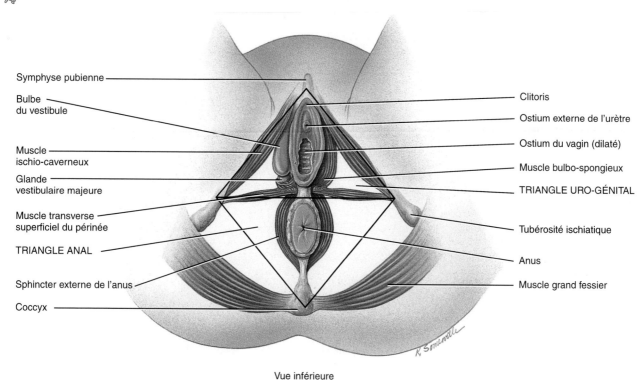

Symphyse pubienne

Bulbe du vestibule

Muscle ischio-caverneux

Glande vestibulaire majeure

Muscle transverse superficiel du périnée

TRIANGLE ANAL

Sphincter externe de l'anus

Coccyx

Clitoris

Ostium externe de l'urètre

Ostium du vagin (dilaté)

Muscle bulbo-spongieux

TRIANGLE URO-GÉNITAL

Tubérosité ischiatique

Anus

Muscle grand fessier

Vue inférieure

Q Pourquoi la partie antérieure du périnée est-elle appelée «triangle uro-génital»?

bandes de tissu conjonctif situées entre la peau et le fascia profond. Ces ligaments se relâchent avec le temps ou s'ils sont soumis à une contrainte excessive, par exemple lors de séances prolongées de jogging ou de danse aérobique avec sauts. Le port d'un soutien-gorge de soutien ralentit l'affaissement des seins.

L'intérieur de chaque glande mammaire se compose de 15 à 20 lobes ou compartiments séparés par du tissu adipeux. C'est la quantité de tissu adipeux, non la quantité de lait produit, qui détermine la taille des seins. Chaque lobe se subdivise en compartiments plus petits, appelés **lobules,** qui renferment les **alvéoles de la glande mammaire,** glandes sécrétrices du lait en forme de grappe qui sont enfouies dans du tissu conjonctif. Autour de ces alvéoles, on observe des **cellules myoépithéliales** en fuseau qui se contractent pour favoriser la propulsion du lait vers les mamelons. Le lait produit passe des alvéoles de la glande mammaire à une série de **tubules secondaires,** puis dans les canaux galactophores. Près du mamelon, les canaux galactophores s'élargissent pour former les **sinus lactifères,** qui peuvent emmagasiner une certaine quantité de lait avant que celui-ci passe dans un conduit lactifère. Chaque conduit lactifère achemine le lait d'un lobe vers l'extérieur.

Les fonctions essentielles des glandes mammaires, qui consistent à synthétiser, sécréter et éjecter le lait, constituent la **lactation,** un phénomène associé à la grossesse et à l'accouchement. La production de lait est principalement stimulée par la prolactine, une hormone, ainsi que par la progestérone et les œstrogènes. L'éjection du lait se produit grâce à l'ocytocine, une hormone libérée par la neurohypophyse en réponse à la stimulation mécanique du mamelon par le bébé qui tète.

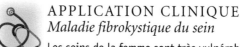 **APPLICATION CLINIQUE**
Maladie fibrokystique du sein

Les seins de la femme sont très vulnérables aux kystes et aux tumeurs. La **maladie fibrokystique du sein,** qui est la principale cause de nodules au sein, se caractérise par la présence d'au moins un kyste (cavité contenant du liquide) et l'épaississement des alvéoles de la glande mammaire (grappes de cellules sécrétrices de lait). Frappant surtout les femmes âgées entre 30 et 50 ans, cette maladie est vraisemblablement causée par un déséquilibre hormonal (excès relatif d'œstrogènes ou déficience en progestérone) au cours de la phase postovulatoire

Figure 28.24 Glandes mammaires.

 Les glandes mammaires assurent la synthèse, la sécrétion et l'éjection du lait (lactation).

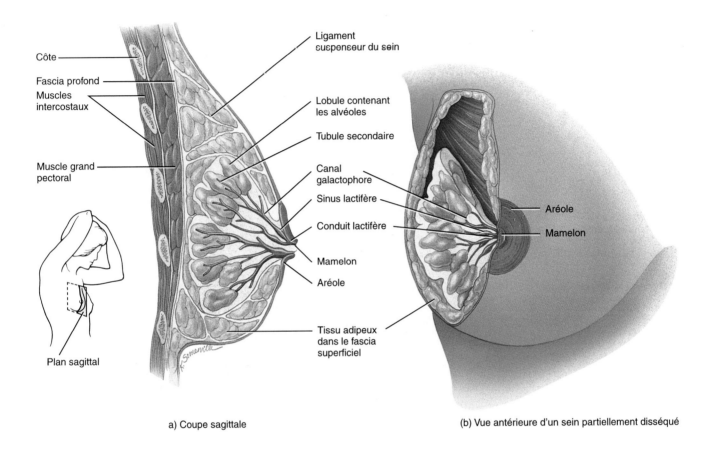

Côte

Fascia profond

Muscles intercostaux

Muscle grand pectoral

Plan sagittal

Ligament suspenseur du sein

Lobule contenant les alvéoles

Tubule secondaire

Canal galactophore

Sinus lactifère

Conduit lactifère

Mamelon

Aréole

Tissu adipeux dans le fascia superficiel

Aréole

Mamelon

a) Coupe sagittale

(b) Vue antérieure d'un sein partiellement disséqué

Q Quelles sont les hormones qui régissent la synthèse et l'éjection du lait ?

(lutéale) du cycle de la reproduction (décrit ci-dessous). Des masses se développent dans un sein ou les deux ; les seins enflent et deviennent sensibles une semaine environ avant la menstruation. ■

1. Quelle est la fonction du vagin ? Décrivez son histologie.
2. Énumérez les parties de la vulve et expliquez les fonctions de chacune.
3. Décrivez la structure des glandes mammaires. Comment sont-elles soutenues ?
4. Décrivez le parcours du lait, des alvéoles de la glande mammaire au mamelon.

CYCLE DE LA REPRODUCTION CHEZ LA FEMME

OBJECTIF

- *Comparer les principales étapes des cycles ovarien et menstruel.*

La femme non enceinte en âge de procréer connaît normalement une séquence cyclique de changements dans les ovaires et l'utérus. Chaque cycle d'une durée d'environ un mois permet l'ovogenèse et prépare l'utérus à recevoir un ovule fécondé. Les hormones sécrétées par l'hypothalamus, l'adénohypophyse et les ovaires régissent les principales

Figure 28.25 Sécrétion et effets physiologiques des œstrogènes, de la progestérone, de la relaxine et de l'inhibine dans le cycle de la reproduction chez la femme.

🔑 **Les cycles ovarien et menstruel sont régis par la GnRH et les hormones ovariennes (œstrogènes et progestérone).**

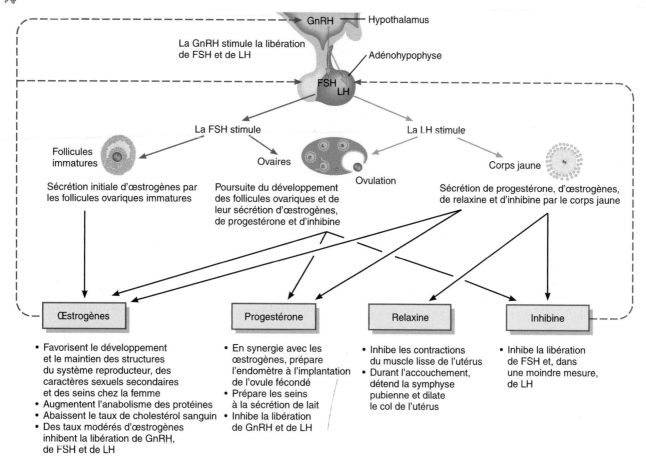

Ⓠ Lequel des œstrogènes exerce la plus grande influence ?

étapes du cycle de la reproduction. Le **cycle ovarien** est une série d'événements qui se déroulent dans les ovaires durant et après la maturation d'un ovocyte. Le **cycle menstruel** est la série concomitante de changements que subit l'endomètre de l'utérus en vue de l'arrivée d'un ovule fécondé qui pourra s'y développer jusqu'à la naissance. Si la fécondation n'a pas lieu, la couche fonctionnelle de l'endomètre se desquame. Le terme **cycle de la reproduction chez la femme** désigne l'ensemble des cycles ovarien et menstruel, des changements hormonaux qui les régissent et des changements cycliques connexes touchant les seins et le col de l'utérus.

Régulation hormonale du cycle de la reproduction chez la femme

Les cycles ovarien et menstruel sont régis par la **gonado-libérine (GnRH)** sécrétée par l'hypothalamus (figure 28.25). La GnRH stimule la libération de l'**hormone folliculostimulante**

(**FSH**) et de l'**hormone lutéinisante** (**LH**) par l'adénohypophyse. La FSH déclenche à son tour la croissance des follicules et la sécrétion d'œstrogènes par les follicules en voie de développement. La LH stimule la suite du développement des follicules ovariques et leur sécrétion d'œstrogènes, amène l'ovulation, favorise la formation du corps jaune et stimule la production d'œstrogènes, de progestérone, de relaxine et d'inhibine par le corps jaune.

Bien qu'on ait isolé au moins six œstrogènes différents dans le plasma de la femme, seulement trois sont présents en quantité significative : le *β-œstradiol*, la *folliculine* ou œstrone et l'*œstriol*. Chez une femme non enceinte, le principal œstrogène est le β-œstradiol, synthétisé à partir du cholestérol dans les ovaires.

Les **œstrogènes** sécrétés par les cellules folliculaires assurent plusieurs fonctions importantes. 1) Les œstrogènes favorisent le développement et le maintien des structures du système reproducteur, des caractères sexuels secondaires et des seins de la femme. Les caractères sexuels secondaires comprennent la répartition du tissu adipeux dans les seins, l'abdomen, le mont du pubis et les hanches ; le ton de la voix ; l'élargissement du bassin ; et le mode de croissance des cheveux et des poils sur le corps. 2) Les œstrogènes augmentent l'anabolisme des protéines, en synergie avec l'hormone de croissance (hGH). 3) Les œstrogènes abaissent le taux de cholestérol sanguin, ce qui explique pourquoi les femmes de moins de 50 ans sont moins sujettes aux coronaropathies que les hommes du même âge. Les concentrations sanguines modérées d'œstrogènes inhibent à la fois la libération de GnRH par l'hypothalamus et la sécrétion de LH et de FSH par l'adénohypophyse.

Sécrétée principalement par les cellules du corps jaune, la **progestérone** agit en synergie avec les œstrogènes afin de préparer l'endomètre à l'implantation d'un ovule fécondé et les glandes mammaires à la sécrétion de lait. Les taux élevés de progestérone inhibent également la sécrétion de GnRH et de LH.

La faible quantité de relaxine produite par le corps jaune durant chaque cycle mensuel détend l'utérus en inhibant ses contractions ; on croit que ce facteur facilite l'implantation d'un ovule fécondé. Au cours de la grossesse, le placenta produit beaucoup plus de relaxine et continue de détendre le muscle lisse de l'utérus. À la fin de la grossesse, la relaxine assouplit la symphyse pubienne et peut contribuer à la dilatation du col de l'utérus, ce qui facilite le passage du bébé pendant l'accouchement.

L'**inhibine** est sécrétée par les cellules granuleuses des follicules immatures et par le corps jaune de l'ovaire. Elle inhibe la sécrétion de FSH et, dans une moindre mesure, de LH.

Phases du cycle de la reproduction chez la femme

La durée du cycle de la reproduction chez la femme varie habituellement entre 24 et 35 jours. Pour les fins de notre propos, elle sera de 28 jours et comprendra quatre phases : la phase menstruelle, la phase préovulatoire, l'ovulation et la phase postovulatoire (figure 28.26).

Phase menstruelle

La **phase menstruelle,** également appelée **menstruation,** se déroule durant les cinq premiers jours du cycle environ. (Par convention, le premier jour de la menstruation marque le premier jour du cycle.)

Activité dans les ovaires Durant la phase menstruelle, une vingtaine de petits follicules secondaires répartis dans chacun des ovaires commencent à grossir. Le liquide folliculaire, qui est sécrété par les cellules granuleuses et suinte des capillaires sanguins, s'accumule dans l'antre du follicule tandis que l'ovocyte reste près du bord du follicule (voir la figure 28.16b).

Activité dans l'utérus Le flux menstruel émanant de l'utérus se compose de 50 à 150 mL de sang, de liquide tissulaire, de mucus et de cellules épithéliales dérivées de l'endomètre. Cet écoulement est provoqué par la diminution de la concentration d'hormones ovariennes, en particulier de progestérone, qui stimule la libération de prostaglandines causant la constriction des artérioles spiralées de l'utérus. Les cellules irriguées par ces artérioles manquent alors d'oxygène et commencent à mourir. Peu à peu, toute la couche fonctionnelle de l'endomètre se desquame. L'endomètre est alors considérablement aminci (environ de 2 à 5 mm), puisqu'il ne lui reste que sa couche basale. Le flux menstruel passe de la cavité utérine au col de l'utérus, puis s'écoule dans le vagin avant de sortir du corps.

Phase préovulatoire

La deuxième phase du cycle de la reproduction, la **phase préovulatoire,** est la période entre la menstruation et l'ovulation. Sa durée est plus variable que celle des autres phases et détermine en grande partie la durée de l'ensemble du cycle (plus ou moins 28 jours). Cette phase s'étend du jour 6 au jour 13 d'un cycle de 28 jours.

Activité dans les ovaires Sous l'effet de la FSH, la vingtaine de follicules secondaires continue de croître et commence à sécréter des œstrogènes et de l'inhibine. Vers le jour 6, un follicule plus gros que tous les autres follicules dans les deux ovaires devient le follicule dominant. Les œstrogènes et l'inhibine sécrétés par ce follicule abaissent la sécrétion de FSH, ce qui stoppe la croissance des autres follicules, qui sont ensuite détruits par atrésie.

Le follicule dominant devient un **follicule mûr** qui continue à grossir jusqu'à ce qu'il atteigne un diamètre supérieur à 20 mm ; il est alors prêt pour l'ovulation (voir la figure 28.15). Ce follicule forme une saillie semblable à une vésicule à la surface de l'ovaire. Des jumeaux dizygotes (non identiques) peuvent se développer lorsque deux follicules secondaires deviennent simultanément dominants et se transforment en ovocytes qui sont ensuite fécondés. Durant la phase de maturation finale, le follicule dominant produit de plus en plus d'œstrogènes en réponse à une augmentation du taux de LH (figure 28.27). Bien que les œstrogènes soient les principales hormones ovariennes avant l'ovulation, de petites quantités de progestérone sont produites par le follicule mûr un jour ou deux avant l'ovulation.

On appelle **phase folliculaire** l'ensemble des phases menstruelle et préovulatoire du cycle ovarien, car c'est à ce moment que les follicules ovariques se développent.

Activité dans l'utérus Les œstrogènes libérés dans le sang par les follicules ovariques immatures stimulent la reconstitution de l'endomètre ; les cellules de la couche basale subissent la mitose et produisent une nouvelle couche fonctionnelle. À mesure que l'endomètre s'épaissit, des glandes

Figure 28.26 Cycle de la reproduction chez la femme. Les étapes des cycles ovarien et menstruel et la libération d'hormones par l'adénohypophyse coïncident avec les quatre phases de ce cycle. Dans le schéma ci-dessous, la fécondation et l'implantation n'ont pas eu lieu.

🔑 Le cycle de la reproduction chez la femme dure habituellement entre 24 et 36 jours ; la durée de la phase préovulatoire est plus variable que celle des autres phases.

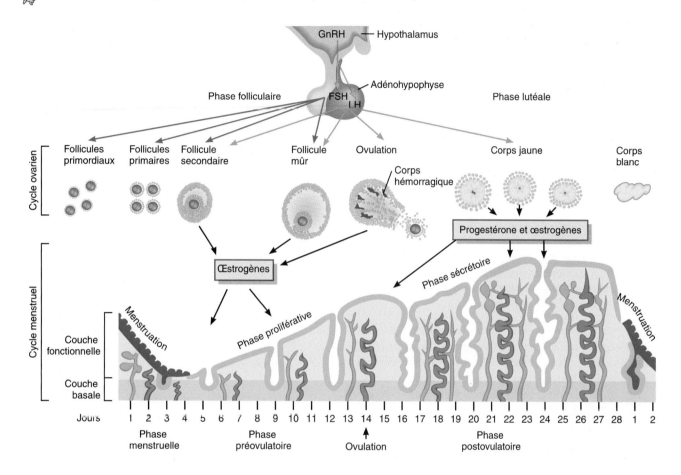

Q Quelles sont les hormones qui déclenchent la phase proliférative de la croissance de l'endomètre, l'ovulation, la formation du corps jaune et l'afflux de LH au milieu du cycle ?

utérines courtes et droites s'y forment et les artérioles qui pénètrent dans la couche fonctionnelle s'enroulent et allongent. L'épaisseur de l'endomètre double presque et atteint entre 4 et 10 mm. Dans le cycle menstruel, la phase préovulatoire est également appelée **phase proliférative,** car elle correspond à la prolifération de l'endomètre.

Ovulation

Durant l'**ovulation,** qui se produit habituellement au 14e jour d'un cycle de 28 jours, le follicule mûr se rompt et l'ovocyte secondaire est libéré dans la cavité pelvienne. L'ovocyte secondaire porte encore sa zone pellucide et sa corona radiata. La transformation d'un follicule secondaire en follicule mûr prend généralement 20 jours environ (les 6

derniers jours du cycle précédent et les 14 premiers jours du cycle en cours). L'ovocyte primaire complète alors la méiose I et devient un ovocyte secondaire qui entreprend la méiose II, puis s'arrête au moment de la métaphase.

Les concentrations *élevées* d'œstrogènes observées durant la dernière partie de la phase préovulatoire exercent une rétroactivation sur la LH et la GnRH, et causent l'ovulation (figure 28.28) :

1 En présence de concentrations suffisamment élevées d'œstrogènes, l'hypothalamus libère plus de GnRH, et l'adénohypophyse produit plus de LH.

2 La GnRH favorise la libération de FSH et d'une plus grande quantité de LH par l'adénohypophyse.

Figure 28.27 Concentrations relatives d'hormones de l'adénohypophyse (FSH et LH) et d'hormones ovariennes (œstrogènes et progestérone) durant les phases d'un cycle normal de la reproduction chez la femme.

🔑 Les œstrogènes sont les principales hormones ovariennes présentes avant l'ovulation ; après l'ovulation, la progestérone et les œstrogènes sont sécrétés par le corps jaune.

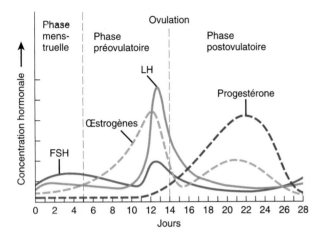

Q Quelles sont les hormones qui déclenchent la reconstitution de la couche fonctionnelle de l'endomètre ?

❸ L'afflux de LH provoque la rupture du follicule dominant et l'expulsion d'un ovocyte secondaire. L'ovocyte ovulé et les cellules de sa corona radiata sont habituellement aspirés dans la trompe utérine, mais il arrive qu'un ovocyte se perde dans la cavité pelvienne et s'y désintègre.

Un test en vente libre permet de détecter l'afflux de LH associé à l'ovulation dans le but de prédire l'ovulation un jour à l'avance. La concentration de FSH augmente également à ce moment, mais pas autant que celle de la LH, car la FSH n'afflue qu'en réponse à une augmentation de la concentration de GnRH. La rétroactivation que les œstrogènes exercent sur l'hypothalamus et l'adénohypophyse ne se produit qu'en l'absence de progestérone.

Après l'ovulation, le follicule mûr s'affaisse. Lorsque le sang qui s'est écoulé lors de la rupture du follicule coagule, le follicule devient le **corps hémorragique** (*haïma* = sang ; *rhagê* = rupture) (voir la figure 28.15). Le caillot est absorbé par les cellules folliculaires résiduelles qui grossissent et forment le corps jaune sous l'effet de la LH. Stimulé par la LH, le corps jaune sécrète de la progestérone, des œstrogènes, de la relaxine et de l'inhibine.

Phase postovulatoire

La durée de la phase postovulatoire du cycle de la reproduction est celle qui est la plus constante. Elle est de 14 jours et s'étend des jours 15 à 28 d'un cycle de 28 jours (voir la figure 28.26). Elle constitue la période entre l'ovulation et le début de la prochaine menstruation.

Figure 28.28 Rôle des concentrations élevées d'œstrogènes dans l'augmentation de la sécrétion de GnRH et de LH et dans le déclenchement de l'ovulation.

🔑 Au milieu du cycle, un afflux de LH déclenche l'ovulation.

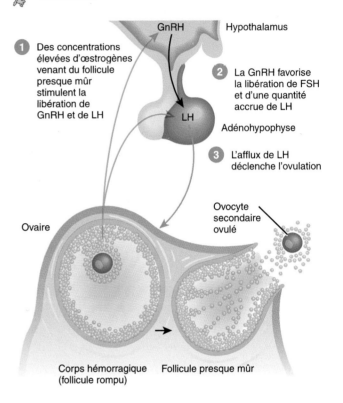

Q Quel est l'effet de concentrations accrues mais encore modérées d'œstrogènes sur la sécrétion de GnRH, de LH et de FSH ?

Activité dans un ovaire Après l'ovulation, la LH stimule la transformation des résidus du follicule mûr en corps jaune, qui sécrète des quantités plus grandes de progestérone et quelques œstrogènes. Dans le cycle ovarien, cette phase est appelée **phase lutéale.** Dans l'ovaire, les étapes qui suivent l'ovulation d'un ovocyte varient selon qu'il y a eu ou non fécondation. Si l'ovocyte n'est pas fécondé, le corps jaune ne vit que deux semaines ; son activité sécrétrice diminue ensuite, et il dégénère en corps blanc (voir la figure 28.15). Lorsque les concentrations de progestérone, d'œstrogènes et d'inhibine décroissent, la libération de GnRH, de FSH et de LH augmente, car elle n'est plus soumise à la rétro-inhibition exercée par les hormones ovariennes. La croissance folliculaire peut donc reprendre et un nouveau cycle ovarien commence.

Si l'ovocyte secondaire est fécondé et commence à se diviser, le corps jaune demeure au-delà de deux semaines. Il échappe à la dégénérescence grâce à la **gonadotrophine chorionique** (**hCG,** « human chorionic gonadotropin »), hormone

Figure 28.29 Résumé des interactions hormonales dans les cycles ovarien et menstruel.

 Les hormones de l'adénohypophyse régissent la fonction ovarienne, et les hormones ovariennes régissent les changements touchant l'endomètre de l'utérus.

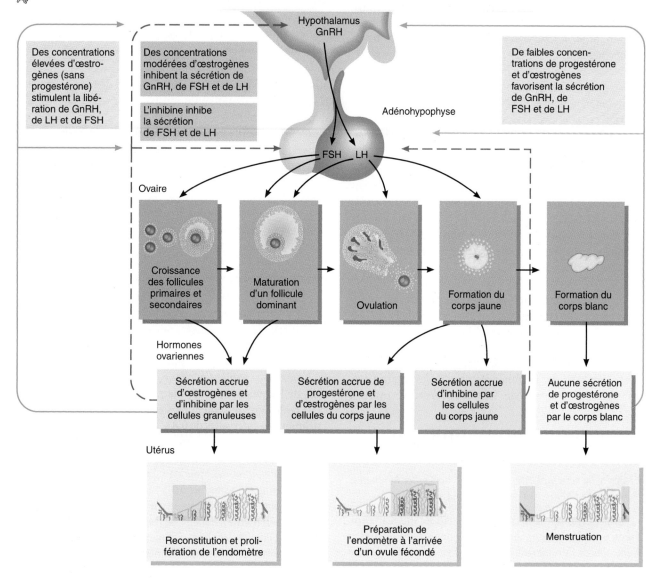

 Le phénomène par lequel la diminution des concentrations d'œstrogènes et de progestérone stimule la sécrétion de GnRH constitue-t-il une rétroactivation ou une rétro-inhibition ? Pourquoi ?

produite par le chorion de l'embryon au cours des 8 à 12 jours qui suivent la fécondation ; comme la LH, la hCG stimule l'activité sécrétrice du corps jaune. La présence de la hCG dans le sang ou l'urine de la femme est un signe de grossesse.

Activité dans l'utérus La progestérone et les œstrogènes produits par le corps jaune favorisent la croissance et l'enroulement des glandes utérines (qui commencent à sécréter du glycogène), la vascularisation de la couche superficielle de l'endomètre, l'épaississement de l'endomètre (jusqu'à

12-18 mm) et l'augmentation de la quantité de liquide dans les tissus. Ces changements préparatoires culminent environ une semaine après l'ovulation, moment qui correspond à l'arrivée possible d'un ovule fécondé. Dans le cycle menstruel, cette phase est appelée **phase sécrétoire,** car elle coïncide avec l'activité sécrétrice des glandes utérines. Si aucun ovule n'est fécondé, la concentration de progestérone diminue par suite de la dégénérescence du corps jaune, et la menstruation s'ensuit. La figure 28.29 résume les interactions hormonales durant les cycles ovarien et menstruel.

APPLICATION CLINIQUE
Troubles menstruels

L'**aménorrhée** (*a* = sans ; *mên* = mois ; *rhein* = couler), soit l'absence de menstruation, peut être causée par un déséquilibre hormonal, l'obésité, une perte pondérale excessive ou la quantité très faible de tissu adipeux chez les femmes qui s'adonnent à un entraînement athlétique intense. Le terme **dysménorrhée** (*dus* = difficile) fait référence à une menstruation douloureuse ; on l'utilise habituellement pour décrire des symptômes menstruels assez graves pour empêcher une femme de mener une vie normale pendant au moins un jour chaque mois. Dans certains cas, la dysménorrhée est causée par des tumeurs utérines, des kystes ovariens, une maladie inflammatoire pelvienne ou la présence d'un dispositif intra-utérin.

Les **saignements utérins anormaux** regroupent des phénomènes comme les menstruations trop longues ou trop abondantes, la diminution du flux menstruel, les menstruations trop fréquentes, les saignements intermenstruels et les saignements chez la femme ménopausée. Ils sont attribuables à un dérèglement hormonal, des facteurs affectifs, des fibromes de l'utérus ou des maladies systémiques. ■

1. Décrivez la fonction de chacune des hormones suivantes dans les cycles menstruel et ovarien : GnRH, FSH, LH, œstrogènes, progestérone et inhibine.
2. Résumez les principales étapes de chaque phase du cycle menstruel, et associez-les aux étapes du cycle ovarien.
3. Dans un schéma, nommez les principales interactions hormonales survenant dans les cycles menstruel et ovarien.

RÉPONSE SEXUELLE HUMAINE

OBJECTIF

• *Décrire les ressemblances et les différences entre la réponse sexuelle de l'homme et celle de la femme.*

Durant un rapport sexuel, appelé **coït** lorsqu'il se produit entre un homme et une femme, des spermatozoïdes sont éjaculés de l'urètre de l'homme dans le vagin. La *réponse sexuelle humaine* est la séquence similaire de changements physiologiques et émotionnels que connaissent l'homme et la femme avant, pendant et après le coït.

Phases de la réponse sexuelle humaine

William Masters et Virginia Johnson, deux pionniers de la recherche sur la sexualité humaine à la fin des années 1950, divisent la réponse sexuelle humaine en quatre phases : l'excitation, le plateau, l'orgasme et la résolution. Durant la phase de l'**excitation,** divers stimulus physiques et psychologiques déclenchent des réflexes parasympathiques : des influx nerveux se propagent alors de la substance grise des deuxième, troisième et quatrième segments sacraux de la moelle épinière, le long des nerfs splanchniques pelviens.

Certaines de ces fibres postganglionnaires parasympathiques causent un relâchement du muscle lisse des vaisseaux, qui produit une **vasocongestion** (engorgement de sang) des tissus génitaux. Les influx parasympathiques stimulent également la sécrétion de liquides lubrifiants, dont la plupart proviennent de la femme. Sans lubrification suffisante, le coït est difficile et douloureux pour les deux partenaires et l'orgasme est inhibé.

Parmi les autres changements observés, mentionnons une augmentation de la fréquence cardiaque et de la pression artérielle, une augmentation du tonus des muscles squelettiques dans l'ensemble de l'organisme et une hyperventilation. L'excitation peut être induite par contact physique direct (baisers ou caresses), en particulier dans les régions du gland du pénis, du clitoris, des mamelons et des lobes des oreilles. Cependant, des facteurs comme l'anticipation, la peur, les souvenirs, certaines sensations visuelles, olfactives ou auditives et les fantasmes peuvent favoriser ou inhiber le déclenchement de la phase d'excitation. La stimulation des seins par un bébé qui tète est souvent une source d'excitation sexuelle chez la femme, mais il s'agit d'un phénomène normal qui ne devrait pas causer d'inquiétude.

Les changements qui s'amorcent durant la phase d'excitation demeurent intenses lors de la phase du **plateau,** qui peut durer de quelques secondes à plusieurs minutes. Au cours de cette phase, des rougeurs peuvent apparaître sur le visage et la poitrine, plus souvent chez la femme que chez l'homme. De manière générale, la phase la plus courte est celle de l'**orgasme,** pendant laquelle l'homme éjacule et les deux partenaires ressentent plusieurs contractions musculaires rythmiques à intervalles de 0,8 s, accompagnées de sensations intenses de plaisir. Les rougeurs atteignent également leur point culminant à ce moment. Durant l'orgasme, les influx nerveux *sympathiques* émis en rafale par les premier et deuxième segments lombaires de la moelle épinière provoquent des contractions rythmiques du muscle lisse dans les organes génitaux. Au même moment, des *neurones moteurs somatiques* dans les segments lombaires et sacraux de la moelle épinière déclenchent de puissantes contractions rythmiques des muscles squelettiques du périnée, plus particulièrement des muscles bulbo-spongieux et ischio-caverneux et du muscle sphincter externe de l'anus (voir la figure 11.13, p. 353, pour l'homme et la figure 28.23 pour la femme).

Chez l'homme, l'orgasme coïncide habituellement avec l'éjaculation. La réception de l'éjaculat constitue cependant un stimulus négligeable pour la femme, surtout si elle n'a pas encore atteint la phase du plateau ; c'est pourquoi l'orgasme de la femme et celui de l'homme ne sont pas toujours simultanés. Par ailleurs, la femme peut avoir deux ou plusieurs orgasmes rapprochés, tandis que l'homme entre après l'éjaculation dans une **période de latence,** au cours de laquelle il lui est physiologiquement impossible d'avoir un autre orgasme accompagné d'une éjaculation. Cette période peut durer de quelques minutes à plusieurs heures.

La phase finale, appelée **résolution,** commence par une sensation de détente profonde : les tissus génitaux, la fréquence cardiaque, la pression artérielle, la respiration et le tonus musculaire reviennent à l'état antérieur à l'excitation sexuelle. Si l'excitation sexuelle a été intense mais n'a pas abouti à un orgasme, la résolution se déroule plus lentement. Les quatre phases de la réponse sexuelle humaine ne sont pas toujours aussi distinctes les unes des autres, et elles peuvent varier considérablement d'une personne à l'autre ou chez une même personne à des moments différents.

Réactions chez l'homme

La plupart du temps, le pénis est flasque, car des influx sympathiques maintiennent la vasoconstriction de ses artères, ce qui limite le débit sanguin. Le premier signe de l'excitation sexuelle est l'**érection,** durant laquelle le pénis grossit et se raidit. Des influx parasympathiques stimulent la libération de neurotransmetteurs et d'hormones locales, notamment le monoxyde d'azote, gaz qui détend le muscle vasculaire lisse du pénis. Les artères du pénis se dilatent, et le sang afflue dans les sinus des trois corps. L'expansion de ces tissus érectiles comprime les veines superficielles qui drainent normalement le pénis, ce qui provoque un engorgement et un raidissement de l'organe (érection). Les influx parasympathiques stimulent également la sécrétion par les glandes bulbo-urétrales d'un mucus qui s'écoule dans l'urètre et contribue quelque peu à la lubrification pendant le coït.

Durant le plateau, le diamètre de la tête du pénis augmente et la vasocongestion fait gonfler les testicules. Lorsque l'orgasme commence, les influx sympathiques rythmiques provoquent des contractions péristaltiques dans le muscle lisse des conduits du testicule, de l'épididyme et du conduit déférent, de même que dans les parois des vésicules séminales et de la prostate. Ces contractions propulsent les spermatozoïdes et les liquides dans l'urètre (émission). Au même moment, la contraction des muscles sphincters de l'urètre empêche le sperme de s'écouler dans la vessie et l'urine de pénétrer dans l'urètre. L'éjaculation suit de près l'émission. Durant l'éjaculation, les contractions péristaltiques des conduits et de l'urètre se combinent avec les contractions rythmiques des muscles squelettiques du périnée et de la racine du pénis pour propulser le sperme de l'urètre vers l'extérieur.

Réactions chez la femme

Tout comme l'engorgement de sang dans le pénis cause l'érection chez l'homme, les premiers signes de l'excitation sexuelle de la femme découlent d'une vasocongestion. Dans un laps de temps pouvant varier de quelques secondes à une minute, des influx parasympathiques stimulent la libération de liquides qui lubrifient les parois du vagin. Bien que la muqueuse du vagin soit dépourvue de glandes, l'engorgement du tissu conjonctif vaginal durant l'excitation sexuelle fait suinter des capillaires un liquide lubrifiant qui traverse la couche épithéliale par le processus de la **transsudation** (*trans* = au-delà ; *sudare* = suer). Les glandes de la muqueuse du col de l'utérus et les glandes vestibulaires majeures sécrètent aussi une petite quantité de mucus lubrifiant. Durant l'excitation, des influx parasympathiques déclenchent également l'érection du clitoris, l'engorgement des lèvres et la détente du muscle lisse du vagin. La vasocongestion peut également faire gonfler les seins et causer l'érection des mamelons.

À la fin du plateau, une vasocongestion prononcée du tiers distal du vagin fait gonfler les tissus et rétrécit l'ouverture. Cette réaction a pour effet de resserrer le vagin autour du pénis. Si la stimulation sexuelle se poursuit, l'orgasme peut survenir, accompagné de 3 à 15 contractions rythmiques du vagin, de l'utérus et des muscles du périnée. Chez la femme comme chez l'homme, l'orgasme est une réponse de l'ensemble de l'organisme qui peut produire des sensations parfois modérées, parfois intenses.

APPLICATION CLINIQUE
Troubles de l'érection

L'**impuissance** est l'incapacité permanente d'un homme adulte d'éjaculer ou encore d'obtenir ou de maintenir une érection suffisamment longue pour permettre le coït. De nombreux cas d'impuissance sont causés par une libération insuffisante de monoxyde d'azote, gaz qui détend le muscle lisse des artères du pénis. Le Viagra (sildénafil) est un médicament qui rehausse les effets du monoxyde d'azote dans le pénis. Les autres causes possibles de l'impuissance comprennent le diabète, des anomalies physiques du pénis, des troubles systémiques comme la syphilis, des affections vasculaires (obstructions artérielles ou veineuses) ou neurologiques, une intervention chirurgicale, une déficience en testostérone et certaines substances (alcool, antidépresseurs, antihistaminiques, antihypertenseurs, narcotiques, nicotine et tranquillisants). Certains facteurs psychologiques comme l'anxiété, la dépression, la peur d'une grossesse, la peur des maladies transmissibles sexuellement, des inhibitions religieuses et l'immaturité émotionnelle peuvent également causer l'impuissance. ■

1. Décrivez les phases de la réponse sexuelle humaine.
2. Décrivez les ressemblances et les différences entre les changements physiologiques que la réponse sexuelle cause chez l'homme et la femme.

CONTRACEPTION

OBJECTIF

- *Comparer les diverses méthodes contraceptives et leur efficacité.*

Il n'existe aucune méthode de **contraception** parfaite, et parmi celles qui sont offertes, chacune présente des avantages et des inconvénients. La seule méthode contraceptive totalement efficace est l'**abstinence,** qui consiste à éviter les

Tableau 28.2 Taux d'échec de différentes méthodes de contraception

MÉTHODE	TAUX D'ÉCHEC*	
	Utilisation correcte†	*Utilisation typique*
Aucune	85 %	85 %
Abstinence totale	0 %	0 %
Stérilisation chirurgicale		
Vasectomie	0,10 %	0,15 %
Ligature des trompes	0,5 %	0,5 %
Méthodes hormonales		
Contraceptifs oraux	0,1 %	3 %‡
Norplant	0,3 %	0,3 %
Depo-Provera	0,05 %	0,05 %
Dispositif intra-utérin		
Copper T 380A	0,6 %	0,8 %
Spermicides	6 %	26 %‡
Barrières mécaniques		
Condom masculin	3 %	14 %‡
Condom féminin	5 %	21 %‡
Diaphragme	6 %	20 %‡
Abstinence périodique		
Méthode rythmique	9 %	25 %‡
Méthode symptothermique	2 %	20 %‡
Coït interrompu	4 %	18 %‡

* Pourcentage des femmes qui ont eu une grossesse non désirée au cours de la première année d'utilisation.
† Taux d'échec lorsque la méthode est utilisée correctement de façon continue.
‡ Inclut les couples qui oublient d'utiliser la méthode.

rapports sexuels. Nous décrivons ci-dessous la stérilisation chirurgicale, les méthodes hormonales, les dispositifs intra-utérins, les spermicides, les barrières mécaniques, l'abstinence périodique, le coït interrompu et l'avortement provoqué.

Le tableau 28.2 donne le taux d'échec de chacune de ces méthodes.

Stérilisation chirurgicale

La **stérilisation** est une intervention qui rend une personne incapable de se reproduire. Chez l'homme, la méthode le plus couramment utilisée est la **vasectomie**

(*ektomê* = ablation), qui consiste à sectionner une partie de chaque conduit déférent. On pratique une incision sur la face postérieure du scrotum, puis on localise les conduits. Chaque conduit est ligaturé en deux endroits et on enlève la portion entre ces deux points. Bien que la spermatogenèse se poursuive dans les testicules, les spermatozoïdes ne peuvent plus être expulsés vers l'extérieur; ils dégénèrent et sont détruits par phagocytose. Comme aucun vaisseau sanguin n'est rompu, les concentrations sanguines de testostérone restent normales, ce qui assure le maintien du désir sexuel et de la performance. Chez la femme, la méthode de stérilisation la plus courante est la **ligature des trompes,** dans laquelle les trompes utérines sont ligaturées et sectionnées pour empêcher le passage d'un ovocyte secondaire dans l'utérus et le contact entre les spermatozoïdes et l'ovocyte. La ligature des trompes diminue les risques de maladie inflammatoire pelvienne chez les femmes qui sont vulnérables aux infections transmises sexuellement, et peut également réduire les risques de cancer des ovaires.

Méthodes hormonales

Mis à part l'abstinence totale et la stérilisation chirurgicale, les méthodes hormonales constituent les moyens les plus sûrs de prévenir une grossesse. L'utilisation d'un **contraceptif oral** (la «pilule») pour ajuster les taux d'hormones permet d'intervenir dans la production des gamètes ou l'implantation d'un ovule fécondé dans l'utérus. Les contraceptifs oraux les plus populaires, de forme combinée, contiennent une concentration plus élevée de progestine (substance similaire à la progestérone) et une quantité plus faible d'œstrogènes. Ces deux hormones agissent par rétro-inhibition sur l'adénohypophyse dans le but de diminuer la sécrétion de FSH et de LH, de même que sur l'hypothalamus pour inhiber la sécrétion de GnRH. Les faibles concentrations de FSH et de LH empêchent normalement le développement des follicules ovariques ainsi que l'ovulation; la grossesse est alors impossible, car il n'y a aucun ovocyte secondaire à féconder. Même si l'ovulation a parfois lieu, les contraceptifs oraux altèrent la glaire cervicale et la rendent plus hostile aux spermatozoïdes.

Les avantages non contraceptifs de la pilule comprennent la régulation de la durée du cycle menstruel et la diminution du flux menstruel (et, par conséquent, du risque d'anémie). La pilule protège également contre les cancers de l'endomètre et de l'ovaire et réduit les risques d'endométriose. Elle n'est cependant pas recommandée aux femmes qui ont des problèmes de coagulation, des dommages vasculaires cérébraux, des migraines, de l'hypertension, une dysfonction hépatique ou une cardiopathie. Les femmes qui prennent la pilule et qui fument courent plus de risques de subir un infarctus du myocarde ou un accident vasculaire cérébral que celles qui ne fument pas. On leur conseille donc d'abandonner l'usage du tabac ou de choisir une autre méthode de contraception.

La **contraception post-coïtale,** ou «pilule du lendemain», est une méthode d'urgence nécessitant l'administration de deux pilules dans les 72 h suivant une relation sexuelle non protégée et de deux autres, 12 h plus tard. Elle réduit de 75% les risques de grossesse.

Les autres méthodes contraceptives hormonales offertes sont le Norplant, le Depo-Provera et l'anneau vaginal. Le dispositif **Norplant** est composé de six bâtonnets hormonaux que l'on implante sous la peau du bras sous anesthésie locale. Les bâtonnets libèrent peu à peu une progestine qui inhibe l'ovulation et épaissit la glaire cervicale. Les effets de Norplant durent cinq ans et ce dispositif est presque aussi fiable que la stérilisation. Le retrait des bâtonnets rétablit la fertilité. Administrée par voie intramusculaire tous les trois mois, la préparation **Depo-Provera** contient une hormone similaire à la progestérone qui empêche la maturation de l'ovule et modifie le revêtement de l'utérus pour diminuer les probabilités de grossesse. L'**anneau vaginal,** qui devrait faire son entrée sur le marché au début du nouveau millénaire, est un dispositif en forme de beignet qui s'insère dans le vagin et libère une progestine ou l'association progestine-œstrogène. La femme porte l'anneau pendant trois semaines et le retire la quatrième pour permettre la menstruation.

Les efforts déployés pour trouver une méthode de contraception masculine efficace ont échoué jusqu'à présent. On cherche à mettre au point une substance qui bloquerait la production de spermatozoïdes fonctionnels sans causer de troubles de l'érection.

Dispositifs intra-utérins

On entend par **dispositif intra utérin,** ou stérilet, tout objet de plastique, de cuivre ou d'acier inoxydable que l'on insère dans la cavité de l'utérus pour en modifier le revêtement et empêcher l'implantation d'un ovule fécondé. Aux États-Unis, le dispositif intra-utérin le plus utilisé actuellement est le Copper T 380A, qui peut servir pendant 10 ans et dont l'efficacité à long terme est comparable à celle de la ligature des trompes. Certaines femmes ne peuvent toutefois pas l'utiliser, car elles éprouvent des complications telles que l'expulsion du dispositif, des hémorragies ou de l'inconfort.

Spermicides

Les **spermicides** sont des agents qui détruisent les spermatozoïdes. Vendus en pharmacie sous forme de mousse, de crème, de gel, de suppositoire ou de douche vaginale, ils rendent le vagin et le col de l'utérus hostiles à la survie des spermatozoïdes. Le spermicide le plus couramment utilisé est le nonoxinol-9, une substance qui tue les spermatozoïdes en perturbant leur membrane plasmique. Le nonoxinol-9 a également pour effet d'inactiver le virus du SIDA et de diminuer l'incidence de la gonorrhée (décrite à la page 1078). L'utilisation combinée d'un spermicide et d'un diaphragme ou d'un condom accroît l'efficacité de cet agent.

Barrières mécaniques

Les **barrières mécaniques** sont conçues pour empêcher les spermatozoïdes d'atteindre la cavité de l'utérus et les trompes utérines. En plus de prévenir la grossesse, elles fournissent une certaine protection contre les maladies transmissibles sexuellement (MTS), comme l'infection par le VIH, contrairement aux contraceptifs oraux et aux dispositifs intra-utérins, qui n'offrent pas une telle protection. Le condom (versions masculine et féminine) et le diaphragme sont des barrières mécaniques.

Le **condom** (ou **préservatif**) **masculin** est une gaine de latex non poreux placée sur le pénis pour empêcher les spermatozoïdes de pénétrer dans les voies génitales de la femme. Le **condom féminin** se compose de deux anneaux souples unis par une gaine de polyuréthane. L'anneau qui se trouve à l'intérieur de la gaine est inséré sur le col de l'utérus, tandis que l'autre est placé à l'extérieur du vagin et recouvre les organes génitaux.

Le **diaphragme** est un dôme de caoutchouc fin qui se fixe sur le col de l'utérus; il est utilisé en association avec un spermicide. On peut insérer le diaphragme jusqu'à 6 h avant un rapport sexuel. Le diaphragme a pour fonction d'empêcher la plupart des spermatozoïdes de pénétrer dans le col de l'utérus, tandis que le spermicide tue ceux qui y parviennent. Bien que l'emploi d'un diaphragme diminue les risques de transmission de certaines MTS, il ne constitue pas une protection infaillible contre l'infection par le VIH.

Abstinence périodique

Le couple au fait des modifications physiologiques qui surviennent pendant le cycle de la reproduction chez la femme peut déterminer les jours de fertilité pendant lesquels il doit éviter le coït s'il ne désire pas avoir d'enfant ou planifier les rapports sexuels en fonction de ces jours s'il désire concevoir. Chez la femme dont le cycle menstruel est normal et régulier, ces phénomènes physiologiques aident à prédire le jour le plus probable de l'ovulation.

Mise au point dans les années 1930, la **méthode rythmique** (ou **du calendrier**) a été la première du genre. Elle tient compte du fait qu'un ovocyte secondaire n'est fécondable que pendant 24 h et n'est disponible que trois à cinq jours par cycle de reproduction. Au cours de cette période (trois jours avant l'ovulation, le jour de l'ovulation et trois jours après l'ovulation), le couple s'abstient de rapports sexuels. La méthode des rythmes est toutefois peu efficace, car de nombreuses femmes n'ont pas un cycle menstruel régulier.

D'autre part, pour utiliser la **méthode symptothermique,** le couple apprend à reconnaître et à comprendre les signes de fertilité et d'infertilité. Les signes d'ovulation comprennent l'augmentation de la température corporelle basale, la production d'une glaire cervicale claire et collante, l'abondance de glaire cervicale et la douleur associée à l'ovulation. Si le couple s'abstient de rapports sexuels pendant la période où ces signes se manifestent et trois jours après, les risques de grossesse diminuent. Cette méthode présente un inconvénient : la fécondation est très probable si le couple a des rapports sexuels jusqu'à deux jours *avant* l'ovulation.

Coït interrompu

Le **coït interrompu** est le retrait du pénis du vagin juste avant l'éjaculation. L'incapacité de retirer le pénis avant l'éjaculation ou l'émission précoce de liquide contenant du sperme par l'urètre sont les deux facteurs d'échec de cette méthode. De plus, elle ne protège pas contre les MTS.

Avortement provoqué

L'**avortement** est l'expulsion prématurée de l'utérus des produits de la conception, le plus souvent avant la 20e semaine de grossesse. L'avortement peut être spontané (avortement naturel, également appelé « fausse couche ») ou provoqué (intentionnel). Si aucune méthode de contraception n'a été utilisée ou que la méthode utilisée a échoué, on peut recourir à l'**avortement provoqué,** qui peut comprendre une aspiration (succion), l'infusion d'une solution saline ou une évacuation chirurgicale.

Certains médicaments, en particulier le RU 486, permettent de provoquer un avortement non chirurgical. La **mifépristone** (**RU 486**) est une antihormone qui bloque l'action de la progestérone, hormone qui prépare l'endomètre à l'implantation d'un ovule fécondé et maintient le revêtement de l'endomètre après l'implantation. Si les concentrations de progestérone chutent pendant la grossesse ou que l'action de cette hormone est inhibée, la menstruation est déclenchée et l'embryon est expulsé avec le revêtement de l'endomètre. La mifépristone occupe les sites récepteurs de la progestérone de l'endomètre. Dans les 12 h suivant son administration, l'endomètre commence à dégénérer et, en 72 h, l'expulsion commence. On administre par la suite une forme de prostaglandine E (misoprostol) qui stimule les contractions utérines pour faciliter l'expulsion de l'endomètre. La mifépristone peut être prise au cours des cinq semaines suivant la conception. Les saignements utérins figurent parmi ses effets secondaires. Elle est utilisée depuis plusieurs années en France, en Suède, au Royaume-Uni et en Chine.

1. Expliquez comment les contraceptifs oraux diminuent les risques de grossesse.
2. Pourquoi certaines méthodes contraceptives protègent-elles contre les MTS, et d'autres non ?

DÉVELOPPEMENT EMBRYONNAIRE DU SYSTÈME REPRODUCTEUR
OBJECTIF

- *Décrire le développement des systèmes reproducteurs de l'homme et de la femme.*

Les *gonades* se développent à partir du **mésoderme intermédiaire.** Durant la sixième semaine de gestation, elles apparaissent sous forme de saillies dans la cavité ventrale (figure 28.30). Elles sont adjacentes aux **conduits mésonéphrotiques,** ou canaux de Wolff, qui deviendront plus tard des structures du système reproducteur de l'homme. Une autre paire de canaux, les **conduits paramésonéphrotiques,** ou canaux de Müller, se forment de part et d'autre des conduits mésonéphrotiques et deviendront finalement des structures du système reproducteur de la femme. Ces deux groupes de conduits se jettent dans le sinus uro-génital. Le jeune embryon peut donc se développer en mâle ou en femelle, car il possède les deux types de conduits et ses gonades primitives peuvent se différencier soit en testicules, soit en ovaires.

Chaque cellule de l'embryon mâle possède un chromosome X et un chromosome Y. Chez l'embryon mâle, la différenciation est déclenchée par un gène « commutateur » du chromosome Y, appelé ***SRY*** (« Sex-determining Region of the Y chromosome », région du chromosome Y déterminant le sexe). Lorsque ce gène est activé, les cellules de Sertoli immatures commencent à se différencier pour former le tissu des gonades mâles, vers la septième semaine de développement. Ces cellules de Sertoli sécrètent alors l'**hormone antimüllérienne,** substance qui détruit les cellules dans les conduits paramésonéphrotiques si bien qu'elles ne contribuent à la formation d'aucune structure fonctionnelle du système reproducteur. Stimulées par la gonadotrophine chorionique (hCG), les cellules interstitielles des tissus gonadiques commencent à sécréter un androgène, la **testostérone,** pendant la huitième semaine de gestation. La testostérone stimule ensuite la transformation de chaque conduit mésonéphrotique en un *épididyme,* un *conduit déférent,* un *conduit éjaculateur* et une *vésicule séminale.* Les *testicules* communiquent avec le conduit mésonéphrotique par une série de tubules qui deviendront les *tubules séminifères.* La *prostate* et les *glandes bulbo-urétrales* sont des excroissances **endodermiques** de l'urètre.

Chez l'embryon femelle, les cellules possèdent deux chromosomes X mais aucun chromosome Y. Si le gène *SRY* est absent, les gonades se transforment en *ovaires* et l'absence d'hormone antimüllérienne favorise la croissance des conduits paramésonéphrotiques. Les extrémités distales des conduits

Figure 28.30 Développement des organes génitaux internes.

Les gonades se développent à partir du mésoderme intermédiaire.

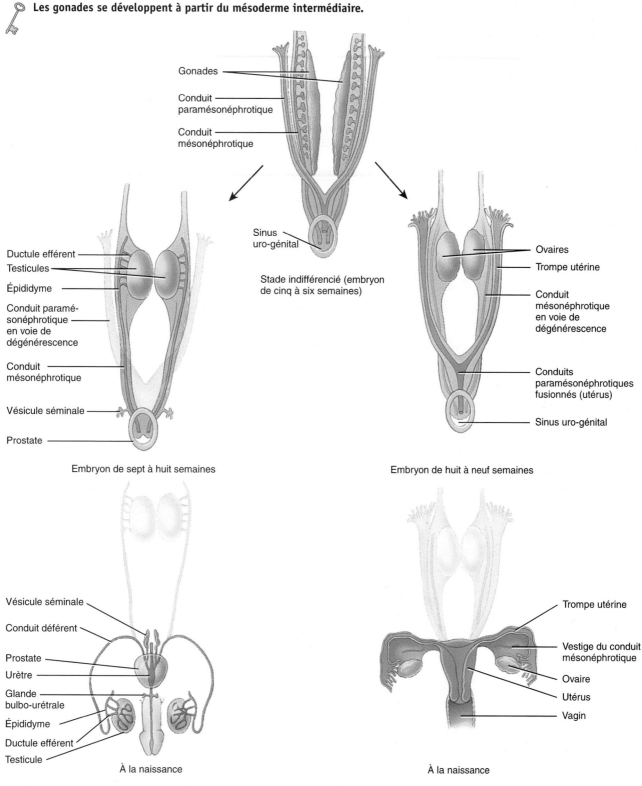

Gonades

Conduit paramésonéphrotique

Conduit mésonéphrotique

Sinus uro-génital

Stade indifférencié (embryon de cinq à six semaines)

Ductule efférent
Testicules
Épididyme
Conduit paramésonéphrotique en voie de dégénérescence
Conduit mésonéphrotique
Vésicule séminale
Prostate

Embryon de sept à huit semaines

Ovaires
Trompe utérine
Conduit mésonéphrotique en voie de dégénérescence
Conduits paramésonéphrotiques fusionnés (utérus)
Sinus uro-génital

Embryon de huit à neuf semaines

Vésicule séminale
Conduit déférent
Prostate
Urètre
Glande bulbo-urétrale
Épididyme
Ductule efférent
Testicule

À la naissance

DÉVELOPPEMENT DES ORGANES GÉNITAUX MASCULINS

Trompe utérine
Vestige du conduit mésonéphrotique
Ovaire
Utérus
Vagin

À la naissance

DÉVELOPPEMENT DES ORGANES GÉNITAUX FÉMININS

 Quel est le gène responsable de la transformation des gonades en testicules ?

Figure 28.31 Développement des organes génitaux externes.

Les organes génitaux externes des embryons de sexe masculin et féminin demeurent indifférenciés jusqu'à la huitième semaine de gestation environ.

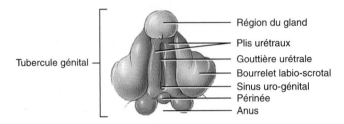

Région du gland
Plis urétraux
Gouttière urétrale
Bourrelet labio-scrotal
Sinus uro-génital
Périnée
Anus

Tubercule génital

Stade indifférencié (embryon de cinq semaines environ)

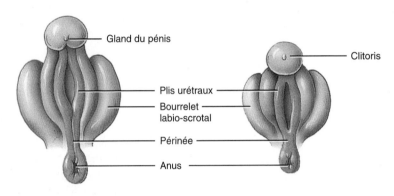

Gland du pénis

Clitoris

Plis urétraux
Bourrelet labio-scrotal
Périnée
Anus

Embryon de 10 semaines

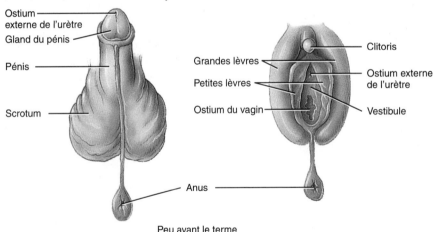

Ostium externe de l'urètre
Gland du pénis
Pénis
Scrotum

Grandes lèvres
Petites lèvres
Ostium du vagin

Clitoris
Ostium externe de l'urètre
Vestibule

Anus

Peu avant le terme

DÉVELOPPEMENT
DE L'EMBRYON MÂLE

DÉVELOPPEMENT
DE L'EMBRYON FEMELLE

Q Quelle est l'hormone responsable de la différenciation des organes génitaux externes ?

paramésonéphrotiques fusionnent pour former l'*utérus* et le *vagin,* tandis que les portions proximales non fusionnées deviennent les *trompes utérines.* Les conduits mésonéphrotiques dégénèrent sans avoir contribué à la formation du système reproducteur de la femme, car la testostérone est absente. Les *glandes vestibulaires majeures* et *mineures* se forment à partir d'excroissances **endodermiques** du vestibule du vagin.

Les *organes génitaux externes* des embryons de sexe masculin et féminin sont indifférenciés jusqu'à la huitième semaine de gestation. Avant la différenciation, tous les embryons possèdent une proéminence médiane, appelée **tubercule génital** (figure 28.31), composée d'une **gouttière urétrale** (orifice dans le sinus uro-génital), de **plis urétraux** pairs et de **bourrelets labio-scrotaux** pairs.

Chez l'embryon de sexe masculin, une certaine quantité de testostérone est convertie pour former un deuxième androgène, la **dihydrotestostérone** (**DHT**), qui stimule le développement de l'urètre, de la prostate et des organes génitaux externes (scrotum et pénis). Une partie du tubercule génital s'allonge et devient le pénis. La fusion des plis urétraux produit la *partie spongieuse de l'urètre* et laisse une ouverture uniquement à l'extrémité distale du pénis, *l'ostium externe de l'urètre*. Les bourrelets labio-scrotaux deviennent le *scrotum*. En l'absence de DHT, le tubercule génital donne naissance au *clitoris* chez l'embryon de sexe féminin. Les plis urétraux ne fusionnent pas et forment les *petites lèvres*, tandis que les bourrelets labio-scrotaux deviennent les *grandes lèvres*. La gouttière urétrale donne le *vestibule du vagin*. Après la naissance, les concentrations d'androgène diminuent, car la gonadotrophine chorionique n'est plus là pour stimuler la sécrétion de testostérone.

APPLICATION CLINIQUE
Déficience en 5-alpha-réductase

Une anomalie congénitale rare entraîne une déficience en 5-alpha-réductase, l'enzyme qui convertit la testostérone en dihydrotestostérone. À la naissance, le bébé présente tous les traits extérieurs d'une fille, puisqu'il n'y a pas eu de dihydrotestostérone pendant son développement. Lorsque les concentrations de testostérone augmentent à la puberté, les caractères sexuels masculins commencent à se manifester et les seins ne se développent pas. Un examen interne révèle la présence de testicules et de structures normalement issues du conduit mésonéphrotique (épididyme, conduit déférent, vésicule séminale et conduit éjaculateur) plutôt que d'ovaires et d'un utérus. ◼

1. Décrivez le rôle des hormones dans la différenciation des gonades, des conduits mésonéphrotiques, des conduits paramésonéphrotiques et des organes génitaux externes.

VIEILLISSEMENT DU SYSTÈME REPRODUCTEUR

OBJECTIF

• *Décrire les effets du vieillissement sur le système reproducteur.*

Avant l'âge de 10 ans, le système reproducteur est à l'état juvénile. Il subit ensuite diverses modifications dictées par les hormones. La **puberté** est la période de la vie qui marque l'apparition des caractères sexuels secondaires et le début de la période où la reproduction est possible.

Chez la femme, le cycle de la reproduction se déroule normalement une fois par mois à partir de la première menstruation, appelée **ménarche**, jusqu'à la **ménopause**, période où la menstruation cesse définitivement. Entre 40 et 50 ans, la réserve de follicules ovariques s'épuise, ce qui a pour effet de diminuer la réponse des ovaires à la stimulation hormonale ainsi que la production d'œstrogènes, en dépit de la sécrétion abondante de FSH et de LH par l'adénohypophyse. De plus, certains changements touchant le mode de libération de la GnRH peuvent contribuer aux bouleversements de la ménopause. Certaines femmes ont des bouffées de chaleur et transpirent abondamment, signes que la libération de GnRH a augmenté. Les maux de tête, la perte de cheveux, les douleurs musculaires, l'assèchement du vagin, l'insomnie, la dépression, le gain pondéral et les sautes d'humeur figurent parmi les autres symptômes de la ménopause. Après la ménopause, les ovaires, les trompes utérines, l'utérus, le vagin, les organes génitaux externes et les seins s'atrophient. La baisse de la concentration d'œstrogènes favorise parfois l'ostéoporose. Le désir sexuel (libido) demeure toutefois constant, probablement grâce à l'effet des corticostéroïdes sexuels.

Entre la ménarche et la ménopause, le système reproducteur de la femme a une fécondité limitée dans le temps. La fécondité diminue avec l'âge, car le nombre de follicules ovariques, la fréquence de l'ovulation et la capacité des trompes utérines et de l'utérus à soutenir un jeune embryon suivent une courbe descendante. L'incidence du cancer de l'utérus est optimale vers l'âge de 65 ans, tandis que le cancer du col de l'utérus frappe davantage les femmes plus jeunes.

Chez l'homme, le déclin de la fonction reproductive est beaucoup moins marqué. Un homme en bonne santé peut rester fertile jusqu'à l'âge de 80 ans, parfois plus longtemps. Vers 55 ans, la diminution de la synthèse de la testostérone entraîne une baisse de la force musculaire, du nombre de spermatozoïdes viables et du désir sexuel. Cependant, même chez les hommes âgés, les spermatozoïdes restent parfois abondants.

Environ un tiers des hommes âgés de plus de 60 ans voient leur prostate augmenter de volume pour atteindre de deux à quatre fois sa taille normale. L'**hypertrophie prostatique bénigne** est caractérisée par des mictions fréquentes, la nocturie, l'hésitation à la miction, la diminution de la force du jet urinaire, l'incontinence postmictionnelle et la sensation de miction incomplète.

1. Nommez quelques-uns des changements qui surviennent chez l'homme et la femme à la puberté.

2. Faites la distinction entre la ménarche et la ménopause.

DÉSÉQUILIBRES HOMÉOSTATIQUES

MALADIES TRANSMISSIBLES SEXUELLEMENT

Une **maladie transmissible sexuellement** (**MTS**) est une maladie qui peut être transmise lors d'un contact sexuel. Dans la plupart des pays développés, comme ceux de l'Union européenne, le Japon, l'Australie et la Nouvelle-Zélande, l'incidence des MTS a considérablement diminué au cours des 25 dernières années. Aux États-Unis, cependant, les MTS connaissent une hausse qui frise l'épidémie, en particulier au sein des populations urbaines. Le SIDA et l'hépatite B, deux MTS qui peuvent se transmettre par d'autres voies, sont décrits aux chapitres 22 et 24, respectivement.

Infection à Chlamydia

L'**infection à Chlamydia** est une MTS causée par la bactérie *Chlamydia trachomatis* (*khlamus* = manteau). Cette bactérie inusitée est incapable de se reproduire à l'extérieur des cellules de l'organisme ; elle vit aux dépens des cellules et s'y divise. À l'heure actuelle, l'infection à *Chlamydia* est la MTS la plus fréquente aux États-Unis ; elle atteint de trois à cinq millions de personnes et cause la stérilité chez plus de 20 000 jeunes hommes et femmes chaque année.

Dans la plupart des cas, l'infection est asymptomatique au départ et donc difficile à diagnostiquer. Chez l'homme, elle cause l'urétrite, inflammation caractérisée par un écoulement clair, une brûlure à la miction, et des mictions fréquentes et douloureuses. En l'absence de traitement, l'infection peut atteindre l'épididyme et rendre l'homme stérile. Par ailleurs, 70 % des femmes atteintes de l'infection à *Chlamydia* ne présentent aucun symptôme, mais la bactérie est la principale cause de maladies inflammatoires pelviennes. De plus, les trompes utérines peuvent être atteintes, ce qui augmente le risque de grossesse ectopique (implantation d'un ovule fécondé à l'extérieur de l'utérus) et d'infertilité, car du tissu cicatriciel se forme dans les trompes.

Gonorrhée

L'agent causal de la **gonorrhée** est la bactérie *Neisseria gonorrhoeæ*. Aux États-Unis, on dénombre de un à deux millions de nouveaux cas chaque année, principalement au sein de la population âgée de 15 à 19 ans. La bactérie se transmet par l'écoulement de pus des muqueuses infectées, pendant un contact sexuel ou lors du passage d'un bébé dans les voies génitales. Le siège de l'infection peut se trouver dans la bouche et la gorge lorsqu'il y a eu contact buccogénital, dans le vagin et le pénis après un rapport sexuel génital ou dans le rectum à la suite d'un rapport sexuel rectogénital.

Les hommes sont souvent atteints d'une urétrite accompagnée d'un écoulement abondant de pus et de mictions douloureuses. La prostate et l'épididyme sont parfois aussi infectés. Chez la femme, l'infection siège habituellement dans le vagin et occasionne souvent l'écoulement de pus. Les hommes comme les femmes peuvent être asymptomatiques tant que l'infection n'a pas atteint un stade plus avancé (environ 5 à 10 % des hommes et 50 % des femmes). Chez la femme, l'infection et l'inflammation subséquente peuvent s'étendre du vagin à l'utérus, aux trompes utérines et à la cavité pelvienne. Aux États-Unis, on estime que 50 000 à 80 000 femmes deviennent stériles chaque année à cause d'une gonorrhée qui a provoqué la formation de tissu cicatriciel dans les trompes utérines. Si la bactérie présente dans le canal génital est transmise aux yeux d'un nouveau-né,

elle peut causer la cécité. L'administration d'une solution de nitrate d'argent à 1 % dans les yeux du nourrisson permet de prévenir l'infection.

Syphilis

Causée par la bactérie *Treponema pallidum*, la **syphilis** se transmet lors d'un contact sexuel ou d'une transfusion sanguine, ou encore par le placenta (de la mère au fœtus). L'infection évolue en plusieurs phases. Durant la *phase primaire*, le principal signe est le **chancre**, plaie ouverte indolore au point de contact. Le chancre se cicatrise en une à cinq semaines. Entre 6 et 24 semaines plus tard, divers signes et symptômes, tels qu'une éruption cutanée, de la fièvre et des douleurs continues dans les articulations et les muscles, annoncent la *phase secondaire*, pendant laquelle l'infection se propage dans les principaux systèmes de l'organisme. Lorsqu'il y a signe de dégénérescence organique, l'infection a atteint la *phase tertiaire*. Si le système nerveux est atteint, la phase tertiaire porte le nom de **neurosyphilis.** Les lésions aux aires motrices vont en s'accentuant et les personnes atteintes sont parfois incapables de retenir leur urine et leurs selles, ce qui peut entraîner une immobilisation complète au lit et l'incapacité de s'alimenter seul. Les lésions du cortex cérébral provoquent l'amnésie et des changements de personnalité allant de l'irritabilité aux hallucinations.

Herpès génital

L'**herpès génital** est une MTS incurable. L'herpès simplex virus de type 2 (HSV2) cause des infections génitales qui produisent des lésions douloureuses sur le prépuce, le gland du pénis et le corps du pénis chez l'homme, et sur la vulve ou dans le haut du vagin chez la femme. Dans la plupart des cas, les lésions disparaissent et réapparaissent, sans que le virus quitte l'organisme. L'herpès simplex virus de type 1 (HSV1) est une affection apparentée qui cause des boutons de fièvre sur la bouche et les lèvres. Les personnes infectées voient souvent ces symptômes resurgir plusieurs fois par année.

TROUBLES DU SYSTÈME REPRODUCTEUR DE L'HOMME

Cancer du testicule

Bien que le **cancer du testicule** soit le cancer le plus fréquent chez les hommes âgés entre 20 et 35 ans, il est également celui dont le taux de guérison est le plus élevé. Plus de 95 % des cancers du testicule se forment à partir de cellules spermatogéniques dans les tubules séminifères. Un des premiers signes est une masse habituellement indolore dans le testicule, souvent accompagnée d'une sensation de lourdeur dans le testicule ou d'une douleur sourde dans le bas-ventre. Tous les hommes devraient pratiquer régulièrement l'autoexamen des testicules.

Troubles de la prostate

Comme la prostate entoure une partie de l'urètre, toute infection, hypertrophie ou tumeur qui l'affecte peut obstruer l'écoulement de l'urine. Les infections aiguës et chroniques de la prostate sont fréquentes après la puberté et s'accompagnent souvent d'une inflammation de l'urètre. Dans les cas de **prostatite aiguë,** la prostate enfle et devient douloureuse. La **prostatite chronique** est l'une des infections chroniques les plus fréquentes qui touchent les hommes à partir de l'âge adulte moyen jusque dans la vieillesse; à l'examen, la prostate est hypertrophiée, molle et très sensible, et sa surface présente des irrégularités.

Le **cancer de la prostate** est celui qui cause le plus de décès chez les hommes aux États-Unis; il a détrôné le cancer du poumon en 1991. Chaque année, il frappe près de 200 000 hommes américains et cause 40 000 décès. Une épreuve sanguine permet de mesurer la concentration d'antigène prostatique spécifique (PSA) dans le sang. Produit uniquement par les cellules épithéliales de la prostate, cet antigène devient plus abondant lorsque la prostate s'hypertrophie, ce qui peut indiquer une infection, une hypertrophie bénigne ou un cancer de la prostate. L'American Cancer Society recommande aux hommes de plus de 40 ans de passer une fois par année l'examen du **toucher rectal,** pendant lequel le médecin palpe la prostate. De nombreux médecins préconisent également un examen de dépistage annuel de l'antigène prostatique spécifique chez les hommes de plus de 50 ans. Le traitement du cancer de la prostate peut comprendre une intervention chirurgicale, une radiothérapie, l'administration d'hormones et une chimiothérapie. L'évolution de la maladie étant très lente, certains urologues préfèrent attendre avant de traiter les petites tumeurs chez les patients âgés de plus de 70 ans.

TROUBLES DU SYSTÈME REPRODUCTEUR DE LA FEMME

Syndrome prémenstruel

Le **syndrome prémenstruel** (SPM) regroupe plusieurs manifestations physiques et émotionnelles graves qui coïncident avec la phase postovulatoire (lutéale) du cycle de la reproduction chez la femme. Les signes et symptômes s'intensifient jusqu'au moment de la menstruation, puis disparaissent brusquement. Ils varient beaucoup d'une femme à l'autre, et peuvent comprendre un œdème, un gain pondéral, des seins gonflés et sensibles, une distension abdominale, des maux de dos, des douleurs articulaires, la constipation, des éruptions cutanées, la fatigue et la léthargie, un plus grand besoin de sommeil, la dépression ou l'anxiété, l'irritabilité, les sautes d'humeur, des maux de tête, une baisse de la coordination, de la maladresse et une envie intense de manger des aliments sucrés ou salés. La physiopathologie du SPM est inconnue. Chez certaines femmes, l'exercice régulier de même que le fait d'éviter la caféine, le sel et l'alcool et de consommer des glucides complexes et des protéines maigres apportent un grand soulagement. Le SPM ne commence qu'après l'ovulation, ce qui fait des contraceptifs oraux un traitement efficace pour les femmes qui présentent des symptômes incapacitants.

Endométriose

L'**endométriose** (*endon* = en dedans; *mêtra* = matrice; *ose* = maladie non inflammatoire) se caractérise par la croissance de tissu endométrial à l'extérieur de l'utérus. Ce tissu pénètre dans la cavité pelvienne par les trompes utérines ouvertes et peut se loger en plusieurs endroits: dans les ovaires, le cul-de-sac recto-utérin, la surface externe de l'utérus, le côlon sigmoïde, les nœuds lymphatiques pelviens et abdominaux, le col de l'utérus, la paroi abdominale, les reins et la vessie. Quelle que soit sa situation – à l'intérieur ou à l'extérieur de l'utérus –, ce tissu réagit aux fluctuations hormonales en proliférant, puis en se dégradant, ce qui occasionne des saignements causant une inflammation, de la douleur, la formation de tissu cicatriciel et l'infertilité. Les symptômes de l'endométriose sont des douleurs prémenstruelles ou des douleurs menstruelles anormalement intenses.

Cancer du sein

Aux États-Unis, le **cancer du sein** guette une femme sur huit. Il vient au deuxième rang des causes de décès chez les femmes américaines, après le cancer du poumon, et touche rarement les hommes. Le cancer du sein apparaît rarement avant l'âge de 30 ans, et son incidence croît rapidement après la ménopause. On estime que 5 % des 180 000 cas diagnostiqués chaque année aux États-Unis, en particulier chez de jeunes femmes, découlent de mutations génétiques héréditaires (modifications de l'ADN). Des chercheurs ont isolé deux gènes qui augmentent la vulnérabilité au cancer du sein: les gènes *BRCA1* (*breast cancer 1*) et *BRCA2*. La mutation de *BRCA1* augmente également le risque du cancer de l'ovaire. De plus, les mutations du gène *p53* augmentent le risque du cancer du sein tant chez l'homme que chez la femme et les mutations du gène récepteur d'androgènes sont associées à l'apparition du cancer du sein chez certains hommes. Bien que le cancer du sein reste habituellement indolore tant qu'il n'a pas atteint un stade avancé, il est recommandé de signaler immédiatement toute masse palpée sur un sein, même si elle est petite. Le dépistage précoce par l'autoexamen des seins et la mammographie constitue le meilleur moyen d'augmenter les chances de survie.

La technique la plus efficace pour détecter les tumeurs de moins de 1 cm de diamètre est la **mammographie** (*graphein* = écrire), une forme d'examen radiographique utilisant une pellicule très sensible. On comprime le sein entre deux plateaux pour obtenir une image appelée **mammogramme.** On complète parfois l'évaluation par une **échographie.** Bien que cette méthode d'exploration ne puisse pas détecter les tumeurs dont le diamètre est inférieur à 1 cm, elle permet d'évaluer les masses pour déterminer s'il s'agit de kystes bénins remplis de liquide ou de tumeurs solides (possiblement malignes).

Les facteurs qui augmentent les risques de cancer du sein comprennent 1) des antécédents familiaux de cancer du sein, surtout chez la mère ou une sœur, 2) la nulliparité (ne pas avoir eu d'enfant) ou une première grossesse menée à terme après 35 ans, 3) un cancer antérieur dans un sein, 4) l'exposition à des rayonnements ionisants tels que les rayons X, 5) une trop grande consommation d'alcool et 6) le tabagisme.

L'American Cancer Society recommande de prendre les mesures suivantes pour favoriser le dépistage précoce du cancer du sein:

- Toutes les femmes de plus de 20 ans doivent prendre l'habitude d'effectuer une fois par mois l'autoexamen des seins.

- Les femmes âgées de 20 à 40 ans doivent faire examiner leurs seins par un médecin tous les trois ans, et tous les ans lorsqu'elles franchissent le cap des 40 ans.

- Les femmes âgées de 35 à 39 ans doivent subir une première mammographie qui servira de point de comparaison ultérieur.

- Les femmes âgées de 40 à 49 ans qui n'ont aucun symptôme doivent subir une mammographie tous les ans ou tous les deux ans, et tous les ans après 50 ans.

- Les femmes de tout âge qui ont déjà eu un cancer du sein, qui ont des antécédents familiaux marqués de la maladie ou qui présentent d'autres facteurs de risque doivent consulter un médecin pour subir une mammographie à intervalles déterminés.

Le traitement du cancer du sein peut comprendre l'administration d'hormones, une chimiothérapie, une radiothérapie, une **tumorectomie** (résection de la tumeur et du tissu adjacent immédiat), une mastectomie radicale modifiée ou radicale, ou une combinaison de ces soins. La **mastectomie radicale** (*mastos* = mamelle) est l'ablation du sein atteint ainsi que des muscles pectoraux sous-jacents et des nœuds lymphatiques axillaires (la métastase des cellules cancéreuses se produit habituellement dans les vaisseaux lymphatiques ou sanguins). On fait suivre l'intervention chirurgicale d'une radiothérapie et d'une chimiothérapie afin de s'assurer de la destruction de toutes les cellules cancéreuses dispersées. Dans certains cas de cancer du sein métastatique, l'Herceptin, un anticorps monoclonal qui cible un antigène à la surface des cellules cancéreuses du sein, peut faire régresser les tumeurs et retarder l'évolution de la maladie. On trouve maintenant sur le marché deux autres médicaments destinés à prévenir le cancer du sein en réduisant son incidence, le tamoxifène (Nolvadex) et le raloxifène (Evista).

Cancer de l'ovaire

Bien que le cancer de l'ovaire occupe le sixième rang au nombre des cancers chez la femme, il représente la principale cause de décès parmi toutes les tumeurs malignes des organes génitaux (à l'exception du cancer du sein), car il est difficile à dépister avant que les métastases se propagent au-delà des ovaires. Les facteurs de risque liés au cancer de l'ovaire comprennent l'âge (plus de 50 ans), la race (femmes blanches), les antécédents familiaux de cancer de l'ovaire, plus de 40 années d'ovulation active, la nulliparité ou une première grossesse après l'âge de 30 ans, un régime alimentaire riche en gras, faible en fibres et carencé en vitamine A et l'exposition prolongée à l'amiante et au talc. Au début, le cancer de l'ovaire n'occasionne aucun symptôme ou seulement des symptômes légers que l'on associe à d'autres problèmes de santé courants (malaise abdominal, brûlures d'estomac, nausées, perte d'appétit, ballonnements et flatulence). Les signes et symptômes qui coïncident avec les stades plus avancés de la maladie comprennent l'hypertrophie de l'abdomen, des douleurs abdominales ou pelviennes, des troubles gastro-intestinaux persistants, des complications urinaires, des irrégularités menstruelles et un flux menstruel abondant.

Cancer du col de l'utérus

Le **cancer du col de l'utérus** commence par une **dysplasie cervicale,** c'est-à-dire un changement dans la forme, la croissance et le nombre des cellules cervicales. Dans les cas les moins graves, les cellules peuvent redevenir normales mais si les modifications sont plus sérieuses elles peuvent évoluer vers un cancer. La plupart du temps, on dépiste le cancer du col de l'utérus dès les premiers stades au moyen d'une cytologie cervico-vaginale. Il est possible que le cancer du col de l'utérus soit lié au virus qui cause des verrues génitales (virus du papillome humain). Les risques augmentent chez les femmes qui ont de nombreux partenaires sexuels, qui ont leurs premiers rapports sexuels à un jeune âge et qui fument.

Candidose vulvo-vaginale

Le *Candida albicans* est un champignon levuriforme qui croît habituellement sur les muqueuses des voies digestives et génito-urinaires. Il cause la **candidose vulvo-vaginale,** la forme la plus courante de vaginite, ou inflammation du vagin. La candidose vulvo-vaginale se caractérise par des démangeaisons intenses, un écoulement vaginal jaune, épais et caséeux, une odeur de levure et des douleurs. Elle atteint environ 75 % des femmes au moins une fois dans leur vie, et découle de la prolifération de champignons provoquée par des antibiotiques visant à traiter une autre maladie. Les facteurs prédisposants comprennent la prise de contraceptifs oraux ou de médicaments de type cortisonique, une grossesse et le diabète.

TERMES MÉDICAUX

Castration Ablation, inactivation ou destruction des gonades ; ce terme est habituellement employé pour décrire l'excision des testicules seulement.

Culdoscopie (*skopein* = examiner) Examen visuel de la cavité pelvienne pratiqué au moyen d'un culdoscope (endoscope) inséré dans le vagin.

Curetage endocervical Opération consistant à dilater le col de l'utérus et à racler l'endomètre à l'aide d'une curette, instrument en forme de cuillère à bords tranchants.

Épisiotomie (*epision* = pubis ; *tomê* = section) Incision pratiquée dans le périnée à l'aide de ciseaux chirurgicaux au moment de l'accouchement dans le but de prévenir l'étirement excessif ou les déchirures ; l'incision agrandit l'ouverture du vagin afin de ménager un passage suffisant pour le fœtus ; dans les faits, cette intervention remplace les déchirures irrégulières qui pourraient se produire par une incision droite plus facile à suturer.

Hermaphrodisme Présence d'organes génitaux de sexe masculin et féminin chez une même personne.

Hypospadias (*hupo* = en deçà ; *span* = déchirer) Anomalie de position de l'ostium de l'urètre ; chez l'homme, l'ostium peut se trouver sur la face inférieure du pénis, à la jonction du pénis et du scrotum, entre les plis du scrotum ou dans le périnée ; chez la femme, l'urètre peut s'ouvrir dans le vagin.

Kyste de l'ovaire Forme la plus courante de tumeur de l'ovaire, caractérisée par un follicule rempli de liquide ou un corps jaune qui continue de croître.

Leucorrhée (*leukos* = blanc ; *rhein* = couleur) Écoulement vaginal blanchâtre (exempt de sang) susceptible de se produire à tout âge chez la majorité des femmes.

Maladie inflammatoire pelvienne Terme désignant l'ensemble des infections bactériennes étendues touchant les organes pelviens, en particulier l'utérus, les trompes utérines et les ovaires. Elle se caractérise par un endolorissement pelvien, des douleurs lombaires, des douleurs abdominales et une urétrite. Les symptômes précoces de la maladie inflammatoire pelvienne apparaissent souvent juste après la menstruation. À mesure que l'infection se propage, elle peut occasionner de la fièvre et des abcès douloureux dans les organes génitaux.

Ovariectomie Ablation des ovaires.

Salpingectomie (*salpiggos* = trompe) Ablation d'une trompe utérine.

Smegma Sécrétion blanchâtre, produit de la desquamation de cellules épithéliales, observée principalement autour des organes génitaux externes, en particulier en dessous du prépuce chez l'homme.

RÉSUMÉ

CYCLE CELLULAIRE DANS LES GONADES (p. 1036)

1. La reproduction est le processus par lequel un organisme engendre sa descendance, et le matériel génétique est transmis d'une génération à la suivante.

2. Les organes génitaux comprennent les gonades (qui produisent les gamètes), les conduits (qui transportent et emmagasinent les gamètes), les glandes sexuelles annexes (qui produisent les substances de soutien des gamètes) et les organes de soutien (qui jouent divers rôles dans la reproduction).

3. Les gamètes contiennent le nombre haploïde (*n*) de chromosomes, et la plupart des cellules somatiques contiennent le nombre diploïde (*2n*) de chromosomes.

4. La méiose permet la production de gamètes haploïdes ; elle se déroule en deux étapes successives de divisions nucléaires appelées méiose I et méiose II.

5. Durant la méiose I, les chromosomes homologues sont soumis au synapsis (appariement) et à l'enjambement ; son résultat net est la création de deux cellules filles haploïdes génétiquement distinctes l'une de l'autre et de la cellule mère qui les a engendrées.

6. Durant la méiose II, les deux cellules filles haploïdes se divisent pour former quatre cellules haploïdes.

SYSTÈME REPRODUCTEUR DE L'HOMME (p. 1038)

1. Les organes du système reproducteur de l'homme comprennent les testicules, l'épididyme, le conduit déférent, le conduit éjaculateur, l'urètre, les vésicules séminales, la prostate, les glandes bulbo-urétrales et le pénis.

2. Le scrotum est un sac de peau lâche et de fascia superficiel suspendu à la racine du pénis ; il soutient les testicules.

3. Les muscles crémaster et dartos régissent la température des testicules ; en se contractant, ils les élèvent et les rapprochent de la cavité pelvienne, et en se détendant, ils les en éloignent.

4. Situés dans le scrotum, les testicules sont des glandes ovales paires (gonades) contenant les tubules séminifères, où a lieu la production des cellules spermatogéniques, les cellules de Sertoli, qui nourrissent les cellules spermatogéniques et sécrètent l'inhibine, et les cellules interstitielles, qui produisent la testostérone, l'hormone sexuelle masculine.

5. Les testicules descendent dans le scrotum par les canaux inguinaux durant le septième mois de développement fœtal. Il y a cryptorchidie quand les testicules ne descendent pas dans le scrotum.

6. Les ovocytes secondaires et les spermatozoïdes, appelés gamètes, sont produits dans les gonades.

7. La spermatogenèse, qui se déroule dans les testicules, est le processus par lequel les spermatogonies immatures se transforment en spermatozoïdes matures. Les étapes de la spermatogenèse (méiose I, méiose II et spermiogenèse) donnent lieu à la formation de quatre spermatozoïdes haploïdes issus de chaque spermatocyte primaire.

8. Le spermatozoïde mature comprend une tête, une pièce intermédiaire et une queue. Sa fonction est de féconder un ovocyte secondaire.

9. À la puberté, la GnRH stimule la sécrétion de la FSH et la LH par l'adénohypophyse. La LH stimule la production de testostérone ; la FSH et la testostérone stimulent la spermatogenèse. Les cellules de Sertoli sécrètent l'ABP (« androgen-binding protein »), qui se lie à la testostérone et demeure en concentrations élevées dans le tubule séminifère.

10. La testostérone régit la croissance, le développement et le maintien des organes sexuels. Elle stimule la croissance des os, l'anabolisme des protéines et la maturation des spermatozoïdes, de même que le développement des caractères sexuels secondaires de l'homme.

11. Produite par les cellules de Sertoli, l'inhibine inhibe la sécrétion de FSH et diminue ainsi la spermatogenèse.

12. Les conduits des testicules comprennent les tubules séminifères, les tubules droits et le rété testis. Les spermatozoïdes sortent des testicules par les ductules efférents.

13. Le conduit épididymaire est le siège de la maturation et du stockage des spermatozoïdes.

14. Le conduit déférent emmagasine les spermatozoïdes et les propulse vers l'urètre pendant l'éjaculation.

15. Chaque conduit éjaculateur, formé par l'union du conduit d'une vésicule séminale et de l'ampoule du conduit déférent, sert de passage aux spermatozoïdes et aux sécrétions des vésicules séminales qui sont expulsés dans la partie prostatique de l'urètre.

16. L'urètre masculin se divise en trois parties : la partie prostatique, la partie membranacée et la partie spongieuse.

17. Les vésicules séminales sécrètent un liquide alcalin visqueux qui constitue environ 60 % du volume du sperme et contribue à la viabilité des spermatozoïdes.

18. La prostate sécrète un liquide laiteux légèrement acide qui constitue environ 25 % du volume du sperme et contribue à la mobilité des spermatozoïdes.

19. Les glandes bulbo-urétrales sécrètent un mucus lubrifiant et une substance alcaline qui neutralise l'acidité de l'urine.

20. Le sperme est un mélange de spermatozoïdes et de liquide séminal ; il transporte les spermatozoïdes, fournit des nutriments et neutralise l'acidité de l'urètre masculin et du vagin.

21. Le pénis est formé d'un corps, d'une racine et d'un gland.

22. L'afflux de sang dans les sinus sanguins du pénis provoqué par l'excitation sexuelle est appelé érection.

SYSTÈME REPRODUCTEUR DE LA FEMME (p. 1052)

1. Les organes génitaux de la femme comprennent les ovaires (gonades), les trompes utérines, l'utérus, le vagin et la vulve.

2. Les glandes mammaires font également partie du système reproducteur de la femme.

3. Les ovaires (gonades de la femme) sont situés dans la partie supérieure de la cavité pelvienne, de part et d'autre de l'utérus.

4. Les ovaires produisent des ovocytes secondaires et les expulsent (processus de l'ovulation), ils sécrètent les œstrogènes, la progestérone, la relaxine et l'inhibine.

5. L'ovogenèse (production d'ovocytes secondaires haploïdes) commence dans les ovaires. Ses étapes, qui comprennent la méiose I et la méiose II, sont terminées seulement après qu'un ovocyte secondaire ovulé a été fécondé par un spermatozoïde.

6. Les trompes utérines transportent les ovocytes secondaires des ovaires jusqu'à l'utérus et sont le siège normal de la fécondation. Des cellules ciliées et des contractions péristaltiques favorisent le mouvement de l'ovocyte secondaire ou de l'ovule fécondé vers l'utérus.

7. L'utérus est un organe de la grosseur et de la forme d'une poire renversée ; il est le siège de la menstruation, de l'implantation d'un ovule fécondé, du développement du fœtus durant la grossesse ainsi que de l'accouchement. Il fait également partie du parcours des spermatozoïdes qui cheminent vers les trompes utérines pour féconder un ovocyte secondaire. Normalement, l'utérus est maintenu en place par une série de ligaments.

8. Sur le plan histologique, l'utérus comprend trois couches : le périmétrium (séreuse) externe, le myomètre moyen et l'endomètre interne.

9. Le vagin sert de passage aux spermatozoïdes et au flux menstruel, et reçoit le pénis durant le coït ; il forme la partie inférieure des voies génitales féminines. Il est très élastique.

10. On désigne l'ensemble des organes génitaux externes de la femme sous le nom de vulve. Celle-ci comprend le mont du pubis, les grandes lèvres, les petites lèvres, le clitoris, le vestibule du vagin, les ostiums du vagin et de l'urètre, l'hymen, le bulbe du vestibule et les glandes para-urétrales, vestibulaires majeures et vestibulaires mineures.

11. Le périnée est une région en forme de losange située à l'extrémité inférieure du tronc, à l'intérieur des cuisses et des fesses.

12. Les glandes mammaires sont des glandes sudoripares modifiées situées à la surface des muscles grands pectoraux. Elles ont pour fonction de synthétiser, sécréter et éjecter le lait (lactation).

13. Le développement de la glande mammaire est stimulé par les œstrogènes et la progestérone.

14. Le production de lait est stimulée par la prolactine, les œstrogènes et la progestérone ; l'éjection du lait est stimulée par l'ocytocine.

CYCLE DE LA REPRODUCTION CHEZ LA FEMME (p. 1064)

1. Le cycle ovarien assure le développement d'un ovocyte secondaire, tandis que le cycle menstruel prépare chaque mois l'endomètre à recevoir un ovule fécondé. Le terme cycle de la reproduction chez la femme désigne l'ensemble des cycles ovarien et menstruel.

2. Les cycles menstruel et ovarien sont régis par la GnRH sécrétée par l'hypothalamus, qui stimule la libération de FSH et de LH par l'adénohypophyse.

3. La FSH déclenche la croissance des follicules secondaires et la sécrétion d'œstrogènes par les follicules. La LH assure la suite du développement des follicules ovariques, leur sécrétion d'œstrogènes par les cellules folliculaires, l'ovulation, la formation du corps jaune et la sécrétion de progestérone et d'œstrogènes par le corps jaune.

4. Les œstrogènes stimulent la croissance, le développement et le maintien des structures du système reproducteur de la femme, de même que le développement des caractères sexuels secondaires et la synthèse des protéines.

5. La progestérone agit en synergie avec les œstrogènes afin de préparer l'endomètre à l'implantation d'un ovule et les glandes mammaires à la sécrétion de lait.

6. La relaxine détend la symphyse pubienne et favorise la dilatation du col de l'utérus pour faciliter le passage du bébé pendant l'accouchement.

7. Durant la phase menstruelle, la couche fonctionnelle de l'endomètre se desquame et déverse du sang, du liquide tissulaire, du mucus et des cellules épithéliales.

8. Durant la phase préovulatoire, un groupe de follicules dans les ovaires amorcent le processus de maturation final. Un follicule plus gros que les autres devient le follicule dominant, tandis que les autres dégénèrent. Au même moment, la reconstitution de l'endomètre a lieu dans l'utérus. Les œstrogènes sont les principales hormones ovariennes durant cette phase préovulatoire.

9. Durant l'ovulation, le follicule mûr se rompt et un ovocyte secondaire est libéré dans la cavité pelvienne. Cette rupture est provoquée par un afflux de LH. Les signes et symptômes de l'ovulation comprennent l'augmentation de la température corporelle basale, la production d'une glaire cervicale claire et collante, des modifications du col de l'utérus et une douleur dans les ovaires.

10. Durant la phase postovulatoire, la progestérone et les œstrogènes sont sécrétés en plus grandes quantités par le corps jaune de l'ovaire, et l'endomètre épaissit en vue de l'implantation.

11. Si aucun ovule n'est fécondé, le corps jaune dégénère, et la baisse de la concentration de progestérone provoque la desquamation de l'endomètre, suivie du début d'un nouveau cycle de la reproduction.

12. Si l'ovule est fécondé et implanté, le corps jaune est maintenu par la gonadotrophine chorionique. Le corps jaune et, un peu plus tard, le placenta sécrètent de la progestérone et des œstrogènes qui permettent à la grossesse de se poursuivre et aux seins de se développer en vue de la lactation.

RÉPONSE SEXUELLE HUMAINE (p. 1070)

1. La réponse sexuelle humaine est la séquence similaire de changements que connaissent l'homme et la femme avant, pendant et après le coït ; elle comprend quatre phases : l'excitation, le plateau, l'orgasme et la résolution.

2. Durant les phases de l'excitation et du plateau, des influx nerveux parasympathiques produisent une vasocongestion des tissus génitaux et la sécrétion de liquides lubrifiants. La fréquence cardiaque, la pression artérielle, la fréquence respiratoire et le tonus musculaire augmentent.

3. Durant l'orgasme, des influx nerveux sympathiques et des neurones moteurs somatiques déclenchent des contractions rythmiques des muscles lisses et squelettiques.

4. Durant la résolution, le corps se détend et revient à son état antérieur à l'excitation.

CONTRACEPTION (p. 1071)

1. Les méthodes de contraception comprennent la stérilisation chirurgicale (vasectomie, ligature des trompes), les méthodes hormonales, les dispositifs intra-utérins, les spermicides, les barrières mécaniques (condoms masculin et féminin, diaphragme), l'abstinence périodique (méthode rythmique et méthode symptothermique), le coït interrompu et l'avortement provoqué. Le tableau 28.2, p. 1072, présente le taux d'échec de ces méthodes.

2. Les contraceptifs oraux de forme combinée contiennent des œstrogènes et de la progestérone en concentrations qui diminuent la sécrétion de FSH et de LH et inhibent, par le fait même, le développement des follicules ovariques et l'ovulation.

3. L'avortement est l'expulsion prématurée de l'utérus des produits de la conception ; il peut être spontané ou provoqué. Le RU 486 permet de provoquer un avortement en bloquant l'action de la progestérone.

DÉVELOPPEMENT EMBRYONNAIRE DU SYSTÈME REPRODUCTEUR (p. 1074)

1. Les gonades se développent à partir du mésoderme intermédiaire. En présence du gène *SRY*, les gonades commencent à se différencier en testicules durant la septième semaine de développement. En l'absence du gène *SRY*, les gonades se différencient en ovaires.

2. Chez l'homme, la testostérone stimule la transformation de chaque conduit mésonéphrotique en un épididyme, un conduit déférent, un conduit éjaculateur et une vésicule séminale, et l'hormone antimüllérienne détruit les cellules dans les conduits paramésonéphrotiques. Chez la femme, l'absence de testostérone et d'hormone antimüllérienne entraîne le développement des conduits paramésonéphrotiques pour former les trompes utérines, l'utérus et le vagin, puis les conduits mésonéphrotiques dégénèrent.

3. Les organes génitaux externes se constituent à partir du tubercule génital et se transforment en structures masculines typiques sous l'effet de la dihydrotestostérone (DHT). Les organes génitaux externes se transforment en structures féminines lorsque la dihydrotestostérone n'est pas produite, ce qui est le cas normalement chez l'embryon de sexe féminin.

VIEILLISSEMENT DU SYSTÈME REPRODUCTEUR (p. 1077)

1. La puberté est la période de la vie qui marque l'apparition des caractères sexuels secondaires et le début de la période où la reproduction est possible.

2. Chez l'homme, le début de la puberté se manifeste par une augmentation des concentrations de LH, de FSH et de testostérone.

3. Chez la femme, le début de la puberté se manifeste par une augmentation des concentrations de LH, de FSH et d'œstrogènes.

4. Chez l'homme âgé, le déclin des concentrations de testostérone est associé à une diminution de la force musculaire, du désir sexuel et du nombre de spermatozoïdes viables ; les troubles de la prostate sont courants.

5. Chez la femme, les concentrations de progestérone et d'œstrogènes diminuent avec l'âge, ce qui se traduit par des changements menstruels, puis la ménopause. L'incidence des cancers de l'utérus et du sein augmente également avec l'âge.

AUTOÉVALUATION

1. Associez les éléments suivants :

_____ a) petite masse cylindrique composée de tissu érectile et de nerfs chez la femme ; homologue du gland du pénis chez l'homme

_____ b) produisent un mucus chez la femme pendant l'excitation sexuelle et le coït ; homologues des glandes bulbo-urétrales chez l'homme

_____ c) groupe de cellules qui nourrissent l'ovocyte immature et commencent à sécréter des œstrogènes

_____ d) voie empruntée par les spermatozoïdes pour atteindre les trompes utérines ; siège de la menstruation ; siège de l'implantation de l'ovule fécondé

_____ e) produit la progestérone, les œstrogènes, la relaxine et l'inhibine

_____ f) attirent l'ovule dans la trompe utérine

_____ g) orifice reliant l'utérus au vagin

_____ h) glandes sécrétrices de mucus chez la femme ; homologues de la prostate

_____ i) organe de copulation de la femme ; permet le passage du bébé pendant l'accouchement

_____ j) passage qu'emprunte l'ovule pour atteindre l'utérus ; siège habituel de la fécondation

_____ k) désigne les organes génitaux externes de la femme

_____ l) couche du revêtement utérin qui se desquame partiellement une fois par mois

1) follicule
2) corps jaune
3) trompe utérine
4) franges de la trompe
5) utérus
6) col de l'utérus
7) endomètre
8) vagin
9) vulve
10) clitoris
11) glandes para-urétrales
12) glandes vestibulaires majeures

2. Associez les éléments suivants :

_____ a) siège de la maturation des spermatozoïdes

_____ b) organe de copulation de l'homme ; passage pour l'éjaculation des spermatozoïdes et l'excrétion de l'urine

_____ c) cellules qui produisent les spermatozoïdes

_____ d) durant l'excitation sexuelle, produisent une substance alcaline qui protège les spermatozoïdes contre l'acidité de l'urètre

_____ e) expulse les spermatozoïdes dans l'urètre juste avant l'éjaculation

_____ f) structure de soutien du testicule

_____ g) transporte les spermatozoïdes du scrotum à la cavité abdomino-pelvienne pour qu'ils soient libérés pendant l'éjaculation ; lorsqu'il est sectionné et attaché, il constitue une méthode de stérilisation

_____ h) conduit terminal commun des systèmes reproducteur et urinaire de l'homme

_____ i) entoure l'urètre à la base de la vessie ; produit des sécrétions qui contribuent à la motilité et à la viabilité des spermatozoïdes

_____ j) produisent la testostérone

_____ k) soutiennent et protègent les cellules spermatogéniques immatures ; sécrètent l'inhibine ; forment la barrière hémato-testiculaire

_____ l) sécrètent un liquide alcalin qui contribue à neutraliser l'acidité dans les voies génitales de la femme ; sécrètent le fructose nécessaire à la production d'ATP par les spermatozoïdes

1) cellules spermatogéniques
2) cellules de Sertoli
3) cellules interstitielles
4) pénis
5) scrotum
6) épididyme

7) conduit déférent   10) vésicules séminales

8) conduit éjaculateur   11) prostate

9) urètre   12) glandes bulbo-urétrales

Choix multiples

3. Lesquelles des fonctions suivantes sont propres aux cellules de Sertoli? 1) Protection des cellules spermatogéniques immatures. 2) Nutrition des spermatocytes, des spermatides et des spermatozoïdes. 3) Phagocytose du cytoplasme expulsé par les spermatozoïdes à mesure qu'ils se développent. 4) Médiation des effets de la testostérone et de la FSH. 5) Régulation des mouvements des cellules spermatogéniques et libération des spermatozoïdes dans la lumière des tubules séminifères.
a) 1, 2, 4 et 5. b) 1, 2, 3 et 5. c) 2, 3, 4 et 5. d) 1, 2, 3 et 4. e) 1, 2, 3, 4 et 5.

4. Lesquels des énoncés suivants décrivent les androgènes? 1) Ils déclenchent le développement des caractères sexuels masculins. 2) Ils déclenchent le développement des caractères sexuels masculins et féminins. 3) Ils contribuent à la libido chez l'homme et la femme. 4) Ils contribuent à l'apparition des caractères sexuels secondaires de l'homme. 5) Ils stimulent la synthèse des protéines.
a) 1, 2 et 3. b) 1, 3, 4 et 5. c) 1, 2, 4 et 5. d) 1, 2, 3 et 4. e) 1, 3 et 5.

5. Lesquels des énoncés suivants décrivent les œstrogènes? 1) Ils favorisent le développement et le maintien des structures génitales et des caractères sexuels secondaires de la femme. 2) Ils contribuent à la régulation de l'équilibre hydro-électrolytique. 3) Ils augmentent le catabolisme des protéines. 4) Ils abaissent le taux de cholestérol sanguin. 5) En concentrations modérées, ils inhibent la libération de GnRH et la sécrétion de LH et de FSH.
a) 1, 2, 4 et 5. b) 1, 3, 4 et 5. c) 1, 2, 3 et 5. d) 1, 2, 3 et 4. e) 1, 2, 3, 4 et 5.

6. Lesquels des énoncés suivants sont exacts? 1) La tête du spermatozoïde contient l'ADN et un acrosome. 2) Un acrosome est un lysosome spécialisé qui contient des enzymes permettant au spermatozoïde de produire l'ATP nécessaire à sa propulsion à l'extérieur des voies génitales de l'homme. 3) Les mitochondries dans la portion centrale du spermatozoïde produisent l'ATP nécessaire à sa motilité. 4) La queue du spermatozoïde est un flagelle qui sert à la propulsion. 5) Une fois éjaculé, le spermatozoïde est viable et normalement capable de féconder un ovocyte secondaire pendant cinq jours.
a) 1, 2, 3 et 4. b) 2, 3, 4 et 5. c) 1, 3 et 4. d) 2, 4 et 5. e) 2, 3 et 4.

7. Lesquels des énoncés suivants sont exacts? 1) Les spermatogonies sont des cellules germinales car, lorsqu'elles subissent la mitose, certaines cellules filles demeurent et servent de réservoirs de cellules pour les mitoses subséquentes. 2) La méiose I est une division de paires de chromosomes qui produit des cellules filles contenant un seul membre de chaque paire de chromosomes. 3) La méiose II sépare les chromatides de chaque chromosome. 4) La spermiogenèse correspond à la transformation des spermatides en spermatozoïdes. 5) Le processus par lequel les tubules séminifères produisent des spermatozoïdes haploïdes est appelé spermatogenèse.
a) 1, 2, 3 et 5. b) 1, 2, 3, 4 et 5. c) 1, 3, 4 et 5. d) 1, 2, 3 et 4. e) 1, 3 et 5.

8. Lesquels des énoncés suivants sont exacts? 1) Les cellules issues de l'endoderme du sac vitellin donnent naissance aux ovogonies. 2) Les ovules proviennent de l'épithélium superficiel de l'ovaire. 3) Les ovocytes primaires entrent en prophase de la méiose I durant le développement fœtal, mais ne terminent cette phase

qu'après la puberté. 4) Une fois l'ovocyte secondaire formé, il entre en métaphase de la méiose II et s'arrête à cette étape. 5) L'ovocyte secondaire complète la méiose II et ne forme un ovule et un globule polaire que s'il y a fécondation. 6) Un ovocyte primaire donne naissance à un ovule et à quatre globules polaires.
a) 1, 3, 4 et 5. b) 1, 3, 4 et 6. c) 1, 2, 4 et 6. d) 1, 2, 4 et 5. e) 1, 2, 5 et 6.

9. Lesquels des énoncés suivants sont exacts? 1) Le cycle de la reproduction chez la femme comprend la phase menstruelle, la phase préovulatoire, l'ovulation et la phase postovulatoire. 2) Durant la phase menstruelle, de petits follicules secondaires commencent à grossir tandis que l'utérus se desquame. 3) Durant la phase préovulatoire, un follicule dominant continue à croître et commence à sécréter des œstrogènes et de l'inhibine tandis que l'endomètre se reconstitue. 4) L'ovulation provoque la libération d'un ovule et les produits de la desquamation de l'endomètre nourrissent et soutiennent l'ovule libéré. 5) Après l'ovulation, un corps jaune se forme à partir du follicule rompu et commence à sécréter de la progestérone et des œstrogènes; cette sécrétion se poursuit pendant la grossesse si l'ovule est fécondé. 6) Si l'ovule n'est pas fécondé, le corps jaune se dégrade et devient un corps blanc, tandis que l'endomètre se prépare à une nouvelle desquamation.
a) 1, 2, 4 et 5. b) 2, 4, 5 et 6. c) 1, 4, 5 et 6. d) 1, 3, 4 et 6. e) 1, 2, 3, 5 et 6.

10. Associez les éléments suivants:

_____ a) détend l'utérus en inhibant les contractions durant les cycles menstruels; assouplit la symphyse pubienne durant l'accouchement

_____ b) stimule la sécrétion de la testostérone par les cellules interstitielles

_____ c) inhibe la production de FSH par l'adénohypophyse

_____ d) déclenche le développement des caractères sexuels masculins; stimule la synthèse des protéines; contribue à la libido

_____ e) maintient le corps jaune durant le premier trimestre de la grossesse

_____ f) favorise le développement des structures génitales de la femme; contribue à la régulation de l'équilibre hydro-électrolytique; abaisse le taux de cholestérol sanguin

_____ g) stimule la sécrétion initiale d'œstrogènes par les follicules immatures; favorise la croissance des follicules

_____ h) sécrété par le corps jaune afin de maintenir l'endomètre durant le premier trimestre de la grossesse

1) inhibine   6) progestérone

2) LH   7) relaxine

3) FSH   8) gonadotrophine

4) testostérone   chorionique

5) œstrogènes

11. Associez les éléments suivants:

_____ a) durant la méiose, processus pendant lequel certaines parties d'une chromatide de l'homologue maternel sont échangées contre les parties correspondantes de l'homologue paternel

_____ b) désigne les cellules contenant la moitié du nombre de chromosomes

_____ c) cellule issue de l'union d'un ovule et d'un spermatozoïde

_____ d) tous les chromosomes, à l'exception des chromosomes sexuels

___ e) deux chromosomes qui appartiennent à une paire (un maternel et un paternel)

___ f) dégénérescence des ovogonies avant et après la naissance

___ g) amas de déchets de matière nucléaire provenant de la première ou deuxième division de l'ovule

___ h) désigne les cellules contenant le nombre complet de chromosomes

1) autosomes	5) diploïde
2) zygote	6) enjambement
3) chromosomes homologues	7) globule polaire
4) haploïde	8) atrésie

Phrases à compléter

12. Les gonades de la femme sont appelées ___ ; les gonades de l'homme sont appelées ___. Le gamète de la femme est appelé ___ ; le gamète de l'homme est appelé ___.

13. La ___ produite par les jonctions serrées entre les ___ empêche le système immunitaire de réagir aux antigènes de surface des spermatozoïdes en isolant les cellules spermatogéniques du sang.

14. La ___ correspond à la période de la vie qui marque l'apparition des caractères sexuels secondaires et le début de la fonction de reproduction. La première menstruation est appelée ___, et l'arrêt définitif de la menstruation est appelé ___.

Vrai ou faux

15. La spermatogenèse n'est pas possible à la température profonde du corps.

QUESTIONS À COURT DÉVELOPPEMENT

1. Mélissa ne s'est pas présentée à son cours d'anatomie et physiologie le jour où il a été question du système reproducteur, car elle croit bien connaître ce sujet. Sur sa copie d'examen, elle répond « faux » à l'énoncé suivant : « La LH est une hormone du système reproducteur de l'homme. » Il aurait mieux valu que Mélissa assiste à ce cours. Dites en quoi elle s'est trompée. (INDICE : *Le corps jaune sécrète les hormones sexuelles.*)

2. Pourquoi l'épithélium germinatif des ovaires est-il situé à la surface de l'albuginée, tandis que celui des testicules est sous-jacent ?

Où se situe la vaginale du testicule ? (INDICE : *Les structures de l'homme et de la femme ont la même origine embryonnaire.*)

3. Si deux bébés se forment à la suite de la fécondation d'un ovule (ovocyte secondaire) et d'un globule polaire, seront-ils des jumeaux monozygotes ? (INDICE : *Les jumeaux monozygotes ont la même composition chromosomale.*)

RÉPONSES AUX QUESTIONS DES FIGURES

28.1 Dans la méiose, la réplication des chromosomes se déroule pendant l'interphase qui précède la méiose I.

28.2 L'enjambement produit des cellules filles génétiquement différentes les unes des autres et génétiquement différentes de la cellule qui les a engendrées.

28.3 Les gonades (testicules) produisent les gamètes (spermatozoïdes) et les hormones ; les conduits transportent, emmagasinent et reçoivent les gamètes ; les glandes sexuelles annexes sécrètent des substances qui soutiennent les gamètes.

28.4 Les muscles crémaster et dartos contribuent à la régulation de la température des testicules.

28.5 La vaginale et l'albuginée sont les couches de tissu qui recouvrent et protègent les testicules.

28.6 Les cellules interstitielles sécrètent la testostérone.

28.7 Pendant la méiose I, le nombre de chromosomes dans chaque cellule est réduit de moitié.

28.8 La tête du spermatozoïde contient l'ADN et les enzymes qui lui sont nécessaires pour pénétrer dans un ovocyte secondaire ; la partie centrale contient les mitochondries requises pour la production d'ATP ; la queue est un flagelle qui propulse le spermatozoïde.

28.9 Les cellules de Sertoli sécrètent l'inhibine.

28.10 La testostérone inhibe la sécrétion de LH, et l'inhibine freine la sécrétion de FSH.

28.11 Les vésicules séminales fournissent la plus grande partie du liquide séminal.

28.12 Les deux corps caverneux et le corps spongieux du pénis contiennent des sinus sanguins qui se remplissent de sang, et ce sang ne peut pas sortir du pénis aussi rapidement qu'il y est entré. Le sang emprisonné fait gonfler et raidir le tissu. Le corps spongieux du pénis maintient la partie spongieuse de l'urètre ouverte pour permettre l'éjaculation.

28.13 Les testicules sont homologues aux ovaires ; le gland du pénis est homologue au clitoris ; la prostate est homologue aux glandes para-urétrales ; la glande bulbo-urétrale est homologue aux glandes vestibulaires majeures.

28.14 Le mésovarium ancre l'ovaire au ligament large de l'utérus et à la trompe utérine ; le ligament propre de l'ovaire fixe l'ovaire à l'utérus ; le ligament suspenseur de l'ovaire attache l'ovaire à la paroi pelvienne.

28.15 Les follicules sécrètent des œstrogènes ; le corps jaune sécrète de la progestérone, des œstrogènes, de la relaxine et de l'inhibine.

28.16 La plupart des follicules se dégradent par atrésie (dégénération).

28.17 Les ovocytes primaires sont présents dans l'ovaire à la naissance et ont donc le même âge que la femme. Chez l'homme, les spermatocytes primaires sont continuellement formés par les cellules germinales (spermatogonies) et ne sont vieux que de quelques jours.

28.18 La fécondation se déroule le plus souvent dans l'ampoule de la trompe utérine.

28.19 Des cellules épithéliales prismatiques ciliées et des cellules sécrétrices dotées de microvillosités tapissent les trompes utérines.

28.20 L'endomètre est un épithélium sécréteur très vascularisé qui fournit l'oxygène et les nutriments nécessaires à la survie de l'ovule fécondé; le myomètre est une couche épaisse de muscle lisse qui soutient la paroi utérine pendant la grossesse et se contracte pour expulser le fœtus lors de l'accouchement.

28.21 La couche basale de l'endomètre fournit des cellules qui remplacent celles qui ont été perdues lors de la desquamation de la couche fonctionnelle pendant la menstruation.

28.22 À l'avant de l'ostium du vagin, on trouve le mont du pubis, le clitoris et le prépuce du clitoris. Les grandes et les petites lèvres s'ouvrent de chaque côté.

28.23 La portion antérieure du périnée est appelée triangle urogénital, car ses bords forment un triangle qui ceinture les ostiums de l'urètre et du vagin.

28.24 La prolactine, les œstrogènes et la progestérone régissent la synthèse du lait. L'ocytocine régit l'éjection du lait.

28.25 Le β-œstradiol est l'œstrogène qui exerce la plus grande influence.

28.26 Les œstrogènes déclenchent la phase proliférative de la croissance de l'endomètre et provoquent l'afflux de LH au milieu du cycle; la LH stimule l'ovulation et la croissance du corps jaune.

28.27 Les œstrogènes déclenchent la reconstitution de la couche fonctionnelle de l'endomètre.

28.28 L'augmentation modérée des concentrations d'œstrogènes produit une rétro-inhibition de la sécrétion de GnRH, de LH et de FSH.

28.29 Il s'agit d'une rétro-inhibition, car la réaction est inverse au stimulus. Lorsque la rétro-inhibition découlant de la baisse des concentrations d'œstrogènes et de progestérone est moins prononcée, elle stimule la libération de GnRH qui, à son tour, augmente la production et la libération de FSH et de LH, deux hormones qui stimulent la sécrétion d'œstrogènes.

28.30 Le gène *SRY* sur le chromosome Y est responsable de la transformation des gonades en testicules.

28.31 La présence de dihydrotestostérone (DHT) stimule la différenciation des organes génitaux externes de l'homme; son absence permet la différenciation des organes génitaux externes de la femme.

29

LE DÉVELOPPEMENT PRÉNATAL, LA NAISSANCE ET L'HÉRÉDITÉ

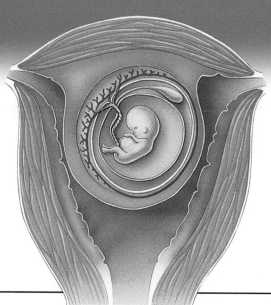

L'**anatomie du développement** est l'étude des étapes successives qui vont de la fécondation d'un ovocyte secondaire à la formation d'un organisme adulte. Les deux mois qui suivent la fécondation correspondent à la période du **développement embryonnaire,** pendant laquelle l'être humain est un **embryon** (*embruos* = qui se développe à l'intérieur). Au cours de la période du **développement fœtal,** qui commence à la neuvième semaine et se poursuit jusqu'à la naissance, l'être humain est un **fœtus** (*feo* = engendrer). Le **développement prénatal,** qui regroupe les développements embryonnaire et fœtal, se caractérise par une série d'événements d'une fascinante complexité coordonnés avec grande précision. L'**embryologie** est la science qui s'intéresse au développement à partir de l'ovule fécondé jusqu'à la huitième semaine de gestation. L'**obstétrique** (*obstetrix* = sage-femme) est la discipline médicale qui a trait à la gestion de la grossesse, de l'accouchement et de la **période néonatale,** qui correspond aux 42 jours suivant la naissance. Dans ce chapitre, nous décrivons les étapes du développement de la fécondation à l'implantation, les développements embryonnaire et fœtal, l'accouchement et la naissance.

DE LA FÉCONDATION À L'IMPLANTATION

OBJECTIF

• *Expliquer les processus associés à la fécondation, à la formation de la morula, au développement du blastocyste et à l'implantation.*

Une fois que des spermatozoïdes et un ovocyte secondaire se sont développés grâce aux processus de la méiose et de la maturation, et que des spermatozoïdes ont été déposés dans le vagin, une grossesse peut se produire. La **grossesse** est une série d'événements qui commence par la fécondation, se poursuit avec l'implantation, le développement embryonnaire et le développement fœtal et prend normalement fin environ 38 semaines plus tard, au moment de la naissance.

Fécondation

Au cours de la **fécondation** (du latin *fecundus*), le matériel génétique d'un spermatozoïde haploïde et celui d'un ovocyte secondaire haploïde fusionnent en un seul noyau diploïde. Des 300 à 500 millions de spermatozoïdes qui sont introduits dans le vagin, moins de 1 % atteignent l'ovocyte secondaire. La fécondation a normalement lieu dans la trompe utérine, ou trompe de Fallope, entre 12 et 24 h après l'ovulation. Comme les spermatozoïdes restent viables dans le vagin pendant environ 48 h et qu'un ovocyte secondaire est viable pendant environ 24 h après l'ovulation, il est plus probable que la femme devienne enceinte dans cet intervalle de trois jours commençant deux jours avant l'ovulation et se terminant un jour après.

Le processus qui aboutit à la fécondation commence lorsque les contractions péristaltiques et les mouvements ciliaires transportent l'ovocyte dans la trompe utérine. Les spermatozoïdes qui nagent dans l'utérus pour se rendre aux trompes utérines sont propulsés par les mouvements ondulatoires de

Figure 29.1 Quelques structures et événements associés à la fécondation.
(a) Spermatozoïde pénétrant dans la corona radiata et la zone pellucide entourant un ovocyte secondaire. (b) Spermatozoïde entrant en contact avec un ovocyte secondaire. (c) Pronucléus mâle et femelle.

🔑 **Durant la fécondation, le matériel génétique d'un spermatozoïde et celui d'un ovocyte fusionnent pour former un seul noyau diploïde.**

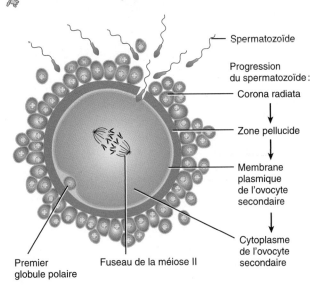

Spermatozoïde

Progression du spermatozoïde :

Corona radiata

Zone pellucide

Membrane plasmique de l'ovocyte secondaire

Cytoplasme de l'ovocyte secondaire

Premier globule polaire

Fuseau de la méiose II

(a) Spermatozoïde pénétrant dans un ovocyte secondaire

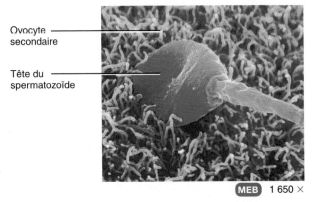

Ovocyte secondaire

Tête du spermatozoïde

MEB   1 650 ×

(b) Spermatozoïde entrant en contact avec un ovocyte secondaire

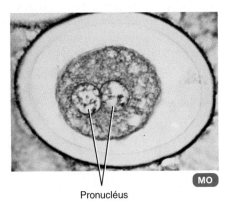

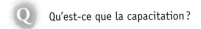
Pronucléus

MO

(c) Pronucléus mâle et femelle

Ⓠ Qu'est-ce que la capacitation ?

leur queue (flagelle) et vraisemblablement guidés par des incitateurs chimiques libérés par l'ovocyte. Les contractions musculaires de l'utérus, déclenchées par les prostaglandines présentes dans le sperme, favorisent probablement aussi le déplacement des spermatozoïdes vers les trompes utérines. Bien que 100 spermatozoïdes environ puissent atteindre le voisinage de l'ovocyte quelques minutes après l'éjaculation, ils restent pendant plusieurs heures *incapables* de le féconder. Durant cette période, les spermatozoïdes présents dans les voies génitales de la femme subissent une **capacitation,** c'est-à-dire une série de modifications fonctionnelles qui

rend le battement de la queue des spermatozoïdes encore plus vigoureux et permet à leur membrane plasmique de fusionner avec celle de l'ovocyte. Pour qu'il y ait fécondation, un spermatozoïde doit d'abord pénétrer dans la **corona radiata,** le nuage de cellules granuleuses entourant l'ovocyte, puis dans la **zone pellucide,** la couche claire de glycoprotéines qui sépare la corona radiata de la membrane plasmique de l'ovocyte (figure 29.1a). Dans la zone pellucide, une glyco-protéine appelée ZP3 joue le rôle de récepteur du spermato-zoïde ; elle se fixe à des protéines membranaires spécifiques dans la tête du spermatozoïde pour déclencher la **réaction acrosomiale,** par laquelle le contenu de l'acrosome est libéré. Les enzymes acrosomiales protéolytiques digèrent un passage dans la zone pellucide, tandis que le spermatozoïde continue d'avancer grâce aux mouvements propulsifs de sa queue. De nombreux spermatozoïdes se lient à des molécules de ZP3 et subissent une réaction acrosomiale, mais seul le premier qui réussit à traverser la zone pellucide pour atteindre la membrane plasmique de l'ovocyte fusionnera avec ce dernier.

La fusion d'un spermatozoïde et d'un ovocyte secondaire, appelée **syngamie** (*sun* = avec ; *gamos* = union), déclenche une série de phénomènes qui bloquent la **polyspermie,** c'est-à-dire la fécondation par plusieurs spermatozoïdes. Dans les une à trois secondes qui suivent la syngamie, la membrane cellulaire de l'ovocyte se dépolarise, ce qui provoque un *blo-cage rapide de la polyspermie* empêchant l'ovocyte dépolarisé de fusionner avec un autre spermatozoïde. La dépolarisation stimule également la libération intracellulaire d'ions calcium, qui déclenchent l'exocytose de vésicules de sécrétion par l'ovocyte. Les molécules libérées par exocytose inactivent les molécules de ZP3 et durcissent toute la zone pellucide lors du processus de *blocage lent de la polyspermie*.

Lorsqu'un spermatozoïde pénètre un ovocyte secondaire, l'ovocyte termine sa méiose II. Il se divise pour former
un ovule plus gros (mature) et un second globule polaire
plus petit qui se fragmente et se désintègre (voir la figure
28.17, p. 1056). Le noyau dans la tête du spermatozoïde se
transforme en **pronucléus mâle,** et le noyau dans l'ovule
fécondé devient le **pronucléus femelle** (figure 29.1c). Une
fois formés, les pronucléus fusionnent pour produire un
seul noyau diploïde contenant 23 chromosomes issus
de chacun d'eux. La fusion des pronucléus haploïdes (*n*)
rétablit donc le nombre diploïde (*2n*) de 46 chromosomes.
L'ovule fécondé a maintenant atteint le stade du **zygote**
(*zugôtos* = attelé).

Des **jumeaux dizygotes** ou hétérozygotes (aussi appelés
faux jumeaux) se forment lorsque deux ovocytes secondaires
sont libérés et fécondés chacun par un spermatozoïde différent. D'âge identique, les fœtus se développent en même
temps dans l'utérus, mais ils sont génétiquement aussi
dissemblables que des frères ou sœurs non jumeaux. Les
jumeaux dizygotes peuvent être ou non de même sexe. Par
ailleurs, les **jumeaux monozygotes** ou homozygotes (aussi
appelés **vrais jumeaux**) proviennent d'un seul ovule fécondé,
sont constitués exactement du même matériel génétique et
sont toujours de même sexe. Les jumeaux monozygotes sont
issus de la séparation des cellules en développement en deux
embryons, ce qui survient dans les huit jours suivant la
fécondation dans 99 % des cas. Les séparations qui surviennent
plus tard produisent le plus souvent des **jumeaux siamois,**
c'est-à-dire des jumeaux rattachés l'un à l'autre qui partagent
certaines structures corporelles.

Formation de la morula

Après la fécondation, il se produit une série de divisions mitotiques rapides du zygote appelée **segmentation**
(figure 29.2). La première division du zygote commence
environ 24 h après la fécondation et se termine environ 30 h
plus tard. Chaque division subséquente dure un peu moins
longtemps. Deux jours après la fécondation, la deuxième
segmentation est terminée et donne quatre cellules (voir la
figure 29.2b) ; à la fin du troisième jour, 16 cellules sont présentes. Les cellules de plus en plus petites produites par la
segmentation sont appelées **blastomères** (*blastos* = germe ;
meros = partie). Cette série de segmentations produit finalement une sphère solide de cellules, la **morula** (= mûre),
entourée de la zone pellucide et de même taille que le zygote
d'origine (voir la figure 29.2c).

Développement du blastocyste

À la fin du quatrième jour, le nombre de cellules augmente
dans la morula qui continue de progresser dans la trompe
utérine pour atteindre la cavité utérine. Entre le quatrième et
le cinquième jour, la grappe dense de cellules s'est transformée

Figure 29.2 Segmentation et formation de la morula
et du blastocyste.

🔑 La segmentation correspond à la première série
de divisions mitotiques rapides d'un zygote.

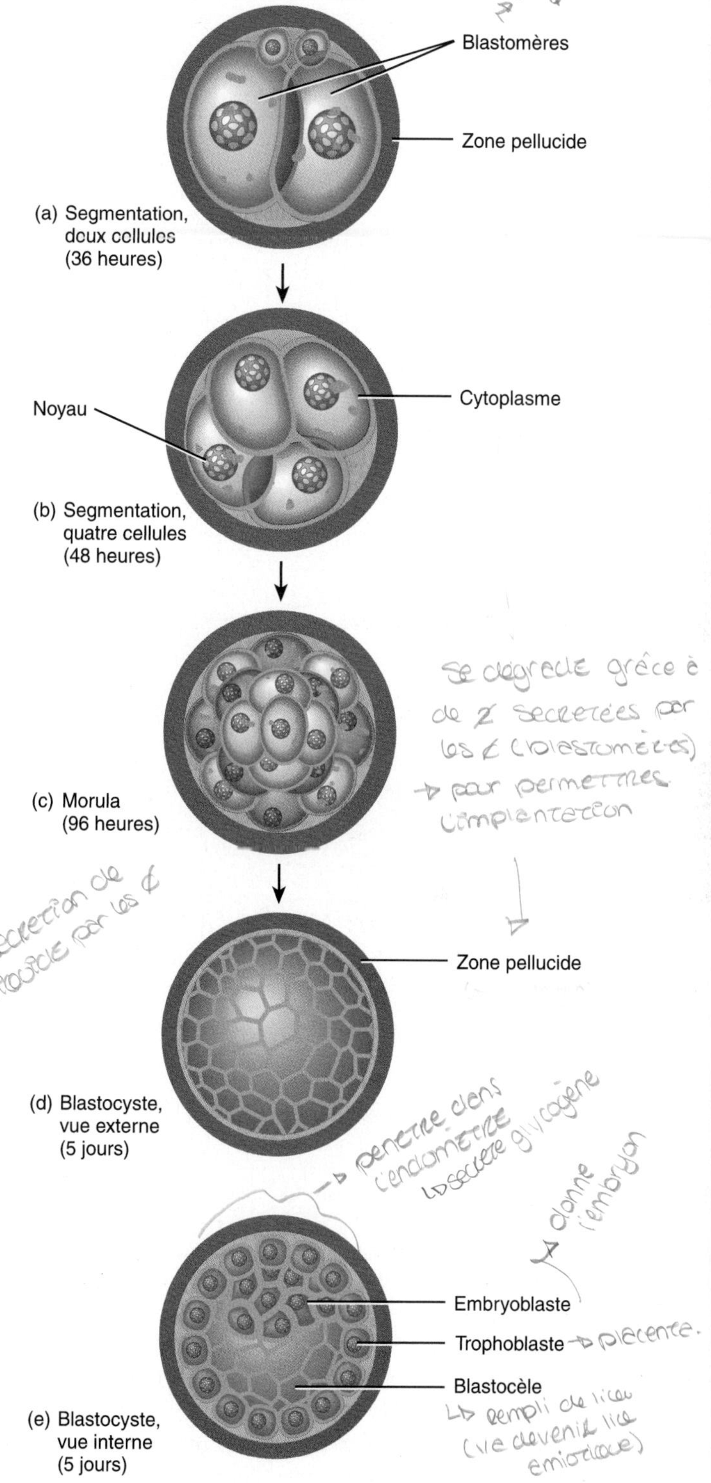

Q Quelle est la différence histologique entre une morula
et un blastocyste ?

Figure 29.3 Position du blastocyste par rapport à l'endomètre de l'utérus au moment de l'implantation.

L'implantation, par laquelle un blastocyste se fixe à l'endomètre, commence environ six jours après la fécondation.

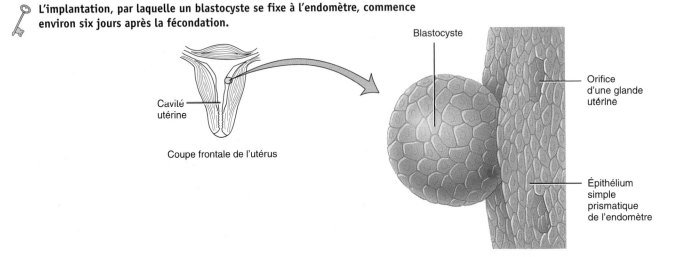

(a) Vue externe, environ six jours après la fécondation

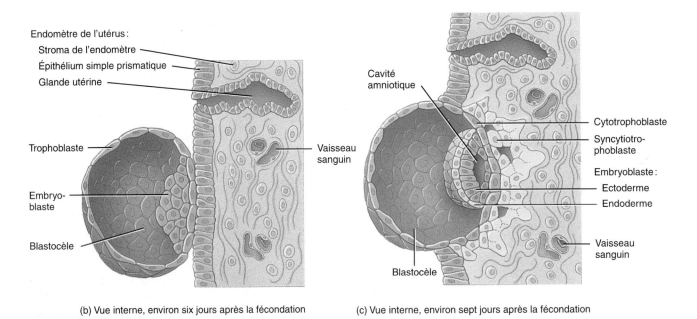

(b) Vue interne, environ six jours après la fécondation

(c) Vue interne, environ sept jours après la fécondation

Q Comment le blastocyste fusionne-t-il avec l'endomètre pour ensuite s'y enfouir ?

en une boule creuse qui pénètre dans la cavité utérine et qu'on appelle maintenant **blastocyste** (*kustis* = poche gonflée) (voir la figure 29.2d et e).

Le blastocyste comprend une couche de cellules périphérique appelée **trophoblaste** (*trophê* = nourriture), une masse cellulaire interne nommée **embryoblaste,** ou **bouton embryonnaire,** et une cavité interne remplie de liquide, le **blastocèle** (*koilos* = creux). Le trophoblaste et une partie de l'embryoblaste deviendront les membranes constituant la portion fœtale du placenta ; le reste de l'embryoblaste formera l'embryon.

Implantation

Le blastocyste flotte dans la cavité utérine pendant deux jours environ avant de se fixer à la paroi de l'utérus. L'endomètre se trouve alors dans sa phase sécrétrice, et le blastocyste est nourri par les sécrétions riches en glycogène des glandes utérines ; ces sécrétions sont parfois appelées lait utérin. Entre-temps, la zone pellucide se désintègre et le blastocyste grossit. Six jours environ après la fécondation, le blastocyste se fixe à l'endomètre au cours d'un processus appelé **implantation** (figure 29.3).

Figure 29.4 Résumé des étapes de la fécondation et de l'implantation.

🔑 **La fécondation se déroule habituellement dans la trompe utérine.**

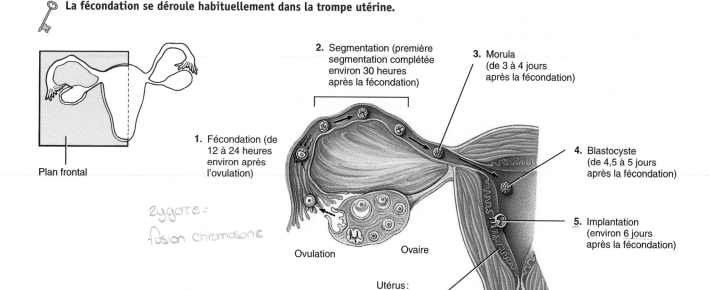

1. Fécondation (de 12 à 24 heures environ après l'ovulation)

2. Segmentation (première segmentation complétée environ 30 heures après la fécondation)

3. Morula (de 3 à 4 jours après la fécondation)

4. Blastocyste (de 4,5 à 5 jours après la fécondation)

5. Implantation (environ 6 jours après la fécondation)

Plan frontal

Ovulation

Ovaire

Utérus : Endomètre Myomètre

(annotation manuscrite : zygote : fusion chromosome)

Coupe frontale montrant l'utérus, une trompe utérine et un ovaire

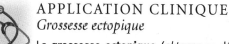

Q Durant quelle phase du cycle menstruel l'implantation se produit-elle?

Lorsque le blastocyste s'implante, habituellement dans la partie postérieure du fundus ou dans le corps de l'utérus, son orientation est telle que l'embryoblaste est adjacent à l'endomètre (figure 29.3b). Au point de contact entre le blastocyste et l'endomètre, le trophoblaste forme deux couches : le **syncytiotrophoblaste,** sans limitation cellulaire distincte, et le **cytotrophoblaste,** une couche de cellules distinctes située entre l'embryoblaste et le syncytiotrophoblaste (figure 29.3c). À mesure qu'elles croissent, ces deux couches s'intègrent dans le chorion, une des membranes fœtales (voir la figure 29.5c). Durant l'implantation, le syncytiotrophoblaste sécrète des enzymes qui permettent au blastocyste de pénétrer dans l'endomètre de l'utérus en digérant et liquéfiant les cellules utérines. Les sécrétions endométriales continuent à nourrir le blastocyste pendant son enfouissement dans l'endomètre, processus qui dure environ une semaine. Une autre sécrétion du trophoblaste, la gonadotrophine chorionique (hCG), agit de la même façon que la LH. En effet, la hCG empêche la dégénérescence du corps jaune et l'incite à poursuivre sa sécrétion de progestérone et d'œstrogènes. Ces hormones maintiennent à leur tour l'endomètre dans sa phase sécrétoire et préviennent par le fait même la menstruation.

Les principales étapes de la fécondation et de l'implantation sont résumées à la figure 29.4.

APPLICATION CLINIQUE
Grossesse ectopique

La **grossesse ectopique** (*ektopos* = déplacé) est le développement d'un embryon ou d'un fœtus à l'extérieur de la cavité utérine. Elle se produit habituellement lorsque le passage de l'ovule fécondé dans la trompe utérine ne se fait pas normalement, en raison d'une baisse de la motilité du muscle lisse de la trompe utérine ou d'une anomalie anatomique. La plupart du temps, la grossesse ectopique a lieu dans l'ampoule ou l'infundibulum de la trompe utérine, mais elle peut survenir dans la cavité abdominale ou le col de l'utérus. Les femmes qui fument courent deux fois plus de risques d'avoir une grossesse ectopique que celles qui ne fument pas, car la nicotine de la cigarette paralyse les cils du revêtement de la trompe utérine (comme ceux des voies respiratoires). Les cicatrices laissées par une salpingite, une intervention chirurgicale dans les trompes utérines ou une grossesse ectopique antérieure peuvent également gêner le déplacement de l'ovule fécondé.

Les signes et symptômes de la grossesse ectopique comprennent l'absence d'apparition des menstruations pendant un ou deux mois, suivie de saignements et d'une douleur abdominale et pelvienne aiguë. Si l'embryon reste en place, il risque de rompre la trompe utérine, ce qui peut être fatal pour la mère. ■

Figure 29.5 Formation des feuillets embryonnaires primitifs et des structures associées.

Les feuillets embryonnaires primitifs (ectoderme, mésoderme et endoderme) sont les tissus embryonnaires à partir desquels tous les tissus et les organes se forment.

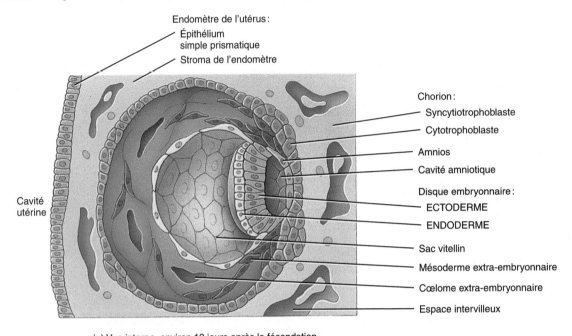

Endomètre de l'utérus :
Épithélium simple prismatique
Stroma de l'endomètre

Cavité utérine

Chorion :
Syncytiotrophoblaste
Cytotrophoblaste
Amnios
Cavité amniotique
Disque embryonnaire :
ECTODERME
ENDODERME
Sac vitellin
Mésoderme extra-embryonnaire
Cœlome extra-embryonnaire
Espace intervilleux

(a) Vue interne, environ 12 jours après la fécondation

1. Définissez l'*anatomie du développement*.
2. Où se produit normalement la fécondation ?
3. Comment la polyspermie est-elle bloquée ?
4. Qu'est-ce que la morula, et comment se forme-t-elle ?
5. Décrivez les composantes d'un blastocyste.

DÉVELOPPEMENTS EMBRYONNAIRE ET FŒTAL

OBJECTIFS

- *Expliquer la formation des feuillets embryonnaires primitifs et des membranes embryonnaires, qui constitue l'essentiel du développement embryonnaire.*

- *Énumérer les structures représentatives de l'organisme issues des feuillets embryonnaires primitifs.*

- *Décrire la formation du placenta et du cordon ombilical.*

La **période de gestation** (*gestatio* = action de porter) est l'intervalle qui sépare la fécondation de la naissance. Chez l'humain, cette période d'une durée de 38 semaines environ commence le jour présumé de la fécondation (ou 2 semaines après le premier jour de la dernière menstruation). À la fin de la **période embryonnaire,** qui correspond aux deux premiers mois de gestation, l'ébauche des principaux organes

adultes est présente et les membranes embryonnaires sont formées. Durant la **période fœtale,** qui débute après le deuxième mois, les organes ébauchés par les feuillets embryonnaires primitifs se développent rapidement, et le fœtus prend une apparence humaine. À la fin du troisième mois, le placenta, siège de l'échange de nutriments et de déchets entre la mère et le fœtus, est fonctionnel.

Formation des systèmes organiques

La première étape importante de la période embryonnaire est la **gastrulation,** pendant laquelle l'embryoblaste du blastocyste se différencie en trois **feuillets embryonnaires primitifs :** l'ectoderme, l'endoderme et le mésoderme. Ces feuillets constituent les principaux tissus embryonnaires à partir desquels tous les autres tissus et les organes se forment.

Dans les huit jours suivant la fécondation, les cellules du cytotrophoblaste interne prolifèrent et forment l'amnios (une membrane fœtale) et un espace adjacent à l'embryoblaste, la **cavité amniotique** (*amnion* = membrane du fœtus) (figure 29.5a). Dans l'embryoblaste, la couche de cellules la plus rapprochée de la cavité amniotique devient l'**ectoderme** (*ektos* = au dehors ; *derma* = peau), tandis que celle qui borde le blastocèle se transforme en **endoderme** (*endon* = en dedans). À ce stade du développement de la cavité amniotique,

Figure 29.5 (suite)

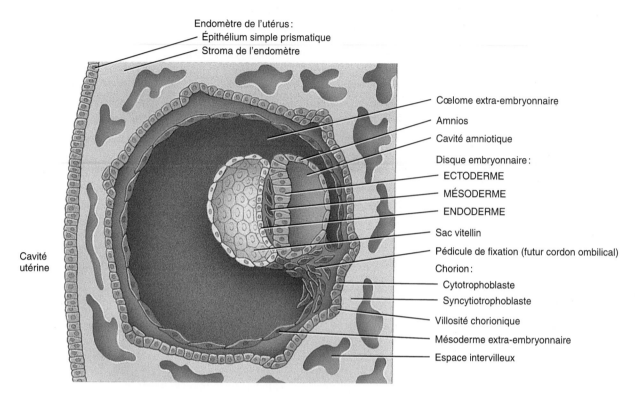

b) Vue interne, environ 14 jours après la fécondation

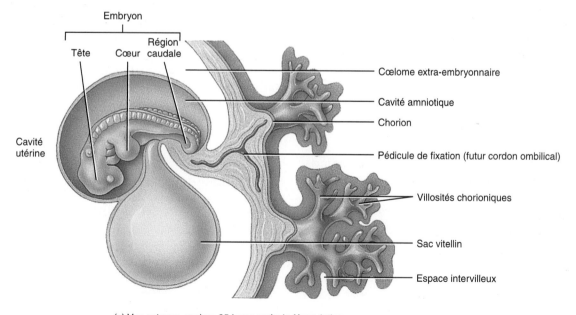

(c) Vue externe, environ 25 jours après la fécondation

Q   Quelles cellules du blastocyste donnent naissance au disque embryonnaire ?

Tableau 29.1 Structures dérivées des trois feuillets embryonnaires primitifs

ENDODERME	MÉSODERME	ECTODERME
Revêtement épithélial du tube digestif (sauf la cavité orale et le canal anal) et épithélium de ses glandes.	Tous les muscles squelettiques, la plupart des muscles lisses et tout muscle cardiaque.	Tous les tissus nerveux.
Revêtement épithélial de la vessie, de la vésicule biliaire et du foie.	Cartilage, os et autres tissus conjonctifs.	Épiderme de la peau.
Revêtement épithélial du pharynx, des trompes auditives, des amygdales, du larynx, de la trachée, des bronches et des poumons.	Sang, moelle osseuse rouge et tissu lymphatique.	Follicules pileux, muscles arrecteurs des poils, ongles et épithélium des glandes de la peau (sébacées et sudoripares).
Épithélium de la glande thyroïde, des glandes parathyroïdes, du pancréas et du thymus.	Endothélium des vaisseaux sanguins et lymphatiques.	Cristallin, cornée et muscles internes de l'œil.
Revêtement épithélial de la prostate et des glandes bulbo-urétrales, du vagin, du vestibule du vagin, de l'urètre et des glandes annexes comme les glandes vestibulaires majeures et mineures.	Derme de la peau.	Oreille interne et externe.
	Tunique fibreuse et tunique vasculaire du globe oculaire.	Neuro-épithélium des organes des sens.
	Oreille moyenne.	Épithélium de la cavité orale, des cavités nasales, des sinus paranasaux, des glandes salivaires et du canal anal.
	Mésothélium de la cavité ventrale.	Épithélium de la glande pinéale, de l'hypophyse et de la médullosurrénale.
	Épithélium des reins et des uretères.	
	Épithélium du cortex surrénal.	
	Épithélium des gonades et des conduits génitaux.	

l'embryoblaste est appelé **disque embryonnaire** et contient des cellules ectodermiques et endodermiques ; les cellules mésodermiques sont disséminées à l'extérieur de ce disque.

Vers le douzième jour suivant la fécondation, la formation des feuillets embryonnaires primitifs et des structures associées s'accompagne de spectaculaires modifications. Les cellules de l'endoderme se sont rapidement divisées et forment des grappes qui constituent une sphère creuse appelée sac vitellin, une autre membrane fœtale (décrite ci-après). Les cellules du cytotrophoblaste donnent naissance à un tissu conjonctif lâche, le **mésoderme extra-embryonnaire** (*mesos* = au milieu), qui occupe tout l'espace entre le cytotrophoblaste et le sac vitellin. En peu de temps, de grandes cavités se forment dans le mésoderme extra-embryonnaire et fusionnent pour former une seule grande cavité appelée **cœlome extra-embryonnaire,** la future cavité ventrale (figure 29.5b).

Vers le quatorzième jour, la différenciation des cellules du disque embryonnaire produit trois feuillets distincts : l'ectoderme, le mésoderme et l'endoderme (figure 29.5b). À mesure que l'embryon se développe, l'endoderme devient le revêtement épithélial du tube digestif et des voies respiratoires ainsi que de plusieurs autres organes. Le mésoderme forme les muscles, les os, d'autres tissus conjonctifs et le péritoine. L'ectoderme devient l'épiderme de la peau et le système nerveux. Le tableau 29.1 fournit des détails sur l'évolution des feuillets embryonnaires primitifs.

Formation des membranes embryonnaires

La deuxième étape importante de la période embryonnaire consiste en la formation des **membranes embryonnaires.** Situées à l'extérieur de l'embryon, ces membranes protègent et nourrissent l'embryon et jouent le même rôle plus tard pour le fœtus. (Rappelez-vous que l'embryon devient un fœtus après le deuxième mois.) Les membranes embryonnaires comprennent le sac vitellin, l'amnios, le chorion et l'allantoïde (figure 29.6).

Chez les espèces dont le développement se déroule à l'intérieur d'une coquille (comme les oiseaux), le **sac vitellin** fournit la majorité des vaisseaux sanguins qui transportent les nutriments jusqu'à l'embryon (voir la figure 29.5c). Pour sa part, l'embryon humain reçoit plutôt ses nutriments de l'endomètre ; le sac vitellin reste petit et constitue le premier site de l'hématopoïèse. Il contient également des cellules qui migrent dans les gonades et se différencient en cellules germinales primordiales (spermatogonies et ovogonies).

L'**amnios** est une membrane protectrice mince qui se forme huit jours après la fécondation et recouvre dans un premier temps le disque embryonnaire (voir la figure 29.5a et b). À mesure que l'embryon grossit, l'amnios entoure complètement l'embryon, créant une cavité qui se remplit de liquide amniotique (voir la figure 29.6a). La majeure partie du liquide amniotique est initialement dérivée d'un filtrat du sang maternel ; plus tard en cours de grossesse, le fœtus contribuera chaque jour à ce liquide en excrétant de l'urine dans la cavité amniotique. Le liquide amniotique protège le fœtus contre les chocs, contribue à la régulation de sa température corporelle et empêche sa peau d'adhérer aux tissus environnants. Des cellules embryonnaires se desquament dans le liquide amniotique et peuvent être analysées grâce à l'amniocentèse ; ce procédé est décrit à la page 1098. L'amnios se rompt habituellement juste avant la naissance ; avec son contenu, il constitue la « poche des eaux ».

Figure 29.6 Membranes embryonnaires.

 Les membranes embryonnaires sont situées à l'extérieur de l'embryon ; elles protègent et nourrissent l'embryon, et plus tard le fœtus.

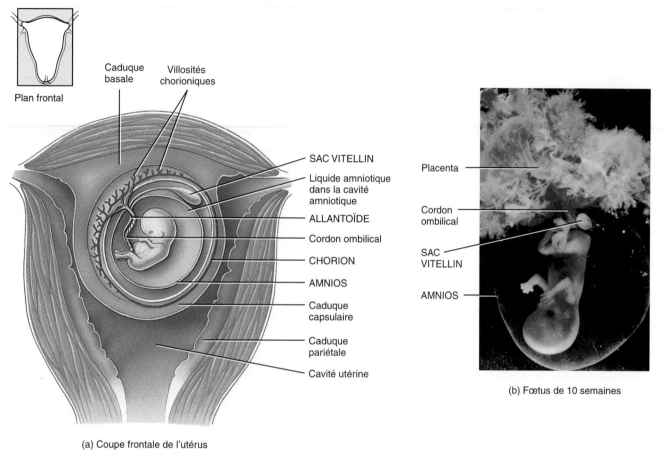

Plan frontal

Caduque basale
Villosités chorioniques

SAC VITELLIN
Liquide amniotique dans la cavité amniotique
ALLANTOÏDE
Cordon ombilical
CHORION
AMNIOS
Caduque capsulaire
Caduque pariétale
Cavité utérine

(a) Coupe frontale de l'utérus

Placenta
Cordon ombilical
SAC VITELLIN
AMNIOS

(b) Fœtus de 10 semaines

Q En quoi la fonction de l'amnios et celle du chorion diffèrent-elles ?

Le **chorion** est dérivé du trophoblaste du blastocyste ainsi que du mésoderme qui tapisse le trophoblaste. Il entoure l'embryon, et plus tard le fœtus. Le chorion devient la principale partie embryonnaire du placenta, structure d'échange de substances entre la mère et le fœtus. Il produit également la gonadotrophine chorionique (hCG). La couche interne du chorion finit par fusionner avec l'amnios.

L'**allantoïde** (*allantoeidês* = en forme de boyau) est une petite structure vascularisée qui constitue un autre site précoce de l'hématopoïèse. Ses vaisseaux sanguins forment plus tard une partie du lien entre la mère et le fœtus.

Placenta et cordon ombilical

Le **placenta** (= galette), siège de l'échange de nutriments et de déchets entre la mère et le fœtus, se forme pendant le troisième mois de gestation ; il est composé du chorion de l'embryon et d'une partie de l'endomètre de la mère. Lorsqu'il est entièrement formé, le placenta ressemble à une crêpe (voir la figure 29.8b). Sur le plan fonctionnel, le placenta permet à l'oxygène et aux nutriments de diffuser du sang maternel jusqu'au sang fœtal, et au gaz carbonique et aux déchets de diffuser en sens inverse.

Le placenta constitue également une barrière protectrice, puisque la plupart des microorganismes ne peuvent pas le traverser. Il laisse cependant passer certains virus, tels ceux qui causent le SIDA, la rubéole, la varicelle, la rougeole, l'encéphalite et la poliomyélite. En outre, le placenta emmagasine des nutriments tels que des glucides, des protéines, du calcium et du fer, qui sont libérés dans la circulation fœtale au besoin, et produit plusieurs hormones nécessaires au maintien de la grossesse. Presque toutes les drogues, y compris l'alcool et de nombreuses autres substances qui peuvent causer des anomalies congénitales, traversent le placenta.

Figure 29.7 Régions de la caduque.

 La caduque est une portion modifiée de l'endomètre qui se forme après l'implantation.

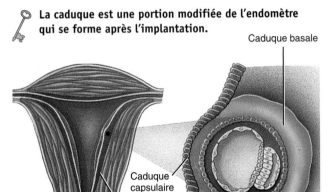

Caduque basale

Caduque capsulaire

Caduque pariétale

Coupe frontale de l'utérus   Détails de la caduque

Q Quelle partie de la caduque contribue à former la portion maternelle du placenta?

Lorsqu'il y a implantation, une partie de l'endomètre se modifie pour devenir la **caduque** (*cadere* = tomber). La caduque comprend presque tout l'endomètre à l'exception de la couche basale; elle se sépare de l'endomètre après la naissance, de la même manière que lors de la menstruation. Ses différentes régions, toutes constituées de parties de la couche fonctionnelle, sont nommées selon leur position par rapport au site d'implantation du blastocyste (figure 29.7). La **caduque basale** est la partie de l'endomètre située entre le chorion et la couche basale de l'utérus; elle devient la portion maternelle du placenta. La **caduque capsulaire** est la portion de l'endomètre située entre l'embryon et la cavité utérine. La **caduque pariétale** forme le reste de l'endomètre modifié qui tapisse les régions de l'utérus sans contact direct avec l'embryon. À mesure que l'embryon (et le fœtus) grossit, la caduque capsulaire fait saillie dans la cavité utérine et fusionne avec la caduque pariétale pour effacer la cavité utérine. Vers la 27e semaine de gestation, la caduque capsulaire dégénère et disparaît.

Les liens entre la mère et l'enfant en développement s'établissent par l'intermédiaire du placenta et du cordon ombilical (figure 29.8a). Durant la vie embryonnaire, des projections digitiformes du chorion, appelées **villosités chorioniques,** croissent dans la caduque basale de l'endomètre. Ces projections, qui contiendront plus tard les vaisseaux sanguins fœtaux de l'allantoïde, continuent de grossir jusqu'à ce qu'elles soient submergées dans les sinus sanguins maternels, appelés **espaces intervilleux.** Cela a pour effet de rapprocher les vaisseaux sanguins de la mère et du fœtus. Notez cependant que ces vaisseaux ne fusionnent jamais et que, en général, le sang qu'ils transportent ne se mélange pas.

L'oxygène et les nutriments circulant dans les espaces intervilleux de la mère diffusent à travers les membranes cellulaires jusqu'aux capillaires des villosités chorioniques, tandis que les déchets du fœtus diffusent en sens inverse. À partir des capillaires des villosités, les nutriments et l'oxygène arrivent au fœtus par la veine ombilicale. Les déchets du fœtus sont excrétés par les artères ombilicales, puis passent dans les capillaires des villosités et diffusent dans le sang maternel. Quelques substances, tels les IgG (des anticorps), passent du sang de la mère aux capillaires des villosités par transcytose (décrite à la page 716), dans laquelle il se produit une endocytose par récepteurs interposés.

Le **cordon ombilical,** lien vasculaire entre la mère et le fœtus, comprend deux artères ombilicales qui transportent le sang fœtal désoxygéné vers le placenta, une veine ombilicale qui transporte le sang oxygéné vers le fœtus, et du tissu conjonctif muqueux de soutien dérivé de l'allantoïde, appelé gelée de Wharton, qui protège les vaisseaux sanguins. Le cordon ombilical est entièrement recouvert d'une couche d'amnios (voir la figure 29.8a).

Après la naissance, le placenta se détache de l'utérus et est appelé le **délivre.** Le cordon ombilical est clampé et sectionné, ce qui sépare le bébé de sa mère. La petite portion de cordon (environ 2 cm) qui reste attachée au nouveau-né s'atrophie peu à peu et tombe habituellement dans les 12 à 15 jours suivant la naissance. La région à laquelle le cordon était fixé se recouvre d'une mince couche de peau, et du tissu cicatriciel se forme. Cette cicatrice est l'**ombilic,** ou nombril.

Les sociétés pharmaceutiques prélèvent dans le placenta humain des hormones, diverses substances et du sang; certaines portions du placenta servent aussi à recouvrir les brûlures. On prélève parfois les veines du placenta et du cordon ombilical pour en faire des greffons, et le sang du cordon peut être congelé et servir plus tard de source de cellules souches pluripotentes.

Dans le présent ouvrage, chaque chapitre comporte une section sur le développement embryonnaire des divers systèmes de l'organisme. Voici une liste de ces sections, qui devrait vous aider à réviser ce thème.

Figure 29.8 Placenta et cordon ombilical.

Le placenta est formé par le chorion de l'embryon et une partie de l'endomètre de la mère.

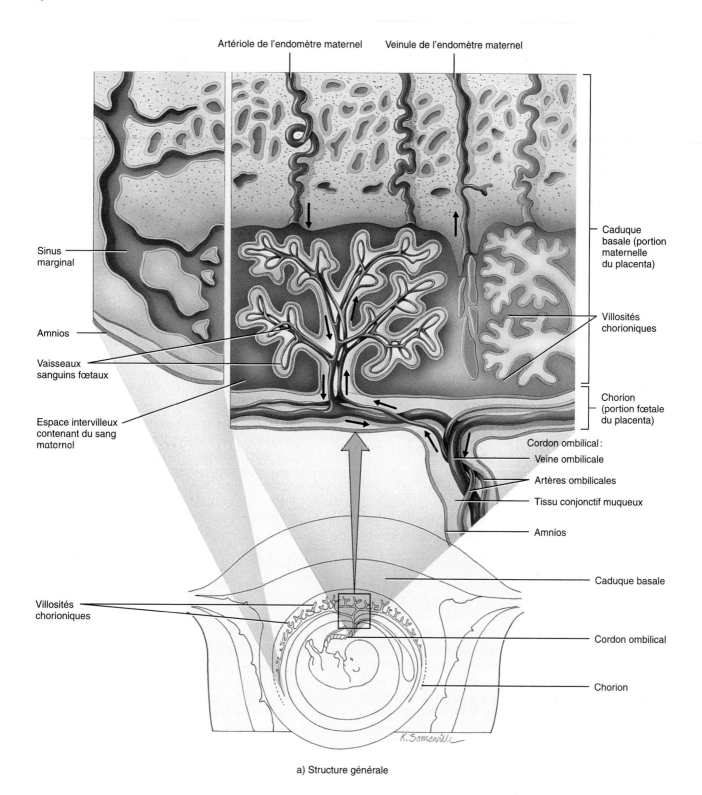

a) Structure générale

Suite à la page suivante

Figure 29.8 Placenta et cordon ombilical (suite)

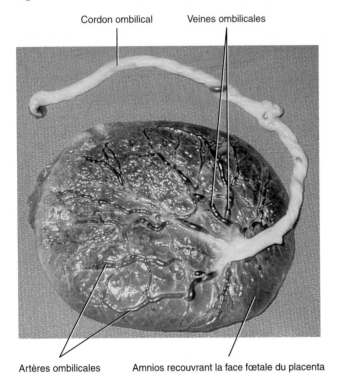

Cordon ombilical   Veines ombilicales

Artères ombilicales   Amnios recouvrant la face fœtale du placenta

(b) Face fœtale du placenta

Q Quelle est la fonction du placenta ?

Le tableau 29.2 résume les changements qui accompagnent les développements embryonnaire et fœtal.

APPLICATION CLINIQUE
Placenta prævia

Le **placenta prævia** (*prævia* = en avant de) est l'implantation d'une partie ou de la totalité du placenta dans la portion inférieure de l'utérus, à proximité ou autour de l'ostium interne du canal du col utérin. Bien qu'il puisse entraîner un avortement spontané, il se produit dans environ 1 cas sur 250 naissances d'enfant vivant. Le placenta prævia présente un danger pour le fœtus, car il peut causer une naissance prématurée et une hypoxie intra-utérine secondaire à une hémorragie maternelle. L'hémorragie et l'infection augmentent les risques de mortalité maternelle. Le principal symptôme du placenta prævia est un écoulement vaginal soudain et indolore de sang rouge vif au cours du troisième trimestre. La césarienne est la méthode d'accouchement indiquée en présence de cette anomalie. ◼

Diagnostic prénatal

Il existe plusieurs moyens de détecter les anomalies génétiques et d'évaluer le bien-être du fœtus. Nous décrivons ci-dessous l'échographie fœtale, l'amniocentèse et la biopsie des villosités chorioniques.

Échographie fœtale

On procède à une **échographie fœtale** pour vérifier si la grossesse se déroule normalement. Cette épreuve est de loin la plus utilisée pour déterminer de façon plus précise l'âge du fœtus quand la date de la conception n'est pas certaine. Elle sert également à déterminer la viabilité et la croissance du fœtus, à préciser sa position, à détecter les grossesses multiples et à dépister les anomalies entre le fœtus et la mère. Cette technique est utilisée seule ou en complément d'épreuves spéciales comme l'amniocentèse. L'échographie n'est pas utilisée couramment pour déterminer le sexe du fœtus ; on y a recours uniquement pour une raison médicale précise.

L'échographie fœtale consiste à glisser sur l'abdomen un transducteur qui émet des ondes sonores de haute fréquence (ultrasons). Les ultrasons réfléchis par le fœtus sont captés par le transducteur et convertis en une image appelée **sonogramme** (voir le tableau 1.4, p. 21). Comme la vessie sert de point de repère pendant cet examen, la patiente doit boire des liquides et ne pas uriner afin que sa vessie soit pleine.

Amniocentèse

L'**amniocentèse** (*kentêsis* = action de piquer) consiste à prélever une partie du liquide amniotique dans lequel baigne le fœtus afin d'analyser les cellules fœtales et les substances dissoutes qu'il contient. Elle vise à détecter certaines anomalies génétiques telles que le syndrome de Down (ou trisomie 21), le spina bifida, l'hémophilie, la maladie de Tay-Sachs (ou idiotie infantile amaurotique familiale), la drépanocytose (ou anémie à hématies falciformes) et certaines dystrophies musculaires, ou à déterminer la maturité et le bien-être du fœtus un peu avant l'accouchement. Lorsqu'on recherche des anomalies génétiques, on procède à l'amniocentèse entre la 14e et la 16e semaine de gestation ; pour évaluer la maturité fœtale, on attend normalement après la 35e semaine. L'amniocentèse permet de détecter environ 300 anomalies chromosomiques et plus de 50 anomalies biochimiques. Elle est également utile pour déterminer le sexe du fœtus lorsqu'on soupçonne la présence de troubles liés au sexe transmissibles de la mère à sa descendance de sexe masculin seulement (décrits plus loin). Si le fœtus est de sexe féminin, il ne courra aucun risque, à moins que le père ne soit également porteur du gène défectueux.

Avant de procéder à la ponction, il faut premièrement repérer la position du fœtus et du placenta par une échographie et par palpation de l'abdomen de la patiente. Après avoir aseptisé la peau et administré une anesthésie locale, on insère une aiguille hypodermique à travers la paroi abdominale et l'utérus pour atteindre la cavité amniotique, puis on prélève environ 10 mL de liquide (figure 29.9a). Le liquide et les cellules en suspension font ensuite l'objet d'un examen microscopique et d'analyses biochimiques. Des concentrations élevées d'alphafœtoprotéine et d'acétylcholinestérase indiquent parfois une anomalie de développement du système nerveux, comme celle que l'on observe dans le spina

Tableau 29.2 Changements associés aux développements embryonnaire et fœtal

FIN DU MOIS	TAILLE ET POIDS APPROXIMATIFS	CHANGEMENTS REPRÉSENTATIFS
1	0,6 cm	Les yeux, le nez et les oreilles ne sont pas encore visibles. La colonne vertébrale et le canal vertébral se forment. Les petits bourgeons des membres apparaissent. Le cœur se forme et commence à battre. Les systèmes de l'organisme prennent forme. Le système nerveux central apparaît au début de la troisième semaine.
2	3 cm 1 g	Les yeux sont très écartés, les paupières sont fusionnées, le nez est plat. L'ossification commence. Les membres deviennent distincts, et les doigts sont bien formés. Les principaux vaisseaux sanguins se forment. De nombreux organes internes poursuivent leur développement.
3	7,5 cm 30 g	Les yeux sont presque entièrement formés mais les paupières restent fusionnées, l'arête du nez apparaît et les oreilles externes sont présentes. L'ossification se poursuit. Les membres sont complètement formés et les ongles apparaissent. Les battements du cœur sont perceptibles. L'urine commence à se former. Le fœtus bouge, mais sa mère ne le sent pas encore. Les systèmes de l'organisme poursuivent leur développement.
4	18 cm 100 g	La tête est grosse par rapport au reste du corps. Le visage commence à présenter des traits humains, et les cheveux apparaissent. De nombreux os s'ossifient, et les articulations commencent à se former. Les systèmes de l'organisme se développent rapidement.
5	25 à 30 cm 200 à 450 g	La tête est mieux proportionnée au reste du corps. Un fin duvet (lanugo) recouvre le corps. La graisse brune se forme et produit de la chaleur. La mère sent les premiers mouvements actifs du fœtus. Les systèmes de l'organisme se développent rapidement.
6	27 à 35 cm 550 à 800 g	La tête devient encore mieux proportionnée au reste du corps. Les paupières se séparent et les cils se forment. Le fœtus prend beaucoup de poids. La peau est plissée. Les pneumocytes de type II commencent à produire du surfactant.
7	32 à 42 cm 110 à 1 350 g	La tête et le corps sont mieux proportionnés. La peau est ridée. À sept mois, le fœtus est viable (bébé prématuré). Il se place la tête en bas. Les testicules commencent à descendre dans le scrotum.
8	41 à 45 cm 2 000 à 2 300 g	Du tissu adipeux sous-cutané se dépose. La peau est moins plissée.
9	50 cm 3 200 à 3 400 g	Le tissu adipeux sous-cutané continue de s'accumuler. Le lanugo se desquame. Les ongles atteignent le bout des doigts, parfois plus.

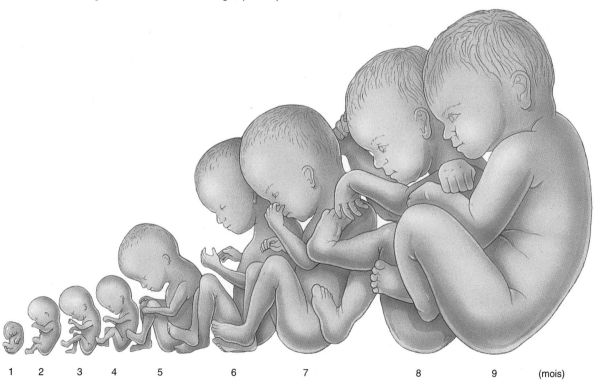

1   2   3   4   5   6   7   8   9   (mois)

Figure 29.9 Amniocentèse et biopsie des villosités chorioniques.

 Pour détecter les anomalies génétiques, on procède à une amniocentèse entre la 14ᵉ et la 16ᵉ semaine de gestation ; on peut pratiquer une biopsie des villosités chorioniques dès la 8ᵉ semaine de gestation.

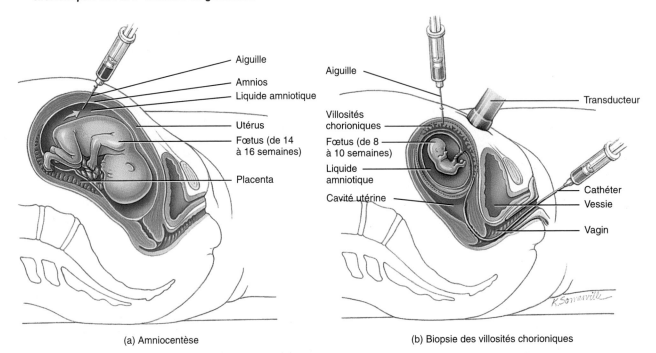

(a) Amniocentèse

(b) Biopsie des villosités chorioniques

Q Quels types de renseignements l'amniocentèse fournit-elle ?

bifida ou l'anencéphalie (absence d'hémisphères cérébraux). Les épreuves chromosomiques, qui nécessitent la culture des cellules pendant deux à quatre semaines, peuvent révéler un remaniement, une addition ou une soustraction de chromosomes. L'amniocentèse n'est indiquée que dans les cas où l'on soupçonne une anomalie génétique, car il y a un risque d'avortement spontané d'environ 0,5 % après l'intervention.

Biopsie des villosités chorioniques

Dans la **biopsie des villosités chorioniques,** on insère un cathéter dans le vagin et le col de l'utérus et on le glisse jusqu'aux villosités chorioniques en se guidant à l'aide de l'échographie (figure 29.9b). On prélève par succion environ 30 mg de tissu, que l'on prépare ensuite pour l'analyse chromosomique. On peut également prélever des villosités chorioniques en insérant une aiguille dans la cavité abdominale, comme on le fait pour l'amniocentèse.

La biopsie des villosités chorioniques permet de détecter les mêmes anomalies que l'amniocentèse, car les cellules chorioniques et fœtales contiennent le même génome. Cette épreuve offre cependant plus d'avantages que l'amniocentèse : elle peut être pratiquée dès la huitième semaine de gestation, et les résultats des épreuves sont connus au bout de quelques jours, ce qui permet de décider au tout début de la grossesse

si elle doit se poursuivre ou non. De plus, la technique peut être effectuée sans ponction dans l'abdomen, l'utérus ou la cavité amniotique au moyen d'une aiguille. Elle est cependant légèrement plus risquée que l'amniocentèse, car les risques d'avortement spontané après l'intervention sont de 1 à 2 %.

1. Définissez la *période embryonnaire* et la *période fœtale*.
2. Expliquez pourquoi le placenta et le cordon ombilical sont importants pour la croissance du fœtus.
3. Décrivez les principaux changements physiques associés à la croissance du fœtus.
4. Décrivez les épreuves de diagnostic prénatal suivantes : échographie fœtale, amniocentèse et biopsie des villosités chorioniques.

EFFETS DE LA GROSSESSE CHEZ LA MÈRE

OBJECTIFS

• *Décrire la source et les fonctions des hormones sécrétées pendant la grossesse.*

• *Décrire les changements hormonaux, anatomiques et physiologiques qui se produisent chez la femme enceinte.*

Figure 29.10 Hormones de la grossesse.

Le corps jaune produit de la progestérone et des œstrogènes durant les trois à quatre premiers mois de la grossesse, et le placenta prend le relais du troisième mois jusqu'à la fin de la grossesse.

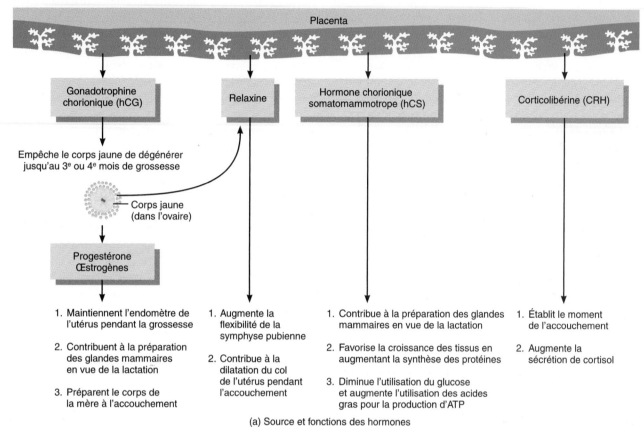

(a) Source et fonctions des hormones

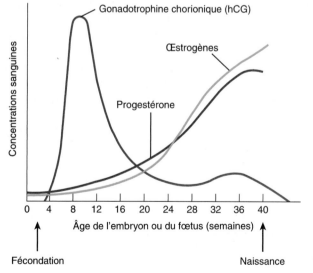

(b) Concentrations sanguines des hormones pendant la grossesse

Q Quelle hormone est détectée par les tests en début de grossesse ?

Hormones de grossesse

Au cours des trois à quatre premiers mois de la grossesse, le corps jaune continue à sécréter de la **progestérone** et des **œstrogènes,** qui maintiennent le revêtement de l'utérus pendant la grossesse et préparent les glandes mammaires à la sécrétion de lait. Cependant, les quantités d'hormones sécrétées par le corps jaune ne sont que légèrement supérieures aux quantités produites après l'ovulation lors d'un cycle menstruel normal. À partir du troisième mois de grossesse jusqu'au terme, le placenta fournit la progestérone et les œstrogènes en concentrations suffisamment élevées pour les besoins. Comme nous l'avons vu, le chorion du placenta sécrète la **gonadotrophine chorionique** (**hCG**) dans le sang. À son tour, la hCG stimule le corps jaune pour qu'il continue à sécréter de la progestérone et des œstrogènes, car cette activité sert à prévenir la menstruation et permet à l'embryon, puis au fœtus, de continuer d'adhérer à l'endomètre (figure 29.10a). Huit jours après la fécondation, la hCG est présente en quantités détectables dans le sang de la femme enceinte. Vers la neuvième semaine de grossesse, la sécrétion de hCG est optimale (figure 29.10b), puis diminue abruptement durant les quatrième et cinquième mois, et reste stable jusqu'à l'accouchement.

Le chorion du placenta commence à sécréter des œstrogènes au bout de trois ou quatre semaines de gestation, et de la progestérone vers la sixième semaine. Ces sécrétions augmentent progressivement jusqu'au moment de la naissance (voir la figure 29.10b). Durant le quatrième mois, le placenta est entièrement formé et la sécrétion de hCG diminue considérablement, car les sécrétions du corps jaune ne sont plus essentielles. Du troisième au neuvième mois, c'est donc le placenta qui fournit les œstrogènes et la progestérone en concentrations suffisantes pour maintenir la grossesse. Une concentration élevée de progestérone assure une détente optimale du myomètre de l'utérus et une fermeture étanche du col de l'utérus. Après l'accouchement, les taux sanguins d'œstrogènes et de progestérone redeviennent normaux.

La **relaxine,** une hormone produite d'abord par le corps jaune de l'ovaire, puis par le placenta, augmente la flexibilité de la symphyse pubienne et des ligaments des articulations sacro-iliaques et sacro-coccygiennes, et contribue à la dilatation du col de l'utérus pendant le travail. Par ces effets, elle facilite l'accouchement et la naissance du bébé.

Une troisième hormone est sécrétée par le chorion du placenta. Il s'agit de l'**hormone chorionique somatomammotrope** (**hCS,** «human chorionic somatomammotropin»), aussi nommée **hormone lactogène placentaire humaine** (**hPL,** «human placental lactogen»), dont le taux de sécrétion augmente proportionnellement à la masse du placenta, atteint un sommet après 32 semaines de gestation et se stabilise par la suite. On croit que la hCS contribue à la préparation des glandes mammaires en vue de la lactation, favorise la croissance des tissus de la mère en augmentant la synthèse des protéines et régit certains aspects du métabolisme, chez la mère comme chez le fœtus. Par exemple, la hCS entraîne une diminution de l'utilisation du glucose par la mère, le rendant plus disponible pour le fœtus. De plus, elle stimule le tissu adipeux pour qu'il libère des acides gras qui remplaceront le glucose pour la production d'ATP chez la mère.

La dernière hormone placentaire découverte est la **corticolibérine** (**CRH,** «corticotropin-releasing hormone») qui, en dehors de la grossesse, est sécrétée uniquement par les cellules neurosécrétrices de l'hypothalamus. On croit présentement que la CRH agit comme l'«horloge» qui règle le moment de la naissance. Le placenta commence à sécréter la corticolibérine vers la 12e semaine de gestation et augmente considérablement sa production vers la fin de la grossesse. Il y a de fortes chances que les femmes qui présentent des taux élevés de CRH en début de grossesse accouchent avant terme, et que celles dont les taux sanguins sont bas dépassent la date prévue de l'accouchement. La CRH placentaire produit un autre effet important: elle augmente la sécrétion de cortisol, substance nécessaire à la maturation des poumons du fœtus et à la production de surfactant.

APPLICATION CLINIQUE
Tests en début de grossesse

Les **tests en début de grossesse** détectent les quantités infimes de gonadotrophine chorionique (hCG) présentes dans l'urine, dont l'excrétion commence environ 8 jours après la fécondation. Présentées sous forme de trousses, ils permettent de détecter une grossesse dès le premier jour de retard du cycle menstruel, c'est-à-dire environ 14 jours après la fécondation. Les substances chimiques contenues dans les trousses produisent un changement de couleur quand la hCG présente dans l'urine réagit aux anticorps hCG fournis dans la trousse.

Plusieurs tests de grossesse vendus en pharmacie sont aussi sensibles et précis que les méthodes utilisées couramment dans les centres hospitaliers. Ils peuvent cependant donner des résultats faussement négatifs ou faussement positifs. On peut obtenir un résultat faussement négatif (qui indique que la femme n'est pas enceinte alors qu'elle l'est) si on fait le test trop tôt ou en présence d'une grossesse ectopique, et un résultat faussement positif (qui indique que la femme est enceinte alors qu'elle ne l'est pas) si l'urine contient trop de protéines ou de sang ou si la sécrétion de hCG est causée par un type rare de cancer de l'utérus. Les diurétiques thiazidiques, les hormones, les stéroïdes et les médicaments thyroïdiens peuvent également fausser le résultat d'un test en début de grossesse. ■

Modifications anatomiques et physiologiques durant la grossesse

Vers la fin du troisième mois de grossesse, l'utérus occupe la majeure partie de la cavité pelvienne; à mesure que le fœtus se développe, l'utérus s'étend de plus en plus haut dans la cavité abdominale. À la fin d'une grossesse menée à terme, l'utérus occupe la quasi-totalité de la cavité abdominale et se trouve plus haut que le bord costal, presque au niveau du processus xiphoïde du sternum (figure 29.11). Il pousse les intestins, le foie et l'estomac de la mère vers le haut, élève le diaphragme et élargit la cavité thoracique. En comprimant l'estomac, il pousse le contenu de cet organe vers le haut jusque dans l'œsophage, ce qui peut occasionner des brûlures d'estomac. Dans la cavité pelvienne, l'utérus comprime les uretères et la vessie.

Outre les modifications anatomiques associées à la grossesse, on observe également les modifications physiologiques suivantes qu'elle déclenche: un gain pondéral attribuable au poids du fœtus, du liquide amniotique et du placenta, à l'augmentation de volume de l'utérus et du volume total des liquides organiques; un stockage plus important de protéines, de triglycérides et de minéraux; une augmentation marquée du volume des seins en vue de la lactation; des douleurs lombaires causées par la lordose.

Le système cardiovasculaire maternel subit également des changements: une augmentation d'environ 30 % du volume systolique; une hausse de 20 à 30 % du débit cardiaque attribuable à une augmentation du débit sanguin maternel vers le

Figure 29.11 Position normale du fœtus à la fin d'une grossesse à terme.

 La période de gestation est l'intervalle (d'environ 38 semaines) séparant la fécondation de la naissance.

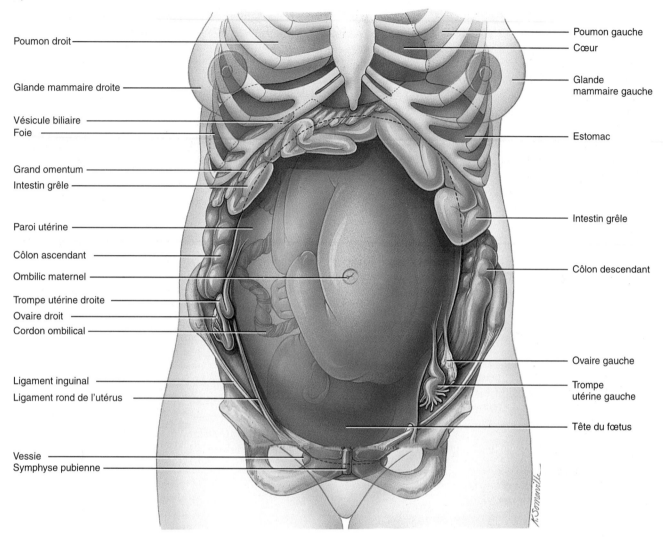

Poumon droit

Glande mammaire droite

Vésicule biliaire

Foie

Grand omentum

Intestin grêle

Paroi utérine

Côlon ascendant

Ombilic maternel

Trompe utérine droite

Ovaire droit

Cordon ombilical

Ligament inguinal

Ligament rond de l'utérus

Vessie

Symphyse pubienne

Poumon gauche

Cœur

Glande mammaire gauche

Estomac

Intestin grêle

Côlon descendant

Ovaire gauche

Trompe utérine gauche

Tête du fœtus

Vue antérieure montrant la position des organes à la fin d'une grossesse à terme

 Quelle est l'hormone qui augmente la flexibilité de la symphyse pubienne et contribue à la dilatation du col de l'utérus afin de faciliter la naissance du bébé?

placenta et à une accélération du métabolisme; une augmentation de 10 à 15 % de la fréquence cardiaque; une hausse du volume sanguin de 30 à 50 %, surtout pendant la seconde moitié de la grossesse. Ces modifications préparent l'organisme de la mère à répondre aux besoins en nutriments et en oxygène du fœtus. Lorsqu'une femme enceinte est couchée sur le dos, son utérus élargi peut comprimer l'aorte et entraîner une diminution du débit sanguin dans l'utérus. La compression de la veine cave inférieure diminue également le retour veineux, ce qui peut causer un œdème dans les membres inférieurs et entraîner l'apparition de varices. La compression de l'artère rénale peut occasionner de l'hypertension rénale.

La fonction pulmonaire subit aussi des changements pendant la grossesse afin de répondre aux besoins accrus en oxygène du fœtus. On observe alors une augmentation de 30 à 40 % du volume courant, une baisse de 40 % du volume de réserve expiratoire, une diminution de 25 % de la capacité résiduelle fonctionnelle, une augmentation de 40 % de la ventilation-minute (volume total d'air inspiré et expiré en une minute), une baisse de 30 à 40 % de la résistance dans les voies aériennes de l'arbre bronchique et une hausse de 10 à 20 % de la consommation totale d'oxygène par l'organisme. La femme enceinte peut aussi éprouver de la dyspnée (difficulté à respirer).

Sur le plan digestif, la femme enceinte voit son appétit augmenter, mais une baisse générale de la motilité du tube digestif peut causer de la constipation et un retard de la vidange gastrique. Des nausées, des vomissements et des brûlures d'estomac sont également possibles.

La pression que l'utérus élargi exerce sur la vessie peut provoquer des problèmes urinaires, notamment une augmentation de la fréquence des mictions, des mictions impérieuses et une incontinence urinaire d'effort. La hausse du débit plasmatique rénal, qui peut atteindre 35 %, et l'augmentation du débit de filtration glomérulaire, qui peut atteindre 40 %, accroissent la capacité de filtration rénale, ce qui permet une élimination plus rapide des déchets additionnels produits par le fœtus.

Durant la grossesse, les modifications de la peau sont plus apparentes chez certaines femmes que chez d'autres. Elles comprennent une augmentation de la pigmentation autour des yeux et sur les joues, phénomène appelé chloasma ou « masque de grossesse », ainsi que sur l'aréole des seins et la ligne blanche du bas-ventre (ligne brune). Des vergetures peuvent apparaître sur l'abdomen à mesure que l'utérus s'élargit, et certaines femmes perdent davantage leurs cheveux.

Les modifications des organes génitaux qui coïncident avec la grossesse incluent l'œdème, une augmentation de la vascularité de la vulve et une augmentation de la souplesse et de la vascularité du vagin. La masse de l'utérus, qui était de 60 à 80 g avant la grossesse, peut atteindre 900 à 1 200 g à terme ; cette hausse est attribuable à l'hyperplasie des fibres musculaires du myomètre en début de grossesse et à l'hypertrophie des fibres musculaires durant les deuxième et troisième trimestres.

APPLICATION CLINIQUE
Hypertension gravidique

Aux États-Unis, entre 10 et 15 % des femmes enceintes sont atteintes d'**hypertension gravidique,** une augmentation de la pression artérielle associée à la grossesse. La principale cause de ce trouble est la **prééclampsie,** ensemble de symptômes liés à la grossesse comprenant une hypertension soudaine, un excédent de protéines dans l'urine et un œdème généralisé qui s'installe habituellement après la 20e semaine de grossesse. Les autres signes et symptômes de la prééclampsie sont une vision trouble et des maux de tête. La prééclampsie peut être causée par une réaction auto-immune ou allergique secondaire à la présence du fœtus. Quand l'état s'accompagne de convulsions et d'un coma, on l'appelle **éclampsie.** Il existe d'autres formes d'hypertension gravidique non associées à la présence de protéines dans l'urine. ■

1. Énumérez les hormones intervenant dans la grossesse et décrivez les fonctions de chacune.
2. Décrivez plusieurs modifications structurales et fonctionnelles qui se produisent chez la mère pendant la grossesse.

EXERCICE ET GROSSESSE
OBJECTIF
- *Expliquer les interactions entre la grossesse et l'exercice.*

En début de grossesse, seuls quelques changements peuvent entraver l'exercice. Une femme enceinte peut se fatiguer plus rapidement que d'habitude ou les nausées matinales peuvent l'empêcher de faire régulièrement de l'exercice. Au fil de la grossesse, la prise de poids et les changements posturaux l'obligent à déployer plus d'énergie pour s'adonner à ses activités, et certains mouvements (arrêts brusques, changements de direction, mouvements rapides) sont plus difficiles à effectuer. En outre, certaines articulations, en particulier la symphyse pubienne, sont moins stables lorsque les concentrations de relaxine sont plus élevées. Pour compenser, de nombreuses futures mères adoptent une démarche traînante, les jambes écartées.

Même si durant l'exercice le sang se déplace des viscères (dont l'utérus fait partie) vers les muscles et la peau, rien n'indique que le débit sanguin dans le placenta soit inadéquat. La chaleur produite pendant l'exercice peut causer une déshydratation et augmenter la température corporelle. La femme enceinte doit donc éviter de s'exercer à outrance et d'avoir trop chaud, surtout au début de sa grossesse, car l'élévation de la température corporelle peut causer chez l'embryon des anomalies du tube neural. L'exercice n'a cependant aucun effet connu sur la lactation, à condition que la femme s'hydrate bien et porte un soutien-gorge offrant un bon soutien. Un niveau d'activité physique modéré ne présente aucun danger pour le fœtus si la mère est en bonne santé et que la grossesse est normale.

Faire de l'exercice pendant la grossesse peut améliorer la capacité de transport de l'oxygène, procurer une sensation de bien-être général et diminuer les malaises mineurs.

ACCOUCHEMENT
OBJECTIF
- *Expliquer les étapes associées aux trois périodes du travail lors de l'accouchement.*

L'**accouchement,** ou **parturition** (*parturire* = accoucher), est le processus pendant lequel le fœtus est expulsé de l'utérus et passe par le vagin pour venir au monde. Le **travail** est l'ensemble des phénomènes qui mènent à l'expulsion du fœtus hors de l'utérus.

Les interactions complexes de plusieurs hormones placentaires et fœtales déclenchent le travail. Comme la progestérone inhibe les contractions utérines, le travail ne peut commencer qu'au moment où elle ralentit son activité. Vers la fin de la grossesse, les concentrations d'œstrogènes dans le sang maternel augmentent brusquement, ce qui produit des changements qui compensent l'effet inhibiteur de la progestérone.

L'augmentation des taux d'œstrogènes survient lorsque le placenta sécrète une plus grande quantité de corticolibérine (CRH), qui stimule la sécrétion de la corticotrophine (ACTH) par l'adénohypophyse du fœtus. L'ACTH stimule à son tour la glande surrénale du fœtus pour qu'elle sécrète du cortisol et de la déhydro-épiandrostérone (DHEA), le principal androgène surrénal. Le placenta convertit ensuite la DHEA en œstrogènes. En présence de concentrations élevées d'œstrogènes, les fibres musculaires de l'utérus exhibent des récepteurs pour l'ocytocine et forment entre elles des jonctions communicantes. L'ocytocine stimule les contractions utérines et la relaxine contribue à l'assouplissement de la symphyse pubienne et à la dilatation du col de l'utérus. Les œstrogènes amènent également le placenta à libérer des prostaglandines induisant la production d'enzymes qui digèrent les fibres collagènes dans le col de l'utérus afin de le ramollir.

Pendant le travail, la régulation des contractions utérines s'accomplit par rétroactivation (voir la figure 1.4, p. 10). Les contractions du myomètre de l'utérus forcent la tête ou le corps du fœtus à progresser jusqu'au col, qui se distend en conséquence. Les mécanorécepteurs du col de l'utérus transmettent des influx nerveux aux cellules neurosécrétrices de l'hypothalamus pour qu'elles libèrent de l'ocytocine dans les capillaires sanguins de la neurohypophyse. L'ocytocine circule ensuite dans le sang jusqu'à l'utérus, où elle stimule le myomètre pour qu'il se contracte plus vigoureusement. À mesure que les contractions s'intensifient, le corps du fœtus étire davantage le col de l'utérus et les influx nerveux qui en résultent stimulent encore davantage la sécrétion d'ocytocine. Lorsque le bébé naît, la boucle de rétroactivation est rompue, car la distension du col de l'utérus diminue brusquement.

Les contractions utérines se produisent par vagues (d'une façon qui s'apparente aux contractions péristaltiques) commençant au sommet de l'utérus et progressant vers le bas pour favoriser l'expulsion du fœtus. Le **vrai travail** commence lorsque les contractions utérines, qui sont habituellement douloureuses, se produisent à intervalles réguliers. À mesure que ces intervalles raccourcissent, les contractions s'intensifient. On reconnaît également le vrai travail par une douleur dans le dos qui est intensifiée par la marche. Les deux indices fiables du déclenchement du vrai travail sont la dilatation du col de l'utérus et la perte du bouchon muqueux, un mucus sanguinolent qui apparaît dans le canal du col utérin durant le travail. Au cours du **faux travail,** les douleurs sont ressenties dans l'abdomen et se produisent à intervalles irréguliers, elles ne s'intensifient pas et changent peu sous l'effet de la marche. Il n'y a ni perte du bouchon muqueux ni dilatation du col de l'utérus.

On divise le vrai travail en trois périodes (figure 29.12) :

1 *Période de dilatation.* La **période de dilatation** va du déclenchement du travail jusqu'à la dilatation complète du col de l'utérus. D'une durée variant entre 6 et 12 h, elle se caractérise par des contractions régulières de l'utérus, la rupture de l'amnios et la dilatation complète (jusqu'à 10 cm) du col de l'utérus. Si l'amnios ne se rompt pas spontanément, on provoque sa rupture.

2 *Période d'expulsion.* L'intervalle (variant de 10 min à plusieurs heures) séparant la dilatation complète du col de l'utérus de l'expulsion du fœtus est appelé **période d'expulsion.**

3 *Période de la délivrance.* La **période de la délivrance** correspond à l'intervalle (d'une durée de 5 à 30 min, ou plus) entre la naissance du bébé et l'expulsion du placenta (le « délivre ») par de vigoureuses contractions utérines. Ces contractions provoquent également une constriction des vaisseaux sanguins qui se sont rompus pendant l'accouchement, et réduisent donc les risques d'hémorragie.

En règle générale, le travail dure plus longtemps pour un premier bébé (environ 14 h). Chez les femmes qui ont déjà accouché, la durée moyenne du travail est d'environ 8 h, bien qu'elle puisse varier considérablement d'un accouchement à l'autre. Comme le fœtus est parfois à l'étroit durant plusieurs heures dans les voies génitales (col de l'utérus et vagin), il subit un grand stress pendant l'accouchement. Sa tête est comprimée et il souffre par intermittence d'hypoxie, causée par la compression du cordon ombilical et du placenta pendant les contractions utérines. En réaction à ce stress, la médullosurrénale du fœtus sécrète de très grandes quantités d'adrénaline et de noradrénaline, les hormones « de lutte ou de fuite ». Les hormones sécrétées par la médullosurrénale sont celles qui protègent le mieux contre le stress de l'accouchement et qui préparent le bébé à la vie extra-utérine. Ces hormones dégagent également les poumons et modifient leur physiologie en vue de la première respiration, mobilisent des nutriments immédiatement utilisables pour le métabolisme cellulaire et favorisent l'augmentation du débit sanguin dans l'encéphale et le cœur.

Environ 7 % des femmes enceintes n'ont pas encore accouché deux semaines après la date prévue de leur accouchement. Dans de tels cas, il y a risque de lésions cérébrales ou même de mort fœtale, car le placenta qui vieillit ne peut plus fournir suffisamment d'oxygène et de nutriments pour les besoins du fœtus. On procède alors à l'induction du travail (par l'administration d'ocytocine) ou à un accouchement par césarienne.

Après l'expulsion du bébé et du placenta, les organes génitaux de la mère et ses mécanismes physiologiques mettent six semaines à retrouver leur état d'avant la grossesse. Cette période est appelée **post-partum.** Grâce au catabolisme des tissus, le volume de l'utérus diminue considérablement (surtout chez les mères qui allaitent), phénomène appelé **involution.** Le col de l'utérus perd son élasticité et redevient aussi ferme qu'avant la grossesse. Au cours des deux à quatre semaines qui suivent l'accouchement, un écoulement utérin persiste, que l'on appelle **lochies** et qui se compose d'abord de sang, puis d'un liquide séreux dérivé de la région où se trouvait le placenta.

Figure 29.12 Périodes du vrai travail.

🔑 **Le terme parturition est synonyme d'accouchement.**

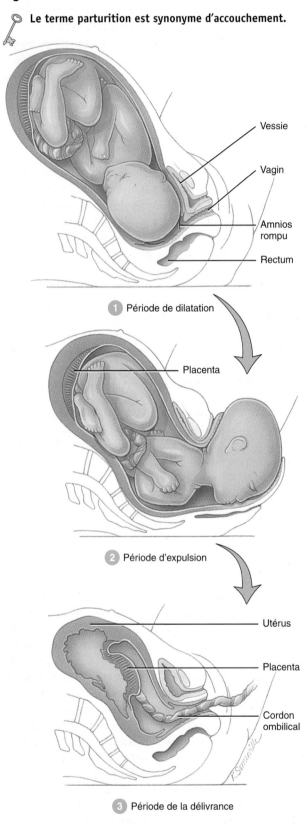

Vessie

Vagin

Amnios rompu

Rectum

1 Période de dilatation

Placenta

2 Période d'expulsion

Utérus

Placenta

Cordon ombilical

3 Période de la délivrance

Q Quel événement marque le début de la période d'expulsion ?

APPLICATION CLINIQUE
Dystocie et césarienne

La **dystocie** (*dus* = difficulté ; *tokos* = accouchement) est un accouchement rendu difficile soit par la position (présentation) anormale du fœtus, soit par des voies génitales trop petites pour permettre l'expulsion du fœtus par le vagin. Dans la **présentation du siège,** par exemple, le fœtus se présente par les fesses ou les membres inférieurs plutôt que par la tête ; cette présentation est le plus souvent observée lors de naissances prématurées. Lorsqu'une souffrance fœtale ou maternelle empêche l'expulsion par le vagin, une incision abdominale peut permettre la sortie du bébé. On pratique une incision horizontale dans le bas de la paroi abdominale et la partie inférieure de l'utérus, puis on retire le bébé et le placenta par cette ouverture. La **césarienne,** dont le nom est souvent associé à la naissance de Jules César, est plutôt nommée ainsi parce qu'elle était décrite dans la loi romaine (*lex cesarea*) 600 ans avant la naissance du célèbre empereur. Rien n'empêche une femme qui a subi de multiples césariennes de tenter un accouchement vaginal. ■

1. Décrivez les changements hormonaux qui déclenchent le travail.
2. Établissez la distinction entre le faux travail et le vrai travail.
3. Décrivez les étapes qui caractérisent la période de dilatation, la période d'expulsion et la période de la délivrance.

ADAPTATION DE L'ENFANT À LA VIE EXTRA-UTÉRINE

OBJECTIF

- *Expliquer les mécanismes d'adaptation des systèmes respiratoire et cardiovasculaire qui ont lieu chez l'enfant après la naissance.*

Durant la grossesse, l'embryon (puis le fœtus) dépend totalement de sa mère qui lui fournit de l'oxygène et des nutriments, le débarrasse de son gaz carbonique et d'autres déchets, le protège contre les chocs et les variations de température et lui fournit des anticorps qui le prémunissent contre certains microbes nuisibles. À la naissance, un bébé physiologiquement mature devient beaucoup plus autonome et ses systèmes doivent s'adapter en conséquence. Nous examinerons maintenant certaines des modifications que subissent les systèmes respiratoire et cardiovasculaire.

Mécanismes d'adaptation du système respiratoire

Le fœtus dépend entièrement de sa mère pour obtenir de l'oxygène et se débarrasser du gaz carbonique. Ses poumons sont affaissés ou partiellement remplis de liquide amniotique, qui est absorbé à la naissance. La production de surfactant commence à la fin du sixième mois de développement, et comme le système respiratoire est assez développé au moins deux mois avant la naissance, les bébés qui naissent prématurément à sept mois sont capables de respirer et de pleurer. Après la naissance, la mère cesse d'approvisionner le bébé en oxygène. La circulation du nouveau-né continue et, à mesure que la concentration sanguine de gaz carbonique augmente, le centre respiratoire du bulbe rachidien est stimulé et incite les muscles respiratoires à se contracter afin que le bébé prenne sa première respiration. Comme la première inspiration est très profonde, puisque les poumons ne contiennent pas d'air, le bébé exhale vigoureusement et se met naturellement à pleurer. Un bébé à terme peut respirer 45 fois par minute pendant ses deux premières semaines de vie. La fréquence respiratoire diminue graduellement jusqu'à ce qu'elle atteigne la valeur normale de 12 respirations par minute.

Mécanismes d'adaptation du système cardiovasculaire

Après la première inspiration, le système cardiovasculaire doit s'adapter de plusieurs façons (voir la figure 21.31, p. 771). Au moment de la naissance, la fermeture du foramen ovale entre les oreillettes du cœur fœtal fait dériver le sang désoxygéné vers les poumons pour la première fois. Le foramen ovale est fermé par deux pans de tissu du cœur septal qui se rabattent l'un sur l'autre et fusionnent de façon définitive. Le reste du foramen ovale devient la fosse ovale.

Dès que les poumons sont fonctionnels, le conduit artériel est fermé par les contractions musculaires de ses parois et devient le ligament artériel. On croit que la bradykinine, un polypeptide libéré par les poumons lorsqu'ils se remplissent d'air pour la première fois, sert de médiateur pour ces contractions. Le conduit artériel ne se ferme complètement et définitivement que trois mois environ après la naissance. Sa fermeture incomplète est une anomalie appelée **persistance du conduit artériel.**

Après que le cordon ombilical est clampé et sectionné et que le sang cesse de circuler dans les artères ombilicales, ces dernières se remplissent de tissu conjonctif et leurs portions distales deviennent les ligaments ombilicaux médiaux. Quant à la veine ombilicale, elle devient le ligament rond du foie.

Chez le fœtus, le conduit veineux relie la veine ombilicale directement à la veine cave inférieure, ce qui permet au sang provenant du placenta de contourner le foie. Lorsque le cordon ombilical est sectionné, le conduit veineux s'affaisse et le sang veineux des viscères du nouveau-né s'écoule dans la veine porte vers le foie, puis par la veine hépatique dans la veine cave inférieure. Le reste du conduit veineux devient le ligament veineux.

À la naissance, la fréquence cardiaque du bébé peut varier entre 120 et 160 battements/minute et peut atteindre 180 battements/minute lorsqu'il y a excitation. Après la naissance, la consommation d'oxygène augmente, ce qui entraîne une hausse de la vitesse de production des globules rouges et de l'hémoglobine. De plus, la numération leucocytaire est très élevée à la naissance (elle atteint parfois 45 000 cellules par microlitre cube), mais elle diminue rapidement à partir du septième jour.

APPLICATION CLINIQUE
Bébés prématurés

La naissance d'un bébé immature sur le plan physiologique comporte certains risques. Tout nouveau-né qui pèse moins de 2 500 g à la naissance est considéré comme un **bébé prématuré.** De mauvais soins prénataux, la toxicomanie, des antécédents de naissance prématurée et l'âge de la mère (moins de 16 ans ou plus de 35 ans) augmentent les risques de naissance prématurée. L'organisme du bébé prématuré n'est pas encore prêt à assurer certaines fonctions vitales et sa survie est donc incertaine sans intervention médicale. Le problème principal des bébés nés avant la 36e semaine de gestation est le syndrome de détresse respiratoire, causé par une insuffisance de surfactant. Ce syndrome peut être soulagé par l'administration d'un surfactant synthétique et l'utilisation d'un ventilateur qui fournira au bébé de l'oxygène jusqu'à ce que ses poumons puissent fonctionner de manière autonome. ■

1. Expliquez l'importance du surfactant au moment de la naissance et par la suite.
2. Énumérez les adaptations cardiovasculaires chez le bébé qui vient de naître.

PHYSIOLOGIE DE LA LACTATION
OBJECTIF
- *Expliquer la physiologie et la régulation hormonale de la lactation.*

La **lactation** est la sécrétion et l'éjection de lait par les glandes mammaires. La principale hormone favorisant la sécrétion de lait est la **prolactine** (**PRL**), produite par l'adénohypophyse. Bien que les concentrations de prolactine augmentent progressivement au cours de la grossesse, le lait ne peut être sécrété parce que la progestérone inhibe les effets de la prolactine. Après la naissance, les concentrations d'œstrogènes et de progestérone dans le sang maternel diminuent et l'inhibition cesse. Le principal stimulus qui maintient la sécrétion de prolactine durant la lactation est la succion du bébé qui tète le mamelon. La succion stimule les mécanorécepteurs des mamelons pour qu'ils transmettent des influx nerveux à l'hypothalamus; ces influx ont pour effet de réduire la libération du facteur inhibiteur de la prolactine (PIH) et d'augmenter celle de l'hormone de libération de la prolactine (PRH), ce qui accroît la quantité de prolactine libérée par l'adénohypophyse.

Sous l'effet du **réflexe d'éjection du lait** (figure 29.13), l'ocytocine stimule la libération de lait dans les canaux galactophores. Le lait produit par les cellules glandulaires des seins est emmagasiné jusqu'à ce que le bébé commence à téter activement. Stimulés, les récepteurs tactiles dans le mamelon transmettent des influx nerveux sensitifs à l'hypothalamus. La neurohypophyse réagit en augmentant sa sécrétion d'ocytocine. Voyageant dans la circulation sanguine jusqu'aux glandes mammaires, l'ocytocine stimule la contraction des cellules myoépithéliales (semblables aux cellules musculaires lisses) entourant les cellules glandulaires et les canaux. La compression qui s'ensuit déplace le lait des alvéoles des glandes mammaires jusqu'aux conduits lactifères, d'où il peut être tété. Ce phénomène est appelé **éjection du lait.** Bien que le lait ne soit en réalité éjecté que de 30 à 60 s après le début de la tétée (période latente), une certaine quantité de lait emmagasinée dans les sinus lactifères, près du mamelon, est déjà disponible. Divers autres stimulus, tels les pleurs du nourrisson ou le contact des organes génitaux, peuvent également déclencher la libération d'ocytocine et l'éjection du lait. La stimulation par la succion du bébé qui déclenche la libération d'ocytocine inhibe également la libération de PIH, ce qui augmente la sécrétion de prolactine qui maintient la lactation.

À la fin de la grossesse et dans les quelques jours qui suivent l'accouchement, les glandes mammaires sécrètent un liquide jaunâtre, le **colostrum.** Bien qu'il ne soit pas aussi nutritif que le lait, puisqu'il contient moins de lactose et pratiquement aucune matière grasse, le colostrum est un substitut adéquat au vrai lait qui est produit à partir du quatrième jour. Le colostrum et le lait maternel contiennent des anticorps qui protègent le bébé durant ses premiers mois de vie.

Après la naissance du bébé, le taux de prolactine revient progressivement à son niveau d'avant la grossesse. Cependant, chaque fois que la mère allaite, des influx nerveux allant des mamelons à l'hypothalamus augmentent la libération de PRH (et diminuent la libération de PIH), ce qui a pour effet de décupler la sécrétion de prolactine par l'adénohypophyse pendant environ une heure. La prolactine agit sur les glandes mammaires afin qu'elles produisent du lait pour la prochaine tétée. Si l'afflux de prolactine est bloqué par une lésion ou une maladie, ou si l'allaitement est interrompu, les glandes mammaires perdent en quelques jours leur capacité à sécréter du lait. Bien que la sécrétion normale de lait diminue considérablement entre sept et neuf mois après la naissance, elle peut se poursuivre pendant plusieurs années si l'allaitement continue. Une femme qui maintient la lactation en allaitant d'autres bébés que le sien est appelée une nourrice.

Au cours des quelques mois qui suivent l'accouchement, la lactation inhibe souvent les cycles ovariens à condition que la mère donne le sein à une fréquence de 8 à 10 tétées par jour. Cette inhibition est cependant erratique et, après la naissance du bébé, il se produit normalement une ovulation avant la première menstruation. Une mère ne peut donc

Figure 29.13 Réflexe d'éjection du lait (boucle de rétroactivation).

🔑 **L'ocytocine stimule la contraction des cellules myoépithéliales dans les seins, ce qui comprime les cellules des glandes et des conduits et provoque l'éjection du lait.**

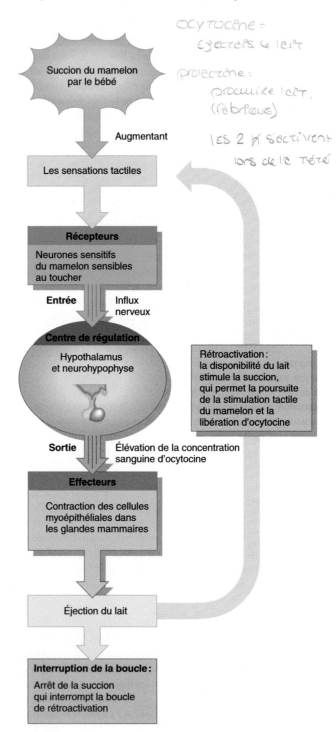

Q Quelle autre fonction l'ocytocine a-t-elle?

jamais être certaine qu'elle n'est pas fertile, ce qui fait de l'allaitement maternel une méthode contraceptive peu fiable. L'inhibition de l'ovulation au cours de la lactation semble se produire de la façon suivante. Durant la tétée, le mamelon transmet un influx nerveux à l'hypothalamus pour stimuler la production des neurotransmetteurs qui suppriment la libération de la gonadolibérine (GnRH). Par conséquent, la production de LH et de FSH diminue, et l'ovulation est inhibée.

L'**allaitement maternel** présente un avantage certain sur le plan nutritionnel. Le lait humain est une solution stérile qui contient des acides gras, du lactose, des acides aminés, des minéraux, des vitamines et de l'eau en quantités qui conviennent parfaitement à la digestion, au développement cérébral et à la croissance du nourrisson. L'allaitement maternel procure également au bébé les avantages suivants :

- *Avantages cellulaires.* Plusieurs types de globules blancs sont présents dans le lait maternel. Les granulocytes neutrophiles jouent le rôle de phagocytes et ingèrent les bactéries dans le tube digestif du nourrisson. Les macrophages détruisent également les microbes dans le tube digestif, et produisent de surcroît des lysozymes et d'autres composantes du système immunitaire. Les cellules plasmatiques, dérivées des lymphocytes B, produisent des anticorps pour lutter contre certains microbes, et les lymphocytes T tuent les microbes directement ou en favorisant la mobilisation d'autres mécanismes de défense.

- *Avantages moléculaires.* Le lait maternel contient également en abondance des molécules utiles. Les IgA maternels, des anticorps, se fixent aux microbes présents dans le tube digestif du nourrisson et les empêchent de migrer vers d'autres tissus. Puisque la mère produit des anticorps pour lutter contre tous les microbes pathogènes présents dans son environnement, son lait protège le bébé contre les agents infectieux auxquels il est aussi exposé. De plus, deux protéines du lait se fixent à des nutriments dont de nombreuses bactéries ont besoin pour croître et survivre, ce qui rend ces nutriments inaccessibles aux bactéries : il s'agit de la protéine fixatrice de la vitamine B_{12} et de la lactoferrine, qui se lie au fer. Certains acides gras peuvent détruire des virus en s'attaquant à leurs membranes et les lysozymes tuent les bactéries en rompant leurs parois cellulaires. Enfin, les interférons stimulent l'activité antimicrobienne des cellules immunes.

- *Incidence réduite des maladies pour l'avenir.* L'allaitement maternel diminue légèrement le risque pour l'enfant de présenter un lymphome, des cardiopathies à l'âge adulte, des allergies, des infections pulmonaires et gastro-intestinales, des otites, des diarrhées, le diabète et la méningite. Il prémunit également la mère contre l'ostéoporose et le cancer du sein.

- *Autres avantages.* L'allaitement maternel permet une croissance optimale du bébé, favorise son développement intellectuel et neurologique et facilite ses relations avec sa mère en instituant un contact précoce et prolongé. Comparé au lait de vache, le lait maternel contient des matières grasses et du fer plus facilement absorbables ainsi que des protéines plus rapidement métabolisées. Il contient, en outre, moins de sodium, ce qui convient davantage aux besoins du nourrisson. Les bébés prématurés sont avantagés par l'allaitement maternel, puisque le lait produit par leur mère semble mieux adapté à leurs besoins ; en effet, la teneur en protéines du lait des mères d'enfants prématurés est plus élevée que celle du lait des mères dont le bébé est né à terme. Enfin, un bébé risque moins d'être allergique au lait de sa mère qu'au lait provenant d'une autre source.

APPLICATION CLINIQUE
Allaitement maternel et accouchement

Bien avant la découverte de l'ocytocine, les sages-femmes laissaient souvent le premier-né d'un couple de jumeaux téter le sein de la mère pour accélérer la naissance du deuxième enfant. On sait maintenant que cette pratique était utile parce qu'elle stimulait la libération d'ocytocine. Même après la naissance d'un seul bébé, l'allaitement maternel favorise l'expulsion du placenta (délivre) et aide l'utérus à retrouver sa taille normale. On administre souvent le Pitocin, une ocytocine synthétique, pour induire le travail ou pour augmenter le tonus utérin et contrôler les hémorragies immédiatement après l'accouchement. ■

1. Nommez les hormones qui contribuent à la lactation et décrivez la fonction de chacune.
2. Quels sont les avantages de l'allaitement maternel par rapport à l'allaitement au biberon ?

HÉRÉDITÉ

OBJECTIF

- *Définir l'hérédité et expliquer la transmission héréditaire des caractères dominants, récessifs, polygéniques et liés au sexe.*

Nous avons vu que le matériel génétique du père et celui de la mère s'unissent lorsqu'un spermatozoïde fusionne avec un ovocyte secondaire pour former un zygote. Les enfants ressemblent à leurs parents parce qu'ils héritent des caractères que chacun d'eux leur a transmis. Nous nous pencherons maintenant sur certains des principes qui gouvernent le processus de l'hérédité.

L'**hérédité** est la transmission de caractères d'une génération à la suivante. Ce processus nous permet d'acquérir certaines caractéristiques de nos parents et de transmettre certaines des nôtres à nos enfants. La branche de la biologie qui traite de l'hérédité est appelée **génétique.** La **consultation génétique** est une spécialité médicale axée sur la recherche de solutions à des problèmes génétiques (actuels ou possibles).

Génotype et phénotype

Les noyaux de toutes les cellules humaines, à l'exception des gamètes, contiennent 23 paires de chromosomes – le nombre diploïde. Chaque paire comprend un chromosome provenant de la mère et un chromosome provenant du père. Chaque chromosome homologue – chacun des chromosomes qui forment une paire – contient des gènes qui régissent les mêmes caractères. Par exemple, si un chromosome contient un gène pour les cheveux, son homologue contiendra aussi un gène pour les cheveux, dans la même position. On appelle **allèles** les formes alternatives d'un gène qui codent pour le même caractère et occupent la même position dans une paire de chromosomes homologues. Par exemple, un allèle d'un gène qui code pour les cheveux peut déterminer si ces cheveux seront grossiers, tandis qu'un autre codera pour les cheveux fins. Une **mutation** (*mutare* = changer) est un changement permanent transmissible dans un allèle qui produit une variante du même caractère.

Le rapport entre les gènes et l'hérédité est mis en évidence lorsqu'on examine les allèles intervenant dans une maladie appelée **phénylcétonurie.** Les personnes atteintes de phénylcétonurie (voir la p. 946) sont incapables de fabriquer une enzyme, la phénylalanine hydroxylase. L'allèle qui code pour la phénylalanine hydroxylase est symbolisé par la lettre *P* tandis que l'allèle mutant, qui ne produit pas l'enzyme fonctionnelle, est symbolisé par la lettre *p*. Le diagramme de la figure 29.14, appelé **grille de Punnett,** montre les combinaisons possibles de gamètes issus de deux parents qui ont chacun un allèle *P* et un allèle *p*. Lorsqu'on construit une telle grille, on écrit les allèles paternels qui peuvent être présents dans les spermatozoïdes du côté gauche, et les allèles maternels qui peuvent être présents dans les ovules (ou les ovocytes secondaires) au-dessus. Les quatre carrés de la grille montrent comment les allèles peuvent se combiner en zygotes formés par l'union de ces spermatozoïdes et de ces ovules pour produire les trois constitutions génétiques différentes, ou **génotypes:** *PP, Pp* ou *pp*. La grille de Punnett nous apprend que 25 % de la progéniture possédera le génotype *PP*, 50 %, le génotype *Pp* et 25 %, le génotype *pp*. Les personnes qui héritent du génotype *PP* ou du génotype *Pp* ne sont pas atteintes de phénylcétonurie, contrairement à celles qui possèdent le génotype *pp*. Bien que les personnes ayant un génotype *Pp* possèdent un allèle de la phénylcétonurie (*p*), l'allèle qui code pour le caractère normal (*P*) est dominant. Un allèle qui domine ou masque la présence d'un autre allèle et qui est pleinement exprimé (*P* dans le présent exemple) est un **allèle dominant,** et le caractère qu'il exprime est appelé caractère dominant. L'allèle dont la présence est complètement masquée (*p* dans notre exemple) est un **allèle récessif** et le caractère qu'il régit est appelé caractère récessif.

La tradition veut que les symboles des gènes soient écrits en italiques, les allèles dominants en majuscules et les allèles récessifs en minuscules. Une personne qui possède les mêmes allèles sur des chromosomes homologues (*PP* ou *pp*,

Figure 29.14 Transmission de la phénylcétonurie.

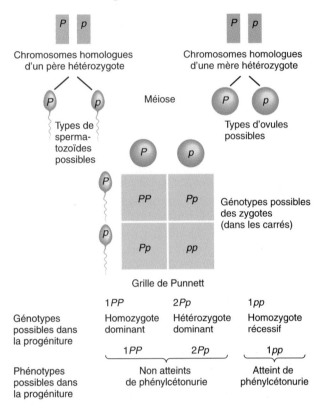

Le génotype est la constitution génétique d'une personne, tandis que le phénotype est l'expression physique ou extérieure d'un gène.

 Si des parents possèdent les génotypes ci-dessus, quelle est la probabilité (exprimée en pourcentage) que leur premier enfant soit atteint de phénylcétonurie? Qu'en est-il de leur deuxième enfant?

par exemple) est dite **homozygote** pour ce caractère. *PP* est homozygote dominant et *pp* est homozygote récessif. Une personne dont les chromosomes homologues possèdent des allèles différents (*Pp*, par exemple) est dite **hétérozygote** pour ce caractère.

Le **phénotype** (*phainein* = sembler) est la manière dont la constitution génétique s'exprime dans l'organisme; c'est l'expression physique ou extérieure d'un gène. Une personne qui possède un allèle *Pp* (hétérozygote) présente un génotype différent de celui d'une autre personne qui possède un allèle *PP* (homozygote), mais les deux ont le même phénotype – elles produisent normalement la phénylalanine hydroxylase. Les personnes hétérozygotes qui portent un gène récessif mais ne l'expriment pas (*Pp*) peuvent transmettre ce gène à leurs descendants. Ces personnes sont dites **porteuses** du gène récessif.

La plupart des gènes donnent le même phénotype, qu'ils soient issus de la mère ou du père. Dans certains cas, cependant, l'origine parentale produit une nette différence. Ce phénomène étonnant, observé pour la première fois dans les années 1980, est appelé **empreinte génomique.** Chez l'humain, les anomalies les plus clairement associées à la mutation d'un gène possédant une empreinte différente sont le *syndrome d'Angelman,* qui survient quand le gène d'un caractère anormal particulier est transmis par la mère, et le *syndrome de Prader-Labhart-Willi,* qui survient quand le gène est transmis par le père.

Les allèles qui codent pour des caractères normaux ne dominent pas toujours ceux qui codent pour des caractères anormaux, mais les allèles dominants codant pour des maladies graves sont habituellement létaux; ils peuvent causer la mort de l'embryon ou du fœtus. La chorée de Huntington fait exception, car elle est due à un allèle dominant dont les effets ne se manifestent qu'à l'âge adulte. Les personnes homozygotes dominantes et hétérozygotes sont atteintes de la maladie, tandis que les personnes homozygotes récessives sont normales. La chorée de Huntington est une dégénérescence progressive du système nerveux qui entraîne la mort à plus ou moins long terme. Comme ses symptômes n'apparaissent pas avant l'âge de 30 ou 40 ans, de nombreuses personnes atteintes ont déjà transmis l'allèle codant pour la maladie à leurs enfants.

Il arrive parfois que, au cours de la méiose, une erreur appelée **non-disjonction** donne un nombre anormal de chromosomes. Dans un tel cas, les chromosomes homologues ne se séparent pas adéquatement durant l'anaphase de la méiose I. Une cellule dont au moins un chromosome d'un jeu est ajouté ou soustrait est dite **aneuploïde.** Une cellule monosomique ($2n - 1$) ne possède qu'un chromosome; une cellule trisomique ($2n + 1$) en possède un de trop. Le syndrome de Down (voir la p. 1117) est une aneuploïdie caractérisée par la trisomie du chromosome 21. La **translocation,** erreur qui survient aussi pendant la méiose, change la position d'un segment de chromosome, qui se retrouve soit dans un autre chromosome, soit à un autre endroit dans le même chromosome. La translocation peut résulter de l'enjambement entre deux chromosomes qui ne sont pas homologues. Une des formes du syndrome de Down est causée par une translocation d'une partie du chromosome 21 vers un autre chromosome. Les personnes atteintes possèdent alors trois copies de cette portion du chromosome 21 plutôt que deux.

Le tableau 29.3 présente une liste de certains caractères, structurels et fonctionnels, dominants et récessifs transmissibles chez les humains.

Variations de l'hérédité dominante-récessive

La plupart des modèles de transmission héréditaire ne sont pas simplement de l'**hérédité dominante-récessive,** caractérisée par l'interaction d'allèles dominants et récessifs. L'expression d'un gène particulier dans un phénotype subit

Tableau 29.3 Exemples de caractères héréditaires chez l'humain

DOMINANTS	RÉCESSIFS
Poils grossiers	Poils fins
Calvitie présénile	Calvitie
Pigmentation normale de la peau	Albinisme
Taches de rousseur	Absence de taches de rousseur
Astigmatisme	Vision normale
Myopie ou hypermétropie	Vision normale
Ouïe normale	Surdité
Lèvres épaisses	Lèvres minces
Capacité de rouler la langue	Incapacité de rouler la langue en U
Capacité de goûter le PTC*	Incapacité de goûter le PTC
Grands yeux	Petits yeux
Polydactylie (doigts et orteils surnuméraires)	Nombre normal de doigts et d'orteils
Brachydactylie (doigts et orteils courts)	Doigts et orteils de longueur normale
Syndactylie (doigts ou orteils soudés)	Doigts et orteils normaux
Arcs plantaires normaux	Pieds plats
Hypertension	Pression artérielle normale
Diabète insipide	Excrétion urinaire normale
Chorée de Huntington	Système nerveux normal
État mental normal	Schizophrénie
Migraines	Absence de migraine
Naissance des cheveux en pointe	Naissance des cheveux droite
Hyperextension du pouce	Pouce droit
Transport normal du Cl⁻	Fibrose kystique du pancréas
Hypercholestérolémie (familiale)	Taux de cholestérol normal

* PTC = composé chimique appelé phénylthiocarbamide.

l'influence non seulement des allèles présents, mais aussi d'autres gènes et de facteurs environnementaux. En outre, la plupart des caractères transmis sont déterminés par plus d'un gène, et la plupart des gènes peuvent déterminer plus d'un caractère. Nous verrons maintenant les trois variations de l'hérédité dominante-récessive.

Dominance incomplète

Dans la **dominance incomplète,** aucun des allèles d'une paire n'est dominant par rapport à l'autre; l'hétérozygote possède un phénotype intermédiaire entre l'homozygote dominant et l'homozygote récessif. La transmission de la **drépanocytose,** ou anémie à hématies falciformes (figure 29.15),

Figure 29.15 Transmission de la drépanocytose.

🔑 **La drépanocytose est un exemple de dominance incomplète.**

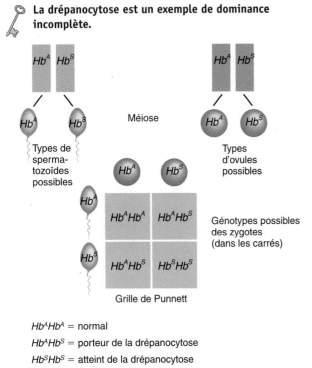

Méiose

Types de spermatozoïdes possibles

Types d'ovules possibles

Génotypes possibles des zygotes (dans les carrés)

Grille de Punnett

Hb^AHb^A = normal
Hb^AHb^S = porteur de la drépanocytose
Hb^SHb^S = atteint de la drépanocytose

Ⓠ Quelles sont les particularités de la dominance incomplète ?

est un exemple de dominance incomplète chez l'humain. Les personnes qui possèdent le génotype homozygote dominant Hb^AHb^A produisent une hémoglobine normale, tandis que celles qui possèdent le génotype homozygote récessif Hb^SHb^S sont atteintes de drépanocytose et d'anémie grave. Bien qu'ils soient normalement en bonne santé, les individus qui ont le génotype hétérozygote Hb^AHb^S présentent une certaine anémie, car la moitié seulement de leur hémoglobine est normale. Les hétérozygotes sont porteurs de ce gène et on dit qu'ils possèdent le *trait drépanocytaire*.

La texture des cheveux offre un autre exemple de dominance incomplète chez l'humain. *HH* représente le génotype homozygote pour les cheveux bouclés, H^1H^1, le génotype homozygote pour les cheveux droits et HH^1, le génotype hétérozygote pour les cheveux ondulés.

Transmission par allèles multiples

Bien qu'un individu n'hérite que deux allèles d'un même gène, certains gènes peuvent avoir plus de deux formes alternatives, ce qui permet la **transmission par allèles multiples.**

La transmission des groupes sanguins du système ABO permet d'illustrer ce phénomène. Les quatre groupes sanguins (phénotypes) du système ABO – A, B, AB et O – résultent de la transmission de six combinaisons de trois allèles différents d'un seul gène appelé gène *I* : 1) l'allèle I^A produit l'antigène A,

Figure 29.16 Dix combinaisons possibles de groupes sanguins du système ABO transmissibles par les parents, et groupes sanguins dont leur progéniture peut (et ne peut pas) hériter. Pour chaque couple de parents possible, les lettres bleues représentent les groupes sanguins dont leur progéniture peut hériter, tandis que les lettres rouges représentent les groupes sanguins dont elle ne peut pas hériter.

🔑 **La transmission des groupes sanguins du système ABO est un exemple de transmission par allèles multiples.**

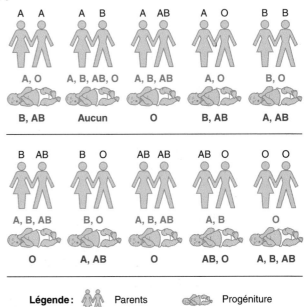

Légende : 👥 Parents   🐣 Progéniture

Ⓠ Un bébé peut-il avoir le groupe sanguin O si aucun de ses parents ne possède ce groupe sanguin ?

2) l'allèle I^B produit l'antigène B et 3) l'allèle *i* ne produit ni l'antigène A ni l'antigène B. Chaque personne reçoit deux allèles du gène *I*, un de chaque parent, qui peuvent produire divers phénotypes. Les six génotypes possibles donnent quatre groupes sanguins, comme suit :

Génotype	Groupe sanguin
I^AI^A ou I^Ai	A
I^BI^B ou I^Bi	B
I^AI^B	AB
ii	O

Remarquez que les génotypes I^A et I^B sont transmis en tant que caractères dominants, tandis que le génotype *i* est transmis comme un caractère récessif. Puisqu'un individu de groupe sanguin AB possède des caractéristiques de globules rouges de type A et B exprimées dans son phénotype, les allèles I^A et I^B sont dits **codominants.** En d'autres termes, les deux gènes sont exprimés à part égale dans l'hétérozygote. Selon le groupe sanguin des parents, les enfants peuvent avoir des groupes sanguins différents les uns des autres. La figure 29.16 montre les groupes sanguins dont la progéniture peut hériter selon le groupe sanguin des parents.

Figure 29.17 Hérédité polygénique : couleur de la peau.

🔑 **Dans l'hérédité polygénique, un caractère est déterminé par les effets combinés de plusieurs gènes.**

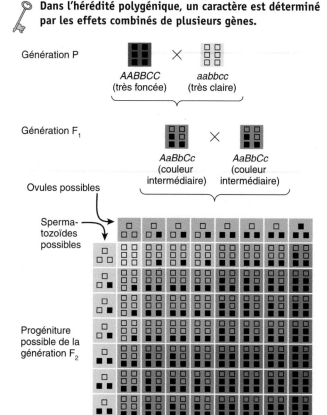

Génération P

AABBCC
(très foncée)

×

aabbcc
(très claire)

Génération F₁

AaBbCc
(couleur intermédiaire)

×

AaBbCc
(couleur intermédiaire)

Ovules possibles

Spermatozoïdes possibles

Progéniture possible de la génération F₂

Ⓠ Quels sont les autres caractères transmissibles par hérédité polygénique ?

Figure 29.18 Autosomes et chromosomes sexuels.

🔑 **Les cellules somatiques humaines contiennent 23 paires différentes de chromosomes.**

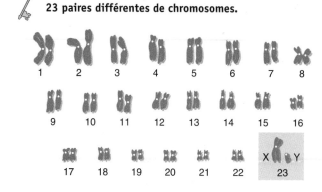

1 2 3 4 5 6 7 8

9 10 11 12 13 14 15 16

17 18 19 20 21 22 X Y
                              23

Ⓠ Quels sont les deux chromosomes sexuels chez la femme et chez l'homme ?

allèles : *A, a* ; *B, b* ; et *C, c*. Une personne qui possède le génotype *AABBCC* a la peau très foncée, tandis qu'une autre dont le génotype est *aabbcc* a la peau très claire, et une troisième possédant le génotype *AaBbCc* a une peau de couleur intermédiaire. Les parents qui ont une peau de couleur intermédiaire peuvent avoir des enfants à la peau très claire, très foncée ou de couleur intermédiaire. La figure 29.17 illustre la transmission de la couleur de la peau et les divers degrés de pigmentation de la peau. Il faut noter que la **génération P** (génération parentale) est la génération de départ, la **génération F₁** (première génération filiale) est issue de la génération P et la **génération F₂** (deuxième génération filiale) est issue de la génération F₁.

Autosomes, chromosomes sexuels et détermination du sexe

À l'examen microscopique, les 46 chromosomes humains d'une cellule somatique normale peuvent être identifiés par leur taille, leur forme et les couleurs qu'ils prennent à la coloration comme appartenant à une des 23 paires différentes de chromosomes. Dans 22 de ces paires, les chromosomes homologues sont semblables et ont le même aspect chez l'homme et la femme ; ces 22 paires sont dites **autosomes.** Les deux membres de la 23ᵉ paire, appelés **chromosomes sexuels,** ont un aspect différent chez l'homme et chez la femme (figure 29.18). Chez la femme, cette paire se compose de deux chromosomes X, tandis que chez l'homme, elle est formée par un chromosome X et un chromosome Y beaucoup plus petit.

Lorsqu'un spermatocyte entre en méiose pour réduire son nombre de chromosomes, une cellule fille (spermatide) contient le chromosome X et l'autre, le chromosome Y. Les ovocytes sont dépourvus de chromosome Y et ne produisent que des gamètes contenant des chromosomes X. Si l'ovocyte secondaire est fécondé par un spermatozoïde portant des

Hérédité polygénique

La plupart des caractères dont nous héritons ne sont pas régis par un seul gène mais plutôt par les effets combinés de nombreux gènes. Ce phénomène est appelé **hérédité polygénique** (*polus* = nombreux). Un caractère polygénique présente des variations graduées et continues entre deux extrêmes chez les individus d'une population. La couleur de la peau, des cheveux et des yeux, la taille et la constitution morphologique sont des exemples de caractères polygéniques. Alors qu'il est relativement facile de calculer les probabilités qu'un caractère indésirable, causé par un seul gène dominant ou récessif, soit transmis, il est extrêmement difficile de faire une telle prédiction lorsque le caractère est polygénique. De tels caractères sont en effet très difficiles à retrouver au sein d'une famille parce que la gamme de variations est très étendue et qu'on ignore le nombre de gènes qui sont en cause.

La couleur de la peau est l'exemple d'hérédité polygénique que nous étudierons. Supposons que la couleur de la peau soit déterminée par trois gènes possédant chacun deux

Figure 29.19 Détermination du sexe.

Le sexe est déterminé au moment de la fécondation par la présence ou l'absence d'un chromosome Y dans le spermatozoïde.

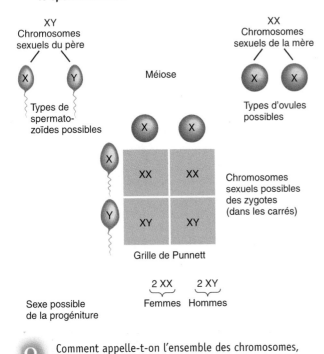

Grille de Punnett

Sexe possible de la progéniture

2 XX — Femmes
2 XY — Hommes

Q — Comment appelle-t-on l'ensemble des chromosomes, à l'exception des chromosomes sexuels ?

chromosomes X, l'embryon est normalement de sexe féminin (XX). La fécondation par un spermatozoïde portant un chromosome Y donne un embryon de sexe masculin (XY). Le sexe d'un individu est donc déterminé par les chromosomes du père (figure 29.19).

Les embryons de sexe masculin et de sexe féminin se développent de façon identique au cours des sept semaines qui suivent la fécondation. Puis, un ou plusieurs gènes déclenchent une série d'événements qui aboutissent au développement d'un individu de sexe masculin ; si ces gènes sont absents, l'embryon acquiert les caractères sexuels féminins. Depuis 1959, on sait que le chromosome Y est nécessaire au déclenchement du développement des caractères sexuels masculins. Des expériences dont les résultats ont été publiés en 1991 ont révélé le principal gène qui détermine le sexe masculin, appelé **SRY** (« Sex-determining Region of the Y chromosome », région du chromosome Y déterminant le sexe). Quand on a introduit un petit fragment d'ADN contenant ce gène dans 11 embryons de souris de sexe féminin, trois d'entre eux ont acquis des caractères masculins. (Les chercheurs ont pensé que le gène ne s'était pas intégré au matériel génétique des huit autres.) Le gène *SRY* se comporte comme un commutateur moléculaire qui déclenche le développement des caractères sexuels masculins. Seule la présence d'un gène *SRY* fonctionnel dans un ovule fécondé garantit le déve-

loppement des testicules et la différenciation du fœtus en individu de sexe masculin ; si ce gène est absent, le fœtus développera des ovaires et sera de sexe féminin.

Hérédité liée au sexe

Les chromosomes sexuels ont également pour tâche de transmettre plusieurs caractères non sexuels. Les gènes codant pour ces caractères sont présents sur les chromosomes X mais absents des chromosomes Y ; cette caractéristique produit un modèle de transmission différent de ceux que nous venons de décrire.

Daltonisme

La forme de **daltonisme** la plus courante est causée par une déficience en cônes sensibles soit au vert, soit au rouge. La personne atteinte perçoit le rouge et le vert comme une seule et même couleur (soit le rouge, soit le vert, selon le type de cônes qu'elle possède). Le gène codant pour le daltonisme est un gène récessif désigné par la lettre *c*. Le gène de la vision normale des couleurs, désigné par la lettre *C*, est dominant. Comme ces deux gènes ne sont présents que sur le chromosome X, la capacité de voir les couleurs dépend entièrement des chromosomes X. Les combinaisons possibles sont les suivantes :

Génotype	Phénotype
$X^C X^C$	Femme normale
$X^C X^c$	Femme normale (mais porteuse du gène récessif)
$X^c X^c$	Femme daltonienne
$X^C Y$	Homme normal
$X^c Y$	Homme daltonien

Seules les femmes qui possèdent deux gènes X^c sont atteintes de daltonisme. Il s'agit cependant de cas exceptionnels découlant de l'union d'un homme daltonien et d'une femme daltonienne ou porteuse du gène. (Chez les femmes possédant le génotype $X^C X^c$, le caractère est masqué par le gène normal dominant.) Puisque les hommes ne possèdent pas de deuxième chromosome X pouvant masquer le caractère anormal, tous les hommes possédant un gène X^c sont daltoniens. La figure 29.20 illustre comment le daltonisme se transmet d'un homme normal et d'une femme porteuse à leur progéniture.

Les caractères transmis de la façon que nous venons de décrire sont dits **liés au sexe.** La forme la plus courante d'**hémophilie,** une maladie dans laquelle le sang ne coagule pas ou coagule très lentement par suite d'une blessure, est un caractère dont la transmission est liée au sexe. Tout comme le daltonisme, l'hémophilie est causée par un gène récessif. D'autres caractères liés au sexe chez l'humain sont le syndrome de l'X fragile (décrit à la p. 1117), le non-fonctionnement des glandes sudoripares, certaines formes de diabète, certains types de surdité, le roulement involontaire des globes oculaires, l'absence de dents incisives centrales, la cécité nocturne, une forme de cataracte, le glaucome infantile et la dystrophie musculaire juvénile.

Figure 29.20 Exemple de transmission du daltonisme.

🔑 **Le daltonisme et l'hémophilie sont des exemples de caractères liés au sexe.**

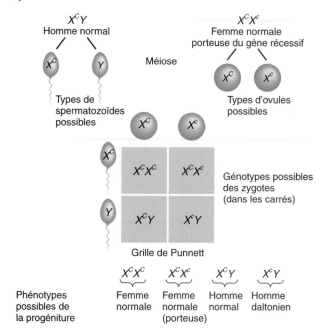

Q Quel est le génotype d'une femme daltonienne?

Inactivation du chromosome X

Alors que la femme possède deux chromosomes X dans chacune de ses cellules (sauf les ovocytes en voie de développement), l'homme n'en a qu'un seul. La femme possède donc en double tous les gènes qui sont situés sur le chromosome X. Un phénomène appelé **inactivation du chromosome X,** ou hypothèse de Lyon, réduit le nombre de gènes du chromosome X chez la femme pour qu'il n'y ait qu'un seul jeu. Dans chaque cellule de l'organisme féminin, un chromosome X est inactivé de façon aléatoire et permanente dès le début du développement, et les gènes de ce chromosome inactivé ne sont pas exprimés (c'est-à-dire transcrits et traduits). Chez les mammifères femelles, les noyaux cellulaires contiennent une petite masse de chromatine condensée prenant une teinte foncée à la coloration, le **corpuscule de Barr,** qui est absente des noyaux cellulaires des individus mâles. En 1961, la généticienne Mary Lyon a prédit correctement que le corpuscule de Barr est le chromosome X inactivé. Durant l'inactivation, des groupements chimiques empêchant la transcription à l'ARN sont ajoutés à l'ADN du chromosome X. Par conséquent, un chromosome X inactivé réagit différemment aux colorants histologiques et se démarque par son aspect du reste de l'ADN. Dans les cellules qui ne se divisent pas (en interphase), le chromosome X inactivé reste légèrement enroulé et se présente comme une masse sombre condensée visible à l'intérieur du noyau. Dans un frottis sanguin, le corpuscule de Barr des granulocytes neutrophiles est nommé « baguette de tambour », car il ressemble à un minuscule appendice émergeant du noyau.

Effets du milieu extérieur sur les génotypes et les phénotypes

Un phénotype donné est souvent une manifestation influencée à la fois par un génotype et par le milieu extérieur. Les facteurs environnementaux semblent exercer une influence particulière dans le cas des caractères polygéniques. Ainsi, une personne peut hériter de plusieurs gènes pour une grande taille, mais ces gènes peuvent ne pas pouvoir s'exprimer entièrement en raison de facteurs environnementaux comme une maladie ou la malnutrition pendant les années de croissance. De même, le risque de concevoir un enfant atteint d'une anomalie du tube neural est plus élevé chez les femmes enceintes présentant une carence alimentaire en acide folique (un facteur environnemental); d'autre part, le fait que la prévalence des anomalies du tube neural soit plus élevée dans certaines familles que dans d'autres suggère la présence d'un facteur d'origine génétique.

L'exposition d'un embryon ou d'un fœtus à certains facteurs environnementaux peut nuire à son développement et même causer sa mort. Un agent ou un facteur est dit **tératogène** (*teratos* = monstre) lorsqu'il cause des anomalies de développement chez l'embryon. La section qui suit décrit quelques-unes de ces anomalies.

Substances chimiques et médicaments

Puisque le placenta ne constitue pas une barrière infranchissable entre la circulation de la mère et celle du fœtus, tout médicament ou agent chimique qui présente un danger pour un bébé devrait être considéré comme potentiellement nocif pour le fœtus s'il est absorbé par la mère. L'alcool est de loin le tératogène fœtal le plus courant. L'exposition du fœtus à des quantités même petites d'alcool peut entraîner le **syndrome d'alcoolisme fœtal,** l'une des principales causes d'arriération mentale et la cause d'anomalies congénitales évitable la plus répandue aux États-Unis. Les symptômes du syndrome d'alcoolisme fœtal peuvent comprendre un ralentissement de la croissance avant et après la naissance, un faciès caractéristique (fentes palpébrales rétrécies, lèvre supérieure mince et arête du nez enfoncée), une malformation du cœur et d'autres organes, une malformation des membres, des anomalies génitales et des lésions du système nerveux central. Ils s'accompagnent souvent de troubles du comportement comme l'hyperactivité, une nervosité extrême, des capacités réduites de concentration et l'incapacité de comprendre les relations de cause à effet. L'acétaldéhyde, un des produits toxiques issus du métabolisme de l'alcool, peut traverser le placenta et causer des anomalies fœtales.

Les tératogènes comprennent également les pesticides; les défoliants (substances chimiques qui causent la chute prématurée des feuilles des végétaux); les produits chimiques industriels; certaines hormones; les antibiotiques; divers médicaments administrés par voie orale, anticoagulants, anticonvulsivants, substances antitumorales, agents thyroïdiens, thalidomide, diéthylstilbœstrol et de nombreux autres médicaments sur ordonnance; le LSD, la marijuana et la cocaïne. Une femme enceinte qui consomme de la cocaïne expose son fœtus à un risque plus élevé de retard de croissance, de troubles de l'attention et de l'orientation, d'hyperirritabilité, d'arrêts respiratoires, de malformation ou de non-formation d'organes, d'accidents vasculaires cérébraux et de crises d'épilepsie. Les risques d'avortement spontané, de naissance prématurée et de mortinatalité augmentent également.

Tabagisme

Il a été clairement démontré que l'usage de la cigarette pendant la grossesse est une cause de faible poids à la naissance; on a également établi un lien étroit entre le tabagisme et l'augmentation du taux de mortalité des fœtus et des nourrissons. La femme qui fume court un plus grand risque d'avoir une grossesse ectopique. La fumée de cigarette peut être tératogène et causer des anomalies cardiaques et l'anencéphalie (absence congénitale d'une partie des hémisphères cérébraux ou des deux). Le tabagisme pendant la grossesse semble également contribuer fortement à la formation du bec-de-lièvre et de la fissure palatine, et on soupçonne qu'il est lié au syndrome de mort subite du nourrisson. L'incidence des troubles digestifs augmente également chez les

bébés allaités par une mère qui fume. Même une mère exposée à la fumée secondaire de cigarette (c'est-à-dire qui respire de l'air contenant de la fumée de tabac) prédispose davantage son enfant à des problèmes respiratoires, y compris la bronchite et la pneumonie, durant sa première année de vie.

Effets des rayonnements

Les rayonnements ionisants sous toutes leurs formes sont de puissants tératogènes. L'exposition de la femme enceinte aux rayons X ou aux isotopes radioactifs durant la période de développement de l'embryon pendant laquelle il y est le plus sensible peut causer la microcéphalie (tête petite par rapport au reste du corps), un retard mental et des malformations osseuses. La prudence est de mise, en particulier durant le premier trimestre de la grossesse.

1. Définissez les termes suivants: *génotype, phénotype, dominant, récessif, homozygote* et *hétérozygote*.
2. Décrivez l'empreinte génomique et la non-disjonction.
3. Définissez la *dominance incomplète*. Donnez un exemple.
4. Définissez la *transmission par allèles multiples*. Donnez un exemple.
5. Définissez l'*hérédité polygénique*. Donnez un exemple.
6. Dessinez une grille de Punnett montrant la transmission des caractères suivants: sexe, daltonisme et hémophilie.
7. Pourquoi l'inactivation du chromosome X se produit-elle?
8. Comment les facteurs environnementaux influent-ils sur le génotype et le phénotype?

DÉSÉQUILIBRES HOMÉOSTATIQUES

INFERTILITÉ

L'infertilité féminine, soit l'incapacité de concevoir, s'observe chez environ 10% des femmes américaines en âge de procréer. Une maladie des ovaires, une obstruction des trompes utérines ou des conditions défavorables à l'implantation d'un ovule fécondé peuvent en être la cause. **L'infertilité, ou stérilité, masculine** est l'incapacité de féconder un ovocyte secondaire; l'impuissance n'y est pas automatiquement associée. Pour qu'un homme soit fertile, ses testicules doivent produire suffisamment de spermatozoïdes viables normaux, et ces spermatozoïdes doivent circuler sans entrave dans les conduits avant d'être déposés de façon adéquate dans le vagin. Les tubules séminifères des testicules réagissent à de nombreux facteurs tels que les rayons X, les infections, les toxines, la malnutrition et des températures scrotales supérieures à la normale. Ces facteurs peuvent entraîner des changements dégénératifs et causer la stérilité chez l'homme.

Chez la femme, le manque de tissu adipeux est l'une des causes de l'infertilité. Pour amorcer et maintenir un cycle de la reproduction normal, une femme doit posséder une quantité minimale de tissu adipeux. Un manque modéré en tissu adipeux (de 10 à 15%

en deçà du poids idéal) peut retarder la première menstruation (ménarche), inhiber l'ovulation durant le cycle ovarien ou provoquer l'aménorrhée (absence de menstruation). Un régime amaigrissant et l'exercice pratiqué de manière intensive peuvent réduire le tissu adipeux à un niveau inférieur à la quantité minimale requise et causer une infertilité qui est réversible s'il y a gain pondéral, réduction de l'exercice intensif, ou les deux. Des études effectuées auprès de femmes très obèses indiquent qu'elles sont aussi sujettes à l'aménorrhée et à l'infertilité que les femmes très maigres. Les hommes sont également aux prises avec des problèmes d'infertilité lorsqu'ils sont sous-alimentés et perdent du poids. Par exemple, ils produisent moins de liquide prostatique et de spermatozoïdes, et ces derniers ont une mobilité réduite.

De nombreuses techniques pour stimuler la fécondité sont maintenant offertes aux couples infertiles désireux d'avoir un enfant. La naissance de Louise Joy Brown le 12 juillet 1978 près de Manchester, en Angleterre, est le premier cas de **fécondation *in vitro,*** c'est-à-dire une fécondation en éprouvette, dont il a été rendu compte. Cette technique consiste à administrer à la future mère une hormone folliculostimulante (FSH) peu après la menstruation afin de stimuler la production de plusieurs ovocytes secondaires plutôt que d'un seul (superovulation). Lorsque plusieurs follicules ont atteint la taille appropriée, on pratique une petite incision près de l'ombilic, puis on aspire les ovocytes secondaires des follicules stimulés et on les dépose dans une solution contenant des spermatozoïdes qui les féconderont. Lorsque le zygote produit par la fécondation *in vitro* atteint le stade des 8 ou 16 cellules, il est introduit dans l'utérus, où il pourra s'implanter et croître. Une autre méthode, appelée **injection intracytoplasmique de spermatozoïdes,** consiste à féconder un ovocyte *in vitro* en injectant dans le cytoplasme de l'ovocyte des spermatozoïdes ou des spermatides, prélevés par aspiration, du testicule dans une micropipette. Cette technique est indiquée dans les cas où l'infertilité est causée par une mobilité réduite des spermatozoïdes ou l'incapacité des spermatides à se transformer en spermatozoïdes.

Dans la méthode du **transfert d'embryon,** on insémine artificiellement une donneuse fertile avec le sperme du futur père. Lorsque la fécondation a eu lieu dans la trompe utérine de la donneuse, on transfère la morula ou le blastocyste dans l'utérus de la femme stérile, qui portera l'embryon, puis le fœtus, jusqu'au terme de la grossesse. Le transfert d'embryon est indiqué pour les femmes qui sont infertiles ou qui veulent éviter de transmettre leurs gènes parce qu'elles sont porteuses de graves troubles génétiques.

Le **transfert intrafallopien de gamètes** vise à imiter le processus normal de la conception en unissant des spermatozoïdes et un ovocyte secondaire dans les trompes utérines de la future mère. Ce faisant, il est possible de contourner certains problèmes touchant les voies génitales qui peuvent empêcher la fécondation, par exemple un taux d'acidité élevé ou une glaire inadéquate. On administre d'abord à la femme de la FSH et de la LH pour stimuler la production de plusieurs ovocytes secondaires. Puis, au moyen d'un laparoscope muni d'un dispositif de succion, on aspire les ovocytes des follicules mûrs, on les mélange avec une solution contenant des spermatozoïdes et on injecte le tout sans tarder dans les trompes utérines.

SYNDROME DE DOWN

Le **syndrome de Down** est une anomalie qui résulte le plus souvent de la non-disjonction du chromosome 21 durant la méiose, ce qui permet à un chromosome supplémentaire de s'introduire dans l'un des gamètes. C'est pourquoi ce syndrome est également appelé trisomie 21. Dans la plupart des cas, le chromosome supplémentaire provient de la mère, phénomène peu surprenant puisque tous ses ovocytes ont entrepris leur méiose alors qu'elle-même

n'était qu'un fœtus; ceux-ci ont pu être exposés pendant des années à des substances chimiques et à des rayonnements auxquels les chromosomes sont sensibles. Il ne fait aucun doute que les microtubules des kinétochores qui attirent les cellules filles vers des pôles opposés de la cellule (voir la figure 28.1, p. 1037) subissent une accumulation de dommages au fil du temps. (Par comparaison, les spermatozoïdes sont généralement âgés de moins de 10 semaines lorsqu'ils fécondent un ovocyte secondaire.) On estime que 1 bébé sur 800 est atteint du syndrome de Down. Cependant, le risque d'avoir un bébé trisomique s'accroît avec l'âge. Les probabilités sont de moins de 1 sur 3 000 chez les femmes âgées de moins de 30 ans, augmentent à 1 sur 300 chez les femmes âgées de 35 à 39 ans, et atteignent 1 sur 9 chez les femmes de 48 ans.

Le syndrome de Down se caractérise par une arriération mentale, un retard du développement physique (petite taille et doigts boudinés), un faciès distinctif (langue volumineuse, profil plat, crâne large, yeux en amande et tête ronde) et des malformations du cœur, des oreilles, des mains et des pieds. Le sujet atteint rarement la maturité sexuelle.

SYNDROME DE L'X FRAGILE

Le **syndrome de l'X fragile** est une anomalie causée par la présence d'un gène défectueux sur le chromosome X. Il doit son nom à la petite portion située à l'extrémité du chromosome X qui semble susceptible de se briser. Ce syndrome est la principale cause d'arriération mentale chez les nourrissons. Il touche davantage les garçons que les filles et entraîne des difficultés d'apprentissage, une arriération mentale et des anomalies physiques comme de grandes oreilles, un front allongé, des testicules hypertrophiés et des articulations doubles. Il est possible que le syndrome de l'X fragile soit également associé à l'autisme, trouble dans lequel l'individu se referme sur lui-même et refuse de communiquer.

L'amniocentèse permet de diagnostiquer le syndrome de l'X fragile. Bien que le syndrome soit étroitement lié au sexe, entre 20 et 50 % des hommes qui héritent du caractère n'en sont pas atteints mais peuvent le transmettre à leurs filles. Bien que les filles puissent également ne pas être atteintes, leurs enfants de sexe masculin et féminin peuvent présenter une arriération mentale. Des chercheurs croient que l'on pourrait attribuer ce mode de transmission à l'empreinte maternelle du gène. Selon cette hypothèse, le gène défectueux du père subit des modifications chimiques lorsqu'il est transmis à une fille, et peut donc s'exprimer dans la progéniture de cette dernière.

TERMES MÉDICAUX

Caryotype (*karuon* = noyau) Caractéristiques chromosomales d'un individu présentées sous forme d'un arrangement systématique de paires de chromosomes en métaphase, disposées par ordre descendant de taille et en fonction de la position du centromère; utile pour déterminer si le nombre et la structure des chromosomes sont normaux.

Gène létal (*letalis* = mortel) Gène causant la mort au stade embryonnaire ou peu de temps après la naissance lorsqu'il est exprimé.

Infection puerpérale (*puer* = enfant; *parere* = enfanter) Maladie infectieuse survenant après l'accouchement. Cette maladie, qui résulte d'une infection des voies génitales, affecte l'endomètre et peut s'étendre à d'autres structures pelviennes et provoquer une septicémie.

Présentation du siège Mauvaise présentation du fœtus dans laquelle les fesses ou les membres inférieurs se présentent dans le bassin de la mère; principale cause de naissance prématurée.

Syndrome de Klinefelter Aneuploïdie d'un chromosome sexuel, habituellement causée par une trisomie XXY, qui frappe 1 nouveau-né sur 500. Les sujets atteints sont des hommes stériles présentant une légère arriération mentale, des testicules sous-développés, une faible pilosité et des seins hypertrophiés.

Syndrome de Turner Aneuploïdie d'un chromosome sexuel, causée par la présence d'un seul chromosome X (désigné XO), frappant environ 1 nouveau-né de sexe féminin sur 5 000. Le sujet atteint est stérile, ne possède pratiquement pas d'ovaire et présente un développement limité des caractères sexuels secondaires. Le syndrome se caractérise également par une petite taille, le pterygium colli (cou palmé), des seins sous-développés et des mamelons très écartés ; l'intelligence est habituellement normale.

Syndrome triplo-X Aneuploïdie d'un chromosome sexuel, caractérisée par la présence d'au moins trois chromosomes X (XXX), frappant environ 1 nouveau-né de sexe féminin sur 700. Les sujets atteints présentent des organes génitaux sous-développés, sont peu fertiles et souffrent le plus souvent d'arriération mentale.

Vomissements gravidiques (*gravida* = enceinte) Trouble caractérisé par des nausées, parfois accompagnées de vomissements, survenant le plus souvent le matin durant les premières semaines de grossesse ; également appelé **nausées matinales ;** de cause encore inconnue, les vomissements gravidiques pourraient être une réaction aux concentrations élevées de gonadotrophine chorionique (hCG), sécrétée par le placenta, et de progestérone, sécrétée par les ovaires. Certaines femmes présentent des symptômes si sérieux qu'elles doivent être hospitalisées pour être alimentées par voie intraveineuse ; il s'agit alors d'**hyperémèse gravidique.**

RÉSUMÉ

DE LA FÉCONDATION À L'IMPLANTATION (p. 1087)

1. La grossesse est une série d'événements qui commence par la fécondation et prend normalement fin au moment de la naissance.
2. Des hormones régissent ces divers événements.
3. Au cours de la fécondation, un spermatozoïde pénètre dans un ovocyte secondaire et leurs pronucléus fusionnent pour former un zygote.
4. Les enzymes acrosomiales du spermatozoïde facilitent la pénétration de la zone pellucide.
5. Normalement, un seul spermatozoïde féconde un ovocyte secondaire grâce au blocage lent et au blocage rapide de la polyspermie.
6. La première division cellulaire rapide du zygote est la segmentation, et les cellules produites par ce processus sont des blastomères.
7. La sphère solide de cellules produites par la segmentation est une morula.
8. La morula se développe en blastocyste, boule creuse de cellules différenciées, pour constituer un trophoblaste et un embryoblaste.
9. L'implantation est le processus pendant lequel un blastocyste se fixe à l'endomètre ; elle est possible grâce à la dégradation de l'endomètre par des enzymes.

DÉVELOPPEMENTS EMBRYONNAIRE ET FŒTAL (p. 1092)

1. Durant la croissance embryonnaire, les feuillets embryonnaires primitifs et les membranes embryonnaires se forment.
2. Les feuillets embryonnaires primitifs (ectoderme, mésoderme et endoderme) forment les principaux tissus de l'organisme en développement. Le tableau 29.1, p. 1094, résume les structures dérivées des trois feuillets embryonnaires primitifs.
3. Les membranes embryonnaires sont le sac vitellin, l'amnios, le chorion et l'allantoïde.
4. Le placenta est le siège de l'échange de substances entre la mère et le fœtus.

5. Durant la période fœtale, les organes dérivés des feuillets embryonnaires primitifs croissent rapidement.
6. Les principaux changements associés aux développements embryonnaire et fœtal sont résumés dans le tableau 29.2, p. 1099.
7. Plusieurs méthodes de diagnostic prénatal permettent de détecter les anomalies génétiques et d'évaluer le bien-être du fœtus. L'échographie fœtale donne une image du fœtus sur un écran ; l'amniocentèse consiste à prélever et à analyser une partie du liquide amniotique et les cellules fœtales qu'il contient ; la biopsie des villosités chorioniques est le prélèvement de tissu dans les villosités chorioniques que l'on prépare pour l'analyse chromosomique ; elle peut être pratiquée avant l'amniocentèse et les résultats des épreuves sont connus plus rapidement, mais elle comporte un peu plus de risques que l'amniocentèse.

EFFETS DE LA GROSSESSE CHEZ LA MÈRE (p. 1100)

1. La gonadotrophine chorionique (hCG), les œstrogènes et la progestérone assurent le maintien de la grossesse.
2. L'hormone chorionique somatomammotrope (hCS) joue un rôle dans le développement des glandes mammaires, l'anabolisme des protéines et le catabolisme du glucose et des acides gras.
3. La relaxine augmente la flexibilité de la symphyse pubienne et contribue à la dilatation du col de l'utérus vers la fin de la grossesse.
4. On croit que la corticolibérine, qui est produite par le placenta, règle le moment de la naissance et stimule la sécrétion de cortisol par la glande surrénale du fœtus.
5. Durant la grossesse, plusieurs modifications anatomiques et physiologiques sont observées chez la mère.

EXERCICE ET GROSSESSE (p. 1104)

1. Durant la grossesse, certaines articulations sont moins stables et certains mouvements sont plus difficiles à exécuter.

2. Un niveau d'activité physique modéré ne présente aucun danger pour le fœtus si la grossesse est normale.

ACCOUCHEMENT (p. 1104)

1. L'accouchement est le processus pendant lequel le fœtus est expulsé de l'utérus et passe par le vagin pour venir au monde. Durant le vrai travail, le col de l'utérus se dilate, le bébé naît et le placenta est expulsé.

2. L'ocytocine stimule les contractions utérines par une boucle de rétroactivation.

ADAPTATION DE L'ENFANT À LA VIE EXTRA-UTÉRINE (p. 1106)

1. Le fœtus dépend de sa mère, qui lui fournit de l'oxygène et des nutriments, le débarrasse de ses déchets et le protège.

2. Après la naissance, les systèmes respiratoire et cardiovasculaire du nourrisson subissent des modifications afin de s'adapter à la nouvelle autonomie nécessaire à sa vie postnatale.

PHYSIOLOGIE DE LA LACTATION (p. 1107)

1. La lactation est la sécrétion et l'éjection de lait par les glandes mammaires.

2. La prolactine, les œstrogènes et la progestérone régissent la production du lait.

3. L'ocytocine stimule l'éjection du lait.

4. L'allaitement maternel constitue le mode de nutrition idéal pour le nourrisson, il le protège contre les maladies et diminue les risques d'allergie.

HÉRÉDITÉ (p. 1109)

1. L'hérédité est la transmission de caractères d'une génération à la suivante.

2. Le génotype est la constitution génétique d'un organisme, tandis que le phénotype est l'expression des caractères hérités.

3. Les gènes dominants codent pour un caractère précis ; l'expression des gènes récessifs est masquée par les gènes dominants. Le tableau 29.3, p. 1111, donne un aperçu de caractères héréditaires chez l'humain.

4. De nombreux modèles de transmission héréditaire ne suivent pas le modèle simple de l'hérédité dominante-récessive.

5. Dans la dominance incomplète, aucun des allèles d'une paire n'est dominant ; l'hétérozygote possède un phénotype intermédiaire entre l'homozygote dominant et l'homozygote récessif. La drépanocytose en est un exemple.

6. Dans la transmission par allèles multiples, les gènes ont plus de deux formes alternatives. La transmission des groupes sanguins du système ABO en est un exemple.

7. Dans l'hérédité polygénique, un caractère hérité est régi par les effets combinés de nombreux gènes. La couleur de la peau en est un exemple.

8. Chaque cellule somatique possède 46 chromosomes : 22 paires d'autosomes et 1 paire de chromosomes sexuels.

9. Chez la femme, la paire de chromosomes sexuels est composée de deux chromosomes XX ; chez l'homme, elle est formée par un chromosome X et un chromosome Y beaucoup plus petit, qui contient normalement le principal gène qui détermine le sexe masculin, le gène *SRY*.

10. Si le gène *SRY* est présent et fonctionnel dans un ovule fécondé, le fœtus aura des testicules et sera de sexe masculin. S'il est absent, le fœtus aura des ovaires et sera de sexe féminin.

11. Le daltonisme et l'hémophilie sont causés par la présence de gènes récessifs sur le chromosome X ; ces anomalies surviennent principalement chez les hommes, car le chromosome Y ne comporte aucun gène dominant compensatoire.

12. Un phénomène appelé inactivation du chromosome X (ou hypothèse de Lyon) équilibre la différence entre le nombre de chromosomes X entre les hommes (un X) et les femmes (deux X). Dans chaque cellule de l'organisme féminin, un chromosome X est inactivé de façon aléatoire et permanente dès le début du développement et devient le corpuscule de Barr.

13. Un phénotype donné résulte des interactions d'un génotype et du milieu extérieur.

14. Les agents tératogènes, c'est-à-dire qui causent des anomalies de développement chez l'embryon, comprennent les substances chimiques et les médicaments, l'alcool, la nicotine et les rayonnements ionisants.

AUTOÉVALUATION

1. Associez les éléments suivants :
_____ a) pénétration d'un ovocyte secondaire par un seul spermatozoïde
_____ b) fécondation d'un ovocyte secondaire par plus d'un spermatozoïde
_____ c) fixation d'un blastocyste à l'endomètre
_____ d) fusion du matériel génétique d'un spermatozoïde haploïde et de celui d'un ovocyte secondaire haploïde pour former un seul noyau diploïde
_____ e) inactivation d'un chromosome X chez la femme
_____ f) induction, par les voies génitales de la femme, de changements fonctionnels dans les spermatozoïdes leur permettant de féconder un ovocyte secondaire
_____ g) examen de cellules embryonnaires prélevées dans le liquide amniotique

_____ h) état de grossesse anormal caractérisé par une hypertension soudaine, un excédent de protéines dans l'urine et un œdème généralisé
_____ i) processus consistant à donner naissance, à accoucher
_____ j) période (d'environ 6 semaines) pendant laquelle les organes génitaux et les mécanismes physiologiques de la mère reviennent à leur état d'avant la grossesse

1) fécondation	6) amniocentèse
2) capacitation	7) hypothèse de Lyon
3) syngamie	8) prééclampsie
4) polyspermie	9) parturition
5) implantation	10) post-partum

2. Associez les éléments suivants :
_____ a) boule de cellules creuse qui pénètre dans la cavité utérine
_____ b) cellules produites par la segmentation

___ c) individu en développement à partir du troisième mois de grossesse jusqu'à la naissance
___ d) couche externe de cellules recouvrant le blastocyste
___ e) membrane dérivée du trophoblaste
___ f) premières divisions du zygote
___ g) sphère solide de cellules encore entourée de la zone pellucide
___ h) étape pendant laquelle il y a différenciation en trois feuillets embryonnaires primitifs

1) segmentation   5) blastocyste
2) blastomères   6) gastrulation
3) morula   7) chorion
4) trophoblaste   8) fœtus

3. Associez les éléments suivants :
___ a) régulation des caractères hérités par les effets combinés de nombreux gènes ; la couleur de la peau en est un exemple
___ b) les deux formes alternatives d'un gène qui codent pour le même caractère et occupent la même position sur des chromosomes homologues
___ c) transmission héréditaire par des gènes qui ont plus de deux formes alternatives ; la transmission des groupes sanguins en est un exemple
___ d) cellule dans laquelle un chromosome ou plus d'un chromosome d'un jeu est ajouté ou soustrait
___ e) se dit d'une personne dont les chromosomes homologues possèdent des allèles différents
___ f) caractères liés au chromosome X
___ g) aucun des allèles d'une paire n'est dominant par rapport à l'autre ; l'hétérozygote possède un phénotype intermédiaire entre l'homozygote dominant et l'homozygote récessif
___ h) indique la manière dont la constitution génétique s'exprime dans l'organisme
___ i) constitution génétique de l'homozygote dominant, de l'homozygote récessif ou de l'hétérozygote ; façon dont les gènes sont combinés
___ j) se dit d'une personne qui possède les mêmes allèles sur ses chromosomes homologues
___ k) individus qui possèdent un gène récessif (qui ne s'exprime pas) qu'ils peuvent transmettre à leur progéniture
___ l) allèle qui masque la présence d'un autre allèle et qui est pleinement exprimé

1) génotype   7) hérédité polygénique
2) phénotype   8) hérédité liée au sexe
3) allèles   9) homozygote
4) aneuploïde   10) hétérozygote
5) dominance incomplète   11) porteurs
6) transmission par allèles   12) caractère dominant
   multiples

Choix multiples
4. Le groupe de cellules qui sécrète des enzymes permettant au blastocyste de pénétrer dans l'endomètre de l'utérus est appelé : a) syncytiotrophoblaste ; b) cytotrophoblaste ; c) corona radiata ; d) zone pellucide ; e) trophoblaste.
5. Le seul tissu de l'embryon en développement qui entre en contact avec l'utérus maternel est appelé : a) ectoderme ; b) corona radiata ; c) trophoblaste ; d) zone pellucide ; e) acrosome.

6. Lesquels des énoncés suivants sont vrais ? 1) La période embryonnaire correspond aux quatre premiers mois de développement. 2) L'embryoblaste se différencie en trois feuillets embryonnaires primitifs. 3) Les trois feuillets embryonnaires primitifs sont l'endoderme, le mésoderme et l'ectoderme. 4) Les membranes embryonnaires sont le sac vitellin, l'amnios, le chorion et l'allantoïde. 5) Le placenta se développe durant le quatrième mois de grossesse.
a) 1, 2 et 3. b) 2, 3 et 4. c) 3, 4 et 5. d) 1, 4 et 5. e) 2, 3 et 5.
7. L'hormone de grossesse qui imite la LH, empêche le corps jaune de dégénérer et le stimule à poursuivre sa production de progestérone et d'œstrogènes est appelée : a) relaxine ; b) hormone chorionique somatomammotrope ; c) hormone lactogène placentaire humaine ; d) inhibine ; e) gonadotrophine chorionique.
8. Lesquels des énoncés suivants décrivent des modifications maternelles liées à la grossesse ? 1) Modification de la fonction pulmonaire. 2) Augmentation du volume systolique, du débit cardiaque et de la fréquence cardiaque, et diminution du volume sanguin. 3) Gain pondéral. 4) Augmentation de la motilité gastrique et retard de la vidange gastrique. 5) Œdème et possibilité de varices.
a) 1, 2, 3 et 4. b) 2, 3, 4 et 5. c) 1, 3, 4 et 5. d) 1, 3 et 5. e) 2, 4 et 5.
9. Lequel des énoncés suivants est vrai ? a) Les caractères normaux sont toujours dominants par rapport aux caractères anormaux. b) Une erreur occasionnelle pendant la méiose appelée nondisjonction entraîne un nombre anormal de chromosomes. c) La mère détermine toujours le sexe de l'enfant, car elle possède soit un gène X, soit un gène Y dans ses ovocytes. d) L'hérédité dominante-récessive est le principal modèle de transmission des gènes. e) Les gènes sont exprimés normalement, quelle que soit l'influence d'agents externes comme les substances chimiques ou les rayonnements.

Phrases à compléter
10. Les trois étapes du vrai travail sont, par ordre chronologique, ___, ___, et ___.
11. La première étape importante de la période embryonnaire est ___. La deuxième étape importante de la période embryonnaire est la formation des ___. La troisième étape importante de la période embryonnaire est le développement du ___.
12. Les hormones produites par ___ sont responsables du maintien de la grossesse pendant les trois à quatre premiers mois.

Vrai ou faux
13. Le principal stimulus permettant le maintien de la sécrétion de prolactine durant la lactation est la succion du bébé qui tète.
14. Les embryons de sexe masculin et féminin se développent de la même manière jusqu'à ce que le gène *SRY* déclenche la séquence de phénomènes qui permettent le développement des caractères sexuels féminins.
15. Associez les éléments suivants :
___ a) membrane embryonnaire qui entoure complètement l'embryon
___ b) un des premiers sites de la formation des cellules sanguines ; contient les cellules qui migrent dans les gonades et se différencient en cellules germinales primordiales
___ c) devient la partie principale du placenta ; produit la gonadotrophine chorionique
___ d) comprend la totalité de l'endomètre, à l'exception de la couche basale, et se sépare de l'endomètre après la naissance du fœtus

____ e) constitue le lien vasculaire entre la mère et le fœtus

____ f) permet à l'oxygène et aux nutriments de diffuser du sang maternel jusqu'au sang fœtal

____ g) un des premiers sites de la formation du sang ; ses vaisseaux sanguins assurent le lien ombilical entre la mère et le fœtus dans le placenta

____ h) projections digitiformes du chorion submergées dans les sinus sanguins de la mère qui rapprochent les vaisseaux sanguins de la mère et du fœtus

1) caduque
2) placenta
3) amnios
4) chorion
5) allantoïde
6) sac vitellin
7) villosités chorioniques
8) cordon ombilical

QUESTIONS À COURT DÉVELOPPEMENT

1. Assise à sa fenêtre, Gertrude, la commère du quartier, regarde la petite Angélique âgée de deux ans qui passe sur le trottoir avec ses parents et sa grand-mère. « Je crois toujours qu'il est biologiquement impossible que deux parents aux yeux et aux cheveux bruns donnent naissance à une blonde aux yeux bleus comme Angélique », dit-elle à son mari. « Tu en as pourtant la preuve devant toi », lui rétorque-t-il. Qui a raison ? (INDICE : *Tout le monde dit qu'Angélique est « le portrait craché » de sa grand-mère.*)

2. Pauline est enceinte lorsqu'elle apprend qu'il y a des antécédents du syndrome de l'X fragile dans la famille de son mari. Elle lui dit : « C'est une de ces anomalies qui ne touchent que les hommes, comme le daltonisme. Nous n'avons pas à nous inquiéter. » Expliquez la transmission du syndrome de l'X fragile en termes plus clairs. (INDICE : *La plupart des cas de syndrome de l'X fragile sont liés au sexe.*)

3. Généralement, vous associez les artères à la circulation du sang oxygéné ; dans le présent ouvrage cependant, on vous dit que les artères ombilicales acheminent du sang désoxygéné vers le fœtus. Les auteurs auraient-ils commis une erreur ? Expliquez votre réponse. (INDICE : *Pensez aux artères pulmonaires d'un adulte.*)

RÉPONSES AUX QUESTIONS DES FIGURES

29.1 La capacitation consiste en une série de changements fonctionnels que subissent les spermatozoïdes dans les voies génitales de la femme pour pouvoir féconder un ovocyte secondaire.

29.2 Une morula est une sphère solide de cellules, tandis qu'un blastocyste est composé d'un anneau de cellules (trophoblaste) entourant une cavité (blastocèle) et un embryoblaste.

29.3 Le blastocyste sécrète des enzymes qui digèrent les cellules de l'endomètre au site de l'implantation.

29.4 L'implantation survient durant la phase sécrétoire du cycle menstruel.

29.5 L'embryoblaste du blastocyste donne naissance au disque embryonnaire.

29.6 L'amnios absorbe les chocs, tandis que le chorion forme le placenta.

29.7 La caduque basale contribue à former la portion maternelle du placenta.

29.8 Le placenta est le siège des échanges de substances entre le fœtus et la mère.

29.9 L'amniocentèse sert principalement à détecter des anomalies génétiques, mais elle fournit également de l'information concernant la maturité (et la viabilité) du fœtus.

29.10 Les tests en début de grossesse détectent la présence de la gonadotrophine chorionique (hCG).

29.11 La relaxine augmente la flexibilité de la symphyse pubienne et contribue à la dilatation du col de l'utérus afin de faciliter la naissance.

29.12 La dilatation complète du col de l'utérus marque le début de la période d'expulsion.

29.13 L'ocytocine stimule également la contraction de l'utérus pendant l'accouchement.

29.14 La probabilité qu'un enfant soit atteint de phénylcétonurie est la même pour chaque enfant : 25 %.

29.15 Dans la dominance incomplète, aucun des allèles d'une paire n'est dominant ; l'hétérozygote possède un phénotype intermédiaire entre ceux de l'homozygote dominant et de l'homozygote récessif.

29.16 Oui, un bébé peut avoir le groupe sanguin O si chacun de ses parents possède un allèle *i* et le lui transmet.

29.17 La couleur des cheveux, la taille et la constitution morphologique sont des exemples de caractères polygéniques.

29.18 Les chromosomes sexuels de la femme sont XX et les chromosomes sexuels de l'homme sont XY.

29.19 Les autosomes regroupent tous les chromosomes autres que les chromosomes sexuels.

29.20 Une femme daltonienne possède le génotype $X^c X^c$.

SYSTÈME INTERNATIONAL D'UNITÉS (SI)

UNITÉS DE BASE

Unité	Quantité	Symbole
Mètre	longueur	m
Kilogramme	masse	kg
Seconde	temps	s
Litre	volume	L
Mole	quantité de matière	mol

PRÉFIXES

Préfixe	Multiplicateur		Symbole
Téra	10^{12}	= 1 000 000 000 000	T
Giga	10^{9}	= 1 000 000 000	G
Méga	10^{6}	= 1 000 000	M
Kilo	10^{3}	= 1 000	k
Hecto	10^{2}	= 100	h
Déca	10^{1}	= 10	da
Déci	10^{-1}	= 0,1	d
Centi	10^{-2}	= 0,01	c
Milli	10^{-3}	= 0,001	m
Micro	10^{-6}	= 0,000 001	µ
Nano	10^{-9}	= 0,000 000 001	n
Pico	10^{-12}	= 0,000 000 000 001	p

Le tableau périodique énumère les **éléments chimiques** connus, qui constituent les unités fondamentales de la matière. Ces éléments sont disposés en rangées se lisant de gauche à droite dans l'ordre de leur **numéro atomique**, qui correspond au nombre de protons dans leur noyau. Chaque rangée horizontale, numérotée de 1 à 7, correspond à une **période**. Tous les éléments d'une période donnée ont le nombre de couches électroniques indiqué par leur période. Par exemple, un atome d'hydrogène ou d'hélium comporte une seule couche électronique, tandis qu'un atome de potassium ou de calcium en contient quatre. Les éléments de chaque colonne, ou **groupe**, partagent les mêmes propriétés chimiques. Par exemple, les éléments de la colonne IA présentent une réactivité chimique très forte, tandis que les éléments de la colonne VIIIA ont des couches électroniques complètes qui les rendent chimiquement inertes.

Dans les milieux scientifiques, on reconnaît actuellement 112 éléments différents; 92 sont présents à l'état naturel et les autres sont produits à partir d'éléments naturels au moyen de dispositifs comme l'accélérateur de particules ou le réacteur nucléaire. Chaque élément est désigné par un **symbole chimique**, généralement composé d'une ou des deux premières lettres de son nom en français, en latin ou dans une autre langue.

Des 92 éléments naturels, 26 sont normalement présents dans l'organisme humain. De ce nombre, seulement quatre (oxygène, carbone, hydrogène et azote) (représentés en bleu), constituent environ 96 % de la masse corporelle. Neuf autres (calcium, phosphore, potassium, soufre, sodium, chlore, magnésium, iode et fer) (représentés en rouge) forment 3,9 % de la masse corporelle. Treize autres éléments, appelés **oligoéléments,** sont présents en concentrations infimes et constituent le 0,1 % restant. Les oligoéléments sont l'aluminium, le bore, le chrome, le cobalt, le cuivre, le fluor, le manganèse, le molybdène, le sélénium, le silicium, l'étain, le vanadium et le zinc (représentés en jaune).

Légende

23	→ Numéro atomique
V	→ Symbole chimique
50,942	→ Masse atomique

Pourcentage de la masse corporelle
- ▢ 96 % (4 éléments)
- ▣ 3,9 % (9 éléments)
- ☐ 0,1 % (13 éléments)

	IA	IIA	IIIB	IVB	VB	VIB	VIIB		VIIIB		IB	IIB	IIIA	IVA	VA	VIA	VIIA	VIIIA
1	1 Hydrogène **H** 1,0079																	2 Hélium **He** 4,003
2	3 Lithium **Li** 6,941	4 Béryllium **Be** 9,012											5 Bore **B** 10,811	6 Carbone **C** 12,011	7 Azote **N** 14,0067	8 Oxygène **O** 15,9994	9 Fluor **F** 18,998	10 Néon **Ne** 20,179
3	11 Sodium **Na** 22,989	12 Magnésium **Mg** 24,305											13 Aluminium **Al** 26,9815	14 Silicium **Si** 28,086	15 Phosphore **P** 30,974	16 Soufre **S** 32,064	17 Chlore **Cl** 35,453	18 Argon **Ar** 39,948
4	19 Potassium **K** 39,098	20 Calcium **Ca** 40,08	21 Scandium **Sc** 44,956	22 Titanium **Ti** 47,87	23 Vanadium **V** 50,942	24 Chrome **Cr** 51,996	25 Manganèse **Mn** 54,938	26 Fer **Fe** 55,847	27 Cobalt **Co** 58,933	28 Nickel **Ni** 58,69	29 Cuivre **Cu** 63,546	30 Zinc **Zn** 65,38	31 Gallium **Ga** 69,723	32 Germanium **Ge** 72,59	33 Arsenic **As** 74,992	34 Sélénium **Se** 78,96	35 Brome **Br** 79,904	36 Krypton **Kr** 83,80
5	37 Rubidium **Rb** 85,468	38 Strontium **Sr** 87,62	39 Yttrium **Y** 88,905	40 Zirconium **Zr** 91,22	41 Niobium **Nb** 92,906	42 Molybdène **Mo** 95,94	43 Technétium **Tc** (99)	44 Ruthénium **Ru** 101,07	45 Rhodium **Rh** 102,905	46 Palladium **Pd** 106,42	47 Argent **Ag** 107,868	48 Cadmium **Cd** 112,40	49 Indium **In** 114,82	50 Étain **Sn** 118,69	51 Antimoine **Sb** 121,75	52 Tellure **Te** 127,60	53 Iode **I** 126,904	54 Xénon **Xe** 131,30
6	55 Césium **Cs** 132,905	56 Barium **Ba** 137,33	57 Lanthane **La** 138,91	72 Hafnium **Hf** 178,49	73 Tantale **Ta** 180,948	74 Tungstène **W** 183,85	75 Rhénium **Re** 186,2	76 Osmium **Os** 190,2	77 Iridium **Ir** 192,22	78 Platine **Pt** 195,08	79 Or **Au** 196,967	80 Mercure **Hg** 200,59	81 Thallium **Tl** 204,37	82 Plomb **Pb** 207,19	83 Bismuth **Bi** 208,980	84 Polonium **Po** (209)	85 Astate **At** (210)	86 Radon **Rn** (222)
7	87 Francium **Fr** (223)	88 Radium **Ra** (226)	89 Actinium **Ac** (227)	104 Rutherfordium **Rf** (261)	105 Dubnium **Db** (262)	106 Seaborgium **Sg** (263)	107 Bohrium **Bh** (261)	108 Hassium **Hs** (265)	109 Meitnerium **Mt** (266)	110 Ununnilium* **Uun** (269)	111 Unununium* **Uuu** (272)	112 Ununbium* **Uub** (277)						

57-71, Lanthanides

57 Lanthane **La** 138,91	58 Cérium **Ce** 140,12	59 Praséodyme **Pr** 140,907	60 Néodyme **Nd** 144,24	61 Prométhium **Pm** 144,913	62 Samarium **Sm** 150,35	63 Europium **Eu** 151,96	64 Gadolinium **Gd** 157,25	65 Terbium **Tb** 158,925	66 Dysprosium **Dy** 162,50	67 Holmium **Ho** 164,930	68 Erbium **Er** 167,26	69 Thulium **Tm** 168,934	70 Ytterbium **Yb** 173,04	71 Lutécium **Lu** 174,97

89-103, Actinides

89 Actinium **Ac** (227)	90 Thorium **Th** 232,038	91 Protactinium **Pa** (231)	92 Uranium **U** 238,03	93 Neptunium **Np** (237)	94 Plutonium **Pu** 244,064	95 Américium **Am** (243)	96 Curium **Cm** (247)	97 Berkélium **Bk** (247)	98 Californium **Cf** (251)	99 Einsteinium **Es** (254)	100 Fermium **Fm** 257,095	101 Mendélévium **Md** 258,10	102 Nobélium **No** 259,10	103 Lawrencium **Lr** 260,105

* Noms provisoires

Les unités du système international (SI) ont cours dans la plupart des pays et des publications médicales et scientifiques. Dans le tableau qui suit, les valeurs sont donc exprimées en unités du système international. Les valeurs données le sont à titre de référence seulement et ne doivent pas être considérées comme des valeurs « normales » absolues pour toutes les personnes en bonne santé. Elles peuvent varier en fonction de l'âge, du sexe, du régime alimentaire et du milieu dans lequel le sujet vit, de même qu'en fonction du matériel, des méthodes et des normes utilisés par le laboratoire procédant aux épreuves.

LÉGENDE DES SYMBOLES

g = gramme

U = unité

L = litre

µL = microlitre

mmol/L = millimoles par litre

µmol/L = micromoles par litre

> = supérieur à ; < = inférieur à

ANALYSE (ÉCHANTILLON)	VALEURS DE RÉFÉRENCE : UNITÉS SI	ÉLÉVATION EN CAS DE	DIMINUTION EN CAS DE
Aminotransférases (sérum)			
Alanine-aminotransférase (ALT)	0 à 35 U/L	Atteinte ou lésion hépatique causée par une toxicité médicamenteuse.	
Aspartate-aminotransférase (ASAT)	0 à 35 U/L	Infarctus du myocarde, atteinte hépatique, traumatisme aux muscles squelettiques, brûlures graves.	Béribéri, diabète non stabilisé accompagné d'acidose, grossesse.
Ammoniac (plasma)	12 à 55 µmol/L	Atteinte hépatique, insuffisance cardiaque, emphysème, pneumonie, maladie hémolytique du nouveau-né.	Hypertension.
Azote uréique du sang (sérum)	2,9 à 9,3 mmol/L	Atteinte rénale, obstruction des voies urinaires, choc, diabète, brûlures, déshydratation, infarctus du myocarde.	Insuffisance hépatique, malnutrition, hyperhydratation, grossesse.
Bilirubine (sérum)	Conjuguée (directe) : < 5,0 µmol/L Non conjuguée (indirecte) : 18 à 20 µmol/L Nouveau-né : < 200 µmol/L	Conjuguée : dysfonctionnement hépatique ou calculs biliaires, pancréatite. Non conjuguée : hémolyse excessive des érythrocytes.	
Cholestérol, total (plasma)	Valeur souhaitable : < 5,2 mmol/L	Hypercholestérolémie, diabète non stabilisé, hypothyroïdie, hypertension, athérosclérose, néphrose.	Atteinte hépatique, hyperthyroïdie, malabsorption des graisses, anémie pernicieuse ou hémolytique, infections graves.
Lipoprotéines de haute densité (HDL) (cholestérol) (plasma)	Valeur souhaitable : < 1,0 mmol/L		
Lipoprotéines de basse densité (LDL) (cholestérol) (plasma)	Valeur souhaitable : < 3,2 mmol/L		
Créatine (sérum)	Homme : 10 à 40 µmol/L Femme : 30 à 70 µmol/L	Dystrophie musculaire, lésions de tissus musculaires, choc électrique, alcoolisme chronique.	

ANALYSE (ÉCHANTILLON)	VALEURS DE RÉFÉRENCE: UNITÉS SI	ÉLÉVATION EN CAS DE	DIMINUTION EN CAS DE
Créatine-kinase (CK) (sérum)	0 à 170 U/L	Infarctus du myocarde et myocardite, dystrophie musculaire progressive, hypothyroïdie, œdème pulmonaire.	
Créatinine (sérum)	Homme: 62 à 115 mmol/L Femme: 44 à 88 mmol/L	Trouble de la fonction rénale, obstruction des voies urinaires, gigantisme, acromégalie.	Perte de masse musculaire, telle que dans la dystrophie musculaire, la myasthénie grave ou la dénutrition.
Électrolytes (plasma)	Voir le tableau 27.1 à la page 1025.		
Érythrocytes (sang entier)	Homme: 4,5 à 6,5 millions/µL Femme: 3,9 à 5,6 millions/µL	Polycythémie, déshydratation, haute altitude.	Hémorragie, hémolyse, anémies, cancer, hyperhydratation.
Fer, total (sérum)	Homme: 14 à 32 µmol/L Femme: 11 à 29 µmol/L	Atteinte hépatique, anémie hémolytique, intoxication par le fer.	Anémie ferriprive, pertes sanguines chroniques, grossesse (fin), allaitement, menstruation abondante chronique.
Gamma-glutamyl-transférase (GGT) (sérum)	0 à 40 U/L	Obstruction du conduit cholédoque, cirrhose, alcoolisme, cancer du foie métastatique, insuffisance cardiaque.	
Gaz carbonique, teneur (bicarbonate + CO_2 dissous) (sang entier)	Artérielle: 19 à 24 mmol/L Veineuse: 22 à 26 mmol/L	Diarrhée grave, vomissement grave, inanition, emphysème, aldostéronisme.	Insuffisance rénale, acidocétose diabétique, choc, hyperventilation chronique.
Glucose (plasma)	3,9 à 6,1 mmol/L	Diabète, stress aigu, hyperthyroïdie, atteinte hépatique chronique, syndrome de Cushing.	Maladie d'Addison, hypothyroïdie, hyperinsulinisme
Hémoglobine (sang entier)	Homme: 140 à 180 g/L Femme: 120 à 160 g/L Nouveau-né: 140 à 200 g/L	Polycythémie, insuffisance cardiaque, bronchopneumopathie chronique obstructive, haute altitude.	Anémie, hémorragie grave, cancer, hémolyse, maladie de Hodgkin, carence nutritionnelle en vitamine B_{12}, lupus érythémateux aigu disséminé, atteinte rénale.
Lactate déshydrogénase (LDH) (sérum)	71 à 207 U/L	Infarctus du myocarde, infection pulmonaire, atteinte hépatique, nécrose des muscles squelettiques, cancer répandu.	
Leucocytes, formule totale (sang entier)	5 000 à 10 000 /µL (Voir le tableau 19.3 à la page 657 pour les pourcentages relatifs des différents types de leucocytes.)	Infections aiguës, traumatisme, affections malignes, maladies cardiovasculaires. (Voir aussi le tableau 19.2 à la page 656.)	Diabète, anémie. (Voir aussi le tableau 19.2 à la page 656.)
Lipides (sérum)		Hyperlipidémie, diabète, hypothyroïdie.	Malabsorption des graisses.
Total	4,0 à 8,5 g/L		
Triglycérides	Varie selon l'âge et le sexe Homme 20-29 ans: 0,5 à 2,09 mmol/L Femme 20-29 ans: 0,45 à 1,45 mmol/L	Alcoolisme	
Protéines (sérum)		Déshydratation, choc, infections chroniques.	Atteinte hépatique, carence protéique alimentaire, hémorragie, diarrhée, malabsorption, insuffisance rénale chronique, brûlures graves.
Totales	60 à 80 g/L		
Albumine	40 à 60 g/L		
Globuline	23 à 35 g/L		
Thrombocytes (plaquettes) (sang entier)	150 000 à 400 000/µL	Cancer, traumatisme, leucémie, cirrhose, carence en fer.	Anémies, états allergiques, hémorragie, chimiothérapie.
Urate (en acide urique) (sérum)	120 à 420 µmol/L	Trouble de la fonction rénale, goutte, cancer métastatique, choc, inanition.	

RÉPONSES AUX AUTOÉVALUATIONS

Chapitre 1

1. cellule **2.** épithélial, conjonctif, musculaire, nerveux **3.** catabolisme **4.** homéostasie **5.** 1) f, 2) a, 3) b, 4) e, 5) c, 6) h, 7) g, 8) d **6.** faux **7.** vrai **8.** d **9.** b **10.** a **11.** b **12.** e **13.** c **14.** 1) d, 2) f, 3) h, 4) a, 5) e, 6) b, 7) g, 8) c **15.** 1) c, 2) g, 3) a, 4) e, 5) f, 6) d, 7) h, 8) b

Chapitre 2

1. protons, électrons, neutrons **2.** 8 **3.** hydrogène **4.** concentration, température **5.** a) 2, b) 4, c) 6, d) 7, e) 5, f) 8, g) 3, h) 1 **6.** vrai **7.** faux **8.** b **9.** d **10.** a **11.** c **12.** e **13.** a **14.** a) 3, b) 4, c) 6, d) 8, e) 2, f) 5, g) 1, h) 7 **15.** a) 1, b) 2, c) 1, d) 4, e) 5

Chapitre 3

1. membrane plasmique, cytoplasme, noyau **2.** apoptose, nécrose **3.** cytosol **4.** nucléole **5.** a) 2, b) 3, c) 5, d) 7, e) 6, f) 8, g) 1, h) 4 **6.** faux **7.** vrai **8.** a **9.** d **10.** b **11.** c **12.** c **13.** a) 4, b) 10, c) 1, d) 2, e) 5, f) 9, g) 8, h) 7, i) 6, j) 3 **14.** a) 2, b) 9, c) 3, d) 5, e) 6, f) 8, g) 1, h) 4, i) 7 **15.** a) 3, b) 9, c) 1, d) 5, e) 6, f) 4, g) 8, h) 7, i) 2, j) 10

Chapitre 4

1. a) 2, b) 5, c) 3, d) 4, e) 1 **2.** vrai **3.** faux **4.** a **5.** c **6.** b **7.** e **8.** b **9.** d **10.** a) 3, b) 5, c) 8, d) 12, e) 9, f) 7, g) 11, h) 6, i) 2, j) 4, k) 10, l) 1 **11.** a) 4, b) 2, c) 5, d) 6, e) 8, f) 3, g) 1, h) 7 **12.** tissu **13.** endocrines **14.** cellules, substance fondamentale, fibres **15.** régénération, fibrose

Chapitre 5

1. épiderme, derme **2.** résistance, extensibilité, élasticité **3.** papillaire, réticulaire **4.** mélanine, carotène, hémoglobine **5.** vrai **6.** faux **7.** a) 3, b) 1, c) 2, d) 5, e) 4 **8.** a **9.** b **10.** d **11.** c **12.** a **13.** d **14.** a) 3, b) 5, c) 4, d) 1, e) 2, f) 6, g) 7, h) 8 **15.** a) 5, b) 12, c) 3, d) 7, e) 4, f) 2, g) 6, h) 8, i) 11, j) 10, k) 1, l) 13, m) 9

Chapitre 6

1. dureté, flexibilité **2.** ostéones, trabécules osseuses **3.** cartilage hyalin, mésenchyme **4.** parathormone **5.** a) 3, b) 9, c) 8, d) 1, e) 5, f) 4, g) 6, h) 7, i) 2, j) 10 **6.** vrai **7.** faux **8.** a) 1, b) 2, c) 7, d) 10, e) 8, f) 3, g) 6, h) 4, i) 9, j) 5 **9.** d **10.** b **11.** a **12.** c **13.** a **14.** b **15.** a) 10, b) 6, c) 5, d) 1, e) 3, f) 2, g) 4, h) 9, i) 7, j) 8

Chapitre 7

1. faux **2.** faux **3.** hypophyse **4.** fontanelles **5.** hyoïde **6.** disques intervertébraux **7.** a) 8, b) 6, c) 1, d) 7, e) 2, f) 5, g) 9, h) 3, i) 10, j) 4, k) 11, l) 12, m) 15, n) 13, o) 14 **8.** a) 2, b) 3, c) 5, d) 6, e) 4, f) 1, g) 5, h) 4, i) 2, j) 4, k) 3 **9.** a **10.** c **11.** b **12.** b **13.** d **14.** e **15.** a) 1, b) 3, c) 6, d) 9, e) 13, f) 12, g) 2, h) 4, i) 5, j) 7, k) 10, l) 8, m) 11, n) 14

Chapitre 8

1. protéger, mouvement **2.** patella **3.** talus **4.** clavicule **5.** b **6.** b **7.** d **8.** c **9.** e **10.** a **11.** vrai **12.** vrai **13.** a) 4, b) 3, c) 3, d) 6, e) 7, f) 1, g) 3, h) 2, i) 5, j) 8, k) 2, l) 4, m) 6 **14.** a) 2, b) 6, c) 9, d) 7, e) 4, f) 5, g) 8, h) 10, i) 1, j) 3 **15.** a) 8, b) 2, c) 6, d) 3, e) 7, f) 5, g) 1, h) 4

Chapitre 9

1. articulation ou jointure **2.** liquide synovial **3.** genou **4.** disques articulaires, ménisques **5.** d **6.** b **7.** a **8.** c **9.** a **10.** e **11.** a) 4, b) 3, c) 6, d) 2, e) 5, f) 1 **12.** vrai **13.** vrai **14.** a) 5, b) 1, c) 2, d) 3, e) 4, f) 7, g) 6 **15.** a) 6, b) 7, c) 9, d) 4, e) 8, f) 3, g) 10, h) 2, i) 11, j) 1, k) 5

Chapitre 10

1. faux **2.** vrai **3.** a) 7, b) 8, c) 10, d) 9, e) 4, f) 6, g) 5, h) 3, i) 1, j) 2 **4.** a) 5, b) 8, c) 7, d) 10, e) 6, f) 9, g) 4, h) 1, i) 2, j) 3 **5.** squelettique, cardiaque, lisse **6.** muscle cardiaque, muscle lisse viscéral **7.** excitabilité électrique, contractilité, extensibilité, élasticité **8.** actine, myosine **9.** a **10.** b **11.** c **12.** e **13.** d **14.** c **15.** a) 12, b) 4, c) 6, d) 5, e) 8, f) 7, g) 3, h) 9, i) 11, j) 10, k) 1, l) 2

Chapitre 11

1. origine, insertion **2.** buccinateur **3.** masséter **4.** diaphragme **5.** d **6.** a **7.** b **8.** e **9.** c **10.** a **11.** a) 3, b) 1, c) 2, d) 1, e) 2, f) 3, g) 2, h) 3 **12.** vrai **13.** vrai **14.** a) 6, b) 3, c) 7, d) 4, e) 2, f) 8, g) 5, h) 1 **15.** a) 11, b) 1, c) 10, d) 8, e) 13, f) 18, g) 2, h) 6, i) 8, j) 7, k) 5, l) 4, m) 2, n) 9, o) 1, p) 12, q) 14, r) 13, s) 7, t) 17, u) 5, v) 18, w) 6, x) 16, y) 3

Chapitre 12

1. SNC, encéphale, moelle épinière; SNP, nerfs crâniens, nerfs spinaux, ganglions, récepteurs sensoriels **2.** ganglions **3.** système nerveux somatique, système nerveux autonome, système nerveux entérique **4.** plasticité **5.** vrai **6.** faux **7.** a) 4, b) 5, c) 14, d) 8, e) 7, f) 1, g) 2, h) 10, i) 13, j) 6, k) 3, l) 12,

m) 9, n) 11 **8.** a) 2, b) 1, c) 8, d) 5, e) 6, f) 3, g) 4, h) 7 **9.** c **10.** b **11.** a **12.** e **13.** c **14.** d **15.** a) 6, b) 3, c) 1, d) 2, e) 9, f) 11, g) 4, h) 8, i) 7, j) 5, k) 10

Chapitre 13

1. a) 10, b) 8, c) 9, d) 1, e) 2, f) 5, g) 7, h) 6, i) 4, j) 3 **2.** a) 2, b) 1, c) 3, d) 4, e) 1, f) 2, g) 4, h) 3, i) 1 **3.** vrai **4.** faux **5.** réflexes **6.** autonomes **7.** ligaments dentelés **8.** faisceaux de la substance blanche, substance grise **9.** d **10.** b **11.** c **12.** a **13.** b **14.** e **15.** a) 1, b) 3, c) 4, d) 2, e) 1, f) 1, g) 2

Chapitre 14

1. tronc cérébral, cervelet, diencéphale, cerveau **2.** barrière hémato-encéphalique **3.** plexus choroïdes **4.** faux du cerveau **5.** vrai **6.** faux **7.** c **8.** d **9.** e **10.** d **11.** e **12.** a **13.** a) 3, b) 5, c) 6, d) 8, e) 11, f) 10, g) 7, h) 9, i) 1, j) 4, k) 2, l) 12, m) 1, n) 8, o) 5, p) 7, q) 12, r) 10, s) 9 **14.** a) 9, b) 2, c) 6, d) 10, e) 4, f) 11, g) 1, h) 2, i) 5, j) 8, k) 12, l) 7, m) 3, n) 6, o) 13, p) 7, q) 1, r) 14

Chapitre 15

1. sensation **2.** adaptation **3.** tactiles **4.** c **5.** a **6.** d **7.** e **8.** b **9.** d **10.** d **11.** vrai **12.** vrai **13.** a) 3, b) 2, c) 5, d) 7, e) 1, f) 3, g) 8, h) 4, i) 6 **14.** a) 9, b) 8, c) 4, d) 7, e) 10, f) 2, g) 3, h) 1, i) 5, j) 6, k) 11 **15.** a) 10, b) 8, c) 7, d) 1, e) 4, f) 3, g) 5, h) 6, i) 9, j) 2

Chapitre 16

1. vrai **2.** faux **3.** sucré, acide, salé, amer **4.** fossette centrale **5.** trompe auditive ou d'Eustache **6.** statique, dynamique **7.** a **8.** d **9.** c **10.** c **11.** e **12.** a **13.** a) 5, b) 7, c) 6, d) 1, e) 8, f) 2, g) 4, h) 3 **14.** a) 3, b) 6, c) 8, d) 10, e) 1, f) 5, g) 9, h) 11, i) 7, j) 12, k) 2, l) 4 **15.** a) 2, b) 5, c) 10, d) 7, e) 3, f) 9, g) 6, h) 1, i) 4, j) 8

Chapitre 17

1. a) 2, b) 5, c) 6, d) 1, e) 3, f) 4 **2.** autonome **3.** thoraco-lombaire, cranio-sacral **4.** noradrénaline **5.** a) 2, b) 1, c) 2, d) 3, e) 3 **6.** vrai **7.** faux **8.** a) 2, b) 1, c) 1, d) 2, e) 1, f) 1, g) 2, h) 2 **9.** b **10.** c **11.** d **12.** a **13.** a **14.** c **15.** e

Chapitre 18

1. b **2.** c **3.** d **4.** a **5.** b **6.** c **7.** protéine G, adénylate cyclase, protéines-kinases, effectuent la phosphorylation **8.** réaction d'alarme, période de résistance, épuisement **9.** hypothalamus **10.** exocrines, endocrines **11.** faux **12.** vrai **13.** a) 8, b) 2, c) 7, d) 1, e) 12, f) 4, g) 5, h) 10, i) 16, j) 15, k) 3, l) 11, m) 14, n) 6, o) 13, p) 9 **14.** a) 10, b) 8, c) 2, d) 4, e) 1, f) 6, g) 9, h) 7, i) 5, j) 3 **15.** a) 10, b) 1, c) 5, d) 7, e) 3, f) 8, g) 2, h) 9, i) 4, j) 6

Chapitre 19

1. e **2.** a **3.** d **4.** b **5.** c **6.** d **7.** plasma, éléments figurés, érythrocytes, leucocytes, plaquettes **8.** sérum **9.** prothrombinase, intrinsèque, extrinsèque, prothrombine, thrombine, fibrinogène, fibrine **10.** plaquettes, thrombocytes **11.** vrai **12.** vrai **13.** a) 4, b) 6, c) 8, d) 1, e) 7, f) 3, g) 5, h) 2 **14.** a) 6, b) 8, c) 3, d) 10, e) 2, f) 4, g) 1, h) 7, i) 9, j) 5 **15.** a) 5, b) 1, c) 2, d) 3, e) 6, f) 4, g) 8, h) 7

Chapitre 20

1. a) 3, b) 2, c) 8, d) 5, e) 7, f) 4, g) 1, h) 6 **2.** a **3.** c **4.** d **5.** b **6.** e **7.** d **8.** a) 4, b) 10, c) 6, d) 5, e) 3, f) 9, g) 2, h) 8, i) 1, j) 7 **9.** isovolumétrique **10.** systole, diastole **11.** premier, se ferment; deuxième, se ferment **12.** volume systolique **13.** faux **14.** vrai **15.** a) 3, b) 6, c) 1, d) 5, e) 2, f) 4

Chapitre 21

1. b **2.** c **3.** e **4.** a **5.** d **6.** c **7.** a) 2, b) 6, c) 4, d) 1, e) 3, f) 5 **8.** a) 11, b) 1, c) 4, d) 9, e) 3, f) 8, g) 6, h) 2, i) 7, j) 5, k) 10, l) 12 **9.** vrai **10.** vrai **11.** diffusion, transcytose, écoulement de masse **12.** hydrostatique du sang (PH$_s$) osmotique du liquide interstitiel (PO$_{li}$), pression colloïdo-osmotique du dang (PCO$_s$) **13.** gradient de pression, résistance, fréquence cardiaque, volume systolique **14.** sinu-carotidien, aortique **15.** a) 5, b) 3, c) 1, d) 4, e) 2, f) 4, g) 5

Chapitre 22

1. e **2.** e **3.** d **4.** a **5.** c **6.** e **7.** contractions des muscles squelettiques, valvules à sens unique, mouvements de la respiration **8.** chimiotactisme, adhérence, ingestion **9.** peau et muqueuses; protéines antimicrobiennes, cellules tueuses naturelles et phagocytes **10.** réaction spécifique, mémoire **11.** vrai **12.** vrai **13.** a) 3, b) 1, c) 4, d) 2, e) 5 **14.** a) 2, b) 3, c) 4, d) 7, e) 1, f) 6, g) 5 **15.** a) 3 ou 10, b) 10 ou 3, c) 8, d) 1, e) 2, f) 5, g) 4, h) 7, i) 9, j) 6

Chapitre 23

1. a) 2, b) 8, c) 3, d) 7, e) 1, f) 9, g) 5, h) 10, i) 4, j) 6 **2.** ventilation pulmonaire, respiration externe, respiration interne **3.** ventilation pulmonaire, inspiration (inhalation), expiration (exhalation) **4.** oxyhémoglobine, ions bicarbonate **5.** $CO_2 + H_2O \rightarrow H_2CO_3 \rightarrow H^+ + HCO_3^-$ **6.** faux **7.** vrai **8.** a) 9, b) 10, c) 1, d) 6, e) 8, f) 2, g) 4, h) 3, i) 5, j) 7 **9.** b **10.** d **11.** a **12.** c **13.** c **14.** e **15.** a) 6, b) 3, c) 5, d) 1, e) 4, f) 2

Chapitre 24

1. a) 3, b) 10, c) 5, d) 8, e) 6, f) 1, g) 4, h) 9, i) 7, j) 2 **2.** a) 4, b) 6, c) 7, d) 1, e) 5, f) 3, g) 8, h) 2, i) 10, j) 9 **3.** a **4.** c **5.** e **6.** d **7.** a **8.** c **9.** muqueuse, sous-muqueuse, musculeuse, séreuse **10.** péritoine; omentums, mésentère **11.** plexus sous-muqueux entérique ou plexus de Meissner; plexus myentérique ou plexus d'Auerbach **12.** sucres simples; acides aminés; monoglycérides et acides gras; pentoses, phosphates et bases azotées **13.** faux **14.** faux **15.** a) 4, b) 8, c) 2, d) 10, e) 7, f) 11, g) 1, h) 6, i) 3, j) 9, k) 5

Chapitre 25

1. procurer de l'énergie, servir de composants, être emmagasinées pour être utilisées plus tard **2.** hypothalamus **3.** glucose-6-phosphate, acide pyruvique, acétyl coenzyme A **4.** hormones **5.** faux **6.** vrai **7.** c **8.** d **9.** a **10.** d **11.** a **12.** b **13.** a) 8, b) 5, c) 1, d) 10, e) 6, f) 2, g) 4, h) 9, i) 3, j) 7 **14.** a) 2, b) 8, c) 5, d) 10, e) 6, f) 7, g) 3, h) 9, i) 4, j) 1 **15.** a) 9, b) 10, c) 1, d) 6, e) 4, f) 7, g) 3, h) 5, i) 8, j) 2

Chapitre 26

1. a) 8, b) 2, c) 10, d) 5, e) 3, f) 1, g) 7, h) 4, i) 9, j) 6 **2.** a) 3, b) 7, c) 4, d) 2, e) 5, f) 1, g) 6 **3.** c **4.** a **5.** d **6.** a **7.** e **8.** b **9.** vrai **10.** vrai **11.** épithélium transitionnel **12.** volontaire, involontaire **13.** filtration glomérulaire, réabsorption tubulaire, sécrétion tubulaire **14.** régulation de la composition ionique du sang, maintien de l'osmolarité sanguine, régulation du volume sanguin, régulation de la pression artérielle, régulation du pH sanguin, libération d'hormones, régulation de la glycémie, excrétion des déchets et des substances étrangères **15.** a) 5, b) 4, c) 8, d) 6, e) 1, f) 2, g) 7

Chapitre 27

1. eau **2.** dépression, SNC, transmissions synaptiques: surexcitation, systèmes nerveux central et périphérique **3.** acide faible, base faible **4.** tampon protéinate-protéines, tampon acide carbonique-bicarbonate, tampon dihydrogéno-phosphate-monohydrogénophosphate **5.** vrai **6.** vrai **7.** a **8.** c **9.** b **10.** e **11.** d **12.** a **13.** a) 2, b) 3, c) 4, d) 1, e) 5 **14.** a) 3, b) 5, c) 7, d) 1, e) 6, f) 2, g) 4 **15.** a) 8, b) 7, c) 5, d) 6, e) 1, f) 3, g) 4, h) 2

Chapitre 28

1. a) 10, b) 12, c) 1, d) 5, e) 2, f) 4, g) 6, h) 11, i) 8, j) 3, k) 9, l) 7 **2.** a) 6, b) 4, c) 1, d) 12, e) 8, f) 5, g) 7, h) 9, i) 11, j) 3, k) 2, l) 10 **3.** e **4.** b **5.** a **6.** c **7.** b **8.** a **9.** e **10.** a) 7, b) 2, c) 1, d) 4, e) 8, f) 5, g) 3, h) 6 **11.** a) 6, b) 4, c) 2, d) 1, e) 3, f) 8, g) 7, h) 5 **12.** ovaires, testicules, ovocyte secondaire, spermatozoïde **13.** barrière hémato-testiculaire, cellules de Sertoli **14.** puberté, ménarche, ménopause **15.** vrai

Chapitre 29

1. a) 3, b) 4, c) 5, d) 1, e) 7, f) 2, g) 6, h) 8, i) 9, j) 10 **2.** a) 5, b) 2, c) 8, d) 4, e) 7, f) 1, g) 3, h) 6 **3.** a) 7, b) 3, c) 6, d) 4, e) 10, f) 8, g) 5, h) 2, i) 1, j) 9, k) 11, l) 12 **4.** a) 10, b) 2, c) 8, d) 9, b **10.** dilatation, expulsion, délivrance **11.** gastrulation; membranes embryonnaires; placenta **12.** corps jaune **13.** vrai **14.** faux **15.** a) 3, b) 6, c) 4, d) 1, e) 8, f) 2, g) 5, h) 7

RÉPONSES AUX QUESTIONS À COURT DÉVELOPPEMENT

Chapitre 1

1. L'homéostasie est la stabilité relative du milieu interne. La température corporelle devrait se situer près des valeurs normales (38 °C).

2. Le terme «bilatéral» signifie des deux côtés; Sara portera donc des attelles aux deux bras. «Carpien» signifie la région du poignet.

3. La radiographie permet de bien voir les tissus denses comme les os. L'imagerie par résonance magnétique sert à visualiser des tissus mous et non des os. Elle ne peut pas être utilisée en présence de métal car elle expose le corps à un champ magnétique.

Chapitre 2

1. On trouve des acides gras dans tous les lipides, y compris les huiles végétales et les phospholipides qui constituent les membranes cellulaires. Les sucres (monosaccharides) sont nécessaires à la production d'énergie, sont une composante des nucléotides et sont les unités constitutives des disaccharides et des polysaccharides comme les amidons, le glycogène et la cellulose.
2. ADN = acide désoxyribonucléique. L'ADN est composé de 4 nucléotides différents. Chaque individu possède une séquence de nucléotides unique. Les 20 différents acides aminés forment les protéines.
3. Chaque variation d'un nombre entier de pH correspond à une variation de dix fois (dix fois plus ou dix fois moins) dans la concentration d'ions H^+ précédente. L'eau pure a un pH de 7, c'est-à-dire de 1×10^{-7} moles d'ions H^+ par litre. Le sang a un pH de 7,4, c'est-à-dire de $0,4 \times 10^{-7}$ moles d'ions H^+ par litre. Le sang possède donc près de la moitié moins d'ions H^+ que l'eau.

Chapitre 3

1. Les tissus sont détruits par l'autolyse des cellules, qui se produit lorsque les lysosomes libèrent des acides et des enzymes digestives.
2. Synthèse de la mucine par les ribosomes du réticulum endoplasmique rugueux, vésicule de transport, face *cis* du complexe de Golgi, vésicules de transfert, citernes du Golgi médian où la protéine est modifiée, vésicules de transfert, face *trans*, vésicules de sécrétion, membrane plasmique, exocytose de la protéine.
3. Le brin sens est composé de codons d'ADN transcrits dans l'ARNm. Seuls les exons se retrouveront dans l'ARNm. Les introns sont découpés et supprimés.

Chapitre 4

1. De nombreuses adaptations sont possibles : plus de tissu adipeux pour l'isolation, des os plus épais pour un meilleur soutien, plus d'érythrocytes pour le transport de l'oxygène, etc.
2. La surface de la peau est un épithélium stratifié pavimenteux kératinisé. Elle n'est pas vascularisée. Si on enfonçait une aiguille à angle droit dans un doigt, on percerait le tissu conjonctif et du sang s'écoulerait.
3. La portion gélatineuse de l'aspic représente la substance fondamentale de la matrice du tissu conjonctif. Les raisins secs sont des cellules, telles que des fibroblastes. Les carottes râpées et la noix de coco sont des fibres incrustées dans la substance fondamentale.

Chapitre 5

1. Les particules de poussière provenant de l'être humain sont principalement des kératinocytes desquamés de la couche cornée de la peau.
2. Il ne serait ni avisé ni possible de retirer les glandes exocrines. Les glandes exocrines essentielles comprennent les glandes sudoripares (la sueur contribue à la thermorégulation), les glandes sébacées (le sébum lubrifie la peau) et les glandes cérumineuses (qui sécrètent un lubrifiant protecteur dans le conduit auditif).
3. La couche superficielle de l'épiderme de la peau est la couche cornée. Ses cellules sont remplies de filaments intermédiaires de kératine, de kératohyaline et l'espace entre les cellules renferme des lipides produits par les granules lamellés, ce qui concourt à les imperméabiliser. L'épiderme contient également une grande quantité de desmosomes.

Chapitre 6

1. Dans la fracture en bois vert, qui ne frappe que les enfants car leurs os sont plus flexibles, une partie de l'os est fracturée tandis que l'autre est fléchie ; l'os ressemble donc à un bout de bois vert (pas encore sec) que l'on aurait essayé de casser. L'enfant a probablement amorti sa chute en étendant le bras, ce qui a fracturé le radius ou l'ulna.
2. À l'âge de tante Édith, la production de plusieurs hormones (comme les œstrogènes et l'hormone de croissance) nécessaires au remaniement osseux a probablement diminué. On peut expliquer en partie la diminution de sa taille par l'aplatissement de ses disques intervertébraux, qui

compriment ses vertèbres. De plus, elle est peut-être atteinte d'ostéoporose et plus vulnérable aux fractures, ce qui a occasionné des dommages à ses vertèbres et une diminution de la taille.
3. L'exercice soumet nos os à des forces mécaniques. Dans l'espace, la gravitation est nulle et elle ne peut donc produire d'actions mécaniques sur les os, qui se déminéralisent et s'affaiblissent.

Chapitre 7

1. Les fontanelles sont les espaces membraneux de tissu conjonctif fibreux qui séparent les os du crâne et qui sont remplacées par de la matière osseuse à mesure que le bébé grandit. Les fontanelles permettent à la tête du bébé de changer de forme pour emprunter le canal génital. C'est aussi grâce à elles que le cerveau et le crâne peuvent croître.
2. Béatrice s'est probablement fracturé le coccyx. Les vertèbres coccygiennes fusionnent habituellement vers l'âge de 30 ans. Chez la femme, le coccyx pointe vers le bas.
3. À la naissance, la colonne vertébrale a une courbure concave simple. Chez l'adulte, la moelle épinière présente quatre courbures : les courbures cervicale (convexe), thoracique (concave), lombaire (convexe) et sacrale (concave). Dormir sur un matelas de cette compagnie pourrait avoir de graves conséquences pour le dos.

Chapitre 8

1. Le pied en griffe est une élévation anormale de la partie médiale de l'arc longitudinal du pied.
2. Chaque main comprend 14 phalanges : deux dans le pouce et trois dans chacun des autres doigts. L'ouvrier a perdu 5 phalanges sur sa main gauche ; il lui en reste donc 9 sur sa main gauche et 14 sur sa main droite, pour un total de 23.
3. Les serpents sont dépourvus de membres et n'ont donc pas besoin d'épaules ni de hanches. Puisque les ceintures scapulaire et pelvienne relient respectivement les membres supérieurs et inférieurs au squelette axial, elles sont considérées comme des parties du squelette appendiculaire.

Chapitre 9

1. La colonne vertébrale, la tête, les cuisses, les jambes et les avant-bras de Catherine sont fléchis. Ses avant-bras et ses épaules sont tournés vers le plan médian du corps.
2. L'articulation du coude est de type synoviale trochléenne. La trochlée de l'humérus s'articule avec l'incisure trochléaire de l'ulna. Le mouvement du coude est uniaxial (ouverture et fermeture) comme celui d'une porte.
3. Les articulations cartilagineuses sont composées de cartilage hyalin (comme celui du cartilage épiphysaire) ou de cartilage fibreux (comme celui d'un disque intervertébral). Les sutures sont un exemple d'articulations fibreuses, qui sont composées de tissu fibreux dense. Les articulations synoviales (diarthroses) sont unies par une capsule articulaire qui comporte une membrane synoviale interne.

Chapitre 10

1. Le muscle lisse contient des myofilaments épais et des myofilaments fins ainsi que des myofilaments intermédiaires fixés aux corps denses. La fibre musculaire lisse se contracte par une torsion similaire à celle d'un tire-bouchon ; lorsqu'elle se contracte et raccourcit, elle effectue un mouvement hélicoïdal.
2. Les muscles de Martine ont effectué des contractions isométriques. Pierre a utilisé principalement des contractions isotoniques concentriques pour soulever la barre, des contractions isométriques pour la tenir et des contractions isotoniques excentriques pour l'abaisser.
3. Les étudiants de Monsieur Klopfer ressentent de la fatigue musculaire dans leurs mains. Cette fatigue peut avoir diverses causes, notamment une augmentation des concentrations d'acide lactique et d'ADP et une diminution du taux de Ca^{2+}, d'oxygène, de créatine phosphate et de glycogène.

Chapitre 11

1. Les paires de muscles antagonistes sont, pour le bras : biceps brachial et triceps brachial ; pour la cuisse : quadriceps fémoral et loge postérieure (des fléchisseurs) ; pour le torse : droit de l'abdomen et érecteur du rachis ; pour la jambe : gastrocnémien et tibial antérieur.

2. Le point d'appui est fourni par l'articulation du genou, la résistance, par le poids du haut du corps et du colis et l'effort, par les muscles de la cuisse. Il s'agit d'un levier du troisième genre.

3. Froncer le sourcil: frontal; siffler: buccinateur et orbiculaire de la bouche; fermer les yeux: orbiculaire de l'œil; secouer la tête: plusieurs muscles dont le sterno-cléido-mastoïdien, le semi-épineux de la tête, le splénius de la tête et le longissimus de la tête.

Chapitre 12

1. Le neurone moteur possède une structure multipolaire; il est composé d'un axone et de plusieurs dendrites issus du corps cellulaire. Le réseau convergent compte plusieurs neurones qui convergent pour former des synapses avec un neurone commun. Le neurone bipolaire possède un dendrite et un axone issus du corps cellulaire. Dans un réseau en série simple, chaque neurone présynaptique forme une seule synapse avec un neurone postsynaptique.

2. La substance grise a une teinte grisâtre car elle ne contient pas de myéline. Elle se compose de corps cellulaires, d'axones amyélinisés et de dendrites. La substance blanche contient de nombreux axones myélinisés. La lipofuscine, un pigment jaune, s'accumule dans le neurone à mesure qu'il vieillit.

3. Sentir le café et entendre le réveil: récepteurs sensoriels somatiques; s'étirer et bâiller: neurones moteurs somatiques; saliver: neurones moteurs autonomes (parasympathiques); gargouillis de l'estomac: neurones moteurs entériques.

Chapitre 13

1. Le réflexe de retrait ou de flexion est ipsilatéral et polysynaptique. Il va du neurone sensible à la douleur aux interneurones de la moelle épinière (centre d'intégration), puis aux neurones moteurs et aux muscles fléchisseurs de la jambe. Le réflexe d'extension croisée est contralatéral et polysynaptique. Sa route bifurque dans la moelle épinière: les interneurones traversent de l'autre côté pour rejoindre les neurones moteurs et les muscles extenseurs de la jambe opposée.

2. La moelle épinière est ancrée en place par le filum terminale et les ligaments dentelés.

3. L'aiguille traverse l'épiderme, le derme et l'hypoderme, puis passe entre les vertèbres par l'espace épidural, la dure-mère, l'espace sous-dural et l'arachnoïde, et entre finalement dans le liquide cérébro-spinal de l'espace sous-arachnoïdien. Le liquide cérébro-spinal est produit dans l'encéphale, et les méninges spinales sont en continuité avec les méninges crâniennes.

Chapitre 14

1. Le mouvement du bras droit est régi par l'aire motrice primaire de l'hémisphère gauche, située dans le gyrus précentral. La production du langage est régie par l'aire de Broca située dans le lobe frontal de l'hémisphère gauche, juste au-dessus du sillon latéral.

2. L'encéphale est protégé par les os du crâne et les méninges crâniennes. L'os temporal abrite l'oreille moyenne et l'oreille interne, qu'il sépare de l'encéphale.

3. Le dentiste a injecté un anesthésique dans le nerf alvéolaire inférieur, une branche du nerf mandibulaire, ce qui engourdit les dents et la lèvre inférieures. Le blocage du nerf lingual permet de désensibiliser la langue. Les dents et la lèvre supérieures sont engourdies par l'injection d'anesthésique dans le nerf alvéolaire supérieur, une branche du nerf maxillaire.

Chapitre 15

1. Les chimiorécepteurs sont des extérorécepteurs qui détectent les odeurs. Les propriocepteurs détectent la position du corps et participent à l'équilibre. Les récepteurs de l'odorat s'adaptent rapidement (phasiques) tandis que les propriocepteurs s'adaptent lentement (toniques).

2. Les récepteurs du chatouillement sont des terminaisons nerveuses libres dans le pied. Les influx se propagent le long du neurone sensitif de premier ordre vers la corne dorsale, puis le long du neurone sensitif de deuxième ordre, jusqu'au côté opposé de la moelle épinière, d'où ils remontent le faisceau spino-thalamique ventral jusqu'au thalamus. Le neurone sensitif de troisième ordre va du thalamus à la région du pied de l'aire somesthésique primaire du cortex cérébral.

3. La sensation de Yoshio dans son pied amputé découle du phénomène de l'illusion des amputés. Le cerveau perçoit les influx provenant de la section proximale restante du neurone sensitif comme s'ils venaient encore du pied amputé.

Chapitre 16

1. Comme l'odorat et le goût sont liés au cortex et au système limbique, Claire peut avoir un souvenir de ce mets ou d'un autre similaire. Voie: récepteurs olfactifs, nerf crânien I, bulbes olfactifs, tractus olfactifs, aire olfactive latérale dans le lobe temporal du cortex cérébral.

2. Fernand est peut-être atteint de cataractes, une opacification du cristallin de l'œil. Les cataractes sont souvent associées à l'âge, au tabagisme et à l'exposition aux rayons UV.

3. Auricule, conduit auditif externe, membrane du tympan, malléus, incus, stapès, fenêtre du vestibule, périlymphe de la rampe vestibulaire et de la rampe tympanique, paroi vestibulaire du conduit cochléaire, endolymphe du conduit cochléaire, lame basilaire de la cochlée, organe spiral.

Chapitre 17

1. La digestion et la détente sont régies par la division parasympathique du SNA. Les glandes salivaires, le pancréas et le foie augmenteront leur sécrétion; l'estomac et les intestins seront plus actifs; les parois de la vésicule biliaire augmenteront leurs contractions; la force et la fréquence des contractions cardiaques diminueront.

2. Les intérocepteurs associés au neurone sensitif autonome (stimulé) du côlon, la région sacrale de la moelle épinière, le neurone préganglionnaire parasympathique, le ganglion terminal, le neurone postganglionnaire parasympathique, le muscle lisse du côlon, le rectum et le sphincter.

3. La nicotine que dégage la fumée de cigarette se lie aux récepteurs nicotiniques des muscles squelettiques; ce faisant, elle imite l'effet de l'acétylcholine et augmente les contractions. La nicotine se lie également aux récepteurs nicotiniques des cellules de la médullosurrénale, ce qui stimule la libération d'adrénaline et de noradrénaline qui accompagne normalement la réaction de lutte ou de fuite.

Chapitre 18

1. Les cellules bêta figurent parmi les cellules présentes dans les îlots pancréatiques. Dans le diabète de type I, seules les cellules bêta sont détruites; le reste du pancréas n'est pas affecté. Une greffe réussie de cellules bêta permettrait au receveur de produire de l'insuline et guérirait le diabète.

2. Anne-Marie est atteinte d'une hypertrophie de la glande thyroïde (goitre). La cause probable de ce trouble est l'hypothyroïdie, qui occasionne de l'embonpoint, de la fatigue, une diminution des aptitudes mentales et d'autres symptômes.

3. Les deux glandes surrénales sont situées au-dessus des deux reins. Elles mesurent chacune environ 4 cm de haut, 2 cm de large et 1 cm d'épaisseur. Le cortex surrénal situé en périphérie est composé de trois couches: la zone glomérulée, la zone fasciculée et la zone réticulée. La médullosurrénale, interne, est constituée de cellules chromaffines.

Chapitre 19

1. Le sang est composé d'une partie liquide, le plasma, et d'éléments figurés: érythrocytes, leucocytes et plaquettes. Le plasma contient de l'eau, des protéines, des électrolytes, des gaz et des nutriments. Chaque mL de sang contient environ 5 millions d'érythrocytes, 5 000 leucocytes et 250 000 plaquettes. Les leucocytes comprennent les granulocytes neutrophiles, éosinophiles et basophiles, les monocytes et les lymphocytes.

2. Pour déterminer le groupe sanguin, on mélange une goutte de chacune des trois solutions d'anticorps différentes (antisérums) à trois gouttes de sang différentes. Les solutions contiennent des anticorps anti-A, anti-B et anti-Rh. Lors de la détermination du groupe sanguin de Joseph, le sérum anti-B ajouté à son sang a provoqué une agglutination, ce qui indique la présence d'antigène B sur ses érythrocytes. Les sérums anti-A et anti-Rh n'ont causé aucune agglutination, ce qui dénote l'absence de ces antigènes.

3. Une hémostase s'est produite. Ses étapes sont le spasme vasculaire (si une artériole est touchée), la formation du clou plaquettaire et la coagulation.

Chapitre 20

1. Moyennant un débit cardiaque normal au repos d'environ 5,25 L/min et une fréquence cardiaque de 55 battements/min, le volume systolique d'Adrien serait de 95 mL/battement. Pendant un effort vigoureux, son débit cardiaque est 6 fois plus élevé qu'au repos (environ 31 500 mL/min).

2. Le rhumatisme articulaire aigu découle d'une inflammation des valves auriculo-ventriculaire gauche et de l'aorte causée par une infection streptococcique. Les anticorps produits par le système immunitaire pour détruire les bactéries peuvent également attaquer et endommager les valves du cœur. Les troubles cardiaques qui apparaissent à un âge plus avancé ont peut-être un lien avec ces dommages.

3. Monsieur Paquin est atteint d'angine de poitrine et présente plusieurs facteurs de risque de la coronaropathie (tabagisme, obésité et sexe masculin). L'angiographie cardiaque est un examen qui consiste à injecter un agent de contraste dans le cœur et ses vaisseaux au moyen d'un cathéter cardiaque. Elle peut révéler diverses obstructions telles que des plaques athéroscléreuses dans les artères coronaires.

Chapitre 21

1. Le foramen ovale et le conduit artériel se ferment pour établir la circulation pulmonaire. Les artères et la veine ombilicales se ferment parce que le placenta a cessé de fonctionner. Le conduit veineux se ferme pour que la circulation sanguine ne contourne plus le foie.

2. Main droite : ventricule gauche, aorte ascendante, arc aortique, tronc brachio-céphalique, artère subclavière droite, artère axillaire droite, artère brachiale droite, artère radiale droite, artère ulnaire droite et arcade palmaire superficielle droite. Main gauche : ventricule gauche, aorte ascendante, arc aortique, artère subclavière gauche, artère axillaire gauche, artère brachiale gauche, artère radiale gauche, artère ulnaire gauche et arcade palmaire superficielle gauche.

3. Un sinus veineux est une veine dont la tunique moyenne est dépourvue de muscle lisse. Du tissu conjonctif dense remplace les tuniques moyenne et externe.

Chapitre 22

1. Marc a eu une réaction d'hypersensibilité à une piqûre d'abeille ; il est probablement allergique au venin de cet insecte. Il s'agit d'une réaction anaphylactique ou de type I.

2. Le siège de l'écharde est probablement infecté par des bactéries. Les stries rouges sont les vaisseaux lymphatiques qui drainent la région infectée ; les bosses douloureuses sont les nœuds lymphatiques axillaires, qui ont enflé lors de la réponse immunitaire à l'infection.

3. Le vaccin contre la grippe introduit dans l'organisme un virus atténué ou détruit (qui ne causera pas la maladie). Le système immunitaire reconnaît l'antigène et organise une réaction primaire. Lorsqu'il est exposé au même virus de la grippe que celui du vaccin, l'organisme déclenche une réaction secondaire qui prévient habituellement la maladie. Il s'agit d'une immunité acquise artificiellement.

Chapitre 23

1. Chez l'homme moyen, les volumes respiratoires normaux sont les suivants : volume courant : 500 mL si la respiration est calme, volume de réserve inspiratoire : 3 100 mL et volume de réserve expiratoire : 1 200 mL. Chez la femme moyenne, ces valeurs sont inférieures car, de façon générale, la femme moyenne est plus petite que l'homme moyen.

2. Les os du nez externe sont l'os frontal, les deux os nasaux (le siège de la fracture) et les maxillaires. Le nez externe est également composé des cartilages septal, nasaux latéraux et alaires de même que de peau, de muscle et d'une muqueuse.

3. Le cortex cérébral peut temporairement permettre le contrôle volontaire de la respiration. La P_{CO_2} et les concentrations d'ions H^+ dans le sang et le liquide cérébro-spinal augmentent alors, ce qui stimule vigoureusement l'aire inspiratoire à provoquer la reprise de l'inspiration. La respiration reprend même chez une personne qui a perdu connaissance.

Chapitre 24

1. Catherine a perdu ses deux incisives permanentes centrales supérieures. Les dents déciduales encore en place sont les incisives centrales inférieures, deux paires d'incisives latérales (supérieure et inférieure), deux paires de canines (supérieure et inférieure), deux paires de premières molaires (supérieure et inférieure) et deux paires de deuxièmes molaires (supérieure et inférieure).

2. La CCK stimule l'évacuation de la bile, la sécrétion de suc pancréatique et la contraction du sphincter pylorique. Elle favorise également la croissance normale du pancréas et augmente les effets de la sécrétine. La CCK agit sur l'hypothalamus pour induire la satiété, ce qui devrait contribuer à réduire l'appétit.

3. Le petit lobe gauche du foie est séparé du grand lobe droit par le ligament falciforme. Le lobe gauche est situé en dessous du diaphragme, dans la région épigastrique de la cavité abdomino-pelvienne.

Chapitre 25

1. Anne consomme une grande quantité de glucides afin de stocker le maximum de glycogène dans ses muscles squelettiques et son foie. Cette méthode est appelée surcharge glucidique. La glycogénolyse du glycogène emmagasiné fournit aux muscles le glucose dont ils ont besoin pour la respiration cellulaire.

2. Monsieur Fernandel souffre d'un épuisement dû à la chaleur causé par une perte de liquide et d'électrolytes. La déperdition de NaCl provoque des crampes musculaires, des nausées et des vomissements, des étourdissements et des évanouissements. Elle peut également abaisser la pression artérielle.

3. Le poids corporel peut demeurer stable même si l'apport alimentaire varie d'une journée à l'autre. L'apport alimentaire est régi par de multiples facteurs, notamment les centres de la faim et de la satiété dans l'hypothalamus, la glycémie, la quantité de tissu adipeux, la CCK, la distension du tube digestif et la température corporelle.

Chapitre 26

1. Sans réabsorption, de 105 à 125 mL de filtrat serait perdu chaque minute moyennant un DFG normal. La perte de liquide dans le sang causerait une diminution de la pression artérielle et donc une diminution de la PH_g. Si la PH_g chutait en deçà de 45 mm Hg, la filtration cesserait (moyennant une PH_c et une PO normales) car la PNF serait nulle.

2. La vessie peut s'étirer considérablement grâce à la présence d'épithélium transitionnel, de replis muqueux et de trois couches de muscle lisse dans le muscle vésical.

3. Chez la femme, l'urètre mesure environ 4 cm de long ; chez l'homme, il mesure entre 15 et 20 cm de long, ce qui inclut la portion passant dans le pénis, le diaphragme uro-génital et la prostate.

Chapitre 27

1. Pierre souffre d'intoxication par l'eau. La concentration d'ions Na^+ dans son plasma et son liquide interstitiel est inférieure à la normale. L'eau s'est déplacée par osmose vers les cellules, le liquide intracellulaire est devenu hypotonique et une intoxication par l'eau s'est produite. La diminution du volume plasmatique causée par le déplacement de l'eau vers le liquide interstitiel a provoqué un choc hypovolémique.

2. L'organisme d'une femme moyenne contient environ 55 % d'eau comparativement à 60 % chez un homme moyen. Soumise aux effets d'hormones mâles et femelles, la femme moyenne possède une quantité relativement plus élevée de tissu sous-cutané (riche en graisse et contenant très peu d'eau) et une quantité relativement plus faible de tissu musculaire et autres tissus (qui contiennent beaucoup d'eau) que l'homme moyen.

3. Les vomissements excessifs entraînent une perte d'acide chlorhydrique dans le suc gastrique et l'ingestion d'antiacides augmente la quantité d'alcalis dans les liquides de l'organisme, ce qui provoque l'alcalose métabolique. Les vomissements causent également une perte de liquide qui peut aller jusqu'à la déshydratation.

4. (Étape 1) Un pH de 7,30 indique une légère acidose, possiblement causée par une hausse de la P_{CO_2} ou une baisse de la concentration de HCO_3^-. (Étape 2) La concentration de HCO_3^- étant inférieure à la normale (20 mmol/L), (étape 3) la cause est métabolique. (Étape 4) La P_{CO_2} étant inférieure à la normale (32 mm Hg), l'hyperventilation fournit une certaine compensation. Diagnostic : Henri souffre d'acidose métabolique partiellement compensée. Celle-ci peut être attribuable aux dommages rénaux causés par l'interruption du débit sanguin pendant l'infarctus.

Chapitre 28

1. La LH (hormone lutéinisante) est une hormone des systèmes reproducteurs de l'homme et de la femme. Chez l'homme, la LH stimule les cellules interstitielles des testicules à sécréter de la testostérone, la principale hormone sexuelle mâle.

2. L'ancien terme *épithélium germinatif* désignant l'épithélium qui recouvre les ovaires n'était pas approprié. Les ovocytes sont situés dans le cortex de l'ovaire, sous l'albuginée. La vaginale qui recouvre les testicules est superficielle par rapport à l'albuginée. Elle est dérivée du péritoine lorsque les testicules descendent de l'abdomen jusqu'au scrotum durant le développement fœtal.

3. Non. Le globule polaire primaire, formé par la méiose I, contiendrait la moitié des chromosomes des paires d'homologues, l'autre moitié se trouvant dans l'ovocyte secondaire. Le globule polaire secondaire, formé par la méiose II, contiendrait des chromosomes identiques à ceux de l'ovule ; cependant, la fécondation se ferait par deux spermatozoïdes différents et les jumeaux ne seraient donc pas homozygotes.

Chapitre 29

1. Les cheveux blonds et les yeux bleus sont des caractères récessifs dont les gènes sont situés sur des autosomes. Le génotype d'Angélique est homozygote récessif pour ces deux caractères. Ses parents sont hétérozygotes pour ces deux caractères. Ils possèdent le phénotype dominant pour les cheveux bruns et les yeux bruns et sont porteurs des caractères récessifs.

2. Le syndrome de l'X fragile est causé par un gène défectueux situé à l'extrémité du chromosome X. Jusqu'à 50 % des hommes porteurs de ce caractère ne sont pas atteints du syndrome. Si un père porteur transmet le gène défectueux à une fille, elle ne sera pas atteinte non plus mais le chromosome X portera l'empreinte maternelle du gène. La progéniture des deux sexes de la fille pourra cependant être atteinte.

3. Toutes les artères transportent le sang à partir du cœur. Les artères ombilicales du fœtus transportent le sang désoxygéné du cœur du fœtus jusqu'au placenta, où il sera oxygéné.

GLOSSAIRE

A

Abaissement Mouvement d'une partie du corps en position inférieure ; par exemple, ouverture de la bouche.

Abcès Accumulation localisée de pus et de tissu liquéfié dans une cavité.

Abdomen Région située entre le diaphragme et le bassin.

Abduction Mouvement qui écarte un os de la ligne médiane du corps.

Absorption Entrée de liquides et autres substances dans les cellules de la peau ou des muqueuses ; passage des aliments digérés du tube digestif dans le sang ou la lymphe.

Accident vasculaire cérébral (AVC) Destruction de tissu cérébral causée par des lésions des vaisseaux sanguins qui irriguent l'encéphale ; le plus répandu des troubles de l'encéphale.

Accommodation Changement de la courbure du cristallin de l'œil pour ajuster la vision en fonction de la distance ; associée à la vision rapprochée.

Accouchement Processus par lequel le fœtus est expulsé de l'utérus par le vagin. Également appelé **parturition.**

Acétabulum Cavité arrondie située sur la face externe de l'os coxal qui reçoit la tête du fémur.

Acétylcholine (ACh) Neurotransmetteur libéré par de nombreux neurones du système nerveux périphérique et certains neurones du système nerveux central. Elle est excitatrice aux jonctions neuromusculaires mais inhibitrice à certaines autres synapses (par exemple, elle ralentit la fréquence cardiaque).

Acétylcholinestérase (AChE) Enzyme présente dans la fente synaptique qui hydrolyse rapidement l'acétylcholine encore présente une fois que les potentiels d'action ont cessé.

Acide Donneur de protons, ou substance qui se dissocie en ions hydrogène (H^+) et en anions ; caractérisé par un excès d'ions hydrogène et un pH inférieur à 7.

Acide aminé Acide organique formé d'un groupement carboxyle acide (COOH) et d'un groupement amine alcalin (NH_2) ; unité constitutive des protéines.

Acide aminé non essentiel Acide aminé qui peut être synthétisé par les cellules de l'organisme par transamination, c'est-à-dire le transfert d'un groupement amine d'un acide aminé à une autre substance.

Acide désoxyribonucléique (ADN) Acide nucléique composé de nucléotides constitués d'une des quatre bases azotées (adénine, cytosine, guanine ou thymine), de désoxyribose et d'un groupement phosphate ; l'information génétique est encodée dans la séquence des nucléotides.

Acide hyaluronique Substance extracellulaire visqueuse et amorphe qui relie les cellules, lubrifie les articulations et concourt à maintenir la forme du globe oculaire.

Acide nucléique Composé organique constitué d'un long polymère de nucléotides, dont chacun contient un pentose (sucre), un groupement phosphate et une des quatre bases azotées (adénine, cytosine guanine et thymine ou uracil).

Acide ribonucléique (ARN) Chaîne simple d'acide nucléique composée de nucléotides, dont chacun est constitué d'une base azotée (adénine, cytosine, guanine ou uracil), d'un ribose et d'un groupement phosphate ; l'ARN messager (ARNm), l'ARN de transfert (ARNt) et l'ARN ribosomal (ARNr) jouent chacun un rôle spécifique durant la synthèse des protéines.

Acides aminés essentiels Les dix acides aminés qui ne peuvent être synthétisés par l'organisme humain en quantité suffisante et qu'il doit donc obtenir de l'alimentation.

Acidose État dans lequel le pH sanguin se trouve en dessous de 7,35.

Acinus Amas de cellules du pancréas qui forment environ 99 % des cellules pancréatiques et qui sécrètent les enzymes digestives.

Acné Inflammation des glandes sébacées apparaissant habituellement à la puberté alors que celles-ci sécrètent une quantité accrue de sébum.

Acoustique Relatif au son ou au sens de l'ouïe.

Acrosome Corps dense semblable à un lysosome situé dans la tête d'un spermatozoïde et qui contient des enzymes facilitant la pénétration d'un spermatozoïde dans un ovocyte secondaire.

Actine Protéine contractile qui fait partie des myofilaments fins des fibres musculaires.

Activateur tissulaire du plasminogène (t-PA) Enzyme qui dissout les petits caillots sanguins en déclenchant un processus qui convertit le plasminogène en plasmine, laquelle dégrade la fibrine d'un caillot.

Adaptation Ajustement de la pupille de l'œil aux variations de la lumière. Propriété par laquelle un neurone transmet à une moindre fréquence les potentiels d'action d'un récepteur, même si la force du stimulus demeure constante ; diminution de la perception d'une sensation au bout d'un certain temps même si la stimulation subsiste.

Adduction Mouvement qui rapproche un os de la ligne médiane du corps.

Adénohypophyse Lobe antérieur de l'hypophyse ; sécrète des hormones qui régissent un grand nombre d'activités de l'organisme, de la croissance à la reproduction ; sa sécrétion est régie par des hormones de l'hypothalamus.

Adénosine triphosphate (ATP) Molécule transportant de l'énergie fabriquée dans toutes les cellules vivantes afin de capturer et d'emmagasiner temporairement l'énergie. L'ATP est constituée de l'adénine (une purine) et du ribose (un sucre à cinq carbones), auxquels sont ajoutés trois groupements phosphate alignés.

Adénylate cyclase Enzyme située dans la membrane postsynaptique qui est activée lorsque certains neurotransmetteurs (ou hormones) se lient à leurs récepteurs; enzyme qui convertit l'ATP en AMP cyclique.

Adhérence Attache anormale entre des tissus.

Adipocyte Cellule adipeuse dérivée d'un fibroblaste, contenant des réserves de lipides et située sous la peau et autour de certains organes.

ADN recombiné ADN synthétique, formé par l'union d'une portion d'ADN d'une source à une portion d'ADN d'une autre source.

Adrénaline Neurotransmetteur et hormone sécrétée par la médullo-surrénale qui produit des effets semblables à ceux de la stimulation sympathique.

Adventice Tunique externe conjonctive d'un conduit qui n'est pas recouverte de mésothélium.

Agent pathogène Microorganisme causant des maladies.

Agent thrombolytique Substance chimique injectée dans l'organisme afin de dissoudre les caillots de sang et rétablir la circulation; active de manière directe ou indirecte le plasminogène; par exemple, activateur tissulaire du plasminogène (t-PA), streptokinase et urokinase.

Agglutination Rassemblement de microorganismes ou de cellules sanguines généralement dû à une réaction antigène-anticorps.

Agoniste Muscle directement responsable de la production d'un mouvement souhaité.

Aigu D'installation rapide, avec des symptômes graves, et de courte évolution; non chronique.

Aine Pli entre la cuisse et le tronc; région inguinale.

Aire associative Région du cortex cérébral reliée par de nombreuses fibres motrices et sensitives aux autres régions du cortex. Les aires associatives possèdent des fonctions d'intégration; elles interviennent dans la motricité, la mémoire, la compréhension auditive et la compréhension visuelle des mots, le raisonnement, la volonté, le jugement et les traits de personnalité.

Aire de Broca Région motrice du cerveau située au-dessus du sillon latéral dans un des lobes frontaux (le gauche chez 99 % des individus), qui traduit les pensées en paroles. Également appelée **aire motrice du langage.**

Aire motrice primaire Région du cortex cérébral située dans le gyrus précentral du lobe frontal du cerveau, qui régit les contractions volontaires de muscles ou de groupes de muscles spécifiques.

Aire sensitive Région du cortex cérébral intervenant dans l'interprétation des influx sensitifs.

Aire somesthésique primaire Région du cortex cérébral située à l'arrière du sillon central dans le gyrus postcentral du lobe pariétal du cerveau, qui localise précisément les endroits du corps où les sensations somesthésiques prennent naissance.

Aisselle Petite cavité située sous le bras, à la jonction avec l'épaule. Également appelée **creux axillaire.**

Albuginée Capsule blanche fibreuse et dense recouvrant un testicule ou située sous la surface d'un ovaire.

Albumine La protéine plasmatique la plus petite et la plus abondante (60 %), qui joue un rôle essentiel dans la pression colloïdo-osmotique du sang (PCO$_s$) et le transport de plusieurs hormones stéroïdes et d'acides gras.

Alcalin (ou basique) Contenant plus d'ions hydroxyde (OH$^-$) que d'ions hydrogène (H$^+$) de façon à produire un pH supérieur à 7.

Alcalose État caractérisé par un pH sanguin supérieur à 7,45. Également appelé **alcalinité excessive du sang.**

Aldostérone Minéralocorticoïde produit par le cortex surrénal (zone glomérulée) qui stimule la réabsorption du sodium et de l'eau ainsi que l'excrétion du potassium.

Allantoïde Petite structure vascularisée comprise entre le chorion et l'amnios du fœtus et qui sert de site précoce de formation du sang; participe à l'élaboration du cordon ombilical.

Allèle dominant Allèle qui a la capacité de passer outre l'influence de l'allèle complémentaire sur le chromosome homologue; allèle qui est exprimé.

Allèle récessif Allèle qui n'est pas exprimé en présence d'un allèle dominant sur le chromosome homologue.

Allèles Formes alternatives d'un gène qui régissent le même caractère hérité (comme la taille ou la couleur des yeux) et occupent la même position sur des chromosomes homologues.

Allergène Antigène qui provoque une réaction allergique.

Alvéole Petite poche ou cavité; poche sphérique tapissée d'épithélium à travers lequel se produisent les échanges respiratoires dans les poumons; partie de la glande mammaire qui sécrète le lait.

Aménorrhée Absence de menstruation.

Amniocentèse Procédé de diagnostic prénatal qui consiste à prélever une partie du liquide amniotique, contenant des cellules fœtales et des substances dissoutes.

Amnios Membrane fœtale la plus profonde; sac fin et transparent qui entoure le fœtus et le maintient suspendu dans le liquide amniotique. Également appelé « **poche des eaux** ».

AMP cyclique (AMPc) Molécule formée à partir de l'ATP grâce à l'action de l'adénylate cyclase, une enzyme; sert de messager intracellulaire (second messager) pour quelques hormones.

Amphiarthrose Articulation semi-mobile dans laquelle les surfaces articulaires osseuses sont séparées par du tissu conjonctif fibreux ou du fibrocartilage auxquels elles sont toutes deux attachées; la syndesmose et la symphyse en sont deux types.

Ampoule Renflement en forme de sac d'un canal.

Ampoule hépato-pancréatique Petite élévation dans le duodénum où le conduit cholédoque et le principal conduit pancréatique fusionnent pour se déverser dans le duodénum. Également appelée **ampoule de Vater.**

Amygdale Agrégat de gros follicules lymphatiques enfouis dans la muqueuse de la gorge; participe aux réponses immunitaires dirigées contre les substances étrangères inhalées ou ingérées.

Amylase salivaire Enzyme de la salive qui amorce la dégradation chimique de l'amidon et le transforme en maltose, en malto-triose et en courts polymères du glucose.

Anabolisme Réactions de synthèse nécessitant de l'énergie (endothermiques) qui forment de grosses molécules à partir de molécules simples; par exemple, formation d'une protéine à partir d'acides aminés.

Anaérobie Qui n'a pas besoin d'oxygène moléculaire.

Analgésie Soulagement de la douleur.

Anaphase Troisième étape de la mitose, durant laquelle les chromatides qui se sont séparées au centromère se déplacent vers les pôles opposés de la cellule.

Anastomose Jonction entre plusieurs nerfs ou plusieurs vaisseaux sanguins ou lymphatiques ; dans le cas des vaisseaux, les anastomoses offrent des voies de circulation secondaires quand la voie principale est obstruée.

Anatomie Structure ou étude de la structure du corps humain et des relations entre ses parties.

Anatomie de surface Étude des structures qui peuvent être identifiées de l'extérieur de l'organisme.

Anatomie des systèmes Étude anatomique de systèmes spécifiques du corps, comme les systèmes osseux, musculaire, nerveux, cardiovasculaire et urinaire.

Anatomie macroscopique Sous-discipline de l'anatomie qui étudie les structures visibles sans l'emploi d'un microscope.

Anatomie pathologique Étude des altérations structurales causées par la maladie.

Anatomie radiologique Sous-discipline de l'anatomie qui utilise notamment la radiographie.

Anatomie régionale Sous-discipline de l'anatomie qui étudie des régions spécifiques du corps, comme la tête, le cou, le tronc et l'abdomen.

Androgène Substance sécrétée par les cellules interstitielles des testicules et par le cortex surrénal et produisant ou stimulant l'apparition des caractères sexuels masculins ; par exemple testostérone, l'hormone mâle.

Anémie État du sang dans lequel le nombre de globules rouges fonctionnels ou leur teneur en hémoglobine se trouve en dessous de la normale, ce qui amène une diminution de la capacité du sang à transporter l'oxygène en quantité suffisante.

Anesthésie Perte totale ou partielle de la sensibilité, habituellement définie comme la disparition de la sensation de douleur ; peut être générale ou localisée.

Aneuploïde Cellule dont au moins un chromosome d'un jeu est ajouté ou soustrait.

Angine de poitrine Douleur aiguë et intense à la poitrine qui accompagne souvent l'ischémie myocardique.

Angiotensine L'une de deux formes d'une protéine associées à la régulation de la pression artérielle. L'angiotensine I est produite par l'action de la rénine sur l'angiotensinogène et est convertie grâce à l'action de l'ACE (enzyme de conversion de l'angiotensine) en angiotensine II, ce qui stimule la sécrétion d'aldostérone par le cortex surrénal, stimule la sensation de soif et cause la vasoconstriction, qui se traduit par une augmentation de la résistance périphérique.

Anion Ion de charge négative ; par exemple, ion chlorure (Cl^-).

Ankylose Perte importante ou totale des mouvements d'une articulation.

Anneau fibreux Anneau de tissu fibreux et de fibrocartilage qui entoure la substance pulpeuse (noyau pulpeux) d'un disque intervertébral.

Anneau inguinal profond Orifice effilé situé dans l'aponévrose du muscle transverse de l'abdomen, qui constitue l'origine du canal inguinal.

Anneau inguinal superficiel Orifice triangulaire situé dans l'aponévrose du muscle oblique externe de l'abdomen, qui constitue la terminaison du canal inguinal.

Anoxie Diminution de l'apport d'oxygène.

Antagoniste Muscle ayant une action opposée à celle de l'agoniste et cédant à l'action de celui-ci.

Antérieur Vers l'avant ou à l'avant du corps. Équivalant à **ventral** chez les bipèdes.

Anticoagulant Substance capable de retarder, d'inhiber ou de prévenir la coagulation du sang ; par exemple, antithrombine, héparine.

Anticodon Triplet de nucléotides se trouvant à une extrémité de l'ARNt et se liant au codon complémentaire de l'ARNm.

Anticorps Protéine produite par les plasmocytes en réponse à un antigène spécifique ; l'anticorps forme une liaison avec cet antigène pour le neutraliser, l'inhiber ou le détruire. Également appelé **immunoglobuline** (**Ig**).

Antigène Substance dotée d'immunogénicité – capacité de provoquer une réponse immunitaire – et de réactivité – capacité de réagir avec les anticorps ou les cellules issues de la réponse immunitaire. Également appelé **antigène complet.**

Antigènes du complexe majeur d'histocompatibilité (CMH) Protéines situées à la surface des globules blancs et autres cellules nucléées qui sont spécifiques à chaque individu (sauf les vrais jumeaux) et qui sont utilisées dans le typage sérologique pour prévenir le rejet des tissus greffés. « Antigènes du soi » également appelés **antigènes associés aux leucocytes humains (HLA)**.

Antiport Processus par lequel deux substances, souvent Na^+ et une autre substance, traversent la membrane plasmique dans des directions opposées ; par exemple, les antiporteurs Na^+-H^+ situés dans les cellules du tubule contourné proximal du rein.

Anurie Production quotidienne d'urine inférieure à 50 mL.

Anus Partie distale et ouverture du canal anal sur l'extérieur ; protégé par deux sphincters, un sphincter lisse interne et un sphincter strié externe.

Aorte Principal tronc systémique du système artériel de l'organisme qui émerge du ventricule gauche.

Apex Extrémité pointue d'une structure de forme conique, comme l'apex du cœur.

Aphasie Incapacité de prononcer ou de comprendre les mots causée par des lésions des aires motrices ou associatives du langage.

Apnée Arrêt temporaire de la respiration.

Aponévrose Tendon large et plat qui joint un muscle à un autre muscle ou à un os.

Apoptose Type normal de mort cellulaire qui retire les cellules superflues durant le développement embryonnaire, régule le nombre de cellules dans les tissus et élimine de nombreuses cellules potentiellement dangereuses comme les cellules cancéreuses. Durant l'apoptose, l'ADN se fragmente, le noyau se condense, les mitochondries cessent de fonctionner et le cytoplasme se contracte, mais la membrane plasmique reste intacte. Les phagocytes englobent et digèrent les cellules ayant subi l'apoptose et il ne se produit pas de réaction inflammatoire.

Appareil juxtaglomérulaire Comprend la macula densa (cellules du tubule contourné distal adjacent aux artérioles glomérulaires afférente et efférente) et les cellules juxtaglomérulaires (fibres musculaires lisses modifiées de l'artériole glomérulaire afférente et parfois de l'artériole glomérulaire efférente) ; sécrète la rénine lorsque la pression artérielle commence à baisser.

Appareil vestibulaire Ensemble des organes de l'équilibre, soit le saccule, l'utricule et les conduits semi-circulaires membraneux.

Appendice Structure attachée au corps.

Appendice vermiforme Tube flexueux (environ 8 cm de longueur) attaché au cæcum.

Aqueduc du mésencéphale Passage dans le mésencéphale reliant le troisième et le quatrième ventricule et contenant du liquide cérébro-spinal. Également appelé **aqueduc de Sylvius.**

Arachnoïde Méninge comprise entre la dure-mère et la pie-mère et recouvrant l'encéphale et la moelle épinière ; constituée de fibres collagènes disposées en toile d'araignée.

Arbre bronchique La trachée, les bronches et leurs ramifications jusqu'aux bronchioles terminales incluses.

Arbre de vie du cervelet Ensemble de faisceaux de substance blanche du cervelet présentant l'apparence d'un arbre en coupe sagittale médiane.

Arc aortique Partie supérieure de l'aorte située entre les segments ascendant et descendant de l'aorte.

Arc réflexe Voie de propagation de l'influx nerveux la plus élémentaire, reliant un récepteur et un effecteur ; comprend un récepteur, un neurone sensitif, un centre d'intégration dans le système nerveux central, un neurone moteur et un effecteur.

Aréobie Qui a besoin d'oxygène moléculaire.

Aréole Cercle de peau pigmentée entourant le mamelon du sein.

Arrêt cardiaque Terme clinique indiquant que les battements cardiaques cessent d'être efficaces ; le cœur peut être complètement arrêté ou se trouver en fibrillation ventriculaire.

Artère Vaisseau sanguin qui transporte le sang hors du cœur.

Artériole Petite artère, presque microscopique, qui apporte le sang à un capillaire.

Artériole glomérulaire afférente Vaisseau sanguin du rein qui se divise en un réseau de capillaires appelé glomérule ; il y a une artériole glomérulaire afférente pour chaque glomérule.

Artériole glomérulaire efférente Vaisseau sanguin du rein qui transporte le sang d'un glomérule à un capillaire péritubulaire.

Artérioles et veinules droites Ramifications de l'artériole glomérulaire efférente d'un néphron juxtamédullaire qui courent le long de l'anse du néphron (de Henlé) dans la région médullaire du rein. Également appelées **vasa recta.**

Arthrologie Partie de l'anatomie qui étudie les articulations.

Arthroscopie Examen de l'intérieur d'une articulation au moyen d'un instrument de visualisation lumineux appelé arthroscope.

Articulation Point de contact de deux os, d'un os et d'un cartilage ou d'un os et d'une dent. Également appelée **jointure.**

Articulation cartilagineuse Articulation dépourvue de cavité articulaire où les os sont étroitement liés par du cartilage, ce qui permet peu de mouvement ou même aucun.

Articulation condylaire Articulation synoviale dans laquelle la saillie convexe de forme ovale d'un os s'adapte à la cavité concave de même forme d'un autre os ; permet le mouvement autour de deux axes ; par exemple, articulation du poignet entre le radius et les os du carpe (scaphoïde et lunatum).

Articulation en selle Articulation synoviale dans laquelle la surface articulaire d'un os est en forme de selle, et la surface articulaire de l'autre os la chevauche comme un cavalier sur sa selle ; par exemple, articulation entre le trapèze et le métacarpien du pouce.

Articulation fibreuse Articulation où les os sont presque soudés ensemble et qui ne permet aucun mouvement ou en permet très peu, comme une suture et une syndesmose.

Articulation plane Articulation synoviale dont les surfaces articulaires sont habituellement plates et ne permettent que des mouvements de glissement d'un côté à l'autre et d'avant en arrière, comme entre les os du carpe, entre les os du tarse et entre la scapula et la clavicule.

Articulation sphéroïde Articulation synoviale dans laquelle la surface sphérique d'un os bouge dans la cavité concave d'un autre os, comme les articulations de l'épaule et de la hanche ; permet des mouvements le long des trois axes et dans tous les plans.

Articulation synoviale Articulation très mobile comprenant une cavité articulaire entre les os qui s'articulent.

Articulation trochléenne Articulation par laquelle la saillie convexe d'un os s'ajuste dans la surface concave d'un autre os, comme le genou, le coude, la cheville et les articulations interphalangiennes.

Articulation trochoïde Articulation synoviale dans laquelle la surface arrondie ou conique d'un os s'adapte à un anneau formé conjointement par un autre os et par un ligament, comme l'articulation entre l'atlas et l'axis et celle entre les extrémités proximales du radius et de l'ulna.

Arythmie Irrégularité du rythme cardiaque découlant d'une anomalie du système de conduction cardiaque. Également appelée **dysrythmie.**

Ascite Accumulation anormale de sérosité dans la cavité péritonéale.

Astigmatisme Courbure irrégulière du cristallin ou de la cornée de l'œil qui se traduit par une vision déformée ou embrouillée.

Astrocyte Cellule gliale de forme étoilée qui participe au développement de l'encéphale et au métabolisme des neurotransmetteurs, contribue à la formation de la barrière hémato-encéphalique et au maintien de l'équilibre approprié des ions K^+ pour la propagation des influx nerveux et fournit un lien entre les neurones et les vaisseaux sanguins.

Atome Unité de matière qui forme un élément chimique ; constitué d'un noyau et d'électrons.

Atrésie Dégénérescence et réabsorption d'un follicule ovarique avant sa maturation complète et sa rupture ; fermeture anormale d'un passage ou absence d'une ouverture naturelle d'un organe.

Atrophie Diminution du volume d'une partie du corps, due à un trouble fonctionnel, à une anomalie nutritionnelle ou à une utilisation insuffisante.

Auscultation Examen au cours duquel on écoute les sons émis par le corps à l'aide d'un stéthoscope.

Autolyse Autodestruction des cellules par leurs propres enzymes lysosomiales après la mort ou au cours d'un état pathologique.

Autophagie Processus de digestion des organites vieillissants par les lysosomes.

Autorégulation Ajustement local et automatique du débit sanguin dans une région donnée de l'organisme pour répondre aux besoins des tissus.

Autosome Tout chromosome autre que la paire de chromosomes sexuels.

Avant-bras Partie du membre supérieur comprise entre le coude et le poignet.

Avortement Expulsion prématurée, spontanée ou provoquée, de l'embryon ou du fœtus non viable.

Axone Long prolongement, généralement unique, d'une cellule nerveuse qui propage l'influx nerveux vers les terminaisons axonales.

Azygos Structure anatomique impaire. Par exemple, le réseau azygos, réseau de veine se drainant dans la veine cave supérieure.

B

Bandelette du côlon L'une des trois bandes plates de muscle lisse longitudinal et épais qui parcourt le gros intestin sur presque toute sa longueur.

Barorécepteur Cellule nerveuse capable de répondre à des modifications de pression du sang, de l'air ou des liquides.

Barrière hémato-encéphalique Barrière protectrice composée de capillaires cérébraux et d'astrocytes spécialisés qui joue un rôle sélectif dans le passage de substances entre le sang d'une part et le liquide cérébro-spinal et l'encéphale d'autre part.

Barrière hémato-testiculaire Barrière formée par les cellules de Sertoli unies par des jonctions serrées qui préviennent une réponse immunitaire dirigée contre les antigènes produits par les cellules spermatogéniques, et ce en isolant les cellules du sang.

Base Accepteur de protons, caractérisé par un excès d'ions hydroxyle (OH⁻) et un pH supérieur à 7. Molécule organique en forme d'anneau contenant de l'azote qui est l'un des composants d'un nucléotide, c'est-à-dire adénine, guanine, cytosine, thymine et uracil. Également appelée **base azotée.**

Bassin Structure formée par les os coxaux, la symphyse pubienne et le sacrum; comprend le grand bassin et le petit bassin. Également appelé **pelvis.**

Bassinet Cavité située au centre du rein, formée de la partie proximale élargie de l'uretère à l'intérieur du rein et dans laquelle débouchent les calices rénaux majeurs. Également appelé **pelvis rénal.**

Bâtonnet L'un des deux types de photorécepteurs de la rétine de l'œil très sensibles à la lumière; spécialisé pour la vision dans la pénombre.

Bicouche de lipides Arrangement de molécules de phospholipides, de glycolipides et de cholestérol en deux feuillets parallèles où les «têtes» hydrophiles sont exposées vers l'extérieur et les «queues» hydrophobes sont tournées vers l'intérieur; présente dans les membranes cellulaires.

Bilatéral Relatif aux deux côtés du corps.

Bile Sécrétion du foie composée d'eau, de sels biliaires, de pigments biliaires, de cholestérol, de lécithine et de plusieurs ions; émulsifie les lipides avant leur digestion.

Bilirubine Pigment orange (résultat de la transformation de la biliverdine) qui est l'un des produits finaux de la dégradation de l'hémoglobine dans les hépatocytes et qui est excrété comme déchet dans la bile.

Blastocèle Cavité remplie de liquide à l'intérieur du blastocyste.

Blastocyste Au cours du développement de l'embryon, boule creuse de cellules formée d'un blastocèle (cavité interne), d'un trophoblaste (cellules externes) et d'un embryoblaste (masse cellulaire interne).

Blastomère L'une des cellules résultant de la segmentation de l'ovule fécondé.

Bloc cardiaque Arythmie (dysrythmie) du cœur dans laquelle les oreillettes et les ventricules se contractent de manière indépendante car les potentiels d'action sont bloqués à un endroit quelconque du système de conduction.

Bol alimentaire Masse molle et arrondie de nourriture qui est avalée.

Bourgeon laryngo-trachéal Excroissance de l'endoderme du proentéron qui donne naissance au système respiratoire.

Bourse Sac de liquide synovial situé à un point de friction, en particulier dans les articulations.

Bouton terminal Extrémité distale renflée d'une terminaison axonale qui contient des vésicules synaptiques.

Bradycardie Fréquence cardiaque ou pouls au repos lent (inférieur à 60/min), comme chez les athlètes d'endurance.

Branche du faisceau auriculo-ventriculaire L'une des deux branches, droite ou gauche, du faisceau auriculo-ventriculaire formée de fibres (cellules) musculaires spécialisées qui transmettent des potentiels d'action aux ventricules, jusqu'à l'apex du cœur.

Bras Partie du membre supérieur comprise entre l'épaule et le coude.

Bronches Branches des voies respiratoires comprenant les bronches principales (les deux subdivisions de la trachée), les bronches lobaires (subdivisions des bronches principales destinées aux lobes des poumons) et les bronches segmentaires (subdivisions des bronches lobaires destinées aux segments broncho-pulmonaires).

Bronchiole Branche d'une bronche segmentaire qui se divise ellemême en bronchioles terminales (destinées aux lobules des poumons), lesquelles se subdivisent en bronchioles respiratoires (destinées aux sacs alvéolaires).

Bronchopneumopathie chronique obstructive (BPCO) Regroupe plusieurs types de maladies respiratoires, comme la bronchite ou l'emphysème pulmonaire, dans lesquelles une obstruction fait obstacle à l'écoulement de l'air et augmente la résistance des voies aériennes.

Bruits de Korotkoff Les divers bruits que l'on peut entendre pendant la mesure de la pression artérielle.

Buccal Relatif à la joue ou à la bouche.

Bulbe du pénis Renflement de la base du corps spongieux du pénis.

Bulbe olfactif Masse de substance grise contenant des corps cellulaires de neurones qui font synapse avec des neurones du nerf olfactif (I), située sous le lobe frontal du cerveau de chaque côté de la crista galli de l'os ethmoïde.

Bulbe rachidien Partie la plus inférieure du tronc cérébral; constitué de faisceaux ascendants et descendants et de noyaux régissant diverses fonctions vitales. Également appelé **moelle allongée.**

C

Caduque Partie de l'endomètre de l'utérus (sauf la couche la plus profonde) qui est modifiée durant la grossesse et expulsée après l'accouchement.

Cæcum Segment en cul-de-sac situé à l'extrémité proximale du gros intestin et auquel est attaché l'iléum.

Caillot Aboutissement d'une série de réactions chimiques qui transforme le plasma liquide en une masse gélatineuse; plus particulièrement, conversion du fibrinogène en un réseau de molécules de fibrine dans lequel les éléments figurés du sang sont emprisonnés.

Cal Formation de nouveau tissu osseux dans un foyer de fracture et à sa périphérie, qui sera remplacé par de l'os mature.

Calcification Dépôt de sels minéraux, principalement de l'hydroxyapatite, dans une charpente formée par des fibres collagènes où le tissu durcit. Également appelée **minéralisation.**

Calcitonine Hormone produite par la glande thyroïde qui diminue la concentration sanguine de calcium et de phosphate en inhibant la résorption osseuse et en accélérant l'absorption de calcium par les os.

Calcul Concrétion solide, ou masse pierreuse insoluble composée de sels cristallisés ou d'autres substances, qui se forme dans l'organisme, par exemple dans la vésicule biliaire, le rein ou la vessie.

Calcul biliaire Masse solide, contenant habituellement du cholestérol, présente dans la vésicule biliaire ou un conduit contenant de la bile ; formé à n'importe quel endroit entre les conduits biliaires du foie et l'ampoule hépato-pancréatique (de Vater), par où la bile entre dans le duodénum.

Calcul rénal Agrégat solide, habituellement composé de cristaux d'oxalate de calcium, d'acide urique ou de phosphate de calcium, qui peut se former dans n'importe quelle partie des voies urinaires.

Calice Structure en forme de coupe du pelvis rénal.

Calmoduline Protéine intracellulaire qui se lie aux ions calcium et active ou inhibe des enzymes, souvent des kinases, pour produire les réponses physiologiques aux hormones.

Calorie (cal) Unité de chaleur. Quantité d'énergie sous forme de chaleur nécessaire pour élever la température de 1 g d'eau de 14 à 15 °C. La kilocalorie (kcal), utilisée en nutrition, égale 1 000 cal. Une autre unité d'énergie et de chaleur, le joule, remplace la calorie dans le système international d'unités. Le kilojoule (kJ) équivaut à 1 000 joules et une kilocalorie égale 4,18 kilojoules.

Canal anal Les derniers 2 ou 3 cm du rectum ; s'ouvre sur l'extérieur par l'anus.

Canal central Petit espace qui s'étend sur toute la longueur de la moelle épinière au centre de la substance grise et qui contient du liquide cérébro-spinal ; communique avec le quatrième ventricule.

Canal central de l'ostéone Canal circulaire parcourant longitudinalement le centre d'une ostéone et contenant des vaisseaux sanguins et lymphatiques ainsi que des nerfs.

Canal de la racine de la dent Prolongement étroit du cavum de la dent situé à l'intérieur de la racine d'une dent.

Canal inguinal Passage oblique situé dans la paroi abdominale antérieure, supérieur et parallèle à la moitié médiale du ligament inguinal et qui offre passage au cordon spermatique et au nerf ilio-inguinal chez l'homme et au ligament rond de l'utérus et au nerf ilio-inguinal chez la femme.

Canal ionique ligand-dépendant Canal ionique qui s'ouvre et se ferme en réponse à un stimulus chimique spécifique, par exemple un neurotransmetteur, une hormone ou certains ions tels que H^+ ou Ca^{2+}.

Canal ionique voltage-dépendant Canal ionique de la membrane plasmique composé de protéines intégrées qui fonctionne comme une barrière pour permettre ou empêcher le mouvement des ions à travers la membrane en réponse à des changements de voltage.

Canal perforant Minuscule passage par lequel les vaisseaux sanguins et lymphatiques et les nerfs du périoste pénètrent dans l'os compact.

Canal vertébral Cavité à l'intérieur de la colonne vertébrale formée par les foramens vertébraux de toutes les vertèbres et contenant la moelle épinière.

Canalicule Petit conduit ou canal. Dans les os, les canalicules relient les lacunes et contiennent les prolongements des ostéocytes.

Canalicule lacrymal Conduit, un dans chaque paupière, qui commence au point lacrymal au bord médial de la paupière et qui transporte les larmes médialement dans le sac lacrymal.

Canaux semi-circulaires Trois canaux osseux (antérieur, postérieur et latéral) disposés à angle droit les uns par rapport aux autres, remplis de périlymphe, dans lesquels reposent les conduits semi-circulaires membraneux remplis d'endolymphe. Ils contiennent les récepteurs de l'équilibre dynamique.

Cancérogène Tout facteur qui peut causer un cancer.

Capacitation Modifications fonctionnelles subies par les spermatozoïdes dans les voies génitales de la femme et qui leur permettent de féconder un ovocyte secondaire.

Capacité inspiratoire Capacité inspiratoire totale des poumons ; somme du volume courant et du volume de réserve inspiratoire ; atteint environ 3 600 mL.

Capacité pulmonaire totale Somme du volume courant, du volume de réserve inspiratoire, du volume de réserve expiratoire et du volume résiduel ; environ 6 000 mL chez l'adulte moyen.

Capacité résiduelle fonctionnelle Somme du volume résiduel et du volume de réserve expiratoire ; environ 2 400 mL.

Capacité vitale Somme du volume de réserve inspiratoire, du volume courant et du volume de réserve expiratoire ; environ 4 800 mL.

Capillaire Vaisseau sanguin microscopique, aux parois très minces, situé entre une artériole et une veinule et qui permet les échanges de substances entre le sang et les cellules de l'organisme.

Capillaire lymphatique Vaisseau lymphatique microscopique fermé aux extrémités, qui naît dans les espaces entre les cellules et se joint à d'autres capillaires lymphatiques pour former des vaisseaux lymphatiques ; recueille le liquide interstitiel.

Capsule articulaire Structure en forme de manchon entourant une articulation synoviale ; composée d'une capsule fibreuse à l'extérieur et d'une membrane synoviale à l'intérieur.

Capsule glomérulaire Coupe à double paroi située à l'extrémité proximale d'un néphron et qui enveloppe les capillaires glomérulaires ; recueille le liquide produit par filtration du plasma au niveau du glomérule. Également appelée **capsule de Bowman.**

Capsule interne Bande de fibres de projection reliant plusieurs régions du cortex cérébral au tronc cérébral et à la moelle épinière ; située entre le thalamus d'une part et les noyaux caudé et lenticulaire des noyaux gris centraux d'autre part.

Caractère sexuel secondaire Caractère de l'organisme masculin ou féminin qui se développe à la puberté sous l'influence des hormones sexuelles mais qui n'est pas directement associé à la reproduction sexuée ; par exemple, distribution des poils sur le corps, hauteur de la voix, forme du corps et développement musculaire.

Cardiologie Étude du cœur et de ses maladies.

Caries dentaires Déminéralisation progressive de l'émail et de la dentine d'une dent qui peut envahir la pulpe et l'os alvéolaire.

Carotène Vitamine anti-oxydante, précurseur de la vitamine D ; pigment jaune-orangé présent dans la couche cornée de l'épiderme. Donne à la peau sa coloration jaunâtre.

Carpe Nom collectif désignant les huit os du poignet.

Cartilage Type de tissu conjonctif constitué de chondrocytes logés dans des lacunes enchâssées dans une matrice de chondroïtine sulfate ; cette dernière renferme un réseau dense de fibres collagènes et élastiques.

Cartilage articulaire Cartilage hyalin fixé aux surfaces articulaires des os.

Cartilage costal Cartilage hyalin qui attache une côte au sternum.

Cartilage de conjugaison Couche de cartilage hyalin située entre l'épiphyse et la diaphyse et qui est responsable de la croissance en longueur des os longs.

Cartilage déchiré Rupture d'un disque articulaire (ménisque) dans le genou.

Cartilage thyroïde Le plus grand cartilage, impair, du larynx, formé de deux lames soudées qui constituent la paroi antérieure du larynx. Également appelé **pomme d'Adam.**

Cartilages aryténoïdes Paire de petits cartilages de forme pyramidale du larynx qui s'attachent aux cordes vocales et aux muscles pharyngiens intrinsèques, et actionnent les plis vocaux.

Catabolisme Réactions chimiques qui dégradent des composés organiques complexes en atomes, ions ou molécules plus petits et qui libèrent de l'énergie (exothermiques) ; par exemple, dégradation du glucose en acide pyruvique.

Catalyseur Substance qui accélère une réaction chimique sans qu'elle soit elle-même modifiée ; enzyme.

Cataracte Opacification du cristallin de l'œil souvent associée au vieillissement ou causée par un traumatisme.

Cation Ion de charge positive ; par exemple, ion sodium (Na^+).

Caudal Qui se rapporte à une structure en forme de queue ; partie inférieure.

Cavité abdominale Partie supérieure de la cavité abdomino-pelvienne qui renferme l'estomac, la rate, le foie, la vésicule biliaire, le pancréas, l'intestin grêle et la majeure partie du gros intestin.

Cavité abdomino-pelvienne Partie inférieure de la cavité antérieure qui se subdivise en une cavité abdominale (supérieure) et une cavité pelvienne (inférieure).

Cavité antérieure Cavité située le long de la face ventrale du corps qui contient les viscères et qui se subdivise en une cavité thoracique (supérieure) et une cavité abdomino-pelvienne (inférieure).

Cavité articulaire Espace rempli de liquide synovial entre les os qui s'articulent par une articulation synoviale.

Cavité crânienne Subdivision de la cavité postérieure formée par les os du crâne et contenant l'encéphale.

Cavité du corps Espace situé à l'intérieur du corps qui renferme divers organes internes.

Cavité du péricarde Espace virtuel compris entre les feuillets viscéral et pariétal du péricarde séreux et contenant le liquide péricardique qui réduit la friction entre les membranes durant les mouvements du cœur.

Cavité médullaire Espace à l'intérieur de la diaphyse de l'os qui contient la moelle osseuse jaune. Également appelée **canal médullaire.**

Cavité pelvienne Partie inférieure de la cavité abdomino-pelvienne qui renferme la vessie, le côlon sigmoïde, le rectum et les organes génitaux internes.

Cavité pleurale Petit espace virtuel entre les plèvres viscérale et pariétale qui contient une petite quantité de liquide lubrifiant.

Cavité postérieure Cavité située le long de la face dorsale (postérieure) du corps qui comprend la cavité crânienne et le canal vertébral.

Cavité thoracique Partie supérieure de la cavité antérieure qui renferme les deux cavités pleurales, le médiastin et la cavité péricardique.

Cavités nasales Cavités tapissées d'une muqueuse, une de chaque côté du septum nasal, qui s'ouvrent sur le visage par les narines et sur le nasopharynx par les choanes.

Cavum de la dent Cavité située à l'intérieur de la couronne et du collet d'une dent ; rempli de pulpe dentaire, tissu conjonctif contenant des vaisseaux sanguins, des nerfs et des vaisseaux lymphatiques.

Cellule Unité structurale et fonctionnelle de base de tous les organismes ; la plus petite structure capable d'accomplir toutes les activités nécessaires à la vie.

Cellule alpha Cellule des îlots pancréatiques (îlots de Langerhans) du pancréas qui sécrète le glucagon.

Cellule bêta Cellule des îlots pancréatiques (îlots de Langerhans) du pancréas qui sécrète l'insuline.

Cellule caliciforme Glande unicellulaire prenant la forme d'un calice qui sécrète du mucus ; présente dans l'épithélium des voies respiratoires, digestives et génitales et dans la majeure partie des voies urinaires.

Cellule chromaffine Cellule ayant une affinité pour les sels de chrome, en partie du fait de la présence de précurseurs de l'adrénaline, un neurotransmetteur ; située en divers endroits de l'organisme, par exemple dans la médullosurrénale.

Cellule cible Cellule dont l'activité est régie par une hormone particulière.

Cellule de Kupffer Cellule phagocytaire située en bordure d'un sinusoïde du foie et qui détruit les leucocytes, les globules rouges usés, les bactéries et autres substances étrangères provenant du tube digestif. Également appelée **cellule réticulo-endothéliale étoilée.**

Cellule de Langerhans Cellule dendritique épidermique qui joue le rôle de cellule présentatrice d'antigènes durant la réponse immunitaire. Macrophage qui a migré dans l'épiderme.

Cellule de Merkel Type de cellule présente dans l'épiderme de la peau glabre qui entre en contact avec un corpuscule tactile non capsulé intervenant dans les sensations tactiles.

Cellule de Schwann Cellule gliale du système nerveux périphérique qui forme la gaine de myéline et le neurolemme d'une fibre nerveuse en s'enroulant autour d'elle plusieurs fois.

Cellule de Sertoli Cellule de soutien des tubules séminifères qui sécrète un liquide apportant des nutriments aux spermatozoïdes ainsi qu'une hormone appelée inhibine, qui phagocyte l'excès de cyptoplasme des spermatozoïdes et sert de médiateur pour les effets de la FSH et de la testostérone sur la spermatogénèse.

Cellule delta Cellule des îlots pancréatiques (îlots de Langerhans) du pancréas qui sécrète la somatostatine.

Cellule dendritique Type de cellule présentatrice d'antigènes dotée de longues ramifications que l'on trouve couramment dans les revêtements épithéliaux (comme le vagin) et dans la peau (par exemple, cellules de Langerhans dans l'épiderme).

Cellule entéro-endocrine Cellule de la muqueuse du tube digestif qui sécrète plusieurs hormones : la gastrine, la cholécystokinine, le peptide insulinotrophique gluco-dépendant (GIP) et la sécrétine.

Cellule interstitielle Type de cellule qui sécrète la testostérone ; située dans le tissu conjonctif entre les tubules séminifères dans un testicule mûr. Également appelée **cellule de Leydig.**

Cellule muqueuse Glande unicellulaire qui sécrète du mucus. Par exemple, cellules à mucus du collet et cellules à mucus superficielles de l'estomac.

Cellule neurosécrétrice Cellule d'un noyau (paraventriculaire et supraoptique) de l'hypothalamus qui produit l'ocytocine ou l'hormone antidiurétique (ADH), hormones libérées par la neurohypophyse.

Cellule olfactive Neurone bipolaire dont le corps cellulaire repose entre des cellules de soutien, situé dans la muqueuse qui tapisse la partie supérieure de chaque cavité nasale ; ses cils olfactifs portés par le dendrite traduisent les odeurs en signaux nerveux.

Cellule ostéogénique Cellule souche dérivée du mésenchyme, qui peut se diviser et se différencier en ostéoblaste.

Cellule oxyphile Cellule de la glande parathyroïde, qui sécrète la parathormone (PTH).

Cellule pariétale Type de cellule sécrétrice des glandes gastriques qui produit l'acide chlorhydrique et le facteur intrinsèque.

Cellule PP Cellule des îlots pancréatiques (îlots de Langerhans) qui sécrète le polypeptide pancréatique.

Cellule présentatrice d'antigène (CPA) Classe spéciale de cellules migratrices qui traitent et présentent les antigènes exogènes aux lymphocytes T au cours de la réponse immunitaire; les CPA comprennent les macrophages, les lymphocytes B et les cellules dendritiques présents dans la peau, les muqueuses et les nœuds lymphatiques.

Cellule principale Cellule présente dans les glandes parathyroïdes et sécrétant la parathormone (PTH). Cellule sécrétrice d'une glande gastrique qui produit le pepsinogène (précurseur de la pepsine, une enzyme) et la lipase gastrique (une enzyme). Un des types de cellules du tubule contourné distal et du tubule collecteur du néphron qui est stimulé par l'aldostérone et l'hormone antidiurétique.

Cellule souche hématopoïétique pluripotente Cellule souche immature dérivée du mésenchyme et présente dans la moelle osseuse rouge; donne naissance aux cellules précurseurs de toutes les cellules sanguines matures.

Cellules cardionectrices Fibres musculaires cardiaques auto-excitatrices (génèrent des influx nerveux sans stimulus externe); jouent le rôle de pacemaker du cœur et propagent les potentiels d'action par le système de conduction du cœur.

Cellules gliales Cellules du système nerveux qui remplissent diverses fonctions de soutien. Les cellules gliales du système nerveux central sont les astrocytes, les oligodendrocytes, les microglies et les épendymocytes; les cellules gliales du système nerveux périphérique sont les cellules de Schwann et les cellules satellites. Également appelées collectivement **névroglie.**

Cément Tissu calcifié qui recouvre la dentine de la racine d'une dent; attache la dent au desmodonte.

Centre apneustique Région du centre respiratoire du pont qui envoie continuellement des influx stimulateurs à l'aire inspiratoire, ce qui a pour effet d'activer et de prolonger l'inspiration et d'inhiber l'expiration.

Centre bulbaire de la rythmicité Partie du centre respiratoire du bulbe rachidien qui régit la fréquence respiratoire de base.

Centre cardiovasculaire Groupes de neurones disséminés dans le bulbe rachidien qui régissent la fréquence et la force des battements du cœur ainsi que le diamètre des vaisseaux sanguins.

Centre de la faim Groupe de neurones dans les noyaux latéraux de l'hypothalamus qui, en réponse à une stimulation, suscite la prise de nourriture.

Centre de la satiété Groupe de neurones dans les noyaux ventro-médiaux de l'hypothalamus qui, en réponse à une stimulation, suscite l'arrêt de la prise de nourriture en inhibant le centre de la faim.

Centre de la soif Groupe de neurones dans l'hypothalamus qui réagit à la pression osmotique du liquide extracellulaire et produit la sensation de soif.

Centre de régulation Composante d'un mécanisme de régulation, tel le cerveau, qui fixe le point auquel le facteur contrôlé (par exemple, température corporelle) doit être maintenu.

Centre pneumotaxique Région du centre respiratoire du pont qui envoie continuellement des influx inhibiteurs à l'aire inspiratoire, ce qui a pour effet de réduire l'inspiration et de faciliter l'expiration.

Centre respiratoire Neurones de la formation réticulaire du tronc cérébral qui régissent la fréquence et l'amplitude de la respiration; comprend le centre bulbaire de la rythmicité, le centre pneumotaxique et le centre apneustique.

Centrioles Paires de structures cylindriques à l'intérieur d'un centrosome, dont chacune est constituée d'un anneau de microtubules et est disposée à angle droit par rapport à l'autre; jouent un rôle dans les divisions cellulaires (formation du fuseau mitotique) et dans la formation des cils et des flagelles.

Centromère Portion claire et resserrée d'un chromosome où les deux chromatides sont unies; sert de point d'attache pour les microtubules du kinétochore.

Centrosome Région plutôt dense du cytoplasme située près du noyau de la cellule et contenant une paire de centrioles. Durant la prophase, il forme le fuseau mitotique; il contribue aussi à la formation des cils et des flagelles.

Céphalique Qui se rapporte à la tête; partie supérieure.

Cercle artériel du cerveau Réseau d'artères formant une anastomose à la base du cerveau entre les artères carotide interne et basilaire et les artères qui irriguent le cerveau. Également appelé **polygone de Willis.**

Cérumen Mélange de sécrétions cireuses produit par les glandes cérumineuses et les glandes sébacées du conduit auditif externe.

Cerveau Les deux hémisphères du prosencéphale qui recouvrent le diencéphale; forment la plus grande partie de l'encéphale.

Cervelet Partie de l'encéphale située à l'arrière du bulbe rachidien et du pont; régit la coordination des mouvements fins et de l'équilibre.

Cétose État anormal caractérisé par une production excessive de corps cétoniques; une cétose extrême ou prolongée peut entraîner l'acidose.

Chaîne de transport des électrons Suite de transporteurs d'électrons qui sont des protéines intrinsèques de la membrane mitochondriale interne; ces molécules subissent une série d'oxydations et de réductions à mesure qu'elles pompent des ions hydrogène (H^+) de la matrice mitochondriale vers l'espace entre les membranes interne et externe. La synthèse de l'ATP se produit à mesure que les ions H^+ retournent par diffusion dans la matrice mitochondriale à travers des canaux à hydrogène spécifiques (canaux protoniques). *Voir* **chimiosmose.**

Chiasma Croisement; en particulier le croisement des nerfs optiques (II).

Chiasma optique Croisement des nerfs optiques (II) devant l'hypophyse où certains de leurs axones traversent la ligne médiane.

Chimiorécepteur Récepteur qui détecte la présence de substances chimiques dans la bouche, le nez ou les liquides de l'organisme.

Chimiosmose Mécanisme de production d'ATP qui lie les réactions chimiques (passage d'électrons le long de la chaîne de transport) au pompage d'ions H^+ hors de la matrice mitochondriale, entre les membranes interne et externe de la mitochondrie. La synthèse d'ATP se produit à mesure que les ions H^+ retournent par diffusion dans la matrice mitochondriale par des canaux à H^+ (canaux protoniques) situés dans la membrane interne.

Chimiotactisme positif Attraction des phagocytes vers les microbes par un stimulus chimique libéré par ces mêmes microbes et par les tissus infectés.

Chiropraxie Méthode de traitement des maladies reposant sur la manipulation de parties du corps, notamment la colonne vertébrale.

Choanes Les deux ouvertures situées à l'arrière des cavités nasales, qui communiquent avec le nasopharynx.

Choc Défaillance de l'organisme qui se trouve incapable de fournir suffisamment d'oxygène et de nutriments pour combler les besoins métaboliques de l'organisme, et ce en raison d'un débit cardiaque inadéquat. Se caractérise par l'hypotension, une peau pâle, moite et froide, la sudation, une formation insuffisante d'urine, un état mental perturbé, l'acidose, la tachycardie, un pouls petit et rapide, et la soif. On distingue le choc hypovolémique, le choc cardiogénique, le choc d'origine vasculaire et le choc par obstruction.

Choc anaphylactique Réaction systémique au début brutal, à l'introduction, directement dans la circulation sanguine, d'une substance (antigène) chez un sujet très sensible ; entraîne la constriction des voies aériennes, la vasodilatation soudaine, la perte de liquides du sang et une chute de la pression artérielle.

Choc hypovolémique Type de choc qui se caractérise par une diminution du volume intravasculaire causée par la perte de sang ; peut être dû à une hémorragie externe ou interne aiguë ou à une perte excessive de liquides.

Choc spinal Période de quelques jours à quelques semaines après une lésion de la moelle épinière, qui se caractérise par la disparition de toute activité réflexe au-dessous de la blessure.

Cholestérol Dans la classification des lipides, le stéroïde le plus abondant dans les tissus animaux ; situé dans les membranes cellulaires et utilisé dans la synthèse des hormones stéroïdes et des sels biliaires.

Chondrocyte Cellule du cartilage mature.

Chondroïtine sulfate Substance amorphe de la matrice extracellulaire présente à l'extérieur des cellules du tissu conjonctif et qui contribue au soutien et à l'adhésivité.

Chorion Feuillet de tissu conjonctif aréolaire d'une muqueuse qui soutient l'épithélium. Membrane fœtale la plus superficielle qui devient la principale partie embryonnaire du placenta ; assure une fonction de protection et de nutrition et produit la hCG.

Choroïde L'une des enveloppes vasculaires du globe oculaire ; partie postérieure de la tunique vasculaire.

Chromatide Une des deux paires de filaments protéiques nucléaires identiques qui sont reliées par un centromère et qui se séparent durant la division cellulaire, chacune devenant le chromosome de l'une des deux cellules filles.

Chromatine Masse filiforme de matériel génétique constituée principalement d'ADN ; présente dans le noyau d'une cellule qui ne se divise pas ou qui est en interphase.

Chromatolyse Dégradation du réticulum endoplasmique rugueux en petites masses granulaires dans le corps cellulaire d'un neurone du SNC ou du SNP dont le prolongement (axone ou dendrite) a été endommagé.

Chromosome Petite structure filiforme située dans le noyau de la cellule, normalement au nombre de 46 dans les cellules diploïdes humaines, qui porte le matériel génétique ; composé d'ADN et de protéines (histones) qui constituent un délicat filament de chromatine durant l'interphase ; forme des structures compactes en forme de bâtonnets visibles au microscope optique pendant la division cellulaire.

Chromosomes homologues Deux chromosomes formant une paire et portant des gènes semblables. Également appelés **homologues.**

Chromosomes sexuels La vingt-troisième paire de chromosomes, dits X et Y, qui détermine le sexe génétique d'un individu ; chez l'homme, la paire est XY, chez la femme, XX.

Chronique De longue durée ou se reproduisant fréquemment ; s'applique à une maladie qui n'est pas aiguë.

Chyle Liquide d'aspect laiteux présent dans les vaisseaux chylifères de l'intestin grêle après la digestion.

Chylomicron Structure sphérique (80 nm de diamètre) enveloppée d'une couche protéique, qui contient des triglycérides, des phospholipides et du cholestérol et est absorbée dans le vaisseau chylifère d'une villosité de l'intestin grêle.

Chyme Mélange semi-fluide de nourriture partiellement digérée et de sécrétions digestives présent dans l'estomac et l'intestin grêle durant la digestion d'un repas.

Cil Prolongement microscopique filiforme de la surface d'une cellule qui peut servir à déplacer la cellule même ou des substances à la surface de la cellule.

Circulation collatérale Chemin que le sang se fraie à travers une anastomose.

Circulation coronarienne Parcours suivi par le sang pour aller de l'aorte ascendante dans les vaisseaux sanguins qui irriguent le myocarde, puis retourner à l'oreillette droite.

Circulation fœtale Voie de circulation du sang du fœtus, comprenant le placenta et les vaisseaux sanguins spécifiques qui permettent les échanges de substances entre le fœtus et sa mère.

Circulation pulmonaire Parcours suivi par le sang désoxygéné pour aller du ventricule droit jusqu'aux poumons, et par le sang oxygéné pour quitter les poumons et retourner à l'oreillette gauche.

Circulation systémique Parcours suivi par le sang oxygéné d'une part pour quitter le ventricule gauche et aller, en passant par l'aorte, jusqu'à tous les tissus de l'organisme, et par le sang désoxygéné d'autre part pour retourner des tissus à l'oreillette droite.

Circumduction Mouvement d'une articulation synoviale au cours duquel l'extrémité distale d'un os décrit un cercle alors que l'extrémité proximale demeure relativement stable.

Citerne du chyle Origine du conduit thoracique.

Clairance rénale Volume de sang débarrassé d'une substance par unité de temps (exprimé en mL/min). Par exemple, la clairance rénale du glucose est normalement de 0.

Climatère Fin de la période reproductrice chez la femme et diminution de l'activité testiculaire chez l'homme.

Clitoris Organe érectile de la femme situé à la jonction antérieure des petites lèvres de la vulve, homologue du gland du pénis chez l'homme.

Clone Population de cellules identiques.

Clou plaquettaire Rassemblement de thrombocytes dans un vaisseau endommagé afin de prévenir la perte de sang ; peut arrêter complètement le saignement si la lésion vasculaire est assez petite.

Coagulation Processus par lequel un caillot est formé. Également appelée **formation du caillot.**

Coccyx Os triangulaire résultant de la fusion des vertèbres coccygiennes ; situé à l'extrémité inférieure de la colonne vertébrale.

Cochlée Canal osseux en forme de spirale formant une partie de l'oreille interne et contenant l'organe spiral (organe de Corti).

Codon Triplet de nucléotides d'ARNm ; chaque codon est spécifique à un acide aminé particulier.

Coenzyme Type de cofacteur ; molécule organique non protéique associée avec une enzyme, qu'elle active ; de nombreuses coenzymes sont dérivées de vitamines. Par exemple, le nicotinamide adénine dinucléotide (NAD), dérivé de la niacine (vitamine B).

Cœur Organe musculaire creux situé dans la poitrine légèrement à gauche du plan médian du corps, qui pompe le sang dans le système cardiovasculaire.

Coït Introduction du pénis en érection d'un homme dans le vagin d'une femme.

Col Partie rétrécie d'un organe semblable au cou, comme le col du fémur ou le col de l'utérus.

Collagène Protéine à la fois souple et très résistante qui constitue le principal composant du tissu conjonctif.

Colliculus Petite éminence ; quatre protubérances de petite taille (colliculus supérieurs et inférieurs) situées dans la partie postérieure du mésencéphale et qui sont des centres réflexes pour les stimulus visuels (colliculus supérieurs) et auditifs (colliculus inférieurs).

Colloïde Mélange liquide, souvent opaque, où les particules de solutés sont assez grosses pour diffuser la lumière. Par exemple, les protéines du lait en font un colloïde.

Colloïde thyroïdien Matière contenue dans les follicules thyroïdiens comprenant de la thyroglobuline et des hormones thyroïdiennes emmagasinées.

Côlon Partie du gros intestin constituée des segments ascendant, transverse, descendant et sigmoïde.

Côlon ascendant Partie du gros intestin qui passe au-dessus du cæcum jusqu'au bord inférieur du foie, où il fait un virage à la hauteur de la courbure colique droite (hépatique) pour devenir le côlon transverse.

Côlon descendant Partie du gros intestin qui descend de la courbure colique gauche (splénique) jusqu'à la hauteur de la crête iliaque gauche pour rejoindre le côlon sigmoïde.

Côlon sigmoïde La partie en forme de S du gros intestin qui commence à la hauteur de la crête iliaque gauche, s'étend médialement et se termine au rectum à la hauteur environ de la troisième vertèbre sacrale.

Côlon transverse Partie du gros intestin qui s'étend à travers l'abdomen à partir de la courbure colique droite (hépatique) jusqu'à la courbure colique gauche (splénique).

Colonne anale Repli longitudinal de la muqueuse du canal anal qui contient un réseau d'artères et de veines.

Colonne vertébrale Comprend les 26 vertèbres de l'adulte et les 33 vertèbres de l'enfant ; renferme et protège la moelle épinière et sert de point d'attache aux côtes et aux muscles du dos.

Colostrum Liquide jaunâtre peu épais et opaque sécrété par les glandes mammaires quelques jours avant ou après l'accouchement, avant que le vrai lait soit produit ; contient des anticorps mais moins de glucose que le lait véritable et pratiquement pas de matière grasse.

Commissure grise Bande étroite de substance grise reliant les deux masses de substance grise latérales à l'intérieur de la moelle épinière.

Commotion cérébrale Lésion traumatique du cerveau la plus fréquente qui n'entraîne pas de contusion visible mais peut se traduire par une perte de connaissance soudaine et temporaire.

Complexe de Golgi Organite du cytoplasme des cellules constitué de 3 à 20 sacs aplatis (citernes) empilés les uns sur les autres et bombés à la périphérie ; sa fonction consiste à traiter, trier et emballer les protéines et les lipides et à les livrer à la membrane plasmique, aux lysosomes et aux vésicules de sécrétion.

Complexe QRS Onde de dérivation sur un électrocardiogramme qui correspond au début de la dépolarisation ventriculaire.

Compliance Mesure de l'effort requis pour étirer les poumons et la paroi thoracique ou les vaisseaux sanguins.

Composé Substance qui peut se diviser en deux ou plusieurs autres substances par des méthodes chimiques ; par exemple, H_2O, NaCl.

Composé inorganique Composé généralement dépourvu de carbone, de structure simple, habituellement de petite taille et contenant des liaisons ioniques ou covalentes ; par exemple, eau et de nombreux acides, bases et sels. Le CO_2 et le HCO_3^- sont considérés comme des substances inorganiques même s'ils contiennent du carbone.

Composé organique Composé contenant toujours du carbone et dans lequel les atomes sont unis par des liaisons covalentes ; par exemple, glucides, lipides, protéines et acides nucléiques (ADN et ARN).

Conduction Capacité d'une cellule de propager (conduire) les potentiels d'action le long de sa membrane plasmique ; caractéristique des neurones et des fibres (cellules) musculaires. Également appelée **propagation.**

Conduction continue Propagation d'un potentiel d'action (influx nerveux) par une dépolarisation de proche en proche de chaque région adjacente de la membrane d'un axone ; propagation relativement lente.

Conduction saltatoire Propagation d'un potentiel d'action (influx nerveux) le long des parties exposées d'une fibre nerveuse myélinisée. Le potentiel d'action apparaît aux nœuds de Ranvier successifs, de sorte qu'il paraît sauter d'un nœud à l'autre ; propagation beaucoup plus rapide que la conduction continue.

Conduit alvéolaire Ramification d'une bronchiole respiratoire autour de laquelle sont disposés des alvéoles pulmonaires et des sacs alvéolaires.

Conduit artériel Petit vaisseau reliant le tronc pulmonaire à l'aorte chez le fœtus ; il recueille presque tout le sang qui contourne les poumons du fœtus.

Conduit auditif externe Tube courbé situé dans l'os temporal qui conduit à l'oreille moyenne. Également appelé **méat acoustique externe.**

Conduit biliaire Conduit qui reçoit la bile des capillaires biliaires. Les petits conduits bilaires fusionnent pour former les conduits hépatiques droit et gauche, qui se jettent dans le conduit hépatique commun pour quitter le foie.

Conduit cholédoque Conduit formé par la fusion du conduit hépatique commun et du conduit cystique et qui déverse la bile par l'ampoule hépato-pancréatique (de Vater) dans le duodénum.

Conduit cochléaire Troisième cavité de la cochlée située entre la rampe vestibulaire et la rampe tympanique.

Conduit cystique Conduit qui transporte la bile de la vésicule biliaire au conduit cholédoque.

Conduit déférent Conduit qui transporte les spermatozoïdes de l'épididyme jusqu'au conduit éjaculateur.

Conduit éjaculateur Un des deux conduits qui transportent les spermatozoïdes du conduit déférent jusqu'à la partie prostatique de l'urètre.

Conduit épididymaire Conduit enroulé à l'intérieur de l'épididyme, comprenant une tête, un corps et une queue, dans lequel les spermazoïdes subissent leur maturation.

Conduit lacrymo-nasal Conduit qui transporte la sécrétion lacrymale (larmes) du sac lacrymal jusqu'à la cavité nasale (au-dessus du cornet nasal inférieur).

Conduit lymphatique droit Vaisseau du système lymphatique qui recueille la lymphe du côté supérieur droit du corps et se draine dans la veine subclavière droite.

Conduit pancréatique Grand conduit unique qui communique avec le conduit cholédoque en provenance du foie et de la vésicule biliaire et qui draine le suc pancréatique par l'ampoule hépato-pancréatique (de Vater) dans le duodénum. Également appelé **canal de Wirsung.**

Conduit pancréatique accessoire Conduit du pancréas qui débouche dans le duodénum environ 2,5 cm au-dessus de l'ampoule hépato-pancréatique. Également appelé **canal de Santorini.**

Conduit thoracique Principal vaisseau collecteur du système lymphatique; prend naissance dans un évasement appelé citerne du chyle et reçoit la lymphe du côté gauche de la tête, du cou et de la poitrine ainsi que de toutes les parties du corps situées sous les côtes, et se draine dans la veine subclavière gauche.

Conduit veineux Petit vaisseau qui permet à la circulation de contourner le foie chez le fœtus; il va de la veine ombilicale à la veine cave inférieure.

Conduits semi-circulaires membraneux Conduits remplis d'endolymphe qui flottent dans la périlymphe des canaux semi-circulaires osseux; contiennent des crêtes ampullaires liées à l'équilibre dynamique.

Cône Type de photorécepteur de la rétine à seuil d'excitation élevé; spécialisé pour la vision très précise des couleurs en pleine lumière.

Cône médullaire Portion conique de la moelle épinière située sous le renflement lombaire.

Congénital Présent à la naissance.

Conjonctive Fine membrane protectrice qui recouvre le globe oculaire et la face interne des paupières.

Conscience État de vigilance dans lequel l'individu est pleinement éveillé, conscient et capable de s'orienter, causé en partie par la rétroaction entre le cortex cérébral et le système réticulaire activateur ascendant.

Consommation d'oxygène de récupération Forte consommation d'oxygène qui suit un exercice physique, due aux processus métaboliques qui commencent durant l'exercice et se poursuivent lorsqu'il a cessé. Autrefois appelée **dette d'oxygène.**

Contraception Ensemble des méthodes ayant pour but de prévenir la fécondation ou l'implantation.

Contractilité Capacité des cellules ou de certaines de leurs parties de générer activement la force nécessaire pour se raccourcir et changer de forme afin d'effectuer des mouvements. Les fibres (cellules) musculaires possèdent une forte contractilité.

Contraction isométrique Contraction musculaire dans laquelle la tension du muscle augmente sans entraîner son raccourcissement, de sorte qu'aucun mouvement n'est produit.

Contraction isotonique Contraction musculaire sans modification marquée de la tension; se produit lorsqu'une charge est déplacée selon toute l'amplitude de mouvements d'une articulation.

Controlatéral Du côté opposé; affectant le côté opposé du corps.

Convergence Disposition anatomique selon laquelle des boutons terminaux synaptiques de plusieurs neurones présynaptiques s'accolent à un seul et même neurone postsynaptique; mouvement vers l'intérieur des deux globes oculaires qui leur permet de fixer tous les deux un objet rapproché afin de produire une seule image.

Convulsion Contractions tétaniques, involontaires et violentes de tout un groupe de muscles.

Cordages tendineux Cordes fibreuses semblables à des tendons qui relient les valves auriculo-ventriculaires et les muscles papillaires.

Cordon Une des trois régions de la substance blanche de la moelle épinière constituées de groupes de fibres nerveuses appelés faisceaux ou tractus.

Cordon ombilical Longue structure semblable à une corde, contenant les artères et la veine ombilicales qui relient le fœtus au placenta.

Cordon spermatique Structure de soutien du système reproducteur masculin, s'étendant d'un testicule jusqu'à l'anneau inguinal profond et qui comprend le conduit déférent, des artères, des veines, des vaisseaux lymphatiques, des nerfs, le muscle crémaster et du tissu conjonctif.

Corne Principale région de substance grise dans la moelle épinière.

Cornée Enveloppe fibreuse avasculaire et transparente à travers laquelle on peut voir l'iris; elle contribue à focaliser la lumière sur la rétine.

Cornet Os en forme de lamelle recourbée présent dans le crâne et faisant partie de la structure du nez.

Corona radiata La couche la plus interne de cellules granuleuses qui est fermement attachée à la zone pellucide autour d'un ovocyte secondaire.

Coronaropathie Maladie comme l'athérosclérose qui cause un rétrécissement des artères coronaires, diminuant ainsi le débit sanguin vers le cœur.

Corps Partie principale d'un organe; toute masse.

Corps blanc Tissu fibreux blanc situé dans l'ovaire et formé après la dégénérescence du corps jaune.

Corps calleux Large bande de substance blanche et grande commissure du cerveau, reliant les hémisphères cérébraux.

Corps cétoniques Substances produites principalement durant un catabolisme excessif des triglycérides, par exemple acétone, acide acétylacétique et acide β-hydroxybutyrique.

Corps ciliaire L'une des trois parties de la tunique vasculaire du globe oculaire, les deux autres étant la choroïde et l'iris; comprend le muscle ciliaire et les procès ciliaires.

Corps de Nissl Réticulum endoplasmique rugueux des corps cellulaires de neurones qui joue un rôle dans la synthèse protéique.

Corps jaune Glande endocrine jaune située dans l'ovaire et formée lorsqu'un follicule mûr a expulsé son ovocyte secondaire; sécrète des œstrogènes, de la progestérone, de la relaxine et de l'inhibine.

Corps mamillaires Deux petites protubérances arrondies situées derrière le tuber cinereum et qui entrent en jeu dans les réflexes associés à l'odorat.

Corps strié Région située à l'intérieur de chaque hémisphère cérébral, composée des noyaux caudé et lenticulaire, des noyaux gris centraux ainsi que de la substance blanche de la capsule interne, d'apparence striée; régit les mouvements automatiques des muscles squelettiques.

Corps vitré Substance gélatineuse qui remplit la chambre vitrée du globe oculaire et repose entre le cristallin et la rétine ; retient la rétine contre la choroïde.

Corpuscule aortique Groupe de récepteurs situé sur ou près de l'arc aortique, qui réagit aux variations des concentrations sanguines d'oxygène, de gaz carbonique et d'ions hydrogène (H^+).

Corpuscule lamelleux Récepteur de la pression de forme ovale, présent dans tout le corps, situé dans la couche sous-cutanée et parfois le derme et comprenant des couches concentriques de tissu conjonctif enroulées autour d'une fibre nerveuse sensitive. Également appelé **corpuscule de Pacini.**

Corpuscule rénal Capsule glomérulaire (de Bowman) et le glomérule qu'elle enveloppe.

Corpuscule tactile capsulé Récepteur sensoriel pour la sensation du toucher ; présent dans les papilles du derme, surtout dans la paume des mains et sur la plante des pieds.

Cortex Couche externe d'un organe. Couche de substance grise recouvrant chaque hémisphère cérébral et présentant des circonvolutions.

Cortex cérébral Surface des deux hémisphères cérébraux mesurant de 2 à 4 mm d'épaisseur et formée de six couches de corps cellulaires de neurones (substance grise) dans la plupart des régions ; siège de la conscience et des fonctions mentales supérieures.

Cortex surrénal Partie externe d'une glande surrénale, qui constitue de 80 à 90 % de sa masse, divisée en trois zones : la zone glomérulée, la zone fasciculée et la zone réticulée.

Corticotrophine (ACTH) Hormone produite par l'adénohypophyse qui influe sur la production et la sécrétion de certaines hormones (glucocorticoïdes) du cortex surrénal.

Costal Qui se rapporte à une côte.

Cou Partie du corps reliant la tête et le tronc.

Couche basale de l'endomètre Couche superficielle de l'endomètre (près du myomètre) qui est maintenue pendant la menstruation et la gestation et élabore une nouvelle couche fonctionnelle après la menstruation ou l'accouchement.

Couche fonctionnelle de l'endomètre Couche interne de l'endomètre (près de la cavité utérine) qui se desquame durant la menstruation et forme la partie maternelle du placenta pendant la gestation.

Couche ostéogénique Couche interne du périoste qui contient les cellules responsables de la formation de nouveau tissu osseux durant la croissance et le remaniement osseux.

Crachat Substance expulsée par la bouche, contenant de la salive et du mucus.

Crampe Contraction spasmodique douloureuse d'un muscle.

Crâne Squelette de la tête qui protège l'encéphale et les organes de la vue, de l'ouïe et de l'équilibre ; comprend les os frontal, pariétal, temporal, occipital, sphénoïde et ethmoïde.

Créatine phosphate Molécule des fibres musculaires squelettiques qui renferme des liaisons phosphate riches en énergie ; utilisée pour produire de l'ATP rapidement à partir de l'ADP au moyen du transfert d'un groupement phosphate.

Crénelés Se dit des globules rouges qui rétrécissent et prennent une forme noueuse et étoilée lorsqu'ils sont placés dans une solution hypertonique.

Crête ampullaire Petite éminence située dans l'ampoule de chaque conduit semi-circulaire qui contient les récepteurs de l'équilibre dynamique.

Cristallin Organe transparent composé de protéines (cristallines) situé à l'arrière de la pupille et de l'iris du globe oculaire et à l'avant du corps vitré ; il focalise la lumière sur la rétine ; siège de l'accommodation.

Croissance Augmentation de volume résultant de l'accroissement 1) du nombre de cellules, 2) de la taille des cellules existantes à mesure que leurs composantes augmentent de volume ou 3) de la taille des substances intercellulaires.

Croissance interstitielle Croissance progressant de l'intérieur vers l'extérieur, comme la croissance des cartilages.

Croissance par apposition Croissance causée par le dépôt de substances en surface, comme la croissance du diamètre des cartilages et des os.

Cryptorchidie État dans lequel les testicules ne sont pas descendus dans le scrotum ; non traitée, elle entraîne la stérilité.

Cuisse Partie du membre inférieur comprise entre la hanche et le genou.

Cul-de-sac recto-utérin Poche formée par le péritoine qui s'étend depuis la face postérieure de l'utérus jusqu'au rectum, qu'elle recouvre ; le point le plus inférieur de la cavité pelvienne.

Cul-de-sac vésico-utérin Poche peu profonde formée par un repli du péritoine, comprise entre la face antérieure de l'utérus, à l'union du col et du corps de l'utérus, et la face postérieure de la vessie, qu'elle recouvre.

Cupule Masse gélatineuse recouvrant les cellules ciliées d'une crête ampullaire.

Cutané Qui se rapporte à la peau.

Cyanose Concentration d'hémoglobine réduite (désoxygénée) dans le sang de plus de 5 g/dL, entraînant une décoloration de la peau qui prend une teinte bleutée ou violet sombre, visible surtout sur le lit des ongles et les muqueuses.

Cycle cardiaque Battement complet du cœur comprenant la systole (contraction) et la diastole (relâchement) des deux oreillettes ainsi que la systole et la diastole des deux ventricules.

Cycle cellulaire Croissance et division d'une cellule en deux cellules filles ; comprend l'interphase et la division cellulaire.

Cycle de Krebs Série de réactions d'oxydoréduction et de décarboxylation qui se produit dans la matrice des mitochondries dans laquelle des électrons sont transférés à des coenzymes et du gaz carbonique est formé. Les électrons transportés par les coenzymes entrent ensuite dans la chaîne de transport des électrons, qui génère une grande quantité d'ATP. Également appelé **cycle de l'acide citrique.**

Cycle de la reproduction chez la femme Ensemble des cycles ovarien et menstruel, des changements hormonaux qui les accompagnent et des changements cycliques touchant les seins et le col de l'utérus ; comprend les modifications de l'endomètre chez la femme non enceinte, qui préparent le revêtement de l'utérus à recevoir un ovule fécondé.

Cycle ovarien Série mensuelle d'événements qui se déroulent dans l'ovaire, associés à la maturation d'un ovocyte.

Cylindre urinaire Petit amas de matière qui a durci en prenant la forme de la lumière du tubule dans lequel il s'est formé ; évacué avec l'urine, il peut être constitué de diverses substances ou d'éléments figurés ou épithéliaux.

Cyphose Exagération de la courbure thoracique concave de la colonne vertébrale donnant des « épaules arrondies ».

Cytochrome Protéine avec un groupement porteur de fer (hème), faisant partie de la chaîne de transport d'électrons et capable de se présenter tour à tour sous une forme réduite (Fe^{2+}) et sous une forme oxydée (Fe^{3+}).

Cytocinèse Distribution du cytoplasme dans deux cellules distinctes durant la division cellulaire; coordonnée avec la division nucléaire (mitose).

Cytokines Petites hormones protéiques, produites par les lymphocytes, les fibroblastes, les cellules endothéliales et les cellules présentatrices d'antigènes, qui agissent comme des substances autocrines ou paracrines pour stimuler ou inhiber la croissance et la différenciation cellulaire, réguler la réponse immunitaire et participer aux défenses non spécifiques; comprend les facteurs stimulateurs de colonies et les interleukines.

Cytologie Étude des cellules.

Cytologie cervico-vaginale Examen cytologique destiné à détecter et à diagnostiquer les états précancéreux ou cancéreux du système reproducteur de la femme. Les cellules prélevées sur l'épithélium du col de l'utérus ou du vagin sont examinées au microscope.

Cytolyse Rupture de cellules vivantes dont le contenu s'échappe.

Cytoplasme Cytosol, tous les organites (à l'exception du noyau) et inclusions.

Cytosol Portion semi-liquide du cytoplasme dans laquelle les organites et les inclusions sont en suspension et les solutés sont dissous. Également appelé **liquide intracellulaire.**

Cytosquelette Structure interne complexe du cytoplasme constituée de microfilaments, de microtubules et de filaments intermédiaires.

D

Daltonisme Trouble de la vue dont la forme la plus courante est causée par une déficience en cônes sensibles soit au vert, soit au rouge. La personne atteinte perçoit les deux couleurs comme une seule et même couleur.

Dartos Tissu contractile situé sous la peau du scrotum; sa contraction plisse la peau du scrotum.

Débit cardiaque (DC) Volume de sang éjecté d'un ventricule du cœur (en général on prend la mesure du ventricule gauche) en 1 min; environ 5,2 L/min dans des conditions normales au repos.

Débit de filtration glomérulaire (DFG) Volume total de liquide qui entre dans toutes les capsules glomérulaires (de Bowman) des deux reins en 1 min; environ 125 mL/min.

Débit sanguin Volume de sang qui circule dans un tissu au cours d'une période donnée (exprimé en mL/min).

Décibel (dB) Unité de mesure de l'intensité sonore; une conversation normale atteint 60 dB.

Décidual Qui tombe selon les saisons ou à un moment particulier du développement. Dans le corps, désigne la première série de dents.

Décussation Croisement; désigne habituellement l'endroit où 90 % des axones des gros faisceaux moteurs traversent les pyramides bulbaires d'un côté à l'autre (décussation des pyramides).

Défécation Évacuation des fèces par le rectum.

Dégénérescence rétrograde Changements de la partie proximale d'un axone endommagé qui ne s'étendent que jusqu'au premier nœud de Ranvier; semblable aux changements qui se produisent pendant la dégénérescence wallérienne.

Dégénérescence wallérienne Dégénérescence survenant après une lésion de la partie distale de l'axone et de la gaine de myéline d'un neurone.

Déglutition Action d'avaler.

Délai d'action synaptique Période entre l'arrivée du potentiel d'action à la terminaison axonale présynaptique et le changement du potentiel de membrane (PPSI ou PPSE) à la membrane postsynaptique; généralement 0,5 ms environ.

Déminéralisation Perte de calcium et de phosphore des os.

Dénaturation Altération de la structure tertiaire d'une protéine par des facteurs tels que la chaleur, des modifications du pH ou d'autres méthodes physiques ou chimiques, dans laquelle la protéine perd ses propriétés physiques et son activité biologique.

Dendrite Prolongement neuronal habituellement court qui transporte un influx nerveux vers le corps cellulaire.

Dentine Tissu conjonctif calcifié entourant le cavum de la dent; lui donne sa forme et sa rigidité.

Dentition Éruption des dents. Nombre, forme et alignement des dents.

Dents Organes digestifs annexes, composés de tissu conjonctif calcifié et enchâssés dans les alvéoles osseuses de la mandibule et du maxillaire, qui coupent, déchirent, écrasent et broient la nourriture.

Dépolarisation Terme utilisé en neurophysiologie pour décrire la réduction du voltage à travers la membrane plasmique; exprimée sous forme d'un changement vers un voltage moins négatif (plus positif) de la face interne de la membrane plasmique.

Dermatologie Branche de la médecine qui diagnostique et traite les maladies de la peau.

Dermatome Région de peau issue d'un segment médullaire embryonnaire et dont l'innervation sensitive provient essentiellement d'un nerf spinal. Instrument tranchant utilisé pour inciser la peau ou prélever des fragments cutanés.

Derme Couche de tissu conjonctif dense irrégulier située sous l'épiderme.

Déshydratation Perte excessive d'eau par l'organisme ou ses parties, ce qui amène une augmentation de l'osmolarité des liquides de l'organisme.

Desmodonte Périoste tapissant les alvéoles qui reçoivent les dents dans les processus alvéolaires de la mandibule et du maxillaire; fixé au cément des racines.

Détritus Matière particulaire produite par l'usure ou la désintégration d'une substance ou d'un tissu, ou restant présente après ces processus; écailles, croûtes ou lambeaux de peau.

Diabète de type I Maladie héréditaire auto-immune qui mène à la destruction des cellules productrices d'insuline; il se caractérise par l'hyperglycémie, la polydipsie, la polyurie et la polyphagie.

Diabète de type II Maladie qui atteint le plus souvent les individus qui font de l'embonpoint; l'hyperglycémie qui le caractérise peut être traitée par un régime approprié.

Diagnostic Science et art de distinguer une maladie d'une autre ou de déterminer la nature d'une maladie à partir des signes et symptômes et en recourant à l'inspection, à la palpation, aux épreuves en laboratoire et à d'autres moyens.

Diapédèse Processus par lequel les globules blancs quittent la circulation sanguine, en ralentissant, en roulant le long de l'endothélium et en se faufilant à travers les cellules endothéliales pour se rendre dans les tissus infectés. Les molécules d'adhérence cellulaire (sélectines, intégrines) aident les globules blancs à se fixer à l'endothélium.

Diaphragme Toute structure qui sépare une région d'une autre, en particulier le muscle squelettique en forme de dôme situé entre la cavité thoracique et la cavité abdominale. Également, dispositif en forme de dôme placé sur le col de l'utérus, généralement en association avec un spermicide, afin de prévenir la conception.

Diaphyse Corps d'un os long.

Diarthrose Articulation mobile ; on distingue les articulations planes, trochléennes, trochoïdes, condylaires, en selle et sphéroïdes.

Diastole Dans le cycle cardiaque, phase de relaxation ou dilatation du muscle cardiaque, des ventricules en particulier.

Diencéphale Partie de l'encéphale surmontant le tronc cérébral et comprenant le thalamus, l'hypothalamus, l'épithalamus et le subthalamus.

Diffusion facilitée Diffusion dans laquelle une substance non soluble dans les lipides et dont les molécules sont trop grosses pour passer par les canaux membranaires diffuse à travers une membrane à perméabilité sélective avec l'aide d'un transporteur protéique.

Diffusion simple Processus passif dans lequel il y a un déplacement net ou plus important de molécules ou d'ions d'une région de haute concentration vers une région de basse concentration jusqu'à ce que l'équilibre soit atteint.

Digestion Dégradation mécanique et chimique de la nourriture en molécules simples qui peuvent être absorbées et utilisées par les cellules de l'organisme.

Dilater Augmenter de volume.

Diploïde Qui a le nombre de chromosomes présents dans les cellules somatiques d'un organisme. Symbolisé par $2n$.

Disque articulaire Coussinet de cartilage fibreux situé entre les surfaces articulaires des os de certaines articulations synoviales ; permet un ajustement entre deux os de forme différente. Également appelé **ménisque.**

Disque du nerf optique Petite partie de la rétine contenant des ouvertures à travers lesquelles les axones des cellules ganglionnaires passent pour former le nerf optique (II) ; ne contient ni bâtonnets ni cônes. Également appelé **tache aveugle** ou **papille optique.**

Disque intercalaire Digitation transverse irrégulière du sarcolemme contenant des desmosomes, qui maintiennent ensemble les fibres (cellules) musculaires cardiaques, ainsi que des jonctions communicantes, qui permettent la propagation des potentiels d'action musculaires.

Disque intervertébral Coussin de cartilage fibreux situé entre le corps de deux vertèbres ; absorbe les chocs verticaux et permet les mouvements de la colonne vertébrale.

Dissection Action qui consiste à découper les tissus et les parties d'un cadavre ou d'un organe pour en faire l'étude anatomique.

Distal Plus éloigné du point d'attache d'un membre au tronc ; plus éloigné de l'origine d'une structure.

Diurétique Substance chimique qui inhibe la réabsorption du sodium, diminue la concentration de l'hormone antidiurétique (ADH) et augmente le volume urinaire en inhibant la réabsortion facultative de l'eau ; par exemple, caféine et alcool.

Divergence Disposition anatomique selon laquelle les boutons terminaux synaptiques d'un même neurone présynaptique s'accolent à plusieurs neurones postsynaptiques.

Diverticule Évagination ou sac de la paroi d'un conduit ou d'un organe, notamment dans le côlon.

Division cellulaire Processus par lequel une cellule se reproduit et qui comprend une division nucléaire (mitose) et une division du cytoplasme (cytocinèse) ; on distingue la division des cellules somatiques et la division des cellules reproductrices.

Dorsiflexion Flexion du pied vers le dos (face supérieure) du pied.

Dos Face postérieure du tronc.

Douleur projetée Douleur ressentie dans un endroit éloigné de la région d'origine.

Ductules efférents Série de conduits enroulés qui transportent les spermatozoïdes du rété testis à l'épididyme.

Duodénum Les 25 premiers centimètres de l'intestin grêle, qui relient l'estomac et l'iléum et qui reçoivent les sécrétions du foie et du pancréas.

Dure-mère Membrane externe (méninge) recouvrant l'encéphale et la moelle épinière.

Dysfonction Absence de fonctionnement parfaitement normal.

Dysménorrhée Menstruation douloureuse.

Dysplasie Altération de la taille, de la forme et de la disposition des cellules due à une irritation ou à une inflammation chroniques ; peut revenir à la normale si le facteur de stress disparaît ou mener à une néoplasie.

Dyspnée Respiration difficile ou douloureuse.

E

Écoulement de masse Déplacement de grandes quantités d'ions, de molécules ou de particules dans la même direction sous l'effet de différences de pression (osmotique, hydrostatique, pression de l'air).

Ectoderme Feuillet embryonnaire primitif qui donne naissance au système nerveux ainsi qu'à l'épiderme de la peau et à ses annexes.

Ectopique En dehors de la situation normale, comme dans la grossesse ectopique, où le développement de l'embryon se produit le plus souvent dans la trompe utérine.

Effecteur Organe de l'organisme, soit un muscle, soit une glande, qui réagit à l'influx d'un neurone moteur.

Effecteurs viscéraux Muscle cardiaque, muscle lisse et épithélium glandulaire.

Efférents cranio-sacraux Fibres de neurones préganglionnaires parasympathiques, dont les corps cellulaires sont situés dans des noyaux du tronc cérébral et les cornes latérales des deuxième, troisième et quatrième segments sacraux de la moelle épinière.

Efférents thoraco-lombaires Fibres de neurones préganglionnaires sympathiques, dont les corps cellulaires sont situés dans les cornes latérales des segments thoraciques et les deux ou trois premiers segments lombaires de la moelle épinière.

Effet antagoniste Interaction hormonale dans laquelle l'effet d'une hormone sur une cellule cible est contré par une autre hormone. Par exemple, la calcitonine diminue la concentration sanguine de calcium alors que la parathormone l'augmente.

Effet Bohr Dans un environnement acide, l'oxygène se dissocie plus facilement de l'hémoglobine car lorsque les ions hydrogène (H^+) se lient à l'hémoglobine, ils modifient la structure de l'hémoglobine et font ainsi diminuer sa capacité de transporter l'oxygène, ce qui rend l'oxygène plus disponible pour les cellules des tissus.

Effet Haldane Moins il y a d'oxyhémoglobine, plus le sang peut transporter de gaz carbonique ; la désoxyhémoglobine se lie mieux au gaz carbonique que l'oxyhémoglobine et peut donc en transporter davantage.

Effet permissif Interaction hormonale dans laquelle l'effet d'une hormone sur une cellule cible requiert l'exposition récente ou simultanée à une autre hormone (ou à d'autres hormones) afin de favoriser la réponse d'une cellule cible ou d'accroître l'activité d'une autre hormone. Par exemple, l'action de l'adrénaline dont l'efficacité sur la lipolyse est augmentée par la présence des hormones thyroïdiennes.

Effet synergique Interaction hormonale dans laquelle l'effet de deux hormones ou plus agissant de concert est plus grand ou plus étendu que la somme de leurs effets individuels. Par exemple, action des œstrogènes et de la FSH dans la production d'ovocytes.

Eicosanoïdes Hormones locales dérivées d'un acide gras à 20 carbones (l'acide arachidonique); les prostaglandines et les leucotriènes en sont les deux catégories importantes.

Éjaculation Émission ou expulsion réflexe puissante du sperme, de l'urètre vers l'extérieur de l'organisme.

Élasticité Capacité d'un tissu de retrouver sa longueur et sa forme initiale après une contraction ou un étirement.

Électrocardiogramme (ECG) Tracé des changements électriques enregistrés à la surface du corps qui rend compte de tous les potentiels d'action produits par les fibres musculaires cardiaques à chaque battement.

Électroencéphalogramme (EEG) Enregistrement des signaux électriques du cerveau captés sur le cuir chevelu et le front; utilisé pour diagnostiquer certaines maladies (comme l'épilepsie), obtenir des informations sur le sommeil et l'éveil, et établir la mort cérébrale.

Électrolyte Composé qui se dissocie en ions lorsqu'il est dissous dans l'eau et qui peut conduire un courant électrique.

Électromyographie Évaluation de l'activité électrique d'un muscle au repos ou en contraction pour déterminer les causes d'une faiblesse musculaire, d'une paralysie, de mouvements saccadés involontaires et de taux anormaux d'enzymes musculaires.

Élément chimique Unité de matière qui ne peut se diviser en substances plus simples au moyen de méthodes chimiques ordinaires. Par exemple, hydrogène (H), carbone (C) et oxygène (O).

Élévation Déplacement d'une partie du corps en position supérieure; par exemple, haussement des épaules.

Émail Substance blanche et dure qui recouvre la dentine sur la couronne d'une dent; la substance la plus dure du corps.

Embole Caillot, bulle d'air ou graisse provenant d'os fracturés, amas de bactéries ou tout débris ou substance étrangère transportés dans le sang.

Embolie Obstruction ou oblitération d'un vaisseau par un embole.

Embolie pulmonaire Présence d'un caillot ou d'une substance étrangère dans un vaisseau artériel pulmonaire qui bloque l'écoulement sanguin vers le tissu pulmonaire.

Embryoblaste Masse de cellules dans un blastocyste, qui se différencie en trois feuillets embryonnaires primitifs (ectoderme, mésoderme et endoderme) à partir desquels tous les tissus et organes se forment. Également appelé **bouton embryonnaire**.

Embryologie Étude des structures se formant depuis la fécondation de l'ovule jusqu'à la fin de la huitième semaine *in utero*.

Embryon Le petit de tout organisme à un stade précoce du développement; chez l'humain, produit de la conception, de la fécondation jusqu'à la fin de la huitième semaine dans l'utérus.

Émission Projection de sperme dans l'urètre due à des contractions péristaltiques des conduits des testicules et des épididymes ainsi que du conduit déférent par suite d'une stimulation sympathique.

Emmétropie Vision normale dans laquelle les rayons lumineux provenant d'un objet situé à six mètres de distance forment une image claire sur la rétine.

Emphysème pulmonaire Maladie du poumon dans laquelle les parois alvéolaires sont détruites, produisant des espaces aériens anormalement grands et une perte d'élasticité des poumons; le plus souvent causé par l'exposition à la fumée de cigarette.

Empreinte génomique Phénomène par lequel l'origine parentale (père ou mère) d'un gène produit une différence au niveau du phénotype.

Émulsification Fragmentation de gros globules lipidiques en particules plus petites et plus uniformément distribuées en présence de bile.

Encéphale Masse de tissu nerveux situé dans la cavité crânienne; constitué du tronc cérébral, du cervelet, du diencéphale et du cerveau.

Endocarde Couche de la paroi du cœur, composée d'endothélium et de tissu conjonctif, qui tapisse l'intérieur du cœur et recouvre les valves et les tendons maintenant les valves ouvertes.

Endocrinologie Science qui a pour objet la structure et la fonction des glandes endocrines ainsi que le diagnostic et le traitement des troubles du système endocrinien.

Endocytose Mécanisme d'entrée dans la cellule de grosses molécules et particules dans lequel une portion de la membrane plasmique entoure la substance, l'englobe et la fait pénétrer; comprend la phagocytose, la pinocytose et l'endocytose par récepteurs interposés.

Endocytose par récepteurs interposés Mécanisme très sélectif dans lequel les cellules absorbent des ligands, habituellement de grosses molécules et particules, en les enveloppant dans un sac formé d'une portion de la membrane plasmique. Les ligands sont ensuite dégradés par les enzymes des lysosomes.

Endoderme Feuillet embryonnaire primitif qui donne naissance au tube digestif, à la vessie et à l'urètre ainsi qu'aux voies respiratoires.

Endodontie Branche de la médecine dentaire qui a pour objet la prévention, le diagnostic et le traitement des maladies affectant la pulpe, la racine, le desmodonte et l'os alvéolaire.

Endogène Qui prend naissance ou se développe à l'intérieur de l'organisme.

Endolymphe Liquide présent à l'intérieur du labyrinthe membraneux de l'oreille interne et contenant une très forte concentration d'ions K$^+$.

Endomètre Muqueuse très vascularisée tapissant l'intérieur de l'utérus.

Endomysium Mince membrane conjonctive et invagination du périmysium, séparant chaque fibre (cellule) musculaire.

Endonèvre Enveloppe de tissu conjonctif recouvrant les fibres (cellules) nerveuses individuelles.

Endorphine Peptide présent dans le système nerveux central et jouant le rôle d'un analgésique.

Endoste Membrane qui tapisse la cavité médullaire des os, constituée de cellules productrices de matière osseuse et d'un petit nombre d'ostéoclastes.

Endothélium Couche d'épithélium simple pavimenteux qui tapisse les cavités du cœur et la lumière des vaisseaux sanguins et des vaisseaux lymphatiques.

Énergie Capacité de fournir un travail.

Énergie d'activation Minimum d'énergie nécessaire pour qu'une réaction chimique se déclenche.

Enjambement Échange d'une partie d'une chromatide avec une autre dans une tétrade durant la méiose. Permet l'échange de gènes entre chromatides (recombinaison génétique) et est l'un des facteurs qui produisent la variation génétique chez la progéniture.

Enképhaline Peptide opioïde présent dans le système nerveux central et jouant le rôle de puissant analgésique.

Entorse Élongation ou déchirure de ligaments sans luxation.

Enzyme Substance qui diminue l'énergie d'activation nécessaire à une réaction et modifie la vitesse des transformations chimiques ; catalyseur organique, généralement une protéine.

Épanchement Déversement dans les tissus de liquide, en particulier de sang, de lymphe ou de sérum, depuis un vaisseau sanguin.

Épendymocytes Cellules gliales qui couvrent les plexus choroïdes et produisent le liquide cérébro-spinal ; tapissent aussi les ventricules cérébraux et jouent probablement un rôle dans la circulation du liquide cérébro-spinal.

Épicarde Fine couche externe de la paroi du cœur, composée de tissu séreux et de mésothélium. Également appelé **feuillet viscéral du péricarde séreux.**

Épidémiologie Discipline médicale qui étudie la fréquence, la distribution et la transmission des maladies dans les populations humaines.

Épiderme Couche superficielle mince de la peau, constituée d'un épithélium stratifié pavimenteux kératinisé.

Épididyme Organe en forme de virgule situé le long du bord postérieur du testicule et qui contient le conduit épididymaire dans lequel les spermatozoïdes subissent leur maturation.

Épiglotte Grand cartilage en forme de feuille situé au-dessus du larynx, dont la « queue » est attachée au cartilage thyroïde et le limbe de la « feuille », libre, peut monter et descendre pour recouvrir la glotte (plis vocaux et fente de la glotte).

Épimysium Couche la plus externe de tissu conjonctif fibreux entourant les muscles.

Épinèvre Enveloppe vascularisée superficielle recouvrant le nerf dans son ensemble.

Épiphyse Extrémité d'un os long, généralement d'un plus grand diamètre que le corps (diaphyse).

Épithalamus La partie supérieure du diencéphale, dans l'encéphale ; comprend la glande pinéale entre autres structures.

Épitope Petite portion spécifique d'une molécule d'antigène qui déclenche les réponses immunitaires. Également appelé **déterminant antigénique.**

Éponychium Étroite bande composée de couche cornée située à la bordure proximale de l'ongle et qui naît de sa bordure latérale. Également appelé **cuticule.**

Équilibre dynamique Maintien de la position du corps, principalement de la tête, en réponse à des mouvements soudains tels que la rotation.

Équilibre statique Maintien de la posture en réponse à des changements d'orientation du corps, principalement de la tête, par rapport au sol.

Érection État du pénis ou du clitoris qui deviennent raides et gonflés par afflux de sang dans le tissu érectile spongieux.

Éructation Expulsion forcée de gaz depuis l'estomac, par la bouche. Également appelée **rot.**

Érythème Rougeur de la peau, habituellement causée par l'engorgement des capillaires des couches profondes de la peau, consécutive à une lésion ou à une infection par exemple.

Érythrocyte Globule rouge ; élément figuré du sang, sans noyau, contenant l'hémoglobine ; responsable du transport de l'oxygène et d'une partie de celui du gaz carbonique.

Érythropoïèse Formation des érythrocytes (globules rouges) qui commence dans la moelle osseuse rouge et se termine dans la circulation sanguine.

Érythropoïétine Hormone libérée par les reins qui stimule la production d'érythrocytes (globules rouges).

Espace épidural Espace entre la dure-mère et le canal vertébral, contenant du tissu conjonctif aréolaire et un plexus de veines.

Espace mort anatomique Espaces du nez, du pharynx, du larynx, de la trachée, des bronches et des bronchioles dont le volume moyen est de 150 mL (30 % du volume courant) ; air qui n'atteint pas les alvéoles pulmonaires pour participer aux échanges gazeux.

Espace sous-arachnoïdien Espace entre l'arachnoïde et la pie-mère qui recouvrent l'encéphale et la moelle épinière, dans lequel circule le liquide cérébro-spinal.

Espace sous-dural Mince espace entre la dure-mère et l'arachnoïde qui recouvrent l'encéphale et la moelle épinière, contenant une petite quantité de liquide interstitiel.

Estomac Renflement du tube digestif situé directement sous le diaphragme dans les régions épigastrique, ombilicale et hypochondriaque gauche de l'abdomen, entre l'œsophage et l'intestin grêle ; forme un réservoir où la nourriture peut être retenue et malaxée et subir une certaine digestion chimique.

État de jeûne État métabolique après que l'absorption de la nourriture est terminée et que les besoins énergétiques de l'organisme doivent être comblés par l'utilisation de molécules déjà emmagasinées.

État postprandial État métabolique durant lequel les nutriments ingérés sont absorbés dans le sang ou la lymphe à partir du tube digestif.

Étiologie Étude des causes des maladies, y compris les théories sur l'origine et, éventuellement, les organismes concernés.

Eupnée Respiration calme normale.

Éversion Mouvement latéral de la plante des pieds au niveau de l'articulation de la cheville.

Exacerbation Exagération de l'intensité des symptômes ou d'une maladie.

Excitabilité électrique Capacité du tissu musculaire de recevoir des stimulus et d'y réagir ; capacité des cellules nerveuses de réagir aux stimulus et de les convertir en influx nerveux.

Excréments Matières éliminées de l'organisme comme déchets, en particulier les matières fécales.

Excrétion Processus d'élimination des produits de déchet en dehors de l'organisme.

Exocytose Processus de libération de grosses particules à travers la membrane plasmique. Les particules (déchets ou molécules utiles) sont englobées dans des vésicules qui fusionnent avec la membrane plasmique, ce qui libère les particules.

Exogène Qui provient de l'extérieur d'un organe ou d'une partie.

Exon Région de l'ADN qui code pour la synthèse d'une protéine.

Expiration Expulsion de l'air des poumons dans l'atmosphère. Également appelée **exhalation.**

Exsudat Liquide ou substance semi-liquide suintant d'un espace et qui peut contenir du sérum, du pus et des débris cellulaires.

Extensibilité Capacité du tissu musculaire de s'étirer.

Extension Augmentation de l'angle entre deux os, souvent afin de replacer une partie du corps fléchie en position anatomique.

Externe Situé sur ou près de la surface.

Extérocepteur Récepteur sensible aux stimulus provenant de l'extérieur de l'organisme.

Extrinsèque D'origine externe.

F

Face Partie antérieure de la tête.

Facteur de stress Toute perturbation qui est extrême, inhabituelle ou de longue durée et qui déclenche le syndrome général d'adaptation.

Facteur intrinsèque Glycoprotéine, synthétisée et sécrétée par les cellules pariétales de la muqueuse gastrique, qui facilite l'absorption de la vitamine B_{12} dans l'intestin grêle.

Facteur Rh Antigène hérité, découvert dans le sang d'un singe Rhésus et situé à la surface des érythrocytes (globules rouges); dans le groupe sanguin Rh^+ (Rh positif), les érythrocytes portent des antigènes Rh tandis que dans le groupe sanguin Rh^- (Rh négatif), ils n'en portent pas.

Facteur stimulateur de colonies Cytokine qui stimule le développement des globules blancs. Par exemple, facteur stimulateur des colonies de granulocytes et facteur stimulateur des colonies de macrophages.

Facteur tissulaire Facteur, ou groupe de facteurs, dont la présence déclenche la formation du caillot par la voie extrinsèque; amène la formation de prothrombinase. Également appelé **thromboplastine tissulaire.**

Faisceau Petit paquet, notamment de fibres (cellules) nerveuses ou musculaires.

Faisceau auriculo-ventriculaire Partie du système de conduction du cœur qui commence au nœud auriculo-ventriculaire, traverse le squelette fibreux du cœur séparant les oreillettes des ventricules, puis s'étend sur une courte distance le long du septum interventriculaire avant de se diviser en branches droite et gauche. Également appelé **faisceau de His.**

Faisceau cunéiforme L'une des voies sensitives qui acheminent l'information relative à la proprioception, au toucher discriminant, à la pression et à la vibration. *Voir* Faisceau gracile.

Faisceau gracile L'une des voies sensitives qui acheminent l'information relative à la proprioception, au toucher discriminant, à la pression et à la vibration. Également appelé **faisceau grêle.** *Voir* Faisceau cunéiforme.

Faisceau hypothalamo-hypophysaire Faisceau d'axones dont les corps cellulaires sont situés dans l'hypothalamus mais qui libèrent leurs neurosécrétions dans la neurohypophyse.

Faisceaux spino-thalamiques Faisceaux sensitifs (ascendants) qui acheminent dans la moelle épinière jusqu'au thalamus l'information relative aux sensations de la douleur, de la température, du toucher grossier et de la pression intense.

Famine Perte des réserves d'énergie emmagasinées sous forme de glycogène, de triglycérides et de protéines due à un apport inadéquat de nutriments ou à l'incapacité de digérer, d'absorber ou de métaboliser les nutriments ingérés.

Fascia Membrane fibreuse située profondément sous la peau qui enveloppe, soutient et sépare les muscles et d'autres organes.

Fascia profond Feuillet de tissu conjonctif dense irrégulier qui entoure des muscles ayant des fonctions similaires, les maintient en place et leur confère une certaine liberté de mouvement.

Fascia superficiel Feuillet continu de tissu conjonctif aréolaire et de tissu adipeux situé entre le derme de la peau et le fascia profond des muscles; il sert de couche isolante et protège les muscles. Également appelé **hypoderme.**

Fasciculation Brève contraction anormale et spontanée de faisceaux musculaires entiers; visible à la surface de la peau; ne provoque pas de mouvement du muscle atteint; présente dans des maladies dégénératives des neurones moteurs, comme la poliomyélite, la sclérose latérale amyotrophique et la sclérose en plaques.

Fatigue musculaire Incapacité d'un muscle de maintenir sa force de contraction ou sa tension; pourrait être liée au manque d'oxygène, à l'épuisement du glycogène ou de la créatine phosphate ou à l'accumulation d'acide lactique et d'ADP.

Faux du cerveau Repli de la dure-mère qui s'étend profondément dans la fissure longitudinale du cerveau entre les deux hémisphères cérébraux.

Faux du cervelet Petit prolongement triangulaire de la dure-mère qui s'attache à l'os occipital dans la fosse crânienne postérieure et s'étend vers l'intérieur entre les deux hémisphères du cervelet.

Fèces Matière éliminée par le rectum et composée de bactéries, d'excrétions et de résidus de la digestion. Également appelées **selles.**

Fécondation Pénétration d'un ovocyte secondaire par un spermatozoïde et fusion subséquente des noyaux des gamètes.

Fenêtre de la cochlée Petite ouverture située entre l'oreille moyenne et l'oreille interne, juste en dessous de la fenêtre du vestibule, et recouverte de la membrane secondaire du tympan; elle bombe vers l'oreille moyenne sous l'effet des mouvements ondulatoires de la périlymphe. Également appelée **fenêtre ronde.**

Fenêtre du vestibule Petite ouverture recouverte d'une membrane située entre l'oreille moyenne et l'oreille interne dans laquelle vient s'insérer la base du stapès; ses vibrations déclenchent des mouvements ondulatoires dans la périlymphe de la cochlée. Également appelée **fenêtre ovale.**

Fente synaptique Espace étroit (de 20 à 30 nm) qui sépare la terminaison axonale d'un neurone d'un autre neurone ou d'une fibre (cellule) musculaire et dans lequel diffuse le neurotransmetteur pour exercer son effet sur la cellule postsynaptique.

Fesses Les deux masses charnues situées sur la face postérieure du tronc inférieur, formées par les muscles fessiers.

Feuillet embryonnaire primitif Une des trois couches de tissu embryonnaire, appelées ectoderme, mésoderme et endoderme, d'où proviennent tous les tissus et organes de l'organisme.

Fibre de conduction cardiaque Fibre (cellule) musculaire située dans le tissu ventriculaire du cœur, spécialisée dans la transmission rapide d'un potentiel d'action au myocarde; élément du système de conduction du cœur. Également appelée **fibre de Purkinje.**

Fibre nerveuse Tout prolongement (axone ou dendrite) issu du corps cellulaire d'un neurone.

Fibrillation Contraction anormale et spontanée d'une seule fibre (cellule) musculaire squelettique qu'on peut enregistrer au moyen de l'électromyographie mais qui n'est pas visible à la surface de la peau; ne provoque pas de mouvement du muscle atteint; présente dans certains troubles des neurones moteurs, comme la sclérose latérale amyotrophique. *Voir* **fibrillation auriculaire** et **fibrillation ventriculaire.**

Fibrillation auriculaire Désynchronisation de la contraction des fibres musculaires cardiaques dans les oreillettes qui se traduit par l'arrêt de l'action de pompage des oreillettes.

Fibrillation ventriculaire Contractions ventriculaires désordonnées ; si elle n'est pas inversée par la défibrillation, entraîne l'arrêt cardiaque.

Fibrine Protéine insoluble essentielle à la coagulation ; formée à partir du fibrinogène par l'action de la thrombine ; elle forme les filaments du caillot.

Fibrinogène Facteur de coagulation produit par le foie et libéré dans le plasma sanguin où il est converti en fibrine par la thrombine.

Fibrinolyse Processus de dissolution d'un caillot sous l'action d'une enzyme protéolytique telle que la plasmine (fibrinolysine), qui dissout les filaments de fibrine et inactive le fibrinogène ainsi que d'autres facteurs de coagulation.

Fibroblaste Grande cellule aplatie qui sécrète la majeure partie de la matrice extracellulaire des tissus conjonctifs aréolaires et denses.

Fièvre Élévation de la température corporelle au-dessus de la normale (37 °C) due à une modification du réglage du thermostat hypothalamique ; se manifeste très souvent durant l'infection ou l'inflammation.

Filament intermédiaire Filament protéique de 8 à 12 nm de diamètre qui pourrait fournir un renforcement structural, maintenir les organites en place et conférer sa forme à la cellule.

Filtrat glomérulaire Liquide produit lorsque le sang est filtré par la membrane endothélio-capsulaire dans les glomérules du rein.

Filtration Déplacement d'un liquide à travers un filtre (ou une membrane qui agit comme un filtre) sous l'effet de la pression hydrostatique, comme cela se produit dans les capillaires.

Filtration glomérulaire Première étape de la formation de l'urine dans laquelle les substances du sang sont filtrées par la membrane endothélio-capsulaire et le filtrat entre dans la capsule glomérulaire, puis dans le tubule contourné proximal d'un néphron.

Filum terminale Prolongement de la pie-mère qui part du cône médullaire et qui ancre la moelle épinière au coccyx.

Fissure Rainure, sillon ou fente qui peut être normale ou pathologique ; rainure profonde entre les gyrus du cortex cérébral.

Fissure transverse du cerveau Sillon profond qui sépare le cerveau du cervelet.

Fistule Passage anormal entre deux organes ou entre la cavité d'un organe et l'extérieur.

Fixateur Muscle qui stabilise l'origine d'un agoniste afin que celui-ci puisse agir avec plus d'efficacité.

Flagelle Structure mobile semblable à un poil située à l'extrémité d'une bactérie, d'un protozoaire ou d'un spermatozoïde et servant à déplacer la cellule qui le porte.

Flatuosité Gaz dans l'estomac ou les intestins, habituellement expulsé par l'anus.

Flexion Mouvement entraînant une diminution de l'angle entre deux os.

Flexion plantaire Flexion du pied dans la direction de la plante (face inférieure) du pied ; mouvement effectué pour se tenir sur la pointe des pieds.

Fœtus Les derniers stades du développement du petit chez l'animal ; chez l'humain, l'organisme en développement *in utero* depuis le début du troisième mois jusqu'à la naissance.

Foie Glande volumineuse située sous le diaphragme, qui occupe la plus grande partie de la région hypochondriaque droite et une partie de la région épigastrique. Sur le plan fonctionnel, produit la bile et synthétise la plupart des protéines plasmatiques ; convertit un nutriment en un autre ; détoxique les substances ; emmagasine le glycogène, les minéraux et les vitamines ; assure la phagocytose des cellules sanguines usées et des bactéries ; contribue à la synthèse de la forme active de la vitamine D.

Follicule Petit sac ou cavité de sécrétion ; groupe de cellules qui abrite un ovocyte en développement dans les ovaires.

Follicule mûr Follicule relativement gros, rempli de liquide, qui contient un ovocyte secondaire entouré de cellules granuleuses sécrétant des œstrogènes. Également appelé **follicule de De Graaf.**

Follicule ovarique Nom donné à tous les ovocytes (ovules immatures) en voie de développement, ainsi qu'à leurs cellules épithéliales environnantes.

Follicule pileux Structure, composée d'épithélium et entourant la racine du poil, à partir de laquelle le poil se développe.

Follicule thyroïdien Structure microscopique en forme de sphère creuse qui forme le parenchyme de la glande thyroïde et se compose de cellules folliculaires produisant la thyroxine (T_4) et la triiodothyronine (T_3).

Fontanelle Espace membraneux présent à un endroit où la formation des os n'est pas terminée, en particulier entre les os du crâne d'un nourrisson.

Foramen Passage ou ouverture ; communication entre deux cavités d'un organe ou trou dans un os pour le passage de vaisseaux ou de nerfs.

Foramen interventriculaire du cerveau Ouverture ovale étroite par laquelle les ventricules latéraux du cerveau communiquent avec le troisième ventricule de l'encéphale. Également appelé **trou de Monro.**

Foramen ovale Orifice situé dans la grande aile de l'os sphénoïde qui offre un passage à la branche mandibulaire du nerf trijumeau (V).

Foramen ovale du cœur Ouverture du cœur fœtal située dans le septum entre les deux oreillettes ; se ferme normalement après la naissance.

Formation réticulaire Réseau formé de petits groupes de corps cellulaires disséminés entre des faisceaux d'axones myélinisés (substance grise et substance blanche) qui commence dans le bulbe rachidien et s'étend vers le haut à travers la partie centrale du tronc cérébral ; remplit des fonctions sensorielles et motrices.

Fornix Faisceau de l'encéphale formé de fibres associatives, qui relie l'hippocampe et les corps mamillaires.

Fornix du vagin Cul-de-sac autour du col de l'utérus où celui-ci fait saillie dans le vagin.

Fossette centrale Petite dépression creusée au centre de la macula de la rétine, ne contenant que des cônes ; l'endroit où la vision est la plus claire. Également appelée **fovea centralis.**

Foulure Entorse légère dans laquelle un muscle est étiré ou partiellement déchiré.

Fraction filtrée Pourcentage de plasma entrant dans les reins qui devient le filtrat glomérulaire.

Fracture Rupture de la continuité d'un os.

Franges de la trompe Projections digitiformes, en particulier aux extrémités latérales des trompes utérines (de Fallope) dont l'une est fixée à l'extrémité externe de l'ovaire.

Frein de la langue Repli de la muqueuse, qui relie la langue et le plancher de la bouche ; limite le mouvement de la langue vers l'arrière.

Frein de la lèvre Repli médian de la muqueuse situé entre la face interne de la lèvre et les gencives.

Frisson Contraction involontaire des muscles squelettiques qui génère de la chaleur.

Fundus La partie d'un organe creux la plus éloignée de l'ouverture.

Fuseau mitotique Assemblage, en forme de ballon de football, de microtubules (polaires, du kinétochore et de l'aster) qui est responsable du mouvement des chromosomes durant la division cellulaire.

Fuseau neuromusculaire Propriocepteur capsulé dans un muscle squelettique, composé de myocytes intrafusoriaux spécialisés et de terminaisons nerveuses ; stimulé par des modifications de la longueur des fibres musculaires.

G

Gaine de myéline Enveloppe lipidique et protéique composée de plusieurs couches, formée par les cellules de Schwann et les oligodendrocytes autour des axones de nombreux neurones des systèmes nerveux central et périphérique.

Gaine de tendon Bourse allongée qui entoure les tendons aux endroits soumis à un frottement intense.

Gamète Cellule sexuelle mâle ou femelle ; spermatozoïde ou ovocyte secondaire.

Ganglion Groupe de corps cellulaires de neurones situé à l'extérieur du système nerveux central ; associé aux nerfs crâniens et spinaux.

Ganglion autonome Groupe de corps cellulaires sympathiques ou parasympathiques situé à l'extérieur du système nerveux central.

Ganglion cervical Groupe de corps cellulaires de neurones sympathiques postganglionnaires situé dans le cou, près de la colonne vertébrale ; fait partie des ganglions du tronc sympathique ; on distingue les ganglions cervicaux supérieur, moyen et inférieur.

Ganglion ciliaire Très petit ganglion parasympathique dont les fibres préganglionnaires viennent du nerf oculo-moteur (III) et dont les fibres postganglionnaires acheminent des influx nerveux au muscle ciliaire et au muscle sphincter de la pupille.

Ganglion du tronc sympathique Groupe de corps cellulaires de neurones postganglionnaires sympathiques, latéral à la colonne vertébrale et situé près du corps d'une vertèbre. Ces ganglions forment une rangée verticale qui s'étend dans le cou, le thorax et l'abdomen jusqu'au coccyx, de chaque côté de la moelle épinière et de la colonne vertébrale.

Ganglion prévertébral Groupe de corps cellulaires de neurones postganglionnaires sympathiques situé à l'avant de la colonne vertébrale et près des grosses artères abdominales ; par exemple, ganglion cœliaque.

Ganglion ptérygo-palatin Groupe de corps cellulaires recevant des axones préganglionnaires du nerf facial (VII) et d'où partent des fibres postganglionnaires parasympathiques qui se terminent dans les glandes lacrymales et nasales.

Ganglion spinal Groupe de corps cellulaires de neurones sensitifs et de leurs cellules de soutien, situé sur la racine dorsale d'un nerf spinal.

Ganglion terminal Groupe de corps cellulaires de neurones postganglionnaires parasympathiques situé soit à proximité des effecteurs viscéraux, soit à l'intérieur des parois des effecteurs viscéraux qui reçoivent des fibres postganglionnaires.

Gastroentérologie Branche de la médecine qui a pour objet la structure, la fonction, le diagnostic et le traitement des maladies de l'estomac et des intestins.

Gastrulation Migration de groupes de cellules qui transforment la blastula en gastrula et au cours de laquelle l'embryoblaste se différencie en trois feuillets embryonnaires primitifs.

Gencives Recouvrent les processus alvéolaires de la mandibule et du maxillaire et s'étendent légèrement dans chaque alvéole.

Gène Unité biologique de l'hérédité ; segment d'ADN occupant une position définie sur un chromosome particulier ; séquence d'ADN qui code pour un ARNm, un ARNr ou un ARNt particuliers.

Gène suppresseur de tumeur Gène codant pour une protéine qui inhibe normalement la division cellulaire ; la perte ou la modification du gène suppresseur de tumeur appelé *p53* est le changement génétique le plus fréquent dans une grande variété de cellules cancéreuses.

Génétique Étude des gènes et de l'hérédité.

Génie génétique Fabrication et manipulation de matériel génétique.

Génome Ensemble des gènes d'un organisme.

Génotype Totalité de l'information héréditaire portée par un individu ; constitution génétique d'un organisme.

Gériatrie Branche de la médecine qui se spécialise dans les troubles de la vieillesse et les soins aux personnes âgées.

Gestation Période du développement comprise entre la fécondation et la naissance.

Gland du pénis Région légèrement renflée à l'extrémité distale du corps spongieux du pénis.

Glande Cellule ou groupe de cellules épithéliales spécialisées qui sécrètent des substances.

Glande apocrine Type de glande dans lequel le produit de sécrétion s'accumule à la surface apicale de la cellule sécrétrice puis se détache avec une partie du cytoplasme pour former la sécrétion. La présence de telles glandes dans l'organisme humain fait aujourd'hui l'objet d'une controverse.

Glande bulbo-urétrale Une des glandes paires, de la grosseur d'un pois, situées sous la prostate de chaque côté de l'urètre, qui sécrètent un liquide alcalin dans la partie spongieuse de l'urètre. Également appelée **glande de Cowper.**

Glande cérumineuse Glande sudoripare modifiée du conduit auditif externe dont la sécrétion se mélange à celle des glandes sébacées pour produire le cérumen.

Glande duodénale Glande de la sous-muqueuse du duodénum qui sécrète un mucus alcalin pour protéger le revêtement de l'intestin grêle contre l'action des enzymes et contribuer à la neutralisation de l'acidité du chyme. Également appelée **glande de Brunner.**

Glande endocrine Glande qui sécrète des hormones dans le sang ; ne possède pas de conduit.

Glande exocrine Glande qui sécrète des substances dans des conduits qui s'ouvrent à la surface d'un épithélium de revêtement ou directement sur une surface libre.

Glande holocrine Type de glande dans lequel toute la cellule sécrétrice et son produit de sécrétion constituent le produit de sécrétion de la glande ; par exemple, glandes sébacées.

Glande intestinale de l'intestin grêle Glande qui débouche à la surface de la muqueuse intestinale et sécrète le suc intestinal. Également appelée **crypte de Lieberkühn.**

Glande lacrymale Cellules sécrétrices, situées sur la partie antérolatérale supérieure de chaque orbite, qui sécrètent les larmes dans des ductules excréteurs s'ouvrant à la surface de la conjonctive.

Glande mammaire Glande sudoripare modifiée de la femme, qui produit du lait pour nourrir le bébé ; située à la surface des muscles grands pectoraux.

Glande mérocrine Glande constituée de cellules sécrétrices qui restent intactes durant tout le processus d'élaboration et de libération du produit de sécrétion ; par exemple, glandes salivaires et pancréatiques.

Glande parathyroïde L'une de quatre (habituellement) petites glandes endocrines logées dans les faces postérieures des lobes latéraux de la glande thyroïde et qui sécrètent la parathormone.

Glande para-urétrale Une des glandes paires enfouie dans la paroi de l'urètre, dont le conduit s'ouvre à côté de l'orifice urétral et sécrète un mucus ; homologue de la prostate.

Glande parotide L'une des glandes salivaires paires situées en avant et au-dessous des oreilles et reliées à la cavité orale par un conduit parotidien qui s'ouvre dans l'intérieur de la joue à la hauteur de la deuxième dent molaire supérieure ; sécrète une salive séreuse contenant de l'amylase.

Glande pinéale Glande de forme conique située dans le toit du troisième ventricule ; sécrète la mélatonine. Également appelée **corps pinéal.**

Glande salivaire L'une des trois paires de glandes situées à l'extérieur de la bouche (au-delà de la muqueuse orale) et qui déversent leur produit de sécrétion (salive) dans des conduits débouchant dans la cavité orale ; glandes parotides, submandibulaires et sublinguales.

Glande sébacée Glande exocrine située dans le derme de la peau et presque toujours associée à un follicule pileux ; sécrète le sébum.

Glande sublinguale L'une des glandes salivaires paires situées sur le plancher de la bouche, sous la muqueuse et à côté du frein de la langue, avec un conduit sublingual mineur qui s'ouvre dans le plancher de la bouche ; sécrète une salive très épaisse contenant peu d'amylase.

Glande submandibulaire L'une des glandes salivaires paires situées sous la base de la langue, sous la muqueuse de la partie postérieure du plancher de la bouche et derrière les glandes sublinguales, avec un conduit submandibulaire qui débouche à côté du frein de la langue ; sécrète une salive visqueuse contenant de l'amylase et du mucus.

Glande sudoripare Glande exocrine (les plus nombreuses) ou apocrine située dans le derme ou dans l'hypoderme ; produit la transpiration.

Glande tarsale Glande sébacée qui s'ouvre au bord de chaque paupière et sécrète un liquide qui empêche les paupières d'adhérer l'une à l'autre. Également appelée **glande de Meibomius.**

Glande thyroïde Glande endocrine avec des lobes latéraux droit et gauche de chaque côté de la trachée qui sont reliés par un isthme ; située à l'avant de la trachée juste en dessous du cartilage cricoïde ; sécrète la thyroxine (T_4), la triiodothyronine (T_3) et la calcitonine ; il s'agit de la seule glande endocrine qui emmagasine en grande quantité les hormones qu'elle sécrète.

Glande vestibulaire mineure Une des glandes paires sécrétrices de mucus dont les conduits s'ouvrent de part et d'autre de l'orifice urétral dans le vestibule de la femme.

Glandes gastriques Glandes de la muqueuse de l'estomac composées de cellules qui déversent leurs sécrétions dans des conduits étroits appelés cryptes de l'estomac. Par exemple cellules principales (sécrètent le pepsinogène), cellules pariétales (sécrètent l'acide chlorhydrique et le facteur intrinsèque), cellules à mucus superficielles et cellules à mucus du collet (sécrètent du mucus) et cellules G (sécrètent la gastrine).

Glandes surrénales Deux glandes endocrines situées chacune au-dessus d'un rein.

Glandes vestibulaires majeures Paire de glandes situées de part et d'autre de l'orifice vaginal, qui s'ouvrent par un conduit dans l'espace compris entre l'hymen et les petites lèvres de la vulve ; elles produisent un peu de mucus qui, avec la glaire cervicale, accentue la lubrification durant le coït ; homologues des glandes bulbo-urétrales.

Glaucome Affection de l'œil associée au vieillissement dans laquelle on observe une pression intra-oculaire élevée due à une accumulation d'humeur aqueuse dans la chambre antérieure ; peut causer la cécité.

Globule polaire primaire La plus petite cellule issue de la méiose I effectuée par l'ovocyte primaire ; il consiste en un amas de déchets de matériel nucléaire.

Globule polaire secondaire Une des deux cellules haploïdes (la plus petite) issue de la méiose II effectuée par l'ovocyte secondaire ; il se fragmente et se désintègre.

Glomérule Masse arrondie de nerfs ou de vaisseaux sanguins, en particulier le réseau microscopique de capillaires enchevêtrés qui est entouré de la capsule glomérulaire (de Bowman) de chaque tubule rénal.

Glomus carotidien Groupe de récepteurs situé sur ou près du sinus carotidien, qui réagit aux variations des concentrations sanguines d'oxygène, de gaz carbonique et d'ions hydrogène (H^+).

Glotte Plis vocaux (cordes vocales) du larynx et l'espace entre eux (fente de la glotte).

Glucagon Hormone produite par les cellules alpha des îlots pancréatiques (îlots de Langerhans) qui augmente la concentration de glucose dans le sang.

Glucide Composé organique renfermant du carbone, de l'hydrogène et de l'oxygène en quantités et selon une disposition particulières et dont les unités constitutives sont des monosaccharides ; présente habituellement la formule $(CH_2O)n$; par exemple, glucose et glycogène.

Glucocorticoïdes Hormones sécrétées par le cortex de la glande surrénale (zone fasciculée), surtout le cortisol, qui influent sur le métabolisme du glucose.

Glucose Sucre de six carbones, $C_6H_{12}O_6$; source d'énergie principale pour la production d'ATP par les cellules de l'organisme.

Glycogène Polymère de glucose de structure très ramifiée contenant des milliers de sous-unités ; constitue une réserve de molécules de glucose dans le foie et les fibres (cellules) musculaires striées.

Glycogenèse Processus par lequel de nombreuses molécules de glucose se combinent pour former une molécule appelée glycogène ; se produit dans les hépatocytes et dans les cellules musculaires squelettiques.

Glycogénolyse Dégradation du glycogène en glucose.

Glycolyse Séries de 10 réactions chimiques effectuées dans le cytosol d'une cellule au cours desquelles une molécule de glucose à six atomes de carbone est scindée en deux molécules d'acide pyruvique à trois atomes de carbone avec production de deux molécules d'ATP.

Glycosurie Présence de glucose dans l'urine ; peut être temporaire ou pathologique.

Goitre Augmentation du volume de la glande thyroïde ; peut être associé à l'hypothyroïdie, à l'hyperthyroïdie ou même au fonctionnement normal de la thyroïde.

Gomphose Articulation fibreuse immobile dans laquelle un os s'enclave dans la cavité d'un autre os ; seul exemple : articulation unissant la racine dentaire au processus alvéolaire de la mandibule ou du maxillaire.

Gonade Glande qui produit les gamètes et des hormones ; ovaire chez la femme et testicule chez l'homme.

Gonadotrophine chorionique (hCG) Hormone sécrétée par les villosités placentaires et stimulant le corps jaune à produire des œstrogènes et de la progestérone pour maintenir la grossesse.

Gosier Ouverture de la bouche dans le pharynx.

Graisse mono-insaturée Triglycéride dont les acides gras ne contiennent qu'une liaison covalente double entre deux de ses atomes de carbone ; elle n'est pas complètement saturée d'atomes d'hydrogène. Par exemple, huile d'olive et huile d'arachide.

Graisse poly-insaturée Triglycéride dont les acides gras contiennent plus d'une liaison covalente double entre les atomes de carbone ; par exemple, triglycérides de l'huile de maïs, de l'huile de tournesol et de l'huile de coton.

Graisse saturée Triglycéride ne comportant que des liaisons covalentes simples entre les atomes de carbone de ses acides gras ; tous les atomes de carbone sont liés au nombre maximal d'atomes d'hydrogène ; présente surtout dans les produits animaux comme la viande, le lait, les produits laitiers et les œufs.

Grand omentum Grand repli dans la séreuse de l'estomac qui retombe comme un « tablier graisseux » devant les intestins ; contient un grand nombre de nœuds lymphatiques.

Grandes lèvres de la vulve Deux replis longitudinaux de peau s'étendant vers le bas et l'arrière depuis le mont du pubis chez la femme ; homologues du scrotum.

Granulocyte basophile Type de globule blanc doté d'un noyau de couleur pâle et dont les grosses granulations prennent une couleur violet sombre au contact de colorants basiques ; intervient dans les réactions inflammatoires et allergiques.

Granulocyte éosinophile Type de globule blanc dont les granulations prennent une couleur rouge orangé au contact de colorants acides ; intervient dans les réactions anti-allergiques, la phagocytose des complexes antigènes-anticorps et la destruction des vers parasites.

Granulocyte neutrophile Type de globule blanc dont les granulations prennent une couleur lilas pâle au contact d'un mélange de colorants acides et basiques ; c'est le type de leucocytes qui réagit le plus rapidement à la présence de bactéries dans les tissus.

Gros intestin Partie du tube digestif, mesurant 1,5 m de long, qui s'étend de l'iléum de l'intestin grêle jusqu'à l'anus, comprenant le cæcum, le côlon, le rectum et le canal anal.

Grossesse Série d'événements comprenant normalement la fécondation, l'implantation, le développement embryonnaire et le développement fœtal ; elle prend fin au moment de la naissance.

Gustatif Qui se rapporte au goût.

Gynécologie Branche de la médecine qui a pour objet l'étude et le traitement des maladies du système reproducteur féminin.

Gyrus L'un des replis du cortex cérébral du cerveau. Également appelé **circonvolution.**

Gyrus postcentral Gyrus du cortex cérébral situé juste à l'arrière du sillon central ; contient l'aire somesthésique primaire.

Gyrus précentral Gyrus du cortex cérébral situé juste à l'avant du sillon central ; contient l'aire motrice primaire.

H

Haploïde Qui a la moitié du nombre de chromosomes présents dans les cellules somatiques d'un organisme ; caractéristique des gamètes mûrs. Symbolisé par *n.*

Haptène Substance de petite taille, dotée de réactivité mais non d'immunogénicité ; pour obtenir cette dernière propriété, il doit se lier à une molécule plus grosse (comme une protéine). Par exemple, pénicilline.

Haustrations Suite de poches le long du côlon, formées par les contractions des bandelettes du côlon.

Hématocrite Pourcentage du volume sanguin total occupé par les érythrocytes (globules rouges). Habituellement calculé en procédant à la centrifugation d'un échantillon de sang dans une éprouvette graduée puis en lisant le volume des érythrocytes et du sang total.

Hématologie Étude du sang, des tissus hématopoïétiques et des maladies du sang.

Hématopoïèse Production des cellules sanguines dans la moelle osseuse rouge.

Hémiplégie Paralysie du membre supérieur, du tronc et du membre inférieur d'un côté du corps.

Hémodynamique Étude des facteurs et des forces qui régissent l'écoulement du sang dans les vaisseaux sanguins.

Hémoglobine Substance des globules rouges composée de la globine, une protéine, et de l'hème, un pigment rouge contenant du fer, qui constitue 33 % environ du volume cellulaire ; intervient dans le transport de l'oxygène et du gaz carbonique.

Hémolyse Sortie de l'hémoglobine de l'intérieur d'un érythrocyte (globule rouge) vers l'extérieur ; causée par la rupture de la membrane cellulaire due à la présence de substances toxiques ou de médicaments, à l'administration de solutions hypotoniques, à une transfusion de sang incompatible ou encore à un réchauffement ou un refroidissement excessifs.

Hémophilie Anomalie héréditaire du sang qui se caractérise par une production insuffisante de certains facteurs de coagulation, d'où des saignements excessifs (spontanés ou à la suite de blessures légères) dans les articulations, les tissus profonds et d'autres régions de l'organisme.

Hémorragie Saignement ; perte de sang hors des vaisseaux sanguins, surtout en cas de perte importante.

Hémorroïdes Vaisseaux sanguins dilatés ou variqueux (habituellement des veines) dans la région anale.

Hémostase Arrêt du saignement.

Héparine Médicament anticoagulant administré (durant l'hémodialyse et les chirurgies à cœur ouvert, par exemple) en vue de ralentir la conversion de la prothrombine en thrombine, ce qui réduit les risques de formation d'un caillot ; substance également présente à l'état naturel dans les granulocytes basophiles et la plupart des cellules.

Hépatique Qui se rapporte au foie.

Hépatocyte Cellule du foie.

Hérédité Transmission des caractères physiques ou mentaux des parents à leurs enfants par l'intermédiaire des gènes.

Hernie Saillie partielle ou totale d'un organe par une ouverture dans la membrane ou la paroi d'une cavité, habituellement de la cavité abdominale.

Hernie discale Rupture d'un disque intervertébral, le noyau pulpeux faisant alors saillie dans le canal vertébral ou dans un des corps vertébraux adjacents.

Hétérozygote Possédant une paire d'allèles différents sur les chromosomes homologues pour un caractère héréditaire donné.

Hiatus Orifice.

Hile Région ou dépression où des vaisseaux sanguins et des nerfs entrent dans un organe et en sortent.

Histamine Substance présente dans de nombreuses cellules, en particulier dans les mastocytes, les granulocytes basophiles et les plaquettes, et libérée en cas de dommage aux cellules ; cause la vasodilatation, une augmentation de la perméabilité des vaisseaux sanguins ainsi que la constriction des bronchioles.

Histologie Étude de la structure microscopique des tissus.

Homéostasie État d'équilibre du milieu intérieur, dans les limites physiologiques ; elle résulte de l'interaction des mécanismes de régulation de l'organisme.

Homolatéral Du même côté ; affectant le même côté du corps.

Homozygote Possédant une paire d'allèles similaires sur les chromosomes homologues pour un caractère héréditaire donné.

Hormone Produit de sécrétion des cellules endocrines qui modifie l'activité physiologique des cellules cibles de l'organisme.

Hormone antidiurétique (ADH) Hormone produite par les cellules neurosécrétrices des noyaux supraoptique et paraventriculaire de l'hypothalamus, qui stimule la réabsorption d'eau à partir des cellules rénales dans le sang, diminue la sécrétion de sueur par les glandes sudoripares et provoque la vasoconstriction des artérioles. Également appelée **vasopressine.**

Hormone autocrine Hormone locale, telle l'interleukine 2, qui agit sur la cellule même qui l'a sécrétée.

Hormone chorionique somatomammotrope (hCS) Hormone produite par le chorion du placenta ; on croit qu'elle prépare les glandes mammaires en vue de la lactation, favorise la croissance des tissus de la mère et régit le métabolisme de la mère et du fœtus. Également appelée **hormone lactogène placentaire humaine (hPL).**

Hormone d'inhibition Hormone de l'hypothalamus qui peut inhiber la sécrétion d'hormones par l'adénohypophyse.

Hormone de croissance (hGH) Hormone sécrétée par l'adénohypophyse qui stimule la croissance des tissus de l'organisme, en particulier des tissus musculaire et osseux, et régule certains aspects du métabolisme par l'intermédiaire des somatomédines. Également appelée **somatotrophine.**

Hormone de libération Hormone sécrétée par l'hypothalamus qui peut stimuler la sécrétion d'hormones par l'adénohypophyse.

Hormone folliculostimulante (FSH) Hormone sécrétée par l'adénohypophyse qui déclenche le développement des follicules, stimule la sécrétion d'œstrogènes par les ovaires chez la femme et déclenche la production de spermatozoïdes chez l'homme.

Hormone lutéinisante (LH) Hormone sécrétée par l'adénohypophyse qui stimule l'ovulation et la sécrétion de progestérone par le corps jaune, prépare les glandes mammaires à la lactation chez la femme et stimule la sécrétion de testostérone par les testicules chez l'homme.

Hormone mélanotrope (MSH) Hormone sécrétée par l'adénohypophyse qui stimule la dispersion des granules de mélanine dans les mélanocytes chez les amphibiens ; son rôle exact chez l'humain est encore inconnu mais son administration continue pendant plusieurs jours fait foncer la peau.

Hormone paracrine Hormone locale, telle l'histamine, qui agit sur les cellules voisines sans entrer dans la circulation sanguine.

Humeur aqueuse Liquide aqueux provenant des procès ciliaires dont la composition est similaire à celle du liquide cérébro-spinal ; elle remplit le segment antérieur de l'œil et nourrit le cristallin et la cornée.

Hyaluronidase Enzyme qui scinde l'acide hyaluronique, ce qui augmente la perméabilité des tissus conjonctifs en dissolvant les substances qui maintiennent ensemble les cellules de l'organisme ; les leucocytes, les spermatozoïdes et certaines bactéries sécrètent cette enzyme.

Hydrocéphalie Accumulation anormale de liquide cérébro-spinal dans les ventricules de l'encéphale qui peut comprimer et endommager le tissu nerveux.

Hymen Mince repli de membrane muqueuse vascularisé situé à l'orifice du vagin.

Hypercalcémie Excès de calcium dans le sang.

Hypercapnie Augmentation anormale de la quantité de gaz carbonique dans le sang.

Hyperextension Prolongement de l'extension au-delà de la position anatomique, comme la flexion de la tête vers l'arrière.

Hyperglycémie Concentration élevée de glucose dans le sang.

Hyperkaliémie Excès d'ions potassium dans le sang.

Hypermagnésémie Excès de magnésium dans le sang.

Hypermétropie Défaut de la vision dans lequel les images visuelles se forment à l'arrière de la rétine, si bien que les objets proches ne peuvent être clairement distingués.

Hyperphosphatémie Concentration anormalement élevée de phosphates dans le sang.

Hyperplasie Augmentation anormale du nombre de cellules normales dans un tissu ou un organe, ce qui le fait augmenter de volume.

Hyperpolarisation Augmentation de la négativité interne à travers une membrane cellulaire, ce qui augmente le voltage et l'éloigne du seuil d'excitation.

Hypersécrétion Accroissement de l'activité des glandes qui se traduit par une sécrétion excessive.

Hypersensibilité Réaction démesurée à un allergène qui se traduit par des lésions tissulaires. Également appelée **allergie.**

Hypertension Élévation anormale et persistante de la pression artérielle ; une hypertension se traduira par une pression systolique de 140 mm Hg ou plus et par une pression diastolique de 90 mm Hg ou plus.

Hyperthermie Température corporelle élevée.

Hypertonie Augmentation pathologique du tonus musculaire entraînant un état de rigidité ou de spasticité.

Hypertrophie Augmentation de volume ou croissance excessive d'un tissu sans division cellulaire.

Hyperventilation Fréquence respiratoire plus élevée que ce qui est nécessaire pour maintenir un taux normal de P_{CO_2} dans le plasma.

Hypocalcémie Concentration du calcium dans le sang en dessous de la normale.

Hypochlorémie Insuffisance d'ions chlorure dans le sang.

Hypoderme Feuillet continu de tissu conjonctif aréolaire et de tissu adipeux situé entre le derme de la peau et le fascia profond des muscles. Également appelé **fascia superficiel.**

Hypoglycémie Concentration de glucose dans le sang anormalement basse ; peut être causée par un excès d'insuline (injectée ou sécrétée).

Hypokaliémie Insuffisance d'ions potassium dans le sang.

Hypomagnésémie Insuffisance de magnésium dans le sang.

Hyponatrémie Insuffisance d'ions sodium dans le sang.

Hyponychium Épaississement de la couche cornée sous le bord libre de l'ongle.

Hypophosphatémie Concentration anormalement basse de phosphates dans le sang.

Hypophyse Petite glande endocrine logée dans la selle turcique de l'os sphénoïde et reliée à l'hypothalamus par l'infundibulum ; elle sécrète plusieurs hormones qui régissent l'activité d'autres glandes endocrines.

Hyposécrétion Ralentissement de l'activité des glandes qui se traduit par une diminution de la sécrétion.

Hypothalamus Portion du diencéphale située sous le thalamus et formant le plancher ainsi qu'une partie de la paroi du troisième ventricule ; régit de nombreuses fonctions physiologiques et constitue l'un des principaux régulateurs de l'homéostasie.

Hypothermie Baisse de la température corporelle au-dessous de 35 °C ; au cours d'une intervention chirurgicale, diminution délibérée de la température corporelle centrale pour ralentir le métabolisme et réduire les besoins en oxygène de l'organisme.

Hypotonie Perte ou diminution du tonus musculaire entraînant un état de flaccidité ; généralement causée par une atteinte des neurones moteurs somatiques.

Hypoventilation Fréquence respiratoire plus basse que ce qui est nécessaire pour maintenir un taux normal de P_{CO_2} dans le plasma ; respiration lente et superficielle.

Hypoxie Carence en oxygène dans les tissus.

Hystérectomie Ablation chirurgicale de l'utérus.

I

Iléum Dernier et plus long segment de l'intestin grêle, mesurant 2 m de longueur.

Îlot pancréatique Amas de cellules de la partie endocrine du pancréas qui sécrète l'insuline, le glucagon, la somatostatine et le polypeptide pancréatique. Également appelé **îlot de Langerhans.**

Îlot sanguin Masse isolée et cordon de mésenchyme dans le mésoderme qui donnent naissance aux vaisseaux sanguins.

Immunité Capacité de l'organisme à se défendre contre des agents envahisseurs spécifiques. Également appelée **résistance spécifique.**

Immunogénicité Capacité d'un antigène de provoquer une réponse immunitaire.

Immunoglobuline (Ig) Anticorps synthétisé par les cellules plasmatiques dérivées de lymphocytes en réponse à l'arrivée d'un antigène. Les immunoglobulines sont divisées en cinq classes (IgG, IgM, IgA, IgD, IgE) selon le principal constituant protéique présent dans l'immunoglobuline.

Immunologie Science qui étudie les réponses de l'organisme aux antigènes.

Implantation Insertion d'un tissu ou d'un élément dans l'organisme. Fixation du blastocyste à l'endomètre de l'utérus de 7 à 8 jours après la fécondation.

Impuissance Incapacité permanente d'un homme adulte de maintenir une érection suffisamment longue pour permettre le coït.

In utero À l'intérieur de l'utérus.

In vitro Littéralement, dans un verre ; à l'extérieur de l'organisme vivant et dans un milieu artificiel, en laboratoire, comme un tube à essai.

In vivo Dans l'organisme vivant.

Inactivation du chromosome X Inactivation, de façon aléatoire et permanente, d'un chromosome X dans chaque cellule de l'embryon femelle en développement ; les gènes de ce chromosome inactivé ne sont pas exprimés.

Incisure cardiaque Échancrure située sur la face antérieure du poumon gauche dans laquelle vient se loger une partie du cœur.

Inclusion cellulaire Substance surtout organique produite par une cellule ; n'est pas circonscrite par une membrane et peut apparaître et disparaître à divers moments au cours de la vie d'une cellule ; par exemple, granules de glycogène.

Incontinence Incapacité de retenir l'urine ou les fèces due à la perte de maîtrise des sphincters.

Infarctus Région localisée de tissu nécrosé où le sang sort des vaisseaux et s'infiltre dans les tissus ; résulte d'une oxygénation inadéquate du tissu.

Infarctus du myocarde Destruction d'une partie du tissu cardiaque en aval d'une obstruction complète à l'écoulement sanguin ; le tissu détruit est remplacé par du tissu cicatriciel non contractile.

Infection Pénétration et multiplication de microorganismes dans les tissus de l'organisme, qui peut être inaperçue ou s'accompagner de lésions cellulaires.

Inférieur À l'opposé de la tête ou vers le bas d'une structure. On dit aussi **caudal.**

Inflammation Réaction de défense déclenchée par les microbes ou des agents physiques ou chimiques dont les quatre signes caractéristiques sont la rougeur, la douleur, la chaleur et la tuméfaction ; elle peut aussi causer une perte fonctionnelle dans la région touchée.

Influx nerveux Vague de dépolarisation et de repolarisation qui se propage le long de la membrane plasmique d'un neurone.

Infundibulum Structure en forme de tige qui relie l'hypophyse à l'hypothalamus de l'encéphale. Extrémité distale, ouverte sur la cavité pelvienne et en forme d'entonnoir de la trompe utérine (de Fallope).

Ingestion Action de prendre des aliments, des boissons ou des médicaments par la bouche.

Inguinal Qui appartient à l'aine.

Inhibine Hormone protéinique produite par les gonades qui s'oppose à la sécrétion de la FSH par l'adénohypophyse.

Inhibition de contact Phénomène par lequel une cellule en train de croître et de migrer cesse sa progression lorsqu'elle rencontre une autre cellule du même type.

Inhibition présynaptique Type d'inhibition dans lequel le neurotransmetteur libéré par un neurone inhibiteur empêche la libération du neurotransmetteur par un neurone présynaptique.

Innervation réciproque Mécanisme par lequel des potentiels d'action entraînent la contraction d'un muscle et inhibent simultanément la contraction des muscles antagonistes.

Insertion Point d'attache du tendon d'un muscle à un os mobile ; extrémité opposée à l'origine. Également appelée **terminaison.**

Inspiration Action par laquelle l'air entre dans les poumons. Également appelée **inhalation.**

Insuffisance cardiaque Défaillance de la pompe cardiaque dont les causes peuvent être nombreuses (anomalie congénitale, hypertension, infarctus, entre autres) mais dont les conséquences sont toujours une diminution de la capacité de pompage du cœur.

Insuline Hormone produite par les cellules bêta des îlots pancréatiques (îlots de Langerhans) qui diminue la concentration de glucose dans le sang.

Intégrine Récepteur sur la membrane plasmique qui interagit avec une protéine d'adhérence présente dans la substance intercellulaire et le sang ; intervient dans la diapédèse des leucocytes.

Interférons Les trois principaux types de protéines (alpha, bêta, gamma) produites naturellement par les cellules hôtes infectées par des virus, qui stimulent les cellules non infectées à synthétiser des protéines antivirales, lesquelles inhibent la réplication virale intracellulaire dans les cellules hôtes non infectées.

Intermédiaire Entre deux structures, dont l'une est médiale et l'autre latérale.

Interne Loin de la surface du corps.

Interneurone Neurone dont toutes les parties sont situées à l'intérieur du système nerveux central ; joue un rôle d'intégration.

Intérocepteur Récepteur situé dans les vaisseaux sanguins et les viscères qui fournit de l'information sur le milieu intérieur de l'organisme.

Interphase Période du cycle cellulaire entre les divisions cellulaires. Elle comprend la phase G_1 (*gap*), pendant laquelle la cellule croît, est active sur le plan métabolique et produit les substances nécessaires à la division ; la phase S (synthèse), pendant laquelle les chromosomes sont répliqués ; et la phase G_2, où s'accomplissent les derniers préparatifs avant la division cellulaire.

Intestin grêle Partie du tube digestif, mesurant 3 m chez une personne vivante, qui commence au sphincter pylorique de l'estomac, serpente dans la partie centrale et inférieure de la cavité abdominale et débouche dans le gros intestin ; comprend trois segments : le duodénum, le jéjunum et l'iléum.

Intestin primitif Structure embryonnaire composée d'endoderme et de mésoderme qui donne la plus grande partie du tube digestif.

Intrinsèque D'origine interne.

Intron Région de l'ADN qui ne code pas pour la synthèse d'une protéine.

Invagination Repliement de la paroi d'une cavité dans la cavité elle-même.

Inversion Mouvement médial de la plante des pieds au niveau de l'articulation de la cheville.

Ion Particule ou groupe de particules chargés positivement ou négativement à cause d'un nombre inégal de protons et d'électrons ; se forme généralement lorsqu'une substance telle qu'un sel se dissout et se dissocie.

Ionisation Séparation des acides inorganiques, des bases et des sels en ions lorsqu'ils sont dissous dans l'eau. Également appelée **dissociation.**

Iris Partie colorée du globe oculaire visible à travers la cornée, composée de fibres musculaires lisses disposées en cercle ou en rayon ; l'ouverture au centre de l'iris est la pupille. L'iris module la quantité de lumière qui entre dans l'œil par la pupille.

Ischémie Apport insuffisant de sang à une partie de l'organisme causée par l'obstruction ou la constriction d'un vaisseau sanguin.

Isoanticorps Anticorps spécifique dans le plasma sanguin qui réagit avec des isoantigènes spécifiques et provoque l'agglutination des bactéries, des globules rouges ou des particules. Également appelé **agglutinine.**

Isoantigène Antigène génétiquement déterminé situé à la surface des globules rouges ; à la base de la classification du sang en systèmes ABO et Rh. Également appelé **agglutinogène.**

Isotonique Ayant une tonicité ou une tension égale. Solution ayant la même concentration de solutés imperméables que le cytosol.

Isotopes Éléments chimiques qui ont le même nombre de protons mais un nombre différent de neutrons. Les noyaux des radio-isotopes se désintègrent pour former d'autres éléments en émettant des particules alpha ou bêta (par exemple, ^{14}C).

Isthme Bande étroite de tissu ou portion rétrécie reliant deux parties plus grandes d'un organe.

J

Jambe Partie du membre inférieur comprise entre le genou et la cheville.

Jéjunum Partie moyenne de l'intestin grêle mesurant 1 m de longueur.

Jonction neuro-glandulaire Zone de contact entre un neurone moteur et une glande.

Jonction neuromusculaire Région de contact entre la terminaison axonale d'un neurone moteur et une portion du sarcolemme d'une fibre (cellule) musculaire.

Joule (J) Unité d'énergie et de chaleur du système international d'unités. Le kilojoule équivaut à 1000 joules et une kilocalorie égale 4,18 kilojoules.

K

Kératine Protéine insoluble présente dans les poils, les ongles et les autres tissus kératinisés de l'épiderme.

Kératinocyte Cellule épidermique la plus abondante ; produit la kératine.

Kilocalorie (kcal) Quantité d'énergie équivalant à 1 000 calories ; unité utilisée pour exprimer le contenu énergétique des aliments et mesurer la vitesse du métabolisme.

Kilojoule (kJ) Quantité d'énergie équivalant à 1 000 joules ; unité utilisée pour exprimer le contenu énergétique des aliments et mesurer la vitesse du métabolisme.

Kinésiologie Étude du mouvement du corps humain.

Kinesthésie Perception des mouvements du corps (direction et étendue) ; sensibilité musculaire.

Kyste Sac doté de son propre revêtement de tissu conjonctif et contenant un liquide ou une autre substance.

L

Labyrinthe membraneux Partie du labyrinthe de l'oreille interne située à l'intérieur du labyrinthe osseux et qui en est séparée par la périlymphe ; formé des conduits semi-circulaires membraneux, du saccule et de l'utricule ainsi que du conduit cochléaire.

Labyrinthe osseux Série de cavités remplies de périlymphe, situées à l'intérieur de la partie pétreuse de l'os temporal et formant le vestibule, la cochlée et les canaux semi-circulaires de l'oreille interne.

Lactation Synthèse, sécrétion et éjection de lait par les glandes mammaires.

Lacune Petit espace creux. Les lacunes des os contiennent les ostéocytes.

Lame Structure ou membrane, plate et mince, par exemple la partie aplatie située de chaque côté de l'arc vertébral.

Lame basilaire de la cochlée Lame dans la cochlée de l'oreille interne qui sépare le conduit cochléaire de la rampe tympanique et sur laquelle repose l'organe spiral (organe de Corti).

Lamelles Anneaux concentriques de matrice dure et calcifiée présents dans l'os compact.

Langue Grand muscle squelettique recouvert d'une muqueuse, situé sur le plancher de la cavité orale.

Lanugo Poils très fins qui recouvrent le fœtus à partir du cinquième ou du sixième mois.

Laryngopharynx Partie inférieure du pharynx, s'étendant vers le bas depuis le niveau de l'os hyoïde et devenant à l'arrière l'œsophage et à l'avant le larynx.

Larynx Court passage qui relie le pharynx et la trachée et sert à la phonation.

Latéral À l'opposé du plan médian ou vers l'extérieur du corps.

Lemnisque médial Bande de fibres nerveuses myélinisées qui s'étend du bulbe rachidien jusqu'au thalamus du même côté. Les neurones sensitifs qu'il contient transmettent des influx reliés à la proprioception, au toucher discriminant, à l'ouïe, à l'équilibre et à la vibration.

Lésion Toute modification localisée et pathologique d'un tissu de l'organisme.

Leucocyte Globule blanc; élément figuré du sang possédant un noyau mais pas d'hémoglobine; comprend les granulocytes et les agranulocytes.

Leucotriène Type d'eicosanoïde produit par les granulocytes basophiles et les mastocytes; accroît la perméabilité vasculaire et agit comme agent chimiotactique pour les phagocytes dans l'inflammation tissulaire.

Liaison chimique Force d'attraction dans une molécule ou un composé qui maintient ensemble les atomes; par exemple, liaison ionique et liaison covalente.

Liaison peptidique Liaison chimique covalente entre le groupement COOH d'un acide aminé et le groupement NH$_2$ d'un autre, unissant chaque paire d'acides aminés.

Libido Désir sexuel.

Ligament Ensemble de faisceaux de fibres de certaines capsules fibreuses qui attache un os à un autre os.

Ligament falciforme du foie Feuillet de péritoine pariétal compris entre les deux principaux lobes du foie. Le ligament rond du foie, reliquat de la veine ombilicale, est situé à l'intérieur de cette structure.

Ligament large de l'utérus Double repli de péritoine pariétal qui attache l'utérus aux bords latéraux de la paroi de la cavité pelvienne.

Ligament propre de l'ovaire Cordon arrondi de tissu conjonctif qui attache l'ovaire à l'utérus.

Ligament rond de l'utérus Bande de tissu conjonctif fibreux compris entre les replis du ligament large de l'utérus, émergeant de l'utérus juste en dessous de la trompe utérine et s'étendant latéralement le long de la paroi pelvienne et à travers l'anneau inguinal profond jusqu'aux grandes lèvres.

Ligament suspenseur de l'ovaire Repli de péritoine s'étendant latéralement de la surface de l'ovaire jusqu'à la paroi pelvienne.

Ligament utéro-sacral Bande de tissu fibreux et prolongement du péritoine, s'étendant latéralement du col de l'utérus jusqu'au sacrum.

Ligand Substance chimique qui se lie à un récepteur spécifique.

Ligature des trompes Méthode de stérilisation dans laquelle les trompes utérines (de Fallope) sont ligaturées et sectionnées pour empêcher la rencontre entre les spermatozoïdes et l'ovocyte.

Ligne épiphysaire Reliquat du cartilage de conjugaison dans l'os long.

Lipase Enzyme qui libère les acides gras des triglycérides et des phospholipides; provient surtout du suc pancréatique chez l'adulte.

Lipide Composé organique constitué de carbone, d'hydrogène et d'oxygène qui est habituellement insoluble dans l'eau mais soluble dans l'alcool, l'éther et le chloroforme; par exemple, triglycérides (huiles et graisses), phospholipides, stéroïdes et eicosanoïdes.

Lipogenèse Synthèse des triglycérides à partir du glucose ou d'acides aminés par les hépatocytes.

Lipolyse Dégradation des acides gras à partir d'une molécule de triglycéride (graisse) ou de phospholipide.

Lipoprotéine L'un de plusieurs types de particules sphériques contenant des lipides (cholestérol et triglycérides) et des protéines qui le rend hydrosoluble pour être transporté dans le sang; des taux élevés de **lipoprotéines de basse densité** (**LDL**) sont associés à un risque élevé d'athérosclérose, alors que des taux élevés de **lipoprotéines de haute densité** (**HDL**) sont associés à un risque plus faible d'athérosclérose.

Liquide amniotique Liquide contenu dans la cavité amniotique, espace entre l'embryon (ou le fœtus) et l'amnios; le liquide est d'abord produit comme un filtrat du sang maternel et comprend plus tard l'urine fœtale.

Liquide cérébro-spinal Liquide produit par les épendymocytes qui tapissent les plexus choroïdes des ventricules cérébraux; le liquide circule dans les ventricules, le canal central et l'espace sous-arachnoïdien autour de l'encéphale et de la moelle épinière et joue un rôle de protection mécanique et un rôle nutritif. Également appelé **liquide céphalo-rachidien** (**LCR**).

Liquide extracellulaire Liquide à l'extérieur des cellules tel que le liquide interstitiel et le plasma.

Liquide interstitiel Portion du liquide extracellulaire qui comble les espaces microscopiques entre les cellules des tissus; milieu intérieur de l'organisme.

Liquide intracellulaire Liquide à l'intérieur des cellules. Également appelé **cytosol**.

Liquides de l'organisme Eau de l'organisme (intra- ou extracellulaire) contenant des substances en solution; constituent environ 60 % du poids du corps.

Lobe Partie saillante et arrondie d'un organe.

Lobe insulaire Partie triangulaire du cortex cérébral logée à l'intérieur du sillon latéral et recouverte par les lobes pariétal, frontal et temporal.

Loi de Starling Force de la contraction musculaire déterminée par la longueur des fibres musculaires cardiaques juste avant qu'elles se contractent; à l'intérieur des limites physiologiques, plus le cœur se remplit de sang à la diastole, plus les fibres sont fortement étirées par l'arrivée du sang, et plus la contraction sera grande à la systole.

Lombaire Région du dos et des flancs comprise entre les côtes et le bassin.

Lordose Exagération de la courbure lombaire convexe de la colonne vertébrale.

Lumière Espace libre à l'intérieur d'une artère, d'une veine, de l'intestin, d'un tubule rénal ou de toute structure tubulaire.

Lunule Croissant blanchâtre situé à la base de l'ongle.

Luxation Déplacement d'un os de sa situation dans une articulation, provoquant la déchirure des ligaments, des tendons et des capsules articulaires.

Lymphe Liquide provenant du liquide interstitiel, présent dans les vaisseaux lymphatiques et circulant dans le système lymphatique jusqu'à ce qu'il soit retourné au sang.

Lymphocyte Type de globule blanc agranulocyte, situé dans les nœuds lymphatiques et associé au système immunitaire.

Lymphocyte B Cellule qui peut se transformer en plasmocyte producteur d'anticorps ou en cellule mémoire.

Lymphocyte T Lymphocyte qui devient immunocompétent dans le thymus et peut se différencier en l'un des plusieurs types de cellules effectrices qui jouent un rôle dans l'immunité à médiation cellulaire.

Lysosome Organite du cytoplasme de la cellule pourvu d'une membrane unique et renfermant des enzymes digestives puissantes.

Lysozyme Enzyme bactéricide présente dans les larmes, la salive et la transpiration.

M

Macrophage Leucocyte granulaire dérivé d'un monocyte, doté du pouvoir de phagocytose, notamment les granulocytes neutrophiles et éosinophiles; peut être fixe ou libre.

Macrophage alvéolaire Cellule hautement phagocytaire présente dans les parois alvéolaires des poumons; élimine les particules de poussières fines de l'espace alvéolaire. Également appelé **cellule à poussière.**

Macrophage fixe Cellule phagocytaire immobile, située dans le foie, les poumons, l'encéphale, la rate, les nœuds lymphatiques, le tissu sous-cutané et la moelle osseuse rouge.

Macrophage libre Cellule phagocytaire issue d'un monocyte, qui quitte la circulation sanguine et chemine dans les différents tissus pour se rendre aux sièges d'infection ou d'inflammation.

Macula La tache jaune ou macula lutea; située au centre de la rétine et contenant la fossette centrale où l'acuité visuelle est à son maximum.

Macule Petite région épaisse de la paroi de l'utricule et du saccule qui contient les récepteurs de l'équilibre statique.

Main Extrémité du membre supérieur comprenant les os du carpe, les métacarpiens et les phalanges.

Maladie Toute altération de l'état de santé, caractérisé par un ensemble identifiable de signes et de symptômes.

Maladie auto-immune Réponse immunologique dirigée contre les tissus mêmes de l'individu; par exemple, polyarthrite rhumatoïde et diabète de type I. Également appelée **auto-immunité.**

Maladies desmodontales Ensemble de troubles divers caractérisés par la dégénérescence des gencives, de l'os alvéolaire, du desmodonte et du cément. Également appelées **maladies parodontales.**

Malformation septale Ouverture du septum (interauriculaire ou interventriculaire) entre les côtés gauche et droit du cœur.

Maligne Terme employé pour qualifier les maladies qui tendent à s'aggraver et à causer la mort, surtout un cancer qui se répand.

Mamelon Protubérance pigmentée à la surface du sein où se trouvent les orifices des conduits lactifères qui libèrent le lait.

Masse (ou poids) atomique Masse moyenne de tous les atomes stables (isotopes naturels) d'un élément; reflète l'abondance relative des atomes ayant des nombres de masse différents.

Mastocyte Cellule présente dans le tissu conjonctif aréolaire le long des vaisseaux sanguins et qui produit l'histamine, substance provoquant la dilatation des vaisseaux sanguins durant l'inflammation.

Matière Tout ce qui occupe un volume et possède une masse.

Matrice de l'ongle Épithélium situé sous le corps et la racine de l'ongle; à l'origine de la croissance de l'ongle.

Matrice extracellulaire Substance fondamentale et fibres occupant l'espace entre les cellules d'un tissu conjonctif.

Méat Passage ou orifice, en particulier la partie externe d'un canal.

Mécanisme à contre-courant Mécanisme qui entre en jeu dans la capacité des reins à produire une urine hypertonique; repose sur la forme en épingle à cheveux des anses longues du néphron juxtamédullaire.

Mécanisme de glissement des myofilaments Modèle qui décrit comment les myofilaments épais et les myofilaments fins glissent les uns sur les autres pendant la contraction des muscles striés de sorte que le sarcomère raccourcit.

Mécanisme de régulation Cycle d'événements dans lequel l'état d'une situation est constamment signalé à un centre de régulation.

Mécanorécepteur Récepteur qui détecte la déformation mécanique du récepteur lui-même ou des cellules adjacentes; les stimulus détectés sont reliés au toucher, à la pression, à la vibration, à la proprioception, à l'ouïe, à l'équilibre et à la pression artérielle.

Mécanorécepteur cutané de type I Cellule épidermique modifiée située dans la couche basale de la peau glabre qui joue le rôle d'un récepteur cutané pour le toucher discriminant. Également appelé **corpuscule tactile non capsulé.**

Mécanorécepteur cutané de type II Récepteur enfoui dans le derme, les ligaments et les tendons qui détecte l'étirement de la peau. Également appelé **corpuscule de Ruffini.**

Médecine nucléaire Branche de la médecine qui s'occupe de l'utilisation des radio-isotopes dans le diagnostic des maladies et dans les traitements.

Médial Vers le plan médian ou vers l'intérieur du corps.

Médian Au milieu du corps ou d'une structure.

Médiastin Large région médiane située entre les plèvres des poumons et qui s'étend du sternum jusqu'à la colonne vertébrale dans la cavité thoracique.

Médulla Couche interne d'un organe, comme la médulla des reins.

Médullosurrénale Partie interne d'une glande surrénale, composée de cellules qui sécrètent l'adrénaline et la noradrénaline en réponse à la stimulation des neurones préganglionnaires sympathiques.

Méiose Type de division cellulaire ayant lieu durant la production des gamètes et qui comprend deux divisions nucléaires successives donnant des cellules filles qui possèdent le nombre haploïde (n) de chromosomes.

Mélanine Pigment foncé, noir, brun ou jaune, présent dans certaines parties de l'organisme, comme la peau et les poils. Il absorbe les rayons ultraviolets nocifs.

Mélanocyte Cellule pigmentée, située entre ou sous les cellules de la couche la plus profonde de l'épiderme, qui synthétise la mélanine.

Mélatonine Hormone sécrétée par la glande pinéale, qui contribue à régler l'horloge biologique de l'organisme.

Membrana tectoria du conduit cochléaire Membrane gélatineuse flexible qui recouvre l'organe spiral (organe de Corti) et entre en contact avec les stéréocils des cellules sensorielles ciliées dans le conduit cochléaire, ce qui engendre des influx nerveux dans le nerf vestibulo-cochléaire (VIII).

Membrane Mince feuillet de tissu malléable composé d'un feuillet épithélial et du tissu conjonctif sous-jacent, dans le cas d'une membrane épithéliale (muqueuse, séreuse, peau), ou seulement de tissu conjonctif aréolaire, dans le cas d'une membrane synoviale (tapissant les articulations).

Membrane alvéolo-capillaire Structure des poumons formée de la paroi alvéolaire et de sa membrane basale ainsi que de l'endothélium d'un capillaire et de sa membrane basale, à travers laquelle se produit la diffusion des gaz respiratoires.

Membrane basale Couche extracellulaire mince située entre l'épithélium et le tissu conjonctif; constituée d'une lame basale et d'une lame réticulaire.

Membrane des statoconies Couche glycoprotéique, épaisse et gélatineuse, située juste au-dessus des cellules ciliées de la macule dans l'utricule et le saccule de l'oreille interne; elle porte des statoconies. Son glissement lors des mouvements de la tête fait naître des influx nerveux dans la branche vestibulaire du nerf crânien VIII.

Membrane endothélio-capsulaire Membrane de filtration dans un néphron du rein qui comprend l'endothélium et la membrane basale du glomérule ainsi que l'épithélium du feuillet viscéral de la capsule glomérulaire (de Bowman).

Membrane plasmique Enveloppe limitante externe qui sépare le contenu de la cellule du liquide extracellulaire ou de son environnement.

Membrane synoviale Couche interne de la capsule articulaire d'une articulation synoviale; composée de tissu conjonctif aréolaire qui sécrète le liquide synovial dans la cavité articulaire.

Membre inférieur Appendice attaché à la ceinture pelvienne, comprenant la cuisse, la jambe, la cheville, le pied et les orteils.

Membre supérieur Appendice attaché à la ceinture scapulaire, comprenant le bras, l'avant-bras, le poignet, la main et les doigts.

Ménarche La première menstruation et le début des cycles ovarien et menstruel.

Méninges Les trois membranes constituées de tissu conjonctif recouvrant l'encéphale et la moelle épinière, appelées dure-mère, arachnoïde et pie-mère.

Ménopause Disparition de la menstruation, entre 40 et 50 ans.

Menstruation Écoulement périodique de sang, de liquide tissulaire, de mucus et de cellules épithéliales qui se déroule durant les cinq premiers jours environ du cycle menstruel; causée par la diminution soudaine du taux d'œstrogènes et de progestérone. Également appelée **phase menstruelle.**

Mésencéphale Partie de l'encéphale située entre le pont et le diencéphale; renferme des noyaux et des faisceaux.

Mésenchyme Tissu conjonctif embryonnaire dont dérivent tous les autres tissus conjonctifs.

Mésentère Repli du péritoine attachant l'intestin grêle à la paroi abdominale postérieure.

Mésocôlon Repli du péritoine attachant le côlon à la paroi abdominale postérieure.

Mésoderme Feuillet embryonnaire primitif moyen qui donne naissance aux tissus conjonctifs, au sang et aux vaisseaux sanguins ainsi qu'aux muscles.

Mésothélium Couche d'épithélium simple pavimenteux qui tapisse les séreuses.

Mésovarium Court repli de péritoine qui attache un ovaire au ligament large de l'utérus.

Métabolisme Ensemble des réactions biochimiques qui se produisent dans l'organisme, y compris les réactions de synthèse (anaboliques) et de dégradation (cataboliques).

Métabolisme basal Vitesse du métabolisme mesurée dans des conditions normalisées ou basales (état de veille, au repos, à jeun).

Métacarpe Nom collectif désignant les cinq os (métacarpiens) qui forment la paume de la main.

Métaphase Deuxième étape de la mitose, durant laquelle les paires de chromatides s'alignent sur la lame équatoriale de la cellule.

Métaphyse Partie de l'os qui croît; région où la diaphyse rejoint l'épiphyse.

Métartériole Vaisseau sanguin qui émerge d'une artériole, traverse en l'approvisionnant un réseau de 10 à 100 capillaires et se vide dans une veinule.

Métastase Extension d'un cancer aux tissus environnants (locale) ou à d'autres régions de l'organisme (distante).

Métatarse Nom collectif désignant les cinq os (métatarsiens) situés entre les os du tarse et les phalanges.

Micelle Agrégat sphérique de sels biliaires à l'intérieur duquel les acides gras et les monoglycérides peuvent se dissoudre de façon à être absorbés dans les petites cellules épithéliales de l'intestin grêle.

Microfilament Filament allongé de 6 nm de diamètre composé d'une protéine; constitue l'unité contractile dans les fibres (cellules) musculaires; assure le soutien, confère la forme et permet le mouvement des cellules autres que musculaires.

Microglie Cellules gliales dotées du pouvoir de phagocytose.

Microtubule Filament protéique cylindrique de 18 à 30 nm de diamètre composé de tubuline; fournit du soutien, maintient la structure et permet le mouvement.

Microvillosités Prolongements filiformes microscopiques de la membrane plasmique des cellules qui augmentent la surface disponible pour l'absorption, en particulier dans l'intestin grêle et les tubules contournés proximaux des reins.

Miction Action d'expulser l'urine de la vessie.

Minéral Substance solide, inorganique et homogène, qui joue un rôle vital; par exemple, calcium et phosphore.

Minéralocorticoïdes Groupe d'hormones du cortex surrénal (zone glomérulée) qui contribuent à la régulation de l'équilibre du sodium et du potassium; la plus importante des hormones de ce groupe est l'aldostérone.

Mitochondrie Organite limité par deux membranes qui joue un rôle central dans la production d'ATP; constitue la centrale énergétique de la cellule.

Mitose Division ordonnée du noyau d'une cellule qui permet que le noyau de chacune des cellules filles renferme le même nombre et le même type de chromosomes que le noyau parent. Le processus comprend la réplication des chromosomes et la distribution des deux nouveaux jeux de chromosomes dans deux noyaux distincts et égaux.

Modèle de la mosaïque fluide Modèle de la structure de la membrane plasmique qui décrit la disposition moléculaire de la membrane plasmique et d'autres membranes dans les organismes vivants.

Modiolus Axe central de la cochlée autour duquel la spirale de cette dernière décrit presque trois tours.

Moelle Substance molle, semblable à une éponge, située dans les cavités osseuses. La moelle osseuse rouge produit les cellules sanguines; la moelle osseuse jaune, formée surtout de tissu adipeux, n'assure aucune fonction hématopoïétique. *Ne pas confondre moelle osseuse et moelle épinière.*

Moelle épinière Masse de tissu nerveux située dans le canal vertébral et d'où émergent 31 paires de nerfs spinaux; rôle de propagation des influx nerveux et d'intégration de l'information.

Mole Poids en grammes de la masse atomique combinée des atomes qui constituent une molécule d'une substance.

Molécule Combinaison de deux ou plusieurs atomes unis par des liaisons chimiques.

Monocyte Type de globule blanc agranulocyte doté d'un cytoplasme agranulaire; les plus gros des leucocytes; se transforme en macrophage dans les tissus.

Mont du pubis Saillie arrondie de tissu adipeux située au-dessus de la symphyse pubienne et couverte de peau et de poils pubiens épais.

Morula Sphère solide de cellules, de même taille que le zygote, produite par les segmentations successives d'un ovule fécondé quatre jours environ après la fécondation.

Mucine Protéine présente dans le mucus.

Mucus Sécrétion liquide et épaisse des cellules caliciformes, des glandes muqueuses et des muqueuses.

Muqueuse Membrane qui tapisse l'intérieur d'une cavité ouverte directement sur l'extérieur.

Muscle Organe composé d'un des trois types de tissu musculaire (squelettique, cardiaque ou lisse); spécialisé dans les contractions qui produisent les mouvements volontaires ou involontaires de toutes les parties du corps.

Muscle arrecteur du poil Muscle lisse attaché à un poil; sa contraction redresse le poil en position plus verticale, ce qui produit la «chair de poule».

Muscle lisse Tissu spécialisé dans la contraction, composé de fibres (cellules) musculaires lisses, situé dans la paroi des viscères creux et innervé par des neurones moteurs autonomes.

Muscle squelettique Organe spécialisé dans la contraction, composé de fibres (cellules) musculaires striées, soutenu par du tissu conjonctif, attaché à un os par un tendon ou une aponévrose et stimulé par des neurones moteurs somatiques.

Muscle vésical Muscle situé dans la paroi de la vessie et composé de trois lames de fibres musculaires lisses. Également appelé **détrusor.**

Muscles pectinés Saillies musculaires de la paroi antérieure de l'oreillette droite et revêtement des auricules des deux oreillettes.

Muscularis mucosæ Couche mince de fibres (cellules) musculaires lisses située dans la couche la plus superficielle de la muqueuse du tube digestif, sous le chorion de la muqueuse; grâce à ses mouvements, toutes les cellules absorbantes sont exposées au contenu du tube digestif.

Musculeuse Couche musculaire (enveloppe ou tunique) d'un organe.

Mutation Tout changement dans la séquence de bases de l'ADN, qui produit une modification permanente d'un caractère héréditaire.

Myocarde Couche moyenne de la paroi du cœur comprise entre l'épicarde et l'endocarde, composée de tissu musculaire cardiaque et constituant l'essentiel de la masse du cœur; responsable de l'action de pompage du cœur.

Myocytes intrafusoriaux De trois à dix fibres (cellules) musculaires spécialisées, partiellement enveloppées dans une capsule fusiforme de tissu conjonctif; ces myocytes constituent un fuseau neuromusculaire.

Myofibrille Structure filamenteuse, qui s'étend sur toute la longueur de la fibre (cellule) musculaire; constituée principalement de myofilaments épais (myosine) et de myofilaments fins (actine, troponine et tropomyosine); élément contractile des fibres musculaires.

Myofilament Structure de deux types (épais et fins) à l'intérieur des myofibrilles, disposée en segments appelés sarcomères; le glissement des myofilaments fins permet la contraction musculaire.

Myoglobine Complexe protéique conjugué qui fixe l'oxygène et contient du fer, présent dans le sarcoplasme des fibres musculaires; donne sa couleur rouge au muscle.

Myogramme Tracé obtenu au moyen du myographe, appareil qui mesure et enregistre les effets des contractions musculaires.

Myologie Étude des muscles.

Myomètre Couche moyenne de l'utérus constituée de trois feuillets de fibres musculaires lissses.

Myopathie État anormal ou pathologique du tissu musculaire squelettique.

Myopie Défaut de la vision dans lequel les objets ne peuvent être clairement distingués que s'ils sont très proches des yeux.

Myosine Protéine contractile qui constitue les myofilaments épais des fibres (cellules) musculaires.

Myotome Chez l'embryon, portion d'un somite qui donne naissance à certains muscles squelettiques.

N

Nasopharynx Partie supérieure du pharynx, située derrière le nez et s'étendant vers le bas jusqu'au palais mou.

Nécrose Type pathologique de mort cellulaire qui résulte de la maladie, d'une blessure ou de l'interruption de l'apport sanguin et dans lequel un grand nombre de cellules voisines gonflent, crèvent et répandent leur contenu dans le liquide interstitiel, ce qui déclenche une réponse inflammatoire.

Néoglucogenèse Synthèse du glucose à partir de certains acides aminés ou de l'acide lactique par les hépatocytes.

Néonatal Qui se rapporte aux six premières semaines après la naissance.

Néoplasme Masse de tissu qui peut être bénigne ou maligne. Également appelé **tumeur.**

Néphron Unité fonctionnelle du rein; constitué du corpuscule rénal et du tubule rénal.

Nerf Faisceau formé de fibres nerveuses (axones et/ou dendrites) et de tissu conjonctif qui court à l'extérieur du système nerveux central.

Nerf crânien L'une des 12 paires de nerfs qui émergent de l'encéphale, traversent les foramens du crâne et se rendent à la tête, au cou et à une partie du tronc; chacun porte un numéro en chiffres romains qui indique son ordre d'émergence de l'encéphale de l'avant vers l'arrière.

Nerf intercostal Nerf desservant un muscle situé entre les côtes.

Nerf spinal Nerf faisant partie des 31 paires de nerfs qui émergent des racines dorsales et ventrales de la moelle épinière.

Nerfs splanchniques pelviens Fibres parasympathiques préganglionnaires issues des nerfs S2, S3 et S4 qui font synapse avec des neurones postsynaptiques parasympathiques situés dans les ganglions terminaux; ils desservent la vessie, les organes génitaux, le côlon descendant et sigmoïde ainsi que le rectum.

Neurofibrille L'un des fins filaments formant un réseau dense dans le cytoplasme du corps cellulaire et des prolongements d'un neurone.

Neurohypophyse Lobe postérieur de l'hypophyse.

Neurolemme Couche cytoplasmique externe et nucléée de la cellule de Schwann. Également appelé **neurilemme.**

Neurologie Branche de la médecine qui étudie le fonctionnement normal et les troubles du système nerveux.

Neurone Cellule nerveuse, constituée d'un corps cellulaire, de dendrites et d'un axone.

Neurone adrénergique Fibre nerveuse qui libère de l'adrénaline ou de la noradrénaline dans une synapse.

Neurone cholinergique Fibre nerveuse qui libère de l'acétylcholine dans ses synapses.

Neurone moteur Neurone qui conduit les influx nerveux provenant de l'encéphale et de la moelle épinière vers des effecteurs (muscles ou glandes). Également appelé **neurone efférent.**

Neurone postganglionnaire Le deuxième neurone moteur d'une voie autonome, situé entièrement à l'extérieur du SNC, dont le corps cellulaire et les dendrites sont compris dans un ganglion autonome et dont l'axone amyélinisé s'étend jusqu'au muscle cardiaque, jusqu'à un muscle lisse ou jusqu'à une glande.

Neurone postsynaptique Cellule nerveuse qui est activée par la libération d'un neurotransmetteur provenant d'un autre neurone et qui transporte les influx nerveux loin de la synapse.

Neurone préganglionnaire Le premier neurone moteur d'une voie autonome, dont le corps cellulaire et les dendrites sont situés dans l'encéphale ou la moelle épinière et dont l'axone myélinisé s'étend jusqu'à un ganglion autonome, où il fait synapse avec un neurone postganglionnaire.

Neurone présynaptique Neurone qui propage l'influx nerveux vers une synapse.

Neurone sensitif Neurone qui achemine les influx nerveux vers le système nerveux central. Également appelé **neurone afférent.**

Neuropeptide Chaîne de 3 à 40 acides aminés environ, présente naturellement dans le système nerveux; joue principalement un rôle de neurotransmetteur excitateur ou inhibiteur ou un rôle d'hormone. Comprend les enképhalines et les endorphines.

Neurotransmetteur Variété de molécules présentes dans les terminaisons axonales qui sont libérées dans la fente synaptique en réponse à un influx nerveux et qui modifient le potentiel de membrane du neurone postsynaptique.

Nocicepteur Terminaison nerveuse libre qui détecte les stimulus associés aux lésions physiques ou chimiques des tissus et produit la douleur.

Nodules lymphatiques agrégés Groupes de nodules lymphatiques particulièrement nombreux dans l'iléum. Également appelés **plaques de Peyer.**

Nœud auriculo-ventriculaire Partie du système de conduction du cœur formée d'un amas compact de cellules cardionectrices et située dans le septum interauriculaire.

Nœud de Ranvier Espace, le long d'une fibre nerveuse myélinisée, entre les cellules de Schwann qui forment la gaine de myéline et le neurolemme.

Nœud lymphatique Structure ovale ou en forme de haricot située le long des vaisseaux lymphatiques; ce sont les seuls organes à filtrer la lymphe. Également appelé **ganglion lymphatique.**

Nœud sinusal Amas compact de fibres (cellules) musculaires cardiaques spécialisées où commence normalement l'excitation cardiaque, situé dans l'oreillette droite en dessous de l'ouverture de la veine cave supérieure. Également appelé **pacemaker.**

Nombre de masse Nombre total de protons et de neutrons dans le noyau d'un atome d'un élément chimique.

Non-disjonction Les chromatides sœurs ne se séparent pas adéquatement durant l'anaphase de la mitose (ou de la méiose II) ou les chromosomes homologues ne se séparent pas adéquatement durant la méiose I, si bien que les chromatides ou les chromosomes passent dans la même cellule fille; la cellule fille ou le gamète se retrouve alors avec un nombre anormal de chromosomes (chromosome en trop ou en moins).

Noradrénaline (NA) Neurotransmetteur et hormone sécrétée par la médullosurrénale qui produit des effets semblables à ceux de la stimulation sympathique.

Notochorde Tige souple de tissu embryonnaire qui se situe à l'endroit où la colonne vertébrale se développera; elle disparaît graduellement et ses vestiges deviennent les noyaux pulpeux des disques intervertébraux.

Noyau Organite sphérique ou ovale de la cellule qui renferme les facteurs héréditaires de la cellule, appelés gènes. Amas de corps cellulaires de neurones amyélinisés dans le système nerveux central. Portion centrale d'un atome composée de protons et de neutrons.

Noyau cunéiforme Groupe de cellules nerveuses situé dans la partie inférieure du bulbe rachidien et dans lequel se terminent les fibres du faisceau cunéiforme; relais vers le thalamus.

Noyau gracile Groupe de cellules nerveuses situé dans la partie inférieure du bulbe rachidien et dans lequel se terminent les fibres du faisceau gracile; relais vers le thalamus. Également appelé **noyau grêle.**

Noyau pulpeux Substance molle, pulpeuse et très élastique, située au centre d'un disque intervertébral, un vestige de la notochorde.

Noyau rouge Groupe de corps cellulaires dans le mésencéphale, occupant une grande partie du tectum du mésencéphale; il donne des fibres au faisceau rubro-spinal qui régit les mouvements précis des membres, des mains et des pieds; lieu de synapse pour des fibres provenant du cervelet et du tronc cérébral.

Noyaux gris centraux Groupe de noyaux pairs et symétriques composant la substance grise centrale dans chaque hémisphère cérébral et comprenant le noyau caudé, le noyau lenticulaire et le corps amygdaloïde. Également appelés **noyaux basaux.**

Nucléase Enzyme qui scinde les nucléotides en pentoses et en bases azotées; par exemple, ribonucléase et désoxyribonucléase.

Nucléole Corps sphérique dénué de membrane situé à l'intérieur du noyau; composé de protéines, d'ADN et d'ARN et participant à la synthèse et au stockage de l'ARN ribosomal et à la fabrication des deux sous-unités ribosomales.

Nucléosome Sous-unité structurale élémentaire d'un chromosome constituée d'histones et d'ADN.

Numéro atomique Nombre de protons dans le noyau d'un atome.

Nutriment Substance chimique dans la nourriture qui procure de l'énergie, forme de nouveaux constituants dans l'organisme ou prend part au fonctionnement de divers processus de l'organisme.

O

Obésité Poids corporel qui dépasse de plus de 20% une certaine norme souhaitable en raison d'une accumulation excessive de tissu adipeux.

Obstétrique Branche de la médecine qui a pour objet la grossesse, le travail et la période qui suit immédiatement l'accouchement (environ 42 jours).

Ocytocine Hormone sécrétée par les cellules neurosécrétrices des noyaux supraoptique et paraventriculaire de l'hypothalamus, qui stimule la contraction des fibres musculaires lisses de l'utérus chez la femme enceinte et celle des cellules contractiles autour des conduits des glandes mammaires.

Œdème Augmentation du volume interstitiel par suite d'une trop grande filtration de liquides provenant du sang.

Œdème pulmonaire Accumulation anormale de liquide interstitiel dans les espaces tissulaires et les alvéoles pulmonaires, causée par une augmentation de la perméabilité des capillaires pulmonaires ou une élévation de la pression dans les capillaires pulmonaires.

Œsophage Tube musculaire creux situé derrière la trachée et reliant le pharynx et l'estomac.

Œstrogènes Hormones sexuelles femelles produites par les cellules du follicule ovarique et du corps jaune, qui jouent un rôle dans le développement et le maintien des structures du système reproducteur et des caractères sexuels secondaires chez la femme ainsi que dans l'équilibre hydro-électrolytique et l'anabolisme des protéines. Par exemple, β-œstradiol, œstrone et œstriol.

Olfactif Qui se rapporte à l'odorat.

Oligodendrocyte Cellule gliale qui soutient les neurones; un seul oligodendrocyte produit une gaine de myéline autour de plusieurs axones des neurones du système nerveux central.

Oligospermie Insuffisance de la quantité de spermatozoïdes dans le sperme; un nombre inférieur à 20 millions/mL est probablement insuffisant pour assurer la fertilité.

Olive Renflement ovale bien visible sur chaque face latérale de la partie supérieure du bulbe rachidien; renferme des noyaux qui relaient les informations provenant des propriocepteurs au cervelet.

Ombilic Petite cicatrice abdominale qui marque le point d'attache du cordon ombilical au fœtus. Également appelé **nombril.**

Oncogène Gène ayant la faculté de transformer une cellule normale en cellule cancéreuse lorsqu'il est activé de façon inappropriée.

Oncologie Étude des tumeurs.

Onde P Onde de dérivation sur un électrocardiogramme qui correspond à la dépolarisation auriculaire.

Onde T Onde de dérivation d'un électrocardiogramme qui correspond à la repolarisation ventriculaire.

Ondes cérébrales Activité électrique produite par les potentiels d'action des neurones du cerveau.

Ongle Plaque dure, composée principalement de kératine, qui se développe à partir de l'épiderme de la peau pour former un revêtement protecteur sur la face dorsale de l'extrémité distale des doigts et des orteils.

Ophtalmique Qui se rapporte à l'œil.

Ophtalmologie Étude de la structure, de la fonction et des maladies de l'œil.

Ophtalmologiste Médecin spécialisé dans le diagnostic et le traitement des maladies oculaires au moyen de médicaments, de la chirurgie et de verres correcteurs.

Opsine Partie glycoprotéique d'un photopigment.

Opsonisation Action de certains anticorps qui rend les bactéries et autres cellules étrangères plus susceptibles d'être phagocytées.

Opticien Technicien qui adapte et vend des verres correcteurs prescrits par un ophtalmologiste ou un optométriste.

Optique Qui se rapporte à l'œil, à la vision ou aux propriétés de la lumière.

Optométriste En Amérique du Nord, spécialiste détenant un doctorat en optométrie, autorisé à examiner l'œil, à effectuer des examens de la vue et à traiter les défauts optiques en prescrivant des verres correcteurs.

Ora serrata Bord dentelé de la rétine situé à l'intérieur et légèrement à l'arrière de la jonction de la choroïde et du corps ciliaire.

Orbite Cavité osseuse pyramidale de la tête qui contient le globe oculaire.

Oreille externe Comprend le pavillon de l'oreille, le conduit auditif externe et le tympan.

Oreille interne Située à l'intérieur de l'os temporal, abrite les organes de l'ouïe et de l'équilibre. Également appelée **labyrinthe.**

Oreille moyenne Petite cavité tapissée d'épithélium, creusée dans l'os temporal, séparée de l'oreille externe par le tympan et de l'oreille interne par une mince cloison osseuse portant les fenêtres de la cochlée et du vestibule; contient les trois osselets de l'ouïe.

Oreillette Une des deux cavités supérieures du cœur. Également appelée **atrium.**

Organe Structure composée de deux ou plusieurs types de tissus jouant un rôle précis et ayant habituellement une forme reconnaissable.

Organe spiral Organe de l'ouïe; feuillet enroulé de cellules épithéliales et composé de cellules de soutien et de cellules sensorielles ciliées (récepteurs de l'ouïe), qui repose sur la lame basilaire de la cochlée et s'étend jusque dans l'endolymphe du conduit cochléaire. Également appelé **organe de Corti.**

Organe tendineux de Golgi Récepteur de la proprioception sensible aux variations de la tension musculaire et de la force de contraction, principalement situé dans un tendon, près de sa jonction avec un muscle; associé au réflexe tendineux.

Organisme Être vivant complet; individu.

Organite Structure permanente située à l'intérieur d'une cellule; doté d'une forme caractéristique et remplissant des fonctions spécifiques dans les activités cellulaires; par exemple, ribosome, mitochondrie, complexe de Golgi.

Orgasme Événements moteurs et sensitifs liés à l'éjaculation chez l'homme et à la contraction involontaire des muscles du périnée chez la femme lors du point culminant du rapport sexuel.

Origine Point d'attache du tendon d'un muscle à un os stationnaire; extrémité opposée à l'insertion.

Oropharynx Partie intermédiaire du pharynx, située derrière la bouche et s'étendant du palais mou jusqu'à la hauteur de l'os hyoïde.

Orthopédie Branche de la médecine qui a pour objet les affections et la correction du système osseux, des articulations et des structures associées.

Os compact Tissu osseux qui comporte peu d'espace entre ses composantes solides; constitue l'enveloppe externe de tous les os et la majeure partie de la diaphyse (corps) des os longs; se trouve immédiatement sous le périoste et à l'extérieur de l'os spongieux.

Os sésamoïdes Petits os (quelques millimètres de diamètre) apparaissant dans certains tendons et dont le nombre varie d'un individu à l'autre.

Os spongieux Tissu osseux constitué d'une trame irrégulière de minces colonnes de tissu osseux appelées trabécules osseuses; les espaces entre les trabécules de certains os sont remplis de moelle osseuse rouge; présent dans les os courts, plats et irréguliers et dans les épiphyses (extrémités) des os longs.

Os suturaux Petits os situés à l'intérieur des sutures unissant certains os du crâne; leur nombre varie d'un individu à l'autre.

Osmorécepteur Récepteur situé dans l'hypothalamus qui réagit aux variations de la pression osmotique du sang et, en réponse à une pression osmotique élevée (faible concentration d'eau), entraîne la synthèse et la libération de l'hormone antidiurétique (ADH).

Osmose Déplacement net des molécules d'eau à travers une membrane à perméabilité sélective d'une région où la concentration d'eau est plus élevée vers une région où la concentration d'eau est plus faible, jusqu'à l'atteinte d'un équilibre.

Osselet de l'ouïe L'un des trois petits os de l'oreille moyenne (les plus petits os du corps) appelés **malléus, incus** et **stapès.**

Ossification Formation de l'os. Également appelée **ostéogenèse.**

Ossification endochondrale Remplacement du cartilage hyalin par de la matière osseuse.

Ossification intramembraneuse Processus de formation des os dans lequel l'os est issu directement du mésenchyme sans passer par le stade cartilagineux.

Ostéoblaste Cellule formée à partir d'une cellule ostéogénique qui participe à la formation de l'os en sécrétant certains composés organiques et en amorçant la calcification.

Ostéoclaste Grosse cellule multinucléée qui détruit ou résorbe le tissu osseux.

Ostéocyte Cellule osseuse mature qui effectue les activités quotidiennes du tissu osseux.

Ostéologie Étude de la structure des os et du traitement des troubles osseux.

Ostéone Unité fondamentale du tissu osseux compact de l'adulte; constituée d'un canal central (de Havers) et de lamelles concentriques, de lacunes, d'ostéocytes et de canalicules.

Ostéoporose Trouble lié à l'âge se caractérisant par la diminution de la masse osseuse et l'augmentation du risque de fractures; résulte souvent d'une baisse du taux d'œstrogènes.

Otique Qui se rapporte à l'oreille.

Oto-rhino-laryngologie Branche de la médecine qui a pour objet le diagnostic et le traitement des maladies des oreilles, du nez et de la gorge.

Ouverture médiane du quatrième ventricule L'une des trois ouvertures situées dans le toit du quatrième ventricule par lesquelles le liquide cérébro-spinal entre dans l'espace sous-arachnoïdien de l'encéphale et de la moelle épinière. Également appelée **trou de Magendie.**

Ovaire Gonade femelle qui produit les ovocytes et des hormones: œstrogènes, progestérone, inhibine et relaxine.

Ovariectomie Ablation chirurgicale des ovaires.

Ovogenèse Formation et développement d'un ovule.

Ovulation Rupture d'un follicule mûr (de De Graaf) accompagnée de l'expulsion d'un ovocyte secondaire dans la cavité pelvienne.

Ovule Cellule reproductrice ou germinale femelle; œuf.

Oxydation Perte d'électrons par une molécule ou, moins souvent, addition d'oxygène à une molécule qui se traduit par une diminution du contenu énergétique de la molécule. Ainsi nommée car la molécule acceptant les électrons est souvent une molécule d'oxygène. L'oxydation du glucose dans l'organisme est appelée **respiration cellulaire.**

Oxyhémoglobine Hémoglobine et oxygène combinés (HbO_2).

P

Palais Structure horizontale séparant les cavités nasales et la cavité orale; le toit de la bouche.

Palais mou Partie postérieure du toit de la bouche, s'étendant des os palatins jusqu'à l'uvule. C'est une cloison musculaire tapissée d'une muqueuse qui sépare l'œsophage du nasopharynx.

Palais osseux Partie antérieure du toit de la bouche, formée par les maxillaires et les os palatins et tapissée d'une muqueuse.

Palpation Examen des surfaces du corps par le toucher.

Pancréas Organe allongé, mou, situé le long de la grande courbure de l'estomac et relié par un conduit au duodénum. Glande à la fois exocrine (sécrétant le suc pancréatique) et endocrine (sécrétant l'insuline, le glucagon, la somatostatine et le polypeptide pancréatique).

Papille Petite éminence ou saillie en forme de bouton.

Papille caliciforme L'une des éminences circulaires disposées en forme de V inversé sur la partie postérieure de la langue; les éminences les plus grandes parmi celles qui contiennent les calicules gustatifs, sur la face supérieure de la langue.

Papille du derme Projection digitiforme du stratum papillaire du derme, qui peut contenir des capillaires sanguins ou des corpuscules tactiles capsulés (corpuscules de Meissner).

Papille filiforme L'une des structures pointues disposées en rangées parallèles sur les deux tiers antérieurs de la langue et qui contiennent rarement des calicules gustatifs.

Papille fungiforme Éminence en forme de champignon sur la face supérieure de la langue, ayant l'apparence d'un point rouge; la plupart contiennent des calicules gustatifs.

Paracervix Ligament de l'utérus s'étendant latéralement depuis le col de l'utérus et le vagin jusqu'à la paroi pelvienne, en continuation du ligament large de l'utérus.

Paralysie Perte ou déficience de la fonction motrice due à une lésion d'origine nerveuse ou musculaire.

Paraplégie Paralysie des deux membres inférieurs.

Parathormone (PTH) Hormone sécrétée par les glandes parathyroïdes qui augmente la concentration sanguine de calcium et réduit la concentration sanguine de phosphate.

Parenchyme Parties fonctionnelles d'un organe, par opposition aux tissus qui forment son stroma, ou tissu de soutien.

Pariétal Qui se rapporte à la paroi externe d'une cavité de l'organisme.

Paroi vestibulaire du conduit cochléaire Paroi qui sépare le conduit cochléaire de la rampe vestibulaire.

Pavillon de l'oreille Partie saillante de l'oreille externe composée de cartilage élastique et recouverte de peau, en forme de coquille. Également appelé **auricule.**

Peau Revêtement externe de l'organisme constitué de l'épiderme superficiel mince (tissu épithélial) et du derme plus profond et plus épais (tissu conjonctif) attaché à la couche sous-cutanée.

Pectoral Qui se rapporte à la poitrine.

Pédiatre Médecin spécialisé dans les soins aux enfants.

Pédicelle Structure en forme de pieds, comme sur les podocytes d'un glomérule.

Pédoncule cérébelleux Une des trois paires de faisceaux de fibres nerveuses reliant le tronc cérébral au cervelet.

Pédoncule cérébral Un des faisceaux d'une paire situé sur la face antérieure du mésencéphale, qui transmet les influx nerveux ascendants et descendants entre le pont et les hémisphères cérébraux.

Pelvis rénal Cavité au centre du rein, formée par la partie proximale élargie de l'uretère, et dans laquelle s'ouvrent les calices rénaux majeurs.

Pénis Organe de la copulation chez l'homme, qui permet d'introduire le sperme dans le vagin de la femme et qui sert aussi à l'excrétion de l'urine.

Pepsine Enzyme protéolytique (qui digère les protéines) sécrétée par les cellules principales de l'estomac sous une forme inactive appelée pepsinogène.

Peptide natriurétique auriculaire (ANP) Hormone peptidique produite par les oreillettes du cœur en réponse à l'étirement, qui inhibe la production d'aldostérone et d'ADH et augmente le débit de filtration glomérulaire, diminuant ainsi la pression artérielle.

Percussion Action qui consiste à frapper de petits coups secs une structure sous-jacente du corps afin de poser un diagnostic selon la qualité du son entendu.

Péricarde Membrane lâche recouvrant le cœur, formée d'une couche fibreuse externe et d'une couche séreuse interne.

Périchondre Membrane de tissu conjonctif dense irrégulier qui recouvre le cartilage.

Périlymphe Liquide semblable au liquide cérébro-spinal compris entre le labyrinthe osseux et le labyrinthe membraneux de l'oreille interne qu'il entoure.

Périmétrium Séreuse de l'utérus; fait partie du péritoine viscéral.

Périmysium Invagination de l'épimysium qui divise les muscles en faisceaux de fibres musculaires.

Périnée Plancher pelvien; espace compris entre l'anus et le scrotum chez l'homme et entre l'anus et la vulve chez la femme.

Périnèvre Enveloppe vascularisée de tissu conjonctif recouvrant les fascicules dans un nerf.

Période réfractaire Période durant laquelle une cellule excitable (neurone ou fibre musculaire) ne peut répondre à un stimulus qui est généralement suffisant pour provoquer un potentiel d'action.

Périoste Membrane qui recouvre l'os, constituée de tissu conjonctif dense irrégulier, de cellules productrices de matière osseuse et d'ostéoblastes; essentiel à la croissance, à la réparation et à la nutrition des os.

Périphérique Qui est situé dans les régions externes ou à la surface du corps.

Péristaltisme Contractions musculaires successives le long de la paroi d'une structure musculaire creuse.

Péritoine La plus grosse séreuse de l'organisme qui tapisse la paroi de la cavité abdominale et recouvre les viscères.

Péritonite Inflammation aiguë du péritoine.

Perméabilité sélective Propriété d'une membrane qui permet le passage de certaines substances mais limite le passage d'autres substances.

Peroxysome Organite dont la structure rappelle celle du lysosome et qui renferme des enzymes utilisant l'oxygène moléculaire pour oxyder divers composés organiques. Ces réactions produisent du peroxyde d'hydrogène; organite abondant dans les cellules du foie.

Persistance du conduit artériel Anomalie congénitale du cœur dans laquelle le vaisseau fœtal reliant l'aorte et le tronc pulmonaire reste ouvert au lieu de se fermer complètement après la naissance.

Petit omentum Repli de péritoine s'étendant du foie jusqu'à la petite courbure de l'estomac et la première portion du duodénum; il suspend ces deux organes au foie.

Petites lèvres de la vulve Deux petits replis cutanés à l'intérieur des grandes lèvres de la vulve chez la femme; homologues de la partie spongieuse de l'urètre.

pH Mesure de la concentration des ions hydrogène (H^+) dans une solution. L'échelle des pH va de 0 à 14, une valeur de 7 exprimant la neutralité, une valeur inférieure à 7 exprimant l'acidité et une valeur supérieure à 7 exprimant l'alcalinité.

Phagocytose Mécanisme par lequel les phagocytes, en formant des pseudopodes, ingèrent des particules; en particulier, ingestion et destruction des microbes, des débris cellulaires et d'autres substances étrangères.

Phalange Os d'un doigt ou d'un orteil; deux dans le pouce et le gros orteil, trois dans chacun des autres doigts ou orteils.

Pharmacologie Discipline qui a pour objet les effets et l'usage des médicaments dans le traitement des maladies.

Pharynx La gorge; tube en forme d'entonnoir qui prend naissance au niveau des choanes et s'étend sur une partie du cou, où il s'ouvre à l'arrière sur l'œsophage et à l'avant sur le larynx.

Phase de contraction isovolumétrique Période, de 0,05 s environ, entre le début de la systole ventriculaire et l'ouverture des valvules semi-lunaires; les ventricules se contractent mais ne se vident pas, et la pression ventriculaire augmente rapidement.

Phénomène de Hamburger Échange d'ions bicarbonate (HCO_3^-) pour des ions chlorure (Cl^-) entre les globules rouges et le plasma; maintient l'équilibre électrique à l'intérieur des globules rouges à mesure que les ions bicarbonate sont produits ou éliminés pendant la respiration.

Phénomène de Starling Le déplacement de liquides entre le plasma et le liquide interstitiel est dans un état de quasi-équilibre aux extrémités artérielle et veineuse d'un capillaire; en d'autres termes, le liquide filtré et le liquide absorbé ainsi que le liquide qui est retourné dans la lymphe sont presque égaux.

Phénotype Expression apparente du génotype; caractéristiques physiques d'un organisme déterminées par la constitution génétique et influencées par l'interaction entre les gènes et les facteurs environnementaux externes.

Phlébite Inflammation d'une veine, habituellement dans le membre inférieur.

Phosphorylation Addition d'un groupement phosphate à un composé chimique, ce qui en augmente l'énergie potentielle; les trois types en sont la phosphorylation au niveau du substrat, la phosphorylation oxydative et la photophosphorylation.

Photopigment Protéine colorée située dans la membrane plasmique du segment externe d'un photorécepteur, pouvant absorber la lumière et subir des modifications structurales qui peuvent conduire à la production d'un potentiel récepteur. La rhodopsine en est un exemple.

Photorécepteur Récepteur qui détecte la lumière atteignant la rétine.

Physiologie Science qui étudie les fonctions d'un organisme ou de ses parties.

Pied Extrémité du membre inférieur.

Pie-mère Méninge la plus profonde; mince membrane vascularisée qui adhère à l'encéphale et à la moelle épinière.

Pilier du pénis Extrémité effilée du corps caverneux du pénis, qui se détache de sa racine.

Pinéalocyte Cellule sécrétrice de la glande pinéale qui libère de la mélatonine.

Pinocytose Mécanisme par lequel les cellules absorbent de façon non sélective du liquide extracellulaire.

Pituicyte Cellule gliale spécialisée de la neurohypophyse.

Placenta Structure spécifique qui se forme dans l'utérus et qui permet l'échange de substances entre les circulations fœtale et maternelle. Également appelé le **délivre.**

Plan frontal Plan à angle droit par rapport à un plan sagittal médian et divisant le corps ou l'organe en une partie antérieure et une partie postérieure. Également appelé **plan coronal.**

Plan médian Plan vertical divisant le corps en côtés droit et gauche. Situé au milieu.

Plan oblique Plan qui divise le corps ou un organe selon un plan intermédiaire entre un plan transversal et un plan sagittal médian, parasagittal ou frontal.

Plan parasagittal Plan vertical qui ne passe pas par le milieu et qui divise le corps ou un organe en parties droite et gauche *inégales.*

Plan sagittal Plan qui divise le corps ou un organe en deux côtés, droit et gauche. Il peut s'agir d'un **plan sagittal médian,** lorsque les deux côtés sont égaux, ou d'un **plan parasagittal,** lorsque les deux côtés sont inégaux.

Plan sagittal médian Plan vertical qui passe au milieu du corps et divise le corps ou les organes en deux côtés gauche et droit *égaux.* Également appelé **plan médian.**

Plan transversal Plan qui divise le corps ou un organe en une partie supérieure et une partie inférieure.

Plaque d'athérosclérose Lésion causée par l'accumulation de cholestérol et de fibres (cellules) musculaires lisses dans la paroi d'une artère; peut entraîner l'obstruction de l'artère.

Plaque dentaire Amas de cellules bactériennes, de dextran (polysaccharide) et d'autres débris qui adhère à la dent.

Plaque motrice Partie du sarcolemme d'une fibre (cellule) musculaire où se trouvent les récepteurs du neurotransmetteur libéré par une terminaison axonale.

Plaquette Fragment de cytoplasme entouré d'une membrane cellulaire et dépourvu de noyau; présent dans le sang circulant; joue un rôle dans la coagulation du sang. Également appelée **thrombocyte.**

Plasma Liquide extracellulaire se trouvant dans les vaisseaux sanguins; sang moins les éléments figurés.

Plasmocyte Cellule issue de la division d'un lymphocyte B activé; sécrète les anticorps.

Plèvre Séreuse qui recouvre les poumons et tapisse la paroi thoracique et le diaphragme.

Plèvre pariétale Feuillet externe de la séreuse pleurale qui entoure et protège les poumons; le feuillet qui adhère à la paroi de la cavité thoracique.

Plèvre viscérale Feuillet interne de la séreuse qui recouvre les poumons.

Plexus Réseau de nerfs, de veines, ou de vaisseaux lymphatiques.

Plexus autonome Réseau étendu et enchevêtré de fibres sympathiques et parasympathiques, situé le plus souvent le long des principales artères; comprend les plexus cardiaque et cœliaque, qui sont respectivement situés dans le thorax et dans l'abdomen.

Plexus brachial Réseau de fibres nerveuses des rameaux ventraux des nerfs spinaux C5, C6, C7, C8 et T1. Les nerfs issus du plexus brachial innervent le membre supérieur.

Plexus cervical Réseau de fibres nerveuses formé par les rameaux ventraux des quatre premiers nerfs cervicaux; innerve la tête, le cou, les épaules, la poitrine et le diaphragme.

Plexus choroïde Réseau de capillaires situé dans le toit de chacun des quatre ventricules de l'encéphale; les épendymocytes qui tapissent les plexus choroïdes produisent le liquide cérébro-spinal.

Plexus cœliaque Gros réseau de ganglions et de fibres nerveuses situé à la hauteur de la partie supérieure des premières vertèbres lombaires; le plus étendu des plexus autonomes; il innerve un grand nombre de viscères abdominaux et pelviens.

Plexus de la racine du poil Réseau de dendrites disposés autour de la racine du poil et jouant le rôle de terminaisons nerveuses libres qui sont stimulées lorsque la tige du poil se déplace.

Plexus lombaire Réseau formé par les rameaux ventraux des nerfs spinaux L1 à L4; innerve la paroi abdominale, les organes génitaux externes et une partie du membre inférieur.

Plexus myentérique Réseau de fibres nerveuses des deux divisions autonomes situé dans la musculeuse de l'intestin grêle; fait partie du SNE (système nerveux entérique). Également appelé **plexus d'Auerbach.**

Plexus sacral Réseau formé par les rameaux ventraux des nerfs spinaux L4 à S4; innerve la fesse, le périnée et le membre inférieur.

Plexus sous-muqueux entérique Réseau de fibres nerveuses autonomes situé dans la partie superficielle de la sous-muqueuse de l'intestin grêle; fait partie du SNE (système nerveux entérique). Également appelé **plexus de Meissner.**

Plis circulaires Crêtes transverses, profondes (10 mm) et permanentes, situées dans la muqueuse et la sous-muqueuse de l'intestin grêle qui favorisent l'absorption en augmentant la surface de la paroi et en forçant le chyme à se déplacer en spirale.

Plis vocaux Paire de replis muqueux situés sous les plis vestibulaires dans la muqueuse du larynx, qui jouent un rôle dans la production de la voix. Également appelés **cordes vocales.**

Pneumothorax État où la cavité pleurale se remplit d'air, causant l'affaissement du poumon.

Podologie Étude du pied et de ses affections.

Poil Structure filiforme produite dans les follicules pileux et qui se développe dans le derme.

Point d'ossification Région du modèle cartilagineux d'un futur os où les chondrocytes s'hypertrophient puis sécrètent des enzymes qui entraînent la calcification de leur matrice, ce qui cause la mort des chondrocytes, suivie de l'invasion de la région par des ostéoblastes qui produisent du tissu osseux.

Polarisé État dans lequel des ions de charges opposées sont séparés de chaque côté d'une membrane; dans le cas d'une membrane cellulaire, cette séparation établit un potentiel de membrane qui varie de $+5$ mV à -100 mV selon les différents types de cellules.

Polycythémie Trouble caractérisé par un hématocrite supérieur à la valeur normale de 55 et qui cause l'hypertension, la thrombose et l'hémorragie.

Polypeptide pancréatique Hormone sécrétée par les cellules PP des îlots pancréatiques (îlots de Langerhans), qui régit la libération des enzymes digestives pancréatiques et les contractions de la vésicule biliaire.

Polysaccharide Glucide dans lequel trois monosaccharides ou plus sont chimiquement liés; par exemple, glycogène et amidon.

Pompe à sodium Pompe de transport actif située dans la membrane cellulaire qui transporte des ions sodium hors de la cellule et des ions potassium dans la cellule en utilisant l'ATP cellulaire. Maintient les concentrations ioniques de ces éléments à des niveaux physiologiques. Également appelée **Na$^+$-K$^+$ ATPase.**

Ponction lombaire Insertion d'une aiguille dans l'espace sous-arachnoïdien pour prélever du liquide cérébro-spinal à des fins diagnostiques ou injecter diverses substances.

Pont Partie du tronc cérébral qui relie le bulbe rachidien et le mésencéphale, à l'avant du cervelet; constitué de noyaux et de faisceaux. Également appelé **protubérance annulaire.**

Position anatomique Position du corps utilisée universellement dans les descriptions anatomiques; la personne est debout, face à l'observateur, la tête droite, les membres supérieurs sont placés le long du corps, les paumes sont tournées en avant et les pieds sont posés à plat sur le sol.

Postérieur Vers le dos ou à l'arrière du corps. Équivalant à **dorsal** chez les bipèdes.

Post-partum Période qui suit immédiatement la naissance, de 4 à 6 semaines environ.

Potentialisation à long terme Transmission améliorée et prolongée qui se produit dans certaines synapses de l'hippocampe de l'encéphale et où le neurotransmetteur mis en jeu est le glutamate; pourrait intervenir dans certains aspects de la mémoire.

Potentiel d'action Signal électrique qui se propage le long de la membrane d'un neurone ou d'une fibre (cellule) musculaire; changement rapide du potentiel de membrane qui fait intervenir une dépolarisation suivie d'une repolarisation. Également appelé **influx nerveux** lorsqu'il concerne un neurone et **potentiel d'action musculaire** lorsqu'il concerne une fibre (cellule) musculaire.

Potentiel d'action musculaire Influx excitateur qui se propage le long du sarcolemme puis dans les tubules transverses; dans le muscle squelettique, est généré par l'acétylcholine, qui modifie la perméabilité du sarcolemme aux cations, en particulier les ions sodium (Na^+).

Potentiel de repos Différence de voltage entre l'intérieur et l'extérieur d'une membrane cellulaire lorsque la cellule ne répond pas à un stimulus; dans beaucoup de neurones et de fibres musculaires il est de -70 à -90 mV, l'intérieur de la cellule étant négatif par rapport à l'extérieur.

Potentiel générateur Dépolarisation graduée qui se traduit par une modification du potentiel de repos de la membrane dans un récepteur (terminaison nerveuse spécialisée); peut déclencher un potentiel d'action (influx nerveux) si la dépolarisation atteint le seuil d'excitation.

Potentiel liminaire Voltage de la membrane qui doit être atteint pour déclencher un potentiel d'action.

Potentiel postsynaptique excitateur (PPSE) Petite dépolarisation de la membrane postsynaptique lorsqu'elle est stimulée par un neurotransmetteur excitateur. Le PPSE est un phénomène local dont la force diminue à partir du point d'excitation.

Potentiel postsynaptique inhibiteur (PPSI) Petite hyperpolarisation causée par un neurotransmetteur à une synapse dans laquelle le potentiel de membrane du neurone postsynaptique devient plus négatif.

Potentiel récepteur Dépolarisation ou hyperpolarisation de la membrane plasmique de cellules spécialisées des récepteurs de la vision, de l'ouïe, de l'équilibre et du goût, qui entraîne la libération de neurotransmetteur par ces cellules; si le neurone qui fait synapse avec la cellule réceptrice est dépolarisé et atteint le seuil d'excitation, un influx nerveux est déclenché.

Pouls Dilatation et rétraction successives d'une artère systémique élastique après chaque contraction du ventricule gauche.

Poumons Principaux organes de la respiration situés de chaque côté du cœur dans la cage thoracique.

Prépuce Repli de peau lâche recouvrant le gland du pénis et le clitoris.

Presbytie Perte de l'élasticité du cristallin de l'œil due au vieillissement, qui se traduit par la perte de la capacité d'accommodation sur les objets proches.

Pression artérielle moyenne (PAM) Force moyenne de la pression sanguine exercée contre les parois des artères; à peu près égale à la pression diastolique plus le tiers de la pression différentielle; par exemple, 93 mm Hg lorsque la pression systolique est de 120 mm Hg et la pression diastolique, de 80 mm Hg.

Pression diastolique Force exercée par le sang sur les parois artérielles durant la relaxation ventriculaire; la plus basse pression mesurée dans les grandes artères, soit 80 mm Hg environ dans des conditions normales chez le jeune adulte.

Pression différentielle La différence entre la pression maximale (systolique) et la pression minimale (diastolique); normalement de 40 mm Hg environ; elle traduit l'état du système cardiovasculaire.

Pression intra-alvéolaire Pression de l'air à l'intérieur des poumons. Également appelée **pression intrapulmonaire.**

Pression intra-oculaire Pression qui existe dans l'œil, produite essentiellement par l'humeur aqueuse.

Pression intrapleurale Pression de l'air entre les deux feuillets de la plèvre des poumons, habituellement sous-atmosphérique.

Pression nette de filtration (PNF) Pression nette qui favorise l'écoulement de liquides à l'extrémité artérielle d'un capillaire et l'entrée de liquides à l'extrémité veineuse d'un capillaire; pression nette qui favorise la filtration glomérulaire dans les reins.

Pression osmotique Pression nécessaire pour empêcher le mouvement de l'eau pure dans une solution contenant des solutés lorsque les solutions sont séparées par une membrane à perméabilité sélective.

Pression sanguine (PS) Force exercée par le sang contre les parois des vaisseaux sanguins sous l'effet de la contraction du cœur et de l'élasticité des parois des vaisseaux; sur le plan clinique, mesure de la pression dans les artères durant la systole ventriculaire et la diastole ventriculaire. *Voir* **pression artérielle moyenne (PAM).**

Pression systolique Force exercée par le sang sur les parois artérielles durant la contraction ventriculaire; la plus haute pression mesurée dans les grandes artères, soit 120 mm Hg environ dans des conditions normales chez le jeune adulte.

Primordial Le plus ancien; en particulier les follicules primordiaux de l'ovaire.

Processus épineux Projection ou processus pointu ou en forme d'épine.

Proctologie Branche de la médecine qui traite du rectum et de ses troubles.

Profond Loin de la surface du corps ou d'un organe.

Progestérone Hormone sexuelle femelle produite par les ovaires (corps jaune), qui contribue à la préparation de l'endomètre et de l'utérus pour l'implantation d'un ovule fécondé et à celle des glandes mammaires pour la sécrétion de lait.

Prolactine (PRL) Hormone sécrétée par l'adénohypophyse qui déclenche et maintient la sécrétion de lait par les glandes mammaires avec le concours d'autres hormones.

Prolapsus Glissement anormal d'un organe vers le bas, notamment l'utérus et le rectum.

Prolifération Reproduction rapide et répétée de nouveaux éléments, en particulier de cellules.

Promontoire du sacrum Face supérieure du corps de la première vertèbre sacrale qui fait saillie antérieurement dans la cavité pelvienne; une ligne de séparation allant du promontoire du sacrum au bord supérieur de la symphyse pubienne divise les cavités abdominale et pelvienne.

Pronation Mouvement de l'avant-bras qui tourne la paume en position postérieure ou inférieure.

Pronostic Prévision des résultats probables d'une maladie.

Prophase Première étape de la mitose, durant laquelle les paires de chromatides sont formées et se rassemblent près de la lame équatoriale de la cellule.

Propriocepteur Récepteur situé dans les muscles, les tendons, les articulations et l'oreille interne, qui fournit de l'information sur la tension musculaire, la position du corps et ses mouvements.

Proprioception Réception de l'information envoyée par les muscles, les tendons et le labyrinthe de l'oreille, qui permet au cerveau de déterminer les mouvements et la position du corps et de ses parties.

Prostaglandine Lipide (eicosanoïde) associé à une membrane; libérée en petites quantités et agit comme une hormone locale qui a de multiples effets physiologiques.

Prostate Glande en forme de beignet située sous la vessie, qui entoure la partie supérieure de l'urètre chez l'homme et sécrète un liquide laiteux et légèrement acide contribuant à la mobilité des spermatozoïdes et à leur viabilité.

Protéine Composé organique formé de carbone, d'hydrogène, d'oxygène, d'azote et, parfois, de soufre et de phosphore; constituée d'acides aminés unis par des liaisons peptidiques.

Prothrombine Facteur de coagulation inactif synthétisé par le foie, libéré dans le sang et converti en thrombine active au cours du processus de la coagulation par une enzyme active, la prothrombinase.

Proto-oncogène Gène responsable de certains aspects de la croissance et du développement normaux; peut se transformer en oncogène, gène pouvant causer le cancer.

Protraction Mouvement de la mandibule ou de la ceinture scapulaire vers l'avant dans un plan parallèle au sol.

Proximal Plus près du point d'attache d'un membre au tronc; plus près de l'origine d'une structure.

Pseudopodes Prolongements cytoplasmiques temporaires d'une cellule en déplacement.

Ptose Déplacement vers le bas, par exemple de la paupière ou du rein.

Puberté Période de la vie marquée par l'apparition des caractères sexuels secondaires et le début de la période où la reproduction est possible; survient habituellement entre 10 et 17 ans.

Pulmonaire Qui se rapporte aux poumons.

Pulpe blanche Partie de la rate composée de tissu lymphatique, surtout de lymphocytes B; fonction reliée à l'immunité.

Pulpe rouge Partie de la rate constituée de sinus veineux remplis de sang et de fines plaques de tissu splénique appelées cordons spléniques (cordons de Billroth); fonction reliée au traitement des cellules sanguines (production, mise en réserve, destruction).

Pupille Ouverture au centre de l'iris, à travers laquelle la lumière pénètre dans la cavité postérieure du globe oculaire.

Pus Produit liquide de l'inflammation contenant des leucocytes ou ce qui en reste ainsi que des débris de cellules mortes.

Pyogenèse Formation du pus.

Pyramide Structure pointue ou en forme de cône; structure en forme de triangle de la médullaire rénale.

Pyramide bulbaire L'un des deux renflements de forme presque triangulaire situés sur la face ventrale du bulbe rachidien et formés des plus gros faisceaux moteurs qui vont du cortex cérébral à la moelle épinière.

Pyramide rénale Structure triangulaire située dans la médullaire rénale, dont la base fait face au cortex et le sommet est orienté vers le centre du rein; contient les segments droits des tubules rénaux et les artériole et veinule droites (vasa recta).

Q

Quadrant L'une de quatre parties.

Quadriplégie Paralysie des quatre membres: les deux membres supérieurs et les deux membres inférieurs.

Quatrième ventricule Cavité remplie de liquide cérébro-spinal dans l'encéphale, située entre le cervelet d'une part et et le bulbe rachidien et le tronc cérébral d'autre part.

Queue de cheval Ensemble des racines des nerfs spinaux à l'extrémité inférieure de la moelle épinière, ayant l'aspect de mèches de cheveux.

R

Racine dorsale Structure composée de fibres sensitives située entre un nerf spinal et la partie dorso-latérale de la moelle épinière. Également appelée **racine postérieure.**

Racine du pénis Partie rattachée du pénis comprenant le bulbe et les piliers du pénis.

Racine ventrale Structure composée d'axones de fibres motrices (efférentes) qui émerge de la partie antérieure de la moelle épinière et s'étend latéralement pour rejoindre une racine dorsale, formant ainsi un nerf spinal. Également appelée **racine antérieure.**

Radical libre Atome ou groupe d'atomes chargé, comportant un électron non apparié, ce qui le rend très réactif et nocif pour les molécules environnantes.

Rameau commmunicant blanc La partie d'une fibre nerveuse préganglionnaire sympathique qui quitte le rameau ventral d'un nerf spinal pour pénétrer dans le ganglion du tronc sympathique le plus proche.

Rameau communicant gris Petit nerf contenant des fibres post-ganglionnaires sympathiques; les corps cellulaires des fibres sont situés dans un ganglion du tronc sympathique, et les axones amyélinisés s'intègrent au rameau gris pour rejoindre un nerf spinal puis la périphérie afin d'irriguer le muscle lisse des vaisseaux sanguins, des muscles arrecteurs des poils et des glandes sudoripares.

Rameau dorsal Ramification du nerf spinal contenant des fibres motrices et sensitives qui desservent les muscles, la peau et les os de la partie postérieure de la tête, du cou et du tronc.

Rameau ventral Ramification antérieure du nerf spinal contenant des fibres motrices et sensitives qui desservent les muscles et la peau de la partie antérieure de la tête, du cou, du tronc et des membres.

Rampe tympanique Cavité inférieure en forme de spirale de la cochlée osseuse, remplie de périlymphe.

Rampe vestibulaire Cavité supérieure en forme de spirale de la cochlée osseuse, remplie de périlymphe.

Rate Masse volumineuse de tissu lymphatique située entre le fundus de l'estomac et le diaphragme et qui joue un rôle dans la formation des globules rouges au début du développement fœtal, dans la phagocytose des cellules sanguines usées et dans la prolifération des lymphocytes B durant la réponse immunitaire.

Réabsorption tubulaire Retour du filtrat des tubules rénaux dans le sang en réponse à des besoins spécifiques de l'organisme.

Réaction chimique Association ou dissociation d'atomes au cours de laquelle des liaisons chimiques sont formées ou rompues ; forme de nouveaux produits ayant des propriétés différentes.

Réaction de lutte ou de fuite Effets produits par la stimulation de la partie sympathique du système nerveux autonome et la libération d'hormones par la médullosurrénale.

Réaction endothermique Type de réaction chimique dans laquelle la quantité d'énergie libérée durant la formation de nouvelles liaisons est inférieure à la quantité requise pour rompre les liaisons existantes ; réaction absorbant de l'énergie.

Réaction exothermique Type de réaction chimique dans laquelle l'énergie libérée durant la formation de nouvelles liaisons est supérieure à la quantité d'énergie requise pour rompre les liaisons existantes ; réaction libérant de l'énergie.

Réaction secondaire Réponse humorale ou à médiation cellulaire accélérée, plus intense, qui fait suite à l'exposition ultérieure à un antigène après la réaction primaire.

Réactivité Capacité d'un antigène de réagir de manière spécifique avec l'anticorps dont il a provoqué la formation ou les cellules qu'il a attaquées.

Récepteur Cellule spécialisée ou partie distale d'un neurone qui réagit à une modalité sensorielle spécifique telle que le toucher, la pression, la lumière ou le son et la traduit en signal électrique (potentiel générateur ou récepteur). Molécule spécifique ou groupe de molécules qui reconnaît un ligand particulier et s'y lie.

Récepteur alpha Récepteur adrénergique situé sur les effecteurs viscéraux innervés par la plupart des axones postganglionnaires sympathiques.

Récepteur bêta Récepteur de l'adrénaline et de la noradrénaline situé sur la plupart des effecteurs viscéraux innervés par des axones postganglionnaires sympathiques.

Récepteur kinesthésique des articulations Récepteur proprioceptif situé autour ou à l'intérieur des capsules articulaires des articulations synoviales et stimulé par le mouvement de l'articulation.

Récepteur muscarinique Récepteur situé sur tous les effecteurs innervés par les axones postganglionnaires parasympathiques et sur certains effecteurs innervés par des axones postganglionnaires sympathiques ; ainsi nommé parce que l'action de l'acétylcholine (ACh) sur ce type de récepteur est similaire à celle produite par la muscarine.

Récepteur nicotinique Récepteur situé sur les neurones postganglionnaires sympathiques et parasympathiques ainsi qu'à la jonction neuromusculaire ; ainsi nommé parce que la nicotine imite l'action de l'acétylcholine (ACh) en se liant à lui.

Recrutement des unités motrices Processus au cours duquel le nombre d'unités motrices actives augmente.

Rectum Les derniers 20 cm du tube digestif, du côlon sigmoïde à l'anus ; situé devant le sacrum et le coccyx.

Réduction Addition d'électrons à une molécule ou, moins souvent, perte d'oxygène par une molécule qui se traduit par une augmentation du contenu énergétique de la molécule.

Réflexe Réponse rapide, imprévisible et automatique à une variation (stimulus) du milieu extérieur ou intérieur en vue de rétablir l'homéostasie ; un réflexe met en jeu un arc réflexe.

Réflexe aortique Réflexe qui contribue au maintien d'une pression artérielle systémique normale ; déclenché par des barorécepteurs situés dans la paroi de l'aorte ascendante et de l'arc aortique.

Réflexe d'étirement Arc réflexe monosynaptique déclenché par l'étirement soudain de fuseaux neuromusculaires dans un muscle, qui entraîne la contraction de ce muscle. Également appelé **réflexe myotatique.**

Réflexe d'extension croisée Réflexe controlatéral dans lequel l'extension des articulations d'un membre se produit en même temps que la contraction des muscles fléchisseurs (retrait) du membre opposé.

Réflexe de distension pulmonaire Réflexe qui prévient la distension excessive des poumons. Également appelé **réflexe de Hering-Breuer.**

Réflexe de flexion Réflexe ipsilatéral de protection dans lequel les muscles fléchisseurs sont stimulés tandis que les muscles extenseurs sont inhibés ; également appelé **réflexe de retrait.**

Réflexe entéro-gastrique Réflexe qui inhibe la sécrétion de gastrine ; déclenché par la nourriture dans l'intestin grêle.

Réflexe patellaire Extension de la jambe par contraction du muscle quadriceps fémoral en réponse à la percussion du ligament patellaire. Également appelé **réflexe rotulien.**

Réflexe sinu-carotidien Réflexe qui contribue au maintien d'une pression artérielle normale dans l'encéphale ; déclenché par les barorécepteurs des sinus carotidiens.

Réflexe tendineux Réflexe polysynaptique ipsilatéral qui protège les tendons et les muscles associés contre une rupture éventuelle causée par une tension excessive. Les récepteurs associés sont appelés **organes tendineux de Golgi.**

Réfraction Déviation de la lumière quand elle passe d'un milieu à un autre.

Régulation négative Phénomène caractérisé par une diminution du nombre de récepteurs en réponse à une quantité excessive d'une hormone ou d'un neurotransmetteur.

Régulation positive Phénomène caractérisé par une augmentation du nombre de récepteurs en réponse à une quantité insuffisante d'une hormone ou d'un neurotransmetteur.

Régurgitation Retour d'aliments solides ou de liquides de l'estomac jusque dans la bouche ; reflux du sang par les valves cardiaques qui ne sont pas complètement fermées.

Rein Un des organes pairs rougeâtres situés dans la région lombaire qui régulent la composition, le volume et la pression du sang et produisent l'urine.

Relaxation isovolumétrique Période, de 0,05 s environ, entre la fermeture des valvules semi-lunaires et l'ouverture des valves auriculo-ventriculaires ; la pression ventriculaire baisse rapidement, mais le volume ventriculaire reste le même.

Relaxine Hormone produite par le corps jaune et le placenta qui augmente la flexibilité de la symphyse pubienne et des ligaments du bassin et qui contribue à la dilatation du col de l'utérus pendant le travail.

Remaniement osseux Remplacement d'un os usé par un nouveau tissu osseux.

Rénal Qui se rapporte au rein.

Rénine Enzyme libérée par le rein dans le plasma lors d'une diminution de la pression artérielle, où elle convertit l'angiotensinogène en angiotensine I.

Repolarisation Rétablissement du potentiel de membrane au repos après la dépolarisation.

Réponse immunitaire à médiation cellulaire Composante de l'immunité dans laquelle des lymphocytes spécifiques sensibilisés (lymphocytes T) se lient aux antigènes pour les détruire.

Réponse immunitaire humorale Composante de l'immunité dans laquelle des lymphocytes (lymphocytes B) se transforment en plasmocytes qui produisent des anticorps capables d'inactiver des antigènes spécifiques.

Reproduction Formation de nouvelles cellules destinées à la croissance, à la réparation tissulaire ou au remplacement de cellules ; production d'un nouvel individu.

Réserve cardiaque Différence entre le débit cardiaque maximal et le débit cardiaque au repos ; elle est, en moyenne, de quatre à cinq fois plus élevée que le débit cardiaque au repos.

Réservoir sanguin Veines systémiques contenant un grand volume de sang qui peut être déplacé rapidement vers les régions de l'organisme qui en ont besoin.

Résistance Résistance opposée à l'écoulement du sang en raison d'une plus grande viscosité, d'une plus grande longueur totale des vaisseaux sanguins et d'un plus petit rayon des vaisseaux sanguins. Aptitude à prévenir la maladie. Résistance rencontrée par une charge électrique à mesure qu'elle avance dans une substance d'un point à un autre. Résistance rencontré par l'air à mesure qu'il avance dans les voies respiratoires.

Résistance périphérique Toutes les résistances que les vaisseaux sanguins systémiques opposent à l'écoulement du sang.

Respiration Ensemble des échanges gazeux entre l'atmosphère, le sang et les cellules de l'organisme, qui comprend la ventilation pulmonaire, la respiration externe et la respiration interne.

Respiration externe Échange des gaz respiratoires entre les poumons et le sang.

Respiration interne Échange des gaz respiratoires entre le sang et les cellules de l'organisme. Également appelée **respiration cellulaire.**

Rété testis Réseau de conduits qui vont des tubules droits aux ductules efférents dans les testicules.

Rétention d'urines Impossibilité d'évacuer l'urine causée par l'obstruction de l'urètre ou sa contraction nerveuse, ou encore par l'absence de sensation du besoin d'uriner.

Réticulocyte Globule rouge immature ; cellule avec hémoglobine et sans noyau.

Réticulum Réseau.

Réticulum endoplasmique (RE) Réseau de canaux déployés dans le cytoplasme de la cellule qui sert au transport, au soutien, au stockage, à la synthèse et à l'emballage des molécules à l'intérieur de la cellule. Les portions du RE portant des ribosomes attachés à la surface externe sont appelées **RE rugueux ;** les portions ne portant pas de ribosomes sont appelées **RE lisse.**

Réticulum sarcoplasmique Réseau de sacs et de tubules entourant les myofibrilles d'une fibre (cellule) musculaire, comparable au réticulum endoplasmique lisse ; réabsorbe les ions calcium durant la relaxation et les libère pour causer la contraction.

Rétinal Dérivé de la vitamine A qui agit comme la partie qui absorbe la lumière dans tous les photopigments.

Rétine Enveloppe interne de la partie postérieure du globe oculaire, composée de tissu nerveux (où commence le processus de la vision) et d'une couche pigmentée de cellules épithéliales qui entrent en contact avec la choroïde.

Retour veineux Volume de sang qui revient au cœur à partir des veines systémiques ; stimulé par la pompe musculaire et la pompe respiratoire.

Rétraction Mouvement d'une partie du corps protractée vers l'arrière dans un plan parallèle au sol, comme lorsqu'on aligne la mâchoire supérieure et la mâchoire inférieure.

Rétraction du caillot Consolidation du caillot de fibrine pour resserrer le tissu endommagé.

Rétroactivation Mécanisme de régulation dans lequel la réponse amplifie le stimulus original.

Rétro-inhibition Principe directeur de la plupart des mécanismes de régulation ; mécanisme dans lequel un stimulus déclenche une réponse qui inverse ou réduit le stimulus.

Rétropéritonéal À l'extérieur du péritoine dans la cavité abdominale ; le duodénum, les reins et le pancréas sont rétropéritonéaux.

Rétroversion Mauvaise position de l'utérus dans laquelle il se trouve fléchi vers l'arrière.

Réveil Le réveil est une réponse de l'organisme causée par la stimulation du système réticulaire activateur ascendant (SRAA).

Rhinologie Étude du nez et de ses affections.

Rhodopsine Photopigment situé dans les bâtonnets de la rétine, composé d'une glycoprotéine appelée opsine et d'un dérivé de la vitamine A appelé rétinal.

Ribosome Organite du cytoplasme des cellules composé d'ARN ribosomal et de protéines ribosomales, qui synthétisent les protéines.

Rigidité Hypertonie caractérisée par l'augmentation du tonus musculaire, non accompagnée de la perte des réflexes.

Rigidité cadavérique État de contraction partielle des muscles observé trois ou quatre heures après la mort, dû au manque d'ATP ; les têtes de myosine (ponts d'union) restent attachées à l'actine, ce qui prévient le relâchement ; elle disparaît 24 heures après la mort, lorsque les enzymes protéolytiques des lysosomes décomposent les ponts d'union.

Rotation Mouvement d'un os autour de son axe longitudinal, sans autre mouvement.

Rythme circadien Cycle de périodes de veille et de sommeil établi par un noyau de l'hypothalamus et se répétant toutes les 24 h environ.

S

Sac alvéolaire Groupe d'alvéoles pulmonaires ayant une ouverture commune.

Sac lacrymal La partie supérieure élargie du conduit lacrymo-nasal qui reçoit les larmes transportées dans un canalicule lacrymal.

Sac vitellin Membrane extra-embryonnaire reliée au mésentéron au début du développement embryonnaire ; premier site de l'hématopoïèse et origine des cellules qui deviendront les cellules germinales primordiales.

Saccule Le plus petit des deux sacs que contient le labyrinthe membraneux à l'intérieur du vestibule de l'oreille interne, inférieur à l'utricule ; contient des récepteurs pour l'équilibre statique.

Salive Sécrétion claire, alcaline, quelque peu visqueuse, produite surtout par trois glandes salivaires; contient divers sels, de la mucine, du lysozyme et de l'amylase salivaire; rôle de défense et fonction digestive.

Sang Liquide qui circule dans le cœur, les artères, les capillaires et les veines et qui constitue le principal moyen de transport dans l'organisme.

Sarcolemme Membrane plasmique d'une fibre (cellule) musculaire, en particulier d'une fibre musculaire squelettique.

Sarcomère Unité de contraction d'une fibre musculaire striée qui s'étend d'un disque Z à un autre disque Z.

Sarcoplasme Cytoplasme d'une fibre (cellule) musculaire.

Sciatique Inflammation et douleur siégeant le long du nerf sciatique; peut s'étendre de la fesse jusqu'à la partie latérale du pied.

Sclère Couche blanche de tissu fibreux qui forme l'enveloppe protectrice superficielle du globe oculaire, sauf sur la partie la plus antérieure, et lui donne forme et rigidité; partie postérieure de la tunique fibreuse.

Sclérose Durcissement accompagné d'une perte d'élasticité des tissus.

Scoliose Courbure latérale anormale de la colonne vertébrale, au niveau de la région thoracique le plus souvent.

Scrotum Sac recouvert de peau qui contient les testicules et leurs structures annexes.

Sébum Sécrétion des glandes sébacées qui protège les poils et les cheveux, prévient l'assèchement de la peau et inhibe la croissance de certaines bactéries.

Second messager Molécule ou mécanisme de transduction sensorielle qui agit comme intermédiaire dans la réalisation d'une réponse nerveuse ou hormonale.

Secousse musculaire simple Brève contraction de toutes les fibres musculaires d'une unité motrice en réponse à un unique potentiel d'action provenant de son neurone moteur.

Sécrétion Production et libération par une cellule glandulaire d'un liquide, en particulier un produit utile sur le plan fonctionnel par opposition à un produit de déchet.

Sécrétion tubulaire Déplacement des substances du sang dans le liquide tubulaire rénal en réponse à des besoins spécifiques de l'organisme.

Segment broncho-pulmonaire L'une des subdivisions du lobe d'un poumon ventilé par une bronche segmentaire; on peut faire l'ablation chirurgicale d'un de ces segments sans endommager le tissu environnant.

Segmentation Divisions mitotiques rapides qui suivent la fécondation de l'ovocyte secondaire et donnent des cellules de plus en plus petites appelées blastomères; ces divisions produisent la morula.

Sel Substance qui, lorsqu'elle est dissoute dans l'eau, s'ionise en cations et en anions autres que les ions hydrogène (H^+) et les ions hydroxyle (OH^-).

Selle turcique Excavation de la face supérieure de l'os sphénoïde qui abrite l'hypophyse.

Sénescence Processus du vieillissement.

Sensation Enregistrement conscient ou subconscient d'un stimulus externe ou interne.

Septum Cloison séparant deux cavités.

Septum nasal Cloison verticale composée d'os (lame perpendiculaire de l'ethmoïde et vomer) et de cartilage, et recouverte d'une muqueuse; sépare les deux cavités nasales.

Séreuse Membrane qui tapisse une cavité du corps qui ne s'ouvre pas sur l'extérieur; constituée de deux couches dont chacune est formée d'un épithélium et de tissu conjonctif lâche; également appelée **membrane séreuse**.

Sérum Liquide jaunâtre constitué par le plasma sanguin sans ses protéines de coagulation.

Signe Changement objectif indiquant une maladie; peut être observé ou mesuré, comme une lésion, un œdème ou la fièvre.

Signes vitaux Signes nécessaires à la vie comprenant la température, le pouls, la fréquence respiratoire et la pression artérielle.

Sillon Rainure ou dépression entre des structures, en particulier rainure superficielle entre les gyrus du cerveau, où elle est également appelée scissure.

Sinus Canal destiné à la circulation du sang; cavité creusée dans un os (sinus paranasaux) ou d'autres tissus; toute cavité possédant une ouverture étroite.

Sinus carotidien Petite dilatation de l'artère carotide interne située juste au-dessus du point de ramification de l'artère carotide commune, contenant des récepteurs qui surveillent la pression artérielle.

Sinus coronaire Dilatation veineuse située sur la face postérieure du cœur qui reçoit le sang de la circulation coronarienne et le renvoie à l'oreillette droite.

Sinus paranasal Cavité tapissée d'une muqueuse dans un os de la tête; communique avec la cavité nasale. Les sinus paranasaux sont situés dans les os frontal, sphénoïde et ethmoïde ainsi que dans les maxillaires.

Sinus veineux Veine dotée d'une fine paroi endothéliale qui ne comporte ni tunique moyenne, ni tunique externe et qui est soutenue par le tissu environnant.

Sinus veineux de la sclère Sinus veineux circulaire situé à la jonction de la sclère et de la cornée à travers lequel l'humeur aqueuse se draine de la chambre antérieure du globe oculaire dans le sang. Également appelé **canal de Schlemm.**

Sinusoïde Type de capillaires larges et sinueux qui permet le passage du sang dans des organes tels que le foie ou la rate.

Solution Dispersion homogène de molécules ou d'ions d'une ou de plusieurs substances (solutés) dans un médium de dissolution (solvant) qui est habituellement liquide.

Solution hypertonique Solution qui cause le rétrécissement de la cellule à cause de la perte d'eau par osmose.

Solution hypotonique Solution qui cause le gonflement et, parfois, l'éclatement de la cellule à cause d'un gain d'eau par osmose; par exemple, hémolyse (éclatement des globules rouges).

Somatomédine Petite protéine, produite par le foie et d'autres tissus en réponse à la stimulation de l'hormone de croissance, qui agit comme médiateur pour la plupart des effets de l'hormone de croissance. Également appelée **facteur de croissance analogue à l'insuline.**

Somesthésie Sensibilité somatique et sensibilité viscérale.

Somite Bloc de cellules du mésoderme de l'embryon en cours de développement qui se différencie en myotome (qui forme des muscles squelettiques), en dermatome (qui forme les tissus conjonctifs) et en sclérotome (qui forme les vertèbres).

Sommation Addition des effets excitateurs et des effets inhibiteurs de nombreux stimulus exercés sur un même neurone postsynaptique; il peut en résulter un PPSE infraliminaire, une hyperpolarisation ou un influx nerveux. Augmentation de la force de la contraction musculaire qui se produit lorsque les stimulus se suivent en succession rapide.

Sommation temporelle Augmentation de la force de la contraction musculaire qui se produit lorsque deux stimulus se suivent rapidement.

Sommeil État d'inconscience partielle dont une personne peut être tirée ; associé à un faible niveau d'activité du système réticulaire activateur ascendant (SRAA).

Sommeil paradoxal Stade du sommeil dans lequel se produisent les rêves, qui survient plusieurs fois durant un cycle du sommeil ; le premier épisode dure de 10 à 20 min ; les yeux remuent rapidement sous les paupières fermées, d'où le synonyme **sommeil MOR** (mouvements oculaires rapides).

Souffle cardiaque Bruit anormal, soit un bruit strident ou un gargouillis, entendu avant, pendant ou après les bruits normaux du cœur, ou masquant ces derniers ; indique souvent une atteinte valvulaire.

Sourcil Arc de poils au-dessus de l'œil ; protège l'œil contre les corps étrangers, la sueur et le soleil.

Sous-cutané Sous la peau. Également dit **hypodermique.**

Sous-muqueuse Couche de tissu conjonctif lâche enfouie sous une muqueuse, comme dans le tube digestif ou la vessie ; la sous-muqueuse relie la muqueuse et la musculeuse.

Spasme Contraction anormale subite et involontaire d'un seul muscle ou d'un groupe de plusieurs muscles.

Spasme vasculaire Contraction du muscle lisse de la paroi d'une artère ou d'une artériole endommagée afin de prévenir la perte de sang.

Spasticité Hypertonie caractérisée par l'augmentation du tonus musculaire et des réflexes tendineux ainsi que par la présence de réflexes pathologiques (signe de Babinski).

Spermatogenèse Formation et développement des spermatozoïdes dans les tubules séminifères des testicules.

Spermatozoïde Gamète mâle mûr.

Sperme Liquide (de 2,5 à 5 mL) émis par éjaculation par un homme, comprenant un mélange de spermatozoïdes et de sécrétions des tubules séminifères, des vésicules séminales, de la prostate et des glandes bulbo-urétrales (de Cowper).

Spermiogenèse Maturation des spermatides en spermatozoïdes.

Sphincter Muscle circulaire qui provoque la constriction d'une ouverture.

Sphincter de l'ampoule hépato-pancréatique Muscle circulaire situé à l'ouverture du conduit cholédoque et des principaux conduits pancréatiques dans le duodénum. Également appelé **sphincter d'Oddi.**

Sphincter précapillaire Anneau de fibres (cellules) musculaires lisses situé au point d'origine des capillaires vrais et qui régule le débit sanguin dans ces capillaires.

Sphincter pylorique Anneau épais de muscle lisse par lequel le pylore de l'estomac communique avec le duodénum.

Sphygmomanomètre Appareil servant à mesurer la pression artérielle.

Spiromètre Appareil utilisé pour mesurer les volumes et capacités respiratoires.

Splanchnique Qui se rapporte aux viscères.

Squameux Plat ou semblable à une écaille.

Stase Ralentissement ou arrêt de la circulation normale de liquides, tels le sang ou l'urine, ou du contenu des intestins.

Statoconie Particule de carbonate de calcium enfouie dans la membrane des statoconies qui joue un rôle dans le maintien de l'équilibre statique.

Sténose Rétrécissement ou constriction pathologique d'un canal ou d'une ouverture.

Stéréocils Groupes de microvillosités très longues et minces, non mobiles, à la surface des cellules épithéliales tapissant l'épididyme, entre autres structures.

Stéréognosie Capacité de reconnaître la taille, la forme et la texture d'un objet en le touchant.

Stérile Qui ne contient pas de microorganismes vivants. Incapable de concevoir ou de produire une descendance.

Stérilisation Élimination de tous les microorganismes vivants. Toute intervention qui rend une personne incapable de se reproduire (par exemple, castration, vasectomie, hystérectomie, ovariectomie).

Stérilité Incapacité de procréer ou de causer la conception.

Stéroïde anabolisant Composé de synthèse apparenté à la testostérone utilisé pour augmenter le volume musculaire et la performance sportive.

Stimuline Hormone dont la cible est une autre glande endocrine ; plusieurs hormones de l'adénohypophyse sont des stimulines. Également appelée **trophine.**

Stimulus Toute perturbation qui modifie un facteur contrôlé ; toute variation du milieu intérieur ou extérieur qui agit sur un récepteur, un neurone ou une fibre musculaire.

Stimulus infraliminaire Stimulus dont l'intensité est si faible qu'il ne peut déclencher un potentiel d'action (influx nerveux).

Stimulus liminaire Tout stimulus assez fort pour déclencher un potentiel d'action ou activer un récepteur sensoriel.

Stratum Couche.

Stroma Tissu qui forme la substance fondamentale et la charpente d'un organe, par opposition à sa partie fonctionnelle (parenchyme).

Substance blanche Agrégats ou faisceaux d'axones myélinisés situés dans l'encéphale et la moelle épinière ; la teinte blanche provient de la myéline.

Substance grise Région du système nerveux central et des ganglions constituée de tissu nerveux amyélinisé ; la teinte grisâtre reflète l'absence de myéline.

Substrat Molécule de réactif sur laquelle agit une enzyme.

Subthalamus Partie du diencéphale située sous le thalamus et au-dessus de l'hypothalamus ; contient des faisceaux et des noyaux qui interviennent dans la régulation des mouvements.

Superficiel Près de la surface ou à la surface du corps.

Supérieur Vers la tête ou le haut d'une structure. On dit aussi **céphalique** ou **crânien.**

Supination Mouvement de l'avant-bras qui tourne la paume en position antérieure ou supérieure.

Surfactant Mélange complexe de phospholipides et de lipoprotéines produit par les pneumocytes de type II dans les poumons, qui diminue la tension superficielle.

Susceptibilité Absence de résistance de l'organisme aux effets délétères ou autres d'un agent, comme un agent pathogène.

Suture Articulation fibreuse immobile qui relie des os de la tête.

Suture lambdoïde Suture du crâne comprise entre les os pariétaux et l'os occipital ; contient parfois les os suturaux.

Sympathomimétique Produisant des effets qui imitent ceux de la partie sympathique du système nerveux autonome.

Symphyse Ligne d'union. Articulation semi-mobile telle que la symphyse pubienne où les extrémités des os sont recouverts de cartilage hyalin, les os étant unis par du cartilage fibreux.

Symphyse pubienne Articulation semi-mobile comprise entre les faces antérieures des os coxaux (hanche).

Symport Processus par lequel deux substances, souvent Na$^+$ et une autre substance, traversent la membrane plasmique d'une cellule dans la même direction ; par exemple, les symporteurs Na$^+$-Cl$^-$ situés dans la membrane apicale des cellules du tube contourné distal du rein.

Symptôme Changement subjectif, non apparent pour l'observateur, dans les fonctions vitales (comme la douleur ou les nausées) qui indique la présence d'une maladie ou d'une anomalie.

Synapse Jonction fonctionnelle entre deux neurones ou entre un neurone et un effecteur, par exemple un muscle ou une glande ; peut être électrique ou chimique.

Synapsis Appariement des chromosomes homologues durant la prophase I de la méiose.

Synarthrose Articulation immobile ; la suture, la gomphose et la synchondrose en sont trois types.

Synchondrose Articulation cartilagineuse immobile dans laquelle le matériau de jonction est une lame de cartilage hyalin ; par exemple, le cartilage de conjugaison unissant l'épiphyse à la diaphyse d'un os long en croissance.

Syndesmose Articulation semi-mobile dans laquelle les os sont unis par du tissu conjonctif fibreux ; par exemple, articulation tibio-fibulaire distale.

Syndrome Groupe de signes et de symptômes qui se produisent ensemble et caractérisent une maladie particulière ou un état anormal.

Syndrome général d'adaptation Ensemble de changements dans l'organisme, déclenché par un facteur de stress, qui conduit l'organisme à réagir à une urgence.

Syndrome prémenstruel (SPM) Manifestations physiques et émotionnelles graves se produisant à la fin de la phase postovulatoire du cycle menstruel et coïncidant parfois avec la menstruation ; les symptômes s'intensifient jusqu'au moment de la menstruation.

Synergiste Muscle qui assiste l'agoniste en réduisant une action ou un mouvement indésirables.

Synostose Articulation dans laquelle le tissu conjonctif fibreux dense qui unit les os d'une suture a été remplacé par de la matière osseuse, ce qui produit une fusion complète des os qui bordent la suture.

Synovie Sécrétion des membranes synoviales qui lubrifie les articulations et nourrit le cartilage articulaire.

Système Association d'organes accomplissant une fonction commune.

Système de conduction du cœur Ensemble de fibres musculaires cardiaques auto-excitatrices qui génèrent et propagent des potentiels d'action pour stimuler la contraction coordonnée des cavités cardiaques ; comprend le nœud sinusal, le nœud auriculo-ventriculaire, le faisceau auriculo-ventriculaire, les branches droite et gauche du faisceau auriculo-ventriculaire ainsi que les fibres de conduction cardiaque.

Système du complément Groupe d'au moins 20 protéines normalement inactives dans le plasma, qui forme l'une des composantes de la résistance non spécifique et de l'immunité en entraînant la cytolyse, l'inflammation et l'opsonisation.

Système limbique Partie du prosencéphale qui joue un rôle dans le comportement et l'émotion ; comprend le lobe limbique, le gyrus dentatus, le corps amygdaloïde, les noyaux septaux, les corps mamillaires, le noyau antérieur du thalamus, les bulbes olfactifs ainsi que des faisceaux d'axones myélinisés.

Système nerveux autonome (SNA) Neurones viscéraux sensitifs (afférents) et moteurs (efférents), sympathiques et parasympathiques. Les neurones moteurs transmettent les influx nerveux du système nerveux central vers les muscles lisses, le muscle cardiaque et les glandes et le tissu adipeux ; ainsi appelé parce qu'on croyait autrefois que cette partie du système nerveux était totalement autonome.

Système nerveux central (SNC) Partie du système nerveux constituée de l'encéphale et de la moelle épinière.

Système nerveux entérique Constitué de neurones situés dans les plexus entériques et parcourant le tube digestif ; joue un rôle de régulation de l'activité du système digestif.

Système nerveux parasympathique Une des deux subdivisions du système nerveux autonome ; les corps cellulaires des neurones préganglionnaires sont situés dans des noyaux du tronc cérébral et dans les cornes latérales des segments sacraux de la moelle épinière ; consacré principalement aux activités qui conservent et rétablissent l'énergie.

Système nerveux périphérique (SNP) Partie du système nerveux située à l'extérieur du système nerveux central – nerfs et ganglions.

Système nerveux somatique (SNS) Partie du système nerveux périphérique constituée des neurones somatiques sensitifs (afférents) et des neurones somatiques moteurs (efférents).

Système nerveux sympathique Une des deux subdivisions du système nerveux autonome ; les corps cellulaires des neurones préganglionnaires sont situés dans les cornes latérales des segments thoraciques et dans les deux premiers segments lombaires de la moelle épinière ; consacré principalement aux processus exigeant une dépense d'énergie.

Système porte hépatique Écoulement du sang des organes gastro-intestinaux vers le foie avant de retourner au cœur.

Système rénine-angiotensine Mécanisme de régulation de la sécrétion d'aldostérone par l'angiotensine II, déclenché par la sécrétion de rénine par le rein en réponse à une faible pression artérielle.

Système réticulaire activateur ascendant (SRAA) Partie de la formation réticulaire qui comprend de nombreuses connexions ascendantes avec le cortex cérébral ; lorsque cette région du tronc cérébral est activée, des influx nerveux se rendent au thalamus ainsi qu'à des régions étendues du cortex cérébral, maintenant ainsi l'état de veille et provoquant le réveil.

Systémique Qui se rapporte à l'ensemble de l'organisme ; généralisé.

Systole Dans le cycle cardiaque, phase de contraction du muscle cardiaque, des ventricules en particulier.

T

Tache aveugle Partie de la rétine à l'extrémité du nerf optique (II) qui ne contient aucun photorécepteur.

Tachycardie Fréquence cardiaque ou pouls au repos anormalement élevé (supérieur à 100/min).

Tactile Qui se rapporte au sens du toucher.

Tampon Paire de composés chimiques – un acide faible et le sel de l'acide faible, qui fonctionne comme une base faible – qui résistent aux changements du pH.

Tarse Épais feuillet de tissu conjonctif allongé, un dans chaque paupière, qui soutient la paupière et lui donne sa forme. L'aponévrose du muscle élévateur de la paupière supérieure est attachée au tarse de la paupière supérieure. Nom collectif désignant les sept os de la cheville.

Tégumentaire Relatif à la peau et à ses dérivés.

Télophase Dernière étape de la mitose, durant laquelle le noyau des cellules filles s'établit.

Temps de circulation Temps que prend le sang pour compléter le trajet allant de l'oreillette droite à la circulation pulmonaire, puis à l'oreillette gauche et, passant par la circulation systémique jusqu'au pied, de nouveau de retour à l'oreillette droite; environ 1 minute normalement.

Tendon Cordon blanc de tissu conjonctif dense régulier qui fixe un muscle au périoste d'un os.

Tendon calcanéen Tendon des muscles soléaire, gastrocnémien et plantaire situé à l'arrière de la cheville. Également appelé **tendon d'Achille.**

Tente du cervelet Prolongement transversal de la dure-mère; recouvre le cervelet et forme une cloison entre ce dernier et le lobe occipital des hémisphères cérébraux.

Tératogène Se dit d'un agent ou d'un facteur qui cause des anomalies de développement chez l'embryon.

Terminaison axonale Branche terminale d'un axone où les vésicules synaptiques subissent une exocytose afin de libérer des neurotransmetteurs.

Testicule Gonade mâle qui produit le sperme ainsi que la testostérone et l'inhibine, des hormones.

Testostérone Hormone sexuelle mâle (androgène) sécrétée par les cellules interstitielles (de Leydig) du testicule mûr; nécessaire pour le développement des spermatozoïdes; avec un deuxième androgène appelé dihydrotestostérone (DHT), régit la croissance et le développement des organes reproducteurs, le développement des caractères sexuels secondaires ainsi que la croissance du corps chez l'homme.

Tétanie Hyperexcitabilité des neurones et des fibres musculaires causée par une hypocalcémie et caractérisée par des contractions musculaires intermittentes ou continues; peut être provoquée par l'hypoparathyroïdie.

Tête Extrémité supérieure de l'humain comprenant l'encéphale et le cou. Partie supérieure ou proximale d'une structure.

Tétrade Ensemble de quatre chromatides, deux chromatides de chaque paire d'homologues, qui s'apparient lors de la prophase I de la méiose.

Thalamus Structure ovale de grande taille située au-dessus du mésencéphale, comprenant deux masses de substance grise recouvertes d'une fine couche de substance blanche; principal relais des influx sensitifs provenant de la moelle épinière, du tronc cérébral, du cervelet et de différentes parties du cerveau.

Thermorécepteur Récepteur qui détecte les variations de la température.

Thorax Poitrine.

Thrombine Enzyme active formée à partir de la prothrombine qui stimule la conversion du fibrinogène en fibrine durant la formation du caillot sanguin.

Thrombose Formation d'un caillot dans un vaisseau sanguin intact, une veine en général.

Thrombus Caillot immobile formé dans un vaisseau sanguin intact, une veine en général; il peut se dissoudre spontanément ou se déloger et être entraîné dans la circulation sanguine.

Thymus Organe formé de deux lobes, situé dans le médiastin supérieur derrière le sternum et entre les poumons, qui joue un rôle essentiel dans les réponses immunitaires; il s'atrophie graduellement avec l'âge.

Thyroglobuline (TGB) Grosse molécule glycoprotéique produite par les cellules folliculaires de la glande thyroïde dans laquelle l'iode est combiné avec la tyrosine pour former les hormones thyroïdiennes.

Thyrotrophine (TSH) Hormone sécrétée par l'adénohypophyse qui stimule la synthèse et la sécrétion de la thyroxine (T_4) et de la triiodothyronine (T_3).

Thyroxine (T_4) Hormone sécrétée par la glande thyroïde qui régit le métabolisme, la croissance et le développement de l'organisme ainsi que l'activité du système nerveux. Également appelée **tétraiodothyronine.**

Tic Mouvement convulsif involontaire provoqué par des muscles normalement régis par la commande volontaire.

Tissu Groupe constitué de cellules semblables et de leur substance intercellulaire associées pour accomplir une fonction particulière.

Tissu adipeux Tissu composé d'adipocytes spécialisés dans le stockage des triglycérides et présent sous forme de coussinets situés entre divers organes pour assurer le soutien, la protection et l'isolation.

Tissu conjonctif Le plus abondant des quatre types de tissus de l'organisme; assure des fonctions de liaison et de soutien; composé d'un nombre relativement restreint de cellules et d'une matrice extracellulaire abondante.

Tissu épithélial Tissu qui forme les glandes et la partie superficielle de la peau et qui tapisse les vaisseaux sanguins, les organes creux et les conduits qui mènent à l'extérieur du corps.

Tissu lymphatique Forme particulière de tissu réticulaire contenant de nombreux lymphocytes.

Tissu lymphoïde associé aux muqueuses (MALT) Follicules ou nodules lymphatiques non encapsulés disséminés dans le chorion (tissu conjonctif) des muqueuses tapissant le tube digestif, les voies respiratoires ainsi que les voies du système urinaire et du système reproducteur; protège ces différentes voies contre l'entrée de corps étrangers.

Tissu musculaire Tissu spécialisé dans la production du mouvement en réponse aux potentiels d'action musculaires, grâce à sa contractilité, à son extensibilité, à son élasticité et à son excitabilité. Il existe trois types de tissu musculaire: squelettique, cardiaque et lisse.

Tissu nerveux Tissu qui produit et transmet les influx nerveux pour coordonner l'homéostasie.

Tonicité Mesure de la concentration de particules de soluté imperméable dans une solution lorsqu'on parle du cytosol. Lorsque les cellules baignent dans une **solution isotonique,** leur volume ne change pas.

Tonus musculaire Contraction partielle soutenue de parties d'un muscle squelettique ou lisse en réponse à l'activation de récepteurs de tension ou à un niveau stable de potentiels d'action dans les neurones moteurs qui l'innervent.

Trabécule Cordon fibreux de tissu conjonctif servant de fibre de soutien en formant une cloison qui s'étend dans un organe à partir de sa paroi ou de sa capsule.

Trabécule osseuse Trame irrégulière de minces colonnes de tissu osseux de l'os spongieux.

Trabécules charnues Saillies constituées de fibres musculaires cardiaques dans les ventricules.

Trachée Conduit d'air tubulaire situé devant l'œsophage et s'étendant du larynx jusqu'à la cinquième vertèbre thoracique, où il se divise pour former les bronches.

Tractus Groupe de fibres nerveuses dans le système nerveux central ; également appelé **faisceau.**

Tractus olfactif Faisceau d'axones qui s'étendent du bulbe olfactif vers l'arrière jusqu'à la partie olfactive du cortex cérébral.

Tractus optique Faisceau d'axones qui transmet les influx nerveux produits dans la rétine de l'œil du chiasma optique au thalamus.

Traduction Synthèse d'une nouvelle protéine sur un ribosome selon les spécifications de la séquence de codons de l'ARN messager.

Transcription Première étape du transfert de l'information génétique qui a lieu dans le noyau au cours de laquelle un brin d'ADN sert de modèle pour la formation d'une molécule d'ARN messager.

Transpiration Sueur ; produite par les glandes sudoripares, contient de l'eau, des sels, de l'urée, de l'acide urique, des acides aminés, de l'ammoniaque, du sucre, de l'acide lactique et de l'acide ascorbique ; contribue au maintien de la température corporelle et à l'élimination des déchets.

Transport actif Mouvement d'une substance à travers les membranes cellulaires contre un gradient de concentration, ce qui exige une dépense d'énergie cellulaire (ATP) et met en jeu des transporteurs protéiques.

Transport maximal (T_m) Quantité maximale d'une substance qui peut être réabsorbée, notamment dans les tubules rénaux, dans n'importe quelle condition ; se mesure en mg/min.

Trauma Lésion ou blessure physique ou encore trouble psychique produits par un agent ou une force externe tels qu'un coup physique ou un choc émotionnel ; agent ou force qui cause une blessure.

Travail Ensemble des phénomènes qui mènent à l'expulsion du fœtus hors de l'utérus.

Tremblement Contraction rythmique involontaire de groupes de muscles opposés.

Triade Ensemble de trois unités dans une fibre musculaire striée ou cardiaque, composé d'un tubule transverse et des citernes terminales du réticulum sarcoplasmique de chaque côté du tubule.

Triangle anal Subdivision du périnée de la femme ou de l'homme qui contient l'anus.

Triangle uro-génital Région du plancher pelvien inférieure à la symphyse pubienne, circonscrite par la symphyse pubienne et les tubérosités ischiatiques et comprenant les organes génitaux externes.

Triglycéride Lipide le plus abondant dans l'organisme et les aliments, formé d'une molécule de glycérol et de trois molécules d'acides gras qui peuvent être soit solides (graisses), soit liquides (huiles) à la température ambiante ; source la plus concentrée d'énergie chimique potentielle dans l'organisme. On en trouve surtout dans les adipocytes. Également appelé **graisse neutre.**

Trigone vésical Région triangulaire située dans le plancher de la vessie ; renferme les ostiums des uretères et l'ostium interne de l'urètre.

Triiodothyronine (T_3) Hormone produite par la glande thyroïde qui régit le métabolisme, la croissance et le développement de l'organisme ainsi que l'activité du système nerveux ; la T_3 est plus puissante que la T_4 mais elle est sécrétée en moins grande quantité.

Troisième ventricule Cavité étroite remplie de liquide cérébro-spinal située entre les moitiés droite et gauche du thalamus et entre les ventricules latéraux du cerveau et communiquant avec ces derniers.

Trompe auditive Constituée d'os et de cartilage hyalin, relie l'oreille moyenne au nasopharynx ; permet l'équilibration des pressions entre l'oreille moyenne et le milieu extérieur. Également appelée **trompe d'Eustache.**

Trompe utérine Conduit transportant l'ovocyte puis l'ovule fécondé de l'ovaire à l'utérus. Également appelée **trompe de Fallope.**

Tronc Partie du corps à laquelle les membres supérieurs et inférieurs sont attachés.

Tronc cérébral Partie de l'encéphale immédiatement située au-dessus de la moelle épinière ; comprend le bulbe rachidien, le pont et le mésencéphale.

Trophoblaste Couche superficielle de cellules dans le blastocyste.

Tube digestif Conduit qui s'étend sans interruption de la bouche à l'anus dans la cavité ventrale du corps. Également appelé **canal alimentaire.**

Tubule droit Conduit du testicule reliant un tubule séminifère et le rété testis.

Tubule séminifère Conduit enroulé, situé dans le testicule, où sont produits les spermatozoïdes.

Tubules T (transverses) Minuscules invaginations cylindriques du sarcolemme des fibres (cellules) musculaires striées qui propagent les potentiels d'action musculaires vers le centre de la fibre musculaire.

Tunique externe Enveloppe superficielle d'une artère ou d'une veine, composée surtout de fibres élastiques et de fibres collagènes.

Tunique fibreuse Enveloppe superficielle avasculaire du globe oculaire, composée de la sclère à l'arrière et de la cornée à l'avant.

Tunique interne Enveloppe profonde d'une artère ou d'une veine, composée d'une couche d'endothélium, d'une membrane basale et d'une limitante élastique interne. Également appelée **intima.**

Tunique moyenne Enveloppe intermédiaire d'une artère ou d'une veine, composée de fibres musculaires lisses et de fibres élastiques.

Tunique vasculaire Enveloppe moyenne du globe oculaire, comprenant la choroïde, le corps ciliaire et l'iris.

Tympan Mince cloison semi-transparente composée de tissu conjonctif fibreux, située entre le conduit auditif externe et l'oreille moyenne ; il vibre sous l'effet des ondes sonores et transmet ces vibrations au malléus. Également appelé **membrane du tympan.**

U

Ulcère gastro-duodénal Lésion en forme de cratère qui se développe dans la paroi du tube digestif dans les régions exposées à l'acide chlorhydrique ; appelé ulcère gastrique s'il est localisé dans la petite courbure de l'estomac et ulcère duodénal s'il est localisé dans la première partie du duodénum.

Unité motrice Un neurone moteur somatique et toutes les fibres (cellules) musculaires qu'il stimule.

Urémie Accumulation de concentrations toxiques d'urée et autres produits de déchets azotés dans le sang, résultant habituellement d'une dysfonction rénale grave.

Uretère L'un de deux conduits qui relient le rein et la vessie ; l'urine y chemine grâce à des contractions péristaltiques des parois musculaires.

Urètre Conduit allant de la vessie à l'extérieur du corps, qui achemine l'urine chez la femme et l'urine et le sperme chez l'homme.

Urine Liquide produit par les reins qui contient des déchets ou des substances en excès ; excrété du corps par l'urètre.

Urologie Branche de la médecine qui a pour objet la structure, la fonction et les maladies du système urinaire de la femme et de l'homme et du système reproducteur de l'homme.

Utérus Organe musculaire creux chez la femme qui est le siège de la menstruation, de l'implantation et du développement du fœtus ainsi que de l'accouchement.

Utricule Le plus grand des deux sacs que contient le labyrinthe membraneux, situé à l'intérieur du vestibule de l'oreille interne et contenant des récepteurs pour l'équilibre statique.

Uvule Saillie charnue et molle, notamment le prolongement pendant en forme de V qui descend du palais mou ; avec le palais mou, l'uvule ferme le nasopharynx durant la déglutition.

V

Vagin Organe musculeux tubulaire allant de l'utérus au vestibule, situé entre la vessie et le rectum chez la femme ; sert de passage pour le flux menstruel et reçoit le sperme lors du coït.

Vaisseau chylifère L'un des nombreux vaisseaux lymphatiques situés dans les villosités des intestins qui absorbent les triglycérides et d'autres lipides des aliments digérés.

Vaisseau lymphatique Grand vaisseau qui recueille la lymphe des capillaires lymphatiques et se joint à d'autres vaisseaux lymphatiques pour former le conduit thoracique et le conduit lymphatique droit.

Valence Capacité de liaison d'un atome ; nombre d'électrons manquants ou en trop dans la couche électronique la plus externe d'un atome.

Valve aortique Valve située entre l'aorte et le ventricule gauche du cœur.

Valve auriculo-ventriculaire Repli membraneux du cœur ou cuspide qui permet au sang de s'écouler dans une direction seulement, d'une oreillette dans un ventricule.

Valve bicuspide Valve auriculo-ventriculaire constituée de deux cuspides et située sur le côté gauche du cœur. Également appelée **valve mitrale.**

Valve iléo-cæcale Repli de muqueuse situé à l'ouverture de l'iléum dans le gros intestin.

Valve pulmonaire Valve située entre le tronc pulmonaire et le ventricule droit du cœur.

Valve tricuspide Valve auriculo-ventriculaire constituée de trois cuspides et située sur le côté droit du cœur.

Varice Dilatation des veines par suite d'un défaut d'étanchéité des valvules veineuses ; le plus souvent retrouvée dans les veines superficielles des membres inférieurs.

Varicocèle Veine tordue ; en particulier, accumulation de sang dans les veines du cordon spermatique.

Vasa vasorum Vaisseaux sanguins qui fournissent des nutriments et de l'oxygène aux plus grosses veines et artères.

Vasculaire Relatif à ou contenant de nombreux vaisseaux sanguins.

Vasectomie Méthode de stérilisation la plus couramment utilisée chez l'homme dans laquelle on sectionne une partie de chaque conduit déférent.

Vasoconstriction Diminution du diamètre de la lumière d'un vaisseau sanguin causée par la contraction du tissu musculaire lisse de la paroi du vaisseau.

Vasodilatation Augmentation du diamètre de la lumière d'un vaisseau sanguin causée par le relâchement du tissu musculaire lisse de la paroi du vaisseau.

Veine Vaisseau sanguin qui ramène le sang des tissus jusqu'au cœur.

Veine cave L'une des deux grosses veines qui débouchent dans l'oreillette droite, retournant au cœur tout le sang désoxygéné de la circulation systémique, à l'exception de la circulation coronarienne.

Veine cave inférieure Grande veine qui recueille le sang issu des parties de l'organisme situées en dessous du cœur et le retourne à l'oreillette droite.

Veine cave supérieure Grande veine qui recueille le sang issu des parties de l'organisme situées au-dessus du cœur et le retourne à l'oreillette droite.

Veinule Petite veine qui recueille le sang des capillaires et l'apporte à une veine.

Ventilation-minute (VM) Volume total d'air inspiré et expiré chaque minute ; environ 6 000 mL ; la fréquence respiratoire multipliée par le volume courant.

Ventilation pulmonaire Entrée (inspiration) et sortie (expiration) de l'air entre l'atmosphère et les poumons.

Ventral Qui se rapporte à la partie antérieure ou frontale de l'organisme ; opposé à dorsal.

Ventre du muscle Partie charnue d'un muscle squelettique.

Ventricule Cavité dans l'encéphale ou cavité inférieure du cœur.

Ventricule latéral Cavité d'un hémisphère cérébral remplie de liquide cérébro-spinal qui communique avec le ventricule latéral de l'autre hémisphère cérébral et avec le troisième ventricule par l'intermédiaire du foramen interventriculaire du cerveau.

Vermis Partie centrale plissée du cervelet qui sépare les deux hémisphères du cervelet.

Vernix caseosa Substance graisseuse qui protège la peau du fœtus à partir du sixième mois ; constitué des sécrétions des glandes sébacées et de cellules détachées de l'épiderme du fœtus.

Vésicule Petit sac membraneux contenant du liquide.

Vésicule biliaire Petit sac situé sous le foie, qui emmagasine la bile et débouche dans le conduit cystique.

Vésicule séminale Une des structures paires contournées, en forme de sac, située derrière et sous la vessie et devant le rectum, qui sécrète un liquide alcalin visqueux faisant partie du sperme dans les conduits éjaculateurs.

Vésicule synaptique Sac entouré d'une membrane situé dans un bouton terminal ; emmagasine des neurotransmetteurs.

Vessie Organe musculaire creux situé dans la cavité pelvienne derrière la symphyse pubienne ; reçoit l'urine par les deux uretères et l'emmagasine jusqu'à ce qu'elle soit excrétée par l'urètre.

Vestibule Petit espace ou cavité situé à l'entrée d'un canal, en particulier dans l'oreille interne, le larynx, la bouche, le nez et le vagin.

Villosité Saillie digitiforme (de 0,5 à 1 mm) des cellules muqueuses de l'intestin, contenant du tissu conjonctif, des vaisseaux sanguins et un vaisseau lymphatique ; joue un rôle dans l'absorption des produis finaux de la digestion.

Villosité arachnoïdienne Prolongement digitiforme de l'arachnoïde qui fait saillie dans le sinus sagittal supérieur et par lequel le liquide cérébro-spinal est réabsorbé dans la circulation sanguine.

Villosités chorioniques Projections digitiformes du chorion qui croissent dans la caduque basale de l'endomètre et contiennent les vaisseaux sanguins fœtaux.

Viscéral Qui se rapporte aux organes ou au revêtement d'un organe.

Viscères Organes situés à l'intérieur de la cavité antérieure.

Vitamine Molécule organique nécessaire en quantité infime qui agit comme catalyseur (surtout comme coenzyme) dans les processus métaboliques normaux de l'organisme ; la majorité des vitamines ne peuvent être synthétisées par l'organisme.

Voie antéro-latérale Voie sensitive qui achemine les informations relatives à la douleur et à la température. Elle est formée de trois neurones. Le premier va des récepteurs sensoriels à la corne dorsale de la moelle épinière ; le deuxième traverse la ligne médiane et monte jusqu'au thalamus ; le troisième va du thalamus à l'aire somesthésique primaire du cortex cérébral.

Voie extrinsèque Série d'événements conduisant à la formation du caillot qui est déclenchée par la libération d'un facteur tissulaire, également appelé thromboplastine tissulaire, qui passe dans le sang à partir de cellules endommagées situées *à l'extérieur* des vaisseaux sanguins ; se déroule plus rapidement que la voie intrinsèque.

Voie intrinsèque Série d'événements conduisant à la formation du caillot qui est déclenchée par la lésion de l'endothélium d'un vaisseau sanguin ou par des plaquettes endommagées ; les activateurs de cette voie sont présents *à l'intérieur* du sang lui-même ou se trouvent en contact direct avec le sang ; voie plus complexe et se déroulant plus lentement que la voie extrinsèque.

Voie lemniscale Voie sensitive qui achemine les informations reliées à la proprioception, au toucher discriminant, à la pression, à la vibration et à la capacité de percevoir comme distinctes deux stimulations appliquées à des points rapprochés du corps. Les neurones de premier ordre s'étendent des récepteurs sensoriels jusqu'à la moelle épinière ipsilatérale dans les cordons postérieurs (faisceau gracile et faisceau cunéiforme) et montent jusqu'au bulbe rachidien. Les neurones de deuxième ordre s'étendent du bulbe rachidien jusqu'au thalamus controlatéral dans le lemnisque médial. Le neurone de troisième ordre s'étend du thalamus jusqu'au cortex somesthésique primaire (gyrus postcentral) du même côté.

Voies directes Groupes de neurones moteurs supérieurs dont les corps cellulaires sont situés dans le cortex moteur ; ils émettent leurs axones dans la moelle épinière, où ils font synapse avec des neurones moteurs inférieurs ou des interneurones dans les cornes ventrales ; ils produisent les mouvements volontaires et précis des muscles squelettiques. Également appelées **voie motrice principale.**

Voies indirectes Faisceaux moteurs qui acheminent des informations issues de l'encéphale vers la moelle épinière pour effectuer les mouvements automatiques, la coordination des mouvements du corps avec les stimulus visuels, le tonus squelettique musculaire et la posture ainsi que l'équilibre. Également appelées **voie motrice secondaire** ou **voie extrapyramidale.**

Volume courant Volume d'air inspiré et expiré en une respiration ; environ 500 mL dans des conditions calmes au repos.

Volume de réserve expiratoire Volume d'air au-delà du volume courant qui peut être expulsé par une forte expiration ; environ 1 200 mL.

Volume de réserve inspiratoire Quantité supplémentaire d'air inspiré au-delà du volume courant ; atteint environ 3 100 mL.

Volume minimal Volume d'air qui reste dans les poumons après que la cage thoracique a été ouverte et qu'une partie du volume résiduel a été expulsée ; ce volume constitue un outil médical et légal qui permet d'établir si un bébé est mort avant ou après la naissance.

Volume résiduel Volume d'air encore contenu dans les poumons après une expiration maximale et qui ne peut pas se mesurer par spirométrie ; environ 1 200 mL.

Volume systolique Volume de sang éjecté par chaque ventricule en une systole ; environ 70 mL au repos.

Volume télédiastolique (VTD) Volume de sang (environ 130 mL) qui reste dans un ventricule à la fin de sa diastole (relaxation).

Volume télésystolique (VTS) Volume de sang (environ 60 mL) qui reste dans un ventricule après sa systole (contraction).

Vulve Ensemble des organes génitaux externes de la femme. Également appelée **pudendum féminin.**

X

Xiphoïde En forme d'épée. La partie inférieure du sternum est le **processus xiphoïde.**

Z

Zone fasciculée Zone moyenne du cortex surrénal composée de cellules disposées en cordons longs et droits qui sécrètent des glucocorticoïdes, surtout du cortisol.

Zone glomérulée Zone externe du cortex surrénal, située juste en dessous de l'enveloppe de tissu conjonctif, composée de cellules disposées en amas sphériques et en colonnes arquées qui sécrètent des minéralocorticoïdes, surtout de l'aldostérone.

Zone pellucide Couche claire de glycoprotéines comprise entre un ovocyte secondaire et les cellules granuleuses environnantes de la corona radiata ; contient des récepteurs permettant au spermatozoïde de s'attacher à l'ovocyte secondaire.

Zone réticulée Zone interne du cortex surrénal, formée de cordons de cellules ramifiées qui sécrètent des hormones sexuelles, surtout des androgènes.

Zygote Cellule unique résultant de la fusion des gamètes mâle et femelle ; l'ovule fécondé.

SOURCES

Page couverture
(de gauche à droite, de haut en bas)

Alain Lapointe; Kevin Somerville; Sharon Ellis; Imagineering; Kevin Somerville; Kevin Somerville; Tomo Narashima; Ed Reschke; Sharon Ellis; Leonard Dank; Leonard Dank; Hilda Muinos; Kevin Somerville; John Wilson While / Addison Wesley Longman; Leonard Dank; Dennis Strete; Jan Leestma M.D./ Custom Medical Stock Photo; Nadine Sokol; Kevin Somerville; Sharon Ellis; Kevin Somerville; Lester V. Bergman / The Bergman Collection; Kevin Somerville; Lynn O'Kelley.

Sources des illustrations

Chapitre 1: 1.1: Tomo Narashima. 1.2: Jared Schneidman Design. 1.3: Jared Schneidman Design. 1.4: Jared Schneidman Design. 1.5: Kevin Somerville. 1.6: Lynn O'Kelley. 1.8: Kevin Somerville. 1.9: Kevin Somerville. 1.10: Kevin Somerville. 1.11: Kevin Somerville. 1.12: Kevin Somerville.

Chapitre 2: 2.1: Imagineering. 2.2: Jared Schneidman Design. 2.3: Jared Schneidman Design. 2.4: Imagineering. 2.5: Jared Schneidman Design. 2.6: Imagineering. 2.7: Imagineering. 2.8: Imagineering. 2.9: Imagineering. 2.10: Imagineering. 2.11: Imagineering. 2.12: Jared Schneidman Design. 2.13: Adapté de Karen Timberlake, *Chemistry*, 6ᵉ, fig. 8.5, p. 255 (Menlo Park, CA; Addison Wesley Longman, 1999) ©1999 Addison Wesley Longman, Inc. 2.14: Jared Schneidman Design. 2.15: Jared Schneidman Design. 2.16: Jared Schneidman Design. 2.17: Jared Schneidman Design. 2.18: Imagineering. 2.19: Jared Schneidman Design. 2.20: Jared Schneidman Design. 2.21: Jared Schneidman Design. 2.22: Adapté de Neil Campbell, Jane Reece et Larry Mitchell, *Biology*, 5ᵉ, fig. 5.24, p. 75 (Menlo Park, CA; Addison Wesley Longman, 1999) ©1999 Addison Wesley Longman, Inc. 2.23: Adapté de Neil Campbell, Jane Reece et Larry Mitchell, *Biology*, 5ᵉ, fig. 5.22, p. 74 (Menlo Park, CA; Addison Wesley Longman, 1999) ©1999 Addison Wesley Longman, Inc. 2.24: Jared Schneidman Design. 2.25: Imagineering. 2.26: Jared Schneidman Design.

Chapitre 3: 3.1: Tomo Narashima. 3.2: Tomo Narashima. 3.3: Imagineering. 3.4: Imagineering. 3.5: Adapté de Bruce Alberts *et al.*, *Essential Cell Biology*, fig. 12.5, p. 375 et fig. 12.12, p. 380 (New York: Garland Publishing Inc., 1998) ©1998 Garland Publishing Inc. 3.7: Adapté de *Fundamentals of Anatomy and Physiology*, 4ᵉ, de Martini, Frederic H., ©1998 fig. 3.7, p. 75. Reproduit avec l'autorisation de Prentice-Hall, Inc., Upper Saddle River, NJ. 3.8: Jared Schneidman Design. 3.9: Imagineering. 3.10: Imagineering. 3.11: Imagineering. 3.12: Imagineering. 3.13: Imagineering. 3.14: Imagineering. 3.15: Imagineering. 3.16: Imagineering. 3.17: Tomo Narashima, Imagineering. 3.18: Tomo Narashima, Imagineering. 3.19: Tomo Narashima, Imagineering. 3.20: Tomo Narashima, Imagineering. 3.21: Tomo Narashima, Imagineering. 3.22: Tomo Narashima, Imagineering. 3.23: Tomo Narashima. 3.24: Tomo Narashima, Imagineering. 3.25: Tomo Narashima, Imagineering. 3.26: Imagineering. 3.27: Imagineering. 3.28: Imagineering. 3.29: Imagineering. 3.30: Imagineering. 3.31: Imagineering. 3.32: Imagineering. 3.33: Lauren Keswick. 3.34: Hilda Muinos.

Chapitre 4: Tableau 4.1: Kevin Somerville, Nadine Sokol, Imagineering. Tableau 4.2: Kevin Somerville, Nadine Sokol. Tableau 4.3: Kevin Somerville, Nadine Sokol, Imagineering, Leonard Dank. Tableau 4.4: Kevin Somerville, Nadine Sokol. Tableau 4.5: Nadine Sokol. 4.1: Adapté de Lewis Kleinsmith et Valerie Kish, *Principles of Cell and Molecular Biology*, 2ᵉ, fig 6.44, p. 237; fig. 6.46, p. 238; fig. 6.47, p. 239; fig. 6.50, p. 241 (New York: HarperCollins, 1995) ©1995 HarperCollins College Publishers. Avec l'autorisation de Addison Wesley Longman. 4.2: Nadine Sokol. 4.3: Adapté de Leslie P. Gartner et James L. Hiatt, *Color Textbook of Histology*, fig. 5.22, p. 89 (Philadelphia, PA: Saunders, 1997) ©1997 Saunders College Publishing. 4.4: Imagineering. 4.5: Imagineering.

Chapitre 5: 5.1: Kevin Somerville. 5.2: Adapté de Ira Telford et Charles Bridgman, *Introduction to Functional Histology*, 2ᵉ, p. 84, p. 261, p. 262 (New York: HarperCollins, 1995) ©1995 HarperCollins College Publishers. Avec l'autorisation de Addison Wesley Longman. 5.3: Imagineering. 5.4: Kevin Somerville. 5.5: Kevin Somerville. 5.6: Imagineering. 5.7: Lauren Keswick.

Chapitre 6: 6.1: Leonard Dank. 6.2: Lauren Keswick. 6.3: Leonard Dank. 6.4: Kevin Somerville. 6.5: Kevin Somerville. 6.6: Leonard Dank. 6.8: Kevin Somerville. 6.9: Leonard Dank. 6.10: Tiré de Priscilla LeMone et Karen M. Burke, *Medical-Surgical Nursing*, p. 1560 (Menlo Park, CA: Benjamin/Cummings, 1996) ©1996 The Benjamin/Cummings Publishing Company. 6.11: Jared Schneidman Design. 6.12: Leonard Dank.

Chapitre 7: Tableau 7.1: Nadine Sokol. Tableau 7.3: Leonard Dank. 7.1: Leonard Dank. 7.2: Leonard Dank. 7.3: Leonard Dank. 7.4: Leonard Dank. 7.5: Leonard Dank. 7.6: Leonard Dank. 7.7: Leonard Dank. 7.8: Leonard Dank. 7.9: Leonard Dank. 7.10: Leonard Dank. 7.11: Leonard Dank. 7.12: Leonard Dank. 7.13: Leonard Dank. 7.14: Leonard Dank. 7.15: Leonard Dank. 7.16: Leonard Dank. 7.17: Leonard Dank. 7.18: Leonard Dank. 7.19: Leonard Dank. 7.20: Leonard Dank. 7.21: Leonard Dank. 7.22: Leonard Dank. 7.23: Leonard Dank. 7.24: Leonard Dank.

Chapitre 8 : Tableau 8.1 : Leonard Dank. 8.1 : Leonard Dank. 8.2 : Leonard Dank. 8.3 : Leonard Dank. 8.4 : Leonard Dank. 8.5 : Leonard Dank. 8.6 : Leonard Dank. 8.7 : Leonard Dank. 8.8 : Leonard Dank. 8.9 : Leonard Dank. 8.10 : Leonard Dank. 8.11a Leonard Dank. 8.12 : Leonard Dank. 8.13 : Leonard Dank. 8.14 : Leonard Dank. 8.15 : Leonard Dank. 8.16 : Leonard Dank. 8.17 : Leonard Dank.

Chapitre 9 : 9.1 : Leonard Dank. 9.2 : Leonard Dank. 9.3 : Leonard Dank. 9.4 : Leonard Dank. 9.11 : Leonard Dank. 9.12 : Leonard Dank. 9.13 : Leonard Dank. 9.14 : Leonard Dank.

Chapitre 10 : 10.1 : Kevin Somerville. 10.3 : Kevin Somerville. Adapté de Martini, Frederic H., *Fundamentals of Anatomy and Physiology*, 4ᵉ, fig. 10.2, p. 280 (Upper Saddle River, NJ : Prentice-Hall/Pearson Education, 1998). ©1998 Prentice-Hall. 10.4 : Imagineering. 10.6 : Imagineering. 10.7 : Hilda Muinos. 10.8 : Imagineering. 10.9 : Imagineering. 10.10 : Imagineering. 10.11 : Hilda Muinos. 10.12 : Imagineering. 10.13 : Jared Schneidman Design. 10.14 : Jared Schneidman Design. 10.15 : Jared Schneidman Design. 10.16 : Imagineering. 10.18 : Imagineering. 10.19 : Beth Willert. 10.20 : Beth Willert.

Chapitre 11 : Tableau 11.1 : Kevin Somerville. 11.1 : Leonard Dank. 11.2 : Leonard Dank. 11.3 : Leonard Dank. 11.4 : Leonard Dank. 11.5 : Leonard Dank. 11.6 : Leonard Dank. 11.7 : Leonard Dank. 11.8 : Leonard Dank. 11.9 : Leonard Dank. 11.10 : Leonard Dank. 11.11 : Leonard Dank. 11.12 : Leonard Dank. 11.13 : Leonard Dank. 11.14 : Leonard Dank. 11.15 : Leonard Dank. 11.16 : Leonard Dank. 11.17 : Leonard Dank. 11.18 : Leonard Dank. 11.19 : Leonard Dank. 11.20 : Leonard Dank. 11.21 : Leonard Dank. 11.22 : Leonard Dank. 11.23 : Leonard Dank.

Chapitre 12 : Tableau 12.2 : Kevin Somerville. Tableau 12.3 : Jared Schneidman Design. 12.1 : Kevin Somerville, Imagineering. 12.2 : Imagineering. 12.3 : Sharon Ellis. 12.4 : Nadine Sokol. 12.5 : Nadine Sokol. 12.7 : Sharon Ellis. 12.8 : Imagineering. 12.9 : Imagineering. 12.10 : Imagineering. 12.11 : Imagineering. 12.12 : Imagineering. Adapté de Becker *et al.*, *The World of the Cell*, 3ᵉ, fig. 22.18, p. 732 (Menlo Park, CA : Benjamin/Cummings, 1996) ©1996 The Benjamin/Cummings Publishing Company. 12.13 : Jared Schneidman Design. 12.14 : Tiré de Becker *et al.*, *The World of the Cell*, 3ᵉ, fig. 22.28, p. 741 (Menlo Park, CA : Benjamin/Cummings, 1996) ©1996 The Benjamin/ Cummings Publishing Company. 12.15 : Jared Schneidman Design. 12.16 : Nadine Sokol. 12.17 : Nadine Sokol.

Chapitre 13 : 13.1 : Sharon Ellis. 13.2 : Sharon Ellis. 13.3 : Sharon Ellis. 13.4 : Sharon Ellis. 13.5 : Sharon Ellis. 13.6 : Leonard Dank. 13.7 : Leonard Dank. 13.8 : Leonard Dank. 13.9 : Leonard Dank. 13.10 : Sharon Ellis. 13.11 : Sharon Ellis. 13.12 : Imagineering. 13.13 : Precision Graphics. 13.14 : Precision Graphics. 13.15 : Precision Graphics, Imagineering. 13.16 : Imagineering. 13.17 : Imagineering.

Chapitre 14 : Tableau 14.1 : Nadine Sokol. Tableau 14.2 : Hilda Muinos. 14.1 : Sharon Ellis. 14.2 : Sharon Ellis. 14.3 : Sharon Ellis. 14.4 : Sharon Ellis, Imagineering. 14.5 : Sharon Ellis. 14.6 : Sharon Ellis. 14.7 : Sharon Ellis. 14.8 : Sharon Ellis. 14.9 : Sharon Ellis. 14.10 : Sharon Ellis. 14.11 : Sharon Ellis. 14.13 : Sharon Ellis. 14.14 : Sharon Ellis. 14.15 : Sharon Ellis. 14.16 : Hilda Muinos. 14.18 : Kevin Somerville. 14.19 : Kevin Somerville.

Chapitre 15 : Tableau 15.3 : Kevin Somerville. Tableau 15.4 : Kevin Somerville. 15.1 : Imagineering. 15.2 : Kevin Somerville. 15.3 : Kevin Somerville. 15.4 : Beth Willert. 15.5 : Sharon Ellis. 15.6 : Lynn O'Kelley. 15.7 : Sharon Ellis. 15.8 : Jared Schneidman Design. 15.9 : Sharon Ellis. 15.10 : Sharon Ellis. 15.11 : Adapté de Purves *et al.*, *Neuroscience*, 2ᵉ, fig. 26.1 et 26.2, p. 498 (Sunderland, MA : Sinauer Associates, 1997). ©1997 Sinauer Associates.

Chapitre 16 : Tableau 16.1 : Kevin Somerville. Tableau 16.2 : Kevin Somerville. 16.1 : Tomo Narashima. 16.2 : Lynn O'Kelley. 16.4 : Sharon Ellis. 16.5 : Tomo Narashima. 16.8 : Lynn O'Kelley. 16.9 : Tomo Narashima. 16.10 : Jared Schneidman Design. 16.11 : Nadine Sokol, Imagineering. 16.12 : Lynn O'Kelley. 16.13 : Jared Schneidman Design. 16.14 : Lynn O'Kelley. 16.15 : Adapté de Seeley *et al.*, *Anatomy and Physiology,* 4ᵉ, fig. 15.22, p. 480 (New York : WCB McGraw-Hill, 1998) ©1998 The McGraw-Hill Companies. 16.16 : Tomo Narashima. 16.17 : Tomo Narashima. 16.18 : Tomo Narashima. 16.19 : Tomo Narashima. 16.20 : Tomo Narashima. 16.21 : Tomo Narashima, Sharon Ellis. 16.22 : Tomo Narashima, Sharon Ellis.

Chapitre 17 : 17.1 : Jared Schneidman Design. 17.2 : Hilda Muinos. 17.3 : Kevin Somerville. 17.4 : Sharon Ellis. 17.5 : Imagineering.

Chapitre 18 : Tableau 18.2 : Hilda Muinos. Tableau 18.4 : Nadine Sokol. Tableau 18.5 : Nadine Sokol. Tableau 18.6 : Nadine Sokol. Tableau 18.7 : Nadine Sokol. Tableau 18.8 : Nadine Sokol. Tableau 18.9 : Nadine Sokol. Tableau 18.10 : Nadine Sokol. 18.1 : Lynn O'Kelley. 18.2 : Jared Schneidman Design. 18.3 : Jared Schneidman Design. 18.4 : Jared Schneidman Design. 18.5 : Lynn O'Kelley. 18.6 : Imagineering. 18.7 : Jared Schneidman Design. 18.8 : Lynn O'Kelley. 18.9 : Jared Schneidman Design. 18.10 : Lynn O'Kelley. 18.11 : Jared Schneidman Design. 18.12 : Jared Schneidman Design. 18.13 : Lynn O'Kelley. 18.14 : Jared Schneidman Design. 18.15 : Lynn O'Kelley. 18.16 : Nadine Sokol. 18.17 : Jared Schneidman Design. 18.18 : Lynn O'Kelley. 18.19 : Jared Schneidman Design. 18.20 : Hilda Muinos. 18.21 : Nadine Sokol. 18.22 : Lynn O'Kelley.

Chapitre 19 : Tableau 19.3 : Jared Schneidman Design. 19.1 : Hilda Muinos. 19.3 : Nadine Sokol. 19.4 : Nadine Sokol. 19.5 : Jared Schneidman Design. 19.6 : Jared Schneidman Design. 19.8 : Jared Schneidman Design. 19.9 : Nadine Sokol. 19.11 : Imagineering. 19.12 : Jean Jackson. 19.13 : Nadine Sokol.

Chapitre 20 : 20.1 : Kevin Somerville. 20.2 : Kevin Somerville. 20.3 a, c : Hilda Muinos. 20.4 : Hilda Muinos, Kevin Somerville. 20.5 : Nadine Sokol. 20.6 : Kevin Somerville. 20.7 : Nadine Sokol, Hilda Muinos. 20.8 : Hilda Muinos. 20.9 : Kevin Somerville. 20.10 : Kevin Somerville. 20.11 : Burmar Technical Corp. 20.12 : Burmar Technical Corp. 20.13 : Hilda Muinos. 20.14 : Kevin Somerville. 20.15 : Hilda Muinos. 20.17 : Hilda Muinos. 20.19 : Hilda Muinos.

Chapitre 21 : Exposé 21.1 : Keith Ciociola. Exposé 21.2 : Keith Ciociola. Exposé 21.3 : Keith Ciociola. Exposé 21.4 : Keith Ciociola. Exposé 21.5 : Keith Ciociola. Exposé 21.6 : Keith Ciociola. Exposé 21.7 : Keith Ciociola. Exposé 21.8 : Keith Ciociola. Exposé 21.9 : Keith Ciociola. Exposé 21.10 : Keith Ciociola. Tableau 21.2 : Imagineering. 21.1 : Hilda Muinos. 21.2 : Hilda Muinos. 21.3 : Nadine Sokol, Imagineering. 21.4 : Hilda Muinos. 21.6 : Jared Schneidman Design. 21.7 : Jared Schneidman Design. 21.8 : Jared Schneidman

Design. 21.9 : Imagineering. 21.10 : Imagineering.
21.11 : Jared Schneidman Design. 21.12 : Jared Schneidman
Design. 21.13 : Imagineering. 21.14 : Jared Schneidman
Design. 21.15 : Jared Schneidman Design. 21.16 : Jared
Schneidman Design. 21.17 : Hilda Muinos. 21.18 : Hilda
Muinos. 21.19 : Hilda Muinos. 21.20 : Kevin Somerville,
Hilda Muinos. 21.21 : Kevin Somerville. 21.22 : Hilda
Muinos. 21.23 : Hilda Muinos. 21.24 : Kevin Somerville.
21.25 : Kevin Somerville. 21.26 : Kevin Somerville. 21.27 :
Kevin Somerville. 21.28 : Kevin Somerville. 21.29 : Kevin
Somerville, Nadine Sokol. 21.30 : Hilda Muinos. 21.31 :
Hilda Muinos, Keith Ciociola. 21.32 : Hilda Muinos.

Chapitre 22 : Tableau 22.3 : Jean Jackson. 22.1 : Sharon Ellis.
22.2 : Sharon Ellis. 22.3 : Sharon Ellis. 22.4 : Nadine Sokol.
22.5 : Steve Oh. 22.6 : Sharon Ellis. 22.7 : Steve Oh. 22.8 :
Sharon Ellis. 22.9 : Nadine Sokol. 22.10 : Nadine Sokol.
22.11 : Jared Schneidman Design. 22.12 : Jared Schneidman
Design. 22.13 : Jared Schneidman Design. 22.14 : Jared
Schneidman Design. 22.15 : Jared Schneidman Design.
22.16 : Jared Schneidman Design. 22.17 : Jared Schneidman
Design. 22.18 : Jared Schneidman Design. 22.19 : Jared
Schneidman Design. 22.20 : Jared Schneidman Design.
22.21 : Nadine Sokol, Imagineering.

Chapitre 23 : Tableau 23.2 : Hilda Muinos. 23.1 : Lynn
O'Kelley. 23.2 : Kevin Somerville, Lynn O'Kelley. 23.4 : Lynn
O'Kelley. 23.5 : Lynn O'Kelley. 23.6 : Steve Oh. 23.8 : Lynn
O'Kelley. 23.10 : Lynn O'Kelley. 23.11 : Kevin Somerville.
23.12 : Kevin Somerville. 23.13 : Jared Schneidman Design.
23.14 : Kevin Somerville. 23.15 : Nadine Sokol. 23.16 : Jared
Schneidman Design. 23.17 : Jared Schneidman Design.
23.18 : Jared Schneidman Design. 23.19 : Jared Schneidman
Design. 23.20 : Jared Schneidman Design. 23.21 : Jared
Schneidman Design. 23.22 : Jared Schneidman Design.
23.23 : Jared Schneidman Design. 23.24 : Jared Schneidman
Design. 23.25 : Hilda Muinos. 23.26 : Jared Schneidman
Design. 23.27 : Jared Schneidman Design. 23.28 : Jared
Schneidman Design. 23.29 : Jared Schneidman Design.

Chapitre 24 : 24.1 : Nadine Sokol. 24.2 : Steve Oh. 24.3 :
Nadine Sokol. 24.4 : Nadine Sokol. 24.5 : Nadine Sokol.
24.6 : Nadine Sokol. 24.7 : Nadine Sokol. 24.8 : Nadine
Sokol. 24.10 : Nadine Sokol. 24.11 : Nadine Sokol. 24.12 :
Hilda Muinos. 24.13 : Jared Schneidman Design. 24.14 :
Jared Schneidman Design. 24.15 : Jared Schneidman
Design. 24.16 : Nadine Sokol. 24.17 : Jared Schneidman
Design. 24.18 : Nadine Sokol. 24.19 : Jared Schneidman
Design. 24.20 : Jared Schneidman Design. 24.21 : Kevin
Somerville. 24.22 : Hilda Muinos. 24.24 : Jared Schneidman
Design. 24.25 : Jared Schneidman Design. 24.26 : Nadine
Sokol. 24.27 : Hilda Muinos. 24.28 : Nadine Sokol.

Chapitre 25 : 25.1 : Imagineering. 25.2 : Imagineering. 25.3 :
Imagineering. 25.4 : Imagineering. 25.5 : Imagineering. 25.6 :
Imagineering. 25.7 : Imagineering. 25.8 : Imagineering. 25.9 :
Imagineering. 25.10 : Imagineering. 25.11 : Imagineering.
25.12 : Imagineering. 25.13 : Imagineering. 25.14 :
Imagineering. 25.15 : Imagineering. 25.16 : Imagineering.
25.17 : Jared Schneidman Design. 25.18 : Imagineering.

Chapitre 26 : Tableau 26.1 : Nadine Sokol. 26.1 : Kevin
Somerville. 26.2 : Kevin Somerville. 26.3 : Steve Oh. 26.4 :
Nadine Sokol. 26.5 : Imagineering. 26.6 : Kevin Somerville.
26.7 : Nadine Sokol. 26.8 : Kevin Somerville. 26.9 : Nadine
Sokol. 26.10 : Jared Schneidman Design. 26.11 :
Imagineering. 26.12 : Jared Schneidman Design.
26.13 : Jared Schneidman Design. 26.14 : Imagineering.

26.15 : Jared Schneidman Design. 26.16 : Imagineering.
26.17 : Imagineering. 26.18 : Jared Schneidman Design.
26.19 : Jared Schneidman Design. 26.20 : Jared Schneidman
Design. 26.21 : Jared Schneidman Design. 26.22 : Nadine
Sokol. 26.23 : Nadine Sokol.

Chapitre 27 : 27.1 : Jared Schneidman Design. 27.2 : Jared
Schneidman Design. 27.3 : Jared Schneidman Design. 27.4 :
Imagineering. 27.5 : Imagineering. 27.6 : Imagineering. 27.7 :
Jared Schneidman Design.

Chapitre 28 : 28.1 : Lauren Keswick. 28.2 : Imagineering.
28.3 : Kevin Somerville. 28.4 : Kevin Somerville. 28.5 : Kevin
Somerville. 28.6 : Kevin Somerville. 28.7 : Jared Schneidman
Design. 28.8 : Kevin Somerville. 28.9 : Jared Schneidman
Design. 28.10 : Jared Schneidman Design. 28.11 : Kevin
Somerville. 28.12 : Kevin Somerville. 28.13 : Kevin
Somerville. 28.14 : Kevin Somerville. 28.15 : Kevin
Somerville. 28.17 : Jared Schneidman Design. 28.18 : Kevin
Somerville. 28.21 : Kevin Somerville. 28.22 : Kevin
Somerville. 28.23 : Kevin Somerville. 28.24 : Kevin
Somerville. 28.25 : Jared Schneidman Design. 28.26 : Jared
Schneidman Design. 28.27 : Jared Schneidman Design.
28.28 : Jared Schneidman Design. 28.29 : Jared Schneidman
Design. 28.30 : Kevin Somerville. 28.31 : Kevin Somerville.

Chapitre 29 : Tableau 29.2 : Kevin Somerville. 29.1 : Nadine
Sokol. 29.2 : Jared Schneidman Design. 29.3 : Kevin
Somerville. 29.4 : Kevin Somerville. 29.5 : Kevin Somerville.
29.06 : Kevin Somerville. 29.07 : Kevin Somerville. 29.08 :
Kevin Somerville. 29.09 : Kevin Somerville. 29.10 : Jared
Schneidman Design. 29.11 : Kevin Somerville. 29.12 : Kevin
Somerville. 29.13 : Imagineering. 29.14 : Jared Schneidman
Design. 29.15 : Jared Schneidman Design. 29.16 : Jared
Schneidman Design. 29.17 : Jared Schneidman Design.
29.18 : Jared Schneidman Design. 29.19 : Jared Schneidman
Design. 29.20 : Jared Schneidman Design.

Sources des photographies

Page 4 John Wilson White / Addison Wesley Longman ;
page 14 : en haut, Stephen A. Kieffer et B. Robert Heitzman,
An Atlas of Cross-Sectional Anatomy. Harper & Row,
Publishers Inc. New York, 1979 ; *au centre,* Lester V.
Bergman / The Bergman Collection ; *en bas,* Martin M.
Rotker, 2001 ; *page 18* Mark Nielsen / Addison Wesley
Longman, Inc. ; *page 21 :* en haut à gauche, Biophoto / Photo
Researchers ; *en haut à droite,* The Bayer Company ; *en bas
à gauche,* Simon Fraser / SPL / Photo Researchers ; *page 22 :*
à droite, Technicare Corp. ; *à droite,* Howard Sochurek /
Medical Images, Inc. ; *page 71* Scott Foresman / Addison
Wesley Longman, Inc. ; *page 83* Kent McDonald ; *page 85*
D.W. Fawcet / Photo Researchers ; *page 86* Biophoto / Photo
Researchers ; *page 88* Daniel S. Friend / Harvard Medical
School ; *page 90* D. Friend / © Don Fawcett / Photo
Researchers ; *page 91* CNRI / SPL / Photo Researchers ;
page 100 CABISCO / Phototake NY ; *page 116 :* en haut,
Biophoto / Photo Researchers ; *en bas,* Ed Reschke ; *page 117 :*
en haut, Ed Reschke ; *en bas,* Douglas Merrill ; *page 118*
Biophoto / Photo Researchers ; *page 119* Biophoto / Photo
Researchers ; *page 121* Ed Reschke ; *page 122 :* en haut, Lester
V. Bergman / The Bergman Collection ; *en bas,* Biophoto /
Photo Researchers ; *page 129 :* en haut, R. Kessel / VU ; *en bas,*
Lester V. Bergman / The Bergman Collection ; *page 130 :*
en haut, Biophoto / Photo Researchers ; *en bas,* Ed Reschke ;
page 131 : en haut, Biophoto / Photo Researchers ; *en bas,*
Andrew J. Kuntzman ; *page 132 :* en haut, Ed Reschke ;
en bas, Biophoto / Photo Researchers ; *page 133* Biophoto /

INDEX

NOTE : Les numéros de page suivis d'un t indiquent un tableau ; les numéros de page
suivis d'un f indiquent une figure et les numéros de page suivis d'un e indiquent un exposé.